ZEUGEN DES WISSENS

# ZEUGEN DES WISSENS

AUS ANLASS DES JUBILÄUMS
»100 JAHRE AUTOMOBIL«
1886–1986

DAIMLER-BENZ
AKTIENGESELLSCHAFT

# ZEUGEN DES WISSENS

HERAUSGEGEBEN VON

## HEINZ MAIER-LEIBNITZ

v. HASE & KOEHLER

CIP-Kurztitelaufnahme der Deutschen Bibliothek

*Zeugen des Wissens* / hrsg. von Heinz
Maier-Leibnitz. – Mainz : v. Hase und Koehler,
1986.
ISBN 3-7758-1111-7

NE: Maier-Leibnitz, Heinz [Hrsg.]

Papier: Schleipen
Gesamtherstellung: Kösel, Kempten
Printed in Western Germany
ISBN 3-7758-1111-7

# INHALT

V

# INHALT

# INHALT

# Verzeichnis der Farbtafeln und einfarbigen Tafeln

# Vorwort

## Der Sinn dieser Festschrift

Die Festschrift »Zeugen des Wissens« scheint einer Erklärung zu bedürfen. Hätte es nicht ungleich näher gelegen, sich auf die historischen Berichte über die ersten hundert Jahre des Automobils aus dem Hause Daimler-Benz zu beschränken? Wäre dies nicht genau das gewesen, was einem traditionsreichen und im besten Sinne konservativen [verstanden als das Bewährte bewahrend] Hause wie der Daimler-Benz AG angestanden hätte? Eine bloße Rückschau, gewidmet dem Andenken von Gottlieb Daimler und Karl Benz? Denn sie haben durch ihre Erfindung wie kaum irgend jemand anders das 20. Jahrhundert geprägt. Es wäre nicht in ihrem Sinne, wenn diejenigen, die ihr Erbe fortführen, sich mit einer Betrachtung des bisher Erreichten begnügt hätten.

Vielmehr muß eine Festschrift im Sinne der beiden großen Erfinder weiterführen und in die Zukunft weisen. Das Auto ist auch das Produkt so vieler wissenschaftlicher Disziplinen, daß es sich geradezu anbot, führende Vertreter ihres Faches, die selbst Wesentliches beigetragen haben, zu Wort kommen zu lassen. Viele Aufsätze haben aber bewußt überhaupt keinen direkten Bezug zum Automobil. Dies gilt insbesondere für die Arbeiten über Geisteswissenschaften und Künste, denen ein breiter Raum gewährt wurde. Die Festschrift ist aber *nicht*, das sei betont, eine zwar vielleicht höchst lesenswerte, letztlich aber unter mehr zufälligen Gesichtspunkten kombinierte Sammlung von Arbeiten führender deutscher und ausländischer Vertreter des jeweiligen Faches, also gewissermaßen ein Blick durch das Kaleidoskop der Wissenschaften. Vielmehr sollten Wissenschaftler von ihrer Arbeit berichten und dabei auch auf die Probleme des jeweiligen Faches aufmerksam machen. Daimler-Benz wollte hierfür ein Forum zur Verfügung stellen, wobei über technisch-wirtschaftliche Fragen bewußt hinausgegangen werden sollte.

Es ist eindrucksvoll, wenn Mößbauer berichtet, daß in der Zeit zwischen 1945 und 1983 in den Bereichen Physik, Chemie und Physiologie/Medizin insgesamt 212 Nobelpreise verliehen wurden, von denen 116 an die USA und nur 15 an die Bundesrepublik gingen. Von den 116 an die USA verliehenen Preise gingen wiederum 44 an Wissenschaftler, die an den fünf Universitäten Harvard, Berkeley, California Institute of Technology, Princeton und Cornell arbeiteten. Diese Konzentration der Vergabe einer hohen wissenschaftlichen Auszeichnung auf wenige Plätze bedeutet, daß es an diesen Hochschulen etwas gibt – und gewiß ist es mehr als nur überlegene finanzielle Mittel – das an deutschen Hochschulen fehlt, etwa ein besonderes, die wissenschaftlichen Arbeiten förderndes Klima. Nicht minder bemerkenswert ist es, wenn Queisser darauf hinweist, daß aufgrund der in exponentieller Beschleunigung fortschreitenden Verbilligung von mikroelektronischen Bauteilen ein dem Laien unerheblich erscheinender Rückstand der europäischen mikroelektronischen Industrie von zwei oder drei Jahren über deren Wohl und Wehe entscheiden kann.

Probleme wie diese sollen ans Licht gebracht werden. Warum müssen an den Universitäten schöpferische Energien von Wissenschaftlern durch Administrationsarbeiten absorbiert werden oder warum steht die Bundesrepublik Deutschland bei der Entwicklung der immer kleiner und leistungsfähiger, gleichzeitig aber billiger werdenden elektronischen Bausteine hinter Japan und den Vereinigten Staaten im zweiten Glied?

Man braucht für eine Zielsetzung der Festschrift – neben einem gewissen Ausblick in bestimmte, vielfach mit dem Automobil zusammenhängende Wissensgebiete auch die Diagnose und Therapievorschläge für Schwachstellen, Fehlentwicklungen und Gefahren –, gar nicht die gesellschaftliche Verantwortung eines großen Unternehmens zu bemühen. Die Zusammenhänge sind einfacher und sinnfälliger. Ein an der technischen Spitze stehendes Unternehmen wie Daimler-Benz, das in einem Hochlohnland produziert, wird auf die Dauer nur gedeihen, wenn die wirtschaftlichen, wirtschaftspolitischen und sozialpolitischen Rahmenbedingungen dies erlauben. Deswegen wurde die Idee zu dieser intensiven geistigen Auseinandersetzung auch von dem viel zu früh verstorbenen Gerhard Prinz aufgenommen und von seinem Nachfolger Werner Breitschwerdt mit gleicher Begeisterung weitergeführt.

Anders als zur Zeit von Gottlieb Daimler und Karl Benz sind die Rahmenbedingungen nicht mehr selbstverständlich. Der technische Fortschrittsglaube etwa eines Max Eyth in den letzten Dezennien des 19. Jahrhunderts ist einem auch politisch wirksam gewordenen weitverbreiteten Zweifel am Sinn der technischen Weiterentwicklung gewichen. Dies geht Hand in Hand mit einer schleichenden Abwendung von Grundprinzipien der freien Marktwirtschaft und sozialpolitischen, arbeitsrechtlichen und arbeitspolitischen Verkrustungen. Man fragt sich, ob Karl Benz und Gottlieb Daimler ihre Unternehmen hundert Jahre später hätten gründen können. Zwar hat in den letzten Jahren die Zahl an selbständigen Gründungen zugenommen; insgesamt bleibt die Bilanz jedoch unbefriedigend. Die Zahl der wirtschaftlich erfolgreichen Unternehmen, die nicht älter sind als ein oder zwei Jahrzehnte, ist ohne Zweifel viel zu klein.

## Wie vollzieht sich der Fortschritt heute?

Dies führt zu der Frage, wie sich der Fortschritt heute überhaupt vollzieht. Die geniale Erfindung des einzelnen wird sicherlich immer mehr zur Ausnahme. Mehr und mehr findet die Innovation Schritt für Schritt in den großen Entwicklungsabteilungen, Forschungslabors und in systematischer Zusammenarbeit mit Universitäten und anderen Forschungsinstitutionen statt. Der apparative Aufwand und die hohen Kosten der Versuche wären für den einzelnen Erfinder prohibitiv.

Das Beispiel des Automobilbaus belegt dies. Die großen Fortschritte des letzten Jahrhunderts: Verminderung des Luftwiderstandsbeiwertes, Verringerung des Fahrzeuggewichts und größere Sparsamkeit der Motoren sind Innovationen, die von großen Teams mit erheblicher Kapitalkraft bewirkt wurden. Windkanalversuche, systematischer Ersatz des Stahls durch leichtere Materialien – insbesondere Kunststoff – und kontinuierliche Verbesserung des Wirkungsgrades von Motoren sind Schritt-für-Schritt-Entwicklungen, die das Automobil – jetzt hundert Jahre alt – für den Markt interessant halten.

Überhaupt ist dies eine ganz wesentliche Stoßrichtung des Fortschrittes: Schon bestehende Produkte und Dienstleistungen durch intelligente, an den Bedürfnissen der Käufer orientierte Verbesserungen für diese attraktiv zu halten oder wieder attraktiv zu machen. Die in so hartem internationalem Wettbewerb stehende Automobilindustrie beweist dies. Der unterschiedliche Erfolg zeigt, wie weit es dem einzelnen Hersteller gelingt, – bei einem »alten« Produkt – die Erwartungen der Kunden zu erfüllen.

Der Fortschritt wird sich also nicht nur in den sog. »High-Tech-Industrien« vollziehen, so eindrucksvoll es beispielsweise ist, sich klarzumachen, daß innerhalb von fünfzehn Jahren der archaische Rechenschieber, zwei gegeneinander verschiebbare Holzstücke mit Skalen, durch einen modernen Taschenrechner mit kompliziertester Technik und Physik auf kleinstem Raum ersetzt wurde, der zudem noch billiger ist. Die oben erwähnte exponentielle Preisverfallkurve bei der Mikroelektronik läßt es aber weder als möglich noch als erstrebenswert erscheinen, auf all diesen Gebieten mitzuhalten. Vielmehr wird es darauf ankommen, intelligente Anwendungsgebiete der Mikroelektronik zu finden und auszubauen.

Der technische Fortschritt wird aber beileibe nicht auf neue Produkte, intelligente Verbesserung bestehender Produkte oder neue Anwendungen beschränkt bleiben; auch im Dienstleistungsbereich können traditionelle Dienstleistungen durch neue Techniken für den Benutzer attraktiv gemacht werden. Der TGV mit 250 km/h Geschwindigkeit hat der französischen Eisenbahn völlig neue Benutzerkreise erschlossen. Im Finanz- und Bankbereich waren vor zwanzig Jahren Kreditkarten, Scheckkarten oder Bargeldautomaten, Dienstleistungen also, die dem heutigen Geschäftsreisenden zwischenzeitlich unentbehrlich geworden sind, noch unbekannt.

Wenn sich somit der Fortschritt sicherlich heutzutage ganz anders vollzieht als zu den Zeiten von Karl Benz und Gottlieb Daimler, so gibt es natürlich auch heute noch den einzelnen Erfinder. Konrad Zuse, der Erfinder des Computers, feierte erst kürzlich seinen 75. Geburtstag; seine revolutionierende Erfindung ist wenig mehr als vierzig Jahre alt. Auch der Wankelmotor wurde von einem Erfinder erdacht, dessen revolutionierende neue Idee dann freilich nicht die Hoffnungen erfüllte, die insbesondere die Automobilindustrie daran knüpfte.

Diese Erfinder zu fördern ist wichtig, da technische Kreativität und kaufmännisches Geschick nicht Hand-in-Hand zu gehen brauchen. Die verschiedenen Formen des sog. »venture capital financing« sind sicherlich interessante Ansätze. Man wird das bisher Erreichte kritisch würdigen und daraus zu lernen versuchen. Der vielfach in den USA praktizierte Gedankenansatz, Gelder von risikowilligen Anlegern zu sammeln und dann in eine Vielzahl von kleineren aufstrebenden Unternehmen zu stecken, die vielfach auf Gebieten modernster naturwissenschaftlicher Erkenntnisse operieren, hat eine hohe Plausibilität. Er vereinigt die Idee der Risikostreuung mit der Gewinnchance eines oder mehrerer »Treffer«. Bei den früheren deutschen Versuchen unter der Beteiligung von Banken mochte eine Rolle spielen, daß zwei grundverschiedene »Philosophien« aufeinandertrafen: Zum einen die im Kreditgeschäft geschulte Vorsicht, das Bewußtsein, mit dem Geld der Anleger zu operieren, und auf der anderen Seite die Notwendigkeit, das Neue und damit Unerprobte zu finanzieren. Moderne Formen des venture capital financing unter Einschaltung von großen Hochtechnologie-Unternehmen erscheinen vielversprechender. Der Auswahlprozeß dessen, was gefördert wird, gewinnt an Richtigkeit und Zuverlässigkeit und es kann mehr gegeben werden, als nur Geld und kaufmännisches Know-how. Inwieweit etwaige Befürchtungen der jungen Unternehmen, ihre Selbständigkeit zu verlieren oder mehr technisches Wissen zu geben als zu empfangen, berechtigt sind, muß eine breite Erprobung dieser Finanzierungsform in der Zukunft zeigen.

## Welcher Rahmenbedingungen bedarf der Fortschritt?

Der technische Fortschritt bedarf aber auch bestimmter Rahmenbedingungen, ein Wort, das zu Zeiten von Benz und Daimler sicherlich noch unbekannt war. Das ausgehende 19. Jahrhundert war von einem gewissen naiven und manchmal auch rauhbeinigen Kapitalismus bestimmt, in dem das soziale Element erst langsam seinen Platz fand und bei dem die staatliche Einflußnahme weitgehend fehlte. Es war nicht nur das Zeitalter eines ungetrübten technischen Fortschrittglaubens, sondern auch eine Zeit, die für den erfolgreichen Unternehmer und Erfinder große Belohnungen bereithielt. Das Erworbene konnte weitgehend frei von jeder Einkommen- und Körperschaftsteuer behalten werden.

Der heutige technische Fortschritt ist demgegenüber zu einem sehr erheblichen Teil abhängig von einem komplizierten symbiotischen Verhältnis zwischen Staat und Wirtschaft. Japan und Frankreich sind – bei aller Verschiedenheit – Beispiele dafür, wie der Staat in mannigfaltiger, teilweise gesetzlich gar nicht geregelter und subtile Methoden benutzender Weise auf die Wirtschaft einwirkt. In den Vereinigten Staaten hat die staatliche Reglementierung der Aussonderung alter Automodelle erheblichen Einfluß auf die Automobilindustrie ausgeübt. Die ohne staatliche Mithilfe nicht denkbare Rettung der Firma Chrysler hat die Wettbewerbslage nachhaltig – und positiv – beeinflußt. Die teilweise erheblichen Forschungsaufträge des Federal Government an die IBM haben ganz entscheidend zum Fortschritt im Computerbau beigetragen. Raumfahrt und Verteidigungsindustrie in den USA bewegen sich per definitionem im Hochtechnologie-Bereich und sind völlig vom Staat abhängig.

Diese wenigen Beispiele belegen bereits, daß auch in Ländern, die sich mit Recht auf ihre »staatsfreie« Wirtschaft etwas zugute halten, die Rolle des Staates von allergrößter Bedeutung ist. Wenn dies als Tatsache akzeptiert werden muß, so ist damit noch nicht die Frage beantwortet, wie der Staat *positiv* auf den Fortschritt einwirken kann: Zunächst sicherlich als Auftraggeber mit fest umrissenen technischen Zielsetzungen – auch auf europäischer Basis – (während umgekehrt eine überwiegend politisch bestimmte Zusammenarbeit wenig Nutzen verspricht). Die Sicherheitsauflagen im Automobilbau in verschiedenen Staaten sind hierfür ein Beispiel. Weiterhin muß der Staat die Innovation als solche belohnen. Ansätze hierfür bietet das Steuerrecht ebenso wie das Patentrecht. Schließlich sollte auch die Organisation der Universitäten und Hochschulen so sein, daß Forschungspotential freigehalten wird von administrativen Belastungen.

Als wichtigstes Element der Rahmenbedingungen ist jedoch zu nennen: Innovation wird dort automatisch gefördert, wo auch das Wirtschaften als solches gedeiht, wo der Staat sich nicht mehr einmischt als nötig, und wo der Selektionsmechanismus des Marktes als die wichtigste, die Innovation fördernde Kraft voll zur Geltung kommt.

## Die notwendige Verbreiterung der Kapitalbasis

Wenn es richtig ist, daß Innovation sich heutzutage überwiegend Schritt für Schritt vollzieht, ist eine weitere wichtige Rahmenbedingung die Bereitschaft und Fähigkeit, die notwendigen Investitionen vorzunehmen. ›Investitionen‹ ist hierbei nicht nur im technischen Sinn zu verstehen, auch ein erheblicher Forschungsaufwand kann in diesem Sinne eine Investition sein. Derartige Investitionen sind aber nur auf der Grundlage einer gesunden und breiten Kapitalbasis möglich, die eben auch einmal einen Mißerfolg erlaubt.

Hieran fehlt es aber bei uns, und hier sind nicht zuletzt die Banken aufgerufen. Die Eigenkapitalbasis der deutschen Unternehmen ist im letzten Jahrzehnt erheblich abgesunken. Eine gute Konjunktur in jüngerer Zeit mit zufriedenstellenden Gewinnen und damit verbundener Selbstfinanzierungskraft mag das Problem ein wenig verdecken. Jede konjunkturell ungünstige Lage wird es um so schonungsloser enthüllen. Die deutschen Unternehmen sind unterkapitalisiert mit allen Gefahren, die daraus drohen. Hier können sicherlich die Banken als Berater und auch als Wegbereiter für eine Börseneinführung eine wichtige Rolle spielen um so mehr, als die Börse einmalig günstige Chancen bietet. Damit alleine ist es aber nicht getan. Viele Börsenkandidaten sind zur Zeit noch Personengesellschaften, und eine Umwandlung in eine Aktiengesellschaft mit dem Ziel einer nachfolgenden Börseneinführung scheitert an der doppelten Vermögensteuerbelastung einerseits der neuen Aktiengesellschaft und andererseits des Aktionärs. Ehe diese Doppelbelastung nicht beseitigt ist, wird man kaum auf eine breite Bewegung hin zur Börse hoffen können, die ja neben der dringend notwendigen Verbreiterung der Kapitalbasis vor allem auch dem Ziel einer sozialpolitisch erwünschten breiteren Streuung von Eigentumstiteln dienen würde.

## Was hat sich seit 1886 verändert?

Freilich hat sich gegenüber 1886, der Zeit der Erfindung von Benz und Daimler, mehr geändert als nur die Rahmenbedingungen. Die frühen großen Erfinder waren ein wenig wie Columbus. Sie segelten in unbekannten Gewässern, und das Ziel, das sie erreichten, war oft genug ein ganz anderes als das, was zu erreichen sie sich vorgenommen hatten. Der heutige Naturwissenschaftler ist weniger unbefangen. Benz und Daimler wußten nur, daß die Maschine dem Menschen die schwere Arbeit abnehmen würde; Umweltbelastung, Naturzerstörung und die großen Mißbrauchsmöglichkeiten der modernen Technik waren ihnen unbekannt. Kein Erfinder wird aber diese Perspektive heute aus dem Auge lassen. Kriege und Kriegsgefahr, technische Unglücksfälle, die Gefahren von Arzneimitteln und deren Mißbrauch, Suchtgefahren, die Gefahren des modernen Luft- und Straßenverkehrs sind entweder überhaupt erst Erscheinungen des 20. Jahrhunderts oder die technischen und naturwissenschaftlichen Möglichkeiten unserer Zeit haben sie um ein vielfaches potenziert. Der moderne Naturwissenschaftler und Erfinder weiß, daß alles, was er erdenkt, auch dem Mißbrauch offensteht, und eine so gesehen reflektierte Abkehr von einem naiven Fortschrittsglauben ist ein durchaus legitimer und verständlicher Kern des Zweifels am Sinn des Fortschritts schlechthin.

Indessen: Der Wandel als solcher ist unaufhaltsam. Das wiederentdeckte Buch des amerikanischen Schriftstellers des 19. Jahrhunderts, David Thoreau, über sein einfaches Leben am See von Walden, mag eine ganze Generation der heute Jüngeren, insbesondere in Amerika, tief beeindruckt haben. Es eignet sich, indessen, nicht als Lebenskonzept. Wenn Thoreau formuliert, daß »most of the luxuries and many of the so-called comforts of life are not only not indispensible but positive hindrances to the elevation of mankind«, dann mag dies dem Lebensgefühl einer ganzen Generation entsprechen, aber das wichtige des Satzes ist eben der Umkehrschluß, daß es zumindestens einigen Fortschritt gibt, der eben »the elevation of mankind« nicht behindert.

Die wissenschaftliche Forschung ermöglicht neue Konstellationen in der Wirtschaft und Politik. Das Fernsehen hat unser ganzes politisches Leben verändert. Ohne die berühmten Fernsehdebatten mit Nixon hätte Kennedy im Herbst 1960 – also zu einem Zeitpunkt, als das Fernsehen in unser aller Leben zu treten begann – kaum seinen Wahlsieg (um Haaresbreite) errungen. Seitdem ist die besondere Fähigkeit – mit telegen höchst unvollkommen beschrieben –, über das Medium Fernsehen überzeugend zu wirken, eines der wichtigsten Eigenschaften des Politikers überhaupt geworden.

Mit Thoreau läßt sich sicherlich streiten, ob das Fernsehen »a positive hindrance to the elevation of mankind« ist. Wenn ja, gewiß nicht deswegen, weil es beispielsweise erstklassige künstlerische Darbietungen jedermann zugänglich macht und damit das künstlerische Anspruchsniveau erheblich angehoben hat, sondern deswegen, weil es sich – wie so viele Errungenschaften der Neuzeit – eben auch mißbrauchen läßt. Es ist sicherlich weniger dem Fernsehen als der Indolenz der Eltern anzulasten, wenn Kinder stundenlang und unkritisch vor dem Fernsehschirm verharren.

Unser ganzes Leben wird in ungleich stärkerem Maße, als man es sich gewöhnlich klarmacht, von der ständigen Innovation betroffen. In einem Zeitalter, das man schon das Zeitalter der Information genannt hat, ist hierbei die Schnelligkeit des Informationsaustausches besonders bedeutungsvoll. Als Benz und Daimler schon erwachsene Männer waren, erreichte die Nachricht von der Erschießung Maximilians in Queretaro im Juni 1867 Europa erst zehn Tage später. Heute geht jede Nachricht innerhalb von Sekunden um den Erdball. Jede wichtige Mitteilung wird inzwischen durch Telex oder Telefax übermittelt und erreicht den Empfänger nahezu zeitgleich. Die Akzeleration von Entscheidungsprozessen, die an sich damit einhergehen sollte, scheitert noch an dem Engpaß Mensch, der die Entscheidung letztlich zu treffen hat und – mehr oder minder dem Fortschritt entzogen – nach wie vor seiner Bedenkzeit bedarf.

Zur Zeit von Benz und Daimler hatte das technische Zeitalter schon begonnen. Die Eisenbahn und der Telegraph begannen das Leben der Menschen zu verändern. Niemand vermochte sich indessen vorzustellen, daß der ständige Wandel einmal ein Kontinuum in unserem Dasein werden, gewissermaßen die einzige Konstante sein würde. Dabei liegt es an uns, daß dabei die Orientierung gewahrt wird, und Wandlungen, die »a positive hindrance to the elevation of mankind« sind, vermieden werden.

## Der Wandel als Chance der Mitgestaltung einer Zukunft in Freiheit

Das ist indessen leichter gesagt als getan. Die Freiheit umschließt auch die Möglichkeit des Mißbrauches: Der freie Konsument mag unnütze oder schädliche Dinge verlangen. Der Mensch ist auf freie Selbstbestimmung angelegt, und man wird ihn nur warnen, ohne ihm die schädliche Neuerung vorenthalten zu können. Letztlich wird sich darin aber auch die Fähigkeit der Führung in der Politik ebenso wie in den Wirtschaftsunternehmen erweisen: Das ihrige dazu beizutragen, daß der konstante Wandel in die »richtige« Richtung geht. Was richtig ist, bestimmt in einer freien Wirtschaft natürlich zunächst der Markt. Inwieweit darf der Staat hier eingreifen? Er kann vorschreiben, daß eine Zigarettenreklame mit einer Warnung vor gesundheitlichen Gefahren des Zigarettenrauchens verbunden wird. Darf er aber darüber hinaus den Inhalt beeinflussen oder die Werbung ganz verbieten? Der Staat kann anordnen, daß jeder den Sicherheitsgurt im Auto anzulegen hat – wieviel weiter soll oder darf seine Fürsorge aber noch gehen?

Diese Überlegungen zeigen, daß nicht der Staat allein und nicht »die Wirtschaft« allein und auch nicht der Markt als der große Regulator auf sich gestellt die Richtung des Wandels bestimmen können. Die Richtung des Wandels, aufgefaßt als Verpflichtung und Chance zur Mitgestaltung der Zukunft, ist die Sache jedes einzelnen.

Dabei stehen die Chancen hier gar nicht schlecht. Benz und Daimler hätten sich eine Arbeitswoche von 40 Stunden, das Auto für jedermann, den fast vollständigen Sieg über alle Infektionskrankheiten, eine um Jahrzehnte längere Lebenserwartung, aufwendigste und effektivste Krankenversorgung für alle und jährliche Urlaubsreisen in exotische Gegenden als Selbstverständlichkeit nicht vorstellen können. Kein Kultur- oder Europessimismus, keine politische »Zurück zur Natur«-Bewegung, kann ableugnen, daß es der Wandel und Fortschritt auf vielen Gebieten war, der all dies bewirkt hat. Jeder einzelne auf seinem Platz – und sei es als Konsument – kann dazu mitwirken, daß auch weiterhin neue menschengerechte und sinnvolle Ziele des Wandels angesteuert werden, wobei es Zielkonflikte geben wird und nicht alles auf einmal zu erreichen ist.

Auto und Flugzeug sind ungleich sicherer, umweltschonender und energiesparender als früher, und auf diesem Wege muß der Fortschritt weitergehen. Die Ziele der Pharmazie, die noch unbesiegten Krankheiten zu bezwingen, noch sicherere Medikamente mit noch weniger Nebenwirkungen zu produzieren und die Verfallserscheinungen des Alters zu verlangsamen, sind eindeutig. Alle gemeinsame Energie muß darangesetzt werden, die Diagnose für die großen Waldschäden zuverlässig zu erstellen und Therapien zu entwickeln. Auf vielen Gebieten liegt somit die Richtung des Wandels auf der Hand, ist ein Konsens leicht herzustellen.

Auf anderen Gebieten wird dies viel schwieriger sein. Dies gilt beispielsweise für bestimmte Bereiche unseres gesellschaftlichen Wandels.

Die Ausbildung und Bildung ist breiter, aber nicht besser geworden. Die Tatsache, daß sich die Zahl der Abiturienten und Studenten in den letzten Jahren vervielfacht hat, darf nicht darüber hinwegtäuschen, daß die Qualität der Ausbildung und Wissensvermittlung gesunken ist. Deutschland war in den ersten dreißig Jahren unseres Jahrhunderts – also in einer Zeit *vor* der Begabungsunterschiede unterpflügenden Massenausbildung – eines der führenden Zentren der Medizin und Physik, das Studenten aus der ganzen Welt anzog.

Unsere Zukunft als rohstoffarmes Hochlohnland wird ganz wesentlich davon abhängen, daß es gelingt, die Ausbildung unserer Naturwissenschaftler und Ingenieure an der Weltspitze zu halten oder diese wieder zu erreichen, wo sie verlorenging. Diese Ausbildung fängt lange vor der Universität an und der Wandel muß dahin gehen, daß Kinder wieder ihren unterschiedlichen Begabungen gemäß ausgebildet werden, und nicht wegen irgendwelcher fragwürdiger politischer Leitbilder von der angeblichen Gleichheit aller Menschen Lehr- und Lernformen eingeführt werden, die sich nach dem am wenigsten Begabten ausrichten und das begabte Kind unterfordern. Diese Entwicklung ist ein großes Unrecht am talentierten jungen Menschen, dessen lernfähigste Jahre schlecht genutzt verstreichen.

Ein weiteres kontroverses Thema des gesellschaftlichen Wandels wird die Arbeitslosigkeit bleiben. Wie so oft ist die Diagnose schon die halbe Therapie. Ehe man sich aber nicht darauf einigt, daß die Arbeit ein Gut ist, das seinen Preis hat, und erkennt, daß dieser Preis in Deutschland hoch, vielfach zu hoch ist, wird eine Therapie nicht möglich sein. Solange werden dieselben Palliativa, die immer wieder versagt haben – wie etwa staatliche Beschäftigungsprogramme – vorgeschlagen werden, und solange wird man sich an einen überzogenen Arbeitsrechts- und Sozialschutz klammern, obwohl nachweisbar ist, daß es sich hier oftmals um für die Bekämpfung der Arbeitslosigkeit kontraproduktive Entwicklungen handelt.

Es gibt somit Sektoren des Wandels, bei denen uns die Orientierung und die Bestimmung der Zielrichtung leichtfällt und solche, bei denen um den richtigen Weg gerungen werden muß. Es ist wohl kein Zufall, daß gerade die Weiterentwicklung und die Wandlung gesellschaftlicher Formen und Fragen als häufig von vorneherein politisch determiniert besonders kontrovers sind.

## Die Kunst des Weitblicks

Hier kann nur die Kunst des Weitblicks eine sichere Basis für echte und sinnvolle Fortschrittlichkeit liefern. Politische Fixierungen und Vorurteile können nur im Wege sein. Gewiß fehlt es bei gesellschaftlichen Strukturierungen und Formen häufig an der naturwissenschaftlichen Sicherheit der Beweisführung, aber es gibt ja die Empirie. Welches System hat sich bewährt, wo ist es gelungen, die Arbeitslosigkeit einzudämmen und neue Arbeitsplätze zu schaffen, und unter welchem System ist der Markt als großer Antriebsfaktor und Verteiler von Wohlstand wirksam? Der Historiker und Wirtschaftshistoriker wird hierauf die Antwort zur Hand haben. Nicht zuletzt diesem Gedanken soll die vorliegende Festschrift dienen: Anregungen von kompetenten Wissenschaftlern für die Zielsetzung und Zielrichtung des Wandels auf vielen Gebieten zu geben.

## Der Stellenwert der Freiheit

So kontrovers somit die Beurteilung der wünschenswerten gesellschaftlichen Entwicklungen auf vielen Gebieten sein mag, so sicher herrscht Einverständnis über den hohen Stellenwert der Freiheit. Auch hier besteht durchaus Grund zum Optimismus. Die

Bundesrepublik dürfte historisch derjenige deutsche Staat sein, der wie kein anderer zuvor dem einzelnen Freiheitsrechte auf politischem, wirtschaftlichem und religiösem Gebiet gewährleistet.

Auf politischem und religiösem Gebiet mag das auf der Hand liegen. Die wirtschaftliche Freiheit ist hingegen etwas mehrdimensionales, das der Erläuterung bedarf. Sie umfaßt die Freiheit der Berufswahl ebenso wie als Bedingung der freien Marktwirtschaft die Freiheit des Konsumverhaltens und der Möglichkeit, sich fast auf der ganzen Welt frei bewegen zu können.

Dies ist aber nur eine Dimension und ein Aspekt der Freiheit. Der andere ist im Menschen selbst angelegt, und der Mensch ist auf ihn angelegt. Freiheit ist auch Freiheit der Gestaltung des eigenen Lebens und damit die Freiheit der Wahl zwischen einem erfüllten und einem sinnlosen Leben und den vielen möglichen Zwischenformen. Wie Röpke es ausdrückte, haben wir im Kapitalismus »die Freiheit der moralischen Entscheidung, und niemand wird hier *gezwungen*, ein Schurke zu sein«. Umgekehrt ist in einem kollektivistischen Gesellschafts- und Wirtschaftssystem, so fährt Röpke fort, »– das ist die tragische Paradoxie – ... gerade dies, wozu wir gezwungen werden, wenn wir durch die teuflische Staatsraison eines solchen Systems in den Dienst des Gesamtapparates gepreßt und fortgesetzt zu Handlungen genötigt werden, die unser Gewissen mißbilligen muß«. (Wilhelm Röpke, Jenseits von Angebot und Nachfrage, Zürich, Stuttgart [2]1958, S. 165).

Die so verstandene Freiheit – die eben in der Staatswirtschaft fehlt – ist ein Essentialium jeder menschlichen Existenz. Sie bringt große Chancen und große Gefahren bei Mißbrauch. Die Chancen zu nutzen und die Gefahren zu meiden ist Reiz und Fährnis der menschlichen Existenz.

Dies gilt insbesondere für ein Wirtschaften in einer freien Marktwirtschaft. Die Freiheit ohne eine moralische Selbstbindung der Verantwortlichen würde zu einem Chaos führen. Die freie Marktwirtschaft ist sicherlich nicht nur das System, das die größte Zahl der Chancen bereithält, es ist sicherlich auch gegenüber dem einzelnen ein sehr anspruchsvolles System. Anspruchsvoll nicht nur, weil der Markt täglich Bewährung fordert, sondern auch, weil sie, anders als jede Plan- und Kommandowirtschaft, auf Vertrauen beruht. Vertrauen kann der Marktteilnehmer aber nur haben, wenn er weiß, daß sein Partner seinerseits – selbstverantwortlich und in eigener Selbstbindung – seine Freiheit nicht mißbraucht. Letztlich wird man aber dem Ausspruch von Anatole France, des französischen Zeitgenossen von Benz und Daimler, in seinem Buch »M. Bergeret à Paris« – »Tous les progrès sont incertains et lents, et suivis le plus souvent de mouvements rétrogrades. La marche vers un meilleur ordre de choses est indécise et confuse« wenig hinzuzusetzen haben. Wenig, aber vielleicht doch dies: Die Richtung »vers un meilleur ordre« hängt letztlich doch von uns ab.

Hermann J. Abs

Heinz Maier-Leibnitz

# Einleitung

Daß die Wissenschaft die Menschen trennt in solche, die sie verstehen, und solche, die sie nicht verstehen, das ist fast so alt wie die Wissenschaft selbst. Bis heute kennen die meisten etwa von Archimedes nur die Dichtemessung, mit der er angeblich die Echtheit einer goldenen Krone nachprüfen konnte, oder vielleicht die Hohlspiegel, mit denen er das Licht der Sonne auf feindliche Schiffe gerichtet haben soll. Seine sehr bedeutenden mathematischen Leistungen sind fast niemandem bekannt, ja die ganze exakte Wissenschaft war viele hundert Jahre aus dem europäischen Raum verbannt. Das Problem, sie zu kennen oder zu verstehen, stellte sich nicht mehr fast bis zu Kopernikus und Galilei. Aber dann kam mit diesen, und mit Kepler und vor allem Newton gleich ein großer Sprung vorwärts, eine neue Wissenschaft und eine Trennung von den übrigen Gebildeten. Leibniz war wohl der letzte Universalist, der auch ein bedeutender Mathematiker war. Voltaire hat sich rührend um Newtons Lehre und auch um eigene naturwissenschaftliche Tätigkeit bemüht, aber er kam nicht mehr zu wirklichem Verständnis.

Als nächstes kam die Trennung der beschreibenden Naturwissenschaft, der Naturgeschichte, von den sogenannten exakten, auf Mathematik und Physik beruhenden Wissenschaften. Alexander von Humboldt war ein großer Naturforscher. Bei seinen Reisen machte er auch Messungen des magnetischen Erdfelds und seiner Schwankungen. Der große Mathematiker Carl Friedrich Gauß tat Ähnliches in Göttingen zusammen mit dem Physiker Wilhelm Weber. Aber Humboldt konnte die Theorie, die Gauß dazu machte, nicht mehr verstehen.

Andererseits: Die großen Entdeckungen von Gauß in der Mathematik wurden, wenn ich das richtig sehe, von kaum einem Dutzend seiner Zeitgenossen wirklich verstanden (und Gauß selbst hat wenig getan, um hier zu helfen). Heute sind sie in das Denken aller Mathematiker und vieler Anwender übergegangen. Ein Student heute lernt sie im zweiten Semester.

Hier nun ist unsere Hoffnung in einer Zeit, in der die Summe der naturwissenschaftlichen Erkenntnis sicher rascher wächst als je zuvor. Es ist offenbar so, daß für die, die der Wissenschaft neu zuwachsen oder die sie anwenden, das Bild vom Wissensgebäude, dem wir Stein um Stein zufügen, nicht stimmt. In jeder Generation wird ein Teil des Gebäudes neu entworfen, mit neuen Zugängen, neuen Denkgrundlagen, die für größere Gebiete als bisher gelten. Die alten Kammern gibt es noch, mit Wächtern, die ihren Inhalt kennen und bei Bedarf weitergeben. Aber ein junger Mensch oder einer, der sich einem enorm gewachsenen Gebiet neu oder wieder zuwendet, kann ohne sie zu einem vollen Verständnis kommen und kann unbeschwert wieder neue Wege suchen.

Zur Euphorie ist dabei freilich kein Anlaß. Das heutige Wissen ist in der Tat viel größer, als ein einzelner es beherrschen kann. Ich zögere nicht zuzugeben, daß ich als Experimentalphysiker mit langjähriger Lehrerfahrung wohl nicht mehr als zehn Prozent der Physik gut kenne oder verstehe. Ich nehme an, daß es anderen ähnlich geht. Aber wir alle können bei Bedarf gezielt mehr lernen, um dann auf neuen Gebieten zu forschen oder zu handeln. Das Studium kann heute Wissen nur an Beispielen vermitteln; im übrigen muß es ganz darauf abgestellt sein, zur lebenslangen Lernfähigkeit zu erziehen.

Aber auch das genügt nicht. Natürlich muß es gute Lehrbücher geben, die das jeweils neue Denken rechtzeitig erfinden, ausbreiten, verständlich machen. Das ist wichtig und schwierig und wird zu oft vernachlässigt. Aber kann man überhaupt erwarten, daß die Lehrbücher der neuen Entwicklung rechtzeitig folgen? Das wäre wohl möglich, wenn sie von den besten Leuten gleichzeitig mit der Forschung geschrieben würden. Aber das wird wohl eher selten sein. Wer selbst neue Forschung macht, ist damit sehr beschäftigt.

Aber es gibt doch eine Hilfe, und die liegt darin, daß gerade die besten Forscher einander kennen und viel miteinander reden. Internationalität der Forschung, gegenseitige Achtung und Freundschaft wirken hier zusammen. Eine der Wirkungen ist, daß diese Wissenschaftler einen größeren Überblick bekommen und auch eine größere Fähigkeit, das, was sie selbst wissen, zu erklären. Meine Erfahrung ist, daß ich Neues immer am ehesten verstanden habe, wenn es mir einer der führenden Leute erklärte.

Ein Teil des Mutes, den es brauchte, diese Herausgeberaufgabe anzunehmen, kam daher, daß ich viele gute Wissenschaftler kennengelernt habe und deshalb hoffen konnte, für genügend viele Felder (der Umfang eines jeden Buchs erzwingt ja eine sehr begrenzte Auswahl möglicher Themen) Autoren zu finden, deren Kompetenz, Breite und Darstellungsfähigkeit nicht leicht von einem anderen übertroffen wird.

Damit bietet das Buch sowohl dem interessierten Laien wie dem Fachmann fremder Gebiete eine besondere Hilfe an. Es soll nicht nur einer besseren neuen Kenntnis dienen, sondern es sollen auch die allgemeinen Denkmöglichkeiten dargestellt werden, die über den Tag hinaus Gültigkeit haben. Bei den Ingenieurthemen Werkstoffe, Kunststoffe, Risikoanalyse, Computer-Architektur sind Gegenstände ausgeführt, die über das speziell behandelte Gebiet hinaus neues Denken anderswo vorbereiten, oder die, wie beim Risiko, überholte oder durch Mißbrauch verformte Denkweisen durch leistungsfähige neue ersetzen.

Zwei Artikel aus dem Gebiet der Physik (im weiteren Sinn) behandeln Grundlagen unseres naturwissenschaftlichen Weltbildes: die Kosmogonie, wo die größten Dimensionen und die Geschichte des Universums im Zusammenhang mit den kleinsten Dimensionen der Elementarteilchen Aufklärungen erfahren haben, und die Physik der elementaren Bestandteile der Materie. Hier handelt es sich um Grundgesetze der Welt, die allmählich auch mehr in das allgemeine Denken übergehen sollten. Ein dritter Aufsatz gilt der festen Materie und hier den Halbleitern als Beispiel, wie schöne und anspruchsvolle neue Physik große Teile der Technik revolutionieren kann. Und ein vierter Beitrag behandelt die Weltraumforschung, eine neue Dimension der experimentellen Wissenschaft mit noch unabsehbaren Folgen und mit sehr aufwendigen Methoden.

Mit der wachsenden praktischen Bedeutung und auch mit den hohen Kosten der Forschung sind neue Probleme für die Politiker und auch für die Öffentlichkeit entstanden, die sehr kontrovers und oft mit ideologischen Gewichten diskutiert werden. Die Wissenschaften haben hier Klärendes beizutragen, das über den Tag hinaus Bedeutung hat. Das Buch bringt Beiträge über europäische Zusammenarbeit, über die Zukunft der in nationalen Laboratorien betriebenen Großforschung und über die Forschung an den Universitäten, alles Themen, denen wir große Aufmerksamkeit wünschen müssen.

Bei den übrigen Naturwissenschaften bestehen mehrere Lücken, vor allem in einem Punkt: es fehlt entgegen unserer Absicht die anorganische Chemie. Dafür gibt es eine Darstellung der Wandlungen, die die Geologie erfahren hat, nicht zuletzt durch die immer enger werdende Verbindung mit der Chemie. Der Leser findet ferner eine sehr schöne historische Schilderung, wie aus der organischen Chemie die Biochemie sich herausgebildet hat, und eine umfassende und klare Darstellung des Umfangs und Standes der Biotechnologie mit ihren unaufhaltsamen Fortschritten. Die reine Biologie beginnt mit einer ganz neuen Darstellung über die Entstehung des Lebens. Es folgen zwei Artikel über Evolution in der Verbindung mit Freiheit und mit Moral, also schon mit philosophischen Gewichten.

Bei der Medizin konnten natürlich auch nur Teilgebiete behandelt werden: Das Gehirn als Organ der Seele und der Kommunikation, und Strahlenwirkungen. Dazu aber kommt wieder ein Artikel über die Möglichkeiten und Notwendigkeiten der Forschung, motiviert durch die Erfahrungen mit den großen und nicht immer wirksamen Programmen zur Krebsbekämpfung, wo Forscher und Verwalter einen großen Lernprozeß durchgemacht haben.

Diese Themen betreffen die Hälfte der Ziele des Buches, die Unterrichtung über Ergebnisse und Denken in Naturwissenschaft und Technik. Sicher wird ein Teil der Leser des Buches aus dem Kreis derer kommen, die in Naturwissenschaft oder Ingenieurwesen ihre Ausbildung erfahren haben. Ich möchte dabei zwischen Ingenieuren und Naturwissenschaftlern keinen prinzipiellen Unterschied machen, denn bei aller Breite der Tätigkeiten zwischen reiner Forschung und Anwendung oder Entwicklung haben sie doch gemeinsame Denkgrundlagen; und bei vielen Problemen läßt sich heute sowieso Forschung und Entwicklung nicht mehr trennen. In diesem Kreis also werden sich viele über eine kompetente und verständliche Unterrichtung über mehr oder weniger ihnen verwandte, jedenfalls sie interessierende Gebiete freuen.

Und das Buch will sich nicht nur an Naturwissenschaftler und Ingenieure wenden, sondern allgemein an viele, die Verantwortung tragen und die in ihrem Beruf oder in einem Bemühen um eine gewisse Universalität einen Überblick über viele Gebiete brauchen oder wünschen. Was sie in den Zeitungen über Technik und Wissenschaft lesen, läßt oft viele Wünsche offen. Hier zu helfen, mußte eine wichtige Aufgabe des Buches sein. Es gibt gute Beispiele in einigen großen Zeitungen der Welt. Der Wissenschaftsjournalismus hat unzweifelhaft Fortschritte gemacht in einer Darstellungsart, die natürlich nicht die ganze Vorbildung des Naturwissenschaftlers ersetzen kann, aber doch ein Gefühl für wesentliche Zusammenhänge und Denkweisen zu wecken vermag. Wir glauben aber, daß eine ganze Anzahl der führenden Wissenschaftler und Ingenieure bei ihren vielseitigen Tätigkeiten und Kontakten auch die Kunst der verständlichen Darstellung gelernt hat. Wir haben uns an einige von ihnen gewandt und fast immer Zusagen bekommen, ja darüber hinaus Bereitschaft gefunden, auf Änderungs- und Ergänzungswünsche des Herausgebers einzugehen.

Mit der Betonung von Personen, die ihr Gewicht durch wissenschaftliche Leistung erhalten haben, greifen wir Tendenzen an, die vielleicht nur modisch sind, die aber sicher große Wirkungen gehabt haben. Man hört heute oft zwei Einwände. Der eine kommt meist von Politikern, die berichten, daß sie für jedes Problem ganz verschiedene Antworten bekommen können, alle von Wissenschaftlern, die sich selbst so nennen und von anderen unterstützt werden. Der zweite Einwand beruht auf der Behauptung, daß für eine Kenntnis der Wahrheit, selbst wenn die Frage nach ihr richtig gestellt ist, die Methoden der Naturwissenschaft nicht ausreichen und daß man deshalb Gesichtspunkte aus anderen Disziplinen und Ideologien mit heranziehen muß.

Beide Einwände sind zum Teil berechtigt. Ein Naturwissenschaftler ist wie andere Menschen dem Irrtum unterworfen, und auch in dem, was man den Stand der Wissenschaft nennt, gibt es Irrtümer auf dem Weg zum Fortschritt. Solches zu bemerken und zu bessern ist Sache der Diskussion der Naturwissenschaftler untereinander, möglichst vor dem Eintritt in die öffentliche Diskussion. Hier liegt eine große Aufgabe, der nicht immer alle gerecht werden, am ehesten aber doch die, die bei ihrer eigenen Arbeit die Bedeutung der Selbstkritik gelernt haben und dem ihre Erfolge zu einem wesentlichen Teil verdanken. Aber meistens spielt dabei schon das zweite Argument mit. Die Gegner der konventionellen Naturwissenschaft sprechen vom Herrschaftswissen, das durch ein anderes, höherwertiges ersetzt werden müsse, und sie schütten dabei das Kind mit dem Bade aus. Gewiß sind, etwa für praktische Entscheidungen, fast immer auch andere Gesichtspunkte als die der naturwissenschaftlichen Kenntnis wichtig. Das bedeutet aber doch nicht, daß die letztere falsch ist und daß naturwissenschaftliche Ergebnisse nur gelten, wenn sie solche höheren Gesichtspunkte erfüllen. Es gibt keine »höhere« Naturwissenschaft.

Wir haben uns bei einer Anzahl anderer öffentlich diskutierter Probleme, vor allem im Bereich der Umwelt, enthalten. Wir hätten zwar fast überall auf frühe, ernsthafte Warnungen von seiten der Wissenschaft hinweisen können, aber in der heutigen verwirrten und polarisierten Diskussion ist es vielleicht besser, eine Klärung durch neue wissenschaftliche Erkenntnisse und damit eine Objektivierung abzuwarten.

Das war nun die Hälfte der Anliegen dieses Buches. Die andere Hälfte betrifft Themen außerhalb von Naturwissenschaft und Technik, und hier sind wieder alle künftigen Leser angesprochen, denn für sie alle können diese Gebiete nur ein Teil ihrer Interessen, aber vor allem ihrer Bedürfnisse sein. Man spricht heute noch viel von der von C. P. Snow beklagten Trennung der zwei Kulturen, einer literarischen und einer naturwissenschaftlichen. Wir meinen, daß es Anzeichen für eine Auflösung der seit dem Anfang des letzten Jahrhunderts gewachsenen und zum Teil noch recht starken Polarisation gibt. Das Eindringen des Computers und der für seine Handhabung nötigen Denkweisen, zusammen mit der wachsenden Erkenntnis, daß der Computer uns hilft, nicht uns beherrscht oder in die Irre leitet, dürften viel zur Befriedung beitragen. Aber es geht ja um viel mehr, als daß man sich gegenseitig liest oder sich freundlicher als bisher zur Kenntnis nimmt. Wir sprachen von einer gewissen Gemeinsamkeit, die die Naturwissenschaftler verbindet. Bei den großen heutigen Problemen müßte es eine solche Gemeinsamkeit zwischen allen geben, eine gegenseitige Kenntnis, eine gemeinsame Sprache, eine Verständigung über Regeln und über Ziele. Es gibt diese Gemeinsamkeit bei Diskussionen auf hoher Ebene zwischen Teilnehmern aus Politik oder Wirtschaft und Naturwissenschaftlern. Aber es gibt sie kaum bei fast allen öffentlichen Diskussionen. Vielleicht sind wir auf dem Weg zu Fortschritten in diesen Dingen, aber die Schwierigkeiten sind viel größer als die, von denen wir bisher sprachen.

Die Naturwissenschaftler müssen lernen, daß sie bei jeder Wechselwirkung mit anderen mehr brauchen als ihr gewohntes Denken. Das gilt für alle Anwendungen ihrer Kenntnisse, für alle Auseinandersetzungen in der Öffentlichkeit, ja für ihre eigene Motivation und Verantwortung, denn sie sind Teil der Gesellschaft, die sie einerseits braucht, aber andererseits erhält und fördert. Die Wissenschaftler sind nicht allein. Alle Probleme der Gesellschaft sind auch die ihren.

Da aber müssen sie viel lernen. Es gibt haarsträubende Beispiele von großen Wissenschaftlern, die glaubten, durch Nachdenken mit ihren Methoden gültige Lösungen finden zu können, die die Politiker dann nur noch auszuführen hätten. Und es gibt viele, die ihre im eigenen Fach durch gründliche Kenntnis und Selbstkritik erworbene Kompetenz ohne Bedenken, ohne Kenntnisse und ohne Selbstkritik auf ganz andere Gebiete übertragen und dort den großen Wissenschaftler spielen. Es wäre sehr schön, wenn die naturwissenschaftliche Methode – Kenntnisse erwerben, von anderen lernen, selbst Fehler suchen, jeden Einwand prüfen – mehr Eingang in öffentliche Diskussionen finden würde. Aber dazu gehört als erstes, daß die Wissenschaftler mehr über andere Gebiete lernen, in denen sie, etwa bei Anwendungen, notgedrungen oder freiwillig Partner für Diskussionen und Warner oder Teilnehmer bei Entscheidungen sind.

Es ist die Absicht des Buches, hier zu helfen, vor allem im gesellschaftswissenschaftlichen Bereich, mit einfachen Darstellungen von mehr bleibender Bedeutung als vieles, was man sonst liest. Kein Autor wird hier ganz ohne außerwissenschaftliche Annahmen auskommen, aber die im Fach gelernte Vernunft und Selbstbeschränkung kann eine große Hilfe sein. Die Auswahl der Themen war noch mehr als bei dem anderen Teil eine Auswahl von Personen. Wenn etwa ein Artikel das Verhältnis der Vereinigten Staaten und Kanada behandelt, so nicht nur, weil wir daraus Wichtiges über das Verhältnis der neuen zur alten Welt lernen können, das sich bei beiden so verschieden entwickelt hat. Es sollte vielmehr gezeigt werden, wie weit ein bedeutender Soziologe mit dem Verständnis eines großen Problems kommen kann, wenn er außer dem Versuch theoretischer Betrachtung alle Mittel der empirischen Forschung und dazu auch historische Daten, ja die Aussagen wichtiger Schriftsteller und Kulturträger verwendet.

Nicht-Naturwissenschaftler, die mit dem Verhältnis der zwei Kulturen befaßt sind, werden wohl vor allem aus den Artikeln des anderen Gebiets Informationen für den Umgang mit ihren Partnern gewinnen. Viel von dem, was sie über ihnen näherliegende Fächer lesen, wird ihnen vertraut sein. Aber vielleicht haben doch manche Artikel etwas Exemplarisches in dem Sinn guter, das heißt einleuchtender und aus einem großen Bemühen um von möglichst viel Wahrheit geformte Argumentation, also dem, was man heute als »Neue Rhetorik« bezeichnet und besonders für die öffentliche Diskussion wirksam zu machen versucht. Alles, was hier bewirkt werden kann, scheint uns unendlich wichtig.

Die Auswahl der Autoren und Themen ist notwendig noch mehr fragmentarisch als im ersten Teil, und der Herausgeber, der die Autoren mit wenigen Ausnahmen vorgeschlagen hat, ist sich hier seiner Verantwortung und seiner Grenzen besonders bewußt. Aus der Geschichte haben wir nur ein Thema gebracht, das ungefähr heißt: »Wozu Wirtschaftsgeschichte?« Für die Wirtschaftswissenschaften gibt es eine neue Theorie der weltwirtschaftlichen Entwicklung, dann eine Darstellung internationaler Verflechtungen, wie sie ein Politiker mit geübter Überzeugungskraft darzustellen vermag, und schließlich eine ebenso charmante wie inhaltsreiche Darstellung des Standes und der Zukunft der Wirtschaftswissenschaften. Bei den Rechtswissenschaften, wo wir uns mehr Beiträge gewünscht hätten, gibt es eine Arbeit über Arbeitsrecht und Arbeitsmarkt. In der Soziologie finden sich das schon erwähnte Paradebeispiel über die USA und Kanada und ein Artikel aus der Wissenssoziologie über die Bildung von Zentren der Wissenschaft. Die Politikwissenschaft, wo wir alle besonders der ernsthaften Belehrung bedürfen, ist mit einem Aufsatz über Totalitarismus und einen über den Verfassungsstaat vertreten.

Wenigstens als Merkposten sollen zwei Artikel aus dem Gebiet der Kunst gelten, für die ich den Autoren besonders dankbar bin. Es ist bekannt, daß Wissenschaftler oft große Neigungen zur Kunst bis hin zu ihrer Ausübung haben. Die Gemeinsamkeiten zwischen den Tätigkeiten des Forschers und des Künstlers sind größer, als man meist meint. Phantasie, Irrationales und Gestaltungskraft haben sie gemeinsam.

Zum Schluß haben wir drei Artikel, die uns an unsere höheren Ziele und Pflichten erinnern. Der Theologe erinnert uns an unsere Freiheit, und zwei Philosophen sprechen von dem Einfluß der Wissenschaften auf die Kultur und von unseren moralischen Pflichten.

Ist es hoffnungslos und hochmütig, von dem neuen Universalisten zu träumen, der etwas vom homo faber, vom Gelehrten, vom Künstler und vom Philosophen in sich trägt? Das vorliegende Buch bringt dazu mehr, als man einem einzelnen Menschen an gründlicher Kenntnis zumuten kann. Aber wir meinen, daß es nicht die Denkmöglichkeiten eines einzelnen übersteigt, und das scheint uns ermutigend für eine Zukunft, in der der Universalist mehr als je gebraucht wird. Gewiß ist das Buch nur ein sehr kleiner Ausschnitt aus dem, was man, einer anfänglichen Idee der Initiatoren folgend, als Universität des Geistes bezeichnen könnte. Aber vielleicht ist dies ein Anfang, der mit anderen Autoren, anderen Ideen, anderen Herausgebern fortgesetzt werden könnte.

Daß eine der traditionsreichsten Firmen der Welt zu ihrem Jubiläum ein solches Werk – initiiert durch die Idee des v. Hase & Koehler Verlages und des inzwischen verstorbenen Vorstandsvorsitzenden Gerhard Prinz – fördern wollte, das über den technischen Bereich hinausreicht in die Geistes- und Gesellschaftswissenschaft und die Kunst, das war für den Herausgeber und sicher auch für die Autoren eine große Ermutigung, eine Aufgabe, die nur schwer und sicher unvollkommen gelöst werden konnte, die aber gerade deshalb von den Beteiligten als Herausforderung angenommen und mit Freude angegangen worden ist. Wir hoffen, daß sich etwas von dieser Freude auf den Leser überträgt. Dem Herausgeber bleibt, den Autoren den Dank abzustatten, daß sie sich die Zeit genommen haben, ein Gebiet, zu dem sie meist selbst Entscheidendes beigetragen haben, jetzt für die Leser dieses Buches verständlich, aber doch mit ihrer vollen Autorität, zu beschreiben.

# Gerhard W. Becker

# Werkstoffe und ihre Prüfung – gestern, heute, morgen

Zahlreiche Veröffentlichungen in Fachzeitschriften und in der Tagespresse haben in den letzten Jahren deutlich gemacht, in wie starkem Maße der technische Fortschritt vom Vorhandensein geeigneter Werkstoffe abhängt. Repräsentanten der Wissenschaft, der Wirtschaft und der Politik haben übereinstimmend betont, daß die Verbesserung vorhandener Werkstoffe und die Suche nach neuen Stoffen und Stoffkombinationen eines der wichtigsten Ziele der zukünftigen Technologiepolitik sein muß. Der Bundesminister für Forschung und Technologie bezeichnete die Materialforschung geradezu als »Flaschenhals der technischen Entwicklung«.

Entsprechende Überlegungen sind auch in anderen Industrieländern angestellt worden und haben, vor allem in den USA und in Japan, zu gezielten Forschungs- und Entwicklungsprogrammen geführt. Seit 1982 laufen Bemühungen der Kommission der Europäischen Gemeinschaften, neben bereits bestehenden Förderungen größere Programme vorzubereiten und damit gemeinsame Anstrengungen der Mitgliedsländer u. a. auf dem Gebiet der anwendungsnahen Materialforschung zu veranlassen. Zur frühzeitigen Vermeidung technischer Handelshemmnisse auf dem Gebiet neuer Materialien und zur Festlegung ihrer maßgebenden Eigenschaften haben die Staats- und Regierungschefs der wichtigsten Industrieländer der westlichen Welt auf ihrer Gipfelkonferenz in Versailles im Juni 1982 die Bildung einer gemeinsamen Arbeitsgruppe »Advanced Materials and Standards« vereinbart. Schließlich hat die Bundesregierung im Jahre 1984 ein größeres Materialforschungsprogramm initiiert, um auf wichtigen Technologiegebieten neue Werkstoffe zu entwickeln oder vorhandene neuen Anwendungen anzupassen. Es spricht vieles dafür, daß auch in den Ostblockländern zusätzliche Anstrengungen unternommen werden, um den Anschluß an die Weltspitze nicht zu verlieren.

Was ist neu an diesen Programmen und Initiativen? Eigentlich nur, daß ausdrücklich von Werkstoffen oder Materialien, die aus ihnen gefertigt werden, die Rede ist und daß sie damit zum unmittelbaren Ziel von Forschungs- und Entwicklungsarbeiten gemacht werden. Denn schon bisher haben Werkstoff- und Materialentwicklungen den technischen Fortschritt ausschlaggebend beeinflußt. Als Beispiele mögen die Verwendung des Siliziums in der modernen Mikroelektronik, der Einsatz spezieller Aluminiumlegierungen in der Luftfahrt oder die Benutzung hitzebeständiger hochfester Faserverbundwerkstoffe in der Raumfahrt genügen. So waren schon in früheren Forschungsprogrammen Werkstoff- und Materialentwicklungen impliziert, und dies wird auch künftig für spezielle Projekte gelten.

## Werkstoffe als Grundlage der menschlichen Existenz

Ohne Zweifel besteht ein enger Zusammenhang zwischen der Entwicklung der Werkstoffe und der Menschwerdung überhaupt. Der Vorzeitmensch konnte sich nur dadurch behaupten, daß er seine natürlichen Fähigkeiten mit Hilfe von Werkzeugen und Materialien, die aus geeigneten Werkstoffen gefertigt waren, verbesserte. So machte er sich das Feuer nutzbar, um sich zu wärmen und Nahrungsmittel aufzubereiten, so fertigte er Waffen zur Nahrungsbeschaffung und zur Verteidigung gegenüber stärkeren Tieren – leider wohl auch zum Angriff gegenüber seinesgleichen –, so baute er geeignete Behausungen und kleidete sich zum Schutz gegen ungünstige Witterung.

Damit ist eigentlich der Werkstoff für den Menschen »der Vater aller Dinge«. Er läßt ihn zum homo faber werden und macht ihm die Erde untertan!

### Definition des Materials

Alles, was uns in der modernen Industriegesellschaft umgibt, besteht – soweit es nicht im Urzustand vorliegt – aus Werkstoffen. Es gibt feste, flüssige und gasförmige Stoffe. Aus festen Stoffen werden durch Be- und Verarbeitung Halbfertig- oder Fertigprodukte hergestellt, während flüssige und gasförmige Stoffe als Hilfs- oder Arbeitsstoffe, etwa zur Kraftübertragung oder zur Schmierung verwendet werden.

Die Gesamtheit der Stoffe, der Halbzeuge und Fertigerzeugnisse, aber auch der Rohstoffe, wird unter dem Begriff »Material« zusammengefaßt. Dabei kann es sich um Materialien mit sehr kleinen Abmessungen, wie etwa Mikrochips handeln oder um solche mit sehr großen, wie das Empire State Building oder gar die Chinesische Mauer. Ob Maschine, Gerät, Fahrzeug, Bauteil, Konstruktion oder Konsumgut: in allen Fällen sind es von Menschenhand geschaffene Materialien, deren Eignung durch ihre Zuverlässigkeit und Haltbarkeit, ihre Verfügbarkeit und Wirtschaftlichkeit gegeben ist.

Allen diesen Eigenschaften sowie der Problematik, Werkstoffe aus Rohstoffen zu gewinnen und Halbzeuge und Fertigerzeugnisse aus Werkstoffen herzustellen, widmet sich die Werkstoff- und Materialprüfung. Dabei geht es ihr nicht nur um die Sicherheit und Gebrauchstauglichkeit der Materialien, sondern auch um die damit verbundenen Fragen der Rohstoff- und Energiesicherung sowie des Gesundheits- und Umweltschutzes.

Während die Werkstoff- und Materialprüfung im Laufe der Menschheitsgeschichte zunächst allein auf der unmittelbaren Erfahrung beruhte, hat sich die moderne Materialprüfung als noch sehr junge Wissenschaft erst seit etwas mehr als 100 Jahren mit Hilfe der Erkenntnisse der Naturwissenschaften, insbesondere der Physik und der Chemie, sowie der Ingenieurwissenschaften entwickelt. Dieser Prozeß, der durch eine enge Wechselwirkung mit der industriellen Fertigung und der praktischen Anwendung von Produkten gekennzeichnet war und sich in der jüngeren Vergangenheit immer schneller vollzogen hat, dürfte sich künftig unvermindert fortsetzen. Der vorliegende Beitrag beschäftigt sich mit Fragen der Werkstoffe und ihrer Prüfung – gestern, heute und morgen – und versucht zu zeigen, daß die Erfüllung der allgemeinen Forderungen an die Eignung von Werkstoffen und Materialien keineswegs so selbstverständlich ist wie dies meistens stillschweigend vorausgesetzt wird.

## Geschichtliche Entwicklung

Wie bedeutsam Werkstoffe für die menschliche Existenz und für die Lebensbedingungen sind, ergibt sich schon daraus, daß ganze Menschheitsperioden nach der jeweils wichtigsten Werkstoffgruppe benannt worden sind. So sprechen wir vom Steinzeit-, Kupferzeit- und Bronzezeit-Menschen. Wir selbst leben schon lange in der Eisenzeit, vielleicht bereits abgelöst durch eine Beton-, Kunststoff- oder Halbleiterzeit.

Die bekannte Entwicklungsgeschichte des Menschen reicht bis in das Oligozän zurück. Der Heidelberg-, der Olduvai- und der Peking-Mensch lebten vor etwa 600 000 bis 300 000 Jahren; 200 000 Jahre später kam der Neandertaler, gegen Ende der Eiszeit – vor etwa 12 000 Jahren – der homo sapiens des Cromagnon-Typs. Während dieser langen Periode wurden zunächst wohl nur Feuersteine, Knochen und Holz in kaum oder wenig bearbeiteter Form benutzt. Im Laufe der Zeit wurden dann Bearbeitungsformen »erfunden«, die die Gegenstände handlicher und vielseitiger machten. In der Jungsteinzeit, die im 6. Jahrtausend v. Chr. begann, wurden bereits Geräte hergestellt, die durch Sägen und Schleifen bearbeitet und zur Schäftung, zum Beispiel für Arbeits- oder Streitäxte, durchbohrt werden konnten.

Damit verfügte der Mensch über Werkzeuge, wie Messer, Schaber und Speerspitzen, die aus Steinen, Knochen, Geweihen oder Zähnen gefertigt waren. Auch andere natürliche Werkstoffe, wie Riemen und Lederteile aus Häuten sowie Textilfasern aus Pflanzen oder Tierhaaren wurden von ihm benutzt.

Mit der Beherrschung des Feuers und mit zunehmender Seßhaftigkeit wurden zusätzlich Fertigkeiten zur Verarbeitung von mineralischen Stoffen möglich. Zunächst wurden grob geformte Ton- oder Lehmgefäße getrocknet, später gebrannt, bald auf Töpferscheiben hergestellt.

Beim Trocknen der Keramik dürften auch glasige Produkte entstanden sein, die bald gezielt hergestellt wurden. Die Herstellung von Gläsern ist aus dem 15. Jahrhundert v. Chr. bekannt. In der Römerzeit erreichte die Verarbeitung von Glas und Keramik bereits einen hohen Stand.

Für die handwerkliche Entwicklung war es ein außerordentlicher Fortschritt als es gelang, aus metallhaltigen Steinen – aus Erzen – Metalle zu gewinnen und aus ihnen Gegenstände zu formen. Auch hier mag zunächst bei der Verarbeitung von Keramik flüssiges Blei beobachtet worden sein.

Dabei mögen Silberkügelchen entstanden sein, so wie heute noch Silber aus silberhaltigen Bleierzen gewonnen wird. Blei wurde jedoch wegen seiner geringen Härte nur für kleinere, wenig beanspruchte Gegenstände verwendet. In der Römerzeit gewann es teilweise Bedeutung für Wasserleitungsrohre.

Gold, Silber und in gewissem Umfang Kupfer und Nickel sowie einige andere Buntmetalle konnten wegen ihres in reiner metallischer Form vorliegenden Glanzes als Edelmetalle leichter identifiziert und gewonnen werden. Wegen ihrer Seltenheit und geringen Festigkeit waren sie aber kaum für Gegenstände des täglichen Gebrauchs, sondern eher für Schmuckgegenstände geeignet. Erst die Kaltverformung von reinem Kupfer erlaubte dessen Verfestigung, zum Beispiel für die Herstellung von Waffen.

Wesentlich härter und gleichzeitig leichter schmelzbar als Rohkupfer ist Bronze. Diese

Legierung, aus Kupfer und Zinnerzen gewonnen, war bereits seit etwa 2000 v. Chr. als hervorragender Werkstoff bekannt und wurde im Laufe der Zeit für Geräte aller Art, Werkzeuge, Waffen und Rüstungen verwendet. Ein besonders schönes Beispiel handwerklicher Kunst zeigt Abb. 1 (siehe Tafel nach Seite 32).

Erste Funde stammen aus dem Vorderen Orient, wo entsprechende Erzlagerstätten genügende Rohstoffe für Zinnbronzen lieferten. Zinkhaltige Legierungen von Kupfer, als Messing bezeichnet, waren kurz vor der Zeitenwende in Rom bekannt und wurden zu Münzen geprägt.

Neuere Untersuchungen haben ergeben, daß auch Eisen in sehr frühen Zeiten im chinesischen, indischen, ägyptischen und im europäischen Kulturraum bekannt gewesen sein muß. Dabei dürfte es sich zunächst um Eisen in gediegener Form aus Meteoriten gehandelt haben, wie die Bezeichnung »Erz des Himmels« in einer sumerischen Urkunde aus dem 4. Jahrtausend v. Chr. andeutet. Eigentlich müßte auch erwartet werden, daß Eisen aus leicht reduzierbaren Eisenerzen eher gewonnen werden konnte als Kupfer, das bei höheren Temperaturen zu Bronzen verarbeitet wurde. Aber aus dieser Zeit sind Eisengegenstände im Gegensatz zu solchen aus Bronze nicht anzutreffen. Möglicherweise sind sie im Laufe der Zeit wieder zerfallen.

Gut nachweisbar sind Verhüttungsvorgänge von Eisenerzen erst ab etwa 1300 v. Chr. ebenfalls im Vorderen Orient, wobei die Hethiter allgemein als Erfinder der Eisentechnik gelten. Als ältestes Verfahren zur Stahlgewinnung wurde das Rennfeuer benutzt, bei dem in einfachster Form in einer Grube aus einem Gemisch von Holzkohle und Erz unter Luftzufuhr das Erz bei Temperaturen bis zu 1300°C reduziert und eine zähe Masse, die sogenannte »Luppe«, erschmolzen wird. Aus ihr wird durch wiederholtes Schmieden das Eisen herausgearbeitet und je nach Kohlenstoffgehalt der für die unterschiedlichen Gegenstände – Werkzeuge, Draht, Waffen – gewünschte Stahl erhalten. Einen besonders guten Ruf genoß der Damaszener Stahl.

Mit dem Niedergang des Römischen Reiches, das während seiner Blütezeit Kenntnisse über die verschiedensten Techniken besaß, gingen diese Erfahrungen ebenso verloren wie Kenntnisse der Baukunst und bestimmter Baustoffe, wie etwa eines sehr wasserfesten Zementmörtels.

*Werkstoffe der Neuzeit*

Bis ins 19. nachchristliche Jahrhundert änderte sich an der überkommenen Werkstofferzeugung qualitativ wenig. Kupfer- und Eisenlegierungen blieben neben Glas und Keramik sowie den natürlichen Stoffen, vor allem Holz und Bausteinen, die wichtigsten Werkstoffe.

Während in China bereits vor der Zeitenwende die Verhüttung von Eisenerzen bei Temperaturen erreicht wurde, bei denen kohlenstoffhaltiges Eisen anfiel und vergossen werden konnte, war man in Europa erst mit der Entwicklung der Schacht- und Hochöfen im 14. und 15. Jahrhundert in der Lage, Gußeisen herzustellen. Im Laufe des 18. Jahrhunderts wurde die Holzkohle durch Koks als alleinigem Brennstoff ersetzt, nachdem bereits große Waldbereiche in Europa für die Eisenerzeugung abgeholzt worden waren.

Weitere Verbesserungen brachten das Puddelverfahren, bei dem Kohle auch zur Herstellung von Stahl aus Roheisen Verwendung fand, sowie das Tiegelstahlverfahren.

Erst Mitte des vergangenen Jahrhunderts wurden dann mit dem Bessemer-Konverter und dem Thomas-Konverter Verfahren entwickelt, die es erlaubten, durch Einblasen von Luft in entsprechende Gefäße das flüssige Eisen von unerwünschten Begleitelementen, die dabei oxidiert und herausgebrannt wurden, zu befreien. Hinzu kam das Siemens-Martin-Verfahren. Mit diesen Verfahren konnten gegenüber dem Puddelverfahren im gleichen Zeitraum sehr viel größere Mengen von Stahl gewonnen werden, und der Weg zur Erzeugung eines besseren und zugleich billigen Massenstahls war offen.

Im Laufe des 19. Jahrhunderts erlaubten die Fortschritte in der Chemie und der Elektrotechnik aber auch Verfahren, mit denen die spezifisch leichten Metalle Aluminium, Magnesium und Titan aus ihren schwer reduzierbaren Erzen gewonnen werden konnten. Schließlich wurde die Entwicklung hochbeanspruchbarer Werkstoffe auf Nickel- oder Eisenbasis möglich, als wichtige Legierungskomponenten, wie Chrom, Molybdän und Wolfram aus ihren Erzen reduziert werden konnten. Dazu kamen mit der großtechnischen Nutzung der elektrischen Energie verschiedene Elektrostahlverfahren zur Herstellung hochlegierter Stähle. Relativ neu ist das Direktreduktionsverfahren, bei dem Erze z. B. in einem Schachtofen durch Reduktionsgase zu Eisenschwamm reduziert werden, der anschließend in einem Elektroofen zu Stahl weiterverarbeitet wird.

Das schnelle Wachstum der Stahlerzeugung in ganz Europa und in den Vereinigten Staaten mit Beginn des 19. Jahrhunderts war begründet durch die einsetzenden Möglichkeiten der Industrialisierung nach Nutzung der Dampfmaschine zum Ersatz der menschlichen Arbeitskraft und als Antriebsquelle für Fahrzeuge. Andererseits wäre das Entstehen der Eisenbahn mit ihren Lokomotiven und Wagen und dem sich im Laufe des 19. Jahrhunderts rasant erweiternden Schienennetz ohne die Erzeugung entsprechend großer Stahlmengen nicht vorstellbar. Stahl wurde zum wichtigsten Werkstoff überhaupt. Brücken, Bahnhöfe und Hallen wurden aus Stahl errichtet. Hauptattraktion der Weltausstellung in Paris im Jahre 1889 war der in Stahlskelettbauweise errichtete Eiffelturm.

Aber auch Kupfer wurde ein unentbehrlicher Werkstoff für die rasch wachsende elektrotechnische Industrie. Mit seiner guten Leitfähigkeit und den günstigen mechanischen Eigenschaften konnte es als Leitermaterial beim Bau von Elektromotoren und Dynamos sowie zum Transport elektrischer Energie in steigendem Maße eingesetzt werden.

Eine völlig neue Werkstoffgruppe wurde von der modernen Chemie mit den polymeren Kunststoffen geschaffen. Schon vorher hatte es veredelte natürliche polymere Stoffe gegeben: Gummi aus mit Schwefel vulkanisiertem Rohkautschuk und das auf der Basis von Zellulose bereits vor mehr als 100 Jahren fabrikationsmäßig hergestellte »Celluloid«. Erstmals synthetisch wurde im Jahre 1905 von Baekeland in den USA das »Bakelit« aus Phenolen und Formaldehyd gewonnen, ein Material, das auch heute noch als Phenolharzpreßmasse von der Elektroindustrie verwendet wird.

Der Durchbruch zu den Massenkunststoffen vollzog sich jedoch erst ab 1930. Entscheidend hierfür waren die wissenschaftlichen Erkenntnisse über den atomaren Aufbau und die Struktur der aus langen Kettenmolekülen bestehenden polymeren Stoffe. Durch systematische Forschungen und Entwicklungen auf dem Gebiet der Stoffsynthesen und der Verarbeitungsverfahren gelang es, neben den am meisten verbreiteten Kunststoffen, wie Polystyrol, Polyvinylchlorid, den Polyolefinen und Polyurethanen, eine breite Palette spezieller Kunststoffe für besondere Anwendungen zu entwickeln. Hierzu gehören die als Matrixmaterial für Verbundwerkstoffe verwendeten Epoxid- und Polyesterharze ebenso wie die transparenten Polymethylmethacrylate (Plexiglas), die für synthetische Fasern besonders geeigneten Polyamide sowie die hochtemperaturbeständigen Polyimide.

Schließlich sind auch auf dem Gebiet der anorganischen nichtmetallischen Werkstoffe in den vergangenen achtzig Jahren bedeutende Fortschritte erzielt worden. So gibt es neben der klassischen Silikatkeramik aus natürlichen Rohstoffen, wie Kaolin, Ton, Feldspat oder Quarz inzwischen eine vielseitige technische Keramik, die u. a. aus synthetisch hergestellten Oxiden, Karbiden und Nitriden gefertigt wird. Die Anwendungen hierfür sind zahlreich – in der Elektrotechnik, der Medizin und neuerdings im Motorenbau. Auch die Verwendung von Spezialgläsern in der Optik, der Elektrotechnik und zur Glasfaserherstellung ist in diesem Zusammenhang zu erwähnen.

Im Bauwesen – im Hoch- und Tiefbau wie auch bei den Verkehrsbauten – haben sich Stahlbeton- und Spannbetonbauten in den letzten Jahrzehnten neben traditionellen Bauweisen durchgesetzt und Konstruktionen ermöglicht, die durch ihre Kühnheit und Ästhetik bestechen.

In jüngster Zeit vollzieht sich mit der modernen Mikroelektronik eine Entwicklung, deren schnelle Ausbreitung und Nutzung in vielen Bereichen der Technik und des täglichen Lebens atemberaubend ist. Auch sie basiert zur Zeit ausschließlich auf der Technologie eines Werkstoffes, des Siliziums.

## Entstehen der Werkstoff- und Materialprüfung

*Erste physikalisch-technologische Gesetzmäßigkeiten*

Über viele Jahrtausende ergab sich die »Prüfung« der Werkstoffe und Materialien aus der praktischen Erfahrung mit ihrem Umgang und aus der mündlichen Weitergabe dieser Erkenntnisse. Ägyptische Grabbilder aus dem 15. vorchristlichen Jahrhundert zeigen Prüfungen in einer Waffenwerkstatt, bei denen die Biegsamkeit eines Bogens und die Spannung einer Sehne »praktisch« erprobt werden.

Eine überlieferte »Werkstoffprüfung« aus dem 3. vorchristlichen Jahrhundert stellte die Ermittlung des spezifischen Gewichtes des für eine Krone verwendeten Materials durch Archimedes dar. Der römische Architekt Vitruvius berichtete hierüber im Jahre 25 v. Chr., daß König Hieron der Jüngere in Syrakus zum Dank für seine Siege den Göttern eine goldene Krone anfertigen ließ. Da er Zweifel hatte, ob der Handwerker hierfür reines Gold verwendet hatte, bat er Archimedes dies zu prüfen. Vitruvius fährt fort: »...Während dieser darüber nachdachte, ging er zufällig in eine Badestube und als er dort in eine Badewanne stieg, bemerkte er, daß ebenso viel wie er von seinem Körper in die Wanne eintauchte an Wasser aus der Wanne herausfloß. Weil dies einen Weg für die Lösung der Aufgabe gezeigt hatte, hielt er sich nicht weiter auf, sondern sprang voller Freude aus der Badewanne, lief nackend nach Hause und rief mit lauter Stimme, er habe das gefunden, was er suche. Laufend rief er immer wieder: Heureka, heureka (ich hab's gefunden)!« Er ließ einen Gold- und einen Silberklumpen mit dem Gewicht der Krone anfertigen und bestimmte deren Wasserverdrängung. Anschließend tauchte er die Krone in das Wasser und fand, daß mehr Wasser abgeflossen war als beim Goldklumpen vom gleichen Gewicht. Hieraus schloß er, daß die Krone eine Silberbeimischung enthielt und konnte so den Betrug des Goldarbeiters nachweisen.

Erst aus dem 15. Jahrhundert n. Chr. ist ein weiterer Versuch bekannt, der der Werkstoffprüfung zuzurechnen ist. Leonardo da Vinci (1452–1519) war nicht nur ein berühmter Künstler, sondern auch ein genialer Ingenieur und Naturwissenschaftler. Wohl als erster hat er eine Werkstoffprüfmaschine entworfen, ein Zugprüfgerät für Drähte (Abb. 2). Er beschreibt das Experiment ausführlich, wonach an einem Eisendraht von 2 Ellen Länge ein Korb hängt, in den durch ein kleines Loch aus einem Trichter feiner Sand einläuft. Wenn der Eisendraht die Last nicht mehr tragen kann, zerreißt er. Bringt man eine kleine Feder an, die sofort das Loch des Trichters schließt, so daß kein Sand mehr in den Korb fällt, dann ist es möglich, das Gewicht zu ermitteln, bei dem der Draht reißt. Er machte ferner Vorschläge für Veränderungen der Drahtlänge und die Bestimmung der jeweiligen Bruchstelle des Drahtes und wies darauf hin, daß ähnliche Versuche mit anderen Materialien wie Holz und Stein ebenso vorgenommen werden könnten, um allgemeine Regeln über jedes Material aufzustellen. Das Prinzip der kontinuierlichen Prüfkraftsteigerung durch zulaufenden Sand wurde übrigens bis in die heutige Zeit beibehalten und findet sich in dem Zugfestigkeitsprüfer für Zementmörtel (DIN 1064) oder Traßmörtel (DIN 51043) wieder; beide arbeiten allerdings mit zulaufendem Bleischrot und einer Hebelübersetzung.

Über die Problematik des Eigengewichtes des Drahtes bei dem von ihm vorgeschlagenen Versuch machte sich Leonardo da Vinci noch keine Gedanken. Erst mehr als 100 Jahre später beschäftigte sich Galileo Galilei (1564–1642) mit diesem Versuch und berücksichtige zusätzlich das Eigengewicht des Drahtes. Galilei gilt nicht nur als Begründer der neuzeitlichen Physik, auch auf dem Gebiet der Werkstoffprüfung hat er als erster grundsätzliche und wegweisende Experimente beschrieben. Dabei ging es ihm um die Formulierung physikalischer Gesetzmäßigkeiten in mathematisch einwandfreier Form. So beschrieb er die Bestimmung der Bruchfestigkeit eines als unbiegsam angenommenen Balkens. Angeregt hierzu war er wohl durch Bauteilprüfungen im venezianischen Zeughaus, wo Galeeren, Waffen und Schiffsausrüstungen hergestellt und gelagert wurden. Dabei ging es offenbar auch um die Belastungsfähigkeit von Holz. Galilei ermittelte aus Versuchsreihen zur Festigkeit des Holzes in Abhängigkeit von der Holzart, der Länge und Dicke eines einseitig eingeklemmten Balkens den physikalischen Satz: Die Festigkeit wächst proportional der Breite eines Balkens, jedoch mit dem Quadrat seiner Höhe.

Die Elastizität des Werkstoffes berücksichtigte Galilei noch nicht. Die damit verbundenen Probleme erkannte erst Charles Augustin Coulomb im Jahre 1776. Schon vorher hatte sich der englische Physiker Robert E. Hooke (1635–1703) mit dem Zusammenhang zwischen der Dehnung eines Werkstoffes und der hierfür aufgewandten Kraft beschäftigt und im Jahre 1678 das Gesetz über die Proportionalität von Formänderung und Kraft aufgestellt (Hooke'sches Gesetz). Da er sein Gesetz jedoch aufgrund von Beobachtungen an Uhrfedern aufstellte, bemerkte er nicht, daß es nur für den Bereich der elastischen

Verformung des Materials gilt. Wird die Kraft darüber hinaus gesteigert, treten im Werkstoff plastische Verformungen auf, die bei Entlastung nicht reversibel sind.

Die Proportionalitätskonstante im Hooke'schen Gesetz wurde von Thomas Young (1773–1829) im Jahre 1807 definiert, allerdings in einer Form, die nicht ganz einfach verständlich ist. Er schrieb: »Der Elastizitätsmodul irgendeiner Substanz ist eine Säule aus derselben Substanz, fähig, eine Druckkraft auf ihre Basis auszuüben, die sich zu dem einen bestimmten Zusammendrückungsgrad verursachenden Gewicht verhält, wie sich die Länge der Substanz zur Verringerung ihrer Länge verhält.« Im angloamerikanischen Sprachgebrauch wird noch heute die Bezeichnung Young's Modulus für den Elastizitätsmodul verwendet.

Von verschiedenen Forschern wurden weitere systematische Druck- und Zugversuche an Materialien vorgenommen. So wurden Zugproben mit einem leichten Einschnitt, den wir heute als »Kerbe« bezeichnen würden, untersucht, und Thomas Telford (1757–1834) berichtete über Zugversuche an verschiedenen Schmiedeeisensorten auf einer hydraulischen Maschine, bei denen er nicht nur die Bruchlasten, sondern auch den Fließbeginn, die Längenänderung einer definierten Meßlänge und die Einschnürung an der Bruchstelle bestimmte. Er bezog seine Ergebnisse dabei auf eine Querschnittseinheit und begründete damit den heutigen Festigkeitsbegriff.

Aber erst im Jahre 1822 hat der französische Mathematiker Augustin Cauchy (1789–1857) den Begriff der Spannung als den auf die Querschnittseinheit entfallenden Teil der übertragenen Kraft exakt definiert. Etwa gleichzeitig, im Jahre 1821, formulierte Louis Marie Henri Navier die allgemeinen Grundgleichungen der Elastizitätstheorie in der dreidimensionalen Form. Auf ihn geht die Erkenntnis zurück, daß die innere Struktur eines Werkstoffes dessen Eigenschaften wesentlich bestimmt.

Coulomb und Navier waren übrigens französische Ingenieure, die sich in erster Linie für die praktische Nutzung ihrer theoretischen Überlegungen interessierten, Coulomb als junger Offizier des Geniekorps mit dem Bau von Befestigungsanlagen beauftragt und Navier als Absolvent der École des Ponts et Chaussées und späterer Angehöriger des Lehrkörpers dieses Instituts. Sie, wie auch andere, wendeten mit Erfolg die gewonnenen Erkenntnisse auf Fragen der Festigkeit von Baustoffen an.

In Deutschland war es vor allem Carl Friedrich Wiebeking (1762–1842), der als Generaldirektor des Wasser-, Brücken- und Straßenbaus im Königreich Bayern Werkstoffprüfungen an Holz, Stein und Mörtel zum Bau von Straßen und Brücken durchführte.

## Risiken und Folgen der industriellen Revolution

Bis zum Anfang des vergangenen Jahrhunderts spielte das Eisen als Werkstoff – von Ausnahmen in der Waffentechnik abgesehen – keine bedeutende Rolle. Webstühle, Wasserräder und andere Maschinen waren in ihren wesentlichen, insbesondere tragenden Teilen stets aus Holz gebaut, während Eisen nur an Stellen verwendet wurde, bei denen es auf die Härte des Werkstoffes ankam.

Dies änderte sich schlagartig mit dem Beginn der industriellen Revolution. Diese ging von England aus und war durch die »Erfindung« der Dampfmaschine durch James Watt

(1736–1819) in den Jahren zwischen 1765 und 1769 gekennzeichnet. Zwar war die Nutzung der Dampfkraft zur Arbeitsleistung schon sehr viel früher von verschiedenen Ingenieuren in England vorgeschlagen und erprobt worden. Watt hatte jedoch der »Feuermaschine« die endgültige Gestalt vor allem durch die Trennung des Kondensators vom Zylinder gegeben. Dadurch war dieser nicht mehr der schädlichen Abkühlung durch das eingespritzte Wasser ausgesetzt. Auch wurde die hin- und hergehende Bewegung des Kolbens in eine Drehbewegung umgesetzt.

Mit einem derartigen Antrieb war es möglich, Arbeitsmaschinen für die verschiedensten Zwecke zu entwickeln, zum Beispiel in der Textilmanufaktur die Spinnmaschine und den mechanischen Webstuhl. Die folgenreichste Erfindung bestand jedoch darin, die Dampfmaschine auf ein Schiff oder einen Wagen zu montieren und zur Fortbewegung zu benutzen. Dampfschiffe gab es bereits seit etwa 1773. Die erste Dampflokomotive wurde im Jahre 1804 im Grubenbezirk von Wales eingesetzt, im Jahre 1825 wurde mit der von George Stevenson verbesserten Dampflokomotive auf der etwa 40 km langen Strecke von Stockton nach Darlington der Personenverkehr aufgenommen.

Mit diesen Entwicklungen und dem zunehmenden Einsatz von Eisen und Stahl im Maschinen- und Ingenieurbau vollzog sich auch der Übergang zur modernen Werkstoff- und Materialprüfung. Aus den tastenden und teilweise grundlagenorientierten Versuchen einzelner Forscher und Erfinder entwickelten sich systematische und breiter angelegte Untersuchungen an Werkstoffen und Bauteilen. Diese Untersuchungen gingen von englischen Firmen aus, wurden aber bald an vielen Stellen in Europa nachvollzogen und weiterentwickelt. Mitte des vergangenen Jahrhunderts gab es bereits zahlreiche Geräte zur Ermittlung des mechanisch-technologischen Verhaltens verschiedenster Werkstoffe, insbesondere Baustoffe und Stähle. Das Hauptproblem bestand allerdings darin, daß die Geräte sehr unterschiedlich konstruiert waren und daher eine Vergleichbarkeit von Verfahren und Prüflingen im allgemeinen nicht gegeben war. Bei früher verwendeten natürlichen Stoffen, wie Holz oder Steinen, war dies nicht von Bedeutung, für Eisen und Stahl bestand aber immer dringender die Notwendigkeit einer Vereinheitlichung der Prüfverfahren und eines Vergleiches der Meßergebnisse.

Anders als in England und Frankreich war in Deutschland die Situation besonders schwierig, da wegen der Zerrissenheit in viele Kleinstaaten und wegen der späten Aufhebung des Zunftzwanges im Handwerk einheitliche Märkte erst im Laufe des vergangenen Jahrhunderts entstanden. So waren deutsche Hersteller darauf angewiesen, sich auf Prüfungen englischer Versuchsanstalten und Geräte zu beziehen. Die Firma Alfred Krupp, die für die Eisenbahn nahtlose Radreifen herzustellen begann (das Firmensymbol der Firma Krupp erinnert noch heute daran), ließ ihre Werkstoffprüfungen zunächst bei David Kirkaldy in England durchführen, ehe sie im Jahre 1863 eine eigene Universalprüfmaschine englischer Bauart erwarb.

In Deutschland konstruierte als erster Ludwig Johann Werder (1808–1885) eine brauchbare Universalprüfmaschine, die ab 1852 in der Maschinenbaugesellschaft Klett in Nürnberg, der heutigen M.A.N., gebaut wurde. Sie arbeitete mit hydraulischer Krafterzeugung, verzichtete aber auf den einfachen Weg der Kraftmessung durch Manometer, um die Meßfehler durch Kolben- und Schlittenreibung zu vermeiden. Stattdessen benutzte Werder eine Hebelwaage.

In diesen Jahren vollzog sich der Ausbau des Streckennetzes der deutschen Eisenbahnen mit ungeahnter Schnelligkeit. Die Eisenbahn wurde zum wichtigsten Kunden für Waren aus Eisen und Stahl, wobei der Eisenbahnbetrieb besonders hohe Anforderungen an den Werkstoff stellte. Die Folge der Dauerbeanspruchungen wechselnder Art auf Schienen sowie auf Radreifen und Achsen waren zahlreiche Schäden mit Unfällen mehr oder weniger großen Ausmaßes, die Veranlassung gaben, den Ursachen nachzugehen.

In Deutschland war es August Wöhler (1819–1914), der als Schüler von Karl Karmarsch an der damaligen Höheren Gewerbeschule Hannover zunächst bei der Firma Borsig den Bau von Lokomotiven, Weichen und Drehscheiben kennenlernte und ab März 1847 als Obermaschinenmeister im Dienst der Niederschlesisch-Märkischen Eisenbahngesellschaft die Betriebsvorgänge näher untersuchte. So beschäftigte er sich experimentell mit Fragen der Reibung zwischen Rad und Schiene und mit Möglichkeiten einer wirksamen Bremsvorrichtung. Weitere Untersuchungen betrafen die zweckmäßigste Ausbildung der Profile von Schienen und Radreifen. Neben zahlreichen Entwicklungen, die bald in die Praxis eingeführt wurden, entstanden in der Zeit zwischen 1856 und 1870 seine Prüfapparaturen zur Ermittlung der Dauerwechselfestigkeit von Stahl und Eisen. Er entwickelte hierfür Vorrichtungen zur Umlaufbiegeprüfung, zur Torsionsprüfung sowie zur Zugwechselprüfung. Abb. 3 zeigt eine Originalprüfapparatur, die heute im Deutschen Museum in München aufbewahrt wird. Anhand der mit diesen Verfahren gewonnenen Prüfergebnisse gelang Wöhler der Nachweis, daß länger andauernde Wechselbeanspruchungen zu Ermüdungserscheinungen im Material führen, die über erste Rißbildungen Brüche zur Folge haben können. Dabei hängt die Zahl der ertragenen Lastwechsel auch von der aufgebrachten Amplitude ab. Die entsprechenden Zusammenhänge sind als »Wöhlerkurven« in die Fachliteratur eingegangen und haben bis heute ihre Zweckmäßigkeit zur Beurteilung des Werkstoffverhaltens unter wechselnder Beanspruchung bewiesen. Später sind zusätzlich Versuchsarten entwickelt worden, bei denen statistische Schwankungen in Frequenz und Amplitude für die Beanspruchungen gewählt und teilweise analog zu den jeweiligen Praxisbeanspruchungen simuliert werden. Derartige Untersuchungen der »Betriebsfestigkeit« sind vor allem durch Arbeiten von Ernst Gaßner und Luigi Locati begründet worden.

*Entwicklung der amtlichen Materialprüfung*

Im Jahre 1869 war Wöhler aus dem preußischen Staatsdienst ausgeschieden, um »unter sehr günstigen Bedingungen« als Direktor in die Norddeutsche Aktiengesellschaft für Eisenbahnbedarf in Berlin einzutreten. Dies war Veranlassung für das Preußische Ministerium für Handel, Gewerbe und öffentliche Arbeiten, die Weiterführung der Wöhlerschen Versuche mit dessen Apparaturen an der Berliner Gewerbeakademie anzuordnen. Damit nahm Ende 1871 eine Versuchsstation zur Prüfung der Festigkeit von Stahl und Eisen in Berlin ihre Tätigkeit auf, die zur Keimzelle der heutigen Bundesanstalt für Materialprüfung wurde.

Es waren dies die Jahrzehnte, in denen die Öffentlichkeit immer wieder durch Eisenbahnunfälle und durch Kesselexplosionen in Fabriken aufgeschreckt wurde. Wohl waren inzwischen an vielen Stellen grundlegende Versuche zum Materialverhalten, insbesondere an Eisen und Stahl vorgenommen worden. So hatte Johann Bauschinger (1834–1893) am Münchener Polytechnikum ab 1868 die Leitung eines mechanisch-technischen Laboratoriums übernommen. In Zürich hatte unter Ludwig Tetmajer, Ritter von Przerwa, (1850–1905) ab 1880 eine Materialprüfungsanstalt am Polytechnikum ihre Arbeit offiziell begonnen. In Stuttgart wurde ab 1884 unter dem Einfluß Carl v. Bachs (1847–1931) eine weitere Prüfanstalt gegründet, und ähnliche Gründungen wurden später in Dresden und in Darmstadt vollzogen.

Andererseits war es anfangs schwierig, die gewonnenen Erkenntnisse den in der Praxis tätigen Konstrukteuren und Technikern zu vermitteln. Darüber hinaus traten häufig bei der Produktion und Verarbeitung der Stähle Materialfehler auf, die erst im Gebrauch zu folgenreichen Schäden Anlaß gaben. Eine der aufsehenerregendsten Katastrophen jener Zeit war der Einsturz der Brücke über den Firth of Tay in der Nacht vom 28. zum 29. Dezember 1879, als diese unter dem Gewicht eines Zuges zusammenbrach und 200 Menschen in den Fluten ertranken. In den USA wurden in den Jahren zwischen 1878 und 1895 rund 500 Brückeneinstürze durch befahrende Eisenbahnen gezählt. Relativ häufig waren auch Explosionen von Hochdruckdampfkesseln infolge von Materialfehlern und Überbeanspruchungen.

Derartige Vorkommnisse gaben Anlaß zu Überlegungen, bestimmte Mindestqualitätswerte sowie Kontrollen für Werkstoffe und Bauteile vorzusehen, die in Bereichen eingesetzt werden sollten, für die eine öffentliche technische Sicherheit zu gewährleisten war. Von August Wöhler wurde eine »Denkschrift über die Einführung einer staatlich anerkannten Classifikation von Eisen und Stahl« des Vereins Deutscher Eisenbahnverwaltungen im Jahre 1877 der Öffentlichkeit vorgelegt. Sie führte in den folgenden Jahren zu heftigen Auseinandersetzungen zwischen den verschiedenen Interessengruppen, insbesondere den Hüttenwerken und den Eisenbahngesellschaften. Aber unter dem Eindruck der Eisenbahnunglücke, Brückeneinstürze und Kesselexplosionen setzte sich die Einsicht durch, daß die Klassifikation von Eisen und Stahl wie auch die Überwachung durch staatliche Materialprüfungsämter unabweisbar waren.

So wurden Festlegungen über die Eigenschaften von Eisen- und Stahlqualitäten getroffen, die zu Vereinheitlichungen führten und später in Spezifikationsnormen des 1917 gegründeten Normenausschusses der Deutschen Industrie, des heutigen DIN Deutsches Institut für Normung, ihren Niederschlag fanden. Mit der neutralen und unabhängigen Prüfung entsprechender Werkstoffe wurden staatliche Materialprüfungsämter betraut.

In Preußen entstand aus der Versuchsstation an der Berliner Gewerbeakademie eine Mechanisch-Technische Versuchsanstalt, die mit einer Chemisch-Technischen Versuchsanstalt und einer Prüfungsstation für Baumaterialien an der Technischen Hochschule Charlottenburg zusammengefaßt und von dieser im Jahre 1904 als selbständiges Königlich-Preußisches Materialprüfungsamt in Berlin-Dahlem abgetrennt wurde. Aus diesem Amt, dessen erster Direktor Adolf Martens im Jahre 1885 geworden war, wurde nach dem Ersten Weltkrieg ein Staatliches Materialprüfungsamt, nach dem Zweiten Weltkrieg zunächst ein Materialprüfungsamt in Berlin und schließlich unter Vereinigung mit den Resten der inzwischen in Berlin aufgelösten und demontierten Chemisch-Technischen Reichsanstalt ab 1954 die Bundesanstalt für Materialprüfung.

In gleicher Weise entstanden u. a. aus den Prüflaboratorien in München und Stuttgart amtliche Materialprüfungsanstalten. Im Ausland sind vor allem die Eidgenössische Materialprüfungs- und Versuchsanstalt (EMPA) in Zürich und die Schwedische Statens Provningsanstalt, ab 1920 in Stockholm, heute in Borås bei Göteborg, zu nennen.

Ferner bemühten sich die damaligen technisch-wissenschaftlichen Vereine, Zusammenschlüsse von Ingenieuren verschiedener Fachrichtungen, wie der Verein Deutscher Ingenieure (VDI), der Verein Deutscher Eisenhüttenleute (VDEh) und der Verband Deutscher Architekten- und Ingenieurvereine (VDA), um Fragen der Vereinheitlichung und »Normierung« sowie um die Überwachung technischer Einrichtungen. Nachdem mit dem Inkrafttreten der Gewerbeordnung des Norddeutschen Bundes im Jahre 1869 die Kesselbetreiber für alle durch Explosionen entstandenen Schäden haftbar gemacht worden waren, die Versicherungsanstalten jedoch Dampfkesselrisiken vielfach ablehnten, da ihnen die bestehenden Überwachungsvorschriften nicht ausreichten, entstanden unter dem Einfluß des VDI private Dampfkesselrevisionsvereine, die sich um eine neutrale, regelmäßige Kontrolle der Dampfkessel durch qualifizierte Fachleute bemühten. Diese Vereine, deren Tätigkeit sich auch auf andere technische Anlagen ausdehnte, waren die Vorläufer der heutigen Technischen Überwachungs-Vereine.

In diesen Jahren nahmen auch Bemühungen zu einer internationalen Vereinheitlichung der Methoden ihren Anfang. Ab 1881 entstanden die »Conferenzen zur Vereinbarung einheitlicher Prüfungsmethoden für Bau- und Constructionsmaterialien«, die im Jahre 1885 in Zürich zur Gründung des »Internationalen Verbandes für die Materialprüfungen der Technik« führten. Der Deutsche Verband für die Materialprüfungen der Technik (DVM) wurde 1896 gegründet. Wichtige Themen der internationalen Kongresse um die Jahrhundertwende bis zum Ersten Weltkrieg waren die Härteprüfung nach Brinell und die Untersuchung der Kerbschlagbiegeprobe nach George Charpy.

Schließlich führten die Versuche zum Erkennen von Werkstoff- und Verarbeitungsfehlern im fertigen Bauteil Anfang der 30er Jahre dieses Jahrhunderts zur Einführung zerstörungsfreier Prüfungen. Mit Unterstützung einer Fördergemeinschaft aus Behörden, Verbänden und Firmen gründete Rudolf Berthold (1898–1960) in Berlin beim Staatlichen Materialprüfungsamt eine Röntgenstelle, die bald in größerem Umfang Röntgenprüfungen an Brücken, Kesseln und anderen, insbesondere geschweißten Bauteilen aufnahm. Aus der Fördergemeinschaft entwickelte sich bald die Gesellschaft zur Förderung zerstörungsfreier Prüfverfahren, die heutige Deutsche Gesellschaft für zerstörungsfreie Prüfung (DGZfP), während die Röntgenstelle nach dem 2. Weltkrieg als Fachgruppe für zerstörungsfreie Prüfung in der Bundesanstalt für Materialprüfung aufging. Inzwischen hat sich dieser Zweig der Werkstoff- und Materialprüfung durch Entwicklung zahlreicher weiterer Prüfmethoden, vor allem des Ultraschallverfahrens, außerordentlich erweitert und stellt heute eine der wichtigsten Möglichkeiten zur laufenden Überwachung von Massenfertigungen, etwa geschweißter Rohre oder Träger, sowie zu Einzelprüfungen besonders sicherheitsempfindlicher Bauteile wie Brücken oder Kernkraftwerkskomponenten dar.

## Aufgaben der Werkstoff- und Materialprüfung heute

Die Werkstoff- und Materialprüfung sieht sich heute einer nahezu unübersehbaren Vielfalt von Werkstoffen und daraus gefertigten Erzeugnissen gegenüber, wobei sowohl die Zahl der Anwendungsmöglichkeiten als auch die an die Produkte gestellten Anforderungen ständig gestiegen sind und weiter steigen. Vom Werkstoffwissenschaftler und Materialprüfer wird dabei erwartet, daß seine Tätigkeit den sicheren Einsatz der Werkstoffe und Materialien unter allen Umständen gewährleistet, so daß Schäden vermieden und Unfälle verhütet werden und daß er darüber hinaus mit seiner Erfahrung und seinem Wissen für die jeweilige Anwendung die optimale Werkstoffwahl mit der damit verbundenen Konstruktion und Herstellung treffen kann. Sollten doch einmal unvorhersehbare Schadensfälle eintreten, so hat der Materialprüfer deren Ursachen aufzuklären und, sofern sie nicht bereits bekannt waren, Vorschläge für ihre künftige Vermeidung zu machen.

Dies alles setzt voraus, daß sich die Werkstoff- und Materialprüfung umfassend mit dem Verhalten aller denkbarer Arten und Formen der Werkstoffe, der Fertigungsverfahren und der Erzeugnisse selbst beschäftigt. Hierzu gehören die Ermittlung der chemischen Zusammensetzung der Stoffe, der Molekülstruktur und des Kristallbaus, die Bestimmung der physikalischen Kennwerte, gegebenenfalls in Abhängigkeit von Zeit, Druck und Temperatur und unter verschiedenen äußeren Einwirkungen, sowie technologische Untersuchungen. Letztere betrachten Beanspruchungen, die dem praktischen Einsatz nahekommen, deren Ergebnisse aber nicht mehr allein durch stoffliche Kennwerte bedingt sind, sondern nur unter zusätzlicher Festlegung der Versuchsbedingungen objektivierbar gemacht werden können. Hierbei geht es zwar ebenfalls um chemische oder physikalische Vorgänge, aber unter extremen oder komplexen Beanspruchungen, für die exakte naturwissenschaftliche Beschreibungen noch fehlen. Schließlich sind praxisbezogene Modellversuche vorzunehmen, wenn noch keine ausreichenden Erfahrungen über Korrelationen zwischen Versuchen im Laboratorium und dem praktischen Verhalten vorliegen.

In allen Fällen aber muß der Werkstoff- und Materialprüfer bemüht sein, die Ergebnisse, die er oder andere gewonnen haben, zu sammeln und zu ordnen und daraus Gesetzmäßigkeiten herzuleiten, die es ihm erlauben, durch Angabe definierter Werte dem Konstrukteur, dem Anwendungstechniker, dem Hersteller und dem Verbraucher Anhaltspunkte für die erwartete Sicherheit und Gebrauchstauglichkeit eines Werkstoffes und Materials zu geben. Hierbei kommt der Werkstoff- und Materialforschung eine ausschlaggebende Rolle zu. Zum einen sind die Prüfmethoden ständig zu verfeinern und neuen Anforderungen anzupassen, zum anderen sind das stoffliche Verhalten und die Zusammenhänge zwischen Werkstoffkenngrößen und den Ergebnissen praxisnaher Versuche aufzuklären. In den vergangenen Jahren hat es dabei erhebliche Verbesserungen durch steigende Genauigkeiten bei der Ermittlung der Werkstoffeigenschaften sowie durch die Simulation komplexer Beanspruchungen mit Hilfe moderner Methoden der angewandten Mathematik und unter Nutzung schneller Großrechner gegeben.

*Hauptgruppen der Werkstoffe*

Die Vielzahl der Werkstoffe läßt sich den folgenden vier Hauptgruppen zuordnen:
– Metalle, insbesondere Stahl und Eisen, Nichteisenmetalle, mit Leichtmetallen wie
  Aluminium und Schwermetallen wie Blei sowie unterschiedlichste Legierungen;
– anorganische nichtmetallische Stoffe, vor allem mineralische Baustoffe, Bindemittel,
  Beton, ungebrannte Kunststeine, ein großer Teil der Straßenbaustoffe, aber auch
  Gläser;
– organische Werkstoffe, insbesondere hochpolymere Kunststoffe, Gummi, Textilien,
  Zellstoff und Papier, aber auch Holz, Kork und Leder;
– Verbundwerkstoffe, d.h. vielseitige Kombinationen aus den vorgenannten »klassi-
  schen« Werkstoffgruppen.
Bei diesen Werkstoffgruppen handelt es sich im allgemeinen um Feststoffe. Selbstver-
ständlich sind auch Flüssigkeiten, Gase und Dämpfe zu berücksichtigen. Eine Zwischen-
stellung zwischen festen und flüssigen Stoffen nehmen zum Beispiel die Bitumina und die
Teere ein.


Legierungen, Mischungen, Copolymere, Verbundwerkstoffe

Schon innerhalb der einzelnen Werkstoffhauptgruppen lassen sich durch Kombination
der Werkstoffe große Variationsmöglichkeiten erzielen. So ergeben sich bereits mit drei
verschiedenen Metallen in speziellen Fällen zahlreiche Legierungsmöglichkeiten. Bei
heute etwa 80 bekannten Metallen und häufig verwendeten Vielfachkombinationen ist die
Zahl der Legierungen allein metallischer Werkstoffe kaum noch vorstellbar. Dabei lassen
erste Experimente im Weltraumlaboratorium »Spacelab« erwarten, daß bei Abwesenheit
der Gravitationskräfte auch sonst schwer mischbare Metalle miteinander verbunden
werden können.

Analoges gilt für die anorganischen nichtmetallischen sowie für die organischen Werkstoffe, wobei es sich wegen der unterschiedlichen Struktur der beteiligten Partner häufig
schon um Verbundwerkstoffe handelt, wenn man etwa an Kalk- und Zementmörtel mit
entsprechenden Sand- oder Kieszuschlägen oder auch an Papier mit verschiedenen
Anteilen an Zellstoffen und Hadern denkt.

Bei den hochpolymeren Kunststoffen gibt es neben den einfachen Mischungen und den
»Legierungen« – mit Bindungen zwischen den verschiedenen hochmolekularen Phasen –
die besondere Form der Copolymerisation, bei der Kettenbauteile unterschiedlicher Art
zu gemeinsamen Kettengerüsten mit chemischen Hauptvalenzen verbunden werden.

Von wachsender Bedeutung sind aber vor allem die Verbundwerkstoffe. Dabei kann es
sich um die Kombination von zwei oder mehr Materialien zu Faser-, Partikel-, Struktur-
und zu Schichtverbundwerkstoffen oder auch um Oberflächenbeschichtungen eines
Stoffes mit einem anderen handeln. Beispiele sind etwa der seit langem in Gebrauch
befindliche Stahlbeton, glasfaserverstärkte Kunststoffe, mit Kies gefüllte Kunststoffe, die
neuerdings verstärkt im Maschinenbau für Maschinengestelle eingesetzt werden,
kaschierte Folien und Überzüge verschiedenster Art. Wichtige Ziele sind u. a. die Vergrö-

ßerung der Festigkeit, die Erhöhung der Wärme- oder Geräuschdämmung, die Verringerung des Gewichtes sowie die Verbesserung des Korrosions- oder Verschleißverhaltens.

### Chemische Zusammensetzung und physikalische Kennwerte

Es kann zwar nicht Ziel dieses Beitrages sein, auf Einzelheiten moderner Untersuchungsverfahren zur Ermittlung der chemischen Zusammensetzung und der physikalischen Kennwerte wie auch des technologischen Verhaltens einzugehen, ein gewisser Überblick scheint aber doch angemessen, um zu verdeutlichen, welchen Anforderungen die Werkstoff- und Materialprüfung heute genügen muß.

In chemischen Analysen wird die qualitative und quantitative Zusammensetzung eines Werkstoffs ermittelt. Früher wurden in den Laboratorien der Eisen-, Metallhütten- und Halbzeugindustrie die Werkstoffe vor allem auf die Gehalte ihrer Haupt- und Legierungsbestandteile untersucht, wobei überwiegend nach Trennverfahren mit gewichts- und maßanalytischer Endbestimmung gearbeitet wurde. Neue Erkenntnisse der Werkstoffwissenschaften, steigende Rohstoffpreise und strengere Maßstäbe beim Umweltschutz erfordern heute eine wesentlich verfeinerte Ermittlung der Werkstoffzusammensetzungen, insbesondere auch ihrer Spurenbestandteile.

Hierfür werden vorwiegend physikalisch-chemische und physikalische Meßmethoden eingesetzt, wie die Fotometrie, die Atomabsorptionsspektrometrie, die Polarografie, die Potentiometrie, die Emissionsspektralanalyse, die Röntgenfluoreszenzanalyse, die Elektronenstrahlanalyse und verschiedene Oberflächenanalysenverfahren. Je nach Größe der verfügbaren Proben kommen makro-, halbmikro- oder mikroanalytische Arbeitstechniken zur Anwendung. Die zeit- und materialsparenden physikalischen Verfahren müssen jedoch häufig mit Hilfe von Referenzmaterialien genau bekannter Zusammensetzung kalibriert werden, die ihrerseits nach aufwendigen Verfahren mit großer Zuverlässigkeit analysiert worden sind. Die modernen selektiven Meßverfahren eröffnen der Analytik Zugang zu Gehaltsbereichen, die noch vor wenigen Jahren außerhalb des Erreichbaren lagen.

Stoffkundliche Verfahren, insbesondere metallkundliche Prüfverfahren dienen zur Kennzeichnung des strukturellen Aufbaus der Werkstoffe und ihres Gefüges. In Betracht kommen hierfür die thermische Analyse, die Röntgen- und Elektronenbeugung sowie die Licht- und Elektronenmikroskopie. Bei der thermischen Analyse wird davon Gebrauch gemacht, daß Phasenänderungen Wärmetönungen zur Folge haben. Röntgen- und Elektronenbeugungsuntersuchungen ermöglichen die Bestimmung der Kristallstruktur sowie der Eigenspannungen. Eine Beurteilung des Gefüges erfolgt, nachdem es durch geeignete Präparationen erkennbar gemacht und mit bloßem Auge oder mittels Licht- oder Elektronenmikroskopie betrachtet oder abgebildet worden ist.

Neben der Untersuchung von mechanischen Eigenschaften, die von herausragender Bedeutung sind und auf die im nächsten Abschnitt näher eingegangen wird, müssen auch andere physikalische Kennwerte ermittelt werden. Hierzu gehören die Dichte, bei porösen Stoffen die Rohdichte oder die Porosität, der Schmelzpunkt und der Siedepunkt, die

Wärmekapazität, die thermische Ausdehnung, die Wärmeleitfähigkeit, die Schallgeschwindigkeiten und -dämpfungen sowie die elektrischen und optischen Eigenschaften.

Bei den Komponenten eines Verbundwerkstoffes ist es besonders wichtig, daß ihre thermische Ausdehnung möglichst gleich ist. So ist die Stahlbetonbauweise überhaupt nur denkbar, weil Stahl und Beton sich bei Abkühlung und Erwärmung praktisch gleich verhalten. Auch die Wärmeleitfähigkeit von Werkstoffen ist für ihren Einsatz in vielen Bereichen entscheidend. Bei einem Heizungsrohr ist ein guter Wärmeleiter erforderlich, bei einer Wand, die einen Kühlraum umschließt, ein Stoff mit niedriger Wärmeleitfähigkeit. Materialien mit hoher Dichte, also Metalle, sind im allgemeinen gute Wärmeleiter, solche mit niedriger Dichte, wie etwa Schaumstoffe, sind dagegen als Wärmedämmstoffe geeignet.

Mit fortschreitender Industrialisierung und Automatisierung hat der Schallschutz an Bedeutung gewonnen. Man unterscheidet Luft-, Flüssigkeits- und Körperschall. Trittschall wird teilweise als Körperschall weitergeleitet, teilweise als Luftschall abgestrahlt. Bei der Schalldämmung, der Behinderung der durch einen Werkstoff hindurchgehenden Schallenergie, sind Luft- und Körperschalldämmung zu unterscheiden. Zur Luftschalldämmung eignen sich dichte, schwere Stoffe sowie zweischalige Konstruktionen, für die Körperschalldämmung dagegen nachgiebige Materialien mit geringer dynamischer Steifigkeit und möglichst hoher innerer Dämpfung.

Die elektrische Leitfähigkeit ist eine wichtige Werkstoffeigenschaft. So dienen Metalle und ihre Legierungen als Leitungsmaterial zum Energietransport, als Widerstandsheizwicklungen, als Präzisionswiderstandsmaterial für Meßzwecke, als Kontakt- und Elektrodenmaterial sowie zur Abschirmung elektromagnetischer Felder. Isolierstoffe haben in der Elektrotechnik die Aufgabe, elektrische Potentialdifferenzen gegeneinander zu isolieren. In Betracht kommen hierfür insbesondere anorganische oder organische Materialien. Halbleiter gehören zu einer Stoffklasse, die in ihrer elektrischen Leitfähigkeit zwischen den Leitern und den Isolatoren liegt. Sie sind in reinster und definiert verunreinigter Form das Basismaterial für Diodentransistoren und die verschiedenen Halbleiterbauelemente der Elektronik, die heute, zu Zehntausenden auf einem Siliziumchip von wenigen Quadratmillimetern Fläche integriert, in der Mikroelektronik die Kommunikationstechnik revolutionieren. Elektrolyte schließlich als Ionenleiter werden u. a. zur Herstellung und Reinigung von Metallen mittels Elektrolyse, ferner für das Elektroplattieren, das Elektropolieren, die Elektroformung und für elektrochemische Elemente verwendet.

Die optischen Eigenschaften der Werkstoffe betreffen ihre Fähigkeit, auffallende elektromagnetische Strahlung zu absorbieren, zu reflektieren oder zu transmittieren. Dabei werden unter Berücksichtigung der spektralen Helligkeitsempfindung des menschlichen Auges lichttechnische Größen verwendet, die es erlauben, die Farben in Reflexion oder Transmission zu berechnen.

## *Mechanische und technologische Eigenschaften*

### Festigkeit, Formänderungsvermögen, Härte, Spannungsverteilung

Je nach Verwendungszweck eines Werkstoffes interessieren sehr unterschiedliche Arten der Festigkeit. Bei einer Faser, einem Draht oder einem Garn ist die Zugfestigkeit am wichtigsten, bei einem Baumaterial die Druckfestigkeit. Für einen Träger ist die Biegefestigkeit maßgebend, für ein Maschinenteil, das überwiegend auf Verdrehung beansprucht wird, die Torsionsfestigkeit. Konstruktionsteile, die auf Abscheren beansprucht werden, sind auf ihre Scher- oder Schubfestigkeit zu untersuchen.

Von ähnlicher Bedeutung wie die Festigkeit eines Stoffes ist sein Formänderungsvermögen. In manchen Fällen ist ein großes Formänderungsvermögen erwünscht. In anderen Fällen soll die Verformung bei gegebener Belastung möglichst gering sein. Der Widerstand, den ein Werkstoff Verformungen entgegensetzt, ist durch seine elastischen Moduln gekennzeichnet. Man unterscheidet je nach Beanspruchung u. a. den Elastizitäts-, den Torsions- oder Schubmodul, den Plattenmodul und den Kompressionsmodul. Stoffe, die eine große Längenänderung ertragen können, besitzen einen geringen Elastizitätsmodul, harte Stoffe dagegen einen hohen.

Weit verbreitet ist die Ermittlung der Härte, bei der das Eindringen eines Körpers in einen anderen unter definierter Belastung über einen bestimmten Zeitraum gemessen wird. Man unterscheidet verschiedene Härten, je nach Form des Eindringkörpers.

Werden Werkstoffe einer schlagartigen Beanspruchung ausgesetzt, so muß ihr Verhalten in Schlagversuchen untersucht werden, deren Beansprungungsform dem jeweiligen Belastungsfall zu entsprechen hat. Daneben spielt das Verhalten bei Wechselbeanspruchungen eine große Rolle. Auch hierbei sind verschiedene Beanspruchungsformen zu beachten. Ferner unterscheidet man die Schwellfestigkeit, bei der das Material nur in einer Richtung, also nur auf Druck oder Zug oder Verdrehung beansprucht wird, von der Wechselfestigkeit, bei der ein ständiger Wechsel zwischen Druck und Zug oder eine Verdrehung in entgegengesetzten Richtungen vorliegt.

Je nach Material und Anwendungsfall sind mechanische Untersuchungen in Abhängigkeit von der Zeit oder der Frequenz, bei verschiedenen Temperaturen und gegebenenfalls bei unterschiedlichen äußeren Einwirkungen vorzunehmen, zum Beispiel in Meerwasserumgebung, wenn es sich um die Prüfung von Materialien für Bohrinseln handelt, oder unter Strahlenbeanspruchung, wenn die Werkstoffe für Kernkraftwerkskomponenten Verwendung finden sollen. Häufig strebt man auch anstelle einachsiger Beanspruchungen zwei- oder dreiachsige Belastungsfälle an, die allerdings einen nicht unerheblichen experimentellen Aufwand erfordern. Mehrachsige Spannungszustände können außerdem durch das Einbringen von Kerben in die Versuchskörper erzeugt werden, wodurch erhebliche experimentelle Vereinfachungen bei gleichzeitiger Erhöhung des theoretischen Aufwands möglich sind.

Die Kenntnis der Spannungsverteilung in tragenden Bauteilen ist wichtig, da nur dann eine wirklich gute Nutzung des Werkstoffes vorliegt, wenn überall annähernd gleich große Spannungen auftreten. Für die Messung der Spannungsverteilung kommen verschiedene Verfahrensgruppen in Betracht:

– Dazu gehört die
Spannungsoptik, bei der an Modellen aus speziellen durchsichtigen Kunststoffen, die
bei mechanischen Beanspruchungen doppelbrechend wirken, Untersuchungen ausgeführt werden. Andere optische Verfahren geben ebenfalls Aufschluß über die Spannungsverteilung unmittelbarer Prüfobjekte. Dabei sind einige Methoden erst mit dem
Aufkommen der Laser mit ihrem ausgeprägten kohärenten Licht möglich geworden.
– Weiterhin können Spannungsverteilungen, aber auch Eigenspannungen in metallischen Bauteilen mit Hilfe der Röntgenbeugung nachgewiesen werden.
– Das gebräuchlichste Verfahren ist die Dehnungsmessung mittels aufgebrachter Deh-
nungsmeßstreifen oder anderer Dehnungsaufnehmer an einer hinreichend großen
Zahl von Meßpunkten, hauptsächlich dort, wo Spannungsspitzen zu erwarten sind.
Für die verschiedenen mechanischen Untersuchungen, ist eine große Zahl von Prüfgerä-
ten im Gebrauch. Häufig werden Prüfmaschinen für Druck- oder Zugbeanspruchung
oder auch Universalprüfmaschinen benutzt, die statische, zügige sowie schwingende
Beanspruchungen erlauben. Dabei haben sich zur Krafterzeugung moderne elektrohy-
draulische Maschinen durchgesetzt (Abb. 4).

In den letzten Jahren hat sich die Werkstoff-Forschung verstärkt Fragen der Bruchent-
stehung, des Rißwachstums und der Bruchwahrscheinlichkeit gewidmet, um möglichst
zuverlässige Aussagen bei gewählten Konstruktionen innerhalb gesicherter Grenzen
machen zu können. Derartige Versuche und die Übertragung der Ergebnisse auf Praxis-
verhältnisse setzen einen erheblichen mathematischen Aufwand voraus.

Zerstörungsfreie Prüfung

Besondere Verhältnisse bei der Untersuchung von Werkstoffen und Materialien liegen
dann vor, wenn es sich nicht um einwandfreie homogene Stoffe handelt, sondern um
Materialien mit Einschlüssen, Mikrorissen oder Fertigungsfehlern, die Ausgangspunkte
für Rißbildungen sein können, oder auch um gefügte Bauteile, d. h. geschweißte, geklebte
oder gelötete Verbindungen gleichartiger oder verschiedener Werkstoffe. Zum Nachweis
derartiger Fehler werden die Methoden der zerstörungsfreien Prüfung eingesetzt.

Die älteste zerstörungsfreie Prüfmethode, die bis heute am weitesten verbreitet ist, ist
die Durchstrahlungsmessung mit Röntgen- oder Gammastrahlen. Daneben hat sich
inzwischen die Ultraschalldurchstrahlungsprüfung durchgesetzt, die wegen ihrer für
Personen gefahrlosen Anwendbarkeit und großen Flexibilität durch Nutzung entsprechender Wandler in vielen Bereichen bevorzugt wird. Für Fälle, bei denen eine genaue
Lagebestimmung in Querschnitten erforderlich ist, wurde in jüngster Zeit die von der
Medizin her bekannte Computer-Tomogaphie auf die Werkstoffprüfung mit Erfolg
übertragen. Ein Anwendungsbeispiel zeigt Abb. 5.

Daneben gibt es andere Techniken, die für unterschiedliche Probleme zur Anwendung
kommen, wie Oberflächenverfahren, Magnetpulververfahren, Schwingungsanalyse,
Schallemissionsanalyse, elektrische, optische Verfahren sowie die Beugung von Röntgen-,
Elektronen- und Neutronenstrahlen.

Materialschädigung durch äußeren Angriff

Im Hinblick auf viele Materialschäden, damit verbundene Unfallgefahren, aber auch volkswirtschaftliche Verluste sind Untersuchungen von Reibung und Verschleiß, der Korrosion, des Angriffs durch aggressive Medien sowie durch Mikroorganismen und des Brandverhaltens von erheblicher Bedeutung. Gezielte Untersuchungen mit daraus zu folgernden Maßnahmen sowie die Ermittlung der Ursachen von Schadensfällen sind daher wichtige Aufgaben der Materialprüfung.

Reibung und Verschleiß von Werkstoffen und Bauteilen treten als Folge tribologischer Beanspruchungen, d. h. Kontakt- und Relativbewegungen eines festen, flüssigen oder gasförmigen Gegenkörpers auf. Die Reibung wirkt der Relativbewegung sich berühren-der Körper entgegen. Sie wird auch als »äußere« Reibung bezeichnet, um sie von der »inneren« Reibung in Körpern zu unterscheiden, die für Flüssigkeiten und Gase durch die Viskosität beschrieben wird. Durch Schmierung kann die äußere Reibung von Kontakt-partnern in die innere Reibung des Schmierstoffes überführt werden, wodurch Reibungs-koeffizient und Verschleißbetrag deutlich abnehmen.

Korrosion ist die Reaktion eines metallischen Werkstoffes mit seiner Umgebung. Bei manchen Metallen können sich an der Atmosphäre durch Oberflächenoxidation Schutz-schichten bilden. Bei Eisen und Stahl ist dies nicht der Fall, so daß ein wirksamer Korrosionsschutz aufgebracht werden muß. Das Rosten des Eisens ist mit einer Volumen-vermehrung verbunden, die sogar zu einer Sprengung von Niet- und Schraubverbindun-gen führen kann.

Die »Alterung« organischer oder anorganischer Stoffe ist ein Sammelbegriff für Verän-derungen irreversibler Art durch äußere Einflüsse, insbesondere durch die Witterung oder auch durch chemische Substanzen. Dabei hängt die Witterungsbeständigkeit vor allem von der Wasserbeständigkeit der Materialien ab. So kann die Porosität eines Stoffes zur Wasseraufnahme führen, die, wenn Frost eintritt, die Stoffe zerstört.

Bei der Widerstandsfähigkeit von Werkstoffen gegenüber chemischen Einflüssen ist eine generelle Aussage nur sehr eingeschränkt möglich. Von besonderer Bedeutung sind dabei jedoch Reaktionen mit Säuren, Basen, Salzen und Sauerstoff. Nur wenige Materia-lien sind weitgehend säureresistent wie Glas oder Klinker. Teils ausgesprochen heftig reagieren die häufig eingesetzten unedlen Metalle, etwa Eisen, Zink und Aluminium mit vielen Säuren.

Aluminium und Zink werden auch von alkalischen Medien stark angegriffen. Da Kalk- und Zementmörtel alkalisch reagieren, müssen diese Metalle vor entsprechenden Kontak-ten unbedingt geschützt werden. Stahl dagegen wird über eine Oberflächenreaktion hinaus nicht angegriffen, sondern erfährt sogar einen Schutz in leicht alkalischer Umge-bung wie sie im Stahlbeton vorliegt. Salzlösungen wirken auf Eisen korrosionsfördernd. Besonders aggressiv sind chloridhaltige Lösungen, zum Beispiel Meerwasser oder Tau-salze. Unter ihrem Einfluß kann die Schutzwirkung von Beton auf Stahl ausgeschaltet werden, was durch die Porosität des Betons begünstigt wird. Verrostete Bewehrungen in Autobahnbauwerken sind hierfür ein Beispiel.

Werkstoffe können auch von Mikroorganismen, besonders von Pilzen und Bakterien, sowie den verschiedenen Tierarten angegriffen werden. Während die Mikroorganismen durch ihre Stoffwechselprodukte chemisch auf die Werkstoffe einwirken, schädigen die Tiere die Werkstoffe hauptsächlich mechanisch durch ihre Nagewerkzeuge. Besonders zerstörerisch sind Insekten wie Termiten, Larven von bestimmten Käfer-, Schmetterlings- und Hautflüglergruppen, gelegentlich auch Wirbeltiere auf dem Lande und gewisse Muschel- und Krebsarten im Meerwasser. Feuchtwarme Regionen bieten Materialschäd- lingen besonders günstige Lebensvoraussetzungen. Schutzmaßnahmen sind vor allem bei organischen Werkstoffen erforderlich. Auch Werkstoffe und Bauteile der Elektrotechnik und Elektronik sind bei Verwendung in bestimmten Klimazonen zu schützen. So müssen zum Beispiel Kabel termitenbeständig sein, auf gedruckten Schaltungen darf kein Schim- melbewuchs entstehen (Abb. 6).

Beim Verhalten der Werkstoffe im Feuer unterscheidet man nicht brennbare und brennbare Stoffe. Nicht brennbar sind alle diejenigen, die nicht zur Entflammung gebracht werden können und auch nicht veraschen. Dies sind fast alle Metalle und die mineralischen, also anorganischen Stoffe. Als brennbar werden Stoffe bezeichnet, die nach der Entflammung ohne zusätzliche Wärmezufuhr weiterbrennen. Dazu gehören organische Stoffe, wie Holz, Papier, Bitumen, Teer und Kunststoffe, aber auch Magne- sium und seine Legierungen. Eine Zwischenstellung nehmen schwerentflammbare Stoffe ein, die beim Brandversuch nur schwer zum Brennen gebracht werden können, und nur bei zusätzlicher Wärmezufuhr mit geringer Geschwindigkeit verbrennen. Stoffe, die in der Hitze verkohlen, ohne daß es zu einer Flammenbildung kommt, gelten ebenfalls als schwerentflammbar. Hierzu zählen Anstriche und Beschichtungen, die im Brandfall aufschäumen und gegen die Flammeneinwirkung isolierende Kohlenstoffschichten bilden.

## Technische Normen und Sicherheitsgesetzgebung

Es sei noch einmal daran erinnert, daß das Ziel der Werkstoff- und Materialprüfung darin besteht, eine optimale Gebrauchstauglichkeit und eine möglichst hohe Sicherheit eines Materials zu gewährleisten. Dies bedeutet in den allermeisten Fällen, daß an einem Werkstoff oder Bauteil eine Vielzahl verschiedener Untersuchungen vorgenommen werden muß, um zu einer Gesamtaussage über das Werkstoff- und Materialverhalten zu kommen. Man denke etwa an die Untersuchung von Transportumschließungen für gefährliche Güter, an Großbehälter für Gase, an den Brücken- oder Tunnelbau, an Straßenbeläge oder an Getriebe und Motoren.

Obwohl in verschiedenen Instituten im In- und Ausland durch die gemeinsame Tätig- keit von Fachleuten unterschiedlicher Disziplinen mit entsprechenden Erfahrungen ein erheblicher komplexer Sachverstand bereitgehalten wird, würde er sicher nicht ausrei- chen, die Vielfalt der Möglichkeiten zur Diagnose und Therapie von Schäden und ihren Folgen stets optimal einzusetzen. Darüber hinaus bestünde die Gefahr, daß sich die Methoden und die ermittelten Ergebnisse an verschiedenen Stellen auseinanderentwik- keln.

Dem wirkt das nationale und internationale Werk technischer Normen entgegen. In der Bundesrepublik Deutschland gibt es eine große Zahl überbetrieblicher technischer Richtlinien, Regeln und Merkblätter, die von technisch-wissenschaftlichen Vereinen, wie dem Verein Deutscher Ingenieure (VDI), dem Verein Deutscher Elektrotechniker (VDE), dem Deutschen Verband für Schweißtechnik (DVS), dem Verein Deutscher Eisenhüttenleute (VDEh), aber auch von Zusammenschlüssen wie den Berufsgenossenschaften mit ihren Unfallverhütungsvorschriften erarbeitet und herausgegeben werden. Als allgemein anerkannte Regeln der Technik gelten dabei die technischen Normen, die vom DIN Deutsches Institut für Normung herausgegeben werden.

Das DIN hat durch den Vertrag mit der Bundesregierung aus dem Jahre 1975 sowohl national als auch international die Aufgabe, das Normenwesen zu vertreten, bei den Normungsarbeiten das öffentliche Interesse zu berücksichtigen und das technische Regelwerk für jedermann bereitzuhalten. Das entsprechende Wissen ist inzwischen im Deutschen Informationszentrum für Technische Regeln (DITR) erfaßt. Darüber hinaus hat das DIN mit den wichtigsten Verbänden Vereinbarungen getroffen, aufgrund deren die entsprechenden technischen Regeln im Falle einer Normungsreife in technischen Normen übergeführt werden können.

So sind im Bereich der Werkstoffe und Materialien Fachleute aus den unterschiedlichen Anwendungs- und Entwicklungsbereichen bemüht, Festlegungen über Eigenschaften zu vereinbaren und damit die Anwendung von Materialien mit bekannten eng begrenzten Eigenschaftswerten zu ermöglichen. Hierfür sind Arbeitskreise und Ausschüsse tätig, die Maß-, Güte- und Prüfnormen vorschlagen und der Öffentlichkeit vor der endgültigen Verabschiedung zur Diskussion stellen.

Für den Bereich der Materialprüfung ist der Normenausschuß Materialprüfung (NMP) zuständig. Von den insgesamt 121 Normenausschüssen des DIN ist der NMP einer der größten. Er betreut mehr als 1800 Normen und damit fast 10 Prozent aller technischen Normen überhaupt. Hierfür sind über 4000 ehrenamtliche Mitarbeiter in 223 Ausschüssen und 50 Arbeitskreisen tätig. Jährlich werden rund 200 Normen und Normenentwürfe veröffentlicht, wovon rund die Hälfte neu erarbeitet wurde, während die andere Hälfte aktualisierte Normen betrifft.

Dabei geht es um so unterschiedliche Themen wie:
– Prüfung von Stahl; Zugversuch von Schweißverbindungen; schmelzgeschweißte Stumpfnähte,
– Emails; Bestimmung der Beständigkeit gegen heiße Waschmittellösungen für Textilien,
– Feuerfeste Erzeugnisse; Bestimmung der Dichte,
– Probenahme bituminöser Bindemittel,
– Pappe; Bestimmung des Berstdruckes,
– Prüfung von Schmierstoffen; Bestimmung des Gehaltes an Eisen; Röntgenfluoreszenzanalyse,
um nur einige Beispiele zu nennen.

Sicherheitsgesetzgebung

Die Tätigkeit des DIN soll aber auch der Erleichterung bei der Formulierung von Rechtsnormen dienen. Hierzu legt der Normenvertrag zwischen der Bundesregierung und dem DIN fest, daß »die Normen bei der Gesetzgebung, in der öffentlichen Verwaltung und im Rechtsverkehr als Umschreibungen technischer Anforderungen herangezogen werden können«. Damit bilden technische Normen die Grundlage für die einschlägige Sicherheitsgesetzgebung, die ihrerseits mit dem Ziel behördlicher Gefahrenabwehr alle Rechtsvorschriften umfaßt, durch die die Planung, Errichtung oder Herstellung und der Betrieb technischer Erzeugnisse geregelt und behördlicher Kontrolle unterworfen werden. Dazu gehören Gesetze, die unmittelbar oder mittelbar den Umgang mit der Technik sicherer machen sollen, Strafvorschriften, die gefährliche Formen des Umgangs mit der Technik verbieten, Haftungsregelungen, die Schadensersatzansprüche festlegen, sowie allgemeine Rechtsverordnungen, behördliche Richtlinien und Erlasse. Als Beispiele seien genannt: das Sprengstoffgesetz, das Waffengesetz, das Gerätesicherheitsgesetz, das Atomgesetz, das Bundesemissionsschutzgesetz, die Landesbauordnungen, sowie die damit zusammenhängenden Verordnungen und Verwaltungsvorschriften.

Je nach dem vorliegenden Risiko beinhalten diese Gesetze entweder nur die Pflicht zur Beachtung anerkannter Regeln der Technik, ohne den Nachweis dafür erbringen zu müssen (zum Beispiel beim Gerätesicherheitsgesetz), oder aber die zusätzliche Informationspflicht (für weniger bedeutende Bauvorhaben), die Notwendigkeit des Einholens einer Genehmigung (bei bedeutenderen Bauvorhaben oder bei technischen Anlagen nach § 24 der Gewerbeordnung) sowie im Extremfall die Antragstellung einer besonderen Zulassung (etwa im Rahmen des Waffenrechts, des Sprengstoffrechts oder des Atomrechts). Im letzteren Fall besteht ausdrücklich kein Anspruch auf Genehmigung, selbst dann nicht, wenn die grundsätzlichen Voraussetzungen dafür erfüllt sind (»Verbot mit Erlaubnisvorbehalt«).

Im Rahmen der Sicherheitsgesetzgebung wird auf entsprechende technische Normen verwiesen, womit diese Inhalt gesetzlicher Regelungen werden. Mit dem technischen Fortschritt geht jedoch eine ständige Änderung der ihn beschreibenden technischen Normen einher. Dies ist ein dynamischer Vorgang. Die rechtlichen Festlegungen, die Rechtsnormen, sind dagegen eher statisch. Das damit verbundene Dilemma eines zeitlichen Auseinanderklaffens des jeweiligen allgemein anerkannten Standes der Technik, der in Normen festgelegt ist, einerseits und der entsprechenden Gesetzgebung andererseits konnte bis heute nicht aufgelöst werden. Von technischer Seite wird immer wieder auf die Möglichkeit der »gleitenden« Verweisung auf technische Normen in Rechtsvorschriften hingewiesen, womit diese automatisch aktualisiert würden. Auf seiten des Gesetzgebers stößt diese Möglichkeit jedoch auf grundsätzliche Vorbehalte, weil ihm damit ein Teil seiner Kompetenzen zur Festlegung der Rechtsinhalte genommen würden.

Für den Bürger ist allein die nationale gesetzliche Regelung maßgebend, obwohl sie keineswegs unabhängig von internationalen Vereinbarungen ist. So hat die Bundesrepublik Deutschland im Rahmen der Europäischen Gemeinschaft Verpflichtungen übernommen, die sich u. a. im Atomrecht niederschlagen, aber auch zur Vermeidung von Wettbewerbsverzerrungen ganz allgemein bei technischen Gesetzesvorhaben, etwa beim Umwelt-, Gesundheits- und Verbraucherschutz zu beachten sind.

Daher ist im Vorfeld gesetzlicher Regelungen die Erarbeitung international anerkannter technischer Normen von großer Bedeutung, und es gibt zahlreiche internationale Gremien, die sich für die verschiedenen Gebiete um die Vereinbarung technischer Regeln bemühen. Hierzu gehören die internationalen Ausschüsse und Arbeitsgruppen der ISO (International Standardization Organization), der IEC (International Electrotechnical Commission), der europäischen Komitees CEN (Comité Européen de Normalisation) und CENELEC (Comité Européen de Normalisation Electrotechnique) sowie Gremien mit Regierungsvertretungen, wie die IMCO (Intergovernmental Maritime Consultative Organization) oder der Ausschuß für das RID (Règlement International Concernant le Transport des Marchandises Dangereuses).

Zur behördlichen Gefahrenabwehr gehört aber auch die Festlegung von Kontrollen zur Einhaltung der Sicherheitsgesetzgebung. Hierfür ist in der Bundesrepublik Deutschland im Laufe der technischen Entwicklung ein engmaschiges Netz von Institutionen entstanden. So sind im Rahmen des Atomrechtes, des Waffenrechtes oder des Sprengstoffrechtes jeweils technische Bundesoberbehörden für die Kontrolle, die Erstellung von Gutachten oder die unmittelbare Zulassung zuständig. Für die Überwachung technischer Anlagen nach § 24 der Gewerbeordnung werden die Technischen Überwachungs-Vereine tätig, wie bei der Überwachung einer großen Zahl weiterer technischer Einrichtungen auch. Im Falle der Bauordnung werden entsprechende Gutachten und Kontrolluntersuchungen von den Landesmaterialprüfämtern übernommen. Im Rahmen des Gerätesicherheitsgesetzes gibt es eine ganze Reihe anerkannter Prüfstellen für die Prüfung einzelner Produktgruppen. Darüber hinaus wird die Bundesregierung durch Gremien wie die Reaktorsicherheitskommission, die Strahlenschutzkommission, den Kerntechnischen Ausschuß und andere technische Beratungsausschüsse, wie die VDI-Kommissionen »Reinhaltung der Luft« und »Lärmminderung« unterstützt. Auf dem Gebiet des Arbeitsschutzes sind die Berufsgenossenschaften als Zusammenschlüsse von Firmen der einzelnen Branchen tätig.

Auch im Vergleich zu anderen Industriestaaten, wie den USA, Frankreich, England und Japan, hat die Bundesrepublik Deutschland in ihrer Sicherheitsgesetzgebung und in den Kontrollsystemen ein Höchstmaß an Voraussetzungen zur Gefahrenabwehr geschaffen. Nicht zuletzt deshalb gelten deutsche Anlagen und Erzeugnisse als besonders sicher.

Trotzdem sind in den vergangenen Jahren zunehmend Fragen der Sicherheit technischer Anlagen und der Akzeptanz der damit verbundenen Risiken Gegenstand öffentlicher Diskussionen geworden. Bürgerinitiativen, Medien, Gerichte und Behörden haben sich mit dieser Problematik beschäftigt, und wir sind nicht nur in Deutschland, sondern in den meisten Industrieländern von einem allgemeinen Konsens in dieser Frage noch weit entfernt. Dabei haben sich Befürchtungen und Ängste vor allem an modernen, wenig überschaubaren Großtechniken, wie Kernkraftwerken, Transporten größerer Mengen gefährlicher Stoffe oder neuen Kommunikationstechnologien entzündet. Wegen der Irrationalität des menschlichen Risikoverhaltens sind Diskussionen hierbei aber äußerst schwierig; denn der Mensch ist durchaus zur Tolerierung wesentlich höherer Risiken bereit, sofern er sich den Risiken nur freiwillig unterwirft.

In den USA wurde der Kongreßausschuß »Technology Assessment« gegründet, der sich bemüht, die Folgen neuer Technologien und die damit verbundenen Risiken abzuschätzen. In der Bundesrepublik hat u. a. der Verein Deutscher Ingenieure Prinzipien der Technologiefolgenabschätzung erarbeitet, und neuerdings plant der Deutsche Bundestag die Bildung einer entsprechenden Kommission. Sicherlich kann auf diese Weise versucht werden, die gesellschaftliche Akzeptanz neuer Technologien zu verbessern und eine frühe Interessenabwägung des Nutzens und der Gefahren für die Gesellschaft zu erreichen. Es dürfte aber grundsätzlich nicht möglich sein, technische Entwicklungen rückgängig zu machen oder ein mit ihnen verbundenes Risiko absolut zu vermeiden. Stets wird ein Grenz- oder Restrisiko verbleiben, dessen Maß von der Bereitschaft abhängt, die erforderlichen Kosten zu seiner Verringerung zu tragen.

In jedem Falle hat die Entwicklung der letzten Jahrzehnte mit ihrem schnellen technischen Fortschritt und dem wachsenden Bedürfnis nach mehr Sicherheit zu einer starken Zunahme der gesetzlichen Regelungen und der technischen Normen geführt. Und wenn auch immer wieder von vielen Seiten darauf gedrungen wird, die Zahl technischer Regeln zu verringern, so ist die Gesamttendenz nicht aufzuhalten: vor 20 Jahren gab es noch keinerlei bundeseinheitliche Vorschrift auf dem Gebiet des Atomrechtes, heute gibt es Hunderte von Paragraphen und technischen Regeln. Entsprechendes gilt für andere technische Anlagen sowie für die Bauordnung. Abhilfe könnte nur dadurch geschaffen werden, daß nicht jeder Einzelfall eines Schadens oder Unglücks sofort zu generellen Festlegungen führt, sondern daß die Nutzung des technischen Sachverstandes entsprechender Institutionen und Gremien fallweise zur Pflicht gemacht wird.

## Zukünftige Entwicklung

Schon Anfang der 70er Jahre hatte die National Academy of Science in den USA ein Komitee damit beauftragt, unter dem Titel »Materials and Man's Needs« die zukünftigen Erfordernisse auf dem Werkstoff- und Materialgebiet zu konkretisieren und entsprechende Forschungs- und Entwicklungsziele zu definieren. In dem dann im Jahre 1974 vorgelegten Bericht wurde darauf hingewiesen, daß Materialwissenschaften und -technologie eng miteinander verzahnt sind und daß es zwischen ihnen und zahlreichen anderen Gebieten der Naturwissenschaften und der Technik vielseitige Verbindungen und gegenseitige Abhängigkeiten gibt.

Obwohl bei der Erarbeitung des Berichtes nahezu 1000 Fachleute mit ihren Institutionen Berücksichtigung fanden und mehr als 100 Spezialisten direkt in dem genannten Komitee mitarbeiten konnten, wurde ausdrücklich vermerkt, daß Werkstoffe und Materialien so vielseitig und die Felder ihrer Anwendungen so zahlreich seien, daß auch nicht annähernd Vollständigkeit bei der Darstellung gesichert werden konnte. Dabei wurden so verschiedene Bereiche genannt, wie:
– Verbesserung des »Materialkreislaufs«; Exploration, Rohstoffgewinnung, Verarbeitung, Produktherstellung, Wiederverwendung, Umwelteinflüsse, Materialsubstitution,
mit Forderungen an Werkstoffe auf Gebieten nationaler Bedeutung:

- Kommunikationstechnologien;
- Luft- und Raumfahrt;
- Energietechnologien; Supraleiter, Hochtemperaturturbinen, Magnetohydrodynamischer (MHD)-Generator, neue Reaktorlinien, Solarenergie, Energiespeicherung;
- Transportprobleme; Automobile, Flugzeuge, Schiffe;
- gesundheitliche Versorgung;
- Umwelttechnologien
- Bauwesen; Vorausberechnungen, Optimierungskriterium, Wärmedämmung;
- Verbrauchsgüter, Produktionsausrüstungen, Automation.

Sehr detailliert wurden daran notwendige Forschungs - und Entwicklungsziele geknüpft, aber auch Forderungen einer verstärkten und verbesserten Nutzung der Forschungsergebnisse in der Praxis, vermehrte Ausbildungsmöglichkeiten an Hochschulen und Universitäten sowie erleichternde politische und wirtschaftliche Rahmenbedingungen. Hierdurch wurden erhebliche Anstrengungen zur Entwicklung neuer Werkstoffe und Materialien sowie zur Verbesserung vorhandener initiiert mit einer Vielzahl von Schwerpunkten bei gleichzeitiger Verstärkung der erforderlichen Grundlagenforschung.

In einem im Jahre 1979 von der National Academy of Science veröffentlichten Fünfjahresausblick über Wissenschaft und Technik wurden u. a. die erwarteten Entwicklungen für folgende als besonders wichtig angesehene Materialklassen herausgestellt:

- Metalle und ihre Legierungen: Nutzung hochtemperaturbeständiger Nickel- und Kobaltlegierungen für Turbinenschaufeln – dabei erlaubt das anisotrope Gefüge, das durch gerichtete Erstarrung entsteht, Arbeitstemperaturen oberhalb 950 °C und damit Verbesserungen des Schubkraft/Gewicht-Verhältnisses um 15 Prozent; Entwicklung von niedriglegierten hochfesten Stählen, die zum Beispiel bei der Verwendung in Personenkraftwagen zu Gewichtsersparnissen bis zu 30 Prozent führen sollen; kommerzieller Einsatz metallischer Gläser für verlustarme Transformatorkerne mit entsprechend hoher Energieeinsparung; vermehrte Anwendung von Titan als Leichtbauwerkstoff.
- Energie- und informationsbezogene Materialien: Herstellung von Solarzellen zur direkten Umwandlung von Licht in elektrische Energie; Verwendung von Fluoreszenzlampen und Hochdruck-Metall-Gasentladungslampen für kommerzielle Anwendungen; zunehmender Einsatz von Glasfasern zur Informationsübertragung; Steigerung der Packungsdichte von Elektronikbausteinen und Anwendung neuer lithographischer Techniken.
- Polymerwerkstoffe: Verstärkung des Einsatzes geeigneter Stoffe in Kraftfahrzeugen; Entwicklung von Polymerwerkstoffen mit hoher Wärme-, Licht-, Oxidations- und Flammenbeständigkeit sowie verbesserten elektronischen Eigenschaften.
- Keramische und andere anorganische Materialien: Verstärkter Einsatz keramischer Werkstoffe, wie Siliziumnitrid und Siliziumcarbid mit besonderer Korrosions-, Erosions- und Thermoschockbeständigkeit für Hochtemperaturanwendungen, zum Beispiel in Gasturbinen; intensive Forschung zum Sprödbruch derartiger Materialien; Einsatz verbesserter Methoden der zerstörungsfreien Prüfung zur Erkennung von Mikrofehlern.
- Verbundwerkstoffe: Weitere Entwicklung von Hochleistungsverbundwerkstoffen

unter Verwendung von Bor-, Kohlenstoff-, Siliziumcarbid- und anderen Fasern hoher Steifigkeit zur Anwendung im Flugzeugbau, aber auch im Automobilsektor zur Gewichtseinsparung.

- Regenerierbare Materialien: Studien zur Erstellung von Pflanzungen oder Plantagen u. a. als erneuerbare Ressourcen für Materialien wie Gummi oder Schmierstoffe.
- Biomedizinische Werkstoffe: Weiterentwicklung von Metallen, Polymerwerkstoffen, Keramik und Verbundwerkstoffen für Implantate (Hüft- und Kniegelenke, Arterienersatz, Herzklappen), insbesondere im Hinblick auf Biokompatibilität und Beständigkeit.
- Materialeinsparung, Recycling, Substitution: Forschungs- und Entwicklungsarbeiten zur Einschränkung von Materialverlusten, insbesondere durch Verschleiß und Korrosion, sowie zum Recycling von Werkstoffen und zur Substitution seltener und teurer Werkstoffe.

Auch in Japan ist im Laufe des letzten Jahrzehnts die herausragende Bedeutung der Werkstoffe für das Erreichen und Behaupten technologischer Spitzenpositionen erkannt worden. Für die 80er Jahre wurden vom Japanischen Ministerium für internationalen Handel und Industrie (MITI) fünf Bereiche als besonders wichtig und förderungswürdig bezeichnet: Biotechnologie, Mikroelektronik, Metalle und Legierungen neuer Art, keramische Werkstoffe, Polymere mit speziellen Eigenschaften. Dabei wird von einem Zehnjahresförderprogramm von fast 1,1 Milliarden DM ausgegangen. Die damit zusammenhängenden neuen Materialforschungs- und -entwicklungsziele betreffen u. a.: Silizium als Basismaterial der Elektronikindustrie, Titan als zukunftsträchtiges Metall für die Leichtbauweise, amorphe Metalle (metallische Gläser), Materialien für die Solartechnik, keramische Werkstoffe, faserverstärkte Kunststoffe.


*Forschung und Entwicklung in Europa und Deutschland*

Wie bereits eingangs erwähnt, ist vor kurzem auch von der Bundesregierung sowie von der Kommission der Europäischen Gemeinschaften damit begonnen worden, Forschungs- und Entwicklungsziele auf dem Gebiet der Werkstoffe und Materialien zu definieren und entsprechende Förderungen vorzusehen. Dabei wird davon ausgegangen, daß sich wissenschaftliche Institutionen und Industriebetriebe gemeinsam um die Entwicklung geeigneter Werkstoffe, ihre Verarbeitung und Anwendung in wichtigen Technologiebereichen bemühen und darüber hinaus durch finanzielle Eigenbeteiligung der Unternehmen die Praxisbezogenheit der Zielsetzungen gesichert bleibt.

Die Programme füllen inzwischen Dokumente mit vielen Seiten. Daher soll versucht werden, hieraus einige der wichtigsten Gebiete aufzuzeigen und gewisse Trends für die Zukunft herzuleiten, so wie sie sich auch aus den Programmen der USA und Japans schließen lassen. Dabei wird eine Systematik benutzt, die sich bei der Vorbereitung des von der Europäischen Gemeinschaft inzwischen veröffentlichten Programms BRITE (Basic Research in Industrial Technologies for Europe) durch Recherchen der Bundesanstalt für Materialprüfung als zweckmäßig erwiesen hat. Hierfür hatte sich die Bundesanstalt bemüht, durch Befragung von Sachverständigen, Institutionen und Firmen in den

Abb. 1: Vase aus Vix (Dep. Côte-d'Or, Frankreich), 500 v. Chr., aus Bronzeblech getrieben, Höhe: 1,64 m, Gewicht: 208,6 kg, Fassungsvermögen: 1100 Liter (s. Schmöle, C., a.a.O.).

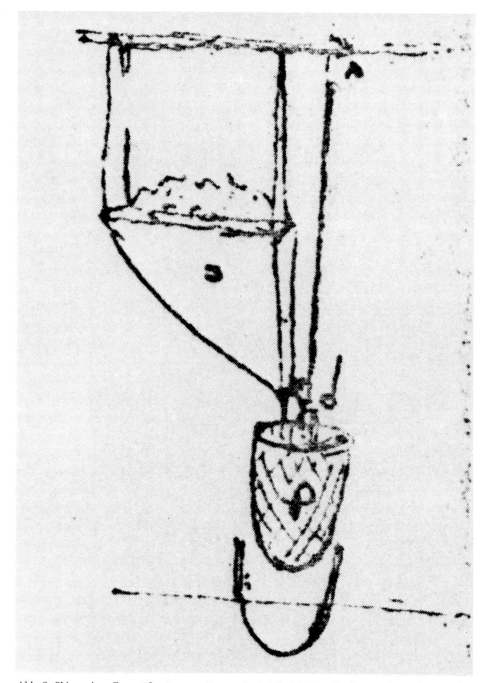

Abb. 2: Skizze eines Zugprüfgerätes von Leonardo da Vinci (s. Krankenhagen, G., und H. Laube, a.a.O.).

Abb. 3: Prüfmaschine zur gleichzeitigen wechselnden Zugbeanspruchung von vier Probestäben nach August Wöhler aus dem Jahre 1860 (s. Ruske, W., a.a.O.).

Abb. 4: Großprüfmaschine für zügige (± 20 MN) und periodische (± 13 MN) Belastungen von Großproben und Bauteilen; Prüfraumhöhe 4,4 m (BAM-Fachgruppe 1.2).

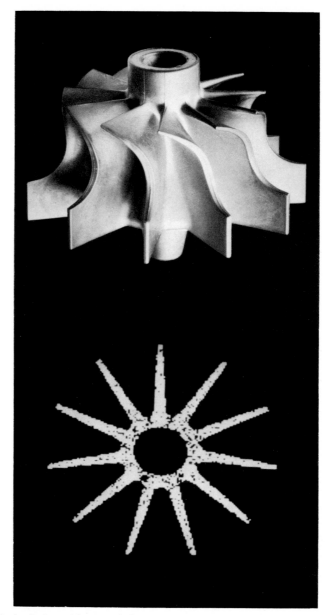

Abb. 5: Originalaufnahme (oben) und Computertomogramm (unten) eines Turbinenrades aus gesintertem Siliziumcarbid, Durchmesser: 6 cm. Im Achsenbereich sind Fehlstellen erkennbar (BAM-Fachgruppen 6.2 und 6.3).

Tafel V

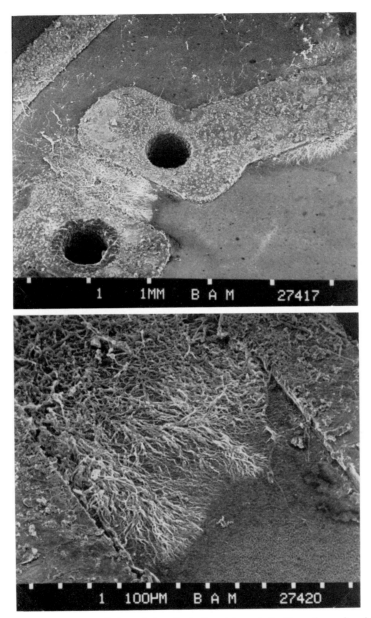

Abb. 6: Schimmelpilzbefall auf einer Leiterplatte für elektronische Bauteile nach achtwöchiger Lagerung in tropischer Atmosphäre (ca. 100% rel. Feuchte, 26°–28°C); Aufnahmen mit dem Rasterelektronenmikroskop bei zwei verschiedenen Vergrößerungen (BAM-Fachgruppe 5.1).

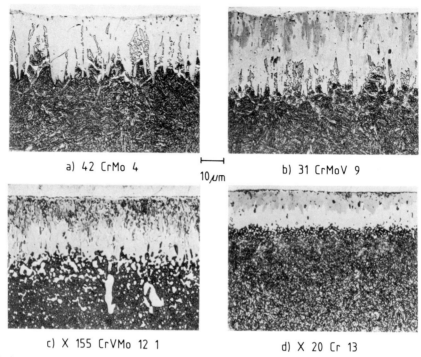

a) 42 CrMo 4     ⊢——⊣ 10 μm     b) 31 CrMoV 9

c) X 155 CrVMo 12 1       d) X 20 Cr 13

Abb. 7: Lichtmikroskopische Aufnahmen von Querschliffen borierter Stähle. Die Verzahnung der Eisenboridschichten mit dem Grundwerkstoff ist gut erkennbar (BAM-Fachgruppe 5.2).

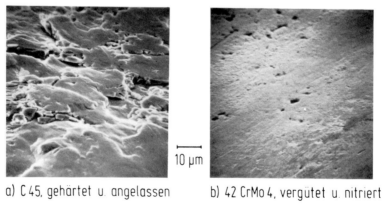

a) C 45, gehärtet u. angelassen     ⊢——⊣ 10 μm     b) 42 CrMo 4, vergütet u. nitriert

Abb. 8: Rasterelektronenmikroskopische Aufnahmen des adhäsiven Verschleißes von zwei verschiedenen vergüteten Stahloberflächen ohne (a) und mit (b) Nitrierung. Die Verminderung des Verschleißes durch Nitrierung ist deutlich (BAM-Fachgruppe 5.2).

Ländern der Europäischen Gemeinschaft Bedarfsschwerpunkte für Werkstoffe und Materialien, ihre Verarbeitung und ihre Anwendung zu ermitteln und Prioritäten für zukünftige Entwicklungen aufzustellen. Diese Schwerpunkte finden sich in der einen oder anderen Form in den verschiedenen Programmen wieder. Sie werden im folgenden – zum Teil auszugsweise aus dem Programm der Bundesregierung und aus dem Bericht der Bundesanstalt für Materialprüfung – jeweils geschlossen dargestellt.

## Neue Werkstoffe für neue Anforderungen

### Metallische Hochtemperatur- und Sonderwerkstoffe

Metallische Werkstoffe haben für viele technische Anwendungen günstige Eigenschaften. Sie besitzen ausreichende Festigkeit und Zähigkeit bei guter Wärmeleitfähigkeit. Sie lassen sich kostengünstig herstellen und verarbeiten. Darüber hinaus ist es im Labormaßstab durch schnelle Abkühlung aus der Schmelze gelungen, metallische Werkstoffe mit teilweise ungewöhnlichen Eigenschaften, insbesondere hoher Festigkeit, Zähigkeit und Korrosionsbeständigkeit zu erzeugen.

Mit den mikrolegierten schweißbaren und hochfesten Baustählen der jetzt in der Normung befindlichen E-Reihe (»extra kaltzäh«) ist ein Stand erreicht, bei dem diese Stähle höchsten Ansprüchen an Schweißbarkeit und Zähigkeit im Bauteil genügen. Für kerntechnische Anwendungen gelang es, dem Stahl 20 MnMoNi 55 ähnlich gute Eigenschaften zu verleihen, die auch bei dickwandigen Komponenten des Primärkreislaufs gewährleistet werden können.

Die Entwicklung der »Dual-Phase«-Stähle ist noch nicht abgeschlossen. Dabei handelt es sich um Stähle mit sehr niedrigem Kohlenstoffgehalt, bei denen durch spezielle Temperaturführung ein ferritisches Grundgefüge mit eingelagertem Martensit erzeugt wird. Bei diesen Stählen können ungewöhnlich hohe Umformgrade erzielt werden. Dadurch wird die Verarbeitbarkeit verbessert, und Kostensenkungen sind möglich.

Beim Gußeisen konnten in den letzten Jahren die Zähigkeitswerte bei Wanddicken bis zu 400 mm für Transport- und Zwischenlagerbehälter für abgebrannte Brennelemente erheblich verbessert werden. Heute kann Kugelgrafitguß in diesem Wanddickenbereich mit Zähigkeitswerten hergestellt werden, die vor wenigen Jahren nur bis zu 200 mm Wanddicke erreichbar waren.

Für viele Bereiche der Technik wäre es aber von erheblicher Bedeutung, metallische Werkstoffe bei höheren Temperaturen als bisher einsetzen zu können, etwa im Kraftwerks-, Anlagen- und Turbinenbau. Höhere Betriebstemperaturen würden erhöhte Wirkungsgrade und damit Energieeinsparungen mit sich bringen. Für manche Entwicklungen, etwa beim Hochtemperatur- oder beim Fusionsreaktor sind Hochtemperaturwerkstoffe unverzichtbar. Zukünftige Bemühungen richten sich einerseits auf die Verbesserung vorhandener metallischer Werkstoffe, zum Beispiel durch Einbau von Fremdatomen, Leerstellen oder Partikeln zur Behinderung oder Vermeidung von Versetzungsbewegungen sowie durch Herstellung amorpher Metalle, die theoretisch versetzungsfrei sind. Andererseits wird die Entwicklung neuer Werkstoffsysteme angestrebt, zum Beispiel auf der Basis der zwischen Metallen und Keramik stehenden intermetallischen Phasen für Einsatztemperaturen zwischen 900 und 1500 °C. Für diesen Bereich gibt es bisher noch keine metallischen Stoffe. Selbst »Superlegierungen« auf der Basis von Eisen, Nickel und Kobalt mit gerichteter Erstattung oder Zusätzen von Molybdän erreichen im Anlagen- und Turbinenbau zur Zeit nur maximale Einsatztemperaturen von 1050 °C.

## Keramische Werkstoffe

Keramische Werkstoffe besitzen wegen ihrer hohen Temperatur-, Korrosions- und Verschleißbeständigkeit sowie ihrer vergleichsweise geringen Dichte erhebliche Vorteile. Die Rohstoffe sind dabei fast unbegrenzt verfügbar und relativ preiswert. Von Nachteil sind jedoch die große Sprödigkeit und die damit verbundene Schlag- und Stoßempfindlichkeit. Ferner bestehen Schwierigkeiten bei der Bearbeitung der vergleichsweise harten keramischen Bauteile sowie bei ihrer Verbindung mit anderen Werkstoffen durch entsprechende Fügeverfahren. Verwendung finden keramische Werkstoffe bereits in vielen Bereichen der Technik sowie in der Medizin als Implantatmaterial für Endoprothesen. Neben der Aluminiumoxidkeramik werden Siliziumnitrid und Siliziumcarbid verstärkt eingesetzt.

Ziel neuer Entwicklungen sind Hochleistungskeramiken für zahlreiche Anwendungen, insbesondere für Kolbenmotoren, Gasturbinen, Kugel-, Rollen- und Gleitlager, Steuerungselemente, Reaktionsgefäße, Heißgasfilter und Isolierteile in der Hochtemperaturchemie. Dabei bemüht man sich, durch Auswahl geeigneter Ausgangsmaterialien, durch die Erhöhung der Reinheit von Keramiken, durch gezielte Dotierung mit Fremdpartikeln sowie durch Erzeugung von speziellen Gefügen mit geringer Korngrößenstreubreite neue Stoffe zu entwickeln. Darüber hinaus sind die Versagensmechanismen genauer zu erforschen, um plötzliche und unerwartete Brüche zu vermeiden. Auch strebt man neue Herstellungsverfahren, zum Beispiel Techniken zur Pulvererzeugung, Verdichtung, Formgebung und Verfestigung der Pulver an.

## Verbundwerkstoffe

Je nach Art der Verbundwerkstoffe ergeben sich unterschiedliche Vorteile, etwa bei Faser- und Schichtverbundwerkstoffen hohe Steifigkeiten und Festigkeiten in vorgegebenen Richtungen, bei faserverstärkten Metallen höhere Temparaturbeständigkeit und elektrische Leitfähigkeit, bei faserverstärkten Keramiken verbessertes Sprödbruchverhalten, bessere Thermoschockbeständigkeit sowie erhöhte Schlagfestigkeit.

Problematisch sind Haftungsprobleme zwischen den Verbundpartnern, mit Versagensmechanismen, die häufig nicht vorhersagbar sind. Auch ergeben sich für großindustrielle Fertigungen bisher noch Schwierigkeiten. Hochleistungsfasern sind vergleichsweise teuer, was einer größeren Verbreitung entgegensteht.

Zukünftige Bemühungen sind daher darauf gerichtet, die Herstellungsmöglichkeiten für Verbundwerkstoffe zu verbessern und preiswerter zu gestalten, die Haftungsprobleme zu erforschen sowie Schäden und Versagensmöglichkeiten zu verringern. Dabei könnte die weitere Suche nach geeigneten Partnern für Verbundsysteme zu zusätzlichen Verbesserungen führen. Speziell im Bereich des Bauwesens sollten faserverstärkter Beton und glasfaserverstärkter Mörtel mit günstigen Langzeiteigenschaften entwickelt werden.

## Leichtbauwerkstoffe

Hierbei kann es sich um Stoffe auf metallischer, keramischer oder Kunststoffbasis handeln, mit einer möglichst geringen Dichte bei unveränderten oder sogar verbesserten mechanisch-technologischen Eigenschaften für die jeweilige Anwendung. Wichtig sind die Reduzierung des Gewichtes im Kraftfahrzeug-, Flugzeug- und Schiffsbau zur Einsparung von Antriebsenergie sowie eine weitere Miniaturisierung von Bauteilen, zum Beispiel im Bereich der Feinwerk- und Gerätetechnik und der Elektronik. Als Werkstoffe kommen sowohl bestimmte Stahl- und Leichtmetall-Legierungen als auch Kunst- und Verbundwerkstoffe in Betracht.

Angestrebt werden Verbesserungen bei hochfesten, niedriglegierten Stählen im Hinblick auf ihre Verarbeitung sowie auf Dämpfungs- und Stabilitätseigenschaften und ferner Untersuchungen des Dauer- und Betriebsverhaltens von Leichtbauteilen in Verbund- und Hybridbauweise. Weitere Ziele sind die Optimierung technischer Bauteile durch konsequente Anwendung der Klebtechnik, die Verbesserung der Grundlagenkenntnisse von gängigen Massenwerkstoffen zur günstigeren Werkstoffnutzung und damit Erzielung von Gewichtseinsparungen sowie die Konstitutionsforschung auf dem Gebiet der Superleichtmetall-Legierungen sowohl auf Magnesium-Lithium- als auch auf Aluminium-Lithium-Basis zur verstärkten Anwendung im Automobil- und Flugzeugbau.

## Polymerwerkstoffe

Neben den klassischen Polymerwerkstoffen und den aus ihnen gefertigten Produkten wie Fasern, Folien und Lacken gibt es inzwischen eine ganze Palette von Spezialkunststoffen, etwa Polymere zur Leitung und Speicherung von elektrischer Energie und Polymere zur Informationsspeicherung. Polymerwerkstoffe können je nach Art der monomeren Bausteine, der Herstellung und Verarbeitung, gegebenenfalls auch der Mischung oder Copolymerisation, für viele Zwecke nach Maß hergestellt werden, wobei sie sich durch ihre geringe Dichte, die gute Korrosionsbeständigkeit und im allgemeinen auch hervorragende Chemikalienbeständigkeit auszeichnen. Die Herstellung auf der Basis von Erdöl oder Erdgas ist problemlos, die Weiterverarbeitung oder die Erzeugung einzelner Bauteile sind vergleichsweise preiswert. Entsprechend der Vielfalt der Eigenschaften sind Polymerwerkstoffe in zahlreichen Anwendungsbereichen anzutreffen, etwa im Bauwesen, in der Elektroindustrie, im Fahrzeugbau, in der Möbelindustrie, im Verpackungswesen, bei vielen Produkten im Haushalt.

Bei der Verbesserung der Einsatzmöglichkeiten von Polymerwerkstoffen geht es u. a.

um die Entwicklung von Stoffen mit höherer Temperaturbeständigkeit, mit noch günstigeren mechanisch-technologischen Eigenschaften und mit besonderen Beständigkeiten gegen Chemikalien, Bewitterung und Flammeneinwirkung, ferner um Polymere für spezielle Einsatzzwecke als Isolatoren, elektrische Leiter, Energiespeicher, Signalwandler oder auch als Lichtleiter und in der Mikroelektronik.

## Verbesserte Fertigungstechnologien

### Pulvermetallurgie

Als Pulvermetallurgie bezeichnet man die Herstellung von Bauteilen aus pulverförmigen Metallen, Metallgemischen und -legierungen. Sie ist mit wesentlichen Rohstoff- und Energieeinsparungen verbunden und hat gegenüber der konventionellen Schmelzmetallurgie den Vorteil, daß damit Werkstoffe herstellbar sind, die schmelzmetallurgisch entweder gar nicht oder nur mit sehr hohem Aufwand gewonnen werden könnten. So werden Bauteile erzeugt, die aus mehreren Materialien oder mehreren Phasen bestehen. Schwierig ist zur Zeit noch die Herstellung großer, kompliziert geformter Teile. Ferner lassen sich Metallpulver mit hoher Oxidationsneigung oder extrem hoher Reinheit nur mit sehr großem Aufwand herstellen und verarbeiten. Zähigkeit und Festigkeit bei dynamischer Belastung sind schlechter als bei Schmiedestücken, und stoffverbindende Fügeverfahren sowie die zerstörungsfreie Prüfbarkeit pulvermetallurgisch hergestellter Teile sind bisher noch unzureichend.

Verwendet werden pulvermetallurgisch hergestellte Teile in vielen Bereichen, etwa in der Automobilindustrie für Lager und Formteile (ca. 90 Prozent aller Sinterteile betreffen Eisenwerkstoffe und Bronzen in diesem Bereich), in Triebwerksgasturbinen als hochwarmfeste Superlegierungen auf der Basis von Nickel und Kobalt, im Apparate- und Maschinenbau, bei Sinterteilen aus Aluminium- sowie Titanlegierungen.

Erwünscht sind Verbesserungen der Sinterverfahren für Aluminium- und Titanlegierungen sowie für hochschmelzende Metalle, wie Niob, Tantal, Molybdän und Wolfram und ferner Erhöhungen der Produktionsleistung der Pulvermetallurgie, zum Beispiel durch Optimierung der Wärmebehandlung und der thermo-mechanischen Verarbeitung. Schließlich sind Entwicklungen zum Einsatz des heißisostatischen Pressens für Bauteile mit besonderen magnetischen, elektrischen und/oder mechanischen Eigenschaften erforderlich.

### Fügetechniken

Bei der Verarbeitung und Herstellung von Bauteilen sind Fügetechniken wie das Schweißen, Löten und Kleben weit verbreitet. In vielen Fällen wäre die Herstellung eines Produktes ohne ein geeignetes Fügeverfahren sehr schwierig.

Erforderlich sind aber weitere Verbesserungen des Schweißens, zum Beispiel die Entwicklung überhitzungsunempfindlicher Feinkornstähle für Hochleistungsschweißverfahren, die Optimierung von Lötverfahren, speziell bei kombinierten Materialien, die Verbesserung von Klebeverbindungen im Hinblick auf ihren Einsatz in der Großserienfertigung sowie im Bauwesen, die Entwicklung von Fügetechniken zur Herstellung von Metall-Keramik-Verbindungen und zum Verbinden von Kunststoffbauteilen, ferner Fügetechniken für pulvermetallurgische Erzeugnisse sowie die Entwicklung aussagesicherer Konstruktions- und Berechnungsvorschriften für widerstandsgeschweißte Teile.

## Oberflächentechnik

Die Oberflächentechnik hat in den vergangenen Jahren steigende Bedeutung erlangt, weil damit preiswerte Grundwerkstoffe für besondere Anforderungen verbessert werden können, weil ferner ein rationeller Materialeinsatz möglich ist und weil die Gebrauchstauglichkeit und der Schutz von Bauteilen gegen Schädigungsprozesse, wie Korrosion, Verschleiß, Verwitterung, verbessert werden. Dabei kommt es vor allem auf eine weitgehende Porenfreiheit, auf niedrige Kosten, lokale Anwendbarkeit und Beherrschung der Auswirkungen einer Oberflächenbehandlung auf die übrigen Werkstoff- und Bauteileigenschaften an (Abb. 7).

Erforderlich sind Entwicklungsarbeiten zum vereinfachten Auftragen von korrosions- und verschleißbeständigen Legierungen und Sondermetallen nach dem Walz-, Sprengschweiß- und Spritzverfahren sowie mit Methoden der Physical Vapour Deposition (PVD) – Aufdampfen, Sputtern oder Ion-Plating –, dem Ionenimplantationsverfahren oder der Chemical Vapour Deposition (CVD). Beim CVD-Verfahren werden Gase in einem Reaktionsraum mit dem zu beschichtenden Bauteil unter Druck und Wärme zur Reaktion gebracht und damit sehr harte Schichten z. B. aus Titancarbid, Titannitrid oder Aluminiumoxid auf Hartmetall erzielt. Ferner sind Beschichtungstechniken für hochtemperaturbeanspruchte Bauteile im Flugzeugbau, sowie Oberflächentechniken für flüssigkeitsberührte Bauteile bei gleichzeitiger abrasiv-erosiver Beanspruchung, zum Beispiel in Pumpen oder Hydraulikanlagen, weiterzuentwickeln.

## *Qualitäts- und Funktionssicherung technischer Produkte*

Bei diesem Komplex geht es um die vielfältigen Schädigungsprozesse, durch die die Qualität, die Zuverlässigkeit, Sicherheit und Funktionsfähigkeit technischer Produkte beeinträchtigt werden können, durch Korrosion, durch Verschleiß, durch Ermüdung, durch Bruch und biologische Schädigung. Zu deren Verminderung sind genaue Kenntnisse des Verhaltens der Werkstoffe aber auch entsprechender Stoffsysteme unerläßlich.

## Korrosion

Nach den für verschiedene Länder vorliegenden Untersuchungen müssen die jährlichen volkswirtschaftlichen Verluste durch Korrosion in Industriestaaten auf etwa 2 bis 4 Prozent des Bruttosozialproduktes veranschlagt werden. Geht man für die Bundesrepublik Deutschland von einem unteren Wert von 2 Prozent des Bruttosozialproduktes aus, so bedeutet dies einen Verlust von etwa 30 Milliarden DM pro Jahr. Dies macht deutlich, wie wichtig geeignete Maßnahmen zur Verringerung der Korrosion und zur Verbesserung des Korrosionsschutzes sind.

Es geht dabei um die Vereinheitlichung von Methoden der Korrosionsprüfung und der Werkstoffauswahl, um vergleichende Untersuchungen mit dem Ziel der wirtschaftlichsten Lösung von Korrosionsproblemen, um die Entwicklung von Baustählen mit erhöhter Korrosionsbeständigkeit sowie um Untersuchungen korrosiver Schädigungsvorgänge im Grenzschichtbereich von Polymer-Metall-Verbunden. Weitere Ziele sind die Auswahl und Prüfung von korrosionsbeständigen Werkstoffen für den Transport und die Lagerung gefährlicher Güter sowie radioaktiver Abfälle, Spannungsriß-, Schwingungsriß- und Erosionskorrosionsuntersuchungen von technischen Konstruktionen in aggressiven Medien, zum Beispiel bei Off-shore-Konstruktionen sowie die Verbesserung des Korrosionswiderstandes, der Schutzstoffe und Schutztechniken im Stahlbeton- und Spannbetonbau, zum Beispiel durch Untersuchung der Mechanismen in Stahlbetonverbundsystemen in Abhängigkeit von der Betonporosität, den Umwelt- und Betriebsbedingungen wie des Einflusses von Tausalz.

## Verschleiß

Verschleiß kann an allen beweglichen Bauteilen auftreten und hat einen wesentlichen Einfluß auf Funktion, Sicherheit und Zuverlässigkeit technischer Systeme. Die jährlichen Verluste durch Verschleiß in den Industrieländern werden mit etwa 1 bis 2 Prozent des Bruttosozialproduktes beziffert, das heißt in der Bundesrepublik Deutschland mit etwa 15 bis 30 Milliarden DM. Eine verstärkte Verschleißforschung könnte zur Verbesserung tribologisch beanspruchter Werkstoffe, Bauteile und Konstruktionen beitragen und damit die Zuverlässigkeit derartiger Systeme verbessern und die Verluste vermindern.

Erforderlich sind die Verbesserung des Verschleißwiderstandes von Leichtbauwerkstoffen, die Entwicklung von verschleißbeständigen Werkstoffen und Beschichtungen für hohe Betriebstemperaturen, Grundlagenuntersuchungen zum Verschleiß tribotechnischer Werkstoffe (Abb. 8), die Weiterentwicklung von Kunststoffen zur Aufnahme erhöhter Beanspruchungen in technischen Lagern, die Entwicklung von (synthetischen) Schmierstoffen mit hoher Temperatur- und Alterungsstabilität bei guten reibungs- und verschleißmindernden Eigenschaften.

## Ermüdung

Obwohl es sich bei dem Verhalten von Werkstoffen unter Dauerwechselbeanspruchungen um eine sehr altes Problem handelt, konnte wegen der Komplexität der werkstofftechnischen und beanspruchungsmäßigen Einflußfaktoren bisher keine geschlossene Theorie hierfür entwickelt werden. Die Bedeutung der Ermüdung für die Lebensdauer technischer Produkte geht aber daraus hervor, daß Ermüdungs- oder Dauerbrüche etwa 95 Prozent aller Bruchschäden ausmachen.

Erwünscht sind daher systematische Forschungsarbeiten über das zyklische Spannungs-Dehnungsverhalten von Stählen bei Beachtung verschiedener werkstoffkundlicher Einflüsse, Untersuchungen von Ermüdung und Kriechen bei Hochtemperaturwerkstoffen zur sicheren und wirtschaftlichen Auslegung von Turbinen-, Behälter- und Apparatebauteilen sowie Ermüdungsuntersuchungen an neueren Verbundwerkstoffen für Anwendungen im Flugzeug- oder Automobilbau. Angestrebt werden ferner Methoden zur Abschätzung der Schwingfestigkeit von ferritischen Stählen, Untersuchungen des Ermüdungsverhaltens und der Rißentwicklung nichtrostender Stähle, die einem gleichzeitigen Korrosionsangriff ausgesetzt sind sowie Untersuchungen von Einflüssen in der Halbzeug- und Bauteilfertigung auf das Ermüdungsverhalten und die Betriebsfestigkeit.

## Bruchmechanik

Die Bruchmechanik ist ein wichtiges Konzept zur Untersuchung der Zuverlässigkeit und Sicherheit mechanisch beanspruchter Bauteile. Sie geht von der Existenz bestehender Anrisse in Bauteilen aus und untersucht, unter welchen Bedingungen sich Risse ausbreiten und zum Bruch führen können. Eine Hauptaufgabe ist die Berechnung zulässiger Rißgrößen. Mit Hilfe der Bruchmechanik kann eine Sicherheitsbeurteilung von Bauteilen in wichtigen technischen Bereichen, zum Beispiel in der Energietechnik und in der Luft- und Raumfahrt, ermöglicht werden. Die Bruchmechanik geht dabei von der (realistischen) Einschätzung aus, daß das Vermeiden jeglicher Schädigung während einer geforderten Lebensdauer praktisch unmöglich ist, verlangt aber, daß diese nicht die Ursache für ein völliges Versagen von Werkstoffen, Bauteilen oder Konstruktionen sein darf.

Erforderlich sind grundlagenorientierte Untersuchungen der Bruchzähigkeit metallischer und keramischer Werkstoffe in Abhängigkeit vom Spannungs- und vom Werkstoffzustand, von der Temperatur und der Belastungsgeschwindigkeit, sowie Untersuchungen von Werkstoffen, die mechanischen und thermischen Beanspruchungen wie Gasdetonationen ausgesetzt sind, zum Beispiel hinsichtlich der Entwicklung eines adiabatischen Dieselmotors unter Verwendung keramischer Werkstoffe. Weitere Ziele sind die Entwicklung von Kriterien für den (duktilen) Bruch bei der Metall- und Kunststoffbearbeitung sowie von Methoden zur Abschätzung der Rißinstabilität im Zähbruchbereich und beim Rißstop im Spröd- und Zähbruchbereich, die Weiterentwicklung von Bruchmechanikkonzepten für den elastischen und plastischen Bereich und schließlich die Analyse von diskontinuierlichen Verformungsfeldern mit Hilfe von Finite-Element-Methoden zur Verbesserung der Methoden bruchmechanischer Sicherheitsanalysen.

## Biologische Schädigung

In diesem Bereich sind zwei mögliche Schädigungen von Bedeutung; einmal diejenige von technischen Werkstoffen und Bauteilen durch Mikroorganismen – hierfür ist in englischsprachigen Ländern der Begriff »Biodeterioration« gebräuchlich, zum anderen Werkstoffschädigungen von biomedizinischen Implantaten, das heißt Wechselwirkungen von Implantatwerkstoffen mit dem menschlichen Körper – dabei geht es um die »Biokompatibilität« von Werkstoffen.

Im ersten Fall reichen die Beispiele von der mikrobiologisch verursachten Metallkorrosion über die mikrobielle Zersetzung von Kunststoffbauteilen bis zur bakteriellen Zerstörung von Beton. Bei der Frage der Kompatibilität von Werkstoffen stellt die geeignete Werkstoffwahl, zum Beispiel für künstliche Gelenke, Herzschrittmacher, künstliche Arterien oder Herzklappen einen wichtigen Aspekt der Medizintechnik dar. Neben der Untersuchung der verschiedenen Werkstoffe und Materialien auf die Beständigkeit gegen Mikroorganismen und Bakterien geht es im zweiten Fall vor allem um die Entwicklung geeigneter Werkstoffe zum Organersatz sowie um die Entwicklung beständiger Membranwerkstoffe zur Hämodialyse.

## Meß-, Prüf- und Beurteilungstechniken für Werkstoffe und technische Produkte

Sowohl bei der Entwicklung neuer Werkstoffe für bestimmte Anforderungen als auch bei Problemen der Qualitäts- und Funktionssicherung technischer Produkte ist eine begleitende Forschung und Entwicklung auf dem Gebiet der Meß-, Prüf- und Beurteilungstechniken unerläßlich. Dabei geht es einmal um die Anpassung vorhandener Prüfverfahren, Geräte und Beurteilungskriterien an neue Fragestellungen, möglicherweise unter gleichzeitiger Erhöhung der Genauigkeit, zum anderen aber auch um die Entwicklung neuer Methoden und die Erforschung der mit den Fragestellungen gegebenen neuen Zusammenhänge.

### Funktionsorientierte Prüfungen für Werkstoffschädigungsprozesse

Hier sind Methoden und Techniken zu entwickeln, die eine möglichst frühe Erkennung von Schädigungsprozessen (Korrosion, Verschleiß, Bruch- und Rißentstehung) erlauben, also eine hohe Meß- und Nachweisempfindlichkeit haben. Sofern Untersuchungen nicht unmittelbar an den betreffenden Bauteilen im praktischen Betrieb vorgenommen werden können, sondern nur an Prüfkörpern, ist zusätzlich die Übertragbarkeit von Untersuchungsergebnissen auf die Praxis zu betrachten. Schließlich ist die Systematik bei der Planung, Durchführung und Auswertung von Prüfungen der Werkstoffschädigungsprozesse zu verbessern, um eine möglichst einwandfreie Kennzeichnung der vielfältigen Wirkungsparameter und Einflußgrößen zu erreichen.

### Zerstörungsfreie Prüfungen

Zerstörungsfreie Prüfungen werden in Zukunft noch größere Bedeutung erlangen, weil damit Untersuchungen an technischen Anlagen und an komplizierten, schwer zugänglichen Bauteilen im laufenden Betrieb möglich sind. Dies erlaubt die rechtzeitige Verhinderung von Schäden und die Sicherstellung der Betriebsfähigkeit technischer Anlagen. In der Produktion wird darüber hinaus ein Rationalisierungseffekt bei gleichzeitig sparsamer Rohstoffverwendung erreicht.

Obwohl zerstörungsfreie Prüfverfahren in den vergangenen Jahren ständig verfeinert worden sind, bedarf es vielseitiger Weiterentwicklungen, um ihren Einsatz zu verbessern. Hier geht es um den zerstörungsfreien Nachweis von Werkstoff-Fehlstellen mit geringer Wechselwirkung, insbesondere in keramischen Werkstoffen, um die Weiterentwicklung von Verfahren zur Untersuchung von Eigenspannungen in Werkstoffen und Bauteilen sowie um die Erarbeitung wirtschaftlicher Prüftechniken für dünnwandige metallische und nichtmetallische Bauteile. Angestrebt werden ferner die Weiterentwicklung der Ultraschallspektroskopie und der Schallemissionsanalyse, die Anwendung von Prüfverfahren zur Qualitätssicherung von Werkstoffen und Bauteilen der Elektrotechnik und Elektronik und vor allem die Einführung zerstörungsfreier Prüfverfahren im Bauwesen.

## Rechnergestützte Materialprüfung

Der verstärkte Einsatz von Rechenanlagen in der Werkstoff- und Materialprüfung ist von großer Bedeutung im Hinblick auf die Erhöhung der Genauigkeit, die Automatisierung von Prüfabläufen sowie die Lösung äußerst komplexer Probleme. Dieser Prozeß befindet sich erst am Anfang. So ist die Entwicklung und weitere Einführung von rechnergestützten Anlagen für die automatische Bestimmung der Meßergebnisse, ihre Weiterverarbeitung, gegebenenfalls die weitere Steuerung des Verfahrens anzustreben. Auch für Serienfertigungen sind geeignete Meß- und Prüfgeräte mit einfacher Bedienung zu entwickeln, die für laufende Betriebsmessungen eingesetzt werden können. Für die zerstörungsfreie Untersuchung von Werkstoff- und Materialeigenschaften ist die Methode der Computer-Tomographie weiterzuentwickeln. Die verstärkte Nutzung von angewandten Rechenmethoden für Werkstoff- und Materialprüfungen unter verschiedenen Beanspruchungen nimmt einen ganz besonderen Stellenwert ein.

## *Information und Dokumentation*

Die genannten Forschungs- und Entwicklungsschwerpunkte werden in vielen Ländern und teilweise in engem Gedankenaustausch der Fachleute bearbeitet. Häufig bestehen auch bilaterale Gemeinschaftsprojekte.

Neben den öffentlich geförderten Forschungsvorhaben werden vielfach von Hochschulinstituten, hochschulfreien Einrichtungen und von Forschungslaboratorien der Industrie einschlägige Themen mit eigenen Mitteln bearbeitet. Darüber hinaus gibt es werkstoffbezogene Schwerpunktprogramme und Sonderforschungsbereiche der Deutschen Forschungsgemeinschaft sowie Forschungsförderungen privater Stiftungen, wie die Stiftung Volkswagenwerk.

Dabei kommt es darauf an, unnötige Parallelarbeiten zu vermeiden und bereits gewonnene Erkenntnisse gezielt zu nutzen. In diesem Zusammenhang ist auf das im Oktober 1982 gegründete Fachinformationszentrum Werkstoffe e. V. bei der Bundesanstalt für Materialprüfung in Berlin hinzuweisen, das es sich zur Aufgabe gemacht hat, sämtliche auf dem Gebiet der Werkstoffe zugänglichen Literaturangaben mit entsprechenden Referaten Interessenten nutzbar zu machen. Neben eigenen Datenbanken stehen dabei andere nationale und internationale Literatur- und Faktendatenbanken zur Verfügung, wobei sowohl gezielte Recherchen auf Anfrage als auch Profildienste und gedruckte Literaturdienste angeboten werden.

Schließlich ist daran zu erinnern, daß das Gebiet der Werkstoffwissenschaften und Materialprüfung eine Vielfalt unterschiedlicher Disziplinen umfaßt. Werkstoffwissenschaftler und Materialprüfer sind daher zu enger Teamarbeit veranlaßt, die das Zusammenwirken von Physikern, Chemikern und Ingenieuren verschiedener Einzelfachrichtungen voraussetzt. Trotzdem wäre es wünschenswert, wenn, wie in den Vereinigten Staaten und in Japan, an den deutschen Hochschulen das Gebiet der Werkstoffwissenschaften (Materials Science) stärker verankert würde. Bisher gibt es derartige Fachbereiche nur an wenigen Hochschulen.

## Schlußfolgerungen und Ausblick

### Verfügbarkeit der Werkstoffe

Stets hat sich in der Vergangenheit der Mensch in der Lage gesehen, neuen Herausforderungen zu begegnen. Dies galt nicht zuletzt auch für den Bereich der Werkstoffe und Materialien. So wie bisher verschiedene Werkstoffarten jeweils von besser geeigneten abgelöst wurden, dürfte auch künftig erwartet werden, daß Stoffe, deren Rohstoffbasis sich verkleinert und die sich daher verteuern, durch leichter zu gewinnende und daher auf Dauer preiswertere substituiert werden.

Die Frage der Materialsubstitution dürfte überhaupt auf mittlere und längere Sicht einen ganz besonderen Rang erhalten. Schon jetzt stehen die verschiedenen Werkstoffe untereinander hinsichtlich ihrer Eignung und ihres Preises im Wettbewerb, im Maschinen-, Fahrzeug-, Apparate- und Hochbau, in der Elektrotechnik, der Medizintechnik und im Verpackungswesen.

Unabhängig von der Frage der Wirtschaftlichkeit und des Preises ist dabei die Verfügbarkeit der Werkstoffe von ausschlaggebender Bedeutung. Welche Einschränkungen sind zukünftig zu erwarten? Wie ist die Situation bei den derzeit genutzten Rohstoffen?

Die Häufigkeit der Elemente in der Erdkruste ist sehr unterschiedlich. Etwa 90 Gewichtsprozent aller Elemente entfallen auf Sauerstoff (ca. 47 Prozent), Silizium (ca. 28 Prozent), Aluminium (ca. 8 Prozent), Eisen (ca. 5 Prozent) und Magnesium (ca. 2 Prozent). Titan (ca. 0,4 Prozent), Kohlenstoff (ca. 0,2 Prozent) und Kupfer (ca. 0,06 Prozent) sind geringer vertreten. Zinn, Zink und Blei sind zusammen mit ca. 0,02 Prozent, die Edelmetalle nur in Spuren (in der Größenordnung $10^{-6}$ Prozent) beteiligt.

Welche Folgerungen können hieraus für die Werkstoffe gezogen werden?

## Anorganische nichtmetallische Werkstoffe

Die Rohstoffe für Beton, Keramik und Glas nehmen etwa drei Viertel des Volumens der Erdkruste ein. Für die Versorgung mit anorganischen nichtmetallischen Werkstoffen wird es auch künftig keine Engpässe geben.

## Metallische Werkstoffe

Für Aluminum und Stahl sieht die Entwicklung bei weitem nicht so ungünstig aus wie dies in der bekannten Studie des Club of Rome geschätzt wurde: Danach sollte Eisen bei konstantem Verbrauch noch etwa 240 Jahre verfügbar sein, bei steigendem Verbrauch dagegen weniger als 100 Jahre und Alumium bei konstantem Verbrauch noch ca. 100 Jahre, bei steigendem Verbrauch etwa 30 Jahre.

Sowohl für Eisen als auch für Alumium sollte indessen auf absehbare Zeit eine ausreichende Werkstoffmenge zur Verfügung stehen, gegebenenfalls bis zum Jahre 3 000, vorausgesetzt, daß genügend Energie verfügbar ist, um auch ärmere Erze aufzubereiten und hieraus metallische Werkstoffe zu gewinnen.

Etwas ungünstiger sieht die Entwicklung bei Kupfer und Zinn aus, wenn auch hier immer wieder die Grenze der Verfügbarkeit im Laufe der Jahre hinausgeschoben werden konnte: Im Jahre 1931 wurden beim Kupfer die weltweiten Reserven auf 17 Millionen Tonnen geschätzt, und man erwartete noch einen Verbrauchszeitraum von 31 Jahren, im Jahre 1976 waren dagegen etwa 400 Millionen Tonnen Kupfer registriert, und der Verbrauchszeitraum wurde auf 50 Jahre geschätzt, im Jahre 1984 waren etwa 550 Millionen Tonnen Kupfer nachgewiesen, mit einem erwarteten Verbrauchszeitraum von 68 Jahren.

Obwohl der technische Bedarf an Kupfer relativ groß ist – für die Elektrotechnik wegen der sehr hohen Leitfähigkeit, für Messinglegierungen wegen der guten plastischen Verformbarkeit, sowie für Legierungen mit Beryllium – bestehen keine allzu großen Sorgen, da zum einen zu erwarten ist, daß noch weitere Funde registriert werden und da zum anderen die Wiederverwendbarkeit von Kupfer erheblich gesteigert werden könnte; sie liegt heute bei 55 bis 60 Prozent. Schließlich könnte in der Elektrotechnik Kupfer durchaus durch Aluminium ersetzt werden, das hinsichtlich seiner Leitfähigkeitseigenschaften dem Kupfer nahe kommt.

Zinn, das als Basismetall für Gleitlagerlegierungen, als Legierungselement für Bronzen und zum allergrößten Teil zur Beschichtung von Stahl bei der Herstellung von Weißblech u. a. für Dosen eingesetzt wird, sollte allerdings auf Dauer durch andere Werkstoffe ersetzt werden. Wegen seiner beim Weißblech äußerst feinen Verteilung ist eine Wiedergewinnung schwierig; darüber hinaus führt Zinn zur Versprödung des Stahls und ist daher ein wenig geschätztes Legierungselement für andere Anwendungen.

## Organische Kunststoffe

Nicht allzu günstig ist die Lage bei den Kunststoffen, deren Rohstoffbasis der Kohlenstoff ist, angereichert durch Sonnenenergie früherer Zeiten als Kohle und Erdöl. Der allergrößte Teil davon wird heute und in der unmittelbaren Zukunft für die Energieerzeugung verbraucht. Nur aus einem kleineren Teil werden Kunststoffe hergestellt. In dem Maße, in dem die Rohstoffbasis für Kunststoffe sich verringert, stehen diese nur noch für Sonderanwendungen zur Verfügung. Es ist daher zu hoffen, daß möglichst bald andere Energiequellen vorrangig genutzt werden, neben alternativen und regenerierbaren vor allem auch die Kernenergie.

Schließlich wäre grundsätzlich auch an Kunststoffe auf der Basis von Silizium anstelle von Kohlenstoff zu denken, so wie dies bei den Silikonen der Fall ist. Die Herstellung erfordert allerdings ein Vielfaches an Energie gegenüber der bei Kunststoffen auf Kohlenstoffbasis. Auch hierfür hilft demnach nur der Übergang zu anderen Energiequellen als Kohle oder Erdöl.

## Regenerierbare Werkstoffe

Pflanzliche Werkstoffe, wie Holz, Hanf, Zellstoff oder auch tierische Produkte, wie Wolle, Seide, Tierhaare, Leder sind im Prinzip regenerierbar, sofern die Verwendung im Gleichgewicht mit der Erzeugung steht. Auch hierfür sind daher ein sparsamer Verbrauch, die Wiederverwendung von Materialien und die kontinuierliche Planung und Gewinnung der Rohstoffe erforderlich.

### *Verfügbarkeit von Energie; Wechselwirkung*

Von großer Bedeutung für die Verfügbarkeit der Werkstoffe ist die Verfügbarkeit von Energie. Sie wird benötigt für den Abbau der Rohstoffe, die Gewinnung der Werkstoffe, deren Verarbeitung und die Herstellung der Endprodukte, aber auch für die Wiedergewinnung der Stoffe im Recyclingverfahren. Dabei benötigt man um so mehr Energie für die Herstellung der Werkstoffe je mehr die Rohstoffe, wie z. B. die Erze, angereichert werden müssen. Natürlich benötigt man auch um so mehr Energie für die Rückgewinnung gebrauchter Werkstoffe, je feiner diese verteilt sind.

Andererseits ist das Vorhandensein geeigneter Werkstoffe für die Verfügbarkeit von Energie ebenfalls ganz entscheidend: bei der Gewinnung und Verteilung der Energie, bei der Speicherung und bei der Wandlung. Wirkungsgrade der Wärmekraftmaschinen nehmen mit der Arbeitstemperatur zu. Hierzu sind Hochtemperaturwerkstoffe mit sicherem und zuverlässigem Einsatz für lange Zeiten erforderlich. Auch für den Transport und die Speicherung der Energie müssen geeignete Werkstoffe zur Verfügung stehen, etwa als Material für die Lagerung von Flüssiggas, Erdgas, Brennstoffe oder für die Weiterleitung von Erdgas in Rohrleitungen.

Es ist daher unerläßlich, bei Betrachtungen zukünftiger Entwicklungen stets die Frage der Rohstoffsicherung mit der Energiesicherung gemeinsam zu behandeln.

## Wiedergewinnung von Rohstoffen (Recycling)

Für die Rohstoff- und für die Energiesicherung ist die Wiedergewinnung von Rohstoffen aus Endprodukten ein wichtiger Faktor. Hierfür bedarf es aber wirtschaftlicher und politischer Vorgaben sowie technischer Überlegungen. Häufig ist die Wiedergewinnung mit erheblichen Kosten verbunden, etwa durch die Erfassung, Sammlung und Sortierung, bevor das eigentliche technische Verfahren einsetzen kann. Solange daher Werkstoffe, die auf dem Wege der Wiedergewinnung zur Verfügung gestellt werden, teurer sind als Werkstoffe, die aus neuen Rohstoffen gewonnen werden, wird ein nennenswerter Anteil auf dem Recyclingweg nicht erreichbar sein. Es müssen somit Bemühungen unternommen werden, um sinnvollere Vorgehensweisen zu erreichen. Insbesondere sollte angestrebt werden, bessere und teurere Werkstoffe ausschließlich für langlebige Güter zu verwenden, dagegen leichter rückgewinnbare und billigere für kurzlebige Güter. Auch ist nach geeigneten Trennverfahren und nach Systemen zum schnellen Sammeln und Sortieren von Recyclingprodukten zu suchen. Immer noch große Schwierigkeiten gibt es zum Beispiel bei der Rückgewinnung von Kunststoffen, deren Trennung nach verschiedenen Stoffarten mit großem Aufwand und erheblichen Kosten verbunden ist.

In diesem Bereich hat sich das DIN um Vereinheitlichungen bemüht. So ist das DIN-Blatt »Wiederverwendung von Titan und Titanlegierungen« (DIN 65 437) erschienen, und in der Neuausgabe der Norm DIN 4226 sind Betonzuschläge festgelegt, die auch Materialien erlauben, die bisher als Abraum auf die Halde gekommen sind.

## Nutzen der Materialprüfung

Ein sinnvoller Einsatz von Werkstoffen und Materialien ist ohne die Prüfung und Überwachung ihrer Eigenschaften für den jeweiligen Anwendungszweck undenkbar. So wie in der Vergangenheit in verschiedenen Phasen durch die Entwicklung von Prüfmethoden eine ausreichende Sicherheit und Zuverlässigkeit von Anlagen, Konstruktionen und Gebrauchsgütern erreicht wurde, sollte dies auch in Zukunft bei ständig steigenden Anforderungen möglich sein.

Angesichts der Randbedingungen des sparsamen Material- und Energieeinsatzes, der Berücksichtigung des Gesundheits- und Umweltschutzes sowie der Forderungen unserer Gesellschaft nach Sicherheit und Zuverlässigkeit wird die Materialprüfung weiterhin danach streben, die Erkenntnisse und Erfahrungen aus allen technischen Disziplinen zu nutzen und für die jeweils gestellten Probleme anzuwenden. Nur so ist gesichert, daß die technischen Entwicklungen jetzt und in Zukunft von der Gesellschaft angenommen werden und zu ihrem Wohlstand beitragen, ohne nachfolgenden Generationen bleibende Nachteile zu hinterlassen.

## Literatur

Riesenhuber, H.: Ansprache zur Jahrestagung der Fraunhofer-Gesellschaft, München 1982.

Hornbogen, E.: Die Zukunft der Werkstoffe; Beiträge zu Forschung und Technologie Heft 2/1982, Deutsche Gesellschaft für Forschung und Technologie, Bochum 1982.

Löhberg, K.: 10000 Jahre Werkstoffe: Ein historischer Streifzug; Wissenschaftsmagazin d. TU Berlin, Bd. 3 (1983) H. 1: Werkstoffe, S. 11–14.

Krankenhagen, G. und H. Laube: Wege der Werkstoffprüfung. Von Explosionen, Brüchen und Prüfungen; Kulturgeschichte der Naturwissenschaften und der Technik, Bd. 3, Deutsches Museum, München 1979.

Schmöle, C.: Von den Metallen und ihrer Geschichte; Bd. 1, R. & G. Schmöle Metallwerke, Menden/Sauerland 1967.

Ruske, W.: 100 Jahre Materialprüfung in Berlin; Bundesanstalt für Materialprüfung (BAM), Berlin 1971.

Becker, G. W.: Wirtschaftliche Bedeutung und Materialprüfung organischer Stoffe; Wissenschaftliche Berichte aus der Arbeit der Bundesanstalt für Materialprüfung (BAM), Berlin 1973, S. 181–184.

Hausner, H. und B.-J. Hassenpflug: Entwicklungswege der Keramik. Von der Antike in die Zukunft; Wissenschaftsmagazin d. TU Berlin, Bd. 3 (1983), H. 1: Werkstoffe, S. 114–117.

Sigwart, H.: Aus der Geschichte der Werkstoffprüfung und der Festigkeitslehre; Zeitschrift Zentralwerkstofftechnik der Daimler Benz AG, Heft Februar 1985.

Jubiläumsschrift »125 Jahre Verein Deutscher Ingenieure 1956–1981«; VDI-Verlag GmbH, Düsseldorf 1981.

Wiesenack, G.: Wesen und Geschichte der Technischen Überwachungsvereine; Carl Heymanns Verlag KG, Köln 1971.

Becker, G. W.: Trends neuer Werkstoffe; Wissenschaftsmagazin d. TU Berlin, Bd. 3 (1983), H. 1: Werkstoffe, S. 8–10.

Becker, G. W.: Werkstoffe, Werkstoff- und Materialprüfung; Management-Enzyklopädie, Bd. 10, Verlag Moderne Industrie, München (im Druck).

Grundlagen der Normungsarbeit des DIN; Normenheft 10, Beuth Verlag GmbH, Berlin–Köln 1982.

Tätigkeitsbericht 1984 des Normenausschusses Materialprüfung (NMP), DIN Deutsches Institut für Normung e. V., Berlin 1985.

Kuhlmann, A.: Einführung in die Sicherheitswissenschaft; Friedr. Vieweg & Sohn Verlagsgesellschaft mbH, Wiesbaden 1981; Verlag TÜV Rheinland GmbH, Köln 1981.

Jaeger, T. A.: Das Risikoproblem in der Technik; Schweizer Archiv für angewandte Wissenschaft und Technik, 36 (1970) S. 1–7.

Summary Report »Materials and Man's Needs. Materials Science and Engineering«; National Academy of Sciences, Washington, D. C. 1974.

Science and Technology – a 5-year outlook, Chapter 6 »Materials«; published in Collaboration with the National Academy of Sciences, W. H. Freemann & Co, San Francisco 1979.

Czichos, H.: Technische Materialforschung und -prüfung – Entwicklungstendenzen und Rahmenvorschläge für ein EG-Programm »Basic Technological Research«. BAM-Forschungsbericht 85, Berlin 1982.

Programm Materialforschung des Bundesministers für Forschung und Technologie (in Vorbereitung).

BRITE-Grundlagenforschung über industrielle Technologien für Europa; Informationspaket für das Programm der Europäischen Gemeinschaft; Generaldirektion Wissenschaft, Forschung und Entwicklung – Gemeinsame Forschungsstelle, Brüssel 1984.

Bender, F. und G. Delisle: Wachsende Rohstoffprobleme trotz wachsender Rohstoffreserven, Geologisches Jahrbuch, Reihe A, Heft 79, Herausg.: Bundesanstalt für Geowissenschaften und Rohstoffe u. a., Hannover 1984.

## *Danksagung*

Der Autor ist den zuständigen Mitarbeitern der Bundesanstalt für Materialprüfung (BAM) für wertvolle Hinweise sowie für Bildvorlagen zu Dank verpflichtet.

**Georg Menges**

# Kunststoffe – Bilanz und Aussicht

## Derzeitiger Stand

Wenn wir heute jemanden danach fragen, was er von Kunststoffen weiß, wird er uns vermutlich auf irgendwelche Verpackungsbehältnisse verweisen, zweifelsohne derzeit einer der wichtigsten Verwendungszwecke, der etwa 20 Prozent der Gesamtkunststoffmenge aufnimmt. Überhaupt ist bis heute die konsumnahe Verwendung vorherrschend, wie dies Abb. 1 auch zeigt. In diese Märkte ist der Kunststoff als leicht zu verarbeitender Werkstoff, der bei großen Stückzahlen der anzufertigenden Teile auch sehr wirtschaftliche Lösungen ermöglicht, schnell eingedrungen. Die bei der Erdölgewinnung und -Verarbeitung anfallenden Kohlenwasserstoffe, vor allem Äthylen, waren im Zuge der Umstellung der Energiebasis auf Erdöl in den 50er und 60er Jahren zu der Hauptbasis der Kunststofferzeugung geworden. Als dann in den Zeiten preisgünstiger Energie diese

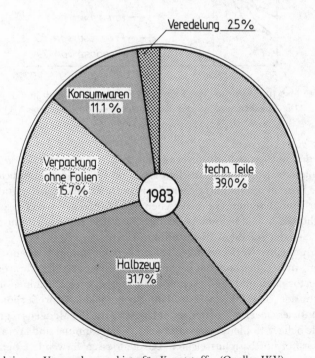

Abb. 1: Die wichtigsten Verwendungsgebiete für Kunststoffe. (Quelle: IKV)

49

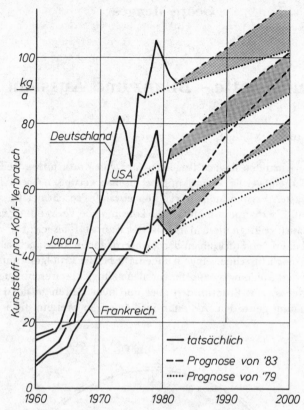

Abb. 2: Prognose über das Wachstum der Kunststoffe in den nächsten 20 Jahren in den wichtigen Industrieländern. Die Angaben sind auf den Kopf pro Einwohner angegeben. (Quelle: IKV)

Beiprodukte der wachsenden Erdölverwendung ebenfalls in ständig größerer Menge anfielen, konnten die Kunststoffe zwischen 1960 und 1970 durchschnittliche Wachstumsraten von + 15 Prozent pro Jahr erreichen. Kunststoffe sind dabei in den Industrieländern zu beachteten Konkurrenten der klassischen Werkstoffe geworden, was an den Prokopfverbräuchen in Abb. 2 besonders deutlich wird. Die Kunststoffindustrie galt daher mit Recht als eine der stärksten Wachstumsbranchen.

Zu den konsumnahen Verwendungen kamen zunehmend auch technisch-gewerbliche Anwendungen. In der gleichen Zeit begann man die Prozesse der Verarbeitung wissenschaftlich zu erforschen und die Erkenntnisse in verbesserte Maschinen umzusetzen.

In der Mitte der 70er Jahre wurde dann aber mit der Ölpreiserhöhung auch die Kunststoffindustrie schwer getroffen, denn längst waren die Mengen so groß geworden, daß die Abfälle billiger Kohlenwasserstoffe der Erdölgewinnung und -Verarbeitung nicht mehr alleine als Rohstoffbasis ausreichten. Das stattdessen verwendete Benzin erfuhr, da keine politischen Konsequenzen, wie beim Fahrzeugtreibstoff für die Erzeuger zu befürchten waren, überproportionale Preissteigerung. Diese konnte von den Kunststoff-erzeugern, das sind in erster Linie die Großchemieerzeuger, auch wegen des erheblichen Überangebotes aus zu hohen Produktionskapazitäten nicht weitergegeben werden, so daß diese in Europa Verluste von einigen Milliarden DM bis gegen Ende des Jahrzehntes erlitten.

Die Kunststoffe verarbeitende Industrie konnte sich hingegen durch das Ausnutzen der Situation und Verbilligen der Produktionskosten, durch verbesserte Produktionstechnik, vermehrtes Recycling und Strecken der Kunststoffe durch erhöhten Gehalt an billigen Füllstoffen zwischen 1978 und 1982 noch immer Zuwachsraten von nahezu 6 Prozent p. a. im Schnitt erhalten. Gegenüber den Zuwachsraten des verarbeitenden Gewerbes von insgesamt 1,4 Prozent p. a. in der gleichen Zeit ist dies noch immer ein beachtliches Wachstum. Überraschenderweise profitierte einige Zeit nach der Ölpreiserhöhung die Kunststoffverarbeitung geradezu von der Ölpreiserhöhung, denn als ideale Wärme-dämmstoffe und Leichtbauwerkstoffe wurden sie in verstärktem Maße herangezogen, wenn Energiekosten gespart werden sollten. Am spektakulärsten waren zweifelsohne die Zuwachsraten der Fensterprofile von 40 Prozent p. a. über mehrere Jahre. Plötzlich interessierten sich zunächst die Flugzeugbauer, dann die Automobilhersteller für Kunst-stoffe, auch für tragende und lebenswichtige Teile in Form von Verbundwerkstoffen mit Kunststoffmatrix. Hiermit lassen sich bei bewegten Teilen dank der Masseeinsparung von etwa 50 Prozent auch entsprechende Energiekosteneinsparungen einerseits, aber auch noch andere, sekundäre Einspareffekte erzielen. Man rechnet derzeit mit einer Einspa-rung durch Treibstoffkosten von 1000 DM p. a. für ein Kilogramm Gewichtseinsparung z. B. am Rumpf eines Verkehrsflugzeuges. Diese Effekte haben sich zwar noch nicht in großen Mengen niedergeschlagen, denn die Versuche sind noch nicht abgeschlossen. Sie werden aber mit Sicherheit in den nächsten Jahren zu geänderten Bauweisen bei Flugzeu-gen führen. Ähnlich sieht es in anderen Bereichen aus, so daß wir derzeit bereits einen stetigen Zuwachs beobachten können, nachdem sich nun die erfolgreiche Erprobung einer Großzahl von derartigen Anwendungen zu bewähren beginnt.

Für die theoretische Voraussage, ob eine Substitution sich als sinnvoll erweisen wird, kann man zwar mit einer Reihe von Kennzahlen arbeiten, z. B. solchen, die die mechani-schen Tragfähigkeitseigenschaften auf die Kosten des Werkstoffes beziehen oder die Wärmebeständigkeiten vergleichen. Dies ist aber sehr viel komplizierter, als man vermut-lich erwarten wird. In der Regel kann man nämlich bei der Substitution eines Teiles aus einem Werkstoff durch einen anderen die Gestalt nicht identisch übernehmen. Schon aus Fertigungsgründen kommt man zu anderen Wanddicken. Bekanntlich hat aber die Gestalt einen eminenten Einfluß auf die mechanischen Eigenschaften eines Teiles. Zudem zeigte sich, daß die Umkonstruktion und andere Fertigungsmethode sehr häufig eine Integration von vielen Teilen zu einem einzigen Kunststoffteil ermöglichte. Selbst wenn dies nun vielleicht mit einem höheren Werkstoffaufwand verbunden war, konnten meist Fertigungskosten in erheblichem Maße eingespart werden. Dies war in den letzten Jahren eines der wichtigsten Argumente für die Substitution durch Kunststoffe. Um aber auf die Kennzahlen zurückzukommen, die einen Vergleich der Werkstoffe miteinander erlauben würden, ist es nicht sonderlich sinnvoll die mechanischen Kennwerte von Kunststoffen und anderen Werkstoffen zu vergleichen und daraus auf ihr Substitutionspotential schließen zu wollen. Dies würde für die konventionellen Werkstoffe viel zu positiv ausfallen. Andererseits ist es natürlich notwendig, die thermische Einsatzgrenze zu beachten, bis zu der ein Einsatz möglich ist.

Die Einsatzbedingungen beeinflussen die langzeitige Gebrauchstauglichkeit, was oft ein Hemmnis für ihre Verbreitung darstellt. Der übliche Einsatzbereich der Kunststoffe würde, verglichen mit Metallen, demjenigen der Rotglut entsprechen. Erfolgreiche Langzeiteinsätze müssen daher mit ebensolchen Methoden geplant und berechnet werden, wie sie bei Metallen für solche Warmeinsatzbedingungen z. B. im Dampfkesselbau zur Ermittlung der langzeitigen Tragfähigkeiten üblich sind. Dies erfordert aber einen ebenfalls höheren Aufwand für die Planung und Entwicklung von Werkstücken. Die Entwicklung leidet aber unter dem Mangel an Fachleuten, die diese Konstruktionsberechnungen und Methoden beherrschen. Die Folge sind lange praktische Erprobungen und oft auch Rückschläge. Dies gilt generell für technische Teile, wo zudem in der Regel nur kleinere Stückzahlen erforderlich sind. Dies wiederum schlägt sich dann in höheren Kosten nieder, wodurch die Konkurrenzfähigkeit leidet. Große Stückzahlen werden vorzugsweise bei Konsumartikeln, Baumaterialien, wie Fensterprofilen und Sanitärartikeln sowie bei Packmitteln benötigt, weshalb derartige Anwendungen bislang dominieren. Der höhere Entwicklungsaufwand amortisiert sich schnell über die großen Stückzahlen. Technische Artikel finden sich auch zunehmend im Feingerätebau und in der Elektrotechnik, wo auch bereits größere Stückzahlanforderungen vorliegen.

Für die billigen Massenkunststoffe liegt die Einsatzgrenze unter 100 °C. Werden sie für Verwendungen eingesetzt, die technischer Natur sind, wie z. B. Rohre für Wasserleitungen, dann sollten die Temperaturen des zu transportierenden Gutes ca. 60 °C nicht überschreiten. Andererseits gibt es technische Kunststoffe, die bis ca. 200 °C und mehr einsetzbar sind. Diese aber kosten entsprechend mehr, so daß die Konkurrenzfähigkeit einer besonderen Kalkulation in jedem Einzelfall bedarf.

In Anbetracht des anhaltenden Wachstums der Kunststoffe kann man mit weiterer Verbilligungen rechnen. Zudem erscheinen derzeit neue große Anbieter für Massenkunststoffe aus den OPEC-Staaten auf dem Markt.

Bislang war der Kostenaufwand noch immer die beste Maßzahl, die Paritätsverschiebungen der Währungen machen aber auch diese Maßzahl fragwürdig. Daher hat es sich in den letzten Jahren bei Großverbrauchern, die besonders langfristig planen müssen, eingebürgert, für längerfristige Voraussagen nicht mit Geldwerten, sondern mit Energieäquivalenten zu rechnen. Die Basis solcher Rechnungen sind die Energieäquivalente der Rohstoffe selbst und ihrer Verarbeitung, wie sie in Abb. 3 dargestellt sind. Im Detail sind solche Berechnungen zu kompliziert, als daß sie hier näher erläutert werden könnten.

Es ist zu erwarten, daß in den nächsten Jahren für die billigen Massenkunststoffe, die direkte Abkömmlinge der bei der Produktion und Verarbeitung von Erdöl anfallenden Kohlenwasserstoffe sind, dadurch ein erhebliches Überangebot sich entwickeln wird, weil große Fabrikationen bei den Erdölerzeugern, z. B. Saudi-Arabien, Libyen u. a. die Produktion aufnehmen werden. Man könnte sich vorstellen, daß diese Länder, da sie die Rohstoffe bisher noch abfackeln, ihre neuen Produkte zu jedem Preis verkaufen werden. Dies könnte eine neue Substitutionswelle dank niedriger Preise entstehen lassen. Diese Importwelle wird zunächst die Rohstoffe in Form von Granulaten betreffen, später sicher

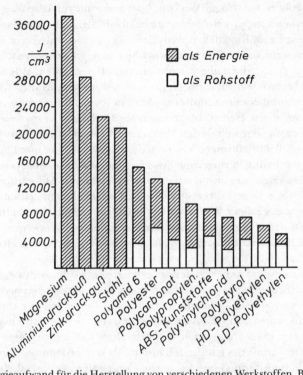

Abb. 3: Der Energieaufwand für die Herstellung von verschiedenen Werkstoffen. Bei den Kunststoffen, die bekanntlich aus Erdöl hergestellt werden ist dieser Aufwand schraffiert eingezeichnet. (Quelle: Bayer)

aber auch auf Halbzeuge übergreifen und den Weltmarkt beeinflussen. Für diese neuen Erzeuger-Länder selbst sind die Chemiewerkstoffe häufig einer der wenigen eigenen Rohstoffe, so daß sie selbst damit Verwendungen einleiten werden, die bei uns bislang wenig oder nicht angegangen wurden. Beispiele sind Rohre für die Bewässerung, aber auch Häuser u. a. Dies wird dazu führen, daß der Druck auf andere Werkstoffe sich in den nächsten Jahren sehr verstärkt; also eine neue Substitutionswelle erwartet werden kann.

Dies wird natürlich nicht nur Begeisterung auslösen, um so mehr, als Kunststoffe bereits als Newcomer unter Vorurteilen zu leiden hatten und im Geruch standen, traditionelle Arbeitsplätze zu vernichten. So stehen bestimmte Kunststoffarten, wie z. B. Polyvinylchlorid, nahezu ständig unter Beschuß. Ein Hauptargument ist immer wiederkehrend dessen Gehalt an Chlor, das bei der Verbrennung z. B. in Müllverbrennungsanlagen oder bei Brandunfällen frei wird und zu erheblichen Umweltbelastungen führen kann. Andererseits aber ist dieser Werkstoff ein volkswirtschaftlich höchst wichtiges Recycling-Produkt der Großchemie. Es nimmt praktisch die gesamte Menge, des bei der wichtigen Natriumgewinnung durch elektrolytische Spaltung von Kochsalz (Chloralkalielektrolyse) anfallende Chlor auf. Schon alleine aus diesem Grunde ist es z. Zt. gar nicht wegzudenken. Es ist aber zudem ein äußerst vielseitiger Werkstoff, der nicht nur für Verpackungen – wo z. Zt. die größten Einwendungen erfolgen – sondern als flexibler Isolationswerkstoff für elektrische Leitungen, als Kunstleder, als hygienischer Fußbodenbelag in Küchen und vor allem auch in Krankenhäusern verwendet wird. Man kann weiterhin bei seinen vielseitigen Anwendungen in der Medizin überhaupt nicht darauf verzichten. Was am Beispiel von Polyvinylchlorid bereits deutlich wird, gilt für sehr viele weitere Kunststoffe. Ihnen hängt noch immer das Odium des Ersatzstoffes an. Auch in Form der Packstoffe, wo sie sich ideal für Einwegverpackungen eignen, verursachen sie Mißfallen, sei es, weil sie unachtsam weggeworfen werden, oder weil sie den Müllberg aufblähen. Dabei wird allerdings in der Regel vergessen, daß ihre günstigen Eigenschaften die Verteilung und Lagerung unserer Lebensmittel in der heutigen, allgemein gewünschten und bevorzugten bequemen Form überhaupt erst kostengünstig ermöglichen. In vielen anderen Anwendungsfällen bevorzugt man Kunststoffe wegen ihrer speziellen, günstigen Eigenschaften. Das kann die Unempfindlichkeit gegenüber Wasser und Umweltbedingungen bei Raumtemperaturen sein, wie z. B. bei Rohrleitungen, Sanitärbedarf und anderen Bauanwendungen, aber auch für Küchen- und Hausbedarf u. a. m. Schließlich verbindet sich damit auch der Begriff der Pflegeleichtigkeit.

Die Elektroindustrie war der erste Industriezweig, der sich der Kunststoffe wegen ihrer besonderen elektrischen Eigenschaften für technische Anwendungen bediente. Sie besitzen nämlich hervorragende Isolationseigenschaften. Besonders für die Isolation von Leitern für Hochfrequenz sind die niedrigen dielektrischen Verluste einer großen Reihe von Kunststoffen ein großer Vorzug, der in Verbindung mit der leichten Verarbeitbarkeit gerne genutzt wird. Ähnliches gilt für den Einsatz als Wärmedämmstoff, insbesondere in der Form der Schäume die aus einer Reihe von Kunststoffen hergestellt werden können.

Von der Leichtgewichtigkeit hingegen wird bislang weniger Gebrauch gemacht, als man erwarten würde. Hier sind es in breiterem Maße bislang nur die Sportgeräte, die für größere Anwendungsvolumina gesorgt haben. Es scheint jedoch, daß diese besondere Eigenschaft der Kunststoffe vor allem in der besonderen Form der fasergefüllten Verbundwerkstoffe nun im Flugzeug- und Fahrzeugbau, vermutlich auch bei bewegten Maschinenteilen in breiterem Maße genutzt werden wird.

Wie bereits ausgeführt wurde, ist in all diesen Gebieten mit einer weiteren Substitution schon aus Gründen der zu erwartenden Entwicklung der Rohstoffkosten zu rechnen. Es gibt aber noch den weiteren sehr wichtigen Grund der kostengünstigeren Fertigung dank verbesserter Verarbeitungsverfahren. Es lassen sich nämlich einerseits schwieriger verarbeitbare Werkstoffe besser beherrschen und damit die geforderten Qualitätsansprüche sicher erfüllen. Weiterhin lassen sich mit den neuen rechnergesteuerten Anlagen selbst kleinere Losgrößen noch wirtschaftlich verarbeiten.

## Aufbau und Verarbeitung

Kunststoffe sind ähnlich wie die Stoffe der belebten Natur aus Makromolekülen aufgebaut. Diese Makromolekülbildung beruht vorzugsweise auf der Fähigkeit des Kohlenstoffatomes sich miteinander und einigen anderen Atomen zu verbinden. So hängen sich bei der Polymerisation Tausende bis Hunderttausende von Kohlenstoffatomen aneinander und bilden lange Ketten. Für die Kettenbildung benötigt das Kohlenstoffatom zwei seiner vier Valenzen, so daß noch zwei für die Substituenten an der Kette übrigbleiben. Davon wird meist die eine Valenz durch ein Wasserstoffatom, die andere oft von einer Kohlenwasserstoffverbindung mit einer freien Valenz abgesättigt. Dieser Substituent bestimmt – zumindest bei den wirtschaftlich sehr wichtigen Vinylpolymeren in ganz entscheidender Weise die Eigenschaften des fertigen Polymerwerkstoffes. Zu dieser Art von Polymerwerkstoffen gehören so wichtige Werkstoffe wie die Polyolefine, oft besser bekannt unter ihren Namen Polyethylen und Polypropylen, die Polyvinylchloride, Polystyrole u. a. Dies sind zudem auch Massenprodukte dank ihrer verhältnismäßig leichten Darstellbarkeit als Erdölderivate.

Es ist aber auch nach anderen Verfahren möglich, Kettenmoleküle herzustellen. Dabei werden ganze Molekülgruppen aneinandergeheftet, wozu notwendig ist, daß sie Endgruppen besitzen, die miteinander reagieren, wie z. B. organische Di-Säuren mit Di-Alkoholen o. a. Man nennt derartige Polymerisate daher Polyaddukte oder Polykondensate. Letztere entstehen aus der Verbindung solcher Moleküle, die Endgruppen tragen, bei deren Reaktion Moleküle frei werden, die abgezogen werden müssen. Dies ist sehr oft Wasser wie bei der Reaktion einer organischen Di-Säure mit einem Di-Alkohol zu einem Polyester. Bei den Polyaddukten und Polykondensaten werden viele Eigenschaften, so insbesondere der chemische Charakter, durch den Aufbau der Reste genannter Molekülgruppen bestimmt.

Wenn diese Reste weitere, reaktionsfähige Stellen besitzen, dann ist es möglich, die bereits entstandenen Kettenmoleküle mit sich oder über neugebildete Kettenmoleküle zu verbinden, ein Vorgang, der sich Vernetzen und beim Kautschuk Vulkanisieren nennt. Die Vernetzung hat eine eminente Bedeutung, weil dadurch die Kettenbewegung um so mehr vermindert wird, je enger die Vernetzungsstellen beieinanderliegen. Hierdurch wird nämlich die ungehinderte Bewegung der Molekülsegmente behindert, die mit steigender Temperatur sich verstärken möchte. Diese Behinderung der Molekülbeweglichkeit bedeutet somit gesteigerte Warmfestigkeit. Die Vernetzung bewirkt gleichzeitig, daß das Abgleiten von Molekül-Ketten unter Belastung verhindert wird.

Weil Polyaddition und Polykondensation Gleichgewichtsreaktionen sind, bedeutet dies, daß nur jeweils so viele Bindungen zustande kommen, als dem anwesenden Verhältnis von Endgruppen entspricht. Dies eröffnet der Fertigung den eminenten Vorteil, daß man zunächst ein sogenanntes Präpolymer herstellen kann, das die für die Verarbeitung gerade günstigste Molekülgröße besitzt; was bedeutet, daß z. B. die für alle Benetzungs- und Tränkvorgänge notwendige Viskosität der Flüssigkeit so eingestellt werden kann, wie man diese benötigt. Man versteht daher leicht, daß diese Präpolymere besonders geeignet sind, um z. B. Fasern zu tränken. Die Matrixharze von Faserverbundwerkstoffen sind daher in der Regel Polykondensate oder Polyaddukte. Im flüssigen präpolymeren Zustand ermöglichen sie die leichte Tränkung, um dann nach Tränkung und Formgebung durch Vernetzen in den festen, steifen Zustand des ausgehärteten Harzes überführt zu werden. Diese Art der Polymerbildung gleicht übrigens den Methoden der Natur, wo z. B. Eiweißmoleküle durch Polyaddition von Molekülblöcken – z. B. Basen bei den Nucleotiden – miteinander verbunden werden. Allerdings sind unsere heutigen Polymere sehr viel primitiver und ungezielter aufgebaut.

Die Polymere oder Präpolymere und Monomere werden nach großtechnischen Methoden von petrochemischen Fabriken hergestellt. Sie sind damit aber in der Regel, soweit es sich um Vormaterial für Thermoplaste und Elastomere handelt, noch nicht geeignet, direkt der weiteren Verarbeitung zugeführt zu werden. Sie sind im allgemeinen zu labil, um ungeschädigt die Verarbeitung oder dann als Polymere längere Einsatzzeiten überstehen zu können. So müssen ihnen Stabilisatoren und andere Verarbeitungshilfsstoffe, Füllstoffe und Farben, die von bestimmten Anwendungen gefordert werden, zugesetzt und eingemischt werden. Das Einarbeiten derartiger Zusätze geschieht bei Thermoplasten und Elastomeren, die schon einen hohen Polymerisationsgrad besitzen im geschmolzenen Zustand, worauf das Granulieren oder ein anderer Vorgang folgt, der das Rohmaterial in einen für die Verarbeitung geeigneten Zustand bringt. Ähnlich wird auch der Teil der Polykondensate und Polyaddukte, der unvernetzt weiterverarbeitet werden soll, in Granulatform überführt.

Die unvernetzenden Kunststoffe, die sogenannten Thermoplaste, schmelzen in der Wärme und erstarren beim Abkühlen. Da dies recht wirtschaftliche Verarbeitungsmethoden erlaubt, machen diese Art Kunststoffe 75 Prozent des gesamten Kunststoffverbrauches aus. Zu ihrer Verarbeitung dienen Maschinen, die die granulierten Formmassen sehr gleichmäßig durch Beheizung des Zylinders beim Durchgang aufschmelzen und fördern müssen. Man benutzt heute für diese Aufgaben meist Schneckenpumpen (sog. Extruder), die in Aufbau und Wirkungsweise dem bekannten Küchengerät Fleischwolf entsprechen. Sie erzeugen durch kontinuierliches Auspressen eines gleichförmigen Schmelzestranges Halbzeuge in Form von Profilen, wie z. B. Tafeln und Folien, Rohre u. a.

Die Spritzgießmaschinen für die Formgebung von Thermoplasten erzeugen schußweise Formteile einer genau bestimmten Gestalt, die durch Einpressen der Schmelze in die Formhohlräume des Werkzeuges und nachfolgende Abkühlung entstehen. Spritzgießmaschinen schmelzen den Rohstoff, der ihnen in Form von Granulat zugeführt wird in gleicher Weise mit einer Schnecke, die das aufgenommene Granulat durch den heißen Zylinder fördert. Diese beiden wichtigsten Verfahren dienen der Formgebung von etwa zwei Drittel der gesamten Kunststoffproduktion.

Darüber hinaus gibt es noch eine Vielzahl anderer Verfahren, die teilweise Abwandlungen der Obengenannten darstellen. Mit den gleichen Methoden werden teilweise auch Kautschuk und in geringerem Maße vernetzende Kunststoffe verarbeitet.

Da die Anforderungen an derartige Produkte aus Kunststoffen sehr gestiegen sind und engste Einhaltung der Abmessungen sowie vorbestimmter Qualitätseigenschaften gefordert werden, sind die Anforderungen an diese Maschinen sehr hoch. Da bei diesen Werkstoffen das Eigenschaftsbild zudem sehr entscheidend von der thermischen Verarbeitungsgeschichte abhängt, kommt der Einhaltung der einmal als zweckmäßig gefundenen Prozeßabläufe, vorzugsweise den Temperaturen, Zeiten, Drücken und Geschwindigkeiten eine außerordentlich große Bedeutung zu. Die Einhaltung solch enger Temperaturgrenzen von $\pm 1\,°C$ oder weniger, von in einem normalen Fabrikationsraum arbeitenden Maschinen, stellt erhebliche Anforderungen an die Meß- und Regelgeräte in derartigen Anlagen. Dies fordert zudem, weil die Prozeßgrößen sich gegenseitig beeinflussen, daß sowohl die Werkstoffeigenschaften der Rohstoffe wie auch die Prozeßbedingungen strengstens einzuhalten sind. Daher muß in allen Fällen erhöhter Anforderungen, z. B. bei technischen Teilen, die zu ungleichmäßige menschliche Bedienung derartiger Anlagen, mehr und mehr durch Rechnersteuerungen ersetzt werden. Rechnergesteuerte Anlagen bieten die notwendige präzise Gleichmäßigkeit und Anpassungsfähigkeit. Wenn gleichzeitig Sensoren in den entscheidenden Anlagenteilen vorhanden sind, die deren Funktion überwachen, kann der gesamte Prozeßzustand kontinuierlich ermittelt und die Anlage in einem engen Arbeitsbereich so geführt werden, wie es die Produktqualität erfordert.

Dies entspricht dem derzeitigen Stand, auf den sich die Mehrzahl der Verarbeiter von Thermoplasten einzurichten beginnt. Die Umstellung der Herstellung von Kautschukprodukten und von Preßteilen aus duroplastischen, das heißt vernetzenden Harzen auf rechnergesteuerte Anlagen scheiterte bisher noch an der Nachfrage und somit auch an den mangelnden Angeboten der Maschinenindustrie.

Besonders hohe Anforderungen herrschen vor allem auch bei mit Fasern gefüllten Harzen, weil deren Eigenschaften noch sehr viel stärker von der Verarbeitung abhängen. Es müssen hier sowohl die Fasermenge, als auch die Faserorientierung, welche die mechanischen Eigenschaften praktisch alleine bestimmen, unbedingt in jedem Formteil an jedem Ort völlig identisch sein, wenn die Eigenschaften übereinstimmen sollen. Natürlich muß auch die Vernetzung des Harzes in jedem Produktionszyklus gleichmäßig erfolgen. Es ist daher nicht verwunderlich, daß auch bei der Herstellung von Faserverbundteilen manuell bediente Prozeßabläufe zunehmend zugunsten von automatisch ablaufenden zurückgedrängt werden. Dafür typisch ist die stetige Zunahme der Herstellung von Faserverbundteilen mit dem Preßverfahren gegenüber der früher sehr viel umfangreicher benützten Handlaminiertechnik.

Auch die Arbeitsmittel, wie Schnecken, Formen, Profildüsen u. a., die die Schmelze erzeugen, lenken, ausformen und den Produkten dabei ihre Gestalt geben, müssen von Fachleuten mit immensen Erfahrungen ausgelegt und mit sehr hohen Genauigkeitsanforderungen hergestellt werden.

Da die Auslegungen noch weitgehend nach Erfahrung vorgenommen wird, sind Fachexperten notwendig. Dementsprechend sind die Kosten für derartige Anlagen hoch, und Fertigungen von Kunststoffteilen hoher Präzision können nur dann mit denjenigen von konkurrierenden Produkten aus anderen Werkstoffen erfolgreich im Wettbewerb bestehen, wenn große Stückzahlen gefertigt werden können, so daß sich die hohen Vorkosten amortisieren. Diese für eine Amortisation notwendigen hohen Stückzahlen stellen eines der wesentlichen Hindernisse bei der Einführung von Kunststoffen, vor allem für technische Teile dar.

Ein anderes sehr wesentliches Hindernis sind die relativ niedrigen Fertigungsgeschwindigkeiten, die darauf beruhen, daß die Wärmeleitfähigkeit von Kunststoffen um das ca. Tausendfache niedriger ist als diejenige der Metalle. Da die Kühlzeiten aber mit dem Quadrat der Wanddicke wachsen, verlieren dickwandige Kunststoffteile sehr schnell ihre Konkurrenzfähigkeit.

## Die neuen Möglichkeiten

Die Möglichkeiten, die in den Polymerwerkstoffen enthalten sind, werden bislang noch keineswegs ausgeschöpft, wie man leicht am Vorbild der von der Natur erzeugten Polymere sehen kann, die mit demselben Arbeitsprinzip sehr viel kompliziertere und unterschiedlichere Moleküle baut. Wir stehen heute mit der Kunststoffentwicklung vermutlich am Ende der ersten großen Etappe. Zumindest werden alle für derartige Polymerisationen geeignet erscheinenden Monomere, soweit die Polymerisation einfach und kostengünstig ist, bereits benutzt. Man kann hoffen, daß es gelingen wird, als billige Rohstoffbasis eines Tages Kohlenmonoxid benutzen zu können.

Die Hauptentwicklung bei der Rohstoffherstellung beschäftigt sich derzeit damit, durch Mischung verschiedener Polymerer zu sogenannten Legierungen oder Copolymeren, das ist der gemeinsame Einbau unterschiedlicher Monomerer in eine Kette, sich an die Ansprüche an den Werkstoff bei der Fertigung oder bei der Anwendung anzupassen. Diese Entwicklung ist noch in vollem Gange, und es gelingt damit, viele neue und unerwartete Eigenschaftskombinationen zu schaffen. Man kennt noch nicht einmal genau die Gesetzmäßigkeiten der Legierungsbildung und noch weniger ist bekannt, welche Gefügeausbildung man zu erwarten hat. Letztere ist natürlich für die Eigenschaftsvorhersage von eminenter Wichtigkeit. Die wohl interessantesten Anwendungen derartiger Legierungen sind derzeit Karosserieteile von Personenwagen.

Heute sind aber die meisten benutzten Polymerwerkstoffe bereits Copolymerisate oder Legierungen, weil man sich damit sehr genau an die Wünsche vor allem aus der Anwendung anpassen kann. Mit Hilfe von Copolymerisation erreicht man noch immer völlig neue Eigenschaften durch bislang ungenutzte Kombinationen. So entstand kürzlich eine völlig neue Klasse von Polymeren, bei welcher alleine durch das Fließen der Schmelze bereits eine so starke Ausrichtung der Moleküle entsteht, daß man dieselben mechanischen Eigenschaften erreicht, wie mit Formmassen, die in sehr hohen Prozentsätzen mit Kurzglasfasern gefüllt werden. Die ersten Formmassen dieser Art für Versuche werden bereits geliefert. Die Ausrichtung der Moleküle in Fließrichtung beim Strömen durch die Extruderdüse oder beim Füllen einer Formhöhlung wird dadurch bewirkt, daß man einen typischen für das Spritzgießen solcher Teile geeigneten Polymerwerkstoff mit einem organischen sich flüssigkristallin verhaltenden Molekül copolymerisiert. Die flüssigkeitskristallin sich verhaltenden Molekülsegmente richten sich nämlich in mechanischen oder anderen Feldern und auch in der Strömung aus. Im Copolymer bleibt diese Wirkung erhalten, jedoch werden die zwischen den Flüssigkristallmolekülsegmenten hängenden Segmente der anderen Comoleküle hierdurch mit ausgerichtet. Die Folge ist, daß der Elastizitätsmodul dann im erkalteten Werkstoff sich um einen Faktor drei oder mehr erhöht. Dabei wird gleichzeitig, ganz im Gegensatz zu mit Glasfaser gefüllten Formmassen die Fließfähigkeit nicht verschlechtert, sondern um einen Faktor zwei verbessert, wodurch ein um einen Faktor vier erhöhter Fließweg überwunden werden kann. Dies bedeutet, daß damit großflächige, dünnwandige und gleichzeitig sehr steife Formteile z. B. durch Spritzgießen hergestellt werden können. Es wird nicht mehr lange dauern, bis die ersten Anwendungen auf dem Markt auftauchen werden. Man kann sich vorstellen, daß dies Schalenteile, etwa von Autokarosserien sind, die durch Spritzgießen hergestellt werden.

Eine andere Anwendung werden hochfeste Folien sein, wie man sie heute nur durch ein- und mehrachsiges Verstrecken erhält. Fasern aus dieser Art Polymere sind schon seit einigen Jahren auf dem Markt. Sie sind unter dem Namen Aramidfasern bekanntgeworden und dienen vorzugsweise als hochfeste Fasern zur Herstellung besonders leichter Faserverbundwerkstoffe mit Kunststoffmatrizes.

Eine andere völlig neue Klasse von Kunststoffen sind die in ihrer elektrischen Leitfähigkeit in etwa den Halbleitern gleichkommenden Polymere. Auch hier wird die Leitfähigkeit nicht durch Füllung mit speziellen Zusätzen erreicht, was man auch bisher bereits kann und nützt. Vielmehr dotiert man bestimmte Moleküle oder Atome in speziellen Polymeren. Diese können dadurch genau so wie die metallischen Halbleiter partiell leitfähig gemacht werden. Wenn derartige Polymerwerkstoffe in einigen Jahren verfügbar sein werden, dann lassen sich damit z. B. Folien direkt mit Leitpfaden versehen. Diese könnten dann nicht nur gedruckte Schaltungen ersetzen, sondern man denkt an noch viel weitergehende Möglichkeiten bis hin zu Mikrochips. Der Chip aus derartig leitfähig gemachten Kunststoffen könnte sogar sehr gute Aussicht haben, denn er ließe sich wegen seines künstlichen Aufbaues eventuell genauer und fehlerfreier herstellen als die heutigen aus Halbleitern, bei denen der hohe Ausschuß die Produktionskosten sehr belastet.

Eine andere möglicherweise sehr folgenreiche Entwicklung, die auf dieser so erzeugten Leitfähigkeit aufbaut, könnte die Batterie als Speicher für elektrische Energie sein, eine Anwendung, die von mehreren Forschungsgruppen verfolgt wird. Dank der Leichtgewichtigkeit derartiger Speicher könnte dies endlich dem Elektroauto zum Durchbruch verhelfen.

Es ist schließlich zumindest erwähnenswert, daß man bereits einige organische Verbindungen und Polymere daraus kennt, die Supraleitungseigenschaften besitzen. Man hofft, daß diese Eigenschaft bei gewissen Makromolekülen zu einem Supraleiter führt, der diese Eigenschaft auch bei Raumtemperatur besitzen soll.

Man kann noch an viele andere neue Polymerwerkstoffe denken, welche die von der Natur geschaffenen Polymere noch besser nachzuahmen gestatten. Schließlich erscheint es heute nicht mehr ausgeschlossen, daß es mit einer weiterentwickelten Biotechnik und Gentechnologie eines Tages möglich sein könnte, ebenso wie die Natur bei Knochen und Chitinpanzern, hochfeste Leichtbauteile nach Maß herzustellen.

Man kann also postulieren, daß die Polymerwerkstoffe mit den neuen Aufgaben und der Nutzung neuer Technologien zunehmen werden.

Die wohl wichtigste Eigenschaft dieser Werkstoffe für die Zukunft erscheint jedoch ihre Unversiegbarkeit zu sein. Sie sind nämlich ebenso wie die Baustoffe der belebten Natur nur auf das Kohlenstoffatom angewiesen. Tatsächlich benutzt die Chemie nur aus wirtschaftlichen Gründen heute noch die Kohlenwasserstoffe, die uns im und mit dem Erdöl derzeit noch so preisgünstig zur Verfügung stehen, daß keine andere Kohlenstoffbasis damit konkurrieren kann. Jederzeit könnte aber auf andere Kohlenstofflieferanten, sei es Erdgas, Kohle, Synthesegas, Pflanzen, Kalziumkarbonat oder gar Kohlendioxid ausgewichen werden. Es müßte allerdings etwa die drei- bis vierfache Menge an Energie für die Polymerisation aufgewendet werden, wenn man von der heutigen Erdölbasis auf Kohle zurückgehen würde.

Bleiben wir noch einen Gedanken lang bei der zweifelsohne utopisch erscheinenden

Möglichkeit, Kohlendioxyd als Basis für die Polymerherstellung zu benutzen. Man könnte sich denken, daß man – sehr billige Energie vorausgesetzt – dieses Gas der Luft entnimmt und durch Energiezufuhr die Moleküle aufbricht. Dies wäre zudem eine sicher willkommene Gelegenheit, Energie aus Kernreaktoren in Zeiten verminderten Verbrauches zu speichern. Der Kohlenstoff würde dann mit bereits bekannter Technologie zu Kohlenwasserstoff hydriert. Die so gewonnenen Kohlenwasserstoffe würden dann in der üblichen Weise polymerisiert. Wenn dann die daraus gefertigten Gebrauchsgegenstände verbraucht sind, dann können sie, genau, wie dies heute auch noch die sinnvollste Art des Recyclings ist, verbrannt werden. Damit aber werden sie wieder in Kohlendioxid zurückgeführt. Der Kreislauf wäre damit geschlossen. Dieser Kreislauf wäre dem biologischen Kreislauf der Natur identisch.

Dies ist wohl das Einmalige an diesen Werkstoffen, daß sie den Werkstoffen der Natur so ähnlich sind und sich sogar in den biologischen Kreislauf einschalten lassen. Man kann sich vorstellen, daß die Menschheit daher auf sie wohl nie mehr verzichten wird.

Auch die Prognosen für das Wachstum der Polymerwerkstoffe, die von den verschiedensten Verfassern auch in jüngerer Zeit veröffentlicht wurden, sehen diese Werkstoffe dementsprechend noch um ein Vielfaches ihres heutigen Volumens zunehmen. Teitge [1] hat ebensowenig, wie viele andere Zukunftsforscher Sorge, daß mit der zu erwartenden Verknappung und Verteuerung des Erdöles eine Resubstitution eintreten könnte. Er sieht vielmehr die Kunststoffe noch 100 Jahre, auf ungefähr die zehnfache Menge von heute anwachsen. Dieses Ergebnis erhält man nahezu schon dann, wenn man annimmt, daß dann die Gesamtbevölkerung in etwa den Lebensstandard haben könnte, den heute die westlichen Industrienationen besitzen. Als hochindustrialisiertes Land verbrauchen die Bundesbürger derzeit 100 kg Kunststoffe pro Kopf und Jahr. In den Entwicklungsländern sind es demgegenüber nur einige Kilogramm. Aber auch bei uns werden noch viele neue Anwendungen aus den oben geannnten Gründen hinzukommen, so daß man diese Prognose, bei allen berechtigten Vorbehalten für einen derart langen Zeitraum, als einigermaßen glaubwürdig ansehen darf.

Es stellt sich nun die Frage, wie man sich die Fabrikation von Kunststoffteilen vorstellen könnte, die den Anforderungen eines derartigen weiteren Wachstums entspricht.

## Was ist in der Fertigung zu tun

Kunststoffe sind in ihren Eigenschaften leider sehr von den Umgebungs- und Fertigungsbedingungen abhängig. Die Erforschung dieser Abhängigkeiten war das Ziel der Forschung der letzten zwanzig Jahre. Mittlerweile sind diese Abhängigkeiten bekannt, aber noch ist man in der Praxis nicht so weit, daß man die Anlagen automatisch so regelt und führt, z. B. durch Rechner, daß sie Auswirkungen von Störeinflüssen automatisch ausregeln könnten. Vielmehr muß heute bei Fertigungen, bei denen es auf höchste Qualität ankommt, zu besonderen Maßnahmen gegriffen werden, wie sie sonst allenfalls bei biologischen Anwendungen oder der Herstellung von Pharmazeutika üblich sind. Mit anderen Worten, gefertigt werden kann nur bei konstantem Klimata, in staubfreier

Atmosphäre und vollautomatischem Betrieb und streng konstant gehaltenen Prozeßbedingungen. Beispiele dieser Art sind die Fertigung von Einwegspritzen für den medizinischen Bedarf. Für technische Produkte könnte man die Herstellung von Kondensatorfolien aus extrudierten und biaxial verstreckten Folien als Beispiel anführen, die nur dann auf Dicken von 4 Mikrometer ausgezogen werden können, wenn einmal als optimal erkannte Prozeßbedingungen strengstens eingehalten werden. Hinzu kommen, wie bei den medizinischen Produkten, Reinst-Raumbedingungen in menschenfreien Räumen und rechnergesteuerter, vollautomatischer Betrieb. Weitere Beispiele sind Compact-Discs, die neue Art von Speicherplatten und Bildplatten, deren weniger als ein Mikrometer große Einprägungen, welche die Informationen speichern, nur dann reproduzierbar plaziert sind und damit fehlerfreie Bildreproduktionen ergeben, wenn derartig hohe Forderungen, wie oben bereits bei den Kondensatorfolien genannt, eingehalten werden.

Ein besonders interessantes Einsatzgebiet, ist der Bau funktionswichtiger Teile für Flugzeuge. Es wurden in der jüngsten Vergangenheit eine große Anzahl der verschiedensten Flugzeugteile an fliegenden Maschinen erfolgreich erprobt; sie wurden von ausgesuchten hochwertigen Fachkräften weitgehend von Hand, unter denkbar größter Sorgfalt gefertigt und soweit als möglich geprüft. Dies ist bei künftigen Serienteilen nicht mehr möglich. Es laufen zur Zeit bereits die praktischen Erprobungen automatischer Fertigungen, in denen keine menschliche Handreichung enthalten ist. Roboter treten an die Stelle der Menschen, um in identischer Weise, wie früher von Hand, die Flügel aufzulaminieren und zusammenzusetzen. Roboter sind dazu besonders geeignet, weil sie dank ihrer Rechnersteuerung nacheinander die verschiedensten Aufgaben erfüllen können und sehr präzise einmal einprogrammierte Abläufe wiederholen. Dabei sind sie in ihrer Funktionsfähigkeit und Beweglichkeit im Raum nur wenig gehinderter als der Mensch. Es ist bereits möglich, Roboter mit Überwachungsfühlern und Sensoren – z. B. optischen Erkennungssystemen – auszurüsten. Diese kommen zwar der menschlichen Erkennungsfähigkeit noch nicht ganz gleich, obwohl dies nur eine Frage der Zeit zu sein scheint.

Das nächste große Einsatzgebiet in der Kunststoffverarbeitung für diese dem Menschen als Teil eines Fertigungssystems sehr nahekommende Maschine sind Fertigungen, die so schmutzig oder gefährlich sind, daß man sie dem Menschen nicht mehr zumuten kann. So werden derzeit bereits für sehr viele Farbspritzarbeiten Roboter eingesetzt.

Eine ähnlich stark unter Lösungsmitteldämpfen leidende Arbeit ist das Handlaminieren von größeren Schalenteilen. Auch dann, wenn keine besonderen Qualitätsanforderungen vorliegen, rüstet man zur Zeit auf die Fertigung in einer geschlossenen Zelle um. Dem in seiner luftdicht abgekapselten Zelle arbeitenden Laminierroboter werden durch eine Schleuse auf Wagen die zu bearbeitenden Formen zusammen mit eventuell einzuarbeitenden Hilfsteilen zutransportiert. Mit seinem Erkennungssystem identifiziert der Roboterrechner, welches Programm er benutzen muß. Er greift sich von einer in Reichweite befindlichen Ablage das für die Arbeit notwendige Werkzeug, z. B. eine Spritzpistole für einen Trennfilm, der auf die Form aufgebracht werden muß. Wenn diese Arbeit erledigt ist, wird er sofort die nächste beginnen und mit einer zweiten Spritzpistole die Decklackschicht auftragen. Nachdem er auch dieses Werkzeug zurückgelegt hat, ergreift er wohl als nächstes ein Werkzeug, mit dem er die Faserlagen aufbringen kann, usw. So baut er ein komplettes Laminat auf und verdichtet es auch. Er kann auch Sandwiches aufbauen, indem er vorbereitete Schaumteile einlaminiert. Wenn er schließlich auch die Verdichtung vorgenommen hat, was auch nach Überziehen einer Folienabdeckung, die er aufgelegt hat, mittels Unterdruck geschehen kann, dann verläßt dieser Wagen mit der nun fertig laminierten Form die Fertigungszelle und durchläuft einen Ofen, in welchem die Aushärtung des Harzes erfolgt. Nach dem Ofen kann das Werkstück entformt werden, es muß nur noch an seinen Rändern besäumt werden. Beide Vorgänge werden von einem zweiten Roboter vorgenommen, der die fertigen Teile auch auf den Weg zum Versand bringt. In einer derartigen Fertigungszelle können nun auch Harze bedenkenlos verarbeitet werden, deren Verarbeitung heute nicht möglich ist, weil sie vor dem Härten bei manchen Menschen allergische Reaktionen hervorrufen.

Aber oft noch viel unangenehmer als der Laminierprozeß wird von den Ausführenden das Abarbeiten der Preßgrate und das Besäumen vor allem von Faserverbundteilen angesehen. Es wird deswegen wohl in den nächsten Jahren das Abgraten derartiger faserverstärkter Teile der erste Arbeitsvorgang sein, der von selbsttätigen Anlagen vorgenommen werden wird.

Auch heute ist man bestrebt, einen einmal laufenden Prozeß erst dann abzustellen, wenn der laufende Auftrag abgearbeitet ist und nicht, wenn wegen des Schichtendes das Personal die Arbeitsstätte verlassen will oder, was in unseren Ländern eintreten könnte, nicht mehr weiter verbleiben darf. Man benötigt somit Anlagen, die, einmal in Betrieb gesetzt, selbständig weiterarbeiten und sich abstellen, wenn eine Störung auftritt oder die erforderliche Auftragsstückzahl erreicht ist. Die jetzige Generation von Spritzgießmaschinen ist bereits, dank Rechnersteuerung, für derartige Aufgaben eingerichtet; ein Grund, weshalb solche Maschinen derzeit kaum in der Zahl geliefert werden können, wie sie gefordert werden. Die Maschinen der kommenden Generation, die es in Versuchslaboratorien bereits gibt, sind nun für die Rechnersteuerung mit Fühlern und intelligenten Programmen ausgerüstet, die wesentlich mehr können als jede von Hand bediente Maschine. Solche Maschinen prüfen mit eingebauten Sensoren in jedem Schuß das einlaufende Rohmaterial, stellen danach die Maschine auf optimale Bedingungen ein und fertigen nacharbeitsfreie und ohne weitere Prüfung versandfertige Teile. Teile, die der internen Prüfung nicht genügen, werden automatisch ausgesondert. Mit diesen Maschinen können vor allem auch Materialien verarbeitet werden, bei denen der Rohstoff in einem gewissen Maße in seinen Eigenschaften schwanken darf; dies ist z. B. der Fall bei Elastomeren und Duroplasten, die in der Regel in kleinen Mengen chargenweise in hauseigenen Mischereien aufbereitet werden. Derartige Maschinen werden aber noch weitere Vorteile bieten. Sie können dank der im Rechner vorhandenen Einstellprogramme nach einem Wechsel eines Werkzeuges für die Produktion eines anderen Formteiles die Anlage selbsttätig in den neuen optimalen Arbeitspunkt überführen und die Produktion beginnen. Das wird die Rüstzeiten erheblich verkürzen, ja es ermöglicht die bereits existierenden Vorschläge einer vollautomatischen Formteilfabrikation zu realisieren. In einer solchen von einem zentralen Rechner überwachten Fabrik werden nicht nur die Werkzeuge selbsttätig gewechselt, sondern auch die verarbeiteten Werkstoffe, wobei die Zylinder und Schnecken gegen vorgewärmte für das neue Material ausgewechselt werden. Es versteht sich, daß man sich auf solche Anlagen unbedingt verlassen können muß und daß an den Anlagen jeder Ausfall sofort zumindest angezeigt, wenn nicht kompensiert wird. Deswegen besitzen diese Anlagen auch entsprechende Überwachungs-fühler und vom Maschinenrechner oder übergeordneten Leitrechner betätigte Pro-gramme, die in regelmäßiger Folge die Funktion aller wesentlichen Anlagenelemente abfragen. Diese Art von Fabrikation wird wohl eine sehr große Bedeutung gewinnen, denn man kann erwarten, daß die Fertigungstoleranzen sehr eng und die Zuverlässigkeit so hoch ist, daß man trotz der viel größeren Empfindlichkeit der Werkstoffe erfolgreich mit den z. B. sehr viel unempfindlicheren Metallen konkurrieren kann. Man kann damit auch so heikle Hochleistungswerkstoffe, wie Flüssigkristallpolymere z. B. für Karosserie-teile anstelle von solchen aus Stahlblech mit einem unter dem Strich geringeren Investi-tionsaufwand verarbeiten.

Eine Lösung, die sich in den nächsten Jahren sehr schnell durchsetzen dürfte, ist das flexible Fertigungszentrum. Es bietet sich auch für einen Betrieb an, der nur mit einer Maschine für ganz bestimmte Teile seines Produktionsprogrammes beginnen muß, Teile mit hoher Präzision zu fertigen, die nur eine geringe Stückzahl umfassen. Hier können in ununterbrochener Folge die verschiedensten Teile aus demselben Werkstoff nacheinan-der gefertigt werden, wobei es auch aus wirtschaftlichen Gründen keine Rolle spielt, wie groß die Stückzahl ist, weil die die Formhöhlungen tragenden Platten ohne Unterbre-chung des laufenden Prozesses beliebig ausgewechselt werden können. Der diese Anlage bedienende Roboter hat nicht nur die Aufgabe, die Formteile zu entnehmen, sondern er montiert auch zusammengehörige Teile und legt sie gezielt z. B. in die Verpackungsbe-hältnisse ab. Auch hier könnte der Mensch als Regler und Steuertechniker nicht mehr mithalten, denn die Umstellung der Anlage von einem Teil zu einem anderen bedingt sehr viele Veränderungen, die nur von der künstlichen Intelligenz ausreichend schnell und genau genug wahrgenommen werden können. Solche Automaten bieten sich auch an für Werkstoffe, welche die Kavitäten verschmutzen und häufige Reinigung verlangen. Zudem kann jede moderne Spritzgießmaschine mit Rechnersteuerung zu einem solchen flexiblen Fertigungssystem mit weiteren handelsüblichen Geräten, wie Roboter und Leitrechner, aufgerüstet werden.

Auch bei der Herstellung von Preßteilen, z. B. von mit Langfasern gefüllten Formmas-sen, kann man sich eine vollautomatische Fertigungsstraße in Forschungslabors bereits ansehen, wo auch der Vielstufenprozeß von einem zentralen Rechner überwacht, vollauto-matisch in den verketteten Anlagen abläuft und dabei von Zyklus zu Zyklus die Formteile automatisch geprüft und sortiert werden.

Auch die Herstellung von Blasartikeln mit automatischen Anlagen gibt es bereits. Sie arbeitet unter anderem in Verpackungslinien, wo die Ware unmittelbar nach der Erzeu-gung, wenn die Verpackungen garantiert noch steril sind, sofort abgefüllt werden. Man kann erwarten, daß diese Art der verbrauchernahen Fertigung schnell zunehmen wird, da es nun kein Problem mehr ist, auch in fachfremden Betrieben mit weniger kundigem Personal Kunststoffe zu Produkten hoher Qualität zu verarbeiten.

Auch die Fertigung extrudierter Profile wird man künftig noch mehr als bislang selbsttätig ablaufen lassen. Das automatisch einlaufende Rohmaterial wird geprüft und danach die Anlage nachgestellt. Sensoren melden dem Rechner, ob das Produkt in Ordnung ist. So prüft z. B. eine Kamera bei jedem Schnitt, ob das erzeugte Profil der

Sollkontur entspricht (Abb. 4). Wegen der Hysterese des Ausstosses und der Änderung der Temperatur der Schmelze bei geändertem Ausstoß war bislang eine automatische Umstellung nur mit Schwierigkeiten möglich, und große Anlagen benötigten lange Anfahrzeiten mit entsprechendem Anfahrausschuß. Es ist nur eine Frage der Zeit, bis man auch hier kleine Losgrößen dank automatischer Werkzeugwechsel und Einfädelung, wirtschaftlich erzeugen kann.

Man kann sich vorstellen, daß auch z. B. Druckrohre mit einem korrosionsbeständigen Innenrohr und der tragenden hochfesten Außenummantelung aus flüssigkristallinen Polymerwerkstoffen gefertigt werden, wozu wiederum eine hohe Fertigungsgüte notwendig sein wird.

Es ist jedoch mit der Fertigung alleine nicht getan, sondern in der vorangehenden Planung der Arbeitsmittel und des Fertigungsablaufes, ebenso wie bei der Gestaltung eines Produktes höchster Qualität genügen die heutigen Arbeitsmethoden nicht mehr. Da die komplexen Zusammenhänge zwischen dem Eigenschaftsbild eines Produktes und seinen Fertigungs- und Einsatzbedingungen selbst von Experten nicht zu überblicken sind und im ersten Planungsdurchlauf nicht lauffähig entworfen werden können, muß heute

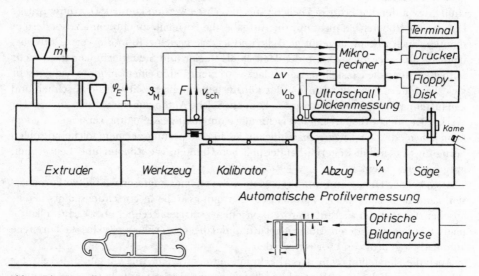

Abb. 4: Die Herstellung von Profilen erfolgt in Extruderstraßen. Sie sind rechnergesteuert und durch Sensoren wird vom Einlauf des Granulates bis zur Ablage des fertigen Profiles die Produktion selbsttätig ausgeführt und intern kontrolliert. (Quelle: IKV)

m          $\triangleq$ Masse des zugeführten Rohstoffes
$\varphi_E$     $\triangleq$ Kontrolle der Feuchte o. ä.
$\vartheta_M$     $\triangleq$ Kontrolle der Schmelzetemperatur
F          $\triangleq$ Messung der Abzugskräfte
$V_{sch}, V_{ab}$ $\triangleq$ Geschwindigkeiten des Profils
$V_A$         $\triangleq$ Geschwindigkeit des Abzuges

ein optimales Produkt durch umfangreiche praktische Erprobungen und Änderungen optimiert werden. Das dauert oft Jahre, eine Zeitspanne, die in vielen Fällen nicht zur Verfügung steht, so daß Kunststoffteile schon aus diesem Grunde nicht zum Einsatz kommen.

Dies wird sich in absehbarer Zeit grundlegend ändern. Man ist bereits dabei, die ganzen bekannten Gesetzmäßigkeiten und generellen Erfahrungen bestimmter Fertigungstechnologie, z. B. der spritzgießgerechten Gestaltung zusammen mit Werkstoffeigenschaften in Datenbanken zusammenzufassen und Expertenprogramme zu erstellen, mit welchen der Konstrukteur – derselbe, wie bisher – so bei seiner Konstruktionsarbeit geführt und angeleitet wird, daß er eine Arbeit leisten kann, als sei er ein Experte auf diesem Gebiet. Diese Programme laufen auf grafikfähigen Bildschirmen von Rechneranlagen, die zum sogenannten rechnerunterstützten Konstruieren derzeit in den Konstruktions-Büros aufgestellt werden (sogenannte CAD-Anlagen). Man kann natürlich nun, wenn einmal solche Anlagen vorhanden sind, noch sehr viel mehr damit machen. So kann man z. B. zu erwartende Vorgänge bereits in der Konstruktionsphase simulieren und die Reaktionen des geplanten Werkstückes kontrollieren. So läßt sich z. B. infolge der Eigenschaftsveränderungen, die durch die Fertigung bedingt sind, die Qualität schon in der Planungsphase voraussagen und der Prozeß optimieren. Man kann die Auslegung bereits unter Berücksichtigung aller Einwirkungen des späteren Betriebes vornehmen, sei es beispielsweise gegen Stöße, Schwingungen oder langzeitig einwirkende mechanische Last in Luft oder in aggresiver Atmosphäre usw. dimensionieren. Ist so dann der Erstentwurf vorgenommen und ein geeignetes Material ausgewählt worden, dann wird das dafür geeignete Verfahren und Werkzeug gesucht; Entscheidungen, die dem Konstrukteur wiederum leichtgemacht werden durch Entscheidungsprogramme, sogenannte Expertenprogramme. Diese Programmpakete wird man zweckmäßigerweise auf den Anlagen zum rechnerunterstützten Konstruieren (CAD-Anlagen) benützen. Auch hierbei wieder kann durch Simulationen der Konstrukteur direkt mit den Einflüssen seiner Entscheidungen bekanntgemacht werden. So findet er schnell die beste Angußform, die zweckmäßigste Anordnung der Kühlung usw. Dem wissenschaftlich nicht geschulten Konstrukteur kann dann auf der Grafik sofort anschaulich dargestellt werden, was an schwierigen Zusammenhängen dank der gespeicherten Gesetzmäßigkeiten errechnet wurde. So kann der Konstrukteur das gesammelte Wissen vieler Experten nutzen und sofort in die Konstruktionszeichnung umsetzen.

Es ist dem so ausgerüsteten Konstrukteur auch ein Leichtes, in diesem Zustand der Planung die Formteilgeometrie noch einmal zu ändern, wenn sich für die Fertigung Schwierigkeiten bei der Werkzeugplanung zeigen sollten. Alle diese Maßnahmen sind tragbar, denn noch ist nicht einmal eine Zeichnung gezeichnet noch irgendein Stück Metall bearbeitet worden, und der gesamte Planungsprozeß hat, wenn es hoch kommt, zwei Tage gedauert. Zum Vergleich: heute dauert es vermutlich mehrere Wochen, bis dieser Stand erreicht ist!

Sind dann die Konstruktionsunterlagen fertiggestellt, dann werden die Fertigungsunterlagen, in erster Linie die Zeichnungen, automatisch vom sogenannten Plotter angefertigt. Jetzt können auch die Einkaufs- und Beschaffungsunterlagen ausgedruckt werden. Wahrscheinlich wird man sofort auch die Planungsunterlagen für die Fertigung der

Werkzeuge, z. B. Lochstreifen für die numerischen Werkzeugmaschinen erstellen, denn dazu kann man viele der schon vorhandenen Daten benutzen. Das Werkzeug und die anderen Arbeitsmittel werden nun beschafft.

Der Konstrukteur wird schließlich die Fertigung der Teile selbst vorbereiten, indem er sich, wiederum aus denselben Daten, die Maschineneinstellung ausdrucken bzw. den Datenträger mit diesen Informationen für den Maschinenrechner anfertigen läßt.

Es wird noch viel Detailarbeit notwendig sein, obwohl alle geschilderten Möglichkeiten in der Forschung in wesentlichen Teilen und Beispielen bereits existieren. Es ist jedoch sicher, daß es ohne solche Methoden nicht gelingen wird, die Kunststoffe mit ihrem besonders leicht zu beeinflussenden Eigenschaftsverhalten problemlos für technische Teile auch in kleinen Serien einzusetzen. Diese modernen Informationstechniken sind die einzige erkennbare Möglichkeit, das komplizierte und kaum erfaßbare Verhalten der Kunststoffe schon in der Planung erkennbar werden zu lassen und so zu berücksichtigen, daß die ersten Teile bereits brauchbar sind. Die Nutzung dieser Möglichkeiten ist daher eine ebenso wesentliche Voraussetzung, wie die automatischen Fabrikationsanlagen, wenn aus Kunststoffen für höchste Ansprüche verläßliche Produkte werden sollen. Werden diese Hilfsmittel in dem genannten Sinne genutzt, dann sind Teile aus Kunststoffen verläßlicher als aus anderen Werkstoffen, wie wir bereits an Hand von sorgfältig gefertigten Faserverbundteilen z. B. im Flugzeugbau sehen können.

Aber gerade bei Faserverbund-Werkstoffen, (deren Eigenschaften entscheidend vom Werkstoffaufbau abhängen), wird es ohne eine derartige rechnerunterstützte Konstruktion überhaupt nicht möglich sein, eine Optimierung mit wirtschaftlich vertretbarem Aufwand zu bewirken. Ohne eine solche automatisierte Planung wären extrem lange Erprobungen notwendig.

Zusammenfassend kann man feststellen, daß Kunststoff-Fertigungen gegenüber denjenigen aus Metallen stetig konkurrenzfähiger werden, weil die heute den Kunststoffen noch im Wege stehenden, schwierig zu beherrschenden Eigenschaften, künftig nicht mehr erschwerend wirken. Damit kommen die Vorteile der Kunststoffe erst voll zum Tragen, was den Substitutionsprozeß stark beschleunigen wird. Dies ist für unsere Volkswirtschaft eine wichtige Entwicklung, weil damit unsere Erzeugnisse auf dem Weltmarkt konkurrenzfähiger werden.

## Literatur

[1] H. Teitge: Zukünftige Verfügbarkeit der Kunststoffe. Kunststoffe 70 (1980), H. 5 S. 299–302

Harold W. Lewis

# Technological Risk

## Introduction

There has been a steady increase in the importance of technology in the Western World since the onset of the Industrial Revolution two hundred years ago, and there is little doubt that it has brought great improvements in the quality of life for all of us. At the same time, especially as the pace of technological development has accelerated in this century, there has been an undercurrent of discontent among people uncomfortable with the technology, and this discontent has many forms and sources. Even in the early nineteenth century the English Luddites (fittingly named after a perhaps mythical half-wit) were active in destroying textile machinery because they asserted, correctly, that it was putting skilled craftsmen out of work. In the ensuing hundred fifty years, many fine books have been written by authors deploring the extent to which technology was »dehumanizing« society, and beautifully expressing nostalgia for older and simpler times. There is a kind of warm simplicity about such books – in the United States the most famous is Thoreau's Walden – and it is easy to fall into their grip, and thereby develop a quixotic distaste for technology. This distaste is often coupled with a casual acceptance of the benefits. For example, a friend who lives on the coast tells of a neighbor who sails over to visit in his fiberglas sailboat, with dacron sails and anodized aluminum mast, solid-state ship-to-shore radio and diesel auxiliary engine, to sit in the cockpit and sip an aperitif while talking about the evils of technology.

Such attitudes are still prevalent and widespread, but the current trend in the rejection of technology has been to concentrate on the risks that it introduces into society. There is no question that such risks are real, just as the risks that have been averted by the development of technology are real, though we tend to forget the latter. It is the responsibility of technologists to reduce the risks of technology to a reasonable level, so that we can all enjoy the benefits, and that requires that we understand the nature of the risk, and be able to quantify it. Then a sensible society is able to make its decisions in a rational way, basing them on a knowledge of the options. Knowledge and understanding improve all decisions. The rest of this article will be devoted to that objective. We will discuss the nature of risk, the estimation of risk, and the regulation of risk (where this author's experience is principally in the United States), and will describe in detail some specific cases, to illustrate how much room there is for improvement. Those cases will be chosen from American experience, but I have no doubt that comparable German examples can be found.

## Risk

Though there has been, for the last couple of decades, a greatly increased public and governmental sensitivity to the risks that are endemic in everyday life, the definition of risk remains particularly elusive. This is at least in part so because the word itself suggests a kind of probability, and probability is in its own right an elusive concept. It is little wonder, then, that so much confusion surrounds public debate about, for example, the building of nuclear power plants, especially when one deals with risk in isolation from other factors that are relevant to the choice of a technology. As will be seen in the remainder of this contribution, an educated and quantitative approach is necessary to an understanding, though uneducated and non-quantitative discussions dominate the popular media of communication.

Though there is great latitude in the formulation of a useful ·definition of risk, probability is an essential part of all definitions. At the lowest level, risk is only a probability. We speak, for example, of the risk of dying in an automobile accident, by which we mean only the probability that we will succumb in that way, rather than from any other misfortune. (In the United States, that probability is approximately 0.0002 per year, or one in 5000, since about 45000 die that way, from a total population of about 230,000,000.) In the same way, we speak of the risk of flying, the risk of skiing, the risk of war, etc. These are real concerns, and we wish to keep the probability sufficiently low.

On the other hand, we don't wish to keep *all* probabilities low, since some events are not particularly damaging, and indeed some are even beneficial. For example, when I fly on Lufthansa (or any other airline) the probability that the airplane will not arrive on time is much larger than 0.0002, yet that does not carry the same concern that is associated with automobile accidents. In fact, the probability that the airplane will not arrive at all at the intended airport is greater than 0.0002, and that, while it is somewhat more serious, still does not produce worry. Clearly, then, risk has somehow to incorporate the idea of the probability of something happening and a measure of the damage done if it does in fact happen. (Statisticians call this a loss function.) Many measures of this combination have been used, each appropriate for a particular circumstance, and there is only occasionally a good reason for choosing one over the other. A particularly common definition of risk consists of simply multiplying the probability of an event by the value of the loss involved. The latter has to be quantified, and this is often done in terms of money, which requires that all losses be assigned a monetary value. While one's instincts may rebel at giving a value to some things (such as life itself, to which we will return), it is sometimes necessary to reduce a wide variety of values to a common medium of exchange. That is, after all, why money was invented independently by virtually all societies. We have accepted this in many areas, buy life insurance, seek in the courts financial recompense for harm, etc. In fact, the value of life insurance is precisely calculated as the product of the probability of death and the amount of insurance coverage. Though exceptions will be noted, for the rest of this article we will use this definition of risk – the product of the probability of the loss and the value of the loss.

It is interesting to ask whether people have any kind of sense of the ordering of the risks in everyday life – are they more concerned about the things that are most threatening, or are their fears or concerns misdirected? A few years ago a survey was made in the United States of three groups of relatively well educated citizens, who were asked to rate in order a number of risks to life, such as smoking, handguns, nuclear power, etc., just to answer this question. (It wasn't a large survey, and only about a hundred people from the western United States were involved, but they were chosen to include groups who would normally be reasonably well informed. They were specifically asked to assess the risk in terms of their judgment of how many people would be killed each year as a result of the activity or technology under discussion. There were thirty sources of risk named.) The results were astonishing. The groups apparently tended to be guided by the newspaper and television space devoted to the various risks, rather than to any assessment of their magnitudes. They overestimated the risk of unfamiliar things, while underestimating the familiar. Thus the more highly publicized risks, such as handguns and nuclear power, tended to be near the top of the list for all the groups, while the much more serious risks (in terms of lives lost), like smoking and alcohol, tended to be far below their proper place. (In the United States, about 300,000 people die each year from smoking, and none from nuclear power, yet the popular estimate of the risks is reversed, even among educated people. This survey was done before the accident at Three Mile Island.) Curiously, non-nuclear electric power production was estimated to be in twentieth place on the list, although its correct position was fifth, and although the respondents were specifically instructed to take into account the risks of coal-mining and distribution, and the other indirect risks associated with the production of non-nuclear electricity. There is a great need for education on the nature of risk.

There is another feature of risk that is worth noting in the context of popular attitudes, and that has to do with the timing of a damaging event – is it likely to occur tomorrow or in a thousand years. We know, for example, that the sun is doomed in a few billion years, carrying us (in a loose sense) with it, yet few people go through an average day fretting about the possibility. Instinct tells us, quite properly, that something that is going to happen in a few billion years, no matter how devastating it will be, is not a reasonable subject for current concern or action. Still, many people worry about the disposal of nuclear waste, and argue about whether it has to be confined for a million or ten million years.

Economists and bankers know how to deal with deferred risk or deferred income, by discounting it according to an estimated interest rate for the period of the deferral. Without going into the mathematics (which is, in fact, not at all complicated), the general rule is that the more distant a benefit (or loss) the less it is worth now. If we were to ask a reader how much he would pay today to be assured of receiving a hundred marks tomorrow, the answer would probably be just a bit less than an hundred marks. If the repayment were not until next year, he might offer ninety to ninety-five marks, but a promise to repay the hundred marks in a hundred years would probably command little value. The same reasoning applies of course to losses, which is the reason we have so little concern about distant risk. There are, of course, irrational exceptions like nuclear waste disposal, where risks located many thousands of years in the future appear to have the capacity to frighten people. We will return to that specific subject later.

As a last item in the discussion of the nature of risk, we return to the question of whether the risk associated with a occurrence is to be measured by the simple product of the probability of the event and the consequences, the latter measured in some units, most often monetary. As a matter of practical experience, people are more disturbed by low-probability events with large and dramatic consequences than they are by the more commonplace risks of everyday life. This accounts in part, for example, for the difference between the extraordinary fear of nuclear power and the casual acceptance of the much greater risk of smoking. It is interesting to look at the logic of this position, since it has led some safety experts to state risk through a measure that uses the probability of the event as before, but assigns a much larger weighting to large calamities than to small ones. In a sense, this is a way of accepting the cumulative hazards of life, while emphasizing the newsworthy. One would, with this philosophy, work hard to prevent accidents in large commercial airliners, while deemphasizing highway safety, even though the latter exacts a far larger toll in life. Is this reasonable?

Suppose there were discovered a very large meteorite approaching Earth, with a small probability of striking a city and thereby killing a thousand people. It is not likely to happen, but would be a calamity if it did. Suppose further that we have the capability of despatching a rocket to intercept the meteorite, and blast it into many small pieces, so that it cannot kill so many people in one place, but is certain to kill ten thousand people all over the world. In other words, we have the capability to spread the risk, so that more total damage is done, but no very large localized effects occur. If we accept the concept of risk aversion, we will proceed to intercept the meteorite, even though we will be killing more people by so doing. It is not obvious that that would be wise. Is it better to cause less grief to many families or to cause greater grief to few? These are not simple questions, but they need to be addressed in order to formulate sensible social policies toward risk.

It is obvious that no civilized country can have a completely risk-free society (there is risk in eating, drinking, breathing, and sleeping on beds), so there is no real and rational alternative to a sufficiently quantitative understanding of risk to make it possible to control it in a sensible way. In many countries nowadays, a different approach is used – the media or other interested parties with special objectives (not necessarily including safety) call attention to a risk that seems newsworthy, without any effort to determine the magnitude of the risk, and the resulting public clamor leads to a reduction of that particular risk, while many far larger risks go unnoticed or are even increased. This leads, of course, to an unfortunate misdirection and waste of limited societal resources. We will return later to the problem of regulation of risk.

## Estimation

Technological risk comes in two principal flavors, the familiar frequent occurrences for which good statistics are available about the magnitude of the risk, and the extremely low-probability events for which there is no actuarial experience. There is even a third variety of importance, in which the probability may not be extremely low, but the statistical information is, for other reasons, difficult to obtain. An example of the first is the risk of breaking a leg while skiing. Obviously, the probability depends upon many variables: the skill of the skier, the weather conditions, the quality of the slope and the terrain, and others.

Still, the *average* probability of breaking a leg, averaged over all skiers and weather conditions during a season shows only slow changes from year to year (improving, in this case, because of the far better ski boots that are now commonly available), and it is therefore not difficult to calculate the average likelihood of a broken leg. The same is true for fires, airplane and railroad accidents, and death by smoking.

There is, on the other hand, a completely different sort of event, characterized by a very low probability of occurrence associated with very large consequences. In such cases, the event in question may never have occurred, but may still be within the realm of reasonable conjecture, so that it is necessary for a society to protect itself against it. An example might be the mid-air collision of two 747 aircraft, or a radiation-releasing core melt of a nuclear power reactor. In both of these cases, neither of which has yet occurred, we need to exploit purely theoretical tools to determine the probability of the event, since its consequences might be so severe. This is a complex and interesting subject, which will occupy much of what follows in this article.

The third category, events whose probability may not be as low as those cited above but for which there is little quantitative information, is best epitomized by the damaging effects on people of relatively benign drugs or environmental contaminants. Only in a few cases do we have real data on the effects on people, and then only because people have been exposed to the offending substances before the risk was known sufficiently well to take protective action. To this day, for example, we do not know whether the radiation to which we are all exposed in the cosmic rays (more later on this) does us any harm at all. Only in cases of extreme harmfulness, such as smoking, is there enough information available to be quite certain of the threat. For all the others, like the low-potency carcinogens saccharin and benzene, we simply don't know. Nor will we ever do experiments involving humans, so there too the information that we must use to estimate and then deal with the risk is sadly deficient. We will also treat this subject at length later in the article.

We must first clarify the meaning of extremely low probability events. Then we speak of the probability that an honest coin will fall with a particular face upwards (a probability of 1/2) it is clear to everyone what is meant. We mean only that if the test is performed many times, the coin will fall in that position approximately half the time, and that the accuracy with which that is true will improve as the number of coin tosses increases. When, on the other hand, we say that the probability that Libya and the Union of South Africa will form a Union next year is less than one chance in a million, we clearly don't have in mind the idea that the experiment will be repeated many times, and that the Union will be formed less than one time out of each million experiments. That would be nonsense, yet the idea of establishing a probability for such an event is not nonsense (although this estimate of the probability may be high). The probability that certain football teams will win a championship may in fact be that low, yet it is possible to find a bookie who will take a bet, and thereby establish his own estimate of the probability or odds. In such a circumstance, that is exactly what is meant by probability, the odds that a rational and informed person will set on the occurrence of the event, without inviting others who bet with him on many things to consistently win from him. It is, in fact, an informed guess. Since it is an informed guess, it depends upon the amount of information available to the person making the guess, and is not an intrinsic property of the event whose probability is being estimated. It will change as

71

more information appears, and will also depend upon the analytical skill of the estimator. It is, in short, subjective.

This last comment is not uniformly accepted by statisticians, who tend to object to the element of subjectivism that that necessarily introduces into the practice of their profession, but it is in fact the only genuinely defensible definition of probability, and that fact is clear from the discussion of rare and irreproducible events. It is the fact that it is a pragmatic rather than formal definition that so annoys many statisticians, yet many non-statisticians find no problem at all with the reasoning. The form of statistics based on these concepts is known as Bayesian statistics, named after the English statistician who invented it in the eigtheenth century. It provides the only systematic procedures, as we will see, for the combination of objective failure rate data and expert opinions into an overall assessment of the probability that a damaging event will occur. In fact, for the kind of extremely low-probability event we will be discussing, in which the subjective expert input is the main source of information, there is really no other form of statistics available. Curiously, though the issue is still very controversial among statisticians, there are situations in everyday life in which there is only subjective input for the determination of probabilities, and these are well accepted. The usual example is horse racing, where the *only* estimates of the probability that a given horse will win a race come from expert input (no particular race is run many times, to establish a statistical record for the winners), and yet the records show that this combination of expert opinion has historically provided excellent estimates of the probabilities. Therefore, in a pragmatic sense, the subjective approach to the definition of probability has been shown to work well, and it is the only feasible approach to the kinds of risk we will be discussing. It is not my purpose here to oversimplify the issues, since there are deep philosophical questions connected with this interpretation of probability, and statisticians have been slow in resolving the conflicts. The outcome is, however, not in doubt.

Let us go a step further, and analyze the concept of uncertainty in this context. Unfortunately, as in so many cases, the word has both a popular and a technical meaning. The popular meaning, which usually suggests doubt or confusion, is somewhat misleading here. For example, in tossing an honest coin, on any given toss one will be (in the popular sense) uncertain of which way the coin will fall, yet the probability for each case is known exactly to be one-half, so there is no uncertainty in the technical sense. When the probability is exactly known, we say that there is no uncertainty, even though we cannot predict the outcome of any given test with confidence. The latter fact follows from the meaning of probability, but uncertainty here applies to knowledge of the value of the probability. Can one go further, and apply to the determination of the probability the same concepts that apply to the prediction of the outcome of the coin toss? In the case of the coin, we didn't know how it was going to fall in each case, but were able to assign a probability to each option, to measure its likelihood. In the same way, we can say that we don't know the probability of an event, but can make reasonable estimates of that probability, with some uncertainty, and can assign a probability to each probability. This may seem strange, but it is in fact quite a straightforward and simple concept. As a simple example, suppose we have a bag full of coins, half of which are honestly balanced. The rest are unbalanced in various ways, perhaps due to errors in manufacturing. If we now take a coin at random from the bag and toss it, it is legitimate to ask for the probability that it will land face up. On the other hand, that probability depends upon which coin was chosen, so that there is an uncertainty in the probability, depending upon the distribution of coins in the bag. The result is that we can construct a probability of probabilities from what we know about the manufacturing errors of the coins, and exactly the same concepts are applicable here as in the simpler case. It was this mode of thinking that was introduced by Bayes in 1763. He also introduced a formal means of improving our estimates of a probability as our knowledges improves. We might discover, for example, that the coins are marked according to the precision with which they have been manufactured, in which case our uncertainty would be decreased. In general, more information reduces uncertainty, which is encouraging. Uncertainty means here lack of knowledge of a probability, expressible as a probability distribution on the probability of an event.

To take a next step, we now ask how we can make an estimate of the probability of a rare event, perhaps one that has either never occurred, or at least has not occurred often. There are several classes to consider, according to the amount of information we have about the phenomenon. The most fully developed treatments, and the most important in practice, are for failures of technical systems consisting of many components. Such systems are rarely designed in such a way that a failure of a single component will lead to the failure of the entire system (there are exceptions, of course, like the wing of an airplane), but rather have intrinsic safety factors due to redundancy and interdependence of parts of the system. Humans are designed that way, although we also have certain essential »vital« parts whose failure would be critical. Using an airplane as an example, we might ask ourselves to make an estimate of the probability that a particular flight from München to Frankfurt has an accident. We would begin by asking how such an accident might begin, perhaps failure of an engine, perhaps a sudden illness of the pilot, perhaps an electrical malfunction, etc. For each of these possible initiating events we can estimate a probability from past experience, yet none of those mentioned need lead to an accident, since the aircraft is protected against each such eventuality by some form of redundancy. There is more than one engine, there is more than one pilot, the aircraft is designed to fly (perhaps less safely) without an electrical system, etc. The occurrence of the initiating event is not, in general, sufficient to cause the accident, but we do now know the probability of each of the initiators. Suppose we concentrate on the engine failure, and say that the probability is 0.001, one chance in a thousand. What can happen next?

After the engine failure, the aircraft can be flown quite safely on the remaining engine or engines. Suppose there is only one remaining engine, then it is reasonable to ask how long it will continue to function. Perhaps the probability that it fails is again one in a thousand, .001, so that the probability that both engines fail is the product of these two, namely .000001, one chance in a million. That seems small enough. But that is not the only thing that could have happened after the first engine failure. One could have then had a failure of the electrical system, or the pilot could have suddenly developed food poisoning, or an unexpected storm could have arrived, or any of many different possible events. If, for each possible sequence, we were to describe it, to estimate the probabilities of each of the component elements, multiply them together appropriately for the events that occur in sequence, and then add the probabilities of all the sequences that lead to a crash of the airplane, we will have developed what is known as an event tree. If we can think of all possible event trees, we will have been able to estimate the probability of the crash, but with an uncertainty that is compounded from the uncertainties in all the component probabilities that enter into the calculation. This is the procedure that is actually followed for estimation of the failure of complex systems, most notably nuclear power plants. (We have omitted mention of the procedures used to estimate the probability of failure of the components themselves – where they are complex, like an engine, a procedure which is the inverse of that described above is used, and is called a fault tree. We thus speak of fault tree/ event tree analysis. We will say no more about fault trees.)

The event tree technique is very powerful and obviously logical, and has been well developed, especially in the last ten years. It has, however, some basic limitations, some of which must be mentioned. Most of these are limitations in practice, which is to say that they are not intrinsic to the method, and improvement is possible.

In the first place, it is obvious that such analyses are not complete. It is simply not possible to think of all possible accident sequences in a complex system, and we can only hope that we have thought of the most important ones, and that the remainder are even rarer than those we have calculated. We can never be certain of that, but confidence improves with time.

Second, there will never be enough information to make perfect estimates of the component failure probabilities, so the method is certain to be subject to substantial uncertainty, which leads to questions of interpretation of the results of such an analytical procedure.

Third, there will always be a large element of human behavior involved in an accident sequence, and that is especially hard to quantify. Not only is the nature of human error not well understood, but there is always, in any accident sequence, the possibility that a human operator will perform brilliantly to keep the sequence from developing into a real accident. How can one predict how often people will respond innovatively to a crisis?

Fourth, there is an entire class of failures that does not allow the simple sequential treatment described here. They are called common-cause failures, and are events in which several supposedly independent components fail at once because of some circumstance or event that affects them all. For example, a single drunken maintenance technician may misadjust everything he touches one evening, so that many apparently disconnected failures occur. A heavy rainstorm may cause a flood which damages many parts of a system. A factory may deliver five thousand valves, each with the same design error. There are many possible examples, and it is, in practice, impossible to account for all the possible variations. In the United States, a few years ago, a commercial jet airliner had all three engines fail in flight because the same maintenance crew had omitted O-rings on all the engines during routine maintenance one night, so that they all lost their oil supplies.

Despite these and other problems, fault tree/event tree analysis remains the best available technique for dealing with the estimation of failure probabilities for large complex systems, especially when these probabilities are so low that there is no statistically significant set of observations of failure.

There is a completely different class of risks for which the kind of analysis we have been describing is completely inappropriate, best illustrated by the risks inherent in the use of toxic and carcinogenic chemicals, whether in commerce or in pesticides or in food additives. In such cases (the use of saccharin is a good example, and we will deal with it in detail later) there may be no adequate indication that the chemical in question does any harm to people, yet evidence from experiments on laboratory animals suggests the potential for damaging effects. A simplistic approach to such situations might be to simply ordain that such materials are not to be used, but that would be equivalent to ignoring all the benefits they might bestow on society, and would not be socially responsible. A particularly interesting case in point is the increasing evidence that the presence of oxygen plays an important role in the induction of cancer, through the effects of free radicals on cells in the body. No one would think seriously of regulating the supply of oxygen, but that is, of course, an extreme case.

For such risks there is no useful alternative to collecting the theoretical evidence on the material in question, and combining it with carefully constructed experiments on laboratory animals to make a prediction for the effect on humans. Further, the prediction must be quantitative to be useful. (That depends, of course, on the definition of usefulness. It is sufficient for a newspaper or magazine to simply say that a given substance has been found to cause cancer, but it is not sufficient for a society trying to maximize its benefits while minimizing its risks.) The problem of prediction from inadequate evidence is subtle and different in character from the kind of problem that lends itself to event-tree analysis. We will devote the next section to that topic. Little will be lost by the reader choosing to skip it.

## Inference/Statistics

This will be a somewhat more technical section than the others, and can be skipped by the reader who is less formally inclined. However, the deep statistical issues that will be raised are important to an understanding of the regulation of many environmental risks, such as toxic and carcinogenic chemicals. The main subject is the quantification of imperfect knowledge, and its use for predictive purposes. One subject we will not cover is the biology of toxicity and carcinogenicity, which is essential to understanding the implications of laboratory animal experiments for human sensitivity to evironmental chemicals. It is a subject in its own right, fraught with its own uncertainties.

By inference here we mean the ability to predict a probability from incomplete information, along with some measure of the uncertainty in the estimate of that probability. (Classical statisticians call this inference.) This is to be distinguished from the indetermination in the result of a single test, for which the probabilities are known. For example, if we toss a coin, we are not able to predict the outcome of the toss. Though we know the probabilities of the two possible outcomes, we are still not able to infer which will actually occur. That is not a prediction problem that interests us. If, on the other hand, if we know that a certain football team has won its last four consecutive games, and wish to know the probability that it will win the fifth, that is interesting. For such problems it is important to use all the information that is available, and to use it in a systematic way. We will try to illustrate these points with very simple cases, but the principles are the same for the more complicated situations.

Suppose, for example, that we are studying a rate process involving the repeated occurrence of independent events for which a long-term rate has been established. (Such processes are called Poisson processes.) If the occurrences are completely independent and uncorrelated, then the probability that a certain number N of them occur in a given time interval is given by a known function p(N), which in turn depends upon the length of time involved, T, and the average rate r. By definition, the *average* number of occurrences $\langle N \rangle$ is given by the product of r and. T. For any finite time interval, of course, the number may vary from the average, though the relative amount of variation will be small if T is large. All this is well-known and trivial. The problem becomes more interesting, and becomes an inference problem, if we don't know the value of r, and must therefore learn it from observation. Suppose we observe for a time T, and see N occurrences of the event in question. Common sense tells us that a reasonable estimate of r will be given by N/T, the average rate of occurrence in the observed time. That is certainly correct if N and T are large, but is it when they are small? That is, after all, the case of low probability and rare events that is of most interest to us. We might perhaps observe over a sufficiently short interval T that the number of observed events was zero, but that surely does not mean that r is zero. Or does it? The answer obviously depends upon what other information we have available about the case under consideration. The fact that it has not rained in the last few days doesn't mean that the probability that it will ever rain again is zero. On the other hand, the fact that no jumper has ever been able to leap across the English Channel could lead to a reasonable inference that it can not be done. The prior information clearly matters, and purely statistical techniques that purport to be independent of the prior information are inadequate.

There is a formal procedure for combining expert opinion and observational data, again first described by Bayes, in which the two are treated with the same respect, but the exact details are not necessary for our purposes. It is sufficient to know that it can be done.

A final formal point involves the irreversibility of inference. It is obvious, yet widely misunderstood, that the statement that one fact implies another has nothing to do with the reverse inference. From the fact that a person has won a contest it is easy to infer that he has entered the contest. From the fact that another person has entered the contest, one can not infer that he has won it. They have nothing to do with each other. In a recent study of the induction of cancer in rats by a particular chemical, there were no cancers observed in a group of two hundred rats. How is that to be interpreted? What was done in this case was to state that if the normal number of cancers to be observed in this case were three, the probability that none would be seen would be .05, or one in twenty. (If we normally receive three letters in the mail each day, and they are uncorrelated, then we should not receive any letters at all approximately one day in twenty. It is a Poisson distribution.) This does not mean, however, that this experiment establishes a probability of 0.05 that the number of cancers is really three. That would be reversal of inference, and is indeed the error that was made in that case. This is equivalent to saying that if I have flown on Lufthansa two hundred times without seeing a single dragon, then the probability is .05 that I will normally see three. It is an obvious error, yet often committed.

## Risk/Benefit Analysis

In the last analysis, there is no social purpose in accepting any risk at all without some accompanying benefit compatible with the magnitude of the risk. Each medicine we accept from a doctor carries some risk with it, ranging from minor irritation to the possibility of lethal consequences. We accept it because the alternative appears to be worse. It makes, therefore, no sense to ask for the appropriate level of acceptable risk in the context of risk alone – it is necessary to estimate benefits just as well as one can estimate risk, so that a rational balance can be struck between them. An analysis in which risks and benefits are matched directly against each other is called a risk/benefit analysis.

One frequent objection to risk/benefit analysis as a means of determining the acceptability of a technological risk is that risks and benefits are often of such completely different character that it is perceived to be impossible to reduce them to the common measures that are necessary to compare them. A common American saying is that it is equivalent to comparing apples with oranges, implying that these two fruits are so different that there is no possibility of comparison. But this is obviously nonsense. Is there anyone who has not approached a fruit bowl undecided about whether to choose an apple or an orange, and has yet found it possible to make a choice? Though they are different fruits, we are somehow able to reduce the degree of pleasure or nutrition we are likely to derive from each of them to a sufficiently common level to make a choice possible. In fact, such decisions are a matter of practice in everyday life, and the only real issue is whether it is possible to quantify what we do instinctively in the fruit bowl example.

There are some elements of both risk and benefit that are easy to put on the same footing, because they can be reduced to monetary values. If one consequence of a hailstorm is that the windshield of my Mercedes Benz will be shattered, then the risk can be expressed through the probability of the hailstorm, the probability that the car will be outside during the storm, and the replacement value of the windshield. In the same way, one part of the benefit of owning a garage for the car can be described through the aversion of that risk. (The hailstorm itself has no redeeming benefits, and is best avoided.) For those elements of risk and benefit that can be reduced to a common measure, the analysis is straightforward, except for the issue of risk aversion. One may wish to avoid the possibility of major loss with more determination, and therefore more resources, than is immediately apparent. Even that can be done in this framework by using larger weighting factors for large catastrophic losses than for small ones, and therefore weighing the decision process toward risk avoidance. There is no convincing evidence that any society in fact does this, though the pressures to do so have been stronger in recent years. The probabilities associated with these large catastrophic events are normally so small that people are rarely willing to expend current resources to avoid them.

Another class of objections to risk/benefit analysis is more serious, yet still not fatal. It is argued that there are some items whose value simply can not be expressed in terms of the usual media of exchange. »How can one express the value of a beautiful sunset?« is one way of making the point. More to the point, how can one compare the vulnerability of the German forests to acid rain with the economic benefits of coal mining and coal-burning homes and industries? Passionate debates have taken place on these issues. Yet, despite the passions the point arouses, values can be placed on beauty. Beauty is not priceless. People buy paintings and sculpture, they know how much they are willing to pay to hear a performance of Figaro, they know how much more to value a home with a view of a beautiful lake, etc. It may appear uncivilized to set values on these things, and in a certain sense they *are* invaluable, yet the average person or society will not squander *all* its resources on them. In order to decide what risks to take to acquire or preserve them, it is necessary, painful though it may be, to somehow quantify their value.

This last issue is debated most passionately when we speak of the risk to human life and health, and therefore of the value of life. It is easy to make eloquent speeches about the fact that there is nothing more valuable than a human life, and indeed each of us is convinced that that is true of our own life and of the lives of those we hold dear. Yet no society acts in fact as if life was so precious that all possible benefits must be laid aside if they threaten human life. It is a fact that is unpalatable to many people, but it is nonetheless true. We will defer a detailed discussion of this until later, but the evidence is everywhere. The fact that there is no limit to speed on the Autobahn means that time is, at some level, considered more important than life. The fact that the electric power supply in Germany and the rest of the civilized world is at lethal voltages, rather than at safe low voltages, means that the economics of electric power distribution outweigh the risk to life. (In the United States, approximately one thousand people die of accidental electrocution each year, yet there is no movement demanding lower voltage.) In both the United States and Germany the roads could be made safer, at a certain cost, the railroads could be made safer, at a certain cost, houses could be made safer against fire, at a certain cost, etc. These things aren't done because the societies have made tacit decisions about the value of human life. With rare exceptions, there is simply an unwritten understanding that one doesn't speak about such things. We will discuss later how one does go about speaking of them.

As a last point, it is worth noting that even when risk is quantified, it is only one of the costs of a technology. Though we are concentrating on technological risk in this article, any effort to assess both the positive and negative values of a technology, so that a society is aware of its rational options, ought to include *all* benefits and *all* costs. Risk is one element of cost, just as environmental preservation is one element of the possible benefits of a technology. It is important to neither overstate nor understate the difficulty of dealing with all the costs and benefits of a technology within a common framework. As we will see later, when we discuss the regulation of risk, this poses a major dilemma for regulatory agencies, which are in general not responsible for the assessment of costs other than those due to risk, nor for any assessment of benefits. Thus any regulatory agency, whatever the technology it regulates, is confronted with the question of the appropriate level of safety. How safe is safe enough? If an effort is made to establish safety goals for a technology, as must be done to avoid regulation without limit, the effort to do so in a rational way will lead directly into a conflict with this problem. Such an effort has been made in the United States, in the context of nuclear regulation, and it has, in the view of this author, failed for just this reason.

That particular effort does, in fact merit a few lines. The United States Nuclear Regulatory Commission has for many years been under attack for »open-ended« regulation, in that there was never any clear point at which the constant pressure for the improvement of nuclear safety could be relaxed. Like any technology, it could not be made entirely risk-free, so the problem of regulation was, like any real problem, quantitative. In 1982 it announced a series of trial safety goals to guide future regulation, in the sense that analysis of the safety of nuclear power plants would be guided by an effort to bring the risk to the level of the safety goals and, inferentially, little effort would be expended to go much below that. There is nothing wrong with such a declaration, since every regulatory agency should have an objective. The problem here was the means of derivation of the goals, which was limited by the fact that the Commission has no responsibility for either costs other than risk or for benefits of any kind. Thus the need was to formulate reasonable goals in the context of risk alone, and we have pointed out why such an effort is doomed.

The two major criteria chosen were that the risk of nuclear power should be much less than the risk of the competing means of generating electricity, and that the probability that any citizen near the plant develop cancer from the radiations from the plant should be much less than his chance of getting cancer in any other way. Neither criterion involves anything but risk. To see that they are therefore defective, one has only to push them to a *reductio ad absurdum*. For the first, it is sufficient to invent an imaginary means of generating electricity that is absolutely safe, is completely without risk, yet produces a noxious green waste that covers all of Germany. According to the first goal, the fact that it is a competing method that is absolutely safe means that nuclear electricity must also be made absolutely safe. The absurdity is obvious. For the second goal, one need only conjecture that smoking, which causes cancer, is abolished. Then nuclear power must be made correspondingly safer, and must indeed be made perfectly safe if all other causes of cancer are eliminated. Both criteria are easy to reduce to absurdity because they purport to provide a framework for decision about regulatory matters involving risk that ignores the other factors that must be considered. The fact that, as a civilization, we have been willing to assume risk in return for either current benefit or for the prospect of future benefit is what, in some way, ennobles us. Imagine the history of western civilization if the avoidance or limitation of risk had been an objective isolated from potential benefits.

## The Value of Life

This is a delicate subject, since there is a widely held view that any effort to set a monetary value on human life is somehow blasphemous, yet, as we have already seen, a rational society must find a way to limit its expenditures for the preservation of life. The method may be open and rational, or it may be concealed and covert, as some other personal subjects were treated until recent years. There is no way to avoid the fact that each peson's life is priceless to him; one must reason impersonally, thinking of life as a commodity, and asking how a society is to set a value on that commodity. There are obvious ethical problems in so doing, but they arise only when the valuation is applied to individuals. For example, the establishment of a value for life does not mean that the payment of that sum is sufficient to justify the murder of a person. (It is an unfortunate fact of modern society that murderers can be hired, at relatively low cost, but that is not the issue in this section.) What we will do here is to describe a society's *de facto* valuation of life through the actual expenditures it seems to be willing to make to save lives. The standards can be studied by looking at the behavior, even when they have not been articulated. (This is not an unfamiliar feature of human behavior.) Fortunately, just this evaluation was done for the United States by Prof. B. L. Cohen of the University of Pittsburgh, and the rest of this section will draw heavily on his excellent work.

Of course, nothing can really be done to prevent death, so we are really looking at the value of delay, and of means by which unexpected and inadvertent deaths can be avoided. Though we all have a tendency to act as if we think we are immortal, we are not.

There do in fact exist methods which have been proposed to calculate the value of life in a supposedly objective way, of which the most popular is based on future earning power. By this method, one would estimate the potential future earnings of an individual, discount it to the present time through the usual economic formulas, and view the result as a measure of the individual's value to the society. Such a method would of course put a much larger value on a baby than on an old person, and a larger value on a successful merchant than on a laborer. Though this method is often used in legal proceedings to estimate the damages caused by negligence that results in death, it is impossible to avoid the sense that life has an intrinsic value, independent of the earning power of the individual. We will ignore such methods, and concentrate on the purely empirical approach.

What was done in 1979 was to look at the various activities on which expenditures were made for the express purpose of preservation of life, and divide the expenditures by the estimated number of lives saved or fatalities averted, to find what the hidden evaluation of life was. To account for the fact that one doesn't prevent death, but only defers it, the results were also expressed in terms of the expenditures for each 20-year extension of life. People differ on which of these is more relevant. The numbers quoted are in 1975 U.S. dollars, so should be adjusted for inflation and for the current value of the rate of exchange, in order to imagine them in current Deutschmark. We will not give a comprehensive survey, but will rather discuss a few typical examples, to illustrate the method and to provide a range of values.

We begin with two medical examples, to more or less cover the extremes. The first involves the use of mobile ambulance units in large cities, manned by trained personnel and equipped with modern equipment for dealing with heart attacks. It has been estimated that such facilities could reduce the number of heart attack victims who die before they reach the hospital by approximately 8 percent, at a cost of about $ 400 per case. Thus, one is saving lives at a cost of about $ 5000 per life, and most large cities in the United States now have such facilities, demonstrating that we are willing to spend that much to save lives. In fact, such programs have only become common in the United States in the last ten years, so the awareness that such life-saving is cost-effective is fairly recent.

A medical example at the other extreme is kidney dialysis. A person with diseased kidneys is doomed to an early death in the absence of a kidney transplant or, in many cases, of lifelong dialysis on a regular basis. The average life expectancy of a person on dialysis is about ten years, while the cost is (again in 1975 dollars) about $ 20000 per year. The total cost of saving a life is therefore about $ 200000, and the United States is now following some other countries in providing dialysis to all who need it. That was not true ten years ago, so this is probably near the margin of perceived value of life. The cost per twenty years of increased life expectancy is even larger in this case.

There is a whole class of examples that can be drawn from highway safety, where the costs are easier to identify, and the number of lives saved easier to estimate. For example, it is known that the construction of median barriers on highways reduces the number of head-on collisions, that guardrails improve safety, that lighted warning signs improve safety, etc. For each of these, and many others, it is possible to make an estimate of what we are willing to spend to save lives, since we don't apply these benefits to all highways. The results range again all the way from $ 20000 to $ 200000 per life saved. In this case, those saved are likely to have had normal life expectancy of about forty years, so the cost per twenty year extension of life is about half the numbers quoted. Highway improvement is still a bargain.

Another interesting medical example has to do with unnecessary exposure of patients to medical x-rays, not because unnecessary x-rays are taken, but because more exposure is used than is absolutely necessary. We will see later that x-rays cause cancer at a rate that can be estimated, and one can in turn determine the cost of the machine modifications necessary to reduce the unwanted exposure. (Modern machines are much better in this respect than the older ones, but not all machines are new.) It turns out that the cost per life saved is about $ 4000, which is surely a bargain. In fact, in this author's personal experience, a great deal of unnecessary exposure to patients could be achieved by improved education of x-ray technicians, which would probably be even less costly, but perhaps much more difficult.

One of the larger values for the valuation of life can be found in the regulations of the U.S. Nuclear Regulatory Commission, which has ruled that operators of nuclear power reactors must make modifications to their plants to reduce radiation exposure to the population, if these modifications can be made at a cost of less than $ 1000 per man-rem of exposure averted. (A man-rem is a unit of radiation exposure that we will discuss later.) Since the best current estimates of the efficacy of radiation in producing cancer are that it takes approximately 10000 man-rem to produce a lethal cancer, this translates into a valuation of life of $ 10.000.000, far above the usual range. This reflects, of course, an irrational special fear of radiation. We will see later that the valuation is even more extreme when dealing with the safe disposal of nuclear waste materials.

At the other extreme, we can consider aid to the underdeveloped world. As a specific case, it has been estimated that expenditures for expanded immunization programs in Indonesia would be rewarded by the prevention of premature death at a cost of about $ 100 per life saved. This is so low that this author told it to a class of his students, and suggested that they make a collection, accumulate a hundred dollars, and save a life in Indonesia. There were no donations, and we leave it to the reader to interpret that fact.

Finally, one cannot resist mentioning the most extreme example available. If one studies the statistics of life expectancy (in the United States, but probably not very different elsewhere) it is possible to rate all the risks in a common form, the average reduction of life expectancy due to that risk. When that is done there is one risk that stands out from all the others, in that it is correlated with an average reduction of life expectancy of nearly ten years for the otherwise average men afflicted with this condition. Though the exact cause is not known, the data are unambiguous. Men who are not married have a life expectancy, on the average, nearly ten years shorter than men who are married. It would be dangerous to

81

search too deeply for the meaning of this fact, but it is nonetheless true that society spends very little to reduce the incidence of this demonstrably dangerous condition of life. Again, we leave the interpreation to the reader.

## The Regulation of Risk

For many of the risks of technology, and all of the ones to be discussed in detail later, there exists a regulatory government agency whose responsibility it is to control that risk, and to limit it to a reasonable value. In very few cases does the relevant law specify just what that reasonable value may be, so the function of the agency is both to determine what is reasonable, to devise means to determine the magnitude of the risk, and to provide enforcement mechanisms for limiting the risk to the desired level. None of these tasks is easy, especially since the actions of the regulatory agency may affect many people and industries, so that not only the inevitable technical uncertainty but also the impact on special interests may generate dispute. We wish to deal here with some general problems faced by most regulatory agencies, illustrating where necessary with examples, but reserving most specific illustrations until later, when we will deal with some particular cases in greater depth. Let us first deal with the three functions mentioned above in order.

In a logical world, a regulatory agency would first determine what level of risk is reasonable, yet this is almost never done openly. If the risk is of such a nature that it is easily understandable by the public, or by the political structure, it would almost always be counterproductive to make it clear. Imagine an authority charged with the regulation of the cleanliness of food announcing that its objective is to permit a certain number of people each year to be poisoned by the food they consume. In a democratic society, such an agency would not survive long. Instead the public position taken by nearly all regulatory authorities is that their objective is to reduce risk as much as possible, which is not unreasonable for the situation in which they have no responsibility to assess the benefits of the technology. Viewed from the agency, their objective really is to reduce the risk as much as possible, given their enforcement resources, and it is the society itself which determines, by limiting resources, just how much effort should be put into the reduction of any particular risk. The simplest examples are not of technological risk, but it is well known that fire losses can be reduced by larger fire-fighting establishments, and there is a tacit societal decision to accept a certain level of fires, expressed through limitations on the budgets of fire departments. In short, a typical regulatory agency does not determine its objectives in the systematic and logical way we have described, but instead accepts the guidance of the political forces, however this guidance is determined and expressed.

In addition, the success of an agency in regulating risk is measured through the political process, to the extent that the final result of regulation, the limitation of risk, attracts attention. There is nothing intrinsically wrong with such a procedure, except that it often leads to gross distortions of the allocation of societal resources, precisely to the extent that the nature of the risk involved is familiar. We have seen earlier that even relatively well-educated people in the United States have a distorted view of the relative magnitudes of the risks of everyday life, and it is no different for the political structure. Thus, in the United

States there is a law, the so-called Delaney clause, which prohibits the addition to food of any additive that has ever been demonstrated to cause cancer in people or laboratory animals, at any dosage. No determination of a safe dosage is permissible under this law, which is obviously a result of a gross misunderstanding of the dose dependence of all chemical phenomena, including carcinogenesis. Still, it is the law of the land.

On the other hand, there are self-correcting effects in a democracy, and the Delaney clause suffered a setback a few years ago, when it was discovered that saccharin could cause cancer in laboratory animals. We will look at this interesting case later, but the result was a public clamor that resulted in the exemption of saccharin from the ban on carcinogenic food additives. Too many people used saccharin as a means of weight control, and were reluctant to give it up. As we will see, the risk of cancer from the ingestion of saccharin is far less than the risk of the additional body weight that would be produced by substituting sugar for saccharin.

The next function of a regulatory agency, as we have described them, is the measurement of risk. Where the regulation has as its objective something simple and observable, like aircraft accidents or cases of food poisoning, this is no problem. One simply measures the end result. For the cases of most interest, like the regulation of nuclear power or of weakly carcinogenic or toxic chemicals, the determination of the magnitude of the risk is a formidable task. We have seen, for example, how the methods of fault tree/event tree analysis can be used when one is dealing with a complex system for which at least the component failure rates are known. Even there, and again nuclear power is a good example, complete failure of the system may still leave great uncertainty about the consequences, in terms of which the risk must ultimately be defined. Even without that uncertainty, the probability of a core melt for a nuclear reactor is calculated to be so low that there is only a small chance that it will happen before the end ot the twentieth century, if the calculations are correct. It would be unfortunate indeed if the only measure of risk available to the regulatory agencies were the final measure, the appearance of the catastrophic event they are charged with preventing. There is room for a great deal of work directed toward the verification of *parts* of these complex calculations, and their calibration against the failure rates of subsystems, to provide more confidence in the results. Such calibration must of course be done as carefully and realistically as possible, if one really wants to know how much risk reduction has been achieved through regulation of the risk, and that leads to a special problem, to which we now turn.

The third function we have specified for a regulatory agency is that of prescribing a form of regulation which will lead to the desired limitation of risk. This is superficially easier than the determination of the level of risk reduction achieved, because one can simply seek observables which lend themselves to regulation. For safety in the air, for example, one can enforce minimum standards for pilot competence, tested by occasional examination, minimum separation between aircraft in the sky, monitored by constant surveillance, minimum standards for aircraft structural integrity, power, and maneuverability, tested at the time of licensing of the aircraft type, and minimum standards for maintenance, enforced by the licensing and occasional inspection of the maintenance facilities. None of these has a direct and quantitative relationship to the reduction of risk in the air, but they are measurable and it is at least plausible that they will contribute to safety. Further, experience accumulated over many years has shown that the system, however imperfect its rationale, does indeed lead to a socially acceptable level of safety for aircraft.

Precisely this same philosophy is commonly applied to the technologies for which success is more difficult to measure, and tolerance for defects in design, materials, and people is accounted for by conservatism in the regulatory process. Thus bridges, buildings, and other large structures are normally designed with large »safety factors« to account for uncertainty in the entire process, and to reduce the probability of failure to a sufficiently low level. It is said among engineers that it is much easier to predict when something will not fail than to predict when it will. The difference is part of the safety factor. The remainder of the safety factor is designed to account for the imperfections in the remainder of the process, for human failure, for design errors, and for other unaccounted challenges to the system. Extraordinarily large conservatisms are common in circumstances in which there is no good measure of the degree of safety that has been achieved, and they are psychological balm for uncertainty.

It is precisely here that the function of regulating risk comes into conflict with the function of assessing risk. For the assessment of risk, the second function of a regulatory agency in our list, calculations, whether by event-tree analysis or by other means, must be made as honestly and realistically as possible. For the purpose of regulation in the face of uncertainty, calculations must be made conservatively, more conservatively for more uncertainty, in order to guarantee the minimum level of safety sought. In the design of bridges and buildings, for example, a value for the breaking strength of steel is commonly used that is far below its actual breaking strength, but one would obviously not want to use that same value to calculate the real probability that the structure will collapse. All too often, however, the two purposes of calculation are confused, conservative calculations always leading to an apparent (but not real) increase in risk. Because of this confusion there is a strong tendency to regulate against uncertainty rather than against risk. In a regulatory climate, things which are uncertain always seem riskier than they really are. In a certain sense, the problems of effective regulation are in conflict with the search for unbiased evaluation of the effectiveness of that regulation. This leads to misdirected social resources, since the conservative calculations are often taken to be true, leading to the cascading of still further conservatisms.

There is one further essential feature to the regulation of technological risk in the face of uncertainty, and that is a systematic mechanism for learning from experience. Obviously experience, whether of success or failure, increases our wisdom, but that in itself is not sufficient to improve the quality of regulation as information accumulates. There are in fact few regulatory agencies that have in place a systematic procedure for absorbing the results of operating experience, yet it is the best test of the efficacy of regulation. The only real example known to this author is the case of aviation, in which, at least in the United States, each aircraft accident results in a formal process for the determination of the probable cause of the accident, and for the specification of those regulatory changes which would, if adopted, reduce the probability of recurrence. This problem is rendered particularly delicate if the regulatory agency is partly responsible, whether through omission or commission, for the accident. Such cases are not at all uncommon.

## Chemical Carcinogenesis

Chemical carcinogenesis occupies such a unique position in the galaxy of technological risk that it deserves a section of its own. It is the source of a disproportionate amount of fear in most western countries. In this section we will try to describe the difficulties that lie in the way of quantifying weak carcinogens sufficiently well to make their regulation rational. As before, we will not study the benefits that have led many of these chemicals into wide usage, but these benefits are relevant to the treatment of each particular case. Our examples later will include such a case.

In the United States, and doubtless in Germany, there are about 50000 different chemicals in commercial or industrial use, of which at most a handful are definitely known to cause cancer in man. In fact, not many, perhaps fewer than a hundred, are even reasonably conjectured to do so. Where the carcinogenic potential is known it is always a consequence of a period in which the risk was not known, and an identifiable group of humans was exposed to the offending substance under conditions in which it was possible to distinguish the induced cancers from those that would have occurred »naturally« in the same population. Perhaps the most famous example is the incidence of cancer of the scrotum in chimney sweeps in England more than two hundred years ago, due to exposure to the carcinogens in soot. The cancer was in an unusual part of the body, the population was identifiable, and the offending substances were unique to the afflicted group. This is a rare circumstance, in part because the pattern of human life in the western civilized countries has led to the survival of a large fraction of the population to advanced age, and therefore to increased vulnerability to the diseases of age, of which cancer is one. (Of course there are juvenile forms of cancer, but they are far less frequent.) The consequence is that approximately fifteen to twenty percent of mortality is due to cancer, and this forms a background against which any cancers induced by environmental chemicals must be noticed. Unless we are dealing with an unusual form of the disease, or an isolated and identifiable community of exposed people, this will be difficult, if not impossible. In addition, most forms of cancer require a long development period, so that the exposed community must be kept under surveillance for some tens of years. In a modern mobile society this is extremely difficult.

Even so, despite the fear of chemicals (amounting to a phobia among some elements of society), there is no evidence that the overall age-adjusted rate of cancer incidence in the civilized world has been increasing with the widespread use of complex chemicals in commerce. Indeed, some forms of cancer have been decreasing in frequency for unknown reasons (for example, stomach cancer), so there is still a great deal remaining to be learned about the epidemiology of the disease. The single major exception to this statement about stability is cancer of the lung (about which more later), which continues to increase as a result of the general use of tobacco a few decades ago, and particularly because of its increased use by women in recent decades. At this time, about thirty percent of all cancer deaths in the United States are a direct result of smoking. Yet there is continued public controversy about whether smoking in fact causes cancer, despite the overwhelming scientific and epidemiological evidence and the inexcusable cost in human life and suffering. That alone should serve as evidence that it is extremely difficult to identify a carcinogen clearly and convincingly. It is ironic that we live under conditions in which fifteen to twenty percent of us are destined to die of cancer, a large fraction of which is easily preventable, yet paradoxically wish to eliminate any possibility, however small, that the chemicals we encounter are carcinogenic. We are not always very good at pretending to be *homo sapiens*.

It is not easy to estimate the chemical risk. As a general statement, which is close enough to truth for this discussion, we do not understand what causes cancer. Therefore, our knowledge of whether a particular chemical is carcinogenic can not be based entirely on theoretical knowledge, but must be, in large measure, empirical. We obviously cannot do experiments on people, so that any empirical data we collect must be from experiments on animals, normally small animals like mice and rats. Since we wish to protect humans from even a small probability of contracting cancer from the substance in question, we wish to expose the small animals to concentrations of the chemical which will lead to such small probabilities, but that in turn means we must deal with very large numbers of animals. (To directly detect a cancer probability of, say, one in a thousand, it is necessary to test a few thousand animals, so that at least a few will contract the disease.) We cannot do that for any reasonable fraction of the tens of thousands of chemicals in commerce, so short cuts and uncertainty are the inevitable consequences. In the remainder of this section, we will go into this dilemma in greater detail.

Although cancer is a word that describes a wide variety of diseases, and there are bodies of specialized knowledge about many of the specific forms, there is only a limited amount of general wisdom about its origin. It is widely believed that it is the delayed result of some kind of localized damage to the DNA molecules that comprise our genetic structure, and it is indeed true that most chemicals that have been shown to induce cancer in laboratory animals have also been shown to induce genetic damage in even lower forms of life. Since all forms of animal life have similar underlying genetic chemistry, this is believed to be significant for the induction of cancer in humans. The most widely used screening test for chemical carcinogens is therefore a test in which the chemical is administered to a particular strain of *salmonella* which is particularly susceptible to DNA damage, and the appearance of chemically-induced mutations is used as a signal that a further and more detailed study of the chemical's potential carcinogenicity is warranted.

The next step is a test on small laboratory animals, again strains of mice or rats that have been bred to be especially prone to the development of cancer, and this is where the statistical problems begin. As mentioned earlier, we would normally wish to limit the exposure to humans to a level at which the cancer risk from the chemical in question is sufficiently small to be ignored, and that would presumably be a level at which the risk is undetectable, perhaps one chance in a hundred thousand or even less. We can't use more than a few hundred animals on each test, so that it is necessary to use doses that produce much higher cancer rates, often the maximum doses that the animals can survive. Minimum observable cancer rates are normally in the range of ten percent, so there is an immediate question of how to interpret these high rates in such a way as to draw inferences about the effects of much smaller doses. If it were reasonable to assume that the probability of damage was directly proportional to the dose there would be no problem, but it is in fact not known how the probability really varies with the dosage, or even with the rate at which the chemical is administered, especially at the very low probabilities in which we are interested. In fact, the limited knowledge we possess suggests that this relationship, the so-called dose-response relationship, is different for the various different cancers, and there is no way to know what it is for the particular one under investigation.

There are a number of models that have been proposed for the analysis of small animal data, in the absence of real information about the form of the dose-response relationship. The most common is the linear model, in which it is assumed that the probability of induction of cancer by a chemical is directly proportional to the dose administered. In this model, if one found that a certain dose induced cancer in ten percent of the laboratory animals, and one wished to calculate the dose required to lower the cancer incidence rate to one in ten thousand, one would reduce the dose to one thousandth of its orginal value. This can never be checked without the use of many tens of thousands of animals, so that, in the absence of theoretical understanding, the use of the linear model is simply a matter of convenience. On the other hand, other models tend to give lower estimates for the cancer incidence rates at low dosages, so that the linear model is often used in regulatory practice, to provide a degree of conservatism. For example, if the induction of cancer depended upon the coincidence of two separate events, both caused by the same carcinogen, then the probability would be proportional to the square of the dosage, and much smaller at low doses. In the case mentioned above, this would mean that a reduction of the dose by a factor of a thousand would reduce the cancer incidence by a factor of a million, which is quite a different result. Since little is known about which model is closer to the truth, it is common in regulatory circles to use the linear model, with the unfortunate consequence that many people believe it to be true. We will return to the difference between regulation and the pursuit of truth.

In the end, one has to deal with the problem of extrapolation from small animal experience to human. In the absence of a credible theory of cancer incidence, this is simply a matter of conjecture. The animals involved weigh less than one percent as much as a human, live a few percent as long, and consume food at a rate roughly proportional to their surface area, which is again only a few percent that of a human. If, therefore, a mouse is given a diet containing a certain fraction of the suspected carcinogen, for his lifetime, it is completely unclear how to translate that into an equivalent human diet, consumed over a human lifetime. A common procedure is to use the total lifetime dose, as a fraction of body weight, but there is little basis for so doing.

Testing procedures similar to those outlined above have been carried out for far less than one percent of the total number of drugs in commercial and industrial use, and an even smaller number have been found to be carcinogenic in the laboratory. For nearly all of these the human exposure is so low that there is no appreciable incremental cancer risk involved, though there has been, in some cases, a perceived need for regulation to lower human exposure. In nearly all cases the uncertainty implicit in the procedures outlined above is so great that the risk may be quite different from that we have estimated. Even so, public concern about carcinogens in the environment is very high, and chemicals are regulated accordingly.

As an amusing final note, recall that we have mentioned that there is now developing among some experts a view that oxygen plays an important part in the induction of cancer, and it is difficult to see how exposure to oxygen can be reduced without other deleterious effects. Perhaps we should all live in the Himalayas.

## Regulation and Conservatism

One of the reasons governments are instituted in democracies derives from a recognition that there are problems that cannot be handled in a fragmented way, and that the best interests of the individuals in a democratic society are served by organized response, through a government. The classic example is mutual defense against external threats (the Preamble to the Constitution of the United States of America lists defense as the first responsibility of the then newly created government), but governments also provide protection against internal threats of various kinds. The regulation of risk is a responsibility derived from this latter duty of government, and there is clearly a tension in a democratic society between the protection of individual citizens and the curtailment of individual freedom that is necessary to provide that protection. Thus, regulatory agencies are subject to conflicting pressures. They must provide the degree of protection demanded by the society as a whole, while limiting the degree of intrusion necessary to limit the relevant risk. All this must be accomplished, in most cases, in the presence of great uncertainty about the exact magnitude of the risk which is being regulated. Consequently, the pressures in the more highly publicized cases are often determined in ignorance of the true risks, on bases which are sometimes whimsical and sometimes malicious. The press plays a large and not always constructive role here, almost always erring in the direction of exaggerating risk. In the presence of real uncertainty, this appears to be inevitable. Further, the civil servants who administer regulatory agencies, and who are subject to these pressures, are like bureaucrats everywhere in the inclination to expand their powers.

It is almost impossible to resolve this dilemma in a rational and systematic way, and we will soon illustrate that fact with some specific cases, which speak better than a general discussion.

Even so, there is one clear consequence of these circumstances, and that is an prevailing tendency toward conservatism in regulation. A society rarely has accepted safety goals to provide guidance to a regulatory agency, and even if it did there is normally such a large latitude provided by the actual uncertainty in the risk that such goals would be nearly useless. Many regulatory agencies therefore function in a mode that can be described as »conservative«, in the sense that major uncertainties are dealt with by always making doubtful decisions in the direction of exaggerating risk. This reduces to a minimum the likelihood of actually experiencing the event whose risk is being reduced.

It is nonetheless important to distinguish between conservatism imposed to cope with uncertainty, and conservatism imposed to reduce risk where there is little uncertainty. We have mentioned that it is customary to design bridges and buildings with large safety factors, in such a way that the stress-bearing members will, even under maximum loading, not be stressed within factors of five to ten of their maximum sustainable load. The reason for this is not that one wants to waste steel or concrete, but that the conditions of loading and maintenance over the history of the structure may contribute to gradual deterioration or abuse, and one wants to be quite certain that such structures do not fail. In fact, the safety factors used for this sort of construction reflect the assimilation of many years of experience, and are largely empirically derived. The result is that structural failures of this type are quite rare, though they do occur from time to time, and there is little need to modify the conventional wisdom.

A counterexample to this, but with the same philosophical base, is provided by airplane wings. The penalty for a conservative design which makes the wing too strong is a heavier airplane, with a negative impact on all the other virtues of flight. The result is that the safety factors on aircraft wings have always been much lower than the factors of five or ten which are common for civil structures, and are in fact substantially lower than a factor of two. This author's experience has been that many engineers are shocked when they learn this fact, since they are accustomed to larger factors of safety. However, in this case, there would be a recognizable penalty for excessive conservatism, and experience with aircraft wings has enabled the designers to reduce the safety margin to the minimum possible. Even in the early days of aviation, when the accumulated experience was not large, the fact that heavy airplanes can not fly was sufficient to reduce the safety factors, and aircraft design has always involved the conflict between weight and structural integrity.

The common thread in both these cases has been that the degree of conservatism was not determined by any scientific uncertainty, but by an empirical base of experience about how often even well designed objects fall short of the mark, and fail, whatever the reason. The design and analysis are done as competently as possible, and the safety factors are then imposed on the design to account for unusual circumstances.

Contrast this, for example, with a case in which one is dealing with a situation with real scientific uncertainty, like a food additive which is suspected of causing cancer because of small animal experiments, though there may be no concrete evidence that it does so in man. At what level should a regulatory agency set the permissible level of the additive? One is not dealing here with a situation in which one knows the correct answer for the damage probability, and uses conservatism to set it low enough to be tolerable, but is rather using conservatism to mask ignorance. It is common under such conditions to proceed through the calculation of the risk, dealing with each point at which there is scientific uncertainty by deliberately erring in the direction of overestimating the risk. There is an essential difference between calculating a risk carefully, and then deliberately choosing a conservative design in such a way as to reduce the risk to a desired level, and deliberately erring in a conservative direction in the calculation of risk. An error in the conservative direction is nonetheless an error.

There is a wonderful theorem in logic, stated by Whitehead and Russell, which is appropriate here. It is possible to prove that if one has a collection of axioms of which one is false, it is then possible to prove any theorem, true or false. One corrupted assumption is sufficient to completely negate a logical system. The relevance is that a calculationof risk done with conservative error at each step can not be guaranteed to be conservative in the end. The practice of deliberate error in regulatory calculations, justified under the name of conservatism, is commonplace and risky. At the very least, it has no logical basis, and it can increase risk in some cases.

## Examples

### Radiation

Just ten years after Gottfried Daimler offered his first automobile to the public, radioactivity was discovered, and the acute damaging effects of radiation on people were discovered soon thereafter. As we now understand the subject, the early workers exposed themselves to very large local doses of the radiation, in the form of X-rays and the emanations from naturally occurring radioactive materials like uranium and radium. The damage they unknowingly inflicted on themselves was in the form of skin ulceration and burns, and it was not for many years that the more subtle genetic and carcinogenic effects of radiation were characterized. It is these latter effects that concern us most nowadays, since it is indeed rare for a person to be exposed to radiation in sufficiently concentrated doses to produce the acute effects. It has happened however, and a body of knowledge has been accumulated about these effects.

There are many forms of radiation, but the principal ones of interest from the standpoint of public risk are those that emanate from natural or artificial radioactive materials, and are called alpha rays, beta rays, and gamma rays. These are the old names, still current, and it is now known that an alpha ray is really the nucleus of a helium atom, a beta ray is really an electron, and a gamma ray is really an energetic form of light, even more energetic than an X-ray, which is also energetic light. The first two are particles. The only other relevant particle is the neutron, which was not discovered until nearly forty years later. The physical properties of these entities do not concern us here, except as they are relevant to risk.

Before one can ask about the risk of radiation, it is necessary to agree on a means of measuring exposure. Although the different forms of radiation have different effects on people and animals, they are sufficiently similar to allow the use of a common measure of exposure, and the unit is called the rem. This is actually an oversimplification, but it is sufficient for our discussion here. We will also assume for most of the discussion that the exposure under discussion is to the whole body, and not localized to a particular tissue, though this is also an oversimplification and is misleading in some cases.

For the acute and immediate effects of radiation on people, information comes from those unfortunate cases in which people were exposed to high levels, either as the result of an accident or war, through careless industrial practices before the risks were known, or through inadvertent or deliberate overexposure in medical procedures. For example, before the medical profession was sufficiently well educated (a process not yet complete), it was common to treat a number of diseases with massive doses of radiation, usually in the form of X-rays. The result of this experience is that there are no perceptible deleterious effects on people at doses up to about one hundred rem, even when the dose is administered in one shot. When the dosage is delivered over a long period of time, like months, even larger doses can be administered with no visible acute effect. For single doses larger than these, one begins to see damage to tissues, to bone marrow, and to the gastrointestinal tract, and a single dose of about five hundred rem is lethal to about fifty percent of the recipients, in the absence of medical treatment. In the United States, radiation workers are limited by regulation to doses of five rem every three months, which is considered an adequate safety margin against acute damage. The general public receives far less.

Why does the general public receive any at all? The fact is that radiation is such a normal part of the world in which we live that avoiding it is actually more difficult than avoiding air. There are places without much air, but none without radiation in some form. There is a smaller unit of radiation exposure called a millirem, which is of course one thousandth of a rem. We typically receive a bombardment of about fifty millirem per year from the cosmic rays which come from the heavens, and are unavoidable. We receive, on the average, approximately another fifty millirem per year from medical X-rays and other medical procedures, which can be avoided by incurring other risks. We also receive another fifty millirem, approximately, from our environment. For example, building materials are normally radioactive, especially granite, and even people are radioactive, in part because of some of the constituents of their bones. This is no reason to avoid people, though it has been stated whimsically that it is safe to sleep with one person of the other sex, but not with two. This normal exposure adds up to over a hundred millirem per year, through our entire lives, and no one worries about it.

There are, however, more subtle long-term effects of radiation, that are of greater concern. It is known that doses of radiation too small to produce acute effects can, with a certain probability, produce cancer and genetic damage. Of these, the probability of cancer is much higher, so we will concentrate on that here. Obviously, the probability depends upon the dose of radiation received, on the character of the radiation, and on the rate at which the dose is accumulated. The problem, however, is exactly the same as that discussed earlier in the context of chemical carcinogenesis – data are available only for large doses, and we need to infer the probability of cancer induction for small doses. Again, there is no model of carcinogenesis good enough to make this extrapolation on a sound theoretical base, and we are therefore again forced to use entirely empirical methods.

There has been endless controversy about the shape of the dose response curve at low doses, though it is known, very approximately, that a subacute exposure to about a hundred rem leads to a one percent increase in the probability of developing a cancer over the next twenty to forty years of a person's life. What is not known, as before, is whether the probability is a linear function of dose, so that one rem would produce a chance of one in ten thousand, or whether there is some threshold below which the probability becomes completely negligible. The latter probability is not implausible, since cellular mechanisms for the repair of radiation damage are known to exist, and it is at least reasonable that they would be more effective at lower doses. No one really knows to what extent this is true, but it is generally agreed that a linear calculation of the risk at low dosage is an overestimate. What is not known is by how much.

This, then, is a classic example of a case in which regulatory decisions must be made in the face of genuine scientific uncertainty, with the most important application to the safety of nuclear power plants, to which we now turn briefly.

Without going into all the technical details of nuclear safety, the central objective is to reduce to some acceptable level the probability of an accident that releases radiation to the environment. If that fails, the secondary objective is to reduce the radiation exposure of people to the maximum possible extent. In both cases, the amount permitted will be determined by our quantitative estimate of the potential for damage, which, as we have seen, is subject to great uncertainty. In both cases, there is an exaggerated public fear of radiation, so the tendency of regulatory agencies in all countries has been to make conservative estimates of the risk, and therefore commit the error of believing that conservative assumptions throughout must lead to a conservative result, an error we have mentioned in the last section.

This error is easy to illustrate with a simple example. In the event of a radiation-releasing accident, however low the probability, there will be some kind of radioactive cloud drifting downwind from the site of the accident. The radiation in the cloud will decrease over time, due to natural processes, and it is important to reduce people's exposure to it while it is still potentially damaging. There are two standard ways to do so, either by evacuating people from the exposed area or by advising them to stay in their homes while awaiting instructions from safety authorities. The latter procedure is called sheltering. Calculations show that the preferable course is sheltering if the danger is small and of short duration, while evacuation is proper if the danger is great and will last a long time. Realistic estimates that have been made in the United States show that, in the vast majority of potential reactor accidents, the safety of the public would best be served by sheltering, but there is indeed great uncertainty at many points in the estimate. For that reason, the regulatory agency leans toward the conservative approach, and recommends evacuation in nearly all cases. It even did so at the accident at Three Mile Island, although hardly any radioactivity was released during the course of the accident. It is extremely unlikely that these conservative estimates are correct, so that there may well be a number of completely unnecessary evacuations of population if there are any reactor accidents. Such evacuations always take a toll in human life and injury, so that a purportedly conservative approach has led to a more damaging result. This is an example of the logical theorem in action.

There is much more that could be said about radiation safety, but the main lesson is that it is difficult for a regulatory agency to regulate in a rational way in an irrational environment. By rational we mean in such a way as to reduce to an acceptable level the risk to the population. Our other examples will make the same point.

*Saccharin*

Just three years after Gottfried Daimler offered his first automobile to the public, saccharin, a material with approximately four hundred times the sweetness of ordinary sugar, was discovered by accident. It is, in fact, an amusing story of scientific discovery, since the scientists were not looking for an artificial sweetener. One of them simply noticed that after he had left the laboratory his food tasted sweeter, and that the sweetness was on his hands and arms, no matter how well he had washed them. As a good scientist, he did not ignore this observation, but went through all the materials he had touched in the laboratory, by taste test, until he found the cause. Thus, saccharin was discovered.

It was soon put into use in many countries as a artificial sweetener, although there were a few objections because it had no nutritional value. There was no serious question about its safety for nearly a hundred years, although it was in such wide use that the issue remained current. It was, in fact, briefly banned in the United States for a few years just prior to the first World War, but the sugar shortage during the war ended the ban.

Immediately after the second World War the popularity of saccharin as a relatively inexpensive sweetener grew enormously, and new safety studies concluded that it was safe in doses up to a gram per day. In sugar equivalent, this is about four hundred grams of sugar, much more than most people would consume daily. The question kept reappearing as interest in public safety increased and as improved and ever more sensitive testing techniques became available. In the early 1970s it was reasonably well established that saccharin was capable of producing cancer of the bladder in small laboratory animals, though it was one of the weakest carcinogens that had yet been discovered. Nonetheless, in the United States the law we have mentioned earlier requires that any food additive (the law does not apply to natural ingredients in foods, or to drugs) that has been found to cause cancer in people or animals must be banned. There is no allowance for degree or level of risk, or for potential benefits. It is not a very wise law, but it is a law.

The relevant regulatory agency therefore proposed in 1977 to ban the use of saccharin in the United States, despite the fact that there was no acceptable substitute sweetener available. The political reaction was of immediate outrage, but the law allowed no alternative. Rather than change the law, the Congress immediately enacted an eighteen month exception for saccharin, permitting it to be continued in use while a search for alternatives took place. The exception has been renewed ever since, and saccharin is still in widespread use in the United States, although, as of this writing, it is just beginning to be displaced by aspartame.

How dangerous is saccharin? There is no doubt that it can cause cancer in rats, when administered in large doses, but only ambiguous indications that it can do so in man. In terms of relative carcinogenicity in animals, it is about one ten-millionth as potent as aflatoxin, a naturally occurring contaminant in peanuts. It is a thousandth as potent as carbon tetrachloride, a cleaning solvent that is still in common use. It is one of the weakest, if not the weakest, carcinogens known. However, it is very widely consumed, so that the exposure of the population is great. That is the source of the problem, and here too regulatory decisions must be made in the face of scientific uncertainty, although they have been temporarily preempted by the political process.

We have indicated earlier that one can ask for a direct comparison of the risk of cancer from saccharin, as estimated conservatively from the animal data, and the risk of obesity from the consumption of the sugar that might be used if saccharin or its equivalent were not available. It is well known that life expectancy is inversely correlated with body weight, so the use of sugar is bad for the health. This calculation was done some years ago for the carbonated soft drinks that commonly contain either sugar or saccharin used as a sugar substitute. The result was that the drink containing sugar reduced life expectancy by one hundred times as much as the comparable drink containing saccharin. To put it differently, one would have to consume one hundred of the drinks containing saccharin to do as much damage as one drink containing sugar. Saccharin is really not a very dangerous substance in the spectrum of risks to which we are exposed, yet it has attracted a disproportionate amount of attention. If our objective is the reduction of risk, we don't always take a rational course toward that objective. That has, of course, been said before.

## Nuclear Waste Disposal

We have already dealt with the hazards of radiation, so it is a natural step to ask about the disposal of nuclear waste from commercial nuclear power plants. Such plants, like all power plants, produce waste. In contrast to coal-burning plants, however, the waste is far more radioactive (coal ash is radioactive too), but it is far smaller in quantity. A typical nuclear power plant produces about two cubic meters of high-level waste each year, about a ten millionth as much as a typical coal plant of the same size. The waste is so radioactive (equivalent to thousands of tons of radium) that extreme care must be taken to store it, and to keep it out of the human environment, and the generally accepted method is to put it into stable underground repositories. The question of risk arises when one asks how long the waste must be protected from human contact.

To answer this it is first necessary to make a technical observation about radioactivity. Radiation is emitted as a consequence of the decay of a radioactive nucleus, and different nuclei require different times to decay, times that vary from millionths of a second to billions of years. Obviously, those with short lives emit more radiation, because more of them decay in a given time. A nucleus that will not decay for a billion years, on the average, is not likely to emit radiation now, although it is radioactive. The consequence of all this is that the danger of radiation is inversely related to the lifetime of the type of nuclear material in question, and all radioactivity decreases with time. Therefore those who assert that the waste is extremely radioactive *and* has a long life are contradicting the laws of nature. The waste contains some ingredients that are long-lived and others that are extremely radioactive, but they are not the same ingredients. If we wish to protect people from the hazards of the waste, we must take that into account.

In fact, the original ore that was mined and processed into fuel for the reactors was radioactive, with an average lifetime approximately equal to the age of the Earth, and that is the only reason it has not decayed long ago. This provides an interesting test for how long one must store the waste safely, because one can ask how long it takes for the waste to decay to the same level of radioactivity that characterized the original ore. Since it will be stored more carefully than it was in its natural state, that will mean that the risk is surely lower than it would have been if we had never built the reactor. (One can say that the reactors are helping to rid the Earth of radioactivity.) The answer is that that level will be reached in about a thousand years, and no one who has visited Rome and Greece can seriously doubt that we know how to build a structure that can stand a thousand years. Much of the controversy about nuclear waste disposal rests on this misunderstanding of the inverse relation between lifetime and radiation risk.

The other point about the long-term concern about nuclear waste disposal is that the risk is not a present risk, but if it exists at all it is deferred to a long time in the future. We have alluded to this class of problems of deferred risk near the beginning of this article, and observed that they can be treated by using the standard economic discounting methods. If we assume that we can indeed build a waste repository that will last for the necessary thousand years, but will then begin to leak dangerously, it would be prudent to invest now in a fund to deal with the problem at that time. If we therefore persuade the Bundestag to set aside *one* Deutschmark now to protect against this calamity in a thousand years, and invest it in a bank at an interest rate of five percent, there will be available in a thousand years the sum of over one thousand million million million Deutschmark. There are very few problems that cannot be dealt with if one has that large a fund available.

There is one further story relevant to this subject. Some years ago there was discovered in Gabon a natural nuclear reactor that had operated nearly two billion years ago, for an unknown period, certainly more than a hundred thousand years. It was a fortuitous consequence of some natural coincidences, including a natural bed of rich uranium ore deposited through complex processes, an adequate supply of water to serve as moderator for the reactor, and the isotopic composition of the uranium at that distant time in the past. It was an amazing discovery, and has been much studied, but there is only one feature that is of interest to us here. That reactor produced radioactive waste, just like any reactor, but that waste was not carefully stored to prevent its spread into the environment, as we plan to store ours. In fact, it has not spread, and is largely still there, within a few hundred meters of its original location.

The lesson of all this is that the problem of nuclear waste disposal is not technical or economic. In fact, there is probably no other problem of technological risk with so great a difference between the level of public anxiety and the actual degree of the risk. Unfortunately, the regulatory agencies in all western countries have had to respond to the public anxiety, often exacerbated by people ignorant of the facts, but with hidden political motives. They have therefore embarked on long costly programs of search for the best possible waste disposal site, even though there are many suitable choices available.

## Discussion

Although many of the main conclusions have been stated in the body of these pages, it may be worthwhile to emphasize a few of the main points. In so doing, it is inevitable that there will be some repetition of arguments made earlier, and we hope that the reader will not be offended.

As is clear from the variety of subjects treated in this article, the rational treatment of technological risk in a modern democratic society requires contributions from many disciplines. Not only must the specific technology leading to the risk be sufficiently well understood to make a reasonable assessment possible, but the understanding itself must be sufficiently clear and convincing to be credibly explained to both the public and to the relevant political forces. These may or may not be the same. In general the public and the press will be sufficiently uninformed about the technical issues to lead to an uneven response to risk. (This comment is not intended to be derogatory, since technologists *should* know more about their subjects than the public.) This unevenness can be unpredictable, and can lead to error in both directions, but the general rule is that unfamiliar risks are exaggerated, while familiar ones are understated. For example, we have seen that the risk from nuclear waste disposal is enormously exaggerated by the press, and therefore by the public, while certain political forces exploit the resulting fear for their own purposes. On the other hand, the familiar practice of smoking, which has devastating effects on the health and lives of many millions of citizens, and which provides no known benefits, is casually accepted. We have mentioned that in the United States approximately 300000 people die each year from diseases directly caused by smoking, about half of these from lung cancer, which is a particularly unpleasant way to die, and yet we are making only slow progress in casting off this historic curse. It is easy to imagine what would happen if thirty people were to be killed in a single nuclear accident, and to compare that to the 300000 *each year* from smoking. For this reason, regulatory agencies in a democracy must not let the uninformed segments of the public lead them, while still remaining responsive to public concerns. This narrow path has proved to be extremely difficult to follow.

The dilemma faced by the regulators is especially acute for cases in which there is genuine scientific uncertainty in the estimates of risk, especially when one is dealing with estimates of the probability of extremely rare events, or other events for which there is no empirical base whatever. Will the Earth be struck by a large meteorite which lands in Bonn? For these cases there is no alternative to careful theoretical assessment of the risk, and such assessments are traditionally characterized by very large uncertainty. In some cases, there may in fact be no risk at all. For example, it is entirely possible that the low levels of radiation we have been discussing in the context of cosmic rays or nuclear power plant accidents do not cause cancer at all, just as it is possible that saccharin does not cause cancer at all in the amounts we use. In such cases, it is difficult for a government to formulate policies which can be defended, and the practice has been to err in the direction of reducing the *perceived* risk sufficiently be comfortable, regardless of the *actual* risk.

There would in principle be no damage done by erring in that direction, and indeed it might be called responsibly prudent, if it were not for the fact that we thereby incur some societal losses. None of the technologies under discussion are devoid of social benefit, and a responsible estimate of the degree of risk permitted must somehow account for the benefits to be derived from the technology. This is well known, since we travel in airplanes, climb mountains, burn coal, and otherwise routinely expose ourselves to known risk. In each of these cases we have somehow made a subconscious decision that the benefits exceed the risks. It is common among opponents of risk/benefit analysis to say that it is impossible and inappropriate to compare risks and benefits, and that the proper role for a society is to simply reduce risk as much as is possible. The American saying about apples and oranges is appropriate here, since it is not necessary to reduce two options to the same form to make it possible to choose between them. There is no rational basis for choosing an acceptable level of risk for a technology without equally careful determination of the level of benefit to be derived from it. Yet, we have a long way to go before we learn to do it well.

Unfortunately, before we learn to do it well we must develop the custom of doing it at all. Much too often questions of risk are treated as dichotomies – is there a risk or is the technology safe – when the meaningful questions are quantitative. How great is the risk, are there limits of exposure that reduce it to acceptable levels, are the benefits sufficiently desirable that we are willing to accept the risk, what is the cost (not necessarily monetary) of reducing the risk, what is the cost of renouncing the technology, etc.? Only rarely, at least in the United States, do we ask the questions in this form. When this is done we usually (but not always!) find that the risk has been exaggerated. For example, it was recently proposed in the United States that the acceptable level of benzene vapor in the workplace be limited to one tenth of what it had previously been, largely because it was now technically possible to do so. The proposal was withdrawn when a careful analysis showed that the net effect would be to reduce by *one* the expected number of cases of leukemia occurring in the next thirteen years. In that period four *million* people are expected to die from smoking.

In the end, the assessment and management of technological risk poses problems in risk/benefit analysis that we are just beginning to learn to address. The discipline has been growing in sophistication during the last twenty years, and there is some hope that we will soon have the tools and understanding to do a better job than we have in the past. This article has concentrated on the problems, but the author is not without hope.

**Heinz Zemanek**

# Gedanken zum Systementwurf

## Ein von Gebäude und Computer generalisierter Architekturbegriff, der auch für Fahrzeuge und Verkehrssysteme nützlich sein könnte

Das Gemeinsame von Fahrzeug und Computer wird erst nach einigen Schritten der Verallgemeinerung und Abstraktion sichtbar: beides sind Errungenschaften der Technik, auf Grund langer Vorbereitung und harter Arbeit erreicht, welche in ihrer Anwendung das menschliche Leben tiefgreifend verändern, völlig neue Wege eröffnen und diese allen Bevölkerungsschichten zugänglich machen. Der Computer kommt naturgemäß etwas später als das Automobil, er holt aber rasch auf.

Die Hersteller müssen in beiden Fällen darauf bedacht sein, die Benützung einfach und sicher, die Wartung selten erforderlich und billig zu machen. Aber es kommt nicht nur auf das Einzelprodukt an; heute greifen öffentliche und private, universelle und spezielle Lösungen ineinander und bilden Verkettungen, die ihrerseits wieder verketteten Strukturen dienen können – gelegentlich stören sie sich auch gegenseitig. Man kann ganz allgemein sagen, daß die Technik in unserem Jahrhundert eine Wendung von der Einzellösung zur Systemlösung durchmacht – die gegenseitige Abhängigkeit ist bereits sehr hoch und noch im Steigen begriffen. Außerdem geht die Wirkung technischer Produkte über das Technische weit hinaus. In industrialisierten Ländern haben Kraftfahrzeug und Computer ungeheuren Einfluß auf die Gestaltung des Lebens und daher tiefgreifende soziale Auswirkungen. All dies müßte der gestaltende Ingenieur von Beginn an in sein Entwurfsdenken einbeziehen. Der Entwurf wird – auch aus wirtschaftlichen Gründen – immer schwieriger, die Gestaltung zu einem Beruf mit recht schwer erfüllbaren Voraussetzungen.

Kraftfahrzeug und Computer sind Systeme mit ständig komplizierter werdendem Innenleben, und daraus ergibt sich eine weitere Dimension der Entwurfsschwierigkeit. Der Unterschied zwischen innerer Organisation und äußerem Erscheinungsbild wird immer gravierender, der optische Eindruck täuscht, die Verhaltensweise überrascht. Der Entwurf muß selbstverständlich stets auf die volle innere Funktion bedacht sein, zugleich aber ist es erforderlich, jene Funktionen besonders zu überlegen, die das Zusammenleben mit dem Benützer bestimmen. Der Entwurf wird zur Architektur, zur planenden Gestaltung und zur hilfreichen Beschreibung der Erscheinungsform.

Der Begriff der Architektur ist vom Gebäude übernommen, von einer der ältesten technischen Errungenschaften des Menschen. Das ist ein guter Grund, in diese Betrachtung an einigen Stellen auch noch das Gebäude heranzuziehen, und dadurch entsteht ein

99

Dreiklang technischer Gebilde – mit steigendem Detailreichtum, steigender Ausnützung physikalisch-chemischer Erkenntnisse und vielfältiger werdender Dynamik: Gebäude, Fahrzeug und Computer.

In dieser Reihenfolge erhöht sich aber auch das Ausmaß der Rückwirkung auf Gesellschaft und Mentalität. Während sich am Gebäude die Mentalität der Erbauer manifestiert, sie zur Schau stellt und damit die Architektur prägt, gilt beim Fahrzeug und beim Computer eher das Umgekehrte: die Mentalität wird von den Architekturen der beiden technischen Gebilde mitgeprägt, welche auf der ganzen Erde einen einzigen, von der Technik geprägten Stil haben und, im Grunde genommen, für alle Nationen die gleiche Funktion. Unvermeidlich treten Übersteigerungen auf, übermäßige Wirkungen und maßlose Auswirkungen, und entsprechend kommen übersteigerte Reaktionen auf, von der Absolutierung und Vergötterung des technischen Gebildes bis zur Dämonisierung und Verteufelung der Technik.

Beherrschung, Gleichgewicht und rechte Beurteilung kommen aus tieferer Einsicht und aus dem angewandten Respekt vor dem Menschen und seiner Seele – die heute mehr als je zuvor das Maß aller Dinge sind, aber nicht als solches anerkannt und verwendet werden.

Die technische, die naturwissenschaftliche Anstrengung darf nicht vernachlässigt werden, nicht zweitrangig – das versteht sich bei einem Ingenieur von selbst; der Aufbau solider Erfahrung muß kultiviert werden, gerade auf neuen Gebieten mit raschen Entwicklungen. Der Begriff der Architektur, wie er nun vorgestellt und mit schärferen Zügen versehen wird, ist als Ordnungskraft für den technischen Entwurf verstanden, zugleich aber auch als geistiges Bindeglied zwischen der Technik und der Welt, der sie dient – dem Menschen, der mit ihr leben will und muß.

Abstraktion und Verallgemeinerung sollen Abstand und Klarheit geben und die letzte Absicht wäre, die Abstrakte Architektur als Werkzeug der Synthese und Erkenntnis vorgestellt zu haben.

## Architektur von Gebäuden, Fahrzeugen und Computern

Zum Unterschied vom *Bauwesen,* das die technischen Seiten der Gebäudeherstellung zum Gegenstand hat, befaßt sich die *Architektur* mit der Kunst des Entwurfs. Trotzdem wird die Architektur aber nicht an einer Kunsthochschule gelehrt, sondern an der Technischen Universität. Denn sie ist mit der Technik nicht nur eng verbunden, sondern sie beruht auf ihr: der Entwurf gestaltet eine technische Funktion, die den Zweck ausmacht und fundamentale Forderungen stellt, deren Mißachtung den Gebrauch erschwert oder verhindert, auch wenn der Anblick herrlich künstlerisch gestaltet ist. In unserem Jahrhundert ist das Prinzip vertreten worden, daß die funktionelle Gestaltung, konsequent verfolgt, von selbst die angebrachte Schönheit hervorbringt. Die Anwendung dieses Prinzips hat nicht in allen Fällen überzeugt; was eine gute Architektur ist, läßt sich nicht leicht festlegen, aber es soll hier – nach einigen Vorbereitungen – versucht werden.

Im Computerwesen ist der Begriff der Architektur geprägt worden, als man beim Entwurf vom Einzelgerät auf die Systemfamilie überging, als man begann, eine Reihe von

Modellen mit verwandter Struktur, aber steigender Größe zu bauen: das IBM System/360. Heute ist der Begriff der Computerarchitektur weit verbreitet, aber vage verwendet; oft bedeutet er nichts als hastig hergestellte Kurzbeschreibung. Die Väter des IBM Systems/ 360 aber waren sorgfältig und gaben überlegte Definitionen der Computerarchitektur. Die früheste stammt von Fred P. Brooks Jr., und sie sollte von der Informationsverarbeitung viel mehr beachtet und respektiert werden. In Übersetzung lautet sie:

»Computer-Architektur ist wie jede andere Architektur die Kunst, die Bedürfnisse des Benützers einer Struktur zu bestimmen und diese Bedürfnisse dann beim Entwurf innerhalb der gegebenen wirtschaftlichen und technischen Beschränkungen so effektiv als möglich zu erfüllen.«

In dieser Definition steht nicht das Künstlerische im Vordergrund, das heute die Gebäudearchitektur beherrscht (jedenfalls macht ihr Schrifttum diesen Eindruck), sondern die Benützung – was ja die Schönheit keineswegs ausschließt, sondern im Gegenteil sie ebenso fordert wie die Einpassung in die Umgebung.

Das wird ganz offenbar, wenn man an die Quellen zurückgeht. Man kommt dann unvermeidlich und eindeutig zu Vitruvius, dem Architekten von Julius Cäsar und Augustus, der zwischen 33 und 14 v. Chr. zehn Bücher über Architektur verfaßte, aus denen dann Jahrhunderte Wissen und Anregung holten. Bei diesem ersten und einzigen aus dem Altertum erhaltenen Werk über Architektur herrscht das Gleichgewicht zwischen den Komponenten, das in der Theorie gefordert wird, auch in den praktischen Kapiteln. Ich halte mich daher gerne an dieses Fundament, und ich werde es für zwei wichtige Abschnitte dieses Beitrages heranziehen; es trägt auch den Computer und die von ihm zusammengehaltenen Systeme.

Beim Kraftfahrzeug ist der Begriff der Architektur nach meiner Kenntnis nicht in starkem Gebrauch, wohl aber verwendet man ihn im Schiffbau. Im Museum des Franklin-Instituts in Philadelphia fand ich eine Definition der Schiffsarchitektur ausgestellt, die für sich spricht und eine gute Ahnung vermittelt, wie dieser Begriff auf das Kraftfahrzeug übertragen werden könnte:
»Wie bringt man ein Schiff
1. zum Schwimmen,
2. zum Befördern schwerer Lasten,
3. zum Aufrechtstehen, wenn es Wind und Wellen umwerfen möchten,
4. zum Befolgen des Willens seines Kapitäns,
5. und überdies zum leichten Kreuzen des Wassers mit hoher Geschwindigkeit?«
Der moderne Seeverkehr macht einige dieser Fragen zu komplizierten technischen Problemen. Beim Kraftwagen wird man die Liste abändern und erweitern müssen – bis zum Umweltschutz. Denn gute Architektur befaßt sich nicht nur mit dem technischen Objekt selbst, sondern auch mit dessen Beziehungen zur Umwelt, mit dem Nutzen und dem Schaden, den es bringt, und mit den Auswirkungen auf Individuum und Gesellschaft.

Es sind nun drei Schritte zu machen: es muß überlegt werden, wie sich lebende Organismen und technische Systeme gegenüberstehen; daraus ergibt sich zunächst ein verallgemeinerter Systembegriff abstrakter Art; und der systematische Entwurf von Systemen hat dann die verallgemeinerte oder abstrakte Architektur als theoretische

Denkhilfe zur Stütze. Dies mag sehr akademisch klingen und dem Praktiker ebenso unnötig-luxuriös erscheinen wie rein künstlerische Betrachtungen der Architektur. Ich glaube aber nicht, daß ein derartiger Eindruck der heutigen Situation gerecht wird: die steigende Komplikation und Interdependenz macht den Systementwurf zu einem praktischen Problem beunruhigenden Ausmaßes, das mit Erfahrung und Intuition allein nicht mehr bewältigt werden kann, man braucht ein gedankliches Rüstzeug auf höherer und allgemeiner Ebene.

Meine Gedanken dazu sind noch nicht zu ausreichender Geschlossenheit gereift; seit Jahren arbeite ich an der Entwicklung des Begriffs einer derartig verallgemeinerten Architektur, ohne mit meinen Entwürfen für die ausführliche Darstellung zufrieden zu sein. Lediglich einige Vorträge sind veröffentlicht. Entwurf, System, Sprache und Formalisierung bilden ein Geflecht von Beziehungen, die sich nur schwer in die Abfolgeform eines Textes bringen lassen. Für den Zweck dieses Beitrags allerdings sind nur einige Ausschnitte erforderlich, deren Unvollständigkeit vielleicht tolerierbar sein mag.

## Lebender Organismus und technisches System

Ein Lebewesen ist ein Organismus, eine Vereinigung von Organen. Das alte Wörterbuch von Grimm weist auf den Ursprung *organon* gleich Werkzeug hin und gibt – schon damals! – eine Systemdefinition:

Das Leben ist eine wiederholte Bewegung und wechselseitige Einwirkung aller Elemente in einem individuellen Körper: dem Organismus.

Beim Wort System findet man ebenfalls einen Hinweis auf den griechischen Ursprung *systema,* das ist ›Zusammengestelltes‹. Die Definition des Grimmschen Wörterbuches ist auch heute noch recht brauchbar:

Ein System ist ein sinnvoll gegliedertes Ganzes, dessen einzelne Teile in einem zweckmäßigen Zusammenhang stehen oder unter einem höheren Prinzip, einer Idee, einem Gesetz sich zu einer Einheit zusammenordnen.

Die Übertragung des Systembegriffs vom natürlichen Organismus auf das technische Objekt erscheint sehr naheliegend und räumt Zäune hinweg. Der Biologe arbeitet heute mit Blockschaltbildern und der Ingenieur redet von Zungen, Zähnen und Nasen, von Fingern und Beinen, von Rippen und Gelenken seiner technischen Objekte. Die Computerleute nennen den Datenspeicher ›Gedächtnis‹. Die von Norbert Wiener in die Welt gesetzte Kybernetik wurde von einem unerwarteten Bestseller zu einer umfassenden Anstrengung, das Gemeinsame von biologischen und technischen Systemen zu suchen und so viel als möglich von einem Gebiet auf das andere zu übertragen. Ihr Hauptverdienst war es, die dafür erforderliche Sprache geschaffen und honorig gemacht zu haben; dadurch entstanden Anstöße und Entwicklungen auf vielen beteiligten Fachgebieten (und auf vielen unbeteiligten auch). Ihren spektakulären Abschnitt hat die Kybernetik erfolgreich hinter sich. Was weitergeht ist die Kleinarbeit, die aber meist schon wieder einem klassischen Gebiet zugehört. Viele Überlegungen aber – wie zum Beispiel jene über den modernen Systembegriff – wären ohne Kybernetik nicht entstanden oder Randbemerkungen geblieben. Ein Erbe der Kybernetik ist die ›Künstliche Intelligenz‹, der an anderer Stelle noch ein paar Worte zu widmen sein werden. Der lebende Organismus ist ein System: die beiden Begriffe überdecken sich. Aber der lebende Organismus entsteht durch Wachstum, durch Bildung aus einem gemeinsamen Genrezept, und das ist eine andere Entstehungsart und ein anderer Strukturtypus als das technische System, das durch die Kombination optimaler Subsysteme aufgebaut wird. Zwar tragen beide die Spuren der Vergangenheit mit sich herum, aber während der lebende Organismus durch Austauschwirkungen mit dem Umgebungssystem in langer Entwicklung ein Gleichgewicht in sich und mit seiner Umgebung erreicht hat, ist das technische Objekt ein Fremdkörper in der Natur. Und Aggregaten von technischen Objekten – wie moderne Großstädte oder Industrieanlagen – fehlt meist die innere Ausgeglichenheit. Zu viele Absichten und Funktionen laufen unkoordiniert nebeneinander her; die Aufgabenstellungen ändern sich rasch und sind kurzlebig. Wie sollte sich da eine stabile Ausgewogenheit einstellen? In der Technik muß man sorgfältig planen, was die Natur durch Wettbewerb, das Ausleseprinzip und lange Zeiträume erhält: Harmonie der Existenz.

In der Biologie und in der Technik sind – unabhängig von einander – Systemtheorien geschaffen worden, um das Zusammenwirken und die Gleichgewichtsbildung verstehen und beschreiben zu können. In der Technik tragen die Systemtheorien häufig sehr stark die Einzelzüge des engeren Fachgebietes, für welches die entsprechende Systemtheorie entwickelt worden ist – es gibt Systemtheorien der Nachrichtenübertragung, der automatischen Regelungskreise und der Computeranlagen, um die dem Verfasser naheliegenden Varianten aufzuzählen.

Hier sei ein verallgemeinertes Schema beschrieben und ohne irgend einen Formelapparat vorgetragen. Allgemein ist ein System ein Untersystem, das aus Untersystemen niedrigerer Art zusammengesetzt sein kann und einem Untersystem höherer Art angehören kann. Diese Kette erlaubt jede Art der Detaillierung und jede Art der Verallgemeinerung. Nach unten endet diese Kette mit den Elementarbausteinen, aus denen das System aufgebaut ist und bei denen man nicht nach weiterer Analyse fragt. Nach oben endet die Betrachtung bei einem Supersystem, über das man nicht weiter hinausgeht; es kann auch die gesamte Umgebung bedeuten, mit der das System zu tun hat (Abb. 1).

Das System, begrifflich mit einem Untersystem identisch, ist durch seine Eingänge und Ausgänge, seine Übertragungs- und Speicherfunktionen definiert. Die Meßwerte an den Ausgängen sind also von den Werten an den Eingängen und vom Speicher (vom Zustand des Systems) abhängig, und das gleiche gilt vom nächsten Zustand. Es kommt bei dieser Erläuterung nicht auf die präzisen mathematischen Eigenschaften dieser Zusammenhänge an, sondern auf die rechte Vorstellung von der Abstraktion und Allgemeinheit des Konzepts. Die Verknotung der niedrigeren Systeme zum nächsthöheren System erfolgt über Verbindungen, die Röhren- oder Leitungscharakter haben, eher gerichtet (nur in einer Richtung übertragend), weil dies klarere Verhältnisse ergibt. Was über die Leitungen läuft, kann Material, Energie und Information und jede Kombination davon sein. Im günstigsten Fall hat man also präzise mathematische Ausdrücke, um alle Vorgänge im System erfassen zu können – ansonsten muß man eben mit Annäherungen verschiedenen Grades zufrieden sein (Abb. 2).

Die Verknotung der Untersysteme bedeutet eine hierarchische Ordnung, und diese

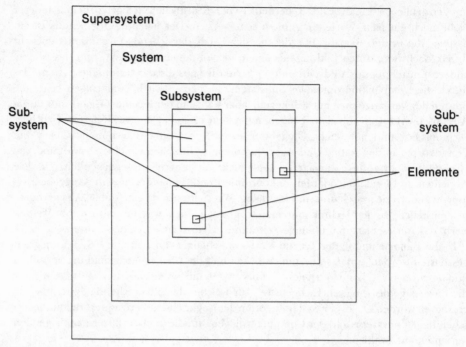

Abb. 1: Das System

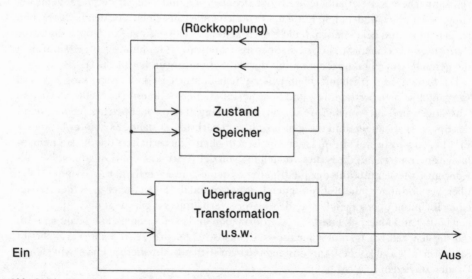

Abb. 2: Die Grundstruktur des Subsystems oder Elements

muß in einem gesunden Widerspruch zur Normierung der Elemente und der Teilsysteme stehen, wie auch in gesellschaftlichen Systemen die hierarchische Ordnung in gesundem Widerspruch mit der Demokratisierung stehen muß; Extreme sind schlecht für Systeme.

Das Supersystem, in welches jedes System eingebettet ist, wird sich im allgemeinen der theoretischen Erfassung entziehen, so daß man nur angenäherte oder willkürliche Annahmen über die Zusammenwirkung mit dem System machen kann. An dieser Stelle wird deutlich, daß die theoretische Erfassung und technische Realisierung den menschlichen Geist niemals ersetzt, sondern daß sie ihn noch dringender braucht als die naive Betrachtung oder Benützung. Wer sich auf eine Theorie verläßt, ohne den Geist über ihre Grenzen hinauswirken zu lassen, ist ärger daran als ohne Theorie. Hier könnte ein langes Kapitel über die philosophischen Dimensionen des Systembegriffs, der logischen Modelle und der formalen Beschreibung eingefügt werden, mit einem Schwerpunkt bei Wittgenstein, seinem Tractatus und seinem Übergang zur späteren Philosophie. Das würde aber den Rahmen sprengen und in zu dünne Luft führen.

Wir wollen beim Pragmatischen bleiben und wenden uns einer äußerst praktischen Überlegung zur Systemtheorie zu. Technische Objekte haben wie Organismen meist eine äußere Erscheinungsform, welche die innere Funktion einerseits abbildet und sichtbar macht, andererseits verdeckt und schützt. Es ist – außer für den systematisch daran gewöhnten Fachmann – unangenehm, das Innere eines Tieres oder gar eines Menschen zu sehen. Bei technischen Objekten ist das etwas anders, aber ein bißchen davon gibt es auch. Eine gewisse Verhüllung wirkt beruhigend und gibt der Ästhetik eine Chance, welche die dürre Funktion nur für gewisse Puristen bietet. Eine Gebäude-Architektur, welche die Funktionen hinter Glas oder direkt sichtbar bleiben läßt, schafft keine Wohnlichkeit.

Die Verhüllung reduziert die Information auf das Wesentliche, füllt den Rest mit annehmlicher Redundanz auf und erleichtert damit den Umgang mit dem Objekt – fördert dafür aber gelegentlich falsche Vorstellungen und damit unsachliche und schädigende Behandlung. Es kommt darauf an, trotz der Verhüllung und der Informationsreduktion das rechte Wissen und den rechten Umgang aufzubauen, ob es sich um ein Lebewesen oder um ein – nichttriviales – technisches Gebilde handelt. In einer Welt, in der die technischen Dinge überwiegen, kommt diesem Prinzip erhöhte Bedeutung zu. Was die Natur ohne viel Aufhebens und Gefahren nicht scheuend über die Jahrtausende hervorgebracht hat, muß nun die Technik bewußt, geplant und mit Anstrengung besorgen: die Orientierung zu erleichtern, den Zugriff handlich zu gestalten und die Landschaft wohnlich zu machen, kurz, die Anmut der Natur, die von der Technik allmählich aufgefressen wird, muß mindestens einen Ersatz bekommen. Von einer solchen Absicht ist die Technik natürlich noch sehr weit entfernt. Was eben so breitflächig eingeleitet wurde, reduziert sich sofort auf etwas relativ Bescheidenes. Aber es sollte doch nicht falsch sein, es zuerst mit einem Weitwinkelobjektiv versucht zu haben.

Die äußere Erscheinungsform komplexer technischer Systeme ist aus einem zweiten, aus einem ökonomischen Grund wichtig: die Gesamtbeschreibung – zum Beispiel eines Computersystems, und sogar eines Minicomputersystems – kann viel zu lang sein, um verstanden und behalten zu werden. Und sie ist auch der Mühe nicht wert, weil man den ganzen Umfang gar nicht braucht. Man hat nicht mit allen Teilen und Einzelheiten des

Systems zu tun: als Benützer sitzt man auf einer bestimmten Stelle, beobachtet und betätigt von dort aus und bekommt dorthin die Ergebnisse geliefert. Diese Stelle kann man Schnittstelle nennen, und es kommt auf die Erscheinungsform von dieser Schnittstelle aus gesehen an. Aber zunächst sei die Schnittstelle noch einmal und etwas wissenschaftlicher definiert.

Von den eigentlichen elektronischen Ereignissen aus gesehen, liegen immer weitere Schalen um den Kern – bis schließlich das benützende System, die Firma, in welcher der Computer arbeitet, zum Beispiel, eingeschlossen ist. Stellt man sich das Systemdiagramm dieses vollen Umfangs vor, so kann man sich auch vorstellen, wie das System an jener Stelle, von der aus es für einen bestimmten Zweck betrachtet werden soll, aufgeschnitten wird, so daß sich zwei Seiten gegenüberstehen: das benützte System und der Benützer des Systems (die englische Übersetzung von Schnittstelle lautet ›interface‹). Der Benützer sieht das benützte System und das System ist auf den Benützer gerichtet; es sieht ihn zwar nicht, aber er tritt dem System in gewisser Weise gegenüber. Man kann nun beide Seiten beschreiben – entfernen, definieren usw. – und die Kommunikation zwischen ihnen. Das ist das vollständige Konzept der Schnittstelle (Abb. 3).

Und nun kann man die Definition der Architektur auf die Schnittstelle beziehen: die Architektur ist die vollständige – beim Computer: formale – Beschreibung des äußeren Erscheinungsbildes von der Schnittstelle aus gesehen.

Vollständig soll heißen, daß bei der Benützung keine Züge entdeckt werden können, die in der Beschreibung nicht enthalten sind. Andererseits sollte die Beschreibung nichts enthalten, was über das Erscheinungsbild hinausgeht; gemeint ist natürlich nicht das statische oder gar optische Bild, sondern die Verhaltensweise in der ganzen Dynamik.

Die Schnittstelle ist der gewählte Betrachtungspunkt, der Ort, von dem aus der jeweilige

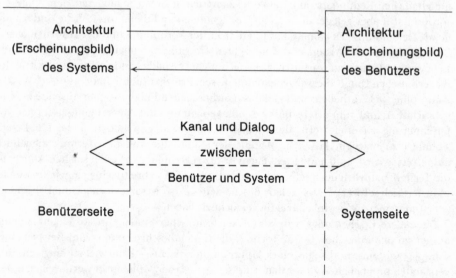

Abb. 3: Die Schnittstelle (»interface«)

Partner dem System gegenübertritt; der Wartungsmechaniker bedarf einer anderen Architektur als der Fahrer oder der Computerbenützer; der Schalterbeamte am Bildschirm sieht das System anders als der Bankkunde das System samt Schalterbeamten und Terminal betrachtet: manchmal werden sie eine gewisse Gegnerschaft entwickeln, dann wieder eine Koalition gegen das Zentralsystem bilden. Das Konzept der Schnittstelle ist äußerst flexibel und der Wechsel der Betrachtungsorte ist wertvolle Hilfe beim Entwurf. Formale Systeme – wie der Computer und seine Programmiersysteme – verlangen eine formale Architektur; eine informale Gebrauchsanweisung – für die erste Annäherung auf jeden Fall hilfreich und später auch nicht unnütz – muß von der formalen Beschreibung abgeleitet werden. Man merkt es dem Endprodukt an, ob derartige Regeln beim Entwurf (auch der Gebrauchsanweisung) eingehalten wurden.

## Ein verallgemeinerter Architekturbegriff

Jedes System hat seine Architektur, eine gute oder eine weniger gute, eine organische gewachsene, eine zufällig gewachsene oder eine vorgeplante; demgemäß kann man eine Architektur zuerst entwerfen und dann realisieren oder aber man ist mit der Realisierung konfrontiert (wie zum Beispiel bei einem Lebewesen) und muß die Architektur aufspüren oder rekonstruieren (hierfür ist die Lage des Archäologen charakteristisch, sie kann aber auch beim Finden eines technischen Objekts unbekannten Ursprungs und Zwecks auftreten). Was aber bedeutet hier das Wort Architektur?

Man kann Architektur recht allgemein und unverbindlich auffassen, als kurze Beschreibung etwa mit gewinnender Abbildung, als höhere Prospektkunst. Man kann das Künstlerische als verbindlich ansehen und dann entsteht das Bild des Architekten, der für die Ästhetik des Ausgeführten sorgt, für einen Stil, der über den Zweck hinaus auch das Ideal verkörpert und signalisiert – ob es nun ein Gebäude, ein Fahrzeug oder ein Computer ist.

Hier soll nun ein Begriff der Architektur vorgestellt werden, der die übliche Auffassung zugleich verallgemeinert und spezifiziert: einerseits nämlich soll ein Entwurfsverfahren unabhängig von der Art des Entworfenen destilliert werden, es sollen Prinzipien gefunden werden, die für Gebäude, Fahrzeuge, Computer und alle andern Arten von Systemen gleichzeitig gelten; andererseits soll der Entwurfsvorgang in all seinen Aspekten erfaßt werden und es soll neben der vollständigen Beschreibung des Objekts eine Beschreibung der rein äußeren Erscheinungsform und des äußeren Verhaltens entstehen, welche ebenso vollständig ist in dem Sinn, daß bei der Benützung dann keinerlei Züge herausgefunden werden können, die in der Verhaltensbeschreibung fehlen.

Diese Forderung muß ein wenig näher erläutert werden. Bei der Vielfalt der Funktionen, die heute in technischen Objekten implementiert sind, wird sofort klar, daß Architektur anders dokumentiert werden muß als in Form eines Bilderbuchs mit lobenden Kurzbeschreibungen. Es wird später ausgeführt werden, daß der Entwurf in drei Ebenen organisiert sein sollte, nämlich in Architektur, Implementation und Realisation, die eine Arbeitsteilung in gegenseitiger Abhängigkeit bedeuten. Hier soll dies aus einer anderen Sicht her vorweggenommen werden. Der für das Fachgebiet zuständige Ingenieur wird sich nicht mit einem Prospekt zufriedengeben, sondern die Konstruktionszeichnungen konsultieren, wenn er eine Information braucht. In komplexen Systemen nimmt die der Konstruktionszeichnung entsprechende Totalbeschreibung einen Umfang an, der für eine klare Information nicht mehr zielführend ist. Man muß die Totalbeschreibung für den Benützer (und nicht nur für diesen) auf jenen Anteil reduzieren, den er wirklich braucht. Das ist eine nicht-triviale Forderung.

An dieser Stelle muß nun an den oben dargestellten Begriff der Schnittstelle erinnert werden: das Objekt muß für den Benützer nicht als Ganzes beschrieben werden, sondern nur, wie es von einer wohldefinierten Schnittstelle aus gesehen erscheint, diese Beschreibung aber sollte – man kann es nicht oft genug wiederholen – vollständig sein und dem Benützer jede Überraschung ersparen.

Damit hätte ein einigermaßen komplexes System zwei oder mehr Arten der Architektur: eine Gesamtarchitektur und Architekturen der Schnittstellen; aber es ist offenbar, daß all diese Arten in engem Zusammenhang stehen und ein Ganzes bilden, für den Benützer jedoch die Schnittstelle dominiert, sie bestimmt ja seine Optik.

Beim Kraftfahrzeug ist für den Benützer ohne jede Frage der Fahrersitz als Schnittstelle gegeben: von ihm aus erlebt der Fahrer das technische Objekt Automobil, von ihm aus benützt er es, dort findet das Zusammenspiel des Fahrzeugs mit Weg und Hindernissen statt. Abb. 4 versucht nicht, eine Architektur des Fahrzeugs zu geben – es fehlen alle Strukturen und Querbeziehungen – sie ist eher eine Schlagwortsammlung. Aber Elemente für einschlägige Überlegungen gibt sie schon.

Wer einmal die Unvollständigkeit, Unübersichtlichkeit und Unklarheit der Beschreibung eines Leihwagens im Pannenfall erlebt hat, kann sich gut vorstellen, wie es dem Computerbenützer geht, wenn keine Taste mehr hilft, einen Schritt weiterzukommen. Der Ruf nach einer Abstraktion der Architektur und ihrer Anwendung auf Fahrzeug und Beschreibung ist fast so berechtigt wie beim Computer, und bei vielen anderen technischen Gebilden.

Und damit ist das Fundament für die Betrachtung verallgemeinerter Züge des Entwurfs, des Architekten und der Architektur gelegt.


## Entwurf als Beruf: der Systemarchitekt


Die Beschreibung und der Entwurf eines Objekts sind zutiefst miteinander verwandt, voneinander abhängig, und sie sollten simultan entwickelt werden. Ein schlechter Entwurf läßt sich kaum gut beschreiben, und schon gar nicht hinterher. Der Entwurfsvorgang ist ständige Verdichtung und Vereinfachung: der Designer ist ein technischer Dichter, der geradezu übermenschliches Gefühl und Wissen haben sollte. Und diese Forderung ist nicht etwa eine Folge erst der gewaltigen technischen Entwicklung unserer Jahrzehnte, sondern sie bestand von Beginn an. Vitruvius leitet gleich das erste seiner zehn Bücher über Architektur mit einem Forderungskatalog an die Ausbildung des Architekten ein, die wert ist, hier wiedergegeben zu werden:
Der Architekt sollte mit dem Wissen vieler Felder ausgerüstet sein. Er sollte
  wohlerzogen und schreibgewandt sein,

| Bewegung | |
|---|---|
| Vorwärts | Beschleunigen |
| Halt | Gleichbleiben |
| Rückwärts | Bremsen |
| Parken : Festhalten | |

**Dokumentation**

Wagenpapiere
Wagenbeschreibung
Betriebsanleitung
Störungsberater
Bordbuchhaltung

**Signalisierung**

Vorankündigung:
   Blinker
   Automatisch ab

Vollautomatisch:
   Bremslicht
   Rückwärtsganglicht
   Türenwarnlicht
   Türe-offen-Warnlicht

**Beleuchtung**

Standlicht
Abblendlicht
Scheinwerfer
Sonder-Scheinwerfer
Nebellicht
Innenbeleuchtung

**Orientierung**

Sicht:
   Frontscheibe
   Seitenfenster
   Rückspiegel

Zeichen
   Straße, Leitlinien
   Verkehrszeichen
   Ampel, Schutzmann
   Wegweiser

Hilfen
   Uhr
   Kompaß
   km-Zähler
   Landkarten
   Geogr. u. Kunst-Führer

**Kommunikation mit den anderen Verkehrsteilnehmern**

**Betrieb**

| Geschwindigkeitsanzeige | | Ladelampe | |
|---|---|---|---|
| Drehzahlanzeige | | Lüftung | |
| Temperaturanzeige | | Heizung | |
| Ölstand | Reserve-Warnlicht | Kühlung | |
| Kraftstoff | Reserve-Warnlicht | | |
| Hydraulik-Fl. | Reserve-Warnlicht | Sicherungen | |
| Werkzeug | Reserverad | Wagenheber | Warndreieck |

geschickt mit dem Stift,

ausgebildet in Arithmetik, Geometrie und Optik,

viel über Geschichte wissen,

(Vitruvius führt die Erklärung der Karyatiden als Beispiel an)

den Philosophen mit Aufmerksamkeit gefolgt sein, so daß er hochherzig und nicht von sich selbst eingenommen ist, anständig ohne Geiz, ohne Habgier, dafür aber zuverlässig und lauter in der Gesinnung.

die Physiologie fleißig studiert haben,

etwas von Musik verstehen, von der Theorie des Klangs und der Akkorde,

ein gutes Wissen von der Medizin haben, von den Klimata,

die Vorschriften der Juristen kennen, so daß sein Entwurf nicht Streitigkeiten hinterläßt,

und er sollte mit der Astronomie und mit der Theorie der Himmel (mit der Kosmologie) vertraut sein.

Fürwahr ein gewaltiges Programm, das keine Normalausbildung überdecken kann, damals nicht und heute noch weniger. Denn in die moderne Sprache übersetzt, würden die Forderungen Vitruvs etwa folgendermaßen lauten:

Der Architekt sollte:

humanistisch erzogen sein, denn sein Entwurf muß auch im nichttechnischen Umfeld bestehen;

formale Methoden meistern, denn wenn erst andere seinen Entwurf in formale Sprachen oder Computerprogramme umwandeln, wäre das kaum mit Verbesserung verbunden;

Physik studiert haben, denn seine abstrakten Funktionen werden letztlich in der physikalischen Welt realisiert;

die erforderlichen Berechnungen meistern, denn Daumenregeln werden nicht genügen (noch besser beherrscht er die Simulation und wendet sie bei seinen Überlegungen an);

eine Menge über Geschichte wissen, denn jedes organische und jedes technische Gebilde, aber auch jede Institution oder Firma beruht auf der Entwicklungsgeschichte und trägt diese mit sich herum;

der Philosophie und Philologie mit Aufmerksamkeit gefolgt sein, denn Entwurf ist ebenso wie seine Beschreibung und Dokumentation ein Sprachproblem; was Vitruvius über den Charakter des Architekten sagt, gilt heute wie damals und müßte nur ins Religiöse erweitert werden;

medizinische Kenntnisse haben, denn sein Entwurf wird physiologische und psychologische Folgen haben (sein Entwurf wird allerlei Leuten auf die Nerven gehen);

die Vorschriften und Denkweisen der Juristen kennen, denn es werden Juristen sein, die Entscheidungen über Erzeugung, Kauf, Einrichtung und Benützung treffen werden – überdies sind Juristen unter den Kunden und Benützern, und mit ihnen ist schwerer argumentieren;

Philosophie der Naturwissenschaften studiert haben, so daß er eine Vorstellung von den Grenzen seiner Technik und seiner Entwurfskunst erwirbt.

Auch wenn niemand daran denken kann, diese Forderungen vollständig zu erfüllen, ergibt sich eine fundamentale Schlußfolgerung aus diesen Überlegungen: das reine Ingenieurwissen reicht für den architektonischen Entwurf nicht aus, es erzieht zum Baumeister, nicht aber zum Architekten, es hilft bei der Optimierung der Einzelteile, bringt aber nicht auf die Idee, im Detail auf eine weniger gute Lösung zurückzugreifen, wenn dafür das Ganze konsistenter wird.

Entwurf muß wie im Bauwesen auch bei komplexen Gebilden anderer Art, zum Beispiel bei Computern und bei Computeranwendungen, durch eine besondere Ausbildung erlernt werden; der Entwurf muß mit der Herstellung in einem kreativen Spannungsverhältnis stehen, eben wie zwischen Architekt und Baumeister. Es müssen Computerarchitekten ausgebildet werden und vielleicht auch Verkehrsarchitekten, es muß eine Systemkultur entstehen, welche die Welt wieder besser bewohnbar macht und das natürliche Gleichgewicht, wie es die Natur über Äonen zustandegebracht hat, durch ein Gleichgewicht der Technik ergänzen, in welchem Stabilität und Schönheit mit guter Funktion kombiniert erscheinen.

## Was macht einen Entwurf zu einem guten Entwurf?

Es ist leichter, nach guter Architektur zu rufen, als befriedigend darzustellen, was eine Architektur zu einer guten Architektur macht. Ganz bestimmt wird nicht ein Algorithmus herauskommen dabei: ein Satz von Regeln, der in einem Deduktionsprozeß zur guten Lösung führt. Mit anderen Worten: Gute Architektur läßt sich nicht programmieren. Der Computer kann als Hilfsmittel dienen, der Entwurf selbst aber bleibt die Domäne des Menschen, wenn er ein guter Entwurf sein soll.

Was einen guten Entwurf ergibt, läßt sich daher nur mit den Ausdrücken jener Geistigkeit beschreiben, die vor den Definitionen und Ableitungen vorhanden sein muß und nachher über ihnen schwebt. Vitruvius ist darin nicht nur immer noch gültig – er mag durch seinen Abstand von der modernen Technik sogar einen Platzvorteil haben. Es ist daher zweckmäßig, von seinen Betrachtungen und Empfehlungen auszugehen und sie sofort durch Formulierungen in der heutigen Sprache weiterzuführen.

Die Hauptforderung ist Konsistenz, die Folgerichtigkeit des Entwurfs auf einer Ebene höher als die Ebene der Logik. Vitruvius interpretiert sie durch mehrere Begriffe:

Ordnung (ordinatio, taxis) – das ist Maß und Proportion

Anordnung (dispositio, diathesis) – das ist Struktur

Eurhythmie – das ist Schönheit und Eignung

Symmetrie – das ist nicht einfach der Begriff der Spiegelung an einer Achse oder an einem Punkt, sondern Übereinstimmung und Angepaßtheit der Teile

Angemessenheit – das ist Unterordnung unter sorgfältig gewählte Grundsätze, die aus der Natur, aus den Vorschriften und aus der Gewohnheit abgeleitet sind

Wirtschaftlichkeit (distributio, oikonomia) – das ist verschwendungsfreier Umgang mit Raum und Material, ohne in falsche Sparsamkeit zu verfallen

Gegenüberstellung und Weiterführung zugleich sind die folgenden Prinzipien einer Computer-Entwurfslehre, wie sie von den Vätern des IBM Systems/360 überlegt und angewendet wurden, auch wieder ein wenig in das jetzige Jahrzehnt weitergeführt

Vollständigkeit – das ist die Vermeidung willkürlicher oder zufällig passierter Lücken: wenn ein Konzept aufgenommen wird, dann vollständig

Allgemeinheit – das ist die Vermeidung unnötiger Einschränkungen: wenn ein Konzept aufgenommen wird, dann in seiner allgemeinsten Form

Orthogonalität – das ist die Vermeidung unnötiger Verkopplungen: wenn ein Konzept oder eine Funktion aufgenommen wird, dann soll es von anderen Konzepten oder Funktionen möglichst unabhängig sein; eine Änderung ist dann ohne Rücksicht auf die anderen möglich

Klarheit – das ist Einsichtigkeit und das, was unter Transparenz verstanden werden sollte. Wenn ein Konzept aufgenommen wird, dann soll einleuchten, warum überhaupt und warum so

Sicherheit – das ist Verläßlichkeit der Bauteile, Ungefährlichkeit des Betriebes, Widerstandsfähigkeit gegen natürlich entstehende oder böswillig hervorgerufene Störungen

Wirksamkeit oder Effizienz – das ist ein gutes Verhältnis zwischen Preis und Leistung, das bedeutet gute Ausnützung der aufgewendeten Mittel, Materialien und Energien (samt den Informationsanalogien dazu), Umweltschonung – das ist Vermeidung der Abfälle aller Art, von den konkreten bis zu den abstrakten (Müll und ähnliche Wegwerfmaterialien einschließlich der Verpackung, Geruch, Lärm, Strahlung – auch wieder samt den hier etwas schwieriger erfaßbaren Informationsanalogien), Wiedereinfügbarkeit der Abfälle in die Natur oder sicherer Abtransport an Stellen, wo kein Schaden entsteht.

Diese letzte Forderung ist neu – dadurch entstanden, daß das System ›Umgebung‹ mit Abfällen aller Art (Material, Chemische Stoffe, Lärm, Strahlung usw.) nicht mehr von selbst fertig wird. Bei der alten Waldschmiede wurden Lärm und Abfälle von einigen hundert Metern Wald mühelos geschluckt – in Städten allerdings waren Handwerksbetriebe schon immer eine Belastung. Heute stoßen die verschiedensten Systeme aneinander und machen sich gegenseitig inkonsistent.

Der Computer ist von Natur aus umweltfreundlich; sein Energiebedarf ist ständig gesunken, schon laufen Taschenrechner mit Sonnenenergie; sein Papierbedarf geht zurück, die Lochkarte ist im Aussterben (noch wird viel Unnötiges ausgedruckt, aber bessere Methoden setzen sich immer klarer durch). Der Computer hilft auch Einrichtungen, Material, Kosten und Energie zu sparen, bei der Erfassung von Gefahren und Schäden, er erlaubt das Durchspielen von Varianten der Realisierung durch Simulation – kurz, er ist ein Universalwerkzeug für Umweltfreundlichkeit, aber man muß seine Hilfe wollen und anschließend die Realisierung in Angriff nehmen – und bezahlen.

Aus Gründen der Eindringlichkeit seien einige der Begriffe noch durch Varianten in Empfehlungsform illustriert:

Orthogonalität: Verknüpfe nichts, was seiner Natur nach unabhängig ist!

Allgemeinheit: Wenn ein Konzept der Aufnahme wert ist, dann beschränke es nicht durch Ausnahmen – selbst wenn die Ausnahme bequem erscheint!

Sicherheit: Hoffe nicht leichtfertig, daß nichts passieren wird oder daß niemand etwas merkt, sondern stelle die Funktion sicher – der Computer erlaubt gefahrloses Ausprobieren (Simulation).

Gemäßheit: Baue nichts ein, was nicht zu den gewählten Grundsätzen gehört (keine Pfeifen und Glocken, wie man auf englisch sagt).

Das mag alles simpel und evident klingen, aber in Wirklichkeit wird gegen diese einfachen

Prinzipien sehr häufig verstoßen, was weniger bei der Einzellösung merkbar ist als in der Gesamtauswirkung, im Gesamtsystem. Viel zu oft ist man der Meinung, daß man frei sei im Entwurf, wo sich später beim Zusammenwirken Inkonsistenzen zeigen, die sich hätten vermeiden lassen – vielleicht mit ein bißchen Mehrkosten, aber sicher billiger als spätere Remedur oder der inkonsistente Betrieb.

So weit war das die Darstellung von Grundgedanken, die bei Vitruvius beginnen, zunächst für die Gebäude-Architektur konzipiert waren und dann für die Computer-Architektur weitergeführt wurden. Es ist offenbar, daß sich diese Grundgedanken für alle technischen Felder adaptieren lassen, besonders für jene, die sich in Richtung auf größere Systemlösungen bewegen. Es sei nochmals betont, daß die Prinzipien der Abstrakten Architektur Systematik weder anstreben noch bieten können; sie widersprechen sich in vieler Hinsicht und rufen daher nicht nach kodifizierter oder programmierter Ordnung, sondern nach geistiger Beherrschung, nach einsichtigen Kompromissen, nach menschlicher Auswahl und Entscheidung.

Wie es beim Computer nicht so sehr auf das Einzelgerät und das Einzelprogramm ankommt als auf die Systemzusammenwirkung und auf das Zusammenspiel zwischen Mensch und Maschine, die Stärke beider richtig ausnützend, so kommt es auch bei allen andern Feldern auf das Systemverhalten und auf die Zufriedenheit mit dem System an. Ob es sich nun um Gebäude, Fahrzeuge und Computer oder um Institutionen, Betriebe, Administrationen und Regierungen handelt, sie haben eine Architektur und es wird immer wichtiger, diese nicht wild wachsen zu lassen, sondern sie zum Produkt eines professionellen Entwurfs zu machen.

Es gilt nicht, das ideale Kraftfahrzeug zu entwerfen, sondern das dem Benützer und der Umgebung angepaßte Transportsystem, das sich nicht auf eine Teilaufgabe beschränkt, sondern das Ganze anstrebt und erreicht. Man weiß ja, daß trotz perfekter Fahrzeuge, fast perfekt funktionierenden Verkehrsampeln und technisch einwandfreien Verkehrsflächen ein Verkehrschaos und ein Verkehrszusammenbruch entstehen kann. Die Ursachen liegen auf der Systemebene und nicht bei den Elementen des Systems. Genauso kann das System der Kraftwerke, Übertragungsleitungen, Steuercomputer und Verbraucher einen Systemzusammenbruch erleiden – die Reihe läßt sich fortsetzen.

Der Schweizer Computer- und Halbleiterfachmann Prof. Dr. Ambros Speiser hat das unter dem Eindruck des spektakulären New-Yorker Netzzusammenbruchs (Black-out) von 1965 etwa so formuliert: in unseren hochkomplizierten und hochinterdependenten Systemen können selbst unter völlig normalen Betriebsumständen Instabilitäten eintreten, in denen fast beliebig kleine Störungen beliebig katastrophale Effekte haben können. Aber man kann die Wahrscheinlichkeit dafür verringern – durch guten Systementwurf, durch gute Gesamtarchitektur. Der Computer ist dabei von unerschöpflicher Hilfe, wenn man ihn recht verwendet, nicht nur zum Durchrechnen der Systemfunktionen, sondern auch zur Simulation von System und Supersystem.

Die berühmt gewordene Weltsimulation des Clubs of Rome war, unabhängig von ihrem Direktwert, ein Signal für die Begrenztheit der Möglichkeiten – sie hat der Welt die Augen für die Interdependenzen ihrer Systeme geöffnet und für die fühlbare Endlichkeit ihrer Ressourcen. Vielleicht war der erste Ansatz etwas zu vereinfachend konzipiert – man sollte ihn immer wieder neu anpacken, global oder für gut überschaubare Teilsysteme.

## Zweimal drei Ebenen der Abstrakten Architektur

Auch wenn in den letzten Abschnitten nicht eine systematische Darstellung der Grundgedanken gelungen ist, die das Wesen des verallgemeinerten Architekturbegriffs, der Abstrakten Architektur, ausmachen, kann man sich nun doch vorstellen, auf welche Art sie zu entwickeln wäre. In eine Richtung aber soll die Entwurfstheorie noch weitergesponnen werden: in die Dimensionen ihrer Vielschichtigkeit; einerseits wird dadurch die Architektur endgültig auf das äußere Erscheinungsbild reduziert, andererseits erhält sie eine dreifache Aufgabe.

Für den Computerentwurf – ob Schaltkreise oder Programme – ist vorgeschlagen worden, drei Ebenen zu unterscheiden:

(1) Architektur
(2) Implementation
(3) Realisation

Die Architektur ist bei dieser Einteilung auf das nach außen Gerichtete reduziert: *was geschieht* bei diesem Objekt, wie ist es zu verwenden, wie dient es seinem Zweck? Der Betrachtungsstandpunkt ist die Schnittstelle zwischen Objekt und Benützer, wie sie in der Systemtheorie beschrieben worden ist.

Die Implementation ist das funktionelle innere Erscheinungsbild: *wie geschieht* das von der Architektur Beschriebene? Welche Funktionen sind im Inneren erforderlich, um das von der Architektur beschriebene äußere Verhalten unter Berücksichtigung der Realisierungsmöglichkeiten optimal zu organisieren? Der Betrachtungsstandpunkt ist der des Planungsingenieurs, der für die Gesamtfunktion zuständig ist und sich um das Gesamtobjekt kümmert.

Die Realisation schließlich hat die Funktionen in die harte Wirklichkeit umzusetzen: *wo und wann geschieht*, was die Implementation festgelegt hat, welche Bestandteile werden gewählt und wie werden sie angeordnet?

Diese drei Ebenen müssen aufeinander Rücksicht nehmen, sie dürfen den jeweils anderen keine unbegründeten und vermeidbare Einschränkungen auferlegen. Was sie verlangen, muß in der vorgesehenen Technik elegant lösbar sein. Gelegentlich werden sie aus Rücksicht auf eine andere Ebene Änderungen auf sich nehmen, auf die allerbeste Lösung verzichten und eine zweitbeste akzeptieren, um dem Ganzen besser zu dienen.

Die Trennung in Architektur, Implementation und Realisation hat sich bei vielen komplizierten Systemen als nützlich erwiesen, als Mittel für einen besseren und befriedigenden Entwurf. Sie hilft den Beteiligten, aus der klassischen Ingenieurmentalität – nämlich bei jedem Element das Beste zu wählen – auszubrechen und das Ganze besser im Auge zu behalten – dem mit der lokalen Optimisierung nicht immer am besten geholfen ist. Es wird allerdings immer wieder Fälle geben, wo nicht alle drei Ebenen unterschieden werden müssen; man soll ein Prinzip niemals überanwenden – auch dies gehört zum guten Entwurf.

Besonders überlegt werden muß die Forderung, daß die Prinzipien der Architektur in dreifacher Weise angewendet werden sollen:

(1) auf das Produkt selbst,
(2) auf die für seine Produktion erforderliche Produktionsstrecke und

(3) auf die Dokumentation, ganz besonders auf jene, die dem Benützer zur Verfügung gestellt wird.

Produkt, Produktion und Dokumentation sind auf vielerlei Weise miteinander verknüpft, bedingen einander und vermögen einander zu fördern. Auf die Dokumentation muß besonders hingewiesen werden, denn in unserem Zeitalter der Information kommt der Dokumentation immer höhere Bedeutung zu; je mehr sich die Objekte der Informationsverarbeitung verschreiben (ein eklatantes Beispiel ist die programmierbare Waschmaschine), um so mehr wird die Gebrauchsanweisung zu einem »Bestandteil« des Objektes, zur »Software«, ohne die die »Hardware« nur beschränkt brauchbar ist.

Am deutlichsten wird dies natürlich beim Computer selbst. Bei den Schaltkreisen des heutigen Computers zwingt die Miniaturisierung zu extrem verfeinerten und außerordentlich überlegten Produktionsstrecken, welche die Produkte zwar beschränken, aber hinsichtlich der Architektur sehr günstigen Einfluß haben: was über die Möglichkeiten und Herstellungsprinzipien der Produktionsstrecke hinausgeht, wird wenig Chancen auf Realisierung haben – die hergestellten Produkte aber müssen geradezu konsistent werden. Da die meisten Entwürfe in großen Stückzahlen hergestellt werden, lohnt sich der sorgfältige Entwurf, und die Fehlerempfindlichkeit der digitalen Schaltkreise zwingt zur peniblen Planung, Prüfung und Fehlerausschaltung. Ohne hochwertige und erfahrene Mitarbeiter wären die Kosten der Produktionsstrecke nicht hereinzubringen – die Hardware ist daher (auch wenn die zuständigen Fachleute das gelegentlich abstreiten) in fast vorbildlichem Zustand.

Die Software illustriert fast das entgegengesetzte Extrem. Noch gibt es kaum etwas wie eine Software-Produktionsstrecke; die Herstellungsmethoden der Programme gehören weitgehend dem vor-industriellen Zeitalter an, auch wenn noch so viele Bildschirme in Verwendung sind. Eine nicht immer gekonnt geführte Mannschaft von Programmierern, bei denen im Gegensatz zur logischen Natur der eigentlichen Ablaufstrukturen positive und negative Emotionen sehr viel ausmachen können, bewegen sich auf höchst intuitive Weise dem Entwicklungsziel zu. Die Zeit- und Kostenplanung ist schwierig. Man kann schwer Disziplin verlangen, wenn die Arbeit kaum überwachbar ist und überdies große Leistungen eher von genialen Typen gesetzt werden, während die Schicht der Mittelmäßigen mit ihren Fehlern nicht recht zu Rande kommt. Von geeigneten Werkzeugen – die Programmierer sprechen von »tools« – ist zwar viel die Rede, aber bis zum Gleichziehen der Software mit der Hardware ist noch ein weiter Weg. Daraus resultiert auch ein schlechter Stand der Dokumentation. Es ist ja von vornherein ein wenig seltsam, daß man ein Programm – selbst ein Dokument – dokumentieren muß: ein Dokument über ein Dokument verfassen, und erst wenn es so formuliert ist, erkennt man, daß das doch nicht so neu ist und zum Beispiel im Bibliothekswesen ein uraltes Ideal, oft angestrebt, selten erreicht. Die rechte Information *über* ein Programm zu finden, besonders wenn etwas schiefgeht, kann sich als überaus mühsam erweisen. Wartung und Fehlerbehebung sind gerne um so schlechter, je öfter sie gebraucht werden.

Das klingt wie eine Herabsetzung der Programmierer. Wenn man aber bedenkt, wie jung und andersartig dieses abstrakte Feld der Technik (»Software Engineering«) immer noch ist, dann muß man die Leistungen der Programmierung und der Programmierer bewundern. Hier ist Geduld am Platz, und ehe man bei befriedigenden Zuständen angelangt sein wird, ist es eben erforderlich, bei Bestellungen und Ankäufen derartiger abstrakter Objekte Sorgfalt und Vorsicht walten zu lassen, denn man sieht ihnen Güte und Schwäche nicht leicht an – als Annäherungsregel wird aber gelten dürfen, daß die Qualität der Dokumentation ein Maß für die Qualität des Software-Pakets ist.

Damit seien die Betrachtungen über die Abstrakte Architektur abgeschlossen. Es war die Absicht zu zeigen, daß die komplexen Strukturen der Informationsverarbeitung zu tieferen Überlegungen über ihren Entwurf zwingen, daß es dort erste Ergebnisse gibt, und daß diese Ergebnisse auch für andere Anwendungsgebiete Bedeutung haben – insbesondere weil die Computertechnik gestattet, Objekte der klassischen Technik mit den Nervensträngen der Informationsverarbeitung auszurüsten und damit zu ebenso komplexen Strukturen zu machen. Der Übergang vom Einzelobjekt zu Netzen von Objekten hat nicht erst mit dem Computer begonnen, aber er wird von ihm enorm beschleunigt. Es ist daher zweckmäßig, dem Netzwerk noch einige Gedanken zu widmen.

## Der Computer als Netzwerk und im Netzwerk

Rechenanlagen waren schon in ihren Anfangsformen Netzwerke: die klassische, sogenannte John-von-Neumann-Architektur, verbindet auf einfachste Weise Speicherwerk, Rechenwerk und Befehlswerk, dazu kommen die Ein- und Ausgabegeräte. Das war aber nur ein Anfang.

Die unübertreffbare Flexibilität des Computers erlaubt nicht nur, Daten und Programme als Information gleicher Natur anzusehen, die man im gleichen Speicher unterbringen und vom gleichen Rechenwerk verarbeiten lassen kann, sondern sie erlaubt auch, Rechen- und Befehlswerk selbst als Netzwerk, als programmierbaren Rechner zu konzipieren, komplexere Operationen mit Hilfe von sehr einfachen zu organisieren – man spricht dann von Mikroprogrammierung. Bei größeren Systemen, besonders wenn Systemelemente mehrfach vorhanden sind, kann man die Verknüpfung dieser Systemelemente, die Konfiguration, programmierbar machen; das ist dann eine Verallgemeinerung des Wähltelephon-Prinzips: die Systemelemente werden dann durch Wählvorgänge der Aufgabenlage nach konfiguriert.

All diese Varianten sind nicht auf engen Raum beschränkt, sondern können mit Hilfe der Datenübertragung beliebig weitläufig verteilt sein. Ein Computer kann dann zum Beispiel Speicherwerke eines anderen verwenden, Computersysteme können ihren Daten- und Programmbesitz austauschen, gegenseitig auf den letzten Stand bringen und komplexe Verarbeitungsaufgaben dort ausführen, wo es nach irgendwelchen Gesichtspunkten am günstigsten erscheint. Das muß natürlich alles geplant und programmiert sein; und es ist auch möglich, Vergebührungssysteme aufzubauen, so daß die Kosten gerecht verteilt sind.

Es versteht sich, daß die unüberschaubar große Zahl der Möglichkeiten erst durch die Erfahrung auf eine vernünftige Menge reduziert wird, und daß es großer Anstrengungen bedarf, um all dies sicher in den Griff zu bekommen, Normen zu beschließen und zu befolgen, die unvermeidlich auftretenden Fehler zu finden und zu beheben und ihre Auswirkungen zu korrigieren. Die Vorstellung von der menschenleeren Fabrik im Computerzeitalter ignoriert einen wesentlichen Teil der Arbeit, die für die Automation stets zu leisten ist. Es bleibt zu sehen, ob in der Endbilanz eine wirklich große Ersparnis überbleiben wird. Aber an Umstellungsnotwendigkeiten, teils vielleicht sehr harter Natur, wird es nicht fehlen. Wenn es auf dieser Erde ein Paradies gibt, dann ist es sicherlich nicht technisch herstellbar.

Wenden wir uns wieder unseren Analogien zu Gebäuden und Fahrzeugen zu, dann gibt der Netzwerkaspekt äußerst interessante Perspektiven. Man könnte zunächst meinen, daß die statische Natur des Hauses wenig Anwendungen bietet. In Wirklichkeit aber ist jedes Haus heutzutage in zahlreiche Netzwerke der verschiedensten Art eingeschleift, in denen Computer steigende Verwendung finden und die lokale Anwendung von Mikrocomputern allmählich zur Selbstverständlichkeit wird. Wenn man Energie sparen oder Abfälle verringern will, ist der Computer das beste Mittel. Der steigende Informationsbedarf und die Notwendigkeit, den Individualverkehr nicht mehr weiter steigen zu lassen, werden es nötig machen, das Gebäude in die Informations- und Transportnetze zu integrieren; und irgendwann einmal wird man mit Selbstverständlichkeit von Gebäudenetzwerken reden.

Seit Jahren kann man beobachten, wie die einzelnen Fahrzeuge mit mehr und mehr Fäden in Systeme der verschiedensten Arten eingebunden werden. Der Flug-, Schiffs- und Eisenbahnverkehr mit seinen homogenen und integrierten Betriebsweisen macht nicht nur vollen Gebrauch vom Computer – es gibt Anwendungen, die nach Umfang und Komplikation zu den Spitzenleistungen der Computertechnik zählen. Der Straßenverkehr mit seiner Differenziertheit und seinen kleineren und kostenempfindlicheren Einheiten muß da später kommen. Aber Elektronik und Computer werden ständig billiger und werden irgend einmal auch für diese Zwecke erschwinglich. Zuerst werden Bord- und Verkehrssteuerungscomputer unabhängig voneinander arbeiten, aber Integration und Vermaschung sind unvermeidlich und kein Science-Fiction Autor kann sich heute schon ausdenken, wie die Menge der ineinander verknüpften Netzwerke des Straßenverkehrs in fünfzig Jahren aussehen werden.

Diese Netzwerke werden aber kommen, und wenn sie unverträgliche und undisziplinierte Architekturen erhalten, wird es viel Ärger, viele Anpassungsschwierigkeiten und hohe Umstellungskosten geben. Wenn die Entwurfsmethoden und die Entwurfskultur nicht rechtzeitig gepflegt werden, wird man immer wieder meinen, Freiheitsgrade zu haben, die sich später als lästige Hindernisse erweisen werden. Wenn Vitruvius schon vor 2000 Jahren so viel als zusammengehörig erkannt hat, um wie viel mehr wird der Computer mit seiner zusammenfassenden Kraft in Systeme integrieren, die man als Ganzheiten verstehen muß. Nimmt man aus der Liste Vitruvs nur die juridischen und die medizinischen Gesichtspunkte als Beispiele, so erkennt man sofort, welche Rolle sie beim Entwurf umfassender Netze spielen müssen – sie werden die Architektur der Netze stark beeinflussen. Sich alle hinzukommenden Gesichtspunkte integriert vorzustellen, ist heute noch ganz unmöglich.

Es wird ein langer Weg sein. Und dennoch kann man nicht früh genug beginnen, beim Entwurf an weitere Interdependenzen zu denken. Einzelheiten lassen sich nicht voraussagen – aber die Pflege guter Architektur kann zu Systemen führen, in die man das Unvorhergesehene und das Unvorhersagbare leichter und billiger unterbringen kann, als wenn man dem wilden Wachstum vertraut und dann mit pittoresken, aber völlig unbefriedigenden »Architekturen« leben muß.

## Die motorisierte und die informierte Gesellschaft

Gebäude, Fahrzeuge und Computer stehen in allgemeinem Gebrauch, aber nur das Gebäude kann ohne Lernvorgang und ohne Fachkenntnisse benützt werden, und selbst dort ist das nicht mehr sicher. Es gibt moderne Gebäude, die sich der Benützung gar nicht leicht eröffnen. Beim Kraftfahrzeug ist ein Führerschein vorgeschrieben, aber erst nach 10 000 km kann der Neuling einigermaßen fahren; die Grenzen seiner Kunst lernt ein Fahrer nur selten kennen. Beim Computer gibt es zwar völlig unsichtbare Anwendungen, wo man das Übliche tut und gar nicht merkt, daß im Verborgenen Information verarbeitet wird. Zur Beherrschung des Computers ist hingegen weit mehr als ein Äquivalent zum Führerschein erforderlich. Wird ein Computer neu angeschafft, bedeutet dies meist Umstellung, Umlernen, zusätzliche Belastung, Verzögerung und nicht selten Anfangsfehler. Die motorisierte und informierte Gesellschaft verlangt dem Normalbürger allerlei ab für die zusätzlichen Dienste und Möglichkeiten.

Das Merkwürdige an der Verbreitung von Fahrzeug und Computer ist die Dynamik der Unersättlichkeit, die sich entwickelt. Es wird nicht, wie phantasielose Soziologen glauben, das beim Eintritt der neuen Erfindung vorliegende Ausmaß an Bedürfnis und Leistung erledigt, sondern jede Erfüllung bringt neue – wirkliche und scheinbare – Notwendigkeiten hervor, neue Wünsche, eine Gier nach noch mehr Transportleistung, nach noch mehr Information.

Wie viele Autos dienen einem Flughafen, wieviele Straßenbahner fahren mit dem Auto zum Dienst! Der Rundfunk macht für die Zeitungen Reklame, die Zeitungen bringen das Rundfunkprogramm. Der Telegraph hat die Post nicht unnötig gemacht und das Telephon nicht den Fernschreibdienst – daß die Umstellungen erhebliche ökonomische Folgen haben, ist eine andere Sache, darauf kommen wir zurück. Der Computer nimmt alle Arten der Informationstechnik in seinen Dienst und dient umgekehrt ihren Zwecken. Eine Telephonzentrale ist nichts als ein Riesensondercomputer und nimmt immer mehr Züge des Universalcomputers an; in den Computernetzen gibt es Schaltstellen, die so manche Vermittlung übertreffen – sicher an Geschwindigkeit und Verläßlichkeit.

Es war ein ungeheurer Fortschritt, als man den Computer zum Programmieren des Computers zu benützen begann, dann wurden Computer für den Entwurf und Bau von Computern eingesetzt und heutige Computer könnten ohne Computer gar nicht hergestellt werden. Wenn Großfirmen oder Steuerberater Computer für die Steuerabwicklung einsetzen, muß das Steueramt eines Tages auch zum Computerbetrieb übergehen – oder umgekehrt. Die Beispiele ließen sich beliebig fortsetzen. Die Technik entwickelt sich in vielen Bereichen, als würde ein Puzzlespiel zusammengesetzt. Manchmal fehlt ein Teil, dann geht es langsam, dann wieder löst ein gefundenes Stück das Ansetzen ganzer Ketten aus. Und das Spiel hört nicht auf.

Trotz aller Motorisierung, Computerisierung und Automation bleibt die Menschheit untertransportiert, uninformiert und mit tausend Handgriffen belastet. Trotz glänzender technischer Lösungen wird sinnlose Zeit mit dem Warten auf Transportmittel und Information verbraucht. Noch nie in der Weltgeschichte haben gutangezogene Leute so viele Lasten geschleppt wie auf einem heutigen Flughafen.

Es erhebt sich die Frage, ob die steigenden Anforderungen erfüllt werden sollen, oder ob man sich nicht mit der Reduktion der Anforderungen beschäftigen sollte, ob man den Menschen nicht weniger transportabhängig und weniger informationsabhängig machen könnte. Fußgängerzonen und reduzierter Autobahnbau sind nur erste Effekte, ungeordnet und mit wenig Systemüberlegung. Wir werden mehr davon erleben.

Was die motorisierte und informierte Gesellschaft gewonnen hat, ist vor allem Flexibilität. Das Haus steht fest – aber schon gibt es flexible Wände und den Wohnwagen. Das Fahrzeug macht den Menschen mobil; er kann weit weg vom Arbeitsplatz wohnen, er kann in der Freizeit – und in einem Teil der Berufe – eine weite Landschaft mit geringem Zeitverlust zur Verfügung haben, und den Urlaub kann er in weitentfernten Ländern machen. Eisenbahn, Autobus und Flugzeug bieten öffentliche Dienste, Privatauto und Privatflugzeug offerieren die Mobilität individuell. Kein Zweifel, daß der Gesichtskreis im Durchschnitt angehoben wurde, kein Zweifel aber auch, daß es möglich ist, ohne jedes Verständnis unterwegs zu sein und ohne Gewinn zurückzukommen. Im Gegenteil: die mühelose Beweglichkeit fördert das verständnislose Reisen und damit das unnötige. Dies gibt einen weiteren Grund für die Unersättlichkeit.

Der Computer bleibt am festen Ort (der Bordcomputer ist fest in bezug auf das Fahrzeug), er bringt aber Beweglichkeit der Information; er verbindet wie Post und Telephon die Benützer ohne Ortsveränderung, er schaufelt gewaltige Mengen von Zahlen und Buchstaben ohne mechanische Bewegung, er stützt und erweitert das Gedächtnis und stellt ihm dynamische Information auf dem Letztstand zur Verfügung. Es entsteht eine Mobilität und Flexibilität der Information, mit der sich die Menschheit noch Jahrzehnte lang wird auseinandersetzen müssen.

So wie das Fahrzeug die Fußwanderung fördern kann, so kann der Computer die klassischen Informationsformen fördern. Schon bei der Analyse einer geplanten Computeranwendung können für die althergebrachten Vor- und Nebenformen der Verarbeitung Vereinfachungen und Systematisierungen erkennbar werden.

Dennoch wird das Buch nicht aussterben – das Automobil hat den Pferdewagen fast zu einem Museumsstück gemacht, der Computer tut dies nur mit dem mechanischen Tischrechner, so wie die elektronische Uhr die mechanische zum Verschwinden bringt. Das Buch bleibt – die stabile, geschlossene Information in Buchform ist allen Möglichkeiten aller Datenstationen überlegen. Abnehmen soll und wird die unnötige Papierflut, die uns gegenwärtig plagt, nur geht das nicht schnell. Erstens ist es vorläufig anregender, das Neue zu versuchen, als das Alte zu systematisieren und zu reformieren. Und zweitens ist es allgemein so, daß keine Technik das Unnötige ausmerzen und entbehren kann. Das Unnötige trägt wirtschaftlich sehr oft das Nötige. Das Telephon wäre nie das Universalkommunikationsmittel geworden, hätte man stets nur Wichtiges oder gar Lebenswichtiges telephoniert; es sind die weitschweifigen, unnötigen Gespräche, die das Volumen aufblähen, den Umsatz steigern und damit den einzelnen Anruf preiswert machen: er ist zum Massenartikel geworden. Der Bildschirm wird ganz Ähnliches auslösen. Die – häufig nicht sehr intelligenten – Computer-Bildschirmspiele sind nur Vorreiter einer Flut von recht seichten Computeranwendungen. Man darf sie aber nicht unterschätzen – außer ihrer ökonomischen Bedeutung haben sie auch eine für das Erkennen von Möglichkeiten und Grenzen. Wer sich auf ein Ziel einschließen will – in vielen Sportarten ist das wichtig – braucht die Streuung, er muß so lange zu kurz und zu weit schießen, bis er zu treffen lernt.

Die Leute, die alles, alles absichern wollen, ehe der erste Schritt getan wird, sind unreif; die Leute, die für alles, alles nach gesetzlicher Absicherung rufen, tragen bei zu der Rechtsunsicherheit, welche die Folge der Gesetztext-Überproduktion ist. Die Diskussion um die Einführung des Bildschirmtextes hat etliche Züge dieses Übereifers. Andererseits darf und muß man sich gegen mangelhafte Pläne smarter Geschäftemacher wehren. Und es ist wahr, daß die Informationsverarbeitung zu unauffälliger Machterweiterung für nicht immer wohldefinierte Stellen neigt.

Dafür sei ein Beispiel erläutert, das wegen seiner Grundsätzlichkeit Beachtung verdient.

Bisher stand zwischen der Information und ihrer Umsetzung in Aktivität der Mensch. Ein Buch muß gelesen und geistig verarbeitet werden – besser oder schlechter – ehe es in Handlung umschlägt: das Theaterstück aus dem Buch muß aufgeführt werden, das Rezept braucht den Koch und revolutionäre Ideen brauchen den Revolutionär. Daß Bücher recht gefährlich werden können, ist bald erkannt worden.

Beim Computer ändert sich etwas Grundsätzliches. Seine Rezepte heißen Programme und Algorithmen und diese sind so konzipiert, daß es keiner menschlichen Zwischenhandlung bedarf: es genügt ein Aufruf und die Bereitstellung der Anfangswerte – der Rest ist Automatik. Solange es dabei um Rechenvorgänge geht, bedeutet dies vorwiegend Zeitgewinn und Verläßlichkeit. Wenn das Programm jedoch für eine Fertigungsstrecke geschrieben ist, dann bedeutet es die potentielle Ausführung der aufgeschriebenen Handlung, die automatische Realisierung des Produkts, wenn nur die Fertigungsstrecke genügend Material und Energie zur Verfügung hat.

Man muß sich plastisch vorstellen, was dieser Unterschied auf lange Sicht bedeutet – der Bibliothekar, den keine Verantwortung für das trifft, was die Leser aus seinen Büchern ableiten, im Vergleich zum Programmbibliothekar, aus dessen Beständen durch Aufruf nicht nur Handlungsbeschreibungen (Programme), sondern auch die tatsächliche Realisierung des Beschriebenen (Fertigung) irgendwo in einem weltweiten Netzwerk hervorgebracht werden kann.

Das ist noch Science-Fiction – aber dem System fehlt nichts Grundsätzliches für die praktische Ausführung, es wird unauffällig von selbst entstehen, indem viele Beteiligte allmählich die Bausteine dafür bereitstellen. Man wird sich rechtzeitig mit der Sicherung und der Rechtslage auseinandersetzen müssen.

Zu jeder Gefahr gibt es beim Computer auch eine Chance. In diesem Zusammenhang heißt sie Simulation. Man muß nicht alles in Wirklichkeit ausprobieren, man kann die Zusammenhänge in Programmform erfassen und die Absichten durchspielen, ehe der erste Schritt realisiert ist, und die Palette reicht von den einfachsten Situationen bis zu der bereits erwähnten Weltsimulation des Clubs of Rome. Die Zukunft der Informationsverarbeitung hat viele, nur teilweise abschätzbare Aspekte.

Ein recht beunruhigender Zug des Computers ist seine dumme Verwendung, ist Unfug mit dem Computer. Abstrakten Unfug kann man viel weiter treiben als konkreten und außerdem ist er sozusagen selbsttarnend. Der materiellen und akustischen Umweltverschmutzung – Abgase und Lärm zum Beispiel – steht die Informationsverschmutzung gegenüber, und sie steht dem Computer an ungeahnten Möglichkeiten nicht nach.

Es beginnt schon bei der Anschaffung. »Wir haben jetzt einen Computer«, kann man oft hören, wenn etwas nicht mehr so einfach, so nett oder so beweglich geht wie früher. Die

Verschmutzung hat begonnen. Starr ist ja etwa nicht der Computer, sondern das verwendete Programm, und dieses ist starr, weil der Programmierer nicht flexibel genug gedacht hat.

So wie in die Luft können auch in die Information Schadstoffe hineingeraten: falsche Ausdrücke und Hinweise, irrige Bezüge und unsinnige Anweisungen, redundanter, aber ärgerlicher Zeichenballast. Und wenn diese Schadstoffe einmal in das System hineingekommen sind, ist es schwierig, sie zu erkennen, und noch schwieriger, sie herauszufischen. Wenn die Verschmutzung einmal für saubere Information gehalten worden ist, verliert der Text seine Tragfähigkeit – nur mit entsprechendem Kontext kann man ihr ansehen, daß sie Verschmutzung ist: sie besteht ja aus den gleichen Zeichen, sie ist mit dem gleichen Alphabet geschrieben.

Hier ist etwas anzumerken, das in den letzten Abschnitt vorausgreift – es bezieht sich auf den humanistischen Charakter der Sprache. Es ist weitgehend die Sprache, auf die es ankommt, und die Sprache ist heute nicht in einem Zustand, wie sie der Computer braucht. Mangelhafte Sprache kann vom Computer nicht korrigiert, sondern nur noch mangelhafter gemacht werden. Längst sind ja nicht mehr die Zahlen überwiegend in der Informationsverarbeitung – die Textverarbeitung gewinnt immer mehr an Umfang und bei den Zahlen kommt es auf den erklärenden Text an. Mangelhafte Sprache bringt die Textverarbeitung in Schwierigkeiten und macht sie teuer. Man wird wieder deutsch lernen müssen, man wird auf das Disziplinierende des alten Lateinunterrichts zurückgehen müssen. Der Computer erspart das alles nicht, sondern das Fehlen des humanistischen Gymnasiums wird sich an den computererzeugten Texten manifestieren. Es wird nicht mehr lange dauern, bis der Ruf nach Korrektur aufkommt. Diese Voraussage steht in einem tieferen Zusammenhang, der im letzten Abschnitt behandelt werden soll. Wenden wir uns vorher noch einer gesellschaftlichen Seite des Computers zu.

Der Elektronik und dem Computer – der Automatisierung wird häufig vorgeworfen, Ursache für die steigende Arbeitslosigkeit zu sein. Es wäre erst zu beweisen, daß dieser Vorwurf in die richtige Richtung geht. Könnte es nicht Unfähigkeit sein, mit der technischen Innovation auf die rechte Art fertig zu werden?

Primär erspart die Technik Arbeit. Dazu ist sie da. Das Auto von 60 PS erspart 60 Pferden die Arbeit und das elektrische Kraftwerk – aus welcher Quelle immer die Energie kommt – erspart in unvorstellbarem Ausmaß menschlichen und tierischen Energieaufwand. Der Computer erspart Gehirn-Routine-Arbeit. Wozu vorher viele erforderlich waren, wird mit Hilfe der Technik von wenigen erledigt. Das hat bisher aber niemals bedeutet, daß die »freigesetzten« Arbeitskräfte die Hände in den Schoß legen müßten oder dürften.

Die Vorstellung von einer menschenleeren Fabrikshalle und alle dazu analogen Automationsträume schließen ohne Berechtigung von Teilen auf das Ganze. In Wirklichkeit muß der Mensch auch beim höchsten Stand der Automatisierung mit der Maschine zusammenarbeiten – und die Betonung liegt auf dem Wort ›arbeiten‹. Es sind nicht nur wirtschaftliche Gründe (es wird stets Arbeiten geben, für die man um einen Bruchteil der Kosten, die die Automatisierung machen würde, einen Menschen anstellen kann), es sind Funktionsgründe, die das ständige Vorausdenken erfordern. Der Mensch muß ständig mit dem Überholen der Maschine befaßt sein, oder er wird gar nicht mehr wissen, wo sie hinläuft. Dabei wird er ganz schön ins Schwitzen kommen oder eben in sein abstraktes Analogon, in den Nervenstreß. Die Arbeit ändert sich ständig bei diesem Überholen, und dort liegt die Schwierigkeit für Gegenwart und Zukunft: man muß Arbeiten und Werkzeuge erlernen, die sich unter den Händen ändern. Der in der Maschine inkorporierte Geist erlaubt nicht eine Schlaraffenland-Faulheit (dieser Traum hat mit dem Geist nicht viel zu tun), sondern zwingt zum Aufstieg in höhere Ebenen.

Der Computer bedeutet eine vielfältige und gigantische Symbiose zwischen Mensch und Maschine. Beide müssen arbeiten, das ist das Gemeinsame, aber in der Durchführung werden die Unterschiede wichtig, weil aus der Verwechslung von Stärken des Menschen und Stärken der Maschine die ärgsten Fehlerwartungen und Fehlleistungen erwachsen.

## Rückkehr zu einem erneuerten Humanismus

Wir leben in einem Zeitalter der dominierenden Technik und dies bedeutet in vieler Hinsicht ein Zeitalter der sich selbst genügenden Mechanismen, eine Verlängerung und Automatisierung der Aufklärung. Es hatte am Himmel begonnen: was der Menschheit jahrtausendelang als geheimnisvolles Walten unbekannter, himmlischer Kräfte erschien, wurde von der Himmelsmechanik in rationale Gesetzmäßigkeit eingefangen. Allmählich wurden in allen Arbeitsfeldern Naturgesetze erkannt und technisch ausgenützt. Was liegt näher als anzunehmen, daß das Ablösen des Natürlichen durch Mechanismen und das Rationalisieren alles Unbekannten und Geheimnisvollen immer weiter fortschreiten wird? In einer Umgebung aus Beton und Glas, aus Metall und Elektronik merkt die Menschheit heute gar nicht mehr, wie vielen Mechanismen sie sich ausgeliefert hat. Weitgehend wird der Mechanismus als sich selbst genügendes Ziel angesehen und man hält die Machbarkeit durch Mechanismen für unbegrenzt. Der Computer kann von dieser Einstellung her nur als weiterer Schritt am Weg in eine Zukunft erscheinen, in welcher die Naturwissenschaft absoluten Vorrang hat.

Tatsächlich sind sowohl die Schaltkreise als auch die Programme des Computers samt und sonders zwar abstrakte, aber extreme Mechanismen. Es steht völlig außer Zweifel, daß Berechnungs- und Buchungsaufgaben aller Art vollmechanisch und vollautomatisch ausgeführt werden, daß Textverarbeitung und Computerkunst, daß Kybernetik und Künstliche Intelligenz auf dem Computer ausnahmslos nur in Form von mechanischen Zeichenersetzungsprozessen, Modellen und Systemen zum Laufen gebracht werden können. Man dürfte daher geradezu ein Überschlagen der Mechanismus-Mentalität voraussagen und Effekte dieser Art werden auch gewiß und breitflächig eintreten.

Aber es gibt eine andere Seite des Vollmechanischen und des Vollautomatischen. Die Perfektion von Elektronik und Logik und aller anderen in der Technik vorkommenden und vom Computer übernehmbaren Mechanismen hat nämlich, wie der Computer bereits heute ständig und teils recht drastisch vor Augen führt, keineswegs perfekte Abläufe und perfekte Lebensumstände zur Folge. Die Imperfektion ist allgegenwärtig und vor der Perfektion des technischen Hintergrundes ergibt sie eine Kontrastwirkung, die sich nicht verniedlichen läßt. Die Quelle der Imperfektion ist der Mensch. Das ist eine universelle Wahrheit, die beim Kraftfahrzeug offenbar genug wird, aber doch mit Erfolg vertuscht werden kann.

Viel öfter als Materialschäden verursachen schlechte Fahrer und schlechte Programmierer das Unglück – wobei Programmierer viel seltener Todesopfer fordern als Kraftfahrer (zumindest solange die oben beschriebene automatische Prozeßsteuerung aus der Programmbibliothek noch eher selten ist – aber auch dann wird sich zeigen, daß die in der Elektrotechnik traditionelle Kultur der selbsterarbeiteten Sicherheitsvorschriften von der Informationsverarbeitung weitergeführt und vervollkommnet wird). Man kann mit guter Begründung voraussagen, daß der Computer die Sicherheit von Anlagen aller Art überwiegend vergrößern und nur selten verringern wird. Die Informationsverschmutzung ohne unmittelbar sichtbares Risiko oder erkennbare Schadensfolgen hingegen kann zu einer Geißel Gottes werden.

Kraftfahrzeug und Computer haben auch gemeinsam, daß Benützer in eine gebrauchstypische Mentalität geraten. Der eine will zum Beispiel keine zehn Schritt weit zu Fuß gehen und sucht lieber leidenschaftlich einen illegalen, behindernden Parkplatz; der andere will keinen Strich Zeichnung machen und vergeudet lieber leidenschaftlich Speicherplatz mit uneinsichtigen Programmzeilen. Jedes Werkzeug wirkt auf Produkt und Benützer zurück, und Universalwerkzeuge können weltweite Absonderlichkeiten hervorrufen. Das ist nun einmal so, und man kann den Schuldigen nur schwer auf die Finger klopfen. Technikgeprägte Mentalität ist normal in einer technikgeprägten Welt, sie hat ihre Vor- und Nachteile; aber man darf sich mit derartigen Beruhigungsurteilen nicht zufrieden geben.

Die Computerbenützung stellt die Frage nach dem Sinn in vielfacher, drängender und über die Technik hinausgehender Weise.

Den Anfang machen bereits jene so verbreiteten Computerausdrucke, bei denen man verzweifelt nach dem Sinn der Zeichen, nach dem Kontext und nach den Beweggründen für die Übermittlung der erhaltenen Information sucht. Oft kann man niemanden fragen: man ist allein mit einem zunächst sinnlosen Text. Da ist ein gewaltiger Unterschied zu den klassischen Medien wie Buch und Zeitung, Rundfunk und Fernsehen, wo die Ankunft des Sinnes beim Kunden entweder keine Sorgen macht oder ständiger Überwachung unterliegt.

Der Sinn reist bei der Computerinformation nicht notwendigerweise mit. Im allgemeinen gibt es drei Mannschaften, die an der Information beteiligt sind: die Datenbeschaffer, die Programmschreiber und die Resultatbenützer. Was sie verbindet, sind die Zeichen des Computeralphabets und die daraus gebildeten Zeilen und Nachrichten. Was sie sehr unterscheiden kann, ist der Sinn, den die drei Mannschaften den Zeichenfolgen zulegen. Über die Konservierung des Sinnes im Verlauf der Informationsverarbeitung kann man lange Betrachtungen anstellen und sie werden sich in Zukunft als immer wichtiger erweisen. Von der numerischen Mathematik, wo am wenigsten passiert, weil die Zahlen nur sich selbst bedeuten, bis zur Textverarbeitung und zur Sprachübersetzung, wo Arges passieren kann, weil der Sinn nicht von den Zeichen abgedeckt wird, sondern vom Geist ihres menschlichen Partners abhängt, liegt da ein weites Spektrum der Chancen und Fallgruben vor uns. Im wesentlichen kommt es auf den Entwurf von Modellen an, welche die Vielfalt des Denkbaren auf die sichere Funktion reduzieren. Der Entwurf der Modelle zwingt zur Auseinandersetzung mit dem Sinn.

Ist es schon schwierig, den Sinn und seine Erhaltung unter der Voraussetzung perfekter

Funktion zu erhalten, so wird es noch viel schwieriger, wenn die Funktion imperfekt ist. Bei den Schaltkreisen ist eine Verläßlichkeit erreicht worden, welche geradezu ideale Betriebsbedingungen ergeben würde. Weder die zugeführten Daten noch die Programme erreichen jedoch die Sicherheit der Elektronik. Vielmehr irrt der Mensch so lang er lebt – im Umgang mit der Perfektion des Computers sind Irrtümer und Fehler noch viel drastischer als sonst: sie werden nämlich unbarmherzig verstärkt. Warum insbesondere Programmierer so häufig Fehler machen – auch wenn sie Theorie und Regeln ausgezeichnet beherrschen – hat wahrscheinlich psychologische Gründe, Selbsttäuschung zum Beispiel: man sieht, was sein sollte und nicht was da steht.

Worauf es bei diesen Schlußgedanken ankommt, ist der Verstärkereffekt, den die logisch harten Computerstrukturen auf menschliche Unzulänglichkeiten haben. Auch wenn die Fehler in mikrominiaturisierten Bauelementen wirken, werden sie doch zu voller und unleugbarer Sichtbarkeit übersteigert. Der Mensch in seiner Unvollkommenheit wird vom Computer widergespiegelt und verstärkt, das Objektive von Logik, Mathematik und Naturwissenschaft versteht sich (trotz aller Mühe mit den konkreten und abstrakten Gebilden) von selbst, die aufregenden Fragen hingegen gehen vom Menschen aus und zielen auf ihn zurück. Der Computer ist zwar kein Elektronenhirn – wie ein wieder aus der Mode gekommener Ausdruck einmal gelautet hat – aber er hat mit dem Geist und mit der Natur des Menschen mehr zu schaffen als jedes frühere Werk der Technik. Diese erweist sich als humanitäres Problem und die Informationsverarbeitung wächst immer mehr in die Geisteswissenschaft hinein. Information ist keine physikalische Größe – nur das Äußerliche an ihr ist meßbar, etwa die Zahl der Zeichen, in denen sie ausgedrückt ist.

Soll diese Information – von Tausenden, von Millionen Computern verarbeitet, gespeichert und zwischen ihnen übertragen, vom Menschen ausgehend und auf ihn zurücklaufend – nicht nur technisch, sondern auch geistig bewältigt werden, dann muß sich die Computerwissenschaft dem Humanismus zuwenden und die gesamte Technik mit ihr. Die Hilflosigkeit des Mechanismus, auch des komplexen, flexiblen und »intelligenten« Mechanismus, der in Computerprogrammen realisiert ist, wird überdeutlich werden, seine Machtlosigkeit vor dem Unerwarteten evident.

Nun ist aber doch in Wirklichkeit das Unerwartete die Information: das Erwartete ist ja die Redundanz. Der Computer, absolut genommen, arbeitet an der Information vorbei: er mahlt lediglich Redundanz mit seiner Perfektion und »weiß« nicht, was Information ist. Er wird zum vernünftigen Werkzeug erst in der Zusammenarbeit mit dem Menschen, buchstäblich in den Händen des Menschen. Das ist eine Banalität, die wir im Drange der Geschäfte zu übersehen belieben.

Der britische Physiker Sir A. Eddington hat in den dreißiger Jahren die Physik durch eine Kurzgeschichte beschrieben: der Mensch findet eine ihm unbekannte Fußspur; er setzt all sein Können ein, um sie zu enträtseln; und am Ende stellt sich heraus, daß es seine eigene Fußspur war. Diese Kurzgeschichte will klar machen, daß am Ende der galileischen Arbeit nicht die absolute Wahrheit erreicht ist, sondern daß der Mensch nur wieder sich selbst, ein von ihm geschaffenes Bild der Natur finden kann. Das ist eine tiefe Erkenntnis eines Erkenntnistheoretikers: in der Naturwissenschaft stammt das Material von der Natur, die Form vom Menschen. Beim Computer hätte die Geschichte den gleichen

Grundriß, aber die Spur, mit der sich die Informatik abmüht, ist dynamisch und nicht statisch, es ist keine Fußspur, sondern eine »Kopfspur«.

Was immer der äußere Geschichtsablauf bringen wird – das Zeitalter der Objektivierung ohne Einschränkung wird von einem Zeitalter einer unter dem Gesichtspunkt des Menschen betriebenen Objektivierung abgelöst werden und dies entspricht der originalen Intention der Renaissance: Naturerkenntnis aus vollem Menschentum heraus, zu den klassischen Formen zurückkehrend, weil sie Invarianten sind. Fünfhundert Jahre später, ausgerüstet mit einem ungeheuren Wissen über die Natur, beginnt neuerlich eine *Wiedergeburt* des Menschen, ein Zeitalter der Rückkehr zur Basis.

Ist dies lediglich ein Wunschtraum? Dieser Beitrag versucht zu zeigen, wie der Computer das menschliche Leben beeinflußt und in Zukunft weiter beeinflussen wird; der Computer scheint mir zu gewährleisten, daß die Wiedergeburt nicht Traum ist, sondern Wirklichkeit werden muß. Der Computer kann – dies steht außer Zweifel – auch die weitere Verflachung vehement vorantreiben, und er wird dies auch tun. Zugleich aber bringt er die Gegenkräfte in Gang. Automatisch geschieht nur, was sich von selbst versteht – es liegt am menschlichen Geist, wie weit er sich darüber erhebt.

# Literatur

H. Zemanek: Abstract Architecture. – In: Winterschool on Abstract Software Specification. Springer Lecture Notes in Computer Sciences, Vol. 86. Springer, Heidelberg 1980; pp. 1–42

H. Zemanek: Some Philosophical Aspects of Information Processing. – In: The Skyline of Information Processing. Proceedings of the Tenth Anniversary Celebration of IFIP. North Holland, Amsterdam 1972; pp. 93–140

A. P. Speiser: Computers and Technology. – In: The Skyline of Information Processing (wie oben). pp. 23–36, Zitat auf p. 32

K. Küpfmüller: Die Systemtheorie der elektrischen Nachrichtentechnik. – S. Hirzel, Stuttgart (2. Aufl.) 1952; 392 pp.

L. von Bertalanffy: General Systems Theory. – Allan Lane – Penguin Books, London 1968; 311 pp.

K. Steinbuch: Die informierte Gesellschaft. Geschichte und Zukunft der Nachrichtentechnik. – Deutsche Verlagsanstalt, Stuttgart 1966; 346 pp.

J. Weizenbaum: Die Macht der Computer und die Ohnmacht der Vernunft. – Suhrkamp, Frankfurt 1977; 369 pp.

H. Zemanek: Entwurf und Verantwortung. – IBM Nachrichten 28 (1978) No. 241, pp. 173–182 oder auch: NTG/GI Fachtagung »Systementwurf«, Springer, Heidelberg 1977

H. Zemanek: Wird der Computer die Technik vermenschlichen? Ein Beitrag zum 100. Geburtstag des Österreichischen Verbandes für Elektrotechnik. – Elektrotechnik und Maschinenbau (Wien) 100 (1983) pp. 448–458

H. Zemanek: Über die Grenzen der Einsicht im Computerwesen. – In: GI Fachberichte Vol. 78 (H. Wettstein, Hrsg.) Springer, Heidelberg 1984; pp. 1–25

H. Zemanek: Sense and Nonsense in Information Processing. – In: A Quarter Century of IFIP. Proceedings of the 25th Anniversary Celebration of IFIP. North Holland, Amsterdam 1986

Wolfgang Priester

# Vom Ursprung des Universums

## Einleitung: Der Beginn des Weltgeschehens mit dem Urknall

Die Frage nach der Entstehung und Entwicklung des Universums hat denkende Menschen fasziniert, seit sie die Erhabenheit des nächtlichen Sternenhimmels bewundern und seit sie anfingen, über den Sinn dieser Welt nachzudenken.

Der Schauder vor der Unbegreiflichkeit der Vorgänge am Firmament hat schon in der Frühzeit menschlicher Kulturgeschichte Eingang gefunden in die Mythen der Völker. Er findet sich auch wieder als Schöpfungsgedanke in den großen Religionen.

Die Bibel beginnt im ersten Buch Mose mit der Genesis: »Am Anfang schuf Gott Himmel und Erde« aus dem anfänglichen Tohuwabohu, dem Chaos.

Im Neuen Testament greift das Evangelium des Johannes in seinen ersten Sätzen den Schöpfungsgedanken wieder auf. Dort heißt es im griechischen Urtext:

Ἐν ἀρχῇ ἦν ὁ λόγος: »Im Anfang war der Logos. Der Logos war bei Gott. Der Logos war Gott. Durch den Logos ist alles geworden, was entstanden ist.«

Die übliche Übersetzung des Logos mit »Wort«: »Im Anfang war das Wort«, muß man als unzureichend empfinden. Sie wird der offensichtlich viel tiefer liegenden Bedeutung des Logos nicht gerecht. Auch Goethe hat schon im Faust sein Unbefriedigtsein mit der üblichen Übersetzung zum Ausdruck gebracht: »Ich kann das Wort so hoch unmöglich schätzen, ich muß es anders übersetzen«. Er versucht dann als Übersetzungen: »Sinn«, »Kraft« und »Tat«. Es scheint, daß alle diese Ausdrücke im »Logos« des Evangelisten enthalten sind. In unserer heutigen Sprache müßte man den Logos gleichermaßen mit »Schöpfungsgedanke«, »Schöpfungsplan« und »Schöpfungsakt« übersetzen.

Sehr modern anmutende Gedanken über das Werden der Welt finden wir schon vier Jahrhunderte vor Johannes in Platons Naturphilosophie Timaios (28, 31a, 37d):

Dort heißt es:
»Zuerst müssen wir überlegen, ob das ganze Weltall stets existiert hat ohne einen Anfang oder ob es aus einem Anfang heraus entstand: *Es entstand,* denn es ist sichtbar, betastbar und hat Körper: Alles durch unsere Sinne Wahrnehmbare zeigt sich als Werdendes und Erzeugtes. Daher behaupten wir, daß alles Gewordene notwendig aus einer Ursache hervorging. Aber den Schöpfer und Vater dieses Weltalls aufzufinden ist schwierig und ihn zu benennen unmöglich.«

»Haben wir mit Recht von *einem* Weltall gesprochen, oder wäre es richtiger von unendlich vielen zu reden?: Von *einem,* wenn es nach seinem Plan aufgebaut ist.«

»Und er sann darauf, ein bewegliches Bild der Unvergänglichkeit zu gestalten. Mit der

Ordnung des Weltalls schuf er zugleich das, was wir Zeit nennen, ein in Zahlen fortschreitendes, unvergängliches Bild der in dem Einen verharrenden Unendlichkeit.«

Soweit Platon.

Die moderne Kosmologie versucht, die Struktur und die Entwicklung des Universums im Rahmen unserer Naturgesetze zu »verstehen«. Das bedeutet, mit Hilfe der in Physik und Astronomie gefundenen »lokalen« Gesetzmäßigkeiten, Aufbau und Entwicklung des Kosmos zu beschreiben. Vorausgesetzt wird dabei, daß diese Gesetze universell gültig sein sollen, d. h. brauchbar sind für das Weltall als Ganzes in Raum und Zeit. Insbesondere wird vorausgesetzt, daß sie auch jenseits unseres »Horizontes der Erfahrbarkeit« gültig bleiben, also in Bereichen des Kosmos, die unserer Beobachtung nicht zugänglich sind.

Wir bezeichnen dieses nur philosophisch begründbare Postulat als das Kopernikanische Prinzip: »Wir befinden uns nicht im Mittelpunkt der Welt«. (Dies ist nicht durch Beobachtung verifizierbar bzw. falsifizierbar, denn in einem isotropen Universum befinden wir uns zu allen Zeiten im Mittelpunkt unseres jeweiligen Horizontbereichs genau wie ein Schiff auf dem Ozean nach allen Richtungen die gleiche Sichtweite bis zum Horizont hat.)

Es ist bemerkenswert, daß Nikolaus von Kues (1401–1464) bereits im Jahre 1440, also lange Zeit vor Kopernikus (1473–1543), in seiner Schrift »de docta ignorantia« aus religiös-philosophischen Überlegungen schloß, daß das Universum unbegrenzt sei, d. h. daß es keinen Rand und keinen Mittelpunkt besitze: »Das Universum ist eine ›Kugel‹, deren Mittelpunkt überall und deren Umkreis nirgends ist.« Man ist versucht zu glauben, daß er damals schon vorausgeahnt hat, was wir heute als einen nicht-euklidischen, gekrümmten Raum mit sphärischer Metrik bezeichnen würden.

Einsteins Allgemeine Relativitätstheorie, seine Gravitationstheorie, ist heute die theoretische Grundlage für alle kosmologischen Modelle, die die zeitliche und räumliche Entwicklung des Kosmos beschreiben. Seine Theorie ist durch viele Experimente, insbesondere auch durch Weltraumexperimente, im letzten Jahrzehnt so extrem gut bestätigt, daß sie alle konkurrierenden Theorien und Varianten praktisch ausgebootet hat. Die Feldgleichungen der Einsteinschen Kosmologie beschreiben den Zusammenhang zwischen der Massen- und Energiedichte im Kosmos und der Gravitation, mit der die großen Sternsysteme, die Galaxien, sich gegenseitig beeinflussen.

In der Kosmologie muß man die Welt als Ganzes betrachten. Die Randbedingungen verlieren ihre übliche Bedeutung, da die gravitative Wechselwirkung auch zwischen den entferntesten Himmelskörpern nicht vernachlässigt werden kann. Diesen Umstand kann man leicht plausibel machen, wenn man sich einen statischen Kosmos vorstellt, der gleichmäßig nach allen Richtungen mit Galaxien angefüllt ist. Die Gravitationskräfte, die ferne Galaxien auf unser Sternsystem ausüben, nehmen umgekehrt zum Quadrat ihres Abstandes von uns ab. Andererseits nimmt aber im homogenen Kosmos die Anzahl der Galaxien in jeder Kugelschale, die wir mit gleicher Schalen-Dicke um unseren Ort legen können mit dem Quadrat des Abstandes zu. Dadurch kompensiert sich die quadratische Abnahme der Gravitationskraft. Jede Kugelschale – die fernste wie die nächste – würde daher den gleichen Schwerkrafteinfluß auf uns ausüben.

Die Grundgleichungen der Allgemeinen Relativitätstheorie bestehen aus einem

System von zehn partiellen Differentialgleichungen zweiter Ordnung. In ihrer allgemeinsten Form erlauben sie eine große Mannigfaltigkeit verschiedener Lösungen. Daher ist es die Aufgabe der Astronomen, durch gezielte Beobachtungen herauszufinden, welches der Lösungsmodelle in unserem Universum verwirklicht ist oder, genauer formuliert, welches Modell unsere Wirklichkeit am besten beschreiben kann.

Bereits vor über fünfzig Jahren entdeckte Edwin P. Hubble am Mount Wilson Observatorium in Californien, daß sich alle Galaxien fluchtartig nach allen Richtungen voneinander entfernen. Das bedeutet im Rahmen der Einsteinschen Theorie die generelle Expansion des Kosmos.

Vor 20 Jahren entdeckten Arno Penzias und Robert Wilson an den Bell Telephone Laboratories in Holmdel, New Jersey, im Zentimeter-Wellenbereich die 3-Grad-Kelvin Hintergrundstrahlung, die man zwanglos als das »Nachglühen« eines Urknalls, eines heißen Weltanfangs, verstehen kann.

Es sind vor allem diese zwei Beobachtungsbefunde, die zu der heute wohl generell akzeptierten Erkenntnis geführt haben, daß sich unser Kosmos vor etwa 20 Milliarden Jahren aus einem überdichten Zustand mit einer gigantischen Explosion, dem Urknall, entwickelt haben muß.

Die Kosmologie hat sich in den letzten Jahren von einer Phase der theoretischen Spekulation immer mehr in eine Phase der auf Beobachtungen und Experimenten beruhenden Nachprüfbarkeit entwickelt. Die Fortschritte in der Atomkern-Physik erlauben es uns heute, Aussagen zu machen über nukleare Fusions-Prozesse, die sich im Kosmos in den ersten Minuten nach dem Urknall abgespielt haben müssen. Dabei fusionierten bei Temperaturen im Bereich von einer Milliarde Grad die primordialen Neutronen mit einer entsprechenden Anzahl von Protonen zu Deuterium-Kernen und vor allem zu Helium-Kernen. Die theoretischen Rechnungen lassen sich durch spektroskopische Messungen der heutigen Häufigkeit von Helium- und Deuterium-Atomen in kosmischen Gaswolken überprüfen und bestätigen. Glücklicherweise war die Anzahl der Neutronen erheblich kleiner als die der Protonen, so daß noch ein Löwenanteil an freien Protonen übrig blieb, aus denen sich später Wasserstoff-Atome bilden konnten. Das war eine der fundamentalen Voraussetzungen für unsere Existenz im Kosmos.

Nach unseren heutigen Vorstellungen über den heißen Urknall müssen die Protonen und Neutronen bereits im Zeitbereich von einer millionstel bis zu einer zehntausendstel Sekunde nach dem Schöpfungsakt aus dem Urknall ausgefroren sein, als die kosmische Temperatur infolge der Expansion auf unter 10 Billionen Grad sank. Vorher, bei höheren Temperaturen, konnten die Nukleonen (Protonen und Neutronen) im heißen Strahlungskosmos ständig neu entstehen und vergehen. Die extrem heiße Phase vor dem Ausfrieren der langlebigen Nukleonen werde ich den »Urblitz« nennen. Unterhalb von 10 Billionen Grad ist die Erzeugung von Nukleonen nicht mehr möglich. Der einfache Grund dafür ist, daß die Ruhe-Energie der Nukleonen einer Temperatur von $10^{13}$ Grad entspricht.

Durch das »Ausfrieren« der Nukleonen entstand zum ersten Male langlebige Materie, d. h. alle Protonen und Neutronen, aus denen heute die gesamte atomare Materie des Kosmos aufgebaut ist. Die Protonen und Neutronen in den Atomen unseres Körpers und die in allen Sternen und Planeten sind bereits vor ca. 20 Milliarden Jahren entstanden nach dem Ende des Urblitzes. An dieser Erkenntnis kommen wir heute nicht mehr vorbei.

Das Ausfrieren der Materie aus dem Urblitz bedeutet aber zugleich auch die Bereitstellung und langfristige Speicherung aller verfügbaren Energien, die wir heute im Weltall haben. Denn alle Energie, die irgendwo im Kosmos, in den Sternen oder auch hier auf der Erde (z. B. im Öl und in der Kohle) gespeichert ist, war primär in den Protonen gespeichert worden, als sie langlebig aus dem Urblitz ausfroren. In diesen Protonen wurde ein Teil der Urknall-Energie, allerdings nur ein sehr kleiner Teil der Gesamt-Energie des Urknalls, im Kosmos gespeichert. Alle heute verfügbare Energie stammt somit letztlich aus dem Anfangszustand des Kosmos. Um die Speicherung wirksam werden zu lassen, mußte der Gleichgewichtszustand im Urblitz gestört werden. Das All mußte expandieren, die Temperatur mußte sinken. Nur dadurch konnten die Protonen »abkoppeln« vom Strahlungskosmos.

## Die Beobachtungsgrundlagen der Kosmologie

Die Einsteinschen Gleichungen erlauben eine große Fülle von kosmologischen Modellen. Die Auswahl und Überprüfung ist der astronomischen Beobachtung anheim gegeben.

Für einen Kosmos, dessen Galaxien großräumig homogen verteilt sind, vereinfachen sich Einstein's Gleichungen beträchtlich. Da in den Jahren 1922 bis 1924 der russiche Mathematiker Alexander Friedmann (1887–1925) als erster die Gesamtheit aller Lösungsmodelle für einen homogenen Kosmos diskutiert hat in zwei berühmten Arbeiten in der Zeitschrift für Physik, nennt man die vereinfachte Form die »Einstein-Friedmann-Gleichungen«.

Als Standardmodelle der Kosmologie bezeichnet man Lösungen der Einstein-Friedmannschen Gleichungen, die mit einem Urknall beginnen. In diesem Urknall entstehen Raum und Zeit zusammen mit den anfänglich extrem dichten Frühformen der Materie. Daraus entwickelte sich dann der heutige Zustand des Kosmos nach weitgehend überschaubaren Prozessen.

Der Grund für die weltweite und nahezu allgemeine Akzeptanz dieser kosmologischen Standardmodelle als beste Beschreibung des Weltgeschehens liegt in fünf fundamentalen Beobachtungsbefunden, die sich zwanglos mit den Standardmodellen »erklären« lassen. Wir werden diese Beobachtungsbefunde im Folgenden erläutern:
1. Die Fluchtbewegung der Galaxien als Resultat der Expansion des Kosmos. Die Messung der »Hubble-Zahl« liefert uns die derzeitige Expansionsrate des Raumes.
2. Die Altersbestimmung unserer Galaxis
   a) aus der Analyse des radioaktiven Zerfalls von schweren Elementen in Meteoriten
   b) aus der Sternentwicklung in Kugelsternhaufen.
   Aus diesen Daten erhalten wir eine untere Grenze für das Alter des Kosmos.
3. Die 3-Grad-Kelvin Hintergrundstrahlung, die im mm-Wellenbereich gemessen wird. Wie wir vorn schon erwähnten, kann sie im Rahmen der Einsteinschen Kosmologie zwanglos als Reststrahlung des heißen Urknall-Plasmas verstanden werden. Ihre Messung liefert uns die Anzahl der Photonen, die sich heute im Kosmos in einem vorgegebenen Volumen (also zum Beispiel in jedem Kubikzentimeter) befinden.
4. Die Bestimmung der heutigen mittleren Materiedichte der beobachtbaren Materie im

Kosmos, die sich in Sternen oder im interstellaren Gas bzw. Staub zwischen den Sternen befindet. Da man damit rechnen muß, daß sich im Kosmos auch noch »unsichtbare« Materie befindet, also Materie, die sich der astronomischen Beobachtung zumindest bisher entzogen hat, liefert uns die sichtbare Materie nur eine untere Grenze für die Berechnung der Gravitation im Kosmos.

5. Die Bestimmung des Anteils von Helium und Deuterium in alten Sternen und in Gaswolken. Hieraus können wir auf das Zahlenverhältnis von Protonen zu Neutronen in der Urmaterie schließen. Zugleich erhalten wir – mit einigen einschränkenden, aber plausiblen Zusatzannahmen – die mittlere Materiedichte im Kosmos, die aus baryonischer Materie, also aus Baryonen (primär Protonen und Neutronen), besteht.

## Die Expansion des Kosmos

Ehe wir auf Hubbles sensationelle Entdeckung der allseitigen Flucht der Galaxien im Jahr 1929 näher eingehen, wollen wir noch einige historische Bemerkungen machen zur Entwicklung der kosmologischen Theorie, da bereits in der ersten Arbeit von Alexander Friedmann aus dem Jahre 1922: »Über die Krümmung des Raumes« (Zeitschr. f. Physik *10*, 377 [1922]), die Voraussage der Expansion des Weltalls enthalten war. Gleich im zweiten Absatz steht das Ziel der Arbeit: »Beweis der Möglichkeit einer Welt, deren Raumkrümmung von der Zeit abhängt«. Die Friedmannschen Lösungen enthalten Expansion oder Kontraktion des Kosmos. Eine statische Lösung für das Universum wäre instabil. Leider hat Einstein die volle Tragweite der Arbeiten nicht gleich erkannt. Friedmann starb im Jahre 1925 im Alter von nur 37 Jahren an Typhus. Dadurch hat er den Triumph seiner Arbeiten nicht mehr erleben dürfen.

Einstein selbst war in seiner Pionier-Arbeit über: »Kosmologische Betrachtungen zur allgemeinen Relativitätstheorie« in den Sitzungsberichten der Preußischen Akademie der Wissenschaften vom 8. Februar 1917 von der falschen Voraussetzung ausgegangen, daß das Universum insgesamt statisch sein müsse. Als Grund gibt er nicht etwa theologische Gründe an, wie oft kolportiert wird, sondern, daß es ihm unmöglich war, Grenzbedingungen für das räumlich Unendliche aufzustellen. Außerdem führt er an, daß die gemessenen geringen Geschwindigkeiten der Sterne für einen insgesamt statischen Kosmos sprechen. Um demgemäß ein statisches Weltall zu erreichen, hat er eigens seine Gleichungen um eine scheinbar willkürliche Konstante $\Lambda$ erweitert, die in der Kosmologie bis heute eine wechselvolle Historie erlebt hat. Im Rahmen der modernen Quantenfeldtheorie läßt sich heute Einsteins kosmologische Konstante als die Energiedichte des Vakuums, somit als Grundzustand der Felder im materiefreien Raum, interpretieren. Wir kommen später darauf zurück.

Nebenbei sollten wir darauf hinweisen, um der historischen Wahrheit willen, daß Friedmann seine expandierenden kosmologischen Modelle für beliebige Werte der Einsteinschen Konstanten gerechnet hat, die natürlich auch den Fall $\Lambda = 0$ enthalten. Oft wird fälschlich berichtet, daß Friedmann nur die Fälle mit $\Lambda = 0$ behandelt habe.

Friedmanns »Voraussage« einer Expansion des Kosmos blieb bei den beobachtenden Astronomen unbeachtet. Radialgeschwindigkeiten von lichtschwachen Galaxien waren sehr schwierig zu messen mit den relativ kleinen Teleskopen im ersten Viertel unseres Jahrhunderts. Aus spärlichem Material hatte bereits 1924 der deutsche Astronom Carl Wilhelm Wirtz geschlossen, es bestehe »kein Zweifel, daß die positive Radialbewegung der Spiralnebel mit zunehmender Entfernung ganz wesentlich anwächst« (Astronomische Nachrichten, März 1924). Die Situation änderte sich aber erst, als Edwin Hubble das lichtstarke 100-Zoll-Teleskop auf Mount Wilson einsetzen konnte. Im Jahre 1929 gelang ihm dann der Nachweis, daß die Fluchtgeschwindigkeit der Galaxien proportional zu ihrer Entfernung anwächst. Die Fluchtgeschwindigkeit wurde dabei mittels des Doppler-Effektes aus der Rotverschiebung der Spektrallinien in den photographierten Spektren abgeleitet.

Genaugenommen stellt Hubbles Beziehung also nur einen Zusammenhang her zwischen der in den Spektren der Galaxien beobachteten und gut meßbaren Rotverschiebung der Spektrallinien und der Entfernung dieser Galaxien. Die Problematik dieser Beziehung liegt in der Schwierigkeit, die Entfernungen der Galaxien unabhängig zu messen.

In der Tat haben sich die kosmischen Entfernungsmaßstäbe seit den dreißiger Jahren dieses Jahrhunderts ganz beträchtlich verändert. Dies drückt sich aus in einem um das fünf- bis zehnfache verkleinerten Meßwert der kosmischen Expansionsrate (Hubble-Zahl $H_0$) gegenüber Hubbles Wert aus dem Jahre 1936. Auch heute ist der beste Wert für die Expansionsrate noch kontrovers. Aus historischen Gründen wird die Expansionsrate (Hubble Zahl) in Geschwindigkeit pro Entfernung ausgedrückt. Dabei bezieht man sich zweckmäßig auf eine Einheitsentfernung von einer Million Lichtjahren. Der amerikanische Astronom Allan Sandage, der nach dem Tode Hubbles (1889–1953) sein Forschungsprogramm am Mt.-Palomar-Teleskop übernahm, hat zusammen mit dem Schweizer Astronomen Gustav Andreas Tammann (1984) eine Expansionsrate $H_0 = 17 \pm 4$ km/s pro Million Lichtjahre abgeleitet. Dagegen findet Gerard de Vaucouleurs in Austin Texas (1984) einen Wert für $H_0 = 30 \pm 3$ km/s · MLj. In den letzten Jahren haben mehrere Astronomen die Problematik der Entfernungsbestimmung diskutiert. Als Beispiel erwähnen wir hier Visvanathan und S. Refsdal, die beide mit sehr verschiedenen Methoden $H_0 = 23$ km/s · MLj erhalten.

Aus der Hubble-Beziehung kann man bereits eine erste grobe Abschätzung über das Weltalter erhalten, wenn man die Expansion rückwärts verfolgt. Der Reziprok-Wert der Hubble-Zahl liefert uns eine Abschätzung über das Weltalter als demjenigen Zeitpunkt, an dem die heute weit auseinander liegenden Galaxien auf engen Raum konzentriert gewesen sein müssen. Man überlegt sich leicht, daß diese Abschätzung eine obere Grenze für das Weltalter liefert. Das gilt aber nur, wenn die Gravitation im Kosmos nur von der normalen Materie bestimmt wird. Normale Materie in diesem Zusammenhang sind primär die Protonen und Neutronen in den Atomkernen, die 99.95 Prozent der schweren (baryonischen) Materie ausmachen. Wenn wir die Dominanz der Nukleonen (Protonen und Neutronen) voraussetzen, erhalten wir eine Weltalter-Obergrenze von $18 \pm 4$ Milliarden Jahre (nach Sandage, Tammann) bzw. $10 \pm 1$ Milliarden Jahre (nach de Vaucouleurs).

Wir gehen an dieser Stelle so ausführlich ein auf die Kontroverse um die Hubble-Zahl, weil es wesentliche Unterschiede für die kosmologischen Modelle bedeutet, ob die Hubble-Zahl größer oder kleiner als 20 km/s · MLj ist. Dies hängt eng mit der Frage zusammen, ob die Gravitation der normalen Materie allein wesentlich ist für die Dynamik des Kosmos oder ob die von der Quantentheorie erlaubte Energiedichte des Vakuums entscheidend ist für das Schicksal des Universums. Wir kommen weiter unten auf dieses fundamentale Problem zurück.

Die größten Rotverschiebungen findet man nicht bei sehr weit entfernten Galaxien, sondern bei den noch nicht vollständig verstandenen Quasaren, den großen »Energie-Monstern« am Rande des unserer Beobachtung zugänglichen Bereiches des Kosmos. Man kann das Licht und die Radiostrahlung von Quasaren noch beobachten, wenn ihre Strahlung bereits 15 Milliarden Jahre unterwegs war, ehe sie in unseren Teleskopen empfangen wurde. Das liegt daran, daß Quasare so extrem hell sind. Wir vermuten heute, daß Quasare im Schwerkraftstrudel in den Zentren von großen Galaxien entstehen können. Quasare können die Helligkeit einer großen Galaxie um das bis zu tausendfache übertreffen. Der hellste und nächste Quasar, der auch Radiostrahlung emittiert, trägt die Bezeichnung 3 C 273 (Nr. 273 des 3. Cambridge Katalogs der Radioquellen). Seine Rotverschiebung beträgt 16 Prozent, entsprechend einer Fluchtgeschwindigkeit von fast 50 000 km/s und einer Lichtlaufzeit von ca. 3 Milliarden Jahren.

Den bisherigen Rekord unter den beobachteten Rotverschiebungen hält der von einer Astronomengruppe im Jahre 1982 am Rande des Sternbildes Sagittarius gefundene

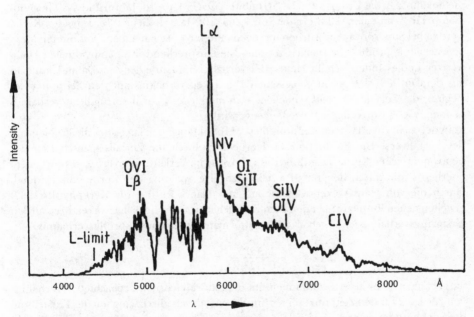

Abb. 1: Spektrum des Quasars PKS 2000–330 mit der bisher größten gemessenen Rotverschiebung der Spektrallinien. Die Wellenlängen der Emissionslinien sind aus dem extremen Ultraviolett mit dem Rotverschiebungsfaktor 4,78 in den Bereich des sichtbaren Lichtes verschoben. Die intensivste Linie des Wasserstoff-Atoms Lyman-alpha (Lα) wird bei 5813 Å im gelb-roten Bereich beobachtet. Ihre Laborwellenlänge ist 1216 Å im extremen UV. (Peterson et al. 1982).

Quasar PKS 2000−330. Die Zahlen 2000 und −330 geben seine Himmelskoordinaten an. PKS steht für das Radioteleskop bei Parkes in Australien. Bei diesem Quasar sind die Spektrallinien auf das 4,78fache nach Rot verschoben. Das bedeutet, daß die stärkste Spektrallinie des Wasserstoffs, die Lyman-Alpha-Linie (mit einer Laborwellenlänge von 1216 Å im extremen Ultraviolett) bei diesem Quasar im gelben Spektralbereich bei 5813 Å beobachtet wird. Wenn man diese Rotverschiebung als Fluchtgeschwindigkeit nach der relativistischen Doppler-Formel interpretiert, bedeutet das eine ständige Vergrößerung des Abstandes zwischen dem Quasar und uns von 275000 km pro Sekunde (Abb. 1).

## Altersbestimmung unserer Galaxis

Eine Altersbestimmung unserer Galaxis liefert uns eine untere Grenze für das Weltalter. Wir können davon ausgehen, daß sich die ersten Galaxien bereits innerhalb der ersten Milliarde Jahre nach dem Urknall gebildet haben.

Aus der Untersuchung von Meteoriten kann man auf das Alter unserer Galaxis schließen. Als kosmisches Chronometer dienen einige schwere Atomkerne, die durch natürliche Radioaktivität zerfallen. Hier greift man zweckmäßig auf solche Elemente zurück, deren Halbwertzeit für den radioaktiven Zerfall hinreichend groß ist. Als Chronometer kann z. B. das Uran-Isotop $U^{238}$ (Halbwertszeit $= 4,46 \cdot 10^9$ Jahre) und das Thorium-Isotop $Th^{232}$ mit einer Halbwertszeit von $1,405 \cdot 10^{10}$ Jahren dienen. Diese beiden Kerne werden bei Supernova-Ausbrüchen im sogenannten r-Prozeß in einem bestimmten Mengenverhältnis produziert. Danach zerfallen sie entsprechend ihrer individuellen Halbwertzeit und es ändert sich ihr Häufigkeitsverhältnis im Laufe der Zeit. Damit kann man aus dem in den Meteoriten gemessenen Häufigkeitsverhältnis auf den Zeitpunkt des Beginns des Zerfalls-Wettlauf schließen. Man muß jedoch das ursprüngliche Verhältnis kennen, wie es durch den r-Prozeß erzeugt wird.

In der nicht zuverlässigen Kenntnis dieser Produktionsraten lag bisher die Problematik des Verfahrens. Die Produktion wird erheblich durch die Zerfallseigenschaften der neutronenreichen Kerne beeinflußt, die kurzfristig im Verlaufe des r-Prozesses entstehen. Hierbei ist die durch den Beta-Prozeß verzögerte Spaltung der Kerne entscheidend. Durch die von Hans-Volker Klapdor am Max-Planck-Institut für Kernphysik (1982) erzielten neuen Resultate über den Beta-Zerfall haben sich erhebliche Korrekturen an den Ursprungsverhältnissen ergeben. Bisher war man von einem Ursprungsverhältnis

$$\frac{Th(232)}{U(238)} = 1,9$$

ausgegangen. Dies lieferte zusammen mit dem aus Meteoriten beobachteten Verhältnis von $2,5 \pm 0,2$ für den Zeitpunkt seiner Entstehung, die als gleichzeitig mit der Entstehung des Sonnensystems vor $4,55 \cdot 10^9$ Jahren gesetzt wird, ein Alter der Galaxis von 11 bis 12 Milliarden Jahren. Mit dem neu berechneten Wert des Ursprungsverhältnisses von 1.39 ergibt sich aus einer vielbeachteten Arbeit (1983) von Friedrich-Karl Thielemann, Johannes Metzinger und Hans-Volker Klapdor ein Alter unserer Galaxis von 20,8 (+2, −4) Milliarden Jahren. Aus weiteren Meßwerten vom Thorium/Uran-Verhältnis in Meteoriten hat Thielemann ein etwas geringeres Alter (17,6 ± 4 Milliarden Jahre) erhalten. Man kann hier die Resultate zusammenfassen und daraus eine Abschätzung für das Weltalter erhalten:

$$19 \pm 5 \text{ Milliarden Jahre.}$$

Eine weitere unabhängige Abschätzung für das Weltalter kann man aus den Altersbestimmungen der ältesten Kugelsternhaufen erhalten. Kugelsternhaufen begleiten in großer Zahl unser Milchstraßensystem wie auch die anderen großen Galaxien. Bei diesen Sternhaufen ist eine große Zahl von Fixsternen auf engem Raum entstanden. Nach unseren Vorstellungen über die Nukleosynthese in Sternen und die zeitliche Entwicklung der Sterne sollten besonders alte Kugelsternhaufen nur sehr geringe Anteile an »schweren« Elementen enthalten und ganz überwiegend nur aus Wasserstoff und Helium bestehen. Wenn wir das Alter solcher alten Kugelsternhaufen bestimmen, erhalten wir 17 ± 4 Milliarden Jahre (Sandage 1982). Da der Kosmos älter sein muß als die ältesten Sternhaufen, ist auch dieses Ergebnis in befriedigender Übereinstimmung mit unserer obigen Abschätzung für das Weltalter.

Durch Vergleich mit den im vorigen Abschnitt erhaltenen Abschätzungen für das Weltalter aus der inversen Hubble-Zahl erkennt man bereits, daß im Rahmen der Standardmodelle die von de Vaucouleurs gemessene Hubble-Zahl nicht mit dem obigen »meteoritischen« Weltalter verträglich wäre.

## Die 3-Grad-Kelvin Hintergrundstrahlung

Wenn das Universum seinen Anfang in einer Singularität hatte, wie es die Friedmannschen Lösungen der Einsteinschen Feldgleichungen nahelegen, sollte man erwarten, daß in der Frühphase des Kosmos – ehe es zur Bildung von Sternen und Galaxien kommen konnte – ein dichtes heißes Plasma existierte, das zunächst optisch dick für Strahlung ist, d. h. undurchsichtig ist. Erst bei genügender Expansion würde es soweit abgekühlt sein (auf Temperaturen zwischen 3 000 und 6 000 Grad Kelvin), daß Protonen und Elektronen neutrale Wasserstoff-Atome bilden. Danach würde die Materie durchsichtig und Materie und Strahlung könnten entkoppeln, d. h. die Strahlung könnte sich nahezu ohne Wechselwirkung mit der Materie, d. h. ungestört, im Kosmos ausbreiten.

Aufgrund solcher Überlegungen hatte im Jahre 1948 George Gamow (1904–1968), Friedmanns Schüler, der 1928 die Sowjetunion verlassen hatte, ausgerechnet, daß eine Reststrahlung dieses primordialen Plasmas heute noch meßbar sein müßte. Die Strahlungstemperatur erwartet er im Bereich zwischen 3 und 10 Grad Kelvin. Dies war eine erstaunlich genaue Vorhersage, die jedoch damals keine Beachtung bei den Radioastronomen gefunden hat. Allerdings gab es in den fünfziger Jahren auch noch nicht die Empfänger-technischen Voraussetzungen für ihren Nachweis. Erforderlich waren hochempfindliche Empfänger im cm-Wellenbereich mit möglichst geringem Eigenrauschen.

So kam es erst 1965 zur Zufallsentdeckung der Hintergrundstrahlung, als Arno Penzias und Robert Wilson (Bell Telephone Laboratories) bei der Untersuchung des Rausch-Untergrunds ihrer großen Hornantenne für Kommunikations-Satelliten vom Echo-Typ auf einen isotropen kosmischen Strahlungsanteil stießen, der einer Temperatur des Kosmos von 3 Grad Kelvin entsprach. Penzias und Wilson beobachteten bei einer Wellenlänge von 7,5 cm.

In den nachfolgenden Jahren ergab sich auch im mm-Wellenbereich der entsprechende Befund. Das Spektrum entspricht im Rahmen der Meßgenauigkeit einer Planckschen Strahlungskurve für 3 Grad Kelvin. Darüber hinaus ist die Strahlung in hohem Maße isotrop. Die gemessene Strahlungsintensität ist innerhalb einer Marge von 1,3 Promille aus allen Richtungen konstant.

Es sind genau diese zwei Eigenschaften, das Plancksche Spektrum und die hochgradige Isotropie der Intensität, die man aufgrund der homogenen Friedmann-Modelle des Kosmos erwarten sollte. Somit ist der Kosmos gleichmäßig erfüllt mit einem Photonen-Gas, wobei in jedem Kubikzentimeter 450 Photonen enthalten sind bei einer mittleren Energie des einzelnen Photons von $10^{-3}$ Elektronenvolt.

Es ist nicht verwunderlich, daß diese fundamentale Entdeckung von Arno Penzias und Robert Wilson im Jahre 1978 mit dem Nobelpreis belohnt wurde, nachdem die beiden oben genannten Eigenschaften mit hinreichend präziser Meßgenauigkeit gesichert waren. Leider hat George Gamow, der am 20. August 1968 im Alter von nur 64 Jahren verstarb, den letztlichen Triumph seiner Voraussage nicht mehr erleben dürfen. Allerdings hat er die ersten Beobachtungen in den Jahren 1965 bis 1968 nach verfolgen können.

Die Expansion des Kosmos und die Hintergrundstrahlung, die bei einer Temperatur des Kosmos von etwa 3000 Grad Kelvin von der Materie abkoppelte, sind die beiden fundamentalen Stützen für die isotropen kosmologischen Weltmodelle mit großräumig-homogener Verteilung der Galaxien.

In den letzten Jahren sind in mehreren, noch laufenden Experimenten Untersuchungen über die genaue Isotropie der Hintergrundstrahlung gemacht worden. Wegen des störenden Einflusses der »heißen« Erdoberfläche und der Erdatmosphäre waren dazu Ballon-Experimente notwendig. In den USA ist ein speziell für dieses fundamentale Problem geplanter Satellit (COBE – Cosmic Background Explorer) in Vorbereitung.

In der Sowjetunion wurde ein Spezialsatellit (PROGNOZ 9) am 1. Juli 1983 in eine extrem hohe Bahn geschossen, um möglichst weit von der störenden Erde entfernt zu sein. Das Apogäum liegt in einer Entfernung von 700000 km, das Perigäum bei 10000 km.

Die ersten noch vorläufigen Resultate von PROGNOZ 9, über die der COSPAR-Vizepräsident N. Kardashev bei seinem Forschungsaufenthalt in Bonn berichtete, bestätigten eindrucksvoll die hohe Isotropie der Strahlung. Wie schon bei den vorliegenden amerikanischen Ballon-Experimenten zeigten sich geringe systematische Abweichungen mit dipolartiger Verteilung. Die Strahlungsintensität aus Richtung der Sternbilder Virgo und Leo ist um 0,9 Promille größer, die Strahlung aus der Gegenrichtung (Sternbild Aquarius) um 0,9 Promille niedriger als die mittlere Strahlungsintensität. Diese systematische Anisotropie ist zwanglos erklärbar durch eine Pekuliargeschwindigkeit unserer Galaxis von etwa 500 km/s in Richtung auf den großen Galaxien-Haufen im Sternbild Virgo. Der Wert von etwa 500 km/s errechnet sich aus den Beobachtungen, die etwa 270 km/s liefern, und der Geschwindigkeit des Sonnensystems um das galaktische Zentrum, die mit etwa 220 km/s in nahezu entgegengesetzter Richtung bezogen auf das Sternbild Leo verläuft. Bei den bisherigen amerikanischen Messungen entspricht die

»Dipol-Verteilung« etwa 390 km/s, so daß sich eine Summe von etwa 600 km/s ergibt (P. Richards, 1983). Es ist natürlich noch verfrüht, die Differenz zwischen 500 und 600 km/s zu diskutieren.

Im Rahmen dieser Interpretation liefert uns die 3-Grad-Kelvin-Strahlung als Reststrahlung des Urknalls nicht nur Information über den frühen Kosmos, sondern erlaubt es uns zugleich, die Bewegung unseres eigenen Milchstraßensystems gegenüber einem kosmischen Inertialsystem zu bestimmen.

## Die heutige mittlere Dichte der beobachtbaren Materie

Wenn man die heutige mittlere Dichte der Materie in all ihren Formen mit hinreichender Genauigkeit messen könnte, wäre man imstande, aus den möglichen Friedmann-Modellen das gültige auszuwählen, und hätte damit eine »brauchbare« Beschreibung der zeitlichen Entwicklung des Kosmos in Vergangenheit und Zukunft.

Der Anteil der unsichtbaren Materie bleibt dabei aber ein wesentliches Problem. Wie groß ist ihr Beitrag zur mittleren Dichte? Die Gesamtdichte ist die entscheidende Größe, die das Gravitationspotential des Kosmos definiert und damit den Verlauf der kosmischen Expansion in Zukunft und auch in der Vergangenheit bestimmt.

Leider sind die Bestimmungen der heutigen mittleren Materiedichte noch recht ungenau. Außerdem müssen sie sich auf die beobachtbare Materie beschränken. Sie ist entweder in den Sternen konzentriert oder im interstellaren Gas oder Staub weiträumig verteilt. Nach heutiger Kenntnis befindet sich der weit überwiegende Anteil der sichtbaren Materie in den Sternen. Nur einige Prozent der Materie befinden sich in Gaswolken oder Gas-Staub-Wolken, aus denen sich auch heute noch neue Sterne bilden können.

Da man durch direkte Beobachtung nur die Leuchtkräfte der Galaxien messen kann, braucht man zur Bestimmung ihres Materiegehaltes noch eine Kenntnis über das Masse-Leuchtkraft-Verhältnis, das bei den einzelnen Typen von Spiralnebeln und irregulären Galaxien sehr unterschiedlich ist. Daher bleibt die Bestimmung einer mittleren Masse mit erheblicher Unsicherheit behaftet. Wenn man die gesamte Materie, die in den Galaxien, in Sternen und im interstellaren Gas vorhanden ist, gleichmäßig über den Kosmos verteilt, erhält man eine heutige mittlere Dichte, die zu $(0,1$ bis $1,0) \cdot 10^{-30}$ g/cm$^3$ geschätzt wird. Das bedeutet, daß im Kosmos pro 10 Kubikmeter nur 1 bis 6 Nukleonen (Protonen oder Neutronen) vorhanden sind. Die Materie des Kosmos ist heute extrem dünn verteilt. Nur durch die im frühen Kosmos aufgetretenen lokalen Konzentrationen der Materie, die zur Bildung von Galaxien und Sternen geführt haben, eröffnet sich uns die Faszination des Sternenhimmels.

## Anteil von Helium und Deuterium in der Urmaterie

Wenn man die relativen Häufigkeiten der wichtigsten chemischen Elemente in den Sternatmosphären zusammenstellt, wie sie sich aus den spektroskopischen Untersuchungen des Sternenlichtes ergeben, stößt man auf ein merkwürdiges Phänomen:

Der Anteil an schweren Elementen in den Sternen ist ganz signifikant davon abhängig, zu welchem Zeitpunkt im Leben unserer Galaxis sich Sterne aus dem interstellaren Medium gebildet haben. Sterne, die heute als alte Sterne zu bezeichnen sind, haben sich in der Frühzeit der Galaxis aus dem »jungfräulichen« interstellaren Gas geformt, während sich junge Sterne, die erst vor wenigen Millionen Jahren entstanden sind, aus »altem« Gas gebildet haben. Unter »schweren Elementen« wollen wir hier die wichtigsten zusammenfassen: Kohlenstoff (C), Stickstoff (N), Sauerstoff (O) und Eisen (Fe). Ihr Massen-Anteil liegt in den ältesten Sternen ganz wesentlich unterhalb von 1 Prozent, während er bei den jungen Sternen bis auf etwa 4 Prozent angestiegen sein kann. Ganz anders verhalten sich die wichtigsten leichten Elemente; Wasserstoff und Helium. Spektroskopische Untersuchungen der Sterne und des interstellaren Gases haben gezeigt, daß Wasserstoff das bei weitem häufigste Element im Kosmos ist. Über 70 Prozent der Masse des Kosmos besteht aus Wasserstoff. (Hierin ist auch der ionisierte Wasserstoff, also freie Protonen, enthalten.) Wichtig ist aber in unserem Zusammenhang der Massenanteil des Helium. Er liegt bei den alten Sternen bei etwa 25 Prozent, bei den ganz jungen Sternen kann er bis zu 30 Prozent betragen. Bei unserer Sonne rechnen wir mit 28 Prozent. Der Anteil des Helium ist also nur wenig davon abhängig, wann sich ein Stern aus dem interstellaren Gas gebildet hat. Ganz anders ist es bei den schweren Elementen: Im jungfräulichen Gas der Milchstraße waren sie praktisch nicht vorhanden ($\ll 1$ Prozent), während ihr Anteil im heutigen interstellaren Gas bis auf 4 Prozent, also um ein Vielfaches, angestiegen ist. Diese Befunde kann man verstehen und in Stern-Entwicklungsmodellen nachrechnen, wenn man annimmt, daß das Helium zum größten Teil in der ganz frühen Phase der Galaxien-Entwicklung zum weit überwiegenden Anteil bereits vorhanden war – wir sprechen vom primordialen Helium-Anteil – während die schweren Elemente erst in den Fusions-Reaktoren im Inneren von relativ massereichen Sternen gekocht wurden. Diese angereicherte Materie wurde bei Supernova-Explosionen wieder an die interstellare Materie abgegeben, aus der dann die nächste Generation von Sternen entstand. Wir müssen hierbei berücksichtigen, daß die massereichen OB-Sterne nur eine Lebensdauer haben von einigen Millionen bis einigen zehn Millionen Jahren. Das heißt aber beispielsweise, daß, ehe unsere Sonne vor 4,6 Milliarden Jahren entstand, einige hundert bis tausend Generationen von OB-Sternen vorher existiert haben können. Als OB-Sterne bezeichnet man Sterne mit mehr als zehnfacher Sonnenmasse. Da ihre Leuchtkraft weit über dem zehntausendfachen der Leuchtkraft unserer Sonne liegt, gehen sie sehr verschwenderisch mit ihrer Fusionsenergie um. Daraus ergibt sich dann ihre relativ kurze Lebensdauer als helle Sterne. Sie enden nach etwa zehn Millionen Jahren als Supernova. Dabei wird ein wesentlicher Teil ihrer Masse als Gas ausgeschleudert.

Wie wir in der Einleitung schon erwähnten, kann die Helium-Fusion im frühen Kosmos erwartet werden, wenn die Temperatur auf eine Milliarde Grad abgesunken ist. Dann können Protonen und Neutronen fusionieren zunächst zum Deuterium und schließlich zum Helium. Glücklicherweise ist der zeitliche Verlauf des Absinkens von Temperatur und Dichte für alle Urknall-Modelle der Friedmann-Gleichungen derselbe für die frühen Zeiten des Kosmos. Etwa 100 Sekunden nach dem Urknall kann die Fusion einsetzen. Die Fusionsrechnungen stellen einen Zusammenhang her zwischen der Häufigkeit des damals erzeugten Helium (bzw. auch des Deuterium) und der heutigen Materiedichte, genauer der Dichte der Atome und Ionen, deren Kerne ja alle aus Baryonen (Protonen und Neutronen) aufgebaut sind.

Aus spektroskopischen Beobachtungen wurde ein primordialer Massenanteil von 24 Prozent Helium und von $5 \cdot 10^{-3}$ Prozent Deuterium abgeleitet. Diese Werte werden auch aus den Rechnungen erhalten, wenn die heutige baryonische Materiedichte im Kosmos $0.5 \cdot 10^{-30}$ g/cm$^3$ beträgt. Das entspricht 3 Protonen pro zehn Kubikmeter. Der Vollständigkeit halber muß erwähnt werden, daß in die Rechnungen als Parameter noch die Lebensdauer des freien Neutrons eingeht. Hierfür wurden die neuesten Meßwerte benutzt, wonach freie Neutronen mit einer Halbwertzeit von 10.26 Minuten zerfallen. Im Verband eines Atomkernes sind Neutronen stabil. Ferner wurde noch vorausgesetzt, daß es in der Natur nur drei Sorten von Neutrinos gibt. Bei 4 Neutrino-Sorten würde sich der berechnete Wert der baryonischen Dichte auf 1 Proton pro 10 Kubikmeter erniedrigen. Es gibt aber bisher keine Anzeichen für mehr als drei Neutrino-Sorten. Die Zahl von 3 Protonen pro 10 cbm ist in hervorragender Übereinstimmung mit den Abschätzungen der mittleren Dichte, die wir im vorigen Abschnitt aus dem Masse-Leuchtkraft-Verhältnissen der Galaxien erhalten haben.

Während aus den Leuchtkräften der Galaxien im wesentlichen nur die in leuchtenden Sternen konzentrierte Masse gemessen wird, berücksichtigt das Resultat aus den Helium- und Deuterium-Rechnungen auch Materie, die nicht in leuchtenden Objekten steckt, also zum Beispiel Materie, die im Laufe der Zeit durch Sternenentwicklung in ausgebrannten Sternen ihr unsichtbares Ende gefunden hat. Solche dunklen Objekte könnten »Schwarze Löcher«, Neutronensterne oder dunkle Zwergsterne sein, die alle mögliche Endstufen der Sternentwicklung darstellen.

Unberücksichtigt blieb in dieser Abschätzung jedoch ein nicht ausschließbarer, wesentlicher Massenanteil durch nicht-baryonische Materie. Hier ist in erster Linie an die außerordentlich zahlreichen Neutrinos zu denken. Die neuesten Elementarteilchen-Theorien schließen nicht mehr aus, daß Neutrinos entgegen früherer Lehrmeinungen doch eine – wenn auch sehr geringe – Ruhemasse besitzen könnten. In den letzten Jahren hat die Jagd nach der unsichtbaren Materie erhebliches Interesse gefunden. Es geht dabei um die Frage, ob die Neutrinos genügend Masse haben, um die Expansion des Kosmos wirksam zu bremsen und in Kontraktion umzukehren. Das »Ende« würde dann ein inverser Urknall, ein Kollaps des Kosmos sein. Vom Neutrino weiß man zuverlässig, daß es existiert und daß es mindestens drei verschiedene Sorten gibt: Das Elektron-Neutrino, das Mü-Neutrino und das Tau-Neutrino. Für das letztere fehlt allerdings noch der endgültige Nachweis. Aber von allen drei Sorten Neutrinos weiß man nicht, ob sie eine eigene Masse haben, d. h. eine von Null verschiedene Ruhemasse.

Bei den physikalischen Prozessen im Urknall müssen Neutrinos so zahlreich entstanden sein, daß sie die Zahl der Atome im Weltall um das Milliardenfache übertreffen. Ihre Masse wird bei astronomischen Beobachtungen der leuchtenden Materie in Sternen und Gaswolken nicht erfaßt. Aber aus den Modell-Rechnungen über den Urknall kann man ihre Zahl recht gut abschätzen. So kommen auf jedes Nukleon (Proton oder Neutron) im Kosmos ein bis zwei Milliarden Neutrinos. Das bedeutet, daß jeder Kubikzentimeter im ganzen Weltall 300 bis 400 Neutrinos enthält. Unser menschlicher Körper wird also zu jedem Zeitpunkt von zwanzig Millionen Urknall-Neutrinos durchkreuzt. Wegen ihrer so extrem schwachen Wechselwirkung mit den Atomen unseres Körpers merkt man gar nichts davon. Trotz dieser so phantastischen Zahlen kann man an ihrer physikalischen Realität nicht zweifeln. Neutrinos sind außerordentlich schwer zu messen, weil sie keine elektrische Ladung besitzen und nur eine extrem schwache Wechselwirkung mit Atomkernen haben. Nach den Messungen von Professor Till Kirsten am Max-Planck-Institut für Kernphysik kann die Masse des Neutrinos nur zwischen Null und einem Hunderttausendstel der Elektronenmasse (5,6 Elektronenvolt) liegen, während die neuen Messungen von Valentin Lubimov in der UdSSR einen Wert der Neutrinomasse von vier Hunderttausendstel der Elektronenmasse (20 Elektronenvolt) favorisieren. 1 Elektronenvolt (eV) entspricht dabei $2 \cdot 10^{-33}$ Gramm. Die beiden Meßergebnisse stammen aus verschiedenartigen Verfahren. Die Resultate würden nur dann miteinander in Konflikt stehen, wenn das Neutrino mit seinem zugehörigen Anti-Neutrino identisch wäre, also beide prinzipiell nicht voneinander unterscheidbar wären.

Sollte die wahre Masse der Neutrinos im Bereich dieser oberen Werte zwischen 5 und 20 Elektronenvolt liegen, würden sie die Materie im Weltall dominieren. Unsichtbare, kalte Neutrinowolken würden die großen Galaxien umgeben. Die Neutrinos würden die Expansion des Weltalls bremsen und sein weiteres Schicksal bestimmen.

Allerdings wird sich weiter unten zeigen, daß ein so dominierender Massenanteil von den Neutrinos in der Standard-Kosmologie im Widerspruch steht zu anderen Beobachtungsbefunden. Insbesondere müßte dann das Weltalter kleiner als 13 Milliarden Jahre sein.

## Die kosmologischen Modelle des Universums

Mit dem Rüstzeug der in den vorigen Abschnitten dargestellten Beobachtungsbefunde können wir die Lösungen der Einstein-Friedmann-Gleichungen auswählen, die uns die Dynamik des Weltgeschehens beschreiben. Durch die von den Beobachtungen nahegelegte großräumige Homogenität und Isotropie des Universums haben sich die zehn partiellen Differentialgleichungen auf zwei reduziert.

Ferner zeigt uns die Existenz der 3-Grad-Kelvin Reststrahlung und die offenbar im ganz frühen Kosmos erfolgte Heliumfusion, daß unser Weltall mit einer extrem dichten und sehr heißen Phase begonnen haben muß, da für die Heliumfusion im frühen Kosmos Temperaturen von etwa einer Milliarde Grad vorhanden gewesen sein müssen. Alles dies erlaubt es uns, daß wir uns auf solche Lösungen der Gleichungen beschränken, die mit einem Urknall begonnen haben.

In den homogenen Weltmodellen läßt sich die Expansion des Kosmos durch einen einheitlichen Skalenfaktor $R(t)$ beschreiben, der nur von der kosmischen Zeit nicht aber vom Ort abhängt. Die Funktion $R(t)$ ergibt sich als Lösung der Einstein-Friedmann-Gleichungen. Damit können wir jeder Galaxie im Kosmos eine Ortskoordinate zu einem bestimmten Zeitpunkt, also z. B. heute, zuordnen, wobei wir uns ohne Einschränkung der Allgemeinheit in den Ursprung dieses Koordinatensystems setzen können. Die zeitliche Entwicklung der Abstände der Galaxien wird dann in einfacher Weise durch Multiplikation des Koordinatenabstandes mit dem Skalenfaktor $R(t)$ erreicht.

Die Beobachtungswerte für die heutige Expansionsrate (Hubble-Zahl) und für die heutige mittlere Materiedichte treten dabei als zeitliche Randbedingungen auf. Ferner sollte die Zeit vom Urknall (R = 0) bis heute mit den im Abschnitt »Altersbestimmung unserer Galaxis« gefundenen Werten für das Weltalter verträglich sein. Die gleichzeitige Erfüllung dieser Bedingungen führt zu fundamental verschiedenen Lösungen je nachdem, welches der richtige Wert der Hubble-Zahl ist. Wir wollen diese sehr neue Entwicklung in der Kosmologie, die seit dem letzten Jahr besonderes Interesse gefunden hat, an zwei Beispielen exemplifizieren:

a) Hubble-Zahl $H_0 = 15$ km/s · MLj,

b) $H_0 = 23$ km/s · MLj.

Zur Vereinfachung wollen wir fordern, daß das Weltalter $19 \pm 5$ Milliarden Jahre ist, wie es die Meteoriten-Analyse nahelegt, und daß die mittlere Materiedichte im Kosmos $\varrho_0 = 0,5 \cdot 10^{-30}$ g/cm$^3$ ist.

Im Falle (a) mit $H_0 = 15$ km/s · MLj erhalten wir eine sogenannte Standard-Lösung. Das bedeutet, daß nur die normale Materie für die Gravitation und damit für die Dynamik der kosmischen Expansion wichtig ist oder mit anderen Worten, daß Einsteins kosmologische Konstante keine Rolle spielt. Wir hatten schon im Abschnitt »Die Expansion des Kosmos« darauf hingewiesen, daß die lange Zeit »tot geglaubte« Konstante heute als mögliche Energiedichte des Vakuum wiederbelebt wurde. Wir gehen im Fall (b) hierauf näher ein.

Den Verlauf des Skalenfaktors R(t) haben wir in Abb. 2 a aufgetragen, dabei haben wir durch den heutigen Wert $R_0$ dividiert. Die linke Kurve (charakterisiert durch $k = -1$) mit einem Weltalter von 17,5 Milliarden Jahren stellt die Lösung dar, die sich mit der heutigen Materiedichte von $\varrho_0 = 0,5 \cdot 10^{-30}$ g/cm$^3$ ergibt. Es handelt sich um ein Weltmodell, dessen Raum-Metrik hyperbolisch ist. Das bedeutet ein offenes Universum, das für alle Zeiten weiter expandiert. Das Ende eines solchen Weltalls ist die grenzenlose Verdünnung der Materie.

Lange Zeit hat in der Kosmologie die Frage eine große Rolle gespielt, ob wir in einem offenen oder geschlossenen Universum leben, wobei letzteres nach einer großen Zeitspanne von beispielsweise 100 Milliarden Jahren in einem Kollaps, einem inversen Urknall enden würde. Aufgrund der Beobachtungsergebnisse der letzten Jahre kann man die Möglichkeit des späteren Kollapses wohl endgültig aus der Diskussion ausscheiden, auf jeden Fall, wenn das Weltalter größer als 14 Milliarden Jahre ist. Diesen Wert hatten wir als untere Grenze im Abschnitt »Altersbestimmung unserer Galaxis« erhalten. Es bleibt uns nur ein offener Kosmos mit fortdauernder Expansion. In unserer Abbildung 2 a haben wir in der Kurve ($k = +0$) den euklidischen Grenzfall dargestellt und in der Kurve ($k = +1$) mit einem heutigen Weltalter von 11 Milliarden Jahren ein Beispiel für einen später kollabierenden Kosmos gegeben. Um ein solches Modell zu erhalten, müßte die heutige Materiedichte mehr als das Zehnfache des beobachteten Wertes betragen also $\varrho_0 > 5 \cdot 10^{-30}$ g/cm$^3$ sein. Sicherlich könnte man annehmen, daß es außer der baryonischen Materie, aus der die Atomkerne bestehen, noch andere gravitierende Materie geben könnte, die sich der astronomischen Beobachtung entzieht. Hier könnte man daran denken, daß die exotischen Neutrinos doch eine hinreichend große Ruhemasse besitzen. Darüber hinaus kann es im »Zoo« der Elementarteilchen noch weitere »...inos« geben, die zur gravitierenden Masse des Kosmos einen merklichen Beitrag leisten. Aber in allen solchen Fällen, wo die unsichtbare Materie das Zehnfache der beobachteten betrüge, würde ein Weltalter

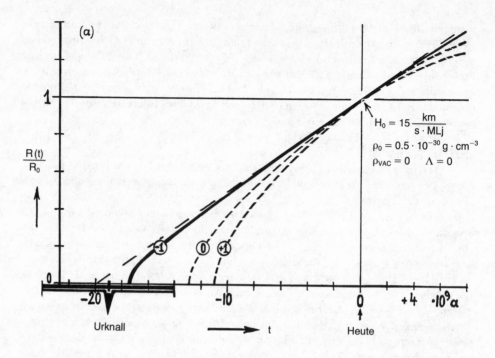

(a)

$$\frac{R(t)}{R_0}$$

$H_0 = 15 \frac{km}{s \cdot MLj}$

$\rho_0 = 0.5 \cdot 10^{-30} \, g \cdot cm^{-3}$

$\rho_{VAC} = 0 \qquad \Lambda = 0$

Urknall

t

Heute

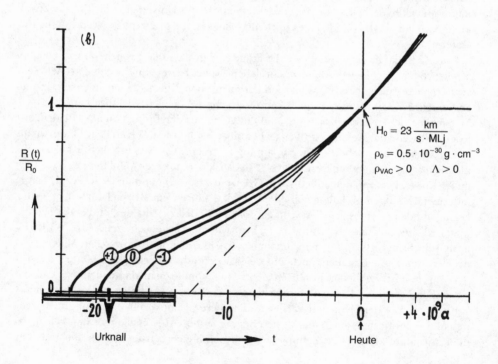

(b)

$$\frac{R(t)}{R_0}$$

$H_0 = 23 \frac{km}{s \cdot MLj}$

$\rho_0 = 0.5 \cdot 10^{-30} \, g \cdot cm^{-3}$

$\rho_{VAC} > 0 \qquad \Lambda > 0$

Urknall

t

Heute

142

kleiner als 14 Milliarden Jahre resultieren. Wir glauben heute, daß dies durch die unabhängigen Bestimmungen des Weltalters aus der Meteoritenanalyse und aus den Entwicklungsaltern der Kugelsternhaufen ausgeschlossen werden kann. Damit dürften die kosmologischen Modelle, die mit einem Kollaps enden, ad acta gelegt werden können.

Im Falle (b) mit einer Expansionsrate $H_0$ = 23 km/s · MLj erlauben die Einstein-Friedmann-Gleichungen keine Standardlösungen, wenn wir das Weltalter und die heutige Materiedichte, wie vorn festgelegt, vorgeben. In diesem Falle muß die Kosmologie fordern, daß Einsteins kosmologische Konstante von Null verschieden ist und so groß, daß sie die Dynamik des Weltalls schon seit mehr als 10 Milliarden Jahren dominiert. Diese Forderung aus der Kosmologie hat weitreichende Folgen für unser gesamtes Verständnis von der Materie und sogar Auswirkungen auf unsere Vorstellungen von der Entstehung der Materie im Urknall. Wie wir schon im Abschnitt »Die Expansion des Kosmos« ausführten, läßt sich im Rahmen der Quantenfeldtheorie Einsteins Konstante als die Energiedichte des »Vakuums« interpretieren. Für einen Beobachter, der nur makroskopisch sehen kann, erscheint das Vakuum harmlos leer. Im Bereich subatomarer Größenordnungen ist das Vakuum jedoch ein kompliziertes System, wie uns die physikalischen Versuche im letzten Jahrzehnt gezeigt haben. In der Quantenfeldtheorie ist auch der leere Raum von Feldern durchsetzt, denen ein von Null verschiedenes Energieniveau entspricht. Schon mit dieser kurzen Interpretation deutet sich an, daß hier ein fundamentales Problem der Physik ins Spiel kommt. Zunächst wollen wir jedoch die Qualität der kosmologischen Evidenz erläutern. Entscheidend ist dabei, ob die heutige Expansionsrate des Kosmos größer ist, als es einer Hubble-Zahl von 20 km/s · MLj entspricht. Die Kontroverse, insbesondere zwischen den extremen Resultaten von Sandage und Tammann mit 15 bis 17 km/s · MLj einerseits und de Vaucouleurs mit 30 km/s · MLj andererseits ist seit Jahren in vollem Gange. Die Bestimmung der Hubble-Zahl nach einem neuen unabhängigen Verfahren, das entfernungsunabhängig ist, könnte zukünftig zum

Abb. 2: Expansion des Kosmos als Funktion der Zeit t in Milliarden Jahren. Heute: t = 0. Das Weltalter (19 ± 5 Milliarden Jahre) ist am linken Rand der Abszisse markiert. Es wurde aus der Thorium/Uran Analyse in Meteoriten und aus dem Entwicklungsalter der Kugelsternhaufen bestimmt.
Die Ordinate gibt den Skalenfaktor R(t) in Einheiten des heutigen Wertes $R_0$ wieder. Die Modelle basieren auf einer heutigen Materiedichte von $\varrho_0 = 0{,}5 \cdot 10^{-30}$ g · cm$^{-3}$. Die Markierungen bedeuten: $\ominus$ offenes Weltall (mit hyperbolischer Metrik), $\textcircled{0}$ euklidische Welt, $\oplus$ geschlossenes Weltall (mit sphärischer Metrik).

In Abb. 2a sind die Standardmodelle dargestellt für eine Expansionsrate $H_0$ = 15 km/s · MLj. Nur das offene Modell $\ominus$ mit fortwährender Expansion ist mit dem obigen Weltalter verträglich.
Die Modelle $\textcircled{0}$ und $\oplus$ erfordern Weltalter kleiner als 14 Milliarden Jahre. Außerdem muß ihre heutige Materiedichte mindestens das Zehnfache des obigen Wertes $\varrho_0 = 0{,}5 \cdot 10^{-30}$ g · cm$^{-3}$ betragen. Die Differenz müßte aus bisher unbeobachtbarer Materie bestehen.

In Abb. 2b sind Modelle für eine Expansionsrate $H_0$ = 23 km/s · MLj dargestellt. Um mit dem obigen Weltalter verträglich zu sein, ist eine Vakuumenergie erforderlich, die einer Dichte von $10^{-29}$ g · cm$^{-3}$ äquivalent ist. Alle Modelle zeigen eine fortdauernde Expansion. Auch das geschlossene Modell $\oplus$ mit endlichem Volumen dehnt sich ins Unendliche aus. Es endet nicht im Kollaps wie beim Standardmodell in Abb. 2a.

»experimentum crucis« werden. Es besteht Hoffnung, daß eine Entscheidung in absehbarer Zeit möglich ist.

Beispiele für Lösungen der Friedmann-Gleichungen mit einer Hubble-Zahl von 23 km/s · MLj haben wir in Abb. 2b gegeben. Man sieht, daß bei diesen Lösungen die Forderung eines Weltalters im Bereich von 19 ± 5 Milliarden Jahren ganz leicht erfüllt werden kann. Das Besondere an diesen Lösungen ist, daß nach der frühen Urknallphase, die praktisch identisch ist bei allen Urknallmodellen, eine Verlangsamung der Expansion einsetzt. Sie ist geeignet, die Bildung von Galaxien zu erleichtern. Danach setzt dann eine stetig schneller werdende Expansion ein. Alle diese Modelle liefern eine fortdauernde Expansion des Kosmos, obwohl bei diesen Modellen geschlossene, euklidische und offene Weltmodelle gleichberechtigt nebeneinanderstehen. Das besondere bei den geschlossenen Weltmodellen ist, daß sie, obwohl sie unbegrenzt sind, ein endliches Volumen haben. Allerdings dehnt sich bei den hier vorliegenden Modellen das endliche Volumen im Laufe der Zeit ins Unendliche aus. Diese Form eines in sich geschlossenen Kosmos endet also nicht in einer späteren Kollapsphase. Daher darf die Vorstellung vom später kollabierenden Kosmos nunmehr bei allen Modellen ad acta gelegt werden.

In unseren hier besprochenen Lösungen mußte die Energiedichte des Vakuums einen Wert besitzen, der ungefähr dem zwanzigfachen der heutigen mittleren Dichte der normalen (baryonischen) Materie entspricht. Dies ist sozusagen der Preis für die eleganten Lösungen in Abb. 2b. Eine solche Energiedichte, wie wir sie für das »Vakuum« fordern müssen, ist immer noch extrem gering gegenüber Energiedichten aus unserer täglichen Erfahrung hier auf der Erde. Die Vakuum-Energiedichte unserer Lösungen in Abb. 2b entspricht einer äquivalenten Materiedichte von ca. 6 Protonen pro Kubikmeter. Nur durch die immense Größe des Kosmos werden selbst so geringe Energiedichten entscheidend für das Schicksal des Kosmos. Es ist ferner auch bemerkenswert, daß in diesen Lösungen die Raumstruktur keine signifikante Rolle mehr spielt. Alle diese Modelle führen auf eine fortdauernde Expansion des Kosmos.

Das Problem einer Energiedichte des Vakuums ist von fundamentaler Bedeutung, sowohl für die Theorie von der Entwicklung des Weltalls als auch für die Quantenfeldtheorie, die Elementarteilchenphysik und die Atomkernphysik.

Es ist bemerkenswert, daß Einstein, der sich mit der Quantentheorie nie so recht anfreunden konnte, schon im Jahre 1920, also vor der Aufstellung der Quantentheorie, in seiner Diskussion über die physikalischen Eigenschaften des materiefreien, leeren Raums den Vakuum-Zustand konzipiert hat. Er nannte ihn den »Neuen Äther der Allgemeinen Relativitätstheorie«. »Der Äther der allgemeinen Relativitätstheorie ist ein Medium, welches selbst aller mechanischen und kinematischen Eigenschaften bar ist, aber das mechanische (und elektromagnetische) Geschehen mitbestimmt. Dieser Äther darf nicht mit den für ponderable Medien charakteristischen Eigenschaften ausgestattet gedacht werden, aus durch die Zeit verfolgbaren Teilen zu bestehen; der Bewegungsbegriff darf auf ihn selbst nicht angewandt werden.«

Gegen Ende seines Lebens vertrat Einstein († 1955) den Standpunkt, daß das Lambda solange entbehrlich sei, solange man durch die Anpassung der kosmologischen Modelle an die astronomischen Beobachtungen nicht zur Einführung des Lambda gezwungen sei.

Es scheint so, daß heute 30 Jahre nach Einsteins Bemerkung die astrophysikalischen

Beobachtungen und die Quantenfeldtheorie zu einer ernsthaften Neudiskussion des Lambda zwingen.

Durch die Quantenfeldtheorie hat Einsteins »Äther« eine neue physikalische Interpretation gefunden, die von dem englischen Astrophysiker William McCrea wohl zuerst erwähnt wurde und dann von Yakov Zeldovich und seinem Schüler Erast B. Gliner in der Sowjetunion als Energiedichte des Vakuums in die Kosmologie eingeführt wurde. Für letztere ist besonders bedeutsam, daß der mit der Vakuum-Energie verbundene Druck gleich dem negativen Wert der Energiedichte ist. Das bewirkt letztlich die allerdings erst in extrem großen Entfernungen wirkende abstoßende Kraft des »Vakuum-Terms« in den Friedmann-Gleichungen.

In den modernen physikalischen Vorstellungen repräsentiert das Vakuum den Grundzustand aller Kraft- und Teilchenfelder. Entscheidend für das Nicht-Verschwinden des Grundzustands ist die Heisenbergsche Unschärfe-Relation. Sie läßt beispielsweise nicht zu, daß im elektromagnetischen Feld die magnetische und elektrische Feldstärke gleichzeitig gänzlich zu Null werden können. Im Jahre 1954 hatte der holländische Physiker Hendrik Casimir den Einfluß der Vakuumschwankungen des elektromagnetischen Feldes auf zwei parallele Metallplatten berechnet. Dieser Effekt ist inzwischen durch Messungen eindeutig bestätigt.

In der Quantenfeldtheorie ist das Vakuum angefüllt mit fluktuierenden »virtuellen« Teilchen, die kurzzeitig reell werden können und miteinander wechselwirken; zum Beispiel könnte ein Teilchen zusammen mit seinem gleichzeitig auftauchenden Antiteilchen zerstrahlen. Die kurze Zeitdauer, innerhalb der solche Teilchen auftauchen können, ist wiederum durch die Unschärfe-Relation festgelegt. Die »Lebensdauer« ist umgekehrt proportional zur Energie der Teilchen.

In der modernen Physik sind die Teilchen Manifestationen von Feldern. Andererseits werden Kräfte durch Teilchen übertragen. Protonen und Neutronen sind von einer Wolke von virtuellen Pi-Mesonen umgeben, die die Kernkräfte übertragen. Die Vorstellung, daß jedes Teilchen von einer Wolke virtueller Teilchen umgeben ist, hat zu ganz neuen Bildern vom Aufbau der Materie geführt. Diese Bilder sind aber durch viele Experimente inzwischen glaubhaft gemacht. Auch im materiefreien, im scheinbar leeren Raum muß es ständig zu den von der Unschärfe-Relation erlaubten Schwankungen kommen. Damit manifestiert sich die Energiedichte des Vakuums. Leider erlaubt es die Quantenfeldtheorie nicht – zumindest bis heute –, die Energiedichte des Vakuums direkt zu berechnen.

## Die physikalischen Prozesse im frühen Kosmos

Die zeitliche Entwicklung der Materiedichte und der Temperatur im Kosmos läßt sich für unsere homogenen Weltmodelle in ganz einfacher Weise als Funktion des zeitabhängigen Skalenfaktors $R(t)$ angeben. So ist die Dichte

$$\varrho = \varrho_o \cdot (R_o/R(t))^3$$

und die Temperatur

$$T(t) = 3 \left[^\circ K\right] \cdot R_o/R(t).$$

Dabei ist $R_o$ der heutige Wert des Skalenfaktors. Den Verlauf der Funktion $R(t)/R_o$ kann man aus den Abb. 2a bzw. 2b entnehmen.

Wenn wir die zeitliche Entwicklung unserer kosmologischen Modelle zurückverfolgen, kommen wir auf einen extrem dichten und extrem heißen Zustand vor etwa 20 Milliarden Jahren. Hier begann das Weltgeschehen mit dem, was sich in unserer mathematischen Beschreibung als Singularität darstellt, die formal auf eine unendlich große Dichte und Temperatur führen würde. Allerdings muß man sich darüber im klaren sein, daß in der extrem kurzen Zeit nach dem Schöpfungsakt unsere physikalischen Theorien nicht mehr in ihrem Gültigkeitsbereich sind. Das bedeutet zugleich, daß wir das Raum-Zeit-Verhalten nicht bis zum Beginn t = 0 zurückverfolgen dürfen. Die eigentliche Singularität muß aus der Betrachtung ausgeschlossen bleiben. Allerdings erlaubt es uns die neuere Entwicklung der Hochenergie-Physik bis ganz dicht an den Zeitpunkt des eigentlichen Urknalls mit akzeptablen Spekulationen heranzurücken. Das bedeutet konkret bis nahe an die extrem kurze Zeit von $10^{-44}$ Sekunden nach dem Beginn. Diese Zeit wird heute als Planckzeit $t_{PL}$ bezeichnet. Für noch kürzere Zeiten verläßt die allgemeine Relativitätstheorie ihren Gültigkeitsbereich. Es würde eine Quantentheorie der Gravitation erforderlich werden, die die allgemeine Relativitätstheorie mit der Quantentheorie vereinigt. Eine solche Theorie gibt es noch nicht.

In den letzten Jahren sind Hypothesen entstanden, nach denen wir die wesentlichen Prozesse ab der Planck-Zeit in den verschiedenen Entwicklungsphasen des Kosmos lokalisieren können.

Bis etwa $10^{-33}$ Sekunden nach dem Beginn sprechen wir von der ganz frühen Urblitzphase. In dieser Zeit haben sich nach den neuen Hypothesen des »inflationär modifizierten Urknalls« die ersten subnuklearen Elementarteilchen gebildet, möglicherweise durch Auskondensieren aus einem frühen, sehr energiereichen Vakuumzustand. Diese Hypothesen ermöglichen es, die Entstehung der Frühformen der Elementarteilchen aus einer Quantenfeldfluktuation des Vakuums zu verstehen. Damit enthalten sie die faszinierende Vorstellung, das Vakuumfeld als die Urform der Schöpfung zu interpretieren.

Nach den jetzt vorliegenden »Inflations-Theorien« (A. Guth, A. D. Linde u. a.) sollte in dieser ganz frühen Zeit die Vakuum-Energiedichte extrem groß gewesen sein. Das hätte zur Folge gehabt, daß sich der uns heute durch Beobachtung zugängliche Bereich des Kosmos zu Anfang aus einem winzig kleinen Volumen entwickelt hat. Die große Vakuum-Energie hat dieses Volumen dann in weniger als $10^{-33}$ Sekunden exponentiell aufgeblasen. Das inflationäre Anwachsen der kosmischen Dimensionen war aber schon bei $10^{-33}$ Sekunden beendet, als durch einen Phasenübergang die Vakuum-Energie zu primordialen Elementarteilchen »auskondensierte«. Die wesentlichen Teilchen in dieser ganz frühen Zeit dürften die allerdings noch hypothetischen X-Bosonen gewesen sein, von denen nachher noch die Rede sein wird. Beim Auskondensieren der X-Bosonen sollte im Kosmos anfänglich eine Temperatur von $10^{28}$ Kelvin geherrscht haben. Die Temperatur sank dann innerhalb der ersten millionstel Sekunde auf 10 Billionen Grad ab. Diesen Zeitbereich hatten wir Urblitz genannt. In ihm muß ein ständiges Wechselspiel zwischen den primordialen Elementarteilchen geherrscht haben. Dabei konnten sich Photonen, Elektronen, Neutrinos und baryonische Teilchen ständig ineinander umwandeln. Aus den

X-Bosonen entstanden zuerst die Quarks, die wir heute als die Bestandteile der Protonen und Neutronen kennen, wobei jedes Proton bzw. Neutron sich aus drei Quarks zusammensetzt. Dieser Vorgang der Protonen-Entstehung aus je drei Quarks mußte am Ende des Urblitzes gerade abgeschlossen sein, weil jetzt die Protonen und die Neutronen aus der zwar immer noch heißen Phase des Kosmos ausfroren. Bei Temperaturen unter 10 Billionen Grad können Protonen und Neutronen nicht mehr spontan entstehen. Das bedeutet, daß zu diesem Zeitpunkt zum ersten Male langlebige Elementarteilchen auskoppelten aus dem ständigen Wechselspiel der Umwandlung aller Sorten von Teilchen ineinander. Da aber im Urblitz die Anzahl aller Teilchen gleich sein sollte der ihrer entsprechenden Antiteilchen, muß es beim Ausfrieren der Protonen und Neutronen zu einer gewaltigen Vernichtungsschlacht mit den Antiprotonen und den Antineutronen gekommen sein. Das hätte eigentlich zur vollständigen Vernichtung der Materie führen müssen. Offenbar muß es aber doch einen gewissen Überschuß der normalen Nukleonen über die Antinukleonen gegeben haben. Aus diesem Überschuß besteht unser heutiges Universum. Wie man diesen Überschuß im Rahmen der modernen Elementarteilchen-Theorien verstehen kann, werden wir im nächsten Abschnitt erläutern.

Interessanterweise kann man den damaligen Überschußanteil der Protonen über die Antiprotonen heute noch messen. Bei der Vernichtungsorgie der Protonen-Antiprotonen-Paare sind Photonen entstanden, die wir heute noch in der 3-Grad-Kelvin-Strahlung messen können. Die Anzahl dieser Photonen beträgt im heutigen Kosmos etwa 400 Millionen pro Kubikmeter. Die mittlere Anzahl der Protonen im Kosmos pro Kubikmeter ist aber nur 0,1 bis 0,6. Das Zahlenverhältnis der Protonen zu Photonen ist also etwa 1:1 Milliarde. Dieses Zahlenverhältnis kann sich seit dem Ausfrieren der Protonen praktisch nicht mehr wesentlich verändert haben. Somit mußte am Ende des Urblitzes auf jede Milliarde Antiprotonen eine Milliarde plus ein Proton kommen. Dieses eine Überschußproton pro Milliarde Teilchen hat die Vernichtungsschlacht überlebt. Aus den Teilchen, die überlebt haben, besteht die heutige Materie im Kosmos. Nach der Vernichtungsschlacht am Ende des Urblitzes gab es also erstmalig langlebige Elementarteilchen, nämlich Protonen und Neutronen im Kosmos. Während jedoch Protonen mit Sicherheit eine Lebensdauer haben, die extrem groß ist gegenüber dem heutigen Alter der Welt, würden die freien Neutronen mit einer Halbwertzeit von 10,3 Minuten zerfallen sein. Dieser völlige Zerfall der Neutronen wurde jedoch dadurch aufgefangen, daß sich 100 Sekunden nach dem Urknall bei Temperaturen von einer Milliarde Grad durch Kernfusion zunächst Deuterium-Kerne (Proton + Neutron) und dann letztlich Helium-Kerne (2 Protonen + 2 Neutronen) bildeten. Wenn man die Fusionsbilanz im einzelnen durchrechnet, erhält man einen Massenanteil von 22 bis 24 Prozent Helium-Kernen im Kosmos, wenn alle freien Neutronen am Fusionsprozeß teilgenommen haben. Innerhalb des Helium-Kerns sind die Neutronen dann langlebig stabil.

Der übrige Massenanteil der kosmischen Materie von 76 bis 78 Prozent besteht aus Protonen, also aus den Kernen, aus denen 100 000 Jahre später die Wasserstoff-Atome werden sollten.

Es ist außerordentlich bedeutsam, daß die theoretischen Rechnungen der Fusionsprozesse im Rahmen unserer kosmologischen Modelle innerhalb von nur relativ geringen Fehlerbreiten mit den aus Beobachtungen abgeleiteten Werten für die Massenanteile vom

Helium und Deuterium verträglich sind. Dieser Befund ist eine außerordentlich wichtige Stütze für unsere Vorstellungen vom frühen Kosmos.

Etwa 3 Minuten nach dem Urknall waren die primordialen Fusionsprozesse beendet, weil die stark abgesunkene Dichte und Temperatur eine weitergehende Fusion zu Kohlenstoff-, Stickstoff-, Sauerstoff- und Eisen-Kernen nicht mehr zuließ. Die schweren Elemente konnten somit erst in den Fusionsreaktoren der Sterne entstehen, die sich aber erst sehr viel später bildeten.

Ehe es zur Bildung von Sternen und Galaxien kommen konnte, mußte zuvor noch ein weiterer, kosmologisch wichtiger Vorgang stattfinden. Er passierte etwa 100 000 Jahre nach der Helium-Fusion, als die kosmische Temperatur auf 3 000 Grad Kelvin abgesunken war. Bei dieser Temperatur konnten die Protonen und die Helium-Kerne Elektronen einfangen und neutrale Wasserstoff- und neutrale Helium-Atome bilden. Das hatte aber zur Folge, daß das kosmische Gas durchsichtig wurde für elektromagnetische Strahlung. Damit konnten die Photonen abkoppeln von der Materie. Ab dieser Zeit konnte sich die Reststrahlung des Urblitzes ungestört im Kosmos ausbreiten. Den verdünnten Rest dieser Strahlung können wir heute mit den Radioteleskopen als 3-Grad-Kelvin-Strahlung messen. Es ist die Strahlung, die uns außerdem die wichtige Information von der Isotropie des Kosmos beschert hat. Die gemessene Energiedichte dieser Strahlung und ihre Plancksche Strahlungsverteilung sind eine weitere fundamentale Stütze für die kosmologischen Modelle, die mit einem Urknall beginnen.

Im folgenden Abschnitt müssen wir noch die offen gebliebene Frage nach dem Verbleib der Anti-Protonen und Anti-Neutronen behandeln, die ja im Urblitz in gleicher Weise wie die Protonen und Neutronen vorhanden gewesen sein müssen.

## Wo blieb die Antimaterie?

In der Phase des Urblitzes müssen alle Sorten von Elementarteilchen entstanden sein, die wir aus unseren Hochenergie-Laboratorien kennen und möglicherweise noch weitere, die wir nicht oder bis heute noch nicht künstlich erzeugen können. Die allermeisten dieser Elementar-Partikel zerfallen ungeheuer schnell wieder. Deshalb brauchen wir uns hier nur um die zu kümmern, die zum Schluß als *stabile* Teilchen übriggeblieben sind.

Bei allen physikalischen Elementarprozessen, bei denen Energie in Materie umgewandelt wird, entsteht stets Materie und Antimaterie zu genau gleichen Teilen. Wenn z. B. in unseren physikalischen Laboratorien, in den großen Teilchenbeschleunigern, ein sehr schnelles Proton auf ein anderes Proton trifft, kann ein Teil seiner kinetischen Energie umgewandelt werden in Materie. Es entstehen zusätzlich zwei neue Teilchen, nämlich z. B. ein Proton und ein Antiproton.

Ein Proton, der Kern eines Wasserstoff-Atoms, kann nur dann neu entstehen, wenn gleichzeitig ein Antiproton erzeugt wird. Ein Antiproton besitzt eine negative elektrische Ladung im Gegensatz zum Proton, das eine positive elektrische Ladung hat. Ansonsten sind Protonen und Antiprotonen gleich. Sie haben die gleiche Masse und den gleichen Radius. Warum aber gibt es im beobachtbaren Weltall keine Antiprotonen, keine Antimaterie überhaupt? Diese Feststellung gilt mit Sicherheit zumindest für den uns durch astronomische Beobachtung näher zugänglichen Bereich unseres Sternsystems und für den Raum der großen Nachbargalaxien.

Von den wenigen Antiprotonen, die heutzutage noch sekundär im Weltall entstehen, können wir hier absehen. Sie entstehen gelegentlich, wenn energiereiche Teilchen der kosmischen Strahlung mit dem interstellaren Gas kollidieren auf die gleiche Weise wie in unseren Laboratorien. Diese sekundären Antiprotonen zerstrahlen sowieso durch Stöße mit anderen Protonen nach relativ kurzer Zeit.

Wo aber ist die gesamte Antimaterie geblieben, die nach unserer heutigen Kenntnis in der ganz frühen Anfangsphase des Universums entstanden sein muß? Es sollte ja genauso viel Antimaterie wie Materie entstanden sein!!

Anderseits, wenn ein Proton und ein Antiproton einander nahe kommen, zerstrahlen sie in Gamma-Blitze. Übrig bleibt letztlich dann nur Strahlung in einem materielosen Kosmos. Offensichtlich ist uns diese letzte Konsequenz erspart geblieben. Sonst gäbe es keine Sonne, Mond und Sterne und uns selbst erst recht nicht.

Die Frage nach dem Verbleib der Antimaterie ist von fundamentaler Bedeutung für die heutige Kosmologie. Seit einiger Zeit zeichnet sich die Möglichkeit ab, daß wir diese Frage vielleicht beantworten können.

Im vorangehenden Abschnitt sind wir davon ausgegangen, daß eine Mikrosekunde nach dem Urknall, also gegen Ende des Urblitzes, ein ganz geringer Überschuß von Protonen über die Antiprotonen vorhanden war im Verhältnis (1 Milliarde + 1) Protonen zu 1 Milliarde Antiprotonen und ein ganz entsprechender Überschuß der Elektronen über die Positronen. Es ist also die Aufgabe, diese Symmetrie-Verletzung aus der Elementarteilchen-Theorie zu verstehen.

Natürlich könnte man auch daran denken, daß es außer unserer Materie-Welt noch eine andere Welt gibt, die ganz analog aus Antimaterie bestünde. In dieser Antiwelt könnten gleichfalls denkende Wesen existieren, die sich von uns durch Nichts unterscheiden. Nur die Paarung wäre unmöglich, nicht nur wegen der unüberbrückbaren, räumlichen Distanz, sondern auch weil die Paarung sofort im Strahlungsblitz enden würde. Man könnte, wenn man wollte, sich auf diese Weise viele Welten vorstellen, die insgesamt dann wieder Symmetrie zwischen Materie und Antimaterie herstellen könnten. Aber wozu? Wir haben doch in letzter Zeit eingesehen, daß Symmetriebrechungen Grundvoraussetzungen sind für einen Kosmos, der höhere Formen und sogar Lebewesen hervorbringen kann.

An dieser Vorstellung kommen wir nicht mehr vorbei, wenn wir den Urknall und die Elementarteilchen in einen logischen, physikalischen Zusammenhang bringen wollen. Die Symmetrie-Verletzung bei den Elementarteilchen ist für unsere Existenz genau so wichtig wie der Nicht-Gleichgewichtszustand, der sich aus der Expansion des Raumes und der damit verbundenen ständigen Temperaturänderung ergibt.

Die Phase des Urblitzes war eine Orgie des Paar-weisen Selbstmordes der Teilchen und Antiteilchen. Solange die Temperatur im Urblitz noch oberhalb von $10^{13}$ Grad Kelvin lag, war das nicht weiter schlimm, weil sich aus der energiereichen Strahlung sofort wieder ein neues Paar von Proton und Antiproton bildete, wenn immer eines durch Zerstrahlung endete. Selbstmord und Neuentstehung waren im thermodynamischen Gleichgewicht.

Als aber mit der Expansion des Raumes die Temperatur unter die kritische Grenze von

$10^{13}$ K sank, hörte die Neuentstehung auf, aber die Selbstmord-Orgie der Zerstrahlung blieb. Was aber hat die materielle Welt vor dem völligen Zerstrahlungstod bewahrt? Offensichtlich ist die normale Materie infolge eines winzigen Überschusses an Protonen übriggeblieben. Aus diesem Überschuß an Protonen, Neutronen und Elektronen gegenüber ihren Antiteilchen sind die Sterne und die Galaxien und schließlich wir selbst entstanden.

Albert Einstein hatte schon vor dreißig Jahren eine mehr scherzhafte Antwort parat, die aber in die richtige Richtung zielte. Er pflegte auf die Frage nach dem Verbleib der Antimaterie zu antworten: »Das Elektron und das Proton haben gewonnen.« Das heißt das Antiproton und das zugehörige Positron haben verloren.

Natürlich ist diese Antwort unbefriedigend, solange nicht beantwortet ist, warum und wie das Proton gewonnen hat.

Der Schlüssel zu dieser Frage, wo die Antimaterie geblieben ist und warum das Proton überlebt hat, warum unsere heutige Materie-Welt existiert, liegt in den Fortschritten der Elementarteilchen-Physik, in den neuen »Großen Vereinigungstheorien«, den GUT's.

Diese neuen Theorien versuchen, die innersten Strukturen der Elementarteilchen aufzuklären und die verschiedenen Arten der Wechselwirkungskräfte in einer gemeinsamen einheitlichen Theorie zu vereinigen. Sie versuchen, eine Brücke zu schlagen von der elektromagnetischen Wechselwirkung zwischen den Atomen, die zur Aussendung von »Licht«, also von Photonen, führt, bis hin zur starken Wechselwirkung im Atomkern bzw. bis zu der extrem starken Wechselwirkung zwischen den Quarks, aus denen die Protonen und die Neutronen aufgebaut sind. Die heute heftig diskutierten Theorien werden unterschieden nach bestimmten Symmetrieeigenschaften der Teilchensorten. Ihre Bezeichnungen (z. B. SU[5] oder SO[10]) sind aus der mathematischen Gruppentheorie entlehnt wegen der Art ihrer Symmetriegruppen, die die Quarks und die Leptonen (Elektronen, Neutrinos) miteinander verbinden. Im Rahmen der GUT's verschwinden im Energiebereich von $10^{24}$eV, dem gemäß der Heisenbergschen Unschärferelation ein Abstand von $10^{-29}$ cm entspricht, alle Unterschiede zwischen Quarks und Leptonen. Quarks und Elektronen können bei diesen extrem großen Energien ineinander umgewandelt werden. Um diese Wechselwirkung zu bewerkstelligen, erfordern die Theorien die Existenz einer neuen Art von exotischen Teilchen, die X-Bosonen getauft wurden. Sie müssen die für die sogenannten Binde-Elementarteilchen unerhört große Masse von $10^{24}$ Elektronenvolt besitzen. Die Existenz dieser Teilchen ist vorerst noch hypothetisch. Auf Grund der Theorien haben die X-Bosonen und ihre Partner, die Anti-X-Bosonen, die Eigenschaft, eine wenn auch nur winzige Störung der Symmetrie zwischen Materie und Antimaterie zu erlauben. Das ist aber genau der Effekt, den wir benötigen, um den geringen Überschuß der Protonen gegenüber den Antiprotonen im Urblitz zu bewerkstelligen.

Die neuen Theorien können natürlich erst dann voll akzeptiert werden, wenn die mögliche Existenz der X-Bosonen nachgewiesen ist. Leider besteht keine Hoffnung, die X-Bosonen in den großen Beschleunigern zu erzeugen und zu untersuchen. Die große Energie von $10^{24}$ eV läßt eine Erzeugung im physikalischen Labor nicht zu. Aber es gäbe eine Möglichkeit, ihre Existenz mit akzeptabler Wahrscheinlichkeit zu beweisen. Diese Möglichkeit liegt in ihrer von der Theorie zwingend geforderten Eigenschaft, Quarks in

Elektronen und Antiquarks umwandeln zu können. Eine wichtige Folge dieser Eigenschaft wäre nämlich, daß die Lebensdauer des Protons nicht unendlich groß sein darf. Daher kommt der Messung seiner Lebensdauer eine überragende Bedeutung für die Physik und für die Kosmologie zu.

## Lebensdauer des Protons

In den älteren unserer Physik-Lehrbücher finden wir noch die Aussage: »Das Proton ist das einzige *stabile* Teilchen aus der Klasse der Baryonen. Die Lebensdauer des Proton ist unendlich.« Durch die neuen Theorien ist diese Aussage nun keineswegs mehr sicher.

Natürlich ist die Lebensdauer des Protons in jedem Falle ungeheuer groß. Der russische Physiker (und Friedens-Nobelpreisträger [1975]) Andrej Sacharow hatte bereits im Jahre 1967 erstmals ernsthaft die Möglichkeit einer nicht-unendlich großen Lebensdauer für das Proton prognostiziert.

Die Frage: »Wie groß ist aber die ›ungeheuer große‹ Lebensdauer?«, ist entscheidend für die GUT's und auch für die Kosmologie der Urblitz-Phase. Allein schon aus der Tatsache, daß wir Menschen existieren und hundert Jahre alt werden können, folgt, daß die Zerfallszeit der Protonen größer sein muß als $10^{16}$ Jahre. Im Körper eines erwachsenen Menschen sind etwa $2 \cdot 10^{28}$ Protonen. Wäre nun die Zerfallszeit der Protonen wesentlich kleiner als $10^{16}$ Jahre, würde eine Strahlenbelastung im Innern unseres Körpers aus diesen zerfallenden Protonen entstehen, die für Lebewesen tödlich ist. Das ist aber offensichtlich nicht der Fall.

Warum ist die Messung der Lebensdauer so entscheidend für den Nachweis der X-Bosonen? Wegen der errechneten extrem großen Massen der X-Bosonen besteht natürlich gar keine Aussicht X-Bosonen in den großen Beschleuniger-Anlagen »künstlich« zu erzeugen. Um unsere obige Frage zu verstehen, müssen wir noch einen kurzen Exkurs in die Struktur des Protons machen. Dabei werden wir alle Komplikationen der Elementarteilchen-Theorie außer Betracht lassen, die zum Verständnis unseres X-Boson-Problems nicht unbedingt erforderlich sind.

Werner Heisenberg war bis zu seinem Tode im Jahre 1976 davon überzeugt, daß es keine freien Quarks geben könnte. Hier könnte er recht behalten, wenn es den Quarks normalerweise verwehrt bleibt aus der sog. »Confinement«-Hülle des Protons als freie Partikel austreten zu können.

Das Austreten von Partikeln aus der Protonenhülle kann aber vorkommen beim Zerfall des Protons, wenn im Innern des Protons zwei u-Quarks zusammenstoßen und sich in ein X-Boson verwandeln. Dieses zerfällt im allgemeinen sofort wieder in 2 u-Quarks und alles bleibt beim alten Zustand innerhalb der Protonenhülle.

In ganz seltenen Fällen kann im Proton das X-Boson – anstatt in zwei u-Quarks zu zerfallen – in ein Positron und ein Anti-d-Quark zerfallen. Dann zerfällt aber auch das Proton. Das Positron wird frei. Das Anti-d-Quark vereinigt sich mit dem d-Quark des Protons und bildet ein $\pi^\circ$-Meson, das seinerseits sehr schnell in 2 $\gamma$-Strahlen zerfällt.

Bei diesem Prozeß hatten sich über die Zwischenstufe des X-Bosons zwei schwere u-Quarks in ein Positron (also ein leichtes Teilchen) und ein Anti-d-Quark verwandelt (Abb. 3).

Analog kann ein Antiproton zerfallen. Es enthält zwei Anti-u-Quarks und ein Anti-d-Quark. Hier können sich die beiden schweren Anti-u-Quarks über ein X̄-Boson in ein Elektron (also wiederum ein leichtes Teilchen) und in ein d-Quark verwandeln. Das Zerfallsprodukt des Anti-Proton ist ein Elektron und 2 γ-Strahlen. Letztere entstehen

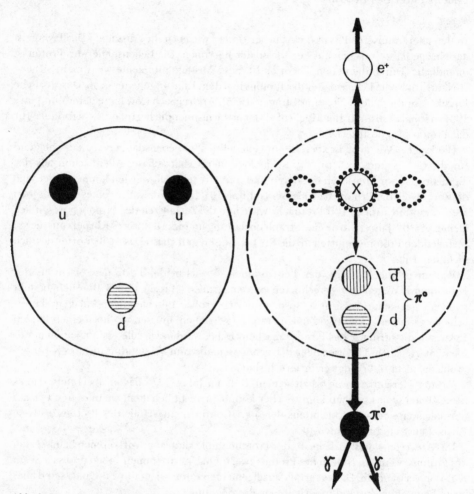

Abb. 3: Hypothese des Protonen-Zerfalls.

Links: Proton bestehend aus 2 u-Quarks mit einer Ladung von je (+2/3) Elementarladungen und einem d-Quark mit der Ladung (−1/3).

Rechts: Möglicher Zerfallsmodus des Proton über ein X-Boson, das in ein Positron (e⁺) und ein Anti-d-Quark zerfallen kann. Letzteres würde mit dem d-Quark kombinieren zu einem π°−Meson, das nach extrem kurzer Zeit in 2 Gamma-Strahlen zerfällt.

genau wie beim Zerfall des »normalen« Protons aus der Zerstrahlung der Kombination von d-Quark und Anti-d-Quark.

Der Vollständigkeit halber müssen wir noch darauf hinweisen, daß nach den Theorien noch weitere Zerfalls-Moden zu erwarten sind. Allerdings gilt der obige Prozeß als der Häufigste, der in 40 Prozent aller Protonen-Zerfälle erwartet wird.

Die GUT's geben uns Schätzwerte für die zu erwartenden Lebensdauern $\tau_p$ des Protons. Nach der SU(5) sollte in der Grundversion dieser Theorie $10^{29}$ Jahre $< \tau_p < 2,5 \cdot 10^{31}$ Jahre sein, während die SO(10) größere Lebensdauern auch oberhalb von $10^{32}$ Jahren zuläßt.

An zehn verschiedenen Laboratorien in der ganzen Welt sind zur Zeit große Experimente im Gange bzw. in Vorbereitung, die die Lebensdauer der Protonen messen sollen.

So haben beispielsweise indische und japanische Physiker in einer alten Goldmine bei Bangalore in Indien in 2300 Metern Tiefe einen »Detektor« aufgebaut, der aus 140 Tonnen Eisen besteht und $10^{32}$ Nukleonen enthält.

Bis zum Mai 1981 hatte das Wissenschaftler-Team in Indien 230 elementare Ereignisse registriert, von denen möglicherweise drei durch Protonen-Zerfall erklärt werden können. Die Ankündigung der ersten Messungen kam im Mai 1981 rechtzeitig zum 60. Geburtstag von Andreij Sacharow. Wenn sich dieser Befund bestätigt hätte, würde eine Protonen-Lebensdauer von $10^{30}$ bis $10^{31}$ Jahren resultiert haben.

Allerdings haben sich seither keine eindeutigen, weiteren Erfolge eingestellt, so daß die Deutung der obigen 3 Messungen als Protonen-Zerfall sehr zweifelhaft geworden ist. Bei dem europäischen Experiment im Montblanc-Tunnel hat man seit Juni 1982 ein Ereignis beobachtet, das als Protonen-Zerfall gedeutet werden könnte. Aber auch hier fehlt die Bestätigung durch weitere positive Befunde.

Eine noch größere Anlage wird zur Zeit in einem Tunnel bei Fréjus in Südfrankreich aufgebaut, an der auch deutsche Physiker beteiligt sind mit Förderung durch das Bundesministerium für Forschung und Technologie.

Das bisher empfindlichste Experiment ist im Jahre 1982 in der Morton-Salzmine bei Cleveland, Ohio, in 600 m Tiefe angelaufen. Dort enthält ein großer Wassertank von 20 m × 27 m × 23 m 8000 cbm hochgereinigtes Wasser, das von 2048 Photomultipliern überwacht wird. Wenn eines der $2 \cdot 10^{33}$ Protonen im Wassertank zerfällt, erwartet man die Emission von schnell bewegten Teilchen (z. B. $e^+$ und $\pi^0$) in zueinander entgegengesetzter Richtung. Die erzeugen, gegebenenfalls auch durch ihr Zerfallsprodukt (energiereiche Photonen), Lichtkegel mit Cerenkov-Strahlung. Letztere würde von den Zählrohren gemessen und mittels eines aufwendigen Computerprogramms analysiert.

Bis Ende 1984 hat man keinen Protonen-Zerfall eindeutig nachgewiesen, obwohl die Anlage voll funktionsfähig ist. Dies ist an energiereichen Neutrinos kontrolliert worden, die durch kosmische Strahlung in der Erdatmosphäre entstehen. Durch das negative Resultat im Cleveland-Experiment ist die untere Grenze für die Lebensdauer des Proton inzwischen auf $10^{32}$ Jahre heraufgerückt. Das könnte bereits bedeuten, daß die Grundversion der SU(5) aus dem Rennen ist. Man darf gespannt sein, wie sich der Wettlauf zwischen den einzelnen Laboratorien in der Zukunft weiterentwickelt.

## Die Bedeutung des X-Bosons für die Kosmologie

Die merkwürdigen Eigenschaften der X-Bosonen wurden anfänglich in den siebziger Jahren als ein unschöner Mangel der Theorie angesehen, der die ganze Theorie in Frage gestellt hat. Aber aus dem Mangel würde ein Triumph werden, wenn die Messungen der Lebensdauer des Protons den erhofften Wert von etwa $10^{32}$ Jahren ergeben sollten.

Für die Kosmologie würde sich eine von der Theorie geforderte Asymmetrie in den Zerfallseigenschaften der X-Bosonen als ein Geschenk des Himmels erweisen. Wie wir im vorigen Abschnitt gesehen haben, zerfallen nach der Theorie das X-Boson und sein Anti-Teilchen nach extrem kurzer Lebensdauer in Quarks bzw. Antiquarks, aber auch ganz selten in Quark-Elektron Kombinationen (Abb. 4). Letztere wären für den Zerfall des Protons verantwortlich. Nun sagt die Theorie eine winzige Differenz für die Zerfallsraten der X und Anti-X-Bosonen voraus, die die normalen Quarks bevorzugt. Diesem winzigen Unterschied verdanken wir möglicherweise unsere Existenz. Leider können die GUT's noch keine hinreichend genaue quantitative Aussage machen über die Asymmetrie.

X-Bosonen kann man zwar im Laboratorium nicht künstlich erzeugen, aber in der allerersten Phase des Urblitzes, $10^{-35}$ Sekunden nach dem Schöpfungsakt, waren die Temperaturen nach unseren derzeitigen Vorstellungen so hoch, oberhalb von $10^{28}$ Grad, daß X- und Anti-X-Bosonen in großer Zahl entstanden sein müßten. Nach dem Absinken der Temperatur unter $10^{28}$ Grad hatte das X-Boson dann die um ein winziges bessere Chance normale Materie zu erzeugen. Zu dieser frühen Zeit im Urknall wurde vermutlich bereits die Weiche gestellt, warum letztlich das Proton gewonnen hat. Aber was war der Preis, den das Proton für seinen Sieg zahlen mußte? Die winzige Asymmetrie beim Zerfall der X-Teilchen bewirkte, daß zur Zeit der paarweisen Zerstrahlungsorgie der Protonen und Antiprotonen ein winziger Überschuß von Protonen vorhanden war. Auf jede 1 Milliarde Antiprotonen kam 1 Milliarde + 1 Proton. Dieses Zahlenverhältnis ist aus der Kosmologie gewonnen. Die aus den GUT's ableitbaren Werte überdecken heute noch einen weiten Bereich von mehreren Zehnerpotenzen oberhalb und unterhalb des kosmologischen Wertes.

$$X_{+4/3} \xrightarrow{r} u_{+2/3} + u_{+2/3}$$
$$\xrightarrow{1-r} \overline{d}_{+1/3} + e^+_{+1}$$

$$\overline{X}_{-4/3} \xrightarrow{\overline{r}} \overline{u}_{-2/3} + \overline{u}_{-2/3}$$
$$\xrightarrow{1-\overline{r}} d_{-1/3} + e^-_{-1}$$

Abb. 4: Zerfallsmoden des hypothetischen X-Bosons (Ladung +4/3) und des Anti-X-Bosons (Ladung −4/3) in 2 u-Quarks (bzw. Anti-u-Quarks) oder in ein Positron ($e^+$) und ein Anti-d-Quark bzw. in ein Elektron ($e^-$) und ein d-Quark. Durch winzige Unterschiede in den Verzweigungsraten beim Zerfall wurde die normale Materie im Kosmos bevorzugt.

## Ausblick

Nur ein Proton pro Milliarde Teilchen hat die Vernichtungsorgie am Ende des Urblitzes überlebt. Somit enthält die heutige Materie im Weltall nur einen winzigen Rest des Energievorrats, der im Urblitz zur Verfügung stand.

Welch eine gigantische Verschwendung möchte man denken. Schaut man sich aber das Zusammenspiel aller wichtigen physikalischen Prozesse, die das Schicksal des Kosmos bestimmt haben, genauer an, so erkennt man, daß genau diese Verschwendungsrate eine entscheidende Voraussetzung dafür war, daß ein lebensfreundliches Universum entstehen konnte. Im Grunde wurde die Weiche für unsere Existenz bereits im ganz frühen Kosmos gestellt, durch die winzige innere Asymmetrie beim Zerfall des X-Bosons bzw. des Anti-X-Bosons. Sie führte dann auf die richtige Überlebensrate des Protons in einem Kosmos, dessen Expansionsgeschwindigkeit wiederum genau richtig war, um bei der primordialen Fusion das Überwiegen des Wasserstoffs zu gewährleisten.

Nur durch die Expansion des Raumes konnte es zum Ausfrieren der Protonen kommen. Die in ihnen gespeicherte Urblitz-Energie wurde solange konserviert, bis sie wieder in den Fusionsreaktoren der Sterne und in der für uns so wichtigen Sonne als »nützliche« Strahlungsenergie freigesetzt wurde. Nur ein winziger Bruchteil der Strahlungsenergie der Sonne aus den Fusionsreaktionen in ihrem tiefen Inneren erreicht die Erde, erwärmt sie und ermöglicht die Energie-Speicherung in sekundären Speichern, wie z. B. Öl, Kohle oder Holz. Die primäre Speicherung eines Teils der Urblitz-Energie in den Protonen ist die erste und wichtigste Voraussetzung für die Entstehung von Leben im Kosmos. Somit wurden bereits eine millionstel Sekunde nach dem Urknall die energetischen Voraussetzungen geschaffen für unsere Existenz und außerdem die langlebigen Elementarteilchen, aus denen die Atome und Moleküle in unserem Körper bestehen. Die ca. $2 \cdot 10^{28}$ Protonen und Neutronen im menschlichen Körper haben also bereits eine 20 Milliarden Jahre lange Entwicklungsgeschichte hinter sich.

Wäre die Expansion am Ende des Urblitzes langsamer verlaufen, würde die Fusion in der ersten Stunde einen Kosmos mit dominantem Anteil von Eisen und Sauerstoff erzeugt haben. Das hätte eine rostige Welt erzeugt, die extrem lebensfeindlich geworden wäre, vor allem weil der große Energiespeicher in den Protonen frühzeitig verbraucht worden wäre. Eine zu langsame Expansion hätte darüber hinaus zu einem frühzeitigen Kollaps des Weltalls geführt. Es wäre nicht genügend Zeit gewesen, um uns nach viereinhalb Milliarden Jahren auf einem erkalteten Planeten unseres Sonnensterns entstehen zu lassen. Hierbei war auch nötig, daß unser Sonnensystem erst relativ spät im Weltalter entstand, nachdem das interstellare Gas genügend mit schweren Atomen wie Kohlenstoff, Stickstoff, Sauerstoff und Eisen usw. angereichert war. Für diese Anreicherung mußten aber erst viele Generationen von massereichen Sternen die schweren Elemente in ihren inneren Fusionsreaktoren kochen und wieder an das interstellare Gas abgeben.

Recht beeindruckend ist zum Beispiel auch die Überlegung, was passiert wäre, wenn das Neutron nur 2 Promille weniger Masse hätte. Das Neutron ist um 1,3 Promille schwerer als das Proton. Wäre das Neutron auch nur um ein weniges leichter als das Proton, würde unser Weltall aus Helium bestehen. Man kann sich leicht ausmalen, daß das auf ein lebensfeindliches Universum geführt hätte. Praktisch jede Abänderung der bekannten

Naturgesetze würde das Universum lebensfeindlich machen. Daß wir heute hier sind und die Großartigkeit des Kosmos bewundern können, erforderte ein präzises Ineinandergreifen von Naturgesetzen und zahlenmäßig festgelegten Naturkonstanten.

Wenn man durchrechnet, was die Folgen wären, wenn man die wichtigsten Naturgesetze nur etwas abändern würde, so kommt man zu dem Schluß: Die Naturgesetze mußten innerhalb einer ganz geringen Marge genau so sein, wie sie sind, um ein Universum zu ermöglichen, in dem unser Leben möglich ist.

Je mehr wir lernen über die Vorgänge im Kosmos, um so betroffener stehen wir vor dem großartigen Geschehen des Schöpfungsaktes, den wir in der Sprache der Physik die Urknall-Singularität nennen. Es zeigt uns gleichzeitig die Zerbrechlichkeit der Existenz der Menschheit. Es sollte uns aber mit dankbarer Bewunderung erfüllen, daß unser Geist in der Lage ist, so weit in das kosmische Geschehen hineinzusehen.

## Ergänzende Literatur:

H. J. Blome und W. Priester: Urknall und Evolution des Kosmos, I. Einstein-Friedmann Kosmos und das Neutrino-Problem. II. Inflationär modifizierter Urknall und Eschatologie des Kosmos. Naturwissenschaften (J. Springer, Berlin, Heidelberg, New York) 71, 456–467 (Sept. 1984) und 71, 515–527 (Okt. 1984)

H. J. Blome and W. Priester: Vacuum energy in a Friedmann-Lemaître cosmos, Naturwissenschaften 71, 528–531 (Okt. 1984)

H. J. Blome and W. Priester: Vacuum energy in cosmic dynamics, Astrophysics and Space Science Dec. 1985

H. Fritsch: Vom Urknall zum Zerfall, Piper Verlag, München, Zürich 1983, 351 S.

R. Kippenhahn: Licht vom Rande der Welt, Deutsche Verlags-Anstalt, Stuttgart 1984, 348 S.

H. V. Klapdor: Der Beta Zerfall und das Alter des Universums, Sterne und Weltraum 24, 132–139 (März 1985)

J. Pfleiderer: Ursprung und Zukunft des Weltalls, Pinguin Verlag, Innsbruck, Umschau-Verlag Frankfurt 1983, 180 S.

W. Priester: Fortschritte in der Kosmologie, Rhein.-Westf. Akademie der Wissenschaften: N 333, Westdeutscher Verlag Opladen 1984, 85 pp. (Aug. 1984)

R. Sexl: Was die Welt zusammenhält, Deutsche Verlags-Anstalt, Stuttgart 1982, 256 S.

*Diesen Beitrag widme ich in Dankbarkeit meinen verehrten Lehrern und Förderern:*

Prof. Friedrich Becker zum 85. Geburtstag am 12. 6. 1985 und
Prof. Albrecht Unsöld zum 80. Geburtstag am 20. 4. 1985.

# Hermann Haken

# Physik und Synergetik: Die Vielfalt der Phänomene und die Einheit des Denkens

## Womit sich dieser Artikel befassen wird

Das Wort Physik stammt von dem griechischen Wort Physis, die Natur, und Physikos, dem Forscher, der sich mit der Natur befaßt. Im Laufe der Jahrhunderte oder Jahrtausende hat sich ein Bedeutungswandel vollzogen. Die Physik befaßt sich nach allgemeiner heutiger Auffassung mit der unbelebten Natur und auch hier sah sie, wenigstens im letzten Jahrhundert, noch von stofflichen Umwandlungen ab, deren Untersuchungen Aufgabe der Chemie ist. Mit der ungeheuren Fülle der Erscheinungen, die dann immer noch in der Physik behandelt werden, geht eine immer weitere Aufspaltung der Physik in Teilgebiete vor sich und der einzelne Wissenschaftler droht von einer Woge von Fakten erdrückt zu werden. Trotzdem war es immer das erklärte Ziel der Physik, nach Naturgesetzen zu suchen, die Einheit in die Vielfalt der Erscheinungen bringen. Daneben ist typisch für die Physik ihre strenge experimentelle Methodik, wo durch Ausschluß alles Überflüssigen und die Beschränkung auf wesentliche Kenngrößen Ergebnisse erreicht werden, die dann einer präzisen mathematischen Analyse zugänglich werden. So ist es wohl nicht übertrieben festzustellen, daß die Physik von vielen anderen Wissenschaften als der Prototyp einer Wissenschaft angesehen wird. Zugleich ergab die Strenge der Methodik die Möglichkeit, weitreichende Voraussagen über zukünftiges Verhalten von Systemen zu machen.

Wie wir in diesem Artikel sehen werden, befindet sich die Physik gegenwärtig in einem Umbruch. Sie wendet sich nämlich zunehmend komplexen Systemen zu, so daß wir an der Schwelle zu einem Brückenschlag zur Biologie stehen. So wie die grundlegenden Probleme der Chemie, d. h. die Natur der Atome und der chemischen Bindung letztlich auf die Physik zurückführbar waren, so zeichnet sich jetzt – aber auf einer anderen, nicht mehr mikroskopischen, sondern eher makroskopischen Ebene – ab, daß auch wichtige Fragen der Biologie durch Konzepte der Physik erfaßbar werden. Zugleich aber werden überraschende neue Grenzen physikalischer Voraussehbarkeit deutlich. Während in den 20er Jahren bereits einmal mit der Schaffung der Quantentheorie deutlich wurde, daß der Voraussagbarkeit im mikroskopischen, atomaren Bereich fundamentale Grenzen gesetzt sind, werden jetzt auch Grenzen der Voraussagbarkeit im makroskopischen Bereich etwa beim Wetter deutlich. Auch innerhalb der Physik übergreifende Zweige, wie die Thermodynamik, erfahren eine tiefgreifende Umdeutung. Wie sich zeigt, wurde eine Reihe von Gesetzen der Thermodynamik gerade im Hinblick auf Anwendungen auf die Biologie überstrapaziert und führten so in eine Sackgasse, aus der die Synergetik den Ausweg zeigt.

Die moderne Physik verschafft uns aber nicht nur Einblicke in die unseren Sinnen mehr oder minder direkt zugängliche Welt, sondern auch in die Welt des Allergrößten und Allerkleinsten. Fundamentale Fortschritte konnten in der Elementarteilchenphysik erzielt werden, ebenso wie beim Verständnis des Universums. In diesem Beitrag soll versucht werden, dem Leser einen kleinen Ausschnitt aus diesen faszinierenden neuen Entwicklungen zu geben. Immer wieder wird uns dabei klar, daß der ungeheuren Fülle der Erscheinungen und neu aufgefundenen Effekte doch immer wieder ganz einfache, aber sehr weitgehende und allgemeingültige Konzepte gegenüberstehen. Die neuen Erkenntnisse ermöglichen uns aber nicht nur ein tieferes Verständnis der Natur, sondern sie haben auch wichtige technische und medizinische Anwendungen zur Folge, doch würde es den Rahmen dieses Artikels bei weitem sprengen, auch hierauf einzugehen.

## Grundfragen der Physik vom Altertum zur Neuzeit: Atome und Licht

Seit Urzeiten sah sich der Mensch den Naturgewalten ausgesetzt: Regen, Schnee und Hagel, Blitz und Donner, Felsstürzen, reißenden Wasserströmungen. Er erlebt die Folge von Tag und Nacht, von Winter und Sommer, er sieht Aufgang und Untergang der Gestirne. Um ihn ist die Tier- und Pflanzenwelt, teils lebenswichtig als Nahrung, teils drohend. Bei den ersten Versuchen einer geistigen Durchdringung all dieser Erscheinungen denkt der Mensch an Geister oder Götter, die als bewegende Kräfte hinter diesen Phänomenen wirken. In seiner späteren Entwicklung versucht er, Einheit in die Vielfalt der Phänomene zu bringen, in ihnen grundlegende Gesetze zu erkennen. Erste wichtige Ansätze erkennen wir bei den Griechen, obwohl etwa Fragen der Himmelsbeobachtung und des Kalenders in anderen Völkern noch weit früher zu finden sind. Wichtige Hypothesen über die Natur werden aufgestellt. Für uns besonders attraktiv ist die Idee Demokrits, daß die Materie aus Atomen aufgebaut sei und so die Vielfalt der Erscheinungen auf ganz wenige Grundbausteine zurückgeführt werden könne. Eine Idee, die ganz entscheidend unser physikalisches Denken der Neuzeit bestimmt. In Archimedes tritt uns ein Forscher entgegen, der bereits Experimente durchführt. Doch hat eine systematische Durchführung von Experimenten bis auf das Mittelalter, etwa mit Gallileis Fallversuchen, warten müssen. So erfolgen die ersten Experimente an einfachen Vorgängen, am freien Fall von Körpern. Newton gelang die erste großartige Leistung der Neuzeit in der Physik, die Aufstellung der Bewegungsgesetze für Körper, auf die Kräfte wirken, und zugleich die Erkenntnis, daß der Fall von Körpern auf der Erde genau durch die gleiche Kraft bestimmt wird, die die Anziehung zwischen Himmelskörpern bewirkt. So wird es möglich, die Bahnen der Planeten um die Sonne aufgrund fundamentaler Gesetze zu berechnen.

Ein sehr großer Teil der Information, den der Mensch von seiner Umwelt erhält, gelangt zu ihm über das Licht. So verwundert es nicht, daß die Natur des Lichts schon lange den Forschergeist bewegte. Zwei Auffassungen standen sich hier gegenüber, nämlich das Licht in Form von Teilchen oder in Form von Wellen. Bei der Teilchen-Vorstellung wird verständlich, daß Licht sich gradlinig ausbreitet, und auch das Reflexionsgesetz folgt zwanglos. Aber andere Versuche stehen dieser Auffassung gegenüber. Läßt man Licht durch zwei enge Spalten treten, so ergibt Licht + Licht Dunkelheit. Ein Phänomen, das sich nur dadurch verstehen läßt, daß Licht sich fortpflanzt wie eine Welle, ganz in Analogie zu Wasserwellen.

Man kann aber auch Licht mit Teilchen gewissermaßen zusammenstoßen lassen, wobei sich das Licht verhält, als bestünde es selbst aus Teilchen. Die Frage, ob denn nun Licht »in Wahrheit« aus Wellen oder Teilchen besteht, war noch eines der großen Rätsel zu Anfang dieses Jahrhunderts, das schließlich durch die Quantentheorie gelöst wurde – Licht kann sowohl Teilchen als auch Welle sein. Als was es sich offenbart, hängt von der experimentellen Anordnung ab.

Eine ähnliche Revolution erfaßte unsere Vorstellung von der Materie, die – wie wir wissen – sich zunächst einmal in die Atome zerlegen läßt. In einem naiven Bild scheint jedes Atom aus einem Kern und Elektronen zu bestehen, wobei die Elektronen um den Kern kreisen, ähnlich wie Planeten um die Sonne. Diese materiellen Körper, wie Elektronen oder Atomkerne, können sich wie Wellen bewegen, was heute leicht durch Elektronenbeugung an Kristallen nachzuweisen ist. So ist in unserem Jahrhundert tatsächlich die Zerlegung der Materie in Grundbausteine gelungen. Aber diese Grundbausteine haben ganz andere Eigenschaften, als wir sie von unserer makroskopischen Welt her kennen. Die Grundbausteine können sich sowohl als Welle als auch als Teilchen darstellen. Die Versöhnung dieser beiden Aspekte ist durch die statistische Deutung der Quantenmechanik gelungen. Anstelle einer präzisen, gleichzeitigen Bestimmung von Ort und Geschwindigkeit eines Teilchens können wir z. B. nur noch von der Wahrscheinlichkeit reden, ein Teilchen an einem bestimmten Punkt zu finden. Nach der berühmten Heisenbergschen Unschärferelation spielen Ort und Geschwindigkeit eine zueinander komplementäre Rolle. Je genauer man den Ort vorauszusagen vermag, um so ungenauer läßt sich die Geschwindigkeit vorhersagen und umgekehrt. Damit sind auf mikroskopischer Ebene der Vorhersagbarkeit des Ausgangs eines Experiments grundsätzliche Grenzen gesetzt. Es hat immer wieder, bis heute, Versuche gegeben, die Wahrscheinlichkeitsdeutung aus der Quantentheorie zu eliminieren. Alle sind fehlgeschlagen, und es ist nicht zu sehen, daß sie jetzt Erfolg haben sollten.

Obwohl also ein Preis für die Zurückführung der Welt auf elementare Bausteine zu zahlen war, läßt sich doch auch eine ungeheure Fülle von Erscheinungen aus dem atomaren Bild deuten. Wir wissen, daß aufgrund des Wellencharakters der Elektronen diese in einem Atom nur bestimmte Dichteverteilungen annehmen können. Diese Dichteverteilungen entsprechen in einem ganz vagen Sinn den Elektronenbahnen, an die man im Sinne der klassischen Mechanik dachte. Im Gegensatz zu den klassischen Bahnen sind die Energien der Elektronen, die den Atomkern umkreisen, im Fachjargon ausgedrückt, »quantisiert«, d. h. die Elektronen können nur ganz bestimmte diskrete Energiewerte haben oder, wie man sich auch ausdrückt, die Elektronen können nur ganz bestimmte Energie-Niveaus besetzen. Stoßen in einer Gasentladungsröhre frei herumfliegende Elektronen mit Atomen des Gases zusammen, so können Elektronen der Atome energetisch angeregt werden. Die Elektronen können anschließend die aufgenommene Energie an das Lichtfeld abgeben. Mit anderen Worten, sie strahlen eine Lichtwelle, oder äquivalenterweise ausgedrückt, ein Lichtteilchen aus. Aus den möglichen Übergängen der Elektronen ergeben sich so typische Energien für die ausgestrahlten Lichtquanten oder, weil nach der Quantentheorie mit der Energie eines Lichtquantums auch die Wellenlänge des Lichts verknüpft ist, eine bestimmte Wellenlänge. Es war schon lange bekannt, daß erhitzte Gase Licht mit ganz charakteristischen Wellenlängen aussenden, die im Spektrum des Lichts als Spektrallinien in Erscheinung treten. Mit der Quantentheorie wurde es klar, wie die Fülle der verschiedenen Spektrallinien mit Hilfe einfacher Grundgesetze auf die Übergänge von Elektronen zwischen den Energie-Niveaus der Atome zurückzuführen ist.

Verweilen wir noch kurz beim Elektron. Dieses kann ganz verschiedene Dichteverteilungen, wie z. B. in Abb. 1 und 2 dargestellt, haben. Diese Dichteverteilungen zeichnen sich durch Symmetrien aus. In Abb. 1 ist die Dichte kugelsymmetrisch. Wenn man die Dichteverteilung um einen beliebigen Winkel um eine Achse durch den Kern dreht, so geht die Dichteverteilung in sich selbst über. Ein Beispiel für eine andere Symmetrie zeigt die Elektronenverteilung in Abb. 2. Drehen wir hier die Verteilung um 90°, so geht eine Verteilung in die andere über.

Eine Symmetrie kann gestört oder, wie der Physiker sagt, gebrochen werden, wenn wir die Atome in ein elektrisches Feld bringen. Ein solches Feld sucht die Elektronen in seine Richtung zu ziehen. Unter Einwirkung eines Feldes sind dann, wie Abb. 3 zeigt, die Elektronenverteilungen verschoben und nicht mehr durch eine Symmetrie verbunden.

Wie wir im Laufe des Artikels immer wieder sehen werden, ist »Symmetrie« eines der zentralen Konzepte der Physik. Das Symmetrie-Konzept ist nicht nur wichtig für Atome und die daraus zusammengesetzten Moleküle. Es ist in vielleicht noch größerem Maße grundlegend für die Physik der Elementarteilchen, wenn wir zu den allerkleinsten Bausteinen der Materie verstoßen. Aber auch im makroskopischen Bereich begegnet uns die Symmetrie, etwa wie bei Schneekristallen.

Für den Physiker ist nicht nur die Art der Bewegung, wie hier die der Elektronen im

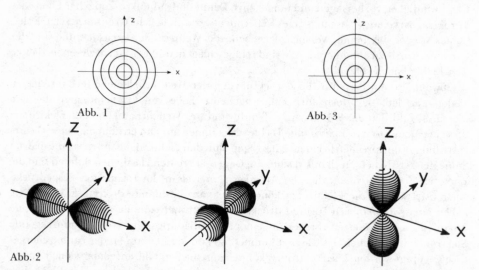

Abb. 1: Schematische Darstellung der kugelsymmetrischen Dichteverteilung der Elektronenwolke im Wasserstoffatom.
Abb. 2: Hantelförmige Verteilungen der Elektronenwolke im Wasserstoffatom in den drei möglichen Orientierungen.
Abb. 3: Verschiebung der ursprünglich kugelsymmetrischen Elektronenwolke unter Einfluß eines elektrischen Feldes.

Atom, von Interesse, sondern es sind auch die Kräfte, die diesen Bewegungen als Ursache zugrunde liegen. Während es bei den Planetenbahnen um die Sonne die Gravitationskraft ist, ist für die Wechselwirkung zwischen Elektronen und Atomkernen die elektrische oder, präziser ausgedrückt, die elektromagnetische Kraft die entscheidende. Dieser ist die Gravitationskraft überlagert, die aber gegenüber der elektrischen Kraft vernachlässigbar klein ist. Fundamental für die weitere Entwicklung der Ideen über Kräfte im mikroskopischen Bereich war die Erkenntnis, daß das elektrische oder allgemeiner das elektromagnetische Feld, als Spezialfall das Lichtfeld enthält. Nun wissen wir aber, daß das Licht nicht nur als Welle, sondern auch als Teilchen auftreten kann. Damit wird zu der Idee, daß die Kraft zwischen zwei Ladungen durch das elektromagnetische Feld vermittelt wird, die Idee dual hinzugefügt, daß eine Kraft auch durch den Austausch von Teilchen, den »Quanten des elektromagnetischen Feldes«, zustande kommt. Nach dieser Vorstellung wird z. B. von einem Elektron ein Quant des elektromagnetischen Feldes erzeugt, ausgesandt und z. B. vom Atomkern wieder absorbiert.

Diese Idee hat sich bei der Erklärung der »Kernkräfte« als äußerst fruchtbar erwiesen. Der Atomkern selbst setzt sich nämlich wiederum aus einzelnen, noch »elementareren« Teilchen zusammen, den elektrisch positiv geladenen Protonen und den elektrisch neutralen Neutronen. Wegen ihrer gleichnamigen Ladung sollten sich die Protonen gegenseitig abstoßen, und der Atomkern müßte platzen, die Neutronen würden ohnehin keine elektrische Kraft spüren und wären auch schon längst davongeflogen. Was hält also diese Teilchen auf engstem Raum zusammen? Es müssen offenbar Anziehungskräfte, die Kernkräfte, am Werke sein. Es liegt nahe zu vermuten, daß die Kräfte zwischen den Protonen und Neutronen, die allgemein als Nukleonen bezeichnet werden, durch den Austausch bestimmter Quanten, d. h. Teilchen, den sogenannten Pi-Mesonen bewirkt werden. Dieser Vermutung steht zunächst ein gewichtiger Einwand entgegen: Die Pi-Mesonen müssen mit ihrer Masse gewissermaßen aus dem Nichts erzeugt werden, wobei zweifellos der Energiesatz verletzt wird, da ja nach dem Äquivalenzprinzip der Relativitätstheorie Masse und Energie äquivalent sind. Nach der zweiten Heisenbergschen Unschärferelation, die sich auf Energie und Zeit bezieht, kann aber in genügend kurzer Zeit der Energiesatz verletzt sein, d. h. das Pi-Meson kann kurze Zeit – sozusagen auf Widerruf – existieren. Dies hat eine wichtige Konsequenz für die Reichweite von Kräften, die durch Teilchen vermittelt werden. Je schwerer das Teilchen ist, um so höher ist die Energie, die zu seiner Erzeugung aufzuwenden ist, um so kleiner ist die Zeit, in der der Energiesatz verletzt werden kann. Um so kürzere Strecke kann das Teilchen in der erlaubten Zeit zurücklegen, um so kleiner ist also die Reichweite der Kraft. Da die Masse der Pi-Mesonen relativ groß ist, ergibt sich zwangsläufig, daß die Kernkräfte eine sehr kurze Reichweite haben, viel kürzer als die elektromagnetische Kraft, die genaugenommen bis ins Unendliche reicht. Die Vermittlung von Kräften durch den Austausch von Quanten, d. h. Teilchen, ist neben der Symmetrie eines der weiteren grundlegenden Konzepte der Physik, dem wir später noch mehrfach begegnen werden.

Von nun an gabelt sich unser Weg, nämlich zu immer kleineren Dimensionen und zu immer größeren Dimensionen hin. Logischer wäre es wohl, wenn wir jetzt von den noch kleineren Bestandteilen der Atomkerne sprechen würden. Der Anschaulichkeit halber wollen wir aber zunächst einmal den Schritt zu den großen Dimensionen hin machen.

## Moleküle, Kristalle, Phasenumwandlungen

Mit der Atomtheorie wurde es verständlich, worin der Unterschied zwischen den verschiedenen chemischen Elementen besteht. Jeder Atomkern setzt sich ja selbst wieder aus den elektrisch positiv geladenen Protonen und den elektrisch neutralen Neutronen zusammen. Die in der Natur vorkommenden neutralen Atome haben gerade so viele negative Elektronen, wie das Atom Protonen besitzt. Die chemischen Elemente unterscheiden sich gerade durch die Zahl der Elektronen eines Atoms, und zwar durch die von ihnen besetzten Dichteverteilungen. Hiermit wurde es möglich, die Chemie wenigstens im Prinzip auf die Physik zurückzuführen. Die Quantentheorie vermag aber weit mehr. Sie kann nämlich auch die chemische Bindung erklären. Bereits die Wasserstoffbindung, bei der zwei Wasserstoffatome sich zu einem Molekül zusammenfinden, war lange Zeit ein Rätsel, weil ja beide Wasserstoffatome für sich elektrisch neutral waren und so kein Grund für eine Anziehungskraft zu sehen war. Die Quantentheorie zeigt aber, daß die Atome ihre Elektronen austauschen können und somit jeder Atomkern an den beiden Elektronen teilhaben kann, wodurch eine Bindungskraft zwischen den Atomen entsteht. Treten mehrere Atome zusammen, so können diese Moleküle bilden. Hierzu gehören wieder typische Elektronenverteilungen, die sich optisch in bestimmten Wellenlängen des absorbierten oder emittierten Lichts manifestieren. Es treten neue Wellenlängen auf, dadurch, daß die einzelnen Atome auch im Molekül gegenseitige Schwingungen ausführen können. Die vielfältigen Bewegungsformen von Molekülen mit sehr vielen Atomen sind bei weitem noch nicht erforscht, und uns stehen sicherlich noch viele Überraschungen bei der Funktionsweise von Biomolekülen bevor. So gibt es Moleküle, die eine Art Maul haben, das sich öffnen und schließen und damit Atome einfangen kann. Ein solcher Mechanismus scheint bei der Sauerstoffaufnahme des Hämoglobins unseres Blutes im Spiel zu sein.

Moleküle können sich auch kettenartig aneinander anlagern und sehr lange Ketten bilden, die wieder miteinander verschlungen sind und so besondere mechanische Eigenschaften hervorrufen, etwa elastische oder plastische Verformungen ermöglichen. Im Falle, daß sich viele Atome regelmäßig zusammenlagern, kommt es zur Kristallbildung. Die regelmäßige Anordnung der Atome, von der Abb. 4 ein Beispiel zeigt, beinhaltet wieder Symmetrien. Z. B. geht die ganze Anordnung in sich selbst über, wenn wir das Gitter um eine Gitterzelle verschieben. Diese »Translationssymmetrie« bestimmt ganz wesentlich (wenn auch nicht ausschließlich) welche Arten von Schwingungen die Atome in einem Gitter ausführen können und somit insbesondere die Schallausbreitung. Auch die

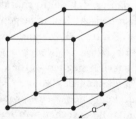

Abb. 4: Beispiel für die regelmäßige Anordnung von Atomen in einem Kristall.

Bewegung von Elektronen in Kristallgittern, von der wir sogleich noch sprechen werden, wird in erheblichem Maße durch die Translationssymmetrie ermöglicht. Bei der Zusammenlagerung der Atome können verschiedene Kräfte am Werke sein, etwa elektrische Kräfte, die zwischen Ionen herrschen (wie es etwa beim Kochsalz der Fall ist, wo das positiv geladene Natrium und das negativ geladene Chlorion sich periodisch zusammenfügen), die sogenannten Ionenkristalle.

Die Metalle finden ihre Bindungen in anderer Weise als z. B. die Ionenkristalle, indem sie, ähnlich wie schon das Wasserstoffmolekül, die Elektronen untereinander austauschen und so eine Bindungskraft unter sich hervorrufen. In den Metallen sind aufgrund dieses Austausches die Elektronen frei beweglich. Dies erklärt zugleich die hohe elektrische Leitfähigkeit der Metalle, die durch die Elektronen getragen wird. Es war eine Sensation zu Anfang dieses Jahrhunderts, als Kamerlingh-Onnes entdeckte, daß gewisse Metalle unterhalb einer bestimmten Temperatur eine unendlich große Leitfähigkeit erhalten. Wenn etwa in einem metallischen Ring ein Strom angeworfen ist, so kann er unendlich lange fließen, ohne auf den geringsten Widerstand im Metall zu stoßen. Der praktischen Anwendung dieses Phänomens der »Supraleitung« sind dadurch Grenzen gesetzt, daß sie erst bei sehr tiefen Temperaturen erfolgt und es bisher technisch nicht möglich ist, Überlandleitungen ständig auf sehr tiefen Temperaturen zu halten. Wichtig in unserem Zusammenhang ist aber ein anderer Aspekt. Die Supraleitung ist ein Beispiel für die sogenannten kollektiven Phänomene der Physik, die von grundlegender Bedeutung sind. Lange hat die Erklärung der Supraleitung der theoretischen Deutung getrotzt. Schließlich gelang es aber Bardeen, Cooper und Schrieffer, die Supraleitung zu verstehen, indem sie zeigten, daß jeweils Paare von Elektronen, die sich in bestimmter Weise energetisch anordnen, gemeinsam durch das Gitter fliegen und so durch ihre Kooperation in der Lage sind, Hindernisse, wie etwas die Schwingungen des Atomgitters und andere Gitterstörungen, zu überwinden.

Auch ein weiterer kollektiver Effekt in gewissen Metallen erweist sich als fundamental, nämlich der des Ferromagnetismus. Wie schon seit den 20er Jahren aus der Atomspektroskopie bekannt war, besitzen Elektronen nicht nur eine elektrische Ladung, sondern sie wirken nach außen hin wie ein winziges Magnetchen. Der Magnetismus des Ferromagneten kommt dadurch zustande, daß sich im magnetischen Kristall die einzelnen Magnetchen der Elektronen parallel in eine Richtung ausrichten. Es ist eine der Merkwürdigkeiten der Physik, daß die Ausrichtung selbst nicht über magnetische Kräfte erfolgt, sondern – wie Heisenberg zeigte – über elektrische. Wie das auch im einzelnen passieren mag, sei hier gleichgültig. Wichtig ist nur, daß eine Anzahl von Magnetchen, wenn sie einmal zufällig in eine Richtung zeigen, in der Lage sind, aufgrund des von ihnen erzeugten inneren Feldes immer mehr Magnetchen in ihren Bann zu ziehen, so daß schließlich der ganze Magnet magnetisiert ist und damit auf alle Eisenteile seine Wirkung ausüben kann.

Erhitzt man einen Magneten immer mehr, so wird die Temperaturbewegung der Teilchen immer größer. Die einzelnen Magnetchen kommen immer mehr ins Wackeln. Von einer bestimmten Temperatur an gewinnt die Temperaturbewegung die Oberhand über das innere Feld, und die Bewegung der Magnetchen wird immer ungeordneter. Es ist gewissermaßen wie bei einer Waage, auf deren einer Seite das innere Feld, auf der anderen Seite die Wärmebewegung als Gewicht auftreten. Überwiegt das eine oder das andere, tritt ein Übergang von geordnetem in ungeordneten oder von ungeordnetem in den geordneten Zustand ein. Bei diesen Übergängen spielt wieder die Symmetrie eine grundlegende Rolle. Im ungeordneten Zustand zeigen die Magnetchen in alle möglichen Richtungen, im geordneten hingegen nur in eine, spontan »gewählte«. Im letzteren Falle wird also eine Richtung vor allen anderen bevorzugt – oder, wie der Physiker sagt, die (Richtungs-)-Symmetrie wird »gebrochen«. Da wir in der Natur häufig die spontane Entstehung von Ordnung aus Unordnung sehen, insbesondere gerade in der belebten Natur, könnte man bei einer oberflächlichen Betrachtung annehmen, daß der Übergang von unmagnetisch zu magnetisch ein Paradigma für Unordnungs-Ordnungsübergänge auch in der belebten Natur sein könnte. Wie wir aber später sehen werden, ist dies nicht der Fall. Hier waren vielmehr ganz neuartige Gedankengänge notwendig.

Verweilen wir aber noch ein wenig in der unbelebten Natur und betrachten einen weiteren Unordnungs-Ordnungs-Übergang, das Schmelzen, etwa von Eis zu Wasser. Der geordnete Zustand des Eiskristalls wird durch die ungeordnete Bewegung der Flüssigkeit, bei der aber die Moleküle noch einen bestimmten Abstand voneinander halten, ersetzt.

Allen diesen Übergängen von einem Unordnungs- oder Ordnungszustand in einen anderen ist gemein, daß der Übergang ganz schlagartig erfolgt, wenn die Temperatur über eine kritische Temperatur geändert wird. Es liegt daher nahe zu versuchen, diesen Bereich der sogenannten Phasenübergänge mit einer einheitlichen Theorie zu beschreiben. Der erste Versuch einer Vereinheitlichung geht auf Landau zurück, der in Verallgemeinerung des inneren Feldes beim Ferromagneten den Ordnungszustand durch einen sogenannten Ordnungsparameter beschreibt. So wie bei einem Ferromagneten im ungeordneten Zustand das innere Feld Null ist und dann beim Phasenübergang schlagartig auf einen maximalen Wert anwächst, um den geordneten Zustand zu ermöglichen, so ändert auch bei anderen Phasenübergängen der Ordnungsparameter seinen Wert von Null beim ungeordneten Zustand auf einen Maximalwert im geordneten Zustand. Obwohl die Landautheorie der Phasenübergänge ein einheitliches Bild dieser Übergänge zeichnen konnte, traten dann doch Diskrepanzen auf, z. B. bei der spezifischen Wärme.

Eine auch mit den Experimenten übereinstimmende und zugleich einheitliche Theorie konnte erst im letzten Jahrzehnt, insbesondere durch die Arbeiten von Wilson, aufgestellt werden. Die Einzelheiten dieser Theorie hier darzustellen würde den Rahmen dieses Artikels wesentlich sprengen, doch sei der grundlegende Gedanke hier anschaulich erörtert. Betrachten wir einen Ferromagneten, dessen einzelne Magnetchen nach oben oder unten zeigen können. Diese Magnetchen können sich zu Grüppchen anordnen, bei denen jeweils die Magnetchen einer Gruppe in die gleiche Richtung zeigen. Stellen wir uns nun die Magnetchen, die nach unten zeigen als Seen, und die nach oben zeigen als Berge vor, so erblicken wir eine Landschaft. Im vollmagnetischen Zustand haben wir nur einen einzigen See oder einen einzigen Berg, während wir im ungeordneten Zustand eine wildzerklüftete Landschaft aus Bergen und Seen haben, wobei auch noch durch die Temperaturbewegung ständig Seen in Berge und Berge in Seen verwandelt werden. Die Wilsonsche Theorie untersucht, in welcher Weise der geordnete Zustand des Magneten in den ungeordneten Zustand übergeht. Dabei machte Wilson eine überraschende Entdeckung. An dem Übergangspunkt entsteht eine wildzerklüftete Landschaft, die aber eine ganz charakteristische Eigenschaft hat: aus welcher Höhe wir sie auch betrachten, immer erscheint sie uns als gleich, d. h. die Struktur bleibt sich selbst ähnlich. Mit anderen Worten ausgedrückt: welche Skala wir auch für die Auflösung wählen, immer wieder haben wir die gleiche Landschaft vor uns. Die Grundidee der Wilsonschen Theorie besteht darin zu untersuchen, nach welchen Skalengesetzen, d. h. nach welchen Maßstabsgesetzen, physikalische Größen z. B. die Magnetisierung sich ändern, wenn die Temperatur in der Nähe des Phasenübergangs geändert wird. So ist hier auf einem der interessantesten Gebiete der Physik, nämlich dem der kollektiven Erscheinungen, eine enorme Vereinheitlichung erzielt worden, wenn auch, zugegebenermaßen, der detaillierte Formalismus schon sehr abstrakt geworden ist.

Die kollektiven Erscheinungen der Physik sind auch vom Gesichtspunkt einer Wissenschaftstheorie höchst bemerkenswert. Durch den Atomismus schien es ja so, als könnten wir alle makroskopischen Erscheinungen auf die Eigenschaften mikroskopischer Gebilde zurückführen und so die Komplexität der Welt reduzieren, indem wir Systeme in ihre Teile, etwa einen Kristall in seine Atome zerlegen. Aber wie uns die Physik gelehrt hat, sind diesem Reduktionismus Grenzen gesetzt. Um nämlich makroskopische Erscheinungen zu erklären, bedarf es neuer Konzepte, etwa des Konzepts des Ordnungsparameters. Da dieser Begriff etwas abstrakt ist, sei er an einem einfachen Beispiel erläutert. Betrachten wir eine Kette, die aus einzelnen Teilen, z. B. Atomen, zusammengesetzt ist (Abb. 5). Wie wir wissen, kann eine Kette Schwingungen ausführen, wobei die Schwingungen eine jeweilige bestimmte Wellenlänge und Amplitude (= Maximalauslenkung) haben. Wellenlänge und Amplitude sind zwei Begriffe, die einem Massenpunkt selbst fremd sind.

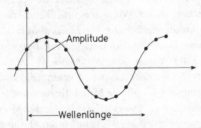

Abb. 5: Eine aus einzelnen Atomen zusammengesetzte Kette kann spezifische Schwingungen ausführen. Die Schwingung ist durch den Abstand von Wellenberg zu Wellenberg und die Höhe des einzelnen Wellenbergs gekennzeichnet.

Natürlich könnte man die Auslenkung der Kette auch so beschreiben, daß man die Lage der einzelnen Atome für alle Zeiten jeweils in einer Art Tafel angibt. Der Leser dieser Tafel hätte dann eine ungeheure Informationsmenge zu verarbeiten, die im allgemeinen keinerlei Einblick in die tatsächliche Kollektivbewegung der Atome gewährt. Spricht man hingegen von Wellenlänge und Amplitude, so ist das Wesen der kollektiven Bewegung sofort evident. Der Preis der mikroskopischen Beschreibung eines Systems besteht ganz allgemein darin, daß man sich einer ungeheuren Fülle von Einzeldaten, die sich auf die einzelnen Teilsysteme beziehen, gegenübersieht und im allgemeinen ein Verständnis für die wesentlichen Aspekte verliert. Man sieht gewissermaßen den Wald vor lauter Bäumen nicht mehr. Dieser Gesichtspunkt wird sich als wesentlich erweisen, wenn wir uns der Frage zuwenden, was die Physik für Aussagen zuläßt, wenn es sich bei den Gegenständen der Untersuchung um solche der belebten Welt handelt.

## Wie universell ist die Wärmelehre (Thermodynamik)?

Für den Physiker des 20. Jahrhunderts ist die mikroskopische Welt der Atome nicht nur eine Realität, sondern auch die Grundlage der Phänomene der makroskopischen Welt, und es entsteht für ihn die Aufgabe, die makroskopischen Erscheinungen aus den mikroskopischen herzuleiten. Dabei steht er der eben erwähnten Problematik gegenüber, die ungeheure Fülle der »atomaren« Einzeldaten zu reduzieren, oder um ein Schlagwort zu verwenden, »die Information zu komprimieren«. Überraschenderweise hat uns für einen wichtigen Zweig der Physik, nämlich die Thermodynamik, die (menschliche) Natur selbst den Weg gewiesen. Fassen wir nämlich einen Körper an, so registrieren wir keineswegs die Bewegung seiner einzelnen Atome oder Moleküle, sondern wir empfinden Wärme oder genauer ausgedrückt: eine bestimmte Temperatur. Halten wir unsere Hand aus dem fahrenden Auto, so registrieren wir wiederum nicht die einzelnen auftreffenden Luftmoleküle, sondern wir empfinden den Druck.

Im Rückblick gesehen ermöglichen uns die Begriffe wie Druck, Temperatur, Wärmeinhalt usw., die thermischen Eigenschaften makroskopischer Körper adäquat zu beschreiben, *ohne* daß wir die Datenfülle der Mikrowelt zu kennen brauchen. In der Tat gelang es bereits im 19. Jahrhundert, die makroskopischen Gesetzmäßigkeiten in der Thermodynamik zu erfassen, wie z. B. im Energie-Erhaltungssatz oder spezielleren Gesetzen, die z. B. den Zusammenhang zwischen Druck, Volumen und Temperatur eines Gases angeben. Später wurde es dann durch die statistische Mechanik möglich, diese Gesetze aus denen der Atomphysik herzuleiten. Die Grundidee basiert auf der statistischen Mittelung über die ungeheuer große Zahl der Atome oder Moleküle. So läßt sich z. B. die Temperatur eines (»idealen«) Gases aus der mittleren Bewegungsenergie seiner Moleküle berechnen. Dies bedeutet natürlich keineswegs, daß alle Moleküle die gleiche Energie haben; ganz im Gegenteil gibt es hier eine Streuung. Die Häufigkeit, mit der Moleküle mit einer bestimmten Energie bei einer experimentellen Messung auf mikroskopischem Niveau angetroffen werden, ist durch eine bestimmte Verteilungskurve (die »Maxwell-Verteilung«) festgelegt, die selbst wieder von der Temperatur abhängt. Die statistische Mittelung ist damit das geeignete Konzept zur »Informationskompression«.

Als hervorstechendstes Merkmal der Thermodynamik wird oft ihre Allgemeingültigkeit angesehen. In der Tat gelten ihre Gesetze für die verschiedensten Stoffe – unabhängig von ihren atomaren Bestandteilen. Allerdings sind dieser Allgemeingültigkeit Grenzen gesetzt, die zuweilen auch unter Physikern und Chemikern übersehen werden. Eine Reihe von Gesetzen setzen nämlich voraus, daß die Stoffe jeweils bestimmte Temperaturen haben. Für den Laien mag es überraschen, daß es Situationen gibt, bei denen Stoffe keine bestimmte Temperatur haben – sie sind dann »außerhalb des thermischen Gleichgewichts«. Hier verlieren dann die auf dem Temperaturbegriff basierenden Gesetze der Thermodynamik ihre Gültigkeit; zugleich müssen im Rahmen der statistischen Mechanik ganz neue Verteilungskurven für Energien usw. aufgefunden werden.

In einer Reihe von Fällen wird das thermische Gleichgewicht nur wenig gestört. Z. B. befinden sich in einem Draht bestimmter Temperatur die Metall-Elektronen im thermischen Gleichgewicht. Setzt man den Draht aber unter (elektrische) Spannung, so fließt makroskopisch ein Strom, mikroskopisch hat sich aber die Verteilungskurve für die Elektronen geändert – allerdings im allgemeinen nicht sehr stark. Derartige Vorgänge, die *nicht fern vom thermischen Gleichgewicht* ablaufen, werden makroskopisch in der sogenannten *»irreversiblen Thermodynamik«* behandelt. Dazu gehören z. B. der elektrische Strom und die Wärmeleitung. Die Konzepte der Thermodynamik lassen sich hier fruchtbringend verwenden.

In Physik, Chemie, besonders aber auch in der Biologie gibt es indessen viele Vorgänge fern vom thermischen Gleichgewicht, wo Thermodynamik und auch die irreversible Thermodynamik versagen. Von besonderem Interesse sind dabei Vorgänge, bei denen makroskopische geordnete Strukturen entstehen. Hier waren sowohl auf der makroskopischen und auch auf der mikroskopischen Seite grundsätzlich neue Denkansätze nötig, die in dem noch jungen Wissenschaftszweig der Synergetik gefunden wurden. Damit wollen wir uns im nächsten Abschnitt befassen, wo wir auch noch das für die Thermodynamik fundamentale Konzept der »Entropie« erläutern werden.

## Von der unbelebten zur belebten Welt. Synergetik

Hätte man noch vor etwa zwei Jahrzehnten einen Physiker gefragt, ob die Physik in der Lage sei, das Phänomen des Lebens wenigstens im Prinzip zu erklären, so hätte er ehrlicherweise nein sagen müssen. In der Tat war lange Zeit die Entstehung spontaner Strukturen, wie sie uns in den Lebewesen entgegentritt, für den Physiker ein Rätsel, schien doch die Entstehung geordneter Strukturen grundlegenden Gesetzen der Physik zu widersprechen. Einige Erfahrungstatsachen zeigen uns die Problematik auf. Bremst man ein Auto ab, so wird seine Bewegungsenergie in die Wärmeenergie von Bremsen und Reifen umgesetzt; diese erhitzen sich. Umgekehrt gelingt es natürlich nicht, durch Abkühlen von Bremsen und Reifen ein Auto spontan in einer Vorzugsrichtung in Bewegung zu setzen. Die ursprünglich geordnete Bewegung, nämlich in einer Richtung, ist in die ungeordnete Wärmebewegung der Atome in den Bremsen und Reifen umgesetzt worden oder, wie der Physiker sagt, die Energie eines Freiheitsgrades ist nun auf viele Freiheitsgrade verteilt. Auch elementare Versuche zeigen in die gleiche Richtung. Bringen wir einen heißen und einen kalten Körper zusammen, so gleicht sich die Wärme aus. Der umgekehrte Vorgang, daß sich ein gleichmäßig warmer Körper spontan an einem Ende erhitzt, am anderen abkühlt, wird nie beobachtet. Ähnlich ist es, wenn wir einen Behälter, der mit Gas gefüllt ist, mit einem leeren Behälter zusammenbringen. Die Gasatome strömen in den zweiten Behälter und verteilen sich gleichmäßig auf beide. Der umgekehrte Vorgang, daß alle Gasatome sich spontan in einem der beiden Behälter wieder versammeln, wird in der Natur nie beobachtet. Die Vorgänge in der Natur scheinen jeweils nur in einer bestimmten Richtung zu laufen, d. h. sie sind nicht umkehrbar oder, wie der Physiker sagt, irreversibel.

Im letzten Jahrhundert gelang es dem genialen Physiker Boltzmann, dieses Verhalten

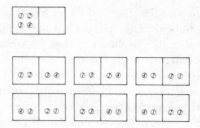

Abb. 6: Beispiel für die Verteilung von 4 Kugeln auf 2 Kästen.

mit einer mikroskopischen Deutung der sogenannten Entropie zu begründen. Nach Boltzmann strebt ein physikalisches System im Laufe der Zeit einen Zustand an, z. B. hier eine Verteilung von Gasatomen auf zwei Behälter, bei dem die Zahl der mikroskopischen Verwirklichungen maximal ist. Das ist dann zugleich der Zustand maximaler Entropie. Betrachten wir dazu als Beispiel vier Kugeln mit den Zahlen 1 bis 4 (Abb. 6), die wir auf zwei Kästen verteilen können. Es gibt offenbar nur eine Möglichkeit, die vier Kugeln in einen Kasten zu bringen, während es sechs Möglichkeiten gibt, die vier Kugeln auf zwei Kästen zu verteilen. Nach der Boltzmannschen Regel wird in der Natur dieser letztere Zustand angestrebt und verwirklicht. (Der Fachmann weiß natürlich, daß im praktischen Fall noch bestimmte Nebenbedingungen zu beachten sind, z. B. daß die Energie bei dem Gesamtsystem konstant bleiben muß.) Jedenfalls handelt es sich nach diesesm Prinzip um eine Abzählregel. Derjenige Zustand tritt in der Natur auf, der die größte Zahl von mikroskopischen Verwirklichungen besitzt. Dies ist zugleich der Zustand des thermischen Gleichgewichts und der maximalen Entropie.

Wie schon das einfache Beispiel der Kugeln zeigt, sind die Zustände maximaler Entropie solche, die makroskopisch möglichst strukturlos und mikroskopisch möglichst ungeordnet sind. Wie eine genaue Diskussion schon von Boltzmann zeigte, können im Prinzip spontan auch andere Zustände, sogenannte Schwankungen, auftreten, aber diese sind außerordentlich unwahrscheinlich. Der einzige Ausweg zur Erklärung der Entstehung des Lebens, mit seiner ausgesprochenen Strukturierung der Materie, der sich bei dem damaligen Stand des Wissens bot, war, eine ungeheuer große Schwankung für die Entstehung des Lebens und auch für die Existenz des Lebens selbst verantwortlich zu machen. Wegen der erforderlichen Größe der Schwankung besitzt diese aber zugleich eine verschwindend kleine Wahrscheinlichkeit, so daß dieses Konzept verworfen werden muß. Gibt es eine grundsätzlich andere Erklärungsmöglichkeit? Hier tritt nun die neue Disziplin »Synergetik« auf den Plan. Sie befaßt sich mit der Frage, wie geordnete Strukturen insbesondere im Bereich des Lebendigen entstehen können. Die Synergetik ist aus der Physik hervorgegangen. Das Wort »Synergetik« ist aus dem Griechischen entnommen und bedeutet soviel wie »Lehre vom Zusammenwirken«. Wir betrachten also hier Systeme, die aus sehr vielen Einzelteilen bestehen. Hierbei dürfen die Einzelteile ganz verschiedener Natur sein, wie etwa Atome, Moleküle, aber auch Zellen, Organe, oder Gruppen von Tieren oder Menschen. In vielen Fällen entsteht durch das Zusammenwirken dieser einzelnen Teile ein sinnvoll wirkendes Ganzes, dessen Tätigkeiten uns oft als selbstorganisiert erscheinen, d. h. die Tätigkeiten werden ausgeübt, ohne daß dies von außen her in einer speziellen Weise vorgeschrieben wird.

Die Synergetik hat sich nun zur Aufgabe gestellt, allgemeine Prinzipien aufzufinden, die beim Auftreten makroskopischer Strukturen maßgebend sind. Angesichts der Tatsache, daß es sich hier um ganz verschiedenartige Einzelteile (wie Atome oder Menschen) handelt, scheint es absurd, nach allgemeinen Prinzipien zu suchen, scheinen doch die Einzelteile ganz verschiedenartige Eigenschaften zu haben. Dennoch hat sich dieses Programm in einem recht weiten Umfang durchführen lassen. Dieses wurde dadurch möglich, daß wir uns auf solche Situationen beschränken, in denen sich das System in seinen makroskopischen Eigenschaften qualitativ ändert. Was unter solchen *qualitativen Änderungen* zu verstehen ist, läßt sich genaugenommen nur mathematisch formulieren, aber an einem Beispiel ganz gut illustrieren. Zunächst sei ein Beispiel für den Fall gebracht, für den keine qualitativen Änderungen vorliegen (Abb. 7). Am Anfang dieses Jahrhunderts stellte der schottische Biologe D'Arcy Wentworth-Thompson fest, daß er z. B. zwei verschiedene Fischsorten durch eine einfache Koordinatentransformation ineinander überführen kann. Denkt man sich den einen Fisch auf eine Gummimatte gezeichnet und verzerrt die Gummimatte, so entsteht daraus die Zeichnung eines neuen Fisches. Hierbei bleibt aber die Struktur erhalten. Auge geht in Auge, Kiemen in Kiemen, Flosse in Flosse über und auch die relative Lage zueinander bleibt bis auf Maßstabsänderungen erhalten. Man spricht deshalb hier von einer »strukturellen Stabilität«.

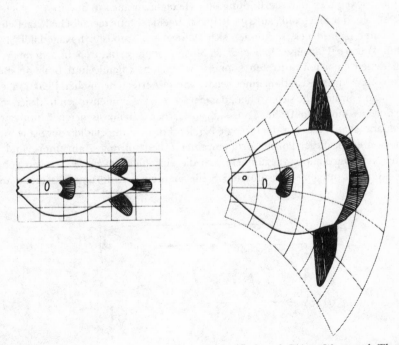

Abb. 7: Die Transformation vom Sonnenfisch in den Igelfisch nach D'Arcy Wentworth-Thompson.

Die Biologie gibt uns aber auch Beispiele für strukturelle Änderungen, wie in Abb. 8 (s. Tafel VII nach S. 240) dargestellt. Von der befruchteten Eizelle aus bis hin zum fertigen Lebewesen (hier einem Molch) gibt es immer wieder strukturelle Änderungen, etwa im Auftreten neuer Einschnitte oder im Auftreten von Extremitäten. Nun wäre es sicher sehr kühn, wenn man von der Physik ausgehend gleich die schwierigsten Probleme, etwa in der Entwicklungsbiologie, behandeln wollte. Da wir aber auf der Suche nach allgemeinen Prinzipien sind, die in einem weiten Bereich gültig sein sollen, liegt es nahe, bei einfachen Beispielen anzufangen. Solche können wir schon im üblichen Leben beobachten, etwa die Riffelstruktur am Strand, wo der Wellengang bestimmte Muster dem Sand aufgeprägt hat, oder noch besser bei Wolkenstraßen, regelmäßig angeordneten Wasserdampfstreifen, die periodisch am Himmel abwechseln. Eine Reihe dieser Straßen, wenn vielleicht auch nicht alle, werden von Auf- und Abwärtsbewegungen der Luftmassen bestimmt. Formationen dieser Art lassen sich auch im Labor etwa in von unten erhitzten Flüssigkeiten erzeugen, wovon Abb. 9 ein Beispiel gibt. Erhitzt man die Flüssigkeit nur wenig, so tritt eine mikroskopische Bewegung auf. Die Wärme wird durch mikroskopische Wärmebewegung im Innern der Flüssigkeit transportiert. Erhitzt man die Flüssigkeit weiter, so tritt plötzlich eine makroskopisch gut sichtbare Bewegung auf. Die Bewegung erfolgt in Form einzelner Rollen. An bestimmten Stellen steigt die Flüssigkeit auf, kühlt sich an der Oberfläche ab und fließt dann wieder nach unten. Ein häufig beobachtetes Muster ist das von Hexagonen in einer kreisrunden Schale, wobei die Flüssigkeit im Innern des Hexagons nach oben steigt und an den Rändern nach unten fällt. Als zunächst oberflächliche Analogie erscheint es, daß die Bildung von Hexagonen auch in anderen Gebieten der Physik, etwa in der Mechanik, auftritt. Bringt man eine dünne metallische Kugelschale im Innern unter Unterdruck, so können sich Deformierungsmuster hexagonaler Struktur ergeben. Weitere Hinweise, daß gleiche Muster oder Strukturen in scheinbar völlig verschiedenen Gebieten auftreten können, liefern uns Chemie und Biologie. Bei der Belousov-Zhabotinski-Reaktion, einer relativ komplizierten chemischen Reaktion, entstehen spontan Spiralen, die sich drehen, dabei wachsen, zusammenstoßen und sich schließlich an der Zusammenstoßfront gegenseitig auslöschen. Ein inzwischen bekannt gewordenes Pendant dazu liefert uns die Biologie bei den Entwicklungsstadien des Schleimpilzes. Üblicherweise lebt dieser Pilz in Form einzelner Zellen auf dem Nähruntergrund. Wird aber die Nahrung knapp, versammeln sich die einzelnen Zellen wie auf ein geheimes Kommando hin auf einer bestimmten Stelle, häufen sich dort immer mehr an und

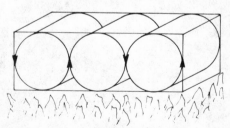

Abb. 9: Bewegungsmuster einer von unten erhitzten Flüssigkeit.

differenzieren sich schließlich zu Schaft und Sporenträger des Pilzes. Natürlich ist die Frage interessant, woher die einzelnen Zellen es wissen, daß sie sich an einem bestimmten Ort versammeln müssen. Biochemiker und Biologen haben den Grund herausgefunden. Die Zellen können eine bestimmte Substanz, nämlich zyklisches Adenosinmonophosphat (cAMP) rhythmisch produzieren und ausschütten. Wird eine Zelle von cAMP getroffen, so kann diese selbst ihre Produktion von cAMP erhöhen. Aus dem Wechselspiel von stimulierter Produktion von cAMP und Diffusion dieses Stoffes im Untergrund ergeben sich dann die Spiralwellen, die ganz in Analogie zu denen der Belousov-Zhabotinski-Reaktion stehen.

Obwohl es sich hier um zwei ganz verschiedene elementare Mechanismen in Chemie bzw. Biologie handelt, kommen die gleichen makroskopischen Erscheinungen zustande. Man kann dies als einen ersten Hinweis darauf sehen, daß bei kollektiven Erscheinungen vielleicht doch allgemeine Prinzipien am Werke sind, unabhängig von den einzelnen mikroskopischen Mechanismen.

## Die Lichtquelle »Laser« als Prototyp eines synergetischen Systems

Den Weg zum Verständnis derartiger kollektiver Erscheinungen, bei denen es zur Strukturbildung kommt, hat der Laser gewiesen. Der Laser ist für den Physiker in vielerlei Hinsicht von großer Bedeutung. Einerseits ist die Enstehung des Laserlichts ein hochinteressanter Vorgang, zum andern besitzt der Laser eine Fülle wichtiger technischer Anwendungen, die von genauesten Messungen in der Optik bis hin zum Schweißen von Metallen mit hochintensiven Lasern reichen. Da wir uns im Rahmen dieses Artikels mit den Grundlagen der Physik abgeben wollen und zugleich der Laser sich als der Prototyp eines synergetischen Systems erwiesen hat, wollen wir uns ein wenig mit ihm befassen.

Das Wort »Laser« stammt bekanntlich aus dem Amerikanischen und ist nichts anderes als eine Abkürzung für »*L*ight *A*mplification by *S*timulated *E*mission of *R*adiation« (»Lichtverstärkung durch induzierte Emission von Strahlung«). Übrigens impliziert dieser Ausdruck ein Mißverständnis, das lange Zeit die Literatur beherrscht hat. Beim Laser handelt es sich nämlich nicht um eine Verstärkung von Licht, sondern um eine ganz bestimmte Art der Erzeugung von Licht, deren genauer Mechanismus erst 1964 in einer Arbeit des Verfassers aufgeklärt worden ist. In seiner einfachsten Ausführung besteht der Laser aus einem laseraktiven Material, etwa einem Rubinkristall. In ihm sind bestimmte Atome, und zwar Chromionen, eingebaut, die dem Rubin seine rote Farbe verleihen und die auch für den Laserprozeß selbst verantwortlich sind. Von außen her wird der Rubin durch Lichteinstrahlung, z. B. von Blitzlampen, angeregt. Der Rubinlaser, oder jeder andere Laser auch, wird im allgemeinen von zwei Spiegeln begrenzt. Diese sorgen dafür, daß die von den angeregten Chromionen ausgesandten Lichtwellen immer wieder reflektiert werden und zumindest die, die in axiale Richtung weisen, sehr lange im Laser verweilen, bis sie dann schließlich doch durch einen der Spiegel, die ja nie vollständig reflektieren, austreten. Regt man die Laseratome genügend stark an, so kann die typische Lasertätigkeit einsetzen.

Um den Unterschied zwischen Lampe und Laser zu erläutern, sei auf Abb. 10 verwie-

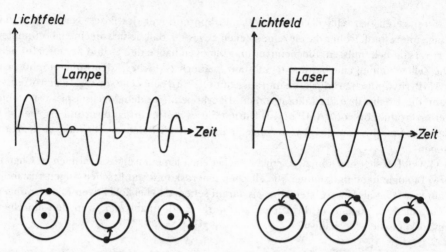

Abb. 10: Schematische Darstellung des Ausstrahlungsverhaltens einer Lampe (links) und eines Lasers (rechts).

sen. Links unten sind einzelne Atome des Lasers schematisch dargestellt. Die Elektronen können in diesem Modell auf zwei verschiedenen Bahnen um den Atomkern kreisen, von denen die äußere Bahn energiereicher ist. Durch Anregung von außen, etwa durch Licht, kann ein Elektron von der energieärmeren inneren Bahn auf die äußere Bahn angehoben werden. Wie die Quantentheorie lehrt, kann das Elektron spontan zu einer nicht vorhersehbaren Zeit auf die untere Bahn übergehen, wobei es seinen Energieüberschuß an das Lichtfeld abgibt. Dies wäre zu vergleichen mit dem Hineinwerfen eines Kieselsteins ins Wasser, wobei eine Wasserwelle entsteht, die im vorliegenden Fall einer Lichtwelle entspricht. Bei einem zweiten Atom passiert etwas Ähnliches, bei einem dritten ebenfalls usw. Aber alle diese Elektronenübergänge erfolgen unabhängig voneinander, so als würden wir einen Haufen Kieselsteine ins Wasser werfen. Hier wie dort entsteht eine völlig wilde Wellenbewegung, d. h. insbesondere im optischen Fall das »inkohärente« Licht der Lampe.

Im rechten Bild sind die Verhältnisse beim Laser dargestellt. Hier fallen die einzelnen Elektronen in wohlbestimmter Weise gleichmäßig von der äußeren Umlaufbahn auf die innere Umlaufbahn hinunter und geben so in einer sehr gleichmäßigen Weise ihre Energie an das Lichtfeld ab, das sich nunmehr als »kohärente« sinusförmige Welle erweist. Die Lasertheorie vermochte es, den Übergang vom inkohärenten Licht der Lampe zum kohärenten Licht des Lasers vorauszusehen, wobei auch, ähnlich wie beim Phasenübergang von Magneten, der Übergang von einem ungeordneten Zustand in einen geordneten Zustand erfolgt. Es besteht aber vom Physikalischen her gesehen ein prinzipieller Unterschied zwischen einem Magneten und einem Laser. Der Magnet befindet sich im thermischen Gleichgewicht. Zur Aufrechterhaltung des geordneten magnetischen Zustands bedarf es keiner Energiezufuhr. Ganz im Gegenteil – der magnetische Zustand wird erreicht, indem man dem Magneten Wärmeenergie entzieht, ihn abkühlt.

Ganz anders ist es beim Laser. Um seinen Ordnungszustand der ständig emittierten kohärenten Welle aufrechtzuerhalten, bedarf es eines ständigen Energiestroms in den Laser und zugleich auch auf der anderen Seite ständiger Kühlung durch die Umgebung. In diesem Sinne ist der Laser ein offenes System, dem ständig Energie zugeführt wird, das also gegenüber dem Energiestrom aus seiner Umgebung heraus offen ist. Außerdem ist der Laser ein System, das sich fern vom thermischen Gleichgewicht befindet. Trotzdem hat sich herausgestellt, daß der Übergang vom ungeordneten Zustand der Lampe in den geordneten Zustand des Lasers weitreichende Analogien zum Phasenübergang des Magneten aufweist. Da diese nur im Rahmen einer mathematischen Theorie darzustellen sind, soll auf eine ausführliche Darstellung verzichtet werden. Interessant ist aber, daß der Laser etwas von den Eigenschaften eines Lebewesens hat, das ja in seiner Existenz und Funktion auch ständig von einem Energiestrom von außen her aufrechterhalten wird.

Übrigens läßt sich hier schon eine wesentliche Erkenntnis der Synergetik vorausahnen – der Widerspruch zur Thermodynamik, nach der die Unordnung immer mehr wachsen sollte, löst sich auf eine verblüffende Weise. Bei den Systemen der Thermodynamik, bei denen die Unordnung immer mehr wächst, handelt es sich um abgeschlossene Systeme. Hier erfolgt keine Energiezufuhr und -abfuhr, d. h. kein Energiestrom durch das System. Anders beim Lebewesen und beim Laser – ein ständiger Energiestrom hält die Ordnung aufrecht. Es ergibt sich so als Quintessenz, daß Strukturbildung in offenen Systemen durchaus möglich und mit den Grundgesetzen der Physik verträglich ist, ja in einer Reihe von Fällen sogar explizit herleitbar wird. Wir erkennen so, daß das Leben auf der Erde nur möglich wurde, weil wir in der Sonne eine Energiequelle besitzen, die uns ständig Energie zuführt. Zugleich aber brauchen wir die Kälte des Weltraums, die ständig wieder überflüssige Energie aufnimmt und so die ständige Aufheizung der Erde bis auf Sonnentemperatur hin verhindert. Dies würde das Ende jeglichen Lebens bedeuten.

Die Entstehung von Ordnungszuständen aus dem Wechselspiel zwischen Energiezufuhr und -abfuhr (Abkühlung) ist dem Ingenieur, der Motoren konstruiert, natürlich geläufig, und ihm sind daher auch wichtige Prinzipien der Synergetik sofort eingängig. Im Motor kommt es darauf an, die vielen Freiheitsgrade der einzelnen Gasmoleküle, die etwa bei der Explosion des Benzingemischs mit Energie angeregt sind, in die Energie eines einzigen Freiheitsgrads der Kolbenbewegung umzusetzen. Diese Idee, daß bei vielen wichtigen biologischen Vorgängen, wie etwa der Fortbewegung, der Sprache, aber auch beim Erkennen, viele einzelne Freiheitsgrade in wenige hochangeregte Freiheitsgrade überführt werden, scheint so dem Ingenieur verständlich. Aber es treten wichtige Fragen hinzu, die gerade den Unterschied zwischen Ingenieurwesen und etwa Biologie ausmachen. Bei der Konstruktion eines Motors werden ja gerade Nebenbedingungen, wie z. B. Zylinder und Kolben, künstlich von Menschen geschaffen, damit diese Umwandlung der Freiheitsgrade erfolgen kann. In der natürlichen Entwicklung mußte sich die Natur gewissermaßen auch diese Nebenbedingungen selbst organisieren. Zum zweiten kommt hinzu, daß die hochangeregten Freiheitsgrade, von denen wir oben sprachen, natürlich in der Natur im allgemeinen keineswegs unmittelbar erkennbar sind. Hier ist es vielmehr eine der Aufgaben der Synergetik, diese Freiheitsgrade ausfindig zu machen und zu verstehen, wie die vielen individuellen Freiheitsgrade mit den wenigen hochangeregten Freiheitsgraden gekoppelt sind.

## Grundlegende Begriffe der Synergetik

Bevor wir uns dieser Frage zuwenden, wollen wir uns nochmals mit dem Laser befassen und an ihm darlegen, warum er ein so schönes Beispiel gewissermaßen schon in paradigmatischer Form für Selbstorganisation abgibt. Dazu übersetzen wir die Vorgänge im Laser in ein anthropomorphes Bild. Wir identifizieren nämlich die einzelnen Laseratome mit Männern, die an einem Kanal stehen. Das Wasser im Kanal soll das Verhalten des Lichtfeldes symbolisieren. Dem Verhalten einer Lampe würde es entsprechen, wenn die Männer unabhängig voneinander Stöcke in das Wasser stoßen, wobei natürlich eine völlig wildbewegte Wasseroberfläche entsteht. Im Falle des Lasers hingegen müßten die Männer ihre Stöcke in einem ganz bestimmten gleichmäßig aufeinander abgestimmten Rhythmus in das Wasser stoßen, damit die gleichmäßige Wasserwelle, d. h. das kohärente Lichtfeld, entsteht. Im menschlichen Bereich ist unser letzteres Verhalten nur verständlich, wenn wir annehmen, daß hinter den Männern ein Capo oder Boß steht, der jeweils die Stöße mit einem Ruf »jetzt, jetzt, jetzt« ankündigt. Im Laser ist natürlich kein Boß oder Capo, der den Laseratomen den entsprechenden Befehl gibt. Die Laseratome müssen allein herausfinden, wie sie sich zu organisieren haben.

Wie die nähere theoretische Durchdringung dieses Problems zeigt, geschieht das über das Lichtfeld, d. h. in unserem anthropomorphen Bild über das Wasser. Zuerst einmal stoßen, um in diesem Bild zu bleiben, zwei oder drei Männer *zufällig* in einer korrelierten Weise ihre Pflöcke ins Wasser, so daß die von ihnen erzeugte Welle schon etwas geordnet ist und eine höhere Wellenhöhe hat als die unregelmäßigen Wellen, die von den anderen erzeugt werden. Die anderen Männer können dann über ihre Pflöcke die schon etwas gleichmäßiger gewordene Wasserbewegung fühlen und ihre Bewegung so einrichten, daß die ursprünglich erzeugte geordnete Welle weiter verstärkt wird. Immer mehr Männer werden dann mit ihrer Bewegung in den Bann dieser vorherrschenden Welle gezogen, so daß schließlich nur noch diese Welle unterstützt wird. Allerdings ist dieses Bild für den Laser noch etwas zu einfach, weil es ja so scheinen könnte, als könnten hier anfänglich beliebige Wellen durch Zufall entstehen und dann verstärkt werden. Tatsächlich kommen hier noch zwei Aspekte hinzu. Einerseits haben nämlich die Atome einen eigenen Rhythmus, mit dem sie eine bestimmte Welle bevorzugt erzeugen, und zum anderen können durch die Laserkonstruktion mit den Spiegeln von vornherein bestimmte Wellen vor den anderen herausgehoben werden. Verfolgt man dies genauer, muß man die Verhältnisse im Laser wie folgt beschreiben. Zunächst können verschiedenartige Wellen angeregt werden, aber es setzt unter den angeregten Wellen ein Wettkampf um ihre Verstärkung ein und diejenige Welle gewinnt, die von den Atomen (bzw. Männern) die meiste Energiezufuhr bekommt und am langsamsten ihre Energie durch »Reibungsverluste« (Spiegel) wieder abgibt. Wie man sieht, müssen wir hier die Verhältnisse im Laser von zwei komplementären Seiten her betrachten. Von den Männern bzw. Atomen einerseits und von den Wellen andererseits. Die Ordnung im Laser kommt dadurch zustande, daß eine Welle den Wettkampf gewinnt und dann die Laseratome in ihren Ordnungszustand zwingt. Damit wird in der Fachsprache der Physik die Laserwelle zum »Ordnungsparameter« oder kurz »Ordner«. Dieser tritt uns in einer Janusgestalt entgegen. Der Ordner beschreibt einerseits den Ordnungszustand, zum anderen bestimmt er den Ordnungszustand, indem er, einmal etabliert, die Teilsysteme – hier die Atome bzw. Männer – in seinen Ordungszustand hineinzieht oder, um mit der Fachsprache der Synergetik zu reden, »versklavt«. Übrigens hat das Versklavungsprinzip, das sich in eine mathematisch präzise Form gießen läßt, viele Anwendungen nicht nur im physikalischen Bereich gefunden. Ein erläuterndes Beispiel entstammt unserer Erfahrung. Wird ein Baby geboren, so wird es der Sprache ausgesetzt, es lernt die Sprache und wird im Sinne der Synergetik von der Sprache versklavt. Dann trägt es als Individuum die Sprache weiter. Hieraus wird übrigens noch eine andere Eigenschaft von »Ordner« und »versklavtem« System deutlich. Ordner sind langlebige Größen, während die versklavten Untersysteme kurzlebige Größen sind. Die Sprache eines Volkes lebt viel länger als der einzelne. Ähnlich sind die Lichtwellen in einem Laser langlebig verglichen mit den angeregten Zuständen der Elektronen. Es ist durchaus reizvoll, dem Versklavungsprinzip auch in anderen Bereichen des Lebens nachzugehen, z. B. beim Verhältnis von Institutionen zu deren Mitgliedern, etwa Ministerium – Minister etc. Da die Minister relativ häufig wechseln, im Vergleich zu ihrem Ministerium (oft auch zu dessen Beamten) »kurzlebig« sind, müssen wir schließen, daß ein Minister von seinem Ministerium »versklavt« wird. Dies ist eine vielleicht etwas provozierende Feststellung, aber durchaus des Nachdenkens wert. Daß derartige Fragestellungen durchaus seriösen Charakter haben, zeigt sich bei indirekten Antworten darauf, etwa bei der Jobrotation. Doch wollen wir uns hier nicht zu sehr in das soziologische Gebiet begeben, obwohl sich eine Reihe interessanter Ausblicke bieten.

Wenden wir uns lieber einem zweiten physikalischen Experiment zu, an dem sich nochmals die Prinzipien der Synergetik recht deutlich ablesen lassen, dem der von unten erhitzten Flüssigkeit. Hierzu erinnern wir den Leser an den ihm schon aus der Schulzeit geläufigen Begriff der Stabilität. Im linken Teil von Abb. 11 befindet sich eine Kugel in einer Vase. Wird die Kugel ein wenig ausgelenkt, so fällt sie von sich aus wieder an die tiefste Stelle zurück. Wir haben hier ein stabiles Gleichgewicht vor uns. Denken wir uns nun die Vase umgedreht und auf ihrem höchsten Punkt die Kugel ausbalanciert, so genügt schon der kleinste Stoß, daß die Kugel sich immer wieder von ihrer »labilen Gleichgewichtslage« entfernt und nie mehr dorthin zurückkehrt. Wenden wir nun dieses Beispiel auf eine von unten erhitzte Flüssigkeit an. Die erhitzten Teile dehnen sich aus, werden spezifisch leichter und streben daher nach oben. Umgekehrt drücken die kalten und daher spezifisch schwereren Teile von oben. Es ist so, als wollte auf einer Treppe eine Menschenmasse von unten nach oben und eine andere von oben nach unten. Sofort sehen wir dann ein Menschengewühl entstehen. Menschen streben wild durcheinander in ihre jeweilige

Abb. 11: Zur Erläuterung des Unterschieds zwischen dem stabilen Gleichgewicht links und dem instabilen Gleichgewicht rechts.

Richtung und behindern sich dabei enorm. Es scheint uns, daß die Natur hier klüger vorgeht. Sie testet durch Wärmeschwankungen verschiedene Konfigurationen, wie sie z. B. in Abb. 12 und 13 dargestellt sind. Dabei zeigt sich, daß eine Konfiguration die Wärme besser von unten nach oben transportiert als eine andere. Diese Konfiguration wächst in ihrer Aufwärtsgeschwindigkeit der Flüssigkeitsteilchen an und setzt sich gegenüber den anderen Konfigurationen durch. Wir erkennen hier, wie schon vorher bei den Lichtwellen im Laser, ein Wettbewerbsprinzip, so daß wir hier von einem verallgemeinerten Darwinismus sprechen können. Die Welle, die sich durchsetzt, prägt dem System, hier der Flüssigkeit, den Ordnungszustand auf. Spritzt man z. B. Tinte in die Flüssigkeit, so folgt diese schnell dem Rotationszustand der Flüssigkeit und wird dadurch durch den Ordner versklavt. Um Mißverständnisse zu vermeiden, sei darauf hingewiesen, daß all dem, was hier mehrfach vorgetragen wird, eine strenge mathematische Theorie zur Seite steht, in der die Begriffe wie »Ordner«, »Versklavung« und »Instabilität« bestimmten mathematischen Begriffen oder Algorithmen entsprechen.

Das Beispiel der Flüssigkeit erlaubt es auch, den Begriff der Symmetrie und des Symmetriebruchs zu erläutern. Symmetrien sind uns ja schon in den Atomen, in den Kristallgittern, wie auch beim Magneten entgegengetreten. Wir haben auch gesehen, daß

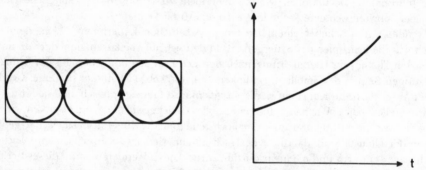

Abb. 12: Schematische Darstellung einer speziellen Rollenbildung in einer von unten erhitzten Flüssigkeit (links) und das Anwachsen ihrer Geschwindigkeit im Laufe der Zeit (rechts).

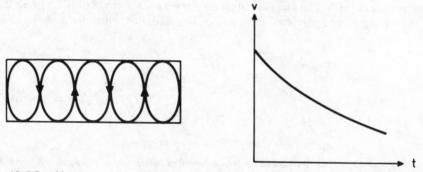

Abb. 13: Wie Abb. 12, nur klingt die hier vorliegende Rollenformation im Laufe der Zeit ab.

es hier zu einem Bruch von Symmetrien kommen kann. Auch Systeme fern vom thermischen Gleichgewicht können Symmetriebrüche erleiden, wobei aber im Gegensatz zu den Atomen, bei denen etwa ein äußeres Feld angelegt wurde, Fluktuationen mikroskopischer Natur als Ursache auftreten können. Wie sich nämlich zeigt, können die Rollen, die in Abb. 9 in einer bestimmten Richtung rotieren, auch kollektiv in der umgekehrten Richtung rotieren. Es gibt somit zwei völlig äquivalente zueinander symmetrische Zustände, wobei eine kleine Schwankung entscheidet, welcher dann realisiert wird. Mikroskopische Schwankungen erweisen sich somit sozusagen als Auslöser für makroskopische Strukturbildungen. Diese Strukturen entstehen aber nicht, wie das oft fälschlicherweise auch von bekannten Schulen angenommen wird, allein aufgrund von Fluktuationen, sondern durch Selektion bestimmter Ordner.

Das Phänomen des Symmetriebruchs läßt sich auch bei komplizierten Vorgängen und komplexen Systemen verfolgen, selbst beim komplexesten System, das wir kennen, nämlich beim menschlichen Gehirn. Abb. 14 zeigt eine ambivalente Figur, die zwei gleichwertige Interpretationen zuläßt. Gibt man dem Betrachter des Bildes die Zusatzinformation ›Betrachte den weißen Teil als Vordergrund‹, so erkennt er eine Vase. Sagt man hingegen: ›Betrachte die schwarzen Teile als Vordergrund‹, so erkennt er zwei Gesichter. Die zunächst vorhandene Symmetrie = Ambivalenz wird also durch eine Zusatzinformation »gebrochen«. Übrigens ist der Symmetriebruch ein wichtiges Hilfsmittel bei psychologischen Tests, bei denen der Versuchsperson Bilder ambivalenten oder auch eines neutralen Inhalts gezeigt werden. Zum Beispiel wird der Versuchsperson ein ausdrucksloses Gesicht vorgelegt, sie legt aber durch ihre Prägung eine bestimmte Gefühlsäußerung in dieses Gesicht hinein. Es mag hier der Hinweis genügen, daß auch viele Konfliktsituationen aufgrund von Symmetrien auftreten und Konfliktlösungen dann nur durch einen Symmetriebruch erfolgen können. Um nur ein konkretes Beispiel zu nennen: Namensgebung beim Kind – Name des Vaters oder Name der Mutter?

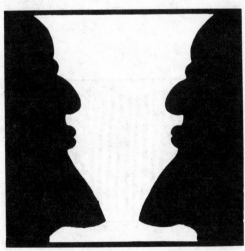

Abb. 14: Vase oder Gesichter?

177

## Einige Ergebnisse der Synergetik in Physik, Chemie, Biologie

Kehren wir nun aber, nach dieser kleinen Abschweifung, in die Physik zurück. Tatsächlich gibt es hier eine Fülle von Erscheinungen, bei denen Strukturen in offenen Systemen auftreten. Insbesondere gibt es hier charakteristische Übergänge von einem Zustand in einen anderen, wenn ein Parameter, z.B. die Energiezufuhr, geändert wird. Einige Beispiele sind: Wolkenformationen, insbesondere auch die Entstehung von Wetterfronten (auf das Problem des Wetters werden wir weiter unten nochmals zurückkommen), geologische Formationen, bei denen dynamische Strukturen, die wir hier betrachtet haben, schließlich durch Abkühlung erstarrten, Sternatmosphären, Wellen in Plasmen.

Betrachten wir nun anhand einiger Abbildungen konkrete Ergebnisse, die mit den Methoden der Synergetik berechnet wurden. Abb. 15 zeigt die Entstehung von Mustern in einer von unten erhitzten Flüssigkeit in einem Gefäß. In den hellen Zonen steigt die Flüssigkeit nach oben, in den dunklen sinkt sie nach unten.

Auch Flammen können eine Reihe von Strukturen ergeben. Beispielsweise kann die Flammenfront eines ebenen Brenners instabil werden und gibt zu hexagonalen Mustern Anlaß.

Auch in der Biologie, bei dem Problem der Morphogenese, haben sich die Begriffsbildungen der Synergetik als höchst fruchtbar erwiesen. Es tritt hier in der Biologie das Problem auf zu erklären, wie die Zelldifferenzierung zu bestimmten Organen hin zustande kommt. Hier lassen sich zwei Grundauffassungen unterscheiden. Nach der einen ist die Bildung des Organismus bereits vollständig als »Konstruktionszeichnung« in den Genen angelegt, so daß insbesondere jede Zelle von vornherein »weiß«, wofür sie später bestimmt ist. Die andere Auffassung besteht darin, daß die Zellen ihre Information, wozu sie sich zu differenzieren haben, erst durch ihre Lage im Organismus erhalten. Obwohl sicher die erste Auffassung in einer Reihe von Fällen zutreffend ist, gibt es aber auch, und das ist für die Synergetik von besonderem Interesse, experimentelle Beweise dafür, daß erst durch das Zusammenwirken im Organismus die Zelldifferenzierung zustande kommen kann.

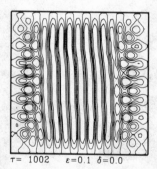

$\tau = 1002 \quad \varepsilon = 0.1 \quad \delta = 0.0$

Abb. 15: Die berechnete Bildung von Mustern bei einer von unten erhitzten Flüssigkeit (nach Bestehorn und Haken).

Ein bekanntes Beispiel hierzu stellt die Hydra, ein Süßwasserpolyp, dar. Diese besteht aus dem Kopf, einer Bauchgegend und einem Fuß. Wird nun die Hydra in der Mitte durchgeschnitten, so können sich die beiden Teile regenerieren. Dort, wo ein Kopf ist (also der Fuß fehlt) entsteht wieder ein Fuß, und dort, wo ein Fuß ist (aber der Kopf fehlt) entsteht wieder ein Kopf. Beide Male entstehen die neu zu bildenden Organe aus Zellen, die der Bauchgegend entstammen, die also von vornherein gar nicht wissen konnten, daß sie später zu einem Kopf oder zu einem Fuß sich zu entwickeln haben. Sie müssen also ihre Information erst später, und zwar gerade aus ihrer Lage im Körper, bekommen haben. Es liegt nahe anzunehmen, daß der Kopf z. B. Signale aussendet »ich brauche einen Fuß, aber keinen weiteren Kopf«, und der Fuß analoge Signale. Es liegt ferner nahe, und es gibt auch gewisse experimentelle Hinweise dafür, daß es sich bei den Signalen um chemische Substanzen handelt, die in den verschiedenen Zellen hergestellt werden. Man wird somit zu dem Bilde geführt, daß in den Zellen chemische Stoffe erzeugt und auch über die Zellen hinweg transportiert werden, die miteinander wechselwirken und auf diese Weise ein sogenanntes chemisches Vormuster bilden können, wobei das Muster in einer räumlich variablen Verteilung der chemischen Konzentrationen besteht. Nimmt man ferner an, daß bei hoher Konzentration von Aktivatormolekülen Gene aktiviert werden, die z. B. dann zur Differenzierung der Zellen zum Kopf führen, so wird die Ausbildung von Organen an den chemisch vorgegebenen Stellen verständlich.

Ein Beispiel, das sich auf das Gierer-Meinhardt-Modell für das chemische Vormuster stützt, ist in Abb. 16 wiedergegeben, wo aus dem zunächst homogen verteilten Aktivator schließlich ein hexagonal verteilter Aktivator sich aufbaut. Eine solche Verteilung erklärt

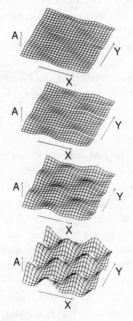

Abb. 16: Aufbau eines chemischen Vormusters. Die Zeit läuft von oben nach unten.

also die Möglichkeit hexagonaler Strukturen, wie sie z. B. bei Facettenaugen vorliegen. Übrigens können auch mit verwandten Modellen Streifenmuster erzeugt werden, wie sie etwa auf Fellen von Zebras auftreten oder auch konzentrische Kreise, wie sie auf Schmetterlingsflügeln beobachtet werden. Zumindest gibt es hier einen Denkansatz, um das Auftreten von Mustern auch in der belebten Natur zu verstehen. Allerdings muß hier eine wichtige Einschränkung gemacht werden. Wie aus all den hier angeführten Beispielen ersichtlich ist, sind die gleichen Prinzipien am Werke, die zur Musterbildung führen, unabhängig von der Natur der daran beteiligten Teile und ihrer detaillierten Wechselwirkung. Für diese allgemeine Aussage ist aber ein Preis zu zahlen, denn aus dem Auftreten von bestimmten Mustern kann nicht eindeutig auf den zugrunde liegenden Prozeß zurückgeschlossen werden. Vielmehr können nur allgemeine Bedingungen angegeben werden, die die Einzelteile zu erfüllen haben, damit ein bestimmtes Muster entsteht.

Zu den in der Synergetik untersuchten Erscheinungen gehören aber nicht nur räumliche Muster, sondern auch zeitliche Muster. Ein Beispiel hierfür ist das Verhalten des Lasers, bei dem aus den ungeordneten Wellenzügen der Lampe die gleichmäßige Schwingung des Laserlichts wird. Wird der Laser energetisch noch höher angeregt, so kann die gleichmäßige Laserlichtwelle in kurze Blitze übergehen oder sie kann auch unregelmäßig werden, in einer Weise, wie wir sie weiter unten noch besprechen werden. Jedesmal ändert sich also das kollektive Verhalten der einzelnen Laseratome und gibt Anlaß zu einem jeweils neuartigen makroskopischen Verhalten des Laserlichts.

Diese Erkenntnis kann nun als Paradigma auch für Nervennetze gelten. Die Nervenzellen organisieren sich in ihrem Verhalten selbst und geben Anlaß zu makroskopischen Verhaltensmustern, die sich dann z. B. in der verschiedenen Gangart von Pferden, wie Gehen, Traben, Galoppieren, manifestieren. In diesem Zusammenhang sind Experimente mit menschlichen Handbewegungen sehr aufschlußreich. Sagt man einer Versuchsperson, sie solle die Hände parallel zueinander im Takt bewegen, so gelingt ihr dies bei langsamem Takt ohne weiteres. Wird der Versuchsperson ein schnellerer Takt vorgeschrieben, so ändert sich bei einem kritischen Wert der Geschwindigkeit die Handbewegung auch gegen den Willen der Versuchsperson, die beiden Hände schlagen nämlich jetzt gegenläufig. Es ändert sich also der Modus der Handbewegung plötzlich und qualitativ. Obwohl dieser Umschlag durch die Tätigkeit vieler Neuronen hervorgerufen worden ist, so läßt er sich doch quantitativ mit Hilfe des Ordnungsparameterkonzepts beschreiben, wie in einer kürzlichen Arbeit von Kelso, Bunz und dem Verfasser gezeigt wurde. Als Ordnungsparameter dient dabei die relative Phase der Hände, wofür aus den Grundprinzipien der Synergetik eine Bewegungsgleichung aufgestellt werden kann. Dieses explizite Beispiel zeigt, daß zumindest bestimmte Verhaltensweisen komplizierter biologischer Systeme sich mit den Begriffen von Ordnungsparameter und Versklavung quantitativ modellieren lassen, was zu der Hoffnung Anlaß gibt, daß sich die Grundprinzipien der Synergetik auch bei der Konstruktion von Robotern verwenden lassen.

Die bisherigen Ausführungen könnten den Eindruck erwecken, als würde bei der Kooperation einzelner Teile bei genügend Energiezufuhr von außen immer nur geordnetes Verhalten auftreten. Tatsächlich ist aber in den letzten Jahren deutlich geworden, daß auch scheinbar unregelmäßige Bewegungen bei erhöhter Energiezufuhr auftreten können. Damit kommen wir zu einem weiteren neuen Forschungsgebiet, nämlich dem des sogenannten deterministischen Chaos. Lange Zeit stellten die Forscher periodische Bewegungen einschließlich von Schwingungen in den Vordergrund ihres Interesses, was zum Teil daran lag, daß man die periodische Bewegung als Ideal ansah und alle Unregelmäßigkeiten einer Bewegung zu vernachlässigen suchte, um sie auf den Idealfall zurückzuführen. Damit hängt wohl auch zusammen, daß aperiodische Bewegungen oft als Überlagerungen periodischer Bewegungen im Sinne der Fourier-Analyse aufgefaßt werden. Neben diesem fast schon mehr philosophischen Aspekt war aber auch ein praktischer maßgebend. Bislang waren die Forscher weitgehend genötigt, sich mit sogenannten linearen Prozessen zu befassen. Sowohl durch die Computer als auch durch die Entwicklung neuer mathematischer Methoden und Konzepte wurde es möglich, nichtlineare Vorgänge zu untersuchen, wie dies ja auch schon in der Synergetik geschieht. Hierbei hat sich ein ganz neuer Zugang zu scheinbar völlig unregelmäßigen Schwingungen und anderen völlig unregelmäßig verlaufenden Vorgängen ergeben.

## Chaos oder wie deterministisch ist die Newtonsche Mechanik?

Seit die alten Griechen sich mit den periodisch wiederkehrenden Konfigurationen der Planeten am Firmament befaßten und in ihnen die Harmonie im Kosmos erblickten, haben Naturforscher und Ingenieure immer wieder periodische Vorgänge studiert. Diese treten uns in vielerlei Gestalt entgegen: im Umlauf der Planeten um die Sonne, im Gang von Uhren, im Lauf von Motoren, in elektrischen Schwingungen, in chemischen Oszillationen, in biologischen Rhythmen. Stets aufs neue faszinieren uns die Ordnung und die Präzision, die aus diesen Erscheinungen spricht. Seit kurzem ist jedoch große Unruhe in dieses so geordnete Weltbild gekommen. Immer mehr stellt sich heraus, daß Schwingungen keineswegs harmonisch verlaufen müssen, sie können auch völlig unregelmäßig werden und scheinen keinen Gesetzmäßigkeiten zu gehorchen. In diesem Abschnitt wollen wir der Frage nachgehen, ob sich nicht dennoch allgemeine Gesetzmäßigkeiten für unregelmäßige Schwingungen finden lassen, was wegen der weiten Verbreitung von Schwingungen große Bedeutung für Wissenschaft und Technik hat. Zugleich ergeben sich bisher unbekannte Grenzen für die Vorhersage von Naturvorgängen, z. B. beim Wetter. Dies führt zu weitreichenden Folgen sowohl für die Praxis als auch für erkenntnistheoretische Fragen.

### Zweierlei Chaos in der Physik

Zuweilen lieben es die sonst so nüchtern denkenden Physiker, die von ihnen untersuchten Erscheinungen mit drastischen Worten aus der Umgangssprache zu belegen. »Chaos« ist ein solches Wort, uns allen am besten im Ausdruck »Verkehrschaos« bekannt: Unzählige Autos völlig regellos ineinander verkeilt, jegliche Ordnung ist verlorengegangen. Daran denken wohl die Physiker, wenn sie vom chaotischen Licht einer Lampe sprechen (vgl. Abschnitt »Die Lichtquelle ›Laser‹ als Prototyp eines synergetischen Systems«). Die Moleküle eines hocherhitzten Gases können unabhängig voneinander Lichtwellen begrenzter Länge ausstrahlen. Da die einzelnen Ausstrahlungsakte gemäß der Quantentheorie völlig zufällig, d. h. indeterminiert und somit regellos erfolgen, überlagern sich die einzelnen Lichtwellen ebenfalls völlig regellos. Dies ergibt das chaotische Licht, das regellose, zufällige Schwankungen seiner Intensität aufweist.

Zur großen Überraschung vieler Physiker können zufällige, scheinbar regellose Schwankungen einer physikalischen Größe aber auch dann entstehen, wenn die zugrunde liegenden Vorgänge vollständig determiniert sind. Dieses Phänomen wird daher als deterministisches Chaos bezeichnet. Bei ihm kommt die scheinbare Regellosigkeit auch gar *nicht* durch sehr *viele* einzelne Beiträge (Autos beim Verkehrschaos, Gasmoleküle bei der Lichtausstrahlung) zustande, sondern durch ganz wenige, z. B. bei der Bewegung dreier Himmelskörper. Erstaunlicherweise wird aber das deterministische Chaos gerade auch dort beobachtet, wo das physikalische System aus vielen einzelnen Teilen besteht, etwa eine Flüssigkeit aus sehr vielen Molekülen. Aber wie wir bereits eben sahen, wird oft das Verhalten von Systemen mit vielen Teilen durch einige wenige Größen, die Ordner, bestimmt. Diese Ordner vermögen nicht nur geordnete Strukturen, wie das Bienenwabenmuster in einer von unten erhitzten Flüssigkeit, zu erzeugen. Sie können auch der Anlaß für deterministisches Chaos sein, wobei die einzelnen Teile der chaotischen Bewegung der Ordner folgen. Gemäß den Gesetzen der Synergetik ändern die Ordner ihr Verhalten schlagartig, wenn äußere Bedingungen, z. B. die Stärke der Erhitzung einer Flüssigkeit, über Grenzwerte hinaus, geändert werden. Dabei können in mikroskopisch chaotischen, makroskopisch unstrukturierten Systemen (z. B. einer Flüssigkeit) sowohl geordnete Strukturen entstehen als auch Übergänge von Ordnung zu deterministischem Chaos und umgekehrt auftreten. Ordnung und deterministisches Chaos erweisen sich so als untrennbar miteinander verbundene Erscheinungen, die ihre gemeinsame Erklärung in der Synergetik finden.

### Determiniertheit gleich Vorhersagbarkeit?

Um die Denkschwierigkeiten zu verstehen, mit denen der Physiker beim Phänomen »deterministisches Chaos« zu kämpfen hat, müssen wir ein wenig den Begriff »determiniert« erläutern. In der Mechanik ist die Bewegung von Körpern, auf die bekannte Kräfte wirken, durch die Newtonschen Gesetze bestimmt. Kennen wir zu einer bestimmten Zeit, z. B. im gegenwärtigen Augenblick alle Orte und Geschwindigkeiten der Teile (z. B. der einzelnen Himmelskörper), so läßt sich, wie die Mathematik zeigt, die Bewegung der Körper für alle späteren Zeiten berechnen – wenigstens im Prinzip. Durch die Newtonschen Gesetze ist also das weitere Verhalten der Körper im Raume bestimmt – d. h. eben *determiniert*, vorausgesetzt, daß Ort und Geschwindigkeit genau bekannt sind. Für den Mathematiker heißt »genau« eben genau, d. h. mit unendlicher Präzision – für den Physiker gibt es keine unendliche Präzision – jede seiner Messungen ist, wenn auch meist nur mit ganz geringen Fehlern behaftet, d. h. kein Meßinstrument zeigt »unendlich genau« an. Die Frage für den Physiker ist also, ob derartige kleine Ungenauigkeiten bei der Messung von Anfangswerten sich auf die Vorhersage für den weiteren Verlauf, z. B. der Bewegung von Körpern, auswirken können. Lange Zeit glaubte man, daß kleine Abweichungen bei Anfangswerten auch nur kleine Abweichungen der Bahnkurve zur Folge haben. Wenn man – in einem Gedankenexperiment – zwei Mondraketen in 10 m

Please review the enclosed book. We received it as a gift and don't currently have it in our collection. If you would like to add the book, complete the review form and return it to me. If you do not want to add the book, note it on this memo and return it to me.

Thanks!

Andrea Duda

_____ Do NOT add this book to the collection. Initials: _____

Abstand voneinander »abschießt«, so treffen sie etwa auch in ca. 10 m Abstand auf dem Mond ein.

Ein simples Experiment lehrt uns, daß das nicht immer der Fall sein muß. Denken wir uns dazu eine senkrecht befestigte Rasierklinge, auf die wir von oben her eine kleine Stahlkugel fallen lassen. Zweifellos gelten hier die deterministischen Gesetze der Mechanik. Trotzdem: Wenn vor dem Aufprall die Kugel in ihrem Schwerpunkt auch nur einen winzigen Bruchteil eines Millimeters von links von der Kante abweicht, wird sie in weitem Bogen nach links weiterfliegen – im anderen Falle nach rechts. Stellen wir uns nun einen Mechanismus vor, der die Kugel ständig wieder nach oben schaufelt, und verfolgen wir die Bahnkurven über eine längere Zeit, so haben wir schon den typischen Fall einer chaotischen Bewegung vor uns, determiniert und doch regellos.

Scharfe Kanten zum Erzeugen von Zufälligkeiten bei mechanischen Systemen sind schon lange bekannt. Der Würfel ist uns allen als »Zufallsgenerator« geläufig. Die ältere Generation kennt noch die Spielautomaten, wo von oben her eine Kugel über eine Pyramide von waagrecht eingeschlagenen Nägeln herunterfiel (und die jüngere Generation kennt die Flipperautomaten, wo man ein wenig in das Rollen der Kugel eingreifen kann [oder glaubt, eingreifen zu können]). Die junge Generation benützt Spielautomaten, die den Zufall als deterministisches Chaos elektronisch erzeugen.

Obwohl vom deterministischen Chaos also eine ganze Industrie lebt, hat das wissenschaftliche Interesse der Physiker andere Gründe, z. B. wie genau sich das Wetter vorhersagen läßt. Das »Wetter« ist für den Physiker ein komplizierter Vorgang in der Atmosphäre, wo z. B. die Bewegung der Luftmassen durch die Gleichungen der Hydrodynamik beschrieben werden. Es war nun eine besonders herausragende Leistung, als es gelang, aus diesen hochkomplizierten (partiellen, nichtlinearen Differential-)Gleichungen Bewegungsabläufe herzuleiten, die gerade dem deterministischen Chaos entsprechen – in einer Weise, die stark an das Rasierklingenbeispiel erinnert. Wie wir dort sahen, hängt die Vorhersage des Bewegungsablaufs ganz empfindlich von der Genauigkeit unserer Kenntnis der Ausgangslage ab. Damit ist klargeworden, daß der Wettervorhersage grundsätzliche Grenzen gesetzt sind.

## Ordnung im Chaos durch die Wege zum Chaos

Kennzeichen des Chaos – auch des deterministischen Chaos – scheint auf den ersten Blick das Fehlen jeglicher Ordnung, jeglicher Gesetzmäßigkeit zu sein. Doch um mit Goethe (Faust) zu reden, auch die Hölle hat ihre Gesetze. Das Auffinden von Gesetzmäßigkeiten im deterministischen Chaos ist eine der Hauptaufgaben der Chaosforschung. Um die Problematik besser zu verstehen, gehen wir vom Musterbeispiel einer geordneten Bewegung aus – einer, die sich periodisch wiederholt, wie etwa die Bewegung der Erde um die Sonne oder wie das Pendel eine Pendeluhr. (Übrigens möge der mathematisch versierte Fachmann im folgenden lieber an das Pohlsche Rad als an ein Pendel denken.) Regelmäßig schwingt das Pendel hin und her. Seine Bewegung läßt sich durch nur zwei physikalische Größen beschreiben – die Zeit für einen Hin- und Hergang, z. B. 1 Sekunde, und den Maximalausschlag. Für das folgende ist es unerheblich, ob das Pendel zu einer Federuhr gehört oder ob es von einem elektronischen Schwingkreis angetrieben wird. Wichtig ist für uns nur das folgende: Wenn wir an dem Antrieb eine bestimmte Kenngröße verstellen (etwa die Größe der periodischen Antriebskraft), kann sich u. U. die Pendelbewegung qualitativ ändern. Während vorher das Pendel nach einem Hin- und Hergang nach einer Periodendauer von 1 Sekunde wieder den Maximalausschlag erreichte, bleibt es nunmehr um einen bestimmten Betrag zurück. Schwingt es dann noch einmal hin und her, so erreicht es dann wieder den ursprünglichen Ausschlag, also nach insgesamt 2 Sekunden. Die Periodendauer hat sich also gegenüber der früheren von 1 Sekunde verdoppelt. Erhöht man die Antriebskraft weiter, so erhöht sich zwar der Pendelausschlag, die Periodendauer von 2 Sekunden bleibt aber, bis schließlich eine neue »kritische« Antriebskraft erreicht ist, bei der das Pendel auch nach 2 Sekunden nicht mehr den ursprünglichen Ausschlag erreicht. Erst nach insgesamt 4 Sekunden wird der alte Ausschlag erreicht. Die Periodendauer hat sich also wiederum verdoppelt. Dieses Spiel – Erhöhung der Kraft – jeweils Verdoppelung der Periode – wiederholt sich nun bis ins Unendliche. Mit anderen Worten, es dauert nun bei endlicher Kraft unendlich lange, bis das Pendel seinen anfänglichen Ausschlag, bei dem es in seiner Bewegung umkehrt, erreicht. Dies bedeutet, daß in jeder endlichen Zeit überhaupt kein regelmäßiges Hin- und Herschwingen beobachtet wird – die Schwingungen des Pendels sind jetzt völlig chaotisch. Wir haben hier den wohl bekanntesten Weg von Ordnung zum Chaos bei einem physikalischen System vor uns, den der Periodenverdopplung. Die physikalischen Ursachen für Periodenverdopplung können vielfältiger Natur sein und genaugenommen nur mathematisch durch »Nichtlinearitäten« der Bewegungsgleichungen erfaßt werden. Um aber wenigstens ein Gefühl für solche Vorgänge zu erhalten, denke man an ein Karussell (oder Rad), dessen Lager ausgeschlagen ist. Bewegt man es »sanft«, mit geringer Kraft, so werden seine Holzpferdchen auf einer Kreisbahn umlaufen. Erhöht man aber die Antriebskraft, so werden die Pferdchen immer unregelmäßiger umlaufen – die Bewegung wird chaotisch –oder im Volksmund, das Karussell »eiert«.

Periodenverdopplungen mit anschließendem Chaos werden bei einer ganzen Reihe von physikalischen und chemischen Vorgängen, die im Rahmen der Synergetik untersucht werden, vorgefunden. Hierzu nur ein Beispiel: Erhitzt man eine Flüssigkeitsschicht in einem Gefäß von unten, so kann die Flüssigkeit sich gewissermaßen in Form einzelner Walzen bewegen. Erhitzt man die Flüssigkeit weiter, so fangen die Walzen an zu schwingen. Mit zunehmender Erhitzung werden die Schwingungen immer komplizierter – sie durchlaufen eine Periodenverdopplung, bis schließlich das deterministische Chaos beginnt – die Walzen schwingen völlig unregelmäßig.

Aber es ist nicht allein die weite Verbreitung dieses Wegs zum Chaos unter den verschiedensten physikalischen und chemischen Systemen, die die Physiker so fasziniert, es sind vielmehr die sogenannten Skalengesetze, die wir deshalb erläutern wollen. Betrachten wir dazu nochmals das angetriebene Pendel, das gerade von einer Antriebskraft getrieben wird, bei der die Schwingung mit Periodendauer 2 einsetzt. Dann müssen wir die Kraft um einen ganz bestimmten Betrag erhöhen, damit das Pendel beginnt mit der Periode 4 zu schwingen, um einen weiteren kleineren Betrag, damit die Periode 8 auftritt usw. Obgleich die Einzelbeträge der »Kraft«erhöhung bei den verschiedenen physikalischen oder chemischen Vorgängen verschieden sind, folgen sie einem universellen Gesetz:

Das Verhältnis zweier aufeinander folgender Beträge ist eine universelle Konstante (= 4,6692..), die als Feigenbaum-Zahl bezeichnet wird. Hierbei heißt universell, daß die Konstante die gleiche ist für alle Systeme, die Periodenverdopplung bis hin zum Chaos zeigen. (Für den Fachmann sei hinzugefügt, daß diese Universalität asymptotisch für große Periodenverdopplungszahlen gilt.) Dieses Ergebnis zeigt, daß aufeinander folgende Beträge bei der Erhöhung der Antriebskraft sich nur um einen *Maßstabs*faktor unterscheiden. So wie man von ähnlichen Dreiecken spricht, wenn diese sich in ihren Seiten bis auf einen gemeinsamen Maßstabs(=*Skalierungs*-)faktor gleichen, so sind auch die detaillierten Änderungen der Auslenkungen des Pendels bei aufeinanderfolgenden Periodenverdopplungen ähnlich. Viele Physiker sind von der Aufdeckung solcher Skalen und Ähnlichkeitsgesetze deshalb so angetan, weil derartige Gesetze sich bereits in einem anderen Gebiet der Physik als fundamental erwiesen hatten – dem Gebiet der Phasenübergänge, über das wir schon in Abschnitt »Moleküle, Kristalle, Phasenumwandlungen« gesprochen haben. So wie in der Nähe des Phasenübergangs die »Landschaft« des Ferromagneten auf allen Längenskalen sich selbst ähnlich ist, so erscheint uns auch die Periodenverdopplung immer wieder ähnlich, bei welcher Antriebskraft sich das Pendel auch befindet. Die formale Ähnlichkeit der Phänomene Magnetismus – Periodenverdopplung läßt schon ahnen, daß zu ihrer Behandlung der gleiche mathematische Formalismus zum Ziele führt. Das ist tatsächlich so – der Formalismus ist die in der Physik berühmte Wilsonsche Renormierungsgruppe.

Allerdings sind der Universalität der Periodenverdopplung, die zum Chaos führt, Grenzen gesetzt. Es gibt nämlich, wie sowohl experimentell als auch theoretisch gezeigt wurde, noch weitere Wege zum Chaos, wovon der über »Intermittenz« und der über »quasiperiodische« Schwingungen am meisten Beachtung gefunden haben. Der Vorgang der Intermittenz tritt u. a. bei Flüssigkeiten auf: Zeiten, in denen die Flüssigkeit ruhig dahinfließt, wechseln sich mit solchen turbulenter, chaotischer, wirbelnder Bewegung ab. Bei diesem Weg werden die Zeiten ruhiger Bewegung immer kürzer, bis dann nur noch die chaotische Bewegung übrigbleibt. Der zweite »quasiperiodische« Weg sei an einem nichtlinearen Schwingkreis erläutert. Bei Änderung einer Kontrollgröße von außen schwingt der Kreis mit einer Grundperiode, bei erhöhter Kontrollgröße in zwei überlagerten Schwingungen mit zwei verschiedenen Periodendauern, und danach tritt Chaos auf.

## Chaos (fast) überall

Daß wir das deterministische Chaos anhand von Schwingungen erläutert haben, liegt daran, daß es in Natur und Technik von Schwingungen der verschiedensten Art nur so wimmelt, und viele können, wie wir heute wissen, chaotisch werden. Hierzu gehören die schon erwähnten Flüssigkeitsschwingungen, Plasmaschwingungen, elektrische Schwingungen, chaotisches Laserlicht (nicht zu verwechseln mit dem chaotischen Licht von Gasen, wie eingangs erwähnt!), Bahnen von Elementarteilchen in ringförmigen Beschleunigern, Bewegungen von Himmelskörpern, Pulsationen von Sternen, unrund laufende Getriebe, Flattern von Flugzeugflügeln, Dröhnen von Motoren und Karosserien. Viele Meßergebnisse, die unregelmäßige Schwingungen erbrachten, wurden früher weggeworfen, weil sie nicht deutbar waren, jetzt sind viele von ihnen einer strengen Deutung und Klassifizierung zugänglich. Da in der Biologie viele Vorgänge rhythmisch verlaufen, sind auch hier wichtige neue Erkenntnisse durch die Theorie zu erwarten bzw. haben sich in der Populationsdynamik schon eingestellt. Chaotische Vorgänge sind aber nicht nur an Schwingungen gekoppelt. Auch Vorgänge, die gewöhnlich einem Gleichgewicht zustreben, können unter bestimmten Bedingungen chaotisch werden. Ein noch gar nicht ausdiskutiertes Beispiel ist die Wirtschaft. Nach dem auf Adam Smith zurückgehenden Dogma soll sich hier stets ein Gleichgewichtszustand ergeben – aber aus den Gesetzen der Synergetik folgt, daß dieser in Chaos umschlagen kann.

## Perspektiven

Mit der Chaosforschung ist ein neues Gebiet erschlossen worden, an dessen Anfang wir erst stehen. Z.B. werden immer neue Wege zum Chaos entdeckt, und man wird untersuchen müssen, ob nicht die Universalität der Periodenverdopplung durch umfassendere Gesetze abgelöst werden muß. So gibt es z.B. auch Wege, die eine Periodenverdreifachung enthalten. Noch wichtiger sind die wissenschaftstheoretischen Erkenntnisse und Problemstellungen, die hier nur angedeutet werden können. Da kein Physiker unendlich genau messen kann, stellt sich die Frage, inwieweit man noch von Determinismus sprechen kann. Auch die Begriffe »Ordnung« und »Unordnung« bedürfen einer neuen Durchleuchtung. Die gleichmäßige Pendelbewegung erscheint uns als geordnet, zu ihrer Festlegung brauchen wir nur zwei Größen: Schwingungsdauer und größter Ausschlag. Bei der chaotischen Bewegung herrscht (scheinbar) Unordnung, zu ihrer Charakterisierung brauchen wir noch mehr Kenngrößen. Deshalb enthält im Sinne der Informationstheorie eine periodische Schwingung viel weniger Information als eine unregelmäßige oder chaotische. Nehmen wir z.B. gesprochene Sätze mit dem Mikrophon auf und lassen wir die Schwingungen auf dem Bildschirm sichtbar werden, so sind diese ganz unregelmäßig – vielleicht gerade so wie die chaotische Schwingung eines physikalischen Systems. Anders wird dies, wenn Leute bla-bla-bla reden – dann nämlich wird die Schwingung streng periodisch. Hier erkennen wir bereits künftige Probleme der Chaosforschung bei der Deutung und Entzifferung von Meßwerten oder Signalen: Handelt es sich um zufällige Folgen, z.B. im Sinne des deterministischen Chaos oder steckt dahinter eine Botschaft? Hier wird deutlich, daß Chaos auch einen höheren Ordnungszustand darstellt, einen, den wir längst noch nicht völlig enträtselt haben, wie z.B. in der Flüssigkeitsturbulenz.

## Wie elementar sind Elementarteilchen?

Verlassen wir in diesem Kapitel nunmehr die makroskopische Welt unserer Dimensionen, die wir im vorigen Kapitel besprochen haben, und wenden wir uns den kleinsten Bausteinen der Materie zu. Damit gelangen wir zu einer Welt voller Überraschungen, wo unser »gesunder Menschenverstand« immer wieder versagt. Wagen wir uns aber trotzdem ein wenig in dieses verwunschene Land!

## Das Elektron und sein Spiegelbild

Wir hatten schon gesehen, daß die Atome aus Elektronen und dem Atomkern bestehen, wobei der Atomkern selbst wieder aus Protonen und Neutronen zusammengesetzt ist. Befassen wir uns mit diesen Teilchen etwas genauer und beginnen wir mit dem Elektron. Es besitzt eine negative Elementarladung und kann, wie wir bereits sahen, sowohl als Teilchen als auch als Welle in Erscheinung treten. Wie diese beiden anscheinend so gegensätzlichen Wesenszüge in Einklang zu bringen sind, zeigte die in den zwanziger Jahren entstandene Quantentheorie. Daneben existierte, scheinbar völlig unabhängig, das nicht minder eindrucksvolle Gedankengebäude der Relativitätstheorie. Eine der überraschendsten Voraussagen dieser Theorie war die Äquivalenz von Masse und Energie nach der berühmten Formel $E = mc^2$, wobei $E$ die Energie, $m$ die Masse und $c$ die Lichtgeschwindigkeit sind. Eine solche Beziehung ist deshalb so verblüffend, weil ja Masse etwas ungemein Handgreifliches ist (man denke nur an einen Goldbarren), Energie hingegen als gar nicht greifbar erscheint. Wie uns aber die Atombombe auf schreckliche Weise gelehrt hat, ist tatsächlich die Masse (von Atomkernen) in Energie umsetzbar. Lassen wir aber diese Aspekte beiseite und befassen wir uns lieber mit dem Elektron. In den 20er Jahren verknüpfte Dirac in einem kühnen Gedanken die Quantentheorie mit der Relativitätstheorie, wobei er insbesondere die Formel $E = mc^2$ benutzte. Er erhielt so eine Gleichung für die Bewegung der Elektronen. Zugleich lieferte seine Gleichung aber auch völlig unerwartete Voraussagen, die alle damaligen Vorstellungen über Teilchen über den Haufen warfen. Bisher hatte man geglaubt, daß Teilchen, sofern sie nicht durch Kraftfelder eingefangen, also frei sind, immer eine positive Energie haben müßten. Dirac fand aber, daß es auch freie Teilchen geben muß, die eine negative Energie haben. Tragen wir die Energie so wie bei einem Thermometer die Temperatur auf, so gibt es also Teilchen mit einer Energie über dem (Energie)Nullpunkt wie auch unter dem Nullpunkt (Abb. 17). Nach der Diracschen Theorie sollten dabei die negativen Energiewerte der Teilchen gewissermaßen spiegelbildlich zu den positiven liegen, so etwa wie das Spiegelbild eines Berges mit seinen (gedachten) Höhenmarkierungen im Bergsee. Die niedrigste positive

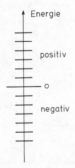

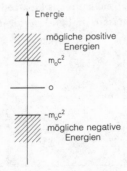

Abb. 17: Schematische Darstellung der Energie eines Teilchens mit positiven und negativen Energiewerten.

Abb. 18: Die Teilchenenergie mit einer Energielücke.

Energie hat ein Teilchen in Ruhe, seine Energie ist dann immer noch $m_0c^2$, wobei $m_0$ seine »Ruhemasse« ist. Die Energie der Teilchen mit negativer Energie beginnt im Sinne des Spiegelbildes dann nach unten hin, erst bei $-m_0c^2$. Insbesondere bleibt also eine Energie-Lücke, die kein Teilchen »betreten« darf (Abb. 18). Nun haben aber Teilchen stets die Tendenz, ihre Energie, z. B. durch Zusammenstöße mit Atomen, zu verringern. Hierbei können sie ohne weiteres auch die Energie-Lücke überspringen, indem sie Licht sehr hoher Energie abstrahlen. Sie müßten also zu immer tieferen, negativen Energien, also in einen bodenlosen Abgrund fallen. Warum tun sie es nicht, warum gibt es überhaupt noch Teilchen mit positiver Energie? Hier half Dirac wiederum mit einer Idee, die man für den ersten Augenblick für verrückt hält, die aber heute so zum täglichen Handwerkszeug des theoretischen Physikers gehört, daß er sich gar nicht wundert. Stellen wir uns dazu ein Glasgefäß vor, auf dessen Wand eine Energieskala aufgetragen ist, mit der Nullmarke in der Mitte (Abb. 19). Um Diracs Idee zu veranschaulichen, stellen wir uns vor, daß die Elektronen lauter Tennisbälle sind. Füllen wir diese nacheinander in das Gefäß, so können wir schließlich die Bälle bis zur Marke $-m_0c^2$ auffüllen. Dirac nahm nun an, daß in der Natur »im Vakuum« aller Energiestufen (der Quantentheorie) bis zu dieser Marke aufgefüllt sind, und wir diesen völlig aufgefüllten Zustand nicht wahrnehmen können, da er durch irgendeinen Hintergrund elektrisch neutralisiert wird. Was passiert aber, wenn wir mit einem Stoß den Tennisball in den positiven Energiebereich heben, also ein Elektron in den positiven Energiebereich bringen? Dann muß es uns als ein »übliches« Elektron erscheinen. Daneben läßt aber der Tennisball unten ein Loch zurück (Abb. 20). Da aber der volle Pott »elektrisch« neutral war, aber jetzt eine negative Ladung fehlt, bleibt ein *positiv* geladenes Loch zurück. Verschiebt man die zurückgebliebenen Tennisbälle, so bewegt sich das Loch, als wäre es selbst eine Art Tennisball. Damit haben wir aber den Schlüssel zur Diracschen »Löchertheorie«. Wir verstehen, daß durch Einwirkung genügend hoher Energie auf das Vakuum es möglich wird, ein Elektron mit negativer Ladung und gleichzeitig ein Teilchen mit positiver Ladung zu erzeugen. Die Teilchen mit positiver Ladung heißen Positronen und sind inzwischen längst experimentell bekannt. Da sich entgegengesetzte Ladungen anziehen, können Elektronen und Positronen einander umkreisen und das »Positronium« bilden (Abb. 21). Treffen Elektron und Positron zusammen, so kann das Elektron in sein »Loch« stürzen, indem es seine Energie in Form von Licht sehr hoher Energie abstrahlt – Materie ist in reine Energie umgewandelt

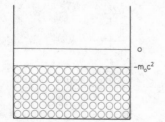

Abb. 19: Veranschaulichung der Dirac'schen Theorie.

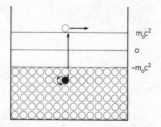

Abb. 20: Veranschaulichung der Bildung eines Loches (Positrons) nach der Dirac'schen Theorie.

Abb. 21: Schematische Darstellung des Positroniums: Elektron und Positron umkreisen einander.

worden. Da Positronen eine Art Gegenstück zu den Elektronen darstellen, werden sie auch als deren Antiteilchen bezeichnet.

Wie wir heute wissen, besitzen nicht nur Elektronen, sondern auch viele andere Elementarteilchen, wie z.B. Protonen und Neutronen, Antiteilchen, so daß man sich direkt eine Welt von Antimaterie ausmalen kann. In der Tat ist es bislang noch nicht entschieden, ob es nicht Bereiche im Weltall gibt, wo derartige Antimaterie existiert. Das Zusammentreffen von Materie und Antimaterie wäre allerdings katastrophal. Beide Materienarten würden sich gegenseitig unter einer gewaltigen Lichtexplosion auslöschen.

## Ein Zoo von Teilchen

Elektron, Proton und Neutron sowie deren Antiteilchen sind keineswegs die einzigen »Elementarteilchen«, die wir kennen. Ein weiteres Elementarteilchen machte sich zunächst höchst indirekt bemerkbar. So stellte man fest, daß sich Atomkerne »radio-aktiv« ineinander umwandeln können, z.B. durch Aussendung von Elektronen. Rechnete man aber nach, so schien sich ein bestimmter Energiebetrag ins Nichts aufgelöst zu haben – oder mit anderen Worten, der Erhaltungssatz der Energie schien nicht erfüllt zu sein.

An diesem Problem tritt nun beispielhaft die Denkweise des Physikers hervor – im Gegensatz zu manchen auch modernen philosophischen Einstellungen. Natürlich hätten die Physiker sagen können, mit diesem Zerfallsprozeß ist der Energiesatz falsifiziert und damit ungültig. Ein guter Physiker hat aber ein Gespür für richtig und falsch. Statt den Energiesatz über den Haufen zu werfen, stellte Pauli eine kühne Vermutung auf – an dem Zerfall ist noch ein weiteres Teilchen beteiligt, das eben die noch fehlende Energie davongetragen hat. Diesem Teilchen wurde der Name Neutrino gegeben – inzwischen wurde es auch direkt experimentell nachgewiesen. (Im heutigen Sprachgebrauch handelt es sich um das »Antineutrino« bei diesem Zerfall.) Allerdings wissen wir bis heute noch nicht, ob das Neutrino und seine Antiteilchen, das Antineutrino, lediglich eine sehr kleine (»Ruhe-«)Masse oder gar keine Ruhemasse besitzen. Da die Elektronen im Vergleich zu den Protonen und Neutronen ebenfalls eine kleine Masse haben, faßt man Elektronen, Neutrinos und noch weitere inzwischen entdeckte Teilchen zur Klasse der »leichten Teilchen« zusammen. Hierfür benutzt man auch ein dem griechischen entlehntes Wort, »Lepton«, wobei »on« stets für »Teilchen« steht und die erste Silbe für »leicht«. Die Nukleonen (Proton und Neutron) werden zur Klasse der schweren Teilchen gerechnet und heißen deshalb »Baryonen«. (Man denke zum Vergleich nur an das Wort Barometer = Schweremesser.)

Beschießt man Atomkerne (aber auch einzelne Nukleonen) mit Elektronen oder Protonen, die man in den Beschleunigungsmaschinen auf sehr hohe Geschwindigkeit gebracht hat, so können beim Zusammenprall eine ganze Reihe weiterer »Elementarteilchen« entstehen. Einige besitzen eine Masse, die zwischen der des Elektrons und der des Protons liegt, man bezeichnet sie daher als Mesonen. Mit diesen Bezeichnungen ist natürlich nicht allzuviel gewonnen, sie kennzeichnen eben einen ersten Klassifizierungsversuch, wobei die Masse als Kenngröße herangezogen wird. Mit der Entdeckung immer neuer Teilchen schien es, als würde man sich von dem Ziel, die echten Grundbausteine der Materie zu finden, immer weiter entfernen. In den letzten Jahren ist aber Bewegung in dieses Gebiet gekommen, sowohl was die Leptonen als auch was die Baryonen und Mesonen anbelangt.

*Die leichten Teilchen (Leptonen)*

Beginnen wir mit den Leptonen, und hier als Beispiel mit den Elektronen. Wegen ihrer elektrischen Ladung üben zwei Elektronen aufeinander eine Kraft aus, die durch das elektromagnetische Feld, d. h. elektromagnetische Wellen, vermittelt wird. Wie wir schon sahen, kann das Lichtfeld und allgemeiner das elektromagnetische Feld auch in Form von Teilchen, den Photonen, in Erscheinung treten. In dem von den theoretischen Physikern entwickelten Bild wird daher die Kraft zwischen zwei Elektronen durch den Austausch eines Photons (oder mehrerer) vermittelt (vgl. Abb. 22).

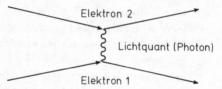

Abb. 22: Austausch eines Photons zwischen zwei Elektronen, die dadurch ihre Bewegungsrichtung ändern.

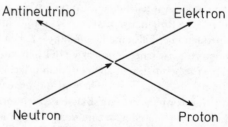

Abb. 23: Zerfall eines Neutrons in ein Proton, ein Elektron und ein Antineutrino.

190

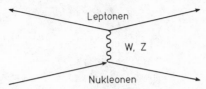

Abb. 24: Eine Uminterpretation des Prozesses von Abb. 23 mit Hilfe des Austauschs eines Teilchens.

Interessanterweise lassen sich ähnliche Diagramme auch für andere Leptonen angeben, die beim Zerfall eines Neutrons entstehen. Ein frei dahinfliegendes Neutron »lebt« nämlich nicht sehr lange, sondern zerfällt in ein Proton, ein Elektron und ein Antineutrino (Abb. 23). Das zugehörige Diagramm suggeriert, daß es eine Art Kraft zwischen dem Nukleon (Neutron-Proton) und dem Lepton (Elektron-Antineutrino) gibt. Da das Neutron nur langsam zerfällt, muß diese Kraft schwach sein, woher auch der Name »schwache Kraft« oder »schwache Wechselwirkung« stammt. Aber was ist die Natur des Feldes, das diese Kraft vermittelt und was sind die Quanten (Teilchen) dieses Feldes? Formal läßt sich die Analogie zwischen den Diagrammen (22) und (23) natürlich durch Einführung eines Teilchens sofort verstehen (Abb. 24).

Diese wie auch eine Fülle weiterer Analogien haben insbesondere Glashold, Salam und Weinberg dazu geführt, die einheitliche Wurzel der elektromagnetischen und der schwachen Wechselwirkung aufzuzeigen. Beide Wechselwirkungen sind gewissermaßen nur spezielle Auswirkungen ein und derselben Wechselwirkung. Die Physik ist ihrem Ziel der Vereinheitlichung also wieder einen Schritt nähergekommen. Im Rahmen dieser Theorie gelang es auch, die Quanten der schwachen Wechselwirkung in ihren Eigenschaften vorauszusagen. Es sind dies die sogenannten W- und Z-Teilchen, die dann auch vor kurzem beim CERN, der großen Forschungsanlage für Elementarteilchen in Genf, gefunden wurden.

*Quarks – Bestandteile der Nukleonen*

Auch bei den Nukleonen ergaben sich in den letzten Jahren überraschende neue Entwicklungen. Die Beschießung von Nukleonen mit hochenergetischen Elektronen zeigt, daß die Nukleonen keineswegs punktförmige Teilchen sind, sondern eine innere Struktur besitzen. Genauer gesagt, scheinen die Nukleonen selbst wieder aus noch kleineren Teilchen zu bestehen. Unabhängig davon hatten Gell-Mann und andere postuliert, daß es noch elementarere Teilchen als Nukleonen gibt. Diesen Teilchen hat er den wohl nicht sehr glücklichen Namen »Quarks« gegeben. Natürlich können wir im Rahmen dieses Artikels nicht Gell-Manns Theorie im einzelnen nachvollziehen, aber es ist doch für die Denkweise der modernen Physik aufschlußreich, welcher Art diese Überlegungen waren. Es handelt sich hierbei nämlich wieder um die Benutzung von Symmetrien. Dazu müssen wir uns ein

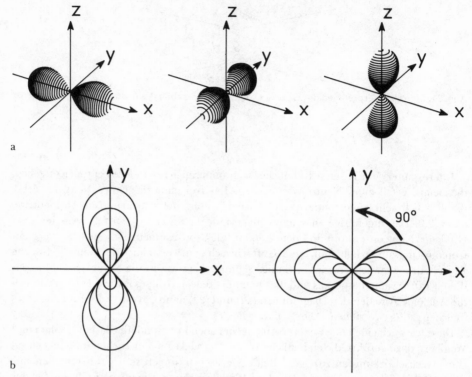

a

b

Abb. 25: Die hantelförmigen p-Funktionen können durch eine Drehung ineinander übergeführt werden.

wenig an Abschnitt »Grundfragen der Physik vom Altertum zur Neuzeit: Atome und Licht« erinnern, wo wir die Elektronendichten – genauer gesagt »Elektronenwellenfunktionen« – im Wasserstoffatom besprachen. Wir erkannten, daß diese Funktionen bestimmte Symmetrien besaßen. Zum Beispiel gehen die »p-Funktionen« bei einer Drehung um 90° ineinander über (Abb. 25 a, b). Diese Symmetriebeziehungen gelten also im dreidimensionalen Raum unserer Anschauung.

Ein weiteres Beispiel einer Symmetrie, die vielleicht nicht mehr ganz so anschaulich ist, liefern uns etwa die Elektronen mit ihrem Magnetismus. Jedes Elektron besitzt nämlich nicht nur eine elektrische Ladung, sondern wirkt auch wie ein winziges Magnetchen. Im Gegensatz zur Kompaßnadel, die sich im Prinzip in alle mögliche Richtungen einstellen kann, gibt es beim Elektron nur zwei Einstellmöglichkeiten, die natürlich zueinander symmetrisch sind, also wieder durch eine Symmetrie miteinander verknüpft sind (Abb. 26). Ebenso wie die »p-Funktion« bestimmte Einstellmöglichkeiten besitzt, so auch das Magnetchen des Elektrons. In einem abstrakten Sinne spricht der Physiker dann von »Zuständen« anstelle von »Einstellmöglichkeiten«.

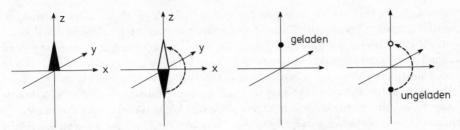

Abb. 26: Die zwei Einstellmöglichkeiten des
Elementarmagnetchens des Elektrons.

Abb. 27: Schematische Darstellung der
Ladungskoordinaten.

Neben dem Raum, der unserer Anschauung zugänglich ist, führen die Physiker aber auch noch andere »Räume« ein. Ein Beispiel wie dies geschieht, sei am Proton und Neutron erläutert, die sich zwar durch die Ladung unterscheiden, aber sonst annähernd die gleiche Masse haben. Dies führte zu der Idee, daß beide Teilchen »eigentlich« dasselbe Teilchen sind, das sich aber das eine Mal im geladenen »Zustand« (Proton), das andere im ungeladenen »Zustand« (Neutron) befindet. So wie es zwei Einstellmöglichkeiten (»Zustände«) für das Magnetchen des Elektrons gibt, so auch für den Ladungszustand des Nukleons (Proton-Neutron). Diese auf Heisenberg zurückgehende Idee hat sich in mindestens zweierlei Weise als grundlegend für die moderne Elementarteilchenphysik erwiesen. Einmal nämlich werden zunächst verschiedene Elementarteilchen (hier Proton und Neutron) als verschiedene Zustände ein und desselben Teilchens aufgefaßt. Zum anderen kann man ähnlich wie beim Elektron-Magnetchen die Ladungszustände in einer Art Koordinatensystem auftragen, wobei es sich nun nicht mehr um Ortskoordinaten handelt, sondern um Koordinaten mit einer neuen Bedeutung (Abb. 27). Trotzdem kann man in gewissem Sinne wieder von einem Raum sprechen – dem gedachten Raum der Ladungskoordinaten. Auch hier lassen sich durch eine »Drehung« die Ladungszustände ineinander überführen. Obgleich wir uns einen solchen »Raum« vielleicht nur in Analogie zum »gewöhnlichen« Raum vorstellen können, so lassen sich in ihm doch mathematisch die verschiedenen Symmetrien studieren. Für den Mathematiker ist dies nichts Neues – er hat sich schon lange mit »abstrakten Räumen« und deren Symmetrien befaßt. Aber jetzt kommt ein neuer Gesichtspunkt herein, der eine schier unfaßliche Harmonie zwischen Mathematik und Physik offenbart. Wendet man nämlich Ergebnisse der Mathematiker aus der sogenannten Gruppentheorie auf die Elektronen-Funktionen, z. B. die p-Funktionen an, so ergibt sich folgendes. Die Symmetrie-Eigenschaften (bei Drehung um 90°!) dieser p-Funktionen, wie auch die aller anderen Elektronenverteilungen, folgen allein aus den Symmetrien des gewöhnlichen Raums, die des Elektronen-Magnetchens aus denen des entsprechenden Raums (ohne daß dies vorher hineingesteckt wurde). Das gleiche gilt für den Ladungsraum. Fassen wir also Elementarteilchen als Zustände (»Einstellmöglichkeiten«) eines einzigen Grundteilchens in einem bestimmten Raum auf, so liefert uns die Mathematik alle diese Zustände aufgrund der Symmetrien bestimmter abstrakter Räume. Die Idee von Gell-Mann war es, einen (möglichst kleinen) abstrakten Raum zu konstruieren, der u. a. die Eigenschaften von Magnetchen (»Spin«) und Ladungseinstellung enthielt. Befragte er nun die Mathematik, welche »Zustände« in diesem Raum verwirklicht werden können, so ergab sich: Elementare Zustände sind solche, bei denen die Teilchen $\frac{1}{3}$ oder $\frac{2}{3}$ der Ladung des Elektrons haben. Die damit vorausgesagten Elementarteilchen nannte Gell-Mann »Quarks«. Aus drei dieser Quark-Teilchen lassen sich dann die Nukleonen aufbauen, während ein Quark und sein Antiteilchen die Mesonen bilden. Quark und Antiquark ziehen sich an und können die Analogie zum Positronium gebundene Zustände einnehmen, die auch energetisch angeregt werden können und so gewissermaßen ein neues Elementarteilchen vortäuschen. Wir sehen hier die Fruchtbarkeit von Analogien, nämlich vom Wasserstoffatom mit Kern und Elektronen ausgehend kamen wir zum Begriff des Positroniums und von hier aus nun zum Begriff des soeben beprochenen Zustands aus Quarks und Antiquarks, zum »Quarkonium«.

Wenn Quarkteilchen sich aneinander binden können, so müssen hierfür Kräfte vorhanden sein. Kräfte im Elementarteilchenbereich werden aber, wie wir schon jetzt mehrmals gesehen haben, durch Teilchen vermittelt. Da diese Teilchen die Quarks »zusammenkleben«, wurden sie Leimteilchen genannt, auf Englisch Gluonen. Wegen der Stärke der Kräfte spricht man hier übrigens von der starken Wechselwirkung.

Leider bricht nun aber die Kette der Analogien ab. Früher, etwa bei der elektromagnetischen Wechselwirkung oder bei der schwachen Wechselwirkung können die Teilchen, die durch ihren Austausch die Kräfte bewirken, bei genügend energiereichen Zusammenstößen zwischen anderen Teilchen freigesetzt werden und als freie Teilchen direkt oder zumindest indirekt über ihre Zerfallsprodukte beobachtet werden. Anders ist es bei den Quarks. Diese konnten bisher nie frei beobachtet werden. Es wird daher die Vorstellung entwickelt, daß Quarks grundsätzlich nicht freigesetzt werden können, sondern in einer Art Tasche eingeschlossen sind.

Wir sehen in der historischen Entwicklung ein Wechselspiel zwischen dem Auffinden von immer neuen Elementarteilchen, etwa den Mesonen, und der Suche nach Vereinheitlichung. Klassifiziert man die Elementarteilchen nach der heutigen Vorstellung, so gibt es einerseits die Leptonen, andererseits die Quarks (Tabelle 1). Zugleich gibt es drei verschiedene Arten der Wechselwirkung, die Gravitationskraft, die nunmehr vereinigte »elektroschwache« Wechselwirkung und die starke Wechselwirkung. Diese Wechselwirkungen werden durch den Austausch bestimmter Teilchen (oder Quanten) vermittelt (Tabelle 2), wobei die Gravitationsteilchen (Gravitonen) bisher noch ein Postulat sind, das allerdings sehr nahe liegt.

Als man die Eigenschaften der Mesonen und Baryonen dadurch zu erklären suchte, daß sie aus Quarks zusammengesetzt sind, wurde es nötig, den Quarks immer mehr verschiedene Eigenschaften zuzuschreiben. So sollten sie nicht nur elektrische Ladung besitzen, sondern eine ganz neuartige, sogenannte »Quarkladung«, die aber nicht wie die elektrische Ladung zwei Werte (positiv und negativ) haben kann, sondern drei. Diese drei Ladungen werden, um sie von der elektrischen Ladung zu unterscheiden, »Farben« genannt. (An dieser Wortwahl wie auch anderen wird übrigens der Hang von theoretischen Physikern zu Wortspielereien deutlich. Der Grund liegt darin, daß sich die »Grundfarben« der Quarks: rot, blau, gelb, die ein Nukleon bilden, gerade zu weiß, d. h. farbneutral, zusammensetzen. Außer einer höchst oberflächlichen Analogie steckt hier natürlich nichts dahinter und der Nichtfachmann wird eher durch diese Art von »Humor«

Tabelle 1

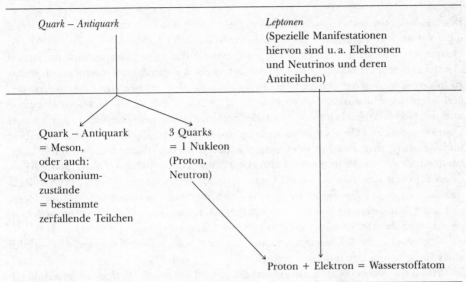

Diese Tabelle zeigt einen kleinen Ausschnitt aus dem »Zoo« der Elementarteilchen. Von oben nach unten werden die Teilchen immer mehr zusammengesetzt, also immer weniger »elementar«.

Tabelle 2

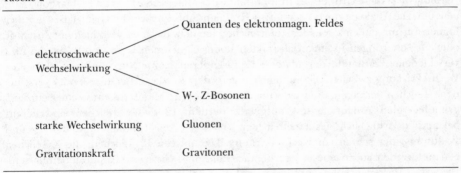

irregeleitet.) Die Teilchen, die jetzt den Lichtteilchen bei der elektromagnetischen Wechselwirkung entsprechen, die Gluonen, müssen also jetzt auf die »Farbe« wirken. Übrigens ist die Existenz von Gluonen durch Experimente von DESY, Hamburg, nachgewiesen worden. Entweder können nun drei Quarks mit drei verschiedenen »Farben« zusammentreten oder ein Quark mit einem Antiquark, wobei »Farbe« mit »Antifarbe« in Wechselwirkung tritt.

195

HERMANN HAKEN

*Ein (vorläufig) letzter Versuch der Vereinheitlichung*

Der Leser, der uns bisher – vielleicht wegen der nötigen Abstraktion ein wenig schaudernd – gefolgt ist, wird natürlich fragen, ob die Aufteilung der Urbausteine in Leptonen und Quarks der Weisheit letzter Schluß ist und ob diese Bausteine auch wirklich die letzten »Ur«bausteine sind. Falls er gewillt ist, uns auf dieser Reise in die Abstraktion noch weiter zu folgen, so wollen wir ihm gerne als Beispiel einen theoretischen Ansatz vorstellen, der besonders bekannt wurde. Es handelt sich darum, die schwache, die elektromagnetische und die starke Wechselwirkung, sowie die beiden Klassen von Teilchen, Leptonen und Quarks, in ein einheitliches Schema zu bringen. Dieser Versuch geht auf Gregori, Glashow und Weinberg zurück. Da er interessante, experimentell prüfbare Voraussagen enthält, hat er einige Beachtung unter den Experimentalphysikern gefunden. Allerdings muß hier deutlich gesagt werden, daß diese Theorie noch nicht experimentell verifiziert wurde, ja daß sich sogar die Zweifel häufen, ob die von ihr vorausgesagten Effekte überhaupt existieren. Wir stellen sie hier aber kurz dar, um zu zeigen, wie für die Elementarteilchenphysik typische Denkansätze auch hier wieder zur Anwendung gelangen. Wird die Theorie experimentell widerlegt, so kann das natürlich zugleich bedeuten, daß wir hier eines völlig neuen Denkansatzes bedürfen.

Ähnlich wie wir es oben bei den Quarks dargelegt haben, wird angenommen, daß ein bestimmter Satz von Zuständen, die die Elementarteilchen darstellen sollen, durch eine Symmetrieoperation in einem abstrakten Raum ineinander überführt werden kann. Da aber nun die Leptonen und Quarks von einem einheitlichen Gesichtspunkt aus betrachtet werden sollen, muß eine Gruppe von Symmetrieoperationen konstruiert werden, die die Quarks in Leptonen und umgekehrt überführen. Nach dem Vorschlag von Gregori und Glashow wirkt diese Gruppe auf fünf Zustände der Materie. Sie wird im Fachjargon SU(5) genannt. Die Analogie zur Wasserstoff-p-Funktion (Abb. 26) besteht darin, daß es sich hier immer nur um ein einziges Elementarteilchen handelt, das aber verschiedene Zustände oder Orientierungen in einem abstrakten Raum einnehmen kann und somit die fünf verschiedenen Zustände der Materie repräsentieren kann. Nun muß natürlich eine Wechselwirkung zwischen diesen Teilchen gefordert werden. Hierzu sollen 24 verschiedene Teilchen beitragen, die wiederum als verschiedene Manifestationen eines einzigen grundlegenden »Materiefeldes« aufgefaßt werden. 12 dieser Teilchen sind bereits bekannt, einschließlich des Lichtteilchens (Photons), der Gluonen und den Z- und W-Bosonen der schwachen Wechselwirkung. Die übrigen 12 Teilchen, die X-Teilchen genannt werden, sollen eine außerordentlich hohe Masse besitzen ($10^{15}$ Protonenmassen). Das wären Massen, wie sie sonst biologische Zellen besitzen. Diese ungeheuer große Masse würde einen Grund dafür liefern, daß diese Teilchen bisher bei Zusammenstößen von Elementarteilchen noch nicht gefunden werden konnten, da zu ihrer Erzeugung eine ungeheuer große Energie nötig ist. In dieser vereinheitlichten Theorie sollten Massendifferenzen zwischen den Teilchen keine Rolle spielen und man hat hergeleitet, daß die Vereinheitlichung der Wechselwirkungen bei Abständen von $10^{-31}$ m, eine unvorstellbar kleine Länge, passieren sollte.

Natürlich könnte man all dies als bloße Spekulation abtun, gäbe es nicht eine Reihe von Voraussagen, die experimentell geprüft werden können. Die wichtigste und sensationellste Voraussage ist, daß selbst das bisher als unendlich stabil geglaubte Proton zerfallen kann. Der Netto-Effekt einer ganzen Kette von Zerfallsreaktionen wäre, daß das Proton schließlich in ein Positron und ein neutrales Pi-Meson zerfällt, wobei das letztere weiter in Lichtstrahlen zerfallen könnte. Das Positron kann sich mit einem Elektron verbinden und weitere Lichtstrahlen erzeugen. Auf diese Weise sollte Materie nicht stabil sein, sondern Protonen und Elektronen zusammen könnten in reine Strahlung zerfallen. Abschätzungen ergeben, daß die mittlere Lebensdauer von Protonen $10^{31}$ Jahre ist. Dies ist natürlich eine unvorstellbar lange Zeit, aber wenn man sehr viele Protonen gleichzeitig beobachtet, sollte ein solches Ereignis durchaus auffindbar sein. So ergeben Abschätzungen, daß sich 50 solcher Ereignisse pro Jahr von 1000 t Materie erwarten lassen und tatsächlich ist eine Reihe derartiger riesiger Experimente durchgeführt worden oder werden durchgeführt. Allerdings ist bisher kein überzeugender Nachweis gelungen, so daß in dieser Art der Elementarteilchentheorie sicher das letzte Wort noch nicht gesprochen ist.

Bevor wir das faszinierende Gebiet der Elementarteilchenphysik verlassen, sei noch folgender interessante Umstand erwähnt. Falls Teilchen tatsächlich Mitglieder der gleichen Familie bei kurzen Abständen sind, warum sind sie dann so verschieden bei größeren Abständen, z. B. im Hinblick auf ihre Masse? Die Antwort liegt auch hier wieder im Symmetriebruch. Es wird angenommen, daß die »Symmetrie des Vakuums« gebrochen wird. Dies erscheint uns als ein sehr abstraktes Konzept. Aber wenn wir daran denken, daß in einem Ferromagneten die Symmetrie ebenfalls gebrochen wird und wir uns in diesem Fall sehr anschaulich vorstellen können, was hier der Symmetriebruch bedeutet, nämlich spontane Bevorzugung einer Raumrichtung durch die Elementarmagnetchen, so können wir ein Gefühl dafür bekommen, daß das Konzept des Symmetriebruchs des Vakuums durchaus plausibel ist.

## Grenzen der Erkenntnis

Wenn wir einen Blick zurück auf die Atomphysik, bis hinunter zu den Elementarteilchen, wie wir sie heute kennen, werfen, so erkennen wir, daß es immer nur ganz wenige Prinzipien sind, die uns entgegentreten, nämlich der Begriff der Symmetrie und der gebrochenen Symmetrie, um die verschiedenen Zustände der Materie zu charakterisieren, und die Idee, daß Kräfte durch Teilchenaustausch vermittelt werden. Ob diese Konzepte, die natürlich jeweils in eine ganz konkrete mathematische Form gegossen werden müssen, ausreichen, um die Welt der Elementarteilchen schließlich voll und ganz zu verstehen, ist eine der grundlegenden Fragen, wie auch die Einbeziehung der Gravitationskräfte in eine umfassende Theorie. Zugleich lehrt uns ein Blick auf die Geschichte, daß wir immer wieder Perioden durchmachen, wo neue Teilchen oder Materiezustände gefunden werden und diese dann wieder auf einheitlichere und mehr fundamentalere Teilchen und Wechselwirkungen zurückgeführt werden. Immer wieder war der Fortschritt an die Konstruktion noch energiereicherer Beschleuniger, die die Teilchen aufeinander schießen, geknüpft. Man kann so leicht zu dem Schluß kommen, daß wir hier vielleicht einer »unendlichen Geschichte« gegenüberstehen. Vielleicht können wir der Natur immer nur stückweise eines ihrer Geheimnisse entreißen, kommen aber nie zu einem endgültigen

Ende. Selbst wenn wir eine Elementarteilchentheorie besitzen, die alle bisherigen Fakten hundertprozentig wiedergibt, so können wir nicht ausschließen, daß wir bei noch höheren Teilchenenergien noch ganz neuartige Phänomene, die noch nicht erfaßt worden sind, erhalten. So kann es schließlich sein, daß die Grenzen unserer Erkenntnis nicht durch unseren Geist, sondern durch die finanziellen Mittel gezogen sind, mit denen wir immer größere Beschleuniger bauen können. Es sei denn, wir kämen über ganz andere, uns heute noch völlig verschlossene Wege zu Einsichten, die dann aber ganz anders geartet sein müßten, als wir es uns heute vorzustellen vermögen, z. B. über Fragen der Kosmologie. Damit kommen wir zum letzten Abschnitt unseres Artikels.

## Die Entwicklung des Kosmos

Richten wir unsere Blicke zum Himmel, so sehen wir je nach Tag- oder Nachtzeit die Sonne, den Mond, einige Planeten, wie etwa den Abendstern Venus, eine ungeheure Zahl von Fixsternen und das breite, verschwommene Band der Milchstraße. Zu dieser gehört auch unsere Sonne. Aber sie ist nur ein winziger Teil in dieser »Galaxie« (Milchstraße) mit ihren 100 Milliarden Sonnen. Blicken wir mit unseren Teleskopen weiter in die Tiefen des Weltalls, so erkennen wir immer wieder solche Galaxien – ihre Zahl wird auf einige Milliarden geschätzt.

Im Laufe der Jahrtausende haben sich die Anschauungen über das Weltall geändert. Wir wissen nicht nur, woraus die Sterne bestehen, auch so fundamentale Fragen wie nach dem Woher und Wohin des Universums sind einer wissenschaftlichen Behandlung zugänglich geworden. Dies ist das Verdienst der Physik, die auf das reiche Beobachtungs-material der Astronomen zurückgreifen kann. Der erste Durchbruch wurde wohl von Newton erzielt, demzufolge die gleichen fundamentalen Gesetze der Mechanik sowohl für die Bewegung von Körpern auf der Erde als auch für die der Himmelskörper gelten, z. B. für die Planetenbewegung um die Sonne.

Die meiste Information über die Sterne erhalten wir durch das sichtbare Licht, das sie ausstrahlen. Aber auch das Studium z. B. von Röntgenstrahlen hat sich als sehr wichtig erwiesen und führte zur Entdeckung ihrer Quellen. Bleiben wir jedoch zunächst beim sichtbaren Licht.

Wie wir schon gesehen haben, können Atome, die durch Energiezufuhr angeregt worden sind, Licht mit ganz speziellen Farben, d. h. physikalisch ausgedrückt, mit ganz speziellen Wellenlängen ausstrahlen. Zerlegt man das von einem Stern angekommene, in einem Fernrohr gesammelte Licht nach seinen Farben (»Spektralanalyse«), so erkennen wir darin spezielle Farbstreifen oder -linien (die »Spektrallinien«). Dabei stellen die Forscher fest, daß die für die irdischen Atome typischen Linien auch bei den Sternen vorhanden sind. Wir können daraus schließen, daß die chemischen Elemente, die im Weltall vorkommen, die gleichen sind wie auf der Erde, so daß also keine rätselhaften anderen Elemente dort existieren. Zur großen Überraschung vieler Forscher konnten auf diese Weise sogar organische Moleküle im Raum zwischen den Sternen nachgewiesen werden. Untersucht man die Häufigkeit der chemischen Elemente im All, so erweist sich

Wasserstoff als das weitaus häufigste, gefolgt von Helium. Auch schwerere Elemente sind nachweisbar, wenngleich sie auch nur in Bruchteilen von Prozenten vorkommen.

Nachdem wir wissen, daß die Materie im Weltall aus den gleichen Bausteinen wie die Materie auf der Erde besteht, können wir die Gesetze der Atom- und Kernphysik anwenden, um grundsätzliche Fragen der Astrophysik zu beantworten. Natürlich können wir hier dieses Gebiet nicht auch nur annähernd darlegen, doch sei der Versuch gewagt, einige typische Phänomene kurz zu beleuchten. Eine der augenfälligsten Fragen ist natürlich, woher die Sterne, unter ihnen auch unsere Sonne, die Energie hernehmen, damit sie ihre ungeheure Leuchtkraft entwickeln können. Alles Leben auf unserer Erde wird ja von der Sonnenenergie gespeist, und die Erde selbst fängt nur einen winzigen Bruchteil der ausgestrahlten Sonnenenergie auf. Es zeigte sich schon frühzeitig, daß die Sonne kein riesiger Brennofen, in dem Kohle verheizt wird, sein kann – sie müßte schon längst verloschen sein. Den Ausweg zeigte die Kernphysik. Wie Bethe und C. F. von Weizsäcker zeigten, werden in der Sonne je 4 Wasserstoffkerne zu einem Heliumkern verschmolzen, wobei Kernenergie freigesetzt wird. Bei dieser Verschmelzung sind noch Kerne anderer Atome eingeschaltet, so daß man besser von einem »Zyklus« bei der Verschmelzung spricht. Wichtig für uns ist nur, daß die bei diesen Kernreaktionen freiwerdende Energie pro Atomkern ungleich viel höher ist, als die bei chemischen Reaktionen pro Atom freigesetzte Energie. Die Energiequelle der Sterne sind also Kernreaktionen.

Aber wie entstehen überhaupt die Sterne? Nach heutiger Auffassung liegt ihre Geburtsstätte in den Galaxien. Viele von ihnen haben, wie auch unsere Milchstraße, Spiralarme. Ursprünglich bestanden die Galaxien wohl nur aus Staub. Aber unter dem Einfluß der Schwereanziehung begann sich dieser zu verdichten, wobei die Staubwolke rotierte. In der Staubwolke bildeten sich Verdichtungen aus, die in ihr umliefen und dabei immer höhere Verdichtungsstreifen von spiralförmiger Gestalt hervorbrachten. Dabei können sehr große Drücke und hohe Temperaturen entstehen, Bedingungen also, unter denen sich Sterne bilden können. Das weitere Schicksal der Sterne läßt sich dann, wie insbesondere Kippenhahn und Mitarbeiter gezeigt haben, durch Computerrechnungen verfolgen, wobei die bekannten Gesetze aus der »irdischen« Physik verwendet werden. Als Resultat läßt sich z. B. das Schicksal der Sonne vorausberechnen. Sie wird nach Milliarden von Jahren in sich zusammenstürzen, sodann explodieren und schließlich zu einem riesigen rotglühenden Stern (»rotem Riesen«) werden, in dem selbst die Planetenbahn unserer Erde noch Platz haben wird. Falls die Menschheit zu dieser Zeit noch existieren sollte, wird sie sicher bis dahin technologisch in der Lage sein, zu anderen Sonnensystemen »auszuwandern«.

Es wäre sicher reizvoll, hier typische »Lebensläufe« von Sternen darzustellen, zu denen z. B. auch die »weißen Zwerge« mit ihrer unvorstellbaren Massendichte gehören – ein Fingerhut voll Materie wiegt soviel wie ein Mercedes! Doch wollen wir uns lieber noch fundamentaleren Fragen zuwenden, nämlich nach dem Woher und Wohin des Weltalls. Über beide Fragen gibt uns wiederum das Licht Aufschluß. Um die hierbei entscheidende Idee besser zu verstehen, müssen wir ein klein wenig ausholen. Wenn ein hupendes Auto, z. B. ein Polizeiauto auf uns zufährt, so klingt der Hupton höher als wenn es von uns wegfährt. Insbesondere ist er beim Wegfahren tiefer, als wenn das Auto steht. Das gleiche gilt für den Pfeifton einer Lokomotive, die an einer Bahnschranke an uns vorüberfährt und dabei erst auf uns zukam und sich dann entfernte. Diese Laute werden durch Schallwellen übertragen, und wir lernen so die physikalische Tatsache kennen, daß von einer Quelle ausgesandte Wellen eine niedrigere Frequenz (= Tonhöhe) haben, wenn sich die Quelle von uns wegbewegt, als wenn sie ruht. Nun beruht Licht ebenfalls auf einer Wellenbewegung, und der hier soeben beschriebene »Dopplereffekt« besagt, daß sich z. B. die gelbe Farbe (= Frequenz!) einer Lichtquelle zu rot (= niedrigere Frequenz) verschiebt, wenn die Lichtquelle nicht ruht, sondern sich von uns fortbewegt. Allerdings können wir diesen Effekt bei »irdischen« Geschwindigkeiten, etwa von Autoscheinwerfern nicht wahrnehmen, da die Frequenzänderungen durch das Verhältnis von der Geschwindigkeit der Quelle zu der der Lichtgeschwindigkeit bestimmt ist. Da aber die Lichtgeschwindigkeit riesig ist, ist der Effekt »hier« äußerst gering. Nicht so bei Sternen, die sich mit einer Geschwindigkeit, die der Lichtgeschwindigkeit vergleichbar ist, bewegen. Nun könnte man annehmen, daß die Sterne wild durcheinanderfliegen, einige mit großer Geschwindigkeit auf uns zu, andere von uns weg. Die Beobachtung des Sternenlichts zeigt aber etwas anderes. Wenn wir von kleinen Schwankungen in unserer näheren kosmischen Umgebung absehen, so fliegen alle Sterne von uns weg, wie aus der Rotverschiebung der Spektrallinien hervorgeht. Rechnet man zurück, so müssen sich die Sterne vor ca. 18 Milliarden Jahren alle an einem Punkt – scheinbar bei uns – befunden haben. Ist also unser Sonnensystem Keimzelle und Mittelpunkt des Weltalls? Die moderne Physik lehrt uns, daß dieser Eindruck eine Täuschung ist. Wir können uns die Verhältnisse in einer Art Gedankenexperiment vorstellen, wenn wir mal annehmen, daß die Welt nicht drei-, sondern zweidimensional ist und wir uns auf der Oberfläche eines Luftballons befinden. Wird dieser aufgeblasen und sitzen wir an *irgendeinem* Punkt, so scheinen sich alle anderen Punkte von uns zu entfernen – auf diese Weise kann aber jeder Punkt behaupten, er sei der Mittelpunkt. Übrigens gibt es noch andere Denkmodelle, nach denen die Materiedichte anfänglich *überall* unendlich groß war, doch wollen wir uns mit diesen Details nicht abgeben – dies hängt in der Tat von dem uns benutzten detaillierten »Weltmodell« ab. Welches Modell wir auch verwenden – immer wieder müssen wir annehmen, daß vor ca. 18 Milliarden Jahren der »Urknall« stattgefunden hat. Von diesem Urknall ausgehend, lassen sich nunmehr interessante Vorstellungen anhand unserer Kenntnisse über die Elementarteilchen entwickeln.

Wie wir schon im vorigen Abschnitt sahen, ist der Begriff »Elementarteilchen« in gewissem Sinne irreführend, weil ja Einheiten, die zunächst elementar erscheinen, wie etwa das Atom, dann doch wieder aus Teilen bestehen (den Elektronen und dem Atomkern), der Atomkern wieder aus Teilen usw. Warum uns im einen Fall diese physikalischen Teile als elementar, im anderen Fall jedoch als zusammengesetzt erscheinen, liegt an der Energie, mit der die Teile zusammengehalten werden bzw. mit welcher Energie wir die Einzelteile auseinanderbrechen können. Ein Atom erfordert relativ wenig Energie, um es auseinanderzunehmen, ein Kern schon weit höhere Energie. Da im Anfang der Welt die Materie nicht nur sehr dicht, sondern auch sehr heiß war, stand eine enorm große Energie zur Verfügung, um praktisch alle Materie in ihre Urbestandteile aufzubrechen. Natürlich können wir nicht beliebig nahe an den Urknall zurückrechnen, da wir gar nicht wissen, welche elementaren Bestandteile dann vorhanden waren. Rechnen wir aber aufgrund unserer jetzigen Kenntnis der Elementarteilchen zurück, so müßten bei $10^{-8}$s nach dem Urknall wild durcheinanderfliegende Quark- und Antiquark-Teilchen, oder in der Sprechweise der Physiker, ein Quark-Antiquark-Gas vorhanden gewesen sein. Da sich das Weltall ausdehnte, geschah mit dem Quark-Antiquark-Gas das gleiche, was wir von jedem anderen sich ausdehnenden Gas her kennen. Es kühlt sich ab. Damit steht aber immer weniger Energie zur Verfügung, die die Quarks und Antiquarks herumfliegen läßt. Quarks binden sich aneinander und bilden die Nukleonen (Proton und Neutron). Aus dem enormen Überwiegen der zu Nukleonen gebundenen Quarks gegenüber den Antiquarks in unserer Zeit müssen wir entnehmen, daß diese Unsymmetrie schon von Anfang an im Urknall angelegt war. Warum dies so war, darüber läßt sich nur spekulieren. Als die Nukleonen sich bildeten, war die Energie noch immer so hoch, daß ein Elektron-Positron-Gas bestanden haben muß. Mit noch weiterer Ausdehnung des Weltalls und Abkühlung konnten sich, wie wir schon sahen, Elektronen und Positronen zu Positronium verbinden und wandelten sich schließlich in reine Strahlungsenergie um. Weil hier ein Überschuß von Elektronen vorlag, fanden nicht alle einen Partner in Form des Positrons und blieben daher allein übrig. In diesem, für unsere Begriffe immer noch heißem Universum flogen nunmehr also Elektronen und Nukleonen herum, konnten aber wegen ihrer hohen Bewegungsenergie trotz ihrer entgegengesetzten Ladung noch keine Bindung eingehen. Ein solcher Materiezustand kann auch in irdischen Laboratorien erzeugt werden. Er heißt Plasma. Schließlich nach ca. $10^{13}$ s ($\sim 300\,000$ Jahre) hatte sich das Weltall so stark abgekühlt, daß sich die Elektronen und Nukleonen zu Atomen zusammenschließen konnten, so daß das Plasma verschwand.

Zu allen diesen Zeiten waren ungeheure Mengen von Licht vorhanden, aber der Übergang vom Plasma zu den Atomen hatte eine wichtige Folge für die Ausbreitung des Lichts. Während, wie der Physiker weiß, Plasma Licht absorbiert, machen dies die Atome nur in ganz geringem Umfang. Mit dem Verschwinden des Plasmas wurde also das Weltall zum ersten Mal durchsichtig. Das Licht, das zu diesem Zeitpunkt das Weltall durchdringen konnte, können wir noch heute wahrnehmen. Obwohl die damalige Temperatur ca. 3000 °C betragen haben muß, hat das Licht von damals für uns nur noch eine Temperatur von 3 °K, d. h. 3 ° über dem absoluten Nullpunkt. Stellen wir uns vor, daß das Licht aus Teilchen, den »Photonen« besteht, die ein Gas bilden, so leuchtet sofort ein, daß dieses Gas sich ebenfalls abgekühlt hat. Diese berühmte 3-K-Strahlung ist vor einigen Jahren in der Tat gefunden worden und ist eine wichtige Stütze für unsere Vorstellung des expandierenden Weltalls.

# Hans-Joachim Queisser

# Die Siliziumzeit

Immer deutlicher verspüren wir den Beginn eines neuen Zeitalters. Ein neues Material, Werkzeug und Werkstoff zugleich, prägt mit bisher ganz unbekannten Eigenschaften eine neue Technik, die mit Macht in alle Bereiche des Lebens eindringt. Es ist der halbleitende Stoff Silizium, der die materielle Grundlage der modernen Mikroelektronik möglich gemacht hat. Die Grenzen seiner Anwendungen sind noch nicht erkennbar. Der internationale Wettbewerb um die Vorherrschaft in der Bewältigung dieses Stoffes ist in erbitterter Härte im Gange. Europa sieht fast untätig einem regelrechten Siliziumkrieg über den Pazifischen Ozean zu. Die neue Technologie ist nur mit wissenschaftlichem Verständnis, nur mit neuen Formen der Wirtschaft und mit besonderer Zusammenarbeit zu beherrschen. Die Funktionen werden nicht mehr, wie bislang in der auslaufenden Phase der Eisenzeit, durch Zusammenfügen einzelner, überschaubarer Teile geschaffen; sie entstehen jetzt durch die gezielte Veränderung des atomaren Aufbaus der festen Materie. Der regelmäßige Einkristall ist nach Jahrhunderten mühsamer, oft vergeblicher Forschung in unseren Tagen zum technisch nutzbaren physikalischen Prinzip geworden. Dieser Beitrag will einige der Tendenzen dieses beginnenden Siliziumzeitalters darstellen.

## Festkörper benennen die kulturellen Epochen

Die großen kulturellen Zeitabschnitte der Menschheit benennen wir nach den festen Stoffen, die wir zu beherrschen lernten und danach so nachdrücklich einzusetzen verstanden, daß damit umstürzend Neues eintrat. Die Steinzeit, die Bronzezeit und die Zeit des Eisens markieren diese übergreifenden Abschnitte. Der neue Stoff verdrängte nicht das Bisherige, meist schuf er aber ganz neue Möglichkeiten und überflügelte seine Vorläufer. Stein, Bronze und Eisen waren nicht nur der neu eroberte Werkstoff, aus dem mit neuer Handfertigkeit ein bis dahin noch nicht bekanntes Gerät geschaffen werden konnte. Die Materialien waren gleichzeitig auch immer die Grundlage des Werkzeuges gewesen. In einem engen Kreis der Wechselwirkung zwischen Werkzeug und Werkstoff beschleunigte sich der Entwicklungsprozeß, überflügelte in sich steigerndem Tempo die bisherige Technik. Diese Rückkopplung und wechselseitige Verstärkung kennzeichnet die Kraft einer neuen Epoche. Dieses Merkmal scheint auch dem heute aufziehenden Halbleiterkristall Silizium eigen zu sein.

Der Griff zum Stein als Werkzeug war ein revolutionierender Vorgang. Mit Stein ließ sich anderer Stein formen, Umrisse konnten entstehen, für die es in der Natur bislang kein Vorbild gegeben hatte. Stein konnte zerlegt werden, neu geformt werden; Hohlräume konnten in Töpfen und Krügen gebrannt werden, eine neue Dimension entstand. Gewaltig war auch der Sprung in die Bronzezeit. Eine total neue Klasse von Stoffen, die geschmeidigen und verformbaren Metalle ließen sich durch Feuer aus manchem Gestein herauslocken. Die komplizierte chemische Reaktion der Reduktion eines meist oxidischen Minerals konnte der Mensch der Bronzezeit nicht begreifen. Die Technik jedoch ließ sich durch reines Probieren und empirisches Erkennen nutzbar anwenden. Bronze war ein Stoff, der sich viel leichter verformen und prägen ließ, der vor allen Dingen durch Schmelzen und Löten ein vollkommen neues Moment der Verbindung ermöglichte, das in Stein und Ton kaum in dieser Vielfalt möglich war. Das Metall in seiner überlegenen physikalischen Eigenschaft und seiner Formbarkeit leitete eine Verkleinerung der bislang plumpen Steinstrukturen ein.

Bronze aber ist weich und wenig widerstandsfähig, dies ist der Preis für die leichte Herstellbarkeit, die nur geringe Temperaturen erfordert. Weitaus schwieriger war es, das Eisen zu beherrschen. Viel höhere Temperaturen mußten mit neuen Brennstoffen erzeugt werden, weitaus kompliziertere chemische Reaktionen in schwierigen Vielstoffsystemen laufen ab, müssen erprobt und fixiert werden. Mit der Eisenbeherrschung aber wurde viel gewonnen. Ein nur sehr begrenzt verfügbares, relativ edles Material – die Bronze – wurde ersetzt durch ein Element, das es auf der Erdrinde in Hülle und Fülle gibt. Der drohende Engpaß in der Verfügbarkeit des zentral notwendigen Stoffes beflügelte die Entwicklung der ungleich schwierigeren Technologie des Eisens.

Alle diese einfachen Merkmale jener im prähistorischen Dunkel abgelaufenen Entwicklungen finden sich wieder im heutigen Ablauf der Einführung der Mikroelektronik. Besonders sichtbar wird die wachsende Differenzierung im Stoff selbst. Immer stärker entsteht die gewünschte Funktion nicht so sehr durch ein Aneinanderfügen einzelner Teile sondern vielmehr durch die gezielte Beeinflussung des Stoffes selbst. Hier lag ein wesentlicher Unterschied und Vorteil des Eisens und Stahls gegenüber der Bronze. Aber noch weitaus bedeutender ist etwa die Veränderung, die ein Siliziumschaltkreis gegenüber einem aus Metallteilen zusammengesetzten Schaltrelais ins Feld führen kann. Schalten und Verstärken wird unmittelbar im Inneren eines hochregelmäßig aufgebauten, gezielt in atomaren Dimensionen beherrschten Kristall erreicht. Ein makroskopisch aus Metall aufgebautes Elektronikteil wird durch eine mikroskopische Anordnung verdrängt.

Die ersten Ansätze zu einer Mikroelektronik mit festen Werkstoffen nutzten noch natürlich vorkommende, chemisch leicht erschließbare Stoffe. Das Silizium hat sie abgelöst. Wieder ist es ein Element, das auf der Erde in sogar noch größerer Fülle als das Eisen verfügbar ist. Wiederum widersetzt es sich, muß mit Aufwand und bei hohen Temperaturen vom Sauerstoff befreit und zum reinen Element umgeformt werden. Hindernisse gegen diese aufwendige Technik waren vorhanden, wurden aber überwunden – ganz ähnlich wie es in den frühen Zeiten der Eisenepoche gewesen sein muß.

Wir scheinen heute am Ende der Eisenzeit zu stehen. Diese Aussage klingt dramatisch und damit fast unglaubwürdig. Aber mit dieser Behauptung ist nicht gemeint, daß von nun an Stahl und Eisen unbedeutend und allenthalben ersetzt würden. Gemeint ist dagegen, daß ein prinzipiell neues Material mit grundsätzlich anderen Eigenschaften neu die Szene betritt. Die ersten deutlichen Anzeichen einer Verdrängung mechanischer Vorrichtungen aus Metallwerkstoffen durch eine Elektronik im Siliziumkristall und die dazu gehörende Software der Programmiervorschriften gehören aber zu den unübersehbaren Anzeichen der sich anbahnenden Siliziumzeit.

Metallverarbeitung, über Jahrtausende durch Versuch und Tradition erworben und bewahrt, war auch ohne ein tiefgehendes wissenschaftliches Verständnis der elementaren Vorgänge möglich. Die grundlegende Forschung folgte der technischen Beherrschung. Das wesentliche Element der Ausnutzung metallischer Werkstoffe ist die plastische Verformbarkeit. Ein großes Arsenal an praktischem Wissen hatte sich vor allen Dingen im 19. Jahrhundert angesammelt, komplizierte Rezepturen der Mischung von Legierungen waren gefunden worden, um spröde, harte, zähe oder weiche Materialien nach Wunsch herzustellen. Mit dem Beginn des Verständnisses der Materie auf atomarer Ebene gab es sogar zunächst einen Rückschlag. Es zeigte sich nämlich, daß die moderne Atomtheorie vorhersagte, alle Metalle müßten um ein Vielfaches schwieriger verformbar sein. Die wahre Festigkeit war weitaus geringer als ein atomistisches Modell vermuten ließ. Gelöst wurde dieser Widerspruch mit der Entdeckung einer bestimmten Störung des regelmäßigen Gitteraufbaus der Metalle. Allein diese Störung, Versetzung genannt, bestimmt in Wahrheit die plastische Verformbarkeit eines Metalls, diese Idee machte schlagartig verständlich, warum so außerordentlich geringe Mengen an Zusätzen in einer Legierung so überraschend großen Einfluß auf die mechanischen Eigenschaften hatten. Die Forschung hatte damit eine Sanktionierung der empirischen Wissensbefunde erreicht, sie führte zu weiteren nachträglichen Verbesserungen der Technik.

Gänzlich anders ist die Lage für die Mikroelektronik und die von dieser Technik geforderten neuen festen Stoffe. Diese Materialien reagieren nochmals weitaus empfindlicher auf fremde Zusätze. Eine scheinbar regellos schwankende Vielfalt der Eigenschaften bot sich den frühen Entdeckern. Das Hauptprinzip der Physik als Wissenschaft und als Grundlage der Technik, die Reproduzierbarkeit der Ergebnisse und die universelle Vertretbarkeit der Aussagen als ihre Folge, ließen sich mit dieser Stoffklasse zunächst nicht erreichen. Trotz mancher klar erkannter technischer Möglichkeiten kam es erst zu einer wirklich lebensfähigen Elektronik mit festen Stoffen, als eine breite und tragfähige wissenschaftliche Grundlage des Verständnisses geschaffen war. Quantentheorie, Atomhypothese und hochdefinierte chemische Kunst der Herstellung des festen Körpers waren zunächst zu schaffen. Erst nach dieser Voraussetzung ließ sich das Stoffliche wieder in das Gebäude der Physik zurückführen.

Die mathematisch-physikalische Abstraktion eines festen Körpers als eine regelmäßige, periodische Erfüllung des dreidimensionalen Raumes durch gleichartige Atome mußten zunächst eine experimentelle Realität werden. Darum hat sich der Beginn des Zeitalters einer auf Festkörpern basierenden Mikroelektronik trotz sehr vieler früher Vorläufer bis in die Mitte unseres Jahrhunderts hinausgezögert. Die neue Technik der Mikroelektronik bringt einmal eine Vielfalt von Anwendungen sehr großer Allgemeinheit der Verwendungen. Zum zweiten fordert diese neue Technik unerbittlich die Grundlage einer sauberen und quantitativen Wissenschaft. Diese Kennzeichen stellen etwas Neues dar, sie belegen die Behauptung, ein neues Zeitalter zöge auf.

# Der regelmäßige Kristallbau als Voraussetzung

Natürlich vorkommende feste Stoffe, die Erze, Mineralien, das Gestein, bestehen aus einer regellosen Vielfalt aneinander gepackter kleiner Kristallite. Der regelmäßige Aufbau großer Bereiche ist immer wieder gestört. Die chemische Reinheit selbst edelster Schmucksteine ist gering. Zufällige Schwankungen der Zusammensetzung und der ungeregelte Bau an den Grenzen der vielen zusammengebackenen Kleinstkriställchen haben unregelmäßige physikalische und chemische Eigenschaften zur Folge. Die Forderung des Zeitalters einer Halbleiterelektronik war darum weitaus mehr als einfach der Ruf nach einer neuen Klasse von Stoffen. Zusätzlich wird höchste Reinheit und perfekter Aufbau verlangt.

Der Einkristall ist das Ideal fester Körper. Strenger kristallographischer Aufbau, über weite räumliche Strecken ohne jede Störung wird gefordert. Eine neue Form der Symmetrie ist das Postulat. Diese Translationssymmetrie genannte Forderung bedeutet, daß beim Fortschreiten um eine definierte Schrittweite die atomare Umgebung genau wieder gleich auszusehen hat. Damit wird eine strenge dreidimensionale Periodizität der Raumerfüllung erreicht. Ein solches idealisiertes System läßt sich strikter physikalischer Beschreibung unterwerfen. Allein die räumliche Symmetrie führt bereits zu physikalischen Aussagen über die Eigenschaften eines solchen Stoffes. Die gezielte Veränderung dieses räumlichen Rasters durch kontrollierten Austausch von Atomen an bestimmten, dazu ausersehenen räumlichen Bezirken aber ist die Grundlage der Mikroelektronik, die es gestattet, Funktionen unmittelbar ins Innere des atomaren Baus des Kristalls zu verlegen. Der Weg ins Kleine wurde damit frei. Materie und Energie wurden nicht mehr in dem Maße wie in den früheren Techniken benötigt, als es noch galt, Einzelteile aus großen Formstücken zu fertigen und dann zusammenzufügen. Die Siliziumzeit nutzt den Raum mit Schritten atomarer Dimension.

Der Weg bis zu dieser wissenschaftlich fundierten Technik war schwer und von Rückschlägen immer wieder unterbrochen. Ein Rückblick auf die viele Jahrhunderte lange Entwicklung soll die Schwierigkeiten aufzeichnen und das Ausmaß des heute Erreichten verdeutlichen.

Für den Menschen der Antike lagen Grundprinzipien des Aufbaus der ihn umgebenden, ihm sichtbaren Natur in der Harmonie der Symmetrie. Einfache, regelmäßige Strukturen wurden als die Elemente des Aufbaus der Materie vermutet. Euklids simple Dreiecke wurden zum philosophischen Paradigma. Für Parmenides war die hochsymmetrische Kugel ein Symbol zur gedanklichen Erfassung der Welt und ihres Baus. Die einfachen geometrischen Formen der regelmäßigen dreidimensionalen Körper, nach Plato benannt, – die Tetraeder, Würfel, Ikosaeder und andere hochsymmetrische Strukturen – schienen hervorgehoben aus der Masse des Ungeregelten, so daß man an ihre Bedeutung als elementare Bausteine der Welt glauben konnte. Aber die Realität des täglichen Lebens zeigte keinerlei Hinweise auf die Gültigkeit solcher Hoffnung. Flußlauf und Küstenlinie, Form einer Wolke oder Vielfalt einer Blüte schienen eher von spontaner Willkür lokaler Gottheiten Zeugnis zu geben. Nur zwei Erscheinungen waren deutlich sichtbar, wo Ordnung und Symmetrie erkennbar wurden. Einmal der Lauf der Planeten, ungedämpfte Regularität der Bewegung in einem sonst sehr zufällig erscheinenden

Fixsternhimmel; zweitens gab es unter der Regellosigkeit der Mineralien der Erdkruste ab und zu einmal sehr symmetrische Wiederholbarkeit in den Kristallen.

Diese Kristalle mit ihrer gleichbleibenden Tracht, ihren offenbar scharf vorgegebenen Winkeln zwischen benachbarten Flächen und mit ihrer vielfach vorhandenen Spiegelsymmetrie schienen am ehesten den Platonischen Körpern nahezukommen, sie waren darum für griechische Naturphilosophen weitaus mehr als nur wertvolle Schmucksteine. Die Aristotelische Tradition im europäischen Mittelalter bewahrte diese Grundidee, setzte sie aber nicht methodisch fort. Vielmehr verschmolz die Idee der Symmetrie der Planeten mit der der Kristalle zu einer sonderbaren Einheit. Die Alchemisten sahen in den Kristallen die Stellvertreter einer höheren, kosmischen Harmonie. Darum wurden die regelmäßigen Festkörper nun zum Repräsentanten himmlischer Macht. Kristalle wurden – etwa unter Paracelsus oder bei Hildegard von Bingen und ihren Zeitgenossen – zu Medikamenten, mit denen der Mensch seine Krankheiten zu heilen hoffen konnte, weil Krankheit ja letztlich nur eine Störung eines kosmischen Gleichgewichts bedeutete.

Zu Beginn des siebzehnten Jahrhunderts begann die Physik allmählich mit ihrer methodischen Strenge und mathematischen Methodik sich aus den Fesseln mittelalterlicher Anschauung zu lösen. Galileo Galilei etwa gelang es, durch Abstraktion die wesentlichen Elemente der Mechanik aufzudecken und Fundamente für weitere wissenschaftliche Beherrschung zu legen. Er abstrahierte den Luftwiderstand beim Fall eines Steins, damit war materielle Zufälligkeit beseitigt, alle Körper fallen gleich schnell. Noch wichtiger aber war die zweite Abstraktion: die stoffliche Zufälligkeit des Probekörpers, vom schiefen Turm zu Pisa geworfen, spielte keine Rolle. Wichtig war nur, daß einem solchen Körper eine Masse als entscheidende physikalische Eigenschaft zugesprochen werden konnte. Daraus entwickelte sich die klassische Mechanik als ein System von Massepunkten; die gesamte stoffliche Eigenschaft konnte vergessen werden, wichtig wurde nur die Koordinate für den Schwerpunkt, in dem sich die gesamte Masse vereinigt denken ließ. Diese saubere Abstraktion wurde zum Prototyp physikalischer Denkweise, sie verbannte gleichzeitig das Stoffliche aus der Mechanik, dem so wesentlichen Teilgebiet der Physik.

Zeitgenossen des Galilei fanden bereits an Kristallen sehr ungewöhnliche, ja geradezu aufregende Eigenschaften. In Bologna hatte ein abenteuerlustiger Schuhmacher, Vincenzo Cascariolo, an Schwerspatkristallen vom nahegelegenen Monte Paderno entdeckt, daß sich Licht in einem festen Körper speichern ließ. Seine sicherlich vorhandenen Hoffnungen auf eine lukrative Verwertung dieses Fundes zerschlugen sich, statt dessen übernahmen Fachleute der Universität Bologna die Beschreibung und weitere systematische Beobachtung des unerklärten Phänomens. Aber die Beherrschung der Stoffe war zu schwierig, der Fortschritt in der Abstraktion nur ungenügend. Vereinfachung und Prinzipienfindung – wie in der Mechanik als physikalische Leitwissenschaft demonstriert – ließ sich in der Beschäftigung mit Kristallen nicht erreichen. Selbst die ungeheuer wichtige Rolle von Licht und Farbe, später beim intensiven und fruchtbaren Streit zwischen Teilchentheorie und Wellenbild so stark im Vordergrund, konnte diese aufregende unerklärte Tatsache der Speicherung von Licht im Inneren des Kristalls nicht in den Rang einer legitimen wissenschaftlichen Frage erheben. Eine Fülle von Beobachtungen wurde aufgezeichnet; Kristalle aller Arten wurden belichtet, dann die Lichtaussendung im Dunkeln beobachtet. Keine regulären Zusammenhänge dieses sehr drastischen Phänomens konnten gefunden werden. Immer klarer wurden die Forderungen, die aus dem sich langsam herausschälenden Wellenbild des Lichtes für diese Erscheinung der Licht-speicherung entstanden, aber alle diese Vorhersagen zeigten sich als unerfüllt. Lediglich wurde der sehr unangenehme Verdacht immer deutlicher bestätigt, daß es gar nicht der Kristall selbst war, der entscheidenden Einfluß zu haben schien, sondern daß die Art geringfügigster Zusätze allein entscheidend war. Das Stoffliche schien hier die Oberhand zu haben; die Physik verstieß darum diese Beobachtungen, sie paßten nicht in ihr Gebäude.

In Goethes Farbenlehre findet sich das Protokoll von Beobachtungen, die für heutige Eingeweihte in überraschender Deutlichkeit zum ersten Male ein Quantenphänomen beschreiben. Goethe zitiert dabei vermutlich kaum eigene Messungen. Allerdings beschreibt Goethe in seinem Tagebuch der Italienischen Reise sehr ausführlich, warum er nach Bologna fuhr und daß er dort eine eigentlich viel zu große Ladung der Steine vom Monte Paderno mitnahm. Steine waren »stumme Lehrer«, deren optische Eigenschaften er untersuchte. Er beschreibt eine besonders wichtige Beobachtung, die vermutlich auf Seebeck zurückgeht. Rotes und blaues Licht, durch Farbfilter auf den Kristall gelenkt, ergeben völlig unterschiedliche Wirkungen auf das Nachleuchten: nur blaues Licht vermag eine Wirkung auszuüben. Heute wissen wir, daß die Quantenenergie des blauen Lichtes größer ist als die des roten Lichtes. Die damals schon sichtbaren Hinweise aber konnten nicht weiter verfolgt werden. Die Kontrolle über die zufällig gefundenen, nicht eigens unter sauberen Bedingungen hergestellten Kristalle war unvollkommen.

Die Quantentheorie erwuchs aus der Notwendigkeit der Erklärung der Emission von Licht. Die Abhängigkeit der Stärke der Lichtaussendung von der Wellenlänge des Lichtes mußte gedeutet werden. Die dazu notwendigen exakten Messungen entstanden aber nicht unter Benutzung von festen Stoffen. Genau das Gegenteil war der Fall. Die einzige zuverlässige Lichtquelle war diejenige, die vollständig auf jegliche Materie verzichtete. Ein Hohlraum, nur mit Strahlung angefüllt wurde durch ein winziges Loch hindurch beob-achtet und ausgemessen. Mit diesen zuverlässigen und eindeutigen Messungen substanz-freier Lichtquellen des »schwarzen Körpers« suchte Max Planck nach einer Interpola-tionsformel. Er fand sie und entdeckte in ihr das Prinzip der Quantelung der Energie. Die Physik war sich bei dieser Entdeckung treu geblieben, möglichst ohne materielle Störung die Grundphänomene aufzudecken. Quantentheorie konnte nur entstehen, weil die nicht reproduzierbaren Erscheinungen der festen Materie systematisch verdrängt wurden. Im Jahre 1900 war man weiter von einer legitimen Physik der festen Körper entfernt als je zuvor!

Festkörperforschung konnte erst dann eine rechtmäßige und erfolgreiche Naturwissen-schaft werden, als man den Aufbau der einzelnen Atome mit ihren vielen Elektronen bis in feine Einzelheiten wirklich verstanden und dokumentiert hatte. Mit der Beherrschung der Röntgenstrahlen wurde zudem ein Verfahren möglich, den regelmäßigen Bau eines Kristalles nicht nur zu beweisen, sondern exakt numerische Angaben über die Abstände der einzelnen Atome voneinander zu machen. Entscheidend war aber auch, daß Techni-ken entwickelt wurden, die von der zufällig gefundenen Eigenschaft natürlicher Minera-lien endlich unabhängig machte. Mit hochreinen Substanzen konnten große, regelmäßige Kristalle hergestellt werden. Eine genügend große Menge des gewünschten Stoffes wird in einem Tiegel erhitzt. Mit einem feinen Keimling taucht man in diese Schmelze. An der Spitze des Keims erstarrt die Schmelze: Atome lagern sich aus der unregelmäßigen Flüssigkeit dem festen Kristallkörper an. Geschieht dieser Vorgang genügend langsam, so kann jedes Atom seinen korrekten Platz finden und setzt damit den regelmäßigen Gitteraufbau fort. Sehr große Kristalle, ohne nennenswerte Verunreinigungen und ohne abrupte Unterbrechungen des regulären Baus können auf diese Weise gewonnen werden. Solche fast perfekten Materialien nennt man Einkristalle – im Gegensatz zur regellosen Anhäufung der vielkristallinen Körper. Mit der experimentellen Verwirklichung dieses physikalischen Grundprinzips und mit dem geballten Wissen über den Aufbau der einzelnen Atome konnte Festkörperphysik die Forderungen nach Reproduzierbarkeit und Vorhersage erfüllen. Zu Ende unseres Jahrhunderts ist die Lehre vom festen Körper die bei weitem aktivste Teildisziplin der Physik geworden.

## Grundzüge der Technologie des Halbleiters Silizium

Silizium ist heute – und vermutlich für eine lange zukünftige Zeit – das wichtigste Material der Mikroelektronik geworden. Anfänglich war es ein einfacher zu handhabender Stoff, das Germanium gewesen, das den Grundstoff für die ersten Transistoren geliefert hatte. Germanium schmilzt bei niedrigeren Temperaturen als das Silizium, das mit seinem Schmelzpunkt von über 1400 °C schon nicht mehr ohne weitere apparative Schwierigkeiten erschmolzen und gereinigt werden kann. Germanium ist der edlere Stoff im chemischen Sinne, was bedeutet, das es weniger leicht ein Oxid, eine Verbindung mit dem Sauerstoff eingeht. Dieser bequemeren Behandlung des Stoffes, dieser näheren Verwandtschaft zu den vertrauten Metallen stehen aber schwerwiegende Nachteile gegenüber. Schon geringe Temperaturerhöhungen lassen alle gezielt eingebrachten elektronischen Unterschiede in einer Flut von Elektronen untergehen, die die Wärmebewegung im Kristall freigesetzt hat. Germanium wird bei schon geringer Erwärmung wie ein Metall, und Metalle sind als Trägersubstanz für die Elektronik nicht geeignet. Ein Halbleiter statt eines Metalles wird gebraucht, ein Material wird benötigt, das menschliche Technik bislang nur für exotische Anwendungen in Randgebieten – etwa in Photozellen für Belichtungsmesser – genutzt hatte.

Halbleiter sind weder Leiter der Elektrizität noch Nichtleiter. Der etwas unbestimmt klingende Name der Halbleiter verbirgt mit der unsicheren Vorsilbe Halb- eine eindrucksvolle Eigenschaft: mit kleinsten Änderungen der chemischen Zusammensetzung lassen sich große und gezielte Veränderungen der elektrischen Eigenschaften bewirken. Geringe Einwirkungen von außen, etwa durch Belichtung, mechanischen Druck, durch ein magnetisches Feld oder durch Beladung mit Gasatomen bewirken große und damit gut meßbare und weiter verwendbare Reaktionen im Innern des Kristalls. Genau in dieser Überempfindlichkeit der wesentlichen physikalischen Eigenschaften lag ja die jahrhundertelange Problematik der Nichtreproduzierbarkeit. Diese Schwankung in den Eigenschaften kehrte sich zu einer großartigen und nutzbringenden Besonderheit, als man gelernt hatte, nicht nur den Grund für diese scheinbare Unbestimmtheit aufzudecken sondern mit wissenschaftlicher Methodik und äußerster Präzision und Sauberkeit gezielte Veränderungen herbeizuführen.

Wird ein Siliziumatom – das vier äußere Elektronen besitzt – durch ein Phosphoratom im Gitter ersetzt, dann bringt das Phosphoratom mit seinen fünf äußeren Elektronen eines zuviel in das räumliche Gitter der chemischen Bindungselektronen ein. Das überschüssige Elektron kann darum als frei beweglicher Träger der Elektrizität an den Gesamtkristall abgegeben werden. Phosphoratome als Zusatz bewirken also eine Zunahme der elektrischen Leitfähigkeit. Reinstes Silizium dagegen ist nur sehr schwach leitend. Entgegengesetzt wirkt die Zugabe eines drei Elektronen besitzenden Fremdatoms, etwa des Boratoms. Löcher entstehen auf diese Weise in der Elektronenverteilung, diese fehlenden Elektronen bewirken ebenfalls eine Leitfähigkeit, die aber im Vorzeichen der Ladung den üblichen Elektronen entgegengesetzt erscheint. Eine riesige Breite der Variation elektrischen Verhaltens ist durch diese grundlegende Möglichkeit der »Dotierung« mit fremden Zusätzen gegeben. Auf dieser Möglichkeit einer gezielten elektrischen Veränderung der Eigenschaften des Wirtskristalls Silizium beruht die Mikroelektronik.

Zunächst muß das räumliche Raster des wohldefinierten und hochperfektionierten Silizium-Einkristalls geschaffen werden. In diesem Raster sollen dann später die elektronischen Funktionen durch den gezielten Fremdatom-Einbau erzeugt werden. Ähnlich wie das Flächenraster eines Stückes Millimeterpapier die Funktionen einer Konstruktionszeichnung übernimmt, wirkt hier die dreidimensionale Anordnung der Siliziumatome. Silizium ist nach dem Sauerstoff das häufigste Element der Erdkruste. Die meisten Mineralien enthalten Siliziumatome, Sand ist das Oxid des Siliziums. Mangel herrscht also nicht an diesem Rohstoff, nur muß er mit viel Energieaufwand von den fest gebundenen Sauerstoffatomen und allen anderen natürlich vorkommenden Verunreinigungen befreit werden. Dieser erste Schritt in der Herstellung – meist aus Silizium-reichen Erzen oder Konzentraten – geschieht über eine gasförmige Verbindung des Siliziums. Flüchtige chemische Verbindungen mit Chlor und Wasserstoff lassen sich herstellen und in großen Destillationskolonnen schon recht rein herstellen. Der Reinheitsgrad ist zwar beachtlich für übliche chemische Anforderungen, reicht aber bei weitem noch nicht aus für die Bedürfnisse des Siliziumzeitalters einer Mikroelektronik.

Nach einer Abscheidung des festen Siliziums aus dem Gas entstehen große Stäbe, die aus einem vielkristallinen Gefüge kleiner Siliziumkriställchen bestehen. Diese Stäbe müssen gesäubert und in Einkristalle verwandelt werden. Am wirksamsten ist eine physikalische Form der Reinigung. Eine Schicht des vielkristallinen Stabes wird so stark erhitzt, daß alles Material aufschmilzt. In der Schmelze lösen sich alle Verunreinigungen besser als im Kristall, denn die Regelmäßigkeit des festen Körpers behindert jeden Einbau von fremden, schlechter passenden Atomen – die Regellosigkeit der Flüssigkeit dagegen nimmt auf die Identität weit weniger Rücksicht. Also sammelt sich der fremde, störende Zusatz in der geschmolzenen Zone. Man kann nun eine solche Zone langsam durch den gesamten Stab hindurchziehen – dies geschieht durch eine systematische Bewegung gegen die erwärmende Vorrichtung – und damit nahezu alle Fremdatome aus dem wieder erstarrenden Kristall herauslocken. Der »Schmutz« sammelt sich im zuletzt erstarrenden Teil des Kristalls. Hochsauberes Kristallmaterial ist damit entstanden, die erste wichtige Voraussetzung ist geschaffen.

Die zweite Forderung ruft nach dem Einkristall. Brocken des gesäuberten Vielkristall-stabes werden einem Quarztiegel anvertraut, der die hohe Temperaturbelastung bis zum Schmelzpunkt des Siliziums bestehen kann. Vorsichtig, unter ständigem Drehen und langsamen Emporziehen, wird nun aus dieser Schmelze ein allmählich erstarrender Kristall herausgezogen. Dieser Vorgang, der noch vor einer Generation viele Mühen und Sorgen in den Laboratorien bereitete, kann heute großtechnisch in hoher Zuverlässigkeit, weitgehend automatisiert und präzise meßtechnisch überwacht, für Kristalle von vielen Kilogramm Gewicht und mit Durchmessern bis über 150 mm beherrscht werden. Der so entstehende Silizium-Einkristall erfüllt am ehesten die Forderung, ein »perfektes« techni-sches Produkt der Menschheit zu sein. Es gelingt, daß nur ein fremdes Atom auf zehn Milliarden Siliziumatome kommt! Es gelingt ferner, daß keine gröbere Störung des sich immer wiederholenden räumlichen Gitters auftaucht. Jedes Atom, vom Beginn bis zum Ende des großen Kristallzylinders sitzt am vorgeschriebenen Ort. Solche extremen Forde-rungen nach chemischer und physikalischer Idealität waren bisher in aller menschlicher Technik weder erhoben worden noch erfüllbar gewesen; jetzt sind sie die unerbittlichen Notwendigkeiten des Siliziumzeitalters.

Die langgestreckten kristallinen Zylinder mit ihrem mattschwarzen Glanz werden sodann in dünne Scheibchen aufgeteilt, zuerst mit Diamantsägen zertrennt, dann geschlif-fen und poliert. Diese Scheiben, typischerweise etwa 0,6 mm in der Dicke und meist zwischen 100 und 125 mm im Durchmesser, werden »wafer« im angelsächsischen Sprach-gebrauch genannt. Sie sind der Ausgangspunkt für die Verwandlung in integrierte Schaltkreise und andere Produkte der Mikroelektronik. Diese Scheiben müssen enorme mechanische Anforderungen erfüllen. An ihre Ebenheit und Gleichmäßigkeit in den Abmassen werden hohe Ansprüche gestellt, die etwa einer Ebenheit eines Fußballfeldes entsprechen, bei dem Ungleichmäßigkeiten von der Größe eines Kirschkernes nicht mehr hingenommen werden dürfen. Gleichzeitig aber muß die Oberfläche frei sein von chemi-schen Verunreinigungen, außerdem muß eine ganz bestimmte feste Richtung des Kristall-gitters relativ zur Oberfläche eingehalten werden. Alle diese Forderungen sind heute erfüllbar, die hohe Empfindsamkeit aller Halbleitereigenschaften auf jegliche Störung hat zugleich als Prinzip des Nachweises und Behebens solcher Störungen gewirkt.

Der erste Schritt in einer Fabrik für Schaltkreise, den eine solche Siliziumscheibe erfährt, ist meist eine Oxidation in einem erhitzten Ofen, durch den eine sauerstoffhaltige Gasmischung strömt. Damit erhält die Scheibe eine schützende, dichte Haut eines Sili-ziumoxids. Der erste Schritt ist also eigentlich ein Rückgang und eine Umkehrung der ersten Stufe der Befreiung vom Sauerstoff. Aber dieser nur scheinbar wieder rückwärts gerichtete Schritt erfolgt kontrolliert, nur die auserwählten Atome an der Oberfläche werden oxidiert. Dieses Prinzip eines scheinbaren Hin und Her der Prozesse ist typisch für die Halbleitertechnik. Stets wird zunächst der definierteste Zustand hergestellt – dies ist meist der chemisch saubere und kristallographisch perfekte Zustand. Von diesem wohlde-finierten Grundzustand werden dann örtlich genau bestimmte und chemisch exakt definierte Störungen angebracht, die die gewünschten elektronischen Funktionen bewir-ken. Die sauerstoffhaltige Deckschicht des Oxids spielt dabei eine besonders wichtige Rolle.

Die Existenz eines chemisch und physikalisch extrem stabilen und fest am Silizium haftenden Oxids ist eine der wichtigsten, vielleicht sogar die wesentliche Eigenschaft, die das Silizium zum so unangefochtenen Halbleitermaterial gemacht hat. Das Oxid kann eine Reihe von Funktionen erfüllen. Erstens dient es als schützende Haut, sie bewahrt die sensiblen elektronischen Funktionen im Innern des Kristalls vor Kontakten mit der schmutzigen Umwelt. Das Oxid ist also schützender Panzer. Zweitens kann das Oxid durch Säuren an genau den Stellen entfernt werden, wo man fremde Atome zur Definition der elektronischen Veränderung braucht. An den vom Oxid befreiten Stellen und nur dort kann der Kristall verändert werden, überall sonst schützt das Oxid vor dem Eindringen der elektronenspendenden oder elektronenarmen Fremdatome. Das Oxid ist also strukturgebende Maskierung. Drittens wirkt das Oxid als ein isolierender Zwischenraum. Elektrische Felder wirken durch das Oxid hindurch in den Halbleiter hinein, ohne daß dabei Ströme fließen. Eine steuernde metallische Elektrode kann so durch das Oxid hindurch einen elektrischen Strom im Kristall regelnd beeinflussen. Das Oxid ist also eine zwar passive aber dennoch unerläßliche Komponente des Halbleiter-Schaltkreises. Kein anderer Stoff weist ein so günstiges und hochrein wie hochfest herzustellenden Oxid auf wie das Silizium.

Feinste geometrische Muster müssen nun in das Oxid eingebracht werden, um die dichtgepackte Komplexität der modernen Schaltkreise dem Siliziumkristall aufzuprägen. Photographische Techniken werden hierzu benutzt. Ein lichtempfindlicher Lack wird dem Oxid aufgesprüht, dieser Lack wird durch eine Diapositiv-Vorlage des gewünschten Strukturmusters belichtet. Belichtete und unbelichtete Stellen unterscheiden sich dann in der Löslichkeit des Lackes in einem Lösungsmittel. Wo der Lack entfernt wird durch Auflösung, dort kann das Oxid durch Säuren entfernt werden, die zur Beeinflussung durch fremde Atome vorgesehenen Stellen sind damit freigelegt. Abmessungen bis hinunter zu einem tausendstel Millimeter sind heute erreichbar.

Die Wellenlänge der zur Belichtung benutzten Strahlung begrenzt die Kleinheit der Strukturen. Je kleiner die einzelne Abmessung eines Transistors oder einer Leiterbahn gemacht werden kann, um so dichter läßt sich der Schaltkreis komprimieren, um so vielfältiger werden seine nutzbaren Eigenschaften. Der Photolack kann in seinen nichtlinearen Eigenschaften geschickt ausgenutzt werden, um dieser physikalischen Grenze noch ein wenig Spielraum abzutrotzen. Die Belichtung des Lackes bewirkt ein Prinzip des alles-oder-nichts, so entsteht eine scharfe Grenze zwischen belichteten und unbelichteten Stellen. Dennoch ist zu spüren, daß eine physikalische Grenze näher rückt, neue Methodik wird benötigt, um die bisherige laufende Verkleinerung der Strukturen auch in Zukunft fortsetzen zu können.

Die ersten Halbleiter-Bauelemente nutzten Grenzflächen im Inneren des Kristalls, wo Zonen mit überschüssigen Elektronen an Zonen stießen, bei denen ein Unterschuß an Leitungselektronen vorlag. Diese Technik nennt sich bipolar, weil beide Polaritäten – negative Elektronen wie positive Defektelektronen – verwendet werden. Auch heute noch stellt diese bipolare Technik, besonders für sehr schnelle Logikschaltungen, einen wichtigen Teil der Halbleiterelektronik dar. Die wirtschaftlich bedeutendere Entwicklung jedoch wird von einer wesentlich einfacheren Technik bestimmt. Sie trägt den Namen MOS, eine der vielen Abkürzungen dieses Elektronikgewerbes, sie steht für die geschichtete Anordnung eines *M*etalles auf einem *O*xid, das wiederum das *S*ilizium überdeckt. In dieser Anordnung wurde – nach vielen Umwegen – die einfachste und naheliegende Form der Steuerung eines elektrischen Stromes durch eine außen angebrachte metallische Kontaktelektrode realisiert. Die leichte Veränderung des Haushaltes der Elektronen ist das typische Merkmal des Halbleiters, also auch und besonders des Siliziums als führendem Vertreter dieser Klasse von Stoffen. Wird eine elektrische Ladung von außen an die Nähe eines Halbleiters gebracht, dann sollten im Inneren des Halbleiters Ladungen entgegengesetzten Vorzeichens sich sammeln, Grundidee ist dabei die gegenseitige Anziehung unterschiedlich geladener Teilchen. Die Ansammlung der Ladungen müßte aber eine Verstärkung des Stromflusses ergeben, denn nun sind mehr bewegliche Träger des elektrischen Stromes vorhanden. Eine Steuerung von außen ergäbe sich.

Diese Grundidee einer Steuerung kann nur in einem Halbleiter verwirklicht werden. Ein Metall hat viel zu viele frei bewegliche Elektronen, die für sofortigen Ausgleich von Änderungen des elektrischen Feldes sorgen und keine merkliche Änderung der Zahl der Elektronen zulassen. Ein Metall schirmt sich durch seine vielen Träger der Elektrizität gegen äußere Einwirkung ab, darum glänzt beispielsweise jedes Metall, denn einfallendes Licht wird fast vollständig zurückgeworfen und dringt nicht ins Innere ein. Ein Isolator andererseits, etwa ein Stück Glas, hat fast überhaupt keine freien Elektronen, darum leitet es den elektrischen Strom nicht. Licht findet meist keinen Angriffspunkt und durchläuft darum die meisten Isolatoren fast ungestört. Auch dieser Extremfall eines festen Körpers ist darum zur Steuerung der Elektrizität nicht geeignet. Es muß der Halbleiter mit seiner charakteristischen Zwischenrolle sein, gerade die richtige und veränderbare Menge an frei beweglichen Elektronen ist erforderlich. Der Halbleiter ist also etwas prinzipiell Neues als stoffliche Grundlage einer entstehenden Technik, gleichermaßen revolutionär wie schwieriger zu handhaben – ähnlich wie es die ersten Bronze-Metallegierungen im Vergleich zum steinernen Werkzeug waren.

Die einfache Idee einer Steuerung von einer Metallelektrode aus durch einen Isolator hindurch wurde schon zu Beginn des Jahrhunderts immer wieder versucht und scheiterte immer wieder aufs kläglichste, weil die Stoffe in den Einzelheiten noch nicht physikalisch verstanden und damit nicht beherrschbar waren. Die geforderte Ansammlung der Ladungen fand zwar statt, diese Tatsache ist ein so ehernes Gesetz der Elektrizität, daß sie unumgänglich war. Doch konnten diese Ladungsträger sich nicht frei bewegen, was die Voraussetzung des Stromtransportes ist. Vielmehr wurden die Elektronen an Störungen des Kristalls, besonders an der schwierig zu kontrollierenden Grenzfläche zwischen Halbleiter und Isolator, festgehalten. Jahrzehnte intensiver Forschung einer ganz neuen Disziplin der Physik, der Oberflächenphysik, waren vonnöten, um hier geregelte und reproduzierbare Verhältnisse zu schaffen. Dieses Beispiel zeigt erneut, daß das Siliziumzeitalter niemals durch reines Probieren hätte entstehen können. Eine strenge wissenschaftliche Grundlage war unerläßlich, hier liegt ein grundsätzlich neuer Zug dieser aufziehenden Epoche.

Die Prinzipien der Steuerung und Verstärkung elektrischer Signale wurde zunächst an einzelnen Bauelementen, meist den Transistoren, ausprobiert. Der erste Transistor, noch aus Germanium angefertigt, war eine Nachbildung des damals wohlbekannten und überall bereits genutzten und wirtschaftlich eingeführten Geräts mit gleicher Wirkungsweise: der Elektronenröhre. Ähnlich wie die ersten Motorwagen von Daimler und Benz zunächst noch vertraute Kutschen – aber ohne Pferde – waren und darum ein erstes Vordringen in einen schon vorbereiteten Markt überhaupt möglich war, so war der Transistor zunächst nur eine Verstärkerröhre ohne Glaskolben und ohne Heizung. Dem vertrauten und benötigten Gerät verblieben die wesentlichen Funktionselemente, doch war die Wirkungsweise einfacher, sparsamer und voraussichtlich wirkungsvoller. Dennoch war es für den Transistor überraschend schwierig, sich einen eigenen Markt anfangs zu erobern. Die Röhren wurden angesichts der neuen Wettbewerber noch billiger, einfacher und kleiner. Die besonderen Vorteile des Transistors, geringer Energieverbrauch, kleine Abmessungen, kompakte Bauweise fielen noch gar nicht so sehr ins Gewicht, weil gleichzeitig die Zuverlässigkeit der neuen Anordnung mit ihren empfindlichen metallenen Kontaktspitzen alles andere als erfreulich war. In ähnlicher Weise sahen ja die Pferdehalter ihre hergebrachte Technik des Transports als wesentlich sicherer und besser organisiert an, als die frühen Benzinmotoren – ohne Tankstellennetz – es garantieren konnten. Die Einführung der Festkörperelektronik war zunächst sehr zäh und schwierig.

Die entscheidende Beschleunigung in der Nutzung einer neuen Elektronik auf der Basis von Halbleiterkristallen erfolgte erst, als mit dem integrierten Schaltkreis eine wirkliche Überlegenheit des Kristalls gegenüber der herkömmlichen Technik deutlich sichtbar und ökonomisch unbestreitbar wurde und damit dann der für das Eindringen der Halbleiter wichtigste Markt der Computer erschlossen wurde. Computertechnik und die Technik der Mikroelektronik mit halbleitenden Einkristallen ergaben dann den geschlossenen Kreislauf mit der einander verstärkenden Wechselwirkung, wie er für jedes neue technische Zeitalter offenbar eine charakteristische Notwendigkeit und typische Eigenschaft darstellt. Die Integration mehrerer Funktionen und ihrer elektrischen Verbindungsglieder ins Innere des Siliziumkristalls war die Voraussetzung.

Einen sehr entscheidenden Vorteil einer Verkettung vieler einzelner schaltender und verstärkender Elemente auf engstem Raum konnte man unmittelbar einsehen. Die sich immer wiederholenden Strukturen von Schaltelementen, die in einem Rechner – besonders in seinem regelmäßig aufgebautem Speicher – auftreten, eignen sich zur Zusammenfassung, zur Integration. Die Anforderung an das einzelne Element dagegen ist relativ niedrig, im Gegensatz zu einem Bauelement etwa in einem Fernsehgerät soll im Rechner ein schaltendes Element keine präzis eingestellte Verstärkung oder Wiedergabe garantieren, es hat nur zwischen einer Null und einer Eins eine klare Unterscheidung zu treffen. Nur aus Nullen und Einsen bestehen die Ketten der Signale, die ein elektronischer Rechner zu verarbeiten hat. Es muß jedoch schnell und ohne Umwege geschehen und darf pro Schritt nicht zu viel Energie erfordern, damit der Gesamtaufwand an Energie noch tragbar bleibt. Genau diese Funktion kann ein Schaltelement im Halbleiterkristall besonders gut erfüllen. Zu Beginn der Ära der integrierten Schaltkreise waren jedoch die Bedenken der Fachleute von Sorge getragen. Die Ausbeute funktionierender Transistoren war viel zu niedrig, ein aus vielen einzelnen Komponenten komplex zusammengefaßtes System eines ganzen Schaltkreises schien keine Hoffnung auf Realisierung zu haben, wenn schon ein einzelner Transistor nicht mit Sicherheit verwirklichbar war.

Dennoch wurde der integrierte Schaltkreis verwirklicht, Zahlen von hunderttausenden von einzelnen funktionellen Teilen sind heute in Siliziumschaltkreisen keine Seltenheit.

Die anfänglich hoffnungslos niedrig erscheinende Zuverlässigkeit wurde tatsächlich so weit verbessert, daß die hohen Integrationsdichten erreicht wurden. Ein bis ins einzelne der atomaren Prozesse gehendes wissenschaftliches Verständnis des Grundmaterials Silizium und der notwendigen technischen Prozesse war die Grundlage zu diesem unglaublich scheinenden Erfolg. Die Grundlagenforschung und die technisch-professionelle Weiterentwicklung des neuen Werkstoffes wurde zu einem Faktor, der weit über den Bereich einzelner Laboratorien und Firmen hinausging; strategische Bedeutung, nationale Interessenlagen kamen der neuen Technik zu.

Die bislang nie notwendige Präzision, Sauberkeit und Wissenschaftsgrundlage forderten neue Werkzeuge. Messen und Regeln der Kenngrößen der Fertigungsschritte, der immer kompliziertere Entwurf der Schaltungen, das Prüfen auf Funktionsfähigkeit hätte längst die Grenzen menschlicher Technik überschritten, wenn nicht das Silizium selbst im Inneren der steuernden, regelnden, prüfenden und überwachenden Gerätschaften diese Aufgabe hätte übernehmen könen. Sowohl der Schaltungsentwurf als auch die inzwischen ungeheuer aufwendige und komplizierte Prüfung der vielen Funktionsmöglichkeiten wären ohne Rechner unmöglich. Rechner aber wiederum wären ohne Silizium nicht in dieser Leistungsfähigkeit denkbar. Ein Regelkreis hat sich auf diese Weise geschlossen, seine Rückkopplung beschleunigt noch immer die Entwicklung der gesamten Mikroelektronik.

## Grenzen und Konkurrenten des Siliziums

Stolz nennt sich das Tal im Santa Clara County in Kalifornien nach dem neuen Werkstoff »Silicon Valley«. So groß ist das Prestige dieses neuen Namens geworden, daß überall Nachahmer auftauchen. Bei Edinburgh in Schottland entsteht ein »silicon Glen«, Japan – besonders die südliche Insel Kyushu mit ihren supermodernen Siliziumfabriken – nennt sich gern »Silicon Island«. Silizium hat vielen anderen Konkurrenten den Rang als Halbleitermaterial par excellence abgelaufen. Die Zahl der wissenschaftlichen Veröffentlichungen nur über diesen Stoff übersteigt längst diejenigen aller anderen. Selbst das Wasser ist in seinen Daten und Einzelheiten nicht so gut verstanden.

Die großen Vorteile dieses Stoffes können schon fast wie ein Geschenk des Himmels gesehen werden, besser vielleicht als Geschenk der Erde und ihrer Gesteine. Silizium ist ein elementarer Halbleiter, sein Kristallgitter besteht darum nur aus einer Sorte von Atomen, denn es ist keine chemische Verbindung, sondern eben ein chemisches Element. Zweitens ist es unbegrenzt verfügbar. Drittens ist es von hoher Festigkeit und Beständigkeit. Weiterhin läßt sich seine elektrische Leitfähigkeit in Art und Größenordnung über riesige Bereiche gezielt variieren. Und schließlich ist da das so unglaublich stabile, saubere und festhaftende Oxid, ohne das manche heutige Technik völlig undenkbar wäre. Darum ist das Silizium »der neue Stahl« geworden, dieses Wort eines der Pioniere der Technik soll gleichzeitig die vielfältige und universelle Verwendbarkeit und die Nachfolgerrolle als wichtigster Werkstoff ausdrücken.

Mit der Bedeutung dieses Halbleiter-Stoffes ist auch die Forschung, die technische und wirtschaftliche Entwicklung und ebenso die wissenschaftliche Ausbildung an diesem und für dieses Material von strategischer Wichtigkeit geworden. Besonders in den USA und in Japan – dort in besonderer Intensität – ist dieser Gesichtspunkt verstanden worden und hat zu oft schmerzhaften Umstrukturierungen der früheren Wissenschafts- und Bildungspolitik geführt, die in Europa allerdings weitaus später erkannt und keineswegs in vergleichbarer Konsequenz durchgeführt wurden.

Wirtschaft und Beschäftigung mit der Information werden schon in sehr kurzer Zeit die Spitzenposition der Energie-Industrie abgelöst haben. Wirtschaftliches Wachstum kann besonders lebhaft dort werden, wo Grenzen der Umwälzung und Verarbeitung von Materie und die Nutzung von Energie keine so große Rolle mehr spielen. Information als ein materieloses Gut belastet die Umwelt geringer als die Produkte stofflicher Realität. Dieser Grundsatz hat im dichtbesiedelten Japan schon lange Anerkennung gefunden. Information über die neue Siliziumtechnik wurde bereits sehr frühzeitig systematisch in den damals noch unangefochtenen führenden USA gesammelt. Die Ausbildung junger Ingenieure erhielt eine strenge Priorität innerhalb des japanischen Bildungssystems; das Ansehen des Wissenschaftlers und des Technikers wurde bewußt gefördert. Beeindruckend für den Beobachter Japans ist, mit welcher zielstrebigen Härte und Konsequenz eine Umorientierung der alten, rohstoffintensiven Industrien, der »Sonnenuntergangswirtschaft« in neue, sorgfältig ausgewählte »Sonnenaufgangsindustrien« vorangetrieben wird. Die Privatisierung des nationalen Fernmeldewesens, der gemeinsame Kommunikationsmarkt mit den USA – ohne Zollmauern, aber mit technischen Absprachen – sind zwei der wichtigsten Beispiele, die sich bis in das nächste Jahrhundert auswirken. Aber schon jetzt ist an den Steigerungsraten dieser durch das Silizium geprägten Industrien abzulesen, welche großen Chancen hier bestehen: zwanzig und mehr Prozent Wachstum pro Jahr sind keine Seltenheit. Immer mehr Funktion kann in immer weniger Siliziumkristall eingebaut werden.

Europa fehlen die Antriebsmotive. Zu erfolgreich war der Wiederaufbau nach dem Krieg, als daß man das teure und unsichere Abenteuer dieser neuen Technologie hätte anpacken müssen. Militärische Motive fehlen – zum Glück. Die neuen wirtschaftlichen Strukturen, die das Silizium fordert, wurden nicht im nötigen Maße aufgebaut. Europa mußte wohl alle Konzentration auf die Regelung der Landwirtschaft aufwenden; erst jetzt – sehr spät – beginnen Ansätze der Förderung von Forschung, Entwicklung, Ausbildung und einem Verbund der Nachrichtentechnik und Informationsindustrien über die Grenzen hinweg, die aber durch die streng national betriebenen Telefonbürokratien hartnäckig bestehen bleiben.

Wo liegen die Grenzen der Möglichkeiten, die dieser Stoff für eine Mikroelektronik bietet? Werden die stürmischen Entwicklungen mit ihren ständig kleineren Strukturen und immer dichter gepackten, immer schneller schaltenden Strukturen bald an Grenzen stoßen? Tauchen nicht doch noch stärkere Konkurrenten auf, die eine ganz andere Technik wahrscheinlich machen und das Silizium nur wie eine Übergangslösung verschwinden lassen?

Alle fundierten Voraussagen sehen im Augenblick noch eine ungefährdete Vorrangstellung dieses Materials in den wichtigen technischen Anwendungen. Ein erhebliches Potential an weiterer Entwicklung wird gesehen. Am besten läßt sich die Dramatik der Siliziumentwicklung am Preisverfall erkennen. Auf ein Tausendstel ist der Preis pro gespeichertem Informations-Bit von 1970 bis 1985 gefallen. Eine erstaunlich exakte Gesetzmäßigkeit ist zu erkennen, und man rechnet, daß diese Gesetzmäßigkeit sich wenigstens in den nächsten 5 bis 10 Jahren, vielleicht aber sogar noch weit ins nächste Jahrhundert wird fortsetzen lassen.

Die Ingenieure verstehen ihre Kunst mit den neuen Werkzeugen so gut, daß sie tatsächlich in den meisten wichtigen Fällen bis an die physikalisch gesetzten Grenzen sehr nahe herankommen. Grenzen der Kleinheit werden irgendwann einmal von der Quanteneigenschaft der Natur gesetzt. Kleinere Abstände als die von einem Atom zum nächsten Nachbarn sind im Kristall nicht sinnvoll für eine Nutzung der Elektronik. Weniger als ein Elektron ist als Elektrizität nicht denkbar, denn die Elektrizität ist kein beliebig unterteilbares Kontinuum einer Flüssigkeit, sondern besteht aus diskreten Quanten der Teilchen. Aber diese Grenze der Quantentheorie ist noch längst nicht erreicht. Eher schon rücken wir an die Grenzen, die durch die statistische Schwankung – ebenfalls ein Naturgesetz – gegeben ist. Zufällige Fluktuationen etwa in der Verteilung der dotierenden Fremdatome im Gitter des Siliziums dürfen nicht so groß werden, daß dadurch selbst die bescheidene Forderung nur zwischen Null und Eins unterscheiden zu können, nicht mehr gewährleistet wird. Je kleiner aber die Abmessungen werden, um so größer werden die relativen Schwankungen, die in größeren Bereichen als ein Mittelwert ausgeglichen werden können.

Diese statistische Schwankung in der Verteilung der wirksamen Fremdatome wird also eine der problematischen Tendenzen sein, die bei immer weitergehender Miniaturisierung sicherlich auftreten. Es zeigt sich an diesem Problem, daß jegliche Art nichtkontrollierter Zufälligkeit grundsätzlich einen Widerstand gegen die technischen Ziele der Halbleiter-Mikroelektronik darstellt. Alle grundlegende Forschung ist daher darauf gelenkt, atomare Perfektion zu verstehen und zu realisieren und gleichzeitig jegliche Abweichung des idealen Kristallrasters in ihrer physikalischen Wirkungsweise zu erfassen und dann möglichst nur noch in definierter und bewußter Weise zuzulassen und auszunützen. Dieser ungemein anspruchsvolle Trend stellt die Forderungen früherer Technik weit in den Schatten – an eine solche programmatische Zielsetzung wäre ohne die vielfältigen Werkzeuge der modernen Wissenschaft nicht zu denken.

Eine wichtige und schwierige Problematik bei laufender Vergrößerung der Komplexität integrierter Schaltungen stellen die aufgedampften metallischen Leiterbahnen dar. Ihretwegen hatte sich ja gerade die Integration der elektronischen Funktionen in ein gemeinsames Kristallbett so massiv durchsetzen können gegenüber dem bisherigen Konzept der Komposition aus Einzelteilen, die untereinander zu verbinden waren. Ein wesentlicher Teil der Taktzeit für die Rechenprozesse im integrierten Schaltkreis und in den Silizium-Speicherbausteinen geht heute bereits in den metallischen Zuleitungen innerhalb der Mikroschaltung im Silizium verloren. Je dichter man die Schaltelemente, etwa die einzelnen Speicherplätze, aneinander rücken kann, um so günstiger wird die Lage, da nur kleine Wege intern zu durchlaufen sind. Hier also liegt einer der wesentlichen technischen Motivationsgründe für weitere Verkleinerung. Ein anderes Hilfsmittel wäre es, mit größerer elektrischer Spannung die Signale auf ihren Bahnen zu beschleunigen. Damit jedoch erwärmt sich der gesamte Kristall stärker. Das Produkt aus Schaltschnelligkeit und Leistungsverbrauch ist die wichtige Größe, mit dem Verzicht auf das eine kann man das andere erreichen. Entwicklungsziele sind darum, bei kleineren Strukturen dennoch mit geringeren Leistungen auszukommen.

Hier sind Grenzen des Siliziums erkennbar. Darum erwuchs dem Halbleiterkristall Silizium eine zweifache Konkurrenz. Einmal waren es magnetische Materialien, die Hoffnung erweckten, daß man kleine Domänen mit bestimmter Ausrichtung ihrer Magnetisierung als Speicher für Nullen und Einsen nutzen könnte und dabei zu außerordentlich kleinen Dimensionen würden vordringen können. Magnetische Speicherung ist zudem langdauernd und muß nicht ständig immer wieder aufgefrischt werden, wie das bei den Speichern im Silizium eine lästige Notwendigkeit ist, denn elektrische Ladung ist beweglicher als magnetische Eigenschaft, die den festsitzenden Atome anhaftet. Elektrische Ladung verliert sich darum leichter. Die Hoffnung auf magnetische Speicherung als eine Alternative hat sich jedoch nur in ganz geringem Maße und nur für einige Spezialanwendungen erfüllt, der Fortschritt in der Materialbeherrschung und der Verkleinerung der Siliziumstrukturen hat den magnetischen Konkurrenten souverän aus dem Rennen geschlagen – der Wettlauf war für den fachmännischen Wissenschaftler ein sehr interessanter Fall eines wissenschaftlich überschaubaren Konkurrenzkampfes moderner Technologien.

Der zweite wesentliche Konkurrent stellt jedoch eine noch spannendere Situation dar, denn es tauchte ein prinzipieller Quanteneffekt der Natur als Wettbewerber auf. Bei sehr niedrigen Temperaturen, also bei etwa minus 270 Grad, verlieren manche metallische Festkörper jeglichen Widerstand gegenüber dem Fluß elektrischer Ströme. Die Quantenvorschriften sind so scharf, daß ein strömendes Elektron keine Möglichkeit hat, Energie an das umgebende Metallatom-Gitter abzugeben. Es treten also aus elementaren Prinzipien keinerlei Verluste durch Erwärmung des Kristalles auf. Es gelingt mit diesem Vorgang der sogenannten Supraleitung auch, einen Schalter zu entwerfen, der zwischen zwei Zuständen eindeutige Unterscheidung zuläßt – wie es jeder Elektronenrechner als Grundprinzip benötigt. Der Schaltvorgang wird wiederum von der Quantenmechanik beherrscht und dauert nur sehr kurze Zeit. Beide wichtigen Eigenschaften wären also hier vereinigt: Schnelligkeit und Verlustfreiheit. Kleinheit der Strukturen konnte man mit den beim Silizium erarbeiteten Techniken ebenfalls erhoffen.

Massive Forschungsarbeit unterstützte diesen Konkurrenten des Siliziums als eine mögliche Alternative, vor allen Dingen bei extrem großen Rechnersystemen. Dennoch scheint es nach den Entscheidungen großer amerikanischer Laboratorien anfangs der achtziger Jahre nun eine Kapitulation der Supraleitung gegeben zu haben. Die notwendige Tieftemperaturtechnik ist zwar vorhanden, aber umständlich, aufwendig und wird als Quelle von Unsicherheiten während des Betriebes vom Praktiker mit Skepsis betrachtet. Materialfragen, deren Rolle grundsätzlich bei überhaupt jeglicher moderner Technik nicht hoch genug eingestuft werden kann, gaben zusätzliche Probleme. Die dünnen Metallfilme widerstehen dem Zyklus einer Abkühlung und Wiedererwärmung nicht mit ausreichender Robustheit. Der spröde und harte, kristallographisch scharf definierte Siliziumeinkristall erwies sich als überlegen gegenüber dem ungeordneten metallischen Vielkristall. Letztlich aber war wichtig, daß man mit dem Supraleitungsprinzip zwar speichern und schalten konnte, daß es jedoch mit der Möglichkeit der Verstärkung Schwierigkeiten gab. Mikroelektronik aber verlangt nach dieser Möglichkeit. Signale gehen auf ihren Wegen durch ein Rechnersystem fast verloren, sie schwächen sich im Verlauf der Übertragung ab und müssen ohne große Schwierigkeiten wieder auf den notwendigen Pegel angehoben werden können. Hier lagen zu Beginn der Halbleiterzeit auch ganz erhebliche Probleme, deren einfache Lösung mit den ersten Transistoren jedoch den Halbleitern Hoffnung und Wirkung eröffneten.

Das Silizium hat also in einem faszinierenden Wettrennen zwei physikalische Alternativen mit fast brutal zu nennender Eindeutigkeit eliminiert. Eine ganz prinzipielle Schwäche aber verhindert einen Alleinvertretungsanspruch dieses halbleitenden Elementes: seine zu schwache Ankopplung an das Licht. Fällt Licht auf einen Halbleiter und hat dieses Licht genügende Quantenenergie, dann kann ein festsitzendes Bindungselektron abgelöst werden, daß es sich frei im Kristall bewegen läßt und in der Schar der Bindungselektronen ein »Loch« hinterläßt. Ein Lichtquant wird also in ein Teilchen/Antiteilchen-Paar verwandelt, dies ist ein sehr allgemeiner physikalischer Prozeß, der bis zu den Energien der Elementarteilchen, der Quarks, hinaufreicht und dort die großen Beschleunigersysteme notwendig macht. Auch der umgekehrte Prozeß läuft ab: Teilchen kann sich mit Antiteilchen vereinigen, dabei muß ein Lichtquant abgestrahlt werden, sonst würden die fundamentalen Sätze der Erhaltung von Energie und Impuls – Eckpfeiler der Physik – nicht gewährleistet sein. Ein überschüssiges Elektron kann also in einen unbesetzten Löcherplatz springen und sendet dabei Licht aus.

Beide elementaren quantenmechanischen Prozesse laufen in der Tat in halbleitenden Materialien ab und werden auch längst technisch genutzt. Siliziumsonnenzellen nutzen die Wandlung des Lichts in Teilchen, die getrennt werden und den äußeren Kontakten zugeführt werden können. Eine Batterie für elektrische Leistung entsteht unter Belichtung. Das Silizium hat auf diesem Gebiet der unmittelbaren Umwandlung von Sonnenenergie in elektrische Energie auch tatsächlich eine unangefochtene Bevorzugung gegenüber allen anderen Materialien erreicht. Sonnenenergie ist aber sehr stark verdünnt, sonst könnten wir auch gar nicht auf der Erde existieren. Die Energiekonzentration in einem Stück Kohle oder gar in einem Uranelement ist um viele Größenordnungen höher als im Sonnenlicht-erfüllten Raum. Diese starke Verdünnung der Energie führt bereits prinzipiell zu einem enttäuschend niedrigen Wirkungsgrad der Energieumwandlung. Hier liegen die Wurzeln der wirtschaftlichen Nachteile gegenüber der üblichen Erzeugung elektrischen Stroms.

Der Rückprozeß der Lichterzeugung kann im Kristall ebenfalls erzeugt und genutzt werden. Stromfluß von Elektronen kann einem Stromfluß von Löchern entgegengesetzt werden. An der Stelle des Aufeinandertreffens der beiden Teilchensorten kommt es zur Vereinigung, Licht wird abgestrahlt. Direkte Erzeugung von Licht ohne den kostspieligen Umweg über eine primitive Erwärmung ist also möglich. Der Kristall kann sogar noch genutzt werden, um die Entstehung des Lichtes so zu regeln, daß alle Lichtwellen sich einander exakt überlagern, so entsteht ein hochgeordneter Zustand des Lichtes: Laserstrahlung. Hier aber demonstriert das Silizium prinzipielle Unterlegenheit gegen andere Kristalle aus der Familie der Halbleiter. Aus dem Aufbau der Siliziumatome und der Anordnung seiner Elektronen folgt, daß die Quantenvorschriften keinen direkten Sprung des Elektrons in das freie Loch gestatten. Zur Wahrung der Impulserhaltung muß die Wirkung der Kristallatome zu Hilfe genommen werden. Damit sinkt die Wahrscheinlichkeit der Lichtaussendung, der Kristall selbst schluckt die mit den Strömen der Elektronen und Löcher angebotene Energie, er erwärmt sich nur und sendet kaum Licht aus.

Sehr gute Lichtausbeute liefert dagegen eine andere Sorte von halbleitenden Kristallen. Es sind Verbindungshalbleiter, zwei oder mehr verschiedene Sorten von Atomen bauen das regelmäßige Kristallgitter auf. Galliumarsenid oder Galliumphosphid sind typische Vertreter dieser Materialien, die für die neue Disziplin der Optoelektronik besonders gut geeignet sind. Die kleinen Lämpchen, grün oder rot leuchtend, die heute in großen Stückzahlen überall in Geräten zu finden sind, bestehen beispielsweise aus Galliumphosphid mit bestimmten Fremdatom-Zusätzen. Sie wandeln unmittelbar einen elektrischen Strom in das Licht der gewünschten Farbe. Genauso, aber in noch weitaus kontrollierterer und präziser bestimmter Art werden winzig kleine Galliumarsenidstrukturen hoher Komplexität genutzt, um Laserlicht zur optischen Nachrichtenübertragung durch Glasfasern zu ermöglichen. Noch raffinierter komponierte winzige Halbleiterlaser, die aus extrem dünnen Schichten sehr differenziert hergestellter Verbindungshalbleiter-Mischungen bestehen, werden derzeit entwickelt. Sie senden exakt das Licht aus, das die geringste Abschwächung in den Glasfasern erfährt. Über hundert Kilometer läßt sich dann eine solche Kombination von Laser und Faser ohne Zwischenverstärker benutzen, selbst Seekabel zur Nachrichtenübertragung werden heute schon in Angriff genommen. Lichtquelle für diese sich rasch entwickelnde Optoelektronik, dieser Technik der Vereinigung von Licht und Elektronik, wird das Silizium vermutlich nicht werden, hier sind die physikalisch besser geeigneten Substanzen weit überlegen.

Vom Licht droht dem vorherrschenden Material Silizium vielleicht noch mehr Gefahr. Immer stärker wird eine optische Alternative zum Elektronenrechner diskutiert. Die Schnelligkeit der Ausbreitung des Lichts gegenüber den weitaus langsameren Elektronen in den Leiterbahnen der Schaltkreise wäre von hohem Vorteil, könnte man nur das Licht mit einfachen Mitteln leiten und lenken. Viele praktische Probleme lassen einen optischen Computer immer noch sehr unwahrscheinlich erscheinen, vor allem ist die normative Kraft der faktischen Siliziumtechnik mit ihrer umfassenden Breite und der ausgefeilten Tiefe der Technik nicht zu unterschätzen.

Die besondere elektronische Struktur vieler Verbindungshalbleiter weist Vorteile gegenüber dem Silizium auch in anderer Hinsicht auf. Einige der zweiatomigen Verbindungen haben wegen ihrer andersartigen elektronischen Bindung – zwischen zwei unterschiedlich geladenen Atomen – ungewöhnlich leicht bewegliche Elektronen. Strom fließt darum in diesen Substanzen schon bei weit geringeren elektrischen Spannungen, gleichzeitig benötigt auch ein einzelner Ladungsträger sehr viel kürzere Zeiten, um von einem Ausgangspunkt sein Ziel eines aufnehmenden Kontaktes zu erreichen. Diese Zeit bestimmt die Schnelligkeit des Schaltens oder Modulierens eines Stromes. Galliumarsenid ist darum ein Stoff, der prinzipiell eine weitaus kürzere, also günstigere Schaltzeit besitzt und auch verspricht, mit weniger Energieaufwand den Schaltvorgang steuern zu lassen. Dieser prinzipielle Vorteil zeigt sich auch in der wesentlich stärkeren Empfindlichkeit gegenüber einem Magnetfeld. Solche Verbindungshalbleiter sind darum entscheidend im Vorteil, wenn Sonden zur Messung oder Ausnutzung magnetischer Signale gebraucht werden. Berührungslose Regel- und Steuerelemente beruhen auf solchen Prinzipien.

Trotz der prinzipiellen physikalischen Vorteile hat sich der Konkurrent Verbindungshalbleiter technisch nicht durchzusetzen vermocht. Die chemische und kristallographische Perfektion für die wesentlich unangenehmeren Kristalle kann auch nicht annähernd so gut erreicht werden wie für das Element Silizium. Schon allein die Tatsache, daß zwei Atome jeweils auf dem richtigen angestammten Kristallplatz zu sitzen haben, stellt eine harte Forderung dar. Wenn ein Galliumatom durch Störung oder Unachtsamkeit des Prozesses seinen Platz mit einem Arsenatom tauscht, dann ist an dieser Stelle bereits eine schwerwiegende Störung im Kristall vorhanden, die ein Elementhalbleiter mit nur einer Atomsorte gar nicht aufweisen kann. Darum – und wegen der eben so weit entwickelten Technik des Siliziums – ist von den vielen grundsätzlichen Anwendungen in der Magnettechnik für die Verbindungshalbleiter nur wenig Platz geblieben. Obwohl das Silizium weitaus schwächere Signale als Magnetsonde ergibt, kann man diesen Nachteil sehr schnell wettmachen, indem man auf die Verstärkungsprinzipien, die aus den Schaltkreisen wohlvertraut sind, zurückgreift.

Die sehr günstige Elektronenbeweglichkeit jedoch eröffnet die Möglichkeit zu schnellen Schaltern und Speichern. In Galliumarsenidkristallen können schon zu Mitte der achtziger Jahre charakteristische Transitzeiten von unter 10 Picosekunden erreicht werden, das sind weniger als der hundertste Teil einer milliardstel Sekunde! Die physikalisch mögliche Vielfalt der Mischung und Variationsbreite solcher Verbindungshalbleiter bietet weitere physikalische Möglichkeiten zu prinzipieller weiterer Verkürzung. Ein wichtiges Gebiet heutiger Forschung befaßt sich mit diesen sehr raffinierten neuen Techniken, die bei Großrechnern aber auch in der Telekommunikation entscheidende neue Verbesserungen bewirken könnten. Das Material Silizium setzt diesen Wettbewerbern nicht mehr aber auch nicht weniger als eine existierende Zuverlässigkeit entgegen. Verkleinerung der Strukturen mit technisch beherrschbaren Methoden und wirtschaftlicher Vertretbarkeit stellt den großen Vorteil des Siliziums dar. Letztlich wird wieder das tiefgehende wissenschaftliche Verständnis von Material, Funktion und Herstellungsprozeß den Ausschlag ergeben. Festkörperforschung, besonders die Halbleiterforschung hat darum in den USA und Japan längst die bei weitem wichtigste Berücksichtigung erlangt, die vorher der Kernphysik und der Hochenergiephysik zuteil wurde – und in Europa noch immer gewährt wird.

Kleinere Strukturen erfordern neue Techniken. Das sichtbare Licht stößt mit seiner Wellenlänge an Grenzen. Wesentlich unter die Größe der Wellenlänge des benutzten Lichtes kann man selbst mit sehr geistreichen Nutzungen der Nichtlinearitäten der photoempfindlichen Lacke nicht gelangen. Also muß mit Licht noch kürzerer Wellenlänge gearbeitet werden. Röntgenstrahlung und die Optik mit Elektronenstrahlen wird darum weltweit immer intensiver ausgenutzt und erforscht. Das von den Hochenergiephysikern bisher als Abfallprodukt verschmähte abgestrahlte Licht der beschleunigten Elektronen in den riesigen Speicherringen kann für die Zwecke sehr feiner Strukturierung verwendet werden. Auch andere Geräte der Teilchenphysik – nur verkleinert und in viel, viel bescheidenerer, wirtschaftlich vertretbarer Ausführung werden inzwischen von der Siliziumtechnik an allen Stellen eingesetzt. Beschleuniger werden zum gezielten Einschuß der Fremdatome genutzt. Plasmageräte erreichen ein Ätzen, Abtragen und Bearbeiten der Kristalle, ohne daß Erwärmung oder naßchemische Reaktionen vonnöten sind. Analyseverfahren aus allen Bereichen der Atomphysik werden eingesetzt, um die Siliziumtechnik genauer zu beherrschen.

Das Zusammenwirken so vieler naturwissenschaftlicher Methodik aus der ersten Hälfte unseres Jahrhunderts zum Beginn eines Zeitalters der Halbleiter in der zweiten Hälfte stellt eines der entscheidenden Ereignisse unserer Zeit dar, deren Wirkung in Wirtschaft und Politik im pazifischen Raum frühzeitig erkannt wurde. Eine bis jetzt nicht bekannte Form einer neuen Wirtschaft hält mit dem Silizium ihren Einzug.

## Die neuen Wirtschaftsformen des Siliziums

Der Stoff Silizium hat technische und wirtschaftliche Auswirkungen, die in ihrer Dynamik und Strategie völlig neu sind. Silizium verlangt nicht nur in der wissenschaftlichen Disziplinierung der technischen Methodik neuen Stil, sondern erfordert massive Umstellungen in wirtschaftlicher Planung. Kein anderes technisches Gebiet hat so schnelles Wachstum, ist so wenig durch grundsätzliche Begrenzungen in Stoff, Verfügbarkeit und Marktaufnahme gedämpft und verlangsamt, ist so anspruchsvoll in Investition und ständiger Erneuerung, dringt in so weite Bereiche jeder Technik ein. Das abgegriffene Wort von der Schlüssel-Technologie des Siliziums muß ernst genommen werden.

Sichtbar selbst für den Uneingeweihten ist der Preisverfall für die einzelne mikroelektronische Funktion. Im Jahre 1970 kostete es einen US Cent, um ein Element zur Speicherung einer logischen Null/Eins-Information zu erhalten. Der Siliziumspeicher der damaligen Zeit war ein heute als nachgerade plump und grob zu bezeichnendes Gerät mit hohem Energieverbrauch, recht komplizierter Bauweise und geringfügigem Integrationsgrad. Im Jahre 1980 war dieser Preis jedoch bereits auf 0.03 Cent abgesunken. Die Speicherbausteine hatten gerade die Grenze von 16 Tausend Speicherplätzen pro Baustein überschritten. Für das Jahr 1986 werden Kosten unter 0.001 Cent pro gespeichertes Bit Information nicht nur für möglich gehalten, sondern sie werden als realistisch angekündigt, um die Abnehmer der Speicher-Schaltkreise in ihrer Planung zu unterstützen.

Dieser Rückgang der Kosten und Preise in der Halbleitertechnik ist deswegen so vollkommen neuartig und so dramatisch, weil hier erstmals in der Geschichte menschlicher Technik und Wirtschaft über mehrere Jahrzehnte ein exponentieller Ablauf der Verbilligung eingetreten ist. Diese quantitative Aussage für einen ökonomischen Verlauf muß sehr ernst genommen werden, vor allen Dingen von den Nichtfachleuten, denen der Unterschied zwischen einem linearen und einem exponentiellen Verlauf noch nichts Eindringliches bedeutet.

Exponentielle Verbilligung bedeutet, daß sich in gleichbleibenden Zeiträumen der Preis jeweils um einen konstanten Multiplikationsfaktor erniedrigt! Alle zehn Jahre ist der Preis pro Funktion auf jeweils ein Dreißigstel des Anfangswertes gesunken. Es hat in der Menschheitsgeschichte auch früher sehr dramatische und politisch folgenschwere Preisrückgänge gegeben, etwa bei Textilien oder vielen Nahrungsmitteln. Alle diese Rückgänge aber waren nicht vergleichbar mit dem heutigen Verlauf beim Silizium. Künstlicher Dünger, neue Energiequellen, bessere Transportwege haben meist zu anfänglich linearen Absenkungen geführt, die bald beendet waren. Ein exponentielles Zurückgehen der Preise aber bedeutet zugleich ein exponentielles Anwachsen des Verbrauches, nur diese

Kopplung zwischen Preis und Nachfrage bringt diese Dynamik in ein Gleichgewicht. Die niedrigeren Preise ermöglichen völlig neue, bislang faktisch für unmöglich erachtete Produkte, wie den funktionstüchtigen Kleinrechner für den Privathaushalt, aber sie verlangen auch nach solchen Märkten, um mit der Erhöhung des Produktionsvolumens diese rein technische Möglichkeit auch wirtschaftlich zu nutzen.

Dramatische, exponentielle Wachstumsverläufe über längere Zeiträume lassen sich aber mit der bisherigen Mikrotechnik nicht durchführen. Stahl, Weizen, Bücher oder Kleidungsstücke können weder in einer solchen Dynamik produziert noch abgesetzt werden. Schon allein der Rohstoffbedarf und die Umweltbelastung wären so gewaltig, daß sich selbst ohne politische Ideologie natürliche Barrieren gegen den anwachsenden Verbrauch einstellen würden, selbst wenn die Nachfrage sich auf irgendwelche Weise derart anfachen ließe. Im Silizium aber geht die Verbilligung erstmals nicht mit einer Materialflußerhöhung Hand in Hand sondern – sie wird mit wissenschaftlicher Grundlage – durch die Verkleinerung bis in atomare Dimensionen bei nur schwach steigendem Verbrauch an Material und Energie im Inneren des Kristalles erreicht. Das Produkt, also beispielsweise die elementare Funktion des Abspeicherns einer Information, ist aber von so prinzipieller und universeller Bedeutung und Vielfalt in den Anwendungen, daß der Markt sich ebenfalls ausdehnen kann.

Der exponentielle Verfall der Preise für integrierte Siliziumschaltungen ist von so wichtiger Folgerung, daß man sich diesen funktionellen Verlauf sehr genau ansieht, analysiert und mit dem Namen eines der Pioniere des kalifornischen Silicon Valley, Gordon Moore, assoziiert hat. Drei sehr plausible und im einzelnen nachprüfbare Gründe sieht Moore für diesen nachgewiesenen Verlauf. Erstens ist laufend durch bessere technische Handhabung und immer wieder neue, raffiniertere und wissenschaftlich abgesicherte Prozeßführung die Ausbeute brauchbarer Schaltkreise selbst bei ständiger Verkleinerung der Abmessungen verbessert worden. Die Speicherzelle beansprucht also laufend kleinere Siliziumflächen. Zweitens beherrscht man das Kristallmaterial Silizium immer besser. Damit konnte sowohl die Scheibengröße des »wafers« ansteigen als auch die Fläche des einzelnen Schaltkreis-»chips« wachsen. So wird durch Rationalisierung eine ganz erhebliche Vereinfachung und Verbilligung erreicht, denn mit beispielsweise einem Belichtungsschritt oder einer Belegung mit Fremdatomen werden auf der nun größeren Scheibe je Prozeßschritt mehr Funktionselemente erzeugt. Auf diese Weise löst eine Generation größerer Schaltkreise mit jeweils kleineren Einzelelementen immer die bisherige Vorgängergeneration ab. Auf den Schaltkreis mit 1024 speichernden Elementen folgte in einigen Jahren ein Schaltkreis mit vierfach größerer Speicherzahl, aber bereits deutlich geringeren Kosten pro Speicher. Diese Kosten erniedrigen sich weiter im Verlauf der immer besseren Fertigungs- und Prüftechnik.

Der dritte Grund, der zum Mooreschen Gesetz der exponentiellen Preissenkung führt, ist die wachsende Verbesserung der Schaltkreisarchitektur. Anfänglich schienen noch mehrere Kondensatoren und Widerstände unumgänglich zu sein, um eine Zelle als Speicherelement zu konstruieren. Durch immer raffiniertere Nutzung der immer variableren Möglichkeiten des Siliziumkristalls ist diese Architektur immer einfacher und weniger platzbedürftig geworden. Das gleiche gilt für die Schaltkreise, die für Logik- und Rechenwerke gefertigt werden. Systematik wurde erarbeitet, wie eine entworfene Schaltung so modifiziert und optimiert wird, daß sie mit einem Bruchteil des Flächenbedarfs auskommt. Es gibt – in der einander stärkenden Symbiose im »Silicon Valley« kleine Spezialfirmen, die beispielsweise nichts weiter tun, als Konstruktionsplänen für Schaltungen auf kleineren Flächenbedarf, genannt »silicon real estate« (Siliziumgrundstücke), herunterzuschrumpfen, natürlich mit Hilfe des Siliziums in den dazu nötigen Großrechnern.

Diese grundsätzliche Tendenz einer ständigen Weiterentwicklung und regelmäßigen Ablösung bisheriger Generationen von Silizium-Elementen durch immer kleinere und leistungsfähigere Nachfolger verleiht der Silizium-Wirtschaft ein bislang nie gekanntes Maß an Dynamik, Risiko und Aufwand. Langfristige Planung ist trotz der hektischen Schnellebigkeit der Einzelbausteine nötig, dennoch haben alle Versuche einer Stabilisierung der Mikroelektronik-Wirtschaft wenig vermocht; kaum ein anderer Industriezweig kennt so rasche Folge von Zyklen hektischer Aktivität, Nachfrage und Produktionsleistung mit anschließenden Phasen der Erschöpfung, Überproduktion, überfüllten Lagerhäusern. Diese ungedämpften Zyklen aber sind ein untrügliches Zeichen des dynamischen Eigenlebens und des sich in Selbstverstärkung immer wieder anfachenden Wachstums.

Diese wirtschaftliche Dynamik fordert hohe Einsätze. Einmal wird viel Anpassungsfähigkeit und Hingabe von den Menschen verlangt, die in dieser Industrie mitwirken. Normale Besoldung kann diese Anstrengung nicht genügend honorieren. Wohl aber kann die Möglichkeit mit kleinen Firmenneugründungen ein Millionenvermögen für die eigene Arbeit zu erlangen, sehr wohl eine starke Triebfeder in einem kapitalistischen System sein. So wirkte auch die Mikroelektronik im neuen Gründerzentrum des »Silicon Valley«. In Japan wird dieser Stimulus und die Belohnung von der Gesellschaft als ganzer mitgetragen. Die Investitionsrate in dieser so schnell wachsenden Industrie hat in den siebziger und achtziger Jahren bei etwa 20 Prozent vom Umsatz gelegen, ein ähnlich hoher Anteil kommt – wenigstens in Japan – noch für Forschung und Entwicklung hinzu. Nur das schnelle Wachstum, das nur mit der Aufrechterhaltung des Marktanteils realisierbare Kostenreduktion bewirken kann, gestattet und verlangt solche enormen und bisher unbekannt hohen Investitionen.

Die »Lernkurve« tritt bei der Silizium-Industrie scharf in den Vordergrund. Jede neue Generation von Schaltkreisen ist zunächst so kühn und ehrgeizig in den Abmessungen und Funktionen und verlangt so sorgfältige und fundierte Arbeit, daß zu Beginn der Einführung der Anteil an brauchbaren Elementen noch sehr gering ist. Etwa fünf bis zehn Prozent ist oft die magere Ausbeute, der Rest der untüchtigen Bauelemente muß weggeworfen werden. Auch solche dramatischen Zahlen sind in der konventionellen Industrie kaum vorstellbar, aber der geringe Materialverbrauch macht diese geringe Ausbeute einerseits noch tragbar, zum zweiten aber ist selbst mit dieser geringen Effizienz noch ein wirtschaftlicher Erfolg erzielbar, weil die neue Generation – durch die Verbesserung und Verkleinerung und durch die prinzipielle exponentielle Absenkung der Kosten pro Einzelfunktion – sich dennoch gegen die vorherige Generation bereits durchsetzen kann. Voraussetzung ist aber frühzeitiges Anbieten auf den umkämpften Märkten. Ist hier wenigstens ein früher Einstieg gelungen, so wird es im allgemeinen dann möglich sein, mit wachsendem Volumen zu »lernen«. Die immer feiner werdenden Werkzeuge, die immer sorgfältigere Nutzung neuer wissenschaftlicher Erkenntnisse und Methoden führt zu wachsender Beherrschung des Siliziums und damit zu einem Wachstum der Ausbeute. Damit kann der Preis gesenkt, das Volumen ausgeweitet werden. Man gleitet auf dieser Lernkurve mit dem Preis herunter und erschließt damit dem Silizium neue Märkte. Nur wer diese Lernkurve wirklich zeitig genug erreicht, kann sich jedoch ein Überleben erhoffen. Wer nur zwei oder drei Jahre nachhinkt, der muß mit seiner niedrigen Ausbeute bereits zu nicht mehr kostendeckenden Marktpreisen unter Verlust verkaufen. Hier liegt das Hauptproblem Europas gegenüber den Japanern und den USA. Es ist auch wegen der so ungewohnten Dynamik dieser Wirtschaft dem Nichtfachmann so sehr schwer verständlich zu machen, daß lediglich ein scheinbar so harmloser Rückstand den totalen Umschwung von profitärem zu defizitärem, damit subventionsbedürftigem oder todgeweihtem Betrieb bedeutet. Letztlich ist es wieder die Exponentialfunktion – begründet durch den Einstieg in die kleinen Dimensionen des Siliziumkristalls – die sich hier auswirkt.

Kaum war je ein Markt so unersättlich und damit so unsättigbar wie der für Logik und Speicher der Mikroelektronik. Wäre das Silizium nur als Vertreter der alten Radioröhre stehengeblieben, dann wäre eine Sättigung schnell eingetreten. Zehnfachen, hundertfachen, ja millionenfachen Bedarf etwa an Radios zu erwecken, ist nicht möglich. Logik und Information, abstrakte, materiefreie Güter aber können sich solche Steigerungsraten erschließen, wenn sie nicht mit entsprechendem Verbrauch an Rohstoff und Energie verbunden sind. Der Rechner, die neue Telekommunikation, neue Medizintechnik wie etwa die Computertomographie mit ihrem riesigen Bedarf an Speicher- und Rechnerkapazität und ihrer völlig neuen Diagnosemethode, Überwachungssysteme wie für die Abgase der Kraftfahrzeuge, Regel- und Steuersysteme, die nicht mehr nur einzelne zentrale Einheiten sind sondern unmittelbar und schnell vor Ort zu reagieren vermögen, all diese wenigen schon jetzt sichtbaren Beispiele rufen nach mehr und besseren Funktionen des Siliziums und erbringen mit dem Preisverfall neue Anwendungsmöglichkeiten. Sie sind wegen der Kleinheit der Siliziumscheibchen kaum wahrnehmbar, stellen aber einen wesentlichen Faktor in der Modernität des Produktes dar. Nur Böswillige sehen im Silizium allein den Reizüberfluter der Videospiele. Böswillige Kurzsichtigkeit wäre aber auch, die Rationalisierung durch die Siliziumelemente leugnen zu wollen. Halbleiterlogik wird viele Funktionen menschlicher Tätigkeit übernehmen. Einfache Prozesse der Überwachung, der Registrierung, der ordnenden Tätigkeit in Lager und Büro, werden sich mit den siliziumbestückten Geräten schnell und ökonomisch durchführen lassen. Aber auch schon anspruchsvollere Prozesse der geistigen Verknüpfung, des Vergleichens und Abwägens, der quantitativ fundierten Entscheidungsfindung werden immer stärker von der neuen Mikroelektronik beansprucht werden.

Die Veränderungen auf dem Arbeitsmarkt werden tiefgehend sein. Dennoch wäre es unverantwortlich und gefährlich, wollte man die derzeitige Beschäftigungslage mit ihrer hohen Tendenz zur Arbeitslosigkeit allein dem Auftauchen der Mikroelektronik zuschreiben. Die großen Einbrüche der Beschäftigungszahlen in Europa und den USA geschahen bei den Grundstoffindustrien, dem Baugewerbe, der konventionellen Industrie. In Deutschland jedoch erfolgte die Einführung der Mikroelektronik mehr zufällig gleichzeitig wie der fast überraschend aufgenommene Beginn einer Epoche mit Arbeitslosigkeit. Eine Assoziation der beiden Erscheinungen erfolgte damit, sie verstärkte vielfach die

Ablehnung der neuen Technologie. Solche Verzichthaltung ist gefährlich, sie opfert große künftige Möglichkeiten – auch neuer Arbeitsplätze hoher Qualifikation und Wertschöpfung.

In den europäischen Ländern beträgt die Elektronik etwa ein Promille des Bruttosozialprodukts – eine verschwindend kleine Zahl? Schlüsselfunktion dieser Technik, ihre prinzipiell neuartige Dynamik und das noch auf überschaubare Zeit anhaltende Wachstum werden in den USA und in Japan so ernst genommen, daß dem Silizium die Rolle der modernen Technologie schlechthin – fast als ein Symbol – zuerkannt wird. Die Redensart vom Siliziumzeitalter ist nicht unberechtigt.

## Ausweitungen und Ausblicke

Die Fülle der Anwendungen des Siliziums liegen in der Universalität der beiden Hauptfunktionen: Speichern von Information und logische Verknüpfung. Steinplatten, Wachstäfelchen und Bücher waren bisher die Mittel zum Speichern, bei all ihrer Handgreiflichkeit und Anschaulichkeit waren es umständliche Verfahren, wenn es um große Mengen von Daten ging. Die Schnelligkeit, mit der Silizium Daten einlesen und wieder herbeischaffen kann, eröffnet große neue Bereiche von Anwendungen in praktisch allen Gebieten menschlicher Tätigkeit. Die logische Verknüpfung, der Vergleich quantitativer Meßzahlen, die Aufarbeitung solcher Daten war bislang meist dem Menschen allein vorbehalten. Heute sind – wiederum durch die Schnelligkeit – ganz neue Bereiche entstanden.

Die Tomographie als neues medizinisches Diagnoseinstrument ist ein eindrucksvolles Beispiel. Eine Fülle von Daten einer sehr raffinierten physikalischen Meßtechnik fällt bei diesem Verfahren einer unblutigen, nicht-invasiven Untersuchung an. Ohne große Siliziumspeicherelemente und Computer wäre schon allein der Datenanfall nicht zu bewältigen. Noch wichtiger aber ist die Aufbereitung dieser Daten. Rechnerisch muß die riesige Informationsmenge so aufbereitet werden, daß zweidimensionale Schnittbilder entstehen, die dem Arzt die Diagnose erschließen. Prinzipiell mag dieses Rechenverfahren zwar einfach sein, die schiere Bewältigung jedoch ist das Problem, das nur mit großen Rechnern möglich wird.

Andere Beispiele neuer Anwendungen betreffen die Unterstützung der menschlichen Sinne. Das erste Exempel der Nutzung von Halbleitern war die Hörhilfe, heute gibt es bereits wesentlich raffiniertere Ansätze, um Schwerhörigkeit zu bekämpfen und eine enge Kopplung zwischen der unterstützenden Elektronik und dem Nervensystem herzustellen. Mechanisch-elektronische Systeme versprechen neuartige Prothesen. Es gibt bereits sehr leistungsfähige Halbleiter-Schaltkreis-Familien zur Sprachsynthese; sie stellen eine erstaunlich geschickte Simulation menschlichen Sprechvermögens dar.

Sensoren hoher Empfindlichkeit werden mit Siliziumspeichern und Logik zu neuen Regel- und Steueraufgaben herangezogen werden. Die Ein- und Ausgabe bei Großrechnern wird hieraus wesentliche Verbesserungen empfangen. Hier liegen die Erwartungen Japans, die sich im sehr anspruchsvollen nationalen Projekt der Computer der »fünften Generation« ausdrücken: diese Rechnergeneration soll sich sehr viel stärker und unkomplizierter auf den menschlichen Partner einstellen können.

Sehr große Speicher und extrem schnelle Logikverarbeitung werden notwendig sein, um bewegte Bilder noch besser zu beherrschen. Die Konstruktion, Abspeicherung und die Übermittlung von Bildern erfordert viel Information. Hier wird in der Zukunft ein sehr großer Bedarf noch dichter gepackter Siliziumschaltkreise entstehen; diese technische Aufgabe stellt eine der wichtigsten Triebkräfte zur Weiterentwicklung der Schaltkreise dar. Jeder, der mit diesen Fragen zu tun hat, merkt bei seiner Aufgabe der Nachahmung und Unterstützung menschlicher Sinne, wie großartig unsere natürlichen Werkzeuge sind, welch gewaltige Leistungen auf kleinem Raum und mit wenig Energieaufwand möglich sind. Bei allem berechtigten Stolz auf die technische und wissenschaftliche Entwicklung ernüchtert der Vergleich mit den Systemen des Lebens.

Das Silizium ist durch seine Beherbergung mikroelektronischer Funktionen und seine stolzen ökonomischen Erfolge, durch den großen Aufwand zu seiner Vervollkommnung zu einem Prototyp eines neuen Materials geworden. Der hochgereinigte, wohldefinierte kristalline Festkörper weitet sein Anwendungsgebiet mit seiner neuen Qualität auch auf ganz andere, überraschende Gebiete aus.

Eine Mikromechanik scheint langsam zu entstehen. Die gezielten Methoden der Abtragung und Ätzung, der Herstellung extrem kleiner und dennoch genau bestimmter Strukturen innerhalb der einkristallenen Matrix läßt auch Produkte heranreifen, die nur noch wenig mit elektronischen Funktionen zu tun haben und meist im wesentlichen die geometrische Präzision und Vielfalt nutzen. Sehr feine Düsen, etwa zum Tintenspritzen für neuartige Drucker, oder für medizinische Anwendungen können am besten aus Silizium hergestellt werden. Äußerst leichte und feine Membranhäute mit großen Flächen und dennoch sehr geringer Dicke können zur Messung von Druckunterschieden eingesetzt werden. Schwingungsfähige Gebilde miniaturisierter Stäbe und Zungen können für Sensoren und schnell reagierende Lichtablenker eingesetzt werden. Ein bekanntes Paradebeispiel für diese neue Mikromechanik aus dem gleichförmigen und perfektionierten Festkörper Silizium ist das vollintegrierte Meßgerät eines Gaschromatographen. Zur Analyse von Gasen – damit wichtig für Umweltschutz und viele andere Anwendungen – benötigt man lange Spiralen, in denen die unterschiedliche Geschwindigkeit des Vordringens zur Unterscheidung verschiedener Gase ausgenutzt wird. Solche Spiralbahnen lassen sich präzis in den Siliziumkristall ätzen und gleich mit anderen Elementen dieses sonst sehr aufwendigen und voluminös zusammengesetzten Instruments im Kristall verbunden werden. Die Elektronik zum Nachweis und zur Verstärkung – sogar auch gleich zur Weiterverarbeitung der Daten – kann unmittelbar in der Nachbarschaft auf der Siliziumscheibe angebracht werden.

Die besondere Rolle dieses Werkstoffs zeigt sich aber auch darin, daß für die Eichnormale unserer Maßeinheiten und wichtigen Naturkonstanten immer häufiger das Silizium oder seine Halbleiter-Verwandten genutzt werden. Kein Kristall ist so perfekt wie das heutige Silizium, also verwenden es die nationalen Laboratorien für Meßstandardisierung, wie die Physikalisch-Technische Bundesanstalt, beispielsweise zur genauen Bestimmung und Fixierung der Atomanzahl in einem Mol, damit wird die nach Avogadro benannte Naturkonstante neu festgelegt. Auch zum Vergleich von Röntgenwellenlängen und den Wellenlängen des Lichts wird Silizium verwendet. Silizium oder ein anderer Halbleiter wird schließlich auch zur Festlegung des elektrischen Widerstands erwogen. Bisher wurde dazu ein wenig willkürlich eine bestimmte Länge eines Drahtes bestimmten Querschnitts aus einem festgelegten Material benutzt – eine sehr zufällige und unbefriedigende Lösung, die sich nicht an grundsätzlichen physikalischen Erkenntnissen orientiert hatte. Heute kann mit einer Erfindung des deutschen Physikers von Klitzing ein neuer Quanteneffekt der Leitfähigkeit in dünnen Halbleiterschichten verwendet werden; hier treten keinerlei Zufälligkeiten des Materials mehr auf, nur noch die elementaren Konstanten der elektrischen Ladung und des Planckschen Wirkungsquantums tauchen bei der Beschreibung des gemessenen Widerstandes auf. Erstmals gefunden wurde dieser sehr wichtige Effekt mit einem technischen Siliziumtransistor, der für Grundlagenforschung in einem ganz entlegenen Bereich unter dem Einfluß sehr hoher Magnetfelder bei extrem tiefer Temperatur untersucht wurde. Dieses Beispiel demonstriert die beachtliche Stärke einer wechselseitigen Verstärkung von Grundlagenforschung und Anwendung; gerade die Siliziumtechnik und ihre Wissenschaft als Ursprung und Folge beeindruckt hier besonders – zwingende Konsequenz der wissenschaftlichen Grundlage dieser Technik!

Der Prototyp des festen Körpers, dieser geordneten Ansammlung vieler einzelner Atome, ist mit dem Halbleiterkristall verwirklicht worden. Hoffnung kann daraus für eine besonders wichtige Familie anderer vielatomiger Systeme abgeleitet werden. Die biologisch wirksamen Moleküle bestehen ebenfalls aus vielen Atomen, deren Anordnung jedoch nicht mehr periodisch ist. Der aperiodische Vielatom-Komplex ist schwer zu vermessen und zu verstehen. Hilfestellung zur Aufklärung von Strukturen und Funktionen biologischer Moleküle kommen häufig von den erprobten Methoden, die am weitaus einfacheren periodischen Kristall der anorganischen Substanzen entwickelt worden waren. Die Bestimmung der Kristallstruktur mit Röntgenlicht war an überschaubaren Salzkristallen und am Quarz, auch am hochperfekten Silizium, entwickelt und verfeinert worden. Danach konnten diese Methoden auf die weitaus vielfältigeren Biomoleküle übertragen werden, diese Experimente waren entscheidend zur Aufklärung der genetischen Mechanismen. Der periodische, berechenbare Festkörper wird auch in Zukunft diese Vorreiterrolle spielen.

Aufschlußreich sind Vergleiche der Strukturen in lebenden Systemen und in den elektronischen Rechnern. Gibt es Analogien der elementaren Architekturen? Ähnelt ein logisches Element im Silizium einer biologischen Zelle? Zur Zeit scheinen die Unterschiede zwischen diesen beiden Systemen eher größer zu werden. Es liegt an den besonderen Werkzeugen der Siliziumbearbeitung, daß die Halbleiterstrukturen immer mehr einen oberflächennahen und damit zweidimensional-flächigen Charakter annehmen, während die Natur in unvergleichlich sparsamerer und gedrängterer Strategie dreidimensional das Volumen erfüllt. Die modernsten und schnellsten, gleichzeitig aber auch die wirtschaftlichsten Halbleiterstrukturen sind solche, bei denen das Gas der Elektronen in enge Bereiche in der Nähe der Oberfläche gedrängt wird. Weitere Beherrschung noch feinerer Strukturen könnte sogar auf schmale fadenförmige Strukturen führen, die wie eindimensionale Linien wirken würden.

Ein Verzicht auf die dritte Dimension aber mag möglicherweise nicht mehr lange tolerierbar sein. Schon heute argwöhnt man in den Entwicklungslaboratorien für die übernächsten Speichergenerationen, daß nur mit einer Beherrschung des gesamten Raumes eines Kristalles der weitere exponentielle Preisverfall nach dem Gesetz von

Gordon Moore gesichert werden kann. Nur dann könnte die strikte Verkleinerung der Fläche mit der gleichzeitigen Ausdehnung in die Tiefe des Siliziumkristalles erreicht werden. Trennende Strukturen und verbindende Leitungen würden dann benötigt, deren erste Vorstellungen in den Konstruktionszeichnungen der Kristallquerschnitte schon wiederum weitaus mehr Ähnlichkeit in den Konstruktionsprinzipien der Natur erkennen lassen. Es wird darum eine aufregende und vielleicht auch vielfach folgenreiche Entwicklung der künftigen Siliziumtechnologie aus der Sicht auch des Biologen und Mediziners möglich sein.

Mit der dichten Speicherung und schnellen Verarbeitung von Information im Siliziumkristall wird die Informationsgesellschaft geschaffen. Nach der ersten Ära der Industrialisierung, die von Stahl und Dampfmaschinen getragen und geprägt wurde, folgte in unserem Jahrhundert eine Ära der breiten Verfügbarkeit von Energie und Stoff, fundiert durch die Erfindungen der Elektrizität und der modernen Chemie. Viele Beobachter vermuten, daß nun ein Zeitalter der Information folgt. Eine weitere Abstraktion im Leben des Menschen würde damit einziehen. Nach einer Naturalienwirtschaft, die von einer Tauschwirtschaft mit Gold und Silber dann durch das abstrakte Papiergeld abgelöst wurde, folgt nun eine noch weniger materiebezogene Form des Zusammenlebens, bei dem nur noch unsichtbare und geringfügige Pakete elektrischer Ladung in Siliziumschaltkreisen hin und hergeschoben werden. Die kleinen Dimensionen, die heute im Silizium dazu nötig sind, gestatten es, daß in einem winzigen Kristallstückchen ein abstrahiertes Bild einer großen Realität ablaufen kann. Natürlich muß solche Entfernung vom Handgreiflichen vor allen den erschrecken, dem die Zusammenhänge im Kristall als unverständlich verborgen bleiben. Das nicht mehr Begreifbare, das Mikroskopische entfremdet.

Die Entfernung wird hautnahe Folgerungen und Anpassungsprobleme für den arbeitenden Menschen haben. Die immer noch unerläßlichen Kontroll- und Überwachungsfunktionen können durch die Siliziumschaltkreise mit ihren schnellen Verarbeitungsgeschwindigkeiten und hohen Speicherdichten in den meisten Fällen besser erledigt werden als es der beobachtende und eingreifende Mensch im Maschinenzeitalter alter Prägung vermochte. Anschauliches Beispiel ist die Lagerhaltung, die noch vor kurzem viele Arbeitsplätze garantierte. Jedes Teil mußte nach überschaubaren Prinzipien an bestimmte Stellen befördert, dort registriert und wiedererkannt werden. Das Leitprinzip einer strikten Zuordnung zu einem bestimmten Raumgebiet, wo das Teil abgelegt und dort auch wiedergefunden werden konnte, brauchte viel Platz und viel menschliche Lenkung. Heute kann ein Lager völlig ungeregelt – oder nach anderen Gesichtspunkten optimiert – aufgebaut werden, solange nur ein Abbild dieser »Unordnung« sicher und schnell auslesbar in den Siliziumspeichern der Computer abstrahiert abgebildet ist. Dieses Beispiel ist nur eines, es zeigt die fundamentalen Eingriffe neuer Technik und den Eintritt problematischen Wandels der Arbeitswelt mit dem beginnenden Siliziumzeitalter.

Die große Speichermöglichkeit und schnelle Verarbeitung wird in zunehmendem Maße die Informationstechnik verbessern und erweitern. Bislang zu aufwendige und zu schwierige Aufgaben, wie die Verarbeitung und Weitergabe bewegter Bilder mit ihrem großen Informationsinhalt werden jetzt weitgehend von der Verfügbarkeit billiger Logik und billigen Speicherplatzes bestimmt, hier liegen einige der Quellen des schier unersättlichen Bedarfs an besseren und kleineren Siliziumstrukturen, hier liegt der Marktbedarf, der zur weiteren exponentiellen Kurve notwendig ist. Ein weiterer wichtiger, prinzipiell neuartiger Zug liegt in der interaktiven Rolle, die ein technisches Gerät spielen kann. Eine Fülle von Unterscheidungsmöglichkeiten der Reaktion auf äußeren Eingaben kann vorprogrammiert werden, damit werden Geräte dialogfähig und können flexibel reagieren. Das Spielen mit dem Schachcomputer, der eben nicht wie ein Buch oder eine Schallplatte ein für alle Mal gleichartige Form darbietet, hat einer breiten Öffentlichkeit erstmals diese Faszination einer reaktionsfähigen, einer interaktiven Maschine nachhaltig demonstriert. Gleichzeitig ahnt man aber auch im Umgang mit solchen elektronischen Partnern, wie viel menschliche Reaktion durch Siliziumgehirne und Siliziumlogik ersetzbar und sogar noch beschleunigend ersetzbar ist.

Bleiben die menschlichen Sinnesorgane, das Privileg der menschlichen Sprache. Aber auch hier kann mit genügend hohem Einsatz an geräumigen Informationsspeichern und schneller Datenverabeitung viel der menschlichen Fähigkeit simuliert werden. Sowohl optische und mechanische Sensoren als auch eine »elektronische Nase« gibt es bereits; alle Geräte nutzen meist die extreme Empfindlichkeit der Siliziumoberflächen – oder verwandter Halbleitermaterialien – auf Änderungen der Reize der Umgebung durch Licht, Geräusch oder Gasatmosphäre. Auch sehr raffinierte Sprachausgabe-Siliziumschaltkreise dringen immer weiter vor und werden immer weniger als künstlich empfunden. Alle diese neuen Hilfsmittel menschlicher Erfindung sind Unterstützung und Erleichterung – gleichzeitig aber durch ihre Veränderung eine Bedrohung des Althergebrachten. Wer die schädlichen und die Gesellschaft gefährdenden Seiten frühzeitig erkennen, handhaben und einsetzen, kontrollieren und dosieren möchte, wer die sozialen Folgen abpuffern und lenken möchte, der muß den politischen Willen besitzen, diese neue Technik zu begreifen, vorauszudenken und abzuschätzen, um die Chancen zu nutzen, statt sich überrollen zu lassen. Das Siliziumzeitalter verlangt nach politischen Konsequenzen.

## Politik im Siliziumzeitalter

Politische Beobachter haben die Konsequenzen der neuen Halbleitertechnik keineswegs sehr früh erkannt. Man sah zuerst nur eine Miniaturisierung der längst beherrschten und administrativ unbedeutenden Elektronenröhre. Die Zuverlässigkeit der ersten Generationen der Transistoren war so mangelhaft, daß selbst die interessierten Nutzer aus den großen Systembereichen der Verteidigung, der Telefon-Netzwerke und der Großrechner sich große Zurückhaltung auferlegten.

Spätestens aber mit dem Erfolg der ersten integrierten Schaltkreise wuchsen viele neue und aktive kleine, auf Mikroelektronik adaptierte Spezialfirmen in den USA heran, beschleunigten Wachstum und Entwicklung und erregten politische Aufmerksamkeit. Unterschiedliche Motive in den USA gegenüber Japan waren es, die in den beiden Ländern die Brisanz dieses neuen technischen Zeitalters in das Rampenlicht allgemeiner Beachtung rückten. In der Technologiepolitik wurde selbst die bislang wichtigste Frage seit Ende des Krieges überflügelt, die der Kernenergie.

Siliziumschaltkreise wurden in den USA nicht nur wegen ihrer Rolle als militärische Notwendigkeit für Interkontinentalraketen und Satelliten entwickelt. Militärisches Interesse aber beschleunigte die Entwicklung und auch die Markteinführung. Die allerersten, noch sündhaft teuren Siliziumtransistoren wurden von den Militärs mit Liebhaberpreisen hochgepäppelt, die unerwartet harte und schwierige erste Durststrecke im Verdrängungs-wettbewerb gegen die konventionelle Elektronik wurde so leichter überwunden. Die Militärs sorgten vor allen Dingen für Unterstützung der Forschung und Entwicklung, obwohl gerade die später besonders erfolgreichen Firmen von dieser angebotenen Hilfe keinen Gebrauch machten. Die notwendige hohe Zuverlässigkeit, die Einführung strenger Leistungsstandards und exakte Standardisierung wurden jedoch unter dem Druck militä-rischer Projekte sehr beschleunigt. Insgesamt war dies jedoch indirekte Hilfe, denn die Märkte kamen aus dem privaten Bereich: den Rechnern, den Telefonschaltzentralen und der Konsumelektronik.

Japan sah sehr früh, daß sich im Silicon Valley etwas völlig Neues zu entwickeln schien, das bei höchster Herausforderung an Wissen, Disziplin und Organisation auch die Chance bot, ohne viel Energieaufwand und mit geringem Material- und Rohstoffeinsatz eine so anspruchsvolle Technik zu schaffen, daß Exporterfolge und endgültige Anerkennung als Industrienation genau und eigentlich ausschließlich mit dieser Technik im letzten Quartal unseres Jahrhunderts zu erreichen waren. Rüstung konnte in diesem Land keine Antriebe leisten. Das Wirtschaftsministerium MITI sah darum die Unterhaltungselektronik als ersten Schritt, aus dem sich aber eine völlig neue Telekommunikations-Technik zu entwickeln hatte.

Der Transistor war als Folge einer gezielten Forschungspolitik mit solider Grundlagen-arbeit, zähem Durchhaltevermögen und konsequenter Weiterentwicklung entstanden in dem großen Forschungslabor der amerikanischen Telefongesellschaft AT & T. Klar war erkannt worden, daß klassische mechanische Schalter nicht in der Lage sein würden, ein großes und modernes Teilnehmernetz mit ausreichender Vermittlungstechnik auszustat-ten. Die Telekommunikation bleibt aber auch heute einer der wichtigsten Teilmärkte für die Siliziumprodukte. Computer und Zentralen zur Gesprächsvermittlung sind einander ohnehin fast zum Verwechseln ähnlich geworden, seitdem die Übertragung auf eine digitale Grundlage gesetzt wurde. Kommunikationspolitik ist darum ein weitaus wichtige-rer Bereich geworden als es die alte politische Beschäftigung mit einer Telegraphie und Telephonie einst war.

Diese Erkenntnis hat zu einer der gewaltigsten Umwälzungen in den USA geführt. Die größte Gesellschaft der Welt, AT & T, mit einer Million Beschäftigten, wurde vom staatlichen kontrollierten Halbmonopol in eine Gruppe miteinander zum Teil konkurrie-render Firmen zerschlagen. Platz für neue Bewerber wurde geschaffen. Dieser Prozeß einer Umwandlung ist schmerzhaft, wird auch noch auf lange Zeit viele Probleme schaffen, aber er bietet Chance zu neuen Entwicklungen ohne staatliche Hemmnis. Noch wichtiger als diese Privatisierung und Liberalisierung dieses in Zukunft wichtigsten Teilmarktes überhaupt ist aber die Tatsache, daß Japan und die USA eine Art gemeinsa-men Telekommunikationsmarkt ohne Zollmauern, mit technischen Absprachen und gegenseitiger Konkurrenz eingeführt haben. Die Staaten um den Pazifik schützen ihre heimischen Industrien nicht durch Zölle und Abnahmekartelle, sondern setzen sie einem rücksichtslosen Wettbewerb auf freigefegter Arena aus.

Flankierend zu solchen Maßnahmen muß für Forschung, für Ausbildung, für Information gesorgt werden. Als der Personal Computer als ein neues, überraschendes Produkt für jedermann auftauchte, dauerte es nicht lange, daß systematisch der Einzug in die Schulen gefördert und unterstützt wurde. Alle großen Hochschulen der USA, private Universitäten und die staatlichen Einrichtungen, wetteifern in der Einführung neuer Lehrpläne um diese neue Technik. Neue Zentren entstanden, so etwa eine Nationale Submikron-Einrichtung an der Cornell University im Staate New York, wo Festkörperstrukturen mit Ausmaßen unterhalb eines Mikron, das ist ein tausendstel Millimeter, hergestellt und ausprobiert werden können.

Noch rascher reagierte Japan in dieser sich beschleunigenden Halbleiter-Auseinandersetzung über den Pazifik. Ein inzwischen geradezu legendäres Technologieprogramm für Höchstintegration wurde als Symbiose zwischen Industriefirmen vom MITI eingerichtet, gelenkt und gesteuert, und dann – man bedenke – planmäßig nach Erreichung der technischen Ziele wieder vollständig aufgelöst, um von dort ab das freie Spiel der Konkurrenzkräfte walten zu lassen. Grundlage dieses Programms war die Aufgabe, besseres Siliziummaterial zu schaffen, neue und effektivere Prozesse für die Technologie der Silizium-Mikroelektronik zu entwickeln, eine »very large scale integration« – eine Größtintegration zu erreichen und auf den Weltmärkten mit hoher Ausbeute und guter Qualität durchzusetzen.

Europa erzeugt pro Kopf der Bevölkerung heute etwa nur ein Zehntel dessen, was in Japan und den USA an Mikroelektronik produziert wird! Der Verbrauch pro Kopf ist etwa nur ein Drittel. Europa droht zum großen Importeur des Siliziums in seiner verarbeiteten Form zu werden und damit diese Schlüsseltechnologie zu spät einzusetzen. Eine große, widerstandsfähige eigene Digitalindustrie hat Europa weder als Ganzes noch einer seiner Einzelstaaten aufbauen können. Zweifellos eine der großen Leistungen der japanischen Wirtschaftspolitik ist der systematische Abbau der alten, unrentablen, umweltbelastenden »Sonnenuntergangsindustrien«. Mit erstaunlicher Härte und Konsequenz werden auf diese Weise die Grundsteine für das Entstehen neuer Industrien, besonders in der Mikroelektronik und allen durch sie beeinflußten Zweigen der Wirtschaft, dabei ganz besonders in der Informationstechnologie erzwungen. In Europa dagegen besitzt so übereinstimmend wie hartnäckig das politische Konzept einer Subventionierung der Industrien alten Ursprungs sowie der Landwirtschaft eindeutig die allererste Priorität, trotz ständiger gegenteiliger Beschwichtigung in allen Deklamationen. Die soziale Komponente einer Bewahrung und Gleichverteilung, einer Angleichung an den Schwächeren ist unbedingt wichtig und anzuerkennen. Jedoch scheint diese grundsätzliche Einstellung eine eigenständige Europa-orientierte Technologiepolitik prinzipiell zu verhindern. Einen europäischen Weg, der uns mit Ziel und Verstand ins Siliziumzeitalter führen könnte und gleichzeitig europäische Werte und Tradition erhalten und neu zu formen ermöglichte, einen solchen Weg gibt es nicht.

Auch dem Nichtfachmann, selbst dem, der lieber die Augen verschließen möchte, drängt sich heute die Notwendigkeit einer Gegenstrategie zu Amerika und Japan auf. Dennoch geschieht nur zweierlei. Einmal wird eine passive Politik – sogar mit erfolgreicher Konsequenz betrieben. Zweitens wird in den Ländern der sogenannten Gemeinschaft unkoordiniert, zum Teil gegeneinander gerichtet und amateurhaft nationaler Einzelgang geübt. Die große Linie aber fehlt, wie sie in den USA aus strategischer Notwendigkeit geübt wird und durch die großen Computerfirmen wie die kleineren Halbleiter-Spezial-unternehmen getragen wird und an den Universitäten unterstützt wird. In Japan ist die konzentrierte und aufwendige Technologiepolitik als nationale Aufgabe mit dem Ziel der Bewährung und Anerkennung bei der schwierigsten und modernsten Technik propagiert und akzeptiert worden.

In Europa profitiert man zunächst sogar von der passiven Rolle. Der volkswirtschaftlich durchaus fragwürdige hektische Wettlauf mit den nahezu ins Unsinnige gesteigerten Investitionsforderungen und der rapiden Veralterung zwischen Japan und den USA muß ja nicht unbedingt mitgemacht werden. Man kann sehr wohl warten, bis die neuen Generationen der Schaltkreise verfügbar werden. Mit importierten oder in Lizenz nachge-bauten Schaltkreisen können dann die bewährten Produkte, die Werkzeugmaschinen und Automobile, modernisiert auf den Märkten angeboten werden – ohne daß der volle hohe Preis für die gesamte Forschung und Entwicklung zu entrichten ist. Der unerbittliche Wettbewerb – und die Exponentialkurve der Preise – sorgen für billigen Zugriff. Tatsäch-lich hat diese Strategie bisher nicht schlecht funktioniert. Sie hat den Bevölkerungen in Europa weder riesige Defizite aus Forschungsförderung beschert noch Konsumverzicht, obwohl die hier zu beachtenden Finanzmittel geringfügig erscheinen im Vergleich zu den Agrarsubventionen!

Solche Technologiepolitik des Mitlaufens im Windschatten ist bei aller Verschmitztheit langfristig nicht durchzuhalten, will man nicht vollends auf konventionelle Produkte oder eine Zollschutzpolitik abgleiten. Die Dynamik und die Reichweite der Siliziumtechnologie mit all ihren Konsequenzen läßt diesen Weg sogar als langfristig gefährlich und sozial unverantwortlich erscheinen. Abwendung und Verdrängung, wie von Vielen in Europa gefordert, würden letztlich beispielsweise auf dem Arbeitsmarkt nur die negativen Konse-quenzen der Wegrationalisierung bringen ohne daß die positiven Aspekte einer Einrich-tung neuer chancenreicher Arbeitsplätze gewahrt bleibt.

Eine Strategie eines reinen Imports von Siliziumschaltkreisen mit gleichzeitiger Nut-zung dieser Bauelemente in größeren industriellen Systemen oder in Konsumgütern ist denkbar. Tatsächlich hat sich eine solche Strategie in gewissen Bereichen sogar ausgezahlt. Die scharfe Konkurrenz zwischen Japan und den USA und die volkswirtschaftlich manch-mal sogar bedenklich schnelle Entwertung der Technik durch immer wieder neue Generationen von immer leistungsfähigeren und billigeren Siliziumschaltkreisen sollten vielleicht in Gelassenheit abgewartet werden? Man importiere diese billigen Komponenten und veredle sie in eigenen Produkten. Anfangs war diese Taktik sogar relativ ungefähr-lich. Jedoch wächst mit der laufenden Verbesserung der Siliziumkreise auch ihr Anteil am Produkt. Immer mehr von der spezifischen Leistungsfähigkeit einer Maschine hängt von der zentralen Steuerung durch das Silizium ab. Ein Schlüssel zur Einführung neuer Methodik, neuer Produkte auf immer breiteren Gebieten der Wirtschaft liegt damit im Silizium selbst, auch wenn der wertmäßige Anteil gering bleibt. Es wird somit immer gefährlicher, nur mit Veredelung oder nur mit einer Software-Schöpfung unter Nutzung konkurrenzfähig bleiben zu wollen. Es ist dabei besonders die bislang ungewohnte Dynamik der technischen Entwicklung und der einhergehende Preisverfall, die einen nachträglichen Einstieg so sehr viel schwieriger machen als es etwa zur Zeit des Eisenbahn-baus in Mitteleuropa gegenüber dem Technologieführer England war.

Europas Nationen verfolgen zur Zeit, in der Mitte der achtziger Jahre, völlig unterschiedliche – und meist nur verschwommen definierte – Wege in dieser Vorbereitung auf das Siliziumzeitalter. Großbritannien hat eigene nationale Vorstöße zur technologischen Unabhängigkeit sehr weit zurückgenommen und konzentriert sich augenblicklich recht erfolgreich auf Ansiedlung von Töchterfirmen der Amerikaner und Japaner in Schottland. Mit sehr verlockenden Ansiedlungsbedingungen und Krediten, Steuernachlässen und niedrigeren Löhnen und – nicht zuletzt der englischen Sprache als Notwendigkeit schneller technisch-wissenschaftlicher Verständigung – ist tatsächlich bereits eine ansehnliche Konzentration der modernen Industrie zwischen Glasgow und Edinburgh aufgebaut worden. Es scheint sich sogar die unbedingt notwendige Symbiose und gegenseitige helfende Verstärkung im »Silicon Glen« bereits einzustellen, denn viele Zulieferer und Dienstleistungsbetriebe folgen nach. Die entscheidende Forschung, die weitere Entwicklung und die richtungsweisende Politik werden aber selbstverständlich nicht in Schottland betrieben, sondern von den überseeischen Müttern in Sunnyvale und Kanagawa festgelegt.

Frankreich hat starke nationale Ziele zu eigenständiger Politik. Eine solche Autarkie und Unabhängigkeit ist ohne moderne Mikroelektronik undenkbar. Zu gefährlich ist es, bei der Belieferung der künftig wichtigsten Komponenten – selbst nur für zivile Bedürfnisse – auf fremde Lieferanten angewiesen zu sein. Zu deutlich sind schon jetzt die Gefahren eines Technologieembargos zu erkennen. Zu klar sieht man schon heute, daß moderne Großsysteme ihren Exporterfolg mehr und mehr den unscheinbaren Siliziumstückchen und den damit verbundenen Rechnerprogrammen verdanken werden. Also wird Frankreichs verstaatlichte Industrie zielstrebig zur Beherrschung der Halbleitertechnologie eingesetzt. Luftfahrt und Telekommunikation haben sich dem Silizium zuzuwenden. Trotz enormer Defizite in der Bilanz griff ein französischer Großkonzern schnell zu, als jenseits des Rheins ein anderer Konzern in Schwierigkeiten geriet und seinen großen Bereich der Konsumelektronik abstoßen mußte. Mit dem so gewonnenen Fernsehgerätemarkt war für die Siliziumbauelemente eine gute Grundlast gewonnen und garantiert, mit der neue Entwicklung und Forschung sich leichter tragen lassen. All diese staatlichen Planungen aber werden durch allgemeine wirtschaftliche Schwäche und durch lähmende Bürokratie gefährdet. Das Silizium mit seinen revolutionären und beispiellosen Attributen verlangt nicht nach staatlich-bewährten Verwaltungsrezepten. Silizium fordert flexible, fachmännische und entschlossene Politik neuen Stils.

Die Bundesrepublik hat mit ihrer föderativen Struktur, der Kulturhoheit der Länder, die auch die Forschungspolitik damit definieren, und der traditionell erfolgreichen liberalen Wirtschaftspolitik große Schwierigkeiten, eine zentrale Technologiepolitik zu formulieren und dann zu praktizieren. Frühzeitig wurde jedoch die Kerntechnologie und deren Konsequenz für die Energiepolitik als so zentral gesehen, daß hier ein sehr effizienter Förderungsmechanismus und eine geschickte Arbeitsteilung durch ausgedehnte und finanziell stark unterstützte Forschungskapazität entstand. Trotz politischer Probleme in der Durchsetzung ist der technische Erfolg bei dieser zentralen Technologie nicht abzustreiten. Dagegen wurde die Halbleitertechnologie in ihren Konsequenzen, ihrem Umfang und Wachstumspotential erst außerordentlich spät als eine politische und administrative Frage anerkannt. Förderung zum Aufbau einer nationalen oder europäisch-bilateralen Datenverarbeitungsindustrie hätte auch die hiermit so eng verbundene Mikroelektronik beflügelt. Solche Förderung fand statt, ihr Mißerfolg ist so unbestritten wie bedenklich. Die in Japan so erfolgreiche Vorreiterfunktion der staatlich manipulierbaren Telefongesellschaft ist in der Bundesrepublik durch die Bundespost kaum zu sehen; ihre Gewinne fließen nicht in ein großes Leitprogramm zu Neuentwicklungen (wie in Japan) sondern gehen still im Bundeshaushalt unter. Auch die neue Rolle der modernen Telekommunikation wird in der Bundesrepublik nicht mitgemacht, anders als in den USA, Japan und nun auch Großbritannien, wo das Telefongeschäft mit allen seinen zu erwartenden Neuerungen mittels der Siliziumtechnologie nunmehr privatisiert wurde und einem harten Wettbewerb systematisch ausgesetzt wird. In der Bundesrepublik behält man ein System bei, das sich in den Nachkriegsjahren ohne jeden Zweifel sehr bewährt hat, diese Bewährung im Siliziumzeitalter allerdings noch zu beweisen hat.

Große Verteidigungsinteressen können in einem Land wie der Bundesrepublik an Siliziumtechnologie nicht bestehen, denn die Absprachen zu Forschung und Entwicklung räumen den größeren Partnern im nordatlantischen Bündnis uneingeschränkte Führung zu. Um so wichtiger wäre es, staatlich mit dem Instrument der Telefon- und Telekommunikationssysteme einen friedlichen, nichtmilitärischen und exportträchtigen Anreiz zu geben. Andererseits sollte die Wirtschaftspolitik den besonderen Umständen dieser neuen Technik Rechnung tragen, sollte vor allen Dingen den kleinen neuen Firmen Anreiz und Unterstützung gewähren. Das Silizium braucht offenbar zum Wachstum besonders günstige Steuer- und Finanzierungspolitik. Japan und die USA schaffen es, solche Bedingungen herzustellen – jedes Land auf seine Weise. In Europa, und auch in der Bundesrepublik beginnt man jetzt erst, sich Gedanken zu machen. Es ist in der Tat problematisch, ob eine so ungezügelte Technik und Wirtschaft wie die des Siliziums in einem sklerotischen Klima der Eurosubventionen überhaupt gedeihen kann.

Über den Pazifik hinweg entsteht ein riesiger gemeinsamer Markt der neuen Informationstechnik. Die USA und Japan haben sowohl alle gegenseitigen Zollbeschränkungen für diese Produkte gegeneinander aufgehoben als auch vereinbart, daß man gemeinsame technische Normen bespricht und gegenseitig freie Zugänge zu den jetzt vollständig privatisierten Märkten gewährleistet. Kaum ein Kommentar hat in Europa auf diese erstaunliche Tatsache hingewiesen. An den Ufern des Pazifik aber sieht man in diesem ungewöhnlichen und eigentlich unerwarteten wirtschaftspolitischen Entscheidungen mit ihrer unerbittlichen Härte die einzige Möglichkeit, im Wettbewerb miteinander eine völlig neue Technik zu gestalten. Einmütigkeit herrscht bereits, daß schon in kurzer Zeit die Information – und nicht mehr die Energie – das Gut ist, was die größte wirtschaftliche Bedeutung, Entfaltung, Arbeitsbeschaffung und Schonung der materiellen Güter erzielen wird. Europa löst dieses Problem auf andere Weise, für den Import solcher Waren sind 17 Prozent Zoll zum Schutz der heimischen Wirtschaft zu entrichten. Eifersüchtig wacht jedes Land darauf, nur seine eigenen Firmen bei Aufträgen seiner staatlichen Kommunikationsindustrien zu bedenken.

Mit Zöllen, Kontingentierungen, Absprachen, durch Lizenzen und Kooperationsverträge wird sich auch in den nächsten Jahren eine durchaus für die einzelne Firma nutzbringende und relativ sichere und überschaubare Politik machen lassen. Das Beispiel der Videorekorder zeigt diesen Erfolg auch dem technischen und wirtschaftlichen Laien sehr nachdrücklich. Lautstark protestieren aber müßten eigentlich die Gewerkschaften, sie hätten mit Recht darauf zu pochen, daß selbst mit einem Maß an Konsumverzicht zugunsten langfristiger eigener Forschung und vor allen Dingen Entwicklungsarbeit neue Arbeitsplätze mit den neuen Produkten entstehen und gesichert werden können und die hohen europäischen Löhne garantiert würden. Die extremen Ansprüche und zugleich die unerschöpflichen Möglichkeiten des Siliziumkristalles böten dazu eine Grundlage. Tragisch ist es zu nennen, daß sich diese sicherlich vorhandene langfristige Einsicht im kurzfristigen Tagesgeschäft ganz und gar untergeht.

Mit dem neuen Werkstoff Silizium bricht ein neues Zeitalter an. Althergebrachtes verliert an Bedeutung, Liebgewordenes und Vertrautes wird gefährdet. Ähnlich muß es in der frühen Vorgeschichte gewesen sein, als mit Eisen oder Bronze erschreckender aber auch vielversprechender Wandel einsetzte. Nur hat sich damals dieser Wandel über viele Generationen erstreckt, die beschleunigende und anspruchsvolle Wissenschaft fehlte diesen Wandlungen noch. Die Dynamik des Siliziumzeitalters ist neu, hier liegt die wesentliche Schwierigkeit und Gefährdung, hier liegen aber auch die Chancen und damit die Herausforderungen. Viele der Möglichkeiten und der Gefahren sind für den zu sehen, der dem neuen Zeitalter nicht ausweicht. Wer die Gefahren lindern und mindern, die Vorteile aber nützen und schützen möchte, muß sich der Auseinandersetzung stellen. Er muß wenigstens den Versuch machen, das Neue und Ungewöhnliche dieser Entwicklung zu verstehen, er darf dabei der wissenschaftlichen und technischen Problematik nicht träge ausweichen, auch wenn er kein Fachmann ist. Nicht nur handwerkliche Hingabe oder kaufmännische Beachtung verlangt das Silizium. Viel stärker als bei allen vorausgegangenen Materialien kommt hier eine tief wirkende geistige Auseinandersetzung auf uns zu. Ein weitumfassender Anspruch wird erhoben, Fähigkeiten und Möglichkeiten der Verstärkung und Entlastung des menschlichen Geistes tauchen erstmals mit der Mikroelektronik auf. Unsere eigenen Vorstellungen geistiger Arbeit werden erweitert und gewandelt werden. Die europäische Tradition müßte eigentlich diese Herausforderung besonders gut aufzunehmen wissen und zu bestehen lernen.

Reimar Lüst

# Der Vorstoß Europas in den Weltraum

## Europäische und deutsche Beiträge zur Erkundung des Weltraums

### Anfänge

Für die Weltöffentlichkeit war es eine große Sensation: Am 4. Oktober 1957 hatten die Russen den ersten künstlichen Erdsatelliten gestartet. »Sputnik« umkreiste in einer Höhe von 247 bis 946 km auf elliptischer Bahn die Erde. Seine Funksignale meldeten gleichsam den Beginn der Raumfahrt-Ära. Für Wissenschaft und Technik war dies, wie man mit Recht sagen darf, ein Meilenstein auf dem Weg zur Erforschung des Kosmos.

Daß den Russen auf dem neuen technischen und zugleich für die Wissenschaft wichtigen Gebiet der erste spektakuläre Schritt gelungen war, empfanden die Amerikaner als einen Schock. Die amerikanische Regierung reagierte mit einem Crash-Programm. Schon am 31. Januar 1958 brachten sie, nach einem Fehlschlag im Dezember 1957, ebenfalls einen Satelliten auf die Erdumlaufbahn, den ersten »Explorer«, der die ersten wissenschaftlichen Beobachtungsergebnisse aus der Umgebung der Erde lieferte. Voraussetzung dafür waren besonders die Arbeiten Wernher von Brauns und dessen Team gewesen, der deutschen Raketen- und Raumfahrttechniker in amerikanischen Diensten.

Doch den eigentlichen Start zur extraterrestrischen Forschung, zu Beobachtungen und Messungen weit oberhalb der Erdoberfläche, hatte es schon sehr viel früher gegeben. Am 7. August 1912 unternahm der österreichische Physiker Viktor Hess mit zwei Begleitern eine sechsstündige Ballonfahrt, die sie in eine Höhe von über fünf Kilometer trug. Dabei konnten sie einen Anstieg in der mit drei Elektroskopen gemessenen Strahlung messen. In dem wissenschaftlichen Bericht über diese Beobachtungen schrieb Hess: »Die Ergebnisse der vorliegenden Beobachtungen scheinen am ehesten durch die Annahme erklärt werden zu können, daß eine Strahlung von sehr hoher Durchdringungskraft von oben her in unsere Atmosphäre eindringt.« Damit begann die Astronomie der kosmischen Strahlung. 24 Jahre später erhielt Hess für seine Entdeckung den Nobelpreis für Physik. Auguste Piccard unternahm zusammen mit Paul Kipfer und später mit Max Cosyns 1931 und 1932 bemannte Ballonaufstiege in Höhen von über 16 km.

In Deutschland war in den 30er Jahren der Pionier auf diesem Forschungsgebiet Erich Regener mit seinen Mitarbeitern Alfred Ehmert und Georg Pfotzer. Damals noch mit Hilfe von unbemannten Ballonen, die Höhen von 30 km erreichten, beobachteten sie die Erdatmosphäre und die auf die Erde einfallende kosmische Strahlung. Die Meßgeräte, von den Ballonen in zehn Kilometer Höhe getragen, waren in einem Labor der Kaiser-

Wilhelm-Gesellschaft entwickelt worden. Während des Krieges, in den 40er Jahren, arbeitete Erich Regener zusammen mit Karl-Otto Kiepenheuer an der ersten Meßgeräte-Nutzlast für eine Höhenforschungsrakete. Zum ersten Male sollte das Ultraviolett-Spektrum der Sonne registriert werden. Als Rakete kam die von Wernher von Braun und dessen Mitarbeitern entwickelte A 4 in Frage, jener Raketentyp, der als V 2 bekannt wurde. Doch der Abschuß mit der wissenschaftlichen Nutzlast mußte infolge der Kriegsverhältnisse unterbleiben. So war es den Amerikanern vorbehalten, mittels erbeuteter V 2-Raketen, die 1946 in New-Mexico/USA gestartet wurden, zum ersten Male die Sonnenstrahlung auch in denjenigen Wellenbereichen zu beobachten, die wegen der absorbierenden Wirkung der Atmosphäre die Erdoberfläche nicht oder nur sehr schwach erreichen. Mit Hilfe von Höhenforschungsraketen nahmen dann neben den Amerikanern auch Russen und später Franzosen und Engländer Beobachtungen des Ultraviolettspektrums der Sonne und anderer Sterne sowie Messungen in der unmittelbaren Umgebung der Erde vor.

Die Beobachtungszeiten blieben allerdings auf die wenigen Minuten begrenzt, in denen die Rakten die Meßgeräte in Höhen von 200 bis 500 Kilometern tragen konnten. Erst die künstlichen Satelliten brachten den technischen Durchbruch und ermöglichen seither Beobachtungen nicht über Stunden, sondern über Tage, Monate und viele Jahre, je nach Lebensdauer des Satelliten. Mit »Sputnik« und »Explorer« hat in der Tat eine neue Epoche in der Erkundung des Weltraums angefangen.

## Europäische Zusammenarbeit

Aufgeschreckt durch den »Sputnik«-Start gründeten die Amerikaner eine Weltraumbehörde, die National Aeronautics and Space Administration, kurz NASA. Ihr wurde die gesamte Verantwortung für die friedliche Nutzung der amerikanischen Raumfahrt übertragen. Binnen kurzer Zeit konnte sie viele Satelliten- und Raumsonden-Projekte erfolgreich auf den Weg bringen. In Europa war einer Reihe von Wissenschaftlern, die die Bedeutung und die Chancen der Weltraumforschung sahen, rasch bewußt geworden, daß man auf diesem sowohl für die Wissenschaft wie für die Technik wichtigen Gebiet mit den Amerikanern und Russen nur dann konkurrieren könne, wenn man sich zu europäischer Zusammenarbeit entschlösse. Als Vorbild für die gemeinsame Arbeit gab es bereits die erfolgreiche europäische Einrichtung für Kernphysik, CERN in Genf, an der die meisten europäischen Länder seit Mitte der 50er Jahre beteiligt waren.

Als im Januar 1960 in Nizza der erste große wissenschaftliche Kongreß für Weltraumforschung veranstaltet wurde, die erste COSPAR-Tagung (Committee on Space Research), gaben natürlich die Amerikaner und Russen den Ton an. Am Rande aber trafen sich einige namhafte Wissenschaftler, um die Möglichkeit einer Zusammenarbeit in Europa zu erörtern. Unter ihnen waren Pierre Auger, der schon bei der Gründung von CERN entscheidend mitgewirkt hatte, Eduardo Amaldi, Kernphysiker aus Rom, auch bei CERN beteiligt, Harrie Massey aus England und der Niederländer Henk C. van de Hulst. Dieser ersten Fühlungnahme folgte im Frühjahr 1960 ein Gespräch in der Royal Society in London, zu dem H. Massey eingeladen hatte. Es war das erste Mal, daß ich als Vertreter der deutschen Wissenschaftler an den Diskussionen um die europäische Organisation der Weltraumforschung teilnahm. Die Aufgaben und Struktur der Organisation wurden in London schon sehr konkret skizziert.

Auf Initiative von P. Auger kamen darauf Regierungsvertreter aller interessierten europäischen Länder zu einer Konferenz ins Hauptquartier von CERN. Sie beschlossen offiziell die Einrichtung einer vorbereitenden Kommission zur Gründung einer europäischen Weltraumorganisation mit Sitz in Paris. Dort trat zum ersten Mal im Frühjahr 1961 ein aus Regierungsvertretern gebildeter Rat zusammen, der die ersten Maßnahmen bestimmte. Wichtig waren vor allem die Aufstellung eines wissenschaftlichen Programms und die Festlegung der zukünftigen Organisation. Auf Vorschlag der niederländischen Delegation wurde ich der Sekretär zur Koordination des wissenschaftlichen Programms.

Es war eine aufregende Zeit, in der ich mit vielen Wissenschaftlergruppen in Europa in Kontakt kam; und überall zeigten sich ein Enthusiasmus für die Weltraumforschung und ein Wille zur europäischen Zusammenarbeit, die für viele begeisternd und ansteckend waren. Allerdings gab es auch Skeptiker, ja zahlreiche Astronomen standen dieser neuen Art von Forschung noch ablehnend gegenüber, insbesondere wegen der hohen finanziellen Mittel, die man hierfür im Vergleich zur klassischen erdgebundenen Astronomie auszugeben bereit war. Nach weniger als drei Monaten war ein überzeugendes Programm ausgearbeitet. Ebenso rasch stand die Struktur der zu schaffenden Organisation: in Paris das Hauptquartier, ein großes technisches Zentrum in Holland, in Darmstadt das Datenzentrum als Knotenpunkt für alle an der Nachrichtenverbindung mit den Satelliten beteiligten Bodenstationen, ein Startplatz für Höhenforschungsraketen in Kiruna in Nordschweden und schließlich ein kleines wissenschaftliches Institut in Frascati in Italien. Das technische Zentrum sollte ursprünglich in Nachbarschaft der Technischen Hochschule in Delft angelegt werden; später entschied man sich für Noordwijk, dicht an der Nordseeküste.

Anfang 1962 war die Konvention der European Space Research Organisation, kurz ESRO, reif zur Unterschrift der Regierungsvertreter. Es unterzeichneten Belgien, die Bundesrepublik Deutschland, Dänemark, Frankreich, Italien, die Niederlande, die Schweiz, Schweden, Spanien und das Vereinigte Königreich. Noch vor der endgültigen Ratifikation des Vertrages im Jahre 1964 wurde die Arbeit in provisorischer Weise aufgenommen, mit dem Franzosen P. Auger als Generaldirektor, dem Briten F. Lines als Technischen Direktor und mit mir als Wissenschaftlichen Direktor. Die ESRO, die mittlerweile in die ESA aufgegangen ist, hat die in sie gesetzten Hoffnungen erfüllt. Bis zum Jahre 1972 wurden circa 200 Höhenforschungsraketen und bis Ende 1984 dreizehn Satelliten mit wissenschaftlichen Nutzlasten erfolgreich gestartet. Mit allen diesen Satelliten wurden neue Informationen über die Umgebung der Erde, den interplanetaren Raum, die Sonne und andere kosmische Objekte erlangt. An einem Forschungsprogramm, das ohne die europäische Zusammenarbeit gar nicht durchführbar gewesen wäre, haben bisher mehr als hundert wissenschaftliche Gruppen aus den Mitgliedstaaten der ESRO teilgenommen. Über einige Resultate soll im folgenden noch näher berichtet werden.

Parallel zur ESRO, der Organisation zur wissenschaftlichen Erforschung des Weltraums, entstand eine zweite europäische Arbeitsgemeinschaft, die European Launcher

Development Organisation, kurz ELDO. In ihr bemühten sich sechs Länder, eine Träger-rakete für Satelliten zu bauen. Ihre erste Stufe sollte aus der »Blue Streak« entstehen, einer Rakete, mit deren Bau man in England in den 50er Jahren begonnen hatte. Die zweite Stufe sollte in Frankreich, die dritte in der Bundesrepublik Deutschland entwickelt werden. Die Italiener sollten einen Testsatelliten beisteuern. Nach mehreren Fehlstarts auf einem Gelände in Australien verloren die beteiligten Regierungen das Vertrauen in das kostspielige Unternehmen. Die ELDO wurde liquidiert, ihr Restbestand mit der ESRO fusioniert. Zugleich wurde die Aufgabenstellung für die ESRO erweitert: Sie wurde auch zuständig für die Entwicklung von Anwendungssatelliten, zum Beispiel Nachrichten- und Wettersatelliten; und zudem übertrug man ihr die Verantwortung für die zukünftige Entwicklung einer neuen europäischen Trägerkapazität.

Die erweiterten Aufgaben spiegelten sich in einem neuen Namen wieder. ESRO verschwand. Seit 1974 heißt die europäische Raumfahrtorganisation offiziell European Space Agency, kurz ESA. Sie ist der europäische Counterpart zur amerikanischen Welt-raumbehörde NASA. Ihr erstes Programm umfaßte neben der Entwicklung von wissen-schaftlichen und Anwendungssatelliten die Entwicklung des Raumlabors »Spacelab« und der »Ariane«, der neuen europäischen Trägerrakete.

Das wissenschaftliche Programm der ESA blieb, wie schon in der ESRO, mandatorisch für alle Mitgliedstaaten; das heißt: Jedes Mitgliedsland muß sich finanziell entsprechend seinem Bruttosozialprodukt beteiligen. Alle anderen Projekte hingegen gehören zum optionalen Programm; das heißt: Jeder Mitgliedstaat kann es entsprechend seinen Inter-essen finanzieren. So wurde der größte Beitrag zur Entwicklung der Ariane-Rakete von den Franzosen aufgebracht, die dementsprechend auch ein industrielles Übergewicht im europäischen Raketenbau erlangten. Die Deutschen zahlten die größte Summe zur Entwicklung von Spacelab, wobei in diesem Projekt die deutsche Industrie in Führung ging. Entwicklung und Bau von Spacelab und der ersten Ariane-Serie wurden 1983 und 1984 erfolgreich abgeschlossen. Mit dem deutschen Astronauten Ulf Merbold war Europa im November 1983 zum ersten Male auch in der bemannten Raumfahrt dabei, im ersten Spacelab-Unternehmen. Die sicheren Starts der Ariane in den Jahren 1983 und 1984 bewiesen, daß die Europäer unabhängig von den Amerikanern Satelliten auf die Umlauf-bahn befördern können. Europa ist seitdem nicht mehr der Juniorpartner der USA, sondern ein Konkurrent im wirtschaftlichen Sektor der Raumfahrt, der mit immer mehr Anwendungssatelliten erst am Anfang einer noch kaum zu übersehenden Entwicklung steht.

Bis Ende 1984 hat die ESA neben den Satelliten mit wissenschaftlicher Nutzlast sieben dieser Anwendungssatelliten ins Orbit gebracht. Die in Europa entwickelten Fernsehsatel-liten, zum Beispiel, strahlen mittlerweile für die Bundesrepublik sowohl Sendungen der öffentlich-rechtlichen Fernsehanstalten wie auch der neuen privaten Fernsehgesellschaf-ten aus. Für Schiff- und Luftfahrt sind Navigationssatelliten im Einsatz. Die Wetterbilder über Europa und seiner Wetterküche im Nordatlantik, die von der ESA geliefert werden, gehören schon zur Fernseh-Alltäglichkeit.

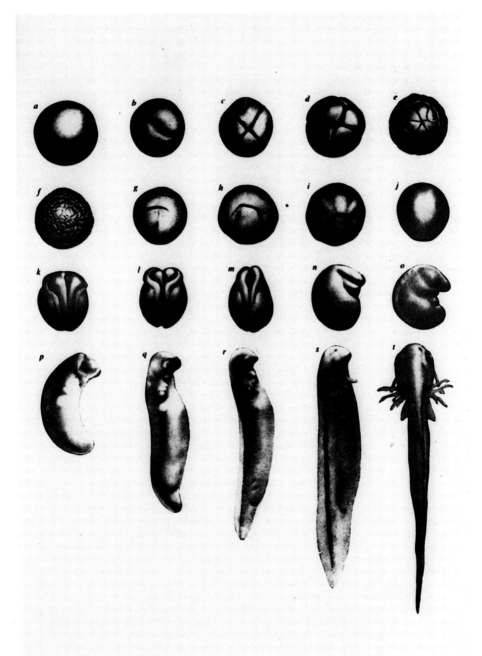

Abb. 8: Entwicklungsstadien des Molches (s. S. 170).

Abb. 1: Barium-Wolke in 32000 km Höhe.
Die Wolke wurde von einer amerikanischen Scout-Rakete erzeugt und war sowohl in Nordamerika als auch in Südamerika sichtbar. Die Längsrichtung der Wolke entspricht der Richtung des Erdmagnetfeldes in 32000 km Höhe.

Abb. 2: Die deutsch-amerikanische Sonnensonde Helios, gebaut von der deutschen Firma MBB.

Abb. 3: Der europäische Satellit COS-B zur Beobachtung der kosmischen Gamma-Strahlung. Gebaut im Auftrag der europäischen Weltraumbehörde ESA von der deutschen Firma MBB.

## Deutsche Aktivitäten in deutsch-amerikanischer Zusammenarbeit und der Aufbau des Max-Planck-Instituts für extraterrestrische Physik

Eine Organisation wie die ESA ist für einen Mitgliedstaat nur dann von Wert, wenn er im eigenen Land entsprechende Aktivitäten sowohl im wissenschaftlichen wie im industriellen Bereich entfaltet; und nur dann kann er das Potential, das ihm die europäische Organisation zu bieten hat, optimal nutzen. Deshalb wurde, parallel zum Aufbau der ESRO in den 60er Jahren, auch in der Bundesrepublik ein Programm für die Weltraumforschung entworfen. Den ersten Anstoß dazu gab der damalige Atomminister Siegfried Balke. Unter seinem Nachfolger Hans Lenz nahm das nationale Programm, dessen wissenschaftlicher Bereich durch eine Denkschrift der Deutschen Forschungsgemeinschaft beeinflußt wurde, erste konkrete Züge an. Vor allem aber sorgte Gerhard Stoltenberg während seiner Amtszeit als Forschungsminister für eine nachhaltige Förderung der Weltraumforschung sowohl durch Beteiligung an der ESRO wie durch das Programm in der Bundesrepublik, das auf Zusammenarbeit mit den USA bedacht war. »Azur«, der erste deutsche Satellit mit einer Nutzlast zur Erforschung der Magnetosphäre, wurde 1969 mit einer Scout-Rakete der NASA gestartet. Besonders umfangreich war die deutsch-amerikanische Kooperation darauf beim Helios-Projekt, der Sonnensonde, die 1974 auf ihren Flug ging und von der hier noch ausführlich zu berichten ist.

An den deutschen Entwicklungen von Experimenten mit Hilfe von Satelliten und Höhenforschungsraketen beteiligten sich Wissenschaftler an Universitäten und an vier Max-Planck-Instituten, dem Institut für Aeronomie in Lindau am Harz, dem Institut für Chemie in Mainz, dem Institut für Kernphysik in Heidelberg sowie dem Institut für extraterrestrische Physik in Garching, das aus dem Institut für Astrophysik (Leitung Ludwig Biermann) hervorgegangen war und mit ihm zum Gesamtverbund des Max-Planck-Instituts für Physik und Astrophysik gehörte. Damals leitete es Werner Heisenberg. Das neue Institut für extraterrestrische Physik durfte ich von 1961 an aufbauen. In einer Baracke in Garching bei München fingen wir im Herbst jenes Jahres mit nicht einmal zehn Mitarbeitern an. Als ich 1972 mit der Übernahme der Präsidentschaft der Max-Planck-Gesellschaft die Leitung des Instituts abgab, waren in ihm etwas mehr als 150 Mitarbeiter und Studenten tätig.

Ich hatte mich als theoretischer Physiker vor allem mit Problemen in der Astrophysik beschäftigt; und ich hatte das Glück, daß ich als Doktorand am Max-Planck-Institut für Physik in Göttingen eine neue Phase in der Astrophysik miterleben konnte. Man hatte erkannt, daß der überwiegende Anteil der Materie im Kosmos sich in einem besonderen Zustand befindet, den man neben den drei bekannten Aggregatzuständen von fester, flüssiger und gasförmiger Materie als einen vierten bezeichnen darf: den Plasma-Zustand.

Noch zu Beginn der 50er Jahre hatte die Plasmaphysik eine ganz untergeordnete Rolle gespielt. Die meisten Physiker hätten auf die Frage »Was ist ein Plasma?« wohl in Richtung Biologie gedacht; auch mir wäre, als ich im März 1949 als gerade fertiger Diplomphysiker das Institut in Göttingen betrat, keine Antwort eingefallen. Ich war gerade fünf Minuten im Haus gewesen, als mir Carl Friedrich von Weizsäcker, bei dem ich mich als Doktorand beworben hatte, erklärte, er habe jetzt keine Zeit; denn er müsse zu einem Seminarvortrag, in dem ein Herr Schlüter über eine gerade beendete Arbeit zur Physik des Plasmas referiere, und ob ich mitkommen wolle. So hörte ich zum ersten Male die Definition eines physikalischen Plasmas.

Von Arnulf Schlüter und Ludwig Biermann lernte ich damals die Physik des Plasmas und ihre Bedeutung für astrophysikalische Probleme. Doch was ist ein Plasma?

Man weiß, was ein Gas ist. Es besteht aus einzelnen Atomen oder Molekülen, deren Abstand voneinander, gemessen an ihrer Größe, derart weit ist, daß sie frei umherfliegen und zum Beispiel bei Zimmertemperatur und normalem Luftdruck nur gelegentlich aufeinanderprallen. Steigert man die Temperatur, so wächst die Geschwindigkeit der Atome oder Moleküle; und damit nimmt auch die Wucht der Zusammenstöße zu. Bei Temperaturen von einigen tausend Grad Celsius wird die Geschwindigkeit so hoch, daß in der Wucht des Zusammenpralls aus der Hülle des Atoms Elektronen herausgeschlagen werden und als nun freie Teilchen weiterfliegen. Ein Atom, das ein Elektron oder mehrere verloren hat, nennt man ein Ion. Und ein Gemisch aus Ionen und Elektronen bezeichnet man als Plasma.

Wegen der elektrischen Wechselwirkung der Plasma-Teilchen, der Ionen und freien Elektronen untereinander, und wegen seiner magnetischen Wechselwirkung hat das Plasma höchst bemerkenswerte Eigenschaften, von denen hier vier genannt seien:

1. Ein Plasma kann elektrischen Strom leiten.

2. Wenn in einem Plasma elektrischer Strom fließt, so erzeugt er ein Magnetfeld.

3. Von besonderer Bedeutung ist die Wechselwirkung zwischen dem Plasma mit seinem Magnetfeld und anderen, äußeren Magnetfeldern. So wird durch ein homogenes Magnetfeld eine Kraft auf die Plasma-Teilchen ausgeübt, die überall senkrecht zum Magnetfeld und der Geschwindigkeit der Teilchen steht. Dadurch wird die Teilchenbewegung quer zum Magnetfeld zu einem Kreis. Die Umlauffrequenz der Teilchen hängt allein von der Stärke des Magnetfeldes ab, der Gyrationsradius auch von der Geschwindigkeit und somit von der Temperatur der Teilchen. Die Teilchenbewegung längs des Magnetfeldes wird überhaupt nicht beeinflußt, so daß sich in Zusammensetzung von Kreisbewegung und ungestörter Längsbewegung eine wendelförmige Bahn ergibt.

Wenn zusätzlich senkrecht zum magnetischen Feld ein elektrisches Feld wirkt, dann wird die Teilchenbewegung quer zum Magnetfeld girlandenförmig, denn der Mittelpunkt des Kreises, in dem sich die Plasma-Teilchen drehen, wandert mit einer bestimmten Geschwindigkeit quer zum Magnetfeld. Diese Geschwindigkeit ist für alle Teilchen genau dieselbe, unabhängig von der Größe ihrer Kreisgeschwindigkeit und unabhängig davon, wie groß ihre elektrische Ladung und ob sie positiv oder negativ ist. Die Geschwindigkeit hängt einzig und allein vom Verhältnis der elektrischen zur magnetischen Feldstärke ab. Bildhaft, in einer suggestiveren Sprechweise, darf man deshalb sagen: Die magnetischen Feldlinien selbst bewegen sich. Die Richtung ihrer durch die Wechselwirkung von elektrischem und magnetischem Feld hervorgerufenen Bewegung verläuft senkrecht zum Magnetfeld und zum elektrischen Feld. Die geladenen Teilchen machen diese Bewegung mit und sind um so enger an das Magnetfeld gebunden, je stärker es ist.

4. Schließlich ist ein Plasma für den Physiker auch deshalb bemerkenswert, weil in ihm Schwingungen der Elektronen und Ionen gegeneinander auftreten können und in einem äußeren Magnetfeld transversale Wellen entstehen, die sonst nur in festen Körpern

möglich sind. Diese transversalen Wellen werden nach ihrem Entdecker seit nun mehr als 50 Jahren als Alfvén-Wellen bezeichnet.

Während auf der Erde die Materie festen, flüssigen oder gasförmigen Zustand hat, dominiert im Universum der Plasma-Zustand. Die oberen Schichten der festen Planeten, also auch der Erde, und die unteren Schichten ihrer Atmosphären sind gewissermaßen nur die Häute kleiner Tropfen neutraler Materie in einem Ozean von Plasma. Von der Erde aus beginnt in etwa 80 km Höhe, in der Ionosphäre, die Region des Plasmas. Von dort an, über die Magnetosphäre hinaus, im interplanetaren Raum bis zur Sonne und im Raum zwischen den Sternen und in den Sternen selbst – überall sind die Bedingungen so, daß der Plasma-Zustand vorherrscht.

Die Untersuchung der extraterrestrischen Plasmen war eines der Ziele, die wir uns in unserem neuen Max-Planck-Institut gesetzt hatten. Wir wollten einerseits mit Hilfe von Höhenforschungsraketen, Satelliten und Raumsonden neue Kenntnisse über diese Plasmen erlangen und andererseits Experimente mit künstlich in die Erdumgebung eingebrachten Plasmawolken anstellen.

Ein anderes wichtiges Thema der Weltraumforschung hatte man sich im damaligen Max-Planck-Institut für Physik unter Leitung von Werner Heisenberg gestellt: die kosmische Strahlung. Diese energiereiche Teilchenstrahlung, die auf die Erde einfällt, gibt Informationen über Prozesse, die sich auf der Sonne oder an weit entfernten Orten des Alls abspielen; und solche Prozesse im Kosmos, in denen ungeheure Energien frei werden, mit extraterrestrischen Beobachtungsmethoden zu untersuchen, sollte zu einem weiteren Hauptarbeitsbereich unseres neuen Instituts werden.

Schließlich sollte in diesem Zusammenhang nicht unerwähnt bleiben, daß astrophysikalische Probleme den Anstoß gaben, sich am Max-Planck-Institut für Physik auch experimentell mit der Plasmaphysik zu beschäftigen. Mitte der 50er Jahre gewannen diese Untersuchungen eine besondere Bedeutung für die Fusionsforschung, d.h. für die Bemühungen zur kontrollierten Kernfusion zur Nutzbarmachung für die Energiegewinnung. Hierfür ist Anfang der 60er Jahre das Max-Planck-Institut für Plasmaphysik in Garching gegründet worden.

## Plasma-Experimente im Weltraum

Alexander von Humboldt war wohl der erste, der 1829 anregte, geomagnetische Beobachtungsstationen einzurichten, um die Änderungen des Erdmagnetfeldes zu registrieren und somit die Wirkungen extraterrestrischer Plasmen. 1836 hat Alexander von Humboldt in einem Brief an die Präsidenten der Royal Society die weltweiten Einrichtungen von geomagnetischen Observatorien vorgeschlagen. In der Zwischenzeit hatte Carl Friedrich Gauß, mit dem Humboldt korrespondierte, die Theorie der »intensitas vis magneticae« entwickelt und 1833 die erste erdmagnetische Beobachtungsstation in Göttingen eingerichtet. Er registrierte Veränderungen des Erdmagnetfelds, die, wie man heute weiß, durch Plasmaströme in großem Abstand von der Erde verursacht werden. Mit den Mitteln der Raumfahrt wurde die Möglichkeit eröffnet, extraterrestrische Plasmen auf gleichsam direktem Wege zu studieren.

Das kann auf zweierlei Weise geschehen, mit passiven und mit aktiven Experimenten. Die passive Methode ist die üblichere: Man benutzt Detektoren oder andere Geräte, um bestimmte physikalische Parameter des Plasmas zu messen, wobei dessen Zustand nicht oder nur unwesentlich gestört wird. Die aktive Methode besteht darin, das Plasma ganz bewußt zu stören, um die Reaktion auf diese künstliche Störung zu untersuchen. Das ähnelt einem Laboratoriumsexperiment, hat ihm gegenüber aber den Vorteil, daß man unter physikalischen Bedingungen arbeiten kann, die im Labor nicht zu verwirklichen sind, zum Beispiel wenn man hochverdünnte Plasmen, in denen die Zusammenstöße der Teilchen belanglos bleiben, zu untersuchen hat. Anders als im Labor kann man auch die so schwierig zu handhabenden Einflüsse ausschalten, die von den Wänden der das Plasma einschließenden Behälter und anderen Randerscheinungen ausgehen. Schon mit den Anfängen der Weltraumforschung hat man den extraterrestrischen Raum selbst als ein großes »Laboratorium« genutzt, in dem man in großen Höhen zu wissenschaftlichen Zwecken Atombomben zündete.

Die Experimente des Max-Planck-Instituts für extraterrestrische Physik, von denen hier berichtet sei, haben sowohl den passiven als auch den aktiven Aspekt beeinflußt von der Höhe, in der sie ausgeführt werden, und von der Menge des benutzten Materials, wobei sie in Analogie zu den klassischen Methoden in der Hydrodynamik stehen. Dort macht man das Geschwindigkeitsfeld einer homogenen Flüssigkeit durch die Beimengung eines Farbstoffs oder Metallstaubs sichtbar. Allerdings verwendet man nur so geringe Mengen, daß die Bewegung und das Verhalten der Flüssigkeit nicht gestört werden.

Die meisten kosmischen Plasmen – mit Ausnahme der Konzentration in den Sternen – haben eine so geringe Dichte, daß man sie nicht sehen kann; denn ionisierter Wasserstoff und Helium, aus denen sie zum überwiegenden Anteil bestehen, haben gegenüber dem gestreuten Licht einen extrem kleinen Querschnitt. Das von den Sternen ausgesandte Licht kann sie also nicht sichtbar machen. Um die Bewegungen kosmischer Plasmen optisch zu erkennen, müßte man ihnen ein geeignetes Material injizieren, das einen sehr viel größeren Wirkungsquerschnitt für die Lichtstreuung hat. Diese Injektion wäre besonders bei einem Plasma mit sehr hoher elektrischer Leitfähigkeit von Interesse, weil dann jede Bewegung senkrecht zu den magnetischen Feldlinien als eine Bewegung der magnetischen Kraftlinien beschrieben werden kann. Die Eigenschaft eines solchen Plasmas hat der schwedische Astrophysiker Hanns Alfvén mit dem Wort von den »eingefrorenen« magnetischen Feldlinien anschaulich beschrieben.

Man kann die beobachteten Bewegungen eines Plasmas aber auch durch die Wirkung eines elektrischen Feldes beschreiben; und in einem Plasma mit unendlicher Leitfähigkeit sind beide Beschreibungen identisch. Mißt man also die Geschwindigkeit eines Plasmas, so erhält man damit auch Aufschluß über die Komponente des elektrischen Feldes senkrecht zum Magnetfeld.

Die Entwicklung der Beschreibungsmethode ging von Fragestellungen aus, die sich bei der Untersuchung von ionisierten Kometenschweifen ergeben hatten. 1951 hatte L. Biermann aus der Richtung der Kometenschweife, die stets fast radial von der Sonne wegweisen, sowie aus den beobachteten hohen Beschleunigungen der ionisierten Schweifmaterie auf die Existenz einer kontinuierlichen Korpuskularstrahlung der Sonne geschlossen. Sie konnte inzwischen direkt nachgewiesen werden und wird nun allgemein als »solarer Wind« bezeichnet. Die ionisierten Kometenschweife sind also Indikatoren für den solaren Wind und können somit auch als natürliche Solarwindsonden angesehen werden. Um mehr über den Mechanismus in der Wechselwirkung zwischen dem Plasma des solaren Windes und demjenigen der Kometen zu erfahren, wurde Anfang der 60er Jahre vorgeschlagen, mit künstlichen Plasmawolken ähnliche Vorgänge auszulösen und zu untersuchen.

Für ein solches Experiment wäre es am attraktivsten gewesen, wenn man die gleichen Substanzen, das heißt die gleichen Moleküle, hätte benutzen können, die man in den Kometenschweifen beobachtet, zum Beispiel Kohlenmonoxyd. Ein Experiment dieser Art ist vorerst aber kaum möglich, weil dabei die Menge der Substanzen, die man zur Erzeugung einer sichtbaren Wolke im Weltraum benötigt, mehrere Tonnen wiegen würde. Um das Nutzlastgewicht für die Höhenforschungsraketen, die damals zur Verfügung standen, niedrig zu halten, strebte man an, die Sonnenstrahlung als Energiequelle zur Anregung und Ionisation der Atome der künstlichen Wolke zu verwenden. Außerdem sollte eine solche Wolke vom Erdboden aus beobachtbar sein. Diese Bedingungen führten zu folgenden Anforderungen bei der Auswahl geeigneter chemischer Substanzen:

1. Die Resonanzlinien der Ionen müssen im sogenannten »optischen Fenster« der Erdatmosphäre liegen, das heißt in Wellenlängen, die vom Erdboden aus beobachtet werden können.

2. Die Zeitskala für die Anregung der Spektrallinien der Ionen muß relativ kurz sein.

3. Relativ kurz muß auch die Zeitskala für die Photoionisation der neutralen Atome sein.

4. Da für die Freisetzung der Substanzen ein chemischer Prozeß ausgenutzt werden soll, ist eine niedrige Verdampfungstemperatur wünschenswert.

Die in dieser Hinsicht meistversprechenden Elemente sind einige Erdalkalimetalle, besonders Barium, und wahrscheinlich seltene Erden wie Europium und Ytterbium. Vorexperimente wurden zunächst mit Strontium und Barium angestellt. Sie zeigten, daß man mit Barium sichtbare Wolken bilden kann. Die dazu erforderliche Menge ist sehr gering; sie liegt bei nur einigen zehn bis hundert Gramm. Um einen effizienten Weg zur Verdampfung des Bariums zu finden, wurde neben verschiedenen theoretischen Untersuchungen eine ganze Reihe von Laboratoriumsexperimenten vorgenommen. Als am besten geeignet erwies sich eine Reaktion von Barium mit Kupferoxyd. Bei dieser Reaktion wird ein Teil des Bariums verbrannt, und die Verbrennung sorgt für die nötige Energie zur Verdampfung des restlichen Bariums. Schließlich konnte eine Effektivität von etwa 10 bis 20 Prozent erreicht werden; das heißt: 10 bis 20 Prozent des verdampften Bariums konnten in Form von Ba-Atomen beobachtet werden. Die Ba-Ionen wurden durch Photoionisation mit einer Zeitskala von 19,5 s erzeugt, wobei ein metastabiles Energieniveau des atomaren Bariums entscheidend ist. Die Ionisation kann nicht nur spektroskopisch, sondern auch mit bloßem Auge beobachtet werden, weil die künstliche Wolke in der Übergangsphase sowohl ihre Farbe als auch ihre Gestalt verändert. Der nicht ionisierte Teil der Wolke strahlt in verschiedenen grünen, gelben und rötlichen Linien des Spektrums. Die grüne Strahlung ist am intensivsten; deshalb ist Grün die vorherrschende und, wenn die Wolke allmählich verblaßt, die am längsten sichtbare Farbe. Die ionisierten Ba-Atome strahlen im violetten, blauen und roten Spektralbereich, was dem ionisierten Teil der Wolke eine Purpurfarbe gibt. Ionisierter und neutraler Teil der Wolke lassen sich also an den Farben, dazu aber auch an ihren unterschiedlichen Verformungen unterscheiden.

Die neutrale Wolke ist kugelförmig. Ihr Durchmesser nimmt zunächst rasch zu, bis die schnelle Expansion infolge von Zusammenstößen der Ba-Atome mit anderen Atomen und Molekülen in der Erdatmosphäre gebremst wird. Von diesem Zeitpunkt an wächst die neutrale Wolke sehr viel langsamer durch Diffusion. Inzwischen gehen in dem ionisierten Anteil der Bariumwolke ganz andere Veränderungen vor sich: Die positiv geladenen Ionen und die negativ geladenen Elektronen werden im Erdmagnetfeld eingefangen und bewegen sich spiralförmig um die magnetischen Feldlinien. Deshalb wächst die Plasmawolke nur in Richtung dieser Feldlinien; sie wird zur Zigarrenform auseinandergezogen und ist auch deshalb von der neutralen Wolke leicht zu unterscheiden. Allerdings kann die typische Form dann durch ein inhomogenes elektrisches Feld erheblich verzerrt werden.

Weil das bei diesen Versuchen verwendete Barium stets auch eine sehr geringe Verunreinigung (weniger als 1 Prozent) durch Strontium enthält, wird noch ein weiterer Effekt sichtbar: Das Strontium wird nicht ionisiert; deshalb bleibt, wenn das Barium schon völlig ionisiert ist, eine blaue Strontiumwolke sichtbar.

Bis Ende 1984 haben Wissenschaftler des Max-Planck-Instituts für extraterrestrische Physik an circa 100 Experimenten mit Bariumwolken teilgenommen, zu denen die verschiedensten Raketen benutzt wurden: die französischen Centaure, Dragon und Rubis, die britische Skylark, die kanadische Black-Brant, die amerikanischen Javelin, Nike Tomahawk und Nike Apache. Die Startplätze lagen in der algerischen Sahara, bei Thumba in Indien, auf Sardinien, bei Kiruna in Schweden, Andoya in Norwegen, Fort Churchill in Kanada und auf Wallops Island in Virginia/USA.

Für die Wahl des Höhenbereichs, in dem die meisten Experimente mit Bariumwolken abliefen, in der Ionosphäre zwischen 150 und 250 Kilometern Höhe, sprechen insbesondere zwei Gründe: Erstens sind diese Höhen relativ leicht mit kleinen, nicht sehr kostspieligen Raketen erreichbar, und zweitens gibt die Bewegung der Plasmawolke nicht nur Informationen über den Ionosphärenbereich, in dem sie erzeugt wird, sondern indirekt auch über sehr viel höhere Bereiche der Magnetosphäre. Die Experimente werden in der Dämmerung durchgeführt, denn die Wolke muß von der Sonne noch beleuchtet sein, während es am Erdboden schon dunkel ist. Beobachtet wird von mindestens zwei mit Kameras, Spektographen und sonstigen Instrumenten ausgestatteten Stationen, die so großen Abstand voneinander haben müssen, daß Höhe und Position der Wolke mittels Triangulation zu messen sind.

Die beobachtete Geschwindigkeit einer Plasmawolke läßt sich durch die Stärke eines elektrischen Feldes ausdrücken. So entspricht eine elektrische Feldstärke von etwa 5 Volt/km einer Geschwindigkeit von hundert Metern in der Sekunde senkrecht zu einem Magnetfeld von 0,5 Gauß (das ist ein für geringe Höhen typischer Wert).

Solche Interpretation ist natürlich nur mit einem gewissen Vorbehalt möglich, denn die Bewegung der Wolke wird durch »Wind«, den die neutralen Atome der Atmosphäre verursachen, beeinflußt; außerdem kann das künstliche Plasma die elektrische Leitfähigkeit des umgebenden Mediums verändern. Der erste Effekt läßt sich weitgehend vermeiden, indem man das Experiment in Höhen auslöst, in denen die Stoßfrequenz zwischen

Barium-Ionen und den Neutralteilchen gegenüber der Gyrationsfrequenz der Ionen um die magnetischen Feldlinien klein ist. Diese Bedingung ist in Höhen oberhalb 180 bis 200 km erfüllt; von diesen Höhen an kann mithin der Einfluß der neutralen Teilchen auf das Experiment vernachlässigt werden. Und daß die künstliche Ionen-Wolke das sie umgebende Medium verändert, kann vermieden werden, indem man nur geringe Mengen von Barium in die Atmosphäre injiziert: 15 Gramm Barium-Ionen genügen, um eine Wolke zu bilden, die über ausreichend lange Zeit beobachtbar bleibt. Die dafür benötigte geringe Barium-Menge ruft noch keine Störungen ihrer Umwelt hervor.

Mit den Barium-Wolken-Experimenten konnten in den 60er Jahren zum ersten Male verläßliche Werte elektrischer Felder in niedrigen Höhen der Erdatmosphäre gemessen werden. Durch die Beobachtung von Bariumwolken über Thumba, an der Südspitze Indiens, ließen sich elektrische Felder messen, die mit dem »äquatorialen Elektrojet« verbunden sind, einem elektrischen Stromsystem in der Ionosphäre oberhalb der Äquatorzone. In mittleren geographischen Breiten war es möglich, eine schon alte Theorie über das Stromsystem zu verifizieren. Diese Theorie, im Jahre 1882 von Belfour Steward aufgestellt, besagt, daß die Bewegung neutraler Luftmassen quer zum Erdmagnetfeld in der oberen Atmosphäre elektrischer Ströme erzeugt, analog zum Dynamo-Effekt im elektromagnetischen Generator: Indem man einen elektrischen Leiter durch ein Magnetfeld bewegt, wird elektrischer Strom erzeugt.

Das gesamte atmosphärische Stromsystem wäre einem elektrischen System gleichzusetzen, das aus einem Generator und einem äußeren Widerstand besteht. Allerdings herrscht ein wesentlicher Unterschied in der relativen Orientierung von Strom und elektrischem Feld in den verschiedenen Teilen des Stromkreises. Im äußeren Widerstand zeigen Strom und Feld in dieselbe Richtung; doch innerhalb des Dynamos sind sie entgegengesetzt ausgerichtet. Der Beweis für die Existenz solcher elektrischen Felder, die in mittleren geographischen Breiten eine Stärke von einigen Volt/km haben, ergab sich aus den Beobachtungen der Bariumwolkenbewegungen. Die Richtung der elektrischen Felder in den Dämmerungszonen entspricht der Situation innerhalb des Dynamos.

Während in mittleren geographischen Breiten der Erde die Feldlinien nicht weit in die Magnetospäre hinausragen, ist die Lage in der Aurora-Zone völlig anders: In dieser Zone, in hohen geographischen Breiten sind die Magnetfeldlinien, die bis an die Erdoberfläche herunterreichen, mit dem entfernten Teil der Magnetosphäre und besonders mit dem sogenannten Schweifgebiet verbunden. Die Bewegungen, die in der äußeren Magnetosphäre durch Wechselwirkung mit dem Sonnenwind entstehen, werden durch elektrische Felder in geringere Höhen übertragen. Deshalb erlauben die Bewegungen der Bariumwolken in 200 km Höhe Rückschlüsse auf Bewegungsvorgänge in sehr viel größeren Höhen.

Da in hohen Breiten die Dämmerung sehr viel länger dauert als in mittleren, läßt sich dort die Strömung der Bariumwolken manchmal über mehrere Stunden verfolgen. Die in der Aurora-Zone gemessenen elektrischen Feldstärken sind höher als in mittleren Breiten und können Werte bis zu 1.000 V/km erreichen. Die Felder sind im allgemeinen so ausgerichtet, daß die Wolke sich auf die Sonne zu bewegt, mithin abends nach Westen, morgens nach Osten. Dabei fällt eine ausgeprägte, sowohl räumliche als auch zeitliche Variabilität auf: Das elektrische Feld kann seine Orientierung über Skalenlängen von einigen Kilometern quer zum Magnetfeld völlig ändern, besonders in Nord-Süd-Richtung, und das in Zeitintervallen von einigen Minuten. In den Experimenten war dabei eine enge Korrelation zu magnetischen Störungen festzustellen.

Die Bariumwolken werden heute von zahlreichen ausländischen Gruppen benutzt, um damit die elektrischen und magnetischen Phänomene in der oberen Atmosphäre zu untersuchen. Neben lokalen Sondenmessungen geben die Bewegungen von Bariumwolken vor allen Aufschluß über die großräumige Struktur der elektrischen Felder sowie über ihre Veränderungen.

Ursprüngliches Ziel der Bariumwolkenexperimente war die Erzeugung eines künstlichen Kometenschweifs. Gerhard Haerendel, unter dessen Leitung die Versuche nach meiner Beurlaubung vom Institut im Jahre 1972 mit großem Erfolg weitergeführt wurden, und seinen Mitarbeitern ist dies schließlich in den Weihnachtstagen 1975 gelungen. Von dem am Institut entwickelten und gebauten Satelliten AMPTE – ein deutsch-amerikanisch-englisches Gemeinschaftsprojekt – wurde in 100 000 km Entfernung von der Erde im solaren Wind 1,25 kg Bariumdampf freigesetzt. Die Bariumwolke und ihre Wirkungen auf ihre Umgebung, insbesondere auf das interplanetare Magnetfeld, wurden von Meßgeräten in einem deutschen, in einem englischen und in einem amerikanischen Raumflugkörper registriert. Da das Wetter schlecht war, wurde die Wolke nicht vom Boden, sondern von Flugzeugen aus mit Videokameras beobachtet. Der Video-Film zeigt, wie der schnelle Sonnenwind die Bariumwolke – den künstlichen Kometenschweif – beeinflußt und sich schließlich zwei langgezogene Schweife entwickeln.

## Die deutsch-amerikanische Sonnensonde Helios

Das umfangreichste und technisch schwierigste wissenschaftliche Weltraumprojekt, das von Europa ausging, ist bislang die Sonnensonde Helios. An diesem deutsch-amerikanischen Projekt war das Max-Planck-Institut für extraterrestrische Physik maßgeblich beteiligt: mit der gesamten Konzeption und auch mit einem zentralen Experiment.

Die Möglichkeit, ein größeres deutsch-amerikanisches Weltraumprojekt zu verwirklichen, hatte sich 1966 in einem Gespräch des amerikanischen Präsidenten Johnson mit Bundeskanzler Erhard ergeben. Die interessierten Wissenschaftler einigten sich sehr bald darauf, eine Sonde zur Erkundung des interplanetaren Raums auszusenden. Ob sie in den äußeren planetaren Raum oder in den Raum zwischen Erdbahn und Sonne vorstoßen sollte, war zunächst noch eine offene Frage. Der sonnennahe Bereich erschien als das wissenschaftlich lohnendere Ziel; technisch aber war ein solcher Vorstoß in Bereiche stark zunehmender Temperatur viel riskanter als ein Flug zu den äußeren Planeten.

Die Entscheidung fiel, als im September 1966 der damalige NASA-Chef James Webb den deutschen Forschungsminister Gerhard Stoltenberg besuchte, der mich per Telegramm zur Teilnahme an den Gesprächen in Bonn aufforderte; ich befand mich gerade in einer Raketen-Kampagne mit Bariumwolkenexperimenten an der amerikanischen Ostküste. In Bonn entschlossen sich Deutsche und Amerikaner zum Wagnis: Das Projekt, das den Namen Helios bekam, sollte in Richtung Sonne zielen.

Nachdem feststand, welche zehn Experimente amerikanischer und deutscher Wissenschaftler mit Helios anzustellen seien, begannen 1969 Entwicklung und Bau von zwei Sonden. Helios I wurde am 10. Dezember 1974 auf eine elliptische Bahn um die Sonne gebracht, Helios II am 15. Januar 1976. Helios I umrundete die Sonne in 190 Tagen und erreichte einen sonnennächsten Abstand von 0,3 des Abstandes zwischen Sonne und Erde (AE). Helios II, auf einer anderen Bahn, brauchte knapp 187 Tage und kam der Sonne auf 0,29 AE nahe.

Ihre primäre wissenschaftliche Mission hatte die Sonde Helios I erfüllt, als sie am 15. März 1975 mit einer Geschwindigkeit von 238 000 km/Std. in etwa 46 Millionen km Entfernung an der Sonne vorbeiflog, wobei sie Temperaturen ausgesetzt war, bei denen Blei schmilzt. Sie überstand das; alle Systeme und Experimente arbeiteten einwandfrei und lieferten die erwünschten wissenschaftlichen Daten.

Am 17. April 1976 durchlief Helios II mit einer Geschwindigkeit von 252 000 km/Std. erstmals sein Perihel bei 0,29 AE. Das ist die bislang nächste Annäherung an die Sonne, die mit Menschenwerk gelungen ist. Auch hier arbeiteten alle Experimente (sieben deutsche und drei amerikanische) fehlerfrei. Die Sonnenstrahlung ist an diesem Punkt 11,86 mal so intensiv wie auf der Erdoberfläche.

Für beide Sonden war ein Primärplan von je nur drei Monaten festgelegt. Aber Helios II war mehr als vier Jahre in Betrieb; und Helios I sendet (Stand von Ende 1984) auch nach zehn Jahren und dem 19. Perihel immer noch wertvolle Meßdaten.

Die Ziele, die sich die deutschen und amerikanischen Wissenschaftler mit dem Helios-Projekt gesetzt hatten, wurden voll erreicht. Man konnte neue Informationen gewinnen: über die Korpuskularstrahlung der Sonne und somit über den solaren Wind, über Magnetfelder im interplanetaren Raum, über Staubteilchen in diesem Raum und über die sehr energiereichen Teilchen, die die Sonne emitiert. Die Daten wurden über viele Jahre gewonnen, so daß auch verschiedene Phasen der Sonnenaktivität beobachtet werden konnten (die Sonne hat einen Aktivitätszyklus von 11 Jahren). Wertvoll war zudem, daß sich beide Sonden jeweils in verschiedenen Abständen zur Sonne befanden.

Das Helios-Unternehmen bot ein gutes Beispiel, wie Deutsche und Amerikaner sich in ihren jeweiligen Möglichkeiten angesichts der wissenschaftlichen und technischen Ziele im Weltraum ergänzen können. Der Austausch der mit verschiedenen Techniken und Instrumenten zu verschiedenen Zeiten des Sonnen-Zyklus gewonnenen wissenschaftlichen Daten ermöglichte es, die Korrelation herzustellen, die zum richtigen Verständnis der im Weltraum vorherrschenden komplexen Phänomene erforderlich ist. Eine richtig zusammengestellte experimentelle Nutzlast erlaubte spezielle Untersuchungen von Eigenschaften des interplanetaren Raums und von Vorgängen in ihm. Was geplant war, wurde mit Erfolg ausgeführt. Aus dem Helios-Projekt wurden zudem Erfahrungen gezogen, die für die Arbeit in internationalen kooperativen Projekten überhaupt wertvoll sind.

Unterschiede zeigten sich in den Technologien sowohl der europäischen Länder untereinander wie auch zwischen Europa und den USA; sie waren jedoch geringer, als man erwartet hatte. Helios trug dazu bei, sie weiter zu reduzieren und das Know-how Europas für die Raumfahrt zu vergrößern. Dabei wurden Erfahrungen und Rat der NASA nach Kräften genutzt.

## Entwicklungen in der Hochenergie-Astrophysik

Als ein weiteres Arbeitsgebiet im neuen Max-Planck-Institut für extraterrestrische Physik bot sich die Hochenergie-Astrophysik an. Ansatzpunkt hierzu war die frühere Beschäftigung mit der kosmischen Strahlung, der sehr energiereichen Teilchenstrahlung, die aus dem Weltraum zur Erde gelangt. Ebenso wie die Teilchenstrahlung sind aber auch elektromagnetische Wellenstrahlungen Auswirkungen und sozusagen Zeugen von hochenergetischen Prozessen im Kosmos. Die Beobachtung dieser sehr energiereichen und somit kurzwelligen kosmischen Strahlung ist erst mit den Mitteln der Raumfahrt möglich geworden; denn die Wellen werden von der Atmosphäre absorbiert und dringen nicht bis zur Erdoberfläche.

Für die Beobachtung der energiereichen Prozesse im All sind besonders der Röntgen- und der Gammastrahlenbreich von Interesse. Der Röntgenbereich umfaßt die Wellenlänge von 60 Å (Angström) bis 0,025 Å. Zur kurzwelligen Seite hin schließt sich an den Röntgen- der Gammabereich an; er kann zur Zeit bis etwa $10^{-5}$ Å überdeckt werden (1 Å = $10^{-8}$ cm). Ein besseres Gefühl dafür, warum dieser Wellenlängenbereich für den Forscher unter Umständen sehr aufregend sein kann, bekommt man vielleicht, wenn gemäß der Quantenmechanik die Wellenlänge der Strahlung durch die Energie des entsprechenden Photons ausgedrückt wird:

Im sichtbaren Bereich entspricht eine Wellenlänge von 5 000 Å (etwa der Mittelwert des Sonnenspektrums) einem Photon mit einer Energie von 2,5 eV. Die Röntenquanten haben eine Energie von 0,2 bis 500 keV; und die Energie der Gammaquanten wird oberhalb 0,5 MeV gemessen. Noch etwas anschaulicher wird das, wenn man die Energie als Temperatur ausdrückt (falls wir annehmen, daß wir, was bei den energiereichen Prozessen meist nicht der Fall ist, ein thermisches Gleichgewicht hätten): Die Sonne hat eine Oberflächentemperatur von etwa 5600 K. Die Energie der Röntgenstrahlung entspricht einer Temperatur von $10^6$ bis $10^8$ K und die der Gammastrahlen von über $10^8$ K, also vielen Millionen Grad.

Röntgenstrahlung entsteht, wenn schnelle Elektronen im elektrischen Feld von Atomkernen abgebremst und abgelenkt werden. Gammaquanten entstehen aus Kernprozessen in den Atomen oder beim Zerfall von Elementarteilchen, zum Beispiel von neutralen π-Mesonen, die ihrerseits wieder bei energiereichen Prozessen zwischen Elementarteilchen entstehen.

Beobachtungen im Röntgen- und im Gammastrahlenbereich können gleichsam eine Entschlüsselung von Nachrichten sein: von Informationen über sehr energiereiche und somit auch katastrophenartige Ereignisse in kosmischen Objekten. Durch Beobachtungen der Strahlungen sind in der Tat bislang unbekannte Objekte entdeckt und Geschehnisse erstmals wahrgenommen worden.

In anderen Wellenbereichen werden die Konzentrationen von hohen Energien in vielen Fällen nicht erkannt. Auch ein »Zurückverfolgen« der geladenen Teilchen der kosmischen Strahlung gibt kaum Aufschluß über Ereignisse im Kosmos, weil diese Teilchen trotz ihrer hohen Energien bei der Ankunft auf der Erde wesentliche Informationen verloren haben; denn sie werden bei ihrer Passage von interstellaren Magnetfeldern gestreut und auf vielfache Weise abgelenkt. Im Gegensatz dazu kommen die Gammastrahlen direkt von ihrem Entstehungsort. Von besonderer Bedeutung ist dabei, daß sie auf ihrem Weg, ob durch die Milchstraße oder von einem anderen Ort im Universum, im Gegensatz zum sichtbaren Licht nicht absorbiert werden können.

Zu einem energiereichen Prozeß im Kosmos kommt es vor allem dann, wenn ein Stern, der während des Verzehrs seines Kernbrennstoffs sozusagen ein ruhiges Leben führte, seinen Energievorrat erschöpft hat. Dann kann er abrupt Masse ausstoßen. Es kommt zu einem Supernova-Ausbruch, worauf der Stern sich zu einem weißen Zwerg zusammenzieht, zu einem schnell rotierenden Neutronenstern, oder er wird gar zum Schwarzen Loch. Bei allen Prozessen, die mit dem Sterben eines Sterns einhergehen, werden große Energiemengen freigesetzt; aus der Beobachtung der Röntgen- und Gammastrahlen erhält man Informationen gerade aus dieser letzten Phase des Sternenlebens. Die Geburt eines Sterns aus der kühlen interstellaren Materie ist hingegen ziemlich undramatisch. Die Temperaturen sind hierbei relativ gering; die Entstehung von Sternen kann man deshalb vor allem im Infrarot-Strahlenbereich beobachten.

Die ersten Beobachtungen kosmischer Röntgen- und Gammastrahlung wurden noch mit relativ einfachen Instrumenten vorgenommen. Mittlerweile ist die Entwicklung so weit fortgeschritten, daß man im Röntgenbereich wirklich abbildende Teleskope einsetzen kann.

Röntgen- sowie Gammaquanten werden nachgewiesen, indem ihre Wechselwirkung mit Materie genutzt wird. Die Wechselwirkung führt wegen der hohen Energie der Quanten zu einem beobachtbaren Ereignis. In der Nähe der Erde sind die Quanteneinflüsse selbst der stärksten kosmischen Quellen so niedrig, daß man auf das Zählen jedes einzelnen Quants angewiesen ist. Im Gammastrahlenbereich sind die Intensitäten normalerweise noch erheblich geringer als im Röntgenstrahlenbereich; auch die Meßmethoden erfordern im Gammastrahlenbereich eine komplizierte und umfangreichere Technik. Deshalb liegen zur Zeit im Röntgenbereich sehr viel mehr Meßdaten vor als im Gammabereich.

Zum Nachweis der Röntenquanten wird folgender Vorgang genutzt: In der Wechselwirkung zwischen einem Röntgenquant und der durchstrahlten Materie entsteht ein Elektron, das Sekundärelektronen erzeugt, die man schließlich als elektrisches Signal oder als sichtbares Licht nachweisen kann.

Zur Kollimation hatte man mechanische Kollimatoren in Form von Schlitzen und Gittern zur Richtungsbestimmung genutzt, die aber die Quanten nicht fokussieren. Erst jetzt fängt man an, reflektierende Spiegelteleskope, wie man sie zur Beobachtung der Sonne benutzt hat, für die Röntgen-Astronomie zu entwickeln.

Die Nachweistechnik im Gammastrahlenbereich ist ähnlich. Zur Richtungsbestimmung der einfallenden Gammaquanten verhilft die Tatsache, daß ein Gammaquant bei seiner Wechselwirkung mit Materie ein Elektron-Positron-Paar erzeugt, dessen Richtung in einer Funkenkammer zu erkennen ist.

Nachdem man vor allem in den USA, aber auch in England mit der Entwicklung der Röntgen-Astronomie begonnen hatte und dieses Forschungsgebiet somit Anfang der 60er Jahre schon besetzt war, begannen wir in Garching erst einmal mit der Entwicklung von Techniken zur Beobachtung der kosmischen Gammastrahlung, in der Hoffnung, hier eher an die Spitze zu kommen. Erst zu Beginn der 70er Jahre wurde am Max-Planck-

Institut für extraterrestrische Physik dann auch die Röntgen-Astronomie etabliert. Unter der Leitung von Joachim Trümper hat seither auch die damit befaßte Gruppe von Wissenschaftlern eine internationale Spitzenstellung erreicht, zum Beispiel konnte sie zum ersten Male die Stärke des Magnetfeldes eines Neutronensterns durch die Beobachtung des Röntgenspektrums eines solchen Sterns bestimmen. Das Magnetfeld hat die unglaubliche Stärke von einigen $10^{12}$ Gauß, während die Polfeldstärke des Erdmagnetfeldes bei einem halben Gauß liegt.

Weil ich mich gemeinsam mit Gerhard Haerendel auf die Plasmaphysik konzentrierte, versuchte ich bald, einen Physiker für den Gammastrahlenbereich zu gewinnen; so kam Klaus Pinkau aus Kiel als weiteres wissenschaftliches Mitglied an das Institut. Er und seine Mitarbeiter brachten die Gammastrahlen-Astronomie in Garching zu hoher Anerkennung; die Gruppe beteiligte sich an zahlreichen europäischen und amerikanischen Projekten in maßgebender Weise.

Internationale Zusammenarbeit ist in der Gammastrahlen-Astronomie schon deshalb notwendig, weil der experimentelle Aufwand sehr hoch ist. In Europa entwickelte sie sich auf besonders bemerkenswerte Weise zwischen den drei Gruppen aus dem Centre d'Etudes Nucléaires de Saclay in Frankreich (Direktor J. Labeyrie), aus dem Istituto di Fisica cosmica e tecnologia relativa in Mailand (Direktor P. Occhialini) und aus dem Max-Planck-Institut für terrestrische Physik. Weil man sich hauptsächlich auf Flughäfen traf, um die gemeinsamen Projekte zu diskutieren, und sich dabei vorkam, als zöge man von einer Karawanserei zur nächsten, sprach man von der »Caravan Collaboration«.

Als ESRO gegründet war, schlug die »Caravan Collaboration« zwei Experimente zur Messung der kosmischen Gammastrahlung vor. Das eine erforderte eine große Funkenkammer, die in ihrer Dimension die Größe aller bis dahin projektierten europäischen Satelliten weit übertraf. Der andere Vorschlag eines Experiments war bescheidener und fügte sich in die Planung der ESRO. Er wurde akzeptiert. Die von der Kollaboration entwickelte Apparatur wurde in den europäischen astronomischen Satelliten TD-I eingebaut, der im März 1972 gestartet wurde. Wegen der relativ kleinen Funkenkammer war die wissenschaftliche Ausbeute nur begrenzt, zumal der Störhintergrund, verursacht durch andere kosmische Strahlung, um zwei Größenordnungen höher als erwartet war. Gewonnen jedoch hatte man Erfahrungen, die eine gute Grundlage für weitere instrumentelle Entwicklungen in der Zusammenarbeit der drei Gruppen boten.

Die »Caravan Collaboration« war hartnäckig genug, auch ihren ersten Vorschlag für das Experiment mit der sehr viel größeren Funkenkammer weiterzuverfolgen und bei der ESRO durchzusetzen; sie konnte schließlich die »Scientific Community« in der ESRO überzeugen, daß man einen speziellen Satelliten zur Erforschung der kosmischen Gammastrahlung bauen müsse. Am 9. August 1975 wurde dieser COS-B genannte Satellit gestartet. Inzwischen war die Kollaboration um eine niederländische Gruppe unter Leitung von H. C. van de Hulst erweitert worden; sie gehörte zum Kammerlingh Onne Laboratorium der Universität Leiden. Ergänzt wurde die Kollaboration außerdem noch von einer Gruppe unter Leitung von E. Trendelenburg vom Space Science Department des technischen Zentrums ESTEC von ESRO in Noordwijk.

Jede dieser Gruppen entwickelte einen Teil der Meßapparaturen. Der Garchinger Gruppe fiel die Aufgabe zu, die große Funkenkammer zu entwickeln und von der

Industrie bauen zu lassen. Der Satellit erhielt die Form eines Zylinders mit einem Durchmesser von 1,40 und einer Länge von 1,13 Metern. Er wog 278 Kilogramm. Die Apparatur für das Experiment hatte am Gewicht einen Anteil von 118 Kilogramm. Mittels Gasdüsen konnte der Satellit in die jeweils erwünschte Himmelsrichtung mit einer Genauigkeit von 0,5 Grad eingestellt werden. Obwohl er nur für eine Lebensdauer von einem Jahr gebaut worden war, lieferte er fast sieben Jahre wissenschaftliche Daten. Dabei wurden mehr als hunderttausend Gammaquanten registriert.

Mit dem COS-B-Satelliten gelang der wissenschaftliche Durchbruch in der Gamma-strahlen-Astronomie, ein Gebiet, auf dem die Europäer eindeutig an der Spitze der wissenschaftlichen Erkenntnis liegen. Die meisten Beobachtungen konzentrieren sich auf das Studium der Scheibe der Milchstraße. So hat man ein erstes komplettes und detailliertes Bild der Milchstraße im Licht der Gammastrahlen erhalten. Ungefähr 25 Quellen von Gammastrahlung wurden bislang gefunden. Auch die beiden sogenannten Pulsare, die man zuerst im Radiowellenbereich entdeckt hatte, sind Gammastrahlen-Quellen.

Mit dem Abschluß der COS-B-Mission hat sich nach fast zwanzig Jahren erwiesen, daß man damals im Garchinger Institut zu Recht auch die risikoreiche Arbeit auf dem Gebiet der Gammastrahlen-Astronomie aufgenommen hatte. In europäischer Zusammenarbeit ist es gelungen, in diesem Feld die Spitze zu bilden. Mit dem COS-B-Satelliten wurde ein Wendepunkt in der extraterrestrischen astronomischen Beobachtung erreicht: Der Satellit enthielt nur ein einziges Beobachtungsgerät; und bezeichnend für den Wendepunkt war es, daß es nicht von oder in einem Zentrum entwickelt, gebaut und gemanagt wurde, sondern in einer europäischen Kollaboration durchaus besonderer Art, nämlich in einer Zusammenarbeit von Wissenschaftlern, die keines festen juristischen oder sonstigen Abkommens bedurften. Keiner der Wissenschaftler aus den fünf Gruppen möchte die Erfahrung aus dieser Gemeinsamkeit missen.

## Ausblick

Nur knapp ein Dutzend Jahre nach den Starts von »Sputnik« und »Explorer« gelang 1969 den Amerikanern mit ihren »Apollo-11«-Unternehmen die Landung auf dem Mond. Der Mensch betrat den Erdtrabanten; eine populäre Utopie war Wirklichkeit geworden. Die spektakuläre erste Phase des Vorstoßes in den Weltraum hatte ihren Höhepunkt erreicht. Seither hat die Raumfahrt den Anstrich des Sensationellen immer mehr verloren. Die öffentliche Aufmerksamkeit, die ohnehin dem Gewöhnungsprozeß unterliegt, gilt weit mehr den wachsenden sehr irdischen Problemen in Politik und Wirtschaft; und einem kritischen Bewußtsein der Gesellschaft gegenüber müssen die extraterrestrischen Missionen, wie Wissenschaft und Technik insgesamt, heute mehr denn je gerechtfertigt werden.

Seit Beginn der 70er Jahre wird die europäische Raumfahrtpolitik vor allem durch den möglichen wirtschaftlichen Nutzen bestimmt. Wissenschaftliche Ziele allein können den hohen finanziellen Aufwand – zum Beispiel für die Entwicklung von Trägerraketen für Satelliten – nicht begründen. Dabei darf jedoch nicht außer acht gelassen werden, daß gerade die Entwicklungen von Satelliten für wissenschaftliche Missionen neue technologische Anstöße geben, die dann für die Anwendungssatelliten auch kommerziell zum

Tragen kommen. Die Rechtfertigung der Raumfahrt besteht zunächst vor allem darin, daß die sehr hohen Kosten einen noch höheren und auf anderen Wegen nicht erreichbaren Nutzen bringen können. Im prinzipiellen Zwang zur Wirtschaftlichkeit liegt auch der dauerhafte verläßliche Antrieb zur Raumfahrt.

Der Weltnachrichtendienst, zum Beispiel, wäre in seinem heutigen Umfang ohne Satelliten schon nicht mehr zu bewältigen. In einer Zeit, in der »Kommunikation« zu einem Schlüsselwort des wirtschaftlichen Erfolgs – und darüber hinaus eines friedlichen Miteinanders überhaupt – geworden ist, wird der Bedarf an trans- und interkontinentalen Verbindungen für Telefongespräche, Telex, Datenübertragung, Audio- und Video-Konferenzschaltungen und Radio- und Fernsehfunk stetig größer. So hat es 1980 knapp 42 000 Übersee-Fernsprechkanäle gegeben; 1995 sollen es rund zehnmal mehr sein. Ohne die Raumfahrt und die Fortschritte in einer Satelliten-Technik bliebe das moderne Weltnachrichtennetz eine Utopie.

Der erste Nachrichtensatellit, der 1960 gestartete »Telstar«, konnte gleichzeitig 60 Telefongespräche weiterleiten. »Early Bird«, der erste ausschließlich kommerziell genutzte Satellit, bewältigte 240 oder eine Schwarzweißfernseh-Sendung. Er wurde 1965 unter der offiziellen Bezeichnung »Intelsat I« über dem Atlantik plaziert. Im Intelsat, dem »International Telecommunications Satellite Consortium«, sind mittlerweile mehr als hundert Staaten vertreten, die Bundesrepublik Deutschland durch die Bundespost. Der erste Satellit der »Intelsat-VI«-Generation, der Anfang 1986 im geostationären Orbit stehen soll, wird gleichzeitig 33 000 Telefongespräche oder vier Farbfernseh-Sendungen übertragen.

Einen hohen wirtschaftlichen Nutzen haben auch die Wetter- und Navigationssatelliten. Von noch kaum abschätzbarem Wert werden die in Entwicklung befindlichen Erdbeobachtungssatelliten sein, die für die Klimaforschung hilfreiche präzise Beobachtungen von Meeresströmungen, Wellenhöhen und genaue Vegetationskontrollen, umfassende Ernte-Voraussagen und eine frühe Erfassung von Umweltschäden ermöglichen.

Eine vorerst noch nicht absehbare Entwicklung bieten die Bedingungen der »Schwere-losigkeit«. Ein erster Anfang wurde mit Experimenten in dem in Europa entwickelten und gebauten »Spacelab« gemacht, dem von der amerikanischen Raumfähre getragenen Raumlabor. In diesem Labor beträgt die Schwerkraft nur ein Millionstel ihrer Stärke auf der Erde, so daß die Experimente unter ganz neuartigen Bedingungen ausgeführt werden. Die Materialwissenschaften könnten davon profitieren, das Züchten von Kristallen, mit denen die Mikro-Chips, die derzeit die Technik revolutionieren, hergestellt werden, könnte verbessert oder auch die Herstellung pharmazeutischer Präparate mit großem Wirkungsgrad ermöglicht werden.

All diese Möglichkeiten und Zukunftsperspektiven, die sich durch den Einsatz von Satelliten und Raumlabors bieten, hatten die elf Minister der europäischen Mitgliedstaaten der ESA im Auge, als sie am 31. Januar 1985 in Rom ein langfristiges europäisches Programm für die Raumfahrt mit inzwischen selten gewordener Einmütigkeit und Zuversicht verabschiedeten. Die dort getroffenen Beschlüsse legen die Leitlinien für die europäische Raumfahrt bis zur Jahrhundertwende fest. Das politische Ziel ist die Autonomie Europas und die gleichzeitige Partnerschaft mit den USA.

Die Basis für alle Nutzanwendungen bildet ein verstärktes wissenschaftliches Programm, das neben den wissenschaftlichen Zielsetzungen zur Erkundung des erd- und sonnennahen Raumes, des Planetensystems und des Kosmos auch eine Vorreiter-Rolle für technologische Entwicklungen spielt. Die Entwicklung und der Bau von Nutzungssatelliten für die Kommunikation und Erderkundung werden weiter vorangetrieben. Darüber hinaus erfordern zwei große Projekte besondere technische und finanzielle Anstrengungen: »Columbus« und »Ariane 5«.

Mit »Columbus« beteiligt sich Europa an der von den Amerikanern vorgeschlagenen, internationalen bemannten Raumstation, die ab 1992, dem 500. Jahr seit der Entdeckung Amerikas, im Weltraum installiert werden soll. »Columbus« soll eine in sich geschlossene Sektion, also ein eindeutig identifizierbarer und von den Europäern zu verantwortender Beitrag innerhalb des Systems der internationalen Raumstation sein. Mit dieser Beteiligung hält sich Europa die Option offen, in der zweiten Hälfte der 90er Jahre eine eigene Raumstation zu entwickeln. Die Bedeutung der Zusammenarbeit reicht aber über die Raumfahrt hinaus, denn damit wird ein großes, transatlantisches Gemeinschaftswerk im Bereich der Technologie begonnen, dem auch eine politische Wirkung zukommen sollte. Da die Bundesrepublik Deutschland den finanziell größten Anteil am »Columbus«-Projekt aufbringen will, wird ihrer Industrie dabei eine Schlüsselrolle zukommen.

Die Franzosen werden wie bisher auch bei der Entwicklung der Rakete »Ariane 5« aufgrund mehr als 50prozentigen finanziellen Beitrags die führende Rolle einnehmen. Die »Ariane 5« soll einmal die schon mit der bisher entwickelten Serie der Ariane erreichte Konkurrenzfähigkeit auch in Zukunft für noch größere und schwerere Satelliten sicherstellen. Zum anderen eröffnet sie in ihrer weiteren Entwicklung auch erstmals für Europa die unmittelbare Möglichkeit der bemannten Raumfahrt und damit des eigenen Zugangs der Europäer zur Raumstation. Die Franzosen haben hierzu das Projekt »Hermes« vorgeschlagen, das nun weiter studiert werden soll.

Ob der bemannten Raumfahrt oder der Raumfahrt mit Robotern der Vorzug zu geben sei, bleibt vorerst ein müßiger Streit. Er wird im kommerziellen Bereich auf die Dauer durch Wirtschaftlichkeitserwägungen entschieden werden. Auf die Möglichkeit, daß Menschen im Weltraum arbeiten, und sei es nur, um Reparaturen vorzunehmen, wird man in absehbarer Zukunft allerdings nicht verzichten können; und daß Europa sich auch der bemannten Raumfahrt vergewissert, ist nur ein nächster Schritt nach der zwanzigjährigen, erfolgreichen Aufbauarbeit der europäischen Raumfahrtindustrie.

Wissenschaftler und Ingenieure eröffnen sich in Europa mit dem langfristigen Programm der ESA bis zum Jahre 2000 neue und faszinierende Möglichkeiten. Wissenschaftler sind gewohnt, international zusammenzuarbeiten; anders wären umfassende Fortschritte nicht möglich. Daß sie auch große Projekte in Europa gemeinsam betreiben können, zeigen die Teilchenbeschleuniger der Europäischen Kernforschungsanlage CERN in Genf sowie die Fusionsanlage JET in Culham in England. Nicht so selbstverständlich ist es, daß Wissenschaftler und Ingenieure in Europa in einem Bereich so erfolgreich zusammenarbeiten, der nicht nur für die Wissenschaft, sondern auch kommerziell von großer Bedeutung ist. Daß dies trotz aller sinnvoller und notwendiger Konkurrenz in Europa möglich ist, hat die Zusammenarbeit in der European Space Agency demonstriert. Sie sollte auch in den kommenden Jahren mit Vision und Tatkraft vorangetrieben werden.

Mit dieser Zusammenarbeit wird über die Raumfahrt hinaus auch ein Beitrag zur Einigung und Einheit Europas geleistet. Denn auch heute, Mitte der 80er Jahre, gilt noch die politische Marschroute, die Robert Schuman schon 1950 mit seinem Montan-Plan für Europa gewiesen hat: »Europa wird nicht mit einem Schlag zustandekommen und nicht als Gesamtkonstruktion. Es wird durch konkrete Verwirklichungen entstehen, die zunächst eine praktische Solidarität schaffen.«

Hubert Curien

# Pour l'Europe de la Science

Quand le professeur Maier-Leibnitz m'a très aimablement proposé de rédiger un article pour ce livre jubilaire, j'avais quelque hésitation sur le sujet que je pourrais lui proposer. J'exerçais en effet alors plusieurs métiers. Je les ai depuis, tous abandonnés pour en prendre un autre, nouveau pour moi et un peu inattendu, celui de Ministre, responsable dans mon pays de la Recherche et de la Technologie. C'est donc à la fois un discours de nouveau militant et d'ancien combattant que je vous propose, et que je me permets d'intituler : un combat pour l'Europe de la Science. Je m'efforcerai d'y retracer, à la lumière de mes expériences de Président du Conseil de l'Agence Spatiale Européenne, de Président de la Fondation Européenne de la Science, de Vice-Président du Comité d'Evaluation Scientifique et Technique de la Communauté Economique Européenne, la marche souvent hésitante et parfois triomphante de l'Europe de la recherche ... à la recherche de son unité.

Une de mes toutes premières aventures de coopération européenne remonte aux années soixante. Ce fut un grand succès : La fondation de l'Institut Laüe-Langevin, d'abord franco-allemand, puis anglo-franco-allemand. L'Europe était alors en manque de neutrons, plus précisément de faisceaux de neutrons intenses qui répondent aux besoins de plus en plus fortement exprimés par les »structurologues« de toute espèce. Nous avions bien, ici et là, en France et ailleurs, des réacteurs qui avaient été construits tout exprès pour cela. Mais leur puissance était relativement faible, et ils ne pouvaient plus nous permettre de nous poser en champions dans la compétition internationale. D'autre part, la communauté française des amateurs de neutrons était à elle seule trop restreinte en nombre pour justifier l'important investissement que supposait l'étude et la construction d'un réacteur à haut-flux.

J'exerçais alors les fonctions de Directeur Scientifique, responsable des Sciences Physiques au Centre National de la Recherche Scientifique, et je savais bien que nos collègues allemands et britanniques étaient dans une situation tout-à-fait comparable à la nôtre. L'union fit notre force. Nous décidâmes de mettre en commun nos besoins, et nos moyens. Les britanniques n'étaient pas, dès le début, en mesure de prendre une participation financière importante dans l'investissement. Qu'à cela ne tienne : les allemands et les français décidèrent de lancer l'opération, en l'organisant de telle manière que, dès que le troisième partenaire pourrait venir, il trouve la place convenable. Et puis, nous avons eu le bonheur d'avoir, comme premier directeur de cette institution internationale, un savant prestigieux et particulièrement inventif, le professeur Maier-Leibnitz. L'Institut Laüe-Langevin est l'un des archétypes devenus classiques de la marche vers l'unité scientifique européenne.

Trois ans plus tard, au début des années soixante-dix, j'ai été confronté, en qualité, cette fois, de Directeur Général du Centre National de la Recherche Scientifique, à un autre problème de coopération internationale. Les astronomes français demandaient avec insistance que l'on installe pour eux un grand télescope optique. Là encore, même jeu que pour les neutrons : la communauté astronomique française était tout-à-fait fondée à aspirer à la libre disposition d'un grand télescope, mais son volume ne justifiait pas un tel investissement. Quoi de plus naturel que d'aller sonner à la porte des collègues allemands, qui se trouvaient dans la même situation. C'est ce que je fis sans tarder. Mais Dieu ne distribue les miracles qu'avec parcimonie. Il ne voulut pas m'entendre, et les collègues allemands non plus. Quand je leur proposai d'aller installer ensemble un grand miroir de télescope sur le sommet d'une montagne à Hawaï, la réponse fut : »Ach, so weit, so hoch!« et le dialogue en resta là. Comme j'avais, entre-temps, entendu dire que les canadiens nourissaient des ambitions astronomiques identiques aux nôtres, c'est vers eux que je me tournai, dans une prompte volte-face : ainsi naquit l'observatoire franco-canado-hawaïen du Mauna-Kea.

Il est assez usuel d'affirmer que les collaborations scientifiques ou techniques internationales bilatérales, ou, à la rigueur, trilatérales, sont plus efficaces que les aventures multilatérales. Il y a un fond de bon sens dans cette affirmation. Mais deux exemples brillants, au moins, viennent contredire cette apparente évidence : le Centre Européen de Recherche Nucléaire et l'Agence Spatiale Européenne.

Le CERN est très souvent cité, et à juste titre, comme le modèle de la réussite d'une collaboration européenne. Enfant chéri des gouvernements de tous les pays qui y participent, il a toujours obtenu, en même temps que de beaux succès, les moyens qui lui ont permis de réaliser des investissements de grande envergure. Rivalisant glorieusement avec les meilleurs instituts américains, il constitue un des plus beaux fleurons de la science européenne. On entend, certes, ici et là et de temps en temps, quelques grincements lorsque les autorités du CERN demandent des augmentations de crédits. Mais ces grincements ne sont pas encore des craquements. L'attribution récente du prix Nobel à une équipe de physiciens de cet établissement est venue fort opportunément couronner des mérites qui ne perdent rien à être mis en évidence.

L'Agence Spatiale Européenne (ASE) vaut elle aussi un coup de projecteur. Héritière de deux organismes européens l'ESRO et l'ELDO, elle assume depuis 1975, la mission de promouvoir la recherche spatiale et le développement des systèmes qui permettent l'exploitation pacifique de l'espace. Si l'ESRO, qui consacrait ses activités à la réalisation de satellites scientifiques, avait enregistré de fort honorables succès, l'ELDO, orientée vers la mise au point de fusées avait subi de facheux échecs. Pourquoi ? Sans doute parce que les entreprises de cet organisme ressemblaient plus à l'image biblique de la construction de la Tour de Babel qu'à une fédération soudée d'associés nourissant une indéfectible volonté politique de réussir. L'ASE, partant sur de nouvelles bases, a retrouvé vite les voies du ciel. Animant des programmes scientifiques auxquels chacun des onze pays membres contribue en proportion de son produit national brut, elle sert aussi de cadre pour la réalisation de programmes à la carte dans lesquels chacun des pays ajuste sa mise en fonction de ses intérêts techniques, industriels et politiques. Le lanceur Ariane, dont chacun se plait maintenant à reconnaître les vertus a été construit selon cette formule : un objet européen dont la responsabilité est portée par un maître d'œuvre bien défini, en l'occurence le Centre National (français) d'Etudes Spatiales. La responsabilité est une matière aux propriétés particulières: elle supporte mal le partage. Les programmes européens à la carte, ou encore à géométrie variable (ne devrait-on pas plutôt dire à géographie variable?) fournissent d'ailleurs la solution à un problème bien naturel posé par les susceptibilités nationales, voir sub-nationales. En multipliant les programmes européens, on pourra réaliser une répartition honorable des responsabilités de maîtrises d'œuvre. Au lieu de répartir catastrophiquement l'autorité à l'intérieur de chacun des programmes, on pourra utilement, j'en suis sûr, la répartir à travers l'Europe pour l'ensemble des programmes.

Du dispendieux Espace revenons aux sciences fondamentales plus modestes, au moins financièrement. Depuis longtemps, les responsables des organismes qui sont chargés du financement et de l'orientation de la recherche fondamentale dans les divers pays d'Europe ressentaient le besoin de se rencontrer, de se concerter, de mettre en commun leurs idées et de partager leurs soucis. Ils avaient pris l'habitude de se retrouver de manière informelle deux par deux, trois par trois … Ainsi naquit, au début des années 1970, l'idée de mettre en place une fondation, la Fondation Européenne de la Science (ESF) qui serait le point de focalisation de ces rencontres. Installé à Strasbourg, cet organisme non bureaucratique qui emploie au total moins de vingt personnes, a, dès sa création, apporté la preuve de son utilité. Forum de discussion, instrument d'harmonisation, l'ESF est aussi, grâce à l'intérêt que lui portent les meilleurs scientifiques, une écloserie d'idées et de programmes originaux. On pourrait être tenté de laisser grossir cette fondation: gardons-nous en. En engraissant, elle perdrait sa souplesse. Les organisations internationales sont particulièrement sensibles à deux maladies au moins, la goutte et l'emphysème. Dans ces affections d'organismes, si les mesures préventives ne sont pas hors de portée, les mesures curatives n'ont jamais donné aucun résultat: j'attends en tout cas avec sérénité que l'on me démontre le contraire. A l'encore jeune et vigoureuse ESF, conservons une bonne santé pour l'exemple.

Si on interrogeait un passant dans une rue de Munich, de Bordeaux ou de Liverpool sur les domaines d'activité de la Communauté Economique Européenne (CEE), les réponses tourneraient sans doute autour du blé, du vin, du lait, de la crevette ou du mouton, mais je serais étonné que la science arrive dans les réponses les plus spontanées. Encore que la mise en œuvre du programme Esprit ait permis de donner opportunément une plus grande publicité aux initiatives scientifiques et techniques de la CEE. Le programme communautaire JET d'études sur la fusion des noyaux atomiques légers a, lui aussi, déjà conduit à des résultats prometteurs. Les autres programmes techniques sont destinés à promouvoir les recherches dans les domaines qui constituent à l'évidence des clés pour l'accès à la modernité. Mais j'aimerais plus spécialement insister sur l'un des derniers-nés de l'institution bruxelloise: le programme »Stimulation«. Il a été conçu pour fonctionner en charnière dans un espace à dimensions multiples. Charnière, d'abord, entre recherche fondamentale et recherche appliquée, charnière entre institutions gouvernementales et laboratoires industriels, charnière entre industries, charnière entre disciplines, charnière internationale … Beau programme, mais qu'en est-il des faits: ce n'est pas être exagérément optimiste de dire qu'ils sont d'ores et déjà très encourageants.

Si je m'exprime avec enthousiasme mais réalisme sur toutes ces aventures de la recherche européenne c'est que je les ai vécues avec passion et raison. C'est aussi que je continue à les vivre avec conviction: nous devons faire plus, beaucoup plus encore pour que l'Europe devienne un espace scientifique et technologique cohérent. Il n'y a d'ailleurs, dans cette ambition, aucune exclusive à l'égard du reste du monde. Qui pourrait penser, par exemple, que les savants qui travaillent de ce côté de l'Atlantique aient quelque vélleïté de laisser se distendre les liens de coopération si nombreux et si précieux qu'ils ont tissés avec leurs amis d'Amérique?

Mais n'est-ce pas aussi une stimulation pour nos collègues américains d'avoir à compter avec une Europe forte?

J'ai voulu rappeler ici quelques exemples d'initiatives qui ont été prises, depuis dix ou vingt ans, et même quelquefois un peu plus, pour donner du muscle à l'Europe de la Recherche. J'ai fait état de quelques beaux succès. J'aurais pu parler aussi de quelques beaux echecs: nous en avons connu au passage, j'en ai évoqué un ou deux. Ils ont été parfois cuisants et toujours instructifs, au moins a posteriori. Plus qu'à la modestie, ils conduisent à l'ambition. Ce sont les projets politiquement frileux out techniquement timorés qui ont abouti à des impasses, qui se sont embourbés dans la bureaucratie, ou qui ont péri dans les dissensions.

Un programme n'a intérêt a être »européanisé« que s'il dépasse, en quelque manière, l'ambition normale ou les capacités de production ou d'absorption d'un de nos pays s'il agissait seul. Je prendrai, à ce propos, et pour conclure, deux exemples de projets en gestation.

Réunis à Paris en septembre 1984, les Ministres chargés de la recherche scientifique dans les divers pays d'Europe ont décidé de mettre en place des »réseaux«. Considérez une discipline scientifique particulière en expansion particulièrement rapide: dans chacun de nos pays européens nous avons de bons laboratoires qui travaillent ainsi sur des sujets voisins ou mêmes identiques dans cette discipline. Ces laboratoires constituent les nœuds d'un réseau qu'il faut relier les uns aux autres par des traits d'union, souples mais solides, pour accélérer les échanges de chercheurs, d'information, d'appareillage, pour coordonner les efforts, pour éviter les doubles-emplois coûteux. Bref, pour créer un tissu cohérent sur chaque sujet de recherche pointu. La Fondation Européenne de la Science a servi d'expert pour la définition de quelques uns de ces réseaux, qui vont maintenant se mettre en place. Voilá, me semble-t-il, un programme prometteur pour la recherche fondamentale en Europe.

Nous voulons aussi batir une Europe de la technologie. L'ambition est ici plus grande encore, car elle implique profondément de nombreuses composantes de notre économie. C'est dans cette perspective que se situe le projet EUREKA que les gouvernements européens considèrent maintenant activement. Il s'agit de définir des programmes technologiques concrets et ambitieux qui constituent pour l'Europe des paris à gagner. Et, si on parle ici de paris, ce n'est pas que les promoteurs de l'initiative EUREKA soient saisis par le démon du jeu, c'est que, si l'Europe ne se fixe pas des cibles difficiles à atteindre, elle s'endormira dans la quiétude illusoire d'une certaine médiocrité, alors que d'autres contrées se tailleront des monopoles dans les domaines d'excellence. Les européens ne se sentent pas une vocation particulière du suiveurs mais il ne suffit pas de l'affirmer, il faut aussi se donner ensemble les moyens de la démontrer. La célébration du jubilé de l'une des plus prestigieuses compagnies industrielles du monde est une occasion pour nous interroger sur l'avenir technologique de notre vieux, et nous l'espérons, toujours jeune continent.

La construction de l'Europe est un pacifique combat, dans lequel il ne doit y avoir que des gagnants.

**Alvin M. Weinberg**

# The Problem of Big Problems Revisited

Thirty years have passed since I first speculated on the future of the National Laboratories. To quote from my »Future Aims of Large-Scale Research«:

»Today's big scientific-technological problems cannot be expected to remain forever to challenge the institutions that were mobilized to cope with these problems ... the (ultimate) viability of (these) institutions depends upon, and is limited by, existence of new problems of magnitude, scope and interest sufficient to challenge them adequately ... (They) and their sponsoring agencies must inevitably be prepared to move into areas outside their original interests.«[1]

Time has largely borne out these predictions, at least as far as the world's nuclear laboratories are concerned: most of the laboratories have taken on jobs unconnected with nuclear fission. In this essay I shall examine the history of this redeployment of the National Laboratories, particularly in the United States. Where has it been successful, where less successful? Do the areas the laboratories have moved into possess the social validity that merits support, and the scientific characteristics that match the capabilities, of the laboratories? And can the laboratories continue to find new Big Problems to follow this generation's Big Problems – or will the laboratories lapse into a colorless survival, doing whatever a bureaucrat in Washington can pay for, irrespective of its significance in the resolution of serious social questions? My time horizon will be a long one, perhaps even a century, in keeping with the 100th anniversary of Daimler-Benz which we are celebrating.

The war-born Atomic Energy Laboratories represented the flowering of the era of Big Science. Though Ernest Lawrence's cyclotron laboratory at Berkeley, and perhaps the astronomical laboratories were harbingers of Big Science, the massive attack on nuclear energy by dedicated laboratories marked the full blooming of the style of Big Science. This style addressed big problems, used big equipment, and made big demands on the society that supported it.

The fate of the big applied nuclear laboratories might, in a curious way, be linked to the future of other institutions of Big Science – particularly the high energy physics laboratories. High energy physics, the Big Science aimed at elucidating the ultimate constitution of matter, had many of its roots in the quest for practical atomic energy. It was, after all, the Atomic Energy Commission that raised the money from Congress for, and then »owned,« Brookhaven, the Fermi Laboratory, and the Stanford Linear Accelerator. Indeed, the Atomic Energy Act of 1954 gave cognizance to the AEC for high energy physics, largely because, at the time the act was framed, the connections between practical atomic energy and high energy research seemed to be closer than we would now judge it to be. No wonder that Professor John Wheeler, a distinguished theoretical physicist, quipped at a meeting of high energy physicists, »Nuclear fission is like sex. It is a subject not openly discussed in a gathering of high energy physicists. But each of us deep in his heart knows that were it not for fission, no less than sex, none of us would be here!« I suspect that this connection remains in the public's and politicians' minds, if not in the scientists'; the fate of nuclear energy and of the institutions directly concerned with its development to some extent may bear on the support and health of such fields as high energy physics.

## Have the Nuclear Energy Laboratories Achieved their Original Missions?

Most of the original nuclear energy laboratories have redeployed, at least in part, around problems unconnected with their original missions. Has this redeployment been premature? Have the laboratories achieved their original mission, which was the development of safe, practical, and economical nuclear energy? Of course, achievement of mission is only one reason for redeployment. If, as in Sweden, a political decision puts an end to nuclear power, then Studsvik has no choice but to disband or to engage in matters other than nuclear energy development. Moreover, much of the nuclear energy development has passed into the commercial sphere. Reactor manufacturers such as KWU, General Electric, and Westinghouse possess powerful research establishments that are as capable in many ways as are the National Laboratories. Even if major development in nuclear energy remains to be done, are the National Laboratories the right places in which to conduct the development?

Before we can identify what still remains to be done in nuclear energy, we must examine nuclear energy's successes, its failures, its prospects. Since this is a topic that has been much discussed, I shall be brief, and shall focus on those aspects of the matter that are relevant to the question, »Have the National Laboratories finished their original job?«

Nuclear energy today is doing well in some countries, poorly in others. Though, by 1990, some 10 percent of the world's primary energy and 30 percent of its electricity will be generated in nuclear reactors, nuclear energy has, in most Western countries, become a source of political strife. No new reactor has been ordered in the United States since 1978. Sweden is scheduled to abandon nuclear energy by 2010, despite the generally superb operating record of its reactors, which now supply more than 40 percent of that country's electricity. By contrast, nuclear power is flourishing in France, in Japan, and in the Soviet Union. France and Japan, neither of which has indigenous fossil fuel, continue their massive deployment of nuclear reactors: France will have, by 1990, some 60 reactors which will produce 65 percent of that country's electricity; Japan, 35 reactors, accounting for 25 percent of its electricity. In between are countries like the Federal Republic of Germany, which now has 20 reactors producing some 24 percent of its electricity, but in which opposition to nuclear energy is serious and strident.

Where nuclear power has encountered the most difficulty, as in the United States, three interrelated factors are responsible. First, electricity demand has not expanded as fast as was expected in the early 1970s, and so several partly built reactors have been delayed or cancelled. Second, many nuclear reactors in the United States cost far too much; and, third, largely because of the accident at Three Mile Island, about half of the public doubts that nuclear energy is safe. The public's fears are translated into very burdensome regulation of nuclear power; and in the United States this, coupled with a fragmented utility industry and high interest rates, has led to outrageously long construction schedules and some brutally expensive plants. In addition, the delay in sequestering high level wastes permanently has added to the public's dislike of nuclear energy.

All of this comes at the same time as environmental activism has become a powerful political force. Though one can make a strong case for nuclear power being one of the cleanest energy sources, environmental politicians choose not to accept this view: for them nuclear power is unacceptable largely because one cannot rule out, totally and absolutely, the possibility of a very large accident; and because high level wastes still are in temporary, not permanent, storage. Nuclear power, despite its many technical successes, remains an energy source under siege: in every Western country political forces are actively trying to stop it. In Denmark and Austria, they have succeeded; in the United States, the anti-nuclear forces have all but succeeded, though in this they have been helped by the extraordinary escalation in cost of nuclear power plants.

If one judges the success of the nuclear research establishment (and here I include the National Laboratories, private laboratories, universities) by the *technical* state of nuclear energy, one must conclude that the establishment has achieved a primary technical goal – competitive nuclear power. Most nuclear reactors operate reliably, and they produce electricity at competitive costs. That nuclear power is often too costly in the United States cannot be blamed on the technology, but rather on the ungainly, sometimes incompetent, handling by managers and regulators of what is a demanding and difficult technology. On the other hand if one judges the nuclear establishment by the degree of acceptance of the technology that it created, then one must conclude that it has failed: nuclear energy, which optimists like me had predicted would take over the world's energy system, has instead become a prime focus of political strife. Granted that the acceptability of nuclear power is largely a social, not a technological matter, its acceptance nevertheless is influenced by the technology. Can one therefore identify *technological* issues whose resolution would help restore the public's confidence in nuclear power, and which can and should continue to be pursued by the National Laboratories?

## What Remains to be Done in Nuclear Energy Development

Three tasks for nuclear energy research still remain before one can claim that the first goal of nuclear energy – development of an acceptable energy source – has been achieved. First, and foremost, the existing fleet of reactors must operate reliably and uneventfully. Probably nothing is more important for the restoration of public confidence in nuclear power than 20 years of accident-free operation of the world's 400-odd reactors. Since these reactors are already built or well underway and are in the hands of utility companies, what the National Laboratories can do to help is limited. Yet these reactors in a way are still experimental devices – none of them has yet reached its design lifetime. By 2000, many of these reactors will be more than 30 years old. Can we identify what weaknesses will develop in these machines by that time, and devise remedies for these weaknesses? If radiation embrittlement of the pressure vessel is their Achilles heel, can one devise practical schemes for annealing the vessel and thus extending its life? Indeed, can one figure out ways of keeping the existing reactors operating long after their design life of 30 or 40 years? The economic benefit could be enormous. Since nuclear reactors cost relatively little to operate, they should produce very cheap electricity once they have been amortized – they are rather like dams in this respect. This realization is only now influencing reactor operators – Calder Hall, which has operated since 1956, has just had its license renewed. Will the Calder Hall reactors last as long as the Newcomen steam engine that finally shut down in 1918? And if electricity from reactors turns out to be cheap because reactors outlive their amortization time, would not the public accept nuclear because it is such a bargain? In brief, the reliable operation of the existing reactors and the extension of their life beyond their design life are central to the acceptance of nuclear energy: insofar as the National Laboratories can help in achieving these goals, they ought to be encouraged to work on their achievement.

A second avenue for continued investigation by the National Laboratories is, of course, waste disposal. I hardly need belabor this point, first because it is so obvious, and second, because the world's National Laboratories are busily engaged in solving the problem. And interesting and useful results are coming from these investigations: in France, over 500 million curies of radioactivity have been immobilized in borosilicate glass; in Australia, SYNROC, an artificial leach-resistant rock for incorporating radioactivity, has been developed; at Oak Ridge, over a million curies have been permanently sequestered in grout sheets injected under high pressure into shale beds some 300 meters below the earth's surface. Although a tiny amount of radioactivity has leaked from the grout before it had set, I still regard this as a temporary set-back – the million-odd curies in the solidified grout is there forever.

As I look back on my own experience, I would regard our failure to sequester high-level radioactivity permanently in geological formations to be the greatest strategic blunder committed by the nuclear research establishment. We knew enough 20 years ago to immobilize high-level radioactivity in borosilicate glass, and to sequester it permanently in salt formations. Unfortunately, we could not imagine that our failure to actually *demonstrate* permanent disposal of radioactive wastes would torment the entire nuclear enterprise almost to death. To be sure, we could always argue that there was no technical reason to dispose of the wastes permanently: above-ground storage of spent fuel was adequately safe, and could be relied upon until we finally decided where to put the wastes. Moreover, above-ground storage was cheaper than was development of a geological disposal scheme – what we misjudged was the enormous public concern over our failure to demonstrate permanent disposal. And when, in 1970, we finally decided to sequester transuranic, and then high-level, wastes in a salt mine in Lyons, Kansas, only $ 25 million (in 1970 dollars) was allocated for the job – some 30 times less than a similar project would cost today! Here was surely a case of penny-wise and pound-foolish – and all of us who were involved must share the blame for allowing the waste disposal issue to become a primary social irritant, despite the availability of adequate technical methods for permanent geological waste disposal.

A third direction for nuclear energy research is the development of inherently safe reactors. Three Mile Island hangs over nuclear energy, an unwanted spectre that we cannot exorcise. To be sure, the *probability* of a large accident in an existing reactor is very small – of the order of $10^{-4}$ to $10^{-5}$ per reactor year, or even lower. But we cannot say that the probability is zero – and opponents of nuclear energy are quick to seize on this tiny possibility of a large accident to damn the entire technology.

Can reactors be designed to be inherently safe, rather than depending for their safety upon active intervention of mechanical and electronic devices, as well as human operators? In recent years, several ideas for inherently safe reactors have been put forward, notably the Swedish PIUS reactor, and the German modular High Temperature Gas-Cooled Reactor. The possibility of an inherently safe reactor had not really occurred to the nuclear research establishment until very recently. I do not believe we have completed our job until one or even several inherently safe reactors are built: we can then judge whether or not such devices make economic sense. Indeed, I can hardly think of a task that would generate more enthusiasm within the nuclear research establishment than the development of an inherently safe reactor – an ultimate technological fix for the society's somewhat unreasoning, yet perhaps understandable, fear of a large reactor accident!

The three directions for research I have proposed – reliability/longevity, waste disposal, and inherent safety – are aimed at improving the social acceptability of the *existing* nuclear energy system. Eventually nuclear energy based on the existing light water converters will come to a halt because uranium is relatively rare – unless we can extract that element cheaply from the sea (which contains $4 \times 10^9$ tons of uranium), or unless we learn how to build safe and economical breeders. The incentive for such long-range goals must lie, ultimately, in our belief that the world will continue to demand more energy, and that the alternatives to burning uranium will always be inadequate to meet the demand.

The world's current primary energy demand of perhaps 10 terawatt years per year (i. e., 10 TW), hardly seems sufficient for a world 100 years from now. Though some energy revolutionaries claim to see a world of 2085 that uses but 10 TW, most of us would regard this as highly unlikely. China is industrializing, and so is India. Moreover, the world is electrifying: in 1950, 13 percent of the world's primary energy was converted into electricity, today it is 35 percent. If this trend continues (as analysts like C. Burwell predict), then we can look forward to a world in which 50 percent of its primary energy goes through electricity. Even if there is *no* expansion of total energy, this would mean 5 terawatts of primary energy converted into electricity. At an average load factor of 60 percent, this would require the equivalent of 2500 plants each with a capacity of 1 gigawatt of electricity. Were all of these power plants light water reactors, they would consume some 375,000 tons of uranium per year – an amount that would exhaust the estimated 20,000,000 tons of uranium at \$ 150 per kg in less than 60 years.

Of course, such numerology is suspect. After all, the world's electricity will always be supplied from various sources – hydro, fossil fuel, perhaps even solar, as well as uranium. On the other hand, I believe I have been conservative in projecting a 10 terawatt world: many analysts would predict twice or three times as high an energy demand by 2085.

But all of this is a bit beside my main point. I believe a world that depends on large amounts of nuclear energy is a very plausible world. And insofar as the nuclear research establishment ought to prepare for this eventuality, it must continue to work on schemes for assuring a supply of uranium even after the 20 million tons now on the horizon has been exhausted.

Several avenues toward achieving this goal exist. Perhaps the most straightforward in principle is uranium from sea water: Japan is following this course, though it is a difficult one. Yet, even at $ 1000 per kg, the burnup plus inventory cost of fuel in a light water reactor is about 4¢ per kWh. If the energy required to extract the uranium is less than the energy recovered by burning it, an inexhaustible source of uranium, even at $ 1,000 per kg, would be of interest in the long run.

Whether uranium can be extracted from the sea for less than $ 1,000 per kg is unclear. The alternative pathway to assuring a supply of fuel is the breeder, a device that has probably evoked more political controversy in more countries than any technology except for the hydrogen bomb. At present the breeder is regarded by opponents of nuclear energy as being too dangerous, too expensive, and unnecessary. This harks back to W. Bennett Lewis's famous paper of 1963, »Breeders Are Not Necessary«.[2] And indeed, over the next 20 or even 40 years, breeders are not necessary. Present designs seem to be too expensive to displace light water reactors unless the price of uranium goes to around $ 500 or even $ 800 per kilogram. And as for their risk, a device that contains perhaps 5 tons of plutonium in one place must be handled with care.

But these arguments *against* the breeder fade to nothingness in the context of my argument: how shall we provide energy from fission in the very long run, and what should the National Laboratories do to help in this quest? The essence of the issue is the time scale. Fifty years, which is the time by which we might need an additional supply of fissile material, is a very long time as human affairs go. It is *not* a long time when measured on the time scale of breeder development, or of the introduction of very large-scale technology, for that matter. If a breeder reactor is designed to last 30 years, then, in a completely orderly sequence of development, one would not build a second generation device until the first generation device has used up a reasonable part of its design life. Failure to observe this principle has been blamed by some for the technical unpleasantnesses encountered in the development of the light water reactors. For example, many steam generator failures probably could have been averted had all the lessons learned from early failures been incorporated in later reactors. Thus to have commercially viable breeders 50 years from now, the international community ought to build several first generation exemplars now; the experience we thereby gain will be invaluable for the next generation of breeders. Moreover, the United States ought to participate seriously in this enterprise.

Perhaps the most powerful reason for building breeders now, even though we do not need them, is to learn how long they will last. From the economic standpoint, the one advantage the breeder has over the light water reactor is its cheaper fuel cycle cost; moreover, this fuel cycle cost is essentially independent of the future cost of uranium. If a breeder outlives its amortization time, it becomes a source of extremely cheap energy – a gift, so to speak, which the generation that paid for the breeder bestows upon succeeding generations. The Experimental Breeder Reactor-II in Idaho has just observed its 20th anniversary, and it operates better today than it did the day it started to produce electricity. Thus the outlook for sodium-cooled breeders being more or less »immortal« is surprisingly good – but this must still be regarded as an attractive speculation that can be verified or refuted only with the passage of time and with the construction of several such reactors.

From this long-range point of view, the decision to cancel the Clinch River Breeder in the United States was unfortunate. Not once during the bitter debate that surrounded this decision was the CRBR's role in the study of the longevity of the breeder invoked as a justification for building it. In short, 50 years, a long time as human affairs goes, is hardly enough time to ensure the availability of an all-but-inexhaustible energy source based on uranium; we should be putting in place enough first generation breeders (such as CRBR) now so that the future can know, rather than guess, how long these devices will last.

How can one seriously claim that the National Laboratories have no primary mission in nuclear energy when the development of the breeder, together with its fuel cycle, still remains? Had I the power to allocate our research resources, I would, within the field of energy research, place the breeder second only to those researches that might help ensure the success of the current era of nuclear energy – reliability/longevity; waste disposal; and inherent safety. Moreover, I would recommend that our approach to breeder development be broadened: the unilateral focus on the LMFBR to the exclusion of all competing breeders was largely a political, not a technical, decision. Perhaps out of the confusion that now surrounds the U.S. breeder program in the wake of the decision to cancel Clinch River might arise a new, broader approach to breeder development, an approach that would surely challenge the National Laboratories to their fullest.

## Redeployments I: Project Sherwood

The first major redeployment of the National Laboratories was into controlled fusion – the so-called »Project Sherwood,« to use the now discarded code name for this effort. Since the weapons laboratories, even at their inception, had worked on thermonuclear bombs, and had speculated on the possibility of controlled fusion, the establishment of Project Sherwood in 1952 hardly represented a total change in scientific direction.

Project Sherwood aims to create an inexhaustible energy source based on the thermonuclear burning of deuterium. Controlled fusion's ultimate social purpose is therefore the same as the breeder's: each is aimed at an inexhaustible large-scale energy source, the one based on burning the earth's residual uranium and thorium (»burning the rocks«), the other based on burning the deuterium in the oceans (»burning the seas«). Since the social purposes are identical, the two projects have always been in implicit competition, though both the Sherwood and the breeder community have always muted this competition lest it become an excuse for reducing support of both projects by enthusiastic budget cutters.

Were controlled fusion based on burning deuterium feasible and economical, I would agree that it is a better energy source than the breeder. Its raw material, deuterium, is probably easier to extract from the ocean than is uranium from low-grade ores, even though an isotope separation is needed. Though fusion is not without radioactivity, its wastes are much less radioactive than are those from fission. A fusion reactor produces no plutonium: insofar as one is concerned about the risk of weapons proliferation from breeders, fusion reactors are less threatening. And even a partial meltdown in a fusion reactor had, at least until recently, been regarded as impossible.

These presumed advantages of fusion reactors may prove less decisive as engineers begin to design actual fusion reactors. Though scientific feasibility is yet to be demonstrated for any controlled fusion device, a reactor based on the tritium-deuterium (T-D) reaction requires less stringent conditions than a reactor based on D-D. The fuel for a T-D reactor is lithium, an element that, like uranium or thorium, must be extracted from the rocks, and which is nowhere near as abundant as deuterium. We now realize that fusion reactors will be radioactive, will require special handling, and will probably evoke objections from environmental activists. The induced radioactivity in a fusion reactor persists after the reactor has been shut down. G. Logan of the Lawrence Livermore Laboratory has pointed out that the resulting afterheat could in principle lead to a meltdown of some structure – that fusion reactors no less than fission reactors may not be unequivocally inherently safe.[3] He suggests, therefore, that designers of fusion reactors aim for inherent safety – which would require lower heat loadings, larger equipment, possibly higher capital cost. Others suggest the use of structural materials with little induced radioactivity as a more straightforward approach both to inherent safety and simpler waste disposal.[4]

Insofar as a fusion reactor that produces electricity reliably appears to be more difficult than one whose purpose is merely to manufacture fissile material from fertile material (the fusion breeder), some in the world's fusion community would shift the project's focus away from power production based on D-D or D-T to breeding fissile material. The energy system based on fusion breeders might consist of converter fission reactor »calves« fed by fusion breeder »cows« gathered in closely guarded centers. Most of the energy in such a system would come from the fission reactor calves; all the fissile material, and its reprocessing, would be confined to the few sites at which the fusion cows are located. One fusion breeder might provide enough fissile material to feed a dozen calves. This is in contrast to the fission breeder, in which one breeder could support only one ordinary converter.

The energy systems based on fusion-breeder and fission »calves,« and the system based on fission breeder and fission calves are conceptually very similar. Thus in redefining this lesser goal for fusion, one can no longer claim that the resulting energy system is less radioactive than is the system based on fission, since the fusion breeder itself together with light water reactor calves produce hardly less radioactivity than does the original fission system. And the fusion breeder handles large amounts of plutonium or uranium-233; to immunize such a system from the danger of proliferation would require careful control of the fuel cycle, just as in the pure fission system.

All that I have said about fusion so far assumes that controlled fusion, in some version, is scientifically feasible, and that it will prove to be both practical and economical. Though scientific feasibility is now often regarded as being on the verge of demonstration, I continue to be agnostic until the Lawson criterion has been exceeded in a fully realistic plasma; nevertheless, I am almost ready to believe that scientific break-even will be demonstrated in at least one of the new large tokamaks, and possibly in other configurations, within a decade. This would represent an extraordinary scientific triumph, one for which the world's National Laboratories would be justly proud. On the other hand, from scientific feasibility to economic practicality is still an enormous jump. Insofar as the focus might shift to the fusion breeder, rather than the power producer, the competition is uranium from sea water or from low grade ores at, say, $ 1,000 per kg; or the fission breeder. A gram of uranium-235 from $ 1,000 per kg natural uranium would cost about $ 200. Whether a gram of plutonium from a fusion breeder will meet this cost remains pretty much unknown; and whether the fusion breeder/light water reactor energy system is, all in all, better than the fission breeder/light water reactor system, we do not know.

In the past year the world has spent about $ 1 billion on the quest for controlled fusion; it has spent about twice as much on the fission breeder. Since the social purpose of the two projects is pretty much the same, one might argue that the amount spent on them should be comparable – *if they showed equal promise of achieving their goals*. Do fission breeders and fusion show equal promise of achieving their goals? This question has, as far as I know, never been asked seriously, at least not in a way that has affected any allocation of resources. At the risk of offending my many colleagues in the controlled fusion community, I would claim that fission breeder and fusion are in different universes as far as their promise is concerned: breeders have been built and they work; we still do not know whether fusion, even the fusion breeder, will work.

Project Sherwood has most of the characteristics that make it an ideal vehicle for redeployment of the National Laboratories. Its social purpose, inexhaustible energy, is impeccable. It requires large, expensive hardware, and so can be pursued effectively only in the style of Big Science. It remains an extraordinarily interesting and challenging scientific frontier. And because it is so far from commercialization, private support is largely out of the question: Sherwood will be supported by the public or not at all.

These four traits characterized nuclear fission in the earliest days when the National Laboratories were established. No wonder that controlled fusion has fitted so beautifully in the laboratories that developed fission – such as Oak Ridge and Los Alamos. Indeed, fusion is now the largest single project at the Oak Ridge National Laboratory. Moreover, as long as scientific feasibility has not been achieved, or, once it has been achieved, as long as economic practicality remains unproven, the fusion laboratories will not have worked themselves out of a job.

But, the longer it takes to achieve these goals, the more fragile will be the public's support of controlled fusion research. Thus the fusion laboratories face a dilemma: they will lose public support if success is too long in coming, and they will face heavy commercial competition if they achieve success.

Of the two, I suppose the loss of public support, rather than the possibility of commercial competition is by far the bigger problem. From this point of view, I would applaud the strategy advocated by some to focus on the fusion breeder, because the latter is easier to achieve than is the power producer. But in so doing, fusion comes into *direct* competition with the fission breeder. No longer can fusion claim superiority over fission because it is less radioactive, less prone to proliferation, less subject to accident. The fusion breeder is just that – a source of fissile material, albeit a more sophisticated source than is the fission breeder. And the energy system based on the fusion breeder is itself based primarily on fission.

The fusion community in the United States has not adopted the fusion breeder as its

271

goal: this is still regarded as an incidental step to the achievement of the pure fusion power producer. Nevertheless, I would regard as fairly likely the eventual adoption of the lesser goal, the fusion breeder, simply because the public will tire of supporting the larger goal. Would the public become weary of the quest even for the fusion breeder? I believe this will depend on the strength of our commitment to the inexhaustible energy system based on uranium and thorium – can this commitment be restored to the pre-eminent position in our social agenda that it enjoyed until the ascendency of the energy revolutionaries? In my earlier analysis, I concluded that breeders, whether fission or fusion, will not be needed until, say, 50 or more years. I argued for continued support of fission breeders because, as these technologies go, 50 years is not a long time. How much truer this is for fusion technology! Forty years have passed since Jim Tuck, Enrico Fermi, and Edward Teller at Los Alamos first raised the possibility of controlled fusion; we still have not exceeded the Lawson criterion in a practical plasma. Thus it seems to me that a rational resolution of the crisis of support that even the fusion breeder will face during the coming decade will require that a *fission*-based inexhaustible energy system be accepted as an important social goal – one that merits, say, the same kind of social commitment as does space exploration or even such expensive basic science as high energy physics.

Perhaps I am overly skeptical as to the strengh of the commitment, at least in the United States, to the goal of inexhaustible energy based on uranium and thorium. But can one blame me for skepticism in the wake of the decision to cancel the Clinch River Breeder? Many of us saw this as a victory for those who find nuclear energy abhorrent: their target was not the Clinch Breeder, it was breeders in general, and therefore, ultimately, an energy system based on fission. The target of these opponents of fission surely encompasses the fusion breeder, no less than the fission breeder; that the fusion breeder has escaped their political attack I attribute to the rudimentary state of its technology. When, and if, fusion research reaches a point where a demonstration fusion breeder can be built, such a device will face the same sort of obstacles that finally killed Clinch River – unless the commitment to inexhaustible energy based upon fission is strong enough to withstand the political attacks from those who would find their personal fulfillment in the abolition of fission energy.

The other strategy, which I believe is more generally accepted by the fusion community, is to develop really clean fusion energy – based on pure fusion reactors that use radioactivity-free structural materials. Fusion power plants based on such materials would be immune from Dr. Logan's partial melt-down; and they would simplify waste handling. Still, a 1000 MWe fusion reactor contains about 100 million curies of radioactive tritium; this cannot be avoided. Although this is far less than the 15 billion curies of radioactivity in the fission products of a 1000 MWe fission reactor, it is not negligible. I fear that, were the development of »clean« fusion power to succeed, opponents of nuclear power would still find reason to attack the development on the grounds that it is not clean enough.

## Redeployment II: Solar Energy and Conservation

In 1973, as the first oil shock hit the world, Dixy Lee Ray, the chairman of the Atomic Energy Commission, was asked by President Nixon to prepare a plan for energy research and development aimed at achieving energy independence by 1980. The resulting document, *The Nation's Energy Future,*[5] set forth a wide-ranging menu of research on every energy source, and on conservation. The total budget for this expanded research program was 10 billions of 1973 dollars. Much of this was to be spent by the Atomic Energy Commission; in effect, a first step was thereby taken toward converting the Atomic Energy Commission into a Department of Energy with cognizance over all energy sources, not just nuclear energy.

In response to the initiative, the National Laboratories undertook research on solar energy, conservation, and energy storage. Many ingenious devices and insights have resulted: for example, the double focusing parabolic solar collectors, spun-off from high energy physics research at Argonne National Laboratory; the solar power tower designed and built by the Sandia Laboratory; ideas for more efficient and cheaper batteries; and, perhaps most significant, energy-economic modeling. The whole field of energy-economic modeling was in part born, and certainly was strongly nurtured, at the National Laboratories, equipped as they were with very large computers.

But the energy revolutionaries – those who argued that our energy problems could be resolved once and for all by conservation supplemented by solar energy – were not content with this redeployment. Even before their views acquired broad political acceptance in the Carter Administration, the political winds were blowing toward solar energy and conservation. I recall how, in 1974 when I was the director of the White House-based Office of Energy Research and Development, we proposed the establishment of a separate Solar Energy Research Institute: a national laboratory devoted entirely to solar energy. Such an institute would be manned by people whose futures were tied to solar energy, and who would bring to the development of solar energy the enthusiasm and dedication that could hardly be expected of retreaded nuclear scientists at the existing national laboratories. The Solar Energy Research Institute was eventually established in Golden, Colorado. Though it enjoyed full support during the Carter Administration, it has been cut back by the Reagan Administration.

In Europe and in Japan, many of the original atomic energy laboratories have become, more or less, general energy laboratories, with major attention focused on solar energy in all of its manifestations – wind, photovoltaics, power towers, solar ponds, ocean thermal energy conversion, biomass – and, perhaps most important, conservation. And in several countries, the original atomic energy commissions have had their mandates broadened to cover all of energy.

How successful has this great redeployment been? By far the greatest success has been in conservation. The energy/GNP ratio in the United States fell by about 20 percent between 1950 and 1980. But it would be very difficult to attribute much, if any, of this improvement to any research or policy analysis that has come out of the national laboratories. During this period the price of energy has increased some 1.6-fold in constant dollars: what we see is largely a market response to increased price; it has little to do with research per se. Since the price of electricity has not risen nearly as fast as has the price of oil and gas, electricity has doubled its market share. This too may have contributed to the economy's higher energy efficiency since, as C. Burwell argues, electricity per se conserves primary energy, particularly in industrial processes.

As for solar energy, the results so far have been disappointing. To be sure, windmills have been built; wood is being burned; electricity has been generated in an experimental OTEC system and in a solar pond; a solar power tower operates near Albuquerque. But except where wood is cheap, the energy obtained from the sun is not cheap. The thousands of windmills deployed in the Altamount Pass in California cannot be economically justified: they have been built largely as tax write-offs by wealthy speculators.

Though progress is being made in photovoltaic technology, a kilowatt hour from an unsubsidized photovoltaic installation in the United States costs more than 50¢. This is five or more times the price of electricity from new coal or nuclear plants. Thus photovoltaics have a very long way to go before one can count on them for a major part of our energy. Because electricity from them is intermittent, photovoltaics, along with many other solar energy sources, cannot provide *reliable* energy unless they are backed up – either by a grid energized by non-solar sources (or by many stochastic sources, such as widely dispersed windmills, some of which can always be counted upon); or by an affordable storage system. Indeed, the affordable storage system is both the Achilles heel and the Holy Grail of solar electricity: it is all but necessary, yet, so far all the proposed systems are too expensive.

I hope my generally negative assessment of solar energy is not discounted as sour grapes from an old nuclear enthusiast. Despite my impression that the redeployment into solar energy has not yielded very much, I remain convinced that a vigorous research effort, probably focused upon photovoltaics and upon storage systems, makes sense. In the broadest sense, I cannot argue as I have for a commitment to inexhaustible electricity based upon fission and fusion, without extending this commitment to solar electricity – which is also inexhaustible. Solar photovoltaics, after all, now produce electricity – which is more than can be said for fusion. That the electricity costs too much for general use is unfortunate – but certainly we ought not give up on reducing the cost. Moreover, the same arguments about longevity and cost that I invoked for the breeder system hold for solar voltaics: if photovoltaics last longer than their amortization time, electricity from them would eventually be all but costless! In short, the appropriate time scale for photovoltaics development is really *much* longer than has been generally recognized – and *this*, perhaps more than any other consideration, justifies their continued investigation in long-lived, governmental laboratories.

In a way, solar energy lends itself less naturally to investigation in large Big Science institutions than do either fission or fusion. Most of the solar devices are small, and research on them is by and large small-scale, not large-scale. Perhaps, therefore, the main justification for conducting such research in governmental laboratories is its long range. Progress is likely to be very slow – too slow to merit much support from strictly commercially-motivated entities. If solar energy is ultimately to become a truly large energy source, its development will require patience – more, I would judge, than can be afforded by market-driven industry. The redeployment into solar energy by the National Laboratories, and the establishment of the Solar Energy Research Institute, I regard as well justified.

## Redeployment III: National Environmental Laboratories

Environmentalism as a major political force emerged in the United States in the early 1960s with Rachel Carson's *Silent Spring*. The National Environmental Protection Act was passed in 1969, and acts to protect the air and the water were passed soon afterward.

Even before all this legislative recognition of the environment, the National Laboratories had, since their inception, been obliged to study radioactivity in the environment. The Oak Ridge National Laboratory, for example, had one of the world's largest teams of ecologists, all engaged in studying the fate of radionuclides in the natural environment. All the laboratories were heavily engaged in the study of the effects of radiation on living things. Thus when environmentalism became a powerful political force, many of the national laboratories were well prepared to move into this area. Professor David Rose, while on leave at the Oak Ridge National Laboratory in 1971, went so far as to suggest the partial conversion of some of the laboratories into National Environmental Laboratories, which could examine both social and technical aspects of the environment. The idea was considered briefly by Senator Muskie, who had been responsible for U.S. environmental legislation: but the idea of converting the Atomic Energy Laboratories into Environmental Laboratories was too much for the Joint Committee on Atomic Energy to accept, and Professor Rose's original proposal was never adopted. Nevertheless, large laboratories devoted to certain aspects of environment now exist – the largest is the National Institute of Environmental Health Sciences, which is devoted to epidemiological and biological studies of the effects of the environment on health.

The National Nuclear Energy Laboratories, having primary responsibility for developing energy sources, can mount very broad approaches to the study of the environment: they can examine not only the environmental effects of effluents from energy systems, but also, because they are intimately involved in the engineering of the devices whose effluents cause the problem, they can offer remedies for reducing the effluents. They are unique in this capacity to examine *every* aspect of the environmental problem.

One of the most important effluents is carbon dioxide; since 1975, the National Laboratories have been studying the $CO_2$ greenhouse effect. These studies range from estimates of the future atmospheric burden of carbon dioxide, to modeling of the effect of $CO_2$ on the global climate, to estimates of the effects of the resulting temperature rise on the environment. Of course, the laboratories' involvement with nuclear energy places them athwart a potent technical fix for carbon dioxide. I refer to a shift to nuclear power as a way of avoiding accumulation of $CO_2$. France, because of its massive commitment to nuclear energy, will throw less $CO_2$ into the atmosphere in 1990 than it did in 1980. If the ten countries that are now the world's largest users of energy could make the same shift to nuclear, the carbon dioxide problem would be pushed at least 50 more years forward, Insofar as the National Laboratories, by helping to solve the remaining problems of nuclear energy, can make this shift to nuclear energy more likely, they would be resolving the $CO_2$ environmental issue in an indirect, but powerful manner.

Altogether, I would judge the shift of the National Nuclear Laboratories into environmental studies to be among their most appropriate redeployments. The environment has no final resolution: there can hardly be a question of working oneself out of a job. No matter how clean the environment, one can always seek a cleaner environment. Nor is it likely that environmental research will be dominated by nongovernmental entities. To be sure, as governmental regulations become stricter, potential polluters will find it to their economic advantage to reduce their effluents; this has happened in the electric power industry, where the Electric Power Research Institute has launched a large research program on acid rain. But the environment is too public, and arouses too many political anxieties, for the government ever to shirk responsibility for the environment. In short, though David Rose's National Environmental Laboratories of 15 years ago were stillborn, they have been resurrected – not as full-blown, free-standing entities, but as important components of the original National Nuclear Energy Laboratories.

## Redeployment IV: National Socio-Technological Institutes

Almost 20 years have passed since I suggested converting the National Laboratories into National Socio-Technological Institutes.[6] The argument for such a conversion was based on the observation that the society's concerns are never simply technological: there are always social components of any technical issue. Whether the concern is energy, or environment, or arms control, technology by itself is not enough. Insights and perspectives drawn from scholarly investigation in the social sciences ought to illuminate the issues. Thus originated the idea of National Socio-Technological Institutes: technologically oriented National Laboratories conjoined with think tanks. The think tanks would provide the social perspective; these social perspectives would help in the choice of new technological initiatives, and would help avoid the social dislocation that so often accompanies the introduction of new technologies.

The National Laboratories have, to a degree, become Socio-Technological Institutes, largely as a result of the energy shocks of 1973. The energy shock has brought economics to the National Laboratories: Oak Ridge, for example, now has some 20 economists. Once the ice was broken, other social scientists found congenial homes there. The environmental question has brought in geographers and ecologists. Political scientists, even anthropologists, can be found at Oak Ridge and at other National Laboratories, brought in because technology alone can hardly explain why people reject nuclear energy, or why they have elevated concern over low-level insults to the environment to such prominence.

Our whole Western society has become sensitive, perhaps overly sensitive, to the deleterious side effects of new technologies. This has led, in the United States, to the establishment of the Office of Technology Assessment, and, indeed to the Technology Assessment movement: a program aimed at identifying and forestalling unpleasant social consequences of the new technologies. The conversion of the National Laboratories into National Socio-Technological Institutes can be regarded as a manifestation of this movement.

Whether the social sciences per se are able to do what somewhat naive engineers and applied scientists expect of them – namely, to estimate the social impact of new technologies and to devise policies that might ameliorate the growing tensions between technology and the public – this is very difficult to say. Technologists may be unaware that even within the social science community important figures such as Professor Lindblom have voiced doubts as to the proficiency of the social sciences in offering solutions for social problems.[7] Nevertheless, my experience with social scientists who are involved with technology assessment and risk analysis at the National Laboratories, convinces me that their perspectives and insights are useful, even though their prescriptions do not have the reliability of those of an expert in stress analysis, nor a theoretical sanction as solid as classical thermodynamics! But technologists ought not castigate social scientists: the problems they deal with are vastly more complicated than those dealt with in stress analysis or thermodynamics. Despite the limitations of the social sciences, one cannot doubt that their presence has given to the laboratories' technological ventures much more social sophistication and political sensitivity than was the case even a decade ago.

## New Issues

I have identified four different problems around which the National Laboratories have remobilized: fusion, solar energy and conservation, the environment, and social implications of new technologies. I have also insisted that the original purposes of the National Laboratories – nuclear power that is fully acceptable in the short run and inexhaustible in the long run – have not yet been achieved. Until these goals have been achieved, the National Laboratories' original purpose remains valid. But reality is never so tidy: one does not suddenly reach an objective, and redeploy all at once – redeployment occurs over many years. The budget for fusion has grown to its present size over more than 30 years. We ought, therefore, to be thinking even now about new big problems that can occupy the National Laboratories when the vogue and support for the existing ones wanes. I shall suggest a few that seem important to me, though I make no claim that mine is an exhaustive list.

*The growing role of Basic Research.* When the National Laboratories were first formed during World War II, we drew no distinction between our applied research and basic research. Everything about the nuclear chain reaction was new: we would work on methods for solving Boltzmann's transport equation one day, and then would apply our results the next day to the design of the Hanford plutonium-producing reactors. But as the science underlying the chain reaction was worked out, the basic science at the laboratories has diverged more and more from the applied work; and basic sciences grew relative to the latter as the applied work moved to the industrial laboratories.

This growing trend toward basic research at the National Laboratories was noted as long ago as 1965 by Dr. Arthur Vick, former Director of Harwell.[8] In a way it makes good sense, since basic research is open-ended and therefore fits well in a long-lived, government laboratory. On the other hand, the universities have traditionally been the home of basic research: as the National Laboratories have moved into basic research, they have run into competition with the universities – and this competition can never be entirely resolved.

One must distinguish between basic research that is part of Little Science – small groups of investigators working with small equipment; and basic research that is part of Big

Science. On the whole, the competition I have mentioned is most severe where the National Laboratories conduct Little Science, which university researchers regard as their own province. Scientists at the National Laboratories generally are shielded from the peer review process that university scientists are subjected to, and this is regarded as being unfair by the universities. The National Laboratories, in justifying their conduct of Little Science outside the peer review system, argue that much of their basic research *is* relevant to the pursuit of underlying applied missions; that the individuals conducting basic research are available for help on applied jobs; and that, anyhow, the informal reviews of their basic research is at least as effective as is peer review in weeding out nonsense.

The role of the National Laboratories in Big Science is, of course, much less controversial. From their inception the laboratories afforded facilities that were unique – either because they were too expensive or too dangerous to be provided at the university. One need only mention the Zero Gradient Synchrotron (ZGS) at Argonne, the High Flux Isotope Reactor (HFIR) at Oak Ridge, or the Los Alamos Meson Production Facility (LAMPF) as examples. Here there is no question as to the appropriateness of such activities, nor is there any question as to their success. On the other hand, each of the laboratories faces a hard choice whenever a facility of this magnitude, which sometimes may dominate the entire laboratory, becomes obsolete. Or, when a new instrument of Big Science is proposed, should it be built at an existing National Laboratory or at a new laboratory devoted specifically to this purpose? This issue arose at the time the Fermi Laboratory was built in Batavia, Illinois, just 50 kilometers from the Argonne Laboratory. The latter had already established itself as a successful high energy laboratory with its Zero Gradient Synchrotron; yet, the Atomic Energy Commission chose to create a new laboratory nearby. Judged by the success of the Fermi Laboratory, one cannot fault this decision, even though the Fermi Laboratory was more expensive than would have been an extension of Argonne to accommodate the huge new accelerator.

Altogether I would judge that the National Laboratories' role as facility centers will continue to be a valid and appropriate role for them. LAMPF, HFIR, ZGS – all of these have been extremely successful; and as energies and intensities go up, one would expect that other such instruments will be built and used at the National Laboratories.

*Applications of Nuclear Energy.* Nuclear reactors produce electricity; yet electricity accounts for only 35 percent of the world's primary energy. Can nuclear energy be used for other purposes, in particular large-scale industrial processes and, even more important, automotive transport? Such a transition away from fossil fuel, if successful, might lead to a world no longer beset by a spectre of accumulating $CO_2$, or even acid rain. But the obstacles, of course, are enormous.

One of the first such ideas was R. P. Hammond's proposal in the 1960s for desalting the sea with heat from very large nuclear reactors. As we look at the economics today, the ideas seem naive – nuclear power is too expensive today to be used to desalt sea water. Suppose, however, the Bolsa Island project of 1968, instead of being cancelled, had been built. The project called for two 650 megawatt pressurized water reactors to provide electricity and 150 million gallons of water per day to the City of Los Angeles. Had the project gone ahead on its original schedule, it would have been completed before the cost of nuclear power had risen out of sight. Ten years later, the project would have looked very much better. And twenty years later – say, by 1995 – Los Angeles would be grateful for the courage and foresight of the Metropolitan Water District for going ahead with the project.

Other schemes in this same genre are Professor Schulten's Adam and Eva[9] – a system that uses high temperature heat from nuclear reactors to convert methane and water into hydrogen and carbon monoxide which could then be shipped through pipes to process industries; or the many, so far unsuccessful, attempts to split water into hydrogen and oxygen with nuclear heat;[10] or even W. Haefele's scheme for devising an energy regime based on the conversion of fossil fuel to methanol,[11] and the all but complete sequestering or recycle of combustion products.

Whether bypassing of electricity is the key to wider use of nuclear power, or whether, as Burwell argues, the trend toward electrification we now are seeing will continue because traditional non-electric process industries are switching to electricity, remains to be seen. But generally, one must have sympathy for these attempts to visualize a more rational energy system, one that emits neither $CO_2$ nor acid rain, and that can be the basis for a long-term environmentally benign industrial society.

## Technological Optimism and President Reagan's Dream

I realize that much of this must sound hopelessly, naively optimistic. But I would insist that the current technological pessimism that pervades our intellectual life is at least as overdrawn as was my technological optimism of 20 years ago. This atmosphere of technological pessimism could greatly complicate the future redeployment of the big laboratories. After all, the original mission of the institutions reflected an extraordinary leap of technological faith – that nuclear fission could be converted into something practically useful. President Kennedy's commitment to put a man on the moon reflected a technological optimism of the highest order. The resulting big project matched admirably the character of the large space laboratories. And the largest redeployment of the nuclear fission laboratories, fusion, was based on an even greater technological optimism.

Have we lost this sense of technological optimism, have we given up our taste for large, non-market-motivated technological spectaculars? Are we so disenchanted with what some regard as the failure of fission as to prevent us from addressing new technological spectaculars because we cannot be sure that they will succeed? Have we run out of ideas for major technological spectaculars that have enough plausibility to command the attention of large governmental laboratories and the support of the government agencies? Will the future of the laboratories lie in competent, indeed brilliant, picking away at small problems, no one of which matches in scale or even significance, such spectaculars as the breeder or fusion?

I do not know the answer to this. Yet, at the risk of antagonizing many of my European, as well as American, readers, I would call attention to a direction that certainly qualifies as a technological spectacular, that addresses the most important of all social issues, that demands unlimited technological optimism, and that may prove an ideal vehicle for redeployment of the weapons laboratories. I have thus far said very little about the nuclear weapons laboratories – Los Alamos, Sandia, Livermore – mainly because I am less familiar with them than I am with the nuclear energy laboratories. Nevertheless, I do not believe I compromise any national secrets by suggesting that further development of nuclear bombs can hardly lead to more than incremental gains. The laboratories, having sensed this, have redeployed into such things as fusion, solar energy, climatology, laser enrichment of isotopes, and monitoring of arms control agreements.

I would suggest that President Reagan's highly controversial Star Wars speech could serve to set the weapons laboratories along new technological paths that might have the most significant of all social purposes – conversion of the current posture of Mutually Assured Destruction to a posture of Mutually Assured Survival. President Reagan, in his March 23, 1983 speech, displayed an extraordinary, some would say foolhardy, technological optimism. He called for the technical communtiy to come up with a leakproof shield against ballistic missiles – a shield so perfect that, as he put it, peace would no longer depend on each side holding hostage 100 million of its opponents' citizens. Technology was being called upon by the President to rescue humankind from the extraordinary predicament into which technology had placed it.

This degree of technological optimism from a president of the United States exceeded by far President Kennedy's call for the moonshot: it exceeded, even, President Roosevelt's call for an atomic bomb. As visualized by the President – an all-but-perfect area defense against ballistic missiles, so efficient that citizens need no longer fear the spectre of nuclear war – this goal is unattainable. Many, if not most, of the scientists who had been involved in arms research were quick to denounce the President's call as being impossible. More than that, many in the arms control community argued that an area defense, even if it could be achieved, was destabilizing. If the United States deployed such a defense, it need no longer worry about a retaliatory strike from the Soviet Union. Such deployment would, therefore, be viewed by the Soviet Union as prima facie evidence that the U.S. was planning a first »counterforce« strike against Soviet retaliatory weapons; the U.S. defensive system would be adequate to take care of the Soviet's ragged retaliation.

Not all scientists regarded President Reagan's proposal in this light. Perhaps most prominent was Professor Freeman Dyson of the Institute for Advanced Study: in his *Weapons and Hope*, he called for a transition to a defense-oriented instead of an offense-oriented world.[12] Dyson came to his somewhat unorthodox views as a result of his experience as an operations analyst in the Royal Air Force in World War II. He concluded that defense is morally superior to offense; and though he fought for the British, his sympathies were with the German fighter pilots who tried to thwart the British-American bombing raids on Berlin and Dresden.

Two years after Reagan's call for defense, I believe one is seeing a gradual shift in attitude toward Star Wars. No one seriously believes a defense that can fully neutralize nuclear bombs delivered by cruise or ballistic missiles is possible. Yet many analysts concede that even an imperfect defense could be useful, and that a partial defense of missile silos is feasible. Such a defense would extract a »price« of, say, eight re-entry vehicles for every silo destroyed. Such an *imperfect* defense in effect diminishes the effectiveness of the opponents' first strike weapons; one therefore need not maintain as many of one's own weapons to maintain de facto parity. In short, deployment of an *imperfect* defensive system around one's own silos reduces their vulnerability and thus adds to stability. (This was exactly the argument offered for the »race track« basing mode of the MX – to reduce vulnerability.) Moreover, one needs fewer weapons to maintain a balance if the weapons are afforded a degree of protection against incoming ballistic missiles: the defense system can in principle serve as a shield behind which one can dismantle some offensive weapons – that is, exchange one kind of parity, a mixture of some defensive and some offensive weapons – for a more threatening parity that involves larger deployment of offense alone. Mutually assured destruction still operates, but at a lower force level. Dr. Jack Barkenbus and I have called this strategy »Defense-Protected Build-Down«[13] – i.e., a build-down, negotiated or even unilateral, made politically feasible by the erection of a defensive shield, even an imperfect shield.

Two other points have emerged that blunt some of the opposition to Star Wars. First, and perhaps most important, all war, and particularly nuclear war, is uncertain. Had Admiral Tojo foreseen the ultimate outcome of the attack on Pearl Harbor, or Adolf Hitler the outcome of Barbarossa, would these operations have been launched? Defensive systems add to the uncertainties facing a would-be attacker. As Donald Snow says in his *The Nuclear Future*,[14] anything that increases the uncertainty of the outcome of a nuclear war will reduce the likelihood of a nuclear war.

The second point is one that has always troubled defense analysts, but has never been resolved. If two parties engage in an offensive confrontation, they achieve parity when both sides have the same number of first strike weapons. If three parties engage in such confrontation, parity is impossible to achieve (unless no party has any weapons) because each party would require as many weapons as the other two combined. This troublesome point was generally regarded as too theoretical to be of much interest. Yet the Intermediate Nuclear Force negotiations foundered on exactly this point, with the Soviet Union asking for as many warheads as the United States, England, and France combined, the United States demanding parity with the Soviet Union alone. This n-party offensive instability disappears if all sides deploy *only* defensive weapons; and this stability persists in a mixed offensive/defensive posture as long as each party's defense is strong enough to destroy all offensive weapons that might face him.

I apologize for this digression into the Talmudic niceties of arms control theories. Yet, I believe some such arguments are necessary to justify what is perhaps the major redeployment that is now going on in the U.S. laboratories – the development of non-nuclear defenses against ballistic missiles. President Reagan has proposed spending $ 26 billion on his Strategic Defense Initiative; though this leap of technological faith is regarded by many as wrong-headed, both technically and politically, I cannot agree for the reasons I have touched upon. I believe Freeman Dyson is fundamentally more correct than are his detractors: we are more likely to rid the world of the curse of nuclear weapons from a position of defense than from a position of offense. The laboratories will be fulfilling a noble, not an ignoble, social purpose if they can devise the technologies that can allow the world to make this transition from offense to defense. Moreover, European and Israeli laboratories may be drawn into this quest: the United States has invited laboratories in these countries to participate in the Strategic Defense Initiative. Perhaps this is a first step in internationalizing ballistic missile system defense, a possibility held out by President Reagan.

Thus far I have spoken only of defense against strategic weapons; what about defense against tactical weapons, or even against conventional armor carrying conventional armaments? This, after all, is the problem faced by Europe: can NATO safely adopt a no-first-use nuclear policy; and can it match the Warsaw Pact's armor by means of clever defensive weapons? I am much influenced in these matters by the views of the former Assistant Secretary of Defense for Research and Development, Dr. William Perry. Speaking at Los Alamos in 1982, Dr. Perry insisted that defensive weaponry had become so effective that it was no longer necessary for the West to match the East tank-for-tank.[15] If this was the situation in 1982, can we not look forward to a future 10, 20, 30 years from now when defensive systems become so overwhelming that neither non-nuclear nor nuclear aggression makes sense? And would not the research institutions responsible for providing the technologies that make this great transition possible be fulfilling the greatest social purpose of all – the elimination of organized armed conflict as a means of resolving political disputes? I realize that all this must sound impossibly idealistic, perhaps having little to do with the real world. But President Reagan's March 23, 1983 speech was part of the real world, however much it annoyed arms control intellectuals. The President displayed a technological optimism whose absence I have repeatedly decried. This optimism, though overblown, I found refreshing; and, as the years go by, we will learn whether the optimism is misplaced or will lead to the safer world all of us, especially President Reagan, seek.

## Technological Pessimism and Basic Science

I have spoken almost entirely of the challenges that face the Nuclear Energy Laboratories as their original mission disappears, and they scramble for survival in the face of widespread technological pessimism. But, as I said earlier when I quoted John Wheeler, the connection between fission and the most arcane parts of Big Science – High Energy Physics or even Heavy Ion Nuclear Physics – though conceptually weak, remains strong in the common organizational sources of support for both nuclear energy research and high energy physics, and possibly in the public's perception of a linkage. Is it possible that continued disenchantment with nuclear power, coupled with the growth of the Green anti-technological movement, whose primary target is our modern technological society – that this technological pessimism will spill over to a disenchantment, and therefore loss of support, for basic big sciences that are, rightly or wrongly, regarded as having nuclear connections?

So far these sciences seem to have escaped unscathed, at least in the United States. And, I suppose the possible military application of ion beams could serve as a basis for support of accelerator development, even of accelerators having little to do directly with military hardware. Moreover, in the United States, basic sciences generally and High Energy Physics particularly, have fared well under the Reagan Administration. But the costs of these sciences continues to rise. The Super-Conducting Super-Collider is estimated to cost several billions of dollars; can an expenditure of this magnitude survive future political buffeting without a clear and continuing popular mandate for such inquiry?

One certainly cannot say. I should think, however, that a political climate supportive of such arcane, yet extremely expensive, investigation is more likely to flourish where science per se is seen as man's servant, not as man's master; where technology is perceived as being good, not bad; where technological optimism, not technological pessimism, holds sway. In short, the success of the great technological adventures of this century – most notably nuclear power – is not unrelated to the future success of Big Science itself, even those parts of Big Science that have traveled far from their roots in fission. One hopes that the current fashion of technological rejection will prove to be a passing phase, to be replaced by a renewed faith in our big technologies, which are based on continuing achievements of the establishments of Big Science.

# References

[1] Weinberg, A. M.: Future Aims of Large Scale Research, Chemical and Engineering News 47, p. 2188, May 23, 1955. See also Reflections on Big Science, MIT Press, Cambridge, Massachusetts, 1967.

[2] Lewis, W. B.: Breeders Are Not Necessary – A Competing Other Way for Nuclear Power, Report DM-69, Atomic Energy of Canada Limited, p. 1686, January 15, 1963.

[3] Logan, B. Grant: A Rationale for Fusion Economics Based on Inherent Safety, UCRL-91761, Lawrence Livermore Laboratory, Livermore, California, 1984.

[4] Report of the DOE Panel on Low Activation Materials for Fusion Applications, Center for Plasma Physics and Fusion Engineering, University of California at Los Angeles, June 1983.

[5] Ray, Dixy Lee: The Nation's Energy Future: A Report to the President, U.S. Government Printing Office, Washington, D.C., 1973.

[6] Weinberg, A. M.: Social Problems and National Socio-Technical Institutes, in Applied Science and Technological Progress, pp. 415–434, U.S. Government Printing Office, Washington, D.C., June 1967.

[7] Lindblom, Charles E., and Davis K. Cohen: Usable Knowledge, Yale University Press, New Haven, Connecticut, 1979.

[8] Vick, F. A.: in The Organization of Research Establishments, Sir John Cockcroft (ed.), p. 62., Cambridge University Press, London, 1965.

[9] See, for example, K. Kugeler, M. Kugeler, H. F. Niessen and R. Harth, Development of Helium-Heated Steam Reformers, in Gas-Cooled Reactors with Emphasis on Advanced Systems, Proceedings of a Symposium, October 13–17, 1975, Volume 2, pp. 3–20, International Atomic Energy Agency, Vienna, Austria, 1976.

[10] See, for example, W. Haefele, Energy in a Finite World, pp. 730–734, Ballinger Publishing Company, Cambridge, Massachusetts, 1981.

[11] Haefele, W.: The Concept of Novel Horizontally Integrated Energy Systems in the Case of Zero Emissions, International Institute for Applied Systems Analysis, Laxenburg, Austria, 1984.

[12] Dyson, F.: Weapons and Hope, Harper and Row, New York, 1984.

[13] Barkenbus, J., and A. M. Weinberg, Defense-Protected Build-Down, Bulletin of the Atomic Scientists, 40 (8), pp. 18–23, October 1984.

[14] Snow, Donald: The Nuclear Future: Toward a Strategy of Uncertainty, University of Alabama Press, University, Alabama, 1983.

[15] Perry, W.: Technological Innovation: The National Security, in Science, Computers and the Information Onslaught, Academic Press, New York, 1984.

# Rudolf L. Mößbauer

# Universität im Umbruch

## Einleitung

Lehre und Forschung waren zu allen Zeiten die Eckpfeiler der Universität. Wenn immer das Gleichgewicht zwischen ihnen nicht mehr ausgewogen war, dann bedeutete dies Schwierigkeiten für die Universität und die Notwendigkeit der Reform. Dies zeigt sowohl die mehr als achthundertjährige Geschichte der europäischen Universitäten, die mehrmals zu reinen Lehranstalten abgesunken waren, als auch das Beispiel der amerikanischen Universitäten, die sich in der unmittelbaren Nachkriegszeit mit einem Übergewicht der Forschung auseinanderzusetzen hatten. Die Universitätsreform Wilhelm von Humboldts korrigierte vor über 150 Jahren in Preußen eine solche Gleichgewichtsstörung und gab den Anlaß zu einer Renaissance der deutschen Universität, die dieser auf vielen Gebieten eine oftmals bis 1933 während Spitzenstellung brachte. Die gegenwärtige deutsche Universität sieht sich wieder mit einer solchen Störung des Gleichgewichtes von Lehre und Forschung konfrontiert, wobei ein vorzugsweise der Durchsetzung politischer Motive dienender Reformversuch gründlich gescheitert ist. Die bestehende Situation ist deswegen so beunruhigend, weil der Universität eine ganz besondere Schlüsselrolle in einer Zeit zukommt, in der die wirtschaftliche Entwicklung eines Landes zunehmend von seiner wissenschaftlich-technischen Leistungsfähigkeit abhängig wird. Ist es doch in erster Linie die Universität, der die Ausbildung jener Wissenschaftler und Ingenieure obliegt, deren künftige Leistungen die Industrie befähigen sollen, im Konkurrenzkampf der Weltmärkte zu bestehen. Dabei wird eine mangelhafte Leistungsfähigkeit der Universität erst ganz allmählich in einem Abfall der technischen Konkurrenzfähigkeit sichtbar. Der gegenläufige Trend in den Beschäftigungszahlen in Deutschland und in den USA ist hier sicher bereits ein Indiz. Auf den Zusammenhang zwischen universitärem Ausbildungs- und Forschungsniveau einerseits und industrieller Innovationsfreudigkeit und Kreativität andererseits muß nachdrücklich hingewiesen werden, sind es doch dieselben jungen Studenten, die an guten Universitäten mit jenen wissenschaftlichen Denk- und Arbeitsmethoden vertraut gemacht werden, die sie später in der industriellen Praxis befähigen sollen, sich rasch mit neuen Technologien vertraut zu machen und schöpferisch produktiv tätig zu werden. Vor diesem Hintergrund wollen wir im folgenden versuchen, die Entwicklung der Hochschulen in Deutschland mit der, anderer technologisch hochentwickelten Länder zu vergleichen und dabei jene spezifischen Eigenschaften hervorzuheben, die die Universitäten unterschiedlicher Länder in ganz verschiedener Weise befähigen, die an sie gestellten Erwartungen zu erfüllen und dem ihnen übertragenen gesellschaftlichen Auftrag nachzukommen. Fragestellungen, wie bei der Ausbildung großer Studentenzahlen Quantität und Qualität miteinander in Einklang zu bringen sind und wie

Chancengleichheit und Begabtenförderung miteinander vereinbart werden können, kommen hierbei eine zentrale Bedeutung zu. Dabei ist von vornherein zu betonen, daß die Arbeitsmethodik und die Bedürfnisse verschiedener Fachrichtungen sich außerordentlich stark voneinander unterscheiden und jede Gleichmacherei oder Gleichschaltung daher nicht nur unsinnig ist, sondern zwangsläufig schädliche Folgen nach sich ziehen muß. Bedingt durch eigene Erfahrungen und Arbeitsrichtungen wird sich unsere Diskussion der gegenwärtigen deutschen Universität in erster Linie mit dem Bereich der Naturwissenschaften beschäftigen, d. h. mit wissenschaftlichen Disziplinen, die in der Bundesrepublik sehr stark an vom Staate unmittelbar oder mittelbar unterhaltenen Ausbildungs- und Forschungseinrichtungen angesiedelt und infolgedessen staatlichen Einflußmöglichkeiten in besonderem Maße ausgesetzt sind. Die Naturwissenschaften sind mehr als andere Disziplinen, nicht zuletzt wegen des mit ihnen verbundenen Aufwandes, in außerordentlichem Umfang von den Rahmenbedingungen abhängig, unter denen sie sich entwickeln können. Gleichzeitig besteht ein besonders enger Zusammenhang zwischen Ausbildungs- und Forschungsniveau der Universitäten eines Landes und wirtschaftlicher Entwicklung, was nicht zuletzt in langfristigen Entwicklungstendenzen der Beschäftigtenzahlen seinen Niederschlag findet und wofür Länder wie die USA und Japan ein eindrucksvolles Beispiel liefern. Neben diesen praktischen Gesichtspunkten darf jedoch in einer Diskussion von Universität und Naturwissenschaften auch die kulturelle Bedeutung naturwissenschaftlicher Erkenntnis nicht ausgeklammert werden, die in dem Bildungsauftrag der Universität zum Ausdruck kommen muß, dem gerade in einem Lande, in dem eine gewisse Technik- und Wissenschaftsfeindlichkeit nicht zu übersehen ist, eine besondere Bedeutung zukommt. Hier sind vor allem auch die höheren Schulen gefordert, wie überhaupt eine Diskussion der Situation der Hochschulen notwendig eine Beschäftigung mit den zu ihnen führenden vorangehenden Ausbildungsstufen notwendig macht.

## Die Gründung der Berliner Universität durch Wilhelm von Humboldt

Es ist außerordentlich instruktiv, den Quellen nachzuspüren, denen die gegenwärtige deutsche Universität ihre wesentlichen Impulse verdankt. Von besonderem Interesse ist dabei die Beobachtung, daß viele der heute die Universität bedrückenden Probleme keineswegs neuzeitlichen Ursprungs sind, sondern schon zu früheren Zeiten bekannt waren und zu Reformen Anlaß gaben.

Die deutsche Universität ist das Produkt einer langen und wechselvollen Entwicklung, die im 14. Jahrhundert mit den Gründungen in Prag, Wien, Heidelberg und Köln ihren Anfang nahm. Manche der heute bestehenden inneruniversitären Strukturen und Prozeduren sind bereits an diesen frühen mitelalterlichen Institutionen entwickelt worden, darunter die Einteilung in Fakultäten und die Konzipierung einer akademischen Selbstverwaltung. Diese mittelalterliche Universität diente vornehmlich der Vermittlung eines in sich geschlossenen Weltbildes und es fehlte ihr die für eine moderne Universität charakteristische Forschungskomponente. Im Gefolge von Humanismus und Renaissance vollzog sich dann am Ausgang des Mittelalters zunehmend eine Abwendung von den rein scholastischen Methoden der Universitätslehre. Erst im 17. und 18. Jahrhundert erfolgte sehr allmählich ein Übergang zu jener von kritisch orientierter Lehre und Forschung dominierten Institution, die wir als moderne Universität bezeichnen.

Wesentliche Elemente der heutigen deutschen Universität beruhen auf den im Zusammenhang mit der Gründung der Berliner Universität in den Jahren 1809/10 von Wilhelm von Humboldt entwickelten Ideen. Es ist außerordentlich instruktiv, den Ursachen und Umständen dieser Berliner Universitätsgründung nachzugehen, die Wilhelm von Humboldt zwar in genialer Weise verwirklicht, aber keineswegs angestoßen hat. Eigentlicher Auslöser für die Gründung der Friedrich-Wilhelm Universität in Berlin war der Sieg Napoleons über die preußischen Truppen bei Jena im Jahre 1806 und der daraus resultierende Verlust der westelbischen Gebiete Preußens im Frieden von Tilsit (1807). Für Preußen bedeutete dies unter anderem den Verlust der Universität Halle, die neben Göttingen zu den modernsten Universitäten der damaligen Zeit zählte, wo naturwissenschaftliche Wissenschaftsauffassung und Methodik bereits Eingang gefunden hatten und wo man schon eine Freiheit der Forschung im neuzeitlichen Sinne kannte. Die neue Berliner Universität sollte den Verlust von Halle ausgleichen. Es war zunächst der Kabinettsrat Beyme, dessen Vorschlag einer Neugründung in Berlin vom König angenommen wurde, der die namhaftesten Gelehrten um entsprechende Gutachten ersuchte, schließlich jedoch auf Verlangen des Freiherrn vom Stein aus seinem Amte scheiden mußte. So war es mehr oder weniger ein Zufall, als Wilhelm von Humboldt auf Wunsch des Königs im Jahre 1809 im preußischen Ministerium des Inneren die Leitung der Sektion für Kultus und öffentlichen Unterricht übernahm und ihm damit automatisch die Aufgabe der Berliner Universitätsgründung zufiel. Weder diese Position noch die damit verbundene Aufgabe waren also von Wilhelm von Humboldt gesucht worden. Die Berliner Universitätsgründung des Jahres 1810 muß vor dem Hintergrund einer breit angelegten öffentlichen Diskussion über Zustand und Perspektiven des gesamten zeitgenössischen Bildungswesens gesehen werden, die eingebettet war in eine von Aufklärung und Neuhumanismus getragene geistige Atmosphäre, die das Berliner Leben um die Jahrhundertwende erfüllte. Die Universität sah sich damals erhöhten Anforderungen ausgesetzt, da sie zunehmend zur Ausbildungsstätte für die von Staat und Gesellschaft geforderten Beamten, Lehrer, Ärzte und Geistlichen wurde. Dem hiermit verbundenen Funktionswandel und der gleichzeitig auftretenden Zunahme der Studentenzahlen zeigte sie sich nicht gewachsen und sie ermangelte darüber hinaus der Flexibilität, sich den veränderten Verhältnissen anzupassen. So ist nicht weiter erstaunlich, wenn die Universität in das Zentrum einer allgemeinen Kritik geriet, die in vielem an die heutige Situation erinnert. Die Liste der vorgebrachten Klagen trägt in der Tat erstaunlich vertraute Züge: Der schlechte Ausbildungszustand der Studienanfänger und die daraus abgeleitete Forderung nach einer Entrümpelung des auf der Schule vermittelten Wissens, die übertriebene »Studiersucht« einer übergroßen Zahl unzureichend qualifizierter Studenten und die darauf begründete Forderung nach besserer Auslese, die mangelnde Motivation vieler Studenten, für die Friedrich Schiller in seiner berühmten Antrittsvorlesung in Jena 1789 den Begriff des »Brotstudiums« prägte, die dürftige Qualität des Unterrichtsbetriebes und nicht zuletzt die mangelhafte Betreuung der Studenten. Der Leistungsabfall der Universtität wurde auch mit der häufig praktizierten Inzucht bei der Berufungspolitik, die sich mit dem Stichwort »Hausberufung« umschreiben läßt, in Verbindung gebracht. Parallel zu dieser weit verbreiteten Kritik an den bestehenden Bildungseinrichtungen fanden erste Reformen statt. So erfolgte 1788 die Einführung einer Maturitätsprüfung als Vorbedingung für ein Universitätsstudium und die Eigengerichtsbarkeit der Universität wurde 1798 abgeschafft, wofür studentische Unruhen in Halle den Anlaß geliefert hatten. Die an den Bildungseinrichtungen geübte heftige Kritik provozierte zahlreiche Reformvorschläge. Genannt seien in diesem Zusammenhang die »Vorlesungen über die Methode des akademischen Studiums« von Schelling, »Der deduzierte Plan einer in Berlin zu errichtenden höheren Lehranstalt« von Fichte, »Gelegentliche Gedanken über Universitäten im deutschen Sinn« von Schleiermacher und die Vorlesungen »Über die Idee der Universität« von Steffen, die alle unmittelbar der Berliner Universitätsgründung vorausgingen. Wilhelm von Humboldts Entwurf einer Denkschrift »Über die innere und äußere Organisation der höheren Lehranstalten in Berlin«, die seine eigenen Vorstellungen zur Organisation des Universitätswesens enthält, kam erst 1896 zur Drucklegung[1]. Ein besonderes Problem bildeten die um die Jahrhundertwende bestehenden Tendenzen des Zerfalls in rein auf Lehre und Ausbildung beschränkte Fachhochschulen und in ausschließlich der Forschung gewidmete spezielle Institute und Akademien. Die besondere Problematik der Berliner Neugründung bestand in der Tat in der Notwendigkeit, der weit fortgeschrittenen Trennung von Lehre und Forschung zu begegnen und die dadurch bedrohte Einheit der Universität im Geistigen und im Organisatorischen zu erhalten bzw. wiederherzustellen. Wilhelm von Humboldts politisches Geschick ermöglichte eine Lösung dieser komplizierten Aufgabe, wobei durch personelle Verknüpfungen eine Integration der Berliner wissenschaftlichen Institutionen, der Universität, der Institute und der Akademien, bewerkstelligt wurde. Damit konnte nicht nur der drohenden Spaltung von Lehre und Forschung und all ihren negativen Auswirkungen Einhalt geboten werden, sondern es wurden darüber hinaus für lange Zeiten Bedingungen geschaffen, die es möglich machten, eine niveauvolle Lehre und eine effiziente Forschung geistig und organisatorisch in sich wechselseitig befruchtender Weise miteinander zu verbinden. In der nur 16 Monate währenden Tätigkeit Wilhelm von Humboldts in der ihm übertragenen Funktion führte er eine Reform des gesamten preußischen Bildungswesens durch, die in der Konzipierung und Realisierung der Berliner Universität und des neuhumanistischen Gymnasiums kulminierte und eine weltweite Ausstrahlung auf die gesamte Entwicklung des Bildungswesens hatte. Die mit der Berliner Universitätsgründung verbundene Euphorie und der in diese Gründung eingeflossene Idealismus findet in der Formulierung von Friedrich Paulsen aus dem Jahre 1902 einen treffenden Ausdruck[2]: »Die neue Berliner Universität ist in vollem und bewußten Gegensatz gegen die Hochschulen des Militärdiktators (Napoleon) organisiert worden, das Prinzip nicht Einheit und Unterordnung, sondern Freiheit und Eigentümlichkeit, die Professoren nicht Lehr- und Prüfungsbeamte des Staates, sondern selbständige Gelehrte, der Unterricht nicht auf eine vorschriftsmäßige Studienordnung, sondern auf Lehr- und Lernfreiheit eingestellt, das Ziel nicht Ausstattung mit enzyklopädischen Kenntnissen, sondern eigentlich wissenschaftliche Bildung, die Studierenden nicht zur Brauchbarkeit für den Staat abzurichtende künftige Beamte, sondern durch freies Studium der Wissenschaft zur Selbständigkeit des Denkens, zur geistigen und sittlichen Freiheit zu führende junge Männer,...«.

Die Berliner Universitätsgründung wird gerne als die Geburtsstunde der modernen Universität apostrophiert, obwohl viele der von Humboldt konzipierten Erziehungs- und Ordnungsprinzipien heute nur noch begrenzte Gültigkeit beanspruchen können. Zu den von Humboldt begründeten Maximen gehört vor allem eine Einheit von Lehrenden und Lernenden (universitas magistrorum et scholarium), worin er in erster Linie das Zusammenwirken im Rahmen einer gemeinsamen wissenschaftlichen Tätigkeit verstand. Diese Maxime wird heute vielfach als Einheit von Lehre und Forschung interpretiert, obwohl Humboldt selbst diese Formulierung nicht gebraucht hat. Humboldt betont jedoch mit Nachdruck die wechselseitige Befruchtung, der Lehre und Forschung unterliegen: »Die Wissenschaften sind eben so sehr und in Deutschland mehr durch die Universitätslehrer als durch Akademiker erweitert worden und diese Männer sind gerade durch ihr Lehramt zu den Fortschritten in ihren Fächern gekommen«. Auch der moderne Begriff der Lehr- und Lernfreiheit hat seine Wurzeln in der von Humboldt formulierten Maxime von »Freiheit und hülfreich Einsamkeit«. Dieser Begriff hat insofern eine Wandlung erlebt, als ein zunehmend von der Bildung zur Ausbildung verschobener Studienzweck notwendig gewisse Reglementierungen des Studienganges bedingt, die entsprechende Einschränkungen der Lehr- und Lernfreiheit nach sich ziehen. Die von Humboldt postulierte Dominanz der Philosophie als der Mutter aller Wissenschaften ist heute überhaupt nicht mehr aufrechtzuerhalten. Es war Humboldts programmatische Absicht, den in zahlreiche spezialisierte Disziplinen zerfallenden Wissenschafts- und Ausbildungsbetrieb soweit wie möglich wieder zusammenzuführen (universitas litterarum) und die Philosophie sollte hierbei die übergeordnete Aufgabe einer geistigen Integration aller Wissenszweige übernehmen. Wenn sie dieser Aufgabe heute in keiner Weise mehr gerecht werden kann, so hängt das wohl einerseits mit ihrer starken Orientierung auf die Vergangenheit zusammen, zum anderen aber mit dem Umstand, daß viele ihrer heutigen Exponenten keine Vertrautheit mehr mit den Konzepten der modernen Naturwissenschaften besitzen. Was für eine Bereicherung würde die heutige Universität erfahren, wenn an ihr wieder Persönlichkeiten wirken würden, die einen universellen Überblick über das von den vielen Spezialisten erarbeitete Wissen zu vermitteln wüßten, um damit jene Einheit der Wissenschaften zu repräsentieren, die eigentlich im Zentrum einer Universität im wahren Sinne des Wortes stehen sollte.

Obwohl sich die moderne Universität in wesentlichen Punkten von der idealistischen Universität Humboldtscher Prägung entfernt hat, so bleibt doch bemerkenswert, wie es damals möglich war, ein Universitätsmodell zu entwickeln und zu realisieren, das nicht nur die grundlegende Reform einer überholten Universitätskonzeption bedeutete, sondern zugleich die Universität erfolgreich den Bedürfnissen der Zeit anpaßte und das darüber hinaus beispielgebend für die künftige Entwicklung in weiten Bereichen Europas und auch Amerikas geworden ist.

Auch in dem der Gründung der Berliner Universität folgenden Jahrhundert kam die Diskussion über Sinn und Struktur der Universität nicht zum Erliegen. Hier ist vor allem der Name des preußischen Ministerialdirektors Friedrich Althoff zu erwähnen[3], der in engem Kontakt mit allen Sachkundigen um die Fortentwicklung der Universität bemüht gewesen ist. Er plädierte insbesondere für eine uneingeschränkte Lernfreiheit der Studenten und widersetzte sich in diesem Zusammenhang erfolgreich der Einführung von

Zwangskollegien und von Zwischenprüfungen. Auf seiner Initiative basierte auch die nach seinem Tode 1910 aus Anlaß des hundertjährigen Bestehens der Berliner Universität von Kaiser Wilhelm verfügte Gründung einer Gesellschaft mit selbständigen Forschungsinstituten, der Kaiser-Wilhelm-Gesellschaft und jetzigen Max-Planck-Gesellschaft, »deren Mitglieder nicht durch Lehrverpflichtungen an der Ausübung wissenschaftlicher Arbeiten behindert sein sollen«.

## Das amerikanische Universitätsmodell

Zu Beginn des amerikanischen Bürgerkrieges (1861–1865) existierte in Amerika noch keine Universität im heutigen Sinn. Die gesamte Ausbildung von Theologen, Juristen, Ärzten und Lehrern vollzog sich bis dahin im Rahmen von Colleges, die sich in enger Anlehnung an ihre englischen Vorbilder Oxford und Cambridge entwickelt hatten. Der mit dem Ende des Bürgerkrieges einsetzende wirtschaftliche Aufschwung schuf eine günstige Atmosphäre für die Einführung von Universitäten, für deren Zustandekommen zwei parallel verlaufende Entwicklungen bestimmend waren. Zum einen wurden bereits vorhandene private Colleges mit ihren weitgehend auf reine Lehre abgestellten Bildungs- und Ausbildungsprogrammen durch Hinzufügung von Graduiertenschulen (graduate schools) mit einer stark forschungsorientierten Komponente zu vollen Universitäten ausgebaut. Dabei wurden die von relativ großen Studentenzahlen frequentierten ursprünglichen »liberal arts and science colleges« (Geistes- und Naturwissenschaftliche Kollegien) als sogenannte »undergraduate colleges« einfach als erste Ausbildungsstufe in die neuen Universitäten integriert. Mit der Gründung von John Hopkins 1876 wurde auf diese Weise die erste Universität in Amerika geschaffen, kurz darauf gefolgt von Harvard, Columbia, Yale und Princeton. Parallel zu diesem Aufbau privater Universitäten kam es zur Einrichtung staatlicher Hochschulen. Anstoß hierfür war das 1862 von der Bundesregierung geschaffene »Land-Grant College Act« (Landverfügungsgesetz), das nach dem Namen seines Initiators auch »Morrill Act« genannt wird. Durch dieses Gesetz wurde den einzelnen Bundesstaaten proportional zur Zahl ihrer Abgeordneten Bundesgrundbesitz übertragen mit der Auflage, die Verkaufserlöse zur Errichtung von Colleges für Zwecke der praktischen Ausbildung zu verwenden. Die Bevorzugung der Bereiche Landwirtschaft (agriculture) und Ingenieurwesen (mechanics) führte zu den Namen »A & M-college«, aber auch die Bezeichnung »cow-college« (Kuh-Kolleg) erfreute sich großer Beliebtheit. Eine sehr liberale Handhabung des Land-Grant Actes ermöglichte es einer Reihe von Bundesstaaten bereits vorhandene Colleges zu staatlichen Universitäten aufzustocken, insbesondere in den Bundesstaaten Michigan, Wisconsin, Minnesota und California. Das Morril Act und die nachfolgende Gesetzgebung hatten einen großen Einfluß auf den Aufbau einer universitären Ausbildung in den Vereinigten Staaten, nicht zuletzt da hierdurch eine Hochschulausbildung für breite Schichten der Bevölkerung möglich gemacht wurde. Hierin liegt wohl die eigentliche Bedeutung dieser Gesetzgebung, denn auch im Jahre 1900 konnte erst eine relativ kleine Zahl von Bundesstaaten voll ausgebaute staatliche Universitäten aufweisen, während eine beachtliche Zahl von privaten Institutionen bereits Berühmtheit erlangt hatten. Von historischem Interesse ist dabei der

Umstand, daß die Gründung sowohl der privaten wie auch der staatlichen Universitäten durchwegs der Initiative von einzelnen Persönlichkeiten zu verdanken war und selten auf Reformbestrebungen der Lehrkörper der bestehenden Colleges beruhte. Ein berühmt gewordener Fakultätsbericht von Yale aus dem Jahre 1828 enthält den flammenden Appell, im Hinblick auf Reformen entweder alles zu unterlassen oder allenfalls nur schon früher gemachtes zu wiederholen (»or at least nothing that was not always been done at Yale or by God«)[4]. Im Bereich der privaten Hochschulen waren es vor allem die Präsidenten von Colleges, die ihre Machtfülle für die Durchsetzung von Reformen einzusetzen wußten, wie z. B. im Fall der ersten Universitätsgründung John Hopkins. Auch im staatlichen Bereich waren es Einzelpersonen, vor allem Absolventen von Colleges (Alumni), die sich innerhalb der Legislative für die Gründung der neuen staatlichen Universitäten engagierten. Noch heute ist das zur Zeit des amerikanischen Bürgerkrieges begründete zweistufige Ausbildungssystem das entscheidende Charakteristikum der amerikanischen Universität. Die in Anlehnung an das englische College-System entwickelte erste Ausbildungsstufe, die »undergraduate school« mit ihrem vierjährigen Studiengang (freshman, sophomore, junior und senior year) konzentriert sich ganz auf Lehre und Ausbildung und endet mit einem echten Abschluß, dem »bachelor of arts« oder dem »bachelor of science« (Bakkalaureat). Die in enger Anlehnung an das deutsche Humboldtsche Universitätsmodell entwickelte zweite Ausbildungsstufe, die »graduate school«, besteht demgegenüber aus einem zwei- bis dreijährigen Studiengang, in der Regel gefolgt von einer Dissertation mehrjähriger Dauer mit dem abschließenden Erwerb eines Doktors der Philosophie (doctor of philosophy, kurz PHD genannt). Diese zweite Ausbildungsstufe dient einer besonders qualifizierten Unterweisung einer kleineren Zahl von Studenten, die dabei intensive Bekanntschaft mit der Forschung macht. Neben diesen eigentlichen Universitäten existiert eine Vielzahl von Institutionen, die nur eine einstufige Ausbildung vermitteln, wie die vierjährigen colleges und die zweijährigen junior colleges, die sowohl zur Erlangung eines Abschlusses als auch als Eingangsstufe für eine universitäre Ausbildung dienen können. Charakteristisch für die Struktur der amerikanischen Universität ist die Administration und das Department. An der Spitze der Administration, die nicht mit einer deutschen Universitätsverwaltung zu vergleichen ist, fungiert ein mit sehr großen Befugnissen ausgestatteter Präsident, der seinerseits einem Aufsichtsrat (board of trustees oder board of regents) verantwortlich ist. Dieses Gremium ist an privaten wie öffentlichen Hochschulen mit einflußreichen Persönlichkeiten der Wirtschaft und des öffentlichen Lebens besetzt, unter denen sehr häufig Absolventen (Alumni) der Hochschule anzutreffen sind. Der Aufsichtsrat überwacht die Entwicklungstendenzen der Hochschule und fungiert als neutrale Plattform in strittigen Fragen. Die Machtfülle des Hochschulpräsidenten gestattet rasche Entscheidungen, wie sie z. B. in Berufungsangelegenheiten nötig sein können, während umgekehrt der Aufsichtsrat bei Fehlentwicklungen sofort eingreifen kann. Es zählt zu den wesentlichen Aufgaben amerikanischer Hochschulpräsidenten, sich um die Fortentwicklung und permanente Reform ihrer Hochschule zu kümmern, die Hochschule in der Öffentlichkeit zu repräsentieren und ihre Leistungen publik zu machen und nicht zuletzt, um die Beschaffung finanzieller Mittel aus privaten Quellen bemüht zu sein, eine Aufgabe, deren Bewältigung sowohl durch das enge Zugehörigkeitsgefühl der Alumni zu »ihrer« Hochschule als auch durch eine vernünftige Steuergesetzgebung erheblich erleichtert wird. Für die Aufgaben der Lehre und der Ausbildung sind die verschiedenen Fachgebiete in sogenannten »departments« organisiert, die eine relativ große Zahl gleichberechtigter Mitglieder umfassen und an deren Spitze ein in der Regel permanenter Vorsitzender (chairman) steht, ein Professor des Departments, dessen Tätigkeit sich weitgehend auf administrative und koordinierende Aufgaben beschränkt.

Die ein Department bildenden Professoren lassen sich in drei Gruppen einteilen, die eigentlichen Professoren (full professors), die außerordentlichen Professoren (associate professors) und die Assistenzprofessoren (assistant professors), wobei die Mitglieder der ersten Gruppe immer und die der zweiten Gruppe manchmal eine permanente Position bekleiden, während die Anstellungsdauer der dritten Gruppe zwischen drei und sechs Jahren schwankt. Eine anschließende Berufung eines »assistant professors« als »associate professor« an die eigene Hochschule erfolgt typisch in etwa einem Viertel der Fälle. In krassem Gegensatz zur deutschen Universität kennt die amerikanische Universität überhaupt keinen akademischen Mittelbau. Die niedrigeren Lehraufgaben werden hier durch sogenannte »teaching assistants« wahrgenommen, die aus den Reihen der Studenten höherer Semester rekrutiert werden und sehr begehrte Positionen sind. Die einzelnen Professoren aller Kategorien sind in ihren Forschungsarbeiten voneinander unabhängig, doch ist eine Zusammenarbeit in Gruppen typisch. Obwohl alle Professoren mit permanenter Anstellung (tenure) innerhalb des departments völlige Gleichberechtigung besitzen, bestehen doch ganz erhebliche Unterschiede in den persönlichen Bedingungen, wie z. B. in der Besoldung, deren absolute Höhe und jährlicher Anstieg sich nach den in Lehre und Forschung erbrachten Leistungen bemißt. Hier besteht ein fundamentaler Unterschied zu der deutschen Beamtenuniversität. Das rigorose Leistungsprinzip der amerikanischen Universität, das manchmal, aber nicht ganz zu recht mit dem Schlagwort »publish or perish« (veröffentlichen oder untergehen) umschrieben wird, mag vor allem für jüngere Kräfte sehr hart erscheinen, wird jedoch in erheblichem Umfang durch den Umstand gemildert, daß für die amerikanische Universitätsszene eine breite Qualitätsfächerung ihrer Institutionen kennzeichnend ist, die es für alle Mitglieder des Lehrkörpers in der Regel möglich macht, eine ihren jeweiligen Qualifikationen angemessene Wirkungsstätte zu finden. Die amerikanischen Bildungsinstitutionen sind in der Tat von jeglicher Nivellierung in Qualität und Ausstattung sehr weit entfernt und bieten daher einen außerordentlich breiten Fächer von Möglichkeiten für Lehrende und Lernende. Auch die Finanzierung der Forschung wird in Amerika sehr unterschiedlich von der in Deutschland üblichen Weise gehandhabt. Während ein deutscher Lehrstuhlinhaber gewöhnlich über eine gewisse Grundausstattung an Personal- und an Sachmitteln verfügen kann, die aus Mitteln des jeweiligen Sitzlandes stammt, ist sein amerikanischer Kollege darauf angewiesen, nahezu alle Forschungsmittel von außen einzuwerben. Dabei muß er erhebliche Anteile der eingeworbenen Mittel, die typisch 60 bis 70 Prozent der für Personalausgaben bestimmten Beträge umfassen, als sogenanntes »overhead« an die Administration seiner Hochschule abführen, eine Art Entgelt für den durch die Forschung verursachten Betriebs- und Verwaltungsaufwand. Dieses overhead-Prinzip ist sicherlich eine der wesentlichen Ursachen für das hohe Niveau, das eine ganze Reihe der amerikanischen Hochschulen aufzuweisen hat. Um nämlich möglichst hohe overhead-Einnahmen zu erzielen, die der Hochschule dann zur freien Verwendung zur Verfügung stehen, ist die Universität zum einen bemüht, die bestqualifiziertesten Wissenschaftler für ihren Lehrkörper zu gewinnen, zum anderen aber auch dafür zu sorgen, daß die gewonnenen Kräfte unter optimalen Umständen arbeiten können, denn allein auf ihrer Leistung beruht ein kontinuierlicher Fluß von overhead-Einnahmen an die Universität insgesamt. Wenn man dann noch bedenkt, daß die an die Universität fließenden overhead-Mittel, die im wesentlichen staatlichen Quellen und damit Steuergeldern entstammen, hinsichtlich ihrer Verwendung keinerlei staatlicher Einflußnahme oder Kontrolle unterliegen, so wird der grundsätzliche Unterschied zu deutschen Verhältnissen augenfällig. Eine Kontrolle der Verwendung der overhead-Mittel findet letztlich über die erbrachten Leistungen statt, an denen der Staat in Amerika ungleich größeres Interesse als in Deutschland zeigt und bei deren Ausbleiben der äußere Geldfluß unweigerlich zum Erliegen kommt. Eine weitere wesentliche Einnahmequelle der amerikanischen Universitäten sind die Studiengebühren, die vor allem an privaten Universitäten orbitante Höhen erreichen können. Es existiert jedoch ein umfassendes, allerdings sehr stark an der Leistung orientiertes Stipendienwesen, das es auch minderbemittelten Studenten bei entsprechender Qualifikation ohne weiteres möglich macht, an den Spitzenuniversitäten des Landes zu studieren. Für die Studienbedingungen ist eine außerordentlich starke Reglementierung charakteristisch, die vor allem im Bereich der »undergraduate school« zwar eine einigermaßen individuelle Festlegung eines Ausbildungsplanes ermöglicht, den Studenten dann jedoch bei der Durchführung seiner Studien einer strengen Disziplin unterwirft, die sich bis auf eine Anwesenheitspflicht in Vorlesungen erstrecken kann und darüber hinaus laufende Kontrollen seiner Leistungen beinhaltet, insbesondere durch Zwischen- und Abschlußprüfungen in jedem Semester und in jedem Einzelfach. Wiewohl dieser strenge Studienplan und seine laufende Überwachung den Verzicht auf große Abschlußprüfungen in der Mitte und am Ende des Studiums möglich macht, führt er doch zu erheblichen Einschränkungen in der Lernfreiheit der Studenten. Für die Mehrzahl der Studenten mag ein solches Verfahren Vorteile bieten, es erzieht jedoch nicht eben zu Selbständigkeit und wird daher gerade von den besten der Studenten wohl zu Recht angegriffen. Der strenge Studienplan zwingt die departments zur Abhaltung einer großen Zahl von Pflichtveranstaltungen, die laufend den Bedürfnissen der wissenschaftlichen Entwicklung und der beruflichen Praxis angepaßt werden und hierin liegt der Grund für den hohen Stellenwert, den die Curricula an den amerikanischen Universitäten einnehmen, ja sie häufig sogar zum zentralen Problem jeder Reformdiskussion werden lassen.

Besondere Bedeutung für die Entwicklung der amerikanischen Universitäten in neuerer Zeit hatte der außerordentlich starke Zustrom von Forschungsgeldern als Folge des Eintritts der USA in den Zweiten Weltkrieg und später nochmals als Folge der sowjetischen Herausforderung in der Weltraumfahrt. Unter Präsident Johnson wurden in diesem Zusammenhang Bildungsgesetze (Education Acts) in Kraft gesetzt, die ausschließlich dazu dienen sollten, die finanziellen Ressourcen der amerikanischen colleges und Universitäten zu stärken und den Studenten finanzielle Hilfe zu gewähren, wobei gleichzeitig streng darauf geachtet wurde, daß die gewährte finanzielle Hilfe nicht irgendeine staatliche Kontrolle oder Einflußnahme nach sich ziehen konnte. Die hierbei verwendeten Gesetzesformulierungen sind im Vergleich zu deutschen Verhältnissen recht aufschlußreich: »Nichts an diesen Gesetzen darf dahingehend ausgelegt werden, daß eine Abteilung, eine

Organisation oder ein Beamter der Vereinigten Staaten das Unterrichtsprogramm, die Verwaltung bzw. das Lehrpersonal irgendeiner Hochschule oder die Auswahl der Bibliotheksmaterialien bestimmen, beaufsichtigen oder beherrschen darf.« Der starke Zufluß an Forschungsmitteln und die hieraus resultierende Projektorientierung vieler inneruniversitärer Gruppen, verbunden mit den spezifischen Ausbildungsforderungen einer sich rapide wandelnden Gesellschaft, führte zu einer Veränderung in den Zielsetzungen der amerikanischen Universität, die dadurch mehr und mehr ihren ursprünglichen Charakter verlor und sich zu einem Konglomerat von Gruppen und Aktivitäten mit recht unterschiedlichen Interessen zu entwickeln begann. Aus vielerlei Gründen waren deutsche Universitäten einer derartigen Entwicklung in nur sehr viel schwächerem Maße unterworfen. Am eindrucksvollsten kommt die Wandlung von Wesen und Funktion der amerikanischen Hochschulen wohl in jenen berühmten Vorträgen des Jahres 1963 an der Harvard Universität zum Ausdruck, in denen Clark Kerr den Begriff der »multiversity« (Multiversität) zur Beschreibung der kontemporären amerikanischen Universität geprägt hat, einer Institution, »die sich zunehmend weniger von anderen Großbetrieben in unserer industrialisierten Gesellschaft unterscheide«[5]. Diese Interpretation der modernen amerikanischen Universität erfolgte dabei durch denselben Clark Kerr, der als Präsident der Universität von Kalifornien 1964 Zielscheibe der studentischen Protestbewegung in Berkeley wurde und der schließlich dann umgekehrt 1970 von Ronald Reagan, dem damaligen Gouverneur des Staates Kalifornien und späteren Präsidenten der USA, wegen seiner angeblich zu ausgeprägten Liberalisierungstendenzen aus seinem Amte entlassen wurde.

Neben den eigentlichen Aufgaben Bildung, Ausbildung und Forschung wird auch der Fortbildung an amerikanischen Universitäten besondere Aufmerksamkeit gewidmet, etwa in Form einer regelmäßigen Unterrichtung früherer Absolventen der Hochschule über den neuesten Stand der Forschung oder in Form der »university extension« – Programme, die der Erwachsenenfortbildung dienen. Ganz im Unterschied zur typischen deutschen Universität besitzen amerikanische Universitäten eine starke kulturelle Ausstrahlung auf ihren Universitätsort. Dieser kulturelle Einfluß ist eine Konsequenz der sich an eine breite Öffentlichkeit wendenden zahlreichen abendlichen Veranstaltungen unterschiedlichsten Inhalts, die z. B. die neuesten wissenschaftlichen Erkenntnisse in populärer Form vermitteln, Repräsentanten des Kulturlebens des ganzen Landes vorstellen und sich nicht zuletzt auch auf Theater- und Musikdarbietungen der Studenten erstrecken.

Zum Abschluß dieses kurzen Abrißes der amerikanischen Universität möchte ich einige persönliche Bemerkungen über die Erfahrungen machen, die ich in den Jahren meiner Tätigkeit als Professor an der Technischen Hochschule Kaliforniens, dem privaten California Institute of Technology in Pasadena, machen konnte. Qualifizierte und engagierte Studenten habe ich in gleichem Maße auf beiden Seiten des Atlantiks angetroffen, wobei meine deutschen Studenten im Schnitt eher zu größerer Selbständigkeit neigten. Demgegenüber war es das gesamte Arbeitsklima, in dem sich meine amerikanische Hochschule grundsätzlich von entsprechenden deutschen Institutionen wohltuend unterschieden hat. Am besten läßt sich dieser Unterschied wohl mit den Begriffen Freiheit und Leistung umreißen. Die fast vollständige Freistellung von nicht-akademischen Tätigkeiten ermöglichte eine volle Konzentration auf die eigentlichen akademischen Aufgaben Lehre und Forschung. Die Lehre, die sehr ernst genommen wurde, nahm einen erheblichen Teil der Zeit während des achtmonatigen Schuljahres in Anspruch, während die Forschung vor allem in den vorlesungsfreien Sommermonaten mit Nachdruck betrieben worden ist. Die amerikanische Hochschuladministration hat es als eine ihrer wesentlichsten Aufgaben betrachtet, die Mitglieder des Lehrkörpers nahezu vollständig von jener permanenten Auseinandersetzung mit Gesetzen und Vorschriften fernzuhalten, die für die heutige deutsche Universitätsszene so typisch ist. Die hieraus resultierende Freistellung der Professoren für ihre eigentlichen Aufgaben war letztlich wieder nur eine Konsequenz des die Universität beherrschenden Leistungsprinzips: Es sollte sichergestellt werden, daß die Wissenschaftler ihrer Qualifikation entsprechend tätig wurden und, daß sie ihre gut honorierte Zeit nicht an die Lösung untergeordneter Probleme verschwendeten. Die enorme Großzügigkeit und das unbürokratische Verhalten der Hochschuladministration schuf jene Muße, die für produktive wissenschaftliche Tätigkeit so ausschlaggebend ist und ließ jene Atmosphäre aufkommen, die nicht nur die Tätigkeit in Lehre und Forschung in höchstem Maße befriedigend machte, sondern auch dazu führte, daß man sich als Professor in vollem Maße mit seiner Universität identifizierte und sich aus diesem Grunde für diese Institution auch außerhalb des eigentlichen Aufgabengebietes in verschiedenster Weise engagierte. Neben dieser allgemeinen Atmosphäre der Hochschule scheint mir noch eine besondere Einrichtung hervorhebenswert, die an amerikanischen Hochschulen allgemein eine wichtige Rolle spielt, der »faculty club«, dem vor allem als Kommunikationszentrum der Universität eine zentrale Bedeutung zukommt. Ich habe üblicherweise meinen lunch abwechselnd mit meinen Forschungsstudenten in der Mensa und mit meinen Kollegen im faculty club eingenommen, einem sehr vornehm ausgestatteten Gäste- und Clubhaus der Universität, das in den Zwanzigerjahren als Begegnungsstätte für Öffentlichkeit und renommierte Wissenschaftler errichtet worden war und mit dessen Hilfe damals erhebliche finanzielle Spenden für die Hochschule gewonnen werden konnten. In diesem faculty club traf man Kollegen aller Fachrichtungen und es war hier, wo die neuesten wissenschaftlichen Erkenntnisse in Erfahrung gebracht und ausgetauscht wurden, wo man sich in der Unterhaltung zwanglos über die Entwicklung anderer Fachgebiete informieren konnte und wo man ihre Vertreter kennenlernte, mit auswärtigen Gästen der Universität in Kontakt kam und die Entwicklung der Hochschule insgesamt diskutierte. Ich zögere nicht, diesen faculty club, dieses eigentliche Begegnungszentrum der Hochschule, als den wichtigsten Ort im Bereich der ganzen Hochschule zu bezeichnen, eine Einrichtung, die an deutschen Universitäten leider überhaupt nicht existiert.

## Die deutsche Universität der Gegenwart

Die deutsche Universität der Nachkriegszeit hatte zunächst mit den Konsequenzen der vorangegangenen nationalsozialistischen Periode fertig zu werden. Die im Dritten Reich erfolgte Politisierung der Hochschulen, die abwertende Behandlung geistiger Tätigkeit, der starke Rückgang der Studentenzahlen und der ungeheure Schaden, der der Universität durch die erzwungene Emigration der jüdischen Professoren entstand, unter denen sich viele der renommiertesten Wissenschaftler befanden, hatte einen dramatischen Niveauverlust der deutschen Universität zur Folge gehabt. Dazu kamen der kriegsbedingte Verlust fast einer ganzen Generation von Wissenschaftlern, die Kriegszerstörungen und ein sich bis zum Jahre 1955 erstreckendes Forschungsverbot in wesentlichen Wissenschaftszweigen, wie z. B. im Bereich der Kernenergie. Ungeachtet der zwangsläufig geringen finanziellen Ressourcen kam es zu einer relativ raschen Regenerierung der Universitäten, nicht zuletzt auch als Folge der nun wieder möglichen internationalen Kontakte. Diese unmittelbare Nachkriegsperiode war verständlicherweise durch ein gewisses restauratives Verhalten der Hochschulen gekennzeichnet, wobei man bemüht war, an die vor 1933 bestehenden Verhältnisse anzuknüpfen, bzw. diese Verhältnisse möglichst weitgehend wiederherzustellen. Insbesondere bewahrte die Universität unverändert ihre traditionelle Struktur, die durch eine Rektoratsverfassung, eine Einteilung in Fakultäten und vor allem durch ein Festhalten am Lehrstuhlprinzip gekennzeichnet war. Charakteristisch für die ersten beiden Nachkriegsjahrzehnte war die außerordentlich geringe Einflußnahme staatlicher Instanzen auf innere Belange der Universität und die entsprechend große Handlungsfreiheit der an den Hochschulen tätigen Lehrer und Forscher. Es ist sicher kein Zufall, daß die deutsche naturwissenschaftliche Forschung, ungeachtet ihrer schwierigen materiellen Bedingungen, gerade in dieser Periode besonders erfolgreich gewesen ist. Mit zunehmender Konsolidierung der Verhältnisse begann dann in den Sechzigerjahren eine heftige öffentliche Bildungsdiskussion, die einen regelrechten Ansturm von Studenten an die Hochschulen nach sich zog. Man darf bei einer Betrachtung dieser Situation und der durch sie verursachten Probleme nicht übersehen, daß mit der Öffnung der Universitäten für weite Kreise der Bevölkerung lediglich eine Entwicklung nachvollzogen wurde, die in Ländern wie den USA schon sehr viel früher erfolgt und sehr viel weiter fortgeschritten war. Die vor allem in den Geistes- und Sozialwissenschaften auftretende Studentenlawine schuf für die Universitäten der Bundesrepublik eine außerordentlich schwierige Situation. Von staatlicher Seite versuchte man dem explosionsartigen Anwachsen der Studentenzahlen durch eine ganze Reihe von Maßnahmen zu begegnen, die zunächst eine gewaltige Vermehrung der Stellen des akademischen Mittelbaues zur Folge hatten, dann aber auch zu der Gründung zahlreicher neuer Universitäten und Hochschulen aller Art führten. Zwar wurde hierbei auch die Zahl der Professoren erheblich vermehrt, vor allem durch die Einrichtung von Parallellehrstühlen in großen Fachgebieten, doch wurde an der Grundstruktur der Universität und an ihrer auf das Humboldtsche Universitätsmodell zurückgehenden Ausbildungsmethodik im wesentlichen festgehalten. Äußere und mit der Universität nicht unmittelbar verbundene Ursachen führten dann Ende der Sechzigerjahre zur Auslösung von Studentenunruhen, wie sie 1964 zuerst in Amerika und etwas später auch in Frankreich und Japan aufgetreten waren. Die studentische Protestbewegung führte zu einer dramatischen Zuspitzung der Diskussionen über Zustand, Sinn und Aufgabe der deutschen Universität, wobei besonders innerhalb der geistes- und sozialwissenschaftlichen Fakultäten der Hochschulen die Auseinandersetzungen teilweise gewalttätige Formen annahmen. Leider erfolgte die Bewältigung der durch die studentische Protestbewegung verursachten Augenblickssituation und die Anpassung der Universität an die gewachsenen Studentenzahlen nicht wie in anderen Ländern in pragmatischer Weise und durch kompetente

Kräfte. Statt dessen wurde durch den Staat in einer für deutsche Nachkriegsverhältnisse typischen Weise ein umfangreicher Gesetzgebungsprozeß in Gang gesetzt, bei dem noch dazu politische Gesichtspunkte in den Vordergrund traten, die mit der eigentlichen Problematik der Hochschulsituation gar nicht in Zusammenhang standen und zu ihrer Lösung auch nichts beitragen konnten. Die Mitbestimmung innerhalb der universitären Entscheidungsgremien wurde dabei zu einem zentralen Problem hochgespielt, das die gesamten Hochschulreformbestrebungen überschattete. Einem Hochschulrahmengesetz des Bundes aus dem Jahre 1976 folgten Hochschulgesetze und Hochschullehrergesetze der Länder sowie eine wahre Flut einschlägiger Verordnungen und Ausführungsbestimmungen. Während das deutsche Universitätsrecht bis 1933 so gut wie ausschließlich auf ein paar Paragraphen des Beamtenrechts und auf den vom Staat genehmigten Universitätssatzungen fußte, hat sich die jetzige deutsche Universität mit ihrer bis ins einzelne gehenden Reglementierung in vielerlei Hinsicht zu einer weisungsgebundenen nachgeordneten Behörde staatlicher Verwaltungsinstanzen entwickelt, mit der Konsequenz, daß ihr praktischer Betrieb heute von juristischen und kameralistischen Prinzipien beherrscht wird, ihre Effizienz sich in erster Linie an der Zahl der durchgeschleusten Studenten bemißt und Qualitätsmaßstäbe weitgehend abhanden gekommen sind.

Bei der Schaffung der Hochschulgesetze haben Ideologen und Bürokraten einträchtig zusammengewirkt, um ihre Vorstellungen von einer neuen deutschen Universität zu verwirklichen. Für das zentrale Problem der gegenwärtigen deutschen Universität, die Bewältigung des Studentenberges, haben diese Hochschulgesetze nicht nur nichts gebracht, sondern ganz im Gegenteil die Arbeit der Universität in vielerlei Hinsicht noch zusätzlich erschwert. Ihre von Land zu Land, Universität zu Universität und Fachrichtung zu Fachrichtung unterschiedlichen Auswirkungen sind dort besonders gravierend, wo die Durchsetzung sachfremder ideologischer Zielsetzung wichtiger geworden ist, als die Bewältigung der eigentlichen Aufgaben der Universität, Lehre und Forschung. Die Gesellschaft wird für den der deutschen Universität von Politikern, Funktionären und Bürokraten zugefügten Schaden einen hohen Preis bezahlen müssen, der in seinem vollen Umfang erst allmählich sichtbar werden wird, vor allem in seinen Auswirkungen in bezug auf die wirtschaftliche Konkurrenzfähigkeit dieses Landes und die Beschäftigungsmöglichkeiten seiner Bewohner. Unmittelbar Betroffene dieser negativen Entwicklung der deutschen Universität sind in erster Linie die Studenten, die jede Reduktion in der Qualität von Lehre und Forschung und in dem noch möglichen Engagement der Lehrenden und Forschenden sofort und direkt zu spüren bekommen.

Die gesetzlichen Regelungen brachten für die meisten Universitäten die Einführung des Präsidialsystems, das viele Befugnisse der früheren akademischen Selbstverwaltung beseitigte, der Hochschulverwaltung ausgedehnte Kontrollfunktionen übertrug und notwendig zu einer Aufblähung der Bürokratie innerhalb der Universität führte, während der eigentliche Präsident sich von dem Rektor früherer Prägung im wesentlichen durch eine verlängerte Amtszeit, aber nicht durch vermehrte Entscheidungsfreiheit unterscheidet. Dieses Präsidialsystem hat mit dem Präsidialsystem amerikanischer Hochschulen kaum etwas gemein. So liegen z. B. Hochschulpolitik und Hochschulreform hierzulande keineswegs in der Hand von Universitätspräsidenten, sondern sind praktisch ausschließlich in die Zuständigkeit von Verwaltungsjuristen gegeben und werden darüber hinaus zunehmend durch die Praxis der Rechtsprechung beeinflußt. Anstelle der alten Fakultäten führten die neuen gesetzlichen Regelungen zur Einführung von Fachbereichen, die jedoch keineswegs mit den departments amerikanischer Prägung verglichen werden können, sondern lediglich eine lose Zusammenfassung von nach wie vor bestehenden Lehrstühlen und Instituten darstellen. Die von staatlicher Seite verordneten Studienkommissionen endeten in einem Fiasko, doch ist es hier inzwischen einer Reihe von Disziplinen aus eigener Kraft gelungen, wesentliche Verbesserungen in der Ausgestaltung der Vorlesungen und im Ablauf der Prüfungen zu realisieren, vor allem in den von dem Massenbetrieb besonders betroffenen geistes- und sozialwissenschaftlichen Disziplinen, die solche Reformen besonders nötig hatten.

Die mit jeder Gesetzgebung zwangsläufig verbundene Gleichschaltung hat vor allem jene Disziplinen der Hochschule schwer geschädigt, die wie Natur- und Ingenieurwissenschaften bei Inkrafttreten der Hochschulgesetzgebung von den in anderen Fachrichtungen vorliegenden Überflutungsproblemen kaum betroffen waren und daher völlig unnötigerweise in ihrer Arbeitsfähigkeit getroffen wurden. In der Tat hat die Gleichschaltung von Disziplinen, Strukturen und Personen seit Inkrafttreten der Hochschulgesetzgebung außerordentliche Fortschritte gemacht und ist eine der Ursachen für den Niveauverlust, den die deutsche Universität in Lehre und Forschung zu beklagen hat und dessen abwärtsgerichteter Trend noch keineswegs zum Stillstand gekommen ist. Wenn die Finanzminister der Länder kürzlich den Beschluß gefaßt haben, die Hochschulen bei der Bewältigung der in den kommenden Jahren nochmals drastisch ansteigenden Studentenzahlen vollkommen im Stich zu lassen, indem sie »eine kostenneutrale Bewältigung der zunehmenden Studentenzahlen durch Steigerung der Effizienz« verordnen, so ist mit dieser Entscheidung der Weg der deutschen Universität im kommenden Jahrzehnt wohl vorgezeichnet. Es ist eine verhängnisvolle Illusion, sich in der Hoffnung zu wiegen, daß der in etwa zehn Jahren zu erwartende Rückgang der Studentenzahlen automatisch die Wiederaufnahme einer qualitativ hochwertigen Forschung und Lehre an den Universitäten nach sich ziehen würde. Eine einmal abgestorbene Forschung und eine dadurch ruinierte Qualität der Lehre läßt sich nicht mehr von innen heraus regenerieren und ist auch von außen her nur mit großem Aufwand an Geld, Zeit und unkonventionellen Methoden zu korrigieren.

Die staatlichen Gleichschaltungsmaßnahmen hatten für die deutschen Hochschulen viele negative Konsequenzen, wie
– eine erzwungene Nivellierung aller Fachbereiche,
– eine immer stärker eingeschränkte Handlungsfreiheit der Professoren in personellen und in materiellen Entscheidungen,
– eine vollständige Einzwängung der Hochschullehrer in ein Beamtenkorsett mit allen daraus resultierenden Beschränkungen,
– eine weitgehende Entkoppelung von Leistung und Besoldung,
– eine immer rigoroser gehandhabte Einebnung von Besoldungsunterschieden,
– eine Erschwerung außeruniversitärer Forschungsengagements durch Nebentätigkeitsverordnungen,
– eine zunehmende Behinderung der Forschung durch rechtliche und bürokratische Einengungen,

- eine direkte Eingriffsmöglichkeit rechtlicher Instanzen in Belange der Universität, vor allem auf dem Gebiete des Zulassungswesens,
- eine schematische Einführung von Regellehrverpflichtungen ohne Bezugnahme auf den tatsächlichen Bedarf,
- eine vielerorts unerträglich gewordene Politisierung der Hochschulen.

Diese Auswirkungen der Hochschulgesetzgebung führen bereits jetzt immer mehr zu einer Degradierung der Universitäten zu reinen Lehranstalten und zu einem damit verbundenen Abwandern der Forschung an außeruniversitäre Forschungseinrichtungen. Derartige Institutionen besitzen heute in der Bundesrepublik einen wesentlich größeren finanziellen und personellen Dispositionsspielraum und sind einer ungleich geringeren administrativen Gängelung ausgesetzt, als die den staatlichen Kultusverwaltungen nachgeordneten Universitäten. Umgekehrt fehlt reinen Forschungsinstitutionen jedoch in der Regel die nicht zu unterschätzende Befruchtung der Forschung durch die Lehre und sie sind darüber hinaus bei fehlenden Expansionsmöglichkeiten einer Alterungsproblematik unterworfen, die bei vielen dieser Einrichtungen zu einer mit dem Alter der Institution abnehmenden Forschungsvitalität führt, eine auch in anderen Ländern wohlbekannte Erscheinung. Die Hochschulen sind einer analogen Problematik deswegen nicht ausgesetzt, weil sie sowohl in der Forschung als auch in der Lehre tätig sind und ein vollwertiger Übergang zwischen diesen beiden Aufgabenstellungen jederzeit möglich ist. Die Abwanderungstendenzen der Forschung von der Hochschule werden noch zusätzlich durch gravierende Stellenengpässe gefördert, die ihre Wurzeln in einer verfehlten Personalpolitik der siebziger Jahre haben. Damals wurde nahezu der gesamte gerade vorhandene akademische Mittelbau in permanente Stellungen übernommen, wobei noch dazu vielfach die sonst üblichen Qualitätskriterien durch ideologische Gesichtspunkte ersetzt wurden. Die oftmals mangelhafte Motivation und Qualifikation der hier installierten akademischen Durchschnittsbeamten bildet nicht nur eine langfristige Belastung der wissenschaftlichen Atmosphäre vieler Universitäten, sie verhindert darüber hinaus auf Jahrzehnte ein Nachrücken jener engagierten, qualifizierten und innovationsfreudigen Kräfte, die allein eine Hochschule vor einer Verkrustung ihres Lehrkörpers bewahren können und deren Ausbleiben unweigerlich langfristige Konsequenzen für die Qualität des Lehrkörpers der deutschen Universität nach sich ziehen wird. Auch die bürokratische Behinderung der universitären Forschung durch eine Flut teilweise grotesker Regeln zeigt zunehmend ihre Wirkung, verursacht sie doch immer häufiger eine Einstellung von laufenden Forschungsvorhaben und eine Nichtinangriffnahme von neuen Projekten. Diese Entwicklung wird noch durch den Umstand gefördert, daß Forschungsvorhaben den Hochschulverwaltungen nur zusätzlichen Verwaltungsaufwand ohne unmittelbare Gegenleistung verursachen, so daß Forschung an manchen Hochschulen zwar noch toleriert, aber keineswegs mehr nach Kräften gefördert wird. Sofern die Entscheidung über Forschungsprojekte schließlich noch, wie an einigen Universitäten praktiziert, paritätisch besetzten kollektiven Mitbestimmungsorganen unterworfen wird, dann ist dies das Ende einer freien wissenschaftlichen Forschung überhaupt. Wenn trotz alledem die Forschung an den deutschen Universitäten nicht zum Stillstand gekommen ist, wenn an vielen Stellen nach wie vor hochwertige und international konkurrenzfähige Forschung betrieben wird und damit ein Absinken der Universitäten zu reinen beruflichen Lehrbetrieben verhindert werden konnte, so ist dies dem Engagement jener passionierten Hochschullehrer zu verdanken, die immer wieder Mittel und Wege fanden, trotz der von staatlicher Seite aufgezwungenen Einschränkungen der Handlungsfreiheit dennoch produktive Forschung und produktive Lehre miteinander zu verbinden. Dieser erfreuliche Tatbestand kann jedoch nicht darüber hinwegtäuschen, daß die deutsche Universität gegenwärtig in empfindlicher Weise in ihrem Auftrag behindert wird, für die Gesellschaft jene Ausbildungs- und Forschungsaufgaben durchzuführen, die für die Zukunftsperspektiven dieses Landes von so entscheidender Bedeutung sind.

Wiederum möchte ich diesen Abschnitt mit einigen persönlichen Bemerkungen beschließen: Im Jahre 1964 wurde im Zusammenhang mit meiner Rückkehr aus den USA an der Technischen Hochschule München in enger Anlehnung an amerikanische Vorbilder und unter hervorragendem Zusammenspiel aller Beteiligten, darunter auch dem Herausgeber dieses Bandes, Herrn Maier-Leibnitz, im Fachgebiet Physik das Department-System eingeführt. Im Endausbau umfaßte dieses Physikdepartment der TH München 16 kleine experimentelle Teilinstitute und ein Teilinstitut für Theoretische Physik, verfügte über eine zentrale Verwaltung zur weitestgehenden Entlastung der Wissenschaftler von administrativen Aufgaben, besaß eine Reihe von gemeinsam benützten Forschungseinrichtungen, für die jeweils ein Professor verantwortlich war, und hatte ein Leitungsgremium, das aus einem in jährlichem Turnus gewählten Vorsitzenden, zwei Stellvertretern, einem administrativen Geschäftsführer und einem wissenschaftlichen Assistenten bestand. Dieses Leitungsgremium fungierte als Exekutive, während die Legislative durch ein »Kollegium« gebildet wurde, ein Gremium bestehend aus allen Mitgliedern des Lehrkörpers und aus Vertretern der wissenschaftlichen Assistenten, der Doktoranden, Diplomanden und Studenten. Durch die Einrichtung dieses Departments sollte nicht nur im Rahmen einer echten inneren Reform das Fachgebiet Physik der TH München an die Erfordernisse eines modernen Lehr- und Forschungsbetriebes angepaßt werden, es sollte vielmehr darüber hinausgehend der Versuch unternommen werden, mit dem Physik-Department in Deutschland eine Lehr- und Forschungsstätte von internationalem Format zu errichten. In der Tat gelang es unmittelbar nach Einrichtung des Departments eine ganze Reihe von auswärtigen Wissenschaftlern für Lehrstühle des Departments zu gewinnen, darunter allein fünf aus den Vereinigten Staaten. Mit tatkräftiger Unterstützung durch die zuständigen bayerischen Ministerien und Gremien konnte der Aufbau des Physik-Departments in der ersten Dekade seines Bestehens in wesentlichen Zügen abgeschlossen werden. Die positive Entwicklung dieser für deutsche Verhältnisse einmaligen Einrichtung kam abrupt zum Stillstand, als das Department 1976 im Zusammenhang mit dem Inkrafttreten des bayerischen Hochschulgesetzes vom Bayerischen Landtag auf Vorschlag des Bayerischen Staatsministeriums für Unterricht und Kultus wieder aufgelöst und in drei Institute aufgeteilt wurde. Die Gründe für diese Zerschlagung, für die angesichts des mustergültigen Funktionierens dieser Einrichtung nicht der geringste sachliche Anlaß bestand, sind ausschließlich in dem Umstand zu suchen, daß diese Einrichtung etwas Besonderes darstellte und daß ihre Beseitigung eine Gleichschaltung mit allen anderen Fachbereichen ermöglichte, was sicher unter rein juristischen und administrativen Gesichtspunkten wünschenswert erschien. Das ehemalige Physik-Department der TH München ist ein Musterbeispiel für eine von einer deutschen Hochschule aus eigener Kraft bewerkstelligte Strukturreform, die anschließend einer staatlichen Gleichmacherei geopfert wurde, die nur in rechtlichen Kategorien denkt und für die Qualitätsgesichtspunkte keine Bedeutung haben. In ähnlicher Weise, wie durch das Hochschulgesetz des Landes Bayern das Physik-Department der TH München beseitigt wurde, ist durch das Hochschulgesetz des Landes Baden-Württemberg der Universität Konstanz ihre ursprüngliche wissenschaftliche Sonderstellung wieder entzogen und eine Gleichschaltung mit den anderen Hochschulen des Landes herbeigeführt worden.

## Universität im Wandel

Nach der vorangegangenen wenig erfreulichen Bestandsaufnahme des Zustandes der gegenwärtigen deutschen Universität wollen wir uns nun etwas näher mit den einer modernen Universität gestellten Aufgaben und den Möglichkeiten ihrer Bewältigung auseinandersetzen. Wenn in diesem Zusammenhang häufig das amerikanische Universitätsmodell zum Vergleich herangezogen werden wird, das in der Tat gezeigt hat, daß die Erfordernisse eines modernen Massenbetriebes und die Durchführung einer Eliteausbildung sich durchaus miteinander vereinbaren lassen, so soll dabei doch angesichts der sehr unterschiedlichen gesellschaftlichen Entwicklungen nicht der Illusion Vorschub geleistet werden, daß amerikanische Lösungen in nennenswertem Umfang an deutschen Universitäten Eingang finden könnten. In den der Berliner Universitätsgründung folgenden 150 Jahren konnte sich die deutsche Universität getreu den Humboldtschen Vorstellungen der Heranbildung einer Studentenschaft widmen, die nur wenige Prozent der Bevölkerung im studentischen Altersbereich umfaßte und die insofern einen elitären Charakter beanspruchen konnte, als sie auf Grund ihrer Schulbildung und der damit verbundenen Selektion die für die Durchführung eines Studiums in akademischer Freiheit nötige Reife, Selbständigkeit und Initiative besaß, um ihren Weg durchs Studium ohne ständige Überwachung, Hilfestellung und den Antrieb häufiger Prüfungen zu finden. Diese Situation hat sich in den letzten Jahren grundlegend gewandelt. Ein zunehmend breitere Bereiche der Öffentlichkeit erfassendes und mit realen Zukunftserwartungen verbundenes Bildungsbedürfnis führte zu einem explosionsartigen Ansteigen der Studentenzahlen, das durch begleitende staatliche Maßnahmen, wie Erweiterung von Zugangsmöglichkeiten, Abschaffung der Studiengebühren und ein großzügiges Stipendienwesen noch zusätzlich beschleunigt wurde. Mit dieser Öffnung der Universitäten für weite Kreise der Bevölkerung wurde in Deutschland letztlich nur eine Entwicklung nachvollzogen, die in einem Land wie den USA schon sehr viel weiter fortgeschritten war. Nicht zuletzt aus Gründen der Zukunftssicherung, die immer mehr und immer besser ausgebildete und an neue Verhältnisse anpassungsfähige Menschen erfordern wird, ist diese Entwicklung grundsätzlich zu begrüßen und jede pauschale Drosselung der Studentenzahlen etwa durch drastische Zulassungsbeschränkungen sollte daher unter allen Umständen vermieden werden. Gleichzeitig müssen jedoch die Bildungseinrichtungen nicht nur dem Massenansturm von Studenten angepaßt werden, sondern es muß auch Berücksichtigung finden, daß an die Motivation, die Vorbildung und die Fähigkeiten der heutigen Studenten keineswegs mehr die früher üblichen Ansprüche gestellt werden können. Dies ist ein zentraler Punkt, mit dem sich jede Reformbestrebung auseinanderzusetzen hat. Diesen Umständen Rechnung tragende Maßnahmen, wie intensive Studienberatungen, die Einführung von straffen Studienplänen und von fortschrittskontrollierenden Zwischenprüfungen, kurz die Verschulung des Studiums zumindest in den unteren Semestern, könnten von den deutschen Universitäten durchaus in eigener Regie durchgeführt werden und viele Schritte in dieser Richtung wurden inzwischen auch getätigt. Sowohl hier wie bei einer laufenden Qualitätskontrolle der universitären Veranstaltungen kann eine Mitwirkung von Studenten von großem Nutzen sein. Die notwendige Intensivierung der Betreuung großer Studentenzahlen im Rahmen von Tutor- und Seminarveranstaltungen durch universitätseigene Kräfte wird dabei aus personellen Gründen sehr schnell an ihre Grenzen stoßen, doch könnte dieser Engpaß gewaltig gemildert werden, wenn man sich dazu entschließen würde, bei der Betreuung der unteren Semester in großem Umfang qualifizierte Studenten höherer Semester heranzuziehen, wie das bei dem amerikanischen System der »teaching assistants« praktiziert wird. Es ist dieses Prinzip, das es der amerikanischen Universität gestattet, ohne jeglichen akademischen Mittelbau eine Massenausbildung in der ersten Ausbildungsstufe, der »undergraduate school«, durchzuführen. Dabei bleiben die eigentlichen Vorlesungen ausschließlich den Mitgliedern des Lehrkörpers vorbehalten, während zahlreiche begleitende Veranstaltungen, wie Diskussionskurse, Praktika, Tutorenklassen und Übungen von den »teaching assistants« unter Oberaufsicht der Professoren durchgeführt werden. Auf die ungeheuren Vorteile, die diesen »teaching assistants« aus ihrer Betreuung jüngerer Studenten für ihre eigene Ausbildung erwachsen, kann gar nicht nachdrücklich genug hingewiesen werden. Dies kann durch persönliche Erfahrungen noch untermauert werden: Während meines eigenen Physikstudiums an der TH München hatte ich zusammen mit zwei anderen Studenten die einmalige Gelegenheit erhalten, schon ab dem dritten Semester als wissenschaftliche Hilfskraft am mathematischen Institut der Hochschule bei der Betreuung jüngerer Studenten mitzuwirken. Neben der recht mühsamen Korrektur der mathematischen Übungsaufgaben für die rund 1000 Studenten gehörte dazu die Aufgabe, einmal in der Woche in einer Art zweistündigen Vorlesung jene Beispiele und Anleitungen zu liefern, die vor allem die Studenten der Ingenieurwissenschaften zur Erlangung einer praktischen Beherrschung der mathematischen Grundlagen führen sollten. Diese sich über sieben Semester erstreckende Tätigkeit als wissenschaftliche Hilfskraft hatte außerordentlich positive Auswirkungen auf meine eigene künftige Tätigkeit sowohl in der Lehre als auch in der Forschung, die mich noch heute zu größter Dankbarkeit für die mir damals gebotene Chance verpflichten.

Die durch die Öffnung der Universität für eine Massenausbildung notwendig werdende stärkere Verschulung der Universitätsausbildung ist auch in Deutschland keineswegs ein Novum. Die deutschen Technischen Hochschulen kannten seit jeher eine straffe Organisation ihres gesamten Ausbildungsprogramms und es waren nicht zuletzt gerade diese Institutionen, die über lange Zeit wegen der Qualität ihrer Ausbildung weltweites Ansehen genossen haben.

Ein besonderes Dilemma resultiert aus der Problematik, Chancengleichheit für alle mit einer Förderung für Hochbegabte zu vereinbaren. Die Forderung einer Chancengleichheit für alle kann je nach Standpunkt sehr unterschiedliche Interpretationen erfahren.

Während man hierunter eine der Begabung entsprechende Förderung verstehen kann, glauben manche Bildungspolitiker daraus die Verpflichtung ablesen zu müssen, Minderbegabte auf Kosten Höherbegabter besonders zu fördern, mit der konsequenten Forderung nach einer Ausbildungsnivellierung, bei der Täler aufgefüllt und Spitzen abgetragen werden. Von hier bis zu dem Ansinnen, ein Bestehen der Abschlußprüfungen für alle ohne Rücksicht auf die erbrachten Leistungen zu garantieren, ist dann nur noch ein letzter logischer Schritt. In der Tat wird ein die Gleichheit aller unterstellender Egalitarismus dann zum Ärgernis, wenn damit der Versuch unternommen wird, ideologische Vorurteile zu verbindlichen Normen für alle zu machen. Eine Gesellschaft, die es sich leistet, neben einer Förderung der Breitenausbildung die Förderung ihrer Spitzenbegabungen zu vernachlässigen, handelt zwangsläufig zum Schaden aller. Die Verwirklichung einer Chancengleichheit in der Bildung darf keinesfalls zu einer unter Mißbrauch des Wortes »Demokratisierung« eingeleiteten Nivellierung des Ausbildungsniveaus für alle auf dem niedrigsten gemeinsamen Nenner führen, weil dadurch nur wieder neue Diskriminierungen eingeführt werden. Andere Länder, die wie England oder die USA wahrlich eine sehr viel größere demokratische Erfahrung für sich in Anspruch nehmen können, haben weit weniger Schwierigkeiten, Chancengleichheit der Bildung für alle und Förderung von Hochbegabung bei wenigen miteinander in Einklang zu bringen. Dies wird allerdings durch die in diesen Ländern vorliegende große Differenzierung der Bildungseinrichtungen und durch die ganz andersartige Handhabung der Hochschulzulassungsbedingungen wesentlich erleichtert. In Deutschland sind es bekanntlich nicht die Hochschulen, die nach eigenen Kriterien über die Zulassungsqualifikation der Studenten entscheiden, sondern es dienen hierfür die Abschlußzeugnisse der höheren Schulen oder der Einrichtungen des zweiten Bildungsweges, bzw. es entscheiden, wie im Falle von Numerus-Clausus-Fächern, letztlich eine zentrale Zulassungsstelle oder auch die Gerichte. In den Vereinigten Staaten, aber auch in England kennt man keine von staatlicher Seite aus Gründen der Gleichschaltung versuchte Nivellierung aller Universitäten und es hat sich aus diesem Grund ein ganzes Spektrum von Hochschulen sehr unterschiedlicher Qualität herausgebildet, die den verschiedenen Begabungen ein ihnen angemessenes Ausbildungsniveau anbieten können. Dies ermöglicht es auch den Spitzenbegabungen, ihren Fähigkeiten angemessene Ausbildungsstätten zu besuchen. Zu diesen Spitzeninstitutionen zählen in England die Universitäten Oxford und Cambridge und das Imperial College in London und in den USA vor allem die Universitäten der »ivy league«. Die deutsche Universitätspolitik des vergangenen Jahrzehnts, wenn man von einer solchen Politik überhaupt sprechen kann, hat zwar die vorhandene Ausgeglichenheit im Niveau der Universitäten beseitigt, doch kam es hierbei leider nur zu Abweichungen nach unten hin, während positive Ansätze entweder sorgfältig vermieden oder schon im Keime erstickt worden sind. In den USA sind nahezu ein Drittel aller Hochschulen private Universitäten, und es sind gerade diese Institutionen, die die Qualitätsmaßstäbe untereinander und auch für die staatlichen Universitäten setzen. Eine positive Abweichung von der in Deutschland so hoch gepriesenen »Einheitlichkeit des Hochschulwesens« wird die auch hierzulande propagierte Einrichtung von Privathochschulen kaum bringen können, da solche Hochschulen in der Bundesrepublik von vornherein auf außerordentliche finanzielle und rechtliche Barrieren stoßen würden. Eine Förderung Hochbegabter wird daher in

Deutschland im wesentlichen nur im Rahmen der vorhandenen Universitäten erfolgen können und ist damit eng mit jener Problematik verknüpft, der sich auch die Durchführung einer Spitzenforschung an den gegenwärtigen deutschen Universitäten ausgesetzt sieht.

Während die bisher diskutierten Maßnahmen zur Anpassung an einen Massenbetrieb, die unter das Stichwort »Verschulung« fallen, von den Universitäten ohne weiteres in eigener Regie durchgeführt werden können, sind echte strukturelle Veränderungen, wie etwa der Übergang von dem traditionellen Lehrstuhlsystem zu einem echten Departmentsystem, praktisch undurchführbar. Das Sträuben der Universität gegenüber solchen inneren Reformen hat Tradition. Schon um die letzte Jahrhundertwende erlebten die Hochschulen eine gewaltige Expansion an Personal- und Sachausgaben, doch sank dabei gleichzeitig die relative Zahl der ordentlichen Professoren zu den Angehörigen des akademischen Mittelbaus und die durch fehlende Aufstiegsmöglichkeiten bewirkte Frustration dieses Mittelbaus führte zur Bildung von Interessensvertretungen, wie 1909 zur »Vereinigung außerordentlicher Professoren«, 1910 zum »Verband deutscher Privatdozenten« und schließlich 1912 zu deren Zusammenschluß im »Kartell deutscher Nichtordinarien«. Schon damals gab es also Frontstellungen innerhalb der Universität, die zu Kämpfen um echte und vermeintliche Privilegien führten. Eine konservative und allen Änderungen und Reformen abholde Einstellung der Hochschullehrer ist keineswegs eine deutsche Eigenart, sie kann vielmehr geradezu als ein Charakteristikum der Universitäten aller Länder und aller Zeiten angesehen werden. Akademische Selbtverwaltungsgremien haben kaum jemals umwälzende Initiativen und Neuerungen ausgelöst, da solche Gremien in erster Linie die Interessen ihrer Mitglieder vertreten und schützen werden. Wirkliche Universitätsreformen waren immer die Angelegenheit von engagierten Einzelpersonen, in den USA vor allem von Universitätspräsidenten, in Deutschland von staatlichen Beauftragten wie eines Wilhelm von Humboldt oder eines Friedrich Althoff. Die frühere Blüte der deutschen Hochschulen war in der Tat sehr stark der engen und pragmatischen Zusammenarbeit einer sachkundigen und wohlinformierten Staatsverwaltung mit Fakultäten und Senaten zu verdanken. Diese vertrauensvolle Zusammenarbeit von Hochschule und Staat ist gegenwärtig gründlich gestört. Wenn sich die deutschen Hochschullehrer zur Zeit mit ganz besonderer Heftigkeit allen strukturellen Änderungen widersetzen, so hat dies seine unmittelbaren Wurzeln in den schlechten Erfahrungen, die sie mit Änderungen aller Art in der Vergangenheit machen mußten. Die Mehrzahl der in der Nachkriegszeit durchgeführten Reformen dienten dem Staat letztlich nur als bequemes Mittel zur Einebnung von Unterschieden und zur Herstellung einer möglichst weit getriebenen »Vereinheitlichung«. Als Beispiel erwähnen wir in diesem Zusammenhang die Reform des Hörgeldwesens. Die großen Lehrstühle der deutschen Universität waren traditionell mit erheblichen Einnahmen aus Hörgeldern ausgestattet und dieser Zustand hatte sich unverändert bis weit in die Nachkriegszeit hinein erhalten. Im Zuge der Abschaffung der Studiengebühren wurden diese Hörgelder zunächst pauschaliert, die Pauschalen dann eingefroren und die verbliebenen Restbeträge schließlich in die Gehälter integriert. Insgesamt konnte der Staat allein durch diese Maßnahme eine Reduktion der davon betroffenen Professorengehälter auf rund die Hälfte erzielen. Amerikanische Hochschulen hatten dieses recht anachronistische Hörgeldsystem schon vor vielen Jahrzehnten aufgegeben, doch wurde diese Maßnahme dort nicht gleichzeitig zu einer Einebnung von Besoldungsunterschieden mißbraucht. Das durch die Erfahrung gewitzigte Mißtrauen der deutschen Professoren dem Staate gegenüber begründet auch das eiserne Festhalten an der Lehrstuhlstruktur der deutschen Universität, ist es doch eben diese Struktur, die eine gewisse Grundausstattung verbürgt und damit einen Rest an Handlungsfreiheit verschafft, der bei einem Aufgeben dieser Struktur wohl automatisch ebenfalls verloren ginge. Amerikanische Professoren können auf solche Sicherheiten verzichten, denn ihre Position ist gänzlich auf der erbrachten Leistung begründet und sie können sicher sein, daß eine solche Leistung ihre Honorierung nicht zuletzt auch in den ihnen gewährten Arbeitsbedingungen findet.

Die Universität ist eine Einrichtung der Gesellschaft und es ist ihre Aufgabe, für diese Gesellschaft eine ganze Reihe von Funktionen zu erfüllen. Neben ihrer Ausbildungsfunktion und neben ihrer Tätigkeit in der Forschung obliegt ihr auch die Herstellung eines engen Kontaktes zur Industrie, der sich nicht nur auf einen raschen Transfer des aktuellen Forschungsstandes und der letzten Forschungsergebnisse beschränken soll, sondern vor allem auch zu jenen wechselseitig befruchtenden Kontakten führen soll, die beiden Seiten großen Nutzen bringen können. An amerikanischen Universitäten hat sich in diesem Zusammenhang die Einrichtung des »consulting« eingebürgert, in deren Rahmen der Hochschullehrer typisch einen Tag pro Woche bei einer Industriefirma verbringt. Diese Beratungstätigkeit öffnet der Industrie auf sehr bequeme Weise ein enormes Reservoir an wissenschaftlicher Fachkenntnis und Erfahrung, verhindert auf Seite der Professoren ein Abkapseln im Elfenbeinturm und beinhaltet schließlich auch finanzielle Anreize. Viele der amerikanischen Universitäten legen inzwischen großen Wert auf eine solche Nebentätigkeit ihrer Professoren. An der deutschen Beamtenuniversität heutigen Zuschnitts liegen die Verhältnisse dagegen genau umgekehrt. Die im Rahmen der Hochschulgesetzgebung konsequent durchgeführte Überführung der deutschen Universitätslehrer in einen regulären Beamtenstatus brachte die Einführung von Nebentätigkeitsverordnungen, die jede Zusammenarbeit deutscher Hochschullehrer mit der Industrie von einer vorherigen Genehmigung abhängig machen. Hier zeigt sich wieder einmal das Resultat einer gesetzlich erzwungenen Gleichmacherei: Was für viele Bereiche des öffentlichen Dienstes, wie Postämter oder Baubehörden, vernünftig sein kann, erweist sich auf den Universitätsbereich angewandt als widersinnig und für die Gesellschaft schädlich. Während in den USA eine Zusammenarbeit zwischen Hochschule und Industrie in jeder Weise ermutigt und gefördert wird und außerordentliche Resultate zeigt, ja inzwischen sogar auch eine ganze Reihe deutscher Industriefirmen eine solche Zusammenarbeit mit amerikanischen Hochschulen erfolgreich praktizieren, wird in Deutschland eine solche Entwicklung durch Genehmigungsvorschriften mit dem Stigma des Unerwünschten versehen. Viele deutsche Hochschullehrer gehen Industriekontakten inzwischen bewußt aus dem Wege, zum Schaden der wirtschaftlichen Entwicklung dieses Landes.

Die von staatlicher Seite versuchte Abschirmung der Universität gegenüber der Industrie ist jedoch nur ein isolierter Aspekt der Beziehungen zwischen Universität und Technik insgesamt. Die deutsche Universität hatte traditionsgemäß immer Schwierigkeiten mit der Anerkennung und Integration neuer Entwicklungen praktischer Natur, die sie lieber an außeruniversitären Institutionen angesiedelt sah und deren Gleichberechtigung sie nach Möglichkeit zu verhindern suchte. Die traditionell abschätzige Wertung alles Technischen durch die Universitäten bedingte noch Mitte des 19. Jahrhunderts eine abgrundtiefe Kluft zwischen den Universitäten und den technischen Schulen. Die fortschreitende Industrialisierung ließ in der ersten Hälfte des vergangenen Jahrhunderts einen schnell wachsenden Bedarf an Fachleuten entstehen, die mit ingenieurmäßigen Methoden vertraut waren. Die deutschen Universitäten verschlossen sich dieser Aufgabe und so entstanden selbständige polytechnische Schulen, die bald ein beachtliches wissenschaftliches Niveau erreichten. Erst kurz vor der Jahrhundertwende wurden die polytechnischen Schulen in Deutschland parallel zu ihrer Umbenennung in Technische Hochschulen mit Promotionsrecht, Habilitationsrecht und Rektoratsverfassung ausgestattet und damit zumindest in dieser Hinsicht den Universitäten gleichgestellt. Die im Rahmen der jüngsten Hochschulgesetzgebung erfolgte und nicht sehr geglückte Umbenennung in »Technische Universitäten« sollte wohl auch eine Art Emanzipation darstellen. Noch heute sind technische Fakultäten an deutschen Universitäten eine sehr seltene Ausnahme. Eine gewisse technikfeindliche Einstellung des deutschen Bildungswesens insgesamt hat eine ihrer Wurzeln wohl in den Humboldtschen Bildungsidealen, die eine Zweckfreiheit der Bildung und damit ein Betreiben der Wissenschaft um ihrer selbst willen propagierten, was keinen Raum für jene Anwendungen ließ, die auf die Befriedigung praktischer Bedürfnisse gerichtet sind, wie das bei allen technischen Entwicklungen zwangsläufig der Fall ist. Die heute in der Bundesrepublik beobachtbare Skepsis, ja sogar Feindschaft gegenüber der Technik und den Naturwissenschaften hat jedoch sicher sehr viel weitläufigere Ursachen. Eine negative oder gar ablehnende Einstellung zur Technik führt zur Behinderung des technologischen Fortschritts und zieht gesellschaftliche Konsequenzen nach sich, die in unserem Lande zunehmend sichtbar werden und ihren Niederschlag nicht zuletzt auch in der Höhe des Beschäftigungspotentials finden. Weder der praktische noch der kulturelle Wert naturwissenschaftlich-technischer Erkenntnis genießt hierzulande jenen Stellenwert, der seiner Bedeutung für unser tägliches Leben entsprechen würde. Dies reflektiert in erster Linie ein Versäumnis der Bildungsinstitutionen. Die vielschichtigen Probleme einer modernen Industriegesellschaft erfordern eine gründliche und sachliche Unterrichtung der breiten Öffentlichkeit, eine Aufgabe, bei der die Schulen ganz besonders gefordert werden. Die deutsche Schule stellt ohne Zweifel deutlich höhere Anforderungen und liefert eine wesentlich fundiertere Bildung als die amerikanische Schule, die sowohl in ihrer Primär- als auch in ihrer Sekundärstufe eine vergleichsweise erheblich geringere Leistungsdifferenzierung kennt und bei der gleiche Ausbildungschancen für alle durchaus zu Lasten eines langsameren Fortschritts der Begabten gehen. Ungeachtet ihres generell niedrigeren Niveaus ist die amerikanische Schule dennoch intensiv um eine Vermittlung technisch-naturwissenschaftlichen Wissens bemüht. Auf der deutschen Grundschule und auch auf der Unterstufe der fortführenden Schulen stehen Bezüge zur Technik eher im Hintergrund, ja in den Lernmitteln der Grund- und Hauptschulen mancher Bundesländer hat eine geradezu negative Darstellung der Technik Eingang gefunden. Eine fruchtbare Vermittlung der Naturwissenschaften vor allem auf der Oberstufe der Gymnasien setzt in erster Linie engagierte und didaktisch begabte Lehrer voraus. Solche Lehrer, deren Tätigkeit nicht in der Vermittlung einer Fülle von formellem Fachwissen besteht, die vielmehr in der Lage sind, Interesse und Begeisterung zu wecken, sind von entscheidender Bedeutung für die Verbreitung naturwissenschaftlichen Gedankengutes vor allem auch unter jenen Schülern, die diesen Gebieten infolge anderer Neigungen von Haus aus reservierter gegenüberstehen. Die Universität hat bei der Auswahl und der Ausbildung solcher Lehrer einen entscheidenden Einfluß. Die gegenwärtige universitäre Ausbildung der Gymnasiallehrer betont leider ausschließlich die fachliche Seite, während die viel entscheidenderen didaktischen Fähigkeiten der künftigen Lehrer zunächst überhaupt keine Berücksichtigung finden. Es wäre außerordentlich wichtig, die jungen Lehramtsstudenten schon in einem sehr frühen Stadium an der Universität auf ihre didaktische Eignung zu überprüfen und ungeeignete Kandidaten schon so rechtzeitig auszusondern, daß dies keine schmerzlichen Zeitverluste für die Betroffenen nach sich zieht. In der Überbetonung der fachlichen Qualifikation liegt eine Schwäche der gegenwärtigen Gymnasiallehrerausbildung und sie ist einer der Gründe für den schlechten Ruf, den der mathematisch-naturwissenschaftliche Unterricht bei vielen Schülern genießt und der häufig in einer Abwahl dieser Fächer seinen Niederschlag findet. Eine andere Schwäche des naturwissenschaftlichen Unterrichts der höheren Schule resultiert aus der mangelnden Fortbildung der Lehrer. Die von den Universitäten gelegentlich in den Ferien gebotenen Fortbildungskurse werden nur von einem winzigen Bruchteil der Lehrer in Anspruch genommen. Die Entkopplung von Besoldung und Leistung trägt nicht gerade dazu bei, Anreize für die Lehrerfortbildung zu liefern. Auch die Institutionen der Erwachsenenbildung und vor allem die Medien können ganz wesentlich zu einer verbesserten Unterrichtung der Öffentlichkeit über naturwissenschaftlich-technische Probleme und Entwicklungen beitragen. Die einer objektiven und attraktiven Information eines breiten Publikums über naturwissenschaftliche und technische Problemstellungen gewidmeten Aufwendungen der öffentlich-rechtlichen Fernsehanstalten, denen hierbei eine ganz besonders gewichtige Rolle zufällt, haben sich bisher gemessen an den in anderen Bereichen getätigten Aufwendungen in äußerst bescheidenem Rahmen bewegt. Ausländische Anstalten sind hier in ganz unvergleichlich größerem Ausmaß bemüht. Auch in den deutschen Tageszeitungen wird wissenschaftlich-technischen Fragestellungen, von wenigen Ausnahmen abgesehen, ein sehr bescheidenes Gewicht beigemessen, nicht zuletzt auch gemessen am Umfang der Feuilletons, in denen vergleichsweise harmlose Vorgänge häufig eine ganz außerordentliche Aufmerksamkeit finden. Wahrscheinlich ist dies auch eine Folge des Mangels an guten, wissenschaftlich gebildeten Journalisten. Die reichlich dürftige, teilweise sogar tendenziöse Unterrichtung der Öffentlichkeit durch die Medien ist sicher eine der Ursachen für das in der Bundesrepublik für Naturwissenschaften und Technik so ungünstige geistige Klima, das verheerende Auswirkungen auf die wirtschaftliche Entwicklung dieses Landes hat und dessen Konsequenzen bereits heute weithin sichtbar werden. Die deutschen Universitäten tragen sicher eine Mitschuld an dieser Situation, da sie sich gegenwärtig der Aufgabe einer Information der Öffentlichkeit weitgehend entziehen, allerdings angesichts ihrer prekären Lage und der ihnen auferlegten Beschränkungen wohl auch gar nicht anders können. Im Gegensatz hierzu sind amerikanische Universitäten in großem Umfang an einer Unterrichtung einer breiten Öffentlichkeit über ihre Problemstellungen beteiligt, vor allem im Rahmen der dort üblichen umfangreichen Abendveranstaltungen.

Am Ende dieses Abschnitts sollen noch einige Bemerkungen folgen, was getan werden könnte, um die deutsche Universität aus ihrer gegenwärtigen Situation zu befreien und sie wieder in die Lage zu versetzen, ihren Aufgaben in einer den Bedürfnissen des Landes und seiner Bewohner entsprechenden Weise nachzukommen. Die Hochschulgesetzgebung des vergangenen Jahrzehnts, die nicht nur überflüssig, sondern in hohem Maße schädlich war, hat den Universitäten die Bewältigung ihrer Probleme nicht erleichtert, sondern nur erschwert. Es wäre dennoch illusorisch zu erwarten, daß diese Gesetzgebung einfach ersatzlos gestrichen oder auch nur in wesentlichen Punkten geändert werden könnte. Ganz abgesehen von ideologischen Vorbehalten würde ein solcher Schritt die grundsätzliche Änderung einer Einstellung erfordern, die staatlicher Kontrolle einen absoluten Vorrang gegenüber wissenschaftlichem Erfolg einräumt. Es ist sicher auch völlig ausgeschlossen, die Universität aus dem eine freie geistige Entfaltung in vieler Hinsicht behindernden Korsett des öffentlichen Dienstes wieder auszugliedern. Allzuviele Angehörige des im Rahmen der Hochschulgesetzgebung aus politischen Motiven in sichere Beamtenpositionen übergeführten akademischen Mittelbaues haben inzwischen die Vorteile einer staatlich gesicherten Tätigkeit schätzen gelernt und es würde sich kaum mehr eine Mehrheit finden, die bereit wäre, sich einem primär leistungsorientierten System zu überantworten. Auch eine Ausdehnung der akademischen Selbstverwaltung der Hochschule im finanziellen Bereich würde kaum eine Verbesserung bringen, da die inneruniversitären Gremien sich erfahrungsgemäß in der Regel nur auf ein Gießkannenprinzip verständigen können. Auch eine Änderung bzw. Homogenisierung des Ausbildungsniveaus der Studienanfänger ist in absehbarer Zeit wohl kaum zu erwarten, doch wäre dies auch gar nicht so wichtig, wenn es bewerkstelligt werden könnte, das Eingangsalter der Studienanfänger an der Universität zu reduzieren. Die Schäden und Defizite vorangegangener Ausbildungsstufen lassen sich erfahrungsgemäß an der Universität sehr rasch beheben. Es ist außerordentlich wichtig, die jungen Studenten möglichst frühzeitig an eigene kreative Tätigkeiten heranzuführen, ein Vorhaben, das in Deutschland durch die ungewöhnlich lange Schulausbildung ganz unnötig verzögert wird. Eine durchgreifende Änderung der Struktur des universitären Ausbildungssystems, etwa die Aufteilung in ein Grundstudium mit einem echten Abschluß, gefolgt von einem Aufbaustudium, also der Übergang von dem traditionell einstufigen deutschen Ausbildungssystem zu einem zweistufigen System angelsächsischer Provenienz, würde die Probleme der Massenausbildung schlagartig reduzieren. Dennoch scheint ein derartiges Ausbildungssystem aus einer ganzen Reihe von Gründen derzeit nicht realisierbar und sein Nutzen würde darüber hinaus auch erst langfristig zum Tragen kommen. Die einzige Maßnahme, die eine durchgreifende Änderung der Verhältnisse an den deutschen Universitäten einleiten könnte, ist ein punktuell gezieltes Abgehen von der derzeitigen Gleichschaltung. Es liegt durchaus im Bereich des Möglichen, einzelne sorgfältig ausgewählte Arbeitsgruppen oder auch Fachbereiche an wenigen Universitäten gezielt zu fördern, durch Einräumung einer Sonderstellung, die jene Freiheit der Betätigung ermöglichen müßte, die der heutigen deutschen Universität weitgehend genommen wurde. Eine derart gezielte Förderung, die immer an Personen, niemals an Fachgebieten anzusetzen hätte, würde es möglich machen, wieder Bedingungen für eine Spitzenforschung zu schaffen, in deren Rahmen dann auch hochbegabten Studenten eine besonders qualifizierte Ausbildung zuteil werden könnte.

Die Bundesrepublik nimmt international in der Finanzierung der Forschung eine hervorragende Position ein, doch gilt dies keineswegs auch für die Rahmenbedingungen, denen diese Forschung an ihren Universitäten unterworfen ist. Die hier vorgeschlagene gezielte Förderung von besonderen Forschungs- und Ausbildungsschwerpunkten soll vor allem die Rahmenbedingungen wiederherstellen, deren Vorhandensein besondere Leistungen möglich macht. Es geht also nicht in erster Linie um finanzielle Zuwendungen, die durchaus von dritter Seite eingeworben werden könnten, sondern um die Entrümpelung jener Einengungen, die die Tätigkeit an einer deutschen Universität heute so außerordentlich beschwerlich und unerfreulich machen. Dies bedingt die Wiederherstellung jener vertrauensvollen Beziehung zwischen staatlichen Behörden und Universität, die früher gebräuchlich war und inzwischen leider einem wechselseitigen abgrundtiefen Mißtrauen Platz gemacht hat. Die deutsche Forschungsgemeinschaft hat mit der Einrichtung der Sonderforschungsbereiche Wege in der hier vorgeschlagenen Richtung gewiesen. Durch Zusammenfassung unterschiedlicher Institutionen in einem solchen Sonderforschungsbereich ist es möglich geworden, eine Flexibilität in der Finanzierung und im Personalbereich zu erlangen, die Arbeiten möglich macht, die andernfalls unter den bestehenden Bedingungen nicht mehr realisiert werden könnten. Auch die sonst so sehr auf ihre Kulturhoheit pochenden Länder sind hier gefordert. Es ist in Politikerkreisen üblich geworden, wieder von der Notwendigkeit von Eliteförderung zu reden, doch ist es notwendig, diesen Worten endlich auch Taten folgen zu lassen. Die hier vorgeschlagenen Maßnahmen sind hierfür bestens geeignet. Die mit ihnen zu schaffenden Privilegien haben auch in einer Demokratie ihren Platz, wenn sie mit entsprechenden Leistungen verbunden sind. Die Schaffung einiger weniger, außerordentlich geförderter Zentren könnte Qualitätsmaßstäbe setzen, die schließlich Rückwirkungen auf die ganze deutsche Universität haben sollten.

## Rahmenbedingungen wissenschaftlicher Kreativität

Man könnte geneigt sein, den Fortschritt naturwissenschaftlicher Erkenntnis ausschließlich den individuellen Beiträgen kreativer und einzigartiger Persönlichkeiten zuzuschreiben, wie einem Newton, Maxwell, Einstein, Bohr oder Rutherford. Dem ist jedoch keineswegs so. Wissenschaftlicher Fortschritt, diese kontinuierliche Sammlung und Verarbeitung neuer Erkenntisse, ist ein sehr komplexer Vorgang, an dem eine große Zahl von Wissenschaftlern beteiligt ist. Er bedingt die Durchführung vieler Versuche und die Durchdenkung zahlreicher Hypothesen und wenn den meisten dieser Bemühungen auch der Erfolg versagt bleibt, so sind sie doch für eine schließliche Wahrheitsfindung unerläßlich. Ein solches Bemühen, der Natur ihre Rätsel zu entlocken, erfordert Geduld und Zähigkeit und immer neue Anläufe und Ideen. Die Breitenwirkung der vielen ist dabei die Basis, die es den wenigen schließlich ermöglicht, jene Durchbrüche zu erzielen, die den eigentlichen wissenschaftlichen Fortschritt ausmachen. Offenbar spielen jedoch für die kreative wissenschaftliche Leistung des einzelnen auch die intellektuelle Atmosphäre und die sozialen und kulturellen Rahmenbedingungen eine wesentliche Rolle. Ein Ausbleiben wissenschaftlicher Spitzenleistungen in einem Lande ist indikativ für ein Abkoppeln vom wissenschaftlichen Fortschritt und muß für jedes technologisch hochentwickelte Land ein Alarmzeichen bilden. Natürlich läßt sich wissenschaftliche Kreativität nicht in absoluten Zahlen messen. Eine breite Öffentlichkeit ist schwerlich in der Lage, die Bedeutung wissenschaftlicher Erkenntnisse zu ermessen. Fachwissenschaftler können demgegenüber die relative Stellung ihrer eigenen Arbeiten und der ihres Landes im internationalen Gesamtbezug recht gut beurteilen. Außerdem gibt es eine ganze Reihe von Kriterien, die Hinweise auf die wissenschaftliche Produktivität von Einzelpersonen, von Institutionen oder von ganzen Ländern liefern können. Wiewohl einem jeden solchen Indikator für sich genommen nur ein sehr beschränkter Aussagewert zugeschrieben werden kann, vermag eine Gesamtheit solcher Hinweise doch ein recht deutliches Bild zu liefern. Häufig finden dabei Kriterien Verwendung wie die Zahl der verliehenen Nobelpreise, die Häufigkeit der Erwähnung wissenschaftlicher Arbeiten (für die ein eigener Zitierungsindex geschaffen wurde), die Häufigkeit der Entdeckung grundlegender neuer wissenschaftlicher Erkenntnisse oder Methoden mit internationaler Resonanz oder auch die Patentbilanz. Viele dieser Indikatoren liefern für die Bundesrepublik derzeit ein recht ungünstiges Bild ihres wissenschaftlichen Leistungsstandes. Es ist instruktiv in diesem Zusammenhang einmal auf die Rahmenbedingungen wissenschaftlicher Kreativität einzugehen, also auf jene Randbedingungen, die wissenschaftliche Spitzenleistungen zwar nicht erzwingen, aber doch erheblich begünstigen können und deren Fehlen solche Leistungen behindern, wenn nicht sogar verhindern kann. Dabei seien zunächst ein paar generelle Bemerkungen über die Entwicklung naturwissenschaftlicher Erkenntnisgewinnung überhaupt vorausgeschickt. Die Tätigkeit des Naturforschers ist darauf gerichtet, durch ein rationales Erfassen einzelner Naturvorgänge insgesamt zu einem logisch konsistenten Bild der Natur und ihrer Grundgesetze zu gelangen. Die Akkumulierung solcher wissenschaftlicher Erkenntnisse war dabei in ihrem historischen Ablauf keineswegs ein ungebrochener Prozeß, sie war vielmehr erheblich den jeweils vorliegenden materiellen Bedingungen und geistigen Strömungen unterworfen. Eine Ansammlung wissenschaftlicher Erkenntnisse erfolgte schon während der Blütezeiten der Sumerer, Babylonier und Ägypter, doch geschah dies ohne jede Systematik. Von Wissenschaft im eigentlichen Sinn kann wohl erst ab etwa dem 6. Jahrhundert v. Chr. gesprochen werden, als im alten Griechenland das Zeitalter der Mythologie durch eine Periode abgelöst wurde, in der die Entwicklung der Mathematik, insbesondere der Geometrie, der geometrischen Optik und der Grundlagen der mathematischen Astronomie Hand in Hand ging mit einer einmaligen Blüteperiode der Philosophie, Literatur und Kunst. Diese rund vier Jahrhunderte umfassende produktive Phase war durch die Einführung einer wissenschaftlichen Denkweise ermöglicht worden, die sich durch die Logik wissenschaftlicher Argumentation auszeichnete. Erst mit dem Zeitalter der Renaissance kann jedoch von einer im heutigen Sinn modernen Naturforschung gesprochen werden, die ihre Erkenntnisse in erster Linie durch Abstützung auf systematisch durchgeführte Experimente gewinnt. Vorreiter dieser Entwicklung war Francis Bacon, während Galileo Galilei und Isaac Newton als ihre eigentlichen Väter gelten können. Diese Arbeiten waren nicht nur deswegen möglich geworden, weil entscheidende Vorarbeiten von anderen geleistet worden waren, sondern vor allem, weil damals sowohl in der experimentellen Technik als auch in der Verarbeitung der experimentellen Daten neue Methoden verfügbar wurden, deren Anwendung den folgenden

Fortschritt überhaupt erst möglich machte. So blieben die ungeheuren Auswirkungen des von Nikolaus Kopernikus (1473–1543) postulierten heliozentrischen Weltbildes in der Öffentlichkeit zunäct unbeachtet und seine Lehren blieben in der Tat bis zum Erlaß der Indexkongregation im Jahre 1616 von der Kirche unbeanstandet. Die zunehmende Beachtung des neuen Weltbildes war eine Folge der soliden astronomischen Beobachtungen, die durch die Entdeckung des Teleskops möglich geworden waren. Zwar hatte schon Tycho Brahe (1546–1601), dem der dänische König Friedrich II. im Jahre 1576 das erste wissenschaftliche Institut der Neuzeit, die Sternwarte Uranienborg auf der Insel Ven gestiftet hatte, mit einer genauen Beobachtung der Fixsterne und der Planetenbewegungen begonnen. Aber erst sein Mitarbeiter Johannes Kepler (1571–1630), der Erfinder des astronomischen Fernrohrs, führte jene genauen Messungen und Berechnungen der Planetenbewegungen durch, die die Unhaltbarkeit des alten ptolemäischen Weltbildes offensichtlich machten. Der Bau leistungsfähiger Mikroskope und Fernrohre, der erst durch die holländischen Fortschritte in der Glasschleiferei möglich geworden war, war entscheidende Voraussetzung für die überzeugenden Beobachtungen Galileis zugunsten des kopernikanischen Systems der Himmelskörper. Am wichtigsten war dabei seine Beobachtung der Umkreisung des Planeten Jupiter durch drei kleine Monde, da hier dem Betrachter unmittelbar ein kleines Modell des kopernikanischen Weltsystems vor Augen geführt wurde. Die strikte Weigerung einiger hartgesottener Aristoteliker, überhaupt einen Blick durch das Fernrohr zu richten, da sie ja durch bloße Vernunft schon wußten, was am Himmel vor sich ginge, war eine direkte Konfrontation zwischen der rein auf der Logik und dem Argument aufgebauten mittelalterlichen Scholastik und der neuen, das Experiment betonenden naturwissenschaftlichen Methode. Voraussetzung für die von Kepler und Galilei erzielten Durchbrüche waren jedoch nicht nur die in der experimentellen Meßtechnik erzielten Fortschritte, sondern auch ihre souveräne Beherrschung der Methoden der neuen Mathematik, die in der Renaissance zur Blüte gekommen war. Der französische Mathematiker François Viète (1540–1603) hatte hier den entscheidenden Schritt vollzogen, als er in Algebra und Trigonometrie für bekannte und unbekannte Größen Buchstaben einführte und dadurch zu einer Formalisierung des algebraischen Rechnens gelangte. Die Arbeiten Viètes und Cardanos (1501–1576) ermöglichten plötzlich durch den Einsatz algebraischer Methoden eine Bewältigung umfangreicher numerischer Rechnungen, bei gleichzeitiger Beseitigung der vordem bestandenen sprachlichen Ausdrucksschwierigkeiten. Hierdurch wurde Galilei in die Lage versetzt, die für die modernen Naturwissenschaften charakteristische quantitative Methode zu begründen, die sich durch eine mathematische Formulierung von im Experiment gewonnenen Daten auszeichnet. Newtons mathematische Theorie der universellen Gravitation bildete dann den Kulminationspunkt einer Entwicklung, die von den frühen Planetenvermessungen Tycho Brahes über die Planetengesetze Keplers bis zu den astronomischen Beobachtungen Galileis reicht und in der eine der wesentlichen Vorbedingungen für wissenschaftliche Spitzenleistungen zutage tritt, nämlich das Tätigwerden von Wissenschaftlern, die im richtigen Augenblick in der Lage sind die Möglichkeiten ihrer Zeit zum vollen Einsatz zu bringen. Wissenschaftliche Entdeckungen liegen meistens regelrecht in der Luft. Sie können getätigt werden, wenn die Zeit hierfür reif ist und viele Wissenschaftler haben dabei im Prinzip die gleichen Chancen solche Entdeckungen zu machen. Der Erfolg wird dann häufig denen zufallen, die nicht nur tauglich sind, sondern die darüber hinaus in einer Umgebung wirken, die schöpferischen Entwicklungen förderlich ist. Es sind in erster Linie diese lokalen Rahmenbedingungen, die heutzutage für das Zustandekommen wissenschaftlicher Spitzenleistungen eine ausschlaggebende Rolle spielen. Im folgenden soll deswegen etwas näher auf das Wesen und die Bedeutung dieser örtlichen Voraussetzungen eingegangen werden, weil mit ihrer Hilfe das Auftreten besonderer wissenschaftlicher Leistungen unmittelbar beeinflußt werden kann. Der direkte Zusammenhang zwischen kreativen wissenschaftlichen Leistungen und der für diese Leistungen so außerordentlich wichtigen wissenschaftlichen Atmosphäre läßt sich an vielen Beispielen ablesen. So ist es kein Zufall, daß die Nobelpreise keineswegs eine homogene Verteilung über die einschlägigen wissenschaftlichen Institutionen aufweisen. Von den in der Zeit zwischen 1945 und 1983 in den Bereichen Physik, Chemie und Physiologie-Medizin insgesamt verliehenen 212 Nobelpreisen gingen 116 an die USA, 43 nach Großbritannien, 15 an die Bundesrepublik, 8 nach Schweden, 6 nach Frankreich und 5 in die Schweiz. Von diesen Preisen gingen 17 nach Harvard (USA), 13 nach Cambridge (Großbritannien), 8 nach Berkeley (USA), 7 nach Oxford (Großbritannien), 7 an das California Institute of Technology (USA), 6 nach Princeton (USA) und 6 nach Cornell (USA). Diese Aufteilung nach Institutionen zeigt die starke Konzentration auf relativ wenige Plätze und ist eine eindrucksvolle Demonstration des Einflusses der wissenschaftlichen Umgebung. Interessanterweise gingen von den in der Nachkriegszeit nach Deutschland vergebenen Nobelpreisen allein vier nach Heidelberg. In diesem Zusammenhang sei es mir gestattet, die außerordentliche Bedeutung der Rahmenbedingungen für eine produktive wissenschaftliche Tätigkeit anhand der eigenen Erfahrung zu illustrieren: Es war mir vergönnt, in der Zeit von 1955 bis 1958 am Heidelberger Max-Planck-Institut für medizinische Forschung jene Arbeiten durchzuführen, die die Entdeckung der sogenannten rückstoßfreien Resonanzabsorption von Gammastrahlen zur Folge hatten und für die ich 1961 den Nobelpreis für Physik entgegennehmen durfte. Entscheidend für das Gelingen dieser Arbeiten war die wissenschaftliche Atmosphäre, in der ich diese Arbeiten durchführen konnte. Sie war wesentlich geprägt durch die damals in Heidelberg tätigen Persönlichkeiten, insbesondere durch die Professoren Bothe, Jensen, Haxel und Kopfermann, von denen die beiden ersten gleichfalls mit dem Nobelpreis ausgezeichnet wurden. Der laufende persönliche Kontakt mit diesen Wissenschaftlern und der gleichzeitige tägliche Kontakt mit vielen Kollegen im Institut, die alle sehr viel mehr konnten und wußten, war Anregung und Herausforderung zugleich. Gleichermaßen wichtig war die ungeheure Freiheit, die mir von meinem in München tätigen Doktorvater, Herrn Maier-Leibnitz, der selbst aus dem Heidelberger Kreis um Bothe kam, bei der Durchführung meiner Arbeiten eingeräumt worden war. Zudem gab es damals noch nicht jene zahlreichen Restriktionen und einengenden Vorschriften, die heute das Arbeiten in Deutschland, vor allem an den Universitäten in so empfindlicher Weise behindern. Herausforderung, Stimulanz und Handlungsfreiheit lieferten für mich persönlich jene entscheidenden Rahmenbedingungen, die für das Gelingen meiner Arbeiten wesentliche Voraussetzungen waren.

Stätten mit einer für wissenschaftliche Spitzenleistungen günstigen Atmosphäre können systematisch aufgebaut werden. Ein Musterbeispiel hierfür ist durch die Universität Göttingen gegeben, die bis zu Beginn des Dritten Reiches eine internationale Spitzenstellung eingenommen hat. Der Ausbau dieser Universität kann als Modellfall auch für unsere Zeit begriffen werden. Ihr Aufbau zu einer Spitzeninstitution zunächst auf dem Gebiet der Mathematik und später auch der Physik wurde planmäßig inszeniert. Dies war möglich durch eine auf gegenseitigem Vertrauen und gemeinsamem Interesse beruhende zielbewußte Zusammenarbeit zwischen preußischem Kultusministerium, Professorenschaft und Industrie. Auf seiten des preußischen Kultusministeriums war es der schon früher erwähnte Hochschulreferent Friedrich Althoff, der wohl als der letzte große Reformator und Initiator im Dienste eines deutschen Landes gelten kann. Althoff war aus seiner früheren Tätigkeit als Professor an der juristischen Fakultät der Universität Straßburg mit der Hochschulproblematik bestens vertraut. Seine eindrucksvollen Erfolge in weiten Bereichen der Hochschul- und Forschungspolitik beruhten nicht nur auf seiner Persönlichkeit und seinem Durchsetzungsvermögen, sondern waren vor allem auch seinen intensiven Kontakten mit Hochschullehrern und mit Industrievertretern zu verdanken, die ihn in die Lage versetzten, seine Entscheidungen an den tatsächlichen Bedürfnissen der Universität und der Forschung auszurichten und ihnen damit eine für heutige Verhältnisse ganz ungewöhnliche Effizienz zu verleihen. Der berühmte Mathematiker Felix Klein, der ständig als Berater Althoffs tätig war, schreibt von ihm: »Alle großen Fortschritte, welche die preußischen Universitäten in den 25 Jahren seiner Tätigkeit im Kultusministerium gemacht haben, gehen auf ihn zurück oder hängen zumindest eng mit ihm zusammen. Vor allem aber ist ihm Göttingen zu Dank verpflichtet, da die mit 1892 einsetzende große Entwicklung der mathematischen und physikalischen Einrichtungen in erster Linie von ihm herbeigeführt worden ist.«[3] Da es damals weder möglich noch wünschenswert erschien, alle Universitäten auf allen Gebieten gleichmäßig auszustatten, empfahl sich der Ausbau einzelner Hochschulen zu Schwerpunkten auf ausgewählten Gebieten. Unsere gegenwärtige Hochschulsituation zeigt auffallende Parallelen. Während man damals jedoch der unbefriedigenden Situation durch den schwerpunktmäßigen Ausbau einzelner Fachbereiche erfolgreich begegnete, sind heute ähnliche Konsequenzen bisher nicht gezogen worden, vor allem da man an der inzwischen weitgehend verwirklichten Gleichschaltung aller Universitäten und Fachgebiete aus einer ganzen Reihe von Gründen festhalten möchte. Für die Gebiete der Mathematik und der Physik schien damals das traditionsreiche Göttingen besonders geeignet, die Stadt, in der früher Gauß und Weber gewirkt hatten und in der seit 1892 Felix Klein seine Tätigkeit ausübte. Bei ihm handelte es sich um einen der erfolgreichsten Lehrer, Forscher und Organisatoren auf den Gebieten der reinen und der angewandten Mathematik. Am Beispiel Göttingen zeigte sich wieder einmal, daß Spitzenforschung immer dann eine echte Erfolgschance hat, wenn sie um vorhandene qualifizierte Forscher herum aufgebaut wird. Der umgekehrte Weg, die Bildung eines nicht von vornherein an Personen ausgerichteten wissenschaftlichen Schwerpunktes, verbunden mit der Hoffnung, daß bei entsprechender Finanzierung qualifizierte Kräfte automatisch gewonnen werden können, ist fast immer zum Scheitern verurteilt gewesen. So ist es ein Irrtum anzunehmen, daß der Erfolg eines aus politischen Gründen eingerichteten neuen Forschungsgebietes bei großzügiger Finanzierung vorprogrammiert sei und daß sich die entsprechend qualifizierten Forscher schon von selbst einstellen würden. Im Bereich der Grundlagenforschung ist nach Möglichkeit danach zu trachten, die Arbeitsgebiete nach den Forschern auszurichten und es sollte tunlichst vermieden werden, die Forscher den Arbeitsgebieten unterzuordnen. Felix Klein wollte in Göttingen nicht nur eine enge Verbindung zwischen der Mathematik und der Physik, der Technik und anderen verwandten Disziplinen verwirklicht sehen, sondern war gleichzeitig bestrebt die Wissenschaftler der Universität mit Kreisen der Industrie und des Wirtschaftslebens in direkten Kontakt zu bringen. In diesem Zusammenhang hat Klein im Auftrag Althoffs eine Reorganisation der Göttinger Gesellschaft der Wissenschaften vorbereitet, die 1898 die Gründung der Göttinger Vereinigung zur Förderung der angewandten Physik und Mathematik zur Folge hatte. Göttingen verdankt den Ausbau seiner mathematischen und physikalischen Einrichtungen dem glücklichen Zusammenwirken dieser privaten Vereinigung mit der durch Althoff vertretenen preußischen Kultusverwaltung. Dabei hat die Vereinigung aus ihren Mitteln jeweils die Gebäude und ihre Einrichtungen finanziert, unter der Voraussetzung, daß der Staat bereit war, für das betreffende Fach eine ordentliche Professur einzurichten. Auf diese Weise sind die Institute für angewandte Mathematik, für angewandte Mechanik, für angewandte Elektrizität und für Geophysik entstanden. Aus fünf ordentlichen Professuren für Mathematik und Physik wurden im Laufe der Jahre deren zehn. Göttingen entwickelte sich sehr schnell zu einem Mekka der Forschung auf den Gebieten der Mathematik und der Physik und auf verwandten Gebieten und wurde zu einem der renommiertesten Ausbildungszentren der ganzen Welt. Seine einmalige internationale Reputation fand ihren Niederschlag in der langen Liste berühmter Wissenschaftler, die die Universität Göttingen im Laufe der Jahre an sich ziehen konnte, darunter die Mathematiker Hilbert, Minkowski, Klein, Courant, Weyl, Landau, Herglotz, Runge, die Physiker Voigt, Wiechert, Prandtl, Debye, Born, Franck, Pohl und der Astronom Schwarzschild. Fast alle Kernphysiker, die während der Zeit des Zweiten Weltkriegs die amerikanische Wissenschaftszene dominierten, haben irgendeinmal der berühmten Göttinger Physikschule angehört.

Wenn die heutige deutsche Universität neben ihrer Aufgabe der Massenausbildung auch ihrer Aufgabe als Stätte der Spitzenforschung wieder gerecht werden soll, dann muß es zur Bildung von Schwerpunkten in einzelnen Fachgebieten kommen. Die ehemalige Universität Göttingen ist ein Musterbeispiel für die systematische Schaffung eines solchen Schwerpunktes und demonstriert Möglichkeiten für die Verwirklichung eines solchen Vorhabens. Ein technologisch hochentwickeltes und extrem exportabhängiges Land wie die Bundesrepublik kann es sich einfach nicht leisten, die Spitzenforschung an seinen Universitäten zu vernachlässigen, was immer die Gründe hierfür sein mögen. Unvorteilhafte Rahmenbedingugnen für diese Forschung haben Rückwirkungen, deren negativer Einfluß auf die Qualität der Ausbildung hierzulande bisher gewaltig unterschätzt worden ist. Die Bedeutung einer an der Universität durchgeführten hochwertigen Forschung beruht nicht nur auf den dabei erzielten Ergebnissen, sondern liegt auch in der mit einer solchen Forschung verbundenen Ausbildungsfunktion. Hier werden jene Studenten in ihrer Begabung geweckt und hochwertig ausgebildet, die durch ihre eigenen kreativen wissenschaftlichen oder technischen Leistungen künftige Entwicklungen entscheidend vorantreiben sollen. Die Geschichte der Wissenschaften zeigt sehr deutlich, daß es immer nur sehr wenige sind, die der Forschung ihrer Disziplin die entscheidenden Impulse geben. Eine Gesellschaft, die nicht in der Lage ist, hervorragenden Wissenschaftlern an ihren Universitäten die für die Durchführung ihrer Forschung und der damit verbundenen Lehre erforderlichen Rahmenbedingungen einzuräumen und die dadurch solche Tätigkeiten behindert oder sogar unmöglich macht, kann auch nicht hoffen, auf Dauer von den Auswirkungen wissenschaftlicher oder technischer Kreativität zu profitieren. Die Entwicklung unserer Arbeitslosenzahlen sollte hier sehr nachdenklich stimmen. Eine Forschung hoher Qualität findet derzeit an den Universitäten der Bundesrepublik sehr ungünstige Rahmenbedingungen, die nicht wie in manchen anderen Staaten primär durch echte finanzielle Engpässe verursacht sind, sondern in erster Linie auf künstlich geschaffene Probleme zurückzuführen sind, die bei einer konstruktiven und von gegenseitigem Vertrauen getragenen Zusammenarbeit von Staat und Universität erheblich reduziert werden könnten. Dies würde allerdings auf seiten der staatlichen Verwaltungen eine Einschränkung von Entscheidungs- und Kontrollbefugnissen erfordern. Handlungsfreiheit und die damit verbundene Übernahme von individueller Verantwortung ist eine der Voraussetzungen für wissenschaftliche Leistung. Es muß auch an deutschen Universitäten wieder möglich werden, daß der einzelne Forscher innerhalb des ihm zugestandenen finanziellen Rahmens die für die Durchführung seiner Arbeiten notwendigen Entscheidungen aufgrund seiner Sachkenntnis selbst treffen kann, ohne gezwungen zu sein, einen beträchtlichen Teil seiner Zeit für die Erfindung jener Umgehungen von Vorschriften zu verwenden, die allein sehr oft eine wissenschaftliche Tätigkeit überhaupt noch möglich machen. Dies gilt ganz besonders für die experimentellen naturwissenschaftlichen Fachgebiete, deren Forschung ihrer Natur nach sehr viel stärker von praktischen Nebenbedingungen abhängig ist, als das in den Geisteswissenschaften der Fall ist. Die hier angesprochene Problematik wurde in den letzten zwanzig Jahren in einer schier unübersehbaren Zahl von Publikationen in Fachzeitschriften und in der Tagespresse behandelt, ohne daß dies eine wesentliche Verbesserung der Verhältnisse zur Folge gehabt hätte. Der langfristige Zusammenhang von Leistungsstand der Universität und zukünftigen Wohlstand wird hierzulande zwar durchaus anerkannt, doch werden die notwendigen Konsequenzen nicht gezogen. In diesem Zusammenhang sei daran erinnert, daß sich die deutsche Wissenschaft nach dem Ersten Weltkrieg außerordentlich rasch erholt hat und in einer ganzen Reihe von Fachbereichen, insbesondere auf dem Gebiete der Physik, in wenigen Jahren eine absolute internationale Spitzenstellung einnehmen konnte. Trotz ungleich besserer wirtschaftlicher Randbedingungen hat sich ein ähnlicher Aufstieg nach dem Zweiten Weltkrieg nicht mehr wiederholt. Für diese unterschiedliche Entwicklung ist sicher eine ganze Reihe von Faktoren verantwortlich zu machen. Ein Aspekt scheint besonders offensichtlich: In ihrem Bemühen, die schreckliche Zeit des Dritten Reiches möglichst rasch zu verdrängen, griff nicht nur die Wissenschaft, sondern auch die staatliche Verwaltung auf die vor 1933 bestehenden Verfahren und Organisationsformen zurück. Eine Modernisierung der für die Universitäten und Forschungseinrichtungen zuständigen Verwaltungen und ihre Anpassung an die Bedürfnisse der modernen Forschung ist bis heute nicht gelungen. Ein zweiter wichtiger Gesichtspunkt ist das föderalistische System der Bundesrepublik, aus dem den Universitäten eine ganz besondere Problematik erwächst. Während die Kulturhoheit der Länder diesen automatisch die Zuständigkeit für die Universitäten überträgt, trägt der Bund nach dem Grundgesetz die oberste Verantwortung für die wissenschaftliche Forschung. Als Folge dieser unterschiedlichen Zuständigkeiten sind die Universitäten voll in das Kompetenzgerangel zwischen Bund und

Ländern geraten und es ist hier inbesondere die universitäre Forschung, die Leidtragende dieser Situation geworden ist. Der Lehre wurde seitens der Länder folgerichtig eine Priorität eingeräumt und diese Entwicklung hat sich durch den studentischen Andrang nur noch beschleunigt. So ist es beispielsweise kein Zufall, wenn sich das Wort »Forschung« in dem gesamten Bayerischen Hochschulgesetz nur ein einziges Mal vorfindet. In anderen gleichfalls föderalistisch strukturierten Ländern wie den USA, spielen derartige Kompetenzfragen eine weitaus bescheidenere Rolle und es besteht dort eine eindeutige Neigung, rechtliche Probleme gegenüber sachlichen Fragen in den Hintergrund treten zu lassen. Wenn die deutschen Universitäten ungeachtet ihrer erdrückenden Probleme auch heute noch an vielen Stellen Hervorragendes leisten, so zeigt dies nur, daß schöpferische Leistung nicht so ohne weiteres verhindert werden kann. Dies kann jedoch nicht als Entschuldigung für ein Versagen vor der Aufgabe dienen, für Spitzenleistungen geeignete Rahmenbedingungen und Freiheitsräume zu schaffen, die den besonders Befähigten unter Lehrern und Studenten jene Betätigung ermöglicht, auf die die Gesellschaft in so außergewöhnlichem Maße angewiesen ist. Es geht hier darum, jene nicht zu blockieren, die zu besonderen Leistungen bereit und fähig sind. Leider haben die Länder ihre kulturelle Eigenständigkeit bisher in nur sehr geringem Umfang beispielgebend ausgenutzt, sondern haben statt dessen der weitverbreiteten Neigung zur Gleichmacherei auf vielen jener Bereiche nachgegeben, wo ideologische Differenzen dies nicht unmöglich gemacht haben. Die Zukunft der deutschen Universität und ihr Nutzen für die Gesellschaft wird entscheidend davon abhängen, ob einzelne Bundesländer endlich den Mut aufbringen werden, eigenständige Lösungen für die Probleme der Universität zu finden, wie das in vergangenen Zeiten durchaus möglich war. Solche Lösungen sollten der Universität zumindest an einigen Schwerpunkten die für kreative wissenschaftliche Leistungen so außerordentlich wichtige Handlungsfreiheit zurückgeben und Rahmenbedingungen schaffen, die wieder eine echte Spitzenforschung unter vernünftigen Bedingungen ermöglichen würden. Es ist höchste Zeit, den vielen Reden über Begabtenförderung und Elitebildung endlich Taten folgen zu lassen, wenn verhindert werden soll, daß dieses Land in ein wissenschaftlich-technisches Abseits gerät. Wissenschaftliche Forschung und wirtschaftliche Prosperität sind untrennbar miteinander verbunden. Werner von Siemens hat diesen Zusammenhang vor mehr als hundert Jahren in die auch heute noch unverändert gültigen Worte gefaßt: »Die naturwissenschaftliche Forschung bildet immer den sicheren Boden des technischen Fortschritts und die Industrie eines Landes wird niemals eine internationale, leitende Stellung erwerben und sich erhalten können, wenn das Land nicht gleichzeitig an der Spitze des naturwissenschaftlichen Fortschritts steht. Dieses herbeizuführen ist das wirksamste Mittel zur Hebung der Industrie.«

## Literatur

[1] Neudruck: Fünf Grundschriften über »Die Idee der Deutschen Universität«, Wissenschaftliche Verlagsgesellschaft, Darmstadt 1965.

[2] Paulsen, Friedrich: Die Deutschen Universitäten und das Universitätsstudium, Berlin 1902; Reprographischer Nachdruck: Verlagsbuchhandlung Georg Olms, Hildesheim 1966.

[3] Sachse, A.: Friedrich Althoff und sein Werk, Berlin 1928.

[4] Reports of the Course of Instruction in Yale College by a Committee of the Corporation and the Academic Faculty 1828.

[5] Kerr, Clark: The Uses of the University, Harvard University Press, Cambridge, Mass., 1963.

# Alexander Todd

# Organic Chemistry

## Yesterday, Today and Tomorrow

Technology can be simply defined as the application of discovery or invention to the solution of practical problems. Throughout the long history of mankind material progress has depended on technological innovation – from the initial fashioning of weapons and the beginnings of agriculture right up to the present day. Until fairly recently, however, progress was slow and erratic mainly because it depended on chance discovery or invention. This was true even in the early days of the Industrial Revolution which began about two hundred years ago. That »revolution« depended on the fortuitous appearance of several inventions at about the same time, and the simultaneous appearance of entrepreneurs ready and able to exploit them; but it must be emphasised that these inventions were made by chance – there was nothing scientific about them. The invention of the steam engine – perhaps the keystone of the industrial revolution – was a matter of chance and had nothing to do with science. True, science had been advancing since the so-called »scientific revolution« of the seventeenth century, but it had done so mainly in the hands of amateurs and dilettantes and certainly had little impact on the early phases of the industrial revolution. The second half of the nineteenth century saw a remarkable change because about the middle of the century something new in the history of our civilisation occurred – namely the application of science or, better put, the results of scientific research to the solution of practical problems. This was, in my view, a turning point, for it removed – or at least very greatly diminished – the element of chance in the matter of technological progress, and, feeding on its own successes, has given us the ever-accelerating rate of technological advance which has characterised our world since then and which shows no sign of abating. One might reasonably claim that this change in the mid-nineteenth century could even be regarded as the second industrial revolution, with consequences for human society so profound that we have yet to come fully to terms with them.

When I look back at this breakthrough it seems to me that a major role was played in it by chemistry and particularly by that branch of the subject in which my own career has lain i.e. organic chemistry. For it was from abortive attempts by Perkin in the eighteen-fifties to synthesise the drug quinine that first the synthetic dyestuff and then the entire organic chemical industry developed. This great surge in the practical application of organic chemistry was accompanied by profound advances in its underlying theoretical base, and between them these had the effect of promoting a separation of structural organic chemistry from what came in due course to be called biochemistry. This separation may well have been inevitable, and it is true that the interests of the biochemist in the mechanism of biological processes did differentiate him from his organic chemical brother; however, with the passage of time the separation has diminished and the two disciplines are now much closer together, and especially, in their impact on biology, they occupy the centre of the scientific stage and must inevitably have an effect on our future at least as profound as anything to be expected from the so-called information technology resting on the development of electronics and the computer. To appreciate this, to understand our position today, and perhaps to speculate a little about tomorrow, it is necessary that we should trace the historical development of organic chemistry and biochemistry, their separation and the re-establishment of contact between them leading to the pulsating, multidisciplinary activities that we find interwoven today under the names of organic chemistry, biochemistry, bio-organic chemistry, molecular biology, and, in its industrial aspects, biotechnology.

The rise of iatrochemistry in the 16th and 17th centuries with its belief in the existence of specific chemical remedies for different kinds of symptoms brought chemistry and medicine together for the first time, and during the 18th century chemistry was taught as an integral part of the medical curriculum. What might be described as the science and practical arts of chemistry were not, as a rule, pursued by physicians (who relied on the pharmacists for plant extracts etc.) but largely by wealthy amateurs and dilettantes. It is, in this connection, worth recalling that it was the interplay of chemistry and physiology in studies on respiration in the eighteenth century that led not only to the discovery of the composition of air but also helped to provide some of the background for Lavoisier's »revolution in chemistry«.

By the beginning of the nineteenth century, mainly through the efforts of the pharmacists, a substantial number of so-called »organic substances« (e.g. urea, uric acid, hippuric acid, casein and albumin) had been isolated from plant and animal sources. These »organic substances« were so-called because they differed so markedly in their properties and behaviour from the products of the mineral world that they were believed to require for their formation a »vital force« found only in living organisms. This theory of a »vital force« for long dominated the thinking of chemists and although, strictly speaking, the laboratory synthesis of urea carried out by Wöhler in 1826 showed it to be invalid, relics of it persisted for many years after Wöhler's work.

Whether or not a »vital force« existed, it was clear enough that substances found in the mineral world were as a rule easy to characterise and to handle (being usually crystalline) and seemed to obey relatively straightforward laws of composition and reaction; this was not true of organic substances which seemed to obey no rational laws of composition and reaction, and in many cases were unstable, did not crystallise, and were almost impossible to characterise properly. It was essentially for this reason that the great Swedish chemist Berzelius in 1808 divided the science of chemistry into two branches – inorganic chemistry dealing with substances found in the mineral or non-living world, and organic chemistry comprising the chemistry of substances found in living matter. These definitions of Berzelius were at the time no more than a recognition of differences in behaviour. Although it was early found that all organic substances contained the element carbon it was not until much later – not indeed until the appearance of Gmelin's textbook in 1848 – that organic chemistry was given a second definition as the chemistry of the compounds of carbon.

Meanwhile other momentous changes were taking place. As the industrial revolution got under way the importance of chemistry in mining, in metallurgical and manufacturing industries, and in agriculture grew apace. As a result of this, chemistry broke away from its role as a subsidiary subject in the medical curriculum and, especially in Germany, it began to be taught in universities outside the medical faculties as a subject in its own right. As a result, it rapidly became professionalised and well-trained chemists began to be produced in ever-increasing numbers. Other European countries, for a variety of reasons, were slow in following this example, and consequently German dominance in chemistry was gradually established and was maintained throughout the rest of the nineteenth century.

In the first half of the century organic chemists seem to have been very catholic in their interests and carried out work in relation to agriculture and, through »animal chemistry«, to medicine. The great Justus von Liebig was not only prominent in applying chemistry to agriculture, but in 1842 he published a well-known text on »Animal chemistry or Organic Chemistry in its Application to Physiology and Pathology«; about the same time, too, he was involved in polemics with Mulder and Dumas regarding the nature of albuminoid substances or proteins. As yet there was, then, no real separation between organic chemistry, plant chemistry, and animal chemistry although there were some signs of a separatist tendency in animal chemistry which was growing in importance under the wing of physiology which had itself broken away from its subservience to medicine and was becoming, like chemistry, professionalised. Animal chemistry was essential to the progress of physiology and, indeed, the origins of biochemistry as a separate discipline are to be found in the nineteenth century departments of physiology. It is worth noting, too, that even in the first three decades of the twentieth century biochemistry was often a sub-department within university departments of physiology.

Until about 1850 organic chemistry was largely empirical. There was a great accumulation of experimental facts, but no adequate theory was available to bring them together in any rational way; attempts had been made by chemists like Dumas, Gerhardt and Laurent to produce a comprehensive theory but without real success. It was about this time that the great Wöhler described organic chemistry as a »trackless jungle«. Decisive change was at hand and, within a few years, organic chemistry was to have an all embracing structural theory which set it firmly on the path of major development, although it also had the effect of bringing about a cleavage or separation between organic chemistry and biochemistry which was to last for almost a century.

This great breakthrough in theory originated in Frankland's ideas of fixed combining power or valence, which he put forward about 1852. Within a few years (ca. 1857) the brilliant contributions of Couper, Kekulé and Butlerow had established the tetravalency of carbon, the ability of carbon atoms to link together in chains and rings and the introduction, as a result, of two-dimensional molecular formulae which not only gave an indication of properties, but, perhaps more importantly, explained the existence of isomers (compounds with the same molecular composition but with different properties e.g. butane and isobutane). Organic chemistry thus obtained a rational theoretical basis and was poised to race ahead – and this it did. It should be mentioned here that the final step needed to set the subject firmly on its way – the theory of the tetrahedral carbon atom and the three-dimensional structure of organic molecules which explained at once the phenomenon of

321

optical activity, came some years later – in 1874 – through the work of van't Hoff and Le Bel. With that the stage was set for the straightforward development of organic chemistry as we know it today. The emergence of an adequate structural theory gave the subject a tremendous boost and led, as we shall see, to the rise of the great organic chemical industries. Since, however, it could not be applied to such materials as the colloidal and almost uncharacterisable proteins, it brought in its train an almost total separation from animal or physiological chemistry, the forerunner of what became generally known as biochemistry by the beginning of the twentieth century.

In 1856 a young English chemist, William Henry Perkin, working in the London laboratory of A. W. Hofmann, attempted to synthesise quinine by oxidising allyl-toluidine. Needless to say, had it been a year or so later he would have recognised that in the light of the new Couper-Kekulé theories such an attempt would be bound to fail. Fail it did, but in the course of his experiments Perkin obtained a substance which dyed silk a fine *mauve* colour. Hitherto all dyes used in commerce were of natural origin but Perkin, being by nature an entrepreneur as well as a chemist, set out to manufacture and market his synthetic dye under the name *mauveine* and thereby founded the synthetic dyestuff industry. From that industry stemmed, in the course of time, the whole of our modern organic chemical industry which has done so much to fashion and improve the material aspects of everyday life. Needless to say, Perkin's success set off a great burst of activity in the dyestuffs field, much of it based on carefully based experimental studies as distinct from his purely chance approach. For example, the red dye alizarin was in widespread use in Europe in the middle of last century being extracted from the root of the madder plant. Two German chemists, Graebe and Liebermann, in 1868 extracted and purified a sample of the dye to give pure alizarin whose chemical structure they then determined by standard chemical procedures. Having done so, they confirmed the structure by synthesis and then proceeded to manufacture the dye by synthesis. This was so successful that within about five years madder cultivation – hitherto a flourishing agricultural industry – had virtually disappeared. The work of Graebe and Liebermann is a typical example of the power of the organic chemist's methods and – in more general terms – of science-based technology. Other similar examples abound – for example, Baeyer's work on indigo.

Now, of course, such substances as alizarin and indigo are plant products – true organic substances according to the Berzelius definition. It will, however, be observed that in the above-mentioned work of Graebe and Liebermann and of Baeyer, the investigators were concerned only with molecular structure and not at all with function. Yet structure and function are indissolubly linked in the chemistry of living matter. It seems to me that until the introduction of the ideas of valency and structure in the 1850s this had been recognised by most organic chemists, whether interested in animal or vegetable products, even if their understanding of such matters was minimal. The real break came with the introduction of valence theory, the well-nigh immediate development of organic chemical industry first with synthetic dyes and then with drugs, and the apparent inability of theoretical and experimental knowledge to provide any understanding of many of the complex materials occurring in living organisms. The organic chemists, indeed, soon devoted themselves wholly to the study of structure i.e. to the chemistry of carbon compounds of which by no means all occurred in living matter – coal tar, for example, was a prolific source of carbon compounds. An unfortunate consequence of this was that some of them not only drifted apart from, but also developed a kind of scorn for, their brethren the animal or – if you will – physiological chemists, who continued to operate along different lines because of their primary allegiance to physiology and pathology in the medical schools and accordingly to studies of function.

This separation occurred almost simultaneously with the development of organic chemical theory. Thus, in his textbook of organic chemistry published in 1861, Kekulé made the following statement (Vol. I. p. 11.): ›In particular it must be emphasised that organic chemistry has nothing to do with the study of chemical processes in the organs of plants and animals. This study forms the object of physiological chemistry. This deals therefore with the chemical changes that occur within the living organism and is divided, depending on whether it treats the chemical part of life processes of plants or of animals, into plant chemistry or phytochemistry and animal chemistry or zoochemistry.‹

The views of many physiologists and physiological chemists about their organic colleagues, displayed, for the most part, a similar antagonism, although such men as Hoppe Seyler (1877) publicly welcomed the work of the organic chemists on the structure of organic compounds as being of significance and assistance to the new science of biochemistry.

This separation, and at times, antagonism between organic chemists and biochemists, was undoubtedly encouraged by the fact that the physiological chemists working in the medical schools were very strongly influenced by the physiologists and pathologists who were in fact their masters, and who were frequently less demanding than they ought to have been regarding criteria of purity for the materials with which they worked. The old jibe »Tierchemie ist Schmierchemie« had indeed a measure of justification, although much less than the organic chemists who used it believed.

This deplorable state of affairs continued and, indeed, intensified throughout the remainder of the nineteenth and even well into the twentieth century. By about 1900 biochemistry had become in large measure the study of function with little attention being paid to the influence of structure while organic chemistry could be described as effectively the opposite. Some contact between them did exist, of course. For example, in his studies of, say, carbohydrate metabolism, the biochemist relied on organic chemistry for the essential knowledge of e.g. the structure of sugars and their breakdown products. But, by and large, the pure biochemist devoted his attention (as he still does) to the study of metabolic processes – to the study of the dynamic process going on in living organisms which is essentially physico-chemical in character. Physical chemistry became, and remains, much more experimentally important to many biochemists than organic chemistry; indeed some there are who would claim that physical chemistry is the only branch of chemistry that has been of real help to them experimentally.

Before the nineteenth century ended the organic chemists had developed their experimental techniques both for structural determination and synthesis to such an extent that some of them began to turn their attention to some of the more complex substances found in living organisms and from then onwards increasing attention was paid by them to the chemistry of natural products. So it was that from about 1880 onwards Emil Fischer carried out his pioneering work on carbohydrates, purines, peptides and proteins, all of them vitally important in biochemistry. Had there been less separation between chemists and biochemists and had biochemists welcomed and paid more attention to the work and approach of men like Fischer – for example, Willstätter, Freudenberg, Wallach – and to the ideas of Staudinger on macromolecules, history might have been different. As it was, most of the biochemists stuck to their metabolic studies and their organic colleagues plunged ever further into structural studies on complex natural products (steroids, colouring matters, terpenoids etc.) during the first thirty years of this century. It was during this period that classical organic chemistry reached its peak and gathered new theoretical strength to prepare it for its next leap forward. By the early 1900s organic chemistry was getting to a position similar to that in which it had found itself in 1850. It had undergone enormous growth – so much so that fact had outrun theory and the time was ripe for the acquisition of some new theoretical ideas if it were to continue its fantastic advance. For in any science, advances in theory and practice must go hand in hand. Fortunately new ideas did come into organic chemistry, mainly from physics vital the newly developing science of physical chemistry – I think in particular of the electronic theory of valence, the quantum theory, and transition state theory. As a result, by about 1930 organic chemistry was ripe for change and ready to enter upon a new phase of development in which it was to begin moving in the direction of biology and biochemistry. This new phase in the development of organic chemistry, which led in due course to the appearance of new disciplines (or sub-disciplines) such as bio-organic chemistry and molecular biology, is the one with which I am most familiar since it was precisely at that time – the early nineteen thirties – that I began my career as an independent research worker and was indeed among the pioneers of this change in direction.

In the early thirties a small number of European organic chemists – for example, Kuhn and Butenandt in Germany, Karrer and Ruzicka in Switzerland and, in England, myself, began independently to move towards the study of structure in relation to function. Although I doubt whether any of us realised it at the time, our efforts marked a kind of turning point and set the course for the *rapprochement* between organic chemistry and biochemistry which was to become such a prominent feature of scientific progress in the period between about 1950 and the present day. It is difficult to pinpoint any specific reason for this new movement, but I believe it owed a good deal to two technical advances made during the early part of this century. The first was analytical – the development of micro-analysis by Pregl which enabled the organic chemist to operate with much smaller amounts of material than heretofore. The second was the discovery and development of bio-assay procedures which could be used to control the separation and purification of biologically important substances occurring in small amounts in living organisms and performing important, if little understood, functions. Among these substances which attracted the organic chemists were the hormones – substances produced in small amounts in the endocrine glands of animals – and vitamins – similarly important substances which were not produced by the animal itself but were obtained from external sources in diet.

It had been known since about the turn of the century from studies on human and animal nutrition that there existed in foodstuffs, substances whose presence in diet was essential if normal growth and health were to be maintained. It would take us too far from our main theme to recount in detail the evolution of the vitamin theory from the nutritional work of Eijkmann and Grijns in Batavia (now Jakarta) in the early years of this century through the studies of Hopkins and others on »accessory food factors« to the adoption of the generic term »vitamin« for all such substances and the first isolation of one of them – the anti-beriberi vitamin, vitamin $B_1$ or thiamine – by Jansen and Donath in 1926. However, the fact that such remarkable substances (the daily requirement of a human being for some of them could be measured in micrograms) could be isolated in pure, crystalline form made them a powerful source of attraction to young organic chemists like myself. In a similar way, and at about the same time, the possibility of studying at least the non-protein hormones became an attraction to organic chemists when, in the nineteen twenties, biologists developed methods for bio-assay of, for example, the secondary sex hormones, and thereby permitted their isolation in crystalline form.

In my own case I was particularly attracted by the vitamins and wished not only to establish their molecular structure and synthesise them, but to find out how they functioned and what structural features determined their activity. From the small amounts necessary for health I imagined, and it has since been shown, that their function is catalytic. My first venture into this field was the study of vitamin $B_1$ (the anti-beriberi vitamin) the synthesis of which was completed in 1936. By then it was clear that it was but one member of a large group of water-soluble vitamins – the vitamin B group – and, alongside other studies, I continued to do structural work in the vitamin B group until 1955 when, in association with Dorothy Hodgkin, we established the structure of that most complex of all the vitamins – the anti-pernicious anaemia factor known as vitamin $B_{12}$. Vitamin $B_{12}$, the most fiendishly complicated molecule studied by the organic chemist, was actually synthesised some years later by Woodward and Eschenmoser.

The methods of structural elucidation and the experimental techniques available to chemists in the nineteen thirties could not possibly have permitted the establishment of the structure of such molecules as, say, vitamin $B_{12}$ or many of the antibiotics now in common use, and still less of the even more complex proteins and nucleic acids which have also been isolated from natural sources and studied in the half-century which has elapsed since I first developed an interest in vitamin $B_1$. Indeed, it would be fair to say that most of the advances made during that period have depended heavily on new and ever-improving experimental techniques. There is an old saying »*Jeder Fortschritt der Wissenschaft ist ein Fortschritt der Technik*«; there is much truth in that saying but it is not, in my opinion, entirely true. In the history of chemistry the need to match experimental with theoretical progress has been repeatedly demonstrated and I believe the theoretical advances made during the period since the end of the last war have also been of great significance – especially the orbital theory of valency, dynamic stereoisomerism, and the conservation of orbital symmetry in cyclisation reactions. The past fifty years have seen the introduction of a whole range of new techniques and experimental procedures into both organic chemistry and biochemistry which have virtually revolutionised our approach not just to the determination of molecular structure but also to our understanding of the relation of structure to function in biologically important substances. So numerous are they that it is difficult to place them in order of importance but, taking an overall view, I would suggest that the greatest impact has been made by four things – X-ray diffraction analysis, chromatographic methods of separation and purification, the use of isotopes – especially radiocarbon ($C^{14}$) – and the application of the various forms of spectroscopy – ultraviolet and infrared, mass spectrometry and nuclear magnetic resonance. Before discussing the present position and further outlook in the areas of organic chemistry and biochemistry it is, I think, desirable that the essential features of these four areas of technical advance should be described.

When a beam of X-rays is passed through a crystal the rays are deflected in characteristic ways as they strike individual atoms. By analysing these deflections it is possible to deduce the spatial distribution of all the atoms in the crystal. This technique requires very complex mathematical computations when applied to organic molecules and its success in structural organic chemistry has owed a great deal to the development of the computer without which it could never have reached its present importance. X-ray diffraction analysis (often called simply X-ray crystallography) as applied to organic molecules was still in a very rudimentary state when in 1932 Bernal, although his technique did not then allow him to deduce a precise molecular structure for the steroid ergosterol, stated that his X-ray evidence was quite incompatible with the then accepted structure for that important vitamin D precursor which had been advanced on the basis of traditional organic chemical degradative procedures; very soon thereafter (in 1933) Bernal's view was vindicated and the structure not just of ergosterol but all the other related steroids was revised accordingly. Since then, X-ray methods have been developed to a high degree of perfection by many workers such as Dorothy Hodgkin (a pupil of Bernal) and, aided by the parallel development of the computer, they have led not only to the elucidation of the molecular structure of such complex molecules as vitamin $B_{12}$, but have moved on with success into the world of the macromolecules and achieved spectacular results in the study of proteins, enzymes and nucleic acids.

In order to determine the structure of a chemical compound it is necessary to obtain it pure and free from contaminating material. The development of methods for the separation, purification and characterisation of substances has therefore been of major importance throughout the history of chemical science and in no area more than that of the study of difficultly characterisable macromolecules such as proteins and their breakdown products. Fractional distillation, crystallisation or precipitation – the standard purification procedures developed in the nineteenth century, were quite inadequate for many of the problems facing chemists and biochemists in the twentieth. In 1906, however, a Russian botanist named Tswett reported that when a solution of crude chlorophyll (the green pigment of leaves) in light petroleum is filtered through a column of absorbent material (he used calcium carbonate) the pigments present are resolved from top to bottom of the column in various zones; by washing the column with more petroleum the separation of the pigments could be rendered complete. This method of purification by adsorption Tswett named »chromatography«. Tswett's work was forgotten or ignored for some 20 years before it was taken up again by Richard Kuhn who used it in his classical studies on carotenoid pigments. The method soon became widely adopted by organic chemists as a powerful experimental tool, the use of which was not confined to coloured substances but could be applied to colourless material, given suitable detection methods for individual components. The name chromatography was, however, retained and has indeed remained to this day as a generic expression for a whole range of separation methods which have since been developed and which depend on selective adsorption or partition.

The first major advance in chromatography came from the side of biochemistry where most of the materials being studied were water-soluble. In 1941 Martin and Synge modified Tswett's procedure and introduced »partition chromatography« which depends on establishing an equilibrium between two liquid phases (e.g. chloroform and water) one of which (water) is immobilised by adsorption on a solid support (e.g. silica gel) while the other flows through the column i.e. the method depends on the partition of a dissolved substance between two phases. The next major advance was made by the same group of workers in 1944 when Consden Martin and Synge introduced paper chromatography. This variant of partition chromatography, in which the stationary phase took the form of strips of moist filter paper, allowed the separation of e.g. mixtures of free amino-acids in protein hydrolysates, and quickly established itself as one of the most important analytical tools in organic and biochemistry. Much later, and from a variety of sources, increasingly powerful chromatographic methods for the separation and purification of organic compounds have come into use e.g. gas or vapour phase chromatography and high pressure liquid chromatography. As a result, chemists today can separate and study materials which only a few years ago would have been beyond their reach.

The study of intermediary metabolism and especially of the manner in which compounds are built up in the living organism and the changes they undergo in metabolic processes have been matters of great interest from the earliest days of physiological chemistry, and have indeed been a central feature of twentieth century biochemistry. In the search for answers to these problems many attempts were made to »label« in some way physiologically important substances or their imagined precursors by introducing into them easily detectable atoms or groups (e.g. chlorine). This approach had only very limited success since the modified substances as a rule differed so markedly from the natural compounds that they were treated quite differently by the living organism. An enormous advance was made in 1935 by Schoenheimer who introduced the use of the naturally occurring hydrogen isotope deuterium (mass 2) as a label. Deuterium is indistinguishable from ordinary hydrogen (mass 1) in every respect except mass and its introduction into metabolites made no difference to their behaviour in organisms; it could therefore be used as a »label« or »tracer« in metabolic studies using the mass spectrometer as a means of detection. The use of deuterium was quickly followed by that of two other naturally occurring isotopes $N^{15}$ and $C^{13}$ in metabolic studies. Although the use of isotopes was thus shown to be a powerful weapon in metabolic studies its use might have remained very restricted had it not been for the war of 1939–45 and the consequent development of the nuclear reactor, a development which led to such radioactive isotopes as $C^{14}$ (radiocarbon) becoming relatively cheap and easily available. Not only were radioisotopes readily available but they were more easily detected and estimated than the stable isotopes previously used. As a result, in the years following the war, the use of $C^{14}$ as a tracer not only solved many metabolic problems which had been in dispute for half a century or more, but permitted the elucidation of the biosynthetic pathways to such important natural products as steroids, terpenoids, porphyrins and alkaloids.

Less easily pinpointed, but no less important to the development of both organic chemistry and biochemistry, has been the introduction of a variety of spectroscopic methods during the past fifty years. Quite early in this century it was known that many organic substances absorbed ultraviolet radiation selectively and, indeed, ultraviolet absorption was being used in a limited way during the nineteen twenties to characterise certain unsaturated substances. No serious attempt seems to have been made to use it diagnostically until the early nineteen forties when Woodward showed that $\alpha:\beta$ -unsaturated carbonyl groupings in a molecule could be detected by their characteristic ultraviolet absorption spectra. This was followed by a rapid development of ultraviolet absorption spectroscopy as a diagnostic tool in structural chemistry closely followed by the even more powerful weapon of infrared spectroscopy.

A powerful technique for structural studies on organic compounds and for the analysis of mixtures developed during this century in mass spectrometry. Its use by Schoenheimer in tracer studies in the 1930s has already been mentioned, but since that time the experimental techniques and hence the width of applicability of the method have been enormously improved. Basically mass spectrometry applied to structural studies depends on the fragmentation pattern of the ion formed when a molecule is ionised – usually by a beam of energetic electrons; the masses of these fragments are determined by sending the beam of ion fragments through a high-resolution mass spectroscope, an instrument analogous to an optical spectroscope but resolving beams of ions of different weights rather than light of different wavelengths.

Even more far-reaching in its effect on the structural elucidation of organic substances was the introduction of high-resolution nuclear magnetic resonance spectroscopy in the nineteen fifties. Nuclear magnetic resonance is a phenomenon exhibited by a large number of atomic nuclei with finite nuclear magnetic moments. Spectroscopic transitions of characteristic frequencies are observed when such nuclei are placed in a magnetic field and bombarded with radio-frequency radiation; plots of these transitions are known as nuclear magnetic resonance (NMR) spectra and they provide important information about molecular structure. Perhaps fortunately for the organic chemist, the common isotopes of carbon ($C^{12}$) and oxygen ($O^{16}$) have zero magnetic moments and the use of high resolution NMR. in organic chemistry has been largely restricted to $H^1$, $C^{13}$, $F^{19}$ and $P^{31}$. NMR spectroscopy has been the fastest developing field of spectroscopy in recent years and has now reached such a level of sophistication that it is even penetrating into clinical medicine.

A somewhat related technique – that of electron paramagnetic resonance (EPR) spectroscopy – has given valuable results with paramagnetic molecules but is of much less general importance than NMR.

In order that we may understand the present situation properly and begin to consider likely development it is necessary at this point to look at what has happened in organic chemistry and biochemistry during the past fifty years or so. To do so will involve a consideration of some earlier developments which formed the base upon which the spectacular achievements of recent years rest. It is, however, difficult to give a comprehensive and at the same time logically presented picture of all that has happened during this period of explosive growth in chemistry and biology. As I have already mentioned, organic chemistry and biochemistry have shown a welcome coming together although not in any sense a fusion. There still exist almost entirely separate from one another classical biochemists whose only concern is with metabolic processes (i.e. with the dynamics of living organisms which they study by essentially physico-chemical methods) and classical organic chemists whose concern is with niceties of structure and the reaction mechanisms of carbon compounds. Between these two extremes (which correspond approximately to the definitions of Kekulé) there lies a great area in which there are overlapping interests and a degree of merging not just with those of each other but increasingly today with those of biologists. This can clearly be seen in the welter of names we find today in the areas of science with which we are concerned in this article – organic chemistry, bio-organic chemistry, medicinal chemistry, molecular science, molecular biology etc.

Let us now look more closely at the progress already achieved in various areas, *viz.* natural product chemistry and biosynthesis, medicinal chemistry, protein and nucleic acid studies. We will omit from our survey developments in the general organic chemical industries – the artificial fibres, the plastics and polymers, dyes, and detergents and so on – that vast array of products which have revolutionised everyday life and which continue to pour out in ever increasing number and variety. This omission I justify because the industry is, in a sense, derivative, and its progress rests on that of the parent science of chemistry.

## Natural Product Chemistry and Biosynthesis

Mention has already been made of the striking contributions to our knowledge of carbohydrates, purines and proteins made by Emil Fischer in the last years of the nineteenth and the first few of the twentieth century. The importance of Fischer's work can hardly be overestimated, but he was not the only chemical giant to turn his attention to the substances found in living matter – the natural products – which Berzelius a century earlier had defined as the very stuff of organic chemistry. During the first thirty years of this century men like Willstätter, Perkin Jr., Wallach and Robinson to mention but a few, applied, with growing success, the analytical and synthetic methods of organic chemistry to a great range of natural products, and especially to natural colouring matters, alkaloids and the components of essential oils. The work of these men and their pupils not only laid the basis on which later structural studies on vitamins, hormones, steroids etc. were to rest, but also influenced profoundly the rise of the organic chemical and especially the pharmaceutical industries.

In the course of their work on the chemistry of natural products, chemists were increasingly impressed by certain regularities which were apparent in the molecular structures of different groups of plant products. For example, the so-called essential oils were found to consist of a large number of related compounds called terpenoids. These terpenoids were compounds containing 10, 15, 20 or 30 carbon atoms in their molecules and were called accordingly terpenes, sesquiterpenes, diterpenes and triterpenes. The oxygen-free members of the group all appeared to have molecular formulae which were multiples of $C_5H_8$ and in this respect were just like natural rubber which on thermal decomposition yielded the unsaturated hydrocarbon isoprene ($C_5H_8$). In due course it became clear that the carbon skeleton of the great majority of terpenoids seemed to be made up of recurring isoprene units joined head to tail in a regular manner. This – the so-called »isoprene rule« – was of great value in structural studies on terpenoids (and later on steroids) although, of course, it was at the time merely a rule of thumb without necessarily having any bearing on the origin of terpenoids in plants.

During the same period Robinson noticed that the molecules of many alkaloids could be formally assembled from a few natural amino-acids and on this basis he propounded his ideas on biogenesis of alkaloids. These views received considerable support when he demonstrated that he could synthesise an alkaloid – tropinone – in the laboratory from simple chemicals in dilute aqueous solution. The so-called »isoprene rule« in the terpenoid series, the relationship of amino-acids to alkaloids, and the regular occurrence of $C_6$–$C_3$ units in other natural products (e.g. colouring matters) were valuable in drawing attention to structural relationships but until radioactive isotopes – and especially $C^{14}$ – became available, there was no way of ascertaining the degree to which they bore any relation to biosynthesis.

Since radiocarbon became available quite sensational progress has been made in the study of the biosynthesis of natural products. Today we know in great detail how, starting from acetate, such complex molecules as terpenoids, steroids, porphyrins and vitamin $B_{12}$ are synthesised in nature. Moreover, in the course of, and arising from, such work, organic chemists have pressed forward into detailed study of the precise mechanism of the enzyme reactions involved in biosynthesis. In so doing their work has impinged upon protein studies and X-ray structural studies on enzymes; the merging of chemical, biochemical and biophysical studies in this field of biosynthesis would certainly have been regarded as most unlikely, if not impossible, even thirty years ago.

## Medicinal Chemistry

The increase in life expectancy which has been observed in all developed countries since the second world war has been brought about mainly by the medicinal chemists and especially those in the pharmaceutical industry. To appreciate what has happened it is, however, necessary to look further back at the earlier history of chemotherapy. The search for materials to relieve pain or cure disease has gone on for many centuries, but until organic chemistry began its spectacular rise in the eighteen-fifties successes were few and confined largely to remedies derived from plant sources. If we look back to 1850 we find that the physician's meagre armoury consisted primarily of mercury (in use since the 15th century), cinchona and ipecacuanha brought from South America in the seventeenth century, and digitalis prepared from the foxglove introduced in the late 18th century. In 1850 surgery was in an even more deplorable state. True, anaesthesia was known; but the range of operations was kept very small and their outcome was always made very doubtful by the septic complications which followed and which were regarded as natural and inevitable. The bacterial causation of many diseases was foreshadowed by the work of Pasteur on putrefaction, but recognition of the medical significance of his research and that of Koch did not come until the eighteen seventies. Progress since then, both in curative medicine and in surgery, has been continuously accelerating and much of it has come from organic chemistry through the efforts of the medicinal chemists many of them employed in the pharmaceutical industry. The close association of chemotherapy (the treatment of disease by chemical agents) with the rise of the organic chemical industry is often overlooked despite the fact that Perkin's discovery of mauveine – so important to the rise of the dyestuff industry – was made by chance during efforts to synthesise the natural drug quinine.

By 1870 the organic chemical industry, aimed largely at the production of synthetic or »coal-tar« dyestuffs, was well established and after the Franco-Prussian war of 1870 it grew mightily, especially in Germany. It was not, in those days, specifically oriented towards the production of drugs although some important examples, e.g. aspirin, were discovered in industrial research and later introduced into therapy. (Aspirin was discovered in 1874 and introduced into therapy in 1899.) The development of the industry caused its chemists to concentrate their thoughts on colour and affinity for natural fibres as functions of chemical structure. It was Paul Ehrlich who brought their thoughts into the fields of biology and medicine and became thereby the true father of chemotherapy.

Ehrlich was interested first in the use of synthetic dyes for staining microscopic preparations and later in the distribution of dyestuffs administered to living animals, believing that »the wayward means by which drugs are distributed over the body must be of the greatest importance in the rational development of therapeutics«. So began his experiments on vital staining which were to become the very foundation of chemotherapy as we know it today. In 1886 he used the dye Methylene Blue for the vital staining of nerve tissue and shortly thereafter he found that the same dye stained and apparently killed the parasites which cause malaria. As a result, he and Guttmann tried its effect on cases of human malaria in 1891 and showed that although much less effective than quinine, Methylene Blue could cure the tertian form of the disease. This finding, although it did ultimately lead to the development of modern antimalarial drugs, was not followed up for some twenty years since no satisfactory animal assay procedure for antimalarial drugs existed at that time. The first clinically successful drug for the treatment of malaria – pamaquin (plasmochin) – did not appear until 1926 but since then a large array of highly potent antimalarials have been produced by the pharmaceutical industry – many of them under the stimulus of the 1939–45 war in which several military campaigns were fought in malaria-infested areas.

More immediate success was achieved by Ehrlich and the dyestuff chemists in their search for a cure for the tropical disease of trypanosomiasis, widespread in Africa, for which drugs could be readily tested on small animals. Here the initial impetus came from the discovery of Congo Red, the first water-soluble acidic dye capable of colouring cotton without the use of a mordant. By synthesising a series of other so-called »substantive dyes« analogous to Congo Red a number of substances were discovered e.g. Trypan Red and Trypan Blue, which were effective trypanocides. The intense colour of these substances was, of course, a great disadvantage in clinical use but the discovery that the chromogenic azo-group (-N=N-) was not essential for affinity to cotton led on to the synthesis of colourless drugs like Suramin and Surfen C.

Although, as a result of this and other chemical work (e.g. on arsenicals), drugs effective against protozoal diseases had been discovered and were in clinical use by the early years of this century, no progress whatever had been made by applying similar methods to bacterial infections. It is true that many azo-dyes (i.e. containing the grouping -N=N- in the molecule) would stain and kill bacteria *in vitro* and, indeed, one of them (Chrysoidine) was used with some success as an antiseptic in wound treatment. In no case, however, was it found possible to control the multiplication of bacteria within living organisms. By the second decade of this century, indeed, most medicinal chemists and their medical colleagues abandoned the search for dyes which might have this much sought-after effect. Fortunately at least one medical scientist. Carl Domagk in the laboratories of the I.G. Farbenindustrie at Elberfeld, continued the search. In the late twenties the German dyestuff chemists began to introduce sulphonamido-groups into their azo-dyes in order to increase their fastness. In 1935 Domagk administered one of these new deyes – the red *Prontosil Rubrum* – directly to bacterially infected animals and achieved, for the first time in medical history, a complete cure. I need not enlarge here on how it was found that the coloured portion of the molecule was unnecessary and that the activity resided in the simple sulphanilamide (p-aminobenzene-sulphonamide), nor detail the numerous variants based upon it which were soon synthesised and made available by the pharmaceutical industry for therapeutic use (the sulpha-drugs).

Those too young to have witnessed these events may find it difficult to understand the enormous impact made on medical practice by the sulpha-drugs. Now, for the first time in history, it was possible to apply curative therapy to victims of such notorious killer diseases as pneumonia. The dominance of the sulpha-drugs was, however, to last less than a decade. Although still valuable, they were put in the shade by the development of penicillin during the second world war. Penicillin and the later multitude of other antibiotics – natural, semisynthetic and synthetic – have brought us to a point at which most bacterial infections can be readily dealt with.

Quite apart from its value in clinical medicine, sulphanilamide was of outstanding importance in that it gave a new impetus and a much needed rationale to the design of therapeutic agents and helped to bring chemical and biochemical studies in the vitamin field closer to one another and to the work of the medicinal chemists. By the late thirties it had become recognised that the members of the large group of water-soluble vitamins (usually described as the vitamin B group) had a catalytic function as growth factors essential for the proper functioning of enzyme systems in living organisms. One such factor, essential for many bacteria, is p-aminobenzoic acid. In a remarkable paper, Woods in 1940 showed that sulphanilamide and p-aminobenzoic acid are antagonists, and that sulphanilamide owes its activity to competitive inhibition of this essential bacterial growth factor. The fact that the molecules of these two substances are so similar in shape and size gave a new fillip to the medicinal chemist's search for new drugs. Hitherto, apart from the vague idea that the affinity of a substance for natural fibres (as in Ehrlich's dyes) might be important there was no theory to guide the design of synthetic drugs. After the work of Woods, however, chemists began to place emphasis on molecular shape in relation to known growth factors when searching for new drugs. Of course, the matter was not quite so simple, but the theory did at least allow the synthesis of active compounds, although few of them had anything like the success of the sulpha-drugs.

This relative lack of success meant only that, although the ideas of shape or fit were perhaps sound enough, detailed knowledge of mode of action and of enzyme systems was as yet too rudimentary to permit precision in drug design. Since the war, and especially following our greatly increased knowledge of enzymes, receptor sites and so on, a rational basis for drug design is emerging. When one looks at the detailed structure of an enzyme such as lysozyme as shown by refined X-ray analysis and sees in its molecule a cleft or cavity into which the enzyme substrate fits precisely, it is difficult to believe that truly rational drug design can be far away.

Related to the search for synthetic drugs is agrochemical research aimed at the control of weeds, fungi and insects which attack or prevent the satisfactory growth of economically important crops. This area of research is in a more primitive state than medicinal chemistry for a number of reasons. For one thing, our knowledge of the physiology and biochemistry of plants and insects is much less highly developed than is that of the higher animals. Again, the biochemical action of pesticides is not well understood save perhaps in the case of the organophosphorus insecticides. These are powerful inhibitors of the enzyme choline esterase which is vital to the nervous system of all animals. That comment, of course, reveals one of the greatest problems facing any attempt at the control of pests in crops by chemical means. Application of a pesticide usually has to be carried out indiscriminately by spraying or other methods over a very large area in which occur plant, animal, and insect species which may be beneficial or at least harmless; an agent which is insufficiently selective is thus useless and may, indeed, be dangerous. For these and other reasons, development in the agrochemical field, although it has increased greatly since the last war, still has some way to go before it reaches the level of precision we now have in medicinal chemistry.

## Proteins and Enzymes

The term »protein« was introduced in 1848 by Mulder as a generic term for the colloidal, ill-defined materials like casein and albumin hitherto described simply as the »albuminoid substances«. It has already been mentioned that, although such substances had been a major source of interest since the earliest days of organic chemistry, the lack of methods whereby they could be purified and characterised as individual substances blocked real progress in defining their structure for more than a century after the studies of men like Mulder, Dumas and Liebig in the eighteen forties. This applied with even more force to the enzymes or biocatalysts, which promote and direct the complex and interrelated chemical processes upon which life depends. An added complication in trying to understand enzymes and their action lies in the fact that some are simply proteins of varying complexity, while others contain, in addition, prosthetic groups or require so-called co-factors essential to their activity. The study of these materials over a century and a half makes a fascinating story too long to recount here, but a brief outline of some of its more salient features may help to indicate where we now stand, and how our accumulated knowledge – much of it quite recently acquired – has influenced the development of organic chemistry, biochemistry and molecular biology.

By 1899, when Fischer took up the study of proteins it was known that they yielded a number of α-amino-acids on complete hydrolysis and that by partial hydrolysis one could obtain from them dipeptides consisting of two amino-acids linked together amide fashion.

Fischer propounded the view that proteins were simply polypeptides made up of large numbers of amino-acids linked together and, indeed, in support of his view he synthesised a polypeptide containing eighteen amino-acid residues. He was, of course, not very precise about the proteins with which he worked since he had no real means of determining their purity or homogeneity. In the years that followed Fischer's work the polypeptide theory of protein structure had many vicissitudes and it was only vindicated finally after the last war. The final establishment of the polypeptide structure of proteins owed a great deal to improvements in methods of purification – chromatographic and electrophoretic – but the main credit must go to Sänger, who, by devising methods for selective fission of protein molecules and the determination of the nature and precise sequence of amino-acid residues in them, was able to establish the complete structure of insulin. His work was soon further developed and extended to other proteins; for example, shortly after the insulin work, Moore and Stein similarly established the structure of the enzyme protein ribonu-clease which contains a chain of 124 amino-acids. It may be noted that both insulin and ribonuclease have since been synthesised, although the procedures used were extremely laborious, somewhat unspecific, and the yields were very poor. Still, biologically active material was obtained in each case giving at least some ground for hope that the classical organic chemical approach of confirmation of structure by unambiguous total synthesis may in time be possible even with such complex macromolecules.

It was, however, the application of X-ray diffraction methods to the study of crystalline proteins such as haemoglobin and myoglobin by Perutz and Kendrew, that provided the next decisive advance. In Kendrew's three-dimensional model of whale myoglobin one can see in detail all the complex convolutions of the tightly packed polypeptide chain making up the molecule. Since then, complete X-ray analyses have been made and three dimen-sional models produced for a number of protein enzymes. The first such model of an enzyme protein – lysozyme – was produced by Phillips. The structure of these and other proteins which have been derived by exhaustive X-ray diffraction studies, indicate that many are even more complex than had at first been expected. Pauling, in the early fifties, had established a regular $\alpha$-helical configuration for the polypeptide chain in fibrous proteins; in the enzyme proteins it can be seen that the $\alpha$-helical structure only occurs in some parts of the macromolecules and in some cases hydrogen bonding between chains seems to be more important.

A fascinating feature of the lysozyme model of Phillips is the clear picture it gives of one part of the molecule so arranged as to provide a kind of pocket or recess in the chain (the active site) which is a more or less exact fit for the substrate of the enzyme or, at least, that part of it which undergoes reaction. This discovery has obvious implications for drug design and it has already been followed up extensively in the pharmaceutical industry.

## Nucleic Acids and Heredity

During the latter half of the nineteenth century the physiological chemists working in medical schools were mainly concerned with isolating and studying the function of various cell constituents and especially the proteins; many of them recognised that a knowledge of their structure would be important but felt that structure was the affair of the organic chemists. The organic chemists of the day were unable (and, in many cases, also unwilling) to help, and so structural work on cell constituents remained rudimentary. One of the most active and progressive schools of physiological chemistry was that of Hoppe Seyler in Tübingen and there in 1869 Friedrich Miescher, working on the constitution of the cells present in pus, isolated from them an amorphous weakly acidic material which he described as »nuclein«. It contained phosphorus as well as the usual carbon, hydrogen, oxygen and nitrogen. Initially he thought it might be some kind of complex containing protein and lecithin but soon found this to be incorrect. It was in fact what we now call nucleic acid although nearly a century was to pass before its nature was established and its importance fully realised. Nucleic acids occur in all living cells and notably in the chromosomes where they are intimately associated with that class of proteins known as histones. So intimate is the mixture – the so-called chromatin – that separation of protein – free nucleic acid from such nucleoproteins is quite difficult and this bedevilled much of the early work in the field. The story of the structural elucidation of the nucleic acids (for there are very many of them) is too long and complex to be described here in detail, but it is worthy of mention that even before 1900 many biologists had expressed the view that since »nuclein« was a major component of the chromosomes it might perhaps be responsible for the transmission of hereditary characteristics from one generation of cells to the next. This view lost favour after about 1900 and did not really become accepted again until the late nineteen forties following on the brilliant work of Avery who showed nucleic acid to be the »transforming factor« for the various types of *pneumococcus*. For the first thirty to forty years of this century the chemical study of nucleic acids was hardly a popular field of research and it was carried on almost alone by Levene and his associates. Although, like the proteins, the nucleic acids are macromolecular and give colloidal solutions, the history of their structural elucidation is very different. This was not because most nucleic acids have a molecular weight much greater than that of proteins, but because in another respect, they seemed much simpler. Whereas proteins contain twenty or so component amino-acids, nucleic acids appeared to yield only four basic units – nucleotides – on hydrolysis, and with the rather crude methods of separation and purification then available it seemed to those early workers that there were only two nucleic acids found in nature – one from plants and the other from animals. The plant nucleic acid (later known as ribonucleic acid or RNA) yielded on hydrolysis apparently equimolecular amounts of four nucleotides, each made up of a purine (adenine or guanine) or pyrimidine (uracil or cytosine), combined with the sugar D-ribose and phosphoric acid. The animal nucleic acid (later known as deoxy-ribonucleic acid or DNA), similarly yielded equimolecular amounts of four nucleotides each made up of a purine (adenine or guanine) or a pyrimidine (thymine or cytosine) combined with the sugar 2-deoxy-D-ribose and phosphoric acid.

These findings – all of them now known to be erroneous – led not just to the view that nucleic acids were simply tetranucleotides, but rather discouraged other organic chemists from entering the field (in which experimental difficulties were considerable) until, first Gulland and Chargaff, and later my own group in Cambridge, began to take an interest in the compounds from the late nineteen thirties. The complete elucidation of their chemical nature was not achieved until 1951 when it was established that, although a vast number of individual nucleic acids exist, there appear to be only two types – the ribonucleic acids and the deoxyribonucleic acids – which occur in both plants and animals. They are all linear polynucleotides, existing as macromolecules (with molecular weights which can be as high as 500,000 or even more) in which the nucleotides are linked one to the other in a consistent regular pattern through their phosphate groups. Individual nucleic acids differ only in molecular size and in the sequence of nucleotide units. It is now established that the old idea that nucleic acids were tetranucleotides (or polymerised tetranucleotides) containing equimolecular proportions of each of four individual nucleotides, is incorrect.

The final establishment of the chemical structure of the nucleic acids and the explanation of their hydrolytic behaviour was announced by Brown and Todd in 1951. My entry into this field followed from my interest in the B vitamins and their function as such, or as components of more complex biocatalysts or coenzymes in living organisms. This interest led me to the establishment of the structure of some of these coenzymes by total synthesis; many of them contained as part of their molecules nucleotide units, and so, step by step, I travelled along a research pathway which took me, inevitably, to the nucleic acids.

By the time the chemical structure of the nucleic acids had been firmly established it had come to be generally accepted that the deoxyribonucleic acids (the more stable of the two types) were in fact responsible for the transmission of hereditary characteristics from one generation to the next – that DNA (to use the common abbreviation) was in fact the »gene« of the geneticists, and from the enormous length of the polynucleotide chains and the range of possible nucleotide sequences it was clear that one could have the necessary range of variations in detailed structure to satisfy the requirements of variation demanded by genetics. There was, however, a difficulty. To explain the facts of heredity by the handing on of DNA of a precise structure it would be necessary to have some mechanism for ready replication of the molecule. Such a mechanism was unknown in chemistry.

Fortunately the answer (or at any rate the outline of an answer) was at hand; as in the case of the establishment of the three-dimensional structure of protein molecules it came through the technique of X-ray diffraction analysis. Because of the geometry of the nucleotides and the phosphate groups joining them together, it is clear that polynucleotide chains – like polypeptide chains – will tend to adopt a helical configuration and indeed they do form helices, but from the X-ray diffraction patterns the chains in DNA seemed to occur in pairs. It was at this point that Watson and Crick advanced their brilliant concept of the double helical structure of DNA in which two molecules each in the form of an α-helix are entwined to form a double helix with the purine and pyrimidine portions of the nucleotides forming the internal backbone by an obligatory linkage of hydrogen bonds between the purine-pyrimidine pairs adenine-thymine and guanine-cytosine. This being so, it is obvious that if the two chains in such a double helix are separated and a new chain allowed to build up on each of them, the obligatory hydrogen bonding will ensure replication of the double helix. This brilliant piece of work has revolutionised genetics by giving at once the answer to the transmission of hereditary characteristics by a readily understandable chemical mechanism. Individual genes are in fact sections of the huge polynucleotide chain each with its own characteristic sequence of nucleotide residues. Very largely on the basis of this work the new discipline of molecular biology has developed – a discipline compounded of organic chemistry, biochemistry, biophysics and biology – with astounding results. Much still remains a mystery but we know, for example, how the genic DNA functions; it directs the synthesis of a specific corresponding RNA which in turn controls the synthesis of a protein. The whole system is complex and much remains to be explained before we can really understand the processes of heredity and life but progress to date has really been astounding – we know now how to transfer genes from one organism to another so that they will perform their specific protein manufacture in their new surroundings, and the combination of biological techniques and the new chemical and biochemical knowledge of cell constituents and their function is opening vast new fields in biology and medicine. This is indeed one of the most exciting areas in science today and is fraught with possibilities – and perhaps even dangers – for our future.

In this essay we have traced the development of organic chemistry and biochemistry from their emergence as sciences to the present day. We have seen how, from their common origin, they have first diverged and then come together again. Today, whilst there are, at opposite ends of the spectrum, organic chemists interested in pure carbon chemistry and biochemists concerned only with the dynamics of life processes, there is a vast area between these extremes where the distinction is by no means so clear cut. It is in that central area that I believe the greatest future developments will be found. The very names organic chemistry and biochemistry indicate a connection with biology and indeed the enormous strides which have been, and continue to be, made in biology and medicine are a direct consequence of chemical advances made during the last twenty five years or so. This junction between chemistry and biology has given us the new borderline science of molecular biology. At the present time one could fairly claim that we stand at a turning point in our civilisation – a turning point the social consequences of which (and some of them are already visible) will be even greater than those stemming from the Industrial Revolution which began about 200 years ago. This new and revolutionary turning point is dominated by two new technologies – information technology stemming from micro-electronics and the computer, and biotechnology based on molecular biology.

Although the term »biotechnology« is new, the use of living organisms in industrial processes – for example in the fermentation industries – is of very long standing. What makes biotechnology new and exciting today is our new-found capacity to modify living organisms so that we can use them to produce in a controlled and economical way materials which we require. That is the capacity that we have acquired from the chemistry which we have considered in this essay, and which is the basis of molecular biology. What is at times overlooked is that the further progress of biotechnology and of its parent molecular biology will equally depend on advances in organic chemistry and biochemistry which have yet to come. The rise of biotechnology in recent years has been due to the development of biological techniques based on the structural studies carried out on DNA. In particular, it has rested on recombinant DNA studies, which in turn stemmed from studies aimed at the determination of the sequence of nucleotide residues in cellular DNA. The discovery was made that sections of the polynucleotide chain were in fact individual genes controlling the synthesis of specific proteins. In that work methods for selective fission of polynucleotides were developed so that one could chop up a DNA chain into pieces, some of which could be identified as having a specific gene function; it was further found that one could insert the DNA fragments into bacterial cells where they would become incorporated into the bacterium's own genetic material. In this way one could modify a bacterium to produce a desired material by building into it a foreign gene – hence the expressions recombinant DNA and »gene splicing«. This is the basis of biotechnology as it is practised today; using it human insulin is now being manufactured, as also are the various interferons which are normally produced in the body in response to viral infections. There is clearly a great future for this technique and perhaps even more for the not dissimilar production of monoclonal antibodies; obvious extensions towards the modification of enzymes – a kind of protein engineering – are also being actively developed. There is now much activity in the development of such work on an industrial scale. It will clearly be of great value, and accordingly be widely promoted for medicinal products and for nutrition, for it is analogous to what is done in the great fermentation industries and the production of many antibiotics. On the nutritional side, the production of protein from carbohydrate by micro-organisms is far more economical than by the growth of animals, and now that modification of micro-organisms by recombinant DNA research is well-established, removal of undesirable properties from, say, mould-produced protein, which at present prevent its widespread acceptance as a foodstuff, seems to me to be an imminent development. I expect also to see recombinant DNA become important in agriculture in the reasonably near future. I know that there may be problems when one seeks to operate on higher plants as we do today on bacteria, but I believe that these will be overcome and that the techniques I have been discussing will lead to the incorporation of bacterial genes for nitrogen fixation into crop plants used for food production, thereby eliminating or greatly reducing the need for nitrogenous fertilisers.

All these things will happen and will, in my opinion, see their main development in the great pharmaceutical and fermentation industries – not in the small »high technology« firms we hear so much about today; factors of scale will, for one thing, ensure this. But, to me, the real areas of future development that will have a profound effect in manufacturing industry, and hence on our daily lives, lie with the enzymes or biocatalysts, and it is here that we must again look for organic chemical and biochemical progress – progress which may lead us away from biotechnology. Enzymes are fascinating substances; essentially proteins, they are responsible for carrying out all the manifold chemistry of the living cell. What they do is to take substances out of dilute solution into a special and quite different environment in which they undergo reaction easily. How do they do this? The answer at the present time is simply that we do not know, and the reason for this sad state of affairs is that the chemistry of macromolecules has not yet been adequately developed. Fortunately organic chemistry, as a result of the advances described in the earlier part of this essay and the continuous refinement of experimental techniques, is now poised to move into this field – as indeed it must if it is to live up to its original objective.

One could reasonably argue that from the days of the Kekulé-Couper valence theory, organic chemistry has been the chemistry of the covalent bond. We have now, for more than a century, sought to understand the covalent bond, to form it and to break it, but we have paid much less attention to weaker kinds of attraction or linkage between atoms – even the hydrogen bond has been given only rather superficial consideration. Today it is, I think, fair to say that, even if we do not understand it in every detail, our knowledge of the covalent bond is adequate for all practical purposes. If we add to that the knowledge we have acquired about the weaker and functionally different hydrogen bond then I would say that we have, for all practical purposes, a sufficient understanding of the structure and behaviour of the whole range of molecules which have been regarded as falling within the province of practical organic chemists – from urea up to vitamin $B_{12}$.

When we come to consider such macromolecular substances as, for example, proteins or nucleic acids, the situation is very different. It is evident from X-ray analytical studies that the shape of such molecules is of prime importance, and that it may well vary with changing conditions. In such molecules we are not concerned only with structure as determined by covalent linkages, but are indeed concerned with secondary and tertiary structures which depend upon forces much weaker than those involved in the covalent linkage. Such forces play little or no part in the smaller molecules with which organic chemists have worked hitherto, and so have been largely ignored by them; this must change, and indeed the signs of change are already visible.

It seems to me clear that if biotechnology is to take any major steps forward it can only do so if we learn more about the detailed control of protein synthesis by genes and can manage to insert wholly synthetic genes into organisms so that they will produce specific materials which are totally foreign to living systems. If not, we will only be able to do more or less what we can do now, although doubtless there will be great improvements in the techniques employed. Basically this means that the chemist must make available simple but precise methods of building genes i.e. polynucleotides of known sequence. This I regard as something which will be achieved. Admittedly it looks a tall order, but it should be borne in mind that, already, semi-mechanised methods of synthesising oligonucleotides of known sequence, containing up to twenty individual nucleotide residues, exist.

Mention has already been made of the astonishing properties of enzymes or biocatalysts, and it is not surprising that their production and use, involving in some cases a modicum of »protein engineering«, should already be an area of major importance in biotechnology. Features such as high specificity and low energy consumption make them very attractive but they have at present severe limitations which greatly restrict their industrial use. Enzymes are proteins produced by living organisms to carry out reactions necessary for the proper functioning of the organisms, and it is by no means certain that they will carry out even similar reactions on »unnatural« substrates. Again, they are proteins with all the drawbacks that proteins have as reagents or catalysts for large-scale industrial use – they are unstable and subject to inactivation by denaturation, can operate only in a narrow temperature range and in dilute solution, so that big problems in product isolation and effluent disposal are liable to beset their use on an industrial scale. Although considerable advances have been made in preparing so-called »stabilised enzymes« and in making some modifications by »protein engineering« using recombinant DNA techniques, these basic objections remain. In an effort to deal with the heat sensitivity problem a good deal of work is now being done on the possibility of using heat resistant bacteria found in e.g. hot springs, but it seems to me that, whatever emerges from such work, the outlook for the widespread use of enzymes on an industrial scale will be limited if only those enzymes which can be produced by living cells are to be available.

Here we come back to my views on the pending developments in the chemical study of proteins and other macromolecules. Clearly if we are to understand enzyme action we must first learn much more than we now know about the weak forces involved in determining and permitting, alterations in the shape of protein molecules (and, of course, of other macromolecular species). Today there is much talk of »active sites« on enzyme proteins. That there are »active sites« we know, and indeed in three dimensional molecular models of enzymes we can actually see areas or sites into which the enzyme substrate could easily (and probably does) fit. But is the active site as we see it always in that condition, or is it so only in a particular conformation of a huge molecule which is continually changing its shape through the intervention of the weak bonding forces which we have already discussed? How large must the molecule be? How important is the sequence of residues? Is it necessary to have the polypeptide structure with all its stability drawbacks, or can one make catalysts based on other units which can withstand higher or lower temperatures and work in more concentrated and perhaps, also, non-aqueous solutions? These are some of the questions which are going to be answered, not by the biologists or the molecular biologists, but by the organic chemists and the biochemists. And I am confident that they will be answered, and that the answers will have led within the next fifty years (or possibly less since technological progress is still increasing in speed) to a revolution in our everyday lives and to a civilisation based on industries much less wasteful of energy and much less damaging to our environment than those we know today.

One of the first requirements, and one to which the organic chemists will pay increasing attention, is the discovery of simple and effective methods for synthesising mac-romolecules made up of a number of different units in a definite and known sequence. I have mentioned this need already in the matter of polynucleotide synthesis where some progress has already been made. Even less progress has been made in the matter of polypeptide synthesis but I am confident that the problems of such synthesis, daunting as they may now appear, will be solved. Whether it will be done by assemblage of residues on a template (as nature evidently does in the case of DNA at least) and then linkage by a mechanism like that of the zip-fastener, or by some other process having an analogy with knitting, I do not know. Synthesis is only one of the exciting problems that lie ahead. One thing is, to me, sure; the next fifty years will see great advances through organic chemistry and biochemistry which together with information technology and the exploitation of extra-terrestrial space will completely transform our everyday lives.

Manfred Eigen

# Stufen zum Leben

## Die Entstehung des Lebens aus molekularbiologischer Sicht

»Was war das Leben? Man wußte es nicht. Es war sich seiner bewußt,
unzweifelhaft, sobald es Leben war, aber es wußte nicht, was es sei.«*

### Leben ist historische Realität!

Wenn wir nach dem Ursprung des Lebens fragen, so müssen wir sehr wohl zwischen der
aufgrund von Naturgesetzen prinzipiell möglichen und der geschichtlich wirklichen
Abfolge von Ereignissen unterscheiden. Die Studienobjekte des Biologen sind die Lebewesen, in denen der historische Prozeß manifest geworden ist. Die Rekonstruktion des
Evolutionsprozesses ist auf historische Zeugnisse angewiesen. Soweit diese vorliegen,
weisen sie auf einen gemeinsamen Ursprung hin. Der Lebensprozeß als solcher zeigt auf
den verschiedenen Stufen neben individueller Variabilität Gemeinsamkeiten, die sich
allein durch physikalische und chemische Ordnungsprinzipien deuten lassen. Diese
Prinzipien können wir nur erkennen, indem wir von der Wirklichkeit abstrahieren. Die
Physik befaßt sich nicht mit den Prozessen an sich, sondern allein mit den in den Prozessen
wiederkehrenden Regelmäßigkeiten.

Ein Beispiel möge dies verdeutlichen. Wenn wir an einem schwülen Sommertag ein
Gewitter heraufziehen sehen, so beobachten wir in den sich auftürmenden Wolkenhaufen
die mannigfaltigsten und eigenartigsten Formen und Gebilde. Kein Physiker wäre in der
Lage, diese Strukturen vorherzusagen oder gar im Detail zu berechnen. Dennoch ist das
zugrundeliegende Phänomen – die Kondensation von Wasserdampf – vom physikalischen
Standpunkt aus (nahezu) vollkommen verstanden. Es handelt sich um eine Phasenum-
wandlung mit ihrem »Alles oder Nichts«-Charakter, durch die das gestaltbildende Material der Wolken entsteht und schließlich von den Strömungen der erwärmten, aufsteigenden Luft modelliert wird.

Leben ist *nicht* eine der Materie – sozusagen trivialerweise – innewohnende Eigenschaft.
Leben ist zwar an Materie geknüpft, erscheint aber nur unter sehr spezifischen Voraussetzungen und äußert sich dann in sehr vielfältigen und charakteristischen Eigenschaften. Es
ist daher nur folgerichtig, die Frage nach der Natur des Lebens mit der Frage nach seiner

* Die den zehn Kapiteln vorangestellten Zitate sind sämtlich dem »Zauberberg« von Thomas Mann
entnommen.

Entstehung in Beziehung zu setzen. Das Prinzip Leben wird sich uns am ehesten erschließen, wenn wir eine Antwort auf die Frage finden: Wie *kann* Leben entstehen? Wohlgemerkt, diese ist nicht gleichbedeutend mit: Wie *ist* Leben entstanden?

»Wie *kann* Leben entstehen?« ist eine Frage, die an den Physiker gerichtet ist (mag er sich auch Biophysiker, Biochemiker oder Molekularbiologe nennen). Die Frage: Wie *ist* Leben entstanden? kann allein aufgrund historischer Zeugnisse (möglicherweise) geklärt werden. Wenngleich sie uns in diesem Aufsatz weniger interessieren wird, so wollen wir sie doch an den Anfang stellen; denn sie wird uns helfen, das Prinzip Leben zu präzisieren. Die Nichtberücksichtigung der Unterschiedlichkeit beider Fragestellungen hat schon zu manchen Mißverständnissen geführt. Es gibt keine physikalische Theorie für die historische Lebensentstehung. Die Entstehung des Lebens muß als eine Kette von Ereignissen angesehen werden, deren detaillierte Abfolge weder rekonstruiert, noch vorausgesagt werden kann. Sie hat sich nichtsdestoweniger unter dem steuernden Einfluß von Naturgesetzen vollzogen.

> »Was war das Leben? Niemand wußte es. Niemand kannte den natürlichen Punkt, an dem es entsprang und sich entzündete. Nichts war unvermittelt oder nur schlecht vermittelt im Bereich des Lebens von jenem Punkte an.«

## Läßt sich der historische Ursprung des Lebens rekonstruieren?

Die Überschrift dieses Kapitels ist gleichbedeutend mit der Frage nach der Existenz von Zeugnissen für den historischen Ablauf der Lebensentstehung. Für die jüngeren Phasen dieses Prozesses existieren solche Zeugnisse in Form von Fossilien, die sich durch die geologische Zuordnung ihrer Fundorte datieren lassen. Die Methode der radioaktiven Altersbestimmung hat sowohl zu einer Präzisierung der Daten als auch zu einer Erweiterung des einer exakten Bestimmung zugänglichen Zeitbereiches verholfen.

Zur Einordnung der Arten in einen phylogenetischen Stammbaum bedarf es vor allem des sorgfältigen Vergleichs von Merkmalen. Diese allerdings werden um so spärlicher und verschwommener, je weiter man über das Kambrium hinaus zurückgeht, dessen Beginn vor etwa 600 Millionen Jahren datiert. Nur für die mehrzelligen Organismen, deren Differenzierung sich bis ins späte Präkambrium zurückverfolgen läßt, kann man auf diese Weise einen Stammbaum erstellen.[1] Die Paläontologie hat darüber hinaus auch Beweise für die frühere Existenz einzelliger Lebewesen erbringen können, deren Datierung bis in eine Zeit von vor etwa drei bis vier Milliarden Jahre zurückreicht (wobei nur die untere Grenze des Abstandes zu unserer Zeit als gesichert angesehen werden kann).[2] Eine eindeutige Merkmalszuordnung ist aber bei diesen Funden kaum noch möglich, zumindest nicht in einem Maße, daß daraus auch phylogenetische Verzweigungen exakt abgeleitet werden könnten.

Unser eigentliches Thema ist aber nicht so sehr die spätere Entwicklung der Arten als vielmehr die mögliche Rekonstruktion des historischen *Ursprungs*. Dafür ist der Stammbaum nur in bezug auf seine frühesten Verzweigungsknoten von Bedeutung.

Es sollte daher zunächst geklärt werden: Ist die Existenz eines Stammbaumes mit konsekutiven Verzweigungen überhaupt als gesichert anzusehen? Diese Frage ist deshalb besonders wichtig, weil oft unterstellt wird, daß bei der Konstruktion von Stammbäumen von vornherein die Annahme einer konsekutiven Auffächerung zugrunde gelegt ist, so daß die Folgerung der Existenz eines Stammbaumes letztlich einen Zirkelschluß darstellt.

Zweifellos ist die Annahme einer konsekutiven Auffächerung in der Phylogenie zwingend, wenn man von der Voraussetzung einer evolutiven Entwicklung der Arten ausgeht. Allein für einen Nachweis muß man fordern, daß das Ergebnis aus zuverlässigen Daten ableitbar ist. Die konsekutive Verzweigung muß dann eindeutig von alternativen Verzweigungstopologien, zum Beispiel büschelhaften oder vernetzten, unterschieden werden können. Wir suchen daher nach einem unabhängigen Verfahren, mit dessen Hilfe die Topologie der Verzweigung bestimmt werden kann.

Für eine quantitative Lösung dieses Problems hat sich eine Methode als geeignet erwiesen, die innerhalb der letzten Jahrzehnte zur Anwendungsreife gelangte. Es ist die vergleichende Sequenzanalyse der Proteine bzw. Nucleinsäuren.

Seit den fünfziger Jahren wissen wir, daß die Baupläne der Lebewesen – und damit ebenfalls aller von den Lebewesen benutzten und durch den Biosyntheseapparat der Zellen aufgebauten molekularen Funktionseinheiten – in Form riesiger Kettenmoleküle, den Desoxyribonucleinsäuren (engl.: *deoxyribonucleic acid* = DNA) wie in Schriftsätzen niedergelegt sind. Den einzelnen DNA-Abschnitt, der für eine molekulare Funktionseinheit, z. B. ein Proteinmolekül codiert, nennt man das Gen. Die Sequenz der Informationssymbole in den Nucleinsäuren wird in eine kollineare Abfolge der Bausteine im Proteinmolekül übersetzt. Die Bestimmung der exakten Bausteinsequenz ermöglicht es, die genetische Information eindeutig zu identifizieren.

Wie diese Sequenzanalyse ausgeführt wird – es handelt sich um ein relativ kompliziertes chemisches Verfahren – braucht hier nicht im einzelnen zu interessieren. Jedenfalls ist die Methode – vor allem für die Analyse der DNA – heute so ausgereift, daß sie sich routinemäßig anwenden läßt. In Verbindung mit der neuen Gentechnologie, die ein gezieltes Zerlegen der DNA in Genabschnitte ermöglicht, lassen sich im Prinzip sämtliche Gensequenzen – und zwar für alle möglichen Lebewesen – entziffern und dokumentieren. So erleben wir in unserer Zeit die Entstehung einer ganz neuen Art von Bibliotheken, nämlich von Genbibliotheken, deren Schriftsätze in einem international kommunizierenden Computersystem gespeichert sind.[3]

Was liegt näher, als die Sequenzbestimmung zu einer quantitativen Verwandtschaftsanalyse der verschiedenen biologischen Organismen heranzuziehen? Dazu vergleicht man die Sequenzen eines bestimmten Gens in verschiedenen Lebensstufen Symbol für Symbol miteinander. Der Verwandtschaftsgrad muß natürlich hinreichend groß sein, so daß ein gemeinsames Leseraster eindeutig zu erkennen ist. Jedes Paar von Sequenzen ist dann durch einen Informationsabstand charakterisiert, der gleich der Zahl der einander entsprechenden Positionen ist, in denen beide Sequenzen mit verschiedenen Symbolen besetzt sind. Die Gesamtheit der Abstände für alle möglichen Sequenzpaare definiert einen Abstandsraum, dessen Topologie sich durch mathematische Verfahren objektiv ermitteln läßt.[4] Es sei hier nur am Rande vermerkt, daß die mathematische Analyse weit über die Festlegung von bloßen Paarabständen hinausgeht und auch die Verteilung der Ähnlichkeiten innerhalb multipler Kombinationen von Sequenzen berücksichtigt. Der Verteilung der Abstände läßt sich eine Verzweigungstopologie zuordnen. Eine büschelhafte Verzweigung wird man immer dann erwarten, wenn die miteinander verglichenen Sequenzen *einen* Vorläufer haben, dessen Kopien sich unabhängig voneinander entwickelt und durch Akkumulation von Mutationen über viele Generationen hinweg *simultan* voneinander entfernt haben. Bei der baumhaften Verzweigung ist diese Auseinanderentwicklung dagegen *konsekutiv* erfolgt. Eine Sequenz hat sich zunächst in zwei Tochtersequenzen aufgespalten, die dann über längere Zeit hinweg unabhängig voneinander mutieren und sich schließlich sukzessive weiter verzweigen. Als dritte Variante gibt es noch die für eine Mutantenkolonie typische Vernetzung. Da die mutierten Sequenzen ständig neu aus einer best-angepaßten Sequenz hervorgehen, findet man einen hohen Vernetzungsgrad mit kurzgeschlossenen Mutationswegen. Kurzschluß bedeutet, daß die gleiche Mutante historisch auf verschiedenen, voneinander unabhängigen, Wegen entstehen kann. Dieser Fall tritt immer ein, wenn die Gesamtheit der Symbole einer Sequenz so klein und der betrachtete Zeitraum so groß sind, daß jedes Symbol mehrfach die Chance hatte zu mutieren. Auch bei der zunächst büschel- oder baumhaften Verzweigung wird dieser Zustand irgendwann einmal erreicht. Das gibt sich durch das wachsende Auftreten von Kurzschlüssen zwischen verschiedenen Ästen zu erkennen. Man kann hier in Analogie zur Nachrichtentechnik von einer Verrauschung sprechen. Im Grenzfall völliger Verrauschung läßt sich historische Information aus den Abstandsverhältnissen nicht mehr gewinnen.

Für eine erfolgreiche Anwendung dieser Methode ist es also wichtig,
1. daß die Sequenzen hinreichend lang sind,
2. daß die Paarabstände einerseits nicht zu groß, andererseits nicht zu klein sind, und
3. daß man für den Vergleich eine genügende Anzahl verschiedener, miteinander verwandter Sequenzen zur Verfügung hat.

Die beiden ersten Bedingungen ergeben sich aus der zufälligen Natur des Mutationsprozesses. Es soll dadurch die statistische Signifikanz der Zahlenwerte gewährleistet werden. Dazu müssen zum einen die Paarabstände absolut groß genug sein. Sie dürfen zum anderen aber relativ zur Länge der Sequenzen nicht zu groß sein; sonst sind nahezu alle Positionen von Mutationen betroffen, und es müssen viele Mehrfachmutationen in gleichen Positionen vorliegen. Solche Parallelmutationen, bei denen zwei Sequenzen in der gleichen Position gleichartig verändert werden, wie auch Rückmutationen, bei denen innerhalb einer Sequenz eine vorher erfolgte Abänderung rückgängig gemacht wird, werden mit den Paarabständen nicht erfaßt. Sie können abgeschätzt und in die mathematische Analyse eingebracht werden, solange es sich um kleine Korrekturen handelt.

Die dritte Bedingung schließlich ist wichtig für eine möglichst genaue Festlegung der Topologie der Verzweigung. Wir können heute nur jeweils solche Mutationen feststellen, die in der Evolution *akzeptiert* wurden. So kommt es sowohl auf die Mutationsfähigkeit eines Gens als auch auf die Annehmbarkeit einer erfolgten Abänderung an. Das Gen darf nicht zu sehr durch Rahmenbedingungen festgelegt sein, damit eine Mutation akzeptabel ist und somit fixiert werden kann. Andererseits muß das Aufnahmevermögen von

Mutationen begrenzt sein, sonst verrauscht die ursprüngliche Information und jede Ähnlichkeit zweier Sequenzen ist rein zufällig. Man beachte, daß bei einem Vergleich zweier binärer, d. h. aus nur zwei Symbolklassen aufgebauter, Sequenzen eine fünfzigprozentige Übereinstimmung bereits vollständige Verrauschung anzeigt, also keinerlei Aussagen über Verwandtschaftsbeziehungen mehr zuläßt.

Die Natur hält glücklicherweise ein großes Repertoir von Gensequenzen mit sehr unterschiedlicher phylogenetischer Divergenz bereit. Wir finden sowohl stark veränderliche Gene (mit deren Hilfe sich sogar die Verwandtschaftsverhältnisse zwischen Mensch und Primaten quantitativ ausloten lassen), als auch äußerst konservative, die uns zu sehr frühen Verzweigungen innerhalb der Einzeller (z. B. Eubakterien und Archaebakterien) zurückführen. Darüber hinaus gibt es Genfamilien, deren Verwandtschaftsbeziehungen in früheste präzellulare Stadien zurückreichen. Sie gewähren zum Beispiel Einblick in die Entstehungsphase des genetischen Codes.

Wir sind damit in der Lage, die diesem Abschnitt vorangestellte Frage zu beantworten. Eine ganze Serie von Aussagen läßt sich aus den Sequenzuntersuchungen ableiten.

1. Alle Zeitabschnitte der Evolution, von der Differenzierung der Primaten bis zurück zu den frühesten Verzweigungen von Einzellern, lassen sich unter Zuhilfenahme geeigneter Gensequenzen quantitativ analysieren. Zu den bestuntersuchten Proteinsequenzen zählen: Immunglobuline, der Blutfarbstoff Hämoglobin, das Atmungsferment Cytochrom c. Bei den Nucleinsäuren sind es vor allem Komponenten des Reproduktions- und Übersetzungsapparates der Zelle, unter diesen Transfer- und ribosomale Nucleinsäuren, die bereits für einige hundert verschiedene Organismen analysiert wurden und bei denen allerfrüheste Verzweigungen der Evolution deutlich zu erkennen sind.

2. Die Topologie aller *phylogenetischen* Verzweigungen ist eindeutig baumhaft. Abweichungen sind so klein, daß sich eine klare Abgrenzung zu anderen Verzweigungstopologien ergibt.

3. Zum Unterschied von der konsekutiv baumhaften Auffächerung der Phylogenie findet man bei der Analyse von Sequenzfamilien innerhalb eines gegebenen Organismus (Beispiel die t-RNA-Moleküle, die Adaptoren für die 64 verschiedenen Kombinationen des genetischen Codes) büschelhaftes Auseinanderstreben. Offensichtlich sind diese Sequenzen jeweils aus der Mutantenverteilung *eines* Vorläufergens hervorgegangen und haben sich unabhängig voneinander entwickelt.[5]

4. »Ur-Gene« (Vorläufer) lassen sich teilweise rekonstruieren. Sie zeigen charakteristische Muster in ihrer Sequenz, die auf einen einfachen Ur-Code hinweisen. Sie sind besonders reich an G- und C-Bausteinen, die stabile Faltungsstrukturen der Nucleinsäuren gewährleisten. Die phylogenetische Analyse der Abkömmlinge dieser Moleküle zeigt, daß das Urcode-Muster um so deutlicher hervortritt, je weiter man in der Zeit zurückgeht. Es handelt sich also um Zeugnisse aus der Urzeit, die sich bis auf den heutigen Tag erhalten haben. Dies ist ein sehr wichtiger Punkt: Durchscheinende Kongruenzen könnten im Prinzip Überbleibsel einer vergangenen Form, aber auch Zielstrukturen einer nicht vollständig erreichten bzw. festgefahrenen evolutiven Anpassung sein.

5. Eine absolute zeitliche Datierung ist für die sehr frühen Verzweigungen bisher nicht möglich. Was man genau kennt, sind die absoluten Abstände zwischen den analysierten Sequenzen und die daraus resultierende relative Zeitskala. Man müßte die jeweiligen

Mutationsgeschwindigkeiten genau kennen, um die Abstände in einen absoluten Zeitmaß-stab transformieren zu können. Für die späteren Abschnitte der Evolution (zum Beispiel für die Verzweigungen der Eukaryonten) sind solche Transformationen ohne weiteres möglich. Für die sehr frühen Evolutionsstadien können wir lediglich Eingrenzungen vornehmen. Die Zeitskala für die ältesten phylogenetischen Verzweigungen reicht auf etwa 3 Milliarden Jahre zurück. Die Extrapolation auf präzelluläre Stadien ist unsicher, doch sind die frühesten aus Sequenzabständen rekonstruierbaren Verzweigungspunkte von molekularen Funktionseinheiten – zum Beispiel den Adaptoren des genetischen Codes – nicht allzuweit von den Verzweigungen für die ersten Zelltypen entfernt. Nach vorsichtiger Schätzung sollte die Phase der Entstehung der molekularen Maschinerie der Zelle nicht wesentlich mehr als 4 Milliarden Jahre zurückliegen.

Es spricht also sehr viel für die Schlußfolgerung, daß das Leben auf unserem Planeten, dessen Alter ca. 4,7 Milliarden Jahre beträgt, entstanden ist. Jedenfalls besteht aufgrund der genannten Ergebnisse kein Anlaß zu der Annahme, die Existenzzeit unseres Planeten habe für eine Selbstorganisation reproduktionsfähiger Molekülsysteme nicht ausge-reicht.[6] Die Evolution der Arten von den frühesten Verzweigungen der Einzeller bis hin zum Menschen, vollzog sich innerhalb eines Zeitraums von ca. 3 bis 3,5 Milliarden Jahren. Sie wird in rekonstruierbaren phylogenetischen Stammbäumen manifest. Die Aussicht, daß in nicht allzu ferner Zeit einmal die gesamte genetische Information einer großen Zahl von Lebewesen dokumentiert sein wird, eröffnet weitere Möglichkeiten für eine historisch gesicherte Rekonstruktion des Ursprungs des Lebens.

> »Was war also das Leben? Es war Wärme, das Wärmeprodukt formerhal-tender Bestandlosigkeit, ein Fieber der Materie, von welchem der Prozeß unaufhörlicher Zersetzung und Wiederherstellung unhaltbar verwik-kelt, unhaltbar kunstreich aufgebauter Eiweißmoleküle begleitet war.«

## Das Problem »Komplexität«

Wenn wir hinter dem Begriff Leben ein Prinzip, eine reproduzierbare materielle Verhal-tensweise vermuten, so erhebt sich sogleich die Frage: Was bewirkt ein solches Prinzip im Verhalten der Materie? Oder anders ausgedrückt: Wie lautet die physikalische Problem-stellung, die durch dieses Prinzip gelöst werden soll?

Die Frage: Was ist Leben? hat viele Antworten und am Ende doch keine befriedigende. (Thomas Mann führt uns das Dilemma mit der ständigen Wiederholung dieser Frage und der kontinuierlichen Abwandlung der Antworten eindrucksvoll vor Augen). Zu groß ist die Fülle komplexer Erscheinungen, zu verschiedenartig sind die Lebewesen in ihren Merkmalen und Leistungen, als daß eine allgemeine Definition sinnvoll wäre. Sie könnte auch nicht andeutungsweise eine Vorstellung von jener individuellen Vielfalt geben, die das Wesen des Lebens ausmacht.

Das Problem liegt in der Komplexität, die allen uns bekannten Lebensstufen gemein ist, begründet. Ja, dieses Problem stellt sich bereits auf molekularer Ebene in den Strukturen, die charakteristisch für den Lebensprozeß sind, in den Nucleinsäuren und Proteinen.

*Wie* komplex sind die einfachsten Lebewesen? Auch das schien für lange Zeit eine hoffnungslos komplizierte Frage zu sein. Doch wir wissen heute, daß jedes Lebewesen durch einen Bauplan repräsentiert ist. Dieser ist es, der von Generation zu Generation weitergereicht wird und dafür sorgt, daß die Nachkommen den Vorfahren gleichen. Das gilt (nahezu) uneingeschränkt für die vegetative Vermehrung und mit gewissen Einschränkungen – bedingt durch den Charakter des rekombinativen Mischungsprozesses – auch für die sexuelle Fortpflanzung. Das Problem der Komplexität der Lebewesen reduziert sich damit auf das Problem der Komplexität der Baupläne. Denn diese sind es ja, die im geeigneten Milieu die Entstehung der Lebewesen instruieren. Da in den Bauplänen die genetische Information in linearer Abfolge von Symbolen vorliegt, fragen wir damit letztlich nach dem Informationsgehalt eines Schriftsatzes, und zwar nach der absoluten Menge der Information, nicht nach ihrem semantischen Gehalt. Eine mathematische Theorie, die Informationstheorie, hat hierfür eine quantitative Antwort parat.[7]

Die Informationsmenge ist die Zahl binärer (d. h. ja-nein)-Entscheidungen, die man im Mittel braucht, um eine bestimmte Symbolabfolge eindeutig zu identifizieren. Wenn alle möglichen Aneinanderreihungen von Symbolen innerhalb einer gegebenen Sequenz gleichwahrscheinlich sind, so müßte man im Prinzip alle alternativen Symbolabfolgen durchspielen, um auf die richtige zu stoßen. In einem solchen Falle ist also die Zahl sämtlicher alternativer Sequenzen, die sich aus einer ganz bestimmten Symbolmenge herstellen lassen, ein Maß für den Informationsgehalt. Der Kehrwert dieser Menge ist die Wahrscheinlichkeit für das Auftreten einer ganz bestimmten Sequenz. Da Mengen additiv, Wahrscheinlichkeiten aber multiplikativ sind, wählt man als Informationsmaß nicht die Zahl der möglichen Anordnungen selbst, sondern ihren Logarithmus; denn der Logarithmus eines Produkts ist gleich der Summe der Logarithmen der Faktoren. Weiterhin benutzt man den Logarithmus zur Basis 2 und ordnet der so erhaltenen Größe die Einheit bit (= binary digit) zu. Die bit-Zahl entspricht dann einfach der Länge einer aus binären Zeichen bestehenden Sequenz.

Die Nucleinsäuren machen von vier Symbolen Gebrauch, mithin gibt es für eine Gensequenz der Länge N insgesamt $4^N$ verschiedene Anordnungen. Vorausgesetzt, daß diese alle gleich wahrscheinlich sind, bedeutet dies eine Information von 2N bits.

Wie komplex also sind die Lebewesen? Die kleinsten autonomen Lebewesen – das sind einzellige Mikroorganismen wie das Coli-Bakterium – vereinigen in ihrem Genom einige Millionen Symbole – etwa das Äquivalent eines tausend Seiten starken Buches. Der Symbolgehalt des Genoms des Menschen ist fast tausendmal so groß. Er repräsentiert also schon eine stattliche Bibliothek. Es wäre sinnlos, sich die Zahl aller alternativen Anordnungen vorzustellen; dazu fehlt uns jedes Anschauungsvermögen. Nehmen wir ein einzelnes Gen mit nur tausend Symbolen, einen Satz der genetischen Sprache, der einer Funktionsanweisung entspricht. Bei vier Symbolklassen – jede der tausend Positionen hat vier alternative Besetzungsmöglichkeiten – ergeben sich $4^{1000} \approx 10^{602}$ (eine eins mit 602 Nullen) Varianten. Das Volumen des gesamten Universums (gerechnet als Kugel mit einem Durchmesser von 10 Milliarden Lichtjahren) beträgt »nur« $10^{84}$ cm$^3$, oder der gesamte Materiegehalt des Kosmos entspricht dem Äquivalent von nicht einmal $10^{75}$ solcher Gene.

Die auf das Universum bezogenen Zahlen sind für unsere Problemstellung ohnehin irrelevant. Sie demonstrieren allein unser Unvermögen, irgend eine Vorstellung mit Zahlen der Größenordnung $10^{600}$ zu verbinden. Interessanter wäre es schon zu erfahren: wie viele Gene der Länge 1000 hätten wohl maximal im Evolutionsprozeß, also innerhalb der räumlichen und zeitlichen Grenzen unseres Planeten, durchgespielt werden können. Natürlich läßt sich der historische Prozeß der Evolution nicht so genau rekonstruieren, als daß eine im Detail korrekte Antwort gegeben werden könnte; doch dürfte die Zahl irgendwo zwischen $10^{40}$ und $10^{50}$ liegen. $10^{50}$ würde bedeuten, daß für einen Zeitraum von einer Milliarde Jahren in einer die gesamte Erdoberfläche bedeckenden Flüssigkeitsschicht von einem Zentimeter Dicke bei einer Nucleinsäurekonzentration von einem Gramm pro Liter ständig Gen-Moleküle entstehen und zerfallen, wobei die Lebensdauer jeder individuellen Sequenz nur eine Sekunde betragen dürfte.

Man kann die gleiche Rechnung auch für den Laboratoriumsmaßstab ausführen. Ein Doktorand, der ein Jahr lang zwölf Stunden täglich in einem Ein-Liter-Kolben unter den oben genannten Bedingungen (allerdings mit Hilfe von Enzymen) Nucleinsäuremoleküle synthetisiert, könnte es auf die Größenordnung von $10^{25}$ Sequenzen bringen.

Nun sind aber diese Maximalbedingungen in mehrfacher Weise überschätzt: Realistische Konzentrationen gelöster Nucleinsäuren liegen um Größenordnungen niedriger; Synthesezeiten sind – vor allem in primitiven Anfangsstadien der Evolution – erheblich länger; Gene entstehen durch Reproduktion, das heißt jede einmal entstandene Gen-Sequenz erscheint mit hoher Redundanz, und schließlich läßt sich weder eine Kugelschale, die die gesamte Oberfläche des Planeten umschließt, als Reaktionsvolumen ausnutzen, noch kann man im biochemischen Laboratorium die genannte Ausbeute wirklich erzielen. Das ändert jedoch nur wenig am *Mißverhältnis* der Größenordnungen, das für eine Genlänge von tausend Symbolen etwa lautet:

$$\text{Laboratorium : Erde : Gesamtzahl möglicher Sequenzen}$$
$$10^{20} \qquad 10^{40} \qquad 10^{600}$$

Welche Folgerungen sind daraus zu ziehen?

1. Die heute in den Lebewesen vorzufindenden Gene können nicht rein zufällig, d. h. quasi per Würfelentscheid, entstanden sein. Es muß einen auf das Ziel, nämlich auf die Funktionstüchtigkeit ausgerichteten Optimierungsprozeß geben. Auch wenn optimale Effizienz möglicherweise auf verschiedene Weise realisierbar ist, kann man zu einer solchen Sequenz nicht einfach durch blindes Ausprobieren gelangen.

2. Das Mißverhältnis der Zahlen für real testbare und alle möglichen Sequenzen ist so groß, daß Erklärungsversuche, die den Ort des Ursprungs des Lebens von der Erde ins Universum verlagern, keine akzeptable Lösung offerieren. Das Masseverhältnis von Erde zu Universum beträgt »nur« ca. $10^{-29}$ und das entsprechende Volumenverhältnis ca. $10^{-57}$. (Vgl. hierzu Anmerkung 6.)

»Man hatte sich, um ein Bindeglied zu finden, zu dem Widersinn der Annahme strukturloser Lebensmaterie, unorganisierter Organismen herbeigelassen, die in der Eiweißlösung von selbst zusammenschössen wie der Kristall in der Mutterlauge – während doch organische Differenziertheit zugleich Vorbedingung und Äußerung alles Lebens blieb, und während kein Lebewesen aufzuweisen war, das nicht einer Elternzeugung sein Dasein verdankt hätte.«

## Wie entsteht Information?

Der Schlüsselbegriff zur Darstellung des Komplexitätsproblems ist bereits gefallen: Information. Wir benötigen einen Algorithmus, eine naturgesetzliche Vorschrift für die Entstehung von Information. Die oben gegebene Definition des Informationsbegriffes, die allein auf der Zahl der Anordnungsmöglichkeiten basiert, ist unvollständig. Sie gilt nur für den Grenzfall, daß alle möglichen Anordnungen a priori gleich wahrscheinlich sind. Wenn man eine binäre Sequenz durch Fragen, die nur mit ja oder nein beantwortet werden dürfen, erraten will, so wird die Zahl der notwendigen Fragen im Mittel gerade dem Informationsgehalt der Sequenz, das heißt ihrer bit-Zahl entsprechen, vorausgesetzt, die beiden Symbole haben für jede Position exakt die gleiche Besetzungswahrscheinlichkeit. Wäre die Sequenz ein Satz aus unserer Sprache, und wäre der Code bekannt, der die Sprachsymbole in binäre Zeichen überführt (beispielsweise der Fernschreibcode), so käme man sehr viel schneller zum Ziel, wenn man die bekannten Eigenschaften der Sprache beim Raten mit berücksichtigte.

Als solche sind zu nennen:
die Häufigkeit der Symbolverwendung (in unserer Sprache erscheint neben dem Zwischenraumsymbol, das die Wörter voneinander abgrenzt, am häufigsten der Buchstabe e),
die durchschnittliche Länge der Wörter (das bedeutet eine sinnvolle Anwendung des Zwischenraumsymbols),
der Aufbau der Wörter (so bestehen alle Artikel aus drei Buchstaben und beginnen mit d, ferner sind Vokale und Konsonanten nicht vollkommen willkürlich verteilt),
die Struktur der Sätze. (Der Gebrauch und die Abfolge von Artikeln, Haupt-, Eigenschafts- und Tätigkeitswörtern sind weitgehend festgelegt.)

Dazu kommen grammatische und syntaktische Regeln. Das Spektrum der einschränkenden Bedingungen reicht bis hin zum Kontext, zum Sinn des Satzes oder zur semantischen Information, die von sehr spezifischen Voraussetzungen abhängig ist, und die sich nicht in generell gültigen statistischen Häufigkeitsregeln fassen läßt.

C. Shannon, einer der Begründer der Informationstheorie, hat einmal von seinen Studenten das folgende Spiel ausführen lassen: Der eine Spieler denkt sich einen Satz aus. Der Partner muß diesen Buchstabe für Buchstabe erraten. Seine Fragen dürfen nur mit ja oder nein beantwortet werden. Die Zahl der Fragen bis zur Identifizierung des Satzes wird notiert und mit der Zahl verglichen, die bei völlig regellosem Fragen, also ohne Berücksichtigung der Struktur der Sprache, notwendig wäre. Eine Analyse von hundert Textbeispielen ergab eine Reduzierung der benötigten Information von (in der englischen Sprache) 4.76 bits pro Symbol für eine völlig regellose Verteilung der Buchstaben des

Alphabets, auf 1.94 bis 1.4 bits pro Symbol. Die Spieler waren natürlich mit den Regeln der Sprache wohl vertraut, die Textbeispiele waren ihnen jedoch vollkommen unbekannt.

Wir halten fest, jede Nebenbedingung, die die Gleichverteilung der a priori-Wahrscheinlichkeiten verändert, reduziert den Informationsgehalt, der hier zu verstehen ist als die zur Identifizierung notwendige Informationsmenge, das heißt die mittlere bit-Zahl pro Symbol multipliziert mit der Zahl der Symbole in der Nachricht. Es kommt also nicht allein auf die absolute Menge der Symbole und damit bei bekannter Zahl von Symbolklassen auf die Gesamtheit der alternativen Anordnungsmöglichkeiten an, sondern auch auf die Realisierbarkeit jeder der Alternativen, wie sie sich aus der Wahrscheinlichkeitsverteilung der Symbole ergibt. Informationsentstehung ist dann gleichbedeutend mit einer Veränderung der Wahrscheinlichkeitsverteilung aufgrund von zusätzlichen Einschränkungen, die erst im Verlaufe des evolutiven Prozesses zutage treten.

Es gibt eine unmittelbare Beziehung zwischen der oben betrachteten (statischen) Informationsmenge und der Entropie der Thermodynamik, und zwar entspricht die von Shannon definierte Information der negativen Entropie. (Diese Zusammenhänge sind lehrbuchkundig und sollen daher hier nicht weiter erläutert werden.[8]) Für unsere Fragestellung von Bedeutung ist die Tatsache, daß im thermodynamischen Gleichgewicht die Entropie ein Maximum erreicht. Jede Störung erzeugt eine Reaktion, die auf einen Ausgleich der Störung hinausläuft. Man bezeichnet diesen Ausgleich als Relaxation. Das Gleichgewicht ist somit ein stabiler Zustand. Es gibt keinerlei Störungen, die die Wahrscheinlichkeitsverteilung im System grundlegend verändern könnten (solange die äußeren Bedingungen konstant sind). Information kann daher in Systemen, die sich im thermodynamischen Gleichgewicht befinden, *nicht* entstehen.

Wie aber ist die Information der Genbaupläne, d. h. die Fixierung bestimmter Symbolanordnungen zustande gekommen? Der Biologe wird auf diese Frage antworten: durch natürliche Auslese! Und er wird gleich hinzufügen, daß die heute in den Lebewesen auffindbaren Gensequenzen, die für eine optimal an den Lebensprozeß angepaßte Funktion codieren, Produkte einer ganzen Serie schrittweise, durch Selektion fixierter Veränderungen der Sequenz darstellen. Im Sinne einer Informationserzeugung heißt das: Dominanz eines durch Selektion etablierten Wildtyps bedeutet lokale Stabilisierung einer bestimmten Wahrscheinlichkeitsverteilung. Das Auftauchen einer vorteilhaften Mutante aber bewirkt Destabilisierung des zuvor eingestellten Zustands und Etablierung einer neuen (wiederum nur metastabilen) Wahrscheinlichkeitsverteilung. Daß eine die bisherige Verteilung destabilisierende Mutante überhaupt erscheinen kann, besagt, daß Selektion nichts mit einem echten Gleichgewicht gemein hat. Es gibt statistische Fluktuationen – als solche sind Mutationen generell zu verstehen – die sich aufschaukeln und damit makroskopisch manifest werden. Die zunächst als Einzelkopie auftauchende vorteilhafte Mutante wächst hoch. Das wiederum hängt von besonderen, im Gleichgewicht nicht realisierbaren, Voraussetzungen ab, die allein in den Eigenschaften der Konstituenten lebender Systeme begründet sind.

Um uns den gesetzmäßigen Charakter des Selektionsvorganges vor Augen zu führen, betrachten wir das Gesetz, das für das chemische Gleichgewicht maßgebend ist, nämlich das Massenwirkungsgesetz. Im abgeschlossenen chemischen System (das in bezug auf Stoffaustausch von seiner Umgebung abgetrennt ist) stellt sich der durch das Massenwirkungsgesetz festgelegte Verteilungszutand aller Komponenten unausweichlich und damit reproduzierbar ein. Die Problemstellung im Falle des Selektionsprinzips ist ganz ähnlicher Natur. Wir fragen nach der Auslese eines bestimmten Genotyps, der für einen Phänotyp codiert, der sich durch die Qualität »bestangepaßt« auszeichnet. Der Genotyp entsteht jeweils als Kopie einer schon vorhandenen Sequenz. Bei dieser Reproduktion treten jedoch Mutationen auf. Sie können in einer bloßen Fehlkopierung, aber auch in Auslassungen oder Einschiebungen einzelner Symbole oder ganzer Sequenzabschnitte bestehen. Derartige Mutationen sind die Quelle für das Fortschreiten der Evolution. Selektion beinhaltet nun zweierlei:

1. Die Information, die unter allen Mutanten den best-angepaßten Phänotyp darstellt, wird ausgewählt, vervielfältigt und zur Grundlage weiteren Fortschritts gemacht.

2. Die Information für den bestangepaßten Phänotyp bleibt solange stabil erhalten, als keine besser angepaßte Variante in der Mutantenverteilung erscheint. Anders ausgedrückt: Es wird verhindert, daß Fehler akkumulieren, sie müssen dazu unterhalb eines kritischen Schwellenwertes bleiben.

Man könnte das physikalische Problem, das durch das Selektionsprinzip gelöst werden soll, auch so formulieren: Welcher Mechanismus garantiert die gesetzmäßige Entstehung von Information?

»Das waren die Genen, die Bioblasten, die Biophoren...
Da sie Leben trugen, mußten sie organisiert sein, denn Leben beruhte auf Organisation, wenn sie aber organisiert waren, so konnten sie nicht elementar sein, denn ein Organismus ist nicht elementar, er ist vielfach. Sie waren Lebenseinheiten unterhalb der Lebenseinheit der Zelle, die sie organisch aufbauten. Wenn dem aber so war, so mußten sie, obgleich über alle Begriffe klein, selber ›aufgebaut‹, und zwar organisch, als Lebensordnung ›aufgebaut‹ sein.«

## Leben ist ein dynamischer Ordnungszustand der Materie

Die Information, der Bauplan des Lebewesens, ist in der DNA gespeichert. Die Symbolabfolge muß ähnlich wie die Schriftsätze unserer Sprache organisiert sein. Es gibt in der Tat eine Interpunktion oder Gliederung, die den Riesenschriftsatz in Wörter (Codons), Sätze (Gene), Abschnitte (Operons), ja ganze Teilbände (Chromosomen) unterteilt. Diese Organisation ist statisch; sie ist in der Struktur bzw. Bausteinsequenz des Moleküls begründet.

Doch wie ist diese informierte Ordnung des Moleküls entstanden? In seiner *strukturellen* Stabilität ist das informierte gegenüber dem nicht-informierten Molekül in keiner Weise ausgezeichnet. Die Stärke der chemischen Wechselwirkungen, die das Molekül stabilisieren, und damit die in der Symbolabfolge enthaltene Information bewahren – sie muß ja von Generation zu Generation im wesentlichen unverändert weitergegeben werden – ist nur geringfügig von der Zusammensetzung der Sequenz abhängig. Die strukturelle Stabilität steht denn auch in keinerlei Zusammenhang mit der Information, die ja erst im

Übersetzungsprodukt zum Ausdruck kommt. Die Auslese von informierten gegenüber nicht-informierten oder fehlerhaften Molekülen beruht *nicht* auf struktureller Stabilität. Die Auslese basiert auf einer Ordnung, die dynamischer Natur ist. Sie ist in der Dynamik des Reproduktionsprozesses begründet.

Es ist ähnlich wie mit einer Mozart-Symphonie, die sich stabil in unseren Konzertprogrammen erhält. Das liegt nicht daran, daß die Noten dieses Werkes in einer besonders stabilen, nicht ausbleichenden Druckerschwärze fixiert wurden. Die Stabilität einer Mozart-Symphonie in unseren Musikprogrammen ist allein die Folge ihres hohen Selektionswertes. Damit dieser wirksam bleibt, muß das Werk immer wieder gespielt, von uns zur Kenntnis und ständig neu bewertet werden.

Bevor wir auf die Frage nach dem Ursprung der dynamischen Ordnung des Lebens, nach dem erzeugenden Prinzip dieser Ordnung, eingehen, müssen wir sicherstellen, daß diese Ordnung für alle Lebewesen, für das Leben schlechthin, relevant ist. Was ist allem Leben gemein?

Alle Lebewesen benutzen als Erbspeicher die DNA und verarbeiten diese Information nach dem gleichen Schema:

$$\text{Legislative} \rightarrow \text{Nachricht} \rightarrow \text{Funktionsmittler} \rightarrow \text{Exekutive}$$
$$\text{DNA} \rightarrow \text{RNA} \rightarrow \text{Protein} \rightarrow \text{geregelte Funktion}$$

Doch nicht nur das Schema ist universell, auch die Detailstrukturen ähneln einander. Alle Lebewesen machen von einem universellen genetischen Code, einem universellen biochemischen Syntheseapparat sowie von makromolekularen Syntheseprodukten, die nach universellen Strukturprinzipien organisiert sind, Gebrauch. Die unterste Einheit des Lebens ist die Zelle, deren Prototypen wiederum nach universellem Konzept aufgebaut sind. Mehrzellige Lebewesen unterscheiden sich durchaus in ihren sichtbaren funktionellen Leistungen. Auf welche Funktion auch immer sie adaptiert sind, sie erfüllen sie mit optimaler Effizienz. Die Blau-Alge, eins der frühesten Produkte der Evolution, ist ein perfekter Wandler für Licht in chemische Energie, und die enzymatischen Reaktionen eines Bakteriums unterscheiden sich in ihrer Effizienz kaum von denen, die in der menschlichen Zelle ablaufen. Archaebakterien zeigen ihre Fähigkeit zu überleben auch unter extremen Umweltbedingungen, etwa hohen Salzkonzentrationen oder hohen Temperaturen. Die Amöbe, ebenfalls noch Einzeller, doch schon auf einer höheren Entwicklungsstufe, besitzt bereits ein Sozialverhalten, chemische Kommunikation mit Artgenossen und Kooperaton bei der Begründung der Nachkommenschaft, bei der Sporulation. Zu den wundervollsten ausgeklügelten Leistungen kommt es schließlich bei den höheren Organismen, bei denen an die Stelle lose organisierter Zellhaufen zentral gesteuerte multizelluläre Organisationsformen mit differenzierter Funktionsaufteilung treten.

Alle diese Spielarten des Lebens haben einen gemeinsamen Ursprung. Es ist der Ursprung der Information des Lebens, die in allen Lebewesen nach dem gleichen Prinzip organisiert ist. Insofern Leben vom Einzeller bis zum Menschen hin viele Entwicklungsstufen durchlaufen hat, muß es auch mehrere unterschiedliche Organisationsprinzipien geben, zunächst für die Reproduktion einzelner Gene, sodann für ihre kooperative Einordnung in einen funktionellen Verband, für geregeltes Wachstum und den Aufbau von Zellstrukturen, für rekombinative Vererbung, Differenzierung der Zellen, Organbildung bis hin zur Konstruktion *des* Organs, das Gedächtnisleistungen erbringt, selber Information speichert, verarbeitet und kreiert, und auf dessen Ebene ein neuer, dem Materiellen überlagerter Evolutionsprozeß abläuft.

> »Aber was bedeutete all dieses Unwissen im Vergleich mit der Ratlosigkeit, in der man vor Erscheinungen, wie der des Gedächtnisses oder jenes weiteren und erstaunlicheren Gedächtnisses stand, das die Vererbung erworbener Eigenschaften hieß?«

## Gibt es ein Prinzip für die biologische Selbstorganisation?

Das Ordnungsprinzip, auf das wir zunächst unsere Aufmerksamkeit richten, soll erklären, wie Information zustande kommt. Es muß sich um ein dynamisch begründetes Prinzip, handeln. Information *entsteht* aus Nicht-Information. Dabei darf es sich nicht lediglich um eine die Information sichtbar machende Transformation handeln. Der Zustand des Systems nach Entstehung von Information ist ein völlig neuartiger. Der damit verknüpfte Prozeß ist irreversibler Natur. Der vorherige (informationsärmere) Zustand ist aufgrund der neuen Information instabil geworden und damit irreversibel vergangen.

Der Biologe wird hier natürlich sofort an Darwins Prinzip der natürlichen Auslese erinnert. Diesem Prinzip zufolge breitet sich das besser angepaßte Neue aus, sobald es entstanden ist, und ersetzt das weniger angepaßte Alte. So baut sich das Kompliziertere aus dem Einfacheren auf, in der Evolution vom Einzeller bis hin zum Menschen. Evolution beschreibt in der Tat die Entstehung von Information. Fixiert ist diese Information in den Genen der Lebewesen.

Liest man bei Darwin[9] nach, so wird einem sehr bald bewußt, daß er sein Prinzip durchaus auf die biologische Wirklichkeit bezogen sehen wollte, nicht als abstraktes Ordnungsprinzip, sondern als eine in der Natur unmittelbar sichtbare Tendenz, mit vielem »wenn und aber«, dessen sich dann auch später die Populationsbiologie explizit annahm. Nur einmal, nämlich in einem Brief an Nathaniel Wallich (1881), läßt Darwin durchblicken, daß er hinter dem Lebensprozeß doch so etwas wie ein allgemeines Ordnungsprinzip vermutete. Zunächst bestätigt er noch einmal, daß die Frage nach dem Ursprung des Lebens beim damaligen Stand des Wissens als unbeantwortbar – er sagt: »ultra vires« – zu gelten habe, und hebt hervor, daß sich seine Überlegungen lediglich auf die phylogenetische Abfolge (succession) bezögen. Doch dann schreibt er: »I believe ... that the principle of continuity renders it probable that the principle of life will hereafter be shown to be a part, or consequence, of some general law.«

Heutzutage können wir in der Anwendung auf molekulare Systeme, wie sie die Gene und ihre Übersetzungsprodukte darstellen, sehr viel objektiver die physikalische Natur des Prinzips untersuchen, sowohl theoretisch durch Festlegung aller Nebenbedingungen, als auch experimentell durch Schaffung definierter Versuchsbedingungen.[10] Das Selektionsprinzip erweist sich dann weder als ein der belebten Materie inhärentes mystisches

Axiom, noch als eine im Lebensprozeß beobachtbare gesetzlose Tendenz, sondern wie viele der bekannten physikalischen Gesetze als ein klares wenn-dann-Prinzip, das ein definiertes, aus bestimmten Voraussetzungen ableitbares Verhalten impliziert, analog dem Massenwirkungsgesetz, das die Einstellung der Mengenverhältnisse im chemischen Gleichgewicht regelt. Die Voraussetzungen, die erfüllt sein müssen, sind:

1. Die zur Selektion gelangenden Individuen (DNA-Moleküle, Viren, Bakterien) müssen selbst-reproduktiv sein. Sie dürfen, nachdem sie einmal – wie auch immer – entstanden sind, sich nur noch durch *Kopierung* schon vorhandener gleichartiger Individuen bilden, nicht aber de novo. Wir wollen diese Individuen deshalb Replikatoren nennen.

2. Die erste Bedingung wird eingeschränkt durch eine Zusatzbedingung, die besagt, daß die Kopierung mit Fehlern oder Mutationen behaftet sein kann. Dies ist eine Konsequenz, die nicht zuletzt schon daraus resultiert, daß der physikalische Kopierungsprozeß bei endlicher Temperatur abläuft, und daß die Wechselwirkungsenergien in der Größenordnung der thermischen Energie liegen. Die zur Kopierung notwendigen Wechselwirkungen sind also von Fluktuationen überlagert, die sich als Fehler auswirken. Aufgrund dieser Einschränkung entstehen Replikatoren nicht ausschließlich durch exakte Selbstreproduktion, sondern auch durch Fehlkopierung nahe verwandter Replikatoren.

3. Die Selbstreproduktion muß weitab vom chemischen Gleichgewicht erfolgen. Dazu muß dem Replikatorsystem ständig chemische Energie zugeführt werden, das System muß einen Metabolismus besitzen. Im chemischen Gleichgewicht sind Auf- und Abbau auf mikroskopischer Ebene streng reversibel, so daß hier autokatalytisches Wachstum aufgrund von Selbstreproduktion durch reversiblen Abbau exakt kompensiert wird und sich nicht mehr im Sinne einer Selektion auswirken kann.

Selbstreproduktivität, Mutagenität und Metabolismus sind notwendige Voraussetzungen für natürliche Selektion. In einem solchen System – gleichgültig, ob sich dieses in einem stationären Zustand konstanter Gesamtpopulation befindet, ob es wächst oder in irgendeiner anderen Weise zeitlich variiert – stellt sich Selektion naturgesetzlich ein. Das bedeutet im Bild relativer Populationszahlen: Einer der vielen Replikatoren wird hochwachsen und die Szene dominieren. Auch bei kleinsten Unterschieden im Selektionswert trifft der Selektionsprozeß für nicht miteinander verwandte Replikatoren eine klare »Alles oder Nichts«-Entscheidung. Mutanten des selektierten Replikators dagegen werden entsprechend ihrem Selektionswert und Verwandtschaftsgrad zum dominanten Replikator toleriert. Das impliziert auch, daß gleichwertige Replikatoren, sofern sie hinreichend nahe miteinander verwandt sind, sich die Herrschaft teilen können.

Dieses Verhalten ist so gesetzmäßig wie die Einstellung eines chemischen Gleichgewichts. Es ist unausweichlich, allerdings nur dann, wenn seine Voraussetzungen erfüllt sind. Selektion beinhaltet ein genau definiertes »wenn-dann« Verhalten, das sich von einer vagen tautologischen Interpretation: best-angepaßt = selektiert klar abhebt. Selektion könnte im Prinzip *irgend eine* Privilegierung darstellen. Hier bedeutet sie jedoch *eine ganz bestimmte* Form der Bevorzugung, die sich unbestechlich an einem Wertmaßstab orientiert, sich dabei gegen Konkurrenten scharf abgrenzt, dennoch ein breites Mutantenspektrum wertorientiert aufbaut und auf diese Weise die komplexe Vielfalt organisiert und kontrolliert. Auch in der Massenwirkung des chemischen Gleichgewichts könnte man eine Art von

Selektion für die strukturell stabilste Konfiguration erblicken. Sie ist aber nicht von einer solchen Ausschließlichkeit wie die Selektion der Replikatoren, die inhärent an eine Nicht-Gleichgewichtssituation geknüpft ist. Hohe strukturelle Stabilität im chemischen Gleichgewicht muß durch Reaktionsträgheit erkauft werden. Der im Nicht-Gleichgewicht dynamisch stabilisierte Replikator stirbt dagegen beim Auftauchen eines überlegenen Konkurrenten innerhalb kurzer Zeit aus.

Da alle Lebewesen selbst-reproduktiv sind, spielt Selektion für *alle* Lebewesen eine entscheidende Rolle. Doch ergeben sich Modifikationen aufgrund verschiedenartiger innerer und äußerer Nebenbedingungen. So kann Selektion unter besonderen (äußeren) Umständen in Koexistenz oder gar Kooperation umschlagen. Besonderheiten in den inneren Mechanismen liegen bei den höheren Organismen vor, die ihre Gene rekombinativ austauschen, die Selektionsbewertung aber auf der Ebene des Gesamtorganismus vornehmen. Darwin hatte zweifellos eher diese Fälle vor Augen, als er das Selektionsprinzip konzipierte. Das mathematisch ableitbare abstrakte Prinzip ist an klar definierte Voraussetzungen geknüpft. Diese lauten: Selbstreproduktivität und Nicht-Gleichgewicht. Sie werden von einzelnen DNA- oder RNA-Molekülen, von Genen, aber auch von Viren und vegetativ vermehrbaren Lebewesen in idealer Weise erfüllt. Selbstreproduktivität läßt sich auch ohne weiteres außerhalb lebender Organismen realisieren. So vermehren sich Lasermoden aufgrund von Resonanzen replikativ. Daher finden wir das Phänomen der Selektion, der Dominanz einer bestimmten Mode, auch im Laserlicht. Die entsprechende Theorie für Laser wurde von H. Haken[11] parallel zur Theorie der molekularen Selektion entwickelt.[12] Sie erwies sich in der mathematischen Struktur als mit dieser nahezu identisch.

Die Selektionstheorie selbstproduktiver Systeme stellt für die Physik ein Novum dar; denn sie etabliert eine aus dynamischen Parametern definierte Wertfunktion. Die Vermutung, daß es sich bei Darwins Prinzip in der Formulierung von »survival of the fittest« um eine Tautologie handeln könnte, ist damit endgültig ad absurdum geführt. »Survival« ist eine Eigenschaft, die sich durch relative Populationszahlen ausdrückt und im Experiment messen läßt. »Fittest« ist durch eine Wertfunktion bestimmt, die auf dynamische Parameter gründet, die – unabhängig von Populationszahlen – meßbar sind. Für Molekülsysteme ist der Zusammenhang nicht nur exakt formulierbar, sondern auch durch Messungen quantitativ überprüfbar. Ich nenne im folgenden nur einige der gefundenen quantitativen Beziehungen.

Selektion bedeutet Fokussierung auf eine unter vielen möglichen alternativen Sequenzen. Diese dominante Sequenz, der sogenannte Wildtyp, ist dann im Vergleich zu anderen Sequenzen am stärksten vertreten. Der Wildtyp als Individuum besitzt unter allen Mutanten in der Regel die höchste Populationszahl. Da es aber sehr viele verschiedene Mutanten gibt, macht er dennoch nur wenige Prozent der Gesamtmenge aus. Bei Umweltveränderungen kann auf diese Weise im allgemeinen schnell eine besser angepaßte Variante aus dem reichhaltig besetzten Mutantenspektrum hochwachsen.

Dieses Ergebnis war für den Biologen überraschend. Man glaubte, aus der Tatsache, daß sich die DNA-Sequenz des Wildtypes eindeutig bestimmen läßt, folgern zu müssen, daß die überwiegende Zahl der individuellen Sequenzen in der untersuchten Verteilung auch mit dieser Sequenz identisch sei. Das Argument war: Wäre diese Sequenz nicht absolut dominant, hätte sie sich nicht eindeutig bestimmen lassen. Das ist aber ein vordergründiges Argument. Die Wildtypsequenz kann durchaus in sehr geringer Menge vorhanden sein, solange nur die vielen Mutanten *symmetrisch* um die dominante Sequenz herum verteilt sind. Auf diese Weise wird der Mittelwert aller Sequenzen in der Verteilung mit dem der individuellen Sequenz des Wildtyps identisch. Wir nennen eine solche Verteilung Quasi-Species.[13] Die Ergebnisse der Theorie wurden inzwischen experimentell eindeutig bestätigt. Ch. Weissmann hat durch Klonierung einzelner Mutanten, Multiplikation der Klone und anschließende Analyse der Sequenz eines jeden Klons die Mutantenverteilung für ein bestimmtes Bakterien-Virus (Qβ) quantitativ ausgemessen.[14]

Eine weitere Folgerung ist, daß die Lokalisierung der Verteilung um eine bestimmte Sequenz nur dann möglich ist, wenn die dominante Sequenz einen Selektionswert besitzt, der größer als die mittlere Effizienz der Reproduktion der Mutantenverteilung ist. Die Fehlerrate darf daher einen gewissen Schwellenwert nicht überschreiten. Für den Schwellenwert gilt, daß er in der Nähe der reziproken Zahl der Informationssymbole der betreffenden Sequenz liegen muß. Anders ausgedrückt: Je länger eine Sequenz ist, um so genauer muß die Reproduktion erfolgen, sonst akkumulieren die Fehler in sukzessiven Generationen und die ursprüngliche Information zerfließt. Auch diese Beziehung wurde experimentell von Ch. Weissmann überprüft und quantitativ bestätigt.[15] Das Genom des $Q_\beta$-Virus besitzt 4 200 Informationssymbole. Die Fehlerrate der Replikation in vivo wurde zu $3 \times 10^{-4}$ bestimmt. Es wurde gefunden, daß das natürliche System knapp unterhalb der Fehlerschwelle operiert und damit die maximale Zahl von Fehlern produziert, die noch tolerierbar ist. Die Verteilung bleibt auf diese Weise stabil, ist aber in der Lage, flexibel auf Umweltveränderungen zu reagieren. Sie erreicht dadurch die maximal mögliche Evolutionsrate.

Schließlich bedeutet die Nichteinhaltung der Schwellenbeziehung Instabilität. Eine solche Instabilität tritt immer dann auf, wenn eine selektiv vorteilhafte Mutante entsteht. Die vorher dominante Sequenz kann nun nicht mehr die Schwellenbeziehung erfüllen. Sie macht nach wie vor Fehler und kann die Fehlerrate nicht mehr durch Vorteile gegenüber der neuen Konkurrenz ausgleichen. Sie stirbt daher aus. Die neue Variante wächst hoch und dominiert. Dann wird auf diesem höheren Niveau »weitergepokert«. Für die quantitativen Ergebnisse spielen Fehlerrate, Sequenzlänge, Effizienz der Reproduktion im Vergleich zum Mittelwert der Mutantenverteilung sowie die gesamte Populationszahl eine Rolle. Es liegen Evolutionsexperimente von S. Spiegelman und von Ch. Biebricher vor, die zeigen, daß die natürlichen Prozesse in der soeben dargelegten Weise ablaufen.[15]

Die Systeme, an denen Messungen ausgeführt wurden, sind einfach genug, so daß die für quantitative Vorhersagen zu machenden Annahmen in idealer Weise erfüllbar sind. Betrachtet man den natürlichen Prozeß der Evolution der Arten, so muß man berücksichtigen, daß oftmals sehr komplizierte Rand- und Nebenbedingungen vorliegen. Dennoch bleibt auf höherer Evolutionsebene Selektion (vor allem gegen Fehlkopien der eigenen Art) unumstößliches Gesetz. Allerdings komplizieren die vielen Zusatzbedingungen den Prozeß in einem solchen Maße, daß quantitative Voraussagen sehr schwierig, ja zumeist unmöglich werden. »Fittest« ist auf der Ebene des Menschen keine Eigenschaft mehr, die sich berechnen ließe. Wir müssen uns daher vor Extrapolationen hüten. Erfahrungen, die auf niedriger Ebene gewonnen wurden, lassen sich nicht bedenkenlos auf eine höhere

Ebene projizieren. Solche Extrapolationen haben oft den Weg zu einer richtigen Einschätzung des Darwinschen Prinzips, des wohl wichtigsten Organisationsprinzips für die Entstehung und Entwicklung allen Lebens, verstellt.

Was leistet nun dieses Prinzip für den Prozeß der Informationsentstehung? Wieder wollen wir uns auf die frühe Ebene der Evolution, nämlich auf die Informationsentstehung in einzelnen Genen beschränken.

> »Aber das Leben selbst erschien unvermittelt. Wenn sich etwas darüber aussagen ließ, so war es dies: es müsse von so hoch entwickelter Bauart sein, daß in der unbelebten Welt auch nicht entfernt seinesgleichen vorkomme«.

## Strategie der Optimierung

Sind unsere Gene optimal? Die Übersetzungsprodukte der Gene, die molekularen Funktionseinheiten, sind als Katalysatoren und Steuereinheiten von enormer Effizienz. Doch was verstehen wir unter »optimal«? Wir können die Reaktionsmechanismen der von den Enzymen gesteuerten Prozesse in ihre elementaren Einzelschritte – bis hinein in den Zeitbereich von Nano- und Pikosekunden – zerlegen. Wir können feststellen, wie hoch die Geschwindigkeiten solcher Elementarschritte maximal sein können, ohne die Gesetze der Physik zu verletzen, und wir können dann schließen, wie diese Einzelprozesse aufeinander abgestimmt sein müssen, damit eine höchst effiziente Gesamtleistung herauskommt. Enzymatische Katalyse bewirkt in vielen Fällen eine millionen- bis milliardenfache Reaktionsbeschleunigung. Wo immer die Mechanismen solcher Reaktionen quantitativ analysiert wurden, war das Ergebnis: Enzyme sind optimale Katalysatoren![16]

Die Gene der kleinsten Proteine setzen sich aus ca. 300 Bausteinen zusammen. Vielleicht waren die Ur-Gene noch etwas kleiner. Innerhalb der letzten Jahre wurden in den Proteinmolekülen Domänen identifiziert, die eine Zusammensetzung der Proteine aus kleineren Einheiten andeuten. Hundert bis dreihundert Bausteine dürfte daher ungefähr die richtige Größenordnung für die Länge der Ur-Gene sein. Bei dieser Länge ist die Zahl der kombinatorisch möglichen alternativen Sequenzen bereits so groß, daß die Wahrscheinlichkeit für eine zufällige Entstehung optimaler Sequenzen vernachlässigbar klein wird.

Bietet nun das Selektionsprinzip eine Lösung für das Komplexitätsproblem? Ist die Entstehung »informierter« Ur-Gene durch dieses Prinzip erklärbar?

Gehen wir von der landläufigen Interpretation des Darwinschen Prinzips aus, so stoßen wir sofort auf eine Schwierigkeit. Es ist heute allgemein akzeptiert, daß Selektion eine determinierte Eigenschaft selbst-reproduktiver Systeme ist. Wenn eine selektiv vorteilhafte Mutante erst einmal in statistisch signifikanter Anzahl auftritt, so wächst sie unausweichlich hoch und dominiert schließlich die Population. Lediglich in der Anfangsphase gibt es eine Unsicherheit: Solange nur eine oder sehr wenige Exemplare der neuen

Mutante vorliegen, könnten diese per Zufall aussterben, bevor sie eine Chance hatten, sich zu reproduzieren. Deterministische Selektion hat also immer eine stochastische Anfangsphase, deshalb der zusätzliche Hinweis auf »statistische Signifikanz«. Nun kommt aber das Entscheidende: Man nimmt an, daß die Mutante ihren Ursprung einem *zufälligen* Ereignis verdankt. Mit anderen Worten, jede neue Mutante erscheint mit einer Wahrscheinlichkeit, die unabhängig davon ist, ob es sich um eine vorteilhafte, neutrale oder nachteilige Variante handelt. Das würde bedeuten, daß vorteilhafte Mutanten äußerst selten auftreten. Bei dieser Argumentation käme das Komplexitätsproblem, das mit Hilfe der Selektion gerade gelöst schien, zur Hintertür wieder herein.[17] Das zeigt der quantitative Vergleich: Ein aus 300 Bausteinen zusammengesetztes Gen hat bereits $4^{300} \approx 10^{180}$ mögliche Sequenzvarianten. Unter diesen ist der weitaus überwiegende Anteil völlig wertlos, eine absolut noch recht ansehnliche Menge partiell funktionstüchtig, und nur ein sehr geringer Anteil schließlich erfüllt die dem Gen zugeordnete Funktion optimal. In einer beliebigen Ausgangsverteilung werden daher nur relativ wenige, allenfalls mäßig angepaßte, Varianten vorliegen. Durch Mutation und selektive Stabilisierung der vorteilhaften Variante soll dann in ständiger Iteration schließlich die bestmögliche Zielstruktur erreicht werden. Der Mutationsabstand zur besseren Variante wird dabei um so größer, je höhere Anforderungen man an die Funktionserfüllung stellt. Das jedenfalls wäre für ein rein zufälliges Auftreten von bestangepaßten Mutanten zu erwarten.

Man kann sich die Wertverteilung der Mutanten in einem gegebenen System wie eine Landschaft mit Ebenen, Hügeln und Hochgebirgen vorstellen. Der Selektionsmechanismus sorgt dafür, daß der in der Ausgangsverteilung höchste Werthügel, der zunächst nur durch eine oder wenige Sequenzen repräsentiert ist, mit vielen Kopien besetzt wird und daß sich die Mutanten um diesen zunächst selektierten Wildtyp gruppieren. Hier jedoch beginnt das Dilemma. Der letztlich nicht optimale Werthügel wird zur Falle. Die lokalisierte Verteilung kann sich nur noch durch Mutationssprünge aus dieser Falle befreien, um das Optimum zu erreichen. Bei zufälliger Anordnung der Werthügel und statistisch zufällig erfolgenden Sprüngen wäre das System doch wieder gezwungen, alle möglichen Alternativen durchzuspielen, und dabei erweist sich die Lokalisierung eher als hinderlich. Das ganze Ausmaß dieses – schon zu Darwins Lebzeiten erahnten – Dilemmas wird erst sichtbar, wenn man einmal Mutationswahrscheinlichkeiten quantitativ abschätzt. Für das genannte kleine Gen ist beispielsweise die Mutationshäufigkeit für eine *bestimmte* 10-Fehlermutante nur noch $10^{-30}$. Ein solcher Zehnersprung macht nur etwa 3 Prozent der gesamten Genlänge aus, während man davon ausgehen muß, daß bei zufälliger Ausgangsverteilung ein sehr viel größerer Prozentsatz der Symbole substituiert werden müßte. (Diese Zahlen gelten genau für eine Fehlerrate von $3 \cdot 10^{-3}$ pro Symbol, wobei für jedes Symbol drei alternative Besetzungsmöglichkeiten existieren).

Die Annahme einer ziellosen Produktion von Mutanten hat nicht zuletzt ihren Ursprung in der Tatsache, daß die Mutante in einer Population im allgemeinen erst dann sichtbar wird, wenn sie sich in bestimmten phänotypischen Merkmalen vom bislang dominierenden Wildtyp unterscheidet. Allein durch abstrakte Modelle war man schließlich auch in der Populationsbiologie zu dem Schluß gekommen, daß es viele neutrale Mutanten geben müsse, die sich kaum oder gar nicht vom Wildtyp unterscheiden. M. Kimura hat gezeigt, daß diese neutralen Mutanten gelegentlich sogar hochwachsen müssen und damit den vorherigen Wildtyp verdrängen. Ein solches Driften der Verteilung durch den Mutantenraum sollte einen wesentlichen Beitrag zum gesamten Evolutionsprozeß leisten.[18]

Die Molekularbiologen sind heute in der Lage, individuelle Mutanten durch ihre Sequenz zu identifizieren. Wir wissen, daß der Wildtyp als Individuum in nur relativ geringem Anteil vorliegt und erst durch die mittlere Sequenz der Mutantenverteilung auch makroskopisch eindeutig charakterisiert ist. In der Verteilung sind also (normalerweise) insgesamt sehr viel mehr Mutanten als Wildtyp-Individuen präsent. Die individuelle Häufigkeit der verschiedenen Mutanten hängt zunächst einmal von ihrem Verwandtschaftsgrad mit dem Wildtyp, sodann aber auch vom eigenen Selektionswert ab. Je geringer die Verwandtschaft mit dem Wildtyp, je höher also der Mutationsabstand ist, um so geringer wird die Wahrscheinlichkeit für die direkte Erzeugung einer solchen Mutante aus dem Wildtyp. Quantitativ wird dieser Zusammenhang durch eine Poisson'sche Fehlerverteilung dargestellt. Diese gilt aber nur, wenn die Mutanten ausschließlich aus dem Wildtyp erzeugt werden. Sie wird modifiziert, wenn die Mutanten selber sich ebenfalls reproduzieren und dabei natürlich auch Fehlkopien erzeugen. Nun kann die vom Wildtyp weiter entfernte Mutante auch aus weniger weit entfernten Vorläufer-Mutanten entstehen.

Für die Abhängigkeit vom Selektionswert ergibt das mathematische Modell einen sehr ungewöhnlichen Zusammenhang: Der Erwartungswert für die Populationszahl der Mutanten steigt hyperbolisch an, je näher deren Selektionswert dem der dominanten Variante kommt. Der Wildtyp, solange er vorherrscht, ist durch den höchsten Selektionswert in der Verteilung definiert. Der Selektionswert einer Mutante, solange sie den Wildtyp nicht destabilisiert – kann dem des Wildtyps beliebig nahe kommen, ihn aber niemals exakt erreichen. Dieser Umstand genügt, eine wertvolle gegenüber einer weniger wertvollen Mutante in ihrer Häufigkeit um viele Größenordnungen zu begünstigen. Dieser Effekt potenziert sich, wenn die weiter entfernte wertvolle Mutante aus ebenfalls wertvollen (dem Wildtyp näher verwandten) Vorläufer-Mutanten hervorgeht, das heißt, wenn die Wertregionen im Mutantenraum durch eine zusammenhängende Gebirgsstruktur repräsentiert sind.

Es ergibt sich also folgende Kausalkette:

1. Ein selektiver Vorteil ist letztlich nur bei größeren Mutationssprüngen zu erwarten. Diese erfolgen sehr selten.

2. Die vom Wildtyp weit entfernten Mutanten entstehen bevorzugt sukzessive aus Vorläufer-Mutanten, die weniger weit vom Wildtyp entfernt sind.

3. Die dem Wildtyp verwandten Mutanten werden primär entsprechend einer Poisson-Verteilung erzeugt, das heißt, nahe Verwandte erscheinen immer relativ häufig.

4. Diese wertunabhängige Häufigkeitsverteilung wird aber durch Selektion modifiziert. Funktionstüchtige Mutanten, deren Selektionswerte dem des Wildtyps nahekommen, haben sehr viel höhere Populationszahlen als funktionsarme Varianten.

5. Die Wertlandschaft der Selektion besteht aus zusammenhängenden Hügel- und Bergregionen. Das bedeutet, daß in Bergregionen das Mutantenspektrum weit in den Mutantenraum hineinreicht, daß also relativ weit vom Wildtyp entfernte Mutanten noch mit endlicher Häufigkeit vorkommen.

6. In solchen Regionen ist generell die dem jeweiligen Wildtyp überlegene, vorteilhafte Mutante zu erwarten. Sobald diese auftaucht, wird die vorherige Verteilung zugunsten einer neuen destabilisiert.

Durch Besetzung entlang der Grate des Wertgebirges wird damit der Evolutionsprozeß automatisch in die Richtung gelenkt, in der ein neuer Wertgipfel am wahrscheinlichsten ist, ohne daß alle möglichen Sequenzen durchgespielt werden müssen.

Eine derartige Kausalkette bedingt, daß die erwünschte vorteilhafte Mutante, und zwar aufgrund einer Art von Massenwirkung, mit viel höherer Wahrscheinlichkeit erzeugt wird, als die in vergleichbarem Abstand befindliche wertlose Mutante, obwohl der Elementarprozeß der Mutation nach wie vor rein statistisch-zufälliger Natur ist. Es ist also nicht irgend eine magisch vorausschauende Kraft am Werke, sondern es erfolgt eine Lenkung durch die Besetzung der Mutantenverteilung zufolge einer Ähnlichkeitsrelation, nämlich: Ähnlichkeit in der Primärfolge der Bausteine bedingt Ähnlichkeit in den Faltungsstrukturen. Ähnlichkeit in den Faltungsstrukturen bedingt Ähnlichkeit der funktionellen Effizienz. Diese Relation besteht allerdings keineswegs in einer einfachen, zum Beispiel linearen Proportionalität. Ähnlichkeit der Primärstruktur muß nicht in jedem Falle Ähnlichkeit in der funktionellen Effizienz bedeuten. Es besteht lediglich ein gewisser kontinuierlicher Zusammenhang, so, wie in einer Gebirgslandschaft Höhen und Tiefen zwar weitgehend kontinuierlich verteilt sind, gelegentlich jedoch auch Steilwände und Schluchten auftreten.

Modelle der beschriebenen Art sind sowohl quantitativ gerechnet als auch experimentell überprüft worden.[19] Die theoretische Behandlung brachte ans Licht, daß unser Vorstellungsvermögen mit der abstrakten Durchdringung nicht Schritt zu halten vermag. In einer Sequenz mit $n$ Symbolen läßt sich a priori jede der $n$ Positionen mit mehr oder minder gleicher Wahrscheinlichkeit mutieren. Das ist so, als könne man von jeder Besetzung aus in $n$ verschiedene Richtungen eines Raumes springen. Wir nennen diesen Raum den Sequenzraum. Jede der $n$ Koordinaten dieses Raumes hätte diskrete Punkte entsprechend den verschiedenen Besetzungsmöglichkeiten jeder der $n$ Positionen in der Nucleinsäuresequenz. Mutation in einer definierten Position bedeutet einen Sprung von einem zu einem anderen Punkt innerhalb der jeweiligen Koordinate. Die Zahl diskreter Punkte in diesem Raum ist gleich der Gesamtzahl aller möglicher Sequenzen.

Dieses Konzept des $n$-dimensionalen Punktraumes wurde zuerst von I. Rechenberg für die Behandlung von Evolutionsproblemen vorgeschlagen.[20] Wollten wir uns in einem solchen Punktraum der Dimension $n$ zurechtfinden, so kämen wir uns vermutlich zunächst wie »Alice in the Wonderland« vor. Für die Dimension $n = 300$ ist es bereits ein schier unermeßlicher Raum, in dem wir ein Vielfaches unseres Universums Punkt für Punkt im Å-Maßstab kartieren könnten, und dennoch: es bedarf lediglich der relativ kleinen Zahl von 300 Schritten, um den gesamten Raum zu durchmessen, das heißt, sämtliche Positionen der Sequenz abzuändern. Es gibt in diesem Raum keine größeren Distanzen, aber es geht dabei »um viele Ecken«, und man kann sich hier ebenso verlieren, wie in den unermeßlichen Weiten des Universums. Eine der wesentlichsten Eigenschaften dieses Raumes ist die ungeheure Verflechtung aller Punkte miteinander. Eine solche Eigenschaft hilft wenig, wenn man ohne jede Orientierungshilfe umherirrt. Um sich zurechtzufinden, müßte man praktisch alle Positionen absuchen. Die Bewegungsfreiheit ist jedoch aufgrund der Selektion, die sich an einem Wertgebirge orientiert, stark eingeschränkt. Für ein zusammenhängendes Wertgebirge, dessen Höhen nicht rein zufällig verteilt sind, sondern sich um einen oder mehrere höchste Gipfel gruppieren, wandeln sich die Eigenschaften des $n$-dimensionalen Raumes – nämlich kleine Abstände trotz großen Volumens und starke Verflechtung der Routen – in einen ungeheuren Vorteil. Dennoch gibt es auch hier Grenzen, die einer ungehinderten Optimierung gesetzt sind. Sie schränken die maximale Länge der Sequenzen ein, erfordern eine der Länge angepaßte optimale Fehlerrate sowie Populationszahlen, die eine hinreichend weit gestreute Besetzung des Mutantenspektrums gewährleisten.

Quantitative Abschätzungen, wie auch an Modellsystemen ausgeführte Experimente, legen nahe, daß diese Art von Optimierung bei einer Genlänge von 100 bis 1 000 ihre natürliche Grenze gefunden hat. Das heißt andererseits, daß die Optimierung der makromolekularen Funktionsträger einer Integration aller Gene zu einem Risenmolekül, dem Genom, zweckmäßigerweise voranging.

Leibniz schreibt in seiner Theodizee: »Wenn es unter den möglichen Welten keine beste (optimum) gäbe, dann hätte Gott überhaupt keine hervorgebracht.« Diese Aussage scheint zumindest auf die Welt der Gene, auf die molekulare Ebene des Lebens zuzutreffen.

> »Irgendwann mußte die Teilung zu ›Einheiten‹ führen, die, zwar zusammengesetzt, aber noch nicht organisiert, zwischen Leben und Nichtleben vermittelten, Molekülgruppen, den Übergang bildend zwischen Lebensordnung und bloßer Chemie.«

## Unter welchen physikalischen und chemischen Voraussetzungen kann Leben entstehen?

Selbstreproduktion und Mutagenität haben wir als Voraussetzungen für die selektive Entstehung der Information des Lebens, für die Organisation einer sich ständig optimierenden Funktionalität makromolekularer Strukturen erkannt. Wie aber sind die *ersten* selbst-reproduzierenden Moleküle entstanden? Das ist natürlich die Frage nach einem historischen Zusammenhang, doch können wir in diesem Falle nicht leicht den prinzipiellen vom historischen Aspekt trennen. Prinzipiell möchten wir wissen: War die Chemie in der Frühzeit unseres Planeten reichhaltig genug, um eine Synthese aller für das Leben notwendigen chemischen Bausteine zu gewährleisten? Zu diesen gehören vorrangig die natürlichen Aminosäuren (die monomeren Untereinheiten der Proteine), sodann die Nucleobasen A, T (U), G und C und die Phosphorsäureester der Zucker (Ribose oder Desoxyribose), aus denen sich die Nucleinsäuren zusammensetzen, sowie die Kohlehydrate und Fette, kurzum das gesamte Arsenal der sogenannten organischen Chemie, die zu jenem Zeitpunkt jedoch noch nicht als »organisch« hätte bezeichnet werden können. Die oben gestellte Frage angesichts unserer Kenntnis der organischen Chemie pauschal mit ja beantworten hieße, ihre Grundsätzlichkeit in Abrede zu stellen. Wollten wir das »ja«

nämlich im einzelnen begründen, so hätten wir am Ende mehr Antworten, als wir gebrauchen können. Wir wissen in vielen Fällen, wie es gewesen sein könnte, aber wir wissen nicht, wie es gewesen ist. So kommt es, daß sich Meinungen herausbilden, die fast den Charakter von Weltanschauungen tragen.

Da gibt es zunächst die Frage, wer kam zuerst, die Proteine oder die Nucleinsäuren, eine moderne Version des Henne-Ei-Problems der Scholastiker. Zweifellos sind es die Proteine, die sich chemisch leichter bilden können und deshalb vermutlich auch zuerst da waren. Aber es handelte sich noch nicht um instruierte Proteine; man bezeichnet sie deshalb als Proteinoide. S. Miller hat im Anschluß an sein (als Schüler von H. Urey ausgeführtes) klassisches Ursyntheseexperiment gezeigt, daß die Aminosäuren, unter einer Vielfalt von Versuchsbedingungen aus einfachen Grundstoffen wie Wasser, Stickstoff, Ammoniak, Blausäure, Methan usw. entstehen. Wichtig ist, daß man dem Reaktionsgemisch Energie in irgendeiner Form, beispielsweise durch elektrische Entladung, Stoßwellen oder in chemischer Form zuführt. Überzeugend für die Relevanz solcher Experimente ist nicht so sehr die Tatsache, daß Aminosäuren sich überhaupt bilden, sondern daß ihre relativen Häufigkeiten auch denen in der Natur entsprechen. Das ergab auch die quantitative Analyse der in Meteoriten vorgefundenen organischen Verbindungen. Die Aminosäurezusammensetzung der Proteine in lebenden Organismen spiegelt ebenfalls diese Häufigkeitsverhältnisse wider. S. W. Fox hat darüber hinaus gezeigt, daß Aminosäuren unter Bedingungen, die ohne weiteres im präbiotischen Stadium realisierbar waren, zu proteinähnlichen Substanzen kondensieren. Seine Proteinoide zeichnen sich durch ein großes Spektrum – wenn auch schwach ausgebildeter – katalytischer Eigenschaften aus.[21]

Es können sich also vielerlei nieder- und hochmolekulare Reaktionsprodukte während der präbiotischen Phase gebildet und in großer Häufigkeit in gelöster Form in den Wasserreservoiren angesammelt haben. Ebenso ist anzunehmen, daß sich unter diesen Substanzen auch solche befanden, die – insbesondere im Kontakt mit Grenzflächen – bedeutende katalytische Fähigkeiten entwickelt haben. Aus unserer Kenntnis des Immunsystems, das für jede nur denkbare Molekülform einen spezifisch angepaßten Antikörper, also ein Protein mit hoher Bindungsaffinität, aufzubauen in der Lage ist, müssen wir folgern, daß auch in der präbiotischen Phase für jede nur denkbare Reaktion ein katalytisch aktives Proteinoid entstehen konnte. Diese Proteinoide waren weder optimal noch in dieser Form überhaupt optimierbar. Denn dazu hätte es eines auf Selbstreproduktion basierenden, evolutiven Anpassungsprozesses bedurft. Nichtsdestoweniger zeichneten sich einige Proteinoide bereits durch eine gewisse Stereospezifität aus, mit deren Hilfe sie rechts- und linkshändige Enantiomere zu unterscheiden vermochten. Unser Problem ist wiederum, aus den vielen möglichen Wegen die historisch relevanten herauszufinden.

Für die Nucleinsäuren gibt es ebenfalls eine Vielzahl von Entstehungsmöglichkeiten, insbesondere wenn man die Existenz von katalytisch aktiven Proteinoiden in Betracht zieht. L. Orgel zeigte, daß schon unter relativ einfachen Versuchsbedingungen Nucleinsäuren sich nicht nur aus energiereichen Bausteinen polymerisieren lassen und dabei Molekülketten mit bis zu über hundert Monomeren aufbauen, sondern daß diese auch ohne Mitwirkung von Enzymen ganz allein durch Matrizenwirkung ihre eigene Synthese instruieren. Metallionen wie Zink, Magnesium und andere haben sich für eine solche Synthese als sehr potente Katalysatoren erwiesen. Es ist interessant, daß die genannten

Metallionen in manchen heute anzutreffenden DNA- und RNA-polymerisierenden Enzymen eine ähnliche Rolle spielen.[22]

Für die Bausteine der Nucleinsäuren sind Synthesewege bekannt, die unter präbiotischen Bedingungen realisierbar waren. Am leichtesten und auf vielfache Weise läßt sich das Adenin, der Nucleinsäurebaustein A synthetisieren, beispielsweise durch bloße Kondensation von Cyanwasserstoff. Der Baustein G kann als umgelagertes Oxidationsprodukt von A aufgefaßt werden. Es existieren jedoch unmittelbare Synthesewege. Schwieriger ist es, an die beiden komplementären Bausteine U (bzw. T) und C heranzukommen. U ließ sich bisher allein durch Oxidation von C gewinnen.[23]

Mit an Sicherheit grenzender Wahrscheinlichkeit lagen alle vier Bausteine während ihrer chemischen Entstehungsphase in höchst unterschiedlichen Konzentrationen vor. Ein großer Überschuß von A-Bausteinen ist aufgrund des einfachen Syntheseweges anzunehmen. Dennoch war eine Vermehrung von A-reichen Polymeren infolge der anfänglichen Seltenheit von U stark eingeschränkt. Ein A-Strang instruiert nämlich zunächst die Bildung eines U-Stranges und reproduziert sich erst durch die vom komplementären U-Strang vermittelte Matrizenwirkung, ähnlich wie in der Photographie eine Reproduktion über das Negativ erfolgt. G und C könnten in ausgewogenerem Mengenverhältnis vorgelegen und deshalb bessere Startbedingungen für eine matrizengesteuerte Vervielfältigung gehabt haben. Das durch drei Wasserstoffbrücken verknüpfte GC-Paar ist etwa zehnmal so stabil wie das nur durch zwei Wasserstoffbrücken zusammengehaltene AU-Paar. Die Stabilität der komplementären Paarbindung spielt eine wichtige Rolle, denn der neugebildete Strang muß solange an der Matrize haften bleiben, bis die Nachricht komplett kopiert ist.[24]

Quantitative Berechnungen der notwendigen Bindungsenergien wie auch einschlägige Bindungs- und Synthese-Experimente zeigen, daß am ehesten G- und C-reiche Sequenzen in Abwesenheit adaptierter Enzyme in der Lage waren, sich aufgrund von Matrizenwirkung zu vermehren. Dahingehend deuten auch historische Befunde. Die Rekonstruktion der Vorläufersequenzen von Transfer-Nucleinsäuren, ergibt einen sehr hohen G, C-Gehalt[5]. Die Transfer-Nucleinsäuren zählen zu den ältesten Molekülen, die wir in der lebenden Zelle antreffen. Sie haben ihre Zusammensetzung im Verlaufe der Evolution nur relativ geringfügig verändert. Der Mensch und die Fruchtfliege Drosophila unterscheiden sich bei bestimmten t-RNA-Molekülen nur in zwei bis drei von 76 Bausteinen.

Gleichermaßen deutet der genetische Code an, daß seine ersten Codewörter reich an G und C waren. Die Codewörter GGC und GCC repräsentierten die in S. Millers Experimenten am häufigsten erscheinenden – weil chemisch einfachsten – Aminosäuren Glycin und Alanin. Das gilt auch für die weiteren Zuordnungen, die an das durch den ersten und dritten Buchstaben im Codewort festgelegte Leseraster anknüpfen mußten. Das Argument, daß die ersten Zuordnungen von Codewörtern zu Aminosäuren mit den jeweils in größter Häufigkeit vorliegenden Monomeren startete, ist kaum von der Hand zu weisen. Die Logik des Codes hat also ihre Ursache in der physikalischen bzw. chemischen Struktur.

Interessant ist darüber hinaus auch die strukturell begründete Logik des molekularen Apparates für die Informationsübermittlung. Wegen der unterschiedlichen Häufigkeiten der Bausteine ist komplementäre Reproduktion notwendige Voraussetzung für die Möglichkeit einer Informationsspeicherung. Bei einem unmittelbar selbst-reproduzierenden

System würden Homopolymere des häufigsten Bausteines (z. B. poly-A) zu stark dominieren. In einer aus bloß *einer* Symbolklasse zusammengesetzten Sequenz läßt sich keine Nachricht speichern. Komplementäre Reproduktion sorgt nicht nur für die Einführung des notwendigen zweiten Symbols, sie stellt zudem sicher, daß die beiden komplementären Symbole trotz unterschiedlicher Konzentration der Monomeren, in den Polymeren letzten Endes mit gleicher (mittlerer) Häufigkeit erscheinen. Jeder Überschuß des einen würde im komplementären Strang einen entsprechenden Überschuß des anderen bedingen. Es gibt eine gesetzmäßige Tendenz, die auf eine möglichst gleichförmige Mischung abzielt. Es besteht ein durch die Kinetik bedingter Selektionsdruck, beide komplementären Stränge so gleich wie möglich zu gestalten.

Man mag nun fragen, warum die Natur von vier Symbolen Gebrauch macht? Wie wir von unserem Fernschreib- oder Rechenautomaten-Code wissen, sind zwei Symbole für die Fähigkeit zur Informationsspeicherung vollkommen ausreichend. Wir können uns beim Maschinencode eine derartige Sparsamkeit leisten, da wir von Menschenhand konstruierte Lesevorrichtungen und Übertragungsapparaturen zur Verfügung haben. In der frühen Evolution aber existierte eine analoge biomolekulare Maschinerie noch nicht. Zur differenzierten Nachrichtenverarbeitung bedarf es unterschiedlicher struktureller Stabilitäten der verschiedenen Nucleinsäuresequenzen. Mit einem einzigen Komplementärpaar (z. B. GC) haben sämtliche Sequenzen zwar eine sehr hohe, jedoch vollkommen homogene Stabilität. Sie offerieren einer informationsverarbeitenden molekularen Maschinerie somit keinerlei Unterscheidungsmerkmale. Zwei Komplementärpaare dagegen besitzen mit ihren vielen Kombinationsmöglichkeiten ein großes Spektrum unterschiedlicher Stabilitäten und bieten damit ein riesiges und ausdrucksstarkes Repertoir an Unterscheidungsmerkmalen an. Analoge Überlegungen lassen sich für den Aufbau der Codewörter und ihre Zuordnungen im genetischen Code anstellen und durch Untersuchungen an entsprechenden Modellsystemen belegen.

Natürlich gibt es hier wie überall noch viele offene Fragen: Zum Beispiel: Auf welcher Ebene wurde die Händigkeit oder Chiralität der biologischen Makromoleküle entschieden? Wir wissen, daß alle Proteine (soweit sie durch den informationsgesteuerten Syntheseapparat der Zelle produziert werden) nur von links-händigen Aminosäuren Gebrauch machen und daher auch links-gewendelte Strukturen aufbauen. Bei den Nucleinsäuren sind es die rechts-händigen Monomeren, die ausgewählt wurden, die allerdings sowohl rechts- als auch links-gewendelte Doppelspiralen ausbilden.

Es ist sehr wohl einzusehen, daß ein selektiver Mechanismus das eine oder andere Extrem aus einer zufälligen Mischung vorziehen wird, einfach schon deshalb, weil eine stereospezifisch funktionierende Maschinerie einfacher zu konstruieren ist als eine solche, die ihre Stereospezifität ständig umpolen muß. Da Leben das Ergebnis eines evolutiven Prozesses ist, in dem in gewissen Phasen sehr strikte Ein-für-allemal-Entscheidungen getroffen wurden, braucht es uns nicht zu verwundern, daß die Chiralität der Makromoleküle in allen Lebewesen universell fixiert ist. Ja, wir sind nicht einmal sicher, ob es überhaupt sinnvoll ist zu fragen, warum in dem einen Fall links und im anderen rechts zur Selektion gelangte. Selbst wenn es a priori keine physikalische Begründung dafür gibt, wenn zum Beispiel lediglich eine zufällige Schwankung temporär eine der beiden im Prinzip gleichberechtigten Möglichkeiten begünstigte, so würde der selbstverstärkende

Charakter des Selektionsprozesses für eine Festschreibung dieser zunächst zufällig getroffenen Entscheidung sorgen. Die Ursache wäre in der Tat lediglich eine »historische«.

Wie aber entstanden in einer racemischen (d. h. die rechts- und links-Formen in gleichen Mengen enthaltenden) Umwelt überhaupt die ersten makromolekularen Sequenzen? Die bisher untersuchten Enzym-freien Modellsysteme bauen nur Nucleinsäuren aus chiral reinen Monomeren auf, wobei der jeweilige Antipode die Reaktion hemmt. Eine mögliche Antwort wäre, daß es bereits primitive stereospezifische Katalysatoren gab, die jeweils nur die eine *oder* die andere Form bevorzugten, und daß Selektion in einer späteren Phase das übrige tat. Die präbiotische Umwelt war ja bereits mit Proteinoiden und vielen anderen komplexen chemischen Verbindungen angereichert. Mineralgrenzflächen mögen ebenfalls eine auswählende Rolle gespielt haben. Eine andere (weniger wahrscheinliche) Erklärung wäre ein globaler Symmetriebruch auf niedermolekularer Ebene, der – zumindest in gewissen Bezirken unseres Planeten – für eine chiral reine Umwelt gesorgt hätte. Auch in diesem Bereich gibt es eher ein Zuviel als ein Zuwenig an Antworten. Wir stehen hier nicht vor irgendeinem Paradoxon, für das es keine Erklärungsmöglichkeiten gäbe. Unser Problem ist, daß Physik und Chemie ein Überangebot an alternativen Erklärungen bereit halten. Obwohl Forschergruppen in aller Welt an Fragestellungen dieser Art arbeiten, sind bisher nur wenige der möglichen Mechanismen im Detail experimentell untersucht worden.[25]

Die Chemie der frühen Evolution ist für alles Leben auf unserem Planeten verbindlich. Ja es ist geradezu überraschend, wie konservativ der Evolutionsprozeß in bezug auf den Chemismus ist. Das zeigt sich ganz besonders da, wo Abwandlungen aufgrund systemimmanenter Bedingungen oder äußerer (Umwelt-)Veränderungen notwendig waren und somit erzwungen wurden. Beispiele hierfür sind die Begrenzungen im Informationsgehalt einzelsträngiger Sequenzen aufgrund der limitierten Genauigkeit bei der Informationsübertragung. Der Übergang zu doppelsträngigen Sequenzen ermöglichte ein Korrekturlesen nach der Replikation und führte so zu einer wesentlichen Vergrößerung des Informationsgehaltes. Chemisch bedeutete dies den Übergang von der Ribonucleinsäure (RNA) auf die Desoxyribonucleinsäure (DNA). Sowohl Stoffwechsel als auch Reproduktion der DNA spiegeln diese Verlagerung noch heute wider, oder, wie S. Spiegelman es einmal ausdrückte: Die DNA hat es bis auf den heutigen Tag nicht gelernt, sich selber zu reproduzieren. Sie braucht in der Anfangsphase der Replikation noch immer die Hilfestellung der RNA.[26]

Ein Beispiel für eine von außen erzwungene Modifikation chemischer Mechanismen ist der durch die Veränderung der Atmosphäre bedingte Übergang von anaerobem zu aerobem Stoffwechsel, der sich erst vor ca. zwei Milliarden Jahren vollzog. Obwohl es noch keine einhellige Meinung über die genaue Zusammensetzung der Ur-Atmosphäre gibt, steht außer Zweifel, daß diese zunächst keinen freien Sauerstoff enthielt. Die Atmosphäre war auf keinen Fall oxidierend, jeglicher Sauerstoff lag in gebundener Form, wie $H_2O$ und $CO_2$, vor. Schwieriger zu entscheiden ist, in welchem Ausmaß die Atmosphäre reduzierend, d. h. wie groß der Anteil an freiem Wasserstoff war. Die frühesten Lebewesen mußten ihre Stoffwechselenergie aus der Vergärung unorganisch entstandener, energiereicher chemischer Verbindungen beziehen. An ihre Stelle traten allmählich anaerobe photo-synthetisierende Bakterien, die die Sonnenenergie in großem Maße ausnutzten. Mit der Evolution zu den ebenfalls photo-synthetisierende Cyanobakterien wurden im Laufe der Zeit große Mengen von Sauerstoff freigesetzt. Dieser oxidierte zunächst das in den Ozeanen gelöste Eisen, das dabei in massiven Bändern präzipitierte und damit den Oxidationsprozeß historisch manifestierte. Erst allmählich breitet sich freier Sauerstoff in der zuvor neutralisierten Atmosphäre aus.[27]

Es hat also schon einmal eine Phase gegeben, in der in gleichem Maße das Leben von der Umwelt wie die Umwelt vom Leben geprägt wurde. Das Erscheinen des Sauerstoffs in der Atmosphäre führte auch zur Ausbildung einer Ozonschicht, die die ultraviolette Strahlung ausfilterte, und die für die Existenz heutiger Lebensformen unerläßlich ist. Der freie Sauerstoff wurde schließlich nicht nur toleriert, sondern zu einer Verbesserung des Stoffwechsels ausgenutzt. Chemisch gesehen ist der Atmungsprozeß eine Art Umkehrung der Photosynthese, die Sauerstoff verbraucht und dabei $CO_2$ sowie Stoffwechselenergie in Form von ATP produziert. In der Evolution des aeroben Stoffwechsels mußten zwar viele neue Reaktionswege erschlossen werden – z. B. der Zitronensäurezyklus – nichtsdestoweniger waren sie Modifikationen des Bestehenden. Sie bauten auf dem Vorhandenen auf, in dem sie bei der Gärung (oder Glykolyse) auftretende Abfallstoffe (wie z. B. das Pyruvat) weiter verwerteten; sie benutzen daher auch die gleichen Ausgangsstoffe (Kohlehydrate) und speicherten die gewonnene Stoffwechselenergie in gleicher Form, nämlich in energiereichen Phosphatbindungen. Diese Mechanismen setzten sich durch, weil sie unvergleichlich effizienter waren und die vorhandenen Ressourcen besser ausnutzten. Die Energieverwertung ist bei der Atmung 18mal so groß wie bei der Gärung. Die evolutive Verwandtschaft beider Prozesse zeigt sich darin, daß viele aerobe Zellen noch in der Lage sind, bei Sauerstoffmangel auf einen Gärungsmetabolismus umzuschalten.

Kommen wir nun noch einmal auf die in der Überschrift zu diesem Kapitel gestellte Frage zurück. Das historische Detail der Biogenese mag wohl immer im Dunkel bleiben, weil wir die historischen Randbedingungen nicht im einzelnen rekonstruieren können. Die prinzipiellen Fragen sind jedoch zu beantworten, so daß heute schon viele der Einzelprozesse der Biogenese im Laboratorium reproduziert werden. Sie begründen eine neue Biotechnologie. Die historischen Zeugnisse, die jede lebende Zelle in sich trägt, deuten auf eine kontinuierliche Evolution molekularer Mechanismen, deren chemische und physikalische Voraussetzungen in einer präbiotischen Phase der Erdgeschichte durchaus erfüllbar waren. Die Chemie, die wir in lebenden Organismen vorfinden, ist keine andere, als die wir in unseren Laboratorien betreiben.[28]

> »Zwischen der scheinfüßigen Amöbe und dem Wirbeltier war der Abstand geringfügig, unwesentlich im Vergleich mit dem zwischen der einfachsten Erscheinung des Lebens und jener Natur, die nicht einmal verdiente, tot genannt zu werden, weil sie unorganisch war.«

## Stufenleiter der Organisation[29]

Drei Schlußfolgerungen lassen sich aus den vorangehenden Ausführungen ziehen:

1. Die im Lebensprozeß konservierten historischen Zeugnisse legen eine sukzessive

Entstehung von Leben auf der Erde, beginnend vor etwa 4 ($\pm$ 0.5) Milliarden Jahren, nahe.

2. Molekularer Aufbau und Reaktionsabläufe der lebenden Zelle stimmen mit unserem auf Laboratoriumsversuchen und Theorien basierenden Grundwissen über das chemische Verhalten der Materie überein.

3. Aus unserer physikalischen Einsicht in das materielle Verhalten lassen sich Wirkungsprinzipien ableiten, die die Entstehung einer auf optimale funktionelleEffizienz ausgerichteten materiellen Organisation verständlich machen, die wir als belebt bezeichnen.

Es gibt hingegen kein Universalprinzip, das etwa die Entstehung des Lebens als Konsequenz materiellen Verhaltens zwingend deduzierte und darüber hinaus das Wunder der Vielfalt höheren Lebens bis hin zur Seele des Menschen erklären könnte. Auf jeder Stufe der Evolution lassen sich Mechanismen identifizieren, die es dem System erlauben, sich weiter zu entwickeln. Diese haben vieles miteinander gemein und weichen doch auf den verschiedenen Stufen des Lebens im Detail voneinander ab. Es geht hier nicht allein darum, bestimmte chemische Strukturen aufzubauen. Ein selbst-organisierendes System muß darüber hinaus auch so etwas wie die Motivation zum Selbstaufbau mitbringen. Es hat dann letzten Endes keine andere Wahl, als sich optimal den gegebenen Umweltbedingungen – die es durchaus selber mitbeeinflußt – anzupassen.

Als wichtigstes Prinzip einer solchen Selbstorganisation hatten wir das zuerst von Ch. Darwin und A. R. Wallace ausgesprochene Prinzip der natürlichen Auslese erkannt. Es gibt sich auf den verschiedenen Stufen der Organisation in jeweils modifizierter Weise zu erkennen. Naturgesetzlichen Charakter – im Sinne eines einfachen Extremalprinzips – hat es nur für Systeme von Replikatoren. Zu diesen zählen reproduktionsfähige Makromoleküle wie DNA oder RNA, auch komplexere DNA oder RNA enthaltende Strukturen wie Viruspartikel oder gar autonome Mikroorganismen, die sich – letztlich vermöge der chemischen Reproduktivität ihrer Nucleinsäuren – durch Zellteilung vegetativ fortpflanzen. Voraussetzung für evolutives Verhalten ist neben der inhärent autokatalytischen Selbstvermehrung aller Varianten dieser Replikatoren, sowie neben ihrer Mutagenität, die Aufrechterhaltung eines ständigen chemischen Umsatzes durch Zuführung energiereicher Bausteine. Selbst- oder Komplementär-Reproduktion ist innerhalb enger Grenzen festgelegt: die Bildungsgeschwindigkeit eines Replikators muß proportional zu seiner Konzentration sein. Das bedeutet in Abwesenheit von Wachstumsbegrenzungen exponentielle Vermehrung. Wäre die Geschwindigkeit nicht von der Populationszahl abhängig, hätte sie also irgendeinen konstanten individuellen Wert, so gäbe es statt Selektion Koexistenz, wobei die sich einstellenden konstanten Proportionen der Populationszahlen aller Konkurrenten den Verhältnissen der konstanten Wachstumsraten entsprächen. Die besser angepaßte Mutante ist zahlenmäßig begünstigt, aber sie verdrängt nicht mehr ihre Konkurrenten. Sogenannte Nischenbildung, die eine Koexistenz von Arten (wie auch Molekülen) bedeutet, ist letztlich immer einer solchen Situation äquivalent.

Wenn aber die Bildungsrate stärker als linear von der Populationszahl abhängt, wird das Wachstum hyperbolisch, was im Falle einer Begrenzung des Lebensraumes dazu führt, daß der Selektionswert nicht nur von der Effizienz der Reproduktion des Individuums abhängt, sondern darüber hinaus von dessen Populationszahl. Eine einmal etablierte Population ließe sich dann nicht mehr von einer zunächst in nur einer oder sehr wenigen

Exemplaren erscheinenden Mutante verdrängen, auch wenn diese sich spezifisch effizienter reproduzieren könnte. Ein-für-allemal-Selektion wäre die Folge. Die Mannigfaltigkeit der Arten, die unseren Planeten bevölkern, wäre mit einer derartigen Situation nicht vereinbar.

Wir stellen fest, jede individuelle Spezies, die sich selbst zu verdoppeln vermag, ob DNA, RNA oder Mikroorganismus, zeigt eine gesetzmäßig resultierende Selektion. Aber wie ist es vom molekularen Replikator, dem RNA- oder DNA-Molekül, zum zellulären Replikator, etwa einem Bakterium oder einer Blaualgenzelle, gekommen? Und weiterhin: Was wird aus dem Selektionsprinzip, wenn Zellen Organismen aufbauen, die sich nicht einfach vegetativ vermehren, sondern sexuell fortpflanzen, der Fall, den Darwin eigentlich primär vor Augen hatte? Was geschieht, wenn der Replikator (= Genotyp) nicht mehr unbedingt mit dem zur selektiven Bewertung anstehenden Phänotyp identisch ist?

Diese Genotyp-Phänotyp-Dichotomie können wir bereits bei einem so einfachen Objekt, wie der Viruspartikel, beobachten. Sie ist exemplarisch für eine präzelluläre Phase der Evolution, die die molekularen Replikatoren durchlaufen mußten, um zu zellulären Replikatoren zu werden, wenngleich das Virus selbst vermutlich das Resultat einer postzellulären Evolution ist. Vergegenwärtigen wir uns den Prozeß der Virusinfektion, und zwar, als einfachsten Modellfall, die Infektion einer Bakterienzelle durch einen RNA-Phagen. Das Genom dieses Phagen ist ein einzelsträngiges RNA-Molekül, das für nicht mehr als drei oder vier verschiedene Funktionen codieren muß. Welcher Art sind diese Funktionen?

Das Virus braucht eine Hülle, in der seine Erbinformation geschützt verpackt ist. Dann benötigt es eine Vorrichtung zum Einschleusen in die Wirtszelle und einen Mechanismus zur spezifischen Vermehrung seines RNA-Genoms in Gegenwart eines riesigen Überschusses von Wirts-RNA. Schließlich muß es noch für seine Proliferation sorgen. Dazu muß es die Wirtszelle meistens zerstören. Für ein solches Programm reichen (im allgemeinen) vier Gene aus, die für vier mit den entsprechenden Funktionen betraute Proteine codieren. Übersetzt wird die genetische Information des in die Wirtszelle eingedrungenen Virus durch deren Maschinerie. Ja selbst seine spezifische Vermehrung läßt das Virus von der Wirtszelle besorgen. Es steuert zum Reproduktionsenzym lediglich einen Proteinfaktor bei, der spezifisch an die Virus-RNA adaptiert ist. Das Enzym wird nur tätig, wenn der von der Virus-RNA einprogrammierte Faktor, sozusagen das Losungswort, vorgewiesen wird: Das Enzym reproduziert daraufhin mit großer Effizienz die Virus-RNA, läßt aber die im großen Überschuß vorhandene Wirts-RNA völlig unangetastet. So ist die Zelle sehr bald mit Virus-RNA überschwemmt. Diese wird in das ebenfalls in großer Menge angefertigte Hüllprotein verpackt, und das Virus proliferiert unter Auflösung der Wirtszelle.[30]

Das alles ist ein automatisch ablaufendes und bis ins kleinste Detail eingespieltes Programm. Doch wie ist es zustande gekommen? Das Virus konnte erst evolvieren, nachdem sein Wirt existierte. Es war vermutlich selbst einmal ein Teil des Wirtes, der sich selbständig machte und seinen Genotyp so modifizierte, daß dabei ein konkurrenzfähiger Phänotyp herauskam. Das gilt vor allem für den virusspezifischen Faktor des Reproduktionsenzyms. Die Evolution dieses Faktors erforderte eine spezifische Rückkopplung vom Übersetzungsprodukt auf das virale Gen. Das Übersetzungsprodukt mußte seinem Gen durch Beeinflussung der Reproduktionsrate mitteilen, ob die im Gen erfolgte Mutation für den Phänotyp vor- oder nachteilig war. So entstand eine Replikase, die ausschließlich Virus-RNA mit großer Effizienz vermehrt.

Eine ganz analoge Situation lag in der frühen Evolution vor, und zwar in dem Moment, als die Replikatoren anfingen, ihre Information in funktionstüchtige Proteine zu übersetzen. Es ist leicht vorstellbar, daß relativ kurzkettige, t-RNA-ähnliche Replikatoren in dieser Phase existierten, die als Gene wie auch als Adaptoren für die Proteinbausteine fungierten. In ihrer Funktion als Adaptoren wurden die Transfer-Ribonucleinsäuren universell im Genom der Zelle konserviert. Viele ihrer heute identifizierbaren Merkmale weisen aber auf eine vormalige Doppelrolle hin.

Die Analogie zur Evolution der RNA-Viren besteht nun in folgendem: Die Wirtszelle mit all ihren Bestandteilen ist durch eine chemisch reichhaltige Umwelt zu substituieren, die ein großer Repertoir von mehr oder weniger spezifischem Werkzeug für eine Übersetzung der RNA-Sequenzen in Proteinmoleküle bereit hält. Damit allein wäre im Sinne einer Evolution noch nichts gewonnen, es sei denn, einige der Übersetzungsprodukte wirken sich günstig auf die Reproduzierbarkeit ihres jeweiligen Genotyps aus. Das entspräche einer Rückkopplung, die zu einer Selektion des betreffenden Genotyps führt. Viele Möglichkeiten einer derartigen Rückkopplung der proteinartigen Übersetzungsprodukte sind heute bekannt. Sie reichen von der einfachen Komplexbildung mit Metallionen, die deren katalytische Effizienz erhöht, über Promotor- oder Repressor-Wirkung bis hin zur enzymatischen Katalyse, bei der spezifisch gewisse RNA-Sequenzen erkannt werden. Die Replikationsgeschwindigkeit würde in einem solchen Falle stärker als linear von der Konzentration der Replikatoren abhängen. Denn der Replikator wirkt nicht nur als Matrize, die ihre eigene Reproduktion instruiert, sondern der aus dem Replikator durch Übersetzung erzeugte Faktor wirkt zusätzlich, rückkoppelnd, auf den Prozeß ein, und die Menge dieses Faktors ist proportional zur Zahl der Matrizen. Wir erhalten das oben beschriebene hyperbolische Wachstum, das sich bei Wachstumsbegrenzung im Sinne einer ein-für-allemal-Selektion auswirkt. Wir bezeichnen ein System, bei dem sich dem einfachen Replikationszyklus noch eine rückkoppelnde Reaktionsschlaufe überlagert, als Hyperzyklus. Die Rückkopplungsschlaufe, die im vorliegenden Fall nur die beiden komplementären Stränge einer RNA einschließt, könnte auch mehrere (verschiedene) Sequenzen zyklisch integrieren. Das geschieht übrigens ganz von selbst, da jede Sequenz sofort Mutanten bildet, die ähnliche Übersetzungsprodukte liefern und sich aufgrund der verschiedenen Rückkopplungen zu einem Reaktionsnetzwerk zusammenschließen. In einem solchen Netzwerk bilden sich zyklische Kopplungen aus, deren Komponenten bevorzugt hochwachsen. Der Hyperzyklus entsteht so automatisch durch Selektion. Die oben beschriebenen RNA-Viren stellen einfache natürliche Hyperzyklen dar. Es gibt Säugetierviren, in denen mehrere individuelle RNA-Sequenzen, deren Übersetzungsprodukte sich in ihrer Funktion ergänzen, nebeneinander als getrennte Moleküle vorliegen. Ein typischer Vertreter dieser Art ist das Influenzavirus, das acht RNA-Sequenzen beherbergt, von denen drei allein für verschiedene Replikationsenzyme codieren. Die Natur hält möglicherweise noch weiteres Anschauungsmaterial für komplexe Hyperzyklen bereit.[31]

In der frühen Evolution, deren Resultat schließlich die autonome Zelle war, mußten natürlich noch sehr viel mehr Probleme gelöst werden als bei der Evolution der Viren.

Allein für den Aufbau eines Übersetzungsapparates wurde eine ganze Reihe von miteinander kooperierenden Genen benötigt. Sie lassen sich wegen der Fehlerschwellenbeziehung, die die Länge stabil reproduzierbarer Nucleinsäuren strikt begrenzt, nicht zu einer zusammenhängenden (langen) Molekülkette vereinigen. Ein solches integriertes Genom würde eine optimal adaptierte Reproduktionsmaschinerie erfordern, die mit sehr geringer Fehlerrate arbeitet. Das setzt aber die Existenz eines vollendeten Übersetzungsapparates voraus. Im frühen Stadium mußte also auf irgendeine Weise die Kooperation zwischen verschiedenen Genen zustande kommen. Dabei waren folgende Bedingungen zu erfüllen:

1. Jedes einzelne (aufgrund der Fehlerschwelle in seiner Länge begrenzte) Gen muß seine Information vor einer Fehlerakkumulation bewahren. Das bedeutet, es muß vor allem gegenüber seinen eigenen Mutanten konkurrenzfähig bleiben.

2. Die Gene, die die verschiedenen einander ergänzenden Funktionen repräsentieren, dürfen nicht miteinander konkurrieren. Sie sollen kooperieren und müssen dazu ihre relativen Konzentrationen auf stabile Werte einregeln.

3. Das gesamte Ensemble soll erweiterungsfähig und optimierbar sein. Es muß daher als Gesamtheit mit alternativen Genensembles in Konkurrenz treten können.

Die einzige uns bekannte Organisationsform, die simultan alle drei Bedingungen erfüllt, ist der Hyperzyklus, dessen Rückkopplungsschlaufe alle Gene zu einer Funktionseinheit integriert. Die einzelnen Gene bleiben dabei als Individuen erhalten. Allerdings ist damit das Problem der Genotyp-Phänotyp Dichotomie noch nicht befriedigend gelöst. Eine im Übersetzungsprodukt eines Gens, im Phänotyp, sich vorteilig erweisende Mutation kann nicht unmittelbar auf ihren eigenen (mutierten) Genotyp rückkoppeln und diesen in Konkurrenz zu seinem Vorläufer begünstigen. Nur solche Mutationen, die die RNA als Zielstruktur für den Kopplungsfaktor verbessern, können im Hyperzyklus erkannt und optimiert werden. Dagegen bleiben Mutationen, die die Kopplungsfaktoren als solche oder deren spezifische Funktion verbessern, für eine Selektion wirkungslos. Der Hyperzyklus kann damit schnell seine Rückkopplungsschlaufe etablieren und verfestigen, bleibt aber funktionell ineffizient – es sei denn, er findet einen Weg, die in den Übersetzungsprodukten sich auswirkenden günstigen Mutationen ebenfalls selektiv zu nutzen. Das gelingt in der Tat durch Einschluß in ein Kompartiment. Hier sorgt die nachbarschaftliche Nähe zwischen Geno- und Phänotyp für einen rückkoppelnden Kontakt.

Man mag hier fragen, ob der Hyperzyklus dann überhaupt noch notwendig war. Würde nicht eine Kompartimentierung schon genügen, um eine Zusammenarbeit zwischen den verschiedenen Genen herbeizuführen? Die Antwort lautet: nein. Die Gene würden im begrenzten Lebensraum des Kompartiments unerbittlich miteinander konkurrieren. Allein die hyperzyklische Kopplung kann die Kooperation erzwingen. Einschluß *und* geregeltes Zusammenwirken der eingeschlossenen Teile sind notwendige Voraussetzungen für eine weitere Evolution.[32]

Damit befinden wir uns aber schon recht weit auf dem Wege vom molekularen zum zellulären Replikator. Ja es sind bereits zwei ganz wesentliche Eigenschaften der biologischen Zelle realisiert: 1. ihre Abgrenzung von der Umwelt und 2. die Regelung der Reaktionsabläufe. Eine Integration *aller* Gene zu einem riesigen Genom kann erst erfolgen, wenn die Enzymmaschinerie so weit adaptiert ist, daß eine entsprechende Fehlerbegrenzung möglich ist. (Das erfordert z. B. für Mikroorganismen eine minimale Fehlerrate von weniger als $10^{-6}$ bis $10^{-7}$.) Derartig kleine Fehlerraten sind ohne Korrektur nicht zu erreichen. Daraus ergab sich die Notwendigkeit zur Einführung doppelsträngiger Replikatorstrukturen, so wie wir sie heute in der DNA vor uns haben. Der Elternstrang dient als Vergleichsmaßstab für eine Fehlerkorrektur im Tochterstrang. Abgeschlossen ist die Phase des Übergangs vom molekularen zum zellulären Replikator erst dann, wenn nicht nur alle Gene zum Genom vereinigt sind, sondern wenn auch die Verdopplung des molekularen Replikators über eine Steuerung mit der Teilung der Zelle synchronisiert ist. Dann nämlich ist die Zelle als Gesamtheit – kraft der chemisch begründeten Reproduktionsfähigkeit der Nucleinsäuren – zu einem Replikator geworden.

Eine neue Phase der Evolution kann beginnen, in der Variabilität auf der Grundlage einer Selektion im Sinne Darwins wiederhergestellt ist. Die hyperzyklische Organisation der komplexen Reaktionsnetzwerke von Nucleinsäuren und Proteinen mit ihrer vereinheitlichenden und konservierenden Selektion stellt sich als ein Intermezzo der Evolution heraus. Dieser Phase verdanken wir die Universalität des chemischen Aufbaus der Zelle, den für alle Lebewesen verbindlichen genetischen Code sowie den Symmetriebruch, der jeder Klasse von makromolekularen Bausteinen eine einheitliche Chiralität zuwies. Spuren hat diese Phase auch in dem nach Operoneinheiten strukturierten Aufbau des Genoms der Prozyte (der Zelle des Prokaryons) hinterlassen. Die dynamische Organisation des hyperzyklischen Stadiums spiegelt sich heute in der sprachlichen Ordnung wider, die eine geregelte Informationsabrufung steuert.

Doch die Zentralisierung der Legislative in einem einzigen DNA Molekül impliziert auch Nachteile. Sie konnte erst erfolgen, nachdem die Fehlerrate hinreichend klein und somit die Information des Riesenmoleküls vor einer Fehlerkatastrophe gesichert war. Eine kleine Fehlerrate macht das einzelne Gen fast unwandelbar. Das Genom der Prozyte ist in bezug auf seinen Informationsgehalt ökonomisiert. Es gibt keine überflüssigen Sequenzabschnitte, ganz ähnlich wie bei den Viren, wo man gar überlappenden Genen begegnet. Derartige Eigenschaften machen diesen Zelltypus sehr konservativ. Veränderungen im Genom werden ausschließlich auf die unmittelbare Nachkommenschaft, die Zellinie, vererbt.

Die Zukunft gehört einem anderen, vermutlich auf verschiedenem Wege entstandenen Zelltypus, der Euzyte (Zelle des Eukaryons), die sich durch einen definierten, membranumhüllten Zellkern auszeichnet. Die molekulare Maschinerie von Pro- und Euzyte hat einen gemeinsamen Ursprung, wie die noch gut registrierbaren Sequenzhomologien vieler Proteine und Nucleinsäuren zeigen. Vielleicht war ein Vorläufer der Archaebakterien die Weggabel für Pro- und Euzyte. Auch unter den Eukaryonten befinden sich heute viele Einzeller. Ein typischer Vertreter ist die Hefezelle. Während sich jedoch im Genom der Prozyte eine Ordnung widerspiegelt, die auf eine Integration von Replikatoren hindeutet, erkennen wir in der Euzyte keine zusammenhängenden Gen- oder gar Überstrukturen (wie die Operon-Einheiten). Die Gene sind – scheinbar regellos – in Abschnitte unterteilt, man bezeichnet die Information-tragenden Abschnitte als Exons (= exprimierbare Regionen). Sie sind unterbrochen von nicht-codierenden Sequenzabschnitten, Introns (= eingelagerte Regionen) genannt. Deren Funktion, sofern sie eine besitzen, ist noch unbekannt. Auch weiß man nicht, ob es sich bei dieser Anordnung um ein urzeitliches Relikt handelt, das vielleicht Auskunft über die Entstehung der Euzyte zu geben vermag. Man hat gefunden, daß Exons häufig mit strukturellen Domänen im Proteinmolekül korreliert sind. Diese – im allgemeinen weniger als hundert Aminosäuren umfassenden – Domänen könnten primitive Vorläufer des betreffenden Proteins gewesen sein. Andererseits könnte es sich ebenso um eine im Verlaufe der Evolution erworbene Eigenschaft handeln, die für den rekombinativen Mechanismus der Vererbung vorteilhaft ist. Ein solcher Luxus wäre erst möglich geworden, nachdem die Fehlerrate etwa so niedrig war wie bei den heute lebenden Organismen, nämlich in der Größenordnung von eins zu einer Milliarde.

Rekombination ist die Grundlage der für die Euzyte typischen sexuellen Vererbung. Sie beinhaltet einen Austausch von Sequenzabschnitten der DNA zwischen männlichem und weiblichem Erbsatz, so daß in jeder Generation neue Genkombinationen auftreten, die für eine ständige Innovation sorgen. Die wichtigste Konsequenz dieser neuen Art von Fortpflanzung ist – abgesehen von der großen Variabilität – die Verlagerung des Angriffspunktes der Evolution von der einzelnen Zellinie auf die gesamte Population, deren Gen-Fundus auf diese Weise jede Veränderung schnell aufnimmt. Die Gene sind damit de facto wieder von der Zentralherrschaft des Genoms befreit. Ein selektiver Vorteil kann sich zum einen rasch über die gesamte Population ausbreiten, und zum anderen wird dadurch die Angriffsfläche für jede Mutation, die jetzt nur in einem beliebigen der vielen miteinander kommunizierenden Individuen einer Population zu erfolgen braucht, stark vergrößert. Allerdings, dieser Fortschritt hat seinen Preis. Die Einprogrammierung des Todes wird unumgänglich, oder treffender formuliert: sie ist so vorteilhaft, daß sie im evolutiven Prozeß unausweichlich wird. Bei Organismen mit vegetativer Zellteilung gibt es kein Altern des Individuums. Es ist nicht zu entscheiden, welche der beiden Zellen nach der Teilung die Tochterzelle ist. So kann es auf dieser Ebene nur den Unfalltod geben. Bei Organismen mit geschlechtlicher Vermehrung hingegen sind die Nachkommen eindeutig definiert. Hier ist es vorteilhaft, daß das Individuum, das seinen Beitrag für die Evolution geleistet hat, stirbt. Tod bedeutet neues Leben für die Art.

Für den Selektionsprozeß ergeben sich bei sexueller Rekombination ähnliche »Sozial«-Probleme wie in der hyperzyklischen Phase auf rein molekularer Ebene. Die Konsequenzen sind jedoch anderer Art. Wieder wird die einfache Extremalnatur des Selektionsprinzips durchbrochen. Wieder ist eine Genotyp-Phänotyp-Dichotomie zu berücksichtigen: Denn die der Gesamtpopulation zugehörigen Gene sind die Zielscheibe der Mutation, das Individuum, ein spezielles Kollektiv von vielen Genen, ist aber der Phänotyp, der sich der Selektion stellen muß. Neutrale Mutationen, das sind Veränderungen, die durch keinerlei Selektionsvorteil ausgezeichnet sind, gewinnen unter diesen Umständen enorm an Bedeutung. Andere Mechanismen der Genveränderung als die einfache Punktmutation oder Insertion und Deletion von Bausteinen, beispielsweise Umgruppierungen an den Schnittstellen der neukombinierten Sequenzabschnitte, sowie Einlagerungen verdoppelter oder invertierter Genfragmente, eröffnen neue Wege für den Evolutionsprozeß. Die große Lernkapazität des Immunsystems basiert weitgehend auf diesen – auch für den somatischen Zellteilungsprozeß relevanten – Variationsmöglichkeiten der rekombinativen Vererbung. Ein großer Teil unseres heutigen Wissens über die Funktion und Organisation des Eukaryonten-Genoms entstammt molekularbiologischen Studien am Immunsystem.[32]

Die Evolution höherer, vielzelliger Lebensformen mußte die Perfektionierung des rekombinativen Instrumentariums abwarten. So finden wir bis ins späte Präkambrium hinein – also über einen Zeitraum von ca. 3 Milliarden Jahren – ausschließlich einzellige Lebensformen. Erst danach – etwa vor 500–1 000 Millionen Jahren– setzte eine explosionsartige Entwicklung ein, die wahre Wunderwerke der Evolution hervorbrachte. Die Organisation der Vielzeller erfordert neue Wege der Selbstorganisation. Programmiert im Genom der Zelle ist nur die *Regelung* der Selbstorganisation, nicht aber die Organisation selber. Ein Beispiel mag das verdeutlichen: Der Mensch hat in seinem Zentralnervensystem allein schon mehr Nervenzellen als Informationssymbole im Genom. Das bedeutet, daß die einzelnen Kontakte, die Milliarden Zellen miteinander verbinden, nicht vorprogrammiert sein können. Es können lediglich einige spezialisierte Funktionen sowie die Methode für einen differenzierten Aufbau des Organs genetisch fixiert sein. Zelldifferenzierung und Morphogenese sind wiederum Selbstorganisationsprozesse, auf einer neuen, einer zellulären Ebene, wenngleich sie nach wie vor von molekularen Ereignissen gesteuert werden. Große Erfolge in der Identifizierung einer solchen Selbstorganisation, etwa bei der Embryogenese oder bei der Verschaltung des Nervennetzwerkes sind gerade in jüngster Zeit zu verzeichnen.[34]

»Bewußtsein seiner selbst war also schlechthin eine Funktion der zum Leben geordneten Materie, und bei höherer Verstärkung wandte die Funktion sich gegen ihre eigenen Träger, ward zum Trachten nach Ergründung und Erklärung des Phänomens, das sie zeitigte, einem hoffnungsvollen-hoffnungslosen Trachten des Lebens nach Selbsterkenntnis, einem Sich-in-sich-Wählen der Natur, vergeblich am Ende, da Natur in Erkenntnis nicht aufgehen, Leben im Letzten sich nicht belauschen kann.«

## Schöpfung ohne Ende

Leben ist nicht durch den einfachen Übergang von unbelebt in belebt zu definieren. Zum einen läßt sich der Übergang als solcher kaum identifizieren, er ist kontinuierlich. Zum anderen ist der Evolutionsprozeß mit diesem Übergang nicht abgeschlossen, ja es schließt sich eine nicht abreißende Kette von Entwicklungen an, deren Komplexität die der ersten Stufen zum Leben bei weitem übersteigt. Die »scheinfüßige Amöbe« ist in der Tat viel weiter vom Menschen entfernt als ihre einfachsten Vorläufer von »jener Natur, die nicht einmal verdiente, tot genannt zu werden, weil sie unorganisch war«. Das spiegelt sich auch deutlich im zeitlichen Ablauf der Evolution wider. Zelluläres Leben erschien auf unserem Planeten, nachdem dieser abgekühlt war und eine chemische Selbstorganisation zuließ, innerhalb von einer Milliarde Jahren – möglicherweise gar innerhalb eines sehr viel kürzeren Zeitraumes. Wahrscheinlich wurde der größte Teil dieser Zeitspanne dazu gebraucht, die für den Lebensprozeß erforderlichen Moleküle soweit anzureichern, daß sie einander oft genug begegneten und dabei ein Sozialwesen organisieren konnten. Demgegenüber verweilte das Leben auf der Stufe von Einzellern für etwa weitere drei

Milliarden Jahre. Natürlich ist diese Phase in viele Einzelstufen unterteilt. Die Zellen mußten Eigenschaften entwickeln, die schließlich im späten Präkambrium den Aufbau zellulärer Sozialordnungen gestatteten, für die die Amöbe ein gutes Beispiel liefert. Bis zum Menschen hat es dann noch einmal ca. eine Milliarde Jahre gedauert. Leben ist wesentlicher Bestandteil der Umwelt geworden: Die Arten sind aufeinander angewiesen. Man spricht vom ökologischen Gleichgewicht, obwohl es ein solches letztlich in einer sich stetig verändernden Welt nicht geben kann. Aufgrund der vielfältigen Kopplungen haben Störungen weitreichende, zumeist nicht überschaubare Konsequenzen. Der Selektionswert einer jeden Spezies ist eine komplizierte, nichtlineare Funktion vieler Variablen geworden.

Es ist offenkundig, daß die Lösung des Problems Leben – auch wenn man dieses als ein abstraktes Problem prinzipieller Natur ansieht – nicht in einer Weltformel zu suchen ist. Wittgenstein sagte einmal und beschreibt damit treffend die Situation der modernen Biologie: »Die Lösung des Problems des Lebens merkt man am Verschwinden dieses Problems.«[35]

Der Schöpfungsprozeß ist keineswegs abgeschlossen, doch niemand mag voraussagen, was innerhalb von Zeiträumen geschehen wird, die vernachlässigbar klein gegenüber jeder der genannten Zeitspannen genetischer Evolution gelten müssen. Wir können heute in den genetischen Ablauf reparierend – wenn auch nicht schöpferisch – eingreifen. Ein schöpferischer Eingriff würde Kenntnisse erfordern, die wir (noch?) nicht besitzen. Doch wird sich evolutiver Fortschritt kaum mehr auf der genetischen Ebene vollziehen. Die Aktivierung des Geistes im Menschen hat das Entwicklungskarussell in so schnelle Rotation versetzt, daß nahezu alles, was in absehbarer Zukunft geschieht, vom Menschen ausgehen wird. Nach wie vor heißt das Problem: Überleben. Lösen werden wir dieses Problem nur durch die Mobilisierung des Geistes, dessen ethische Komponente allerdings mit der rasanten Entwicklung von Wissenschaft und Technik nicht Schritt zu halten vermochte. Auch hier wird uns keine Weltformel zu Hilfe kommen, sondern wir werden uns Schritt um Schritt selber um Lösungen bemühen müssen. Die Schöpfung des Geistes hat eben erst begonnen.

## Anmerkungen und weiterführende Literatur

[1] Eine allgemeinverständliche Darstellung der Paläobiologie findet sich bei H. K. Erben: »Die Entwicklung der Lebewesen«, Piper u. Co Verlag, München und Zürich, 1975. Zur phylogenetischen Systematik s. a.: P. Ax »Das Phylogenetische System«, Gustav Fischer Verlag, Stuttgart, New York, 1984.

[2] Kritische Übersicht frühester Zuordnungen: M. G. Rutten »The Origin of Life«, Elsevier Publishing Company, Amsterdam, London, New York, 1971. E. S. Baarghoorn »The Oldest Fossils« Scientific American, May 1971. K. Dose und H. Rauchfuß »Chemische Evolution und der Ursprung lebender Systeme« Wissenschaftliche Verlagsgesellschaft mbH, Stuttgart, 1975. Darüber hinaus finden sich in der jüngsten Fachliteratur Zuordnungen, die bis zu 4 Milliarden Jahren zurückreichen.

[3] Zusammenstellungen von Sequenzdaten in »Atlas of Protein Sequence and Structure« Vol. 5, 1972 (und später erschienene Ergänzungsbände), Ed. M. O. Dayhoff, sowie: »Nucleic Acid Sequence Database« Vol. 1, 1981 (und Ergänzungen), Eds. M. O. Dayhoff et al.; National Biomedical Research Foundation, Washington, D.C.

[4] Zusammenstellung neuerer Methoden bei A. Dress, M. Eigen und R. Winkler-Oswatitsch (in Vorbereitung). Siehe auch Zitat 5.

[5] M. Eigen und R. Winkler-Oswatitsch »Transfer RNA: The Early Adaptor« Naturwissenschaften 68 (1981) 217–228 und »Transfer RNA: An Early Gene?« Naturwissenschaften 68 (1981) 282–292.

[6] Argumente zur Panspermie Hypothese wurden von F. H. C. Crick zusammengefaßt: »Das Leben selbst«, R. Piper u. Co. Verlag, München und Zürich 1981.

[7] Eine der besten zusammenfassenden Darstellungen über die Informationstheorie und ihre physikalischen Implikationen findet sich bei L. Brillouin »Science and Information Theory« Academic Press Inc. New York 1962 (zweite Auflage, vierter Druck 1971).

[8] In der unter Anm. 7 zitierten Monographie werden die Beziehungen zwischen Informationstheorie und Thermodynamik ausführlich erörtert. Eine allgemeinverständliche Darstellung findet sich bei M. Eigen und R. Winkler-Oswatitsch »Das Spiel« R. Piper u. Co. Verlag, München und Zürich, 1975.

[9] Darwins berühmtes Werk »The Origin of Species« ist in einer von G. G. Simpson kommentierten Fassung (basierend auf der von Darwin selbst revidierten endgültigen Fassung, 6. Auflage) bei Collier-MacMillan, London 1962 erschienen. Die Beziehungen zu den Arbeiten von Wallace sind von J. Langdon Brooks untersucht worden: »Just Before The Origin«. Columbia University Press, New York 1984.

[10] Hinsichtlich der Bedeutung von Darwins Selektionsprinzip für die moderne Biologie s. a.: M. Eigen »Darwin und die Molekularbiologie«, Angewandte Chemie 93 (1981) 221–229.

[11] Eine allgemeinverständliche Darstellung hat H. Haken in seinem Buch »Erfolgsgeheimnisse der Natur« Deutsche Verlags-Anstalt GmbH Stuttgart, 1981, gegeben. Daselbst Literaturzitate zu den Originalarbeiten.

[12] Die Theorie der Selbstorganisation biologischer Makromoleküle wurde gemeinsam mit P. Schuster entwickelt. Zusammenfassende Darstellung in: M. Eigen und P. Schuster »The Hypercycle – A Principle of Natural Selforganization« Springer Verlag, Heidelberg, Berlin, New York 1979.

[13] Das Quasi-Spezies Modell ist ebenfalls in Anmerkung 12 beschrieben. Eine ausführlichere Darstellung findet sich in: M. Eigen, J. McCaskill, P. Schuster, J. Phys. Chem. 1986.

[14] Klonierungsexperimente von C. Weissmann und Mitarbeitern werden in den unter Anm. 12 und 13 zitierten Arbeiten beschrieben (s. z. B. Gene 1 [1976] 3 bzw. 27).

[15] Die Fehlerschwellenbeziehung wurde zuerst 1971 (M. Eigen, Naturwissenschaften 58 [1971] 465–523) angegeben. Weitere Darstellungen sowie eine Diskussion von Experimenten von C. Weissmann und Mitarbeitern, mit denen diese Beziehung bei $Q_\beta$-Viren bestätigt wurde, finden sich in den unter Anm. 12 und 13 zitierten Arbeiten. Dort sind auch Evolutionsexperimente von S. Spiegelman, M. Sumper und Ch. Biebricher beschrieben, die eine quantitative Überprüfung der Theorie ermöglichten.

[16] Eine Darstellung von Experimenten zur Analyse der Elementarschritte von Enzymreaktionen findet sich bei M. Eigen »Die unmeßbar schnellen Reaktionen« Les Prix Nobel en 1967. Daselbst weitere Literaturangaben.

[17] Die Annahme der statistisch-zufälligen Mutation liegt allen Evolutionsmodellen zugrunde. Die Unmöglichkeit einer Identifizierung von Mutanten in der Wildtyp-Population in der klassischen Populationsgenetik hat zu einer falschen Interpretation geführt, in der die selektive Bewertung der Mutanten im Wildtypspektrum ausgeklammert blieb. Diese führt aber zu einem deterministischen Massenwirkungseffekt bei der Erzeugung neuer Mutanten. Dadurch wird die Zufallshypothese –

etwa wie man sie in uneingeschränkter Form noch bei J. Monod (»Zufall und Notwendigkeit« R. Piper u. Co. Verlag, München 1971) findet, stark modifiziert.

[18] Eine lehrbuchartige Darstellung findet sich bei M. Kimura und T. Ohta: »Theoretical Aspects of Population Genetics« Princeton University Press, Princeton N.Y. 1971.

[19] Zusammenfassende Darstellungen (für den Chemiker und Physiker) in Berichte der Bunsengesellschaft für physikalische Chemie, Juni 1985 (M. Eigen: »Macromolecular Evolution: Dynamical Ordering in Sequence Space«; P. Schuster »Dynamics of Evolutionary Optimization«).

[20] Allgemeinverständliche Darstellung von I. Rechenberg »Evolutionsstrategie« Problemata frommann-holzboog, Stuttgart-Bad Cannstatt 1973.

[21] Übersichtsdarstellungen bei S. L. Miller und L. E. Orgel »The Origins of Life on Earth« Prentice Hall Inc., Englewood Cliffs, New Jersey 1974. Die Arbeiten von S. Fox sind ausführlich in dem in Anmerkung 2 zitierten Buch von K. Dose und H. Rauchfuß beschrieben.

[22] Neuere Arbeiten von L. Orgel und Mitarbeitern finden sich in den Zeitschriften »Nature« und »Science« sowie »Journal of Molecular Evolution«, Jahrgänge 1980–1985.

[23] Klassische Arbeiten von J. Oró und Mitarbeitern sind in dem in Anmerkung 21 erwähnten Buch von S. L. Miller und L. E. Orgel zitiert.

[24] Vgl. hierzu D. Pörschke in »Chemical Relaxation in Molecular Biology« S. 191 ff. (Ed. I. Pecht, R. Rigler) Springer, Heidelberg, Berlin, New York 1977. F. H. C. Crick et al. »Origins of Life« 7 (1976) 389 sowie Anmerkungen 12 und 15.

[25] Wesentliche Experimente wurden von L. Orgel und Mitarbeitern ausgeführt (Nature, Vol. 310 [1984] 602–604). Diese Experimente zeigen die wichtige Rolle der Stereospezifität bei der Replikation der RNA und DNA, lassen aber keine sicheren Rückschlüsse auf den historischen Ursprung der Chiralität zu.

[26] Es gibt in der Literatur zahlreiche Hinweise für die Hypothese, daß die RNA in der molekularen Evolution der DNA voranging. Diese Hinweise beziehen sich auf den Stoffwechsel von RNA und DNA in heutigen Organismen, auf den Mechanismus der DNA-Synthese (»RNA-priming«) sowie auf die strukturellen Eigenschaften von RNA und DNA.

[27] Eine ausführliche Darstellung findet sich in dem in Anmerkung 1 zitierten Buch von M. G. Rutten.

[28] Vgl. hierzu G. Eglinton und M. Calvin, Scientific American, January 1967.

[29] Ausgezeichnete lehrbuchartige Darstellungen der biochemischen Organisation der Zellen bei: J. D. Watson: »Molecular Biology of the Gene« 3rd ed. W. A. Benjamin Inc. Menlo Park Cal. 1977. L. Stryer »Biochemistry«, W. H. Freeman and Company, San Francisco 1975 and 1981. P. v. Sengbusch »Molekular- und Zellbiologie« Springer-Verlag, Heidelberg, Berlin, New York, 1979; A. Kornberg »DNA Replication« W. H. Freeman and Company, San Francisco 1974.

[30] Fachübersicht: »RNA Phages« (Ed. N. D. Zinder) Cold Spring Harbor Laboratory Series 1975, M. H. Adams »Bacteriophages« Interscience Publishers, New York 1959.

[31] Vgl. hierzu Anmerkungen 12 sowie 32.

[32] M. Eigen und P. Schuster »Stages of Emerging Life« Journal of Molecular Evolution 19 (1982) 47–61 sowie M. Eigen, W. C. Gardiner Jr., P. Schuster und R. Winkler-Oswatitsch, Spektrum der Wissenschaft, Juni 1981, S. 36–56.

[33] H. Zachau et al. »Wie entstehen die Antikörper«, 9. Fritz Lipmann Vorlesung, Hoppe Seylers Zeitschrift für physiologische Chemie 365 (1984) 1363–1373. Ph. Leder »Die Vielfalt der Antikörper« Spektrum der Wissenschaft 7 (1982) 100–112.

[34] Mehrere Übersichtsartikel (H. Meinhardt, Ch. v. d. Malsburg) finden sich in den Berichten der Bunsengesellschaft für physikalische Chemie, Juni 1985.

[35] L. Wittgenstein »Tractatus Logico-Philosophicus« S. 521 Routledge and Kegan Paul, London 1922.

## Allgemeine Literatur

J. Monod »Zufall und Notwendigkeit«, R. Piper Verlag, München 1971;

F. Jacob »Die Logik des Lebenden«, S. Fischer Verlag GmbH, Frankfurt am Main, 1972;

M. Eigen und R. Winkler-Oswatitsch »Das Spiel«, R. Piper u. Co. Verlag, München und Zürich 1975;

F. C. H. Crick »Das Leben selbst«, R. Piper u. Co. Verlag, München und Zürich, 1983;

I. Prigogine und I. Stengers »Dialog mit der Natur«, R. Piper u. Co. Verlag, München und Zürich 1981;

H. Haken »Erfolgsgeheimnisse der Natur«, Deutsche Verlags-Anstalt, Stuttgart-Bad Cannstatt 1981.

A. Unsöld »Evolution kosmischer, biologischer und geistiger Strukturen«, 2. Auflage Wissenschaftliche Verlagsgesellschaft mbH Stuttgart 1983.

Mein besonderer Dank gilt Frau Dr. Ruthild Winkler-Oswatitsch für ihre wertvolle Hilfe bei der inhaltlichen und textlichen Gestaltung dieses Artikels.

Eugen Seibold

# Geologie im Umbruch

## Einleitung

Dieser Beitrag soll zwar den derzeitigen Stand der Geologie beschreiben, kann aber nicht alle Punkte und Fachgebiete gleichmäßig behandeln. Das hängt mit den eigenen Erfahrungen des Verfassers zusammen. So wird leicht zu sehen sein, daß der Boden und der Untergrund der Meere viel Aufmerksamkeit erfahren, weite Felder der Petrologie, Geochemie, aber auch der Geophysik nur am Rande beackert werden.

Eine einleitende Zusammenfassung mag es erleichtern, den roten Faden und die verschiedenen Ansätze des Beitrags zu erkennen:

Die Geologie will den Bau und die Geschichte der Erdrinde aus ihren Gesteinen und Fossilien ableiten. Als selbständige Wissenschaft entwickelte sie sich am Ende des 18. Jahrhunderts, als die Lücken zwischen den aus der Praxis der Bergleute stammenden Kenntnissen und der Spekulation langsam durch Beobachtungen gefüllt wurden. Bis zur Mitte unseres Jahrhunderts standen dabei die Kontinente ganz im Vordergrund.

Neue geophysikalische und meeresgeologische Methoden und Erkenntnisse führten zum ersten Umbruch, zur betonten Erforschung der *Geologie der Ozeane*. Verschiedene neue Hypothesen ermöglichten dabei erfolgreiche Forschungsstrategien. Weiterentwickelte Methoden und dieser ozeanische Ansatz greifen derzeit auch auf die Kontinente über, wobei es vor allem um die Strukturen und Vorgänge in größeren Tiefen der Erdkruste und im Erdmantel geht. Die Evolution der Lithosphäre ist zu einem so erregenden Gegenstand der Forschung geworden wie die Evolution der Biosphäre vor einem Jahrhundert.

Ein zweites Umdenken geht weniger auffallend vonstatten. Eine Wissenschaft, die im weltweiten Beschreiben der Schichtfolgen mit ihrem organischen Inhalt, der Tiefen- und Ergußgesteine oder der Gesteinsstrukturen noch viele ungelöste Aufgaben hat und die im Kern historisch denkt, hängt naturgemäß am Qualitativen. Durch neue Methoden, etwa der Geodäsie, der absoluten Altersdatierung, der Verwendung stabiler Isotopen, der experimentellen Petrologie und durch Einsatz von Computern bei der Erstellung von geologischen oder klimatologischen Modellen mehren sich derzeit *quantitative Ansätze* und Aussagen in den durch die komplexen Vorgänge und die Erdgeschichte mit ihren Singularitäten gesetzten Grenzen.

Schließlich dachte der Geologe bisher fast ausschließlich an die Vergangenheit der Erde. Dies auch, wenn er zu deren besserem Verständnis »Aktuogeologie« betrieb, d. h. heutige geologische Vorgänge etwa in Wüsten, Meeren oder an Vulkanen studierte, um Phänomene vergangener Zeitepochen besser verstehen zu lernen. Prognosen bei Bodenschätzen waren ihm zwar nicht fremd, zum Beispiel in der Exploration, doch erst im Blick auf die drohenden großen Sorgen der Menschheit schärft sich das Bewußtsein für die Aufgabe, aus der Kenntnis der geologischen Gegenwart und Vergangenheit auch Aussagen zur näheren und ferneren *Zukunft* zu machen. Abschätzung von Reserven und Behandlung von Energie- und sonstigen Rohstoffen bis zu den Böden und dem Grundwasser, die Vorhersage von Erdbeben oder Vulkanausbrüchen oder gar von Klimaschwankungen sind Beispiele, die um so mehr an Gewicht gewinnen, als der Mensch selbst zunehmend zu einem geologischen Faktor wird.

Erst um 1830 ist der Name Geologie geläufig geworden, am Ende eines »heroischen Zeitalters« dieser Wissenschaft. Sie ist also noch jung und muß noch viel lernen.

Die Geologie will, wie einleitend erwähnt, den Bau und die Geschichte der Erdrinde aus ihren Gesteinen und Fossilien ableiten. Der Geologe wendet dabei Erkenntnisse und Methoden der Naturwissenschaften auf die Erde an, die systematischen wie die Mineralogie, Zoologie, Botanik oder Paläontologie und die phänomenologischen wie die Physik oder Chemie. Er beobachtet, mißt und berechnet also und experimentiert auch, wo dies sinnvoll erscheint. Er arbeitet aber primär im Gelände und muß seine Vorstellungen im wesentlichen dort überprüfen. Im Laboratorium kann er dies nur teilweise. Viele seiner Probleme sind der unmittelbaren Anschauung verschlossen. Tiefere Teile der Erdkruste, fast der ganze Erdmantel und der gesamte Erdkern, sind für ihn unzugänglich, sofern nicht vulkanische oder tektonische Vorgänge Gesteine und Minerale als Boten aus diesen Tiefen ans Licht gebracht haben.

Der Geologe versucht zu verstehen, was heute im Luftraum, im Wasser und natürlich vor allem in der festen Erde vorgeht, und hat dabei besonderes Interesse an Prozessen in deren Grenzregionen oder an Grenzen innerhalb dieser Bereiche. Schichtung in den Meeren, die Grenzen zwischen der Kruste und dem Mantel der Erde, zwischen Kontinenten und Ozeanen, zwischen den großregionalen Einheiten, den sogenannten Platten der Erdrinde, aber auch zwischen verschieden alten oder verschieden verformten Gesteinseinheiten sind Beispiele für solche Grenzen. Er studiert die Wirkung des Windes, des Frostes auf den Festlandsboden, des fließenden Wassers auch auf den Meeresboden. Dies alles in erster Linie, um damit die Umweltbedingungen früherer Perioden der Erdgeschichte aus heutigen Verhältnissen heraus rekonstruieren und damit seine vorzeitlichen Befunde besser deuten zu können. Indessen ist die Geschichte der Erde nicht nur ein Wechselspiel zwischen Wärme und Schwere, gehen in sie nicht nur Veränderungen ihrer Rotation und ihrer Bahn um die Sonne, gehen nicht nur sonstige kosmische Einflüsse, gehen nicht nur rein physikalisch faßbare Vorgänge ein. Ein heute immer klarer werdender Einfluß geht von der Evolution der Organismen aus, etwa beim Herausbilden einer sauerstoffhaltigen Atmosphäre durch zunehmende pflanzliche Assimilation vor rund 2 Milliarden Jahren oder die Eroberung des Festlandes durch Pflanzen vor rund 400 Millionen Jahren. Und schließlich wird in unserem Jahrhundert der Mensch selbst zu einem gewichtigen geologischen Faktor.

Bau und Geschichte der Erdrinde ableiten! Beides verlangt die Frage: Wann ist dieses und jenes passiert? Dieser Zeitbegriff muß beim Geologen zum physikalischen hinzukommen. Er kann deshalb gar nicht umhin, sich auch an die Geschichte seiner eigenen Wissenschaft zu erinnern, bevor er auf die gegenwärtige Situation in seinem Fach eingeht.

## Geschichtliches zur Geologie

Der Weg der Geologie seit der *Antike*? Scharfe Beobachtungen und deren klare Verknüpfung in größere Zusammenhänge hinein auf der einen Seite, Spekulationen auf der anderen. Beides ist notwendig, Brot und Salz. Indessen überwucherten Spekulationen diesen langen Weg bis in die Neuzeit hinein.

Xenophanes (um 425–355 v. Chr.) äußerte sich schon verständnisvoll über Fossilien, Herodot (um 490–420 v. Chr.) am Beispiel der Nilmündung über Deltas. Plinius der Ältere (23–79 n. Chr.) gab eine mustergültige Beschreibung des Vesuv-Ausbruchs.

Von ähnlich bekannten herausragenden Beispielen seien für das *Mittelalter* nur der Arzt Avicenna (980–1037) und der Gelehrte Albertus Magnus (um 1200–1280), für die Renaissance Leonardo da Vinci (1452–1519) erwähnt. Drei fundamentale Tatsachen wurden vom ersten in den ariden Gebieten zwischen Usbekistan und Persien erkannt: daß Berge entweder durch die Erhebung des Bodens entstehen, was sich durch Erdbeben verrate, oder durch Wirkung des fließenden Wassers und des Windes. In weicheren Schichten würden dadurch Täler ausgehöhlt. Und die dritte, daß alle diese Vorgänge lange Zeit brauchen. Albertus Magnus hingegen kam auf seinen Wanderschaften auch an die Küste Flanderns und stieß dort auf Ablagerungen des Meeres und auf Winddünen und deutete diese. Leonardo da Vinci fiel beispielsweise in den Ausgrabungen für die Kanäle in Oberitalien der Reichtum mariner Fossilien auf. Sie konnten seiner Ansicht nach nicht dorthin transportiert worden sein, sondern mußten früher dort gelebt haben, da sie nicht regellos durcheinanderlagen, sondern wie etwa Korallen oder Austernverwandte am Untergrund aufgewachsen waren.

Wilde Spekulationen, der Einfluß der Bibel oder die Nachwirkung großer Autoritäten der Antike standen auf der anderen Seite. Aristoteles ist dabei in erster Linie zu nennen, vor allem als er im 13. Jahrhundert auch in lateinischer Übersetzung allgemeiner zugänglich wurde und den Unterricht beherrschte. Da geisterte für Jahrhunderte die »Vis plastica« zur Erklärung der Fossilien herum, eine Urzeugung aus unbekanntem Urstoff im Schlamm. Da berief man sich auf »Naturspiele« oder andauernd auf den Einfluß der Gestirne. Da wachsen die Steine und Erze durch Flüssigkeiten und Exhalationen, die im Erdinnern zirkulieren, (was bei vielen Erzen ja auch zutrifft). Der Vergleich der Erde mit dem menschlichen Körper ist weit verbreitet. Nach Johann Kepler (1571–1630) sind zum Beispiel die Berge Atmungsorgane der Erde, Minerale krankhafte Produkte, den Nierensteinen ähnlich. Der Gegensatz zwischen Feldbeobachtung und der Spekulation lebte weiter, bis weit in das 18. Jahrhundert hinein, einerseits als Geognosie, andererseits als Geogenie.

Die *Geognosten* waren zunächst eng dem Bergbau verbunden und gaben neben manchen aberranten Vorstellungen auch viele richtige Beobachtungen aus der Praxis weiter. Georg Agricola (1494–1555) ist der bekannteste Vertreter.

Zu den Pionieren des modernen geologischen Denkens ist Robert Hooke (1635–1703) zu zählen. Er leitete von den Fossilien in England nicht nur ab, daß sie in früher wärmeren Meeren gelebt haben mußten, sondern äußerte schon Gedanken zur Evolution fossiler Organismen und legte damit auch den Grund für die Stratigraphie, die zeitliche Einstufung der Gesteine. Ein zweiter ist Niels Stensen (Nicolaus Steno, 1638–1687). In der

Toskana sah er Fossilien und erkannte, daß sie mit lebenden Mittelmeerformen verwandt sind. Die sie einbettenden Gesteine mußten also im Meer entstanden und ursprünglich horizontal abgelagert worden sein, jüngere Schichten über älteren. Er ist damit zum eigentlichen Vater der Stratigraphie geworden.

Die *Geogenie*, die Lehre von der Entstehung der Welt, hatte natürlich den mosaischen Schöpfungsbericht als Grundlage. Zu nennen wäre hier unter anderem Gottfried Wilhelm Leibniz (1646–1716). Eine besondere Rolle spielte in diesem Zusammenhang die biblische Sintflut. Noch 1823 veröffentlichte William Buckland, Oxford, (1784–1856) das Werk »The Relics of the Flood«, der wohl letzte wichtige Versuch, Geologie mit der Theologie zu kombinieren.

Am Ende des 18. Jahrhunderts jedoch begannen sich Beobachtungen und Theorien mehr und mehr zu durchdringen. Ein Musterbeispiel bleibt der Streit zwischen den Neptunisten und den Plutonisten, d. h. zwischen Abraham Gottlob Werner (1750–1817) und James Hutton (1727–1797) mit ihren jeweiligen Anhängern. Nach den Neptunisten, zu denen auch mit gewissen Einschränkungen Johann Wolfgang von Goethe gehörte, wurden alle Gesteine der Erdrinde, also auch die kristallinen vom Granit bis zum Basalt, im Wasser abgesetzt. Die Plutonisten nahmen an, daß die Erde im wesentlichen von Kräften aus derem Innern gestaltet wird, der Basalt etwa vulkanischer Entstehung sei. Die Ausweitung der anfänglich jeweils lokal geprägten Beobachtungen hat in der Folge Irrtümer beider Seiten korrigiert und Wesentliches bestätigt. Das erwähnte heroische Zeitalter der Geologie (um 1790 bis um 1830) brach damit an. Es wurde damals für vieles Grund gelegt, was zum Teil noch heute diskutiert werden muß:

Vom *Neptunismus-/Plutonismus*-Streit bleibt uns vom unbekannten Charakter eines Urozeans bis zur Entstehung mancher Erzlagerstätten immer noch manches offen.

Aus Fossilfunden im Pariser Becken und Kenntnis der vergleichenden Anatomie entwickelten Alexandre Brongniart (1770–1847) und Georges Cuvier (1769–1832), aus Beobachtungen in England William Smith (1769–1839) die paläontologische *Stratigraphie*. In wenigen Jahrzehnten wurden die wesentlichen erdgeschichtlichen Einheiten definiert, die Kreideformation 1822, die Juraformation 1829, die Trias 1834 usw. (Tab. 1). Dies wurde eine der Grundlagen zum Erstellen geologischer Karten, ein Feld, das sich geradezu explosiv entwickelte. Auf diesen Grundlagen diskutiert man immer noch Grenzziehungen, zeitliche Korrelierung, verfeinert man Methoden wie Aussagen.

Eine zusammenfassende Darstellung der globalen *Tektonik* mußte bis ans Ende des 19. Jahrhunderts warten, bis Eduard Suess (1831–1914) »Das Antlitz der Erde« schrieb (1885–1909). Schräg gestellte Schichten als Beginn einer Verformung waren schon Stensen aufgefallen, meist aber dann, wie durch Hutton, auf vulkanische Kräfte zurückgeführt worden. Noch Horace Benedict de Saussure (1740–1799) dachte bei schräg gestellten Schichten zunächst an Kristallisationsformen aus dem Urozean, bis er aus steil gestellten alpinen Konglomeraten andere Schlüsse zog.

Die Ansicht, daß heute wirkende Prozesse die Schlüssel für das Verständnis der Vorzeit seien und daß sie sich langsam auswirken (*Aktualismus* und *Uniformitarianismus*), wurde vor allem durch Charles Lyell (1797–1875) vertreten und weit verbreitet. Cuviers Katastrophentheorie mit ihren plötzlichen Änderungen der Meere wie der Organismen stand indessen lange im Vordergrund, vor allem vor dem Erscheinen von Darwins »The origin

Tab. 1: Erdgeschichtliche Gliederung mit absoluten Altersangaben (Millionen Jahre) (nach Odin [1982], Odin in Seibold & Meulenkamp [1984], u. a.)

| | | | |
|---|---|---|---|
| Känozoikum | 0 | | |
| Holozän | −0,01 | Paläozoikum | |
| | | Perm | −290 (+10, −5) |
| Pleistozän | −1,8 bis 2 | | |
| Jungtertiär | | Karbon | −360 (+5, −10) |
| Pliozän | | | |
| Miozän | −23 (+1, −0,5) | Devon | −400 (+10, −5) |
| Alttertiär | | | |
| Oligozän | | Silur | −420 (+10, −5) |
| Eozän | | | |
| Paläozän | 65 (+1, −1,5) | Ordoviz | −495 (+10, −5) |
| Mesozoikum | | Kambrium | −530 (±10) |
| Kreide | −130 (±3) | | |
| | | Präkambrium | |
| Jura | −204 (±4) | Proterozoikum | etwa 2500 |
| Trias | −245 (±5) | Archaikum | |
| | | erste Lebens- | |
| | | spuren | 3800 |
| | | Erdentstehung | 4500 |

of species« im Jahre 1859. Und sie lebt, wie noch gezeigt werden soll, heute wieder auf, nicht nur bei den Kreationisten.

Es ist leicht einzusehen, daß bei dieser Entwicklung der Geologie das Festland ganz im Vordergrund stand. Wir leben auf und weitgehend von ihm. Auch heute noch gibt es große Lücken bei der geologischen Kartierung, in entlegenen Gebieten, bei Überdeckung des Untergrunds durch Eis, Wüstensand und andere Verwitterungsprodukte oder durch dichte Vegetation, doch auch heute noch genügen vielfach »mente et malleo«, um diese Lücken zu verkleinern.

## Geschichtliches zur Meeresgeologie

Das Meer, vor allem die Tiefsee, verlangen zum Auffüllen solcher Lücken aufwendige Schiffe und Geräte. Noch vor zwei Jahrzehnten hörten alle geologischen Karten an der Küste auf, wo das blaue Meer begann, allenfalls mit ein paar Tiefenzahlen und -linien versehen. Und selbst der wichtigste Umbruch in der Geologie unseres Jahrhunderts, der Wandel vom *Fixismus* zum *Mobilismus*, wurde 50 Jahre lang abgelehnt, nachdem Alfred Wegener schon 1912 seine Hypothese der Kontinentalverschiebung veröffentlicht hatte. Er sah auf die Kontinente – und mußte dies mangels geologischer Daten aus den Ozeanen auch tun. Bei ihm spielen die Kontinente die aktive Rolle. Sie pflügen den Untergrund, auch den der Ozeane, wenn sie nach Westen und weg von den Polen driften. An ihrer Vorderseite bilden sich als Bugwellen Gebirge wie die Anden, im Kielwaser bröckeln die Kontinente als Inselbögen ab. Er brachte zahlreiche gute Belege aus der Geologie, Paläoklimatologie und der vorzeitlichen Pflanzen- und Tierwelt der Kontinente bei und konnte trotzdem nur wenige Fachkollegen überzeugen. Die endgültigen Beweise kamen in den fünfziger und sechziger Jahren aus dem Meer. Warum erst so spät? Weil die Meeresgeologie mit dem Einschluß der Tiefsee gerade erst 100 Jahre alt geworden und bis zum Zweiten Weltkrieg eher als Stiefkind aufgewachsen ist.

Erst mit der Fahrt der »Challenger« (1872–1876) begann wirklich die weltweite *meereskundliche Erkundungsphase,* die bis zum Ersten Weltkrieg dauerte. Davor gab es nur sporadische Beobachtungen, an den Küsten, im Mittelmeer wie durch den wohl ersten Meeresgeologen, Luigi Ferdinando Marsigli (1658–1730), an pazifischen Koralleninseln wie durch Charles Darwin auf der Fahrt der »Beagle« (1831–1836). 1845 stellte Alexander von Humboldt in seinem »Kosmos« fest, daß die Tiefen der Ozeane so gut wie unbekannt seien. Wenige Jahre später wurde die erste Tiefenkarte des Nordatlantiks veröffentlicht, gefördert durch die Lotungen zur Verlegung der Seekabel zwischen Europa und Amerika. Trotzdem konnte Johannes Walther, der damals bedeutendste deutsche Meeresgeologe, noch 1893 schreiben:

»Man würde auf dem Meeresgrund Eisenbahnen nach allen Richtungen von Kontinent zu Kontinent legen können, ohne irgendwo auf Schwierigkeiten zu stoßen.«

Die englische »Challenger« legte 69 000 Seemeilen zurück und machte im Atlantischen, Indischen und Pazifischen Ozean 362 Meßstationen, also sehr wenige Lotungen. Trotzdem erwuchs daraus die erste Karte mit der Verbreitung der Tiefseesedimente, deren Klassifikation dazuhin praktisch noch heute gültig ist.

Die zweite Phase der Meeresforschung brachte zwischen den beiden Weltkriegen das *systematische* und *multidisziplinäre Aufnehmen großer Ozeanräume.* Dabei ragt die deutsche »Meteor«-Expedition in den Atlantik (20 °N–63 °S) heraus (1925–1927). Auf 14 Querprofilen und fast 68 000 Seemeilen konnte jetzt akustisch gelotet werden. Über 60 000 Echolotungen entschleierten den mittelatlantischen Rücken und seinen Zentralgraben. Die geborgenen Sedimente wurden in Fraktionen und Komponenten aufgeteilt. Grundlegendes zum Karbonathaushalt im Meer wurde erkannt. Erste Schritte in die Stratigraphie der Tiefsee waren erfolgreich.

1947 begann eine dritte Phase mit zahlreichen *fachspezifischen Expeditionen.* Die schwedische »Albatross« (1947/48) zog beispielsweise weltweit Tiefseekerne, mit dem neuen Kolbenlot bis 15 m Länge, und begründete damit die Stratigraphie des Pleistozäns, der letzten Eiszeit (Tab. 1), aus den Ozeanen. Die gleichfalls berühmt gewordenen Schiffe der US-amerikanischen ozeanographischen Forschungsinstitutionen wie Scripps, Woods Hole und vor allem Lamont fügten aus allen Meeren viele Sedimentkerne hinzu und maßen auf zahllosen Profilen mit dem Echographen nicht nur kontinuierlich die Meerestiefen, sondern erkundeten auch mit Hilfe der Reflexionsseismik und anderer geophysikalischer Methoden, magnetischen und gravimetrischen, den flacheren und tieferen Untergrund.

## Neue Hypothesen: Auseinanderdriften der Ozeanböden und Plattentektonik

Einige wenige Beobachtungen voraus:

1. Der mittelatlantische Rücken ist keine singuläre Bodenform. Ein ähnlicher zentraler oder seitlich versetzter Rücken ist in allen Ozeanen zu finden, einschließlich der Grabenregion, heute die Riftzone genannt, auf dem Rückenkamm (Abb. 1). Ein morphologischer Zug, der 60000 km lang ist und rund 150 Millionen km$^2$ einnimmt, also die Fläche der Kontinente, muß daher eine globale Erscheinunge sein, lockt also zu einer einheitlichen Erklärung. Ähnliches gilt für die Tiefseegesenke.

2. Genauere Ortsbestimmungen der Erdbebenherde ergaben eine Häufung in denselben Zonen, dabei flache Herde (bis 60 km Tiefe) unter den mittelozeanischen Rücken, flache, intermediäre und tiefe (bis 700 km Tiefe) im Bereich der Tiefseegesenke (s. Abb. 13).

3. Aktiver und schlafender Vulkanismus sind ähnlich wie die Erdbebenherde verteilt.

4. Die Reflexionsseismik erbrachte zwei große Überraschungen. Die Sedimente sind in den Ozeanen im Durchschnitt nur um 500 m mächtig. Das widersprach der Vorstellung alter Ozeane. Nach Abschätzungen der derzeitigen jährlichen Sedimentzufuhr aus den Kontinenten oder aus Organismenresten müßte sich ein recht junges Alter der Ozeane ergeben. Und zweitens: Die Sedimente dünnen in Richtung der mittelozeanischen Rücken aus. Sie fehlen dort sogar, und Basalt in seinen typischen Formen submariner Ergüsse

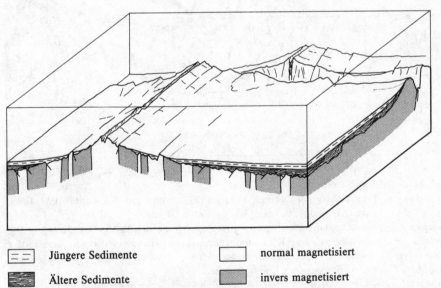

| | | | | |
|---|---|---|---|---|
| ☰☰☰ | Jüngere Sedimente | | ☐ | normal magnetisiert |
| ▤ | Ältere Sedimente | | ▨ | invers magnetisiert |

Abb. 1: Schema eines mittelozeanischen Rückens: Riftregion mit zentralem Graben, Absinken durch Abkühlen nach den Seiten, Ausbildung der magnetischen Streifenmuster in der ozeanischen Kruste, zunehmende Sedimentmächtigkeiten. Transformstörung versetzt die Rückenachse. (Ohne Maßstab, nach Trümpy, 1985, S. 16.)

bildet dort den Meeresboden (Abb. 1). Das ergaben Dredgezüge, Unterwasserfotos und schließlich Beobachtungen aus Tauchbooten. Die Rücken müssen also die jüngsten Teile der Ozeane sein.

5. Die Grenze zwischen der Kruste und dem Mantel der Erde wird durch einen Diskontinuitätsbereich seismischer Wellengeschwindigkeiten markiert, der sogenannten Mohorovicic-Diskontinuität oder kurz der »Moho«. Unter den Kontinenten liegt die Moho um 30 km tief, unter Gebirgen bis 60 km, also grob spiegelbildlich zum Relief. Dies wird auf ein isostatisches Gleichgewicht zurückgeführt, wonach die leichtere Kruste auf der schwereren Unterlage schwimmt und um so tiefer in diese eintaucht, je höher die Kruste aufragt. Unter den Ozeanen liegt die Moho aber nur 5–10 km unter dem Meeresboden,

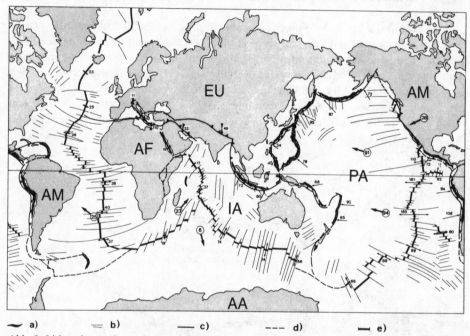

Abb. 2: Lithosphärenplatten heute.
Eingezeichnet sind die sechs großen Platten Eurasien (EU), Amerika (AM), Pazifik (PA), Indo-Australien (IA), Afrika (AF) und Antarktika (AA) mit deren Grenzen.
Konvergierende oder destruktive Plattengrenzen häufen sich um den Pazifischen Ozean (a). Die Dreiecke liegen auf der höheren Platte. Kollision von Platten mit jeweils kontinentaler Kruste zeigt der Himalaya-Typ (c). Unsichere Plattengrenzen finden sich vor allem im Südozean (d), die größten Ungewißheiten in der Nordgrenze der Eurasien-Platte.
Divergierende oder konstruktive Plattenränder liegen im wesentlichen in der Mitte der Ozeane (e). Transformstörungen (b) sind dort besonders deutlich nachzuweisen. Kleine Zahlen: Relativbewegungen von Platten in mm/Jahr. Große Zahlen: Plattenwanderungen über »Hot Spots« aus dem Erdmantel, z. B. Hawaii oder Yellowstone, in mm/Jahr.
(Nach Trümpy, 1985, S. 13).

und ausgerechnet in den am höchsten aufragenden untermeerischen Gebirgen, den genannten Rücken, wird die Moho noch flacher.

Wie sind alle diese Beobachtungen zu deuten? Es ist faszinierend zu sehen, wie in wenigen Jahren eine einheitliche Erklärung gefunden wurde, im wesentlichen durch das Zusammenwirken herausragender Geologen und Geophysiker in Lamont bei New York, in Princeton und im englischen Cambridge:

1960 stellte Harry Hess nach Diskussionen vor allem mit Bruce Heezen in einem Bericht seine Hypothese vor, der Robert Dietz 1961 den Namen »Sea floor spreading« gab. Sie wuchs rasch in die Vorstellungen einer »Plattentektonik« hinein.

Danach unterteilt man die Erdrinde in 6 große – und zahlreiche weitere kleinere – Platten (Abb. 2). Sie sind relativ steif und gehören zur rund 100 km mächtigen Lithosphäre, umfassen also die ganze Erdkruste und Teile des Oberen Erdmantels. Die Lithosphärenplatten lagern auf der duktileren Asthenosphäre und werden mit dieser bewegt. Thermisch bedingte Konvektionsströme im Erdmantel besorgen dies. Sie steigen unter den mittelozeanischen Rücken auf und strömen seitlich ab. Dort divergieren also die Platten (s. Abb. 1). Wo Konvektionsströme abtauchen, konvergieren Platten und wird eine davon in den sog. Subduktionszonen mit in den Erdmantel hinuntergeschleppt. Je nach regionaler Situation türmen sich dadurch auf dem Festland Gebirge wie der Himalaya auf, bilden sich Tiefseegesenke vor Gebirgen wie den Anden oder Tiefseegesenke mit Inselketten wie um Japan. Das Wesentliche: Die Lithosphäre wird als Teppich gezogen und trägt dabei ozeanische wie kontinentale Kruste. Die Kontinente sind also im Gegensatz zur Annahme Wegeners passiv. An den Plattenrändern häufen sich dagegen die Zeichen für eine immer noch sehr dynamische Erde – Erdbeben und Vulkanismus. Das soll aber nicht heißen, daß die Regionen innerhalb der Platten, die Intraplattengebiete uninteressant geworden wären. Im Gegenteil, wie noch gezeigt werden soll.

Nebenbei: Da sich die starren Platten auf Kugelflächen bewegen, treten auch Scherungszonen und Platten mit Scherungsrändern auf. Sie sollen hier aber nicht näher behandelt werden. Die »San Andreas Fault« in Kalifornien oder die vielen äquatornahen und -parallelen Bruchzonen im Atlantik (Abb. 2, Transformstörungen der Abb. 1) sind dafür Beispiele.

Und zur nochmaligen Betonung: Es gibt Kontinentalränder, die mit Plattenrändern zusammenfallen, die sogenannten aktiven (Abb. 2 und 3). Es gibt aber auch Kontinentalränder innerhalb der heutigen Platten. Sie sind hinsichtlich der Erdbeben oder des Vulkanismus weitgehend passiv geworden (Abb. 2 und 4).

## Beweise

Soweit das Gerüst der neuen Hypothesen. Wie aber konnten sie in ihren wesentlichen Zügen bewiesen werden? Ein erster Anstoß kam vom Paläomagnetismus: Verschiedene Mineralpartikel werden vom jeweiligen erdmagnetischen Feld beeinflußt. In der Erdgeschichte hat dieses sich teilweise – übrigens aus noch unbekannten Ursachen – dramatisch verändert. Der magnetische Nordpol konnte – und dies relativ rasch – zum Südpol werden, und umgekehrt. Die Dauer der Perioden des heutigen, d. h. »normalen« Feldes wie auch des inversen, d. h. umgekehrten, liegen zwischen rund 700 000 und 2 Millionen Jahren. Dies alles und das absolute Alter dieser Umkehrungen hat man im wesentlichen aus datierbaren Lavaströmen auf dem Festland erarbeitet.

Ist diese wiederholte *Feldumkehr* auch an Tiefseebasalten festzustellen? Sie dringen unter den mittelozeanischen Rücken auf und werden – bleibend – in Richtung des jeweiligen Erdfeldes magnetisiert, wenn sie unter den sogenannten Curie-Punkt, d. h. rund 525 °C abkühlen. Der von den Rücken weggezogene Lithosphären-Teppich müßte daher Zonen dieser verschiedenen Polarität und diese einigermaßen parallel und symmetrisch zur Rückenachse aufweisen (Abb. 1).

In der Tat haben das kontinuierliche magnetische Messungen gezeigt. Zu den Pionieren gehören Vine und Matthews (1963, Nature). Das absolute Alter dieser magnetisierten Gesteinsstreifen konnte dann mit dem erwähnten Kalender vom Festland bestimmt werden, dadurch auch das jeweilige Alter des durch die Basalte gebildeten Meeresbodens – und damit die Geschwindigkeit des Auseinanderdriftens des Meeresbodens. In vielen, auch sehr komplizierten Fällen hat sich diese Methode bewährt, eines der erstaunlichen Beispiele, bei denen die Grundlagen kaum bekannt sind – weder der Mechanismus und die Ursache der Feldumkehr noch der Sitz der magnetischen Anomalien – und man trotzdem damit arbeiten kann.

In den drei genannten Zentren der marinen Geowissenschaften war man nach vielen, oft heftigen Diskussionen schließlich so weitgehend überzeugt, daß 1968 die wesentlichen

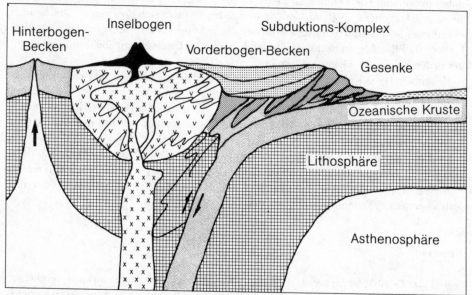

Abb. 3: Konvergenzrand des Marianentyps.
Über der Subduktionszone, in der hier ozeanische Kruste an ozeanische stößt, bauen sich vulkanische Inselbögen hoch. Landwärts (links) bilden sich Hinterbogenbecken, deren Entstehung noch unklar ist. Unter anderem wird dabei eine Situation wie im Schema der Abb. 5 d diskutiert.
(Nach Seibold und Berger, 1982, S. 43).

Arbeiten zur Plattentektonik erscheinen konnten – genau in dem Jahr, in dem das *Deep Sea Drilling Project* (DSDP) mit der »Glomar Challenger« begann. Die für das Projekt Verantwortlichen fanden daher eine ungemein erregende neue Vorstellung als Strategie für den Ansatz der Bohrungen vor und begannen die Kampagne mit den größten Hoffnungen. Sie wurden erfüllt. Die Vorstellungen wurden bestätigt.

Einen ersten Durchbruch brachte der Bohrabschnitt 3 (Dezember 1968–Februar 1969). Er plazierte Bohrungen auf beiden Seiten des mittelozeanischen Rückens im Südatlantik und zeigte, daß das paläomagnetisch bestimmte Alter der Basalte und das mikropaläontologische Alter der ersten marinen Sedimente darüber gut übereinstimmen. Zudem nahm das Alter der Basalte, also der neu gebildeten ozeanischen Kruste, zu den Kontinenten hin tatsächlich zu. Viele – auch ich – blieben zunächst skeptisch. War es Zufall? Wie sah es in größerer Kontinentnähe aus? Als ich – 1975 – selbst an Bord der »Glomar Challenger« ging, hatte ich eine soeben erstellte »Streifen«-Karte des Atlantischen Ozeans mit dem paläomagnetisch bestimmten Alter seiner Kruste unter den Sedimenten mitnehmen können. Der von uns vorgesehene Bohrpunkt 367 im Senegal-Becken lag auf der Karte im Bereich jurassischen Alters. Die Bohrung brachte aus einer Wassertiefe von 4748 m und nach Durchteufen von 1146 m Sedimenten tatsächlich Schichten mit jurassischen Mikrofossilien und darunter basaltische Kruste an Bord. Wenn also mehrfach – und im

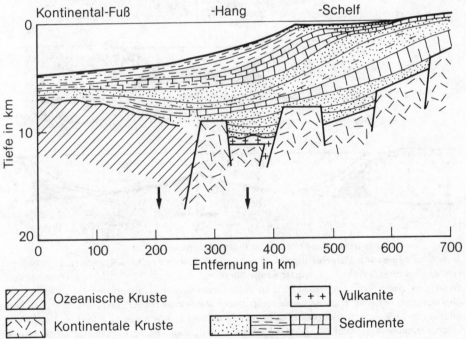

Abb. 4: Schema eines passiven (Intraplatten-) Kontinentalrands.
Unter der jüngeren Sedimentdecke verbirgt sich hier das Anfangsstadium, das Auseinanderdriften zweier Kontinente nach der Vorstellung der Abb. 5.
(Nach Seibold und Berger, 1982, S. 42).

folgenden fast an allen Bohrpunkten, die den Basalt erreichten – so völlig unterschiedliche und voneinander unabhängige Verfahren der Altersbestimmung zum gleichen Ergebnis führten, so ist dies ein wohl schlüssiger Beweis für die unterlegten Vorstellungen. Bisher sind dabei keine vorjurassischen Schichten erbohrt worden.

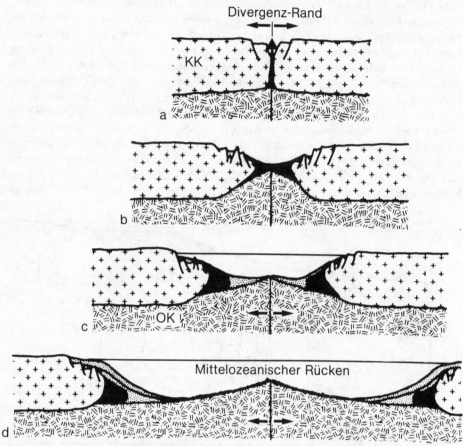

Abb. 5: Auseinanderdriften der Ozeanböden (Sea floor spreading).
Durch Aufsteigen von Mantelmaterial wird (a) die kontinentale Kruste (KK) gezerrt. Es entstehen Grabenstrukturen. (b) Die kontinentale Kruste dünnt aus, sinkt ab und reißt schließlich auseinander. Es werden grobe terrigene Sedimente und vulkanisches Material, in manchen Fällen auch Salze abgelagert. (c) Bei weiterem Auseinanderdriften steigt Mantelmaterial bis zum Meeresboden auf und bildet neue ozeanische Kruste (OK). Das heutige Rote Meer gleicht dieser Situation, im Nordteil ist erst das Stadium (b) erreicht. (d) Hält das Auseinanderdriften an, erweitert sich das Gebiet der an den mittelozeanischen Rücken neu gebildeten ozeanischen Kruste. Sedimente lagern sich darauf ab, vor allem an den beiden Kontinentalrändern. Dies sind – nicht maßstabgerecht – die Verhältnisse im heutigen Atlantik.
(Nach Seibold und Berger, 1982, S. 38).

## Konsequenzen

Die Ermittlung des Alters der Kruste unter den Ozeanen läßt auch die Rekonstruktion ihrer *Grundrisse* in der Erdgeschichte zurückverfolgen, damit auch die Lage der Kontinente. Abb. 6 zeigt das für den Atlantik. Dies führt zu der Vorstellung, daß die Kontinente in der Permzeit, d. h. vor rund 250 Millionen Jahren, einen einheitlichen Urkontinent

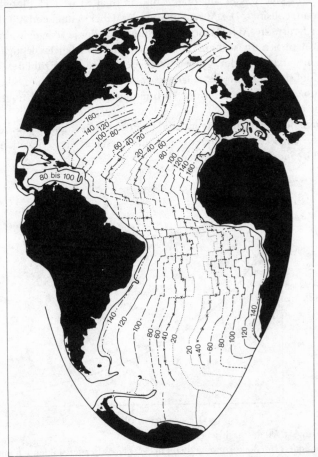

Abb. 6: Geologisches Alter der ozeanischen Kruste im Süd- und Zentral-Atlantik (in Millionen Jahren). Dieses Alter wurde durch paläomagnetische Methoden (periodische Umkehr des Erdfeldes) und wenige absolute Altersdatierungen der Basalte und Extrapolationen bestimmt. Es wurde danach in Bohrkernen mit den ältesten auf der Kruste abgelagerten Sedimenten mit paläontologischen Methoden vielfach bestätigt. Die Karte zeigt das allmähliche seitliche Wachstum des Atlantiks, läßt aber auch, durch Zusammenrücken, dessen Rekonstruktion für die Erdgeschichte der letzten rund 160 Millionen Jahre zu.
(Nach Seibold und Berger, 1982, S. 31).

gebildet haben mußten. In dieser Hinsicht hat also Wegener recht behalten. Seine »Pangaea« gab es wirklich (Abb. 8). Sie begann dann in der Triaszeit zu zerbrechen, an Divergenzrändern, wie in Abb. 5 dargestellt. Es geht aus ihr auch die schematische Entwicklung des atlantischen Untergrunds vor Nordwest-Afrika seit der Jurazeit hervor.

Doch nicht nur die Grundrisse der Ozeane lassen sich jetzt rekonstruieren, sondern auch die Tiefenverhältnisse, die *Aufrisse* in den entsprechenden Erdperioden. Dies geht darauf zurück, daß sich die ozeanische Kruste beim Auseinanderdriften durch engen Kontakt mit dem Meerwasser am Boden und in Spalten und Höhlungen des Basalts abkühlt und damit absinkt. Die Absenkung nimmt dabei weitgehend mit der Wurzel aus dem Alter der Kruste zu (Abb. 7). Bei der Bestimmung der jeweiligen wahren Meerestiefen muß man natürlich die sich ansammelnden Sedimente berücksichtigen.

Diese Rekonstruktionen der groben Züge des jeweiligen Erdbildes eröffnen jetzt ungeahnte Möglichkeiten für die Paläogeographie, -ozeanographie, -klimatologie und damit für ein besseres Verständnis der Verbreitung und der Wanderungen von Floren- und Faunenelementen.

Einige wenige Beispiele: Im Vordergrund möge die *Paläoozeanographie* stehen. Sie ist im modernen Sinn noch keine 2 Jahrzehnte alt und versucht, die Zirkulation, Chemie und Biologie der Ozeane zu rekonstruieren.

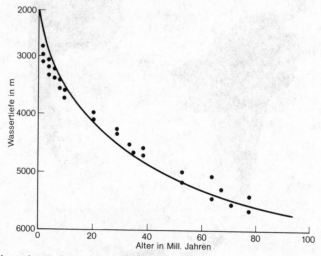

Abb. 7: Absenkungskurve des pazifischen Ozeanbodens.
Wenn der Ozeanboden von den sich weitgehend in 2–3 km Wassertiefe bildenden mittelozeanischen Rücken seitlich wegdriftet, kühlt er sich ab und senkt sich – um 1 000 m in den ersten 10 Millionen Jahren, um weitere in den nächsten rund 26 Millionen Jahren usw.
Die tatsächlichen Messungen (Punkte) stimmen gut mit der (von Sclater et al., 1971) hypothetisch berechneten Kurve für eine 100 km mächtige Lithosphäre überein. Ähnliche Kurven gibt es für den Atlantik und Indik. Man kann daher durch die Kombination von Grundrissen wie in Abb. 6 und Kurven wie in dieser Abb. 7 den jeweiligen früheren Grund- und Aufriß der Ozeanbecken rekonstruieren.
(Vereinfacht nach Seibold und Berger, 1982, S. 19).

Abb. 8 zeigt eine Rekonstruktion des zusammenhängenden Großkontinents, der Pangaea, zu Beginn der Jurazeit, vor rund 200 Millionen Jahren (Tabelle 1). Von dem Panthalassa-Ozean stößt die Tethys, der Vorläufer des Mittelmeeres, keilförmig in die Landmassen von Laurasia im Norden und Gondwana im Süden hinein. Altbekannte Klimaanzeiger, die vor allem von den geographischen Breiten abhängen, passen gut in dieses Bild: der Tropengürtel mit seinen Riffkorallen und seiner Lateritverwitterung, die beiden polwärts anschließenden ariden Gürtel mit Steinsalz, Gips, Rotschichten um den eingezeichneten – damaligen – 30. Breitengrad. Auch die paläomagnetischen Bestimmungen der Pollagen passen dazu.

Wie leicht im Vergleich zum heutigen Bild zu sehen ist, wanderten die Kontinente seitdem in bezug auf die Pole, weshalb sich auch die latitudinalen Klimagürtel verschoben. Die Ausdehnung dieser Gürtel und die Schärfe ihrer Grenzen sind von der durchschnittlichen globalen Temperatur, vom Temperaturgefälle zwischen Äquator und Polen, vom Relief der Kontinente und anderen geologisch schwer zu fassenden Faktoren abhängig.

Mit der *Jurazeit* (vor rund 200 Millionen Jahren) beginnt ausgeprägt der Zerfall der Pangaea. Der zentrale Atlantik öffnet sich, wie auch (vor rund 140 Millionen Jahren, Abb. 9) die Panama-Region. Dadurch wird ein weltumspannender Äquatorialstrom möglich. Mit der Vergrößerung der Meeresflächen innerhalb der Pangaea nimmt aber die Kontinentalität des Klimas ab. Es wird ausgeglichener. Mit dem Zerbrechen der Kontinente und der Bildung neuer Ozeane (nach Art der Abb. 5) sind Hebungen und Senkungen verbunden, verändern sich die Abflußverhältnisse, ergeben sich ökologische Nischen, die zur Neubildung von Arten anregen. Viele der alten waren ja in der Permzeit ausgestorben.

Zerrissen werden dabei auch *Sedimentbecken* und deren Liefergebiete. Deren Zusammenhänge können vom Material oder von der Schüttungsrichtung von Flußsedimenten her rekonstruiert werden. Es gab auch früher einheitliche Gebiete mit Eisbedeckung und deren Spuren, etwa den Tilliten, d. h. Moränenablagerungen. Dazu treten ursprünglich durchgängige Strukturen des Grundgebirges oder Erzprovinzen. Fügt man die Bruchstücke wieder zusammen, so ergibt manches einen neuen Sinn und regt gar zur Prospektion auf Lagerstätten in anderen, heute weit entfernten Kontinenten an, etwa in der Antarktis.

Neue Ozeanböden werden gebildet, weswegen an den Rändern der Panthalassa auch alte subduziert, im Untergrund verschluckt, werden. Vorjurassische ozeanische Sedimente, die man noch nicht im Tiefsee-Bohrprogramm erbohren konnte, sind dabei vielleicht alle unter Gebirgszügen versunken. Hier und da können sie dort, zusammen mit Spänen der ozeanischen Kruste, den sogenannten Ophioliten studiert werden, wenn sie später hochgehoben worden sind.

Das insgesamt ausgeglichene Klima setzt sich in die *Kreidezeit* fort. Es gab damals Korallenriffe und manche Landpflanzen, die bis 1500 km näher an den Polen lagen als heute. Es war nicht nur generell wärmer als heute (um 6 °C, oder gar 14 °C), sondern auch speziell in Polargebieten, die kein Dauereis hatten. Die verschiedenen bisher vorliegenden globalen Klimamodelle für die Kreidezeit können all dies noch nicht erklären.

Teilweise mögen das ausgeglichene Klima und die erhöhten Temperaturen dadurch erklärt werden können, daß das Meer weite Teile der Kontinente überflutet hatte (etwa die sogenannte Cenoman-*Transgression* vor rund 93 Millionen Jahren). Der Meeresspiegel soll

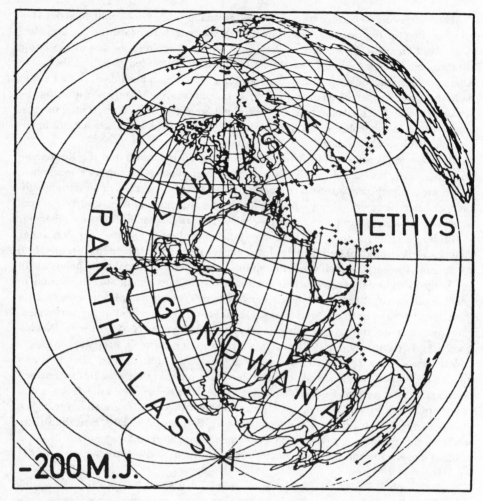

Abb. 8: Verteilung der Ozeane und Kontinente vor 200 Millionen Jahren, zu Beginn der Jurazeit. (Flächentreue Lambert-Projektion nach Smith & Briden, 1977).

damals um über 200 m höher gelegen haben. Heute würde ein derartiger Anstieg 37 Mio. km² Land, d. h. ein Viertel des Festlandes, bedecken! Nun reflektiert die Meeresoberfläche 4–10 Prozent des auf sie einfallenden Lichts, dunkle Wälder um 10 Prozent, Wüsten um 30 Prozent, Eis und Schnee gar 80 Prozent. Transgressionen machen also die Erdoberfläche »dunkler«, erwärmen sie. Es ist möglich, daß dieser ungewöhnlich starke Anstieg des Meeresspiegels mit einer Periode schnelleren Auseinanderdriftens der Meeresböden zusammenfällt. Dadurch hätte sich das Volumen der mittelozeanischen Rücken vergrößert, das Ozeanvolumen also verkleinert.

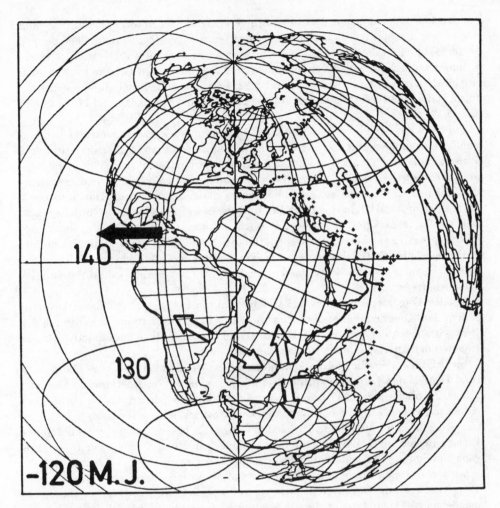

Abb. 9: Verbreitung der Ozeane und Kontinente vor 120 Millionen Jahren, in der Unterkreide-Zeit. Kurz danach öffnete sich der Südatlantik und trennte sich Südafrika von der Antarktis, die noch mit Indien zusammenhängt.
(Abb. 7 und 8 aus Mskr. Seibold, »Die Ozeane im zeitlichen Wandel«, Halle, Leopoldina 1980).

Ausgeglichenes Klima aber begünstigt in den Ozeanen Beruhigung des Austauschs von Wassermassen, begünstigt Stagnation, und damit die Abnahme des Sauerstoffmangels im Meerwasser. In den kreidezeitlichen Atlantik, Indik, zum Teil auch Pazifik und in die Tethys schoben sich zudem aus flachen Nebenmeeren schwerere, salzreiche Wassermassen ein, die dort durch Verdunstung gebildet wurden. Sie förderten durch ausgeprägte Sperrschichtung in offenen Ozeanen, aber auch in den zahlreichen Becken der sich bildenden passiven Kontinentalränder die Sauerstoffverarmung, führten zu sogenannten

»anoxischen« Bedingungen. Der organisch gebundene Kohlenstoff von Pflanzen- und Tierresten, die vom Land oder aus dem Meer selbst angeliefert wurden, blieb deshalb besser erhalten. In verschiedenen Regionen mag auch eine erhöhte Produktivität dazugekommen sein. Die sich dadurch bildenden *Schwarzschiefer* haben Gehalte bis 3 Prozent organisch gebundenen Kohlenstoff, sind daher hervorragende Erdölmuttergesteine. Sie fallen in der Unterkreide besonders auf, mit Häufungen vor rund 120 und 110 Millionen Jahren.

Ein bis in die Gegenwart entscheidender Umschwung des gesamten ozeanischen und damit klimatologischen Geschehens bahnt sich im *Alttertiär* an. Statt einer schwachen Wasserzirkulation, allenfalls gefördert durch den zirkumäquatorialen Strom und die erwähnten Salzwasserschübe, kommt es jetzt zu einer im wesentlichen thermal angetriebenen Zirkulation. Schon in der Oberkreide hatte sich der Zentralatlantik zum Südatlantik und damit zur Antarktis hin geöffnet. Der Indische Block war weiter nach Norden gerückt und kollidierte im Alttertiär mit der Eurasischen Platte. Dadurch wurde der äquatoriale Tethyswasserweg versperrt. Gleichzeitig öffnete sich beidseitig Grönland die Verbindung Arktis-Nordatlantik. Damit setzte eine von den Polen ausgehende, longitudinale, ozeanische Zirkulation bis zum Tiefseeboden hinab ein, wo sich seither kaltes Tiefenwasser äquatorwärts bewegt.

Seit dem Oligozän, d. h. vor etwa 25 Millionen Jahren, isoliert ein Zirkumantarktisstrom zudem den Kontinent am Südpol klimatisch. Der Ring wurde durch die Öffnung der Drake-Straße vor der Südspitze Südamerikas und des sich laufend ausweitenden Ozeans zwischen der Antarktis und Australien durchgängig.

Im *Jungtertiär* geht die globale Abkühlung weiter. Die Isolation führt (im Miozän, vor rund 14 Millionen Jahren) erstmalig zu einem permanenten ost-antarktischen Eisschild. Schließlich breitet sich im Pliozän (vor rund 2,4 Millionen Jahren) das Eis auch in der Arktis aus, vielleicht wurde das durch den Golfstrom mit seinem verstärkten Transport von Feuchtigkeit in diese hohen Breiten gefördert. Er bekam durch das Schließen der Panama-Region vor 3–4 Millionen Jahren erhöhte Bedeutung. Damit beginnt der Übergang zum jüngsten Eiszeitalter der Erde, dem Pleistozän.

Vorher aber eine Episode, die illustriert, daß die Erdgeschichte zwar immer wieder Trends aufweist, die lange durchhalten, aber oft unerwartet gestört werden. Die zunehmende globale Abkühlung im Tertiär ist unser Beispiel. (Zwischengeschaltete gegenläufige Phasen wurden hier ausgeklammert.) Durch oft nur lokale Ereignisse aber kann es zusätzlich zu regionalen oder gar globalen Auswirkungen in den Meeren kommen, die ja alle zusammenhängen. Wird dieser Zusammenhang gestört, so führt das zu Katastrophen wie am Ende des Miozäns, d. h. vor rund 5,5 Millionen Jahren im *Mittelmeer*. Dieses »Messinian Event« dauerte »nur« eine halbe Million Jahre. Durch tektonische Bewegungen hatte sich die Straße von Gibraltar geschlossen. Durch die auch schon damals hohen Verdunstungsraten sank der Meeresspiegel des Mittelmeeres ab. Dadurch wurden seine Ränder trockengelegt und subaerisch erodiert. Schließlich trocknete es praktisch ganz aus. Die Zuflüsse schnitten auf das schon damals mehr als 1 km tiefere Niveau steile Canyons ein, die eventuell sogar bis in die so tiefen oberitalienischen Seen zurückgriffen. Salz und Gipsschichten lagerten sich am Boden ab. Die Absenkung entzog dem Weltmeer über 1 Mio. $km^3$ Salze, weshalb global der Salzgehalt des Meeres um rund 2 ‰ abnahm. Das dramatische Geschehen im Mittelmeer konnte unter anderem durch Bohrungen der »Glomar Challenger« aufgeklärt werden, die globalen Auswirkungen werden noch untersucht (vgl. CITA, in Seibold & Meulenkamp, 1984).

## Das Eiszeitalter

Mit Beginn des Pleistozäns, also für die letzten rund 2–3 Millionen Jahre, nimmt die Aussagekraft der ozeanischen Sedimente ganz erheblich zu. Die Groß-Konfiguration von Kontinenten und Ozeanen, das Relief, die Meeresverbindungen sind jetzt bekannt, wenn auch periodische Meeresspiegelschwankungen von über 100 m solche Wasserstraßen stark beeinflussen und weite Schelfgebiete freilegen und wieder bedecken konnten. Diese Schwankungen gehen auf den Wechsel von Glazial- und Interglazialzeiten zurück, in denen jeweils dem Meer Wasser in den festländischen Eisdecken entzogen oder bei deren Abschmelzen wieder zugeführt wird.

Solche Wechsel verändern auch die *Isotopenverhältnisse* von $^{16}O/^{18}O$ im Meer und in den Schalen der darin lebenden Organismen. Verdunstung nimmt dem Meer vor allem »leichteres« Wasser weg, das sich im Eis speichert. Das Meerwasser wird also in Glazialzeiten »schwerer«. Außerdem reichert sich in den Karbonaten $^{18}O$ mit sinkender Temperatur bei der Schalenbildung an, was also in die gleiche Richtung geht. Da sich die entscheidenden Änderungen der Vereisungen in einigen Jahrtausenden abspielen und die Durchmischung der Ozeane nur etwa ein Jahrtausend dauert, geben die Isotopenverhältnisse in den marinen Schalen sehr genaue Hinweise auf das Wachsen und Schwinden des Festlandeises, und dies zudem weltweit synchron. Mit der Isotopenuntersuchung tritt zu den sonstigen stratigraphischen Methoden eine ungemein exakte neue hinzu. Das $^{16}O/^{18}O$-Verhältnis ist aber außerdem von der Temperatur abhängig. Deshalb werden die vom Eis ausgehenden Signale am genauesten von bodenlebenden Tieren (hier benthische Foraminiferen) wiedergegeben, da die Tiefenwässer im wesentlichen nur zwischen +2 und −2 °C schwanken. Bei den planktonischen Organismenschalen (hier Foraminiferen und pflanzliche Coccolithen) gehen auch die Temperaturschwankungen des Oberflächenwassers mit in das Isotopenverhältnis ein. Umgekehrt: Dieses Verhältnis kann direkt Rückschlüsse auf Wassertemperaturen für die Abschnitte des Tertiärs geben, in denen es noch keine Festlandsvereisung gab. Eine ganze Reihe der vorstehend behandelten Verhältnisse (S. 396) ist mit derartigen Methoden aufgeklärt worden.

Die Rekonstruktion der Umwelt des Eiszeitalters hat zudem entscheidende Impulse durch die Verwendung quantitativer Techniken der mathematischen *Statistik* in der Mikropaläontologie erfahren, wonach beispielsweise die Oberflächenwassertemperaturen vor 18 000 Jahren zum Höhepunkt der – vorerst – letzten Glazialzeit für das ganze Weltmeer rekonstruiert werden konnten. Der Golfstrom floß damals von Florida direkt nach Spanien und erwärmte die Küsten Europas nördlich davon nicht.

1955 schon hatte Emiliani auf 17 »Isotopenstadien« (Zeitabschnitte, die durch unterschiedliche $^{16}O/^{18}O$-Isotopenwerte der Foraminiferenschalen gekennzeichnet sind) für die letzten 425 000 Jahre in Sedimentkernen aus der Karibik und dem Nordatlantik hingewiesen. 1976 wurden solche Stadien bis 1,8 Millionen Jahre zurückverfolgt, vor allem durch Shackleton. Dabei hat sich auch gezeigt, daß normalerweise das Isotopenverhältnis auf Kaltzeiten hin langsam zunimmt, auf Warmzeiten hin aber in wenigen 1000 Jahren brutal abfällt.

Mit Einführung des Hydropistoncorers auf der »Glomar Challenger« gelang die Bergung ungestörter Kerne jungen Materials mit zum Teil mehreren 100 m Kernlänge. Sie werden laufend ausgewertet und versprechen noch viele Überraschungen, vor allem für das Tertiär. Immer mehr setzt sich zum Beispiel die Ansicht durch, daß sich in diesen Sedimenten unter Verwendung der Sauerstoff-Isotopen-Daten die sogenannten *Milanko-vitch-Zyklen* abbilden. Seit 1920 hatte dieser in seiner Strahlungskurve auf zyklische Änderungen der Erdbahn und -achse mit Perioden von 21 000 Jahren (= Präzession der Tag- und Nachtgleiche, Umlauf des Perihels), 40 000 Jahren (Neigung der Erdachse, Schiefe der Ekliptik) und 95 000 Jahren (Exzentrizität) für die letzten 600 000 Jahre (1938) hingewiesen. Diese Regelmäßigkeiten werden jetzt benutzt, die Lücken in der absoluten Datierung zwischen den $^{14}$C-Daten, die nur einige wenige 10 000 Jahre zurückreichen, und dem ersten paläomagnetischen Umschlag (Brunhes-/Matuyama-Epoche) vor 730 000 Jahren zu schließen. Die Schwankungen der Exzentrizität bewirken freilich nur eine Änderung der Sonneneinstrahlung um weniger als 0,1 Prozent, und es ist derzeit trotz verschiedenster Modellrechnungen noch nicht klar, welche Verstärkereffekte trotzdem zu Glazialzeiten führen mögen. 21 000-Jahreszyklen werden übrigens auch in älteren Sedimenten mit wahrscheinlichen Jahreslagen vermutet, so in den Greenriver Ölschiefern im Eozän Nordamerikas und in verschiedenen kreidezeitlichen Tiefwasserkalken.

Die zeitliche Auflösung geht in den jüngeren Tiefseesedimenten – bei hohen Sedimentationsraten und geringer Bioturbation, d. h. Durchwühlung der Schichten durch Bodenbewohner – teilweise in Genauigkeiten von weniger als einem Jahrtausend. Das liefert neue Möglichkeiten auch für Paläontologen, die die *Ausbreitung* und die *Evolution* von *Organismen* untersuchen. Die ozeanische Stratigraphie ist damit der »Landstratigraphie« in den jüngsten Abschnitten der Erdgeschichte methodisch und nach den Ergebnissen weit vorausgeeilt, und es gilt, in den nächsten Jahrzehnten viele Brücken zwischen beiden Bereichen zu schlagen (vgl. Seibold & Meulenkamp, 1984).

Der Höhepunkt der letzten Vereisung wurde vor 18 000 Jahren erreicht, doch verlief die Klimaverbesserung bis heute nicht gleichmäßig. Ein Optimum wurde vor rund 6000 Jahren (8000–4000 Jahre) erreicht, bei dem die globalen Durchschnittstemperaturen seit dem Eis-Höchststand um etwa 6 °C gestiegen sein sollen. Doch wieder sind solche globalen Zahlen wenig aussagekräftig: Im zentralen subtropischen Atlantik erwärmte sich das Wasser um weniger als 2 °C, im Nordatlantik um 10–15 °C. Derzeit laufen weltweit Untersuchungen, um in Zeitabschnitten von 3000 Jahren auch kontinentale Klimazeugen einzuarbeiten, d. h. vor allem Pollenspektren und, als Regenmesser, Wasserstände von Seen. Alle Ergebnisse werden mit Klimamodellen verglichen. Der Beginn der Holozäns, in dem wir leben, wurde auf 10 000 Jahre vor heute festgelegt.

## Ozeane und Kontinente: offene Fragen zur Plattentektonik

*Konvektionsströme im Mantel*

Man kann die Erde als Wärmemaschine ansehen, die durch radioaktiven Zerfall instabiler Isotope von innen erwärmt wird. Die Wärmeabgabe wird durch die erwähnten Konvektionsströme im Erdmantel erleichtert. Die Abkühlung von außen führt zu einer kälteren, daher schwereren und starren Außenhaut, der Lithosphäre, über einer wärmeren, leichteren, beweglicheren Unterlage, der Asthenosphäre. Die Grenze, im Durchschnitt 100 km tief, wird teilweise durch eine Lage mit reduzierter seismischer Wellengeschwindigkeit markiert. Unter Ozeanen werden vielfach – 45 km, unter Kontinenten – rund 150 km angegeben. Die Lithosphäre will absinken, weicht aber durch die Konvektionsströme seitlich aus, vielleicht auch nur durch das Gefälle von den mittelozeanischen Rücken zu den Subduktionszonen, in denen sie schließlich – offensichtlich sich dabei sehr langsam erwärmend – abtaucht. Im Mantel strömt danach abgetauchtes Material wieder, stark verändert, zu den Regionen zurück, wo sich Platten trennen, und steigt wieder auf. So weit, so gut, vor allem für den völlig spekulativen unteren Rückstrom.

Wie sind aber diese Vorstellungen zu beweisen? Bis vor wenigen Jahren wußte man vom *Erdmantel* recht wenig, obwohl er das Hauptreservoir für Stoff und Energie der Erde ist. Er macht 84 Prozent ihres Volumens und 68 Prozent ihrer Masse aus. Soeben werden aber erste Ergebnisse einer rechnergestützten Geo-Tomographie des Erdinnern bekannt (Anderson & Dziewonski, 1984, Scientific American), bei der seismische Wellen ausgenutzt werden, um Inhomogenitäten im Mantel zu orten. Der Vergleich mit der medizinischen Computertomographie liegt daher nahe. Das Wesentliche: Gesteine werden im elastischen Bereich verformt durch Kompression oder durch Scherung. Kaltes, daher rigideres Material widersetzt sich dem Scherstreß, aber auch der Kompression. Die Fortpflanzungsgeschwindigkeit beider seismischer Wellenarten nimmt darin daher zu, in wärmeren Bereichen also ab. Die Geschwindigkeiten hängen auch von der Orientierung der Minerale ab, die sich bei Fließbewegungen einregeln. Damit erschließt man sich die Richtung von Strömen im Mantel. Nach den ersten Karten des Mantels bis etwa 670 km hinab sieht es tatsächlich so aus, daß unter den mittelozeanischen Rücken wärmeres, unter den Tiefseegesenken kälteres Material liegt – ganz nach den Vorstellungen der Plattentektonik. Freilich ist das anscheinend nicht überall so. Außerdem wechseln die Bilder zum Beispiel in 100 – 250 – 350 km Tiefe, was als Hinweis auf laterale Material-Zufuhren aufgefaßt wird. Solche Strömungen scheinen aber nicht in einer – vertikalen – Ebene zu liegen, wie es unsere Schemata und Modellrechnungen bisher annehmen. Die Wurzeln der sogenannten Hot Spots, auf die noch eingegangen werden soll, scheinen dagegen tatsächlich bis in den Unteren Mantel hinunterzureichen, etwa unter Island oder Hawaii (Abb. 2). Unter den alten Kontinental-Schilden aber herrschen kältere Mantelbereiche vor. Manches spricht außerdem dafür, daß es nicht, wie gelegentlich angenommen, zwei Konvektionsstockwerke gibt. – Übrigens hat schon der Alpengeologe O. Ampferer (1906) als Gegner der damals vorherrschenden Schrumpfungstheorie der Erde an Unterströmungen gedacht!

Die Verfeinerung der Methoden, der geplante Einsatz geeigneter Geräte in einem weltweiten Netz, die Kombination mit anderen geophysikalischen Weltkarten, etwa der Schwereverteilung, wird eine Fülle neuer Erkenntnisse, auch für die Plattentektonik, bringen.

Die Auswertung der magnetischen Streifenmuster und der Erdbeben halfen, Angaben zur *Geschwindigkeit* und auch zur *Richtung* der *Plattenbewegungen* zu machen, wie sie in Abb. 2 eingetragen sind. Jetzt kommt die Möglichkeit in Sicht, beides mit dem SLR-System (Satellite Laser Ranging) direkt zu messen.

Es werden dabei Laserimpulse auf Reflektoren (auf Satelliten oder den Mond) geschickt, dort reflektiert und an Erdstationen empfangen. Aus den gemessenen Zeiten werden die Entfernungen bestimmt – mit Fehlern um 5 cm bei einer Basislinie von rund 4000 km. Man kann auch Laserstrahlen von Satelliten auf Reflektoren auf der Erde schicken. Derzeit gibt es 17 feste Laserstationen auf den wichtigsten Platten und einige zusätzliche bewegliche. Bei dieser VLBI (Very Long Baseline Interferometry) ist die Genauigkeit derzeit etwa doppelt so gut wie bei SLR. Nach den bisherigen – nur dreijährigen – Auswertungen entfernt sich Nordamerika von Europa derzeit um 1,3 cm/Jahr. Im Pazifik wurden Geschwindigkeiten um 4–6 cm/Jahr gemessen, freilich bei jeweiligen Fehlermöglichkeiten von 1–4 cm. Im ganzen aber entspricht dies bisher den Vorstellungen der Abb. 2. Umgekehrt weist alles nach fast zehnjährigen Messungen über die USA hinweg, von Westford in Massachusetts nach Owens Valley in Kalifornien, auf Entfernungskonstanz, also auf eine völlig rigide Platte hin.

Vor 30 Jahren bestimmten Geodäten interkontinentale Distanzen mit astronomischen Methoden auf einige 100 m genau. Heute sind es mit den neuen Methoden einige cm. Es lohnt sich daher in doppelter Hinsicht, weitere 30 Jahre zu warten.

Freilich bleibt auch damit eine ganz wichtige Frage ungelöst: Erfolgte das Auseinanderdriften der Platten in der Erdgeschichte kontinuierlich oder nicht? Und war die Beschleunigung bzw. Verlangsamung eventuell sogar an allen Divergenzrändern sychron? Es wurde schon gezeigt, daß Beschleunigung zu einem Meeresspiegelanstieg führen mußte und umgekehrt. Würden dadurch auch tektonische Vorgänge, etwa gebirgsbildende, sog. orogene Phasen beeinflußt? Stimmt es, daß bei Platten mit langen Subduktionsrändern, etwa der pazifischen oder indischen, Geschwindigkeiten um 8 cm/Jahr erreicht werden, bei den anderen, mit den großen kontinentalen Anteilen, also Nord- und Südamerika, Eurasien, Afrika, Antarktika, nur um 2 cm/Jahr? Wie, wann und warum hat sich vielfach die Driftrichtung geändert, wie sie am »Ellbogen« (S. 404) in der Tiefseeberge-Kette westlich Hawaii abzulesen ist? Viel genauer können natürlich Vertikalbewegungen gemessen werden. Glazial-isostatische Hebung nach Abschmelzen der kontinentalen Eisschilde kann weithin einige cm/Jahr betragen. In den heute aktiven Gebirgsgürteln können gleichfalls vertikale – aber auch horizontale – Beträge von einigen cm/Jahr erreicht werden. Plattformen der Kontinente, wie weite Teile Rußlands, heben und senken sich dagegen derzeit im allgemeinen nur um Bruchteile von mm/Jahr. In der Westeifel wird freilich gegenwärtig 1 mm/Jahr Heraushebung erreicht.

## Plattengrenzen

Zu den ursprünglich angenommenen sechs großen Lithosphärenplatten (Abb. 2) sind inzwischen zahlreiche kleinere gekommen, etwa im griechisch-türkischen Bereich. Im einzelnen ist dabei sicher manches diskutabel und auch völlig offen. Es überrascht aber, daß die Grenze zwischen der Eurasien- und der Nordamerika-Platte noch immer nicht gefunden wurde. Der mittelatlantische Rücken zieht als divergierender Plattenrand zwischen Grönland und Spitzbergen in den Arktischen Ozean hinein fort (Abb. 2). Wo aber verläuft er in Sibirien, Alaska oder Kanada weiter? Zwischen Japan, Sachalin und dem Festland? Durch Nordost-Sibirien? Er müßte seit dem Jura, zumindest aber seit dem Alttertiär aktiv gewesen sein.

Im relativ wenig befahrenen Südozean vor allem hilft eine überraschende neue Methode bei der Bestimmung von Rücken oder Scherbrüchen. Von Satelliten aus kann neuerdings mit Radarmessungen die Höhe des Meeresspiegels bis auf 5–10 cm Genauigkeit bestimmt werden (Sea-sat 1978). Korrigiert man ihn durch Eliminierung von Niveauunterschieden durch Gezeiten, Meeresströmungen, Windstau, so bleibt der Einfluß der Schwerkraft übrig, wodurch sich im korrigierten Meeresspiegel das submarine Relief mit Rücken, Tiefseegesenken, Seebergen etc. genau widerspiegelt (Geotectonic Imagery; Haxby, Lamont-Doherty Geol. Lab.). Diese Meeresoberfläche liegt beispielsweise über Tiefseegesenken einige Meter tiefer.

*Konvergente Plattenränder* mit ihrer Subduktion bieten wohl noch die meisten offenen Fragen. 300 km³ Lithosphärenmaterial sollen dort jährlich in den Erdmantel aufgenommen werden. Welche Rolle spielt dabei das mitgeführte Wasser? Werden durch dieses beim Kontakt mit der Asthenosphäre die Schmelzpunkte so weit herabgesetzt, daß ein überaus bewegliches Magma entsteht, als Quelle des Vulkanismus? Wächst dort der Kontinent durch Angliederung vorwiegend ozeanischer Gesteine, oder wird er im Gegenteil »tektonisch erodiert«, d. h. zerbricht dort kontinentale Kruste mit einem Abtauchen der Bruchstücke? Gibt es Unterschiede an den Rändern junger bzw. alter Platten, wie es im »chilenischen Typ« unter anderem mit flach einfallender Subduktionszone, porphyrischen Kupfererzlagerstätten und starken Erdbeben bzw. im »Marianentyp« mit stark einfallender Subduktionszone und dem Vorkommen massiver Sulfide zum Ausdruck kommt (Uyeda 1983)? 90 Prozent der großen Erdbeben sind an diesen beiden Rändertypen konzentriert.

Welche Rolle spielen die sogenannten »*Terranes*« [sprich te'reins] beim Wachsen der Kontinente in diesen Zonen (Ben-Avraham et al, 1981, Science)? Sie werden bei der Subduktion als Schollen mit Dimensionen bis einige 100 km Länge angegliedert und haben nach paläomagnetischen Messungen und Faunenhinweisen angeblich Reisen von bisweilen mehr als 2000 km hinter sich. Spezialisten zählen gegenwärtig über 300 solcher Terranes um den Pazifikrand herum. Woher kommen sie? 10 Prozent der heutigen Ozeanböden ragen einige 1000 m vom Tiefseeboden auf. Einige dieser Plateaus erreichen gar den Meeresspiegel. Sie haben sehr unterschiedlichen Bau – von Vulkanbauten bis zu Sockeln mit granitischen Gesteinen. Wenn diese Gebilde subduziert werden sollen, scheint dies nicht bei allen zu gelingen. Man wird sehen müssen, wie viele solcher exotischer Terranes auch wissenschaftlich überleben werden.

Ein letztes Problem bei diesen konvergenten Plattenrändern sind die sogenannten *Back-arc-basins*, die Meeresbecken hinter den Inselbögen (Abb. 3), wie das Ochotskische und Japanische Meer und die Becken hinter den Philippinen. Die weithin verbreitete Meinung ist, daß sich in ihnen ein divergierender Rücken entwickelt hat, der sich dann in der Art der Abb. 5 zu einem Mini-Ozean ausweitete.

An den Subduktionszonen setzt besonders heftig die vielfach geäußerte Kritik von Beloussov an, der die Plattentektonik insgesamt ablehnt. Er glaubt, daß diese Zonen auf Störflächen zurückgehen, die tief in den Mantel reichen, so daß an ihnen Gase, Lösungen und basische und ultrabasische Magmen aufsteigen können. Durch Druckentlastung sollen Teile davon flüssig werden, so daß Krustenblöcke darüber einsinken und schließlich eingeschmolzen werden. Diese Absenkung beeinflusse den Plattenrand, aber auch die Hinterbogen-Becken. Wesentliche Tiefseebereiche könnten danach durch »Ozeanisierung« von kontinentaler Kruste entstehen. Die genannten Becken machen immerhin 10 Prozent der ozeanischen Lithosphärenfläche aus.

Die Kenntnis der *Divergenzränder,* an denen neue ozeanische Kruste gebildet wird, hat in den letzten Jahren die größten Fortschritte gemacht. Die zentralen Riftzonen mit ihren Gräben sind morphologisch und petrologisch mit flächendeckenden Echographen wie Seabeam oder Side Scan, mit Unterwasserfotografien aus Schleppkörpern oder Tauchbooten, zum Beispiel der französischen »Cyana«, der amerikanischen »Alvin« und mit verschiedensten Probennehmern untersucht worden. Dazu kamen Bohrungen. Im Januar 1983 gelang es der »Glomar Challenger« auf der Flanke des Costa Rica-Rückens in 3460 m Wassertiefe und unter 274 m Sedimenten sogar 1075 m in die ozeanische Kruste einzudringen.

Die zentralen Rücken ragen in 95 Prozent ihrer Erstreckung von 60000 km bis in Wassertiefen von 2500–2900 m auf. Warum so einheitlich? Wahrscheinlich »kommuniziert« dabei eine »flüssige« Asthenosphäre. Ein tiefer, einige Kilometer breiter Graben bildet die Symmetrieachse auf langsam auseinanderdriftenden Rücken, etwa im Atlantik (Abb. 1). Er zeigt vulkanische Ergüsse, Spalten und Brüche und wird beidseitig durch stark zerhackte Streifen begleitet. Die Basalte erstarren bei der Abkühlung von 1200 °C auf 2 °C als Kissenlaven. Nach Bohrungen können diese einige 100 m mächtig werden. Sie sind in den obersten 100 m sehr porös. Darunter kommen Gangfüllungen, die zuletzt das ganze Gestein ausmachen. Ähnliche Abfolgen zeigen die erwähnten *Ophiolite,* wie sie auf Zypern, in Oman oder in der Ivrea-Zone der Südalpen zutage treten. Dort setzt sich die Folge nach unten durch Gabbros bis an den Erdmantel fort, der mit Periodotiten beginnt. Es kann hier, wie im gesamten Beitrag, nicht näher auf petrologische Einzelheiten, etwa die verschiedenen Basalttypen, eingegangen werden. Für die Masse der global neu gebildeten Ozeankruste gibt es verschiedene Abschätzungen, zwischen 2–3 und 10–20 km$^3$ Basalt pro Jahr. Nimmt man für das Gesamtvolumen die Ozeankruste $2$–$3 \times 10^9$ km$^3$ an, so würde im letzteren Fall diese gesamte ozeanische Kruste in 100–200 Millionen Jahren erneuert werden. Nicht schlecht für unsere globalen Hypothesen, aber doch noch alles so ungenau wie das mit 300 km$^3$, also einer Größenordnung höher geschätzte subduzierte Volumen (S. 401).

*Schnell* auseinanderdriftende Rücken, etwa der ostpazifische, haben keine zentralen Gräben, erbrachten dafür aber seit 1977 mit den heißen Quellen wahrhaft sensationelle geologische und biologische Entdeckungen. Auf dem Galapagos-Rücken (in Äquatornähe, s. Abb. 2, vgl. Corliss et al., Science 1979), aber auch auf dem Hauptrücken etwa auf 13 oder 21 °N stieß man auf Verfärbungen durch massive Fe-, Cu- und Zn-Sulfide. Man fand auch kaminartige Bildungen, denen »hydrothermale« Wässer mit solchen Sulfidflocken und Temperaturen bis über 350 °C entwichen – ein handfestes Modell für die Entstehung mancher Erzlagerstätten: Ozeanwasser dringt tief in die Spalten und Hohlräume der Basalte ein, wird in der Tiefe aufgeheizt und tritt wieder aus dem Meeresboden aus. Damit entnimmt es dem Meerwasser Na, Mg, $CO_2$, S und O. Umgekehrt führt es ihm nach Reaktionen mit der ozeanischen Kruste Si, Ca, Fe, Sr oder Mn zu. Jährlich sollen dabei $5 \times 10^7$ t Mg aus dem Meerwasser verbraucht und ihm über $30 \times 10^7$ t Si und Ca, über $10^7$ t Fe zugeführt werden (Wedepohl 1984). Damit wird bei manchen Elementen die jährliche Flußzufuhr ins Meer übertroffen. Schätzt man den Wasseraustausch selbst ab, so müßte jeder Wassertropfen der Ozeane in einigen Millionen Jahren diese Kruste passieren. Das Meerwasser wird dadurch also auch gepuffert.

So aufregend diese neuen Aspekte für den Geologen, ganz allgemein für Hydrothermal-Lagerstätten oder die Geochemie der Ozeane sind, so sehr verblassen sie gegen die Überraschungen für den Biologen. Um die Quellen in über 2000 m Meerestiefe herum wurden bisher unbekannte, meterlange Röhrenwürmer, dezimetergroße Muscheln und andere Tiere gefunden. Sie müssen in dieser lichtlosen Umgebung auf Bakterien als Nahrung angewiesen sein, die Chemosynthese, nicht Photosynthese betreiben.

## Kontinentalränder

Einige Probleme der konvergierenden Plattenränder sind schon behandelt worden. Ein Typ davon ist gleichzeitig ein – aktiver – Kontinentalrand, etwa die Westküste Südamerikas. Die passiven Kontinentalränder liegen dagegen innerhalb einer Platte, da das Auseinanderdriften des Ozeanbodens die kontinentale Kruste vom Plattenrand in der Art der Abb. 5 entfernt hat. Die hauptsächlichen ungelösten Probleme der passiven Kontinentalränder sind der Bau des tieferen Untergrunds, die Verhältnisse in der Grenzregion ozeanische/kontinentale Kruste (Abb. 4) und die Ursachen für ihr allmähliches Absinken um 12–15 km. Die derzeitigen seismischen Verfahren lösen die Details der Strukturen in solchen Gesteinstiefen noch nicht genügend auf. Eine Antwort auf diese Fragen wäre ungemein wichtig für die weitere Exploration auf Kohlenwasserstoffe, für die die passiven Kontinentalränder eine der wichtigsten Zukunftschancen bieten (S. 417).

Was bedeuten aber beide Typen von Kontinentalrändern für die Geologie der Kontinente selbst? Sie sind heutige Beispiele für eine der strukturellen Großformen der Geologie, der *Geosynklinalen*. Diese sind zum Teil über 1000 km lange und einige 100 km breite Gürtel, die langsam absinken und dabei bis über 10 km Sedimente aufnehmen können. Oft genug beginnt damit eine Periode maximaler Deformation, etwa der Faltung und schließlich der Orogenese, der »Gebirgsbildung« bis zur Heraushebung zu morphologischen Gebirgszügen. Man unterscheidet bei den typischen Geosynklinalen zwei freilich nicht scharf zu trennende Haupttypen, die sogenannten Eu- und die Mio-Geosynklinalen. Die Eu-Geosynklinalen haben anfänglich eine ausgesprochene Permeabilität für von unten eindringende basische und ultrabasische Magmen (»Initialer Magmatismus«). In der Folge dringen saure Granite u. ä. auf. Starke Gesteinsmetamorphose und Deckentektonik gehören zu diesem Typ. Es liegt daher nahe, die pazifischen Kontinentalränder als heute aktive Eu-Geosynklinalen anzusehen und durch Vergleich mit fossilen Fällen, etwa den ersten Stadien der Entwicklung der Westalpen, für beide Bereiche noch viel zu lernen.

Bei den Mio-Geosynklinalen tritt der Vulkanismus fast völlig zurück, und es kommt allenfalls zu mäßiger Gesteinsmetamorphose. Vielfach werden fast durchgehend Flachwassersedimente, etwa Kalke, abgelagert. Die Deformation ist geringer, kann aber trotzdem bis zur Deckenbildung führen. Der kalkreiche Nordrand der Alpen und die Ostalpen ganz allgemein (Helvet) haben solche Züge. Hier gibt es Ähnlichkeiten mit den passiven Kontinentalrändern, doch herrscht dort heute Zerrungstektonik vor. Wie und wann käme es eventuell auch an passiven Rändern zur Einengung, die Falten und Überschiebungen erzeugen kann?

## Intraplattenstrukturen

Zwar häufen sich tektonische und vulkanische Aktivitäten an den Rändern der Platten, doch ist auch deren Inneres nicht tot. Wie gezeigt, wird die ozeanische Kruste beim Altern kälter und sinkt dadurch nach einfachen Regeln ein. Mit ihr sinken die Vulkanbauten tiefer. Sie ragten in manchen Fällen ursprünglich als Inseln über den Meeresspiegel auf und wurden durch Wellenerosion zu Kegelstümpfen, den sogenannten Guyots gekappt. In deren Flachwasser konnten Korallenriffe aufwachsen. Findet man solche Guyots und Riffe in größerer Wassertiefe, so ist dies heute durch das »Sea floor spreading« leicht zu erklären. Vor drei Jahrzehnten war es ein Gegenstand vieler Spekulationen.

Trotzdem gibt es Vulkaninseln auch auf alter ozeanischer Kruste, etwa die Hawaii-Gruppe oder die Kap Verde Inseln. Man erklärt dies durch Aufquellungen aus dem Mantel (Hot Spots, Aufschmelzgebiete bis zu einigen 100 km Durchmesser). Sie sollen ortsfest bleiben, auch wenn die Lithosphärenplatten darüber wegwandern. Ein klassisches Beispiel ist die Inselkette von Hawaii nach Westnordwest und dann in einem »Ellbogen« die Reihe der Emperor-Tiefseeberge nach Nordnordwest. Während der Vulkanismus auf Hawaii noch heute aktiv ist, wird das Alter der vulkanischen Gesteine nach Nordwesten allmählich immer größer, zuletzt bis 60 Millionen Jahre, also in der Richtung, in der die Pazifische Platte gewandert ist und dabei die Vulkanbauten an der Oberfläche mittransportiert hat.

Es gibt solche Hot Spots auch auf kontinentaler Kruste, wobei das Yellowstone-Gebiet und die Eifel mit dem in beiden Fällen so jungen Vulkanismus diskutiert werden (Morgan seit 1968). Im Yellowstone-Gebiet ist ein junger Magmenkörper nach seismischen Hinweisen bis in 300 km Tiefe nachzuweisen. In der Eifel – wie im gesamten Rheinischen Massiv – geht die derzeitige Hebung auf Dichteänderungen zwischen Unterkruste und Asthenosphäre zurück. Dabei spielen Aufschmelzung und flüchtige Bestandteile des Magmas in der Eifel eine wichtige Rolle.

Sind diese Hot Spots nun zufällige Erscheinungen, oder gehören sie als fundamentale Komponenten der Wärmeabgabe zur Mantelkonvektion? Beginnen mit ihnen die Rifts? Sind sie mit Hochgebieten des Geoids in Verbindung zu bringen?

*Was geschah vor der Permzeit?*

Unser Ausgangspunkt war die Pangaea, der in der Permzeit noch intakte Großkontinent (Abb. 8). Er zerbrach in der Folgezeit. Einzelkontinente bildeten sich. Sie wurden mit verschiedenartigsten Rändern zu den neuen und alten Ozeanen hin ausgestattet. Was geschah vorher? Es wird natürlich derzeit viel darüber nachgedacht, und die Vorstellungen der Plattentektonik werden bis weit in das Präkambrium zurück angewandt. Zumeist ist man dabei noch auf indirekte Ableitungen angewiesen. Außerdem muß immer wieder angenommen werden, daß ein und dasselbe Gebiet auseinanderdriftete, einen – oft recht kleinen – Ozean bildete, danach wieder zusammengeschoben werden konnte, seine Kruste also verschluckt wurde, und der Ozean verschwand. Der Atlantik soll zum Beispiel schon einmal im Paläozoikum bestanden haben.

Zu den wenigen direkten Spuren einer früheren Kollision bzw. Subduktion zählen die erwähnten *Ophiolite*. Sie sind Reste ozeanischer Kruste, als tektonische Späne in den Gebirgsketten des Festlands bewahrt, freilich meist nur in ungemein gestörten, komplexen »Suturzonen« aufgeschlossen. Das Troodos-Massiv auf Zypern gehört beispielsweise dazu, mit seinen schon in der Antike bekannten Kupferminen. Und das wäre schon ein Beispiel für die Bildung von Erzlagerstätten nach dem Modell der submarinen heißen Quellen. Die Tethys soll sich im Alpenraum in der Trias von Osten her geöffnet, in der Kreide- und Tertiärzeit wieder teilweise geschlossen haben. Dabei fielen, in mehreren Suturen, solche ophiolitische Späne ab, »verlorene Ozeane in den Gebirgsketten« (Auboin).

Schließlich: Es ist eine alte Erkenntnis, in der tektonischen Geologie vor allem von Stille (1876–1967) vertreten, daß im Laufe der Erdgeschichte die Kontinente von den erwähnten alten Schilden aus lateral gewachsen sind. An ein Ureuropa, den Fenno-Sarmatischen Kern, legte sich ein mobiler Geosynklinalraum, der in der kaledonischen Orogenese (vor rund 520–400 Millionen Jahren) zu einem Paläo-Europa versteifte. Ein weiterer Anwachsstreifen wurde durch die variszische Orogenese (vor rund 350–200 Millionen Jahren) Meso-Europa, das von Spanien bis in den Ural nachzuweisen ist. In der Gegenwart sind wir Zeugen einer fortschreitenden Konsolidierung Neo-Europas (seit rund 180 Millionen Jahren), das die mediterranen Gebirgszüge zwischen Gibraltar und der Türkei einschließlich der Alpen und Karpaten/Balkan umfaßt. Da in den Geosynklinalen marine Schichten abgelagert worden sind, müßten wiederholt eine Fülle von Kontinentalrändern vorhanden gewesen sein, deren Spuren in den Resten der alten Geosynklinalen aufgespürt werden. Einige Kriterien für diese Suche wurden auf S. 404 gegeben.

Leider, da sehr komplizierend, muß davon ausgegangen werden, daß auch durch eine Orogenese starr gewordene Krustenstücke remobilisiert werden können. Das erschwert die Entzifferung dieser Spuren zusätzlich. Ähnlich schwierig dürfte der strikte Nachweis angenommener Periodizitäten der genannten Höhepunkte tektonischer Aktivität von rund 200 Millionen Jahren sein. (Ende variszisch vor 200 Millionen Jahren, kaledonisch vor 400, panafrikanisch vor 600, brasilianisch vor 1000 Millionen Jahren.) Und schließlich wissen wir noch nicht, warum die Revolution im Erdgeschehen im Perm angelegt wurde. Hat die einheitliche Pangaea mit ihrer dicken kontinentalen Kruste als Isolierschicht, als Stau für den Wärmestrom aus dem Mantel gewirkt, bis aufsteigende Konvektionsströme schließlich zur Riftbildung und damit zum Zerfall führten?

Noch viel offener sind die noch prinzipielleren Fragen nach dem ersten Entstehen einer kontinentalen Kruste überhaupt. Wie kam es darin zur relativen Anreicherung von O, Si, Al, Alkalien und Erdalkalien, wodurch sie leichter als die ozeanische Kruste wurde (d = 2,8 gegen d = 3,0)? War die kontinentale Kruste ursprünglich eine dünne, allumspannende Haut? Oder waren es primär mehrere Kontinente, oder nur einer? Blieb diese Masse des Kontinents oder der Kontinente in der Erdgeschichte einigermaßen konstant, trotz des Anwachsens der alten Schilde? Kontinente verloren durch Abtragung immer Material in die Ozeane. Wie kam es dann aber wieder zurück? Durch Eingliedern subduzierten Materials oder der Terranes?

Dies führt uns zu weiteren Problemen der kontinentalen Kruste.

## Kontinentale Kruste

Wir haben bisher vorwiegend vom Ozean auf die Kontinente geblickt, obwohl die marinen Geowissenschaften so jung sind. Noch immer dürfte allein unsere Kenntnis der detaillierten Morphologie der Ozeanböden so lückenhaft sein wie die Kenntnis des Innern der Kontinente vor zwei Jahrhunderten. In beiden Fällen war bzw. ist sie im wesentlichen auf Routen bzw. auf Profile von Schiffsexpeditionen beschränkt.

Ähnliches gilt für den flacheren Untergrund. Trotz mancher noch bestehender Lücken in der geologischen Kartierung der Kontinente sind doch weite Gebiete gut bekannt, und dies zum Teil seit einem Jahrhundert. Die ganze Sowjetunion ist beispielsweise jetzt im Maßstab 1:200000 geologisch kartiert. Das Königreich Sachsen war es, pionierhaft, im Maßstab 1:25000 schon im Jahre 1895. Die Aufnahmen gehen aber überall auch heute noch weiter. Teilweise, weil neue Methoden zur Verfügung stehen, um die Oberfläche, tektonische Störungen usw. in weiten und zum Teil schwer zugänglichen Regionen rasch zu erfassen, etwa vom Flugzeug oder von Satelliten aus. Dünne Deckschichten von Gletscher-, Wüsten-, Flußablagerungen u. ä. können jetzt oft mit elektrischen, gravimetrischen oder magnetischen Methoden von der Luft oder vom Boden aus durchdrungen werden. Flache Bohrungen ergänzen dann diese Flächenaufnahmen punktuell.

Ein weiterer Grund für *wiederholte Kartierungen* liegt darin, daß auf einer geologischen Karte zunächst Daten gesammelt werden. Sie müssen aber gedeutet werden, allein schon, um Lücken durch Extrapolation füllen zu können, mehr aber noch, damit zu den drei Raum-Dimensionen von Karte und Profilen die vierte hinzugebracht werden kann, die Zeit, d.h. der Ablauf der Erdgeschichte auf dem Kartenblatt. Und hier beginnt der wesentliche Unterschied zwischen Meeres- und Landgeologie.

Wie gezeigt, sind die Ozeanböden kaum 200 Millionen Jahre alt. Das älteste festländische Gestein wurde vor kurzem auf 3,8 Milliarden Jahre datiert! Schon deshalb muß die Geologie der Kontinente komplizierter sein. Viel länger und unter viel mannigfaltigeren Bedingungen wurden diese von oben abgetragen, von unten durch unterschiedlichste Magmen durchdrungen, durch Orogenesen tiefgreifend verformt, herausgehoben und abgesenkt.

Zu den verformten Geosynklinalen (S. 405) kommen als kontinentale Strukturelemente die *Plattformen,* zum Teil auch Kratone oder Blöcke genannt. In den alten Schilden

Skandinaviens, Nordamerikas, Afrikas, Australiens sehr weitflächig, in anderen Gebieten auch kleinflächig tritt der Kern der Sache, der Untergrund solcher Plattformen, zutage. Es handelt sich um Gesteine, die zumeist ein uraltes Geosynklinalstadium oder gar mehrere durchlaufen haben. Die Gesteine sind daher meist stark verformt und umgewandelt, bis hin zu Gneisen. Dieser Sockel kann durch später aufgelagerte, erhalten gebliebene Sedimente bedeckt sein. Sie liegen in stets eindrucksvollstem Kontrast ohne Spuren einer Metamorphose mehr oder weniger horizontal darüber, sind allenfalls durch Brüche oder sanfte, großzügige Auf- oder Einwölbungen gestört. Ein wohlbekanntes Beispiel ist im Gran Canyon in den USA aufgeschlossen. Mäßige Hebung und Senkung beherrschen daher das Bewegungsbild. Die Sedimente wurden dementsprechend meist im Flachwasser abgelagert. Kalke sind deshalb verbreitet. Alles zeigt relative tektonische Ruhe an. Es ist noch nicht klar, worauf die dennoch vorhandenen Vertikalbewegungen letztlich zurückgehen.

An den *Rändern* kann man sich vorstellen, daß etwa bei der Kollision von kontinentaler Kruste wie im Himalaya diese sich verdickt und daher aufsteigt, da sie leichter als die Unterlage ist. Bei diesem Fall wird sogar diskutiert, ob nicht auch unter Umständen kontinentale Kruste subduziert werden könnte. Im Tibet-Plateau, 1,7 km$^2$ groß und rund 5 km hoch, beträgt die Krustendicke ja 70 km. In den Westalpen wurden zudem Gesteine der kontinentalen Kruste bekannt, die Coesit, die Hochdruckform von Quarz, enthalten. Um dies zu erklären, muß man annehmen, daß ursprüngliche Sedimente während einer Kontinent/Kontinent-Kollision auf 90 km oder mehr Tiefe versenkt und dann wieder tektonisch herausgehoben wurden (Chopin 1984, Contr. Min. Petrol.). Die randlichen Plattformgebiete werden dadurch beeinflußt. Ausdünnung der kontinentalen Kruste hingegen, wie sie an passiven Kontinentalrändern angenommen wird, führt zur Absenkung.

Was aber im Innern der Plattformen? Ist auch hier an – episodische? – »Ozeanisierung«, d. h. zunehmende Umwandlung der kontinentalen Kruste durch Zufuhr basischer Magmen von unten her, zu denken? All diese Komplikationen erlauben es daher im Vergleich zur ozeanischen Kruste viel weniger, von *einer* wohlbekannten Stelle aus zu extrapolieren. Bei den jungen und nach einheitlichem Prinzip geformten Ozeanböden, die zudem durch die Wassersäule gegen viele Umwelteinflüsse gepuffert werden, genügt *eine* überlegt angesetzte Bohrung, um manchmal auf Hunderte von Kilometern hin die seismischen Profile strukturell, sedimentologisch, ja altersmäßig deuten zu können. Der Erfolg des Deep Sea Drilling Projects zeigt dies. Die Dichte des bisherigen Bohrnetzes entspricht dabei etwa einer Bohrung auf der Fläche Frankreichs. Niemand würde es wagen, daraus die Geologie dieses Landes abzuleiten. Die raschen Fortschritte der marinen Geowissenschaften in den letzten Jahrzehnten sind auch aus diesen einfacheren Verhältnissen zu erklären. Zudem stellte die Geophysik die erwähnten neuen Bordmethoden zur Verfügung.

Im Prinzip sollen diese und neu entwickelte Methoden jetzt auch vermehrt an Land eingesetzt werden, um auch die *kontinentale Lithosphäre* untersuchen zu können. Die seismische Tomographie wurde schon besprochen. Die Tiefentellurik erhält Aufschlüsse aus der elektrischen Leitfähigkeit der Gesteine. Die Satellitengeodäsie verfeinert die Kenntnis der Geoidfläche. Besonders eindrucksvoll sind gegenwärtig die Ergebnisse kontinuierlicher Reflexionsseismik neben der Refraktionsseismik auch an Land. Das COCORP (Consortium for Continental Reflection Profiling) benutzt in den USA beispielsweise 5 auf schweren Fahrzeugen montierte Vibratoren, um den Untergrund mit Frequenzen zwischen 8 und 32 Hz zu erschüttern und das Ergebnis mit einem dichten Netz von Geophonen zu registrieren. Dadurch wird eine vertikale Auflösung der Strukturen um 50 m im oberflächennahen Untergrund, eine horizontale von einigen Zehnern von Metern, von 1–2 km in der Nähe der Moho erreicht. Ähnlich geht man zur Zeit in Frankreich und Deutschland vor. Um Großbritannien herum kommt man mit der »tiefen Seegeophysik« aus. Die Sowjetunion ist mit einem Netz von tiefseismischen Profilen überzogen. Dabei werden seit 1971 als Energiequellen auch unterirdische Nuklearexplosionen verwandt, so daß mit Abständen bis 500 km gearbeitet werden kann, ein großer Vorzug etwa im schwer zugänglichen Sibirien. Strukturen bis in über 200 km Tiefe konnten dabei entdeckt werden, also auch im Oberen Erdmantel.

Die bisherigen weltweiten, ganz allgemeinen Ergebnisse und einige der vielen noch offenen Fragen: Eine Fülle von subhorizontalen Reflektoren, die auf eine Wechsellagerung von Lamellen mit hohen und niedrigen seismischen Geschwindigkeiten hinweisen, vor allem in der unteren kontinentalen Kruste. Sie verblassen aber in Nähe der Moho (Abb. 10). Steile Verwerfungen, die nach unten aussterben. Anzeichen von Zerrung wie von Einengung, etwa eine flache Überschiebung mit über 200 km Transportweiten, die die Südappalachen erfaßt hat, so daß jetzt unter ihnen nach Erdgas gesucht werden kann. Oft werden alt angelegte Transportbahnen, etwa derartige Überschiebungen, bei späterer Verformung wieder benutzt, etwa bei der mechanisch noch rätselhaften Zerrung. Wie soll bei ihr der Reibungswiderstand überwunden werden? Durch Schmierung, etwa Kriechen bei Anwesenheit von Quarz und Wasser in flacheren Tiefen? Warum das Zurücktreten vieler Reflektoren in der Oberkruste? Ist sie zu kompliziert gebaut, zu sehr durch Intrusionen gestört (Abb. 10)? Je tiefer, desto mehr ungelöste Fragen, bei der Natur der Moho beginnend. Sie können ohne Erörterung der Petrologie hier nicht diskutiert werden. Dasselbe gilt für die Grenze Lithosphäre/Asthenosphäre mit dem erwähnten dort häufig anzutreffenden »Low Velocity Layer«. Sind dies aufgeschmolzene Gesteine? Dienen sie als Schmiermittel bei der Plattenbewegung?

Ohne Eingehen auf petrologische und geochemische Details kann hier auch nicht auf die Boten aus der Tiefe, die Xenolithe, eingegangen werden. Diese Minerale wurden bei Eruptionen in Basalt- und Kimberlitschloten durch die Kruste hoch befördert und verraten das Material, aber auch unter günstigen Umständen die damaligen Druck- und Temperaturbedingungen bei der Mineralbildung. Der Stockwerkbau des Eifel-Untergrunds konnte zum Beispiel dadurch neuerdings mit entziffert werden (Fuchs et al., 1983).

Und schließlich: Letzte Gewißheit über Gesteine, Flüssigkeiten, Gase, die Spannungsverteilung und sonstige geophysikalische Meßgrößen aus diesen Tiefen erhält man, wie in der Tiefsee, nur durch *Bohrungen*. Das deutsche Kontinentale Tiefbohrprogramm, das zur Zeit nach vielen Richtungen hin vorbereitet wird, soll solche Möglichkeiten bieten. Die Sowjetunion ist hier weltweit voraus mit der schon jetzt über 12 km tiefen Bohrung auf der Halbinsel Kola, die 1979 begonnen worden war. Bei ihr hat sich beispielsweise herausgestellt, daß geophysikalische Hinweise auf eine Grenze zwischen »granitischer« und »basaltischer« kontinentaler Kruste (Abb. 10) getrogen haben. In der angenommenen Tiefe wurde weiterhin durch offensichtlich dieselben Gneise gebohrt. Diese Bohrung ist aber nur ein Beispiel für viele, zum Teil schon 1970 angelaufene weitere Tiefstbohrungen in der Sowjetunion. Alle liegen auf den erwähnten tiefseismischen Profilen (S. 408), zumeist auf Kreuzungspunkten. Die gleichfalls auf 15 km geplante Bohrung in Aserbeidschan hat jetzt rund 8,5 km erreicht. Weitere sind im Gange im Ural, Nordkaukasus und im Nordteil des Riesengasfelds Urengog im nördlichen Westsibirien.

## Qualitatives und Quantitatives in der Geologie

*Grundsätzliches*

Nach einer verbreiteten Auffassung schreitet die Wissenschaft in drei Stadien fort (Jost). Zuerst werden Fakten gesammelt, beschrieben, klassifiziert und allgemeine Erklärungen aufgestellt. Dann werden, quantitativ, Größen gemessen und Gesetze durch Gleichungen ausgedrückt. Schließlich schlägt das Quantitative wieder ins Qualitative um: Die Konzepte der quantitativen Theorien werden bis auf den Grund verstanden, Theoreme ersetzen dann die Gleichungen. Dies gilt nicht nur für die herkömmlichen großen Gruppen der nomothetischen gegenüber den idiographischen Wissenschaften, der auf die Gewinnung von Gesetzmäßigkeiten gerichteten gegenüber denen, die mit ihren Beschreibungen das Individuelle im Blick haben. Dies soll selbst für Einzelbereiche in der heutigen Physik gelten, die sich in verschiedenen dieser Stadien befinden, sogar teilweise noch im ersten.

Die Geologie ist mit ganz wenigen Ausnahmen im ersten Stadium. Doch es zeichnet sich auch hier ein Umbruch ab, ein Umbruch zum Quantitativen hin, zum zweiten Stadium. Schon deshalb ist sie bislang kaum zu Gesetzen gekommen, die in Gleichungen ausgedrückt werden können. Der auf S. 392 geschilderte Verlauf des Absinkens der ozeanischen Kruste beim Auseinanderdriften und Abkühlen ist also noch eine Ausnahme.

Warum dieses Zögern in der Geologie, quantitativ vorzugehen? Jeder Geologe weiß natürlich, daß man mit Zählen und Messen besser zu exakten, allgemeinverständlichen und vergleichbaren Angaben kommt und daß dies die Grundlage zur Ableitung strenger naturwissenschaftlicher Gesetze ist. Er weiß auch, daß dieses Ziel am besten erreicht werden kann, wenn man Zusammenhänge studiert, die möglichst wenige Variable haben.

Er weiß aber auch, wie komplex seine Welt ist, und zieht sich oft deshalb – oder von seinen Anlagen her – auf die Anschauung und Beschreibung zurück. Die Form ist ihm dann wichtiger als die Formel. Wir brauchen aber beides.

Hinzu kommt das *erdgeschichtliche* Moment. Der Geologe will ja zunächst beschreiben, »wie es früher wirklich war«. Oft freut er sich mehr an einer farbigen Rekonstruktion etwa der Wälder der Karbonzeit oder der Wüsten im Perm Deutschlands, als an der blassen Abstraktion einer Ableitung von etwaigen Zyklen, in denen gehäuft Kohlen gebildet wurden. Für seine normale Arbeit genügt es ihm auch, die heutige Verbreitung der Riffkorallen zu kennen, um die Klimagürtel der Vorzeit aufstellen zu können. »Riffkorallen« sind ein Begriff mit mehr Farbe als Meßwerte des Temperaturverlaufs, des Salz- und Sauerstoffgehalts, der Transparenz des Meerwassers, die ihr Milieu quantitativ erfassen.

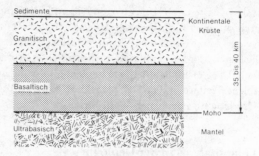

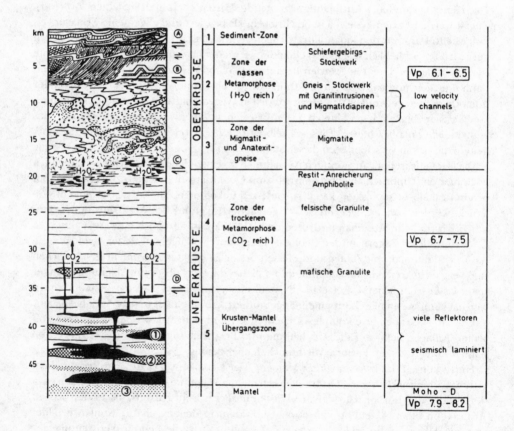

410

Ein weiteres: Seine Fragen können selten durch *Experimente* beantwortet werden. Als Gründer einer experimentellen Geologie wird James Hall (1761–1832) angesehen, ein engagierter Verteidiger James Huttons (S. 382). Er hatte zum Beispiel in einer Glasschmelze beobachtet, daß sie bei langsamem Abkühlen kristallin, bei schnellem glasig erstarrt. Danach hat er Basalt aufgeschmolzen und beim unterschiedlichen Abkühlen dasselbe beobachtet. Weitere Ansätze lieferte Daubrée 1879 in seinen »Études synthétiques de géologie experimentale«. Physikalisch ausgerichtet sind zum Beispiel die vielen Experimente zum Verhalten von Sedimentpartikeln in stehenden und strömenden Wasser und die Wirkung des Transports auf diese, etwa in Laboratorien mit Strömungskanälen. Ein Pionier in quantitativer Hinsicht war Gilbert (1914). Chemische Laboratoriumsversuche, etwa die berühmt gewordenen von Van't Hoff zwischen 1893 und 1908 brachten Licht in die Bildung von Karbonaten, Sulfaten und Chloriden bei der Einengung von Meerwasser durch Verdunstung. Bodenmechanische Untersuchungen helfen bei der Deutung von tektonischer Deformation mittels Brüchen oder plastischem Fließen.

Im Feld sind die submarinen heißen Quellen, aktiven Vulkane, Fluß- oder Grundwasserbewegungen natürliche Experimente. Manchmal eilt das Laborexperiment dem Naturexperiment voraus, etwa bei der Untersuchung von Trübungsströmen, die für ganze Sedimenttypen wie den etwa in den Alpen weit verbreiteten Flysch verantwortlich sind (Kuenen seit 1950, J. Geol.).

Abb. 10: Schema des Aufbaus der kontinentalen Kruste.

a) Herkömmliches Modell: Unter einer dünnen Decke von wenig veränderten Sedimenten (s. S. 406) folgen die »granitischen« und dann die »basaltischen« Lagen der Kruste. Sie machen jeweils deren halbe Mächtigkeit aus. Die Grenzregion zum Erdmantel ist die Mohorovicic-Diskontinuität (Moho). Sie kann in bis 70 km Tiefe (Himalaya) liegen.

b) Neues Modell: Wie oben (a) tritt ein Lagenbau hervor, der freilich viel komplizierter ist als bisher angenommen. Einfluß nehmen dabei phasenpetrologische, chemische, physikalische Faktoren. Fluide Phasen mit oder ohne Intrusionen, tektonische Abscherung, »Creeping« u. a. sind dynamische Elemente, die berücksichtigt werden müssen. Aus mineralogischen Gründen sind dabei 300 °C eine wichtige Schwelle für erhöhte Mobilität der Gesteine.

Unter den Sedimenten folgen danach das Gneis- und das Migmatit-Stockwerk der Oberkruste. Migmatite gehen aus partieller Aufschmelzung metamorpher Gesteine hervor. Man beachte die große laterale Inhomogenität und die Bereiche intrakrustaler Abscherung. Sie ist beim Typ A im Schweizer Jura gegeben, B im Hohen Venn und in den Appalachen, C im Schwarzwald und in der Böhmischen Masse. Diesen Bereich hofft man mit der geplanten deutschen kontinentalen Tiefbohrung zu durchteufen. D wird in der Ivrea-Zone der Südalpen angenommen.

In der Unterkruste herrschen die Granulite vor, feinkörnige, feldspatreiche Gneise mit Granat. (Felsisch: *F*eldspat und *Si*likate, also helle Minerale bestimmen das Bild, mafisch: $Mg–Fe$- Silikate, d. h. dunkle Minerale wie Amphibol, Pyroxen, Olivin.) Die letzteren nehmen in der Übergangszone zum Mantel zu, in der basische und ultrabasische Intrusionen auftreten (1,2). Peridotit (3) ist das hier angenommene dunkle Tiefengestein des Mantels, mit hohem Anteil von Olivin. Die Geschwindigkeiten der seismischen Longitudinal- oder Kompressionswellen (Vp) steigen darin sprunghaft auf Werte über 8,0 km/sec. an.

(Vereinfacht nach DFG, Mitt. XIV, Kommission für Geowissenschaftliche Gemeinschaftsforschung, 1985, S. 161).

Es geht bei den meisten dieser Versuche um ein besseres Verständnis von heute ablaufenden oder früheren Prozessen, mit dem man geologische Befunde besser deuten kann. Oft genug sind es aber auch qualitative Ansätze, Modellversuche, die dann besonders unter der Verkleinerung der Größen- und Zeitmaßstäbe und der Änderung mechanischer Eigenschaften des verwandten Materials leiden, z. B. in der Tektonik.

Noch ein letztes Hemmnis, das *Individuelle*. Der Geologe individualisiert zunächst *räumlich*. Er beschreibt einen Ausschnitt der Erdoberfläche und ihres Untergrunds, und er ist sich der Mannigfaltigkeit der Verhältnisse selbst in Dimensionen bis in zwei benachbarte Baugruben hinein stets bewußt. Er ist dazu erzogen, nicht nur an seinen direkten geologischen Befund in der Grube zu denken, sondern an die engere und weitere Umgebung, etwa an die Gefahren eines Hangrutsches, an die Auswirkung eines eventuellen Erdbebens, an den mit den Jahreszeiten wechselnden Grundwasserstand. Er muß mit all diesen Kenntnissen den Bauingenieur beraten. Dieser muß hingegen – oft genug durch solches Komplizieren recht gestört – zu ökonomisch vernünftigen und doch für die Sicherheit ausreichenden Kennziffern kommen, zu x oder y kg/cm$^2$, mit denen er den Grund belasten kann.

Ähnlich sieht der Geologe einen Fluß als Individuum, mit dem Wechsel der Gesteine und der Vegetation auf seinem Lauf und mit deren Veränderungen in der Geschichte. Auch hier muß er die Flußbaulaboratorien, die Formeln oder Kennziffern ansteuern, beraten. Oder: Jede Erzlagerstätte ist ein Individuum, trotz aller notwendigen Typisierung in der Forschung oder gar in Lehrbüchern. Und natürlich lernt trotzdem jeder Spezialist, der an einer der hydrothermalen Lagerstätten von Erzen mit Kupfersulfiden oder Bleiglanz und Zinkblende arbeitet, etwas von den neuen Befunden der erwähnten submarinen heißen Quellen.

Wie wiederholt betont, individualisiert der Geologe vor allem *zeitlich*. Er weiß, um zum Fluß zurückzukommen, daß man nicht zweimal in denselben Fluß steigt. Trotz gleichbleibender Gesetze des Wasserkreislaufs, des Strömungsmechanismus, der Erosion und Sedimentation ändert sich die Form des Flußbetts, die mitgeführte Fracht und anderes mit dem sich geschichtlich ständig ändernden Rahmen. Es handelt sich um jeweils zeitlich einmalige Verhältnisse. Dies gilt für jeden Zeitschnitt in der Erdgeschichte, worauf später noch näher eingegangen werden soll.

Das Individuelle! Vielleicht spielt auch die *Persönlichkeit*, der Charakter derer eine Rolle, die im Normalfall, oder die bisher Geologe wurden. Weithin sind die weltweit rund 550 000 Geologen stolz, allein etwas herauszufinden, im Busch oder Urwald, in Hochgebirgen und flachen Wüsten und vor allem auf dem kleinen Kartenblatt, das sie gerade bearbeiten. Im Gegensatz zu anderen Wissenschaften, in denen Teamwork allein schon durch die Größe der Aufgabe oder der dazu notwendigen Geräte oder Mittel zwingend ist, kommt man hier auch weiterhin noch vielfach mit »mente et malleo«, also allein aus – bis man auf ein Forschungsschiff geht, auf Bodenschätze exploriert oder gar eine Tiefbohrung plant!

## Fortschritte

Wo gibt es nun nach all diesen eher negativen Bemerkungen Fortschritte im quantitativen Denken und Vorgehen? Zunächst wird in allen Zweigen der Geologie mehr *gemessen* und wird der Tatbestand zahlenmäßig erfaßt. Dieser neue Trend braucht freilich nicht immer neue Ideen zu beinhalten, doch dies gilt auch in anderen Zweigen der Wissenschaft. Sodann hat die *Statistik* überall Einzug gehalten, vor allem in der Sedimentologie und Petrologie, aber auch in der Geomorphologie oder Paläontologie, wo zum Beispiel Gauss-Kurven für morphologische Parameter bei der Abgrenzung von Arten, daher bei der Untersuchung der organischen Evolution, helfen. Faktor- und Trendanalysen, Korrelationstechniken, Methoden der mathematischen Simulation u. ä. weisen auf Herkunft von Sedimentpartikeln hin, helfen bei der Unterscheidung verschiedenster Sedimentationsräume mit ihrer »Fazies«, d. h. auch mit ihrem organischen Inhalt. Die glänzenden Ergebnisse solcher Methoden bei der Rekonstruktion der globalen Temperaturverteilung des Oberflächenwassers vor 18 000 Jahren – und da das Bild im Sommer wie auch im Winter (!) – wurden schon auf S. 397 hervorgehoben.

Pioniere für die Anwendung quantitativer Methoden waren unter anderem Sorbes (1908) oder, mit großem Echo, Krumbein und Sloss (1958). Die Einführung des Computers mit den Fortschritten im »Data processing« und das Aufblühen einer »Mathematischen Geologie« (Zeitschrift seit 1969) halfen dabei sehr. Die zunehmenden Kontakte zwischen der Geologie und der Geophysik haben aber besonders stimulierend gewirkt.

## Beispiele

### Absolute Altersangaben

Grundlage jeder eventuellen Gesetzmäßigkeit im erdgeschichtlichen Ablauf ist eine absolute und genaue Datierung der Befunde. Erst dann können zum Beispiel Geschwindigkeiten, etwa der Kontinentalwanderungen, der vertikalen Bewegungen in Gebirgen oder Sedimentationsbecken, des Sedimentationsverlaufs, aber auch der organischen Evolution angegeben und weiterverarbeitet werden. Erst dann kann man Zyklen, etwa der Klimaveränderungen, der orogenen tektonischen oder der vulkanischen Aktivität bestimmen und dann nach eventuellen Ursachen fragen.

Es ist allgemein bekannt, daß das Alter der Erde bis ins letzte Jahrhundert hinein als viel zu kurz angenommen worden ist. Bischof James Usher (1581–1656) rechnete auf Grund der Genealogien im Alten Testament mit nur rund 4500 Jahren. Er wird daher neuerdings von den Kreationisten im Prinzip hoch verehrt, kommt er ihnen doch damit für viele ihrer Schlüsse weit entgegen. Es ist erstaunlich, daß für manche die Bedeutung des Menschen in dem Maß abnimmt, in dem die Erdgeschichte länger wird! Schon Ende des 19. Jahrhunderts gab es indessen aus Berechnungen von Sedimentmächtigkeiten und Sedimentationsraten Annäherungen an die heutigen Annahmen. Gouldchild leitete damals beispielsweise damit die Zeit, die seit dem Kambrium verflossen ist, mit 704 Millionen Jahren ab (vgl.

Tab. 1). Der Durchbruch kam aber mit der Erforschung des radioaktiven Zerfalls einiger Elemente seit Beginn unseres Jahrhunderts.

Die absolute Zeitbestimmung beruht darauf, daß dieser Zerfall irreversibel abläuft. Man muß zudem annehmen, daß der Zerfall von äußeren Faktoren nicht beeinflußt wird, daß die dabei bestimmten Konstanten auch konstant blieben, daß es sich um geschlossene Systeme handelt, daß das Mineralalter mit dem Gesteinsalter übereinstimmt u. ä. All dies setzt jeweils eine kritische Probenahme und Diskussion voraus. Es ist daher kein Wunder, daß bei den Angaben der Tab. 1 bisher nur grob alle 2 Millionen Jahre eine solche Bestimmung verwandt werden konnte.

Die Genauigkeiten hängen von den verwendeten Isotopen und deren Halbwertzeiten des Zerfalls ab, verschlechtern sich daher, je älter die Gesteine werden: $^{14}$C hat beispielsweise eine Halbwertzeit von $5,7 \times 10^3$ Jahren, $^{230}$Th von $7,5 \times 10^4$, $^{234}$U von $2,5 \times 10^5$, $^{40}$K von $1,3 \times 10^9$ und $^{87}$Rb von $5,0 \times 10^{10}$ Jahren.

Die erstaunlich hohe Auflösung der letzten 100 000 Jahre mit Hilfe zusätzlicher Methoden wurde schon erwähnt (S. 397). Daß diese bald auf 1 Million Jahre erweitert werden kann, ist nach S. 396 zu erhoffen.

Leider sind Jahreskalender in Baumringen, Korallen, Muschelschalen, Warwen-Sedimenten räumlich und zeitlich so große Singularitäten, daß nur wenige zu wirklichen erdgeschichtlichen Ableitungen verwendet werden können. Ein Beispiel sind die Korallen, die anzeigen, daß evtl. die Tage durch Gezeitenreibung in der Erdgeschichte immer länger geworden sind, die Zahl der Tage im Jahr also geringer (424 im Kambrium gegen heute 365) wurde.

Die *relative* Zeitrechnung in der klassischen Stratigraphie beruht auch auf einem irreversiblen Vorgang, der Evolution der Organismen. Sie ist vor allem durch das Tiefseebohrprogramm durch gleichzeitige Verwendung der verschiedensten Mikrofossilien erstaunlich verfeinert worden und hilft damit auch bei der weltweiten Korrelation der Schichtalter und damit der Verengung des absoluten Altersnetzes.

Am Rande: Einer der ersten quantitativ interessierten Geologen, Charles Lyell, hatte die Auffassung, daß die Geschichte der Erde eine große Kette ist, in der sich die Einzelsituationen immer mehr der heutigen annäherten. In seinen »Principles of Geology« (1833) bestimmte er in den Tertiär-Abschnitten jeweils die relative Häufigkeit der »noch heute lebenden« Arten, die in diesen Fossilgemeinschaften damals bekannt waren: im Eozän (d. h. »Morgenröte der Gegenwart«) 3–4 Prozent, im Miozän (»Minderzahl«) 18 Prozent, im Pliozän (»Mehrzahl«) 40 Prozent und im Pleistozän Siziliens (»meist rezent«) 96 Prozent.


Druck- und Temperaturangaben aus der Lithosphäre

Seit Beginn unseres Jahrhunderts hat die experimentelle Petrologie erstaunliche Fortschritte gemacht. Es gibt dabei zwei große Arbeitsfelder. Zunächst wurden »im Mekka« für diesen Forschungszweig, im Geophysikalischen Laboratorium des Carnegie Instituts in Washington D. C., an *Silikatschmelzen* einfache Einstoff- und Mehrstoffsysteme untersucht. Damit bekam man Vorstellungen von den physikalischen Bedingungen beim Verlauf der

Mineralbildung beim Erstarren magmatischer Gesteine. Man hat viel dazugelernt bei der Anwendung der Ergebnisse auf die Natur, seitdem man die Rolle des Wassers bei den Experimenten mit bedacht hat und seitdem man auch bei höheren Drücken arbeitet.

In den frühen siebziger Jahren war ein weiteres allgemeines Interesse darauf gerichtet, Mineral- und Gesteinssynthesen unter kontrollierten Laborbedingungen, also etwa erhöhten Drücken und Temperaturen, durchzuführen, um so zu *Leitmineralen* für bestimmte Krustentiefen zu kommen. So kam man zu geologischen Barometern und Thermometern und konnte geodynamische Vorgänge exakter als früher erfassen. Beispiele sind die Bildungstiefen von Mineralen und Gesteinen, etwa von Diamanten, sind Hinweise auf den Krustenbau, d. h. auf Diskontinuitäten, die auf Strukturänderungen in den Mineralen oder aber auf Änderungen des gesamten Chemismus zurückgehen mögen, sind Hinweise auf das Maß und den zeitlichen Ablauf der Heraushebung von Gebirgen, sind quantitative Einsichten in die Gesteinsmetamorphose. Auch hier wurde einerseits versucht, mit einfachen Voraussetzungen und Modellen zu experimentieren und andererseits mit »schmutzigen« Systemen wie Tonen und Basalten. Eine Schwierigkeit liegt darin, daß direkte Messungen unter den hohen p-t-Bedingungen nicht einfach sind. Man begnügt sich also vielfach damit, die Proben aus dem Versuch herauszunehmen und dann zu messen – in der Hoffnung, daß sich ein erreichtes Gleichgewicht dabei nicht störend ändert. Die Kinetik, die Geschwindigkeit, mit der sich Gleichgewichtszustände einstellen, ist natürlich ein großes Problem für sich selbst.

Der Ehrgeiz geht neuerdings dahin, Messungen unter »während Bedingungen« zu machen, also bei andauerndem hohem Druck und Temperaturen. Es werden heute dabei 90 k bar und mehr und Temperaturen bis über 1000 °C beherrscht.

Eine weitere fruchtbare Methode zur Rekonstruktion der Bedingungen in größeren Erdtiefen ist das Studium von *Flüssigkeitseinschlüssen*. Erstaunlich ist dabei das oft mit eingeschlossene $CO_2$ und interessant die Diskussion, ob es und wieviel davon vom Erdmantel kommt.

Einige weitere geologisch wichtige Ableitungen: Die sogenannte *Glaukophan-Schiefer-Fazies* verrät hohe Bildungsdrücke bei niedrigen Temperaturen. Das blaue Silikat bildet sich bei etwa 20–30 km Gesteinsüberlast und Temperaturen von nur rund 400 °C und wird mit einigen weiteren deshalb als Leitmineral für Subduktionszonen angesehen. Solche werden neuerdings u. a. in der Oberkreide der Westalpen gesehen. Druck- und Temperaturbedingungen in der normalen Oberkruste werden derzeit an $MgO$-$SiO_2$-$H_2O$-Systemen untersucht. Die sogenannte Granulit-Fazies, feinkörnige, feldspatreiche Gneise mit Granat-Mineralen, (Abb. 10) hingegen verrät Näheres über noch höhere Drücke und Temperaturen. Zutage tritt die Fazies zum Beispiel im Granulit-Gebirge Sachsens oder in Finnland.

Dies zur Geodynamik. Das zweite große Untersuchungsfeld in p-t-Laboratorien ist die Bestimmung der Geschwindigkeiten seismischer Wellen, das strukturelle, optische, elektrische und thermische Verhalten der Minerale, damit *geophysikalische Feldbefunde* besser gedeutet werden können.

Tab. 2: Weltreserven an Mineralöl, Erdgas und Kohle
Gesamt: 675 = 100 Prozent

| Milliarden t Öläquivalent | Mineralöl 13% | Erdgas 12% | Kohle 75% |
|---|---|---|---|
| Nordamerika | 11,3 | 9,0 | 145,2 |
| Karibik, Südamerika | 4,6 | 2,6 | 9,8 |
| Westeuropa | 2,2 | 4,8 | 58,6 |
| Afrika | 8,0 | 5,6 | 43,0 |
| Mittlerer Osten | 48,2 | 19,7 | 0,3 |
| Ferner Osten, Australasien | 2,7 | 4,1 | 44,1 |
| UdSSR und Osteuropa | 11,8 | 31,6 | 140,1 |
| VR China | 2,4 | 0,7 | 64,5 |
| | 91,2 | 78,1 | 505,6 |

Die Globalzahlen weisen auf die große Bedeutung der Kohle hin. In regionaler Hinsicht fallen die großen Unterschiede auf. So liegen fast 37 Prozent der Reserven an fossiler Energie im Ostblock, einschließlich der VR China, nur 10 Prozent in Westeuropa. Die Kohlevorkommen in den Ländern des mittleren Ostens sind unbedeutend. Sie besitzen dagegen rund 53 Prozent der Öl- und 25 Prozent der Gasreserven der Welt. (Die Weltresourcen, d. h. die geschätzten, nicht nachgewiesenen Gesamtvorräte, dürften bei – konventionellem – Öl und Gas rund dreimal höher liegen, bei Kohle rund siebenmal.)
Nach Shell Briefing Service, Dez. 1984 (und Diskussionen auf dem 27. Internat. Geol. Congress, Moskau, August 1984).

## Simulationsmodelle zur Entstehung von Kohlenwasserstofflagerstätten

Noch vor 30 Jahren dachten im wesentlichen nur akademische Kreise über die Mechanismen der Erdöl- und Erdgasbildung nach. Die Praktiker sagten vielfach, daß »das Öl da sei, wo man es findet«. Inzwischen hat sich manches durch den rasch steigenden Verbrauch verändert. Rechnete man noch 1940 mit 40 Milliarden t an globalen Erdölreserven, so waren es 40 Jahre später das Vierfache, 160 Milliarden t. 70 davon wurden freilich seit nur 100 Jahren schon verbraucht (Tabelle 2).

Man findet Kohlenwasserstoffe im wesentlichen in Sedimentbecken und nimmt deshalb allgemein an, daß sie *biogen* sind, d. h. aus pflanzlichem und tierischem Material entstehen, das in Sedimente eingebettet wird. Das ist sehr wenig, man schätzt, nur 0,1 Prozent der organischen Produktion. Es besteht zunächst aus Kohlehydraten, Lignin, Proteinen, Lipiden u. ä. organischen Verbindungen und bildet sich in den Sedimenten zum Teil in das hoch molekulare, unlösliche »Kerogen« um. Durch Einwirkung erhöhter Temperaturen und auch Drücke und durch mikrobiellen Abbau geht die Umwandlung weiter. Erdölähnliche Ausgangssubstanzen konzentrieren sich, und ab 50–70 °C werden zusätzlich aus dem Kerogen neue Kohlenwasserstoffe gebildet.

Solche erhöhten Temperaturen werden weitgehend durch Absenkung und Überdeckung der Sedimente erreicht – aber nicht allein dadurch. Aus der schematischen Abb. 11

ist zu entnehmen, daß dieser Schwellenwert im allgemeinen bei mehr als 1 km Sedimenttiefe erreicht wird. Bei rund 1200 m setzt dann die Ölbildung verstärkt ein, mit einem Maximum um 2600 m.

Dies ist übrigens der Grund, daß Gebiete mit Sedimenten von weniger als 1–2 km Mächtigkeit praktisch nicht erdölhöffig sind. Das hat die enttäuschende Konsequenz, daß mehr als 80 Prozent der Ozeanböden für die Erdölexploration ausfallen. Sie sind zu jung, daher zu dünn mit Sedimenten bedeckt. Umgekehrt nehmen deren Mächtigkeiten landwärts zu, da mit dem Altern der Ozeankruste mehr Zeit zur Verfügung stand und die terrestrische Anlieferung, etwa von Sanden und Schlammen, natürlich gleichfalls zunimmt. Diese landnahen Sedimentmächtigkeiten und ihre Beziehungen zu potentiellen Erdöllagerstätten spielen übrigens bis in die Definition einzelner Einflußzonen bei der Seerechtskonferenz hinein.

Überschreitet die Absenkung etwa 3200 m, so geht die Ölbildung stark zurück, weil das Ausgangsmaterial abnimmt, vor allem aber, weil ein großer Teil durch die erhöhten Temperaturen in kurzkettige Kohlenwasserstoffe zerlegt, zu Erdgas gekrackt wird. Man spricht von einem »Ölfenster«, hier zwischen 1200 und 3000 m, in dem sich bevorzugt Öl bilden kann. Die Temperatur spielt bei diesen Reaktionen die wichtigste Rolle, nimmt doch deren Geschwindigkeit bei 10 °C Erhöhung um das Zwei- bis Dreifache zu. Doch auch die Zeit spielt herein, freilich nur linear, nicht exponentiell. In der Geologie muß man

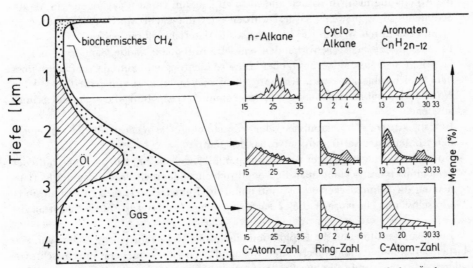

Abb. 11: Schematische Darstellung der Bildung von Kohlenwasserstoffen und der Änderung charakteristischer geochemischer Parameter mit der Tiefe. Ähnlich schematisch kann angenommen werden, daß typische Temperaturwerte für den Beginn der Ölbildung bei 50 °C liegen, für die Hauptphase bei 90 °C und für das Ende bei 175 °C.
(Nach Bender, 1984, S. 6).

aber sehr damit rechnen, und lange Bildungszeiten können auch bei niedrigeren Temperaturen Wirkung haben. Erhöhter Wärmestrom, evtl. unter den Hinterbogenbecken der Abb. 3, läßt Öl auch in jüngeren Sedimenten reifen. Dies gibt zum Beispiel Hoffnungen für die Ränder des Philippinen-Meers und für Offshore-Gebiete von China bis Indonesien.

Der Reifungszustand kann in Laboratorien bestimmt werden, da sich geochemische Änderungen in der Art der Abb. 11 abspielen, also etwa: Die ungeradzahligen n-Alkane als Zeichen biologisch gebildeter Kohlenwasserstoffe nehmen ab, die Kettenlänge gleichfalls usw. Außerdem nehmen Reflexionswerte organischer Partikel, wie Vitrinit, quantitativ bestimmbar zu und geben den »Inkohlungsgrad« an. Ferner verändern sich Farben von Sporen u. a. in regelhafter Weise. Erdgas wird übrigens auch schon vor Erreichen des Ölfensters gebildet, als $CH_4$, Methan, durch Bakterien (Abb. 11).

Die Kohlenwasserstoffe bleiben – glücklicherweise – nicht nur in den meist feinkörnigen Sedimenten, in denen sie sich bilden, also in den »*Muttergesteinen*«, wie man diese nennt, wenn ein gewisser Minimalgehalt von Kerogen angenommen werden kann. Sie *migrieren*, wandern in poröse und schließlich auch permeable Speichergesteine und dies auf Wegen bis viele Zehner von Kilometern weit. Die Kompaktion der Sedimente dürfte dafür ein wesentlicher Antrieb sein, doch ist der ganze Mechanismus der Migration noch reichlich unaufgeklärt.

Es gehören aber noch eine Reihe weiterer Faktoren dazu, um ein Gebiet »höffig« werden zu lassen:

– Die *Sedimentmächtigkeit* des Beckens sollte, wie gezeigt, 2000 m übersteigen. Dabei durfte die Absenkung nicht zu schnell und nicht zu langsam vor sich gegangen sein, da die Sedimente sonst zu wenig sortiert wurden oder umgekehrt durch Aufarbeitung im Meer, etwa durch Wellen, zu viel organisches Material verloren haben.

– Es müssen *Speichergesteine* vorhanden sein, also Karbonate, Sande, Sandsteine o. ä.

– Öl dringt im Grundwasser nach oben. Dieser Fluchtweg muß durch *Deckschichten* über dem Speicher blockiert sein. Tone, vor allem aber Steinsalz sind hierfür Beispiele, in Nordsibirien mit Permafrost sogar die sogenannten Gashydrate, die wie nasser Schnee aussehen.

– Fangstrukturen, d. h. tektonische oder sedimentologische »*Fallen*« für die aufsteigenden Kohlenwasserstoffe müssen vorhanden sein.

– Und schließlich, ganz schwer zu beurteilen, muß gegeben sein, daß nicht im Laufe der geologischen Entwicklung eines Beckens durch eine oder mehrere Phasen der Heraushebung die Schutzdecken *erodiert* und damit die Kohlenwasserstoffe entwichen sind.

Wenn selbst nur ein einziger dieser Faktoren völlig ungünstig ist, nützen auch all die anderen nichts!

Kein Wunder also, daß die Exploration eine große Herausforderung bleibt. Von 600 bisher bekannten Sedimentbecken der Welt sind noch 200 weitgehend unerforscht, vor allem »off-shore« und in hohen Breiten. Aus 160 dieser Becken wird derzeit gefördert (Abb. 12). Ein neues Hilfsmittel zur Exploration entwickelt sich derzeit mit der *Computer-Simulation* der Entwicklung derartiger Sedimentbecken (Welte u. a., in Veröffentlichungen seit 1978). Man erstellt dabei zunächst nach den vorhandenen Geländekenntnissen und einem konzeptionellen Modell, das den obigen Überlegungen folgt, ein mathematisches Modell. Dabei gibt man Größen ein wie Sedimentmächtigkeiten und Sedimenttionsgeschwindigkeiten, damit also auch den zeitlichen Verlauf der Beckenabsenkung in Raum und Zeit, p-t-Bedingungen, Reifegrad der organischen Substanz, Kompaktion u. ä. Man legt ein Raster von Knotenpunkten über das Gebiet und rechnet nach diesen Punkt-Informationen flächenhaft das vermutete Geschehen durch. Diese Ableitungen werden dann dort, wo Informationen, etwa durch frühere Bohrungen, verfügbar sind, an der Wirklichkeit geprüft. Schrittweise werden durch Änderungen der Parameter oder des Konzepts selbst die ursprünglichen Fehlannahmen korrigiert, so daß die Abschätzung des Kohlenwasserstoffpotentials immer genauer werden kann – ein weiteres Beispiel für das Vordringen quantitativer Methoden in der Geologie.

Hier könnten noch weitere *Modelle* vorgestellt werden, zu den erwähnten klimatologi-

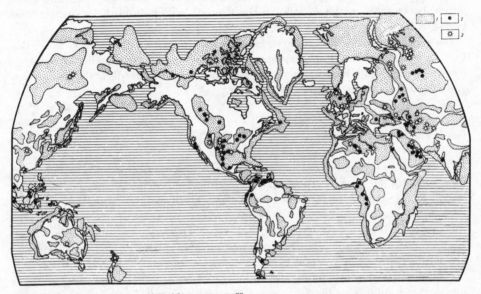

Abb. 12: Sedimentbecken und Kohlenwasserstoffe.
Völlig unerforschte Sedimentbecken sind selten. Sie mögen noch im Innern von kontinentalen Plattformen verborgen sein, doch sie versprechen keine Riesenfelder, das ökonomisch wichtigste Moment für die Exploration. Optimale Bedingungen für Kohlenwasserstoffvorkommen sind mobile Schelfgebiete, die vor Orogenfronten abgesenkt werden: Persisch-Arabischer Golf, Alberta in Kanada, Becken beidseits des Urals. Sie sind aber so gut untersucht, daß kaum große Überraschungen erwartet werden. Dasselbe gilt in altbekannten sonstigen Provinzen. Chancen können dort noch in der Tiefe für Erdgas liegen.
Passive Kontinentalränder sind noch vielversprechend am Nordrand Nordamerikas und Eurasiens um den Arktischen Ozean oder unter dem chinesischen und indischen Kontinentalschelf. Aktive Kontinentalränder versprechen für Riesenfelder wenig.
Die wichtigste Aufgabe ist es derzeit, die Produktionstechnologie zu verbessern und dann das Potential von Ölschiefern und -sanden zu entwickeln. 1 = Sedimentbecken, 2 = Riesenerdölfelder, 3 = Riesengasfelder.
(Nach Burollet, 27. Internat. Geol. Congress, Kolloquium 02, Moskau, August 1984).

schen oder ozeanographischen, die ja zunächst nur für die Grundlagenforschung interessant sind. In der Hydrogeologie kam man über solche, die die Mechanik der Fließbewegungen zum Inhalt hatten, zum Beispiel zu solchen, die gelöste Stoffe und ihre chemischen Reaktionen mit einschließen, also zu sehr anwendungsnahen Modellen. Gemeinsam ist all diesen Versuchen, daß sie ständig an Feldbefunden oder -experimenten gemessen und damit verbessert werden müssen, wie das »Remote sensing« an der »Ground truth«. Doch gibt es in quantitativer Hinsicht noch viel Einfacheres zu tun, etwa bei vielen *Umweltfragen:*

Wie schnell und wie unterschiedlich kommen die verschiedenen Verbindungen der Luft- und Regenfracht, des Kunstdüngers, der Pflanzenschutzmittel u. ä. ins Grundwasser, ins Meer? Oder: Völlig fehlende Niederschläge und damit fehlende Vegetation reduzieren die Flußfracht, steigern die Windfracht. Das Gegenteil, reichlich Regen und dichte Vegetation reduzieren beides. Dazwischen also muß die maximale Sedimentzufuhr liegen. Wo dazwischen? Unter welchen Umständen? Wieviel Zufuhr? Bei welcher Morphologie, bei welchen Gesteinen?

Doch zurück zum Ausgangspunkt des geologischen Ansatzes, zur *Erdgeschichte:* Der Geologe muß versuchen, durch quantitatives Vorgehen zu Gesetzen oder doch zu generellen Ableitungen zu kommen, aber auch zu besseren und verbindlicheren qualitativen Aussagen für die Erdgeschichte.

## Geologie und Prognosen

Da die zentrale Frage des Geologen die Erdgeschichte ist, ist er gewohnt, Vergangenes im Blick zu haben. Dies sogar, wenn er in der Gegenwart ablaufende Vorgänge untersucht. Rudolf Richter (1881–1957) war hierfür in Deutschland ein Vorbild und prägte schon 1928 den Begriff »*Aktuogeologie«.* Um beispielsweise die devonischen Schiefer im Hunsrück in ihren Bildungsbedingungen besser verstehen zu lernen, untersuchte er das Nordsee-Watt und gründete das Forschungsinstitut Senckenberg am Meer in Wilhelmshaven. Große Ölfirmen ließen nach 1945 das Rhone-, Orinoko-, Niger-Delta untersuchen, um die dort für die Entstehung von Erdöllagerstätten so günstigen Bedingungen zu studieren und auf fossile Fälle anzuwenden. Man ging nach Saudi-Arabien und Oman, um die Sedimentationsprozesse und deren Produkte an rezenten Wüstenbeispielen zu untersuchen, damit die unterschiedlichen Ablagerungen des »Rotliegenden« (Perm, zwischen etwa 290 und 260 Millionen Jahren) unter der Nordsee nach deren Eigenschaften, Ausdehnung, Abfolge u. ä. besser beurteilt, d. h. auch mit weniger Bohrungen die richtigen Speicher angefahren werden konnten. Dort ging es also auch um Erdgas und große Finanzmittel.

Angesichts der Bevölkerungsexplosion in weiten Teilen der Erde, der Zusammenballung in urbanen Zentren, des zunehmenden Verbrauchs an Rohstoffen, vom Grundwasser und Boden bis zu Erzen und Energieträgern, aber auch angesichts der zunehmenden Abfälle, die in den Boden, ins Grundwasser, ins Meer und etwa als $CO_2$, Schwefel- und Stickstoffverbindungen in die Luft abgegeben werden, wird von immer mehr Geologen auch der Blick in die Zukunft gefordert. Der Mensch selbst ist zu einem geologischen Faktor geworden: In den Industriestaaten soll er heute jährlich $2 \times 10^7$ g, d. h. 20 t geologischer Materialien umsetzen. Wenn dies am Ende unseres Jahrhunderts 1 Milliarde Menschen tun werden, so steigt die Menge auf $2 \times 10^{16}$ g im Jahr, d. h. auf eine Größenordnung, die der Produktion ozeanischer Kruste unter den mittelozeanischen Rücken entspricht. Die totale Erosionsleistung auf der Erde wird auf $10 \times 10^{16}$ g/Jahr geschätzt. Die natürliche chemische Flußfracht, die das Meer erreicht, soll derzeit durch anthropogene Zutaten weit übertroffen werden: Das grob Zehnfache wird dadurch zugeführt bei Fe, Cu, Zn und Pb, das Fünffache bei Mn und Mo und gar das Hundertfache bei Zinn (Fyfe, 1981, Science). Wie wird dies alles im Jahr 2000 aussehen? Das ist schwer vorauszusagen, da ja der Mensch aus Schäden normalerweise klug wird.

*Voraussagen* für 20 Jahre sind im Grunde kein Gegenstand für Geologen, und selbst 50 Jahre, die Zeitspanne, mit der der Mensch normalerweise rechnet, also mit seinen Enkeln, gehören nicht eigentlich dazu. Trotzdem: Teilprobleme kann er mit organischen und anorganischen Jahreslagen angehen, die Zeitspanne von Jahrhunderten wird allmählich für seine Erhebungen in Seen und im Meer aufgeschlossen. Zudem wird er immer häufiger im lokalen oder regionalen Rahmen gefragt, wann das nächste Erdbeben, der nächste Vulkanausbruch zu erwarten sind, und sogar, wie stark sie wohl sein werden.

Wie weit sind wir bei diesen Anforderungen? Erste Voraussetzung ist, daß wir die heute ablaufenden *Prozesse* besser verstehen lernen, um überhaupt Vorhersagen wagen zu können. Liegen streng mechanische Gesetze vor, bei denen einzelne Parameter nicht durch den Menschen wesentlich beeinflußt werden können, so sind heute schon Erfolge zu verzeichnen:

Die astronomisch bedingten Gezeiten, Ebbe und Flut, können recht genau vorhergesagt werden. Vor Tsunamis, d. h. durch Erdbeben verursachten Flutwellen, kann präzise gewarnt werden – freilich erst nach Einsetzen des Erdbebens. Bei den meisten einschlägigen Modellrechnungen aber fehlt vielfach heute noch diese erste Voraussetzung.

Zweite Voraussetzung ist, daß mehr als bisher relevante historische oder erdgeschichtliche *Abläufe* auf diese Zusammenhänge hin untersucht werden müssen. Stellen sich dabei zum Beispiel klare zyklische Abläufe heraus, so können mit Vorsicht Extrapolationen in die Zukunft gewagt werden. Das beginnt mit Jahreslagen, die ja auf den Zyklus der Jahreszeiten zurückgehen, mag mit Sonnenfleckenzyklen weitergehen und bis zu den schon behandelten zyklischen Veränderungen der Erdbahn im Maßstab von Zehntausenden von Jahren führen.

Wären nur Mond und Sonne für geologische Vorgänge verantwortlich wie bei Ebbe und Flut, so könnte man voll Hoffnungen sein. Die Komplexität, die Häufigkeit von Schwellenwerten, die bei Überschreiten Kippreaktionen auslösen, die Bifurkation vieler Prozesse, die Voraussagen prinzipiell verhindern, stellen sich aber allerorts in den Weg. Schließlich darf man auch einmalige Ereignisse, zum Beispiel Katastrophen aus dem Weltraum, nicht vergessen.

Beides, physikalisch-gesetzmäßige Abläufe und solche unvorhersehbaren Katastrophen, ist übrigens in den letzten Jahren auch durch die *Planetologie* ins Blickfeld der Geologen geraten. Diese versucht, durch vergleichende Studien die ersten 500–700 Millionen Jahre der Erdgeschichte zu entziffern. Diese bleiben anderen Methoden ja weitgehend oder ganz verschlossen. Umgekehrt wird sicherlich auch unter dem Eindruck der vielen Einschlagkrater auf Monden und Planeten überall auf der Erde nach weiteren dem Nördlinger Ries verwandten Strukturen gesucht. Diese 26 km weite und ursprünglich 800 m tiefe kreisförmige Einsenkung um Nördlingen soll auf den Einschlag eines 1–2 km großen Objekts vor 15 Millionen Jahren zurückgehen. Rund 1000 Asteroiden dieser Größe sollen aber die Erdbahn kreuzen, mit der Wahrscheinlichkeit, daß drei von ihnen innerhalb einer Million Jahre auch auf der Erde auftreffen. Im selben Zusammenhang wird derzeit auch ungemein engagiert diskutiert, ob nicht der Einschlag eines kosmischen Körpers, eines »Boliden«, die vielen drastischen Wechsel von Faunenelementen an der Wende von *Kreide- zur Tertiärzeit* verursacht hat. Bekanntlich starben damals die mesozoischen Reptilien aus. Besonders die Landsaurier waren und sind dabei bis in die Tagespresse hinein betroffen. Große marine Gruppen der Mollusken erloschen völlig, etwa die als Leitfossilien so bekannten Ammoniten, die riffbauenden Rudistenmuscheln. Andere marine Faunen wurden völlig neu strukturiert: Beinahe sämtliche Gattungen der Plankton- und Großforaminiferen wurden durch neue ersetzt. Die Begeisterung für diese Hypothese ist so groß geworden, daß solche Ereignisse teilweise als wichtiger Motor für die Evolution der Organismen angesehen werden, als eine Chance für »Opportunisten«, die die Katastrophe überleben und sich danach mangels Konkurrenz rasch ausbreiten können.

Doch zurück zum eigentlichen Thema: Hinsichtlich der Prognosen ist die Geologie in einer fast so schwierigen Lage wie die Wirtschaftswissenschaften, bei deren Gegenstand freilich der Mensch selbst ein viel aktiverer, sogar der ausschlaggebende Faktor ist. Auch sie müssen Vorhersagen für die Zukunft auf das Vergangene gründen.

*Beispiele*

Einige Beispiele, in denen die Geologie versucht, auf die Zukunft zu sehen, seien anschließend behandelt. Sie sind von Methoden und Zielen her sehr heterogen.

In gewissem Sinn ähneln sich die ersten, Seismizität und Vulkanismus. In beiden Fällen kann der Geologe sehr gut die Großregionen definieren, in denen mit Erdbeben oder Vulkanausbrüchen gerechnet werden muß (s. Abb. 13). Auch in zeitlicher Hinsicht gibt es Anzeichen für Episoden mit verstärktem Vulkanismus, global etwa im mittleren Miozän, vor etwa 15 Millionen Jahren, oder im Pliozän, vor rund 4 Millionen Jahren. Umgekehrt soll – ausgerechnet zum Höchststand der letzten Kaltzeit, vor 18 000 Jahren – zumindest auf der Nordhalbkugel vulkanisch Ruhe geherrscht haben. Doch diese Grobraster nutzen nicht viel. Vom Fuji, 100 km südwestlich von Tokio, werden seit dem 8. Jahrhundert mehr als 17 Eruptionen berichtet. Mit solchen Daten sind auch Langzeitvoraussagen möglich. Bei Erdbeben wie bei Vulkanausbrüchen treten aber im wesentlichen Katastrophen nur lokal auf. Wo und wann? Wie stark? sind daher die drängenden Fragen, d. h., es werden klare Vorhersagen verlangt.

Vulkane

Sie sind bisher am erfolgreichsten bei aktiven Vulkanen beantwortet worden. Die Bedrohung durch Ausbrüche beschränkt sich nicht auf die lokalen Geschehnisse, Lava-Ergüsse, Auswurf von Bomben bis Aschen, Ausströmen von heißen Gasen, Erdbeben oder sekundäre Schlammströme durch induzierte Regengüsse. Klassisch konnte dies ja seit der Antike in der Umgebung von Neapel studiert werden. Trotzdem fragt es sich auch heute noch, ob F. Nietzsche recht hat, wenn er schreibt: »Das Geheimnis um die größte Fruchtbarkeit und den größten Genuß vom Dasein einzuernten heißt: gefährlich leben! Baut eure Städte an den Vesuv!«

Dadurch, daß Aerosole bis in die Stratosphäre hoch geschleudert werden und dort jahrelang verweilen können, kann es indessen auch zu globalen Folgen kommen. Der Ausbruch des El Chichon in Mexiko (April 1982) ist in dieser Hinsicht seit dem des Katmai – in Alaska (1912) – das größte Ereignis auf der Nordhemisphäre. Es scheint so, daß schon im zweiten Monat nach einer derartigen Eruption auf der entsprechenden Hemisphäre die Oberflächentemperatur um etwa $\frac{1}{2}$ °C (in Sommermonaten) bis $1\frac{1}{2}$ °C (im Winter) absinken kann.

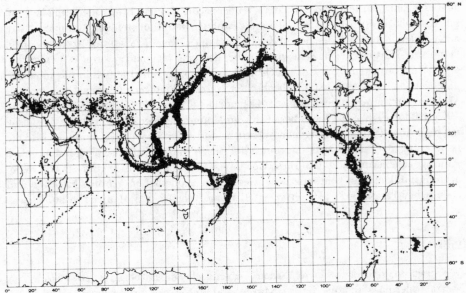

Abb. 13: Verbreitung der Epizentren von Erdbeben zwischen 1961–1967 mit Herdtiefen in den obersten 700 km.

Die allgemeine Vorhersage von Erdbeben für Großräume ist danach recht einfach. Sie häufen sich an den Rändern der Lithosphärenplatten, (Abb. 2) den divergierenden, im allgemeinen in der Mitte der Ozeane, daher weniger bedrohlich, oder den konvergierenden, besonders deutlich um die Ränder des Pazifiks, aber auch auf einem Gürtel zwischen Gibraltar und Neuguinea. Man achte aber auch auf die Intraplatten-Epizentren.

(Nach Barazangi & Dorman, 1969, Seismol. Soc. Amer. Bull. 59).

Derartige Untersuchungen müssen übrigens unbedingt vertieft werden, damit das Szenario eines »*Nuclear Winter*« hieb- und stichfester wird (Turco et al., 1983, Science). Bekanntlich ist dies eine ungemein bedrohliche Vorstellung der möglichen klimatischen Folgen eines »großen« Atomschlags. Die obere Atmosphäre würde danach mit Rauchpartikeln aus Flächenbränden erfüllt, die sich rasch um die Erde, zumindest um die betroffene Halbkugel legen und die Sonne verfinstern. Vieles ist dabei noch ungeklärt, auch die Länge und das Ausmaß der damit drohenden Abkühlung, die noch kontrovers diskutierte Folgen für alles Leben haben würde. Beiträge zur Behandlung dieser Fragen könnten, wie gesagt, Fallstudien an Vulkanausbrüchen liefern. Generelle Hinweise könnte nach weiterer Klärung sogar das Massensterben an der Kreide-/Tertiärwende geben.

Wie steht es aber mit der Vorhersage der Eruptionen? Man kann zunächst kritische Stellen des Vulkans laufend geodätisch vermessen. Vor dem Sommer 1982 hoben sich Teile der Phlegräischen Felder westlich Neapel um rund 2mm/Tag, danach um 4 mm/Tag im Herbst. Die Stadt Pozzuoli liegt mit bisher 40 cm Hebung im Zentrum, und die Mikrobeben in rund 1 km Tiefe versprechen nichts Gutes! Doch: Beruhigt sich das Gebiet wieder? Oder nicht? Die Situation gleicht den Vorphasen der letzten Eruption im Jahre 1538. Im Long Valley in Kalifornien liegt ein riesiger Kessel, der vor 700 000 Jahren nach einer vulkanischen Eruption zusammengebrochen ist. In den letzten 50 000 Jahren gab es an dieser Einbruchstelle, dieser Caldera, immer wieder kleinere Eruptionen. Im Mai 1980 schreckte ein Erdbeben der Stärke 6 die Bewohner und Touristen von Mammoth Lake auf. Seitdem haben sich der Boden der Caldera um 45 cm, die Stadt um 10 cm gehoben. Seismische Hinweise legen den Schluß nahe, daß eine Magma-Injektion in weniger als 4 km Tiefe an allem schuld ist. Auch hier dieselben Fragen! Die Seismizität muß also gleichzeitig – und langfristig – beobachtet werden. Erfolge auf darauf basierenden Vorhersagen werden aus der Kamtchatka gemeldet (12. 3. 1964 Eruption Sheveluch, 6. 6. 1975–10. 12. 1976 Tolbachic), aber auch vom Mount St. Helens (18. 5. 1980). Vergleiche mit dem Ablauf vorausgegangener Ausbrüche und deren Begleiterscheinungen sind die beste Hilfe für Vorhersagen, die dort auf Wochen und schließlich auf Stunden genau vorausgesagt werden konnten. Diese Genauigkeit verlangt natürlich ein Netz von Beobachtungspunkten für kontinuierliche Messungen geodätischer, geophysikalischer und chemischer Parameter, wie es etwa seit 1912 am Kilauea und Mauna Leo auf Hawaii besteht.

## Erdbeben

Wie erwähnt, sind erdbebengefährdete Gebiete seit langem bekannt, etwa Sizilien als »terra ballerina«. Tektonische Strukturen und historische Erfahrungen erlauben es, verschiedene Grade der Gefährdung auf Karten für die Raumplanung darzustellen. Man setzt Kernkraftwerke nicht gerade in Störungszonen. Man weiß auch, daß außer Schäden an Bauwerken durch Erdbeben Hangrutsche und Bergstürze ausgelöst und die Grundwasserverhältnisse erheblich gestört werden können. Wie aber kommt man zu wirklichen Vorhersagen?

Als wesentlichste Ursache gilt heute, daß eine allmähliche Anhäufung von Spannungen in der Erdrinde schließlich zu einem Brechen der Gesteine und damit zur Erzeugung seismischer Wellen, zu Beben führt. Die vielen Heterogenitäten etwa durch unterschiedliche Gesteine und vorhandene Brüche erschweren es aber, aus der meßbaren Verformung, der Auswirkung dieser Spannungen, zu Vorhersagen zu kommen. Es sind viele stochastische Komponenten eingebaut. Immerhin kann man etwa aus dem Ausmaß eines praktisch bebenfreien lang anhaltenden »Kriechens« auf beiden Seiten einer Blattverschiebung und aus einer ruckartigen Dislokation durch ein großes Erdbeben an einer solchen Störung das Eintreten des nächsten abschätzen.

Die San Andreas Fault in Kalifornien zum Beispiel ist ein Scherungsrand zwischen der nordamerikanischen und pazifischen Platte (Abb. 2). Der Westteil bewegt sich im groben Durchschnitt gegenüber dem Ostteil um einige cm/Jahr nach Norden. Im südlichen zentralen Teil ereignete sich 1857 ein großes Erdbeben, das stellenweise eine plötzliche horizontale Verschiebung der Blöcke um 9–10 m verschuldete. Da im Durchschnitt die Verformung im Holozän zu 33–64 mm/Jahr bestimmt werden konnte, müßte sich das nächste dortige große Erdbeben in 140–300 Jahren, also eventuell sehr bald ereignen – wenn alles so einfach und linear zugehen würde. Auch wenn keine so eingehenden Messungen vorliegen, kann man mit der sogenannten »Seismic Gap-Methode« Prognosen versuchen. Sie beruht darauf, daß nach kontinuierlicher Zunahme der Verformung schließlich an Störflächen quasizyklisch Beben ausgelöst werden. Fedotov wandte dies 1965 in der Kamtchatka an. Mogi verfeinert die Methode seit 1979 für zeitliche und räumliche Ableitungen. Immer mit dem Prinzip, daß örtlich wie zeitlich die größte Gefahr für ein nahes Großbeben besteht, je länger das letzte zurückliegt. Das schwere Erdbeben (M = 6,8) vom 23. 11. 1980 südöstlich Neapel konnte mit dieser Methode kurz vorher im Prinzip angekündigt werden (Berckhemer 1979). Die Methode ist trotzdem noch in einem »embryonalen« Stadium. Für Kalifornien: Seit den letzten 1200 Jahren soll es dort mindestens 8 große Erdbeben gegeben haben, mit einem mittleren Intervall von 140 Jahren. Auch dies warnt vor dem nächsten Jahrhundert.

Direkte Beobachtungen gelten vor allem den Vorläuferbeben und deren Begleiterscheinungen als Vorwarnung. Es werden dabei möglichst kontinuierlich Spannungen, Bodenbewegungen, seismische, gravimetrische oder magnetometrische Parameter gemessen. Der Grundwasserspiegel wird verfolgt; Bodengase werden analysiert, etwa der Gehalt an Radon; das Verhalten der Haustiere wird beobachtet. Alles, um bei sprunghaften Änderungen genauer hinzusehen.

Die bisherigen Erfolge sind freilich bescheiden, und nur wenige Vorhersagen waren präzise. Kommt die Analyse von Vorläuferphänomenen mit lokalen Erfahrungen aus früheren Fällen zusammen, gelingt es, die Seismic Gap-Methode und die Verformungsmessungen zu verbessern, so bestehen wohl am ehesten Aussichten auf Fortschritte. Freilich bleibt jedes Erdbeben ein Individuum, selbst an der San Andreas Fault – viel mehr jedoch bei den derzeit überhaupt nicht faßbaren, so launischen Intraplatten-Beben. Wer übrigens je selbst ein Erdbeben erlebt hat, wird das Emotionale dabei nie vergessen, das Charles Darwin auf seiner Reise mit der »Beagle« in Chile beschrieben hat:

»A bad earthquake at once destroys our oldest associations: the earth, the very emblem of solidity, has moved beneath our feet like a thin crust over a fluid; one second of time has created in the mind a strange idea of insecurity, which hours of reflection could not have produced.«

## Klima

Auf S. 397 wurde auf die Fortschritte der Paläo-Ozeanographie in den letzten Jahren hingewiesen. Hier könnte sich eine Möglichkeit ergeben, auch etwas zur Entwicklung des künftigen Klimas auszusagen. Einen theoretischen Ansatz gibt Imbrie (J. geol. Soc. London 1985) für die nächsten 25 000 Jahre. Hier sei einiges zum $CO_2$-Problem gesagt. Das Weltmeer spielt beim globalen Kohlenstoffkreislauf eine besonders wichtige Rolle, neben den Pflanzen, Tieren, Gesteinen, der Atmosphäre – und seit der Industrialisierung dem Menschen selbst. Es enthält beispielsweise sechzigmal mehr C (als $HCO_3'$, $CO_3''$, $CO_2$) als die Atmosphäre. Der Austausch zwischen beiden spielt sich über die einige 100 m mächtige Oberflächenwasserschicht recht rasch ab, in wenigen Jahren. Eine Durchmischung bis zum Tiefseeboden braucht dagegen ein Jahrtausend. Der Ozean als Ganzes reagiert daher träge, vergißt aber irgendwelche Änderungen von außen auch lange nicht, selbst wenn diese rückgängig gemacht werden könnten.

Im Oberflächenwasser wird der $CO_2$-Gehalt u. a. beeinflußt durch die Temperatur und die Organismen. In hohen Breiten wird in ihm $CO_2$ absorbiert, in niedrigen an die Luft abgegeben. Photosynthese, pflanzliche Assimilation, entnimmt C aus dem Wasser. Kalkfällung, etwa durch Korallen oder Bau von Organismenschalen, erhöht den $CO_2$-Gehalt im Wasser, Kalklösung, etwa in der Tiefsee, erniedrigt ihn:

$$CaCO_3 + CO_2 + H_2O = Ca^{++} + 2HCO_3'$$

Verwitterung,
Kalklösung $\rightarrow$ $\leftarrow$ Kalkfällung

Nun haben Meßreihen gezeigt, daß der $CO_2$-Gehalt der Atmosphäre in den letzten 100 Jahren von rund 290 ppm auf 340 ppm zugenommen hat. Dies wird auf die verstärkte Verbrennung fossilen Kohlenstoffs aus Öl, Erdgas und Kohle, auf die Abholzung vor allem tropischer Wälder, auf die Zerstörung organischer Substanz in den Böden u. ä. zurückgeführt. Der jeweilige Anteil dieser Faktoren an der $CO_2$-Zunahme ist aber noch umstritten. Nach den derzeitigen Klimamodellen wird weitgehend angenommen, daß eine weitere Zunahme zu einem Treibhauseffekt, zu einer globalen Erwärmung führt, die evtl. sogar an den Polen höher als der Durchschnitt werden kann. Völlig offen dagegen ist, wie stark und wie schnell diese Erwärmung einsetzen wird. Hier können sicher Modelluntersuchungen durch paläoozeonographische Befunde korrigiert oder gestützt werden, denn die Interglaziale oder gar das Tertiär waren ja Zeiten mit höheren globalen Temperaturen.

Waren aber damals tatsächlich auch die $CO_2$-Gehalte der Luft höher? Eiskerne aus Grönland und der Antarktis, deren Jahreslagen zum Teil bis 130 000 Jahre zurückreichen, haben in der Tat hierfür Hinweise erbracht. In der auslaufenden letzten Glazialzeit, also vor 30 000 bis 15 000 Jahren, lagen sie bei 180–200 ppm. Sie stiegen danach rasch auf etwa 300 ppm an und hatten sich bis zur Industrialisierung bei 260–280 ppm eingependelt. Die letzteren Werte konnten aus Baumringuntersuchungen gewonnen werden. Gestützt wird dies neuerdings durch Untersuchungen des $^{13}C/^{12}C$-Verhältnisses von Foraminiferenschalen in Tiefseekernen. Auf Einzelheiten dieser noch im Gange befindlichen Arbeiten von Shackleton und anderen soll nicht eingegangen werden.

Zwei naheliegende Vergleiche aus Perioden erhöhter Globaltemperaturen bieten sich an: 1. Im letzten Interglazial war der westantarktische Eisschild verschwunden, was den Meeresspiegel weltweit um 5–7 m gehoben hatte. 2. Der Arktische Ozean war im Tertiär praktisch eisfrei, was die Temperaturen erheblich erhöht und die Klimagürtel der Nordhalbkugel verändert hatte. Wird dies die künftige Situation? Nach uns die Sintflut? Und wann?

Es wird der Trost geäußert, daß das Weltmeer groß genug sei, das anthropogen der Atmosphäre zugeführte $CO_2$ aufzunehmen. Bisher soll dies aber nur zur Hälfte geschehen sein. Man kann sich leicht vorstellen, daß erhöhtes $CO_2$ im Tiefenwasser Tiefseekarbonate auflösen und damit der $CO_2$-Gehalt nach der obigen Gleichung herabgesetzt wird. Doch dies wird erst nach einem Jahrtausend voll wirksam! Das hilft dann nicht mehr, wenn die obengenannten möglichen Folgen in wenigen Jahrhunderten auftreten. Und darüber kann noch nichts Sicheres gesagt werden, so wenig übrigens wie über das eventuelle baldige Eintreten des Gegenteils, einer neuen Glazialzeit. Immerhin leben wir seit rund 10 000 Jahren in einem Interglazial. Diese Perioden dauerten bisher 10 000–15 000 Jahre.

Auch wenn man geneigt ist, bei all den genannten und ungenannten Ungewißheiten weitere Ergebnisse der – dringend notwendigen – Forschung abzuwarten, und wenn man dazuhin als Geologe die Anpassungsfähigkeit des Lebens an Umweltveränderungen kennt, so ist wohl der Rat nicht verkehrt, schon jetzt zumindest alternative Optionen für die Bereitstellung und Verwendung der Energie vorzubereiten.

Ein Nachwort zu dem bei weiterer Erwärmung abzusehenden *Anstieg* des *Meeresspiegels* und damit der Verschiebung der Küstenlinien. Es wäre ein globales Phänomen, wenn auch eigenständige regionale tektonische Bewegungen oder der Effekt unterschiedlicher Belastung von verschieden gestalteten Schelfmeeren und Küstenebenen diesen Anstieg nach Geschwindigkeit und Ausmaß regional variieren werden. – Dies ist übrigens ein interessantes Ergebnis der gegenwärtig weltweit laufenden Untersuchungen zum holozänen (Tab. 1) Meeresspiegelanstieg um über 100 m. Es steht im Widerspruch zu der Ansicht, daß Meeresspiegelschwankungen weltweit synchron verlaufen. Sie beeinflussen natürlich die Sedimentation auf Schelfen (Vail et al., seit 1975), evtl. auch in der Tiefsee (Barron & Keller, 1982) und können zu globalen stratigraphischen Zeitmarken werden, obwohl es sich dabei vor allem um Schichtlücken, Hiatusse, also fehlende Seiten im Buch der Erdgeschichte handelt.

## Rohstoffe und Zukunft

Bei Vulkanen und Erdbeben werden Prognosen immer unsicherer, je kleiner die Ausschnitte in Raum und Zeit werden. Die großen Züge sind bekannt. Bei der Abschätzung der Rohstoffressourcen und -reserven (d. h. des nachgewiesenen und derzeit technisch und wirtschaftlich gewinnbaren Teils der Ressourcen) ist fast das Gegenteil der Fall. Die einzelne Erz- oder Erdöllagerstätte muß ja mit ihren Reserven schon vor der Einrichtung eines Bergwerks oder Feldes so weit bekannt sein, daß sich der Einsatz lohnen wird. Diese

EUGEN SEIBOLD

Art von Vorhersagen gehört also schon lange zum Handwerk des Geowissenschaftlers oder Bergmanns.

Das Abschätzen der Weltressourcen und selbst der Weltreserven ist nicht nur deshalb kompliziert, weil zumindest Teilzahlen daraus wirtschaftlich und politisch sehr empfindlich sind. Auch einer wissenschaftlichen, objektiven Behandlung stehen außerordentliche Hemmnisse entgegen, selbst bei den *Kohlenwasserstoffen,* die doch an Sedimentbecken gebunden sind, also bei einigermaßen bekannten Volumen derselben und bei Übertragung des durchschnittlichen Öl- und Gasgehalts von bekannten Becken auf unbekannte gute Vorratsschätzungen zulassen sollten. Dies ist aber eine täglich fortzuschreibende Aufgabe, da jede geophysikalische Untersuchung in all diesen Becken und vor allem jede Bohrung unsere Kenntnisse verbessert. Die geschilderten quantitativen Methoden (S. 418) sind viel zu aufwendig, um sie weltweit anwenden zu können. Auf andere Methoden soll hier nicht eingegangen werden. Von der Sicherung der Energieversorgung hängt die Zukunft nicht nur der Industriestaaten ab. Deshalb seien die letzten verfügbaren Zahlen der Reserven von Erdöl, Erdgas und Kohle in Tabelle 2 (S. 416) zusammengestellt.

Noch schwieriger sind diese Abschätzungen für *Erze,* da es recht unterschiedliche Vorstellungen über deren Vorkommen und Erstreckung in größeren Tiefen gibt. Bohrungen – und vor allem Gewinnung – werden mit der Tiefenzunahme im allgemeinen sehr viel teurer als bei den Kohlenwasserstoffen. Wenn die Erze nicht sedimentär entstanden sind, sondern etwa in Gängen, schlägt das Lokale noch stärker durch, trotz der genannten »Erzprovinzen«.

Der Geologe steht indessen nicht direkt vor der Schwierigkeit, die Lebensdauer dieser Vorräte abschätzen zu müssen. Er ist vorsichtig, derzeitige Verbrauchsangaben ohne weiteres in die Zukunft zu projizieren. Neue Technologien bei der Exploration, Gewinnung, aber auch weiterer Verarbeitung der Rohstoffe, ihr Ersatz durch andere oder durch Recycling, der Markt mit seinen Preisen, politische, soziale und andere Einflüsse spielen herein. Schließlich kann im Prinzip jedes Element auch aus größter Verdünnung der Erdkruste entnommen werden, wenn man nur genügend Energie, also auch Geld aufwendet. Derzeit scheint es bis zum Ende des nächsten Jahrhunderts, also im Jahr 2100, praktisch keine Verknappung zu geben bei Na, Cl, Mg, Br aus dem Meer, bei Mn aus Tiefseeknollen sowie bei Si aus Sanden u. ä., Ca aus Kalken, S aus Gips, Al – mit Ga als Nebenprodukt – aus Tonen, Fe aus Erzen, P aus Phosphaten. Angeblich gilt das nicht – und dies in fallenden Zahlen der Erschöpfung – für Indium, Wismut, Gold, Zink, Silber, Antimon, Kadmium, Blei, Germanium, Quecksilber usw. (Goeller & Zucker, Science 1984). Doch, wie gesagt, spielen so viele Faktoren herein, daß die Spanne zwischen Kassandra und Candide, mit der besten aller Welten, groß ist.

Umweltgeologie

Eine ganze Reihe von Problemen, die man unter diese Überschrift stellen könnte, ist im Vorstehenden schon behandelt worden. Das wichtigste ist, daß der Geologe die derzeit ablaufenden *Vorgänge* besser verstehen lernen und versuchen muß, sie zu quantifizieren. Das beginnt mit der Verbesserung unserer Kenntnisse des Stoffkreislaufs vor allem der biologisch wichtigen Elemente C, P, N und S. Wie beschrieben, klaffen selbst beim Kohlenstoff noch große Lücken, von denen einige auch der Geologe füllen muß. Stoffkreisläufe verstehen, die zudem biologisch beeinflußt werden, bedeutet eine Fülle noch ungelöster fundamentaler Probleme, vor allem von solchen an Grenzflächen. Was wissen wir wirklich quantitativ von der Verwitterung in den verschiedenen Klimazonen, was von der Bodenbildung mit der Wechselwirkung zwischen Gesteinsbruchstücken, Grundwasser, Bodenluft, Mikro- und Makroorganismen? Wie wirkt sich das Alter der Bodendecke aus? Die Zufuhr frischen Materials ist ja für die Fruchtbarkeit entscheidend, wie in früher gletscherbedeckten Bereichen oder um junge Vulkane, wie es auch Nietzsche (S. 423) richtig sah. Im Innern alter Schilde in den Tropen hat die dort so intensiv und lange Zeit aktive chemische Verwitterung wenig Nährstoffe übriggelassen. Was geschieht, wiederum quantitativ, *unter* all diesen Böden, schließlich im Grundwasser und in einer Welt, die offensichtlich noch voller Überraschungen steckt, d. h. in den Bereichen von mehr als einigen Kilometern Tiefe? Wo zirkulieren dort überhaupt Wässer, welche Mengen, wie rasch? Da radioaktiver und sonstiger toxischer Abfall nicht in den Wasserkreislauf einbezogen werden darf, sind das aber wichtige Fragen für die Zukunft.

Der zweite Punkt: Der Geologe muß fortfahren, für Umweltfragen wichtige *Tatbestände* in geeigneter Form, in allgemeinverständlichen Karten und Profilen darzustellen. Immer mehr wird der Mensch Kompromisse schließen oder Alternativen wählen müssen: Kiesgewinnung für Bauzwecke oder Gewinnung von Grundwasser aus den Kiesen unter derselben Fläche? Siedlungen oder Tagebaue? Und: Nützen verlangt Schützen, nicht nur bei Tieren und Pflanzen, auch bei der Gewinnung und Verarbeitung von Rohstoffen.

## Schlußbemerkungen

Am Schluß dieser Betrachtungen sei darauf hingewiesen, daß vieles darin stark vereinfacht und schematisiert werden mußte. Doch die Grundprobleme wurden dadurch vielleicht sogar deutlicher. Durch viele Fragen im Text wurde versucht, auf Lücken unserer Kenntnisse und derzeit anzugehende und auch angehbare Probleme hinzuweisen.

Wie auch in anderen Wissenschaftszweigen beruht der Fortschritt in den letzten Jahrzehnten vor allem auf zwei Tatsachen: Die Geologie und Paläontologie traten heraus aus ihren Einseitigkeiten und pflegten engere Zusammenarbeit mit der Geophysik, Mineralogie, Petrologie, Geochemie. Und ferner: Neue, oft von außen übernommene Methoden und Geräte brachten neue Daten und Beobachtungen, die eine Deutung verlangten.

Das Wichtigste bleiben natürlich trotzdem neue Ideen. Der entscheidende Umbruch war das Umsichgreifen der neuen Hypothesen aus den Ozeanen und deren Überprüfung. Man braucht bei dieser Feststellung gar nicht auf moderne Wissenschaftstheoretiker zu verweisen. Schon 1938 schrieb der Geologe von Bubnoff:

»Die logische Kontinuität der Wissenschaft ist nur ein frommer Wunsch; das Fortschreiten der Erkenntnis ist sprunghaft und irrational. Gedanken sterben nicht, weil sie falsch

sind, sondern weil sie keine Nahrung finden, und werden neu geboren und entwicklungs-
fähig, wenn ein Nährboden vorhanden ist.«

Der sicherlich nie endende fachliche Dialog in der Geologie selbst bleibt im Ansatz
dieselbe Frage, nach kontinuierlicher oder diskontinuierlicher Entwicklung. Die diskonti-
nuierliche ist spektakulärer. Seltene Ereignisse, gar Katastrophen, prägen sich in der
Natur wie in unserem Lebenslauf tiefer ein und manchmal auch aus als das alltägliche
Geschehen. Beides hat der Geologe im Auge. Was ist wichtiger? Unter welchen Bedingungen? Heilt das endlose Hin und Her des Wassers am Meeresstrand die episodischen
Sturmschäden?

Die Antwort liegt zum Teil im angelegten Zeitmaßstab. Für die nächste Jahrmillion kann
wohl recht sicher vorausgesagt werden. Wieweit sich durch die Relativverschiebungen an
der San Andreas Fault Los Angeles an San Franzisko angenähert haben wird, aus dieser
Sicht kontinuierlich. Doch welche Katastrophen werden sich dabei durch die diskontinuierlichen und so schwer vorhersehbaren Rucke im Untergrund, durch die Erdbeben
ergeben! Das stochastische Element findet sich aber auch in fast allen weiteren Kapiteln,
die im Vorstehenden behandelt werden konnten. Deshalb bleibt bei allem Fortschritt mit
quantitativen Methoden im Bereich so komplexer Zusammenhänge die Unsicherheit bei
der Ableitung von Regeln oder Gesetzen und deren Extrapolation in die Zukunft. Nicht
die *Gesetze,* nach denen die einzelnen zusammenspielenden Faktoren wirken, ändern sich
in der Zeit. Diese können in weitem Umfang durch exakte Methoden aufgeklärt werden.
Das *Gewicht* der Einzelfaktoren indessen ändert sich. Dabei kann man so skeptisch sein wie
der Mathematiker Thom, wenn er zur Plattentektonik erwähnt (1978):

»Kausalität ist ein Konzept, das uns auf falsche Wege führt, denn es ist intuitiv klar,
wogegen aber die Wirklichkeit immer aus einem Netz subtiler Wechselwirkungen besteht.«

Umgekehrt erwächst gerade aus neuen mathematischen Verfahren und physikalischen
Ableitungen die Hoffnung, daß die den Geologen so fesselnden Strukturen, die Gestalt, in
der Synergetik, der Lehre vom Zusammenwirken, neu gesehen und behandelt werden
können. Dann bleiben vielleicht Gesteinsfalten im Gebirge nicht nur erstarrte Bewegung,
Konvektionsströme im Erdmantel nicht nur eine Vermutung, die zeitliche Abfolge der
Umkehrungen des Erdmagnetfeldes oder der großen Eiszeiten nicht ein Zufall, Fossil-
schalen nicht nur Zeugen vergangener Anpassung an physiologische oder ökologische
Vorgaben. Formenvielfalt, viele Komponenten, instabil werdende Zustände offener
Systeme sind dabei überall beteiligt. Es keimt die Hoffnung auf, daß aus dieser neuen
physikalischen Sicht doch einmal Teile der Erdgeschichte in Richtung auf gesetzmäßige
Abläufe aufgearbeitet werden können.

## Weiterführende Literatur

1. Grundlagen mit zahlreichen Literaturangaben werden in deutschen Lehrbüchern gegeben. Beispiele:
- Brinkmann, R., et al (Hrsg.): Lehrbuch der Allgemeinen Geologie Bd. 1: 1974 (2. Aufl.); 2: 1972; 3: 1967, Stuttgart
- Brinkmanns Abriß der Geologie: Bd. 1: Allgemeine Geologie (Zeil), 1984 (13. Aufl.), Bd. 2: Historische Geologie (Krömmelbein), 1977 (10./11. Aufl.), Stuttgart
- Bender, F. (Hrsg.): Angewandte Geowissenschaften Bd. 1: 1981; Bd. 3: 1984, Stuttgart
- Seibold, E.: Der Meeresboden 1974, Berlin etc., ... mit W. H. Berger: The Sea Floor, 1982, Berlin etc.

2. Neuere Übersichtsdarstellungen von Teilgebieten, in Auswahl:

Bach, W. et al. (Hrsg.), 1983: Carbon Dioxide: Current Views and Developments in Energy/Climate Research; Dordrecht etc.

Beloussov, V. V., 1981: Continental Endogenous Regimes; Moskau (russ. 1978).

Coleman, R. G., 1977: Ophiolites: Ancient oceanic Lithosphere? Berlin.

Emiliani, C. (Hrsg.), 1981: The Sea, Vol. 7; New York.

Fuchs, K. et al. (Hrsg.), 1983: Plateau Uplift. The Rhenish Shield – A Case History; Berlin etc.

Giese, P. (ed), 1984, Ozeane und Kontinente. – Spektrum der Wissenschaft: Verständliche Forschung. Heidelberg.

Hallam, A., 1983: Great Geological Controversies; New York

Hansen, J. E., Takahashi, T. (Hrsg.), 1984: Climate Processes and Climate Sensitivity; Geophysical Monographs 29, Maurice Ewing Vol. 5, Amer. Geophys. Union, Washington D. C.

Hsü, K. (Hrsg.), 1982: Mountain Building Processes; London

Kennett, J. P., 1982: Marine Geology; Englewood.

Labesse, B. (Hrsg.), 1984: Des Océans aux Continents – Colloque Saint-Cloud 20. – 21. 11. 1982; Bull. Soc. Géol. France (7) XXVI, 3.

Le Pichon, X., Francheteau, J., Bonnin, J., 1973: Plate tectonics; Amsterdam.

Malone, T. F. Roederer, J. G., 1984: Global Change. Proceedings ICSU Symposium Ottawa, 25. 9. 1984, ICSU Press.

Moores, E. M. (Hrsg.), 1983: Geology – Past and Future; Geology, 679–691.

Odin, G. S. (Hrsg.), 1982: Numerical Dating in Stratigraphy; Chichester.

Seibold, E., Meulenkamp, J. D. (Hrsg.), 1984: Stratigraphy Quo Vadis? AAPG Studies in Geology, 16, IUGS Special Publication 14, Tulsa.

Trümpy, R., 1985: Die Plattentektonik und die Entstehung der Alpen; Nat.forsch. Ges. Zürich, Viertel J.-Schrift, Heft 5.

US Geodynamics Committee, 1983: The Lithosphere; Report of a Workshop; National Academy Press, Washington D. C.

US National Research Council Geophysics Study Committee: Continental Tectonics: B. C. Burchfield et al., 1980; Climate in Earth History: W. H. Berger et al., 1982; Explosive Volcanism: Inception, Evolution, and Hazards: F. R. Boyd, 1984.

3. Es war in dem vorgegebenen Rahmen nicht möglich, alle Aussagen zu belegen. Einige wenige und einfacher zugängliche Verweise finden sich gekürzt im Text. Hinweise auf neueste Entwicklungen verdanke ich vor allem den Vorbereitungen für den 27. Internat. Geol. Congress, Moskau, August 1984. Die entsprechenden Kollegen werden genannt in E. Seibold: Advances in Geological Science (1980–1984); Episodes 7, 3. Sept. 1984.

# Hubert Markl

# Evolution und Freiheit –
# Das schöpferische Leben

## Einleitung

Wollten wir nach einem einzigen Begriff suchen, in dem menschliches Wesen am urprüng-lichsten und unverwechselbar zum Ausdruck kommt, so müßte es wohl das Wort »Warum« sein. Warum: das ist eine besonders reichhaltige Form der Frage. In ihr stecken, in eins gefaßt, die weitergehenden Fragen Woher? Wodurch? Wozu?

Wir teilen viele Begierden mit unseren Verwandten, den Tieren. Auch für die Neu-gierde ist dies nicht anders. Aber von der Neugier darauf, *was da ist,* in der uns wenig von vielen Tieren unterscheidet, zur *Wißbegier* danach, *warum es da ist* und *weshalb es so ist und nicht anders,* ist es ein himmelweiter Schritt, zu dem zwar viele kleine Schritte im Laufe der Entwicklung des Menschen geführt haben mögen, in denen sich jedoch die Quantität des Abstands in die Qualität der anderen Wesensart gewendet hat. Denn so *neugierig* andere Lebewesen sich verhalten mögen, *wissensdurstig* und *verständnishungrig* ist allein der Mensch. Schon die Auswahl dieser ja durchaus animalisch klingenden Bestimmungsbe-griffe macht es deutlich, daß dies ein Drang ist, den Angehörige unserer Spezies wie ein vitales Grundbedürfnis in sich spüren.

In kaum einem anderen Antrieb also verwirklicht sich menschliches Wesen unmittelba-rer, aber in kaum einem Anspruch kommt es auch maßloser zum Ausdruck: der Mensch will nicht nur *etwas,* sondern *alles* wissen, nicht *Kunde* nur, sondern *Erkenntnis,* selbst wenn Verstoßung aus dem Garten Eden, Mühsal, Tod die Strafe dafür sind, dieser Versuchung nicht widerstehen zu können, wie es in Genesis 2,17 bis 3,24 heißt, wo wir Menschendasein und Erkenntnisstreben in so dramatisch engen mythologischen Bezug gesetzt finden, denn »der Baum (der Erkenntnis) war köstlich zum Speisen und Wollust den Augen und berückend war der Baum zum Erkunden«.

Goethe mag uns gut beraten, wenn er empfiehlt, daß es das »schönste Glück des denkenden Menschen« sei, »das Erforschliche erforscht zu haben und das Unerforsch-liche ruhig zu verehren«, aber die Wißbegier wird dadurch nicht gestillt: das Unerforsch-liche erforschbar zu machen, danach steht Menschensinn viel mehr, daran will mancher eher scheitern als davon zu lassen.

Wie immer die menschliche Natur entstanden ist – davon wird noch zu reden sein –, daß sie so *ist,* wer könnte es bezweifeln? Gewiß ist solche Wißbegier nicht in jedem Menschen und zu jeder Zeit gleich stark. Die Evolutionstheorie hat uns jedoch verstehen gelehrt, daß das Wesen einer Spezies nicht nur im All-Gemeinen, das in jedem ihrer Mitglieder zum Ausdruck kommt, verkörpert ist, sondern sich gerade in der Vielfalt und Verschiedenheit der Individuen entfaltet: in seinen Extremen ist der Mensch nicht weniger als im Durchschnitt!

Die Erforschung der Natur hat in den letzten fünf Jahrhunderten gewaltige Erkenntnisfortschritte gemacht. Wenn der positivistische Fortschrittsbegriff überhaupt auf einem Gebiet ohne Ausnahme und Widerspruch Geltung beanspruchen kann, dann in dem Fortschritt unseres Wissens über die Natur seit Aristoteles, Galilei, Kepler, Newton oder Darwin.

Die Bestandsaufnahme der Phänomene der uns gemeinsam zugänglichen Wirklichkeit ist weit vorangebracht. Deren Fülle und Verschiedenartigkeit ordnet sich nach durchschaubaren Prinzipien. Indem wir die Einzelfälle als Ausdruck übergeordneter Gesetzmäßigkeiten erfassen, aus deren Gültigkeit unter benennbaren Bedingungen sie retrospektiv herleitbar und prospektiv vorhersagbar werden, werden sie uns erklärbar und verständlich. Gasgesetze, Periodensystem, Pauli-Prinzip, Schrödinger-Gleichung, Quanten-Theorie, Mendel-Regeln, Wirbeltier-Bauplan: jedes erkannte Muster, jede fundierte Regel, jede bestätigte Theorie setzt Einfachheit und Ordnung an die Stelle verwirrender Vielfalt der Erscheinungen. »Theoria«: das heißt Einsicht. Und alle diese einzelnen Muster, Regeln, Gleichungen, Theorien und Gesetze erweisen sich zunehmend deutlicher in gestaffelter und zugegebenermaßen oftmals mehr erahnter und erwarteter als erwiesener Ordnung als partikuläre Folgerungen aus noch allgemeineren, übergeordneten Prinzipien.

Freilich macht uns dies schnell bewußt: auch wenn einmal die letzten, die umfassendsten, die Grundprinzipien, aus denen sich die ganze reale Welt herleiten ließe, erkannt sein mögen, hat doch der Drang, »warum« zu fragen, damit noch kein Ende. Läßt ihre Geltung sich nicht noch einmal auf Tieferes, noch Elementareres rückführen? Aber heißt dies dann nicht, ad infinitum Grund für Grund zu suchen, den letzten Grund des allerletzten Grundes, die Ur-Ur-Sache von dem allen? Kein Zweifel: die Rückführung wird an einem Punkte enden, wo wir was ist – je nachdem, was uns mehr einleuchtet – als nicht mehr weiter einsichtig zu machendes Datum oder als Faktum hinnehmen müssen. Die Gier, noch mehr zu fragen, wird auch dort kein Ende finden, doch Wissenschaft wird sie nicht mehr mit neuen Antworten stillen können.

## Entstehungsfragen

Je erfolgreicher also die Naturwissenschaften in atemberaubendem Tempo die ganze Realwelt durchdringen, um so deutlicher wird uns bewußt, an welchen ersten, an welchen *Königsfragen* sich unser Erkennen und Erklären bewähren muß oder die Grenzen findet. Als wissenschaftliche Fragen sind es immer Entstehungsfragen, Fragen nach Sein und Werden. Auch wo sie sich mitunter als Fragen nach Sinn und Zweck verkleiden – nach dem Ziele, dem die ganze Natur bis hin zum kleinsten Lebewesen dient – sind alle Antworten, die Naturwissenschaft darauf wird geben können, stets wieder nur Begründungen dafür, durch welche Bedingungen das, was existiert, gegenüber dem Nichtexistenten den Vorzug der Entstehung und Erhaltung erfahren hat, nicht mehr. Die Wissenschaft sucht Antwort auf die ersten Fragen der Gründe des Entstehens, nicht nach den letzten Fragen über Sinn und Ziel und Zweck, sie fragt nach Sein und nicht nach Sollen. Sie schließt also den Kreis der Fragen auch in dieser Hinsicht nicht, in ihr erfährt der Mensch nicht alles, sie läßt Notwendigkeit zu begründen und Möglichkeit zu handeln weithin offen.

Solche ersten Fragen nach dem Sein und Werden drängen sich uns in vierfacher Weise auf.

Allem voran steht die Frage danach, wie die uns gemeinsam erfahrbare Wirklichkeit so wurde wie sie jetzt erscheint. Es wäre wissenschaftlich unsinnig, danach zu fragen, was vor ihr war oder was außer ihr ist, denn alles in dem Horizont von Raum und Zeit, der uns erforschbar ist, ist ja gerade deshalb schon Bestandteil dieser Wirklichkeit. Imaginärwelten, die dies naturwissenschaftlich Erforschbare überschreiten, sind daher wissenschaftlicher Erkenntnis nicht etwa nur unzugänglich, sondern schon in ganz elementarlogischem Sinn für sie nicht existent. Dies einzusehen, nimmt fruchtlosen Debatten über das Verhältnis naturwissenschaftlicher Erkenntnis zu metaphysischen »Wirklichkeiten« jeden Grund und macht sie ähnlich sinnvoll wie die Frage, ob blau schwerer ist als süß.

*Wie ist die Welt entstanden?* Das fragt also, wenn überhaupt mit Verstand gefragt sein soll, gerade *nicht* nach einer ihr außerweltlich vorgeschalteten Ursache, sondern es fragt danach, *als welche Welt*, in welcher Form und Verfassung und aus welchem »Zeuge« (um Stoff oder Materie zu vermeiden) sie entstanden ist; was ist die Grundstruktur, was sind die Grundbedingungen ihrer Existenz? Können wir diese Fragen beantworten – und die Kosmophysik hat sich an Antworten im üblich gewordenen Zeitmaßstab der ersten Ereignisse bereits auf Bruchteile von Millisekunden herangearbeitet – so setzt diese alles vereinigende Theorie des Entstehens der physischen Welt, wenn unsere gut begründete Erwartung, daß es eine einzige, gleichgesetzliche Wirklichkeit ist, die wir erfahren, zugleich den Rahmen für alles, was von Anbeginn an in ihr werden konnte, den *Rahmen* wohlgemerkt, für das *was sein kann*, nicht notwendigerweise den *Zwang, was sein muß*. Den Rahmen also auch für die Beantwortung der zweiten »Königsfrage«:

*Wie entstand das Leben?* Oder genauer, da »das Leben« ein allzu abstrakt verschwimmender Begriff ist: wie sind konkrete Lebewesen in die Welt gekommen, Organismen, wie sie uns hier begegnen, oder wie wir sie aus den Spuren kennen, die sie hinterlassen haben?

Wiederum muß man sich sogleich besinnen, ob dies denn überhaupt eine legitime wissenschaftliche Fragestellung ist. Als solche kann sie ja nur bedeuten: ist es uns möglich, die Bedingungen und Gesetzmäßigkeiten eines unbelebten Weltzustands anzugeben, die zugleich notwendig und hinreichend sind, um die Entstehung lebender Systeme – mit den sie kennzeichnenden Fähigkeiten zu Selbsterhaltung, Selbstvermehrung und Anpassung – in schwächster Form ausgedrückt: zuzulassen, oder, als stärkerer wissenschaftlicher Anspruch formuliert: zwangsläufig zu machen? In beiden Formen wären dies rein naturwissenschaftliche Erklärungen der Lebensentstehung, und so gestellt enthält daher die Frage nichts, was die Grenzen sinnvoller wissenschaftlicher Befassung verletzt. Doch Vorsicht: the proof of the pudding is in the eating! Ob eine sinnvoll erscheinende Frage eine schlüssige Antwort findet, muß erweisen, ob es sich hier wirklich um ein rein naturwissenschaftliches, also realweltliches Problem handelt. Solange dieser Beweis aussteht – und er steht noch aus – muß es als offen gelten, ob die Lebensentstehung rein naturwissenschaftlich erklärbar ist. Das bedeutet allerdings ganz und gar nicht, daß dies etwa nach unserem Wissensstand allzu zweifelhaft erschiene. Im Gegenteil: alles, was uns vor allem die Erforschung der chemischen Prozesse des Lebens in den letzten Jahrzehnten gelehrt hat, spricht dafür, daß die vollständige Aufklärung der notwendigen und hinreichenden Bedingungen der Lebensentstehung – und zwar nicht nur als mögliches Zufallsereignis, das die Naturgesetze zulassen, sondern als unvermeidliche Folge der Zustandsgegebenheiten auf der Erde vor annähernd 4 Milliarden Jahren – in absehbarer Zeit möglich erscheint.

Wenn dies gelungen sein wird, so ist dies der Schlußstein einer naturwissenschaftlichen Theorie der lebendigen Welt und der Entstehung aller ihrer Erscheinungsformen, die wir zu Recht als »darwinische Theorie des Lebens« bezeichnen dürfen. War es doch Charles Darwin, der die entscheidenden ersten Schritte getan, den Weg gebahnt und die Richtung dazu gewiesen hat, Entstehung und Entwicklung des Lebens zu erklären. Er hat diese Theorie zwar gewiß nicht vollständig oder gar fehlerfrei erarbeitet, obschon wir heute sicher sind, daß er wesentliche Fundamente legte und es sich oft genug herausstellt, daß er in der Regel zutreffendere Einsichten hatte als die meisten seiner Kritiker. Sein bedeutendster Beitrag zum Erkenntnisfortschritt war es jedoch, zu zeigen, daß die Frage nach der Entwicklung von Lebewesen überhaupt ein naturwisssenschaftlich sinnvoll und fruchtbar bearbeitbares Problem ist und Methoden dafür aufzuzeigen. Dies macht seine Leistung unvergänglich: vordem als unerforschlich Geltendes erforschbar gemacht und es nicht nur ruhig verehrt zu haben!

## Geist und Bewußtsein

Wenn es eine solche darwinische Theorie des Lebens einmal in umfassender und abschließender Form geben wird, so wird sie sich zwangsläufig auch der dritten »Königsfrage« stellen müssen:

*Wie entstand die Fähigkeit zu bewußten geistigen Leistungen?* Mit Absicht soll wieder nicht nach der Entstehung von »Geist« und »Bewußtsein« gefragt werden, so wenig wie vorher nach der Entstehung »des Lebens«. Diese verdinglichten Abstraktionen zwingen unserem Nachdenken über das, worum es hier gehen soll, nämlich allzu leicht einen Gang der Betrachtung auf, der uns zugleich Fesseln anlegt und das Nachdenken in Sackgassen drängen kann.

Worum geht es? Was wir Geist und Bewußtsein nennen, sind zu allererst einmal Dimensionen der Selbsterfahrung. Was aber dabei Geist und Bewußtsein wirklich wesenhaft sind, können wir sogar für uns selber nur schwer so ausdrücken, daß wir nicht nur überzeugt sind, die Phänomene richtig charakterisiert zu haben, sondern damit auch die Erfahrung anderer so erfaßt zu haben, daß sie uns zustimmen können. Hingegen fällt es uns erheblich leichter, aus der Selbstbeobachtung Beispiele für das vorzuweisen, was wir unzweifelhaft bewußte, im Gegensatz zu unbewußten Leistungen nennen, und worin sich eine geistige Fähigkeit (wie Kopfrechnen) von einer rein körperlichen Funktion (wie Harnbildung) unterscheidet. Daß es da auch in der Selbsterfahrung Phänomene gibt, bei denen wir uns in der Zuordnung nicht so sicher sind – Wie bewußt bin ich im Tagtraum oder bei der Bedienung meines Kraftfahrzeugs? Wieviel Geistiges, wieviel Körperliches ist im auswendigen Klavierspiel oder in der Blindschriftroutine an der Schreibmaschine? – das soll uns hier nicht nur nicht bekümmern; wer gewillt ist, ernsthaft über die Entstehung neuer Lebensäußerungen nachzudenken, wird sich am wenigsten daran stören dürfen, wird sogar geradezu erwartungsvoll danach suchen müssen, daß die sauberen gedanklichen Kategorien in der Realität bis zur Untrennbarkeit verschwimmen, so wie es den, der die Evolution der Wirbeltiere verstehen will, nicht stört, sondern in der Fruchtbarkeit seines Bemühens bestätigt, daß es bei immer genauerem Studium fossiler Formen immer unmöglicher wird, die Trennlinie zwischen Lurchen und Kriechtieren oder zwischen Kriechtieren und Säugern anders als mit definitorischem »fiat« zu ziehen.

Viel wichtiger ist es, daß es eben viele, uns selbst sehr eindeutig bewußte, geistige Leistungen gibt, bei denen wir uns ohne große Mühe mit Mitmenschen halbwegs offenen Sinnes darüber verständigen können, daß es sich hier um etwas anderes handelt als bei den Phänomenen, die wir als unbewußte oder rein körperliche Lebenserscheinungen klassifizieren. Wenn dem so ist, so ist es nicht nur zulässig, sondern erscheint erfolgversprechend, uns mit naturwissenschaftlichen Methoden um ein Verständnis der Entstehungsbedingungen solcher Leistungen zu bemühen, während man durchaus der Ansicht sein kann, daß es der Naturwissenschaft grundsätzlich verwehrt bleibt, vollauf zu erklären, was »Geist« oder »Bewußtsein« wirklich sind, weil sie weder den einen noch das andere so dingfest zu machen vermag, damit ihre theoretischen und empirischen Forschungswerkzeuge überhaupt greifen können.

Das ganze Terrain, in dem sich eine naturwissenschaftliche Erforschung der Entstehungsbedingungen bewußter geistiger Leistungen bewegen muß, ist allerdings noch über das schon Ausgeführte hinaus besonders dicht mit erkenntnistheoretischen Fallen vermint.

Da lauert zum Beispiel gleich am Zutritt die »Realitätsfalle«: Bewußtes Denken, Fühlen oder Wollen ist doch genau genommen jedem von uns nur aus ureigenster, subjektiver Erfahrung zugänglich; subjektive Phänomene gehören aber doch wohl geradezu per definitorischem Ausschluß nicht zur »objektiven Realität«, mit der sich Naturwissenschaft befaßt, die etwas auf methodische Stubenreinheit hält.

Dagegen gibt es allerdings Einwände anzumelden. Was wir gerne leichthin als »objektive Realität«, als »Welt der Tatsachen« kennzeichnen, ist erstens einmal all das – aber auch *nur* all das – was wir als »intersubjektiv erfahrbare Wirklichkeit« bezeichnen können, worauf sich also die große Mehrzahl »normaler«, d. h. nicht in speziellen Dressurprogrammen eigens zu andersartiger Wahrnehmungssteuerung abgerichteter Beobachter als »tatsächlich gegeben« einigen können. Was ist dies aber anderes als die Schnittmenge kommunikativ vermittelter und nötigenfalls argumentativ begründbarer *subjektiver* Welterfahrungen der Leute, die sich darauf einigen können, daß ihre übereinstimmende Welterfahrung sich in praxi als zuverlässig genug erwiesen hat, um ihr zu vertrauen? Diesem »Weltbild« können sich dann andere in übertragenem Vertrauen anschließen, selbst wenn ihre subjektiven Erfahrungen (etwa weil sie angeborenermaßen rot und grün nicht unterscheiden können) vom Konsens abweichen, oder wenn sie etwa intellektuell nicht imstande sind, allen Begründungen der wissenschaftlichen Weltbild-Aufseher ganz zu folgen. Die Bewährung in der praktischen Empirie ist dann Rechtfertigung genug, aber auf diese Legitimation kommt es auch an, wenn das profanum vulgus davor bewahrt bleiben soll, einer Weltbild-Verschwörung gut organisierter Eingeweihter zum Opfer zu fallen, die von ihrer priesterlichen Vormachtstellung als Bewahrer der gültigen Weltanschauung am Ende gar noch profitieren.

Erstens also können wir der »Realitätsfalle« bei der naturwissenschaftlichen Befassung mit geistigen Phänomenen entgehen, indem wir uns verdeutlichen, daß auch die »objektive Realwelt« nur eine ständig empirisch getestete gemeinsame subjektive Erfahrungswelt darstellt.

Zweitens und in direkter Folge dieser Einsicht, gehörte schon ein gerüttelt Maß der eben gebrandmarkten »Abrichtung zur Wahrnehmungssteuerung«, ja man möchte fast sagen »zur Wahrnehmungsverweigerung« dazu, um jemandem einreden zu wollen, daß ausgerechnet die erste und einzige Erfahrung, deren Tatsache jedem von uns nun wirklich aus ureigener Evidenz gewiß ist – daß wir nämlich denken und also, worin man Descartes schwerlich widersprechen kann, zumindest als Denkende wirklich auch sind – daß ausgerechnet diese Primärerfahrung, diese innere Gewißheit irreal sein soll, während alle sekundären Außenwelterfahrungen, deren Zuverlässigkeit wir uns im Zweifelsfall erst durch intersubjektive Verabredung versichern müssen, das wahrhaft Reale seien. Nur besonders gründliche Hirnwäsche in erstklassigem philosophischen Training könnte die Wirklichkeit *in* unserem Kopf so *auf* den Kopf stellen.

Wenn wir aber der Realität unseres Denkens in so ausgezeichneter Weise gewiß sein dürfen, so tut sich dessen naturwissenschaftlicher Erforschung eben deshalb sogleich die zweite Falle auf: die »Solipsismusfalle«. Sie gibt es in der kleinen und in der großen Ausfertigung.

In der kleinen besagt sie: Da ich als Mensch nicht weiß, noch wissen kann, was subjektiv im Gehirn eines Tieres, und sei es selbst meines gelehrigen Pudels oder eines sprachdressierten Schimpansen, vorgeht, sind geistige Leistungen wohl ein Privileg des Menschen, denn ich weiß nur von ihm gewiß, daß er denken kann, geistige Leistungen von Tieren wären nur ungewisse Vermutungen, und Vermutungen, die man nicht experimentell testen kann, können nicht der Stoff sein, aus dem wissenschaftliche Erkenntnis gemacht ist. Dieser kleinen Ausfertigung der Solipsismusfalle entgeht man am leichtesten, indem man sich deren großer Ausfertigung ausliefert, in die uns die Leitschnur der Logik auch wie von selber zieht: müssen uns doch nicht nur die subjektiven Erfahrungen von Affe und Hund suspekte Vermutung bleiben, nicht anders steht es ja auch mit unserem Wissen über die geistigen Leistungen von Weib und Kind, von Kollegen und Vorgesetzten. Auch an ihnen kann man durchaus begründet zweifeln, und woran ich zweifeln kann, dessen bin ich nicht gewiß, und wenn ich einer Sache schon nicht gewiß sein kann, wie viel weniger kann ich hoffen, mir ihre Entstehungsbedingungen erklären zu können? Damit ist die Falle zugeschnappt. Einmal in ihr gefangen, beginnen wir sogleich auch noch die Existenz einer realen Außenwelt und der Mitmenschen in ihr zu bezweifeln und als Albtraum eines einzig real sich selbst denkenden Ich zu enthüllen. Daß dieser logisch so nadelfein zugespitzte Standpunkt sich allerdings auch für den Eigensinnigsten nicht zum längeren Aufenthalt eignet, wird klar, wenn jeder, der ihn einzunehmen sucht, sich bald dazu bequemen muß, wenn auch in zähneknirschendem Unwillen, zur Deckung seiner drängenden Lebensbedürfnisse seinen Wahrscheinlichkeitspakt mit der Realexistenz einer ihn umgebenden Welt und mit dem in ihr Vorhandensein bewußt handelnder Mitmenschen einzugehen. Doch damit öffnet sich nicht nur die große, sondern gleich auch die kleine »Solipsismusfalle«.

Charles Darwin im Ansatz und Konrad Lorenz im Detail verdanken wir das Verständnis dafür, warum diese Mutmaßung über Existenz und Art der ein Lebewesen umgebenden Welt, die wir Wahrnehmung und Erfahrung nennen, durch den Selektionsprozeß der Evolution so geformt worden sein muß, daß im geschauten Abbild wenigstens so viel Zutreffendes von der unzugänglichen wahren Wirklichkeit des Kantschen Dings an sich enthalten ist, um mit dessen erhellender Hilfe in der uns immer im Ganzen dunkel bleibenden Welt überleben zu können.

Unsere bewußten, geistigen Leistungen, unser Fühlen und Wünschen, also unsere gesamte subjektive Innenwelt, verdankt also die Würde der Anerkennung als echte Realität genau den gleichen intersubjektiven Argumentations- und Zustimmungsverfahren, denen die logisch genauso begrenzt-verläßlich begründete, aber lebenspraktisch ebenso unabweisbare objektive Außenwelt ihren Realitätsgehalt verdankt. Deshalb kann die eine wie die andere »Realität« gleichermaßen zum Gegenstand naturwissenschaftlicher Erforschung gemacht werden, mit gleicher Aussicht auf Erfolg und gleicher Einsicht in die Grenzen solcher Erklärungsbemühungen.

So wie wir im ersten Zugriff auf die Außenwelt, dem »Begreifen«, unsere Beobachtungen benützen, um uns ein möglichst widerspruchsarmes Bild der Wirklichkeit zu machen, benutzen wir im gleichen Begriff auch unsere Beobachtungen über das Handeln unserer Mitmenschen, um abzuschätzen, was ihre Weltwahrnehmung mit unserer eigenen gemein haben könnte. Indem wir ihrem Tun und Lassen vergleichbare Beweggründe zuschreiben, wie sie uns selbst zu entsprechendem Tun oder Lassen führen, versuchen wir ihr Innenleben nachzufühlen.

Um diese ersten Abschätzungen besser fundieren zu können, benützen wir dann unsere Fähigkeit zur sprachlichen Verständigung, indem wir bedeutungsvolle Verhaltensäußerungen unserer Mitmenschen hervorzurufen suchen, um unsere Vermutungen über ihre Wahrnehmungen, Gedanken und Antriebe argumentativ weiter abzusichern. Wieder aus eigener Erfahrung gewitzt – denn keiner ist schwerer zu betrügen als der Betrüger – sind wir uns bewußt, daß uns diese Rückäußerungen unabsichtlich oder gewollt über das unserer Beobachtung nicht direkt zugängliche Geschehen im Inneren des Befragten in die Irre führen können – so wie wir ja auch den Ausgang eines chemischen Experiments falsch interpretieren können. Aber dort wie hier dient ein nicht unbeachtlicher Teil weiteren Experimentierens und vor allem auch gemeinschaftlichen Argumentierens dazu, uns vor solcher Täuschung und Irreleitung zu schützen, das heißt: unsere Auffassung der tatsächlichen Realität weiter anzunähern. Daß es dabei nicht ohne ein Restrisiko des Irrtums abgeht, über das uns hier genauso nur ein Akt gefährdungsbewußten Vertrauens hinweg helfen kann, wie uns immer auch ein Akt riskanten Glaubens daran abgefordert wird, daß die Realität der Außenwelt wirklich so ist, wie sie uns erscheint, und zwar beidesmal, damit wir überhaupt lebendig existieren können, ist ebenso wahr wie trivial und bekräftigt nur erneut die große Übereinstimmung in der »Realqualität« subjektiver wie objektiver Wirklichkeit, so unterschiedlich sonst immer ihre Erfahrungsqualitäten sein mögen.

Wenn es aber Beobachtung und argumentative Kommunikation – ganz wörtlich:

Vereinbarung – sind, auf denen das Datenmaterial unseres Forschens über die Außen-wirklichkeit wie über die geistigen Leistungen unserer Mitmenschen beruht, so kann auch nichts grundsätzlich daran hindern, die gleichen empirischen Explorationsverfahren dazu zu benützen, um uns über geistige Leistungen unserer Mitgeschöpfe, der Tiere, zu vergewissern und insbesondere der Entwicklung menschlicher Fähigkeiten aus einfache-ren Vorstufen solcher Leistungen und den Bedingungen solcher Entfaltung nachzu-spüren.

Es wäre somit falsch und könnte einem wohl auch nur einfallen, wenn man sich beim Nachdenken über diese Fragen in einer der cartesianischen Solipsismusfallen verfangen hat, aus der Tatsache, daß wir die subjektiven Erfahrungen von Tieren nie teilen und nicht anders als aus ihrem Verhalten erschließen können, zu folgern, daß Tiere nur eine Art natürlicher chemischer Apparate seien – bêtes machines –, denen die Fähigkeit zu bewußtem Denken, Fühlen oder Wollen daher auch nie begründet zugesprochen werden könnte, ohne dabei einen ehernen Kanon erkenntnismethodischer Sparsamkeit der Erklärungsmittel zu verletzen. »Entia non sunt multiplicanda praeter necessitatem«, Occams Rasiermesser, mit dem sich die Wissenschaft unnötiger Erklärungsgründe entle-digt, soll dadurch keineswegs als obsolet aus dem Sezierkasten der Naturanalyse entfernt werden. Es will aber richtig gehandhabt sein, wenn man sich nicht ins eigene Fleisch schneiden will! Wer – wie die frühen Behavioristen – aus strengster Theoriesparsamkeit und in Verkennung des Realitätscharakters subjektiver Phänomene meint, bewußte und geistige Leistungen von Tieren nicht postulieren und nicht aus Beobachtungen ihres Verhaltens erschließen zu dürfen, läuft entweder Gefahr, aus solcher Sparsamkeit in bitterer, geistiger Armut zu enden, da er sich gezwungen sieht, bald auch dem Menschen die Eigenständigkeit geistiger Realität abzustreiten und als bloße Selbsttäuschung, als illusionäres Epiphänomen der wahren Wirklichkeit einer chemischen Mensch-Maschine abzuwerten; oder aber er anerkennt die unabweisbare Evidenz geistiger Wirklichkeit – die sich dialektischerweise in nichts deutlicher enthüllt als in ihrer Fähigkeit zur Selbstverleug-nung! – und verletzt dann gerade Occams strenge Vorschrift, indem er nicht das einfachste Erklärungsprinzip wählt und dem sich ähnlich verhaltenden – ob Mensch oder Tier – auch ähnliche Fähigkeiten zutraut, sondern für das sichtbar Zusammengehörige von Grund auf verschiedene Erklärungsversuche macht: Tier-Maschine und Geist-Mensch. Eine solche Betrachtung des Tieres im unüberbrückbarem Gegensatz zum Menschen ist aber, spätestens seit Darwin uns von der evolutionären Kontinuität zwischen beiden überzeugt hat, entweder nicht zu Ende gedacht oder in schierem Opportunismus begründet, oder beides zugleich, denn es ist ja in der Tat für uns Menschen höchst opportun, im Tier nur bewegliche, reproduktive Materie zu sehen und zu unserem Nutzen auch so zu behandeln.

Um es noch einmal zu betonen, es ist die sichere Erfahrung der eigenen subjektiven Innenrealität, die unserem Vermuten über entsprechende Phänomene bei Mitmenschen und – in gewiß abgestufter Ähnlichkeitserwartung – auch anderen Mitgeschöpfen Begründung verleiht. Von sicherer Erfahrung aus durch wohl geprüften Vergleich Schlußfolgerungen zu ziehen, kann aber nicht als erkenntnistheoretische Verschwen-dungssucht angeprangert werden.

Dabei wird niemand, der im Verwandtschaftsbezug zwischen Mensch und Tier nicht nur die genealogische Gemeinsamkeit und folgliche Ähnlichkeit sieht, sondern auch die ebenso unverkennbar abgestuft hervortretende Fremdheit und Andersartigkeit erkennt, dem Trugschluß verfallen, die begründete Mutmaßung partieller Übereinstimmung nicht nur körperlicher, sondern auch geistiger Eigenschaften führe zur Behauptung völliger Identität. Dadurch würde der Mensch *auf nichts anderes als* eine Art Tier reduziert. Wo aber Andersartigkeit offenkundig ist, Gleichartigkeit zu behaupten, wäre ja nicht nur empirisch schnell widerlegte Narretei, sondern wieder genau der Mißbrauch von Occams Werkzeug, der ins eigene Fleisch dringt, indem vergessen wird, daß die Zahl der anzuerkennenden »entia«, der Gegenstandsarten, sich nach der »necessitas« zu richten hat, die uns die Erklärung der existierenden Wirklichkeit auferlegt.

Wenn diese Überlegungen folgerichtig und zutreffend sind, so ist es nicht etwa ein naturwissenschaftlicher Befassung unwürdiges Scheinproblem und auch nicht ein philosophisches Ratespiel, herauszufinden, in welcher Form und Ausprägung geistige Leistungen bei Tieren auftreten, wie sie sich entwickeln und wie sich aus ihnen heraus die geistigen Fähigkeiten des Menschen so stupend entfalten konnten. Daß das Problem schwerer zu lösen erscheint als das der chemischen Mechanismen der Erregungsübertragung zwischen Nervenzellen und daß wir daher über das eine bisher unendlich viel weniger an positivem Wissen besitzen als über das andere, macht seine Erforschung weder weniger wissenschaftlich noch weniger interesseheischend.

Nun finden wir die menschlichen geistigen Leistungen selbst – nicht nur ihre argumentative Absicherung als tatsächliche Realität – auf das innigste mit unserem Vermögen zu symbolisch-begrifflicher Sprache verbunden. Sie ist gerade deshalb das unentbehrliche Medium unseres Denkens, weil sie zugleich das Medium des Zugangs zum Denken unserer Mitmenschen ist und eben dadurch für unser Denken und Fühlen die Grenzen der eigenen Hirnschale sprengt. Sprache macht menschliches Denken zur Gemeinschaftsleistung einer durch Tradition bis in undenkliche Vorzeit geeinten Menschheit. Auf dieser Vereinigung des Denkens beruht der einzigartige evolutive Erfolg menschlicher Kultur, und zwar nicht nur auf additiver Anhäufung von Daten, sondern auf den nichtlinearen Effekten sich steigernden Zusammenwirkens geistiger Leistungen. Denken ohne Mitteilung ist wirkungslos (wie Sprechen ohne Denken sinnlos ist). In der Tat sprechen alle Erfahrungen der Entwicklungspsychologie dafür, daß der einzelne Mensch seine angelegte Fähigkeit zu geistigen Leistungen überhaupt erst in der sprachlich vermittelten Gedankengemeinschaft voll entfalten kann, ob es sich dabei um wissenschaftliche, künstlerische, moralische oder religiöse Kompetenzen handelt; ja sogar was wir fühlen und wünschen ist tief getränkt mit dem, was wir über Gefühle und Wünsche sprachlich vermittelt erfahren haben.

Dadurch wird nun aber die naturwissenschaftliche Erforschung der Bedingungen geistiger Leistungen zugleich untrennbar verbunden mit der Erforschung der Entwicklung des Menschen als einzig *voll* sprachfähigem Lebewesen, denn allein dieses Merkmal ist für das Menschsein – zwar nicht notwendigerweise in jedem Einzelindividuum, aber notwendigerweise für die Spezies – wirklich konstitutiv. Ohne Sprachvermögen wäre unsere Art in der Tat nur eine Primatenspezies unter anderen, des Aufhebens nicht mehr wert als die anderen. Deshalb muß der heute so vielfältig unternommene Versuch, zu verstehen, wie Tiere kommunizieren, wie insbesondere die Fähigkeiten und Grenzen zur

Verständigung bei unseren nächsten Tierverwandten, den Primaten, beschaffen sind, in zweifacher Hinsicht ein Schwerpunkt jeder naturwissenschaftlichen Erforschung geistiger Leistungen von Tieren sein: da unser Eindringen in den Kommunikationszusammenhang mit Tieren uns erstens in ähnlicher Weise ein Fenster des Verständnisses in ihre innere Welt öffnen kann, wie dies für unsere Mitmenschen der Fall ist; und da es, wenn Menschwerdung als Sprachwerdung verstanden werden muß – »am Anfang war das Wort« –, wenn sie überhaupt verstanden werden soll, darauf ankommt, daß wir die Voraussetzungen für die Sprachentwicklung aus dem Wurzelgrund tierischer Kommunikation aufklären.

Der Schlüssel zum Verständnis der Entstehung menschlicher und geistiger Leistungen liegt also in der Erforschung der Evolution unseres Sprachvermögens, des zugegebenermaßen dunkelsten Kapitels der Herkunftsgeschichte des Menschen. Leider hat dieser Gesichtspunkt in der Primatenforschung lange nicht die angemessene Geltung erlangt: wir wissen über Nahrungserwerb, Rangverhalten oder Liebesleben unserer nächsten Verwandten daher zwar sicher noch immer viel zu wenig, aber doch ein Vielfaches mehr als über ihr Verständigungsvermögen und über die geistigen Leistungen, die ihm zugrundeliegen.

Wenn es denn also einmal eine zutreffende und umfassende naturwissenschaftliche Theorie der Lebensentwicklung geben wird, so wird sie sich wieder hinsichtlich ihrer Gültigkeit, Schlüssigkeit und Tragweite daran erproben und messen lassen müssen, ob es ihr gelingt, auch die Entstehung des Menschen als des »sprachbegabten Lebewesens« und eben damit auch seiner Fähigkeiten zu bewußten geistigen Leistungen zu erklären. Wir besitzen durchaus eine hinreichend überzeugende Theorie für die Evolution menschlicher Körperlichkeit, also der Entstehung des nackten, aufrechtgehenden, Werkzeuge gebrauchenden, Nahrung sammelnden, jagenden, teilenden, in andauernder sozialer Gemeinschaft und in sexueller Paarbindung lebenden Primaten, der wir *auch* sind. Wäre es allerdings *nur* all dies, worin sich unser Verhalten von dem anderer Primaten unterscheidet, wir wären sicher nicht das, was uns in unserer Selbsterfahrung erst wahrhaft zu Menschen macht: Menschengeist, Menschengefühl, Menschenwollen, wie Menschensprache sie zum Ausdruck bringt.

## Entscheidungsfreiheit

Sollte es je so weit kommen, daß Naturwissenschaft erklärt, wie dies entstehen konnte, so wird damit zugleich auch der Grund für die Beantwortung der letzten »Königsfrage« gelegt sein müssen, wenn das naturwissenschaftliche Programm der Erklärung der Welt als *einer* Welt am Ende nicht doch noch scheitern soll:
*Wie konnte die Freiheit des Menschen entstehen?* Woher kommt seine Fähigkeit zu sittlicher Autonomie, denn nur solche Freiheit des Handelns verdient wirklich Freiheit genannt zu werden, die zugleich die Befähigung zu normativer Selbstbestimmung ist.

Erneut tun sich hier, aber noch einmal gewichtiger, die Fragen auf, ob es denn das, was hier zur Erklärung steht, erstens überhaupt gibt und ob es sich dabei zweitens, wenn es so wäre, überhaupt um ein Problem handelt, das naturwissenschaftliche Forschung lösen könnte. Gibt es Willensfreiheit, gibt es sittliche Autonomie der Entscheidung über Tun und Lassen, oder ist dies die dritte Illusion nach denen über Welt und Geist, am Ende die größte und folgenschwerste von allen?

Hier wird es zunehmend fragwürdig, sich einfach noch einmal auf den Wahrscheinlichkeitspakt argumentativer Übereinstimmung vernünftiger Leute zu berufen: sind die »Gleichgesinnten« hier wirklich gleichen Sinnes, in wohlbedacht abwägender Rationalität, oder rührt der Meinungsgleichklang eher von gleicher »Gesinnung«, von einer rational nicht weiter begründbaren Voreingenommenheit, Hoffnung, Erwartung oder – schlimmstenfalls – selbsttäuschenden Zwangsvorstellung? Ist sittliche Freiheit, mit anderen Worten, überhaupt eine *Erfahrungstatsache*, wenigstens eine *Selbsterfahrungstatsache*, über deren intersubjektive Realität wir uns auf den bekannten Wegen kritischer Verständigung versichern können? Oder ist sie – Immanuel Kant folgend – eine fast schon trotzige Forderung, ein Postulat, das das raisonnierende Ich aus Gründen der Selbstbehauptung zu glauben genötigt ist, um ein geordnetes Gemeinschaftsleben – Voraussetzung menschlicher Existenz – möglich zu machen, lebensnotwendiger Akt des Selbstvertrauens also, ohne das es kein Vertrauen in die Zuverlässigkeit von Mitmenschen geben könnte? Wäre sittliche Autonomie dann nicht so sehr *Grundlage* unseres Handelns, sondern eher *Zielvorstellung, Richtschnur* unseres Strebens, nicht Morgengabe des Erwachens der Menschheit, sondern nur Leitbild, wenn nicht gar Trugbild?

Auf den ersten Blick scheinen dies Fragen der Art, von denen ein Narr in der Stunde mehr hervorbringt als viele Weise in langem Leben beantworten können. Vor allem auch Fragen, die ganz außerhalb der Reichweite naturwissenschaftlicher Kompetenz zu liegen scheinen. Der Einwand ist ernst zu nehmen, trifft aber wohl nur zum Teil.

So richtig es ist, daß die den ersten Fragen, den Fragen nach der Entstehung uns zugänglicher Realität verpflichtete Naturwissenschaft nichts über letzte Fragen, denen nach Sinn und Zweck dieser Realität und nach dem *Inhalt* von Normen sittlich gerechtfertigten Handelns zu sagen hat, so richtig bleibt es auch, daß die sich gerade aus naturwissenschaftlicher Forschung ergebende, mit rationalen Argumenten nicht mehr bestreitbare Tatsache der natürlichen Evolution des Menschen mit allen seinen Eigenschaften uns geradezu dazu zwingt, auch der Frage nach der Entstehung sittlicher Freiheit – was immer diese nun wäre – ins Auge zu sehen. Doch wird diese Frage erneut – so begrifflichverdinglicht ausgedrückt – für eine Befassung aus naturwissenschaftlicher Sicht unzureichend gestellt. Nicht nach der Entstehung sittlicher Autonomie sollten wir fragen, sondern nach den *Bedingungen für jene Selbsterfahrung der Entscheidungsfreiheit* in unserem Handeln, jener unabweisbar Evidenz der Fähigkeit zur Selbststeuerung unseres Verhaltens, so begrenzt sie auch immer sei (auch dessen sind wir uns ja nur zu bewußt). In dieser Eigenerfahrungsevidenz gründet unser Zutrauen, darauf zu schließen, daß auch das Verhalten unserer Mitmenschen nicht (gänzlich) von außen determiniert ist und werden kann, sondern in einem Kern »eigensinnig« bestimmt ist. Eben daher kann es auch bestenfalls in einem Durchschnittssinne erwartet, nie aber im konkreten Einzelfall präzise vorhergesagt werden, ein ganz und gar empirischer, objektiver Befund, an dem unsere Betrachtung nicht weniger zuverlässig festmachen kann, wie an dem der eigenen Selbsterfahrung.

Was, so müssen wir dann also fragen, macht den biologischen Prozeß der natürlichen

Entstehungsgeschichte des Menschen aus Tierprimaten in so einzigartiger Weise aus, daß er Wesen hervorbringen konnte, die sich wahlfrei in ihrem Verhalten empfinden und zumindest in Grenzen objektiv selbstbestimmt erscheinen? Warum ging ein solches Wesen ausgerechnet aus der Säugetierverwandtschaft hervor, nicht aus anderen, nicht minder in ihrem sozialen Verhalten hochentwickelten Lebewesen? Vor allem: was am Eigenschaftenspektrum der Primaten zeichnete sie für die Menschwerdung aus, welche Prädisposition zur Menschenentwicklung brachte ihre eigene Evolution hervor und – im Umkehrschluß – in welcher Weise beeinflußt andererseits die Tatsache, daß wir von Primaten herstammen, als biologisches Erbe unsere Wesenszüge? Dies alles sind zwar weithin offene Fragen, aber es sind genuin naturwissenschaftliche und somit auch prinzipiell erforschbare Fragen. Und deshalb ist auch die Frage nach der Entwicklung der Möglichkeit zu autonom bestimmtem Verhalten zumindest in diesen Aspekten eine legitime naturwissenschaftliche Fragestellung.

Daß es sich nur um eine *Möglichkeit* des Menschen, eine *potentiell* realisierbare Kompetenz zu sittlicher Autonomie handeln kann und nicht um einen garantierten Charakterbestand, eine Art organischer Grundausstattung wie mit Lunge oder Milz, ist dabei von fundamentaler Bedeutung. Eine Wahlfreiheit, die nicht die Befähigung zu ihrer Renegation einschlösse, zur Verweigerung der Selbstbestimmung, zur Aufsage des freien Entscheidens zugunsten eines fremdgesteuerten geistigen Sklavendaseins unter der Programmierungsgewalt einer Erziehungsdiktatur, eine solche Wahlfreiheit widerspräche sich ja selbst, sie wäre nur eine Scheinfreiheit. Freiheit ist immer gefährdet oder es gibt sie nicht. Nur wenn der Mensch – von sich aus oder durch andere – ganz und gar unfrei gemacht werden kann, kann er auch potentiell frei sein. Deshalb spricht auch die Tatsache, daß der Mensch in seinem Verhalten nie ganz frei ist, daß er so überaus oft in »selbstverschuldeter Unmündigkeit« lebt, daß er nicht nur durch andere immer in der Verwirklichung seiner Kompetenz zur Freiheit gefährdet ist, sondern daß ihn geradezu eine Versuchung, eine Sehnsucht nach Unfreiheit, eine makabre Lust an der von keinen Zweifeln gequälten Selbstsicherheit des Programmautomaten überkommen kann, deshalb spricht all das nicht etwa *gegen*, sondern *für* seine grundlegende Befähigung zu Verhaltensfreiheit.

Was diese Freiheit »ihrem Wesen nach ist«, wie sie mit den allgemeinen Naturgesetzen vereinbar sein könnte, unter deren Regime – so wie wir dies zu verstehen meinen – keine physische Wirkung ohne physische Ursache sein kann, – was allerdings nicht ohne weiteres zu der Schlußfolgerung berechtigt, jene sei unter allen Umständen und in jeder Hinsicht durch diese determiniert –, dies sind wichtige und schwierige Fragen für die Erforschung der Willensfreiheit, ungelöste Probleme, von denen wir nicht sicher sein können, daß es jemals abschließend klärende Antworten für sie geben kann. Aber das alles ändert nichts an der phänomenologischen Erfahrungswirklichkeit des Eindrucks und Ausdrucks solcher Verhaltensfreiheit in uns und anderen, deren Entstehungsbedingungen für sich selbst erforschbar sind, ganz unabhängig davon, wie dieses erste Fragenbündel sich löst: selbst eine reine Illusion unserer Willensfreiheit wäre in ihren Entstehungsbedingungen naturwissenschaftlich erklärungsbedürftig, da es eine beständig und zuverlässig auftretende Eigenschaft unserer Spezies zu sein scheint, einer solchen Illusion, diesem Kollektivtraum zu verfallen. Diese Zweiteilung der Fragen über die Willensfreiheit wird nur zu oft übersehen. Unser – möglicherweise unüberwindliches – Unvermögen, die Aporie zwischen der Notwendigkeit, die in der physischen Welt herrscht, der wir unstreitig angehören, und der Willensfreiheit, die wir unabstreitbar in uns erfahren, in rational befriedigenden Einklang zu bringen, braucht uns nämlich nicht grundsätzlich darin zu behindern, zu erforschen, wie es kommt, daß unsere Natur uns dieses Bewußtsein von Freiheit eröffnet, ohne an der Frage, ob wir sie überhaupt besitzen können, schier zu verzweifeln.

Es sollte auch nicht übersehen werden, daß die Innenerfahrung der Freiheit und ihr äußerer Ausdruck weit mehr Dimensionen haben, als bisher hier – unter dem Gesichtspunkt der Freiheit zur sittlichen Autonomie – angesprochen wurde. Es gibt die für viele nicht weniger evident erfahrbare religiöse Überzeugung, der sich zu öffnen oder zu widersetzen ohne Freiheit nicht denkbar ist; das Erlebnis schöpferischer künstlerischer Gestaltungsfähigkeit ist eine weitere Dimension menschlicher Erfahrungsmöglichkeit von Freiheit: wenn dies *eine* Welt ist, in der die Spielregeln und Bedingungen des Anbeginns den Rahmen für die unaufhörliche Fortentfaltung unerschöpflicher Möglichkeiten der Wirklichkeit setzten, dann kann es darin nichts geben, was von vornherein aus dem Zugriffsbereich der ersten Fragen nach der Entstehung ausgegrenzt bleiben könnte, denn wenn etwas wirklich ist, so macht es Sinn danach zu fragen, wie es werden konnte. Nur unmäßige Hybris könnte erwarten oder versprechen, daß diese Fragen alle Antworten finden werden, doch ist solche berechtigte Skepsis kein Anlaß, sie nicht zu stellen.

Der Mensch steht ganz selbstverständlich, wenn nicht im Mittelpunkt, so doch im Zielvisier all unseres biologischen Forschens. Wenn sich dies Forschen ebenso selbstverständlich dem Anspruch stellen muß, immer den *ganzen* Menschen in seiner Körperlichkeit wie in seinem Verhalten, seinen geistigen Leistungen und seiner seelischen Selbsterfahrung zu sehen und als natürlich geworden zu begreifen, so kann dies begreiflichen Argwohn erregen. Sollen dadurch etwa der denkende Geist, die Freiheit sittlicher Entscheidung, ästhetische Erfahrung oder religiöses Erlebnis als biologisch determiniert erklärt werden? Sollen sie durch Rückführung auf die Voraussetzungen ihrer Entwicklung zunächst reduziert und am Ende gar hinweggeskamotiert und annulliert werden? Nichts wäre unsinniger. Keine Realität kann verschwinden, indem man ihre Herkunft erklärt, sie wird doch eben dadurch erst recht anerkannt! Wenn es der Alltagswortsinn von Reduktion auch leider allzuleicht insinuiert: zurückführen heißt hier nicht vermindern oder gar mit Erklärungstricks fortzaubern. Der Nil bleibt der gewaltige Strom, auch wenn wir seine Quellen gefunden haben; er bleibt es, wenn wir erkennen, daß er dort seinen Ursprung hat; wir wissen, daß die Quellen nicht der Strom sind, obwohl er nicht ohne sie wäre. Was wir erklären, geht uns nicht verloren. Was wir verstehen, wird uns nicht genommen. Im Gegenteil, erst wenn wir auch einer Sache Herkunft ganz verstanden haben, können wir sagen, daß wir sie besitzen. Mehr Wissen macht stets reicher, niemals ärmer.

Der Weg über die Stufenleiter dieser Königsfragen der Entstehung führt von abgrundtiefer Ungewißheit über das Allererste zu zunehmender Sicherheit des Wissens über die Welt, und dann erneut hin zu bestürzender Unklarheit. Denn unserem Unwissen über die letzten Gründe des Seins und seiner Anfänge entspricht durchaus unser Unwissen über das Wesen menschlicher Freiheit. So unfaßbar es unserem Verstand bleibt, wie es sein soll, daß aus Nichts Etwas wurde – dies als eine Quantenfluktuation zu beschreiben, stellt ja nur fest, daß die Existenz der Welt den Gesetzen, nach denen sie existiert, nicht widerspricht, was schwerlich die ersehnte Erleuchtung sein kann –, so unbegreiflich bleibt es, wie Freiheit des Handelns in einer Welt sein kann, in der doch jede Wirkung eine physisch nachweisbare Ursache haben muß, von der sie abhängt. Alle monistischen und dualistischen Lösungsversuche helfen hier nur scheinbar weiter. Zwar half die Quantentheorie uns zu verstehen, daß diese zwingende Verbindung von Ursache und Wirkung es zumindest im Mikrobereich, wo sich die Fluktuationen noch nicht zum statistischen Mittel glätten, keineswegs gestattet, aus einer gegebenen Ursachenkonstellation die nächsteintretenden Wirkungen nach Art und Ort und Zeit für den Einzelereignisfall vorherzusagen (vorhersagbar sind nur die Wahrscheinlichkeitsverteilungen der Ereignisse), doch will es kaum befriedigend erscheinen, uns, dem Joch des unbeschränkten physikalischen Determinismus kaum entgangen, nun im Wirbel stochastischer Ereignisverteilungen wiederzufinden, in dem die Zukunft nun auch noch die Vorhersagbarkeit für den Einzelfall eingebüßt hat, die die solide Zwangsphysik uns wenigstens zum Ausgleich bot, ohne daß dadurch Freiheit, die wir meinen, gewonnen schiene.

Dies wird auch nicht dadurch bekömmlicher, wenn wir zunehmend deutlicher begreifen, daß Unvorhersagbarkeit im einzelnen unter Verweis auf Erwartungswahrscheinlichkeiten keineswegs auf die Mikrowelt beschränkt ist, sondern daß aufgrund der unabsehbaren Fülle sich ständig öffnender Zustandsmöglichkeiten auch durch und durch deterministische Naturprozesse durch Vor- und Randbedingungen so unzulänglich bestimmt sind, daß jede Vorhersage künftiger Ereignisse erneut zum Raten zwingt. Zur Quantenanarchie im Kleinen kommt also noch das deterministische Chaos der Welt im Großen. Das kann nur heißen, daß in dieser Welt eine ganz unausschöpfliche Bildungskraft für neue, unvorhersagbare, nie gewesene Realitäten ist, für die Naturgesetze nur den Rahmen geben, an den sich unser Denken über die Natur so gerne klammert, daß es sich allzuleicht darin verfängt. Zwar zeigt uns diese Einsicht in die phänomenale Unerschöpflichkeit der Welt, deren Fähigkeit zu ständig wachsender Komplexität keine Grenzen gezogen scheinen, nur allzu deutlich die Grenzen unseres eigenen Vermögens, sie je ganz und gar verstehen zu können. Jedoch die Antwort auf die Frage nach der Freiheit ist dies nicht.

## Leben als Entdeckungsprozeß

Stehen wir daher vor der tagtäglich möglichen Schöpfung freier Entscheidungen genauso fassungslos wie vor der einen, ersten Schöpfung dieser Welt ex nihilo, so scheinen diese Widersprüche für unser Nachdenken doch ebenso unüberwindlich wie unwiderstehlich. Der Reichtum der Naturerscheinungen – wer ihn nicht kennt, verbringe einen Tag vor der Käfersammlung des Britischen Museums – will um so mehr überwältigen, wenn wir uns bewußt machen, daß, was wir vor uns sehen, selbst nur ein aberwitzig kleiner Bruchteil des tatsächlich Existenten und dies wieder nur ein Tropfen aus dem Meer der virtuellen Möglichkeiten ist. Zugleich sehen wir uns aber dadurch um so mehr herausgefordert, nach den Prinzipien zu fragen, die für die Auswahl aus der Fülle an Potenzen gelten. Wenn irgendwo, so müßte hier der Ansatz sein, uns zu erklären, wie aus Möglichkeiten Wirklichkeiten, aus Voraussetzungen Folgen, aus Anlagen Merkmale, aus Keimen Pflanzen und aus Vorstellungen Handlungen werden.

Die Physik hatte großen Erfolg damit, das in Zeit und Raum unerreichbar Große und

Ferne des Kosmos besser zu verstehen, indem sie die im zugänglichen Kleinsten geltenden Prinzipien zu ergründen suchte. Dies methodische Beispiel legt es nahe, auch im Bereich des Lebens den Schlüssel für die großen Probleme zunächst darin zu suchen, zu verstehen, wie die Entwicklung und Gestaltung der Lebewesen im molekularen Kleinsten vor sich geht, denn nur von gesichertem Boden aus läßt sich das unbekannte Terrain zuverlässig kartieren. Ein kurzer Gang durch wenige Beispiele kann das zeigen.

Lebende von unbelebter Materie zu unterscheiden, ist nur in ganz oberflächlichem Schulbuchsinne eine Definitionsfrage. Von wirklich wissenschaftlichem Interesse wird dies Problem dort, wo solche definitorische Trennung versagt, wo hinter der Unterscheidbarkeit die Einheit erkennbar wird, wo Molekularbiologie und Biochemie in der Physikochemie autokatalytisch aktiver Makromolekülsysteme aufgehen. Alle Ergebnisse der Erforschung einfachster Lebensformen und fundamentaler chemischer Lebensvorgänge sprechen dafür, daß der Unterschied zwischen Belebtem und Unbelebtem nicht an den beteiligten Stoffen, sondern in ihrer Systemorganisation liegt und daß zwischen unbelebten und lebendigen Makromolekülsystemen ein bruchloser Übergang besteht. Dennoch haben wir nicht den geringsten Zweifel daran, daß Leben im Vergleich zu unbelebter Materie wesensmäßig anders, kategorial verschieden ist, von Grund auf, nicht nur dank definitorischer Willkür.

Dieser Widerspruch mag das Alltagsverständnis ebenso stören, wie manche philosophische Ansicht über die Welt; aber erstens ist es unsere Aufgabe herauszufinden, wie die Dinge sind und unsere Aussagen über sie danach zu richten, nicht umgekehrt; und zweitens kann dieser Widerspruch jeden Evolutionsbiologen nur erfreuen, muß er sich doch zwangsläufig einstellen, wenn die Theorie der Evolution zutrifft. »Natura non facit saltus«, diese Feststellung aus des Erzkreationisten Linné »Philosophia Botanica« (1751), ist zugleich ebenso richtig wie falsch: die Natur macht qualitative Sprünge bei quantitativ kontinuierlichem Wandel. Das Problem, qualitativ unterschiedene Phänomene aus dem kontinuierlich variierenden Strom des Lebens zu identifizieren und nomenklatorisch herauszuheben, plagt die Diskussion vieler biologischer Erscheinungen. Für essentialistisches Denken erscheint der Übergang von einer qualitativen Kategorie in eine andere ganz unmöglich. Der unbefangene Realismus empirischer Naturbetrachtung findet es hingegen gar nicht so schwierig, Kindheit, Jugend, Erwachsensein und Alter als wesensmäßig klar unterschiedene Phasen des Lebens zu erkennen, ohne sich am kontinuierlichen Entwicklungsablauf zu stören. Die genealogische Kontinuität der Generationen hebt die Trennung der Individuen so wenig auf, wie die genetische Kontinuität aller Lebensformen gegen die Unterscheidbarkeit aufeinanderfolgender Spezies-Individuen spricht. Das gleiche gilt für Same und Pflanze, für Ei und Vogel, für Embryo und Adultus: sie sind nicht dasselbe und dennoch durch Entwicklung ganz verbunden. Um es in der Sprache der Entwicklungsbiologie zu sagen: so wie das Ei die Entwicklungspotenz, die Anlage, die Kompetenz besitzt, unter bestimmten Bedingungen *aus sich heraus* den Vogel hervorzubringen, so können wir sagen, daß die unbelebte Natur unter den Bedingungen der frühen Erde die Kompetenz besaß, also Organisationsvermögen genug enthielt, um Lebewesen hervorzubringen. Die exakte Beschreibung aller notwendigen und hinreichenden Bedingungen für diesen Vorgang nennen wir die wissenschaftliche Erklärung der Entstehung des Lebens.

Einen solchen schrittweise kontinuierlich erfaßbaren Prozeß, der nichtsdestoweniger die Hervorbringung von etwas qualitativ Neuem zur Folge hat, könnte man eine *Entdeckung* nennen, wenn zweierlei Bedingungen erfüllt sind:

1. Die so entstandene Erscheinung darf vor diesem schrittweisen Entstehungsprozeß in dessen Ausgangsmaterialien und Bedingungen nicht vorhanden, d. h. wirksam gewesen sein, sie muß wirklich neu sein. Wir könnten auch sagen: das neue Phänomen kann abgeleitet, »hinterhergesagt« werden, nachdem es in Existenz trat, aber es konnte vor dem nicht aus den Entwicklungsgegebenheiten »vorausgesagt« werden.

2. Es mußte also erst »entdeckt« werden. Zu dieser »Entdeckung« bedarf es eines Mechanismus, der die Eigenschaften des neuen Phänomens im Vergleich zu Vorhandenem qualitativ bewertet, und zwar in einer Weise, daß davon sein künftiger Bestand und seine Fortentwicklung abhängt, eines Mechanismus also, der erkennt, unterscheidet und dementsprechend Existenzchancen zuteilen kann. Einen solchen Mechanismus nennen wir einen Selektionsprozeß.

Eine »Entdeckung« in diesem Sinne besteht also aus der Entstehung, Erkennung, Unterscheidung und Bewertung des Neuen: sie beruht auf Varianz und Selektion. Beliebige Mikrozustandsverteilungen der Partikel eines idealen Gases mögen durchaus nie dagewesene Ereignisse sein, sie sind so lange keine »Entdeckungen« der Natur, als kein Selektionsmechanismus existiert, kein Laplacescher Genius, kein Maxwellscher Dämon, der sie erkennt, unterscheidet, mit Alternativen vergleicht und eine über die andere bevorzugen kann.

Dieser Begriffsgebrauch stimmt ganz mit der ursprünglichen Etymologie des Wortes »entdecken« überein: etwas Verborgenes zum Vorschein bringen, damit es fortan wirken kann, nicht *es machen,* sondern *es erkennbar machen.* Es ist nicht das gleiche wie eine »Erfindung« – das Einschlagen des richtigen Weges zu vorgegebenem Ziel – was, wie noch zu zeigen sein wird, Organismen gerade nicht kennzeichnet. Der teleologische Glaube, daß nichts in der lebenden Natur ohne Ziel geschehe, spannt gleichsam den Wagen vor das Pferd. Als Ziel erscheint dem Beobachter, was am jeweiligen Ende eines erfolgreich begangenen Weges steht. »Entdeckungen« der Natur sind in diesem Sinne nicht die Enthüllungen sorgsam vorbereiteter Überraschungen. Das Neue ist wirklich neu, wenn es die Welt entdeckt, ein Happening, keine Veranstaltung. Was immer es taugt, wird *nach* seinem Erscheinen beurteilt, nicht *vorher* geplant. Auch im Leben entdeckte die Natur sich selbst, in der Entdeckung des Bewußtseins ward sie sich ihrer bewußt.

Wie aber bringt Leben immer neue Innovationen hervor, was macht es geradezu zwangshaft und unablässig »entdeckerisch« und damit zugleich zur Ursache unaufhörlichen Wandels, einer Umwälzung, die zerstört, wie sie aufbaut, und aufbaut, wie sie zerstört? Woher kommt die Variabilität, die sich im Neuen zeigt, und worin liegt der Mechanismus der Bewertung?

Bevor dies im einzelnen erläutert wird, ist eines vor allem wichtig: Leben bewertet sich selbst nach Regeln, die mit seiner eigenen Entstehung entstanden. Leben generiert aus sich selbst den Prozeß qualitativer Selektion, der allein ein Ereignis zur »Entdeckung« machen kann. Nur dem einzelnen Individuum mag Selektion als ein Eingriff von außen erscheinen. Für das Leben ist es eine innenbürtige Bedingung seiner Existenz. Man ist versucht, zu sagen, Leben sei »Ziel und Zweck in sich selbst«, ein ehrwürdiger Begriff, nur daß die aristotelische »Entelechia«, die dies bedeutet, dann nicht als etwas anderes und zusätzliches angesehen werden darf, das das materielle Substrat des Lebens antreibt, sondern als eine konstitutive Eigenschaft des lebendigen Systems selbst, Produkt wie Ausdruck seines Systemcharakters.

Sehen wir uns nun diese Lebenseigenschaft näher an. Was ist lebendig? Vier Kriterien muß ein System erfüllen, damit wir es lebendig nennen:

1. Um als hochorganisierter, entropiearmer Zustand wachsen und bestehen zu können, muß es ein offenes System im Fließgleichgewicht sein, das ständig freie Energie verbraucht, um seine Ordnungseigenschaften zu erhalten.

2. Es muß seinen geordneten Zustand identisch vermehren können, indem es ungeordnete chemische Bausteine nach eigenem Ordnungsprinzip zusammenfügt. Da die Grundlagen dieses Vorganges in den autokatalytischen Eigenschaften des genetischen Makromoleküls DNA im Zusammenwirken mit katalytischen Proteinen liegen, treibt der chemische Grundaufbau des Lebens jedes Lebewesen unausweichlich auf die Bahn der Reproduktion in Konkurrenz mit anderen Nutzern der gleichen Bausteine, also in die Maximierung der »darwinischen Fitness«. Die oft wenig verstandene und häufig umstrittene Tatsache, daß Evolutionsbiologen die reproduktive Leistung als letztlich entscheidendes Maß des evolutiven Erfolgs eines Organismus ansehen, kommt also nicht von einem zwangshaften Interesse von Biologen an allem, was mit Fortpflanzung zu tun hat, sondern gründet direkt in den chemischen Eigenschaften einsträngiger Nucleinsäuren, die freie Nukleotide aus dem umgebenden Medium zu einem identischen Partnerstrang zusammenwachsen lassen, ein Vorgang, den bestimmte Eiweißenzyme zwar um ein Vielfaches genauer und rascher, aber prinzipiell nicht anders ablaufen lassen. Leben als makromolekulares Nucleinsäure-Protein-System zu haben, hat also zwangsläufig, durch die chemischen Reaktionseigenschaften dieser Stoffe bestimmt, zur Folge, daß jedes solche System seiner Natur nach ein chemischer Automat ist, der um Vermehrungsfitness seiner genetischen Nucleinsäuremoleküle konkurriert, da – von den Uranfängen solchen Lebens an – jedes alternativ angelegte, d.h. nicht Vermehrungsfitness maximierende System, hoffnungslos verdrängt worden wäre.

3. Da lebende Materie aus metastabilen Molekülen hohen Ordnungsgrades, also niederer Entropie aufgebaut ist, kann allerdings kein Lebewesen seine Erbmoleküle absolut fehlerfrei reproduzieren. Obschon die Selektion auf zuverlässige Vermehrung Organismen von frühen Stufen niederer Kopiergenauigkeit zu Genvermehrungsmaschinen von fantastischer Präzision entwickelt hat, erlauben die thermodynamischen Grundgegebenheiten nie eine 100prozentige Kopiergenauigkeit: genetische Tippfehler sind unvermeidlich, wir nennen sie Mutationen.

4. Wären nun alle diese so entstehenden Varianten genetischen Materials, die die Population einer Organismenart ausmachen, absolut gleichwertig hinsichtlich der Funktionseigenschaften ihrer Träger, insbesondere hinsichtlich ihrer Fähigkeit Rohstoffe und Energie für ihren Körperaufbau und -betrieb und zur Vermehrung ihrer Anlagen zu erlangen, so wären diese – dann »neutral« genannten – Varianten des Lebens ohne weiteres Interesse, Spielerei der Natur, Hintergrundrauschen der Lebenssymphonie, keine »Entdeckungen«, sondern bedeutungslose Ereignisse, die das Leben nur auf einem »random walk« durch ewige Variationen eines gleichen Themas trieben.

Wir wissen heute, daß es solche neutrale genetische Variationen bei Lebewesen durchaus gibt, obwohl ihr Anteil an der Gesamtvariation umstritten ist. Sie braucht uns aber, wie gesagt, nicht weiter zu beschäftigen, es sei denn als Vorratslager an Rohmaterial für Zeiten, in denen vordem neutrale Varianten unter geänderten Bedingungen funktionale Wertigkeit erlangen können. In der Evolution des Neuen, für den wahrhaft schöpferischen Prozeß des Lebens kommt es vielmehr vor allem auf jene Mutanten an, die die Leistungsfähigkeit ihrer Träger für Wachstum, Überleben und Vermehrung, also letztlich ihre Fitness beeinflussen. Sie werden nämlich ganz unvermeidlich nach Maßgabe eben dieser Fitness im Vergleich mit Systemen, die mit ihnen um die gleichen Ressourcen konkurrieren, in einem Prozeß bewertet, den wir mit Darwin (oder eigentlich: Herbert Spencer) »natürliche Selektion« nennen. Da in einer begrenzten Welt einige lebens- und vermehrungsnotwendige Ressourcen immer nur begrenzt verfügbar sein können – das heißt, in einer Menge, die geringer ist als die Nachfrager verbrauchen können – ist Wettbewerb um diese knappen Güter eine Grundbefindlichkeit des Lebens, die es selbst erzeugte, da es ein Leben aus autokatalytischen Makromolekülen ist. Natürliche Selektion ist also nicht der gezielte Eingriff einer äußeren Kontrollinstanz der Umwelt; sie ist die notwendige Konsequenz der Existenz unbegrenzt wachstumsfähiger Systeme in einer Welt begrenzter Wachstumsgrundlagen. Deshalb und in diesem Sinne läßt sich behaupten, das Leben erzeuge die Bedingungen der funktionellen Bewertung seiner selbst, sei Ziel seiner selbst, sei durch Entelechie gekennzeichnet, sei ein unaufhörlicher Selbstentdeckungsprozeß. Jene Varianten, die unter jeweils gegebenen Bedingungen mit maximaler relativer Fitness konkurrieren können, nehmen auf Kosten weniger vermehrungsfähiger Mutanten zu, ändern gerade dadurch wieder die Selektionsbedingungen, die sie begünstigen (nicht hervorbrachten, sondern »entdeckten«!) und schaffen damit selbst wieder Umstände, unter denen andere Konkurrenten ihnen überlegen werden können. Biologische Erfolgsvarianten sind immer erfolgreich am Selektionsmaß von gestern und können ihren eigenen Erfolg gerade durch ihren Erfolg untergraben: während sie am eindrucksvollsten blühen, hat ihr Aufstieg oft bereits kulminiert, was allerdings wie ein Schwebezustand für einige Dauer bestehen bleiben kann, bis eine andere Merkmalsvariante aus dem Meer der Möglichkeiten auftaucht, die ihn beendet, oder bis die Nebenfolgen – die externen Kosten – ihrer kumulierten Existenz die Lebensgrundlagen zerstören, auf denen ihr evolutiver Erfolg beruhte.

## Die Ökonomie des Lebens

Dieses vom Vermehrungserfolg getriebene System »Leben« wandelt sich also naturnotwendig ständig, nicht zufällig, aber auch nicht zielbestimmt, sondern auf lokale, temporäre Fitnessgipfel hin gerichtet, die ihrerseits selbst nach Lage und Höhe ständigem evolutiven Wandel unterliegen, da jeder neue Konkurrent, jeder neue Feind, jede neue Nahrungsquelle, die der beschriebene Prozeß hervorbringt, die Wanderdünen der Fitnesslandschaft versetzen und verformen kann. Zwar maximiert der Evolutionsprozeß ständig für gegebene Selektionsbedingungen die Darwinische Fitness aller beteiligten Spezies – wir sagen dazu auch: er paßt sie an –, aber es gibt erstens keine Garantie dafür, daß eine von ihnen in endlicher Zeit wirklich für diese Bedingungen »optimal« werden kann, und selbst wenn dies so wäre, würde ihr überschießender Erfolg bereits wieder die Selektionsbedingungen ändern. Außerdem ist die Chance nie Null, daß irgendein neuer Mitspieler ins Feld kommt und die Fitness-Matrix ändert. Gegen diese Zwänge der Fitnesskonkurrenz kann es in der rein biologischen Gesetzen gehorchenden »blinden« Evolution kein Kartell zur Verhinderung ruinöser Wettbewerbsfolgen geben: zu groß der kurzfristige Fitnessvorteil für jeden, der sich nicht an solche »Abmachung« hält, zu gering die Möglichkeiten der Überwachung seiner Einhaltung unter den Millionen und Abermillionen sich vermehrender Varianten, die zu gleicher Zeit im gleichen Raum im Rennen liegen (man sieht sofort, daß dies für die Kulturmenschheit nicht gleichermaßen gelten müßte!).

Und noch ein weiteres ist wichtig: der Evolutionsprozeß optimiert in der Tat – wenn auch befristet und lokal. Das klingt nach eingebautem Fortschritt. Doch muß man sich hier sehr genau bewußt halten, was sein Optimierungsziel, seine Bewertungsfunktion ist: relativer reproduktiver Erfolg, nicht Größe, Schönheit, Langlebigkeit, Gesundheit, Glück oder was immer wir sonst geneigt sein mögen, als objektives Maß von Fortschritt anzusehen; der »degenerierte« Parasit ist ihm um gar nichts weniger wert als die zu prächtigsten sozialen Leistungen befähigte Spezies. Evolution garantiert gewiß den Wandel und begünstigt die jeweils gerade vermehrungsfähigsten Varianten: man kann dies Fortschritt nennen, wenn man es rein wörtlich als Fortschreiten nimmt. Daß damit immer alles »besser«, ja auch nur dauerhaft leistungsfähiger werden müsse, dafür gibt der biologische Evolutionsprozeß keine Garantie.

Wir können nicht einmal behaupten, daß Fitness über lange Zeiten stets gesteigert wird, da sie keine intrinsische Qualität eines Individuums oder einer Art ist, sondern kontingent von einer Unzahl selbst sich wandelnder Bedingungen abhängt. So wäre es nicht richtig, anzunehmen, wenn Spezies A von einer Spezies B dank deren höherer Fitness verdrängt wurde, dann B von C und später C von D und D von E, daß dann doch E auch A verdrängen hätte können, wenn A nicht längst verschwunden wäre. Denn A unterlag ja B unter Bedingungen, die sich von A bis E laufend weiteränderten. Was einmal war, ist nicht allein schon minderwertig, weil es nicht mehr ist. Das Nachgeborensein ist noch kein Gütesiegel, das immer Neuere ist nur sehr zeitbezogen im Vergleich zum eben letzten Stadium »besser«. Die lange Ahnenreihe adelt nicht in der Natur.

Die chemisch eingebaute Fixierung des Evolutionsprozesses auf Reproduktionserfolg erklärt auch, was sonst schwer verständlich scheint: wie eine optimierende Selektion Lebewesen in Sackgassen treiben kann, aus denen es keinen Ausweg gibt. Besonders die sexuelle Selektion – nach dem Erfolg beim anderen Geschlecht – kann leicht zu bizarren Extravaganzen führen, die eine Spezies gegenüber anderen Selektionseinflüssen in höchstem Maß verwundbar machen. Wir wissen heute, daß sexuelle Fortpflanzung in besonderem Maß dazu verhilft, rasch neue Anpassungswege zu erkunden; der Preis an fehlgeschlagenen Entwicklungen dürfte dem jedoch entsprechen.

Eine solche – heute manchmal bioökonomisch genannte – Darwinische Sicht der Evolution des Lebens wird mitunter als typisches Produkt ideologischer Prägung der Wissenschaftler durch eine vom Wettbewerb bestimmte Marktwirtschaftsgesellschaft kritisiert – als käme es bei einer Theorie nicht darauf an, ob sie sich in der Empirie bewährt, sondern ob sie einen stubenreinen Stammbaum hat; eine Rassehundlogik der Wissenschaftskritik, sozusagen. Nun kann es keinen Zweifel daran geben, daß es zwischen dem Evolutionsgeschehen und menschlichem Wirtschaften mannigfache grundlegende Entsprechungen gibt und daß Darwin daher nicht von ungefähr viel Anregung von Nationalökonomen wie Thomas Malthus oder Adam Smith erhalten konnte.

Organismen variieren in ihrer Leistungsfähigkeit (im Fitnessmaß) und müssen ununterbrochen zwischen verschiedenen Verhaltensmöglichkeiten wählen, die jeweils bestimmte Fitness-Nachteile (oder Kosten, z. B. in Form von Energieaufwand oder Gefährdungsrisiken) und Fitness-Vorteile (oder Gewinne, z. B. in Form von Nahrung, Paarungspartnern, Schutz vor Feinden) zur Folge haben können. Die kumulativ günstigste Minimal-Lösung all dieser Entscheidungen führt dann zur – lokal und auf Zeit – optimal erreichbaren Fitness. Zwar mag das Maß oder mögen die Maße wirtschaftlichen Erfolgs des Menschen durchaus verschieden von dem biologischer Fitness sein (obwohl auch dieser Wert nicht gänzlich außer Mode gekommen zu sein scheint, wenn man die Zuwachskurve der Menschheitsbevölkerung betrachtet), doch kann kein Zweifel daran bestehen, daß homo oeconomicus ebenfalls zwischen verschiedenen Allokationmöglichkeiten von Kapital, Ressourcen und Arbeit wählen muß, deren Konsequenzen hinsichtlich Kosten und Gewinnen er zu berücksichtigen und zu tragen hat, und am Ende ein befriedigendes Gesamtergebnis nicht verfehlen darf, wenn er im Geschäft bleiben möchte. Lebewesen haben die Methoden, wie man knappe Güter mit besonderes gutem Erfolg ausbeutet, einige Milliarden Jahre lang ausprobiert. Wir sollten uns daher nicht zu sehr darüber wundern, daß die Evolution nach Prinzipien funktioniert, die sich auch bei uns als wirkungsvollste Strategie jedenfalls kurzfristiger Ertragssteigerung herausgestellt haben.

Deshalb kann man sich auch über manche Kritik an der Evolutionstheorie aus ganz anderer, konservativer Ecke nur verwundern, in der Leute, die sich sonst in ihrer Hochschätzung des freien Marktes nicht leicht übertreffen lassen, sich nicht damit abfinden mögen, daß die Natur durch Variation und Selektion im freien Spiel der Konkurrenten um knappe Ressourcen so viele überaus eindrucksvoll leistungsfähig angepaßte Formen hervorbringen konnte. Wie kann jemand, der eine Planwirtschaft wegen ihrer Leistungsschwäche, Unbeweglichkeit, Verschwendung von Produktionsfaktoren, Unfähigkeit zur Bedarfsdeckung und ihrer demotivierenden Reibungsverluste durch alles beherrschende zentrale Kontrolle verabscheut, wie kann so jemand eigentlich annehmen, daß die Natur ein Planbetrieb sein sollte? Man hat ganz treffend bemerkt, ein Kamel sei ein Pferd, das von einer Planungsgruppe entworfen wurde; man könnte hinzufügen: wie es durch Versuch-und-Irrtum, oder besser Versuch-und-Erfolg im Selektionsprozeß der Evolution konstruiert aussieht, kann man an einem Wildpferd sehen!

Doch wäre dies zu wenig zu dem Thema: der Vergleich zwischen Ökonomie und Evolution – auf der Ebene der funktionalen Systemorganisation so treffend – endet genau dort, wo es um den Zielwert der Ertragsoptimierung geht. Die biologische Evolution folgt keinem von außen gesetzten Zweck: sie ist Zweck in sich selbst, in dem durch die chemische Konstitution des Lebens selbst vorgegebenen Zwang zur Fitnessmaximierung. Menschliches Wirtschaften aber ist – manchem Eindruck zum Trotz – *kein* Selbstzweck, es dient zum Verfolgen von *Zielen, die der Mensch sich setzt!* Daher ist jedes Handeln für den homo oeconomicus untrennbar mit Wertentscheidungen verbunden, und diese ihrerseits setzen voraus, worin wir – wie ausführlich erläutert – unser Menschsein ganz primär erleben: die

Fähigkeit zu normativer Autonomie. Es ist eine Frage selbst gesetzter und selbst zu rechtfertigender Werte, was die Optimierungsziele unseres Wirtschaftshandelns sein sollen: wofür wir produzieren, was wir produzieren, was wir vom Markt nachfragen und was wir verweigern. Nur eine Gesellschaft, die diese Freiheit der Entscheidung gibt und in der diese Selektion nach sittlich begründbaren Werten getroffen wird, kann sich eigentlich human nennen. Oder, um es ein wenig bodennäher zu formulieren: der Verbraucher ist nicht dazu da, um dem Produzenten die ökonomische »Fitness«, d. h. Profitmaximierung zu ermöglichen (so sehr dieser das manchmal zu schätzen wüßte); vielmehr fährt auch der Produzent am besten, indem er die Wünsche und Bedürfnisse der Verbraucher zu erfüllen trachtet. Was diese Wünsche und Bedürfnisse sind, bestimmt unsere biologische Natur nur in ganz basaler und recht trivialer Weise – obwohl das Leben sich für allzuviele Menschen tatsächlich ganz auf deren Stillung reduziert; was über diese Notdurft unseres Lebens hinausreicht, unterliegt nur, wenn wir sie gewähren lassen, den Antrieben unserer Natur. In der Erfindung neuer Wünsche und Begierden scheinen uns kaum Grenzen gesetzt. Es ist an uns, darüber zu entscheiden, was wir davon für gut befinden oder nicht.

Obwohl also die Übereinstimmung der Mechanismen der biologischen Evolution und der Marktwirtschaft weitreichend erscheinen, gibt es keine naturnotwendige Identität der Zwecke, denen sie dienen, noch würden solche Zwecke im Fall des Menschen dadurch legitimiert, daß die Natur ihnen zu folgen scheint. Während die biologische Evolution im Joch des darwinischen Fitnessimperativs in blindem Kreisen aufbaut und zerstört, wurde unserer Spezies mit dem Gewinn ihrer Denkfähigkeit und Entscheidungsfreiheit zugleich die Last der Verantwortung dafür auferlegt, zu welchen gerechtfertigten Zwecken die Maschinerie unseres Wirtschaftens eingesetzt werden soll. Was uns die Betrachtung der biologischen Evolution lehrt, ist, daß Variation und Selektion unter freier Konkurrenz um knappe Güter ein fantastischer Mechanismus zur Steigerung von Qualität und Quantität von Produkten ist. Ob wir die so erzeugten Produkte überhaupt wollen und wofür wir sie wollen und wie wir sie verteilen sollen, darüber lehrt uns die Natur nichts. Dies sind moralische Fragen, deren Beantwortung der normativen Rechtfertigung bedarf. Daß Natur in blinder Unschuld im Evolutionsprozeß ungerührt über die Leichen hinweggeht, die jede neue Umwälzung des Lebensrades unter sich drückt, mag sinn- und lehrreich scheinen, ist es aber nicht. Das Gesetz, nach dem der Mensch antrat, ist anders. Es sagt: wer Freiheit zu entscheiden hat, muß auch in eigener Verantwortung entscheiden. Und selbst als »objektive« Illusion blieben Freiheit und damit notwendig Verantwortung doch unabweisbar subjektive Wirklichkeit.

## Erkundung oder Planerfüllung?

Lehrreich ist es vielmehr, die Eigenschaften eines Systems, wie es für die Lebewesen beschrieben wurde, das sich nach einem reproduktiven Fitnesskriterium durch post-festum-Selektion aus einem nie endenden Strom von Varianten an jeweils gegebene Umweltbedingungen anpaßt, indem es deren Möglichkeiten immer neu erkundet – eine Nachlaufregelung mit umweltbestimmt variablem Sollwert –, mit einem Modell zu vergleichen, in dem

Anpassung und Anpassungsfortschritt nach *vorgegebenem* Programm gesteuert wären. Zwei Punkte sind dabei hervorzuheben:

*Erstens:* Das erste System ist imstande, sich auch zufällig-unvorhersehbaren Bedingungsänderungen selbsttätig flexibel anzupassen, solange jedenfalls der Umweltwandel nicht so abrupt und massiv ist, daß er die genetische Anpassungsreserve, die im Variantenvorrat einer Population steckt, bis zum Punkt der völligen Zerstörung überschreitet. Daß hierin ein Risiko besteht, bezeugen Hunderte von Millionen ausgestorbener, obsolet gewordener Arten. Daß dies Risiko sich dennoch auszahlte, belegt die ununterbrochene Fortexistenz einer den jeweils neuen Bedingungen wohl eingefügten Lebenswelt.

Ein zielgeplantes System der zweiten Art könnte andererseits diese Anpassungsänderungen nur leisten, wenn wir entweder annehmen, daß das gesamte Weltgeschehen über Milliarden Jahre von Anbeginn an so zwangshaft determiniert verlief, daß das Gesamtprogramm der Lebensentfaltung jedem eintretenden Wandel von vornherein Rechnung tragen konnte; ein nicht nur schwer einleuchtender Gedanke, sondern zudem einer, der mit den physikalischen Erkenntnissen über die Grenzen des Determinismus im Kleinsten wie im Großen nicht in Einklang zu bringen ist. Oder aber es bedurfte über Jahrmillionen der ständigen, tagtäglichen Intervention der Programmplanungsinstanz, um die Lebewesen einigermaßen im Gleichgewicht mit den Daseinsgegebenheiten zu halten; dann aber belegen Abermillionen von ausgelöschten Arten nichts, es sei denn eine große Peinlichkeit für jeden, der über die Leistungsfähigkeit dieser obersten Planungsbehörde nachzudenken wagt.

Evolution durch ungerichtete Variation von Lebensformen und Auswahl der davon reproduktiv Tauglichsten ist somit nicht nur durch alle empirischen Befunde am besten gestützt, ihre Annahme führt auch nicht zu anders unvermeidlichen Widersprüchen. Um es noch einmal zu betonen: die alles durchdringende stochastische Struktur des Universums – von der Quantenfluktuation über das deterministische Chaos vieler makrophysikalischer Prozesse bis hin zu der Tatsache, daß im Reich des Lebendigen Abermilliarden von Individuen in Millionen Arten ständig durch unvermeidliche chemische Mutantenproduktion ihres Erbgutes unvorhersagbar variieren – macht nach allem, was wir wissen, Leben überhaupt nur als ein System der ersten Art, das durch ungerichtete Variation und anschließende Selektion anpaßt, überlebensfähig. Es erhält dadurch selbst eine Qualität höchst eng begrenzter Vorhersagbarkeit, die für jeden solchen historisch-kontinuierlich sich wandelnden Prozeß konstitutiv ist. Diese Einsicht widerlegt nicht nur den unrichtigen Einwand, wir verstünden den Evolutionsprozeß wissenschaftlich unzureichend, solange wir seinen künftigen Verlauf nicht vorhersagen können. Wer solches von der Evolutionstheorie erwartet, hat vielmehr ihre fundamentale Hauptaussage nicht begriffen. Sie bringt zugleich mit diesem Element der Unvorhersagbarkeit einen Aspekt ins Spiel und begründet ihn, der für jede Vorstellung von Freiheit unverzichtbar ist. Denn wie immer wir Freiheit der Wahlentscheidung auch verstehen wollen, daß sie voraussetzt, daß ein System, das sie besitzt, nicht gänzlich vorhersagbar durchdeterminiert ist, scheint ganz unbestreitbar.

*Zweitens:* Eine andere Konsequenz dieses Verständnisses des Lebenssystems darf allerdings auch nicht übersehen werden. Ein Nachteil eines sich durch Variation und Selektion selbsttätig dem Bedingungswandel anpassenden Systems ist nämlich auch unübersehbar, wenn man es mit dem vorgeplanten Modell vergleicht. Im ersten gibt es keinerlei Sicherheit, daß irgendeine Lebensform oder das ganze Leben selbst auf Dauer Bestand haben können, keinerlei Garantie, daß die nächste Bedingungsänderung noch einmal eine adäquate Anpassungsantwort finden wird. Wenn wir den Evolutionsprozeß richtig verstehen, so besagt er, daß die Natur uns nicht geplant hat, deswegen besteht kein Anlaß anzunehmen, daß sie im Notfall wohl auch für uns sorgen wird. Da hat es doch das Planmodell viel leichter: was immer auch geschieht, wie unsinnig und rücksichtslos wir uns zum Beispiel gegen uns wie gegen unsere Mitgeschöpfe verhalten mögen, die Zuständigkeit dafür liegt doch wohl dort, wo wir so eingerichtet wurden wie wir sind. Die erste Sicht der Dinge macht uns ungeplant und damit frei; doch untrennbar davon erlegt sie die Verantwortung für alle Folgen unseres Handelns ganz uns selber auf.

## Variation und Exploration

Die bisherige Darlegung hat allerdings einen wesentlichen Faktor allzu knapp behandelt: wo kommen nämlich die Varianten her, das Material, das Selektion dann nach dem Vermehrungserfolg der konkurrierenden Alternativen sortieren kann?

Ich sprach, wie das jetzt sehr geläufig ist, von molekularen Kopierfehlern auf der Ebene der Nukleinsäuren. Das ist gewiß nicht falsch. Vor allem Manfred Eigen hat in den letzten Jahren mit seinen Mitarbeitern die Gesetzmäßigkeiten dieser Replikationsirrtümer sehr genau erforscht. Er hat auch gezeigt, daß der maximale Informationsgehalt eines genetischen Moleküls (gegeben durch die Nukleotid-Kettenlänge) dem Kehrwert der Fehlerrate entspricht, mit der ein falsches Kettenglied bei dem Kopiervorgang der Musterkette eingebaut wird. Nun läßt sich zeigen, daß die chemischen Eigenschaften einsträngiger Nukleinsäuren in verdünnter Salzlösung bei Standardtemperatur keine größere Kopiergenauigkeit der autokatalytischen Vermehrung als etwa $1:10$ bis $1:100$ zulassen, was nur Kurzgenketten von 10 bis 100 Nukleotidgliedern möglich macht. Die Ursache dafür liegt in den thermodynamisch-probabilistischen Gesetzmäßigkeiten der chemischen Reaktionen unter den Bedingungen, die unsere Erde für das Leben bot und bietet. Es ist daher völlig richtig, diese erste Quelle genetischer Variation von Lebewesen als molekulare Zufallsereignisse zu bezeichnen, die in der existierenden Welt ganz unvermeidlich und deren Einzelfallergebnis ganz unvorhersagbar ist: alles was wir über sie erfahren können, sind Wahrscheinlichkeitsverteilungen für das Auftreten bestimmter chemischer Produkte und Ereignisse.

Zwar wissen wir heute, daß es neben diesem Grundprozeß organismischer Variation noch andere Mutationsursachen gibt und weitere mögen zu entdecken bleiben, vielleicht darunter solche, die nicht zufällig, sondern gerichtet wirken und unter bestimmten Umweltbedingungen bevorzugte molekulare Resultate zur Folge haben. Aber es ist wichtig zu betonen, daß zumindest *ein* wesentlicher Mutationsprozeß aus zwingenden physikochemischen Gründen ungerichtete Zufallsverarianten produziert, zufällig hinsichtlich des Wann und Wo des Kettengliedersatzes, ungerichtet hinsichtlich der funktionellen Konsequenzen, also der Fitnessfolgen, die das für den Träger der Erbgutänderung hat.

Nun gibt es in diesem System einen Ansatz zu einem sehr bedeutsamen Wechselspiel von

Folgen. Wenn der genetische Informationsgehalt dem Kehrwert der Kopierfehlerrate entspricht, so werden chemische, z. B. enzymatische Mechanismen, die eine fehlerärmere Nukleinsäurereplikation ermöglichen, ihrem Träger informationsreicheres Erbmaterial und damit bessere Chancen für umfangreichere funktionelle Anpassungen geben. Tatsächlich wurde bei höheren Organismen die Fehlerrate bis auf $10^{-9}$ reduziert und damit die Genkettenlänge auf eine Milliarde Kettenglieder hochgetrieben. Jedoch hat dies in evolutiver Hinsicht nicht nur Vorteile, sondern auch wichtige Kosten zur Folge: mit zunehmender Kopiertreue nimmt die Mutantenproduktion ab und damit die überlebenswichtige Chance zur evolutionären Innovation. Es besteht die Gefahr, immer perfekter angepaßt und immer anpassungsunfähiger zu werden! Wir erwarten daher, daß der Evolutionsprozeß selbst Organismen züchtet, die eine Kompromißlösung zwischen diesen beiden Extremen suchen, das heißt nichts anderes, als daß die Mutationsrate der Variantenproduktion selbst wieder zum selektierten Anpassungsmerkmal wird, ja daß Organismen die Rate der Variantenproduktion der Stabilität oder Labilität der Umweltbedingungen anpassen können. Solche Fähigkeiten hat man bei Lebewesen in der Tat nachgewiesen, was zeigt, daß man den Begriff »Kopierfehler«, wenn man von dem thermodynamisch unüberwindbaren Rest absieht, nur sehr bedingt für das Variantenproduktionsgeschehen der Lebewesen verwenden kann. Man könnte diese scheinbare »Fehlerrate« in der Tat viel besser als »Explorationsrate« kennzeichnen als sicher mit Risikokosten behaftete, aber auch immer wieder gewinnträchtige Vorstöße in neues Anpassungsterrain.

Die Prozesse, mittels derer Organismen diese »Explorationsrate« steigern und steuern können, sind in der Tat selbst höchst vielfältige Produkte der Evolution durch Variation und Selektion.

So werden z. B. Gene mobil gemacht, so daß sie an verschiedenen Stellen im Erbgut (Genom) placiert werden können; da Genwirkungen auch von Gennachbarschaften beeinflußt werden, wird dadurch die Merkmalsvariabilität erhöht. Diese Mobilität kann sogar die Individuen – und Speziesgrenzen sprengen, wenn etwa Vektoren (Plasmide oder Viren) genetische Information zwischen ihnen übertragen. So mancher Mikroorganismus, der uns bisher nur als lästiger Parasit oder gefährlicher Krankheitserreger erschien, könnte sich im Licht solcher Befunde als durchaus wichtiger Genschmuggler und Nukleinsäurehausierer erweisen, als Nachrichtenhändler für genetische Information, der seine Leistungen natürlich auch nicht uneigennützig und kostenlos erbringt, eine Kostenrechnung, die allerdings der Wirt zahlen muß. Da der Langfristnutzen möglicher Neuanpassung allerdings ungewiß, die Kurzfristkosten parasitärer Ausbeutung aber nur allzu spürbar sind, verwundert es nicht, daß lange vor allem die negativen Aspekte dieser Beziehung ins Auge fielen und daß die Abwehrsysteme der Wirte auf solch ungeliebte Evolutionsgehilfen sehr empfindlich reagieren: ein Coevolutionsdrama, oder wie man heute sagt, eine »Beziehungskiste« für sich!

Ein anderer Weg, genetische Variabilität zu mehren, ist es, das Reservoir an mutierbaren Genen zu vergrößern, indem man die Anzahl der Gensätze verdoppelt (Diploidie) oder vervielfacht (Polyploidie) oder Einzelgene in größerer Zahl bevorratet, die nun unabhängig weiter variieren können. Auch können ganze Genabschnitte (Introns) zu gegebenem Zeitpunkt überhaupt nicht zur Merkmalsproduktion eingesetzt werden und daher sozusagen frei von äußerer Selektion drauflos permutieren. Die Evolution ist also gar nicht immer *sparsam* im Materialeinsatz, sie ist vielmehr *ökonomisch*, indem sie Wagniskosten nicht scheut, wenn dadurch die Gewinnchancen steigen.

Der wichtigste Prozeß der Variantenproduktion von Organismen ist wahrscheinlich in der Lebensgeschichte erst relativ spät, vielleicht erst vor 1,5 Milliarden Jahren entdeckt worden, in der Tat eine Innovation von bis heute unübersehbaren Folgen: die Neukombination von Genen durch sexuelle Fortpflanzung. Sexuelle Rekombination steigert genetische Variation ins buchstäblich Unermeßliche, so unermeßlich, daß wohl kein sexuell entstandenes Individuum eines Vielzellers je einem anderen genetisch völlig gleicht, geglichen hat oder gleichen wird. In der Tat verdankt jeder von uns seine individuelle Einzigartigkeit vor aller Überformung durch Erziehung und Erfahrung der einmaligen Genkombination der Zygote, die aus einer sexuellen Befruchtung hervorging und aus der wir uns entwickelt haben. Man kann grob abschätzen, daß allein das Genom des Menschen weit mehr als $10^{1000}$ verschiedene Genkombinationen erlaubt; man vergleiche dies mit der Abschätzung, daß die Individuenzahl aller Organismen, die jemals auf der Erde existierten, wohl weit unter $10^{100}$ beträgt, daß das gesamte Weltall weniger als $10^{80}$ Nucleonen enthält, daß unser Universum weniger als $10^{18}$ Sekunden alt ist. Erst solche Vergleiche machen uns bewußt, wie unausschöpflich der genetische Variationsreichtum sexuell sich fortpflanzender Lebewesen ist. Das heißt aber auch, daß das, was je an Lebensformen existierte, nur ein winziger Bruchteil des Möglichen ist, daß das Leben damit gewiß auch nie und nimmer am Ende seiner Innovationschancen angelangt ist, und daß es allein deshalb auch ganz unsinnig wäre, anzunehmen, wir könnten je deterministisch vorhersagen, was die Lebenszukunft bringen kann. So unübertrefflich präzise die genetische Replikation bei höheren Lebewesen, so eng also potentiell die Übereinstimmung zwischen Eltern und Nachkommen, so weit haben sie durch die Entdeckung der Sexualität die Tür für unendliche Variationen wieder aufgestoßen. Diese Kombination extrem genauer, konservativer Tradition des Bestehenden mit einer anarchischen Lust am sexuellen Würfelspiel mit den vorhandenen Präzisionskomponenten, kennzeichnet die Dialektik des Lebensschauspiels.

Und noch eines: ungeschlechtliche Vermehrung in reiner Form ist per definitionem ein einsames Geschäft der Massenfertigung des beinah immer Gleichen, zu Zeiten perfekt in der Anpassung, aber wenig flexibel gegenüber dem Wandel der Zeit. Sexualität ermöglicht die gemeinsame, kooperative Nutzung des genetischen Informationskapitals einer Population. Sexuelle Fortpflanzung bricht Erfolgskombinationen immer wieder durch Neukombination auf, das ist gefährlich, aber extrem explorativ, das Sytem bleibt immer flexibel und dynamisch, plaziert ständig neue Wetten im Lebensspiel, präsentiert immer neue Zahlenkombinationen im Auswahllotto der Selektion. Und vor allem: erst sexuelle Fortpflanzung fügt Individuen zu einer Gemeinschaft, formt Populationen zu echten Spezies mit gemeinsamem genetischen Besitz. Kein Individuum einer sexuell sich fortpflanzenden Art repräsentiert die Art in der ganzen Fülle ihrer Anpassungsfähigkeit, auch kein Individuenpaar kann dies. Kein Individuum entspricht also auch dem Normtyp einer Art. Dieser Normtyp ist eher unsere idealistische Abstraktion als in der Natur existent. Nur die Gesamtheit ihrer vielfältig verschiedenen Individuen macht eine Spezies aus und bestimmt ihre Leistungsfähigkeit. Das gilt nicht anders für die menschliche Spezies wie für die tierischen oder pflanzlichen Arten.

Dieses Prinzip von Mannigfaltigkeit der Formen und selektiver Bewertung ihrer Leistungsfähigkeit, die auf deren Existenzchancen zurückwirkt, von »Freiheit mit Folgen«, wenn man es in eine Schlagwortmetapher zusammenfassen will, läßt sich im Reich des Lebendigen nun auf vielen Ebenen immer wieder finden: das Prinzip ist zu gut geeignet, um in einer sich unvorhersagbar wandelnden Welt angepaßt und leistungsfähig zu bleiben, als daß es nicht in vielfacher Form und Abwandlung immer wieder eingesetzt worden wäre.

Nach ihm wählt der Körper in der Immunabwehr von Fremdkörpern (Antigenen) unter einer Unzahl molekulargenetischer Varianten die jeweils tauglichen Abwehrwerkzeuge (Antikörper) aus und stellt sie dann in Massenserie her. Viel spricht dafür, daß auch in der Entwicklung (Epigenese) des vielzelligen Individuums das Prinzip von Differenzierung und Auslese mitwirkt, damit ein funktionell abgestimmtes System entsteht, gleichsam ein ins Innere gekehrter Evolutionsprozeß (Evolution war ja sogar ursprünglich ein entwicklungsgenetischer Begriff, der allerdings damals eine sehr viel andere Bedeutung hatte). Nach gleichem Prinzip verändert sexuelle Fortpflanzung bei vielzelligen Lebewesen in jeder Generation die Anlagenkombination so wie die Ziffernordnung im Schloß eines Tresors, so daß es unerwünschte Eindringlinge – vor allem ungeschlechtlich sich vermehrende Parasiten und Krankheitserreger – nur schwerlich möglich finden, sich durch perfekte Anpassung den Dauerpassepartout zu schaffen. Nach gleichem Prinzip entdeckten Individuen neue Nahrungsnischen oder Lebensräume; nach ihm verfährt die Evolution sogar bei der Entwicklung neuer Arten aus kleinen zufällig abgesprengten Gruppen, aus denen sich im Selektionsverlauf die Neuentdeckungen rekrutieren, die den unaufhörlichen Artenschwund durch Artentstehung ausgleichen. Und jede neu entdeckte Spezies ist nicht etwa nur eine Neuentdeckung für uns Betrachter der Natur, nein, jede neue Spezies ist für die Natur selbst eine Neuentdeckung, Wahrnehmung neuer Lebensmöglichkeiten, Autor und Akteur zugleich einer Neuaufführung des en suite gegebenen Lebensspiels.

## Der Lernprozeß als evolutionärer Durchbruch

Bisher bewegt sich all dies jedoch grundsätzlich immer noch auf der Ebene molekularer Variationen der Gene, wie komplex – und weithin unverstanden – die einzelnen Vorgänge dabei auch immer seien. Nun blieben Erbanlagen keineswegs die einzigen Informationsspeicher des Lebens, deren Merkmalsfolgen in Selektionsprozessen qualitativ bewertet werden können. Die Zyklusdauer für die Veränderung und Neuerprobung alternativer Datensätze war nämlich für diese Form des Anpassungsgeschehens das begrenzende Nadelöhr; dies um so mehr, je vielzelliger und langlebiger die Organismen werden. Ein Variations- und potentieller Anpassungszyklus, der bei einem Einzeller noch im Generationentakt von Stunden oder Tagen läuft, wird bei höheren Tieren quälend lang, auf Jahre, ja Jahrzehnte ausgedehnt. Da wurde es zunehmend vorteilhaft, dem großen Kreislauf des anpassenden Werdens und Vergehens schnellere, kleinere Innovationszyklen zu überlagern, die dazu natürlich eigene Datenspeicher, Informationsträger, Variationsmöglichkeiten und Qualitätsprüfungsmechanismen brauchten.

Diesen Durchbruch brachte die Entwicklung lernfähiger Nervensysteme bei Tieren. Lernen heißt Verhaltensauswahl nach Erfahrung: aus der Fülle möglicher Reizeinwirkungen auf das Sinnessystem werden einige wenige Kombinationen ausgewählt und eingespeichert, da sie sich bei vorangegangenem Zusammentreffen als erfolgreich, lohnenswert, vorteilssteigernd, nachteilsmindernd bewährt haben. Der großen Freiheit im Verhalten des freibeweglichen Tieres entspricht die Notwendigkeit nach den erfahrenen Folgen auszuwählen und dadurch das Verhalten den gegebenen Umständen anzupassen.

Zwar kennen wir die beteiligten sensorischen und neuralen Verarbeitungsprozesse, die solcher Auswahl zugrunde liegen, im Prinzip recht genau, doch ist es nach wie vor nicht zufriedenstellend gelungen, den Speicher für die dem System im Lernvorgang eingeprägte Information – das Gedächtnis – molekularphysiologisch präzise zu identifizieren.

Auf die erstaunliche funktionelle Übereinstimmung zwischen dem Lernprozeß und dem Evolutionsprozeß haben Konrad Lorenz und andere vielfach hingewiesen. Daß die Verhaltensfolge als positiver oder negativer Verstärker selektiv so auf die Verhaltensproduktion zurückwirkt, daß – abhängig vom jeweiligen Bereitschaftszustand – aus der Fülle des möglichen Verhaltens, den »Versuchen« im Versuchs- und Irrtums-Lernen (das meist besser als Versuchs- und Erfolgs-Lernen bezeichnet würde), jene mit optimalem Ertrag = Nutzen/Kosten-Verhältnis bekräftigt werden, entspricht ganz dem Zusammenspiel von Merkmalsvariation und Selektion in der Evolution: die Merkmale sind das Verhalten der Gene, die Gene sind das Gedächtnis der Merkmale. Worauf vor allem Gerald Edelman hinwies: viel spricht dafür, daß sich auch die unvorstellbar komplizierte funktionelle Struktur des Nervensystems nach demselben Prinzip vielfältiger Verbindungsversuche zwischen Nervenzellen und selektiven Bewährens der funktional erfolgreichen Verknüpfungen und Bahnen differenziert. Wenn das zutrifft, so baut sich also die neurale Maschinerie, mittels derer das Verhalten eines Tieres in Exploration und selektiver Speicherung angepaßt wird, selbst nach einem ebensolchen Prozeß auf, nicht nach einer im Laufe der Evolution den Zellen genetisch vorgegebenen Exekutivroutine, sondern nach einer für selektive Umwelterfahrung von Anfang an weit offen empfänglichen Spiel- und Lernanleitung. Mindestens drei stufenweise ineinandergeschachtelte Zyklen von Variation und Selektion – der Evolutionszyklus, der Epigenesezyklus, der Lernzyklus – liegen dann also der schöpferischen Entdeckungsfähigkeit im Verhalten eines Tieres – einer Biene, eines Vogels, einer Maus – zugrunde.

Was dabei besonders wichtig ist: in einer lernfähigen Spezies wird die genetische Variabilität mit der durch Erfahrungsmodifikation multipliziert und zugleich die Zeitkonstante der bewertenden Selektion von der Dauer eines Generationszyklus auf die eines Lernvorganges drastisch, in der Größenordnung von $10^6:1$ reduziert. Dies ist nicht nur erneut eine gewaltige Steigerung der Varianz- und Anpassungsmöglichkeiten, es öffnet zugleich, je höher entfaltet die Lernfähigkeit, um so mehr den Weg zur Einschränkung genetischer Kontrolle von Verhaltensmerkmalen zugunsten der Erfahrungsanpassung. Insofern ergänzt der Lernprozeß den genetischen Evolutionsprozeß nicht nur, er kann zunehmend, wenn auch nie ganz und gar, an seine Stelle treten, noch wirkungsvoller, flexibler, noch dynamischer – aber mit einem großen Nachteil gegenüber diesem: da das Genom von dieser individuellen Lernerfahrung nichts mitgeteilt erhalten kann, muß jeder Lernanpassungszyklus in jeder Tiergeneration wieder beim Punkt »Null« der genetischen

Programmausstattung (die natürlich immer weit mehr als Null ist!) beginnen. Daher können auch noch so lernbegabte Tiere, die nicht imstande sind, Erfahrungen von Generation zu Generation weiterzuvermitteln, die genetischen Stützkorsette und die Fesseln angeborener Anpassungsvorgaben nicht wirklich entbehren oder sprengen.

## Kommunikation und Tradition

Diese Grenzen werden von Tieren in zweifacher Richtung durchbrochen, um den gesamten schöpferischen Reichtum der Entdeckung neuer Möglichkeiten des Verhaltens durch Lernanpassung zu erschließen: horizontal und vertikal, durch Kommunikation und Tradition.

Ein einzeln lebendes Tier kann bei aller Lernfähigkeit immer nur sich selber nützen. Andere können von seiner Erfahrung in der Regel wenig – etwa durch Nachahmung –, meist aber gar nicht profitieren. Sie sollen es auch nicht, denn sie sind Konkurrenten, und der Krieg mag der Vater vieler Dinge sein, aber sicher ist er nicht der der Verständigung zwischen den Streitenden. Wo allerdings das Zusammenwirken von Artgenossen in sozialen Gemeinschaften allen Beteiligten mehr Vorteile bringt als das Einzelleben, dort ist dieser Bann gebrochen, dort finden wir die Möglichkeit zur Evolution horizontaler Informationsweitergabe durch Kommunikation: über Nahrungsquellen und drohende Gefahren, bei der Feindabwehr, dem Schutz der Nachkommen oder bei gemeinsamem Wohnungsbau oder gemeinschaftlichem Wanderzug.

Kommunikation kann also die Anpassungsvorteile des Erfahrungserwerbs noch einmal mehren, indem sie den Gewinn mit der Zahl der Verständigungspartner multipliziert!

Zwar kann sich dies auf die gleiche Generation beschränken, doch ist in einer Gemeinschaft, in der die Nachkommen von der Erwachsenengeneration umgeben und umsorgt sind, keineswegs zwangsläufig so. Im Gegenteil: ganz selbstverständlich öffnet sich hier der Weg der vertikalen Weitergabe von Erfahrungsinformation, der *Tradition* von Anpassungswissen. Damit ist die Brücke über die Generationen, bis dahin nur durch die Weitergabe der Erbanlagen in der Zygote gebildet, ein zweites Mal geschlagen, und diesmal ist es keine schmale Einbahnstraße molekularer Programme, sondern eine breite Straße über den Strom der Zeit, über die Erfahrungen in beide Richtungen überbracht werden können, und die vor allem auch der Menge transportierbaren Wissensgutes kaum Grenzen setzt.

Kommunikation ist weiter das Vehikel, das Medium dieses Transfers, doch ist dieses Vehikel bei Tieren noch so wenig leistungsfähig, daß von den neuen Möglichkeiten, Erfahrung nicht nur weiterzugeben, sondern von Generation zu Generation anzuhäufen, noch allzu wenig Gebrauch gemacht werden kann.

## Sprache, Kultur, Freiheit

Dies ändert sich erneut mit der Einführung eines viel leistungsmächtigeren Informationsvehikels: der symbolischen Begriffssprache, die wir nur vom Menschen kennen, in der durch beliebige Neukombination von Worten eine unbegrenzte Fülle neuer Bedeutungen ausgedrückt, festgehalten und weitergegeben werden kann. Hier scheint ein ferner Anklang an die gigantische Innovation auf, die weit mehr als eine Milliarde Jahre früher durch die sexuelle Rekombination von Bedeutungsträgern in die Welt gekommen war. Aber was sind selbst einige zehntausend Gene gegen viele hunderttausend Wortbegriffe? Vor allem, wo in der Sexualität gerade zwei kopulieren, das heißt sich zu vereinigen vermögen, da gibt es in der sprachlichen Vereinigung, der Kommunikation – auch der Linguist spricht ja von der Kopula der Begriffe! – für die Beteiligung und Vermischung keine Grenzen. Aber so wie die sexuelle Fortpflanzung die Angehörigen einer genetischen Gemeinschaft zur Spezies zusammenschweißt, verbindet die sprachliche Kommunikation die Mitglieder einer Sprachgemeinschaft zu einer zusammenhängenden Kultur mit einem gemeinsam genutzten Bestand sprachlich ausdrückbarer Kenntnisse, Vorstellungen, Begriffe, Regeln und Mythen, in denen der Kernbestand der *Welterfahrungen* einer Kulturgemeinschaft aus all ihrer Geschichte zu einer *Weltanschauung* verdichtet und so zusammengefaßt wird, daß das Vehikel der Tradition das ganze Bündel unbeschädigt über den seichten oder tiefen Graben bringt, der immer noch die Generationen trennt.

Daß somit *Sprache die Sexualität der Kultur* im gleichen Sinne ist wie *Sexualität die Sprache der Natur* genannt werden könnte, faßt knapp, wenn auch ein wenig paradox zusammen, was sich hier entspricht. Und wiederum: die Fähigkeit, Erfahrungen zu variieren und neu zu ordnen und dadurch auch Verhalten zu wandeln und neu zu formen, wird durch das Sprachvermögen ins Unermeßliche gesteigert; um so wichtiger die Notwendigkeit, durch Auslese des Sinnvollen aus der Fülle des Möglichen das Wertbeständige und Überliefernswerte auszuwählen.

Die vielfältig gesteigerte Fähigkeit, Erfahrungswissen sprachlich festzuhalten, weiterzureichen und von Generation zu Generation anzuhäufen hatte nun zwangsläufig in der Evolution des Menschen mindestens drei weitere folgenschwere Konsequenzen:

*Erstens:* Je reicher entfaltet die Sprache, um so größer der Schatz der mitteilbaren Gedanken und Erfahrungen, um so umfangreicher daher der Anspruch an die Speicherkapazität des Gedächtnisses, um so reicher die Möglichkeiten der Neukombination, Verknüpfung, Verarbeitung der vielfältigen Informationen und mit alledem um so größer der Bedarf nach einem Nervensystem, das den so immens gesteigerten Beanspruchungen gerecht zu werden vermag. Es ist ein Faktum der Paläoanthropologie, daß nach relativ gemächlichem Anwachsen der Gehirngröße im Lauf von Jahrmillionen bei Tierprimaten das Menschengehirn vor etwa 2 Millionen Jahren in kurzer Zeit eine geradezu explosionsartige allometrische Zunahme erfuhr. Es fällt schwer, den hier hergestellten Bezug zu möglichen Ursachen dieser Entwicklung nicht für plausibel, d. h. zustimmungsfähig anzusehen. Dabei ist noch hervorzuheben, daß selbstverständlich jede Steigerung der Kapazität des Nervensystems – in doppelter Wortbedeutung – positiv verstärkend auf Erfahrungserwerb, Lernvermögen und Entwicklung des Sprachvermögens zurückwirken mußte, nur um damit erneut den Selektionsdruck auf weitere Steigerung neuraler Leistungen zu verstärken.

Daß in historischer Zeit auch die enorme Speicherfähigkeit unseres Gehirns nicht mehr ausreichte, sondern in Schrift und schließlich Magnetbändern, Plattenspeichern bis wieder hin zu nun von Menschen technisch miniaturisierten molekularen Datenträgern erweitert werden mußte, sei zur Ergänzung angemerkt. Durch sie verbindet die globale

Weltkultur die Hirne aller Menschen aller Zeiten zu einem einzigen System des Wissens und der Wissenschaft.

*Zweitens:* Die Tatsache, daß sprachliche Tradition und damit die Möglichkeit der Instruktion jeder neuen Generation durch alle vorangegangenen aus dem ununterbrochen anschwellenden Vorrat an Erfahrungswissen, die lebenstüchtige Anpassung des Verhaltens immer wirkungsvoller übernehmen konnte, mußte zugleich als wichtig formender Selektionsdruck auf die genetische Programmierung des Verhaltens zurückwirken. Nicht nur, daß jede allzu enge genetische Vorsteuerung die adaptive Feingestaltung durch kulturgemäße Instruktion und individuellen Erfahrungszuerwerb nur hindern konnte. Der ganze Vorzug dieser neuen Form, Anpassung durch Variation und erfolggesteuerte Auswahl horizontal und vertikal weiterzureichen und den blitzschnellen Zeitablauf des Lernens mit der hohen Beständigkeit der »Traditionsvererbung« zu verbinden, der ganze Vorzug dieser fantastischen Innovation des Lebens wäre ja dahin, wenn das Verhalten der Lebewesen, die sich ihrer bedienen können – also nur der Menschen –, weiterhin im Zuggeschirr genetischer Programme festgebunden bliebe. Im Gegenteil, von allen Varianten cerebraler Organisation mußten gewiß jene ihren Trägern und den Lebensgemeinschaften, in denen sie mitwirkten, die größte Fitness, die größte Lebens- und Vermehrungstüchtigkeit verleihen, die am besten Gebrauch von diesen neuen Möglichkeiten zu machen erlaubten. Den lernfähigsten, den zugleich für neue Erfahrungen wie für das Bewahren bewährter Traditionen bestgeeigneten Gehirnen, oder mit dem Wort, das es am besten trifft: *den klügsten Köpfen* galt von nun die durchaus weiterhin ganz natürliche Selektion.

Wenn wir diese Entwicklung bei Säugetieren betrachten, für die sie besonders charakteristisch ist, und unter ihnen besonders für die Primaten, so tritt vor allem eines hervor, was es bei niederen Wirbeltieren kaum und bei Wirbellosen fast gar nicht gibt: Spielverhalten als eine durch angeborene Disposition fast obligatorische, für die Entwicklung eines gesunden Individuums geradezu unverzichtbare Entwicklungsphase der Exploration möglichst vieler motorischer, sensorischer und auf die soziale und sonstige Umwelt bezogener Verhaltensmöglichkeiten. Bernhard Hassenstein hat auf diese Tatsache mehrfach ausführlich hingewiesen. Dies ist nicht nur eine Phase der Erprobung des der Art überlicherweise eigenen Verhaltensrepertoires, das das adulte Tier benötigt – weshalb bei vielen Säugetieren das Spielen auch mit der Geschlechtsreife sein Ende hat. Es ist zugleich eine Phase des Entdeckens ganz neuer Möglichkeiten des Verhaltens, die das Repertoire der Art bereichern und erweitern und ihr damit neue Anpassungsmöglichkeiten erschließen. Wir wissen etwa von Verhaltenstraditionen des Nahrungserwerbes bei Primaten genauso wie von der Entstehung neuer Ausdrucksformen beim Menschen: ausgesprochene Neuentdeckungen werden besonders häufig von den neu-gierigen Jugendlichen gemacht (nicht immer zur Freude der Alten); nicht von schutzbedürftigen Kindern, die ja erst noch viele motorische, sensorische und soziale Erfahrung nachzuholen und einzuüben haben (Kinder sind in ihrer Nachahmungslust erstaunlich konservativ!), und meist auch nicht von den Erwachsenen, deren Verhalten allzu leicht zu geübt-erfahrener Routine, zum sicheren Einsatz tradierter und bereits selbstgemachter Erfahrungen erstarrt (die aber mitunter durchaus noch von Jüngeren lernen können!). Dabei ist darauf hinzuweisen, daß sich der Mensch von seinen nächsten Tier-Verwandten vor allem auch durch eine ins Erwachsenenalter hineinreichende Ausdehnung juveniler Entwicklungs- und Verhaltenscharakteristika auszeichnet. Dazu gehört nicht zum geringsten auch die enorme Ausdehnung der Phase spielerischer Erkundungsneugier, bei manchen Individuen bis in das hohe Alter. Dies ist unter allen Tieren wohl einmalig. Zur ungeheuer vermehrten *Lernfähigkeit* kommt also auch eine geradezu unerschöpfliche *Lernbereitschaft*, eine echte *Lernlust*, die unsere Art als ihr wohl wichtigstes genetisches Anpassungsmerkmal auszeichnet. Rerum novarum cupidus, gierig auf Neues ist der Mensch, und wir erleben dies oft nur allzu bestürzend als Hang zum Umsturz des Bewährten.

Es mag auch sein, daß wir der spielerisch motorischen Exploration die Entdeckung mancher Möglichkeiten des Werkzeuggebrauches verdanken, dieser Mischung aus zufälligem Herum*hant*ieren und blitzschnellem Erfassen von *Hand*lungsmöglichkeiten, auf die man dabei stößt: wobei schon diese Worte deutlich sagen, daß die *Hand* unser wichtigstes *Spielzeug* ist. Wir wissen leider zu wenig über die Entdeckung des wichtigsten menschlichen Werkzeuges, der Sprache, dieses einmaligen Mittels der *Mani*pulation, der *Hand*habung von Gruppengefährten wie des Spieles der Gedanken. Und wieder kann man die funktionelle Entsprechung von Sprachgedankenspiel und genetischem Roulette des Sexualvorgangs nicht übersehen.

*Drittens:* Die letzte und gewichtigste aller dieser Folgen war zweifellos, daß sich für diese so erfahrungsoffenen, Wissen von Generationen ansammelnden Menschen die für alle Tiere wohl ausnahmslos geltende Fixierung auf den Zeithorizont der Gegenwart – jedenfalls der des individuellen Daseins – immer mehr verlieren mußte. Was sich in ihren Köpfen an Gedanken sammelte, griff ja durch Instruktion, durch sprachliche Tradition fast grenzenlos in die Vergangenheit zurück, öffnete die Tür in die Geschichte einer Kultur weit und machte noch zur Stunde wirksam, was sich vor Hunderten von Generationen, Tausenden von Jahren ereignet haben mochte. Eine Zeitdimension, die ohne Begrenzung aus der Vergangenheit in die Gegenwart reicht, kann, ja muß notwendigerweise im so erschlossenen Vorstellungsvermögen gewiß genauso in die Zukunft fortverlängert werden. Was dies für die Leistungsfähigkeit des Denkens – also des Verarbeitens von Informationen aus Vergangenheit und Gegenwart – im virtuellen Raum des Geistes bedeutet, den wir Bewußtsein nennen, kann gar nicht überschätzt werden. Heißt es doch, daß ein solches Wesen nicht nur das, was ist und war und notwendigerweise auch sich selbst in seiner Vorstellungswelt abbildet, es kann sich auch vorstellen, was einmal werden könnte, und indem es sich die alternativen Folgen eigenen Handelns, die erhofften Gewinne, die befürchteten Kosten verschiedener Handlungspfade zur inneren Prüfung, zur *Selbstauslese* vorlegt, erlangt es endlich das, was wir nicht anders als Freiheit der Entscheidung nennen können! Zugleich wird ihm jedoch die eigene Sterblichkeit, der eigene Tod vorausbewußt: der Eröffnung der Zukunft folgt die Todesfurcht.

Was auf den tieferen Ebenen der Innovation der *Zufall* lieferte, hier finden wir es – von der Sprache sehr genau nach Unterschied und Ähnlichkeit erfaßt – als *Einfall* wieder, als Material der schöpferischen Fantasie, aus dem die kritisch prüfende Überlegung das Brauchbare ausliest. Charles Darwin muß dies sehr klar gesehen haben, als er notierte »Free will is to mind as chance is to matter«.

Ein Nervensystem, das sich ein Bild der Welt – und sei es noch so unvollkommen – in Vergangenheit, Gegenwart und Zukunft machen kann, das eine Vorstellung der räumlichen, zeitlichen und kausalen Beziehungen der Dinge in ihr besitzt, und das das denkende Ich selbst in diesem Bild erkennt und alle Folgen seines Tuns in der Vergangenheit bewahrt, besitzt damit zugleich alle Eigenschaften eines sich selbst bewußt als – wenn auch bestimmt nicht unbeschränkt – frei entscheidungs- und handlungsfähig erlebenden Wesens. Als solches ist es *wirklich* frei, wie immer die Kausalverknüpfungen zwischen dem physischen Substrat oder Korrelat seiner Vorstellungen, Gefühle, Wünsche und seinen Handlungen sein mögen. Nicht die Willensfreiheit eines solchen Wesens, unseres Wesens, ist Illusion, denn sie ist evident erfahrene Wirklichkeit. Die Illusion ist vielmehr die des denkenden Ich, sich jemals selbst in seiner Freiheit durch und durch und ohne daß da dunkle Reste blieben, verstehen und aufhellen zu können. Die Überheblichkeit in dieser Illusion könnte genau die des Münchhausen sein, der sich mit eigenen Kräften selbst vom Boden hochheben zu können meint. Vom Boden unserer evoluierten physischen Natur kann unser Denken auch mit allen Kräften sich nicht trennen: die Willensfreiheit ganz erklären wollen, hieße aber eben dies.

Wenn es um Willensfreiheit geht, sträubt man sich instinktiv, dem Zufall eine Rolle zuzumessen, auch wenn die Sprache so verräterisch von »Einfall« spricht. Es scheint des menschlichen Geistes unwürdig, die höchsten Leistungen seiner wissenschaftlichen, künstlerischen, religiösen oder politischen Tätigkeit auf blinde Akzidenz zurückführen zu lassen: das könnte dann ja auch ein Elektronenhirn. Nun, es kann das eben *nicht*. Wie mehrfach betont, schließt Entdecken stets zweierlei ein: das Hervorbringen des bisher nicht Dagewesenen, Neuen, und das Erkennen, Bewerten und Auswählen des sinnvollen, Geeigneten, Nützlichen. Ein Computer kann gewiß so programmiert werden, daß er immer neue Zufallskombinationen von Zeichen hervorbringt; soll er aber zwischen sinnvollen und unsinnigen unterscheiden und auswählen, so gelingt ihm das nur, wenn *wir* ihm ein präzises *Wertkriterium* und *Selektionsziel* vorgeben. Wir haben gesehen, daß das Leben sein Wertkriterium selbst erzeugt, sein eigenes Ziel erschafft und ist; ich habe es gewagt, den absolut zutreffenden, aber durch den unseligen Vitalismus sinnentstellend deformierten Begriff aristotelischer Entelechie dafür zu verwenden, in einem Sinn, der, wie Wolfgang Kullmann zeigte, Aristoteles nicht fremd gewesen wäre.

Beim Übergang von der 1. Stufe, des genetischen Variierens und Selektierens, zur 2. Stufe, des Explorierens und Lernens, hat sich daran nichts geändert: das Lernvermögen hat nur die Anpassungsmöglichkeiten der Genotypen verbreitert, verfeinert, beschleunigt. Wenn wir nun zur 3. Stufe der Innovation kommen: der des Hervorbringens neuer Ideen und deren Selektion in kritischem Denken, so gilt erneut: das Denken setzt seine Wertmaßstäbe selbst, es selektiert autonom und dies zum Unterschied von jedem Computer. (Was allerdings nicht ausschließt, daß einmal ein selbst zielselektierender Computer entwickelt wird, dem wir dann wohl auch Willensfreiheit zuzusprechen hätten, über dessen berechnendes Wesen wir uns jedenfalls zu allerletzt wundern dürften.) Natürlich besitzen wir in der Sprache das Mittel, uns über die Maßstäbe und Resultate unseres Denkens gegenseitig zu verständigen und argumentativ auseinanderzusetzen, doch bleibt eines durch unzerstörbare innere Evidenz gewiß: was ich am Ende für richtig halte, also nach einem Bewertungsvorgang in meinem Denken selektiere und akzeptiere, darüber entscheide im Letzten ich. Diese Tatsache erleben wir in ganz unbezweifelbarer, unerschütterlicher Gewißheit und nennen sie Willensfreiheit oder, wenn es um moralische Entscheidung geht, Gewissen.

Jedes Denken besteht einerseits aus einem Generationsprozeß von Ideen. Es scheint nicht zu gewagt zu behaupten, daß dieser ein unverzichtbares Element zufälliger Unbestimmtheit enthält, ja enthalten muß, das vielleicht letzten Endes auf die Indeterminiertheit mikrophysikalisch-molekularer Prozesse an den Ionenkanälen und Transmitterfreisetzungseigenschaften der synaptischen Membranen von Nervenzellen zurückzuführen ist. Das hat mit Willensfreiheit allerdings nicht die Spur zu tun, ganz anders als Pascual Jordan sich das dachte. Man kann sich beim besten Willen nicht dazu *entscheiden,* einen originellen Gedanken zu haben, man hat ihn, einen Einfall, einen Geistesblitz, oder man hat ihn nicht. Durch systematisches Denken kann man nur bereits verfügbares Wissen auf erkannte Probleme anwenden und dadurch gewiß auch im technischen Sinne neue Lösungen ausarbeiten, im wirklichen Sinne schöpferisch ist das nicht, für eine solche Leistung kann im Prinzip wirklich auch ein Rechner programmiert werden.

Jedes Denken besteht aber zweitens aus einer Bewertung von Ideen nach vom Denken selbstgesetzten – oder wenn durch Instruktion von anderen übernommen, so doch irgendwann durch das eigene Denken als akzeptierbar bewerteten – Selektionskriterien. Willensfreiheit, um die es sich hier handelt, ist weder nur ein Postulat moralischer Vernunft noch ein Keil, durch den die Metaphysik den physikalischen Determinismus sprengt, sondern eine Zustandseigenschaft eines Systems, das Bewußtsein besitzt, so wie Fitness eine Eigenschaft lebender Systeme ist, und keine Überschreitung der Kausalität durch teleologisch wirkende causae finales.

Natürlich ist sogleich zuzugeben, daß wir bei alledem immer noch überhaupt nicht wissen, was Bewußtsein *ist,* wir wissen nur etwas darüber, was es macht, was es an Leistungen ermöglicht. Aber so geht es uns ja schließlich auch mit dem elektromagnetischen Feld oder der Gravitationskraft.

Wir wissen, daß Bewußtsein es erlaubt, mit Repräsentationen von Gegenständen, Beziehungen, Begriffen Denkoperationen durchzuführen, die den Charakter der Repräsentation von Handlungen haben und deren Resultate wir bewertend selektieren können: dadurch wird der Zeitbedarf eines tatsächlich in realer Handlungsform ablaufenden Lernvorganges, eines Lernzyklus, zu dem eines *Denkzyklus* verkürzt, und die Menge an so prüfbaren Verhaltensvarianten noch einmal ins Unvorstellbare gegenüber jener gesteigert, die in tatsächlichem Lernverhalten exploriert werden könnte. Und wieder gilt, wie schon beim Lernen: ohne Tradition ist auch das originellste Denken wertlos, sein Fitness steigernder Effekt (man vergleiche die Fitness des Menschen mit der seiner biologischen Verwandten und wage es noch daran zu zweifeln, daß er diese Superiorität seiner Denkfähigkeit verdankt!) gegenüber der genetischen oder der erlernten Adaptation wird erst durch Ausdruck und Vermittlung über die Generationenschwelle ausschöpfbar. Wir kennen die Medien dieser Vermittlung: Verhaltensnachahmung, sprachliche, schriftliche, künstlerische Instruktion.

Noch eines läßt sich mit Gewißheit über das Bewußtsein sagen – und dies ist wohl der aufregendste Aspekt für einen Biologen: es muß evoluiert sein, wenn sich der Mensch aus Tieren entwickelt hat, woran kein wissenschaftlich ernstzunehmender Zweifel mehr bestehen kann.

Was bedeutet das? Wir verstehen es noch nicht, Heißt es, daß unsere tierischen Vorfahren und Verwandten eine Art einfacheren inneren Erlebens haben, das sich im Lauf der Menschwerdung zu unserem strahlenden Bewußtsein erhellt hat? Wie können wir dieses einfachere Bewußtsein erkennen und untersuchen? Die Verhaltensforschung tut heute erste Schritte in diese Richtung, etwa in »Sprachdressuren« von Menschenaffen.

Oder ist das Bewußtsein des Menschen das Resultat eines weiteren jener Innovationssprünge, die auch bei kontinuierlicher Veränderung von Systemen plötzlich Systemeigenschaften entstehen lassen, die nicht einfach auf Vorstufen zurückführbar sind, obwohl alle Bedingungen für sie auf Vorläuferzustände zurückführbar sind? Ist Bewußtsein ein solches neues Entdeckungsereignis einer bestimmten Entwicklungsstufe tierischer Nervensysteme, so wie Leben ein Entdeckungsereignis der unbelebten Natur war? Dann wäre es in der Tat richtig zu sagen, daß im menschlichen Bewußtsein die Natur sich selbst entdeckt hat.

Daß der Mensch im Reich des Lebendigen eine Sonderstellung einnimmt, ist eine Selbstverständlichkeit; daß sie im Evolutionsprozeß geworden ist, nimmt unserer Menschenwürde nichts. Darwins Theorie der Evolution wurde bisher allzulange nur in *reduktionistischer* Weise, sozusagen von oben nach unten interpretiert, zugegebenermaßen mit beachtlichem Erfolg. Ihr tieferer Gehalt ist dadurch aber keineswegs erschöpft. Erklärt sie doch nicht minder gut die *Produktivität* der Natur, eine Betrachtung, die von unten her nach oben führt.

Man ist versucht, ein sehr berühmtes Dictum von Immanuel Kant zu paraphrasieren: Die Evolutionstheorie verbindet die Gesetze des gestirnten Himmels über uns mit dem moralischen Gesetz in uns, oder bescheidener, es ist die Hoffnung der *einen* Wissenschaft im Glauben an die *eine* Welt, von der sie handelt, daß sie dies leisten könnte. Das Ziel scheint weit. Vielleicht erweist der Weg dahin sich aber auch schon als das Ziel.

# Christian Vogel

# Evolution und Moral

»Im Menschen hat die Natur sich selbst gestört und nur in seiner moralischen Begabung einen unsicheren Ausgleich für die erschütterte Sicherheit der Selbstregulierung offengelassen.«

*Hans Jonas*

## Der Streit um die Natürlichkeit der Moral

Wie steht Moral zur biologischen Evolution? Ist Moral ein menschliches Spezifikum, ein Charakteristikum, das den Menschen prinzipiell von allen anderen Organismen abhebt, oder geht menschliche Moral bruchlos aus tierischen Verhaltenstendenzen hervor? Kommt das, was wir Moral nennen, unseren natürlichen Neigungen entgegen, ist Ethik eine Art »Veredelung« dessen, wozu wir ohnehin aufgrund natürlicher Veranlagungen neigen oder muß Moral unseren biologischen Trieben und Verhaltenstendenzen hart gegensteuern, ihnen gewissermaßen abgetrotzt werden? Konvergieren im großen und ganzen »natürlich« und »gut« einerseits, und »widernatürlich« und »schlecht« oder »böse« andererseits? Alte und zugleich ewig junge Fragen!

Im abendländisch-christlichen Denken hat der Dualismus Leib und Seele, Natur und Geist seine tiefgreifenden Wurzeln. Der Geist – so eine unerbittliche Forderung aufgeklärter Moralphilosophie – müsse die »Natur« des Menschen beherrschen. Da liege zugleich auch der prinzipielle, der ethisch verpflichtende Unterschied zwischen dem Menschen und aller anderen Kreatur. Der Aussage des Galen: »Die Tiere werden durch ihre Organe belehrt«, hatte Goethe entgegengesetzt: der Mensch aber »belehrt die seinigen und beherrscht sie«. Der sittliche Geist bändigt die amoralische »Bestie Natur« im Menschen; dieses oft entworfene Bild hat eine lange abendländische Tradition, und kantische Ethik fordert geradezu, von moralischem Handeln nur zu sprechen, wenn einer seine (natürlichen) Neigungen im Dienste »höherer Ziele« überwindet. Nicht alle freilich mochten sich solchem hohen sittlichen Anspruch beugen. So klagte bekanntlich Schiller: »Gerne dien' ich den Freunden, doch tu' ich es leider mit Neigung; und so wurmt es mir oft, daß ich nicht tugendhaft bin.« Er propagierte dagegen »Tugend« als »Neigung zur Pflicht«.

Doch nicht die Diskurse und Argumentationen, die Meinungen und Urteile von Philosophen oder Theologen sollen Hauptgegenstand dieses Beitrages sein, sondern wir fragen nach den Ansichten und Argumenten der Evolutionsbiologen, sofern sie sich explizit mit der Problematik moralischen Verhaltens und Aspekten seiner biogenetischen Evolution auseinandergesetzt haben. Verständlicherweise klafften und klaffen auch hier die Urteile und Meinungen weit auseinander.

In Darwins Vorstellungen entsteht menschliche Moral bruchlos, ja gewissermaßen zwangsläufig aus den im Tierreich weit verbreiteten »sozialen Instinkten«. Zwar, so formulierte er 1871, »ich unterschreibe vollständig die Meinung derjenigen Schriftsteller, welche behaupten, daß von allen Unterschieden zwischen den Menschen und den Tieren das moralische Gefühl oder das Gewissen der weitaus bedeutungsvollste sei«, doch »es scheint mir in hohem Grade wahrscheinlich zu sein, daß jedwedes Tier mit wohlausgebildeten sozialen Instinkten (Eltern- und Kindesliebe eingeschlossen) unausbleiblich ein moralisches Gefühl oder Gewissen erlangen würde, sobald sich seine intellektuellen Kräfte so weit wie beim Menchen entwickelt hätten«.

Der Streit um die »Natürlichkeit« von Moral jedoch brach wenig später innerhalb der geistigen Gefolgschaft Darwins aus. 1888 verfaßte T. H. Huxley sein scharfsinniges Manifest »The Struggle for Existence in Human Society«, in dem er die »Nicht-Sittlichkeit« des Evolutionsgeschehens und der menschlichen »Naturtriebe« schonungslos aufdeckte. »Die Anstrengung des sittlichen Menschen, auf ein sittliches Ziel hinzuarbeiten«, so schrieb er, »hat die tiefwurzelnden organischen Triebe, die den natürlichen Menschen antreiben, die nicht-sittliche Bahn zu beschreiten, keineswegs abgeschafft, ja vielleicht nicht einmal eingeschränkt. Eine der wesentlichsten Bedingungen, wenn nicht sogar die Hauptursache des Daseinskampfes, ist die Tendenz, sich grenzenlos zu vermehren, die der Mensch mit allen Lebewesen teilt. Bemerkenswerterweise ist das Gebot ›Seid fruchtbar und mehret euch‹ der Überlieferung zufolge sehr viel älter als die Zehn Gebote und ist vielleicht das einzige, dem die große Mehrheit der Menschengattung freiwillig und von Herzen gehorcht hat.« »Unvermeidliches Ergebnis dieses Gehorsams« sei die unverkennbare Tatsache, daß sich die »Härte des Daseinskampfes und des Krieges« entgegen den Bemühungen sittlicher Instanzen immer wieder unversehens einstellten. So kommt es, »daß der Weg, den der sittliche Mensch, das Gesellschaftsmitglied oder der Bürger gestaltet, notwendigerweise dem zuwiderläuft, welchen der nicht-sittliche (also der natürliche) Mensch, der ursprünglich Wilde, oder der Mensch als bloßes Glied des Tierreiches einzuschlagen die Tendenz hat. Letzterer ficht den Daseinskampf bis zum herben Ende aus wie jedes andere Tier«.

Heftig widersprach dem Peter Kropotkin (1902) – ebenfalls ein Anhänger Darwins – in seinem Buch »Mutual Aid. A Factor of Evolution«: »›Streitet nicht! – Streit und Konkurrenz ist der Art immer schädlich, und ihr habt reichlich die Mittel, sie zu vermeiden!‹ Das ist die Tendenz der Natur. ... Das ist es, was die Natur uns lehrt, und das ist es, was alle die Tiere, die die höchste Stufe in ihren Klassen erreicht haben, getan haben. Das ist es auch, was der Mensch – der primitivste Mensch getan hat; und darum hat der Mensch die Stufe erreicht, auf der wir jetzt stehen.«

Wie auch immer die Einstellung der Kontrahenten in diesem anhaltenden Streit, beide Parteien waren jedenfalls in dem Punkt einig, daß Moral und biologische Evolution, sei es in einem sich unterstützenden, sei es im antithetischen Sinne, überhaupt etwas miteinander zu tun haben.

Die Kontroverse freilich um die Art der Beziehung von Moral und Evolution hat viele Facetten. Sagt die eine Seite, wahre Sittlichkeit erweise sich erst in der Überwindung natürlicher Neigungen, in der Bekämpfung des sog. »inneren Schweinehundes«, so fragt die andere dagegen, ob der Mensch denn von Natur aus so falsch konstruiert sei, daß er, um gut zu handeln, ständig gegen seine Konstruktion ankämpfen müsse. Mit theologischer Begründung ließe sich sogar das Gegenteil behaupten: »Die Theologie lehrt, daß Gott die Natur geschaffen und gut geschaffen hat«, argumentiert z. B. Wickler (1969) und folgert: »Nimmt man an, daß der Schöpfer die vernunftlosen Geschöpfe durch Naturgesetze auf das von ihm gesteckte Ziel hinordnet, dann ist im Bereich der vernunftlosen Geschöpfe ›natürlich‹ und ›gut‹ gleichzusetzen. Wenn daraus überhaupt etwas für den vernunftbegabten Menschen abzusehen sein soll, dann dies: daß ›böse handeln‹ gleichbedeutend ist mit ›wider die (menschliche) Natur handeln‹.«

Könnte man auf die eine oder andere Weise die »richtigen« Prinzipien und sittlichen Normen menschlichen Zusammenlebens durch naturwissenschaftliche Analysen ermitteln oder– wie Stent (1984) formuliert – »das Sittengesetz auf tragfähige naturwissenschaftliche Grundlagen stützen«? Viele Biologen haben das behauptet, ja gefordert, und viele Biologen vertreten auch heute diese Überzeugung; mit sehr unterschiedlichen Argumenten und Perspektiven: entweder, einfach, »weil moralische Urteile physiologische Produkte des Gehirns sind« (so z. B. Lumsden und Wilson, 1983), oder, weil moralisches Verhalten und moralische Normen natürlicher Selektion unterworfen sind und entsprechend von dieser geformt worden sein müßten. Eibl-Eibesfeldt (1984) spricht von »kollektiven stammesgeschichtlichen Anpassungen« und meint, biologische Analysen würden das phylogenetische Alter »bestimmter Normen und ihre feste Verankerung im Erbe« erweisen. In einem weiteren Sinne fordert Alexander (1983), wir müßten in der moralischen Praxis die Ergebnisse und Lehren der Evolutionsbiologie berücksichtigen: »Dies nicht als Argument für Determinismus, sondern – ganz im Gegenteil – als möglicher Weg zur Freiheit, die wir aus einer genaueren Kenntnis von Ursache und Wirkung gewinnen, wie sie unserer Geschichte und unserer Natur zugrunde liegen.« »Biology may tell us about perceptual and motivational starting points«, so gesteht auch Nagel (1978) zu, doch diese Erkenntnis müsse nicht in die Annahme einer biologischen Begründung unserer Ethik münden.

Wie dem auch sei, bewegt man sich mit solchen Erwägungen nicht überhaupt bereits auf oder gar jenseits der Grenze zu David Humes berühmtem »naturalistic fallacy«; ist man nicht dem Fehler verfallen, die normative Welt des »Soll« aus der faktischen Welt des »Ist« ableiten zu wollen? Muß man nicht – Immanuel Kant folgend – daran festhalten, daß die empirisch erforschbare Welt der Natur ohne direkte Verbindung zur Welt der Sittlichkeit sei? Wenn jedoch Markl (dieser Band) mit seiner Kant-Paraphrasierung recht hat, daß »die Evolutionstheorie die Gesetze des gestirnten Himmels über uns mit dem moralischen Gesetz in uns verbindet«, dann wiederum hat Biologie einen eminent wichtigen Beitrag zu unserem Thema zu leisten, zumindest im pragmatischen Sinne Patzigs (1984): »Die moralischen Prinzipien mögen immerhin der reinen Vernunft abgelauscht werden; moralische Regeln für das Verhalten konkreter Menschen und moralische Rechtsinstitutionen müssen auf die menschliche Natur Rücksicht nehmen.«

Wir wollen im folgenden zwei einander ergänzende Fragestellungen als heuristischen Ariadne-Faden verwenden, um etwas Ordnung in das offensichtliche Meinungschaos über das Verhältnis von biologischer Evolution und Moral zu bringen:

I. Verhalten wir uns aus natürlichen, aus evolutionsbiologisch erklärbaren Gründen »moralisch« oder: wie kann biogenetische Evolution »moralisches Verhalten« hervorbringen?

II. Lassen sich die Inhalte unserer sittlichen Normen evolutionsbiologisch ableiten oder gar begründen, gibt es also eine »naturgewachsene« Moral?

Beide Fragestellungen sind Teilaspekte desselben Problems, ob nämlich der Mensch eine »moralische Natur« besitze. Es lohnt sich jedoch, diese beiden Aspekte zunächst separat anzugehen.

## Natürliche Selektion und die »Moral der Gene«

»Natürliche Selektion«, der Motor der biogenetischen Evolution, ist ein plan- und ziellos arbeitender Mechanismus, der nach der klassisch-darwinischen Konzeption auf dem zwangsläufig perpetuierten unerbittlichen Kampf ums Überleben (Darwins »struggle for life«) und um möglichst gute Fortpflanzungschancen beruht und so ein als ganz und gar unmoralisch empfundenes »uregoistisches« Prinzip produziert und fördert. Nach diesem Konzept muß die interindividuelle Konkurrenz (wegen der um so ähnlicheren Bedürfnisse und Anforderungen) sogar um so härter ausfallen, je ähnlicher die Konkurrenten einander sind: also unter Artgenossen schärfer als zwischen Vertretern unterschiedlicher Arten, unter genetisch Verwandten schärfer als unter Nicht-Verwandten! Um so unverständlicher muß es erscheinen, daß diese Evolution an so vielen phylogenetischen Zweigen des Tierreiches kooperatives, ja »altruistisches«[1] soziales Verhalten hervorgebracht hat und dies – wie wir noch sehen werden – bevorzugt ausgerechnet unter nahen Verwandten.

Schon in seinem die Selektionstheorie begründenden Werk »On the Origin of Species by Means of Natural Selection« (1859) hatte Darwin das Paradoxon beunruhigt, wie eigentlich auf der Basis des Prinzips von strikter interindividueller Konkurrenz so zahlreich und offensichtlich außerordentlich erfolgreich kooperative soziale Systeme entstehen konnten, in denen über die eigene Brutfürsorge hinaus wechselseitige Hilfe und »gruppendienliches« Verhalten (trotz eines gerade dadurch erhöhten persönlichen Risikos!) oder sogar individuelle »Selbstaufopferung im Dienste an der Gemeinschaft« an der Tagesordnung sind. Er sah in der mit seiner Theorie der »natürlichen Auslese« widerspruchsfrei vereinbarten Auflösung dieses Paradoxons geradezu einen ganz entscheidenden Prüfstein seiner ganzen Theorie. (Darwin selbst fand eine befriedigende Lösung übrigens nicht, er nahm – wie auch an anderen Stellen – Zuflucht zu Lamarcks Idee vom »Erblichwerden generationslang ausgeübter Gewohnheiten«.) Verschärft tritt diese Problematik 1871 in Darwins »The Descent of Man and Selection in Relation to Sex« zutage, hier vor allem mit Bezug auf die Entstehung und Fortentwicklung der sittlich-moralischen Qualitäten des Menschen. Innerhalb eines Volkes oder Stammes nämlich hätten die moralisch Hochwertigsten oft weniger Kinder als die weniger »Tugendhaften«. »Es ist doch sehr zweifelhaft«, so schreibt Darwin, »ob die Nachkommen der ihren Kameraden mit Wohlwollen, Uneigennützigkeit und Treue entgegenkommenden Eltern in größerer Zahl aufgezogen werden als die Kinder der selbstsüchtigen und treulosen Eltern desselben Stammes. Wer bereit war, lieber sein Leben zu opfern als seine Kameraden zu verraten, wie mancher Wilde getan hat, wird häufig keine Nachkommen hinterlassen können, die seine edle Natur erbten. Die Tapferen, die im Krieg stets an der Spitze der Schlachtreihe kämpfen und ohne Zögern ihr Leben für die anderen in die Schanze schlagen, werden im Durchschnitt eine höhere Anzahl Toter aufweisen als die anderen. Deshalb scheint es kaum wahrscheinlich zu sein, daß die Zahl der mit solchen Tugenden geschmückten Menschen oder der Maßstab ihrer Vortrefflichkeit durch natürliche Zuchtwahl, d. h. durch das Überleben des Geeignetsten, erhöht werden könnte.« Anders freilich verhält es sich dann auf der »höheren« Ebene der Konkurrenz zwischen Völkern und Stämmen, da greift nach Darwins Überzeugung das Selektionsprinzip sogleich wieder, denn »eine Vermehrung der Zahl gutbegabter Menschen und ein Fortschritt der Sittlichkeit verleiht doch dem Stamm eine ungeheure Überlegenheit über alle anderen Stämme. Wenn ein Volk viele Mitglieder hat, die aus Patriotismus, Treue, Gehorsam, Mut und Sympathie stets bereitwillig anderen helfen und sich für das allgemeine Wohl opfern, so wird es über andere Völker den Sieg davontragen: dies würde natürliche Zuchtwahl sein«. Wie es aber zu einer derartigen Anreicherung »tugendhafter Menschen« innerhalb eines Stammes mittels natürlicher Auslese überhaupt erst kommen kann, das bleibt unklar. Darwins Theorie genau beim Wort genommen, müßte jeder »Feigling« und »Drückeberger«, jeder selbstsüchtige Egoist und eigennützige Betrüger voraussichtlich eine höhere direkte Nachkommenzahl aufweisen als der sich für die Gemeinschaft aufopfernde »Held«. Die natürliche Selektion würde folglich ständig selbstsüchtiges Verhalten favorisieren und altruistisches Verhalten eliminieren, d. h. es gäbe eine stetige, starke Kontraselektion gegen jene Tugenden. Übrigens stand es für Darwin ganz außer Zweifel, daß diese sittlichen Charakterzüge und Verhaltenstendenzen genetisch vererbt werden, nur unter dieser Voraussetzung konnten sie ja durch natürliche Selektion ausgelesen und weiterentwickelt werden.

In seiner ganzen Schärfe hat eigentlich erst W. D. Hamilton (1964) dieses Paradoxon wieder beleuchtet und zugleich die erste mit Darwins Selektionskonzept konforme Erklärung für die ja ganz offensichtlich so erfolgreiche evolutive Entstehung von »altruistischem« Verhalten im Tierreich gegeben. Hamilton erkannte, daß neben der seit Darwin immer beachteten »direkten Selektion«, welche die individuelle oder Darwin-Fitness über die direkten Nachfahren eines Individuums steigern kann, eine »indirekte Selektion« am Werk ist, bei der bestimmte Gene bzw. Allele[2] sich auf die Weise erfolgreich in einer Population ausbreiten, daß ihre Träger-Individuen anderen Individuen mit identischen Gen-Replikaten zu erhöhter Nachkommenschaft verhelfen. Da alle Replikate eines Allels – gleich welches Individuum sie trägt – identische Kopien darstellen (wir sehen hier einmal von möglichen neuen Mutationen ab), wird es im Hinblick auf die Selektion eines bestimmten Alleltyps gleichgültig, ob die Allele das Überleben und die Fortpflanzung des je eigenen Träger-Individuums oder die Vermehrung identischer Kopien über andere Träger-Individuen fördern. Letzteres kann unter bestimmten Umständen sogar wesentlich günstiger für die Ausbreitung eines Alleltyps sein und muß dann zwangsläufig durch die natürliche Selektion favorisiert werden, was somit automatisch zur weiteren Ausbreitung des »altruistischen« Verhaltens führt. Klassische Beispiele für solche Prozesse finden sich in den zahlreichen »Helfer-am-Nest«-Systemen bei hymenopteren Insekten, bei Vögeln und Säugern (siehe z. B. Krebs und Davies, 1981).

Eine zentrale Vorbedingung für die Wirksamkeit dieses Mechanismus der »indirekten Selektion« ist freilich, daß die Individuen anderen Individuen selektiv, d. h. hier, nach

Maßgabe jener Wahrscheinlichkeit helfen, mit der die Hilfe empfangenden Individuen identische Allele mit den Helfern teilen. Und diese Wahrscheinlichkeit steigt selbstverständlich mit zunehmenden Graden genetisch-genealogischer Verwandtschaft. Nach diesem Konzept gilt die Vorhersage, daß die Bereitschaft zu wechselseitiger Hilfeleistung um so größer sein sollte, je näher Helfer und Hilfsempfänger genetisch miteinander verwandt sind. Genetiker drücken den statistischen Wahrscheinlichkeitsgrad, mit dem zwei bestimmte Individuen über gemeinsame genealogische Abstammung identische Allele tragen, quantitativ im sogenannten »Verwandtschaftskoeffizienten« r aus, der mithin ein biologisches Verwandtschaftsmaß darstellt. Dieser r-Wert beträgt beispielsweise für die Eltern-Kind-Kombination oder für Vollgeschwister 0,5, für Halbgeschwister und Großeltern-Enkel-Dyaden 0,25, zwischen Vettern und Basen ersten Grades 0,125 usw. Da die für die natürliche Selektion allein entscheidende Kosten/Nutzen-Bilanz einer bestimmten Eigenschaft oder eines Verhaltens in der »Münze« des (relativen) Reproduktionserfolges gemessen wird, dürfen die individuellen Fitness-Kosten eines »Altruisten« im Durchschnitt um so höher ausfallen, je größer der Verwandtschaftskoeffizient r zwischen dem »altruistischen« Akteur und dem Empfänger des »altruistischen« Aktes ist, ohne für das entsprechende Allel einen Ausbreitungsnachteil zu bewirken. Ein Ausbreitungsvorteil ergibt sich solange, wie die reproduktiven Kosten (K) des »Altruisten« kleiner bleiben als der durch den »altruistischen« Akt erzeugte reproduktive Nutzen (N) des Empfängers, multipliziert mit dem Verwandtschaftskoeffizienten r (mathematisch ausgedrückt in der Ungleichung: $K < r \times N$). Dieses nicht mehr auf das Individuum zentrierte, sondern auf die Gene bzw. Allele bezogene Modell eines abgestuften »Altruismus« setzt an die Stelle der individuellen, in direkter Nachkommenlinie gemessenen »Darwin-Fitness« das Konzept der »Gesamt-Fitness« oder »inclusive fitness« bzw. »Hamilton-Fitness«, die sich vom »altruistisch« handelnden Individuum her aus seinem eigenen direkten Reproduktionserfolg plus dem Reproduktionserfolg seiner genetischen Verwandtschaft, jeweils gewichtet entsprechend der Höhe des Verwandtschaftskoeffizienten r, ermitteln läßt. Selbstverständlich unterstellen soziobiologisch argumentierende Evolutionsbiologen weder den beteiligten Genen irgendwelche »bewußten Absichten« noch den agierenden Individuen »rationale Kalkulationen« über »inclusive fitness«-Auswirkungen ihres Verhaltens; sie konstatieren lediglich, daß die natürliche Selektion automatisch solche Allele favorisieren wird, die ihre »Träger«-Organismen so agieren lassen, *als ob* sie eine rationale Kosten-Nutzen-Bilanzierung richtig durchgeführt hätten, wie immer dieses »als ob« auch zustande gekommen sein mag.

Wir verstehen nun eine mögliche Form der theoriekonformen Auflösung des oben zitierten darwinischen »Parodoxons«; den dafür erforderlichen selektiven Filtermechanismus nennen Soziobiologen »Verwandtschafts-Selektion« (»kin selection«, Maynard Smith, 1964). Auf dieser Grundlage erklärt sich das auffallende Phänomen, daß praktisch alle, auch die komplexeren sozialen Systeme im Tierreich auf genealogischer Verwandtschaftsbasis aufbauen (sie stellen gewissermaßen »extended families« dar) und daß man tatsächlich – wo immer man empirische Analysen ansetzte – die oben formulierte Prognose bestätigt fand: je enger genetisch-genealogisch verwandt, desto intensiver die wechselseitigen Unterstützungsbeziehungen zwischen den Sozialpartnern. Niemand wird unter diesem Blickwinkel die weite Verbreitung und herausragende Bedeutung »nepotistischer«

Unterstützungssysteme auch in menschlichen Gesellschaften aller Kulturkreise übersehen können.

Die Kehrseite der Medaille ist, daß unter diesem Blickwinkel niemand erwarten darf, daß sich auf genetischer Basis über natürliche Selektion ein alle Artgenossen gleichermaßen umfassendes, also ein nicht-selektiv investierendes »altruistisches« Verhalten entwikkeln und durchsetzen könnte. Das war übrigens schon Darwin (1871) klar, der darüber hinaus darauf hinwies, daß die sozialen Tugenden der Kooperation und Hilfsbereitschaft im ursprünglichen Zustand des Menschen und bei den »Wilden fast ausschließlich nur innerhalb der Gemeinschaft eines Stammes gepflegt« würden. »Bis jetzt hat man noch bei keinem Lebewesen Anzeichen für einen echten Altruismus gefunden, der sich ohne Diskriminierung auf die ganze Art oder die ganze Bevölkerung erstreckt«, schreibt Alexander (1983).

Das Gebot einer biogenetisch entstandenen »natürlichen Moral« würde vielmehr lauten: »Hilf deinen Verwandten nach Maßgabe ihrer jeweiligen genealogischen Verwandtschaftsnähe zu dir, jedoch im Zweifelsfalle allen weniger als dir selbst (und deinen leiblichen Kindern).« Ethik hin, Moral her: man wird kaum bestreiten können, daß Menschen sich weltweit und zu allen Zeiten häufiger an dieses »Gebot« als etwa an das christliche Gebot einer generellen Nächstenliebe gehalten haben und halten. Diese Art von abgestuftem »Altruismus« läßt sich letztlich auf »genetischen Eigennutz« zurückführen, sie erscheint als zwingende Konsequenz des evolutionsmächtigen »Gen-Egoismus«, ist genaugenommen so etwas wie »Schein-Altruismus« und würde nach den strengen Maßstäben kantischer Ethik überhaupt nicht das Prädikat »moralisch« verdienen. Wir werden auf diese Problematik noch ausführlich zurückkommen.

Soziobiologen haben weitere mit Darwins Selektionstheorie vereinbare Erklärungsmodelle für die genetische Ausbreitung von »altruistischem« Verhalten im Tierreich entwikkelt. So stellte Trivers (1971) der »Verwandtschafts-Selektion« ein anderes Prinzip zur Seite, aufgrund dessen »altruistisches« Verhalten, auch unter genetisch nicht-verwandten Individuen, eine theoriekonforme Ausbreitungschance habe: den »reziproken Altruismus«. Das Prinzip greift biogenetisch unter der Voraussetzung, daß die reproduktiven Kosten des »Altruisten« das Ausmaß des Gewinns nicht übersteigen, den er wahrscheinlich dadurch erreicht, daß der momentane Empfänger seines »altruistischen« Aktes sich bei entsprechender Gelegenheit im Sinne einer Fitness-Steigerung des vormaligen »Altruisten« zumindest gleichwertig revanchiert. Die Effizienz solcher Reziprok-Beziehungen steigt mit längerer Lebensdauer der Akteure bei längerem sozialen Zusammenleben und persönlicher interindividueller Bekanntschaft bzw. Vertrautheit, also gerade bei jenen Konstellationen, die für die Primaten- und Hominiden-Evolution so kennzeichnend sind. Auch hier handelt es sich, genau betrachtet, wieder um ein »egoistisches«, also letztlich eigennütziges oder »schein-altruistisches« Prinzip nach dem Muster der spieltheoretischen Ansätze des »Gefangenen-Dilemmas« (siehe z. B. Axelrod und Hamilton, 1981): »Der wahre Egoist kooperiert!« (Hofstadter, 1983).

Ich nehme an, daß ein an kantischer Ethik geschulter Betrachter auch diesen Fällen das Prädikat »moralisch« versagen würde, weil diese Form von »Altruismus« jede selbstlose Motivation vermissen läßt. Schlimmer noch: die kompromißlosen, an den Genen orientierten Konstrukte der Soziobiologie entwerten das Individuum als autonomes Subjekt des

Handelns und reduzieren es in extremer Sichtweise zu einer Art von »Überlebens- und Reproduktionsmaschine« im Dienste seiner Gene (Dawkins, 1976; 1982). Das Individuum mag sich zwar autonom fühlen, es gehorcht jedoch letztlich vornehmlich den »Propagationsinteressen« seiner Gene, ganz und gar unbewußt, versteht sich, aber doch durch stetige Selektion programmiert, sich so zu verhalten, als ob es die Ausbreitungschancen seiner Allele richtig kalkuliert hätte. Gerade ein autonomes, in seinen Entscheidungen weitgehend freies Individuum aber fordern wir als »ethisches Subjekt« und als Voraussetzung echten moralischen Handelns.

Immerhin, die Soziobiologie hat verständlich gemacht, wieso und durch welche Mechanismen unsere biologische Evolution auch uns bereits »von Natur aus« nicht als rücksichtslose nackte Egoisten geschaffen hat. Die Menschen sind vielmehr »schon durch ihr biologisches Erbteil auf Kooperation, Kommunikation und Loyalität programmiert«, so formuliert es der Philosoph Patzig (1984). Diesen natürlichen »Altruismus« freilich nannte Mackie (1982) mit Recht »self-referential« und meinte damit einen die »Gesamt-Fitness« fördernden Altruismus »directed towards individuals who are somehow related to the agent«. Es kann keinem Zweifel unterliegen, daß auch Hilfe und Aufopferung für Verwandte sowie verläßliche Erwiderung von altruistischen Aktionen – also verwandtschaftsselektierter und reziproker »Altruismus« im Sinne der Soziobiologen – in den Kanon menschlich-moralischen Verhaltens eingehen, aber sie reichen offensichtlich nicht aus, echte Moral zu definieren oder zu charakterisieren, sie treffen eben nicht deren entscheidenden Kern. Was in beiden Fällen unseren Ansprüchen nicht genügt, ist vor allem die selektive Adressierung altruistischen Agierens und mithin genau das, was seinen evolutionsbiologischen Erfolg von jeher ausmachte. Die »Moral der Gene« reicht nicht: echte Moral muß diese Anbindung transzendieren, sie darf ganz offensichtlich nicht am eigenen Überleben und am gesteigerten Reproduktionserfolg orientiert sein; so jedenfalls wollen es die Idealvorstellungen aufgeklärter Moralphilosophie.

Wie aber könnte – wenn überhaupt – biologische Evolution mehr als »selbstbezogenen Altruismus« hervorbringen und damit die Voraussetzungen zu echter Sittlichkeit schaffen? Darwin sah darin keine besondere Schwierigkeit. Alle sozialen Tiere hätten von Natur aus einen angeborenen »Geselligkeitsdrang«, sie entwickelten »Sympathie-Instinkte«, das wiederum lieferte die evolutive Grundlage des spezifisch menschlichen Gefühls für »Gut« und »Böse« und stellte so die natürliche Quelle der sittlichen Werte und unserer Moral dar, welche das höchste Gut des Menschen sei und uns wesentlich aus dem Tierreich heraushebe. Eben an diese natürliche Weiterentwicklung wachsender »Sympathie-Gefühle« knüpfte Darwin (1871) seinen Optimismus im Hinblick auf die Zukunft der Menschheit. Die Entwicklung menschlicher Ethik als eine simple, geradezu zwangsläufige Verlängerung biologischer Evolution? Viele Biologen und noch mehr »Biologisten« dachten und denken bis heute in dieser Schablone. Ich hoffe jedoch, daß zunächst deutlich geworden ist, daß natürliche Selektion als absolut »moralfreier« Mechanismus primär immer nur zur Maximierung kurzsichtigen »Eigennutzes« führen kann, was freilich einen gewissen »Altruismus« nicht ausschließt. »So, wie Selektion sich abspielt, gibt es keinen Weg, auf einen unmittelbaren Fortpflanzungsvorteil zu verzichten, selbst wenn er in wenigen Generationen in einen Nachteil umschlägt« (Wickler, 1983). Und noch einmal: dazu bedarf es keiner teleologischen »Zielvorgaben« und keines bewußten Kalkulators.

»Of course there need not be any calculation or deliberate choice by either party; it is rather that the mechanism of natural selection mimics purposiveness, producing instinctive behaviours which resemble those that might well result from intelligent calculations« (Mackie, 1982), und dazu gehören auch jene oben erwähnten Formen des »selbstbezogenen Altruismus«, die wir als »Moral der Gene« apostrophierten.

Denkbar wäre es, daß ab einem gewissen Grad rationaler Entscheidungsfreiheit gegenüber den biogenetischen Fitness-Zwängen eine Erweiterung der »Moral der Gene« in dem Sinne erfolgte, daß der Erfolg der Gruppe in Konkurrenz mit benachbarten Gruppen eine zunehmend wichtigere Rolle spielte, wobei soziokulturelle Entwicklungsprozesse und damit auch »kulturelle Selektion« mehr und mehr ins Spiel kamen, Prozesse, die über tradierte Normen das Verhalten der individuellen Societäts-Mitglieder zunehmend steuerten und im Interesse der Gruppe beeinflußten. Die alte »Moral der Gene« aber wurde dadurch keineswegs außer Kraft gesetzt, sie erfuhr nur eine erste Erweiterung des »Adressatenkreises« in Richtung auf eine kulturelle Gemeinschaft. Der ständige Druck des biogenetischen »Prinzips Eigennutz« (Wickler und Seibt, 1977) ist dadurch nicht aufgehoben. Unsere Freiheit bleibt deutlich begrenzt und eingeschränkt. Der englische Philosoph Mackie (1982) prognostizierte entsprechend: »...we may sensibly enquire whether we could develop a morality of pure altruism or pure rational benevolence, which might replace the existing norms which prescribe more specific kinds of conduct and which are characterized, as we have seen, by reciprocity and (sometimes asymmetrical) cooperation. Such a morality would, of course, require each individual to be ready to sacrifice not only himself but also those close to him for greater advantage to others, however remote. Such a replacement is most unlikely, for three reasons. First, this morality would frequently have to oppose strong genetically ingrained tendencies of egoism, self-referential altruism, reciprocal altruism, and retribution as well as strong culturally developed traits and traditions of similar sorts. Second, if this kind of morality did begin to flourish among some considerable number of people, it would lay them open to exploitation... Third, this sort of morality suffers from a radical indeterminacy in its object.«

Um überhaupt Moral entwickeln zu können, bedarf es offenbar einiger Eigenschaften und Fähigkeiten, die nur der Mensch in der erforderlichen Kombination besitzt. Diese Eigenschaften sind ihrerseits natürlich ein Produkt der Evolution, doch ist ihr Ursprung wahrscheinlich nicht primär mit der Entwicklung von Moral gekoppelt. »Ethics ... is the result of a human capacity to subject innate or conditioned prereflective motivational and behavioral patterns to criticism and revision, and to create new forms of conduct«, schreibt Nagel (1978), und Wolff (1978) stellt fest, daß »moral philosophers, and at least some psychological theorists of morality, consider as moral only those forms of human behavior for which intention, deliberate choice among equally determined actions, and awareness of the social consequences of alternative actions can be assumed«.

Unbestreitbar ist, daß ein als moralisch (oder auch als unmoralisch!) bewertbares Verhalten geknüpft ist an die Fähigkeit zu absichtlichem Agieren, an die Möglichkeit, zwischen mehreren Handlungsalternativen (mehr oder weniger frei) zu entscheiden, und an die Potenz, die Folgen des eigenen Handelns im voraus abschätzen zu können. Darüber hinaus ist die Perzeption einer »personalen Identität« über Zeitverläufe und Situationswechsel hinweg erforderlich, und zwar sowohl für das handelnde Selbst als auch hinsichtlich der vertrauten Sozialpartner. Erst aus der Kombination dieser Fähigkeiten entsteht Verantwortung. Moral ist unmittelbar an die Verantwortlichkeit geknüpft.

Die Wahrnehmung von personaler Identität ist zugleich Voraussetzung für die Potenz, sich mit anderen »Personen« zu identifizieren, und damit die Vorbedingung für Empathie und Sympathie, von Einfühlungsvermögen und Mitleid. Empathie und Sympathie sind geradezu zentrale Konzepte in humanwissenschaftlichen Definitionen von Altruismus geworden, während sie in den entsprechenden Definitionen der Soziobiologen überhaupt keine Rolle spielen.

Im sozialen Feld ist Moral durch weitere Kriterien gekennzeichnet: durch die Existenz allgemeinverbindlicher Verhaltensnormen und Wertsysteme, in deren Rahmen Handlungen oder auch Unterlassungen hinsichtlich ihrer moralischen Qualität bewertet werden, sowie durch soziale Sanktionen, mittels derer die Einhaltung dieser Normen kontrolliert und notfalls auch erzwungen wird. Normen, Wertsysteme und Sanktionen können universal menschliche und/oder kulturspezifische Elemente enthalten. Via »Internalisierung« der sozialen Verhaltensregeln und der jeweiligen Wertsysteme entstehen Schuldgefühle, Gewissen und Scham als wichtige Selbst-Regulative im handelnden Subjekt. Auf alle diese Fähigkeiten und Besonderheiten werden wir später noch ausführlich zurückkommen.

Alle genannten Eigenschaften, Qualitäten und Kriterien sind universal und nach derzeitigem Wissen zumeist auch spezifisch menschlich. Zwar wird man bis zu bestimmten Graden auch anderen hochentwickelten Säugetieren Verhaltensabsichten, ein gewisses Maß an Entscheidungsfreiheit zwischen Verhaltensalternativen, Antizipation bestimmter Handlungsfolgen und (zumindest bei Schimpansen) eine Art »normatives Selbstbild« und damit »personale Identität« nicht ganz absprechen können, doch fehlen trotz intensiver Nachforschungen sichere Belege oder auch nur überzeugende Hinweise auf die Fähigkeit »to integrate the objective value of a companion across time and context« bzw. »to identify a group member as generally destructive« etc. (Kummer, 1978); es fehlen selbst bei den höchstentwickelten nicht-menschlichen Primaten eindeutige Anzeichen für Empathie und Sympathie, also für das »mitleidende« Sich-Einfühlen in einen Gruppengenossen (s. z. B. Goodall, 1971; Vogel, 1985); es gibt weiterhin offensichtlich weder tradierte und internalisierte Wertsysteme und damit über je spezifische Situationen und Kontexte hinausgehende soziale Sanktionen (s. Goodall, 1977, 1979; Kummer, 1978), noch eindeutige Hinweise auf Schuldgefühle, auf Scham oder Gewissen. Es ist schon aus diesen Gründen vollkommen verfehlt, Tieren (gleich welcher Spezies) moralisches bzw. unmoralisches Verhalten zuschreiben zu wollen: sie agieren vielmehr ganz und gar »nicht-moralisch« bzw. »außer-moralisch« oder, von unserer eigenen Phylogenie her betrachtet, »vor-moralisch«. Moralisch bzw. unmoralisch handeln kann allein der Mensch, und menschenspezifisch sind weit weniger bestimmte Formen und Inhalte altruistischer Akte als vielmehr deren moralische oder unmoralische Qualität als solche.

Wenn es trotz dieser zahlreichen menschlichen Spezifika dennoch eine wie immer geartete inhaltliche Beziehung zwischen menschlicher Moral und der alten »Moral der Gene« gibt, dann kann dies nur eine Folge der für die Phylogenie des Menschen so charakteristischen »biologisch-kulturellen Koevolution« sein. Evolutionsbiologen verstehen darunter das »kooperative« Interagieren von Natur und Kultur des Menschen, ein sich wechselseitig stützendes und provozierendes Ineinandergreifen biogenetischer und tradigenetischer Prozesse im Dienste, oder doch jedenfalls mit dem unverkennbaren Effekt einer weiteren biologischen Fitness-Steigerung. Da auch der Mensch als eine biologische Spezies durch natürliche Selektion entstanden ist, müssen wir davon ausgehen, daß auch er über alle Stadien seiner biologischen Geschichte aus natürlichem Antrieb, dann aber zunehmend auch unter Einsatz der jeweils verfügbaren kulturellen Mittel, vor allem einem Ziel »verpflichtet« war, seine biologische Fitness, d. h. den Vermehrungserfolg seiner Gene zu maximieren; »wohl nicht zwanghaft und unter allen Umständen, und schon gar nicht immer bewußt, aber doch unter dem fühlbaren Druck genetisch programmierter natürlicher Antriebe«, so formuliert das Markl (1983 a). Den biologischen Erfolg dieser Koevolution wird niemand bestreiten wollen, der den exponentiellen Anstieg der Wachstumskurve der menschlichen Erdbevölkerung vor Augen hat. Das bedeutet aber nichts anderes, als daß im großen und ganzen tradigenetische und biogenetische Fitness-Maximierung Hand in Hand arbeiteten und gleichsinnig wirkten. Selbstverständlich sind Kultur und Zivilisation im biologischen Sinne nicht selektionsneutral, sie müssen vielmehr letztlich auch biologischen Anpassungswert haben, wenn sie auf Dauer nicht der natürlichen Selektion zum Opfer fallen sollen. Kultur und Zivilisation bilden einen zentralen Anteil der biologischen Anpassungsfähigkeit des Menschen. In der einschlägigen Literatur finden sich eine Fülle sehr markanter Beispiele für dieses Ineinandergreifen biogenetischer und tradigenetischer Prozesse, mal mehr im Sinne einer Steuerung von Kultur durch die Natur des Menschen, mal mehr im umgekehrten Sinne, oft auch in Form einer mehrfach rückgekoppelten Wechselwirkung (s. z. B. Blurton Jones und Sibly, 1978; Chagnon, 1979; Durham, 1982; Lumsden und Wilson, 1983; Reynolds, 1984).

Nach einem groben Raster lassen sich vielleicht die stärker biologisch bestimmten Anteile menschlicher Moral und die stärker kulturell bestimmten einigermaßen auseinanderhalten. »It will be reasonable« – so schreibt Mackie (1982) – »to ascribe to *biological evolution* those pre-moral tendencies to care for children and close relatives, to enjoy the company of fellow-members of a small group, to display reciprocal altruism and both hostile and kindly retribution, which we share with many non-human animals, but to ascribe to *cultural evolution* the more specifically moral virtues which presuppose language and other characteristically human capacities and relations, such as honesty, veracity, promise-keeping, fairness, modesty as opposed to arrogance, and so on, as well as those detailed moral principles which vary from one human society to another.« Dieses grobe Raster jedoch darf nicht darüber hinwegtäuschen, daß es auf beiden Seiten praktisch kein Element gibt, das nicht letztlich auch von der je anderen Seite beeinflußt wird: kein biologisches Element, das nicht kulturell überformt und maskiert wäre, und kein kulturelles, das letztlich ohne eine biologische Wurzel und/oder ohne biologische Auswirkung ist und sich gerade deshalb erfolgreich behaupten konnte.

Soziobiologen haben in dieser Entwicklung gerade jene »vor-moralischen« Aspekte hervorgehoben, die sich mit dem »biologischen Imperativ der Fitness-Maximierung« in Verbindung bringen lassen. Nepotismus, gewisse Formen von Ethnozentrismus, differentielles Elterninvestment, eine ganze Reihe von Partnerwahl-, Reproduktions- und Kooperationsstrategien in unseren Gesellschaften und vieles andere mehr sind solchen Erklärungsansätzen durchaus zugänglich, und manche auf dieser Basis entwickelte Interpretationsmodelle haben bereits weitergehende Plausibilitäten erlangt, als konventionelle rein humanwissenschaftliche Erklärungsversuche je erreicht haben. Dabei handelt es sich in der Regel vor allem um die Prinzipien des nach Verwandtschaftsgraden abgestuften, der »Gesamt-Fitness« dienenden nepotistischen Altruismus und um »reziproken Altruismus«. »Das Prinzip der Fitness-Maximierung als grundsätzlicher biologischer Antrieb menschlichen Handelns vermag sich über vielfältige Mittel zu realisieren, und es gehört geradezu zur soziobiologischen Auffassung von Kultur, daß diese als unterstützendes Instrument reproduktionsdienlichen Verhaltens entstanden ist. Die Geschichte der Menschheit zeigt, daß auch im Verfolg kulturell bestimmter Ziele und Normen ein Grund für den enormen biologischen Erfolg unserer Art *(Homo sapiens)* zu sehen ist, d. h. Fitness-Maximierung eben nicht durch sklavenhafte Anbindung an programmierte Handlungsanweisungen erreicht wurde, sondern unter Zuhilfenahme kultureller Mittel mit all ihren Freiräumen für Planung, Reflexion und Zufall.« Das folgerte Eckart Voland (1984) aus seinen verblüffenden Resultaten einer soziobiologischen Analyse des sozioökonomisch differenzierten Reproduktionsverhaltens und elterlichen Investments in historischen Dorfgemeinschaften aus dem norddeutschen Raum. Ich glaube, daß diese Feststellungen eine weitergehende Generalisierung tragen, und daß sie insbesondere auch für die kulturelle Entwicklung menschlicher Moral eine Rolle spielen.

Ein wirkungsvolles Mittel der Effizienzsteigerung moralischer Normen dürfte es sein, Ideale zu propagieren, die den Zustand des faktisch geübten kooperativen und altruistischen Verhaltens deutlich übersteigen. Der Zielcharakter solcher allgemein hoch bewerteter Ideale würde dann wohl zunächst insofern einen wirksamen »Sog« erzeugen, als jedes Sozietätsmitglied in seinem Eigeninteresse einen gewissen Druck auf steigende »Moralität«, also auf möglichst viel altruistisches Verhalten *anderer* Sozietätsmitglieder ausüben würde. Alexander (1983) meint geradezu: »Die moralischen Wertsysteme von Philosophie und Religion sind als Modelle für das Verhalten anderer, nicht aber für das Verhalten der eigenen Person (oder in stärkerem Maße für das Verhalten anderer) entwickelt worden.« Es sei dann wahrscheinlich, »daß sich dieser Druck, den jeder einzelne ausübt, so auswirkt, daß dadurch der Nachbar möglicherweise ein wenig moralischer wird als er selbst. Mit anderen Worten, es läge im Interesse jedes einzelnen, wenn andere Mitglieder der eigenen Gesellschaft – vor allem die, mit denen man eng verbunden ist – das Ideal vollkommen moralischen Verhaltens verwirklichten.« Dieser Zustand würde freilich nicht generell erreicht werden können, weil – wie wir gesehen haben – eine Person, die sich gleichermaßen allen Gruppenmitgliedern gegenüber ohne Unterschied altruistisch bzw. wohltätig verhielte, verstärkt der eigennützigen Ausnutzung durch andere ausgesetzt wäre, die ihrerseits daraus Konkurrenzvorteile ziehen würden, so daß wir mit einer stetigen Kontra-Selektion zu rechnen hätten. Das Resultat müßte also faktisch immer deutlich hinter dem Ideal zurückbleiben. Dennoch würde es sich nach Alexander im Interesse jedes einzelnen immer lohnen, »andere aufzufordern, sich etwas moralischer (altruistischer) zu verhalten, als sie es vielleicht unaufgefordert getan hätten. Dieses Ziel läßt sich z. B. durch die Schaffung eines moralischen Vorbildes verfolgen, verbunden mit der Aufforderung an alle, ihm nachzueifern«. Und als solche moralischen Idole eignen sich natürlich am besten einzelne Personen, die, aus welchen Gründen auch immer, wider die »selbstbezogene Moral der Gene« verstoßen, sich also dem biologischen Druck der eigenen Fitness-

Maximierung bewußt entzogen haben, um gleichermaßen allen Hilfsbedürftigen zu dienen (z. B. »Mutter Theresa«) und/oder Personen aus ferner Vergangenheit, deren Lebensrealität und wahre Motive sich der Überprüfung schon so weitgehend entziehen, daß sie widerspruchslos zu idealen Vorbildern aufgewertet werden können, was zur idealisierten Legendenbildung führt.

Auch die Motive, die einzelne Personen bewegen könnten, auf freiwilliger Basis wider die »selbstbezogene Moral der Gene«, also gegen das biogenetische Prinzip der eigenen Fitness-Maximierung zu handeln, sehen Soziobiologen als weit weniger selbstlos und uneigennützig an, als das idealistischen Moralisten lieb sein mag. In diesem Punkt unterscheiden sich die modernen Evolutionsbiologen sogar von ihrem »Altmeister« Charles Darwin, der sich dagegen wehrte, den »Grund der Sittlichkeit in einer Art Selbstsucht« zu sehen und auch das utilitaristische »Prinzip des ›größtmöglichen Glücks‹ ... nicht als das Motiv des Handelns« anerkennen mochte. Statt dessen rekurrierte er wieder auf den »tief eingegrabenen sozialen Instinkt«, dessen Entstehen er individualselektionistisch freilich nicht erklären konnte (s. oben). Selbst viele Philosophen und Psychologen haben das anders gesehen; indem sie hinreichenden »Lohn« im selbstbezogenen Befriedigungsgefühl über die eigenen altruistischen Taten erblickten. »Man operates, in a motivational sense, from point of view of self-interest«, schreibt z. B. Cohen (1978), selbst wenn sich dieses Selbstinteresse auf ein so hohes Ziel richten könnte, wie »the desire of being morally superior« (Wispé, 1978). Der Lohn erscheint um so höher, je mehr Menschen man »beglückt«, dem Altruisten wird entsprechend mehr an Achtung, Gunst, Verehrung und Liebe zurückgegeben, und das wiederum kann sich – so meinen viele Soziobiologen – u. a. auch günstig auf die »Gesamt-Fitness« des »Beglückers« auswirken. Die Idee dieses rückwirkenden Nutzens edler Taten geht letztlich schon auf Darwins Vetter Francis Galton (1869) zurück; viele Soziobiologen setzten derart selbstbezogene, d. h. hier, auf die Steigerung der »Gesamt-Fitness« des Altruisten zielende unbewußte oder bewußte Strategien geradezu voraus. »Das Individuum kann sich gegenüber anderen moralisch und selbstlos verhalten, aber dieses Verhalten bewirkt eine sogar größere Verbreitung seiner Gene, als wenn es nur von konsequentem Eigennutz bestimmt wäre«, schreiben z. B. Lumsden und Wilson (1983), und sie denken dabei natürlich auch und gerade an die verbesserten Reproduktionsbedingungen, die den näheren Verwandten einer (moralisch) hochangesehenen Person aus ihrem mitgesteigerten Ansehen erwachsen. Das heißt: auch wenn der Wohltäter selbst überhaupt keine direkten Nachkommen hat, sondern aus altruistischen Gründen auf individuellen Reproduktionserfolg verzichtet, so werden seine besonderen Eigenschaften doch über Nebenlinien weitergegeben und angereichert, und zwar um so stärker, je mehr die Blutsverwandten von den moralischen Qualitäten ihres Familienangehörigen »reproduktiv« profitieren, was z. B. auf dem Weg über gesellschaftliches Ansehen und daran geknüpfte materielle Vorteile geschehen kann. In besonders zugespitzter Form hat der Soziobiologe Jan Wind (1980) den Gedanken der biogenetischen »Eigennützigkeit« der großen Altruisten formuliert: »I postulate that the most altruistic humans are likely to have the most selfish genes, i.e. those that have adopted a successful strategy. Stated more specifically: there may well be a positive correlation between a person's level of altruism and the frequency of his gene copies in the gene pool.« Dadurch müßte sich dann altruistisches Verhalten geradezu zwangsläufig ausbreiten. Das alles bleibt natürlich unterhalb der Bewußtseinsebene, ja, Alexander (1975, zitiert nach Campbell, 1975) hat die Hypothese hinzugefügt, »that biological evolution has selected human beings so as to repress from conscious awareness the ruthless selfishness of their own behavior, so as to produce a more sincere hypocrisis«. Wen wundert es da, daß Soziobiologen – und nicht nur sie – es generell eher mit Edward Gibbon halten: »Man traue keinem erhabenen Motiv für eine Handlung, wenn sich auch ein niedriges finden läßt.« Und dieses »niedrige« Motiv suchen sie bei der »selbstbezogenen Moral der Gene«, bei dem biogenetischen »Imperativ der Fitness-Maximierung«, tief im Genom des Menschen verankert.

Neben dem weitverbreiteten Nepotismus erscheint »reziproker Altruismus« (Trivers, 1971) als ein gängiges Verhaltensmuster, das sich auch gegenüber Nicht-Verwandten in der Münze sowohl von »individueller Fitness« als auch von »Gesamt-Fitness« gewinnbringend auszahlen kann, und es steht zu erwarten, daß derart nützliches Verhalten von der Selektion zu allen Zeiten favorisiert wurde und weiter favorisiert wird. Spieltheoretische Ansätze, nach dem Muster des sog. »Gefangenen-Dilemmas« haben belegt, daß dies überhaupt für die Einhaltung kooperativer sozialer Regeln und für verläßliches wechselseitiges Helfen gilt (s. z. B. Axelrod und Hamilton, 1981), so daß Hofstadter (1983) mit guten Gründen behaupten konnte: »Der wahre Egoist kooperiert!« »By ›agreeing‹ to act cooperatively, to adhere the moral norms set for all and not to ›cheat‹ (i.e., receive social benefits without reciprocating, see Trivers, 1971), it indeed seems possible to reach a higher level of fitness both on the individual and on the group level«, resümieren Markl et al. (1978). Moralisches Verhalten und verbindliche moralische Normen können offensichtlich biologische Fitness steigern, müssen es aber nicht. Tun sie es nicht, so sollten sie doch wenigstens biologischer Fitness nicht dauerhaft abträglich sein, andernfalls würde strikte Kontra-Selektion sie auf lange Sicht auslöschen. Vorsichtig formuliert das Kummer (1978) so: »Human moral systems cannot have been entirely at cross-purposes with biological fitness, since some populations of our species did survive.« Moralische Normen stehen ihrerseits in einem kulturellen Wettbewerb und der muß letztlich zur Folge haben, daß vor allem solche moralischen Systeme breiten Erfolg haben, die zugleich auch der biologischen Fitness ihrer Anhänger dienen. Oder, wie Markl et al. (1978) das ausdrücken: »Moral systems would be subject to selection in the process of cultural evolution according to their ability to confer greater fitness, i.e. survival capacity on their adherents. This view, however, leads to the truism that in the past the moral norms we hold cannot have lowered man's fitness too much, and that no universal morality that drastically lowers fitness is possible in the long run, since it would run out of adherents.« Insoweit besteht mindestens kein drastischer Widerspruch zwischen der alten biogenetischen »Moral der Gene« und der neuen tradigenetischen Moral der Hominiden, beide marschieren vielmehr eher in die gleiche Richtung. Ja, man kann vielleicht sogar im Hinblick auf die zwischenartliche Konkurrenz sagen, daß die »Moralfähigkeit« der evoluierten Hominiden, diese Befähigung zur Setzung und Durchsetzung sozialer moralischer Normen die Überlegenheit der Primatenart Mensch gegenüber ihren Konkurrenten begründete (Markl, 1983 b).

Auf der anderen Seite kann es natürlich keinem Zweifel unterliegen, daß menschliche Moralität keineswegs unbedingt oder ausschließlich einer biologischen Fitness-Steigerung dienen müßte: echte Moralität transzendiert die »Moral der Gene«. »This line of reasoning suggests that morality might have arisen as a mechanism increasing the fitness of a group in competition with other groups, but only on a level of freedom of rational reasoning which at the same time opens a way to transcend the striving for fitness as an ultimate goal« (Markl et al., 1978).

Auf der individuellen Ebene kann das bis zur altruistischen Selbstaufopferung führen, die nicht nur die individuelle Fitness, sondern auch die »Gesamt-Fitness« des Altruisten entscheidend schädigt, doch wird natürliche Selektion sicher dafür sorgen, daß solches Verhalten eine Ausnahme bleibt; geeignet als ideales Vorbild, nicht jedoch durchsetzbar als allgemeinverbindliche Vorschrift. »Morality can even renounce survival as a norm, although at the risk of extinguishing its adherents. However, as a moral norm for a subgroup of a population, this need not even endanger a population if the remainder of the population continues to procreate efficiently and as long as the population as a whole gains from this polymorphism of morality« (Markl et al., 1978). Das Zölibat einer sozialen »Klasse«, bestimmter »Kasten« oder »Orden«, die gerade dadurch ihre ganze Kraft in den Dienst der Gesamtbevölkerung stellen, kann hier als Beispiel dienen, wobei man jedoch kaum annehmen darf, daß etwa ganze Sippen ihre gesamte Reproduktionspotenz auf solchen Wegen opfern würden.

Für das Individuum können subjektive Befriedigungsgefühle (bis hin zur Befriedigung über die eigene moralische Qualität) unmittelbar angestrebtes Ziel von altruistischen Handlungen sein. Unter dem Aspekt der biologischen Evolution haben solche »Befriedigungsgefühle« über eine mehr oder weniger direkte Kopplung an reproduktiven Erfolg eine entscheidende Funktion als wirkungsvolle »Sofortbelohnung« für Aktionen, die letztlich das immer gleiche evolutive »Fernziel«, den an das entsprechende Verhalten mittelbar geknüpften Reproduktionserfolg sicherzustellen bzw. zu verbessern helfen. Ein klassisches Beispiel solcher Verknüpfung liefert die sexuelle Befriedigung als subjektiv angestrebte und begehrte *proximate* »Sofortbelohnung« für die Durchführung eines Aktes, dessen evolutiv entscheidende *ultimate* Funktion natürlich in Befruchtung und Reproduktion liegt. Solche Kopplungen hat natürliche Selektion zwangsläufig produziert, sie sind Garant für die im ultimaten »Interesse« jeweils »richtige« proximate Motivation und Antriebsstärke der Individuen. »The pleasantness of affects« – schreibt Bischof (1978) – »is in some way correlated with the reproductive pay off of the behaviors concerned. But the individual knows nothing of this connection, and even if he knew it he would continue to do the things he likes because he likes them, and not because they perpetuate his genome.« Und: »Happiness . . . is thus an archaic signal of reproductive success«! Es gehört nun zu den herausragenden Besonderheiten des Menschen, daß er durch bewußtes Eingreifen an bestimmten Stellen die proximaten »Befriedigungsziele« von den ultimaten »Reproduktionszwecken« abkoppeln, also die »Sofortbelohnungen« von ihren evolutiven Funktionen isolieren und erstere dann ohne die entsprechenden ultimaten »Folgen« genießen kann (so z. B. sexuelles Vergnügen ohne reproduktive Folgen). Wir können mit den alten »Sofortbelohnungen« spielen. Auf diese Weise verselbständigen sich die evolutiv via Selektion in Anbindung an ultimate Selbsterhaltungs- und Reproduktions»ziele« entwickelten Befriedigungsgefühle, Bischofs »pleasant affects«, zu selbständigen »Werten«, die einen erstrebenswerten »Selbstbefriedigungscharakter« gewinnen. Vielleicht sind auch die moralischen Befriedigungsgefühle nach guten Taten via Selektion als solche

»Sofortbelohnungen« entstanden, um sicherzustellen, daß die Fitness verbessernden altruistischen Handlungen auch subjektiv angestrebt werden. Zum sog. »Gen-Egoismus« der biogenetischen Evolution tritt der »Selbsterfüllungs-Egoismus« kultureller, also tradigenetischer »Evolution«, und dieser kann sich – wie allgemein bekannt – auf die ethisch allerhöchsten Ziele richten, und sei es auf Wispés »desire of being morally superior«!

Resümieren wir kurz: Biochemie, Molekularbiologie und Genetik demonstrieren, daß sich unsere Gene nicht in prinzipieller Weise von den Genen anderer Organismen unterscheiden. Da wir unsere Entstehung denselben Evolutionsmechanismen (also vor allem natürlicher Selektion) verdanken wie die anderen Organismen, müssen wir grundsätzlich davon ausgehen, daß auch der Mensch, die Spezies *Homo sapiens,* »angeborenermaßen, von ihrer Natur aus – aber durchaus mit den vielfältigen kulturellen Mitteln – im Leben vor allem einen Endzweck verfolgt: die Gesamtfitness, den Vermehrungserfolg ihrer Gene zu maximieren« (Markl, 1983a). Die »Mittel« dieser Bemühungen haben wir kulturell stark erweitert und teilweise erheblich verändert, das Generalziel jedoch offensichtlich kaum; natürliche Selektion hat dafür Sorge getragen. Auch moralische Normen sind nicht selektionsneutral, im Gegenteil, sie müssen im statistischen Mittel zumindest auch biologischen Anpassungswert haben, d. h. adaptiv sein: sie werden auch im biogenetischen Sinne Fitness-fördernd wirken müssen, wenn sie auf Dauer nicht der Selektion zum Opfer fallen sollen. Zwar ist absolut unbestritten, daß die Evolution uns eine beispiellose »Emanzipation« von unseren Genen beschert hat, unbestreitbar ist auch, daß unsere »Natur« uns in vieler Hinsicht eher Verhaltensvorschläge als bindende Verhaltensvorschriften macht, so daß sich der einzelne auch strikt gegen den biologischen Fitness-»Imperativ« der Gene entscheiden kann; dennoch: unbewußt handeln wir unter einem permanenten Druck unserer genetisch fundierten Antriebe, und auch unser moralisches Verhalten bleibt – im Durchschnitt zumindest – an der elastischen Leine biologischer Fitness-»Zwecke«. Wer wollte das angesichts der ungeheuerlichen biologischen Vermehrungsraten der Menschheit ernsthaft in Frage stellen! »Die angeborene Natur des Menschen mag ihm große, fast völlige Verhaltensfreiheit geben, die gleiche Natur entfernt aber mit der Zeit regelmäßig jene Genotypen, die von dieser Freiheit einen Gebrauch machen, der dem Vermehrungserfolg ihrer Gene allzu nachteilig ist« (Markl, 1983a).

Wir hatten weiter oben darauf hingewiesen, daß es unter den Bedingungen interkultureller Konkurrenz des Menschen wichtig wird, die biogenetische Effektivität des sozialen Gemeininteresses dadurch zu steigern, daß vorbildhafte idealisierte Normen für kooperatives und altruistisches, kurz moralisches Verhalten entwickelt werden, die weit über das hinausgreifen, was die »Moral der Gene« via natürliche Selektion an altruistischem Potential in einer hochentwickelten sozialen Primatenspezies hervorbringen kann. Derartige moralische Idealnormen, von denen Alexander (1983) meint, sie seien als Modelle für das erwünschte Verhalten *anderer,* weniger für das Verhalten der eigenen Person entwickelt worden, sollten einen »Sog« erzeugen, der das allgemeine moralische Verhalten auf ein Niveau anhebt, das irgendwo zwischen der basalen Ebene der biogenetisch präformierten Altruismus-Werte und dem fiktiven Idealwert liegt: hier sollte sich mit Hilfe des »guten Beispiels« und sozialer Sanktionen eine an den jeweiligen Bedingungen orientierte Balance einstellen. Da auch eine solche Balance wiederum der Selektion ausgesetzt wäre, würde sich ein faktisches Gleichgewicht zwischen »gutem« und »bösem« Handeln etwa dort stabilisieren, wo – mit Wickler (1983) zu sprechen – »Vor- und Nachteile für beides sich die Waage halten (z. B. sich das Böse soweit ausbreitet bis die Vorteile, die ein Böser hat, wenn er auf Kosten des Guten lebt, aufgewogen werden durch die Nachteile, die er in Kauf nehmen muß, wenn er auf seinesgleichen trifft)«. Das gilt schon unter den natürlichen Verhältnissen sozialer Tiere. Wenn man z. B. in einer in der Regel »monogamen« Graugans-Population ein stabiles Verhältnis von ca. 80 Prozent partnertreuen und ca. 20 Prozent partneruntreuen Individuen vorfindet, so kann das sehr wohl eine durch die natürliche Selektion hervorgebrachte und stabil gehaltene Balance sein. »Es ist dann grundfalsch, im Sinne einer Normalverteilung die Minderheit für abnorm, die Mehrheit für normal zu halten und von ihr eine Norm als allgemein verbindliche Vorschrift abzuleiten. Diese Minderheit ist nicht ein fehlerhafter Rest, den die Natur noch nicht hat beseitigen können; wenn man der ›Natur‹ nämlich zu Hilfe käme und diese Minderheit abzubauen begänne, würde sie von der Natur im gleichen Maße wiederhergestellt. Ob es sich bei einer Minderheit um fehlerhaften Ausschuß oder um eine chancengleiche Minderheit handelt, kann man feststellen, wenn man den Erfolg in der natürlichen Konstellation untersucht. Erst, wenn man das getan hat, kann man ein (biologisches) Werturteil fällen« (Wickler, 1983). Genau dasselbe gilt natürlich für kulturelle Bedingungen und Konstellationen. Wirkungsvolle Vorbilder und soziale Sanktionen können solche »natürlichen« Gleichgewichte mehr oder weniger weit in Richtung auf die traditionalen »Idealnormen« verschieben, ohne sie jedoch je zu erreichen und auch ohne, daß es endgültig gelänge, eine zuwiderhandelnde Minderheit vollständig auszuschalten. Campbell (1975) hat ein anschauliches generalisiertes Modell für die Einstellung des aktuellen moralischen Verhaltens im Spannungsfeld zwischen dem biologischen Optimum (»at the level which biological natural selection is selecting«) und der Idealnorm sozialen Verhaltens (»that the social system seems to be advocating in its preaching«) als einen »biosocial compromise« auf einer eindimensionalen Meß-Skala mit Werten zwischen 0 für »total selfishness« und 100 für »total altruism« entwickelt, das die hier vorgestellten Verhältnisse gut widerspiegelt.

Es ist eine alte Streitfrage, ob moralische Verhaltensregeln in menschlichen Kulturen primär die Aufgabe erfüllen, den biologisch im Menschen angelegten »natürlichen« Antrieben, Neigungen und Verhaltenstendenzen gegenzusteuern, sie zu bremsen bzw. gar zu unterdrücken (ein Standpunkt, den z. B. T. H. Huxley vertrat, s. oben), oder ob moralische Normen gerade umgekehrt mehr oder weniger formalisierter Ausfluß unserer ohnehin schon von Natur aus gegebenen Verhaltenstendenzen seien, ob sie unseren natürlichen Neigungen entgegenkommen, ob sie gewissermaßen nur verlängern, nur normativ maskieren, was unsere evolutiv entstandenen »sozialen Instinkte« uns sowieso nahelegen (wie z. B. Kropotkin meinte, s. oben). Beide Standpunkte sind gerade auch im Zusammenhang mit Interpretationsversuchen sog. moralischer Universalia leidenschaftlich vertreten und kontrovers diskutiert worden. »The controversy concerns the question of whether the universal rules replace instinctive tendencies or whether they are merely an extension of them«, schreibt Musschenga (1984) und exemplifiziert das an der Frage: »what is, seen from evolutionary perspective, the relation between inhibitions in animal behavior (z. B. die sog. ›Tötungshemmung‹ gegenüber Artgenossen, s. unten) and the prohibitions in human behavior? ... There are two possible interpretations«, fährt der

Autor fort: »(1) Prohibitions have replaced the above animal inhibitions, which in man, at best are only present in a rudimentary form. Prohibitions, in this view, are merely cultural expressions and alterations of animal inhibitions. (2) Prohibitions fulfill the function of counteracting the natural, socially detrimental, tendencies of man, and they are purely cultural in their origin.« Damit ist zugleich ein weiterer Aspekt im Spiel, nämlich die Frage, ob Moral eine Art Ersatz für in der Hominidenevolution (vielleicht erst im Zustand moderner Zivilisation) verlorengegangene »soziale Instinkte« sei, eine Vorstellung, die im Zusammenhang mit der These vom Menschen als einem biologischen »Mängelwesen« seit Herder (1770) vor allem in Deutschland eine gewichtige Tradition hat.

Campbell (1975), der selbst der Auffassung ist, das komplexe menschliche Gesellschaften »had to counter with inhibitory moral norms the biological selfishness which genetic competition has continually selected«, nennt u. a. Konrad Lorenz als einen typischen Vertreter der Gegenpostion. Lorenz betonte besonders die in seinen Augen analoge Funktion vieler instinktiver Antriebe und Hemmungen bei Tieren zur »rational verantwortlichen Moral« des Menschen, er sprach Tieren daher ein »moral-analoges Verhalten« zu (Lorenz, 1954), worauf wir noch zurückkommen werden. Lorenz meint darüber hinaus, daß manches, was wir gern unserer »rationalen Moral« zuschreiben, in Wahrheit tief in unserem biologisch erworbenen Instinkt-Repertoire verankert sei. So schreibt er 1955: »Die Gleichheit der Funktionen, die soziale Triebe und Hemmungen mit den höchsten Leistungen verantwortlicher Moral verbindet, macht es uns selbst oft schwer zu unterscheiden, ob der Imperativ, der uns zu bestimmten Handlungen treibt, aus den tiefsten vormenschlichen Schichten unserer Person oder den Überlegungen unserer höchsten Ratio stammt. Da uns allen von Jugend an eingebläut ist, die letzteren sehr hoch und die ersteren sehr gering einzuschätzen, neigen wir dazu, für Auswirkungen der Vernunft zu halten, was häufig nur einem gesunden Instinktmechanismus entspringt.« Eibl-Eibesfeldt (1984) spricht im letzteren Fall von der »primären« menschlichen Moral, die auf »stammesgeschichtlichen Anpassungen basiert«: wir handeln dabei unreflektiert, spontan, »aus Neigung« (genau das, was Schiller in Anspielung auf Kant so »wurmte«, da es nicht »tugendhaft« sei, s. oben). Dies gelte sowohl für individuelles Verhalten als auch für soziale Normen als »kollektive stammesgeschichtliche Anpassungen«. Als derartige soziale Normen, die ihre »feste Verankerung im (biologischen) Erbe« haben, nennt Eibl-Eibesfeldt u. a. die »Tötungshemmung«, die »Objektbesitznorm«, die »Partnerbesitznorm«, »Loyalität«, »Gehorsam«, aber auch die »Außenseiter-Intoleranz«. Wir werden noch davon zu sprechen haben, daß hier zugleich die Gefahr des Ansatzes einer wertenden Ideologie liegt, die biologisch »adaptiv« über Begriffe wie »natürlich«, »gesund«, »normal« und »harmonisch« in eine fließende Verbindung mit moralischen Werten wie »gut« und »richtig« bringt. Der »primären Moral« stellt Eibl-Eibesfeldt dann eine »sekundäre, reflektierte und vernunftsbegründete Moral der ausgereiften autonomen Persönlichkeit« gegenüber.

Auch für Bischof (1978) ist das alte, oft wiederholte Argument Frazers (1910), »according to which culture would not need to proscribe what nature already prevents«, nicht tragfähig. Er differenziert im Hinblick auf die spezifisch menschliche Entwicklung: »...there is evidence in favour of moral-analogous inhibitions having survived anthropogenesis«. Aber: »phylogenetic transition from moral-analogous behavior to human morality is characterized by three processes: (a) The instincts regulating animal behavior, both excitatory and inhibitory, are damped in man. They do not disappear, but they do lose their compelling character and turn into emotional appeals. (b) Their spectrum is broadened through additional differentiation. (c) Cultural superstructures shape this basic material into new and specifically human forms«. Das »Inzest-Tabu« wäre ein klassisches Beispiel für eine derartige, auf instinktiver Basis weiter differenzierte und durch kulturelle Superstrukturen überformte universale Norm (Bischof, 1975).

Auf der Gegenseite haben Autoren wie der Psychologe Donald T. Campbell (1975, 1978) darauf hingewiesen, daß unsere »stammesgeschichtlichen Anpassungen« überhaupt nicht in den Kontext der sozialen und kulturellen Komplexität des modernen *Homo sapiens* hineinpassen, sie seien vielmehr »wisdom about past worlds«; kulturell entwickelte soziale Verhaltensregeln hätten dem ständig gegenzusteuern. »It is hypothesized«, schreibt Campbell (1978), »that the socially evolved moralizing in each complex society is focused on those behavioral tendencies for which the optimization of the social system and the optimization of own-gene prevalence are in conflict.« In allen entscheidenden Konfliktfällen dieser Art würden universale moralische Regeln den biologisch entwickelten eigennützigen Tendenzen entgegenzuwirken haben. In einem ähnlichen Sinne betont v. Hayek (1979): »Noch immer wird nicht in vollem Umfang gewürdigt, daß die kulturelle Auswahl neu erlernter Regeln hauptsächlich deshalb notwendig wurde, um bestimmte angeborene Verhaltensregeln zu unterdrücken«, und Wolff (1978) verweist in psychoanalytischer Sichtweise auf entsprechende Funktionen moralischer Erziehung: »The theory explains the ontogenesis of human morals in terms of inherent conflict between instinctual drives or their representations as wishes, and the restraints imposed on drive discharge by parental prohibitions and social conventions.«

Mir scheint ein Streit darüber, ob kulturelle moralische Regeln natürliche Antriebe und Strebungen des Menschen kontrabalancieren oder ob sie biologisch vorgegebene Bahnungen bzw. Inhibitionen eher bestärkend überformen, weitgehend müßig. Für beides lassen sich zweifelsohne treffliche Einzelbeispiele finden. Aber, wie dem im einzelnen auch sei, eine Anbindung an die menschliche Natur bestätigt sich in jedem Falle. »Die moralischen Prinzipien mögen immerhin der reinen Vernunft abgelauscht werden; moralische Regeln für das Verhalten konkreter Menschen und moralische und Rechtsinstitutionen müssen auf die Natur des Menschen Rücksicht nehmen«, meint der Philosoph Patzig (1984) und fährt an anderer Stelle fort: »Wie man, um ein Bild Gottlob Freges über das Verhältnis von Sprache und Denken auf unser Gebiet anzuwenden, beim Segeln die Kraft der Natur, nämlich des Windes benutzt, um mit Hilfe des Windes auch gegen die Windrichtung zu segeln, so kann auch die moralische Normierung, an biologische Präformationen anknüpfend, die menschliche Entwicklung in eine biologisch nicht mehr vorbereitete Richtung lenken. Es ist daher kein Paradoxon, daß die Vernunft uns moralische Prinzipien empfehlen kann, die nicht nur der Erhaltung und optimalen Ausbreitung des Gen-Pools, dem die Träger der Vernunft angehören, wenig nützen, sondern einer solchen Tendenz sogar entgegenwirken können.« Moral ist eine Kategorie menschlichen Geistes, für deren ideelle Qualifikation die Frage, ob mit oder gegen natürliche Neigungen, zweitrangig ist. Für die praktische Durchsetzbarkeit freilich, spielt diese Frage wohl eine ganz entscheidende Rolle. So sehen es auch Markl et al. (1978): »This argument maintains that some norms can be much more easily implemented than others because they conform to the goal of increasing an individual's fitness. By contrast, norms that potentially lower inclusive fitness are more difficult to follow, or – on statistical average – are not actually followed at all, although they may be held in high esteem in a society.« Hier streifen wir wieder die Problematik der selten, wenn überhaupt je erreichten moralischen Idealnormen und der allgemeinverbindlichen moralischen Verhaltensregeln des praktischen Alltags, auf die wir weiter oben bereits eingegangen sind.

Menschliche Moral bzw. Ethik mag also gewisse biologisch fundierte Verhaltensregeln »aufarbeiten«, und zwar in dem Sinne »aufarbeiten«, daß sie diese Regeln formalisiert und in normative Werthaltungssysteme einbaut, die ihrerseits »Soll-Wert«-Charakter besitzen. Ich betone noch einmal, daß spezifisch menschlich weniger die Inhalte der Verhaltensregeln sind, singulär menschlich ist vielmehr allein ihre »Moralität« als solche, im Sinne eines allgemein akzeptierten Wertsystems (von »Gut« und »Böse«), das »Soll-Wert«-Funktionen ausübt. Tiere haben solche kulturellen Wertsysteme offenbar generell nicht, es ist schon von daher prinzipiell verfehlt, ihnen »Moral« oder »Unmoral« zuschreiben zu wollen: sie verhalten sich grundsätzlich außermoralisch.

Diese Gedanken leiten unmittelbar zu unserer zweiten eingangs gestellten Frage über, ob sich die Inhalte unserer sittlichen Normen evolutionsbiologisch ableiten oder gar begründen lassen.

## Ist, was »natürlich« ist, deshalb auch »gut«?

Immer wieder hat Vertrauen in die empirischen Wissenschaften zu der Idee verführt, man könne die »richtigen« sittlichen Normen menschlichen Zusammenlebens anhand biologischer Analysen aus der Natur direkt ermitteln oder ableiten. Schon Kropotkin (1904), für den die Natur selbst einen »sittlichen Charakter« besitzt, war der festen Überzeugung, daß empirische Forschung »die natürlichen Quellen des sittlichen Gefühls aufdecken« werde. T. H. Huxley dagegen hielt solche Vermutungen für einen absoluten Irrtum: »There is another fallacy« – schrieb er 1893 – »which appears to me to pervade the so-called ›ethics of evolution‹. It is the notion that because, on the whole, animals and plants have advanced in perfection of organization by means of the struggle for existence and the consequent ›survival of the fittest‹; therefore men in society, men as ethical beings, must look to the same process to help them toward perfection. I suspect that this fallacy has arisen out of the unfortunate ambiguity of the phrase ›survival of the fittest‹. ›Fittest‹ has a connotion of ›best‹; and about ›best‹ there hangs a moral flavour.«

Gerade Biologen haben bis heute immer wieder die Vorstellung genährt, daß die inhaltlichen Richtlinien moralischen Verhaltens beim Menschen eine Folge der Anpassung durch natürliche Selektion seien. Einige sprechen gar von einer »Biologie der Werte«. »Thus not only the existence of a moral code, but also of its actual content would be justifiable by discovering what adaptive value, or fitness, it brought to the human species in the evolutionary struggle for survival«, so formuliert das Stent (1978). Biologische Evolutionsforschung soll nicht nur den Ursprung menschlicher Moralität aufdecken, sondern sogar die Legitimation für die Inhalte unserer ethischen Normen und Prinzipien liefern, eine von jeder Religion und Metaphysik unabhängige Legitimation, die den Anspruch auf universale Gültigkeit erheben könne.

Man wird nicht leugnen können, daß eine Reihe bedeutender Ethologen den Mythos genährt haben, daß das, was die Natur via Selektion hervorgebracht habe, was also im besten Sinne »natürlich« sei, dadurch zugleich auch schon einen moralischen »Bonus« haben müsse. Man könnte demzufolge eventuell sogar eine respektable Ethik auf »natürliche« Verhaltenstendenzen gründen, oder anders herum, die Ethologie könnte ein rationales Grundgerüst sittlichen Verhaltens liefern. Semantische Unschärfen, Doppeldeutigkeiten und Übertragungen haben hier eine erhebliche Rolle gespielt und spielen sie noch heute. »Im biologischen Sprachgebrauch haben die Begriffe ›normal‹ und ›abnormal‹ oder ›konformes‹ und ›abweichendes Verhalten‹ natürlich nicht die Nebenbedeutung von ›gut‹ und ›böse‹«, schreibt Margaret Gruter (1983): »Aber im allgemeinen Sprachgebrauch werden die Begriffe ›abnormal‹ und ›abweichendes Verhalten‹ immer im Zusammenhang mit dem Begriff ›böse‹ gebraucht, wenn von der Bewertung menschlichen Verhaltens die Rede ist.« Es kann keinem Zweifel unterliegen, daß viele Biologen diese Unterschiede und Grenzen unbewußt oder auch bewußt verwischt haben, und daß Ideologen gerade aus diesen Begriffsverwirrungen die »moralische Legitimation« für bestimmte gesellschaftliche Zustände oder ihre eigenen Wunschvorstellungen von diesen Zuständen, für vorherrschende Verhaltenstendenzen und tradierte Normen schöpften und weiterhin schöpfen. Biologische, via Evolution gebildete »Angepaßtheit« wird zum moralischen Maßstab: »The survival value of a characteristic then becomes equal to its moral value« (Musschenga, 1984).

Anhänger einer derartigen »Natur-Ethik« wünschen sich eine »am Überleben und damit an der Erhaltung der evolutiven Potenz orientierte Ethik« (Eibl-Eibesfeldt, 1984). Selektion sei schließlich ein Filter, der Qualität erzwinge. Natur schaffe Unterschiede, sie selektiere nach differentiellen Eignungen, belohne unterschiedlich, erwirke biologisch-soziale Gefälle nach vitaler Kraft, nach Rang und Ansehen. Sie erzeuge Variantenspektren und »Wertskalen« von »primitiv« bis »progressiv«, von »niedrig« zu »hoch« im phylogenetischen Sinne. Und was Natur hervorbringe, welche Mechanismen und Resultate sie im »harten Daseinskampf« produziere, das sei nicht nur einfach »naturgemäß«, es muß wohl grundrichtig, dem Menschen und seinem biologischen wie seinem ursprünglichen sozialen Leben angepaßt und angemessen sein; entsprechend sei es zumindest erhaltenswert, ja im »gesunden« Sinne geradezu erstrebenswert, kurz, es könne auch als weitere Zielvorgabe dienen und sei letztlich moralisch »gut«. Wer demnach im Sinne natürlicher Selektionsziele wirkt, handelt zugleich biologisch und ethisch richtig; wer es mit der Zukunft seines Volkes gut meint, orientiert sein Handeln und Wirken an solchen Maximen und fördert ihre Durchsetzung mit Wort und Tat.

Campbell (1978) hat die Ansicht, »that what is biologically natural is normatively good«, als »normativen Biologismus« bezeichnet: »Normative biologism is shown through Lorenz's continual reference to our ultimate normative dependence on our ›non-rational sense of values‹ and on the ethical and esthetic tastes we all share or that are epitomized by the nobles among us.« Diese Einstellung wirkt in der Tat fort, und einer ihrer prominenten Vertreter ist Eibl-Eibesfeldt. Nach ihm sollte sich die »Idealnorm« des Verhaltens am evolutiv »angepaßten«, am »gesund-normalen« Verhalten orientieren. Norm sei hier keineswegs an der Majorität oder am statistischen Durchschnitt des Faktischen zu messen: so bleibe auch dann, wenn z. B. 80 Prozent einer Bevölkerung dank medizinischer Hilfen zuckerkrank sei, der »Nicht-Kranke« das Norm-Vorbild. »Wir wissen um die ideale Norm, gemessen an der Angepaßtheit. Statistische Normen besagen nichts über das Soll« (dieses und die nachfolgenden Zitate s. Eibl-Eibesfeldt, 1984). »Für die Normfindung ist die Orientierung am Überleben wichtig. Als Gruppenwesen muß der Mensch dabei das allgemeine Wohl der Gruppe im Auge behalten.« Daraus folgen direkt gesellschaftspolitische Maximen, z. B. im Hinblick auf eine Bevölkerung, die mittels restriktiver Familienplanung die eigene Lebensqualität zu verbessern sucht, während eine Nachbarpopulation sich hemmungslos vermehrt: »Niemand könnte dann die ökonomisch verantwortlich Handelnden zwingen, die notleidenden Kinder der Nachbarn zu übernehmen und auf Kosten des eigenen Nachwuchses aufzuziehen. Und würden sie es aus ideologischen Gründen tun und die eigene Verdrängung einleiten, dann hätten wir den interessanten Fall vor uns, daß eine selbstmörderische Ideologie, eine Pathologisierung der Nächstenliebe« – der Autor spricht an anderer Stelle in Anlehnung an Arnold Gehlen auch von »Moralhypertrophie« oder »Mitleidsethik«! – »ein Volk zum Aussterben bringt.« Hier wird das Volk als Selektionseinheit und zugleich als wertstiftend angesehen. Die Sollwerte werden an Erhaltung und Förderung von Gruppeninteressen gemessen, »übertriebener Humanitarismus« wird als biologische Gefahr gesehen, ihm fehle die biologisch richtige »Ausgewogenheit«. Und weiter: »Im Tierreich werden diejenigen, die sich nicht an die artspezifischen Regeln eines Turnierkampfes halten, ohne Hemmung beschädigend angegriffen, als stünden sie außerhalb der Art.« Hier gewinnen die im Tierreich angeblich verwirklichten, den übergeordneten Gruppen- bzw. Art-»Interessen« dienenden Verhaltensregeln geradezu moralischen Vorbildcharakter für den Menschen. Campbell (1975) nannte die Anhänger dieser Art von Naturbetrachtung »romantic naturalists«.

Charakteristisch für deren Einstellung und Argumentation ist das »gruppenselektionistische« Denken: die Gruppe, die Population, die Spezies sind die selektionswirksamen und zugleich im Sinne einer »Natur-Ethik« erhaltenswerten Evolutionseinheiten. Ethischen »Sollwert«-Charakter gewinnt das insbesondere dann, wenn *Homo sapiens* selbst auf dem Spiel steht: »Denn die Erhaltung der menschlichen Art ist zugleich ein ethisches und ein biologisches Gut, das angestrebt werden muß« (Wickler, 1969). Diese Einstellung muß im Zusammenhang mit dem von der »klassischen« Ethologie internalisierten – evolutionsbiologisch freilich nicht haltbaren – Mythos gesehen werden, daß natürliche Selektion »arterhaltendes« und »artdienliches« Verhalten allein schon deshalb favorisiere, weil es der Art (oder einer Population oder einer Gruppe) nütze, und zwar auch dann, wenn es dem handelnden Individuum selbst eher schade. Die Art, die bevölkerungsbiologische Einheit »Nation« oder eine andere biologisch fundierte Gruppierung hätten daher einen »natürlich« begründeten Vorrang vor dem Individuum. Von daher führt der Weg direkt zum ideologischen Motto: »Du bist nichts, Dein Volk ist alles!« Erst die moderne Soziobiologie (s. oben) hat überzeugend dargetan, daß eine unmittelbare Selektion »altruistischen« Verhaltens lediglich aus dem Grunde, weil es der eigenen Art, Population, Gesellschaft, Rasse, Klasse usw. nütze, mit den bekannten Wirkweisen der natürlichen Selektion gar nicht zu erklären ist. Evolutionsbiologen betonen demgegenüber, daß die Art (Gruppe, Sozietät usw.) »is not an adapted unit and there are no mechanisms that function for the survival of the species. The only adaptations that clearly exist express themselves in genetically defined individuals...« (Williams, 1966). Selektion setzt an den individuellen Phänotypen an und bewirkt differentielle Propagationswahrscheinlichkeiten für die den individuellen Phänotypen zugrunde liegenden genetischen Replikatoren, also deren Gene bzw. Allele (s. auch Dawkins, 1982).

Gerade die »gruppenselektionistische« Argumentation vieler Ethologen (insbesondere in Deutschland) aber hat die ideologische Virulenz und die gesellschaftspolitische Gefährlichkeit dieser Denkrichtung ausgemacht. Denn wenn die biologische Evolution altruistisches, ja selbstaufopferndes Verhalten via Selektion um seiner selbst willen im Dienst an der Art entstehen läßt und fördert, dann erzeugt und stützt sie von Grund auf »nichteigennütziges«, moralisches Verhalten, und wenn dieses der Art, der Population, der Gesellschaft oder Gruppe insgesamt Vorteile verschafft, so wird echtes »sittliches« Verhalten von Natur aus geradezu automatisch befestigt und ausgebaut. Wenn das so ist, dann gilt offenbar auch umgekehrt, daß erst das »künstliche«, kulturbedingte Ausscheren des »Zivilisationsmenschen« aus den natürlichen Verhältnissen diese »gesunden« Mechanismen außer Kraft setzt und damit die »natürliche Moral« zusammenbrechen läßt (s. z. B. Lorenz, 1955, 1963).

Wenn unter den natürlichen Bedingungen der Selektion »artdienliches« Verhalten grundsätzlich »adaptiv«, »gesund« und »normal« ist, dann muß selbstverständlich jede Form von »artschädigendem« (oder gruppen- oder »volksschädigendem«) Verhalten als »maladaptiv« und somit »deviant« oder gar »pathologisch« interpretiert werden. Es bereitet vielen Anhängern der »klassischen« Ethologie noch heute Unbehagen und allergrößte Schwierigkeiten einzusehen, daß selbst extrem »artschädigendes« Verhalten (wie etwa das Töten von Artgenossen, speziell der weitverbreitete Infantizid) unter im einzelnen nachweisbaren Bedingungen hochgradig adaptiv (und damit ganz »normal« und »natürlich«) sein kann und gerade deshalb positiv ausgelesen wurde und wird, weil es unter den gegebenen natürlichen Verhältnissen eine besonders erfolgreiche, da für das handelnde Individuum selbst fitness-fördernde Strategie darstellt. Wenn derart »artschädigendes« Verhalten sich unter natürlichen Bedingungen dennoch nicht zu 100 Prozent in einer Population durchsetzt, so liegt das einzig daran, daß die Kosten-Nutzen-Bilanz dieses Verhaltens für die Individuen nur dann positiv ausfällt, wenn dieses Verhalten *nicht* der generelle Regelfall ist (s. oben). Auch die Evolution des sog. »art«- oder »gemeinschaftsdienlichen« Verhaltens bedarf prinzipiell anderer, nämlich »individualselektionistischer« Erklärungen; gerade dadurch verliert es aber seine ideologisch so wohlfeile Qualität im Sinne einer »natürlichen« Ethik. Am besten wäre es, die verführerische Terminologie von »art«- bzw. »gemeinschaftsdienlichem« vs. »art«- bzw. »gemeinschädigendem« Verhalten überhaupt fallenzulassen.

Es gibt demnach auch keine evolutionsbiologische Rechtfertigung, die Art, Rasse, ein Volk, eine Nation usw. als etwas »von Natur aus« Erhaltenswertes anzusprechen, wie es biologistische Ideologien immer wieder emphatisch getan haben und weiter tun.[3] Die von Ethologen und Ethnologen immer wieder beschriebenen Phänomene des Ethnozentrismus, der Fremdenablehnung, sog. »Ausstoßungsreaktionen«, von Ranghierarchien, Territorialität usw., sie alle bedürfen andersartiger biologischer Erklärungen als der gruppenselektionistischen, daß sie »gruppen-«, »gemeinschafts-« oder »artdienlich« seien, und haben solche im Rahmen der soziobiologisch orientierten Evolutionsbiologie auch gefunden. Genau die scheinbar »natürlich-moralische« Qualität dieser Phänomene lieferte jedoch immer wieder die quasi-wissenschaftliche Rechtfertigung für »Fremdenablehnung« und »Fremdenhaß«, für die biologisch-genetische »Selbstreinigung von Volk und Rasse«, für die sozialpolitische Verteidigung der je bestehenden oder erwünschten gesellschaftlichen Ranghierarchien (»natürliche Autorität zum Nutzen der Gemeinschaft«), für »territoriale« Kriege und ähnliches. »Rassisten«, »Sexisten«, kurz alle biologistischen Ideologen und Gesellschaftspolitiker sogen daraus immer wieder ihre Bestätigung, »richtig« im Sinne einer »Natur-Ethik« zu handeln. Gerade heute verkünden gesellschaftspolitische Propheten wieder vernehmlich: wer im Sinne einer natürlichen Selektion (»Sieg der Tüchtigen!«) handelt, handelt nicht nur biologisch richtig, sondern damit eo ipso auch moralisch »gut«.

Abgesehen von dem grundsätzlichen Problem des sog. »naturalistischen Fehlschlusses« (David Humes berühmtes »naturalistic fallacy«-Problem), auf das wir noch eingehen werden, gibt es einige spezielle Gründe für die Forderung, unser moralisches Wertsystem (gut vs. böse, richtig vs. falsch, wünschenswert vs. unerwünscht usw.) dürfe nicht abhängig sein vom »Bewertungssystem« der biologischen natürlichen Selektion (adaptiv, fit, angepaßt usw.). Zum einen »mag das Natürliche in der Großgesellschaft weit davon entfernt sein, gut zu sein« (v. Hayek, 1979), weil die ungeheuer beschleunigte tradigenetische bzw. kulturelle Entwicklung des Menschen seine jeweils adaptiven natürlichen Verhaltensanlagen längst weit überholt und teilweise geradezu dysfunktional hat werden lassen. Campbell (1978) spricht von »discrepancy between our innate biological behavior predispositions and the environment in which we now live«. Zum zweiten lassen sich mühelos zahlreiche Beispiele für evolutionsbiologisch hervorragend angepaßte Verhaltensweisen bei Mensch und Tieren finden, die wohl niemand zum moralischen Maßstab oder »Sollwert« unseres Handelns erheben möchte, der nicht zugleich will, daß Moral sich in ihr Gegenteil verkehre. Die unbestreitbare Tatsache z. B., daß Infantizid, d. h. das gezielte Töten von arteigenen Kindern, eine durch natürliche Selektion favorisierte, im Sinne biologischer individueller und/oder »Gesamt-Fitness« erfolgreiche, hochadaptive Verhaltensstrategie sein kann, was bei vielen Tieren wie auch beim Menschen unter bestimmten »normalen« Umfeldgegebenheiten auch belegbar ist (s. z. B. Hausfater und Hrdy, 1984), soll und darf selbstverständlich nicht zur moralischen Rechtfertigung für Kindsmord führen. »Auch wenn die verbreitete menschliche Verhaltensweise einer gestuften Solidarität – oft mit Aggressivität gegen alle nicht zur In-Group Gehörenden verbunden – als zweckmäßig im Sinne der Ausweitung und Erhaltung des jeweils eigenen Gen-Pools verständlich gemacht werden kann –, sind wir deshalb noch nicht moralisch verpflichtet, uns diese Zwecksetzung zu eigen zu machen«, meint Patzig (1984). Selbst der Soziobiologe Barash (1977) zog den eindeutigen Schluß: »Evolution does not provide a natural moral yardstick with which to measure the actions of other animals or other humans«, um dann differenzierend fortzufahren: »In any event, the point is that we are likely to misuse the natural world grossly if we consciously apply evolutionary criteria in making moral judgements. Yet at the same time, those same evolutionary criteria may ultimately be responsible for the moral judgements we unconsciously do make.« Und Wolfgang Wicklers (1983) bündiges Fazit lautet: »Die Natur taugt nicht als Vorbild für den Menschen (höchstens als warnendes).« Damit werden evolutions- und verhaltensbiologische Analysen in diesem Kontext jedoch keineswegs überflüssig; der Bezugsrahmen ihrer Ergebnisse und Aussagen wird nur präziser eingegrenzt. In den Worten von Markl et al. (1978): »Biology can not prescribe survival or fitness as ultimately legitimate goals or ›oughts‹. But if we decide, upon rational reflection, to accept survival as an important aim for our behavior, as almost every person seems inclined to do, biological knowledge indicates important conditions for the implementation of this goal.«

Eine der damit zusammenhängenden Fragen ist die nach eventuellen Erbdispositionen für spezifische Norm-Inhalte. Die Annahme solcher phylogenetisch entwickelter Dispositionsvorgaben wird zumindest wahrscheinlich, wenn man die »Universalität« bestimmter normativer Regelungen über die verschiedenen Kulturen hinweg berücksichtigt. Dabei zeigt sich, daß nicht nur die Normbereiche, sondern auch bestimmte Tendenzen der Norm-Inhalte weitgehend übereinstimmen. Universell werden z. B. durch Normen geregelt: die sexuellen Beziehungen, Verwandtschaftsbeziehungen, Partnerschaftsverhältnisse, Kooperation, Teilen, Tauschen und Reziprozität, Eigentümerschaft und Besitzverhältnisse, Gruppenkonformität, Ranghierarchien (Autorität und Unterordnung), Intergruppenbeziehungen und Aggressionsformen. Alle diese Regeln ( so unterschiedlich sie im einzelnen auch ausfallen mögen) zielen auf Verläßlichkeit und Vorhersagbarkeit: Grundbedingungen für effektives soziales Zusammenleben. »The biological function of morality would be twofold: first, to increase the help and to reduce the damage done to the social companion; and second, to increase the predictability both in the helper and in the competitor«, schreibt Kummer (1978). Gegenseitigkeit (Reziprozität) und Nepotismus (»kin selection« = Verwandtenbevorzugung) sind dabei universale Grundtendenzen, die in der Phylogenie weit zurückreichen und somit keineswegs auf den Menschen beschränkt sind (s. oben). Soziale Systeme im Tierreich stehen prinzipiell vor den gleichen, im Interesse aller individuellen Mitglieder der Gemeinschaft zu lösenden Probleme. »Behavioral regulations of all these aspects of social life« – so betonen auch Markl et al. (1978) – »are of course also necessary in animal societies. Many authors have therefore seen functional analogies, between the adaptive function of social behavior in animals and of moral systems in man.« Konrad Lorenz (1954) hatte dafür die suggestive Formel vom »moral-analogen Verhalten« geprägt.

»Moral-analoges Verhalten«, so Lorenz, sichert durch »Rituale« oder »vorgegebene Verhaltensnormen« die »kritischen Stellen« im Zusammenleben von Artgenossen bei Tieren ab. Eine solche Absicherung durch verläßliche Verhaltensregelungen sei sogar die Voraussetzung für funktionierendes Sozialleben, sie hat daher als hochgradig adaptiv zu gelten. Eine sorgfältige Betrachtung lehrt, so schreibt Wickler (1983), »daß alle Sozietäten dieselben neuralgischen Stellen haben, an denen verschiedene Interessen der Beteiligten aufeinander abgestimmt werden müssen, auch wenn weder die Stellen noch die Verfahrensregeln verbalisiert sind. Insofern hat der Mensch keine Sonderstellung ... Tatsächlich erscheint es mir höchst wichtig, das leicht aufweisbare moral-analoge Verhalten anderer Lebewesen anzuerkennen und zu untersuchen, wie denn bei ihnen die evolutionär gewachsenen Regelungen dieser für uns moralisch relevanten Problemstellen aussehen.« »Moral-analoges Verhalten« bei Tieren zeigt sich nach Lorenz (1955) z. B. in den verschiedenen Formen von »Loyalität« gegenüber Gruppengenossen, in der Übernahme von

Gemeinschaftsaufgaben, in der »Achtung« vor dem »Besitz« eines Kumpans (z. B. Sexualpartner oder materieller Besitz, wie Futter) oder in der berühmten »natürlichen Tötungshemmung« gegenüber Artgenossen (die nur beim durch die Zivilisation »verdorbenen« Menschen versage, s. Lorenz, 1963). Bischof (1978) hat dazu noch natürliche Hemm-Mechanismen bzw. Widerstände gegenüber Inzest, Hybridisierung und Homosexualität gerechnet. Die »altruistischen« Komponenten treten in einigen weiteren von Lorenz (1954) beschriebenen »moral-analogen« Verhaltensweisen hervor: so in der weitverbreiteten Bereitschaft zu tätiger Unterstützung und Verteidigung schwächerer, sozial tiefer stehender Gruppengenossen durch vor allem ranghohe Sozietätsmitglieder und in der »Regel-Einhaltung« des ritualisierten »Kommentkampfes« (z. B. Angriffsbeginn erst, wenn der Gegner bereit ist, oder der Nichteinsatz der gefährlichsten, tödlichen Waffen und die Beachtung der »Demutsgebärde« als submissives Signal für die Beendigung des Kampfes durch den Sieger). In diesen Fällen schöpft ein Individuum seine Möglichkeiten, den Eigenvorteil auf Kosten des anderen zu maximieren, offenbar nicht voll aus, es verzichtet scheinbar »altruistisch« zugunsten eines schon besiegten Konkurrenten. »Lorenz therefore concluded that such behavior had evolved for the benefit of the species«, bemerkt Kummer (1978). In der Tat wurde »moral-analoges« Verhalten definiert als »altruistisches Verhalten im Dienste der Arterhaltung«.

Wie bereits erwähnt, hat die moderne Evolutionsbiologie überzeugend dargelegt, daß dieses Konzept falsch ist, weil es auf der nicht mehr haltbaren Annahme beruht, daß »altruistisches« Verhalten allein schon aus dem Grunde durch die Selektion begünstigt werde, weil es »arterhaltend« oder »artdienlich« sei. »Angesichts der Tatsache, daß die biologische Selektion auf der Ebene der Gene operiert und die Lebenstauglichkeit der Individuen, nämlich der Träger dieser Gene, das Kriterium bildet, nach dem die Gene ausgelesen werden«, so beschreibt der Philosoph Patzig (1984) den Vorgang, »können auch die offenkundigen Vorteile, die in solchem Verhalten für die Spezies liegen, das Auftreten dieser offenbar ererbten Verhaltensdispositionen nicht erklären: Die Gene, die für solche Verhaltensweisen verantwortlich sind, müßten längst« (durch Kontra-Selektion!) »verschwunden sein, bevor sie der Spezies als Ganzer gegenüber anderen Spezies Vorteile im Kampf um Lebenschancen verschaffen könnten.« Und Wickler (1983) stellt kurz und bündig fest: »Falsch ist allerdings die übliche Begründung, die Tötungshemmung« (und andere oben genannte Verhaltensweisen) »stehe im Dienste der Arterhaltung.«

Alle oben angeführten Beispiele lassen sich über das Prinzip der »indirekten Selektion«, also via Steigerung der »Gesamt-Fitness« und/oder individualselektionistisch auf der Basis spieltheoretischer Modelle (s. z. B. Maynard Smith und Price, 1973; Maynard Smith, 1976; Maynard Smith und Parker, 1976; Axelrod und Hamilton, 1981; Maynard Smith, 1982) insofern viel besser erklären, als hier keine über die darwinische Selektionstheorie hinausgreifenden spekulativen Zusatzannahmen erforderlich sind und zusätzlich zugleich auch das unter bestimmten Bedingungskonstellationen vorhersagbare, von diesen »Normen« abweichende Verhalten als Teilkomponente einer übergreifenden gemischten »Evolutionary Stable Strategy« (Maynard Smith und Price, 1973) erklärt wird und nicht als »deviantes«, »maladaptives« Verhalten interpretiert werden muß (s. oben).

Entsprechend lehnt die Mehrzahl jüngerer Evolutionsbiologen das Konzept von

»moral-analogem« Verhalten überhaupt ab und hat diesen Begriff aus ihrem Vokabular gestrichen, wie das schon im Rahmen einer Dahlem-Konferenz von der Arbeitsgruppe um H. Markl (Markl et al., 1978) vorgeschlagen wurde: »The group concluded that usage of the term ›moral-analogous behavior‹ should be avoided.« Richtig bleibt allerdings, daß die vergleichende Betrachtung von tierischem und menschlichem Verhalten zeigt, daß »there can be pre-moral tendencies to behave in ways that coincide with or come close to those that are characteristically supported by moral thinking« (Mackie, 1982). Aber Moral ist keine Dimension der Natur oder von biologischer Evolution. Wie schon T. H. Huxley (1888) feststellte: »... der Naturverlauf wird weder sittlich noch unsittlich erscheinen, sondern nicht-sittlich«, und somit außer-moralisch. Das gilt auch für die Natur des Menschen.

Den in unserer Geistesgeschichte ständig wiederholten Versuch, aus den »Ist«-Zuständen der Natur auf »Soll«-Werte menschlichen Verhaltens zu schließen, hatte David Hume schon 1741 als »naturalistischen Fehlschluß« (»naturalistic fallacy«) verurteilt. Dieser Trugschluß läßt sich vereinfacht auf die beiden Feststellungen reduzieren: (a) was natürlich ist, existiert, weil es von der natürlichen Selektion begünstigt wurde, es muß demnach »adaptiv« sein; und (b) was adaptiv ist, ist offensichtlich »gut« und sollte deshalb auch als natürliche Grundlage unserer Sittlichkeit dienen können. Ohne Frage ist die zweite Aussage falsch. Zum einen hatten wir bereits aufgezeigt, daß von der Selektion favorisiertes Verhalten keineswegs auch dem Wohl der Art, der Sozietät, ja nicht einmal unbedingt dem Wohl des handelnden Individuums dienen muß; zum zweiten, und das ist von prinzipieller Bedeutung, liegt hier eine unzulässige semantische Sinnverschiebung vor. Kowalski et al. (1978) haben das treffend formuliert: »›Good‹ in the sense of ›favored by the selection‹ and in the sense of ›morally desirable‹ are different concepts misleadingly refered to by the same word. The first concept is descriptive, the second normative, and there is no way of deducing an ›ought‹ from an ›is‹. It follows neither from the earlier group-selectionist definition of adaption (›good for the species‹) that altruism ought to be morally more highly esteemed than egoism, nor from modern gene-selectionist considerations (›the selfish gene‹) that the opposite ought to be the case.« Moral und Ethik sind autonom gegenüber dem Faktischen und wie Mackie (1982) sagt: »there is no way of arguing validly from ›is‹ to ›ought‹, from any truths or plausible hypothesis about the ›natural‹ facts to any moral prescriptions or judgements of value«. Und ebenso richtig ist, »that the difference between ›is‹ and ›ought‹ is never to be bridged by science« (Falger, 1984).

Wissenschaftsgläubigkeit in einer sonst eher desorientierten geistigen Welt aber verführt immer wieder zu der Wunschvorstellung, man könne die »richtigen« Prinzipien und sittlichen Normen menschlichen Zusammenlebens durch naturwissenschaftliche Analysen ermitteln. Damit geraten Evolutionsbiologen, Ethologen und Anthropologen in die ständige Gefährdung, den »naturalistischen Trugschluß« zu begehen und damit gesellschaftspolitischen Ideologien Vorschub zu leisten, die gewissermaßen nahtlos Erkenntnisse aus dem Bereich des Faktischen in den des Normativen überführen, aus der Naturbeschreibung direkt sittliche Maximen ableiten wollen; Ideologien, die in aller Regel schnell ins moralische »Abseits« führen und der Menschheit von jeher weit mehr geschadet als genützt haben. Die Versuchung aber tritt offenbar immer wieder neu auf: normativer Biologismus bleibt eine ständige Gefahr unseres politischen Lebens (Vogel, 1984).

Ich teile nicht die Ansicht von Lumsden und Wilson (1983), daß für die Unterscheidung zwischen dem, was ist, und dem, was sein sollte, Voraussetzung sei, daß es »ein Moralgesetz unabhängig von der organischen Evolution« gäbe. »Absolute ethische Wahrheiten« sind nicht Vorbedingung für die prinzipielle Differenzierung zwischen den Dimensionen des faktischen »Seins« und des normativen »Sollens«, zwischen dem aktuellen »Ist«-Zustand und dem moralisch Wünschenswerten oder dem »kategorischen Imperativ« Kants: einzige Voraussetzung dazu sind reflexives Bewußtsein und weitgehende (nicht absolute!) Entscheidungsfreiheit, sie bedingen das »Gesetz, nach dem der Mensch antrat« (Markl, dieser Band). Das aber sagt: »wer Freiheit zu entscheiden hat, muß auch in eigener Verantwortung entscheiden«, ganz gleich, als wem oder was gegenüber diese Verantwortung auch immer deklariert sei, ob einer als objektiv oder subjektiv, als absolut oder relativ vorgestellten oder gedachten Instanz.

Was aber hat biologische Verhaltensforschung dann überhaupt mit Moral und Ethik zu tun, wenn sie doch »wie alle empirischen Wissenschaften nur damit beschäftigt ist, herauszufinden, was ist« (Patzig, 1984)? Ich schließe mich der Antwort von Kowalski et al. (1978) an, daß biologische Wissenschaften in puncto Moral vor allem zwei Aufgabenbereiche haben: »1) Biology may help answer the question of the origin of moral universals (e.g., of the incest taboo). This does not imply that it could justify why those universals ought to be universals. 2) Once a society has agreed as to what morality its members ought to follow, a better knowledge of human nature, as provided by biology and other behavioral sciences, could help to indicate what measures (e.g., strategies of education and socialisation) would be taken in order to insure that these norms are optimally obeyed and that undesired side-effects are avoided. Again, biology cannot justify the claim that moral laws ought to conform to human nature.«

Die Einstellung, daß es zwischen der Welt des natürlichen »Ist« und der moralisch-normativen Welt des »Soll« keine direkte inhaltliche Bindung geben dürfe, impliziert natürlich nicht die Annahme, daß die moralische »Soll«-Welt der intuitiven »Natur« als eine artifizielle rationale Welt antithetisch gegenübersteht. Ich bin vielmehr der festen Überzeugung, daß menschliche Moral – wie Kultur überhaupt – weder ausschließlich »natürlich«, noch ausschließlich »künstlich«, weder vollständig genetisch vorgezeichnet noch mit dem reinen Verstand geplant ist, sondern daß sie, mit v. Hayek (1979) zu sprechen, auf Traditionen von Verhaltensregeln aufbaut, »die niemals erfunden worden sind, und deren Zweck das handelnde Individuum nicht versteht«. Die Moralität verdankt ihre spezifische Entwicklung der ständigen Wechselwirkung bzw. Rückkopplung von biologischer Evolution und Kulturentwicklung, jenem Prozeß, den man auch als biogenetisch-tradigenetische Koevolution bezeichnet.

Ebensowenig kann aus der Forderung, daß menschliche Ethik die im Dienste der biologischen Fitness-Maximierung stehende »Moral der Gene« transzendieren müsse, zwingend geschlossen werden, daß echtes moralisches Verhalten biologische Fitness-Maximierung ausschließe und daß eine dieses Prädikat verdienende Moral frei von allen eigennützigen Tendenzen und Strebungen zu sein habe. Dies wäre schon in praktischer Hinsicht eine unbillige Forderung: Wenn jede Form von »Egoismus« (vom biologischen »Gen-Egoismus« bis zum subtilsten »sittlichen Perfektions-Egoismus«) als nicht-moralisch zu gelten hätte, dann – so fürchte ich – wäre moralisches Verhalten in praxi wohl kaum existent, es bliebe weitgehend Fiktion und Stoff von Märchen und Mythen, zur Nachahmung anderen empfohlen, und ehest von Heuchlern (wiederum aus eigennützigen Motiven!) für sich selbst reklamiert.

Moralisch vs. unmoralisch kann und darf darüber hinaus nicht mit dem Begriffspaar altruistisch vs. egoistisch gleichgesetzt werden. Ich stimme Kummer (1978) voll zu, wenn er feststellt: »obviously, deviation from selfish opportunism is neither a strictly necessary nor a sufficient criterion of morality«. »Es gibt moralisch falschen Altruismus, und es gibt moralisch extrem falsches Verhalten, das gar nichts mit Egoismus zu tun hat«, sagt Patzig (1984): »Selbstaufopferung zugunsten unwesentlicher Interessen anderer ist moralisch falsch, und die Tendenz, andere mit Gewalt zu ihrem (vermeintlichen) Glück zu zwingen, hat mit Egoismus nichts zu tun und häufig viel schlimmere Folgen für die betroffenen Menschen, als bloßer Egoismus haben könnte. Immerhin ist die Fähigkeit, altruistisch zu handeln, eine der Voraussetzungen moralischer Kompetenz; in vielen und für die Kooperation bedeutsamen Konfliktsituationen zwischen Neigungen und Pflichten geht es genau um diese Fähigkeit, die eigenen Interessen zugunsten wichtiger Interessen anderer Individuen einzuschränken.« Wenn also auch nicht deckungsgleich, eine Beziehung scheint zwischen diesen beiden Begriffspaaren doch zu bestehen: Altruismus begründet nicht Moralität und Egoismus nicht Amoralität, eine gewisse Fähigkeit zu altruistischem Handeln aber ist Voraussetzung für moralische Kompetenz.

Stehen Altruismus und Egoismus aber überhaupt in einem absolut antithetischen Verhältnis zueinander, und welche Konsequenzen hat diese Frage für die Urteilsbildung »moralisch« vs. »unmoralisch«? Verwirrung ist hier leicht zu stiften. So schreiben Solomon et al. (1978): »for example it was suggested, that Buddhist morality, with its stress on the earning of ›merits‹, rendered all other-serving behavior self-interested and thus not altruistic. That is, in leading the moral life, one would still be striving for self-perfection, not for the disinterested goal of satisfying other's interests. The same might be said of certain versions of Christianity, in which the ultimate goal of all good (altruistic) acts is personal salvation«. Die Soziobiologie hat meines Erachtens überzeugend dargetan, wie im biologischen Evolutionsprozeß »altruistisches« Verhalten unmittelbar aus Eigennutz hervorgehen kann, ohne daß zunehmend komplexerer Altruismus seine eigennützige Konnotation verlieren müßte. Der auf das Individuum bezogene »individuelle Fitness-Egoismus« führt unter bestimmten Voraussetzungen, durchaus im Eigeninteresse, zum »reziproken Altruismus« (»Der wahre Egoist kooperiert!«, Hofstadter, 1983) und wird schließlich über das Prinzip der »Verwandten-Selektion« auf der gen-zentrierten Basis eines »Gesamt-Fitness-Egoismus« zum mehr oder weniger weitreichenden Altruismus gegenüber »seinesgleichen« erweitert. Dieses Prinzip läßt sich wohl auch in den Bereich tradigenetischer Entwicklungsprozesse übertragen, von genetischer Verwandtschaft z. B. auf »Bruderschaft im Geiste«, von der biogenetischen Fitness-Maximierung auf die an kulturellen Wertsystemen orientierte Maximierung sittlicher Selbst-Perfektion, z. B. durch Erreichung des utilitaristischen Zieles, möglichst vielen zu größt-möglichem Glück zu verhelfen: Utilitarismus als subtilste Ausdrucksform des Eigennutzes! Selbst die »goldene Regel« moralischen Verhaltens, anderen gegenüber so zu handeln, wie man selbst von diesen behandelt werden möchte (»Quod tibi fieri non vis, alteri ne feceris«) gibt sich unschwer als reflektiert eigennütziger Altruismus zu erkennen, ein verfeinerter »reziproker Altruismus« gewissermaßen. Bewußt oder (wohl noch häufiger) unbewußt maskieren wir vor uns selbst und vor anderen den eigennützigen Kern unseres Handelns mit selbstlosen Motiven und Zielen. Ob »Gen-Egoismus« oder höchster sittlicher »Perfektions-Egoismus«: Fitness verschafft beides, und tradigenetische Fitness wirkt überdurchschnittlich häufig positiv auf biogenetische Fitness zurück. Altruismus und Eigennutz markieren keinen qualitativen Widerspruch, sondern wir bezeichnen damit lediglich die beiden Pole einer eindimensionalen Skala mit quantitativen »Mischungsverhältnissen«, deren Ambivalenz sich gerade in der Doppeldeutigkeit des jeweiligen Verhaltens oder Handelns dokumentiert. »Menschliches Verhalten enthält wahrscheinlich immer egoistische Tendenzen und moralische Ambivalenzen«, sagt Alexander (1983). Moral kann daher nicht im strikten Gegensatz zu Eigennutz gesehen werden und unmoralisches Verhalten ist nicht per se einfach Ausdruck blanker Eigennützigkeit oder von purem Egoismus! Das gilt jedenfalls für den Bereich praktischen Handelns, in der Welt normativer Ideale mag man darüber anders denken.

Insgesamt müssen wir uns sicher darauf einstellen, daß »Moral« ein komplexes ideelles Konstrukt ist, dessen Inhalte sich aus unterschiedlichen Schichten unseres Wesens speisen. In Anlehnung an v. Hayek (1979) nehme ich drei in ihrer Genese verschiedene »Quellen« an: 1) die tief in unserer biologischen Evolution verhaftete Schicht »genetisch ererbter Antriebe« und Motivationen: ich spreche vom *biogenetischen Potential;* 2) die mächtige Schicht traditonal überkommener, in langer geschichtlicher Erfahrung erprobter gesellschaftlicher Verhaltensregeln, die »weder geplant noch verstanden sind«: ich spreche vom *tradigenetischen Potential;* und 3) die »dünne Schicht von Regeln, die bewußt angenommen und modifiziert wurden, um bestimmten Zwecken zu dienen«: ich spreche vom *rationalen Potential.*

Aus diesen drei Potentialen generieren sich mit je unterschiedlichen Gewichtungen die normativen Zielvorstellungen oder Soll-Werte, an denen sich moralisches Verhalten in kulturspezifischer Ausformung orientieren soll. Die Potentiale gehen dabei so innige Verbindungen ein, daß der Versuch einer nachträglichen analytischen Trennung ihrer jeweiligen Einzelbeiträge in der Regel wohl scheitern muß.

Moral ist ein System zur *Bewertung* von Handlungen, Absichten und Motiven. Dieses System ist an eine ganze Reihe – teilweise vielschichtig interdependenter – Voraussetzungen, Fähigkeiten und Ingredienzen gebunden, die im kognitiv-intellektuellen, im emotionalen und im sozialen Bereich liegen. Wir wollen sie kurz Revue passieren lassen und werden dabei feststellen, daß die Mehrzahl dieser Charakteristika *spezifisch menschlich* und zugleich *universal menschlich* ist, so daß – wie wir bereits weiter oben betont hatten – nur Menschen, nicht aber den Tieren, überhaupt Moral (und entsprechend gegebenenfalls auch Unmoral) zuzusprechen ist.

Alle Autoren sind sich darin einig, daß von moralischem bzw. unmoralischem Verhalten nur gesprochen werden kann, wenn Intention bzw. Absicht im Spiel ist. Zielgerichtetes Verhalten wird man auch vielen Tieren zubilligen müssen. Speziell beim Menschen geht es jedoch um Handlungen, die ganz bestimmte Zwecke oder Ziele verfolgen, die u. a. auch an Idealen oder ethischen Werten orientiert sein können. »Reasons have to be evaluative rather than purely instrumental«, bemerken Markl et al. (1978) in diesem Zusammenhang.

Ebenso herrscht Übereinstimmung darin, daß man von moralischem (oder unmoralischem) Verhalten überhaupt nur unter der Voraussetzung sprechen kann, daß eine Wahlmöglichkeit zwischen bestimmten Handlungsalternativen existiert und wahrgenommen werden kann, wenn also ein gewisses Maß an Wahlfreiheit gegeben ist. Kant hat in dieser Freiheit das entscheidende Kriterium moralischer Bewertungsmöglichkeiten gesehen. Auch, wenn viele Tiere die Fähigkeit haben, zwischen verschiedenen Aktionsalternativen zu entscheiden, wird man sie doch nicht als »autonome sittliche Subjekte« ansprechen dürfen, die ihre Entscheidungen an moralischen Wertsystemen messen können. Die »Sollwerte« müssen sich freilich insofern an die (menschliche) Natur halten, als »ought implies can« (Musschenga, 1984).

Man wird nur solches Verhalten mit Moral-Maßstäben messen dürfen, dessen Folgen das handelnde Subjekt voraussehen kann oder von seinen Fähigkeiten her jedenfalls hätte voraussehen können. Dazu gehört die Potenz zur bewußten Reflexion, zur kritischen Prüfung und Abwägung der Handlungskonsequenzen. Wolff (1978) spricht von »awareness of the social consequences of alternative actions«, und Seitelberger (1985) stellt fest, daß nur dem Menschen allein eine über die Wahlmöglichkeit zwischen Handlungsalternativen im aktuellen Erlebnisbereich hinausgehende »weitere Dimension des Entscheidungsraumes zur Verfügung steht: Seine Hirnfähigkeiten ermöglichen nicht nur die treffende Repräsentation der Aktualwirklichkeit im subjektiven Medium des Bewußtseins, sondern auch die projektive Konstruktion von möglichen (zukünftig zu erwartenden, befürchteten, gewünschten) Ereignisverläufen«. Aus diesen spezifisch menschlichen Fähigkeiten erwächst eben auch nur dem Menschen Verantwortlichkeit, die volle Responsibilität für sein Handeln oder Unterlassen.

»A morality which respects the identity of persons, is not only one morality among others, but is indeed the only thing which in the end can be considered as morality«, betont Fried (1978) mit Recht. Voraussetzung von Moralität ist das Konzept »personaler Identität« beim Handlungssubjekt, sind Selbstbewußtheit und ein normatives Selbstbild sowie die Einsicht in die personale Identität, die Selbstbewußtheit und die Selbstbild-Kompetenz beim sozialen Partner. Gerade daran scheint es selbst bei den höchstentwickelten nichtmenschlichen Primaten zu mangeln, worauf wir weiter oben bereits hingewiesen haben. Das Wissen um die personale Identität des Selbst und anderer Personen mag dann dazu führen, daß – in den Worten Bischofs (1978) – »an individual's *selfish* feelings may begin to protect *others* – since he cannot help identifying with them«. In der Tat ist ganz offensichtlich nur der Mensch imstande, sich mit anderen Individuen zu identifizieren: die entscheidende Voraussetzung für Sympathie, Empathie und Mitleid.

Mitleid, das »Fundament der Moral« (Patzig, 1983), gründet sich auf die Fähigkeit, sich in den Zustand und die Gefühle einer anderen Person hineinversetzen zu können. »The capacity for empathy and compassion is central to the development of morality«, schreiben Kowalski et al. (1978). Folgt man Wispés (1968) Definition: »empathy is the self-conscious awareness of the consciousness of the other«, so wird einleuchtend, daß diese Kapazität nur dem Menschen zukommen dürfte. Selbst für die höchsten nicht-menschlichen Primaten konnten bisher keine eindeutigen Belege für ein handlungsbestimmendes mitleidendes Sich-Einfühlen in einen Gruppengenossen gefunden werden: »Es ist unwahrscheinlich, daß ein Schimpanse je aus ähnlichen Gefühlen heraus handelt«, faßt z. B. Goodall (1971) ihre jahrelangen Erfahrungen mit freilebenden Schimpansen zusammen. Sympathie oder »the tendency on the part of one social partner to identity himself with the other and so to make the other's goal to some extend his own« (Humphrey, 1976) gilt vielen als die zentrale Voraussetzung eines echten, nämlich »selbstlosen Altruismus«.

»Classical issues associated with altruism are motivational« betont z. B. Krebs (1978) – das hebt dieses Altruismus-Konzept natürlich deutlich von dem der Soziobiologen ab –, und Cohen (1978) definiert Altruismus direkt »as an act of desire to give something gratuitously to another person or group because he, she, they or it needs it or wants it«, d. h. zumindest ein Stückchen Selbstlosigkeit sollte im Spiel sein. Nach ausführlicher Diskussion einigten sich Solomon et al. (1978) darauf, »that any behavior that deserves to be called ›altruistic‹ required a disposition to help other creatures . . . ›for its own sake‹, not for *only* selfish reasons. The key here, however, is ›only‹, for it may well be that some, or all, altruistic behavior is *also* motivated by selfishness«. Und Moralität – so vermerken Kowalski et al. (1978) – »involves some degree of altruism, taken in the minimum sense of a disposition to take others' interests in account.«

Evolutionsbiologisch ist in diesem Zusammenhang wiederum interessant, daß die Sympathie-Kapazität menschlicher Einzelpersonen offenbar begrenzt ist; Warnock (1971) sprach von »limited sympathies«. Ike (1985) stellt fest, daß »the human primate has a limited capacity for sympathy and cooperation with his conspecifics«, und fährt dann fort: »Limited sympathy is a common denominator of xenophobia, nationalism, identification, Ingroup- v.-Outgroup feelings, territorialism, ›enemy-thinking‹, nepotism, etc.«. Unabhängig davon, ob diese weitreichenden Folgerungen richtig sind oder nicht, bleiben die empirischen Befunde von Buys und Larson (1979) beachtenswert, daß die typische menschliche »Sympathie-Gruppe« bei Personen in unserer westlichen Gesellschaft im Durchschnitt etwa 10,9 Individuen umfaßt. »Indeed, the sympathy-group mean's standard deviation (6.8) places the obtained group sizes somewhere between the range of the primal family (4.1) and a kinship group or small hunting band (18).« Auch hier also wieder ein Hinweis auf die Begrenzung des Adressatenkreises unseres »natürlichen« Altruismus und des ursprünglichen Anwendungsbereiches unserer moralischen Prinzipien. Wir werden diese Problematik am Schluß noch einmal aufgreifen.

Erst, wenn die »Sollwerte« und Vorbilder sittlichen Handelns von den Personen voll »internalisiert« worden sind, »only when this stage is reached can we speak properly of a morality, though as we have seen there can be pre-moral tendencies to behave in ways that coincide with or come close to those that are characteristically supported by moral thinking« (Mackie, 1982). Aus dieser Internalisierung dessen, was man tun sollte und was man nicht tun sollte, können Diskrepanzen zwischen dem Selbstbild und der sozialen Erwartungsnorm entstehen. »The human, capable of self-reflection, can compare himself to the others and perceive himself to be deviant«, schreibt Bischof (1978) und fährt dann fort: »Through identification with the group he participates in their emotional reaction to his deviance. This intrinsic conflict may be the new element in human shame.« Folge des Internalisierungsprozesses sind die typisch menschlichen Gefühle von Scham und Schuld sowie die innere moralische »Instanz« des Gewissens.

Auf der sozialen Ebene ist menschliche Moralität charakterisiert durch allgemeinverbindliche Normen, Verhaltensregeln, Gebote und Verbote, Prinzipien und Werthaltungen, die schließlich bei schriftmächtigen Gesellschaften bzw. Kulturen in die Form von

Gesetzen gefaßt werden können. »We may define norms as general rules for ordering conduct derived from reflective moral reasoning«, schreiben Markl et al. (1978). Sie spekulieren dabei, daß natürliche Selektion »may have given rise to a heritable tendency to accept universal norms, but to implement some of them only under certain conditions, e.g., when of advantage to one's own fitness or to that of one's kin (›nepotism‹). In that case, the selection of a human genotype that develops guilt as a mechanism of self-sanctioning could then be viewed as the ›simplest‹ way of enforcing universal application of norms, or to extend the norms beyond the biological kin-group to larger social units (›tribes‹), and finally to all members of the species or even beyond that boundary«. Kant hat sicher recht, wenn er das Prinzip der Generalisierungsfähigkeit oder Universalisierbarkeit von Verhaltensregeln zum Kerngedanken ethischer Normbildung erhob (Patzig, 1983). Generalisiert und internalisiert wird vor allem auch das Wertsystem, der Maßstab dessen, was als »gut« und »böse«, als »richtiges« oder »falsches« Handeln zu gelten hat. »The associations of moral sentiments with the practices, in particular disapproval of violations, the feeling that they are wrong or not to be done, and a sense of guilt about one's own transgressions, is a major part of such internalization« (Mackie, 1982). Eine wichtige praktische Funktion aller das Verhalten regelnden Konventionen und Normen ist sicherlich die verläßliche Beseitigung einer beängstigenden und oft gefährlichen Verhaltensunsicherheit bezogen sowohl auf die eigene Person als vor allem auch auf die Sozialpartner, deren Verhalten durch die Normierung erst die erforderliche Vorhersagbarkeit gewinnt; kurz, sie dienen einer »Harmonisierung« und Synchronisation der Gesellschaft über den persönlich vertrauten Kreis der biologischen Verwandtschaftsgruppe hinaus. Das wiederum ist auch eine evolutionsbiologisch wirksame Funktion, die im Kontext der »Intergruppen-Selektion« wichtig werden kann. »This line of reasoning« – so argumentieren Markl et al. (1978) – »suggests that morality might have arisen as a mechanism increasing the fitness of a group in competition with other groups, but only on a level of freedom of rational reasoning which at the same time opened a way to transcend the striving for fitness as an ultimate goal.« Moral als ein auch von den biologischen Fitness-Imperativen befreiendes Element der Hominisation, das uns dann fortschreitend erweiterte Verantwortung auferlegt: nicht mehr nur für unsere Sippe, unseren »Stamm«, unsere Nation, unsere Art, nein für die gesamte Erde! Unsere Verhaltensregeln, sittlichen Normen, Prinzipien und Werte werden sich dieser »Aufgaben«-Erweiterung sehr schnell und weltweit anpassen müssen, wenn wir den totalen Kollaps unseres »Lebensraumes Erde« noch verhindern wollen. Wir werden sogleich an diesem Punkt wieder anknüpfen.

Nur am Rande möchte ich erwähnen, daß es zur Durchsetzung sozialer Normen entsprechender Sanktionen bedarf, die Abweichungen von den moralischen Prinzipien bestrafen. Weiterhin erscheint mir der Hinweis wichtig, daß sich moralisches Verhalten insgesamt positiv auf das Überleben und das Wohl der Gemeinschaft auswirken sollte und daß – wie Kowalski et al. (1978) konstatieren – »moral concepts relate, in particular, to the following items: a) rules and prohibitions; b) consequences of acts, particularly with regard to welfare and happiness; c) human qualities and dispositions that are to be admired, emulated or deplored«. Was wir Moral nennen, reicht von praktikablen sittlichen Verhaltensregeln bis zu in der allgemeinen Praxis unerreichbaren ethischen Idealen, die als anstrebenswerte Zielvorgaben dienen. Diese Ideale sind in aller Regel erheblich weiter von

unseren biologischen Dispositionen entfernt, als das praktikable Handlungsnormen je
sein können. So ist z. B. das ethische Ideal einer universalen Gerechtigkeit (oder auch das
einer globalen Liebe) mit unseren biologisch via natürliche Selektion entstandenen Veranlagungen weit weniger in Einklang zu bringen, als das an Sport und Spiel erinnernde
Prinzip »Fairneß«. »Fair play« hat jedenfalls noch verläßlich festgelegte und notfalls
einklagbare »Spielregeln«, es bezieht sich nur auf einen begrenzten, die Regeln anerken-
nenden Mitgliederkreis und beruht mithin auf der altvertrauten Reziprozität im Rahmen
kooperativer Konkurrenz.

## Die neue Verantwortung

Nun kann es keinem Zweifel unterliegen, daß unsere bis dato in der Menschheitsgeschichte allgemein praktizierte Moral den jetzt vor uns stehenden Aufgaben und zukünftigen Anforderungen in gar keiner Weise genügt. Sie trägt weithin noch die stammesgeschichtlich uralten biogenetischen Charakterzüge dessen an sich, was wir weiter oben die
»Moral der Gene« genannt hatten. »In der Tat« – so schreibt z. B. Alexander (1983) –
»werden Loyalität und Patriotismus in der Gruppe als höchste Form von Moral und
Tugend verehrt. Aber eben diese Art und Stärke der ›Moral‹ innerhalb der Gruppe hat
durch Konflikte zwischen den Gruppen auch die verheerendsten Probleme geschaffen –
das müssen wir irgendwie ändern. Was wir suchen, wenn wir an Weltfrieden und
weltweites Recht denken, hat es noch nie in der Geschichte des Lebens und noch weniger in
der Geschichte der Menschheit gegeben. Nichts scheint zu beweisen, daß Menschen oder
andere Lebewesen je den unterschiedslosen, die ganze eigene Art umfassenden Altruismus entwickelt haben, den die moralischen Modelle der Philosophie und der Religion
vorschreiben.« Von Natur aus sind wir leider keine »einzige Familie Menschheit«; wenn
wir das werden wollen, müssen wir uns das gegen unsere Natur erst schwer erarbeiten!
Daß unsere biogenetische Evolution uns nicht als universelle Menschenfreunde geschaffen hat, dürfte nach den vorangegangenen Ausführungen verständlich sein: natürliche
Selektion ist dazu ganz untauglich, denn jedes sich unterschiedslos zu allen Artgenossen in
gleicher Weise altruistisch verhaltende Individuum wäre in der biogenetischen Konkurrenz hoffnungslos unterlegen. Selektion produziert zwangsläufig differentielles Investment von Unterstützung, Hilfeleistung und Kooperation.

»In fact, in primitive cultures altruistic norms apply only to clan members, and are often
reversed for foreigners«, konstatiert Bischof (1978), und schon Kropotkin (1902) beklagte
diese »doppelte Moral«: »Daher ist das Leben der Wilden in zwei Reihen von Handlungen
geteilt und tritt unter zwei verschiedenen ethischen Formen in Erscheinung: die Beziehung innerhalb des Stammes, und die Beziehung zu den Außenstehenden; und das
›intertribale‹ Recht weicht (wie unser Völkerrecht) sehr vom gemeinen Recht ab. Wenn es
daher zu einem Krieg kommt, mögen die empörendsten Grausamkeiten die höchste
Bewunderung des Stammes hervorrufen. Diese doppelte Moral geht durch die ganze
Entwicklung der Menschheit hindurch und hat sich bis zum heutigen Tag erhalten.« Für
unsere Gesellschaft stellt Mackie (1982) nüchtern fest: »It is perfectly possible for people to
combine the finest moral sensitivity in relation to their fellows with extreme inhumanity

towards ›brute beasts‹ and defective human beings, or indeed to non-defective human beings whom they see as in some way alien to themselves and their associates.« Wer von uns kennt nicht beängstigende Belege für diese Aussage! In welche menschliche Kultur oder Gesellschaft man auch schaut, Hilfsbereitschaft und Solidarität sind sorgfältig abgestuft: in aller Regel so, wie es der soziobiologisch geschulte Evolutionsbiologe geradezu erwarten müßte. In seltener Klarheit hat Henry Sidgwick (hier zitiert nach Patzig 1984) in seinem Buch »Methods of Ethics« (1894) diesen Zustand allgemeinen Consenses dargestellt: »Wir sind uns darüber einig, daß jeder einzelne verpflichtet ist, sich gegenüber seinen Eltern, seinem Ehegatten und seinen Kindern freundschaftlich und hilfsbereit zu verhalten, auch gegenüber anderen Verwandten, aber in jeweils geringerem Grade, und gegenüber denen, die ihm hilfreich gewesen sind und gegenüber anderen, die er in seinen engsten Umkreis aufgenommen hat, und gegenüber Nachbarn und Landsleuten mehr als gegenüber anderen Menschen, gegenüber den Angehörigen unserer Rasse mehr als gegenüber Schwarzen und Gelben und, allgemein, gegenüber Menschen je nach ihrer Nähe zu uns.« »Verwandten-Selektion« und »reziproker Altruismus«: die altvertrauten Prinzipien biogenetischer Fitness-Maximierung!

In der Tat sind alle faktisch praktizierten Moralformen *nicht* egalitär. Unbestreitbar freilich – so auch Mackie (1982): »there have been and are egalitarian moral theories; but the question is whether these can actually operate in practice«. Und er fährt fort: »we can see how sympathy and imagination can generate egalitarian moral sentiments; but egalitarian, like humanitarian, sentiments are likely to control people's conduct only when the costs to the agents themselves and those close to them is not certain to be too great«.

Ganz offensichtlich sind moralische Normen zunächst in den kleinen ursprünglichen Primärgruppen einander persönlich bekannter Menschen entstanden. Angelsächsische Anthropologen haben dafür die treffende Bezeichnung der »face-to-face-group« (s. auch die weiter oben erwähnten »Sympathie-Gruppen« bei Buys und Larson, 1979). »Wir können in der Geschichte verfolgen, wie mühsam die Ausdehnung der Sippen- und Clan-Solidarität auf größere menschliche Verbände war, etwa in der griechischen Polis. Erst seit ca. 300 v. Chr. wurde von der ›Stoa‹ mit Vernunftsgründen ein ethischer ›Kosmopolitismus‹ vertreten« (Patzig, 1983). Das war und blieb aber Theorie, es wurde nie allgemein praktizierte Moral.

Unsere Probleme, Aufgaben und Verantwortlichkeiten haben sich jedoch in jüngster Zeit grundlegend geändert, und dabei werden wir auf gar keinen Fall mehr mit unserer angestammten moralischen Familien-, Clan- und Stammes-Mentalität auskommen. Wollen wir die Katastrophe verhindern, so brauchen wir eine erheblich erweiterte, rational begründete und universal konsensfähige Moral, auf die wir stammesgeschichtlich kaum vorbereitet sind. Die neue Situation ist nicht unvermittelt plötzlich eingetreten, doch hatte sie eine für entsprechende biogenetische Anpassungsvorgänge viel zu kurze Vorlaufphase. Zum ersten Mal in der Geschichte des Lebens brach mit dem modernen Menschen eine Ökosystem-Komponente aus allen koevolutiven »Selbstkontrollen« der Ökosysteme aus. Die neue Realität begann schleichend (vor kaum mehr als 10000 Jahren), als kleine, besonders innovative Populationen der damaligen Menschheit vom über Jahrhunderttausende betriebenen Sammler- und Wildbeuterleben zu Landbau und Viehzucht übergingen, ein Vorgang, den man mit Recht als einen fundamentalen Umbruch für das Dasein der Natur auf unserer Erde bezeichnen kann. Der »Zeitzünder«, der mit diesem Initialprozeß der aktiven Umweltmanipulation durch den Menschen gesetzt war, er zündete eigentlich erst in allerjüngster historischer Vergangenheit: nach dem Übergang in das hochtechnische Industriezeitalter.

Bisher hat der Mensch zwar mehrfach die Mittel, kaum jedoch die (selbst ihm in der Regel verborgenen) Zwecke seines Verhaltens und Handelns geändert: er verwendete seine »stupende Intelligenz« nach wie vor in erster Linie dazu, mit seinen neuen kulturellen Mitteln das alte darwinische Fitness-Rennen nur um so rasanter und entsprechend erfolgreicher fortzusetzen. Indem er mit wachsendem Erfolg und Tempo die populationsbegrenzenden Faktoren der Ökosysteme durch die Errungenschaften seiner Intelligenz und Technik ausschaltete, also die natürlichen Grenzen seines Bevölkerungswachstums immer weiter hinausschob, waren ökologische Krisen und schließlich ökologische Katastrophen langfristig programmiert. »Wenn uns dieser grandiose Erfolg unserer Art nun zunehmend mehr Probleme bereitet und zugleich aller Natur um uns herum, so nicht, weil wir den Pfad natürlicher Tugend verlassen hätten, sondern weil wir ihn bisher geradezu besinnungslos konsequent verfolgten« (Markl, 1984). Und das, was hier ironisch der »Pfad natürlicher Tugend« genannt wird, ist nichts anderes, als der seit Jahrmilliarden im Lebensstrom von der Selektion ständig belohnte Weg der Fitness-Maximierung.

Uns bleibt, ob wir wollen oder nicht, nur eine Chance, eine Art Flucht nach vorn: Die eigenverantwortliche Übernahme der Rolle des Kontrolleurs, des Hegers und Lenkers des von uns endgültig aus dem Gleichgewicht gebrachten globalen Ökosystems. Der Lohn unseres »Sieges« im darwinischen Konkurrenzkampf heißt Verantwortung, in diesem Fall ein eher ängstigender »Lohn«. Auf diese Rolle aber sind wir evolutiv nicht vorbereitet. »Die Rolle des Ökosystemkontrolleurs« – so sagte das Otto Kinne (1984) – »erfordert neben Vertiefung unseres Verständnisses der unerhört komplexen Systemdynamik die Selbstkontrolle der eigenen Überlegenheit, Selbsteinschränkung und die Entwicklung einer umfassenden Verantwortlichkeit für die Mitkreatur. Diese Eigenschaften entstehen nicht im Rahmen der natürlichen Selektion. Dafür gibt es keine biologischen Evolutionsmechanismen.« Uns mangelt es an beidem, an ausreichendem Wissen und vor allem auch an einer globalen Moral, die dieser Verantwortung gerecht wird. Eine solche Moral muß sich von allen biogenetischen Fitness-Zwängen, aus allen bisher so selektionswirksamen Egozentrismen, Sippen- und Clan-Egoismen, Nationalismen, Ethnozentrismen, Anthropozentrismen und kurzsichtigen Gegenwartsbezogenheiten endgültig lösen, um wahrhaft ökumenisch und ökologisch zu werden. Eine auf praktische Vernunft und globale Konsensfähigkeit, nicht auf Metaphysik, Religionen, Ideale oder Ideologien sich gründende »ökologische Ethik« (Patzig, 1983), tut not.

Wie es keine auf dem Prinzip der »Arterhaltung« basierende, die ganze Menschheit umfassende »natürliche Moral« gibt und geben kann, so gibt es erst recht keine biogenetisch fundierte Moral gegenüber den anderen Organismen dieser Erde. Moralische Verpflichtungen gegenüber Tieren und Pflanzen anzuerkennen, ist – so Patzig – »eine markante Erweiterung des Einzugsbereichs moralischer Normen über das ursprüngliche Anwendungsgebiet hinaus«. Und: »Tiere haben, wie man im Anschluß an Joel Feinberg formulieren kann, keine Rechte gegenüber dem Menschen, aber Menschen haben Pflichten gegenüber den Tieren.«

Verantwortung tragen wir im wesentlichen vor den kommenden Generationen. Entsprechend formuliert Patzig (1983) das Grundkonzept einer ökologischen Ethik so: »Wir sind verpflichtet, den künftigen Bewohnern des Planeten diesen in einem Zustand zu hinterlassen, der ihnen ein Leben ermöglicht, wie wir es selbst für lebenswert halten.«

Ob wir dieses Ideal erreichen, noch rechtzeitig erreichen? Welche Strategie sollte man zu diesem Zwecke verfolgen? Wird die im wohlverstandenen langfristigen Eigeninteresse aller Menschen zu entwickelnde globale kooperative Disposition (Mackie, 1977) sich durchsetzen können gegenüber den vielfältigen lokalen Versuchungen, kurzfristigen Egoismus hier und jetzt auf Kosten anderer zu befriedigen? Mag man skeptisch sein; hoffen müssen wir!

Wie ich diesen Aufsatz mit einem Wort von Hans Jonas eröffnet habe, so möchte ich ihn auch mit einem Wort dieses Philosophen schließen, mit seinem berühmt gewordenen Imperativ: »Handle so, daß die Wirkungen deines Handelns nicht zerstörerisch sind für die Permanenz echten menschlichen Lebens auf Erden.«

## Anmerkungen

[1] Evolutionsbiologen verstehen unter »altruistischem« Verhalten jedes Verhalten, das einem Artgenossen auf Kosten des »Altruisten« nützt. Kosten und Nutzen werden dabei jeweils in der »Währung« der eigenen (direkten) Nachkommenzahl gemessen: der »Altruist« reduziert durch solches Verhalten also seine eigene potentielle Nachkommenschaft und damit seine eigene »individuelle Fitness« zugunsten der »individuellen Fitness« eines anderen. Bei diesem Wortgebrauch wird überhaupt kein Wert auf »uneigennützige Motivation« gelegt, eine solche wird dem »Altruisten« nicht unterstellt. Das gleiche gilt hinsichtlich der soziobiologischen Verwendung der Termini »selfish« bzw. »eigennützig«: auch hier wird keinerlei »egoistische« Motivation unterstellt. »The biological terms involved refer to consequences of behaviour, the moral terms to intentions of individuals« (Voorzanger, 1984). Man mag die unglückliche terminologische Begriffsverwischung bedauern, man wird sie nicht mehr eliminieren können. Es sollte jedoch immer mit Nachdruck klargestellt werden, daß Gene (bzw. Allele) im moralisch-intentionalen Sinne weder »egoistisch« bzw. »eigennützig« noch »altruistisch« sein können, desgleichen bestehen gegenüber Genen (bzw. Allelen) oder Gen-Pools niemals moralische Verpflichtungen oder Verantwortlichkeiten. Im moralischen Sinne eigennützig oder altruistisch können nur Personen, also »sittlich autonome Subjekte« handeln.

[2] Unter »Allelen« verstehen Genetiker die Varianten eines bestimmten Gens, die, als Mutationen auseinander hervorgegangen, sich wechselseitig an ein und demselben »Genort« auf dem entsprechenden Chromosom »vertreten« können.

[3] s. z. B. im sog. »Heidelberger Manifest« des »Schutzbundes für das Deutsche Volk« (1981): »Jedes Volk, auch das deutsche Volk, hat ein Naturrecht zur Erhaltung seiner Identität und Eigenart in seinem Wohngebiet.«

## Literatur

Alexander, R. D. (1975): The search for a general theory of behavior. Behavioral Science *20*, 77–100.

Alexander, R. D. (1983): Biologie und moralische Paradoxa. In: Der Beitrag der Biologie zu Fragen von Recht und Ethik (Hrsg.: M. Gruter und M. Rehbinder), Schriftenreihe zur Rechtssoziologie und Rechtstatsachenforschung Bd. 54, Duncker und Humblot, Berlin, 161–173.

Axelrod, R., und Hamilton, W. D. (1981): The evolution of cooperation. Science *211*, 1390–1396.

Barash, D. P. (1977): Sociobiology and behavior. Elsevier, New York.

Bischof, N. (1975): Comparative ethology of incest avoidance. In: Biosocial anthropology (Hrsg.: R. Fox), Malaby Press, London, 37–67.

Bischof, N. (1978): On the phylogeny of human morality. In: Morality as a biological phenomenon (Hrsg.: G. S. Stent), Dahlem Konferenzen, Abakon, Berlin, 53–73.

Blurton Jones, N., und Sibly, R. M. (1978): Testing adaptiveness of culturally determined behaviour: do bushman women maximize their reproductive success by spacing births widely and foraging seldom? In: Human behaviour and adaptation (Hrsg.: N. Blurton Jones und V. Reynolds), Taylor und Francis, London, 135–157.

Buys, D. J., und Larson, K. L. (1979): Human sympathy groups. Psychol. Reports *45*, 547–553.

Campbell, D. T. (1975): On the conflicts between biological and social evolution and between psychology and moral tradition. Amer. Psychol. *30*, 1103–1126.

Campbell, D. T. (1978): Social morality norms as evidence of conflict between biological human nature and social system requirements. In: Morality as a biological phenomenon (Hrsg.: G. S. Stent), Dahlem Konferenzen, Abakon, Berlin, 75–92.

Chagnon, N. A. (1979): Mate competition, favoring close kin, and village fissioning among the Yanomamö Indians. In: Evolutionary biology and human social behavior. An anthropological perspective (Hrsg.: N. A. Chagnon und W. Irons), Duxbury Press, North Scituate, Massachusetts, 86–132.

Cohen, R. (1978): Altruism: human, cultural, or what? In: Altruism, sympathy, and helping (Hrsg.: L. Wispé), Academic Press, New York, 79–100.

Darwin, C. R. (1859): On the origin of species by means of natural selection. John Murray, London. (Zitiert nach der deutschen Ausgabe: Die Entstehung der Arten durch natürliche Zuchtwahl, Philipp Reclam, Stuttgart 1963.)

Darwin, C. R. (1871): The descent of man, and selection in relation to sex. John Murray, London. (Zitiert nach der deutschen Ausgabe: Die Abstammung des Menschen, Alfred Kröner, Stuttgart 1982.)

Dawkins, R. (1976): The selfish gene. University Press, Oxford.

Dawkins, R. (1982): The extended phenotype: the gene as the unit of selection. W. H. Freeman Co., Oxford/San Francisco.

Durham, W. H. (1982): Interactions of genetical and cultural evolution: models and examples. Human Ecology *10*, 289–323.

Eibl-Eibesfeldt, I. (1984): Die Biologie des menschlichen Verhaltens. Grundriß der Humanethologie. Piper, München.

Falger, V. S. E. (1984): Sociobiology and political ideology: comments on the radical point of view. J. Hum. Evol. *13*, 129–135.

Frazer, J. J. (1910): Totemism and exogamy. Macmillan, London.

Fried, C. (1978): Biology and ethics: normative implications. In: Morality as a biological phenomenon (Hrsg.: G. S. Stent), Dahlem Konferenzen, Abakon, Berlin, 209–219.

Galton, F. (1869): Hereditary genius. An inquiry into its laws and consequences. Macmillan, London.

Goodall, J. van Lawick (1971): Wilde Schimpansen. Rowohlt, Reinbek.

Goodall, J. (1977): Infant killing and canibalism in free-living chimpanzees. Folia primatol. *28*, 259–282.

Goodall, J. (1979): Life and death at Gombe. National Geographic *155*, 592–621.

Gruter, M. (1983): Die Bedeutung der biologisch orientierten Verhaltensforschung für die Suche nach den Rechtstatsachen. In: Der Beitrag der Biologie zu Fragen von Recht und Ethik. (Hrsg.: M. Gruter und M. Rehbinder), Schriftenreihe zur Rechtssoziologie und Rechtstatsachenforschung Bd. 54, Duncker und Humblot, Berlin, 225–241.

Hamilton, W. D. (1964): The genetical evolution of social behavior. J. Theor. Biol. 7, 1–52.

Hausfater, G., und Hrdy, S. B. (1984): Infanticide. Comparative and evolutionary perspectives. Aldine, New York.

Hayek, F. A. von (1979): Die drei Quellen der menschlichen Werte. Walter Eucken Institut: Vorträge und Aufsätze *70*, J. C. B. Mohr, Tübingen.

Hofstadter, D. R. (1983): Metamagikum. Kann sich in einer Welt voller Egoisten kooperatives Verhalten entwickeln? Spektrum der Wissenschaft, August 1983, 8–14.

Humphrey, N. K. (1976): The social function of intellect. In: Growing points in ethology (Hrsg.: P. P. G. Bateson und R. A. Hinde), University Press, Cambridge, 303–317.

Huxley, T. H. (1888): The struggle for existence in human society. The Nineteenth Century Vol. *23*, 161–180.
(Zitiert nach der deutschen Ausgabe: Soziale Essays: Der Daseinskampf in der menschlichen Gesellschaft, Weimar 1897.)

Huxley, T. H. (1893): Evolution and ethics. The Romanes Lecture, 1893. Nachgedruckt in: T. H. Huxley und J. Huxley (1947): Touchstone for ethics. Harper & Brothers, New York/London, 67–112.

Ike, B. (1895): Limited sympathy. Abstracts of the fifth meeting of the European Sociobiological Society, Oxford, U. K., 3–4.

Jonas, H. (1979): Das Prinzip Verantwortung. Insel-Verlag, Frankfurt (Main).

Kinne, O. (1984): Ökologie – Brennpunkt biologischer Forschung und Schicksalsfrage für die Menschheit. In: Karl Ritter von Frisch-Medaille: Wissenschaftspreis 1984 der Deutschen Zoologischen Gesellschaft (Hrsg.: G. Peters), Gustav Fischer, Stuttgart, 24–37.

Kowalski, G. W.; Bischof, N.; Searle, J. R.; Maynard Smith, J.; Rheingold, H. L.; Turiel, E.; Williams, B., und Wolff, P. H. (1978): Psychology. Group report. In: Morality as a biological phenomenon (Hrsg.: G. S. Stent), Dahlem Konferenzen, Abakon, Berlin, 259–282.

Krebs, D. (1978): A cognitive-developmental approach to altruism. In: Altruism, sympathy, and helping (Hrsg.: L. Wispé), Academic Press, New York, 141–164.

Krebs, J. R., und Davies, N. B. (1981): An introduction to behavioural ecology. Blackwell, Oxford, U. K.

Kropotkin, P. (1902): Mutual aid. A factor of evolution. Mc. Clure, Philipps & Co., New York.
(Zitiert nach der deutschen Ausgabe: Gegenseitige Hilfe in der Tier- und Menschenwelt, Ullstein, Frankfurt [Main] 1975.)

Kropotkin, P. (1904): The ethic need of the present day. The Nineteeth Century, August 1904, 207–226.
(Zitiert nach der deutschen Ausgabe: Ursprung und Entwicklung der Sitten, 1. Kapitel: Das Bedürfnis der Gegenwart nach Ausgestaltung der Grundlagen der Sittlichkeit, K. Kramer-Verlag, Berlin 1976.)

Kummer, H. (1978): Analogs of morality among nonhuman primates. In: Morality as a biological phenomenon (Hrsg.: G. S. Stent), Dahlem Konferenzen, Abakon, Berlin, 35–52.

Lorenz, K. (1954): Moral-analoges Verhalten geselliger Tiere. Forschung und Wirtschaft *4*, 1–23.

Lorenz, K. (1955): Über das Töten von Artgenossen. Jahrb. d. Max-Planck-Ges. Göttingen, 105–140.

Lorenz, K. (1963): Das sogenannte Böse. Borotha-Schoeler, Wien.

Lumsden, C. J., und Wilson, E. O. (1983): Promethean fire. Reflections on the origin of mind. Harvard University Press, Cambridge, Mass./London.
(Zitiert nach der deutschen Ausgabe: Das Feuer des Prometheus. Wie das menschliche Denken entstand. Piper, München 1984.)

Mackie, J. L. (1977): Ethics, inventing right and wrong. Penguin, Hammondsworth.

Mackie, J. L. (1982): Cooperation, competition and moral philosphy. In: Cooperation and competition in humans and animals (Hrsg.: A. M. Colman), Van Nostrand Reinhold, Wokingham, U. K., 271–284.

Markl, H. (1983a): Wie unfrei ist der Mensch? Von der Natur in der Geschichte. In: Natur und Geschichte (Hrsg.: H. Markl), Oldenbourg, München, 11–50.

Markl, H. (1983b): Die Dynamik des Lebens: Entfaltung und Begrenzung biologischer Populationen. In: Natur und Geschichte (Hrsg.: H. Markl), Oldenbourg, München, 71–100.

Markl, H. (1984): Die Erde, doch hoffentlich ein Garten... Die Verantwortung für den Bestand des Lebens – Evolution und ökologische Krise. Stadt 31, 12–18.

Markl, H.; Butenandt, E.; Campbell, D. T.; Ebling, F. J. G.; Eckensberger, L. H.; Fried, C., und Kummer, H. (1978): Evolution of morals? Morals of evolution? Group report. In: Morality as a biological phenomenon (Hrsg.: G. S. Stent), Dahlem Konferenzen, Abakon, Berlin, 233–257.

Maynard Smith, J. (1964): Group selection and kin selection. Nature (Lond.) 201, 1145–1147.

Maynard Smith, J. (1976): Evolution and the theory of games. American Scientist 64, 41–45.

Maynard Smith, J. (1982): Evolution and the theory of games. Cambridge University Press, Cambridge, U. K.

Maynard Smith, J., und Parker, G. A. (1976): The logic of asymmetric contests. Anim. Behav. 24, 159–175.

Maynard Smith, J., und Price, G. R. (1973): The logic of animal conflict. Nature (Lond.) 246, 15–18.

Musschenga, A. W. (1984): Can sociobiology contribute to moral science and ethics? J. Hum. Evol. 13, 137–147.

Nagel, T. (1978): Ethics as an autonomous theoretical subject. In: Morality as a biological phenomenon (Hrsg.: G. S. Stent), Dahlem Konferenzen, Abakon, Berlin, 221–231.

Patzig, G. (1983): Ökologische Ethik. In: Natur und Geschichte (Hrsg.: H. Markl), Oldenbourg, München, 329–347.

Patzig, G. (1984): Verhaltensforschung und Ethik. Neue Deutsche Hefte, Jg. 31, 675–686.

Reynolds, V. (1984): The relationship between biological and cultural evolution. J. Hum. Evol. 13, 71–79.

Seitelberger, F. (1985): Freiheit und Verantwortung: Neurobiologische und medizinische Gesichtspunkte. Unveröffentl. Abstract zur Vorbereitung der Tagung: Erträge der Verhaltensforschung für die Sozialwissenschaften und Konsequenzen für das Recht, 4.–6. 9. 1985, München.

Solomon, R. C.; Geertz, C.; Gellner, E. A.; Goody, J.; Jenner, F. A.; Nagel, T.; Stent, G. S.; Tu, W., und Wolters, G. W. (1978): Sociobiology, morality, and culture. Group report. In: Morality as a biological phenomenon (Hrsg.: G. S. Stent), Dahlem Konferenzen, Abakon, Berlin, 283–307.

Stent, G. S. (1978): Introduction: the limits of the naturalistic approach to morality. In: Morality as a biological phenomenon (Hrsg.: G. S. Stent), Dahlem Konferenzen, Abakon, Berlin, 13–21.

Stent, G. S. (1984): Ethische Dilemmas der Biologie. In: Verantwortung und Ethik in der Wissenschaft (Hrsg.: Max-Planck-Gesellschaft, München), Berichte und Mitteilungen 3/84, 88–102.

Trivers, R. L. (1971): The evolution of reciprocal altruism. Quart. Rev. Biol. 46, 35–57.

Vogel, C. (1984): Ethische Überlegungen zur Anthropologie und Ethologie. In: Verantwortung und Ethik in der Wissenschaft (Hrsg.: Max-Planck-Gesellschaft, München), Berichte und Mitteilungen 3/84, 115–136.

Vogel, C. (1985): Helping, cooperation, and altruism in primate societies. In: Experimental behavioral ecology (Hrsg.: B. Hölldobler und M. Lindauer), Gustav Fischer, Stuttgart, 375–389.

Voland, E. (1984): Bestimmungsgrößen für differentielles Elterninvestment in einer menschlichen Population. Anthropol. Anz. *42*, 197–210.

Voorzanger, B. (1984): Altruism in sociobiology: a conceptual analysis. J. Hum. Evol. *13*, 33–39.

Warnock, C. J. (1971): Object of morality. Methuen & Co., London.

Wickler, W. (1969): Sind wir Sünder? Naturgesetze der Ehe. Droemer Knaur, München.

Wickler, W. (1983): Hat die Ethik einen evolutionären Ursprung? In: Die Verführung durch das Machbare. Ethische Konflikte in der modernen Medizin und Biologie (Hrsg.: P. Koslowski, P. Kreuzer und R. Löw), Civitas Resultate Band *3*. S. Hirzel, Stuttgart, 125–140.

Wickler, W., und Seibt, U. (1977): Das Prinzip Eigennutz. Ursachen und Konsequenzen sozialen Verhaltens. Hoffmann & Campe, Hamburg.

Williams, G. C. (1966): Adaptation and natural selection. A critique of some current evolutionary thought. Princeton University Press, Princeton, N. J.

Wind, J. (1980): Man's selfish genes, social behavior and ethics. J. Social Biol. Struct. *3*, 33–41.

Wispé, L. (1978): Introduction. In: Altruism, sympathy, and helping. (Hrsg.: L. Wispé), Academic Press, New York, 1–9.

Wolff, P. H. (1978): The biology of morals from a psychological perspective. In: Morality as a biological phenomenon (Hrsg.: G. S. Stent), Dahlem Konferenzen, Abakon, Berlin, 93–103.

Ephraim Katchalski-Katzir

# Impact of Basic Research on Modern Biotechnology

Scientists involved in basic research use the theoretical and experimental techniques afforded by the natural sciences in order to understand natural phenomena. Those involved in applied research utilize the results of the basic scientists in order to develop new processes and products of practical value. For centuries the main technique used to attain desired practical goals was trial and error. It was only during the last few decades that research workers in the basic and applied sciences etablished the close collaborative links which have been directly responsible for the technological explosion of the twentieth century. In the life sciences, and particularly in molecular biology, rapid progress over the last twenty years has paved the way for applied research workers to utilize living organisms in the development of new processes and new products. Biotechnology has thus been established as a discipline combining the findings of molecular biology with those of modern chemical, pharmaceutical and agricultural technology.

Biotechnology is generally defined as the application of biological organisms, systems or processes to the manufacturing and service industries. It thus integrates biochemistry, biology, microbiology, chemical engineering and process engineering in a way that optimally exploits the inherent potential of each of these disciplines. Applications to health care, energy, agriculture, waste treatment and the environment are implicit in this definition.

Biotechnology is in fact not new, but represents a developing and expanding technology based on a centuries-old foundation. Traditionally, biotechnology has involved the production of food (notably beer, wine, bread and dairy products), food ingredients, antibiotics, and the disposal of waste.

As long ago as 6000 BCE beer was brewed by the ancient Sumarians and Babylonians. The Egyptians were baking leavened bread by 4000 BCE, and wine was known in the Middle East by the time of the Book of Genesis.

The notion that these foods were produced through the agency of a living organism, viz., yeast, was formulated in the 17th century by the Dutch microscopist Anthony van Leeuwenhoek, who in a now-famous series of letters to the Royal Society in London described his astounding discovery of the world of microorganisms revealed by the microscopes he had constructed out of his own hand polished lenses. However, the idea that microorganisms can carry out complex chemical reactions was received with scepticism as it clashed with the accepted chemical theories of the day. The classic work of Pasteur in France between 1857 and 1876 demonstrated the role of microorganisms – bacteria, yeast and fungi – in fermentation and thus laid the foundation for the science of biotechnolgy, of which he may justifiably claim to be the father. His basic discoveries resulted in a better understanding of the processes occurring both in aerobic and in anaerobic fermentation, and led in time to the improvement of industrial-scale fermentation processes for the production of chemicals such as ethanol, acetic acid and lactic acid. Pasteur's demonstration of the existence of beneficial microorganisms, such as those used in food processing, as well as harmful ones causing disease led to the development of techniques for active immunization of animals and man by vaccination and passive immunization by the injection of appropriate antibodies. Pasteur's experimental procedures were fairly simple and straightforward; however, the results he obtained were striking. He was thus able to offer plausible explanations in terms that were readily understood and his public lectures used to draw huge audiences at the Paris Opera House.

The importance of biotechnological developments in the area of fermentation was dramatically highlighted during the First World War, when interruption of the normal supplies of raw materials forced the combatant nations to look for new sources and new technologies to supply the needs of their wartime chemical industries. The Germans introduced a fermentation process based on glucose in order to produce glycerol, an essential constituent of the explosive nitroglycerol. The method was developed by the famous Jewish biochemist Carl Neuberg, as a result of his careful analyses of the intermediate products formed during the fermentation of glucose with yeast to yield carbon dioxide and ethanol. One of the intermediates was found to be readily convertible to glycerol. Neuberg's pioneering contribution did not save him from expulsion by the Nazis; he continued his work in Israel and later in the United States.

While Neuberg was working in Germany Chaim Weizmann, the distinguished Zionist leader, was working at Manchester, U.K., where he discovered the acetone-butanol fermentation caused by *Clostridium acetobutylicum*. Acetone was urgently needed by the Allies as a solvent for the nitrocellulose used as a propellant in the heavy British navy guns. Weizmann's involvement brought him into close contact with British government leaders; indeed it is said that it was in recognition of his contribution that the British Government issued the Balfour Declaration acknowledging the need of the Jewish People to build a homeland in Palestine. Biotechnology, it seems, played no small part in paving the way for the establishment of the State of Israel.

It is interesting to note that Weizmann, who was an organic chemist, had found that a living organism – in this case a bacterium – could bring about the synthesis of the required chemical compounds much more efficiently than the methods of organic chemistry. This finding aroused Weizmann's interest in other biotechnological processes as well; he was particularly struck by the fact that some of the materials produced by living organisms could be recycled in nature and thus reused. When I became acquainted with Weizmann in 1948 at the Weizmann Institute of Science in Rehovot, he was still pursuing his interest in a number of biotechnological themes such as the use of yeast as a source of edible proteins, the conversion of ricinus oil into nylon, and the role of fermentation processes in providing fuels which can be recycled via photosynthesis.

Weizmann was of course well aware of the importance of basic research, not only for its own sake but also as the starting-point for the applied sciences. He therefore encouraged us youngsters to concentrate on basic research at the Institute bearing his name, in the belief that the applied chemists and biochemists would then draw on our work in order to introduce improvements in the chemical industry, agriculture and health care. The high-tech industrial park which now adjoins the Weizmann Institute is testimony to Weizmann's prophetic vision.

After the war biotechnology was somewhat eclipsed by conventional chemical processes in which a wealth of cheap organic materials could be derived from oil and feed stocks. The outbreak of the Second World War led to a renewal of interest in fermentation processes, culminating in the discovery of antibiotics. Streptomycin was developed in the U.S.A. by another Jewish Scientist, Abraham Waksman, who was the first to demonstrate the potential value of the products which are secreted by microorganisms and are toxic to other microorganisms but not to humans. It was the penicillins, however, produced by the mould *Penicillium* sp. that had the most profound impact on the treatment of bacterial infections. As a result of the work of A. Fleming, P. J. Flory and E. B. Chain in England, the production of this antibiotic, as well as of others produced by different moulds and bacteria, saved countless lives during the war and thereafter. The antibiotics, in particular the β-lactams, the pencillins and the cephalosporins, are still the most important of the fine pharmaceutical fermentation products being manufactured industrially. Other fine chemicals, such as citric acid, amino acids and enzymes, are also now being produced by the appropriate microorganisms in biotechnological processes on an industrial scale.

At an early stage of the above developments, trial and error was the approach employed in order to improve the activities of the desired microorganism strains. Although extremely laborious, such methods successfully yielded the industrial strains of *Penicillium chrysogenum* now in use, producing 1 000 times more penicillin than Fleming obtained in his original laboratory fermentation. Trial and error methods also enabled the cost of cortisone to be cut from 200 $/g to 68 cents/g as a result of the discovery of a bacterium which was able to effectively short-cut some of the steps involved in the synthesis of the desired end-product from the Mexican plant material serving as the raw steroid source. However, it was the new period of great discoveries in molecular biology and in molecular genetics – which in turn arose out of some of the fundamental findings in biochemistry, biophysics and genetics – that placed biotechnology firmly on the map. Elucidation of the structure and function of proteins and nucleic acids and the deciphering of the genetic code made it possible to understand the mechanisms of DNA-replication and protein biosynthesis as well as the specificity and mode of action of enzymes. Clarification of the chemical nature and the mode of action of genes led to the development of techniques for gene splicing and gene transfer by suitable vectors such as plasmids and λ-phage. Research on cell membranes culminated in procedures for the fusion of normal and malignant cells, with resulting formation of hybridomas capable of producing monoclonal antibodies. Techniques of enzyme and cell immobilization enabled the transformation of homogeneous biocatalysts into heterogeneous catalysts, as well as the development of enzyme reactors in which complex chemical reactions can take place. New techniques for *in vitro* tissue cultivation facilitated the large-scale growth of viruses, the development of valuable drugs such as the interferons, and the production of secondary metabolites such as alkaloids. The development of plant clones with identical hereditary properties holds promise of a new era in agriculture.

## Some New Concepts and Theories

The phenomenal advances over the last three decades in the understanding of life processes and the resulting achievements of molecular biology can be traced to a set of new concepts about the structure and function of living organisms, the continued attempts to interpret genetics and life processes in terms of the laws of physics and chemistry, and the development of powerful new experimental techniques which have opened up new possibilities for working with tissue cultures, single cells, chromosomes and genes.

### Diversity and Uniformity in Living Organisms

What strikes one immediately about the world of nature is its enormous variety – there are literally millions of species of plants and animals. Yet at the same time one finds remarkable homogeneity – many of the organs in our own bodies, for example, are similar to those found in other mammals, and even in lower vertebrates like fish and reptiles. Thus the living world is characterized both by enormous diversity and by striking uniformity.

Common to every living organism, at any rate from the biologist's point of view, is the structural unit known as the cell. In our own bodies there are about $10^{13}$ cells. Obviously they are not all alike – in growing and multiplying they have also taken on different shapes and functions, and have thus come to constitute the differentiated tissues or groups of cells that form the brain, the liver, the muscles, the blood. This rather simplified description already holds some profound problems for the biologist with regard to the structure and function of the cellular components and the nature of the processes occurring in different cells. It is interesting that answers began to emerge only when biologists started to apply disciplines other than the classical descriptive discipline of biology to the understanding of life processes. Notable among these adopted disciplines are physics, chemistry, mathematics and modern computer science. Indeed, most of the giant leaps in human knowledge have come about when scientists have found a way of projecting one discipline on to another. The enormous advance in physics as a result of Newton's work, for example, came about because Newton was a first-class mathematician who was able to combine physics with mathematics. The major advances in the life sciences occurred only after a way was found to unite the physical and the biological sciences – to ally the laws of physics and chemistry with the world of living things – and what a fruitful alliance this has turned out to be! One of its offshoots is biochemistry, which studies the constituents of living organisms and life processes using chemical methods; another is biophysics, which studies them by physical means. Yet another is molecular biology, a recently developed discipline employing genetics, chemistry and physics to elucidate the mode of action of genes, which control heredity, and of proteins, the molecular machinery of life processes.

Research done by the biochemists has shown clearly that different cells contain remarkably similar chemical constituents, notably the proteins, which are responsible for the cell's chemical and physicochemical activities, and the nucleic acids, in which the cell's hereditary properties are encoded. Moreover, the various life processes going on in the cell, such as energy release, growth and multiplication, are surprisingly similar throughout the plant and animal kingdoms.

Genetic, biochemical and physical studies have revealed that the hereditary characteristics determining the appearance, traits and propensities of the individual are all contained within the deoxyribonucleic acid or DNA of the genes, where they are linearly inscribed in a characteristic language known as the genetic code. What is truly astonishing is that the genetic code describing and controlling all of our inherited characteristics is really rather simple, employing only four code »letters«, or nucleotides. It is the arrangement or sequence of these code letters within the linear DNA molecules, identical copies of which are present in every single cell, that determines the individual's hereditary characteristics. Just as astonishing is the fact that the four-letter genetic code of human beings is identical to that of chimpanzees, or butterflies, and even of bacteria and plants. With consummate economy nature has used the same genetic language for all members of the animal and plant kingdoms. I referred earlier to the remarkable uniformity one finds amidst the diversity of nature; one can now begin to understand this in chemical and physical terms. One could go further and point out that the fact that all living creatures, from the lowest to the highest, use the same four nucleotides and the same code provides the strongest possible confirmation of our common evolutionary origin.

It is interesting to note that the deciphering of the genetic code, and the elucidation of the mechanisms involved in gene regulation have not only clarified the hereditary differences between different species of animals and plants on a molecular level, but have also provided a clue to the understanding of the differences in structure and function of the cells composing the different organs of a given living organism.

## Proteins, and Nucleic Acids: The Most Important of the Biopolymers

Large molecules, i.e. polymers, have certain characteristics not found in molecules of low molecular weight. They contain information which is embedded within the sequence of their constituent subunits. They can be arranged in macromolecular conformations which differ stereochemically. Their flexibility enables them to bring intramolecularly different groups into close contact. They possess macromolecular flexibility, which seems to be of paramount importance in determining many macromolecular life processes.

Of great interest to the biologist are the biopolymers, i.e. the native macromolecules present in each living cell. Especially important among these are the proteins and the nucleic acids; accordingly, considerable efforts have been made since the beginning of the present century to elucidate their structure and function. In broad terms, proteins may be thought of as tiny molecular machines operating within the cell. They are to be found in the structural skeleton of the cell and are present in its contractile molecular system. Via specific antibodies they guard us against infectious diseases, and via the enzymes, our efficient biocatalysts, they transform one material into another, transfer electrons and generate electricity. The nucleic acids, on the other hand, store the information which is required to produce a particular protein, and are potentially capable of initiating, enhancing or terminating chemical reactions within the living organism.

It is interesting to note that the current concepts and theories in modern macromolecular chemistry are based to a large extent on the contributions of H. Staudinger, K. Meyer and H. Mark in Germany at the beginning of this century. It was their work that eventually led to the realization that cellulose, proteins and nucleic acids are biopolymers, i.e. macromolecules in which the various subunits or elements are covalently bound.

The understanding of protein structure and function has developed gradually over the 20th century. At the end of the 19th century Emil Fischer, while working in Germany, demonstrated the presence of peptide bonds in proteins, and later showed how individual amino acids bind to one another in the protein molecule. In the 1950s Fred Sanger in the U.K. showed that the insulin molecule contains a well-characterized sequence of amino acids. Max Perutz and John Kendrew in the course of their work at Cambridge in the 1960s utilized powerful X-ray techniques to determine the three-dimensional structure of myoglobin and hemoglobin. Attempts to understand protein specificity and catalysis on a molecular level were facilitated by the work of David Philips at Oxford, who was the first to determine the three-dimensional structure of an enzyme, lysozyme, and recently analyzed the three-dimensional structure of a complex between lysozyme and a monoclonal antibody prepared at the Pasteur Institute in Paris. A wealth of information has now been acquired on the three-dimensional structure of many other proteins, and the new data obtained have shed light on the factors determining protein stability, specificity and catalysis.

While the experimentalists were thus engaged in their basic work on protein structure and function, parallel attempts were under way by the theoreticians to elucidate the intramolecular forces within the protein molecule. These led to interesting predictions concerning the secondary, tertiary and quaternary structure of proteins, as derived from their primary structures. Experimental confirmation of the theoretical results was lacking until quite recently, and it is here that experiments employing recombinant DNA techniques have been especially useful: they have made it possible to synthesize proteins with altered amino acid residues, thus altering the biological specificity and the physical and chemical properties of native enzymes and proteins. The way was thus opened for testing theoretical predictions.

Deoxyribonucleic acid (DNA) was discovered in 1871 in the sperm of trout from the river Rhine. However, it was only in 1943 that O. T. Avery and his collaborators at the Rockefeller Institute in New York successfully showed that the DNA molecule is capable of altering the heredity of bacteria and is in fact the stuff of which genes are made. In 1953 the well-known complementary double helical structure of DNA was first suggested by Francis Crick and Jim Watson in the U. K., and a few years later an enzyme, DNA-polymerase, capable of reproducing DNA in a test tube, was isolated by Arthur Kornberg at Stanford. After that nucleic acid study progressed rapidly, leading to some highly important theoretical and experimental results. In 1959 RNA-polymerase, an enzyme that makes chains of a new type of nucleic acid, ribonucleic acid (RNA), on the surface of a single-stranded DNA, was discovered. One year later François Gros discovered messenger RNA and showed that it carries the information determining the sequence of amino acids in the newly synthesized proteins. These findings, as well as the use of synthetic messenger RNAs, enabled M. Nirenberg and H. Khorana in the U.S.A. to decipher the genetic code in 1966.

Much of the basic research on genes has been aimed at understanding the link between the information embedded within a gene and its final expression in the living organism. The generally accepted theory is that the expression of DNA molecules within a gene in a particular cell is normally repressed; under certain conditions, however, it is »derepressed« and can then lead to the formation of a new nucleic acid molecule, called RNA, by means of a process known as »transcription«. The RNA molecules thus formed then lead by means of a »translation« mechanism to the formation of the various proteins found within the living organism. The proteins in turn act as enzymes and hormones, the organic catalysts and regulators that control growth, metabolism, and other life processes.

To sum up: every cell of an individual living organism contains the same hereditary information located in the nucleic acids of the genes. Life functions – such as metabolism (the synthesis and degradation of the various materials within living organisms) and the release of different forms of energy (mechanical, thermal, electrical) – occur as a result of processes regulated by proteins, the formation of which is controlled by the genes.

## Highlights in Molecular Genetics

While the structure and function of proteins and nucleic acids was being elucidated by the chemists and biochemists, impressive achievements were also being made by the geneticists. In 1865 the basic laws of heredity were formulated by Gregor Johann Mendel, a Czechoslovakian monk who found in his well-known work on pea breeding that traits like color and shape were controlled by hereditary factors that we now call genes. Studies initiated by T. M. Morgan in the U.S.A. during the second decade of this century led finally to a merging between the abstract notion of the gene as conceived by the classical geneticists and the findings of chemists and biochemists, who identified genes with DNA fragments characterized by well-defined nucleotide sequences. Between 1910 and 1915 Morgan and his collaborators at Columbia University carried out extensive genetic studies on the red-eyed fruit fly *Drosophila*. Their work provided confirmation that all traits are chromosomally located, and their crossing-over experiments showed that the arrangements of genes in the chromosomes was linear.

The correlation between a gene and a protein was revealed in the early 1940s by G. W. Beadle and E. L. Tatum at Stanford University, who used X-rays to induce mutations in the mould *Neurospora*. Some of the mutant *Neurospora* strains lost a gene and correspondingly lost an enzyme coded by the gene. The one gene one protein hypothesis was thus formulated and confirmed.

In the years that followed a number of fascinating discoveries indicated strongly that the basic research on DNA molecules would eventually lead to the development of processes for gene isolation, gene insertion into different cells, and utilization of genes in the large-scale production of desired peptides or proteins. In 1970 a restriction enzyme cutting DNA molecules at specific sites was discovered. The isolation of many other restriction enzymes soon followed. As a result, huge DNA molecules containing thousands of genes could now be cut up into much smaller segments. In 1972 a new group of enzymes, the DNA ligases, which link DNA fragments together, was discovered. It was thus possible to produce recombinant DNA molecules by joining together the DNA fragments derived by incubating various DNA molecules with suitable DNA restriction enzymes. One year later restriction enzymes and ligases were used to facilitate the insertion of foreign DNA fragments into circular DNA genes, the plasmids, to create chimeric plasmids. These were originally isolated from the bacterium *Escherichia coli* and can be functionally reinserted into the bacterium. The way was now opened for the insertion into bacteria of a set of foreign genes. By employing the above techniques, as well as procedures divised by F. Sanger in England and W. Gilbert in the U.S.A. for the rapid sequencing of long sections of DNA molecules, it was possible to produce the human hormone somatostatin in *E. coli* in 1978. Construction began in 1980 on the first industrial plant designed to produce human insulin in *E. coli* by using recombinant DNA procedures.

## New Experimental Techniques

Among the experimental procedures which have laid the foundation for modern biotechnology one should make special mention of the new techniques for isolation and purification of low and high molecular weight native products, the methods developed for tissue culturing and for cell fusion, recombinant DNA technology, and enzyme and protein engineering.

### *Isolation and Purification of Materials Derived from Living Organisms*

The isolation and purification of various compounds derived from biological systems can now be achieved by methods such as liquid-liquid extraction, separation of different sized macromolecules in appropriate molecular sieves, electrophoresis, i.e. separation in accord with their net charge, high-performance liquid chromatography and affinity chromatography. Of the above techniques, all but the last are based on the separation of molecules according to their different physical properties. In affinity chromatography, on the other hand, molecules are separated according to their different biological specificities; enzymes, for example, can be readily separated on columns containing immobilized inhibitors or substrates; immobilized antibodies can be used for the separation and purification of the corresponding antigens, and immobilized antigens for the corresponding antibodies.

### *Tissue Culturing*

The culturing of cells, particularly those of the higher organisms, the plants and animals, has always presented a number of practical difficulties, since in addition to oxygen and fuel these cells need to be supplied with the ingredients of their *in vivo* microenvironment. The successful development of new techniques for culturing tissues derived from the higher plants and even from humans is thus a remarkable achievement. These *in vitro* cultures permit the study of the metabolism and the mode of action of cells and their response to added chemicals. They can also be used in the production of required compounds for research or for industry, or as a convenient source of individual cells which can be genetically manipulated. Certain plant tissue cultures can be used to produce identical individual plants by cloning. Mammalian cells can be used in the production of highly valuable materials such as interferon, as substrates for the growth of viruses, and for the study of differentiation and cell response to different microenvironments. In view of the increasing importance of both plant and animal tissue cultures it is not surprising that a considerable effort is being invested in the development of fermentors in which they can be maintained and propagated on a large scale.

## Cell Fusion

Careful studies of the behavior of cells in suspension and the structure and function of cell membranes led to the remarkable finding that under the proper conditions (in the presence of polyethylene glycol or a suitable electric field) two cells from different origins can become fused together to form a hybrid which possesses some or all of the parental genes and thus displays a multiplicity of new genetic characteristics. Plant cells possess a rigid cellulose envelope which prevents cell fusion. The envelope can, however, be removed enzymatically to yield naked protoplasts which can then be fused together by one of the above mentioned techniques. Scientists have fused protoplasts of different plants and are now studying the genetic properties of the new hybrids. The cell fusion technique can be expected to result in the emergence of new plant strains possessing inherited characteristics of value to the farmer and to industry. The best known cell fusion of animal source is that obtained recently by C. Milstein, who fused B-cells of immunized mice with corresponding tumor cells. The hybrids thus formed continued to produce monoclonal antibodies which show high specificity and can be produced indefinitely from the hybrid carcinogenic cell.

## Recombinant DNA Technology

The most powerful of all the molecular biological technologies developed to date is recombinant DNA technology, which enables the scientist to induce radical changes in the behavior of a cell by altering its genetic makeup. Vectors such as viruses or plasmids are used to introduce the foreign gene into the cell, with resulting formation in the substrate cell of the peptides or proteins coded by the foreign gene. A wealth of information has been accumulated on the preparation of the desired gene, its attachment to the desired vectors, regulation of its activity, and its expression. Furthermore, fermentation engineers are now developing new reactors, new conditions and new techniques for scaling up the fermentation of the new cell mutant derivatives obtained and the large-scale production of the final products. Insertion of a set of genes into a given cell, particularly into cells of microorganisms, when inserted in the right order and with the right regulators, may even induce production of secondary metabolites, i.e., low molecular weight compounds which are of industrial, agricultural and pharmaceutical importance.

*Enzyme Immobilization and Enzyme Reactors*

Enzymes have been known for a long time, and their various catalytic activities have gradually been elucidated. Enzymes are high molecular weight protein biocatalysts which can catalyze a great variety of chemical reactions. Because of their stereospecificity and their ability to function in aqueous media at low temperature they are potentially very useful in the food, pharmaceutical and chemical industries. Their application has been restricted, however, because of their thermolability and sensitivity to organic solvents, as well as their high cost. Enzyme stability, however, can be markedly improved as a result of the development of techniques for enzyme immobilization. The most popular enzyme immobilization techniques include enzyme entrapment in gels, semipermeable membranes and hollow fibers, as well as enzyme binding ionically or covalently to organic or inorganic carriers. These developments have led to the design of enzyme reactors which are being increasingly used in industry, the clinic and the laboratory. Of particular interest are enzyme columns and enzyme membranes; the latter are used in enzyme sensors which permit the detection of minute concentrations of the corresponding substrates.

Recombinant DNA techniques have been utilized during the last two to three years to design enzymes with new characteristics by replacing given amino acids in the native enzyme by other, preselected amino acids. Further rapid development can be expected in the utilization of these modified enzymes in the clinic and the laboratory.

## Expected Impact of Biotechnology on Industry and Agriculture

The achievements of basic research in molecular biology paved the way for their speedy application in a number of biotechnological areas, especially the manufacture of pharmaceuticals, the chemical industry, food and agriculture, pollution control, and energy.

*The Pharmaceutical Industry*

Among the first to use the modern biotechnological processes was the pharmaceutical industry, in which major investments in terms of money and effort in large-scale production appear to have been justified by the health value and the cost-effectiveness of the products obtained. One of the first products of modern biotechnology in the pharmaceutical industry was human insulin, now being produced on a large scale by Eli Lilly using a standard recombinant DNA technique in which a gene derived from the cells of the human pancreas is inserted into *E. coli*. It is thus possible to obtain large amounts of human insulin without having to extract the hormone from the pancreas. Moreover, the economic advantage of the new technique can be illustrated by comparing it with the preparation of porcine and bovine insulin, which currently command a market estimated at 360 million dollars annually for the treatment of diabetic patients. Whereas 50 to 60 pigs are required to supply the needs of a single diabetic patient for one year, the new fermentation process can conveniently yield large amounts of human hormone. It is worth noting, however, that the Novo Company in Denmark has developed an enzymic process for the conversion of porcine insulin into human insulin which can compete in price and quality with that produced by Eli Lilly.

The production of interferon from virus-infected tissues or by recombinant DNA techniques is also attracting major investments on the part of pharmaceutical companies. Since it was first isolated in 1957 in Mill Hill, England, from media containing virus-infected human cultures, research has shown that the preparations obtained consist of a mixture of various interferons with different biological specificities and certain unique effects: for example, some of them can protect tissues from virus infection, while others may act as potential anti-cancer drugs. Pharmaceutical companies now producing interferon include Biogen in Europe, Cetus and Genentech in the U.S.A., Hoffman LaRoche, Dupont, Burroughs Wellcome, ICI, Beecham and Pfizer.

The recombinant DNA techniques are also being used to produce a number of the human protein hormones. Perhaps the best known of these is human growth hormone, produced in the body by the pituitary gland and administered medically for deficiency-induced dwarfism. The Children's Hospital at Great Ormond Street, London, requires some 20,000 cadavers a year to meet its human growth hormone needs; much effort and anguish could clearly be saved by replacing the cadaver source with large-scale bacterial mutant fermentations. The world market for human growth hormone is still rather small – some 15 million dollars a year – but if all prospective patients were treated and new applications were developed this could rise to 90 million dollars.

In parallel to human growth hormone production, the production of bovine growth hormone by recombinant DNA techniques is progressing rapidly. Continuous injection of this hormone into cows results in an increase of about 15 percent in their milk production.

The recombinant DNA technique is also employed in the development of non-infectious vaccines achieved by producing the protein envelope of viruses devoid of the inner infectious nucleic acids contained within the cell. Several companies are already marketing the new vaccines for veterinary use, e.g. for foot and mouth disease and for *Coli bacillosis*, a live-stock dysentery disease. Work is still in progress on the development of vaccines, e.g. against rabies, polio, herpes, influenza type A and B and hepatitis, for human patients.

Modern biotechnological techniques are also being used to produce blood factors such as interleukin II which stimulate the immunological response, and the antihemophilic agent factor VIII required by hemophilic patients. The pharmaceutical industry has recently also embarked on the large-scale production of rather common blood products such as human albumin and the immunoglobulins. One might question the need to use expensive and sophisticated recombinant DNA techniques for this purpose, since these materials can be readily isolated from the human blood stored in blood banks. One should, however, take into consideration that many countries, notably Japan, suffer from a shortage of blood donors and have to look elsewhere, mainly to the United States, for their supplies of human blood.

Monoclonal antibodies worth many hundreds of millions of dollars are now being produced on a large scale by the hybridoma technique in which spleen cells extracted from an immunized mouse are fused with corresponding cancer cells. Each of the resulting hybridoma cells multiplies indefinitely, and is capable of producing relatively large amounts of a specific monoclonal antibody directed towards one of the sites of the antigen with which the mouse was immunized. Monoclonal antibodies are being used diagnostically to identify the various types of normal blood cells and even in the characterization of specific cancer cells. A considerable amount of work is also in progress on the possible use of monoclonal antibodies as appropriate reagents for passive immunization, as well as on the utilization of toxin-monoclonal antibody-conjugates as the »magic bullets« directed specifically towards solid tumors. Of particular interest is the utilization of immobilized monoclonal antibodies for the isolation and purification by affinity chromatography of the corresponding antigens, such as interferon.

*The Chemical Industry*

Some of the most important products obtained by classical fermentation techniques include ethanol, n-butanol, glycerol, acetic acid, citric acid, lactic acid, amino acids, vitamins, methane and the various antibiotics. The industrial production of these materials has now been streamlined to a high degree of efficiency, and sophisticated scientific techniques have been employed to select the most suitable microorganism strains as well as the regulatory factors required for maximum yields of the desired products.

The production of ethanol by the fermentation of glucose derived from starch, cane sugar or cassava, with yeast is a well-known process. In Brazil, a country which lacks oil, forty million cubic meters of ethanol are now being produced annually and used as liquid fuel for motor transportation. Production is expected to increase to 60 million cubic meters by 1990. In France, the idea of adding butanol and methanol to petrol has led to a renewal of interest in the old Weizmann process for the production of butanol by fermentation of sugars with the bacteria *Clostridium* sp. Glycerol can also be produced by the careful regulation of sugar fermentation with yeast. Acetic acid, the main component of vinegar, is produced by the oxidation of ethanol in the presence of the appropriate acetic acid bacteria. Of considerable industrial importance is the fermentation of molasses with the mould *Aspergillus niger* to produce citric acid, a well-known component of Alka-Seltzer. World sales of citric acid approach 300 million dollars annually.

Some of the amino acids, including glutamic acid and lysine, are industrially produced by the fermentation of glucose and acetic acid with bacteria such as *Corynobacterium glutamicum* and *Brevibacterium flavum*. Among the vitamins produced biotechnologically are the carotenes, riboflavin and Vitamin B12.

Annual sales of antibiotics such as the penicillins, cephalosporins and tetracyclines, have soared to 5,000 million dollars. All of these classical antimicrobial agents are produced either by filamentous fungi, by the *Actinomycetes* or by non-filamentous bacteria.

The above materials have already been produced for several years by industrial companies using classical genetic techniques. The recent achievements of molecular biology and genetic engineering are now being applied in an attempt to improve the strains employed, to regulate production and to exploit cheaper feedstocks as alternative raw material sources for fermentation.

The growing interest of the chemical industries in highly specific catalysts working under mild conditions has stimulated industrial interest in the use of enzymes, particularly of immobilized enzymes, as heterogeneous biocatalysts. The immobilized enzyme glucose isomerase is already being used on a large scale to transform glucose derived from corn starch into a fructose-enriched syrup, which is used as a relatively cheap sweetener in soft drinks, cakes and candies. In 1985 approximately five billion dry kgs of fructose-enriched corn syrup was produced in the U.S.A. in suitable enzyme reactors.

Another immobilized enzyme, immobilized penicillin amidase, is now used in the antibiotic industry to obtain 6-amino-penicillanic acid (6APA) from the native penicillin formed in the fermentation process. 6APA is used on a large scale as the source of all of the new oral penicillins on the market. Other products now being obtained by the use of immobilized enzyme reactors include some of the amino acids as well as other fine chemicals.

The electronic industry has shown considerable interest in the development of biochips. In these biochips oxido-reductive enzymes are supposed to represent the basic elements for electron transport. The oxido-reductive enzymes can be readily switched-on and switched-off and thus might serve as potential molecular elements of the chip. Research in the area of biochips is still in its early stages; however, if successful it might revolutionize the electronic industry.

*Agriculture*

The modern biotechnological procedures for cell culture, cell fusion and genetic engineering can be expected to revolutionize agriculture in the future. The potential for agricultural applications of plant tissue culture to crop improvement is truly astonishing. The incorporation of cell culture techniques into an existing breeding program should result in the development of unique germ plasms. In addition, desirable genes could be introduced into existing crop varieties, thus favorably altering the nature of future crop species. Even if only some of the less complicated methods of plant regeneration are utilized for cloning and genetic variability, plant cell culture should soon have a highly significant impact on crop improvement.

Plant cell culture is already of commercial importance, and several species are now cultured and regenerated to yield identical new plants. Plant tissue culture is used, for example, to obtain virus-free cells. Virus-free potato plants are being obtained from regenerated cell cultures, with resulting substantial increase in yield. Some of the crops which are regenerated routinely from cell cultures at present include asparagus, rapeseed, sunflower, carrot, cabbage, citrus, cassava, alfalfa, clover, tomatoes, potatoes and tobacco. Additional species will inevitably join the list.

Experience over the past few years has revealed considerable variation in the phenotype and genotype of cells in tissue culture, which thus represents a source of genetic diversity for the plant breeder.

Unlike the proteins of the soya bean, which contains all the essential amino acids required for human nutrition, the proteins of wheat, maize and rice are deficient in some of the essential amino acids. Genetic engineering techniques are now being employed in an attempt to introduce the missing amino acids into the latter proteins. The nutritional benefits to be gained are obvious. DNA genes of storage proteins, the primary plant products, are available from several crop species. The modification of these genes and their insertion into plant cells growing in culture, or their replacement by novel genes, could result in plants containing proteins with favorable modifications in their amino acid composition.

Many important secondary plant products are rather expensive. Their cost would be considerably reduced if they could be obtained from tissue culture systems instead of directly from nature, and serious research efforts are accordingly being made in this direction. Notable examples are agricultural chemicals such as pyrethrins, nicotine, antibiotics against soil microbes, and pharmaceutical drugs such as codeine, morphine, steroids, cardiac glycosides, alkaloids, reserpines and caffeine.

Interesting results are being obtained with protoplast fusion and the formation of new hybrids between cultivars and species. New genetic characteristics can thus be inserted into the parent protoplast. Wild species of certain plants have been found to serve as an important source of germ plasm for the cultivated varieties, and can be used to incorporate various traits into the crop species. For example, by fusing the protoplasts of cultivated tobacco plants with those of the wild tobacco species, resistance to the tobacco mosaic virus was induced in the cultivated species. In another promising technique, organelles such as chloroplasts and mitochondria from one parent protoplast are inserted into the other, resulting in the acquisition of new genetic properties such as resistance to herbicides and disease as well as plant male sterility.

Research workers in modern molecular biology centers are attempting to introduce new genetic material into plant cells via recombinant DNA techniques. Foreign DNA is inserted into a vector such as a plasmid or a virus, which is then used to infect plant cell protoplasts. The whole plant can then be regenerated from the protoplast. It should be noted that the Ti plasmid present in *Agrobacterium tumefaciens,* which causes crown gall tumor formation, can penetrate the host plant cell of tobacco and become integrated into the genome of the plant. The Ti plasmid, and especially the recently prepared mini-Ti plasmid, can thus be used to introduce new genes into the tobacco plant. Application of molecular genetics to plants is still at an early stage of technical development. Most of the research concentrates on some important crop traits which seem to be genetically simple. These include stress, herbicide, insecticide, and disease resistant traits. Specific improvements in these traits may be accomplished with a few gene modifications. Most of the resistant genes have been introduced into economically important plants by traditional plant breeding; recombinant DNA methods, however, are being developed for transferring resistance factors among species that do not normally interbreed.

Finally, a word about *nif* genes, i. e. the genes responsible for nitrogen fixation from air and its reduction into ammonia. Nitrogen fixation is carried out by several groups of bacteria and blue algae present in the soil and in aquatic habitats as well as by the bacterium *Azotobacter* growing symbiotically in legume roots. The structure and function of the 17 *nif* genes of the bacterium *Klebsiella pneumonia* are being extensively investigated. Once these genes can be inserted into plants such as wheat and maize, it will no longer be necessary to use nitrogen-containing fertilizers for these crops.

*Waste Processing and Pollution Control*

Waste products are degraded both aerobically and anaerobically by microorganisms, and a great deal of research has been devoted to the development of improved microbiological cultures for the conversion of waste products into useful materials. Notable among these is the production of methane gas from organic waste compounds by anaerobic microorganisms.

Microorganisms and enzymes have also been proposed as possible agents for the elimination of industrial pollutants which cause considerable harm to the environment.

## Novel Problems for the Biologist

Cooperation between the biologists working in academic institutions and the personnel of industry is something of a new experience for the biologist, who now finds himself encountering many of the problems involved in industrial development. Issues such as the scaling up of biological processes, marketing, production and labor costs, are becoming increasingly relevant not only in the industrial companies but also in departments of molecular biology connected with industry. In some cases scientists working in institutes of higher learning have become partners in commercial biotechnological ventures, and a few have even found themselves millionaires overnight. An atmosphere of secrecy has entered university laboratories where scientists are engaged in applied projects; patents and profits are of increasing concern. Molecular biologists now have the opportunity to serve society directly via the biotechnological industry; on the other hand they are keen to preserve their academic freedom and the right to pursue basic research which is of interest to them but is not necessarily of immediate practical value. New patterns of cooperation involving academia, industry and government are emerging; the establishment of mutually acceptable modes of collaboration between all three groups will undoubtedly be of benefit to all.

## Concluding Remarks

Basic research in biochemistry and biophysics has revealed the remarkable degree of similarity in the structure and functioning of the main constituents of living cells, specifically in the proteins and nucleic acids, within the same organism and between different organisms of the animal and plant kingdoms. Because of these similarities, studies on the various processes occurring in and between the microorganisms – bacteria, yeast and fungi – have shed light on corresponding processes occurring in the cells of higher plants and animals.

Basic research on the classical biological catalysts, the enzymes, has yielded information which opens new vistas for the pharmaceutical and chemical industries. Modern recombinant DNA techniques permit the insertion of foreign genes into a host cell and the consequent reorientation of its endemic processes and hereditary characteristics. New concepts and theories as well as powerful experimental techniques worked out during the last quarter century have made it possible to raise cell cultures *in vitro,* to prepare cell hybrids and to transfer genes from one organism to another. There is no doubt that the above developments will continue to have a profound impact on the food, chemical and pharmaceutical industries, on agriculture, and on the elimination of waste products and contaminants. It seems that we are on the threshold of a new era, in which it will be possible to produce new species of domestic plants and animals, develop new products of great value, treat genetic diseases, and overcome many of the well-known viral and bacterial diseases.

All of the above actual or potential achievements are the result of the rapid advances in basic research in biochemistry, biophysics, genetics and molecular biology, as well as the parallel progress in biotechnology. Close ties are being established between life scientists engaged in basic research at academic institutes and engineers in high-tech industry. Many of the science-based industries invest heavily in their own basic research programs, while applied research has also found its way into the academic departments. A common language between academia and industry is thus emerging, and the cooperative links being forged will no doubt be of great future benefit both to the industrialized countries and to the developing nations.

# Detlev Ploog

# Unser Gehirn –
# das Organ der Seele und der Kommunikation

> »Der Mensch sollte wissen, daß seine Freuden und Vergnügen, sein
> Lachen und sein Glück, doch auch Kummer, Sorgen, Tränen und
> Schmerz seinem Gehirn und nur seinem Gehirn entspringen.«
>
> *Hippokrates*

## Zur Evolution der Primaten

Die Erkenntnis, daß das Gehirn – das »Organ der Seele« – für unser Verhalten und
Erleben verantwortlich ist, hat sich erst rund 2000 Jahre nach Hippokrates langsam
durchgesetzt. Zur Erforschung dieser Zusammenhänge haben uns, wie auch sonst in der
Biologie und Medizin, die Tiere wesentliche Hilfe geleistet. Beim Tier können wir zwar das
Erleben nicht wie beim Menschen mit Hilfe der Sprache direkt erkunden, doch lassen sich
aus seinem Verhalten indirekte Schlüsse ziehen. Davon macht die Verhaltensbiologie
Gebrauch, indem sie mit beobachtenden und messenden Verfahren zu Aussagen über die
Gestimmtheit eines Tieres, über seine jeweilige Handlungsbereitschaft kommt. Das, was
den Organismus treibt, was ihn zu diesem und jenem Verhalten bewegt, nennen wir
Motivation.

Schon sehr früh in der Evolution haben sich bei den verschiedensten Tierstämmen
Verhaltensweisen herausgebildet, die als Mitteilung an den Artgenossen dienen. Die dazu
evoluierten Verhaltensweisen nennt man mit Lorenz und Tinbergen soziale Signale, weil
sie in der Lage sind, beim Adressaten soziales Verhalten auszulösen. Bei den Säugetieren
und speziell den Primaten sind dies vor allem Haltungen und Bewegungen. Das Repertoire dieser Verständigungsmittel ist für jede Art charakteristisch und, wie die morphologischen Merkmale, genetisch festgelegt. Gelingt es, näher verwandte Arten miteinander
zu kreuzen, können nicht nur die körperlichen Merkmale, sondern auch die sozialen
Signale mendeln, und es kann dann mit den Elternarten und unter den Bastarden zu
»Mißverständnissen« kommen.

Unter den Säugetieren haben die Affen – die subhumanen Primaten – die mannigfaltigsten und komplexesten Formen des sozialen Zusammenlebens und der innerartlichen
Verständigung ausgebildet. Die Formen des Zusammenlebens dieser Affengesellschaften
sind zum Teil recht verschieden, haben aber alle untereinander mehr Gemeinsamkeit als
mit irgendeiner anderen Ordnung der Säugetiere. Alle frühen Formen menschlichen
Zusammenlebens haben wiederum mit den subhumanen Primaten mehr Gemeinsamkeit
als mit irgendeiner anderen Ordnung des Tierreichs.

Affen und Menschen haben bestimmte Eigenschaften gemeinsam, die für die menschliche Psychologie und Psychopathologie eine zentrale Rolle spielen. Ihre Verhaltensent-

wicklung ist stark umweltabhängig, sie zeigen den Ausdruck von Emotionen und Affekten, sie leben in sozial hochorganisierten Gemeinschaften, ihr Verhalten ist durch ihre Lebensgeschichte mitbestimmt und durch Lernprozesse stark modifizierbar. Als Angehörige der Ordnung Primates und der Unterordnung Antropoidea weisen Mensch und Affe auch die größten Gemeinsamkeiten in ihrer Physiologie und Morphologie auf. Dies betrifft den molekularen Bereich, wie z. B. die Hormone und Nervenüberträgerstoffe (Transmitter), so gut wie das Wahrnehmungssystem und die Motorik. Wir müssen davon ausgehen, daß sich auch die Gefühle, die Emotionalität oder Affektivität – diese Termini werden synonym benutzt – am ähnlichsten sind und durch homologe Hirnstrukturen vermittelt werden.

Von den 50–60 Millionen Jahren, die man insgesamt für die Evolution der Primatenfamilie ansetzen muß, hat die sogenannte Tier-Mensch-Übergangszone etwa 10 Millionen Jahre gewährt. Man kann mit einiger Sicherheit annehmen, daß die ersten primitiven Menschen in kleinen territorialen Gruppen lebten. Als Australopithecus und die frühen Menschen – wahrscheinlich dessen direkte Nachfahren – begannen, sich in der Savanne von großen Säugetieren zu ernähren, war das Jagen in Gruppen vorteilhaft oder gar notwendig. Seit dieser Zeit vor rund 600 000 Jahren haben die Menschen über etwa 2 000 Generationen als Jäger und Sammler gelebt, während die Anfänge von Ackerbau und Viehzucht auf höchstens 10 000 Jahre zurückdatiert werden können. Das Jäger- und Sammlerdasein hat bisher also rund 98 Prozent der Menschheit ausgemacht.

Dieser Entwicklung geht eine in der gesamten Evolution geradezu spektakuläre Zunahme des Hirngewichtes parallel. Während ein erwachsener Australopithecus vor drei Millionen Jahren noch das Schimpanse und Gorilla vergleichbare Hirnvolumen von 400 bis 500 ccm hatte, betrug das Hirnvolumen von Homo erectus zwei Millionen Jahre später etwa 1 000 ccm und stieg im Laufe der letzten Jahrmillion auf 1 400–1 700 ccm an. Man hat ausgerechnet, daß während dieser letzten, höchst intensiven Wachstumsperiode die durchschnittliche Volumenzunahme pro Generation 0,057 ccm betragen hat. Dementsprechend verwandelten sich Gestalt und Funktion des Gehirns zu einer kaum faßlichen Komplexität. Man rechnet, daß das menschliche Gehirn mehr als $10^{10}$ Nervenzellen enthält und jede dieser Zellen vieltausendmal mit anderen Zellen verknüpft ist.

Wenn man auch aus der immer nur grob faßbaren Hirnorganisation einer Art nicht im Detail auf das artspezifische Verhalten des betreffenden Lebewesens schließen kann, so können mit Hilfe der vergleichenden Neuroanatomie doch Aussagen über Gehirnfunktion und Verhalten im Laufe der Evolution gemacht werden. Die Gehirne der jetzt lebenden Wirbeltiere stellen gewissermaßen Abbildungen der Evolution des Nervensystems dar; auf dem Wege zu fortschreitend komplexeren Formen der Anpassung sind die Nervensysteme zwar ständig umgebaut worden, doch bleiben die ursprünglichen Baupläne trotz aller Expansion sichtbar. Dementsprechend kann man feststellen, daß nicht nur zunehmend effektivere Sinnesorgane, schnellere motorische Aktionen, eine schärfere Unterscheidungsfähigkeit für Umweltreize hervorgebracht wurden, sondern auch zunehmend verfeinerte Kommunikationsprozesse, die der Höhe der sozialen Organisation entsprechen. Durch vergleichende Untersuchungen der sozialen Signale und der zugehörigen Hirnfunktionen bei Affen und Menschen sind daher Aussagen über die Verhaltensbiologie des Menschen möglich[1,2].

## Die Sprache der Seelenerregungen

Darwin versuchte den Beweis zu führen, daß das vergleichende Studium der Ausdrucksbewegungen seine Theorie stützt, daß der Mensch von »einer niederen tierischen Form
herstammt« und die verschiedenen Menschenrassen sich aus einer gemeinsamen Wurzel
herleiten. »Wir haben (auch) gesehen«, so schreibt er zum Schluß seines berühmten
Buches »Der Ausdruck der Gemütsbewegungen bei Mensch und Tieren (1872)«, »daß der
Ausdruck an sich, oder die Sprache der Seelenerregungen, wie er zuweilen genannt
worden ist, sicherlich für die Wohlfahrt der Menschheit von Bedeutung ist. So weit als es
möglich ist, die Quelle und den Ursprung der verschiedenen Ausdrucksweisen, welche
stündlich auf den Gesichtern der Menschen um uns herum zu sehen sind ... verstehen zu
lernen, sollte ein großes Interesse für uns besitzen«. Schließlich empfiehlt er den Physiolo-
gen, dem Gegenstand mehr Aufmerksamkeit zu schenken. Dies erklärt sich aus dem von
Darwin aufgestellten Prinzip, daß »gewisse Handlungen, welche wir als ausdrucksvolle für
gewisse Zustände der Seele anerkennen, das direkte Resultat der Konstitution des Nervensystems sind und von Anfang an vom Willen und in hohem Maße auch von der Gewohnheit unabhängig gewesen sind«. Die Erkenntnis Darwins vor über hundert Jahren ist für
die Ethologie wegweisend gewesen. Ausdrucksbewegungen von Mensch und Säugetieren
zeigen stammesgeschichtliche Verwandtschaften. Jede Art benützt die ihr eigenen Ausdrucksbewegungen als Mittel der Kommunikation. Diese teils hochkomplexen Bewegungsmuster werden, ohne primär gelernt zu werden, vom Nervensystem produziert und
deren Bedeutung entschlüsselt. Letztlich gehören diese Bewegungsmuster auch zu den
notwendigen naturgeschichtlichen Voraussetzungen für die Evolution der gesprochenen
Sprache des Menschen.

## Optische soziale Signale als Verständigungsmittel

Naturwissenschaftlern und Ärzten bereitet es keine Schwierigkeiten, in der Wirbelsäule
des Fisches und der des Menschen den gemeinsamen Bauplan zu erkennen. Viel schwieriger ist es, naturgeschichtliche Vergleiche im Bereich der Ausdrucksbewegungen anzustellen, obwohl doch klar ist, daß auch hier eine Entwicklung der Arten vor sich ging, die eng
mit der Veränderung der morphologischen Baupläne verknüpft ist. Schon früh ist der
Kopfbereich der Merkmalsträger für soziale Signale gewesen. Wir sehen das z. B. am
grünen Leguan. Die Leguane bilden eine große Familie mit mehreren Dutzend Gattungen
und Hunderten von Arten. Sie sind hauptsächlich über Amerika verbreitet. Die meisten
Arten besitzen sehr auffällige Signalorgane, wie zum Beispiel farbenprächtige Kehlsäcke,
die beim Droh- und Imponierverhalten ausgestülpt und aufgeblasen werden. Dabei wird
mit dem Kopf genickt. Beim grünen Leguan läuft das Nicken mit erhobenem Kopf bis zum
Senken des Kopfes zeitlich programmiert ab (Abb. 1 s. Tafel XI). Das Drohverhalten in der
Gemeinschaft ist meist auf ein bestimmtes Gruppenmitglied gerichtet. Nach längerem
Drohen kann der blitzschnelle Angriff folgen. Verliert der Ranghöchste einen Kampf,
verfärben sich der weiße Kopf und der grüne Körper in wenigen Minuten zu einem
schmutzigen Braun. An diesem Beispiel können wir sehen, daß ein soziales Signal aus

optisch auffälligen Strukturen und einer gleichförmig ablaufenden Bewegung zusammengesetzt sein kann. Sozial ist das Signal, weil es zur innerartlichen Verständigung dient. Es ist auf einen Partner gerichtet, dessen Verhalten beeinflußt werden soll. Aus der Beobachtung des Partnerverhaltens kann man auf die Funktion des Signals, das heißt, auf seine Wirkung oder Bedeutung schließen. Zum Beispiel bedeutet es, daß der Ranghohe einem Rangniederen signalisiert, er solle sich davonmachen. Der Ranghohe befindet sich in einer Drohstimmung, die den Rangniederen in eine Fluchtstimmung versetzt. Daß das Drohverhalten in seinem Auftreten und in seinem Ablauf vom Nervensystem formstarr programmiert ist, erkennt man daran, daß es bei allen Exemplaren einer artenreichen Familie gleichförmig abläuft, daß es durch Reizung bestimmter Hirnstrukturen in seiner natürlichen Form ausgelöst werden kann und daß unter bestimmten Umständen Folgen auftreten – zum Beispiel ein Farbwechsel nach verlorenem Kampf –, die ihre Ursachen in Funktionsänderungen des zentralen Nervensystems haben. Beim höheren Säugetier gehören in diese Klasse von Funktionsänderungen zum Beispiel die Schweißsekretion, die Stellung der Haare im Fell, die Größe der Pupillen, und, wie auch beim Leguan, die Herz- und Atmungstätigkeit.

Darwin – ohne schon die physiologischen Vorgänge zu kennen – demonstriert dies zum Beispiel an Ausdrucksmerkmalen des Hundes, der sich einmal in feindlicher Absicht nähert, das andere Mal in »unterwürfig-anhänglicher Gemütsverfassung«. Körperhaltung, Stellung der Ohren, des Schwanzes und der Haare tragen zum Ausdruck der jeweiligen Stimmung bei. Konrad Lorenz[4] hat gezeigt, daß sich in mimischen Ausdrucksbewegungen gemischte Stimmungen widerspiegeln können. Die verschiedenen Gesichtsausdrücke des Hundes (Abb. 2) ergeben sich aus der Überlagerung von verschiedenen Intensitäten der Kampf- und Fluchtbereitschaft. Von links nach rechts im Bilde steigt die Aggressionsbereitschaft und von oben nach unten die Fluchtbereitschaft.[1]

In der aufsteigenden Säugetierreihe kommt die Mimik mehr und mehr ins Spiel und nimmt bei den meisten Affen die zentrale Stelle für das Ausdrucksverhalten ein. Am differenziertesten sind Schimpansengesichter, die ängstlich-ärgerliche Stimmungen, Zuneigung oder gar Lachen, Wunschenttäuschung und Jammern ausdrücken können. Die ausdrucksvoll enttäuschte Schnute, die ein Schimpanse ziehen kann, hatte schon Darwin beobachtet. Vergleiche zwischen dem Ausdruck des Schimpansen und dem des Menschen weisen große Ähnlichkeiten auf (Abb. 3 s. Tafel XII). Oben sehen wir ein Erwartungslächeln, unten den Ausdruck des Mißvergnügens[5,6].

Um aber überhaupt eine so differenzierte Mimik entwickeln zu können, muß ein muskulärer Signalapparat entstehen, der dies leisten kann. Sämtliche Gesichtsmuskeln werden von einem einzigen weitverzweigten Hirnnerven, nämlich dem Nervus facialis, versorgt. Beim Halbaffen sehen wir noch ein großflächiges Muskelsystem mit wenigen Verästelungen. Beim Makaken ist es schon differenzierter: Stirn, Mittelgesicht und Mundpartie sind reicher gegliedert. Beim Vergleich von Schimpanse und Mensch kommen beim Menschen viele neue Verzweigungen von Strukturelementen hinzu, zum Beispiel, und nicht einmal regelmäßig, der sogenannte Lachmuskel als kleiner Abzweiger eines schon vorhandenen Muskels. Er macht, wenn vorhanden, die Grübchen beim Lachen. Der eigentliche Lachmuskel, der M. zygomaticus, in mehreren Zweigen, ist auch schon beim Schimpansen und Makaken da. Der Bewegungsapparat, auf dem sich die

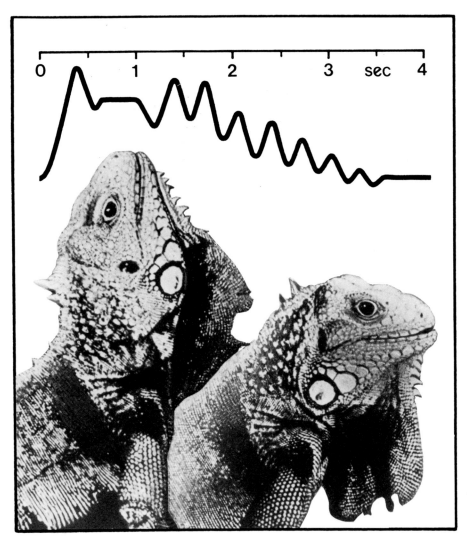

Abb. 1: Das Kopfnicken und Kehlsackspreizen des grünen Leguans (Iguana iguana) als Beispiel für ein soziales Signal. Links Beginn und rechts Ende des Drohens. Die Kurve oben gibt die Nickbewegungen in Form, Frequenz und Amplitude im Zeitverlauf von ca. 4 Sekunden wieder.

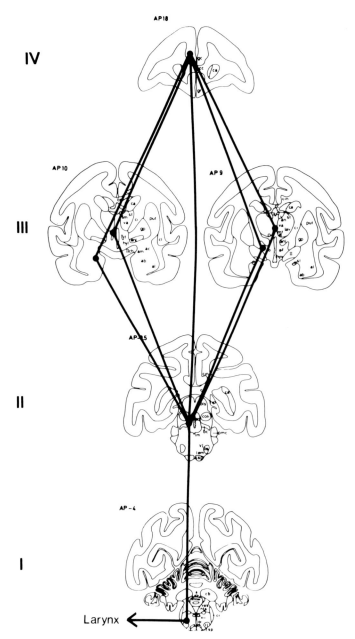

Abb. 10: Schema der neuroanatomischen Bahnen des Vokalisationssystems in vier Ebenen: I – hintere, untere Hirnabschnitte; IV – vordere, obere Hirnabschnitte; die Linien deuten die neuroanatomischen Verbindungen zwischen den vier Ebenen an. Weitere Erklärung im Text (aus Jürgens, U. & D. Ploog: On the neural control of mammalian vocalization. Trends in Neuro-Sciences *4*, 135–137 [1981]).

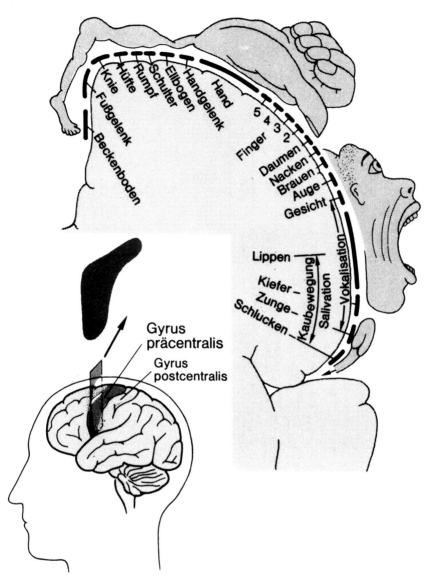

Abb. 5: Die somatotope Repräsentation der Körpermotorik in der vorderen Zentralwindung. Der motorische »Homunculus« soll die Größenverhältnisse der Repräsentation einzelner Körperabschnitte veranschaulichen. Abschnitte mit der differenziertesten Feinmotorik (Zunge, Mund, Finger, Hand) nehmen die größte Fläche der vorderen Zentralwindung in Anspruch. Für die Körperempfindung, die in der hinteren Zentralwindung (siehe Einsatzfigur) repräsentiert ist, läßt sich ein ähnlich gegliederter sensibler »Homunculus« darstellen (nach Penfield und Rasmussen aus Schmidt, R. F. & G. Thews: Physiologie des Menschen, 20. Aufl., Springer, Berlin, Heidelberg, New York 1980; 19. Aufl. 1976).

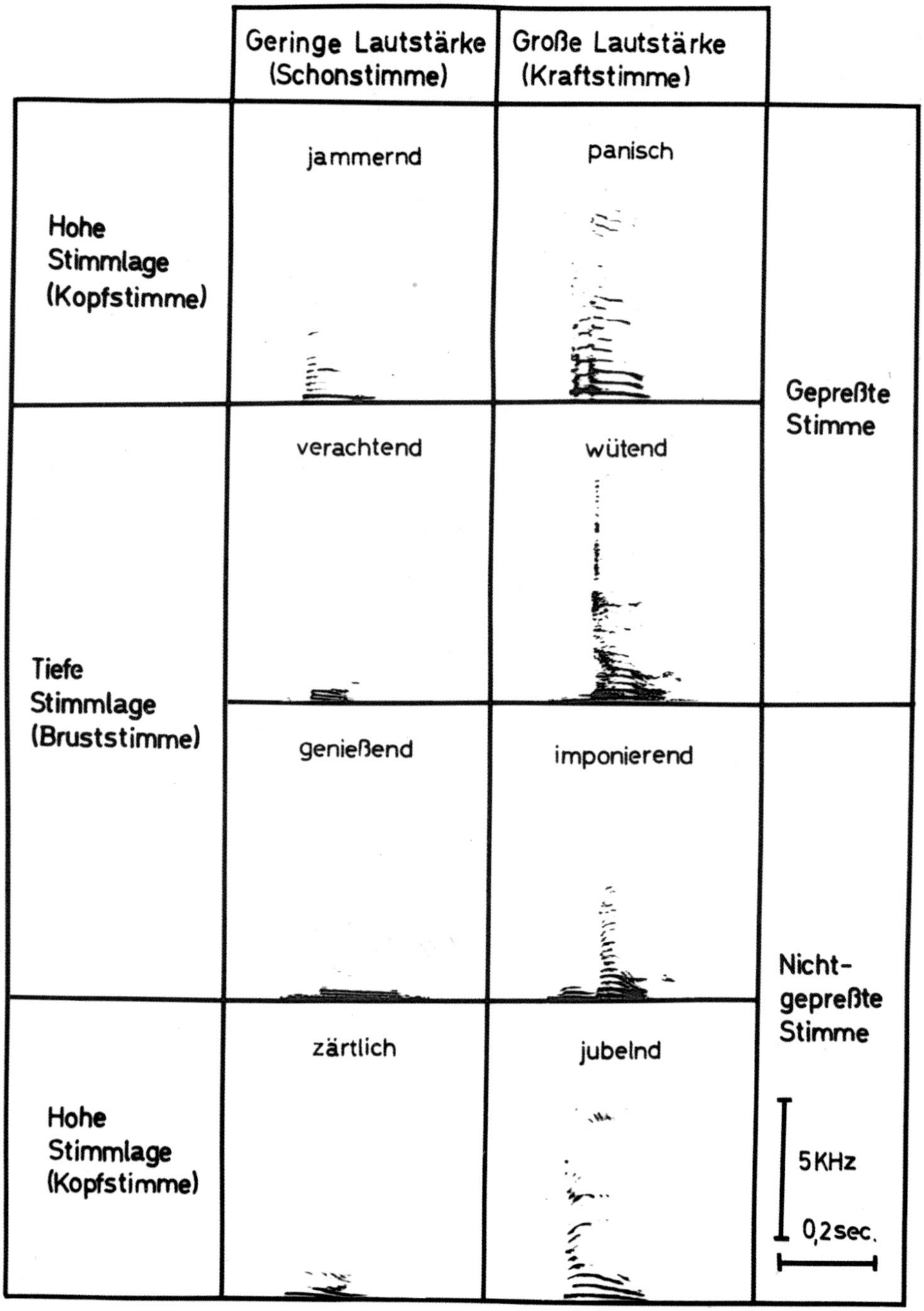

|  | Geringe Lautstärke (Schonstimme) | Große Lautstärke (Kraftstimme) |  |
|---|---|---|---|
| Hohe Stimmlage (Kopfstimme) | jammernd | panisch | Gepreßte Stimme |
| Tiefe Stimmlage (Bruststimme) | verachtend | wütend | |
| | genießend | imponierend | Nicht-gepreßte Stimme |
| Hohe Stimmlage (Kopfstimme) | zärtlich | jubelnd | 5 KHz  0,2 sec. |

Abb. 7: Das Wort »Du« in acht verschiedenen Ausdrucksformen gesprochen und in Tonspektrogrammen (Tonfrequenzen im Zeitverlauf) dargestellt[12].

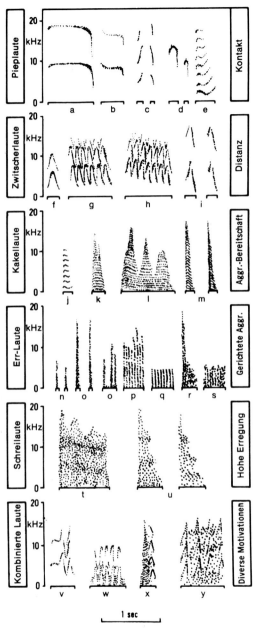

Abb. 8: Das vokale Repertoire des Totenkopfaffen, nach Klangspektrogrammen gezeichnet und in sechs Funktionsklassen aufgeteilt. In der Senkrechten steht die Abtragung der Lautfrequenzen in Kilohertz, in der Waagerechten der Zeitverlauf. In den linken Kästen steht die Bezeichnung der jeweiligen Klasse, in den rechten die generelle Funktion für jede Klasse. Die alphabetisch fortlaufenden Buchstaben beziehen sich auf die Kern-Namen der einzelnen Laute, die hier nicht aufgeführt werden (aus Ploog, D.: Die Sprache der Affen und ihre Bedeutung für die Verständigungsweisen des Menschen. In: Geist und Psyche, Kindler-Verlag, München 1974).

Tafel XVI

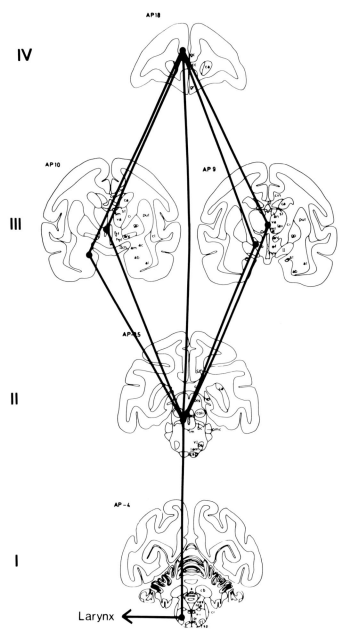

Abb. 10: Schema der neuroanatomischen Bahnen des Vokalisationssystems in vier Ebenen: I –
hintere, untere Hirnabschnitte; IV – vordere, obere Hirnabschnitte; die Linien deuten die neuroanatomischen Verbindungen zwischen den vier Ebenen an. Weitere Erklärung im Text (aus Jürgens,
U. & D. Ploog: On the neural control of mammalian vocalization. Trends in Neuro-Sciences *4*, 135–
137 [1981]).

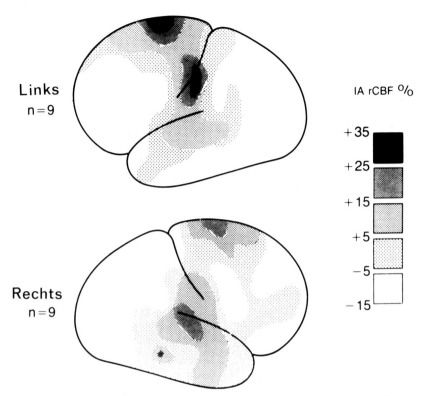

Abb. 11: Lokale Hirndurchblutung beim automatischen Sprechen. Übereinander projizierte Diagramme von 9 linksseitigen und 9 rechtsseitigen Meßwerten bei neurologisch gesunden Personen während des wiederholten Zählens von 1–20 bei geschlossenen Augen. IA rCBF % – Lokale Hirndurchblutungsänderung in Prozent vom Ausgangswert nach intraarterieller Injektion eines radioaktiven Gases ([133]Xenon). Die Graustufen bilden die Größe der Veränderungen der Hirndurchblutung während des Sprechens ab. Die größte Zunahme der Durchblutung findet sich in der praemotorischen Zone (s. Area 6, Abb. 6) und in der Mund-Zungen-Area (s. Abb. 5). Auf der rechten Seite findet sich eine ähnliche Verteilung bei niedrigeren Werten[15].

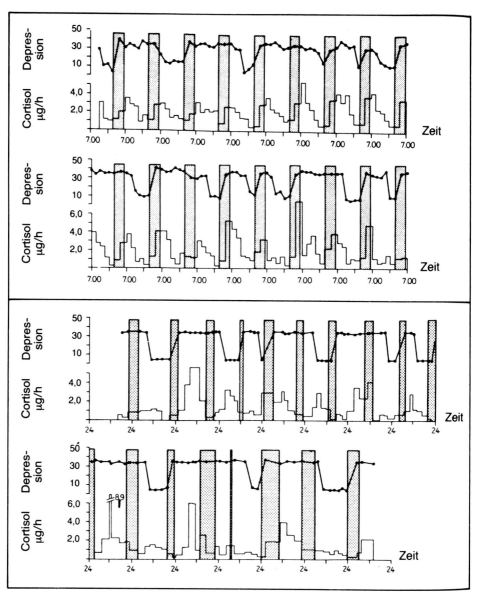

Abb. 12: Oben: Verlauf der vom Patienten selbst beurteilten Depressivität (obere Linie) und Ausscheidung von freiem Cortisol im Harn (untere Linie) während einer 18tägigen klinischen Beobachtung. Die nächtlichen Beobachtungsschnitte sind gepunktet. Unten: Die gleiche Darstellung wie oben für eine zweiwöchige Beobachtung unter Zeitisolationsbedingungen. Gepunktet dargestellt sind die (vom Patienten selbst gewählten und dadurch von der Nachtzeit unabhängigen) Schlafzeiten (nach Doerr, P., D. v. Zerssen, M. Fischler & H. Schulz: Relationship between mood changes and adrenal cortical activity in a patient with 48-hour unipolar-depressive cycles. J. Affective Disorders 1, 93–104 [1979]).

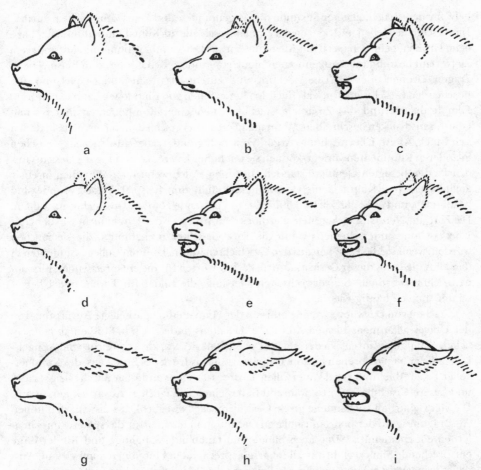

Abb. 2: Mimische Ausdrucksbewegungen als soziale Signale. Verschiedene Gesichtsausdrücke des Hundes, die sich aus der Überlagerung von verschiedenen Intensitäten der Angriffs- und Fluchtbereitschaft ergeben. Von a nach c zunehmende Angriffsbereitschaft und von a nach g zunehmende Fluchtbereitschaft mit entsprechenden Überlagerungen in e, h, f, i (Lorenz, K.: Das sogenannte Böse. Borotha-Schoeler, Wien 1963).

Mimik abspielt, besitzt keine Gelenke, ist daher außerordentlich plastisch und besonders geeignet, die feinsten Regungen des Gemüts – und somit die feinsten Erregungen des Nervensystems – in einer sehr großen Variation von Bewegungsabläufen widerzuspiegeln. Wie beim Leguan spielen auch auf dieser hochentwickelten Stufe der Organisation des Signalapparates Zeitverläufe eine wichtige Rolle, nur sind sie wesentlich rascher und variabler, lassen sich aber in allen menschlichen Kulturen und Völkerschaften nachweisen. So hat Eibl-Eibesfeldt[7] den »Augengruß« entdeckt und transkulturell vergleichend bei Frauen und Männern gefunden. Der Sender oder die Senderin lächelt den Partner an, hebt für den Bruchteil einer Sekunde die Augenbrauen und kehrt zum Lächeln zurück. Dieses schnelle Heben und Senken der Brauen geschieht zur Kontaktaufnahme beim Flirt, beim Grüßen, beim Schäkern mit Kleinkindern, als Dank und Zustimmung. Mit anderem Zeitverlauf bekommt die Augenbrauenmimik eine andere Bedeutung, zum Beispiel beim Fragen, Drohen oder bei Überraschung und Furcht. Das feine Mienenspiel und den huschenden Gesichtsausdruck als flüchtige Reflexionen von Emotionen kann man nur im Film festhalten und das Zusammenspiel der mimischen Komponenten in typischen Gesichtsausdrücken beschreiben. Wenn man Fotos von verschiedenen Personen, in denen sich Glück, Angst, Überraschung, Ärger, Verachtung und Trauer ausdrücken, Menschen in anderen Kontinenten vorlegt, können sie mit hoher Übereinstimmung die Gesichtsausdrücke den besagten Gemütszuständen zuordnen. Auch wenn man Menschen in einer analphabetischen Kultur kleine Geschichten erzählt, zum Beispiel »seine Freunde sind gekommen, und er ist glücklich«, können sie das passende Foto zur Geschichte auswählen. Die Fore auf Neu-Guinea konnten allerdings den Ausdruck der Furcht nicht von dem der Überraschung unterscheiden. Wenn die Fore Gesichter nachahmten, die sie machen würden, wenn sie die Personen aus den Geschichten wären, konnten College-Studenten in den USA die Fotos dieser Gesichtsausdrücke den Worten für die entsprechenden Emotionen richtig zuordnen. Sie verwechselten allerdings die Bilder für Furcht und Überraschung ähnlich häufig wie die Fore[8].

Die schon von Darwin vertretene und von der Humanethologie belegte Auffassung von der Universalität menschlichen Ausdrucksverhaltens findet auch in Studien an menschlichen Säuglingen ihren Niederschlag. Die Vielfalt des Ausdrucks reicht vom »Engelslächeln« der Neugeborenen bis zum Gähnen, vom Ausdruck des Ergötzens, des Kummervollen bis zu Ablehnung und Widerwillen, letzteres übrigens auslösbar durch salzige, saure und bittere Geschmacksstoffe, während Süßes einen behaglichen Ausdruck hervorruft. Die von Geburt an vorhandene große Gesichtsmuskelbeweglichkeit weist auf den hohen Ausprägungsgrad der neuromuskulären Organisation hin, der für das spätere Sprechenlernen entscheidend ist. Daß auch blinde und taubblinde Säuglinge und Kinder ohne entsprechende Sinneserfahrung alle altersentsprechenden Emotionen mimisch zum Ausdruck bringen, ist einer von mehreren Beweisen dafür, daß die mimischen Bewegungsmuster artspezifisch angeboren sind und als solche nicht erlernt zu werden brauchen.

Halten wir für diesen Abschnitt fest: Die mimischen Ausdrucksbewegungen gehören zur Klasse sozialer Signale, die der Kommunikation mit dem Artgenossen dienen. Diese Signale haben eine Doppelfunktion, indem sie einerseits der Ausdruck einer Emotion des Senders und andererseits eine Nachricht an den Signalempfänger sind. Mit aufsteigender Säugetier-Reihe werden die Ausdrücke der Emotionen zunehmend differenzierter und damit der Signalgehalt zunehmend differentieller. Dies weist auf den Zuwachs von diskreten Emotionen im Laufe der Säugetierevolution hin. Damit der Ausdruck der Emotionen differenzierter werden kann, müssen entsprechende periphere Strukturen ausgebildet werden, die die Vielfalt der Ausdrücke vermitteln können. Soziale Signale – und somit auch die mimischen Signale – sind angeborene Instinktbewegungen und unterscheiden sich dadurch von anderen, zumeist erlernten Bewegungsabläufen. Wie die Verhaltensbeobachtung zeigt, können diese angeborenen Bewegungsmuster beim Menschen aber im Laufe der Entwicklung unter willkürliche Kontrolle gebracht werden[2].

## Die Produktion des mimischen Ausdrucks im Gehirn

Wie und wo im Gehirn wird nun der mimische Ausdruck produziert, wie wird er willentlich kontrolliert und auf welche Weise ist er in krankhaften Zuständen gestört? Was wissen wir von den Seelenerregungen im Gehirn?

Tatsächlich wissen wir über die Integration der Gesichtsmuskeln zum mimischen Ausdruck noch wenig. Mehr davon wissen wir über die stimmlichen Ausdrucksbewegungen, wie noch beschrieben wird.

Zunächst nur das abstrakte Modell eines Gehirns, das an die Hirnentwicklung über Hunderte von Jahrmillionen erinnern soll. Es ist das Modell vom »Dreieinigen Gehirn« (Abb. 4). Der graue Kern stellt den Prototyp eines Reptiliengehirns dar, wie schon beim Leguan erwähnt. Diesem schreiben wir mit Paul MacLean vorwiegend die Produktion von vorprogrammiertem Verhalten im Sinne von Instinkthandlungen zu, die zum Überleben des Individuums und zur Erhaltung der Art notwendig sind. Aus diesem Stamm hat sich einst das Altsäugergehirn entwickelt. Es stellt den ersten Versuch der Natur dar, das stereotype Verhalten, wie zum Beispiel das Nicken des Leguans, plastischer zu gestalten, indem es dem Lebewesen sowohl ein besseres Bild von seinen Innenvorgängen als auch

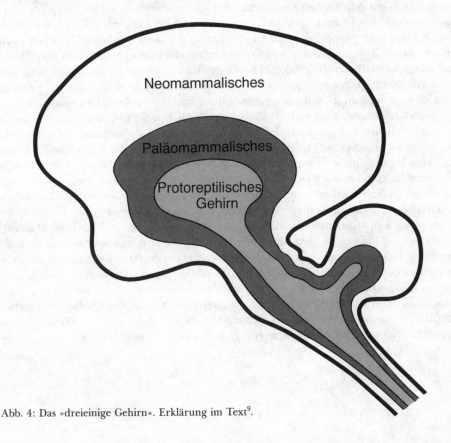

Abb. 4: Das »dreieinige Gehirn«. Erklärung im Text[9].

von seiner Umgebung gibt. So kann es sich besser auf neue Situationen einstellen, deren Bedeutung bewerten und aus ihnen lernen. Dem Neusäugergehirn, das sich schließlich beim Menschen am ausgeprägtesten entfaltet und das Altsäugergehirn total umwölbt, kommt die unemotionale Feinanalyse der physischen und sozialen Umwelt zu. Es ist das Gehirn, das plant und alt-eingeschliffenes Verhalten, sei es erlernt oder genetisch determiniert, verändern und unterdrücken kann. In diesem Modell, wie auch auf viel komplizertere Weise in der Wirklichkeit, wirken diese drei Abschnitte zusammen, oft in Einigkeit, doch nicht selten auch in Uneinigkeit, vor allem dann, wenn das Gefühl es anders will als der Verstand[1, 9].

In allen drei vielfältig miteinander verbundenen Hirnabschnitten ist die Körperoberfläche mehrfach gleichsam abgebildet. Man nennt das die somatotope Gliederung, die am feinsten in dem Anteil der Neuhirnrinde nachzuweisen ist, der für die Körperempfindung und -bewegung verantwortlich ist (Abb. 5 s. Tafel XIII). Für die Empfindungen und Feinbewegungen der linken Körperhälfte ist die rechte Hirnhälfte und für die rechte Körperhälfte ist die linke Hirnhälfte zuständig. Reizt man die Haut des Körpers an einer bestimmten Stelle, erhält man eine elektrisch meßbare Antwort in dem Teil der Körperfühlsphäre, die dem gereizten Hautteil entspricht (Gyrus postcentralis). Reizt man die motorische Hirnrinde (Gyrus praecentralis) mit feinsten Strömen, erhält man je nach Ort des Reizes einzelne Bewegungen der Gliedmaßen und des Gesichts, jedoch keine Bewegungsabläufe oder mimische Ausdrucksbewegungen. Man kann beim Menschen auch einzelne Stimmlaute auslösen. Wie man sieht, nimmt das Gesicht, vor allem aber Mund und Zunge, einen besonders großen Platz auf der Hirnrinde ein. Dennoch weiß man, daß mimische Ausdrucksbewegungen nicht von diesem Teil des Gehirns integriert werden. Sage ich zu jemanden, rümpfe deine Nase oder spitze deinen Mund, so braucht er zur Ausführung des Kommandos eine funktionierende Hirnrinde. Er braucht sie auch, wenn er, wie ein Schauspieler, einen Ausdruck der Trauer, der Freude oder anderer Gemütsbewegungen nachmachen will. Es gibt ein Krankheitsbild, bei dem der Patient die Fähigkeit verliert, seine Gesichtsbewegungen willkürlich zu kontrollieren und mimisch etwas nachzuahmen. Er kann dennoch lachen, schmunzeln oder traurig blicken, wenn ihm danach zumute ist. In diesem Fall ist seine Hirnrinde funktionsgestört. Gerade umgekehrt verhält es sich bei den Parkinson-Kranken, die wohl jeder schon einmal gesehen hat. Sie haben im vorgeschrittenen, unbehandelten Stadium ein fast unbewegliches und maskenhaft anmutendes Gesicht, obwohl sie auf Kommando Gesichtsbewegung machen können. Sie können keine Gemütsbewegungen ausdrücken, obwohl ihnen das Gefühlsleben erhalten bleibt. Das Gemütsleben ist sozusagen vom Gemütsausdruck abgekoppelt. Auf Grund unseres Wissens vom Sitz dieser Krankheit im Nervensystem müssen wir schließen, daß die Integration der Ausdrucksbewegungen nicht im Großhirn, sondern im Mittelhirn stattfindet (Abb. 6), in einem Abschnitt des Gehirns also, der sich im Laufe der Hirnevolution vergleichsweise geringer als die jüngeren Teile des Gehirns geändert hat.

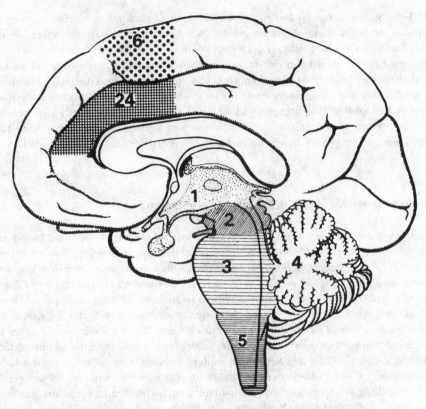

1 – Zwischenhirn
2 – Mittelhirn
3 – Brücke
4 – Kleinhirn

5 – verlängertes Mark
area 6 – motorischer Supplementärcortex
area 24 – Gyrus cinguli anterior

Abb. 6: Längsschnitt durch das menschliche Gehirn. Lage und Proportionen der im Text behandelten Hirnabschnitte[15].

## Das Erkennen von Gesichtern und Gesichtsausdrücken

Ebenso erstaunlich wie die Vielfalt menschlichen Gesichtsausdrucks und die Fähigkeit, tausend Gesichter schneiden zu können, ist die Fähigkeit, unzählige Gesichter wiedererkennen und feine emotionale Regungen entschlüsseln zu können. Dies entwickelt sich offenbar mit der Reifung des Gehirns während der ersten Lebensjahre. Mit gebannter Aufmerksamkeit blickt schon das reife 3tägige Neugeborene auf die Augen des Erwachsenen. Der Mund und seine Mimik erfährt erst nach ein paar Monaten Beachtung. Die

Mimik der Stirn bekommt später zu Beginn des zweiten Lebensjahres eine Bedeutung. Bei 5jährigen rechtshändigen Kindern gelingt der Nachweis, daß sie mit ihrer rechten Großhirnhälfte Gesichter sicherer erkennen können als mit ihrer linken. Und bei rechtshändigen Erwachsenen kann durch umschriebene Krankheitsprozesse in der rechten Hirnhälfte eine Unfähigkeit entstehen, Gesichter zu erkennen. Daß die rechte Hirnhälfte für das Erkennen von Gesichtern und von Gesichtsausdrücken eine führende Rolle spielt, hat man bei solchen Patienten gefunden, bei denen die Verbindungen zwischen den Hirnhälften durchtrennt werden mußten, um sie von Krampfanfällen zu befreien. Trotz vieler Untersuchungen zu diesem hochinteressanten Problem muß es bei diesen Hinweisen bleiben[10].

## Die Stimme als Ausdruck der Gemütsbewegungen

Wenden wir uns nun der Stimme zu – Ausdrucksbewegungen, die mit den Ohren und nicht mit den Augen wahrgenommen werden und doch den mimischen Ausdrucksbewegungen sehr nahestehen, ja beim Menschen schließlich zum dominierenden Mittel der Kommunikation wurden. Um artspezifische Lautäußerungen hervorbringen zu können, müssen sowohl die cerebralen Voraussetzungen als auch die peripheren Apparate entwickelt werden, die die Laute erzeugen. Man denke an das Quaken der Frösche in der Paarungszeit, an den Gesang der Vögel, an das Blöken, Miauen, Bellen und Röhren der Säugetiere, wie auch an die vielen Laute der zahlreichen Affenarten, die als innerartliche Verständigungsmittel dienen. Schließlich gipfeln Feinheit, Geschwindigkeit und Reichtum der Lautgebung im Menschen und bilden eine der wesentlichen Voraussetzungen für die Entwicklung der Sprache. Adolf Kaussmaul[11], ein berühmter Internist aus Straßburg, schrieb vor 100 Jahren ein Buch über die Störungen der Sprache und sagt darin: »Erregungszustände des Großhirns, die das Gefühl des Behagens und eine aufgelegte Stimmung verursachen, machen den Frosch quaken ... dieselben Erregungszustände des Großhirns entlocken dem Stimmorgan des Menschen die mannigfaltigen fröhlichen Singweisen ...« In diesem Sinne wollen wir an die Betrachtung der Stimme gehen. Wie die mimischen Ausdrucksbewegungen sind auch Vokalisationen einerseits Ausdruck von Stimmungen, andererseits sind es Signale, die vorwiegend an die Artgenossen gerichtet und von ihnen verstanden werden. Auch beim Menschen hat die Intonation und Modulation der Stimme unabhängig vom Inhalt der jeweils übermittelten sprachlichen Nachricht eine zwar kaum ins Bewußtsein dringende, aber doch wichtige Bedeutung. Läßt man zum Beispiel emotional gefärbte Schilderungen von Japanern in ihrer Sprache auf Tonband sprechen und anschließend von Menschen ohne Japanisch-Kenntnisse auf ihren Stimmungsausdruck beurteilen, werden die Zuordnungen nach den zur Auswahl stehenden Kategorien Wut, Verachtung, Traurigkeit, Gleichgültigkeit, Verliebtheit – ähnlich wie bei den erwähnten Fotos von Gesichtsausdrücken – mit wenigen Fehlern richtig vorgenommen. Bei der Beurteilung der Emotionalität des stimmlichen Ausdrucks spielen drei vom Empfänger unbewußt bewertete Kriterien die entscheidende Rolle, nämlich die Lautstärke, die Stimmlage und der Anspannungsgrad der Stimme. Die Spannung oder Entspannung der Schlund- und Kehlkopfmuskulatur wird als gepreßte bzw. entspannte

Stimme hörbar. Auf der Abb. 7 (s. Tafel XIV) ist das Wort »Du« in acht verschiedenen Ausdrucksformen gesprochen und in Tonspektrogrammen dargestellt worden. Eine jammernde Stimme ist zum Beispiel durch geringe Lautstärke, hohe Stimmlage und eine relativ gepreßte Stimme charakterisiert. Verändert sich nur die Lautstärke, wird die Stimme ängstlich-panisch, und bei großer Lautstärke ertönt das »Du« als Schmerzensschrei[12]. Mit Variationen der drei Parameter Lautstärke, Tonhöhe und Spannungsgrad läßt sich eine große Fülle von vokalen Variationen des Gemütsausdrucks hervorbringen, die denen der Mimik mindestens ebenbürtig ist.

### Die Stimme als emotionaler Ausdruck und kommunikatives Signal beim subhumanen Primaten

Um die cerebralen Grundlagen der Emotionen studieren zu können, haben wir uns einen subhumanen Primaten, das südamerikanische Totenkopfäffchen, als Modell gewählt, dem man lieber den Namen Zwitscheräffchen geben sollte. Es verfügt über ein außerordentlich reichhaltiges Repertoire an Lautäußerungen, die zur innerartlichen Verständigung benutzt werden. Zieht man neugeborene Äffchen isoliert auf, äußern sie ihre Laute genauso wie ihre in Gruppen aufgewachsenen Genossen und brauchen sie nicht zu lernen. In verschiedenen Rassen oder Unterarten unterscheiden sich einige Laute voneinander, so daß man von verschiedenen Dialekten sprechen kann. Wir haben das vokale Repertoire in fünf Klassen eingeteilt und den einzelnen Lauten jeder Lautklasse eine gemeinsame Signalfunktion zugeordnet (Abb. 8 s. Tafel XV). Auf der Senkrechten sind die Schwingungsfrequenzen und auf der Waagerechten ist der Zeitverlauf für jeden Laut angegeben. So gibt es Kontaktlaute, Distanzlaute, Laute der Aggressionsbereitschaft und der gezielten Aggression und Laute, die hohe Erregung ausdrücken. Die Übergänge zwischen den Lauten innerhalb der Klassen sind mannigfaltig, so daß ein außerordentlicher Reichtum der Ausdrucksmöglichkeiten vorliegt. Es lassen sich dieselben Kriterien wie bei der menschlichen Stimme, nämlich Lautstärke, Stimmlage und Spannung, zur Bewertung des emotionalen Ausdrucks auch bei diesem Äffchen und wahrscheinlich bei allen Affenarten verwenden[13].

### Über die Produktion des vokalen Ausdrucks im Gehirn

Wie bei der Mimik fragen wir nun wieder, wie und wo im Gehirn wird der vokale Ausdruck produziert, wie wird er willentlich kontrolliert und auf welche Weise ist er in krankhaften Zuständen gestört? Da das Gehirn des Äffchens abgesehen von der Großhirnrinde dem des Menschen in den zur Rede stehenden Bereichen außerordentlich ähnlich ist, sind Vergleiche mit dem Menschen im Hinblick auf die gestellten Fragen sinnvoll und zulässig.

Durch punktförmige Reizung des Gehirns kann man die Laute, die die Äffchen natürlicherweise von sich geben, auch willkürlich durch feine elektrische Impulse auslösen. Die Tiere merken davon nichts und leben ungestört zusammen mit ihren Käfiggenossen.

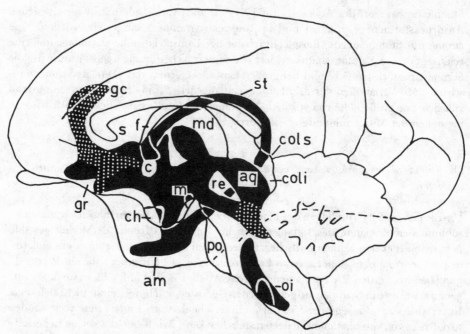

Abb. 9: Sämtliche vokalisationsauslösenden Hirnstrukturen im Totenkopfaffengehirn (punktiert und schwarz) in schematischer Seitenansicht (aus Jürgens, U. & D. Ploog: Zur Evolution der Stimme. Arch. Psychiat. Nervenkr. *222*, 117–137 [1976]).

Wie die Abb. 9 zeigt, sind die im Hirnlängsschnitt schwarz eingezeichneten Gebiete, von denen arteigene Lautmuster ausgelöst werden können, außerordentlich verzweigt und erstrecken sich vom Stirnhirn und vom Schläfenhirn über das Zwischen- und Mittelhirn bis in die Brücke und das verlängerte Rückenmark. Im Sinne des auf Abb. 4 gezeigten Hirnmodells mit den drei Zonen handelt es sich um phylogenetisch alte limbische und darunter liegende ältere Hirnanteile. Die punktierten Gebiete sind primäre Vokalisationsstrukturen, die direkt etwas mit der Lautproduktion zu tun haben und später weiter behandelt werden. Die schwarz eingezeichneten Anteile sind sekundäre Vokalisationsstrukturen, die etwas mit der Motivation des Tieres zu tun haben. Innerhalb dieser sekundären Gebiete gibt es Areale, von denen sich recht verschiedene Lautmuster auslösen lassen. Auf dem linken (frontalen) Hirnschnittdiagramm (Abb. 10, III, Tafel XVI) ist zum Beispiel der Mandelkernkomplex im Schläfenhirn durch einen Punkt gekennzeichnet; von dort sind gackernde Zwitscherlaute auszulösen, während von dem Thalamus-Areal in der Mittellinie des rechten Hirnschnittes tschirpende Pieplaute ausgelöst werden können. Durch Zwitscherlaute und Pieplaute sind zwei verschiedene Stimmungen oder, wie man auch sagt, Motivationslagen des Tieres gekennzeichnet. Alle die Gebiete, die auf der vorigen seitlichen Abbildung schwarz eingezeichnet waren und von denen einige auf der Ebene III dieses frontalen Schemas eingezeichnet sind, sind sekundäre Vokalisationsstrukturen, weil sie die Motivation des Tieres in jeweils unterschiedlicher Weise verändern können. Das Tier wird umgestimmt und drückt dies durch den entsprechenden Laut aus. Anders verhält es sich mit den primären Vokalisationsstrukturen, die auf der vorigen Abbildung punktiert waren und hier auf der Ebene II und IV dargestellt sind. Diese vier Organisationsebenen sind in jeweils verschiedener Weise direkt am Phonationsprozeß beteiligt. Auf der untersten Stufe I, in der sogenannten Brücke und im verlängerten Rückenmark (s. Abb. 6), liegen die Nervenkerne, die sowohl den Phonationsapparat – das sind Kehlkopf und Schlund – als auch die mimische Muskulatur versorgen. Wir sehen somit, daß das gesamte Signalsystem – das mimische und das vokale – auf der untersten Organisationsstufe eng verflochten ist. Reizung in diesem Gebiet ruft Bruchstücke von Lautäußerungen und fraktionierte Bewegungen der Gesichtsmuskulatur hervor, die natürlicherweise nicht vorkommen. Auf Stufe II im Mittelhirn konvergieren alle anatomischen Verbindungen aus den Vokalisationsstrukturen. Hier lassen sich die verschiedensten, wohl-integrierten natürlichen Laute auslösen. Ist dieses Gebiet beim Affen oder Menschen zerstört, z. B. durch ein Mittelhirn-Trauma nach Verkehrsunfall, ist Stummheit die Folge. Auf dieser Ebene treffen die neuralen Informationen aus den verschiedensten Hirngebieten zusammen. Dies ist das »emotionale Lautzentrum« im engeren Sinne, in dem die spezifischen Lautmuster komponiert und ausgelöst werden[6, 14]. Wahrscheinlich ist es dieselbe Organisationsebene, in der auch die Mimik integriert wird, denn hier ablaufende Krankheitsprozesse führen zur Amimie, das heißt, zur Unfähigkeit, Gemütsbewegungen mimisch auszudrücken. Die oberste Ebene IV ist ebenfalls eine primäre Vokalisationsstruktur. Sie hat eine direkte Verbindung zur Ebene III und ist dieser übergeordnet. Es handelt sich um die stammesgeschichtlich alte vordere limbische Hirnrinde (Gyrus cinguli anterior) und ein anschließendes neueres motorisches Feld (motorische Supplementärarea, s. Abb. 6), von denen verschiedene Lauttypen ausgelöst werden können, deren Zerstörung aber ohne jede Wirkung auf die spontan geäußerten Vokalisationen bleibt. Der Affe ist jedoch nach Abtragung der vorderen limbischen Rinde in seiner spontanen Lautproduktion reduziert. Er verliert die erlernbare Fähigkeit, sich auf einen Laut bestimmter Länge und Stärke Futterbelohnung zu erwerben. Hier handelt es sich also um ein Gebiet, das den willkürlichen Zugriff auf die Stimme kontrolliert. Dies ist ein wichtiger Schritt in der Evolution, denn es bedeutet, daß der vokale Ausdruck der Emotion in Abhängigkeit von einer Lernsituation kontrolliert werden kann.

Beim Menschen bewirkt die Schädigung dieses Gebietes (z. B. durch einen Hirninfakt) zunächst gänzliche Stummheit und die Unfähigkeit, die Stimme willkürlich einzusetzen. Wenn diese Phase nach einigen Wochen überwunden ist, klingt die Stimme flach und emotionslos, und spontane stimmliche Äußerungen sind selten. Auch Jahre nach dem Infarkt bleibt die Sprechaktivität reduziert und die Sprechweise monoton. Selbst unter Willensanstrengung gelingt es den Betroffenen nicht, einen emotionalen Ausdruck in die Stimme zu bringen[15].

Es erhebt sich die Frage, was denn nun die Großhirnrinde zur Lautgebung beiträgt, insbesondere der Teil, den wir im motorischen Homunculus als Repräsentation der Sprechwerkzeuge (Mund, Zunge, Kehlkopf) kennengelernt haben (s. Abb. 5). Entfernt man diesen und weit darüber hinausreichende Teile der Neurinde beim Affen beiderseits, hat dies auf seine Lautgebung keinerlei Einfluß. Auch der Mensch kann noch undifferenzierte emotionale Laute von sich geben, aber er verliert, wenn der Krankheitsprozeß die dominante, meist linke Hemisphäre betrifft, die Fähigkeit zur Artikulation von Worten und Sätzen. Die Feinmotorik seines Sprechapparates ist so gestört, daß er nicht mehr verständlich sprechen kann. Darüber hinaus und im Unterschied zum Affen sind seine Stimmbänder, mindestens vorübergehend, gelähmt. Man kann daraus schließen, daß dieser Teil der Hirnrinde beim Menschen einen direkten Einfluß auf die Kehlkopfnerven ausübt (s. Abb. 10, I), während diese Funktion beim Affen fehlt.

## Stimme und Sprechen in der Entwicklung des Menschen

Die Stimme des Menschen als sein dominierendes Kommunikationsorgan hat zwei Funktionen. Zum einen dient sie, der Mimik vergleichbar, dem Ausdruck von Emotionen wie beim Lachen und Weinen, beim Schreien, Jauchzen und Stöhnen. Sie ist insoweit, wie wir gesehen haben, mit der Lautgebung der Säugetiere, insbesondere der subhumanen Primaten, gleichzusetzen und artspezifisch angeboren. Zum anderen dient die Stimme der sprachlichen Mitteilung; dazu wird der Phonationsapparat, also Kehlkopf, Schlund, Gaumen, Zunge und Lippen benutzt. Wenn auch die Fähigkeit zum Sprechen allein dem Menschen angeboren ist, so muß das Sprechen einer Sprache doch ohne Zweifel erlernt werden. Dieses Lernen beginnt nicht erst im Sprachentwicklungsalter, sondern bereits in den ersten Lebenswochen.

Der erste Laut, den der Mensch wenige Sekunden bis Minuten nach seiner Geburt produziert, ist am besten untersucht. Das Schreien ist auch die Lautäußerung, die in den ersten Lebensmonaten bei weitem am häufigsten vorkommt und die Mitmenschen alarmiert. Wohl alle Säugetiere und Vögel verfügen über einen artspezifischen Notschrei, mit dem Zuwendung erzwungen wird. Er signalisiert einen Zustand, der dem Neugeborenen unzuträglich ist und zum Schaden werden kann, der beseitigt werden muß. Die Bedingungen, die Schreien hervorrufen können, sind recht verschieden. Dazu gehören Kälte oder Schmerzen aller Art, Hunger oder Unterbrechung des Fütterns. Schon im Alter von 5 Wochen kann der Säugling schreien, wenn eine Person, die er gerade angeschaut hat, verschwindet. Manche Mütter berichten, daß schon ihr 3 Wochen altes Kind schreit, um Zuwendung zu erhalten. Daß es verschiedene Formen des Schreiens und anderer Vokalisationen gibt, die verschiedene Stimmungen ausdrücken, wissen alle Mütter; man kann dies auch bis zu einem gewissen Grade durch Lautspektrogramme objektivieren. Die zweite Lautform, die mit dem Beginn des Anlächelns auftritt, ist das aus verschiedenen Gaumen- und Lippengeräuschen bestehende Gurren, das für die Person, an die es gerichtet ist, einen unwiderstehlichen Aufforderungscharakter hat, so daß mit Vergnügen hin- und hergegurrt wird. Das wechselseitige Abwarten und Gurren kann man bei Kindern im Alter zwischen 4–8 Wochen beobachten. Das Kind sucht die Gelegenheit zu diesem vokalen Dialog und zeigt Freude daran. Die Häufigkeit und Intensität des Gurrens hängt vom elterlichen Verhalten ab.

Lenneberg[16] berichtet allerdings, daß das Gurren bei Kindern taubstummer Eltern genauso häufig ist wie bei Kindern normaler Eltern.

Wenn das soziale Lächeln voll ausgebildet ist, kommt eine variationsreichere, neue

Vokalisationsform, das Lallen oder Babbeln hinzu. Es besteht meist aus aneinander gereihten Konsonanten und Vokalen, ist weniger abhängig vom »Dialog« und kommt durchaus auch häufig vor, wenn das Kind alleine ist. Spricht ein Erwachsener zu ihm, hört es gewöhnlich auf und beginnt wieder, wenn der Erwachsene geendet hat. Auch so kommt eine »Konversation« zustande. Otto Koehler hat schon 1954 auf die Universalität der »Lallmonologe« hingewiesen. Spätere transkulturelle Vergleiche haben ihm darin recht gegeben. Babys jeder Sprachgemeinschaft produzieren dieselben Laute oder Lautkombinationen in diesem Babbelalter. In diesem Zusammenhang ist Lennebergs Befund, daß taube Kinder im Babbelalter mindestens während der ersten 6 Monate nicht von normalen zu unterscheiden sind, für die Theorie der Sprachentwicklung besonders wichtig. Offenbar ist in diesem Entwicklungsabschnitt die endogene Produktion von Lauten so vorprogrammiert, daß weder das Nachahmen eines Vorbildes noch die audiovokale Kontrolle eine Rolle spielt, obwohl die Lallmonologe so klingen, als probiere der Säugling später für die Sprache benutzte Lautkombinationen aus. Es fragt sich, ob das Babbeln vorprogrammierten Bewegungen nach Art von Instinktbewegungen entspricht oder ob es sich um »Fingerübungen« für das später einsetzende Sprechen handelt oder ob eines in das andere übergeht. Die eigentliche sprachliche Entwicklung beim Kleinkind ist weniger eine Phonations- als eine Artikulationsentwicklung. Die Zahl der konsonantischen und vokalen Elemente nimmt in regelhafter Abfolge zu. Das Sprechen des Erwachsenen zum Kinde oder auch nur seine Stimme regt die Lautproduktion an, beeinflußt sie aber nicht in ihrem in allen untersuchten Sprachgemeinschaften gleichen, regelhaften Entwicklungsablauf. Mit ungefähr 9 Monaten tritt ein Wendepunkt ein. Das Babbeln läßt deutlich nach oder hört für eine Weile sogar ganz auf. Das Kind beginnt, bekannte Gesichter mit einfachen Lauten ([ae], [ba], u. ä.) zu adressieren. Es ist, als ob sich die Lautgebung reorganisiert und wieder mit scheinbar einfachen Lauten beginnt. Erst mit ungefähr 10 Monaten beginnt das Kind, Sprachlaute der Erwachsenen wirklich zu imitieren, d. h. nachzuformen und auch die ersten Worte zu verstehen. Mit 11 oder 12 Monaten beginnen die ersten Worte zu erscheinen. Damit setzt ein langer Prozeß der Artikulationsentwicklung ein, der sich wiederum durch eine Regelhaftigkeit im Auftreten bestimmter Laute auszeichnet, die zunächst noch unabhängig von der später gesprochenen Muttersprache ist. Vom ersten Wort zu den ersten Wortkombinationen – den Einwort- und Zweiwortsätzen – mit ungefähr 17 Monaten gibt es zahlreiche Übergänge und auch bezüglich der Anzahl von Worten sehr große individuelle Unterschiede. Damit setzt der Spracherwerb im engeren Sinne ein, der hier nicht behandelt wird.

An einem Beispiel soll aber doch deutlich werden, welche langwierigen Übungen jeder Mensch machen muß, um Sprechen zu lernen. Die schrittweise Gewalt über das Wort wird bei dem Mädchen Dory anschaulich in 6 Stufen vom 9. bis 22. Lebensmonat beschrieben:

(9–11 Monate): Die Mutter spricht das Wort »Schuh« während dieses Beobachtungsabschnitts immer wieder deutlich und klar im Zusammenhang mit Dorys Schuh aus.

(11 Monate und 14 Tage): Dory macht einen Versuch, das Wort Schuh zu imitieren, den die Mutter nicht akzeptiert. Nach Korrektur sagt das Kind »Tu«. Wenig später, mit dem Rücken zum Kind gedreht, fordert die Mutter Dory auf, die Schuhe aus dem Mund zu nehmen; das Kind folgt der Aufforderung sofort.

(11 Monate und 21 Tage): Dory imitiert Mutters Wort »Schuh« erstmals zu deren

Zufriedenheit, wenn es auch noch eine phonetisch schlechte Imitation war. Bald darauf kommt wieder »Tu Tu«.

(11 Monate und 28 Tage sowie 12 Monate und 5 Tage): Dory benutzt das Wort Schuh in genügend klarer Aussprache spontan, ohne daß die Mutter das Wort vorspricht oder den Kontext dazu herstellt. Eine Woche später, während die Mutter mit ihr wegen nasser Hosen schimpft, versucht Dory, sie mit einem Schuh in der Hand abzulenken, hält die Schuhe hoch und sagt »Tschuh«.

(16 Monate und 22 Tage): Dory benutzt das Wort Schuh spontan als Teil ihres sonstigen Einwort-Schatzes und in Kombination »Mama Tschuh« als Aufforderung an die Mutter, ihr die Schuhe zu geben. Etwas später wechselt sie mehrfach die Aussprache von Tsuh zu Tschuh bis zum schon gut ausgesprochenen »Schuh«.

(22 Monate und 15 Tage): Dory beherrscht nun die adulte Aussprache fast immer und benutzt das »Sch« auch in anderem Zusammenhang jetzt richtig. Sie hatte also zu diesem Zeitpunkt ihren Sprechapparat so unter Kontrolle, daß sie einen Vokallaut richtig formen und halten und einen Silbenlaut produzieren konnte, der mit einem Verschluß des Vokaltraktes beginnt und in offener Position endet[8].

## Stimme und Sprechen unter der Kontrolle des Gehirns

Fassen wir die Gemeinsamkeiten und Unterschiede in der Hirnorganisation der Lautgebung bei Affe und Mensch noch einmal zusammen und benutzen dazu die Abbildungen 10 und 6.

Läsionen unterhalb der Ebene II bis zur Ebene I bewirken bei Affe und Mensch einen völligen Verlust der Stimme (Aphonie). Emotionale Lautäußerungen sind nicht mehr möglich. Wenn die Ebene II intakt ist, können Affen und andere Säugetiere spontane arteigene Lautäußerungen produzieren. Auch menschliche Mißgeburten ohne Vorderhirn können mit den Hirnstrukturen dieser Ebene emotionale Vokalisationen hervorbringen, die jedoch mit Sprechen nichts zu tun haben. Emotionale Laute sind beim Menschen wie beim Affen artspezifisch vorprogrammiert. Welche speziellen Laute jeweils eingesetzt werden, wird auf der Ebene III vorentschieden. Menschen, und in weniger ausgeprägter Form auch Affen, die auf der Ebene IV im Bereich von Area 24 und 6 (Abb. 6) geschädigt sind, können ihre Stimme nicht mehr auf Kommando oder willentlich einsetzen. Beim Affen bleibt aber die Fähigkeit zur spontanen emotionalen Lautäußerung unverändert erhalten, während der Mensch sie verliert; gewinnt er die Sprechfähigkeit zurück, bleibt die Stimme emotionslos, unmelodisch. Die Kontrollstation in der motorischen Hirnrinde mit der angrenzenden Repräsentation der Artikulationsorgane (s. Abb. 5) ist für die Lautgebung des Affen entbehrlich, für den Menschen aber essentiell. Der Mensch verfügt über eine subtile willentliche Kontrolle seiner Stimmbänder, die dem Affen weitgehend fehlt. Würde der Affe diese Kontrolle haben, könnte er vermutlich singen. Die beim Menschen im Neocortex vereinigte Kontrolle über Stimm- und Artikulationsapparat ist eine notwendige Vorbedingung für das Sprechenlernen, das dem Affen trotz seiner sonstigen Begabung, Körperbewegungen nachzuahmen, nicht gegeben ist.

Die Darstellung der zentralnervösen Kontrolle der Phonation ist damit zu einem gewissen Abschluß gekommen. Wir haben ein hierarchisch aufgebautes, topographisch geordnetes Funktionssystem beschrieben und stammesgeschichtliche Unterschiede und Gemeinsamkeiten im Kommunikationssystem von Affe und Mensch umrissen. Dabei sind viele Eigenschaften dieses höchst komplexen Funktionssystems unberücksichtigt geblieben; insbesondere haben wir alle jene Hirnstrukturen und -funktionen nicht behandeln können, die für die Rückmeldungen aus Muskeln und Gelenken an die beschriebenen Funktionsebenen zuständig sind. Auch diese im Nervensystem auf- und abwärts wirkenden Regelkreise werden in der aufsteigenden Wirbeltierreihe zunehmend verwickelter und nehmen bei den Primaten eine Komplexität an, deren neurophysiologische Analyse noch in den Anfängen steckt und gerade für den Sprechakt besondere Probleme aufwirft[15].

Im vorigen Kapitel über die menschliche Entwicklung der Stimme und des Sprechens haben wir gesehen, daß sich die Lautproduktion der ersten Monate relativ unabhängig von der Lautwahrnehmung entwickelt. Eine Imitation von gehörten Lauten findet nicht statt, obwohl Gesichtsausdrücke schon in den ersten Lebenstagen imitiert werden können. Die enge Verknüpfung von der Sprachlaut-Wahrnehmung und seiner Imitation stellt die Grundlage für den Spracherwerb dar. Diese Verknüpfung bahnt sich auf der perzeptiven Seite im Laufe des zweiten und dritten Lebensmonats an. Im fünften bis sechsten Monat, etwa mit dem Beginn der Babbelperiode, entwickelt sich die imitatorisch-motorische Komponente und am Ende des ersten Jahres, wenn das Babbeln wieder verschwindet, ist das Kind mit dem »perzeptuo-motorischen Mechanismus« ausgerüstet, der für die Imitation von Sprachlauten nötig ist. Welchen Hirnrinden-Arealen der Sprachhemisphäre sollen wir diesen perzeptuo-motorischen Mechanismus zuordnen? Welche Teilfunktionen hat dieser Mechanismus auszuführen? Niemand kann diese Fragen heute befriedigend beantworten, obwohl sich die Kenntnisse im einzelnen gerade in den letzten zehn Jahren erheblich vermehrt haben. Die z. Zt. direkteste Auskunft über den perzeptuo-motorischen Mechanismus erhalten wir durch Messungen der regionalen Durchblutung oder des regionalen Sauerstoffverbrauchs, der von der Aktivität der Nervenzellen der betreffenden Region abhängig ist.

Auf der Abb. 11 (s. Tafel XVII) sehen wir eine linkshirnige intensive Aktivierung der praefrontalen-praemotorischen Region, die dem motorischen Supplementär-Cortex (Area 6 in Abb. 6) entspricht, sowie eine zweite Aktivierung über der Kehlkopf-Zungen-Mund-Region (Abb. 5). An der Aktivierung nimmt in geringerem Maße auch die rechte Hemisphäre teil. Die Messungen wurden angestellt, während die gesunden Versuchspersonen mehrfach von 1–20 zählten, also ein sogenanntes automatisches Sprechen durchführten. Nach neurophysiologischen und neuroanatomischen Ergebnissen muß man annehmen, daß die Area 6 eine Kontrolle über die primäre motorische Hirnrinde und damit auch über die Kehlkopf-Region hat, ja möglicherweise motorische Programme – sogenannte Subroutinen – untergeordneter Ebenen bis hinunter zum Rückenmark beeinflussen kann. Eine ähnliche Aktivierung der Area 6 findet sich auch bei Ausführungen komplexer Bewegungsfolgen, z. B. sequentiellen Bewegungen einzelner Finger, und dies sogar dann, wenn die Versuchsperson sich die Bewegungsfolge intensiv vorstellt, anstatt sie auszuführen.

Außer der Area 6 werden weitere praefrontale-praemotorische Felder bei sequentiellen motorischen Aufgaben aktiviert, so auch bei der Artikulation von Wortserien. Die praefrontale Aktivierung kommt sogar dann zustande, wenn die Versuchsperson nicht spricht, sondern Wortreihen – Wochentage, Zahlenreihen, Gedichtzeilen – denkt. Man nennt das inneres Sprechen. Damit kommen wir in den Bereich der Vorstellungen, ja, ihrer möglichen Meßbarkeit[15].

## Emotionen unter der Kontrolle des Gehirns

Wir haben den engen funktionalen Zusammenhang zwischen Stimme und Sprechen wie auch dessen Kontrolle durch das Gehirn beschrieben. Dabei ging es in den letzten Kapiteln mehr um die Entwicklung der Kontrolle über die Sprechwerkzeuge und weniger um die Kontrolle der Emotionen, genauer gesagt, des emotionalen Ausdrucksverhaltens. Der eine Prozeß scheint vom anderen nicht unabhängig zu sein. Das Kind im vorsprachlichen Alter hat man als Affektwesen gekennzeichnet und damit gemeint, daß es ganz seinen Wünschen und Befürchtungen lebt und seine Gefühle je jünger desto weniger verbergen oder steuern kann. Aber auch im Sprachentwicklungsalter gibt es keine verbalen Äußerungen, in denen kein Gefühlsausdruck, keine Emotion mitschwingt. Man muß sogar die Frage stellen, ob nicht auch beim Wort des Erwachsenen, das er an seinen Mitmenschen richtet, stets Emotionen beteiligt sind, ja, ob es unter normalen Bedingungen überhaupt eine von Mensch zu Mensch gesprochene Mitteilung gibt, die gänzlich emotionsfrei ist. Andererseits ist es offenkundig, daß der Ausdruck der Emotionen im Laufe der Sprachentwicklung und des späteren Heranwachsens mehr und mehr unter Kontrolle kommt. Man kann aus vielen Gründen, die zum Teil aus klinischen Erfahrungen mit hirnverletzten oder hirngeschädigten Menschen herzuleiten sind, davon ausgehen, daß die cerebralen Mechanismen, die an der Formung der Wort- und Satzgestalten beteiligt sind, auch zur Kontrolle der Emotionen beitragen. Das Überfluten von Emotionen macht das Sprechen bekanntlich unmöglich. Das menschliche Vermögen, den emotionalen Ausdruck kontrollieren zu können, bedeutet aber nicht nur die Beherrschung oder Unterdrückung der Ausdrucksbewegungen, sondern auch deren willentlichen Einsatz in der Kommunikation. Man denke an das Konversationslächeln auf Parties, bei Bittgängen oder Vorstellungen, das Vermögen der Schauspieler (und nicht nur der professionellen), jeder Gemütsbewegung durch Mimik und Stimme vorsätzlich Ausdruck zu verleihen. Da alle Ausdrucksbewegungen primär angeborene soziale Signale sind, deren Bedeutung auch angeborenermaßen verstanden wird, ist es für den Signalempfänger oft schwer, den willentlichen Einsatz der Ausdrucksbewegung als »Attrappe« zu entdecken und nicht auf ihn hereinzufallen. Doch selbst wenn der Einsatz der Ausdrucksbewegung willentlich intendiert ist, kann er dennoch dem gleichen Zwecke dienen, den die spontane Ausdrucksbewegung hat. Schließlich gibt es in allen Kulturen gewisse Regeln, ja auch strenge Rituale, die vorschreiben, welche Ausdrucksbewegungen in welcher Situation erlaubt oder verboten sind.

Der springende Punkt in unserem Zusammenhang ist die Tatsache, daß es für den willentlichen Einsatz von Ausdrucksbewegungen einen cerebralen Mechanismus gibt, der – mindestens in diesem Ausprägungsgrad – nur dem Menschen eigen ist. Die Unterscheidung von willentlichen und emotionalen Gesichtsausdrücken ist dem Kliniker längst bekannt und wird dazu benutzt, den Ort eines Hirnschadens einzugrenzen. So können

Patienten mit einer Schädigung der motorischen Bahn, die von der Hirnrinde zum Kern des Gesichtsnerven im unteren Hirnstamm zieht, z. B. ihren gelähmten Mundwinkel auf Aufforderung nicht zurückziehen, wohl aber bei entsprechendem Anlaß ein breites Lächeln zeigen. Umgekehrt kann der schon erwähnte Parkinsonkranke mit einer Schädigung in einem anderen motorischen System des Hirnstamms, das nicht direkt mit der motorischen Hirnrinde verbunden ist, seine Gesichtsmuskeln willkürlich und auf Kommando betätigen, doch fehlt ihm die ganze spontane Mimik, so daß sein Gesicht wie eine Maske aussieht, obwohl ihm seine emotionale Erlebnisfähigkeit erhalten geblieben ist. Dem stehen wiederum Patienten mit anderen Läsionen gegenüber, die ohne Anlaß und gegen ihren Willen unbändig lachen oder weinen müssen, ohne eine entsprechende Emotion zu verspüren oder sogar Wut oder Schmerz empfinden, während der wohlkoordinierte Ausdruck des Lachens schablonenhaft abläuft.

Aus diesen wenigen Beispielen ziehen wir den Schluß, daß die voluntative und die emotionale Mimik dissoziiert gestört sein und unter pathologischen Umständen Mimik und Affekterleben entkoppelt werden können, sei es, daß die angeborene Bewegung abläuft, ohne daß eine Emotion erlebt wird, sei es, daß das Erleben von Emotionen erhalten bleibt, aber der Ausdruck der Emotion fehlt. Diese Entkoppelung unter pathologischen Bedingungen scheint mir eine wichtige Stütze für die Annahme zu sein, daß Emotionen die subjektiven Korrelate angeborenen Verhaltens sind.

## Sind Emotionen im Gehirn lokalisierbar?

Die Dissoziation von emotionalem Ausdruck und emotionalem Erleben wirft die Frage auf, ob es bestimmte Orte im Gehirn gibt, die für die Entstehung von Emotionen (Gefühlen) verantwortlich zu machen sind. Dafür noch einmal ein Beispiel aus der Hirnforschung (s. Abb. 9): Von verschiedenen Orten des mit *am* (Amygdala) bezeichneten Nervenzellkomplexes im Schläfenhirn des Affen lassen sich vier verschiedene Laute auslösen, nämlich Schnarren, Alarmpiepen, Zwitschern und Murren. Das Schnarren ist ein Drohsignal von niederer Intensität. Es wird in sozialen Situationen der Herausforderung oder Selbstbehauptung benutzt. Das Zwitschern steckt kollektiv an und hetzt die Gruppe gegen Outsider oder Eindringlinge auf. Der Alarmpiep ist ein hoher, kurzer Pfiff, mit dem vor Luftfeinden (Raubvögeln) gewarnt wird; die Tiere bringen sich blitzschnell in Deckung. Das Murren drückt grollende Rückzugstendenzen aus, Schnarren und Zwitschern entspringen somit einer aggressiven Stimmung, Alarmpiep und Murren hingegen einer Flucht- und Rückzugsstimmung.

Alle von den Amygdala ausgelösten Laute sind keine direkten motorischen Reizantworten, sondern, wie schon erklärt, Ausdruck der reizinduzierten Stimmung bzw. Motivation.

Der Amygdala-Komplex hat zwei »Ausgänge«, durch die die elektrisch ausgelösten neuronalen Impulse auf verschiedenen Wegen in untere Hirnabschnitte geleitet werden, um dort die Nerven zu erregen, die die Stimmbänder zur Produktion des jeweils passenden Lautmusters bringen. Wenn der eine Ausgang (i.e. Stria terminalis und deren Projektionen) unterbrochen wird, kann das Schnarren nicht mehr ausgelöst werden, wenn der andere Ausgang (i.e. das ventrale amygdalofugale Bündel) unterbrochen wird, kann der Alarmpiep nicht mehr ausgelöst werden. Für die beiden anderen Laute liegen analoge Ergebnisse vor[17].

Aus dem Ergebnis geht klar hervor, daß hirnlokal induzierte Erregungsmuster sehr spezifische Stimmungen erzeugen, die durch angeborene Bewegungsmuster ihren sehr spezifischen Ausdruck finden. Im vorliegenden Falle kontrolliert der Amygdala-Komplex über die eine Neuronenbahn zwei spezielle emotionale Ausdrücke aus dem Bereich aggressiven Verhaltens und über die andere Bahn zwei spezielle emotionale Ausdrücke aus dem Bereich des Schutz- und Fluchtverhaltens.

Kann man nun folgern, daß eine bestimmte Emotion oder der Ausdruck dieser Emotion an einem Hirnort lokalisiert ist? Dies wäre sicherlich eine irreführende Beschreibung des zugrundeliegenden Problems. Man würde bei elektrischer Reizung der motorischen Hirnrinde, die z. B. zur Bewegung des Daumens führt, auch nicht annehmen, daß die Daumenbewegung an diesem Ort lokalisiert ist. Dennoch ist der Daumen an bestimmter Stelle in der Hirnrinde repräsentiert und seine Bewegung kann über die motorischen Bahnen durch lokale Erregungsbildung ausgelöst werden. In diesem Sinne können auch Instinktbewegungen, z. B. vokale Ausdrucksbewegungen, durch lokale Erregungsbildung in Gang gesetzt werden. Auch sie haben ihre cerebrale, nämlich (im weitesten Sinne) limbische Repräsentation (s. Abb. 4). Das Gesamt dieser Repräsentation konstituiert das arttypische Verhalten, insbesondere das kommunikative Verhalten, das sich bei den Primaten vor allem in Mimik und Stimme kundtut. Am Beispiel der Funktion des vorderen limbischen Cortex läßt sich zeigen, daß es Kontrollinstanzen für den Ablauf von angeborenen Ausdrucksbewegungen gibt, die mit fortschreitender Evolution des Neocortex zunehmend dominierender und komplexer werden.

Da sich Menschen und Affen im Bereich des Ausdrucksverhaltens und der dazu gehörigen Anatomie und Physiologie sehr nahe stehen, muß man annehmen, daß auch beim Menschen bestimmte Emotionen durch bestimmte hirnregionale Prozesse induziert und zum Ausdruck gebracht werden. Zur Erklärung psychopathologischer Phänomene, insbesondere der Affektstörungen, sind diese Vorstellungen außerordentlich hilfreich. Im Zusammenhang mit den Messungen der regionalen Hirndurchblutung oder des regionalen Sauerstoffverbrauchs bringen sie mehr Licht in die funktionale Topographie psychischer Prozesse.

## Erkrankungen des emotionalen Systems

Den Schritt von der hirnlokal eingrenzbaren Störung des Ausdrucksverhaltens, sei es des stimmlichen Verhaltens oder des mimischen Verhaltens, bis zur Erkrankung des ganzen Hirnsystems, das für Emotionen verantwortlich ist, wollen wir im folgenden versuchen.

Gefühle, Emotionen und Affekte – Vergnügen, Mißvergnügen, Überraschung, Ärger, Wut, Angst und Furcht, Enttäuschung, Kummer und Trauer, Gefühle der Liebe, des Hasses und alle übrigen Emotionen – sind allen Menschen eigen. Wir sehen sie mit Darwin als die subjektive erlebnisfähige Seite instinktiven Verhaltens an. Sie sind nicht nur an soziale Signale und kommunikative Prozesse gebunden, sondern wirken als Triebfedern des Handelns überhaupt. So wie die Gefühle, Emotionen und Affekte in ihren Qualitäten verschieden sind, so können sie es auch in ihrer Intensität sein, wie es jeder Mensch aus eigenem Erleben weiß. Extreme Gefühlszustände, in denen sich einerseits das Spektrum der Qualitäten ganz zum negativen oder positiven Pol verschiebt und andererseits Intensitäten erreicht werden, die der Mensch in der Regel nicht erlebt, treten in Gemütserkrankungen, besonders bei der manischen und depressiven Psychose auf.

Im depressiven Stupor ist der Kranke psychomotorisch vollständig verarmt, seine Mimik ist gewissermaßen eingefroren und starr, ein Kontakt ist nicht herzustellen; er fühlt sich vollständig leer und zu keiner Handlung fähig. Die Gedanken sind verarmt, haben thematisch nur den Unwert der eigenen Person zum Gegenstand und kreisen um die Selbsttötung. Im manischen Zustand ist derselbe Kranke psychomotorisch ausdrucksreich. Die Stimmung ist gehoben, der Gedankengang gelockert, das Selbstwertgefühl gesteigert; der Kranke fühlt sich zu allem fähig, ist angetrieben und betriebsam, oft bis zur Erschöpfung, und fast ohne Schlaf. In seltenen lehrreichen Fällen können sich manische und depressive oder depressive und normale Zustände in regelmäßigen kurzen Abständen wiederholen. Der Umschlag von einer Stimmung in die andere kann in kurzer Zeit erfolgen; wer solche Krankheitsbilder nicht kennt, kann nicht glauben, daß sich ein Mensch gewissermaßen über Nacht derartig in seinem Wesen ändern kann.

In Abb. 12 (s. Tafel XVIII) ist der streng periodische Verlauf einer endogenen Depression aufgezeichnet. Bei dem wegen seiner Krankheit längst berufsunfähigen Patienten wechselten seit mehr als zwölf Jahren »gute«, d. h. normal-gestimmte und »schlechte«, d. h. schwer depressive Tage miteinander ab. Dies ist in den oberen beiden Systemen der Abbildung dargestellt. Die fortlaufende Linie entspricht dem Grad der vom Patienten selbst eingeschätzten Depressivität. Solche Selbsteinschätzungsskalen sind für Verlaufsuntersuchungen sehr verläßlich. Die Schwere der Depressivität wird außerdem durch erfahrene Beobachter mit dafür entwickelten Skalen geschätzt. Die punktierten Säulen stellen die nächtlichen Ruhezeiten dar. Auf der Zeitachse sind fortlaufende Tage in 24 Stunden abgetragen. Auf der Ordinate der Depressionsskala bedeuten niedrige Werte eine gute, und hohe eine schlechte Stimmung. Die aufgezeichneten Tage fangen demnach mit einem guten Tag an, die Stimmung ist abends am besten. In der Nacht schlägt sie um. Der nächste Tag ist schlecht, der folgende wieder gut usw. Unter »Zeitgeber«bedingungen auf der Krankenstation, wo die Einteilung des 24-Stundentages vorgegeben ist, trat die Verschlechterung des Zustandes grundsätzlich in den Nachtstunden auf, eine Aufhellung bis zur völligen Depressionsfreiheit dagegen im Laufe des Tages, aber immer nur einen Tag um den anderen. Die untere stufenförmig fortlaufende Linie gibt die Ausscheidungsmengen des Nebennierenrindenhormons Cortisol wieder, die ein Maß für den Streß sind, unter dem der Organismus steht. Die Cortisolausscheidung wird vom Hypothalamus des Gehirns und von der Hypophyse gesteuert. Die Rhythmik der Cortisolausscheidung verlief parallel zur Rhythmik des subjektiven Befindens. In »zeitgeberfreier« Umgebung eines vom Tagesgeschehen isolierten Zimmers – die beiden unteren Systeme – verkürzte sich die Dauer des Wach-Schlaf-Zyklus auf durchschnittlich 19 Stunden, während die Periode der physiologischen Funktionen mit etwa 24 Stunden praktisch unverändert blieb. Obwohl nun die Schlafzeiten des Patienten häufig nicht mehr der für die Nachtstunden typischen Funktionsschaltung des vegetativen Nervensystems entsprachen, war die Stimmungsverschlechterung weiterhin an den Schlaf und die Stimmungsaufhellung an den Wachzustand gebunden. Trotzdem blieb aber insgesamt die 48stündige Periodik der Gestimmtheit in einer festen zeitlichen Koordination mit der 24stündigen Periodik vegetativer Funktionen erhalten. Die Beeinflußbarkeit derartiger zyklischer Prozesse zeigte ein Therapieversuch mit einem antidepressiven Pharmakon: Die strenge Periodik verschwand erstmals nach 12 Jahren, stellte sich aber ohne das Pharmakon sofort wieder ein. Unter Dauermedikation treten jetzt nur noch selten und in gänzlich unregelmäßiger Folge »schlechte« Tage auf.

Aus diesem Beispiel kann man verschiedene Schlüsse ziehen: Auch Gefühle sind unter bestimmten Bedingungen mit bestimmten Methoden meßbar, solange sich der Befragte ihrer bewußt ist. Eine feste Beziehung zu bestimmten Reizen aus der Umwelt besteht jedoch nicht: Grundstimmungen – wie heiter/traurig – und mit ihnen Gefühle, Emotionen und Affekte werden vom Gehirn gesteuert, können sich unter Krankheitsbedingungen extrem ausprägen, periodisch verändern, sind von Vorgängen abhängig, die im Schlaf ablaufen und stehen in einer festen zeitlichen Koordination zu vegetativen Funktionen. Mit Pharmaka, die auf bestimmte Systeme des Gehirns wirken, kann man die Stimmung beeinflussen und pathologisch-periodische Abläufe, die die ganze Persönlichkeit in ihren Gefühlen, Denkabläufen und Handlungen verändern, wieder normalisieren. Diese Schlußfolgerungen werfen mehr Fragen auf, als sie Antworten geben. Sie sind Deskriptionen von Ergebnissen, aus denen man allerlei praktische Konsequenzen ziehen, aber wegen der Komplexität der Phänomene noch keine kausalen Zusammenhänge erkennen kann, obwohl wegen der Regelmäßigkeit des gemeinsamen Auftretens der beobachteten Phänomene kausale Zusammenhänge vermutet werden müssen. Hier stehen wir noch ganz am Anfang, und große, für die Menschheit segensreiche Entwicklungen in der Forschung sind ohne Zweifel zu erwarten.

## Empfindungen und Gefühle

Wir haben bisher von Gefühlen, Emotionen und Affekten, wie vor allem auch von ihrem Ausdruck und ihrer kommunikativen Funktion berichtet. Die Empfindungen, ohne Zweifel ebenso Produkte unseres Gehirns, haben wir nicht in Betracht gezogen. Es würde auch unseren Rahmen sprengen, wollten wir dies tun. Denn wir müßten mindestens die Sinnesempfindungen des Sehens, Hörens, Fühlens, Schmeckens und Riechens behandeln, von unseren Leibempfindungen nicht zu reden. Der größte Teil des Gehirns von Mensch und Tier dient der Wahrnehmung und der Auswertung des Wahrgenommenen, somit dem Erfolg und dem Schutz des Individuums in der Auseinandersetzung mit seiner unbelebten und belebten »objektiven« Welt. Es soll hier darum gehen, einen Vergleich zwischen Empfindungen und Gefühlen anzustellen und ihren Platz im Leben des Individuums zu bestimmen.

Wir beginnen mit der Frage, ob man die subjektive Empfindung, z. B. eine Helligkeit, eine Lautheit, einen Schmerz oder Druck, einen Geschmack oder Geruch messend erfassen kann. Die Frage stellt sich, weil wir subjektive Unterschiede sowohl qualitativer als auch quantitativer Art in unseren Wahrnehmungen empfinden und daher annehmen müssen, daß unser Gehirn über Einrichtungen verfügt, die derartige Differenzierungen erlauben. Die Frage ist erkenntnistheoretisch sehr alt und geht in der abendländischen Philosophie vermutlich auf Aristoteles' Unterscheidung von Bewußtsein und Materie zurück. Sie hängt mit der Frage zusammen, ob man subjektiven Empfindungen räumliche Ausgedehntheit, raumausfüllende Eigenschaften zuerkennen kann, wie sie der Materie zukommen, die die Empfindungen hervorruft. Es macht keinen Sinn, von einem Schmerz zu sprechen, der drei Millimeter groß oder von einem Geruch, der kugelförmig ist. Dennoch beschreiben wir in der Umgangssprache subjektive Empfindungen häufig in materiellen Kategorien: Es ist ein schwerer Schmerz, ein voller Geruch, ein leerer Geschmack usw. Dieses Problem der »subjektiven« inneren Empfindung im Verhältnis zur »objektiven« äußeren Wahrnehmung – zwei äquivalenten Seiten unserer erlebten Wirklichkeit – macht den Kern des Leib-Seele-Problems aus, über das sich die Philosophen nicht einig werden können, das aber von unserem Gehirn im Regelfall bei ungestörter Funktion gelöst wird, indem ein Zwiespalt zwischen Wahrnehmung und Empfindung nicht auftritt, der jedoch in krankhaften Zuständen auftreten kann.

Wie man Empfindungen messen kann, wurde erst im 19. Jahrhundert Gegenstand der Psychophysik. Fechner (1850)[18] dachte darüber nach, wie man die innere Welt der Empfindungen mit der äußeren Welt der auf die Sinne treffenden Reize in eine gesetzmäßige Beziehung bringen könne; ihm kam der Gedanke, daß jedesmal, wenn man einen Sinnesreiz verdoppelt, die Empfindung um einen konstanten Betrag zunimmt. Oder anders ausgedrückt, bei geometrischem Reizzuwachs wächst die Empfindung arithmetisch. Fechner stützte sich auf Weber, der vor nunmehr 150 Jahren bemerkte, daß es eines festen prozentualen Zuwachses einer Reizintensität bedarf, um von der Versuchsperson gerade als unterschiedlich wahrgenommen zu werden. Webers Gesetz besagt also, daß der gerade wahrnehmbare Unterschied einer Empfindung in direkt proportionalem Verhältnis zur Reizgröße steht. Webers und Fechners Formulierungen führten schließlich zum psychophysischen Gesetz, das das Verhältnis von Reizzuwachs und Empfindungsstärke auf den verschiedenen Sinnesgebieten bestimmt. Es kommt mir hier nicht darauf an, die Geschichte der Psychophysik darzustellen, sondern auf das Grundprinzip dieser Erkenntnisse, daß die subjektive Empfindung eines äußeren Sinnesreizes in einem meßbaren und invarianten Verhältnis zur Reizstärke steht. Dieses Verhältnis läßt sich in nicht-linearen Gleichungen beschreiben. Daraus kann man den Schluß ziehen, daß die Verarbeitung der Sinnesreize im Nervensystem in einem gesetzmäßigen und nicht etwa lediglich in einem statistisch-korrelativen Verhältnis zur subjektiven Empfindung steht. Wir ziehen daraus den weiteren Schluß, daß unsere bewußt wahrgenommenen Empfindungen in einem stabilen Verhältnis zu den in uns dringenden Reizen der uns umgebenden Welt stehen. Damit wissen wir aber noch nichts über die Art und Weise, in der das Nervensystem die aufgenommenen Reize verarbeitet, mögen es nun einfache oder komplexe Reizkonstellationen mit recht unterschiedlichem Informationsgrad sein. Gerade dieses möchte man aber gerne wissen. Wie wird der Code der Hirnmaschinerie in den Code der subjektiven, d. h. bewußtseinsfähigen Empfindung und des Erlebens übersetzt? Schon im natürlichen Schlaf ändert sich dieses Übersetzungsverhältnis, indem die Schwelle für alle Sinnesreize angehoben wird und die Reizverarbeitungsprozesse in noch weitgehend unverstandener Art und Weise ablaufen. Wir haben gute Gründe anzunehmen, daß sich auch in pathologischen Bewußtseinszuständen, z. B. in manischen und depressiven Psychosen, die Verarbeitungsprozesse auf Sinnesreize ändern. Auf der Erlebnisebene des Subjekts wird in bestimmten Zuständen, z. B. im Meskalinrausch, über Empfindungen und Empfindungsqualitäten berichtet, die nicht nachempfunden und sprachlich nur unzureichend beschrieben werden können.

Wie steht es demgegenüber nun mit den Gefühlen? Zu den Sinnesempfindungen gehört ein Objekt, etwas, das ich sehe, etwas, das ich höre usw. Die Gefühle, unter die wir Stimmungen, Emotionen und Affekte subsumieren wollen, haben primär keinen Gegenstand, keinen Reiz, der sie hervorruft. Es besteht keine invariante Beziehung zwischen Reiz und Empfindung. Man kann Gefühle im Sinne der Psychophysik nicht messen, wenn man einige auch, wie wir am Beispiel des depressiven Kranken gesehen haben, mit Hilfe der Psychometrie skalieren kann. Gefühle sind nur in Form der inneren Wahrnehmung als Erlebnis präsent. Weil ich dieses oder jenes Gefühl habe, setze ich voraus, daß auch andere Menschen diese Gefühle haben; ich verstehe die Gefühle anderer durch Empathie, nicht durch Erfahrung. Nie werde ich durch Erfahrung lernen können, ob die Angst, die Traurigkeit, die Freude, die der andere empfindet, wirklich die gleiche ist, die ich selbst empfinde.

Anders sieht die Sache vom Standpunkt des Beobachters aus. Ich sehe den *Ausdruck* der Freude, der Traurigkeit, der Angst und »weiß« damit, wie es dem Beobachteten zu Mute ist. Weiß ich das angeborenermaßen oder muß ich den Ausdruck der Emotionen lernen? Wie fast immer bei dieser Frage, wenn sie Menschen oder andere Primaten betrifft, gibt es keine Entweder-Oder-Antwort. Die Muster der mimischen Signale, die Emotionen ausdrücken, sind dem Menschen angeboren wie die Gesichtsmuskeln, die sie ausführen, und die neuronalen Programme, die sie erregen; der Kontext jedoch, in dem diese sozialen Signale gezeigt und beantwortet werden, die Regeln, unter denen ihre Benutzung erlaubt oder verboten ist, hängt vom Kanon der Kultur ab, in der das Individuum lebt, von seiner Stellung in der Gemeinschaft, von seiner individuellen Lebensgeschichte, von seinem Alter und Geschlecht. Diesen erfahrungsabhängigen Gebrauch der Ausdrucks- und Kommunikationsmittel von der Gemeinschaft teilt der Mensch mit den übrigen Primaten.

Vom Standpunkt des Ethologen sind Gesichtsausdrücke, wie wir gezeigt haben, eine Klasse sozialer Signale und gehören somit zu den Instinktbewegungen oder Erbkoordinationen im Sinne von Konrad Lorenz. Jedem mimischen Ausdruck entspricht – jedenfalls in den frühen Phasen der Individualentwicklung, bevor die Mimik unter willentliche Kontrolle kommt – eine Stimmung, ein Gefühl, eine bestimmte Emotion.

Emotionen sind aber nicht allein an soziale Signale und kommunikative Prozesse gebunden, sondern wirken als Triebfedern des Handelns überhaupt. Wie sollen wir die Emotionen unter neurobiologischen Gesichtspunkten einordnen? Seit altersher werden die Gefühle und damit auch die Emotionen im engeren Sinne in die Nachbarschaft der Empfindungen gerückt. Die spezifischen Geschmacksempfindungen »süß« oder »salzig«, die beim neugeborenen Menschen mimische Reaktionen des Vergnügens oder Mißvergnügens auslösen, brauchen nicht gelernt zu werden. Gelernt wird die Zuordnung der Empfindungen zum Gegenstand, der sie auslöst, z. B. das Zuckerstück, das süß schmeckt oder der Ofen, an dem man sich verbrennt. Der Lernvorgang besteht hier, ähnlich wie bei der bedingten Reaktion – dem Grundprinzip der Dressur – in einer direkten Ankoppelung des zunächsst neutralen Reizes, z. B. dem Ofen, an die angeborene, unbedingte

Schmerzempfindung. Gerade beim Schmerz wird die Beziehung zwischen Empfindung und Gefühl am deutlichsten. Hier hat die Psychochirurgie gezeigt, daß durch Ausschaltung von Hirngewebe die emotionale Komponente des Schmerzes, das Schmerzgefühl, beseitigt werden kann, obwohl die Schmerzempfindung weiter besteht. Der von seinen unsäglichen Schmerzen befreite Patient sagt, es tut mir noch weh, aber es macht mir nichts mehr aus. Ein zuvor einheitlich erlebter Schmerz dissoziiert; die Emotion verschwindet, die Empfindung bleibt. Hier handelt es sich also um eine Änderung der Erlebnisqualität des Schmerzes, hervorgerufen durch einen lokalen Eingriff im Gehirn.

Da Sinnesempfindungen, abgesehen von der Tagesperiodik, normalerweise keine Schwankungen in der Reaktionsbereitschaft zeigen, sind sie den Reflexen zu vergleichen. Ihnen gegenüber stehen die Emotionen oder Gefühle, die der Auslöser-Instinkthandlungs-Beziehung entsprechen. Vergnügen, Mißvergnügen, Überraschung, Ärger und Wut, Angst und Furcht, Trauer, Gefühle der Liebe und des Hasses sind allen Menschen eigen und wie die Empfindungen angeborene subjektive Erscheinungen. Unähnlich den Empfindungen sind die Emotionen jedoch den für Instinkthandlungen charakteristischen Schwankungen in der Reaktionsbereitschaft unterworfen. Der Hungrige sucht nach Nahrung, der Satte beachtet sie nicht. Die Emotion erweist sich also als die subjektive Seite triebbedingten Verhaltens. So außerordentlich variabel und zumeist erlernt die zum Triebziel führenden menschlichen Handlungen auch sind, die sich einstellenden Emotionen sind erstaunlich universal und können als solche nicht an Vorbildern erlernt werden[2, 19].

## Zusammenfassung und Schlußbetrachtung

Der Mensch ist auch im Lichte der Evolutionslehre das jüngste Kind der Schöpfung. Wir haben ein Stück seiner biologischen Vorgeschichte aufgezeichnet und seine Verwandtschaft, die subhumanen Primaten, betrachtet. Die ganze Familie der Primaten weist untereinander mehr Ähnlichkeit auf als mit irgendeiner anderen Familie. Menschen und Affen haben dementsprechend nicht nur die einander ähnlichsten physischen Merkmale und Hirnstrukturen, sondern auch die ähnlichsten Formen des Zusammenlebens und der nichtsprachlichen Verständigungsweisen. Studien an Affen bieten daher die Möglichkeit, emotionales und kommunikatives Verhalten an seinen biologischen Wurzeln zu untersuchen und die zugrundeliegenden Hirnfunktionen aufzuklären. Dazu bieten sich die beiden hauptsächlichen Kommunikationsorgane an, das Gesicht mit seinen mimischen und der Kehlkopf mit seinen stimmlichen Ausdrucksbewegungen. An Mimik und Stimme kann man zeigen, daß jeder Kommunikationsprozeß, jede Nachricht an einen Artgenossen zugleich Ausdruck einer Emotion ist. Während Mimik und Stimme beim Menschen durch seine Hirnrinde im Laufe der Kindheit unter willentliche Kontrolle kommen, verfügt der Affe über diesen direkten Kontrollmechanismus nicht. Trotz der willentlichen Kontrolle über die kommunikativen Ausdrucksmittel bleibt der emotionale Anteil in der sprachlichen Mitteilung des Menschen erhalten, so verborgen er oft auch bleiben mag. Erst bei bestimmten Krankheitszuständen und Hirnschädigungen stellt sich heraus, daß sich das gesprochene Wort vom emotionalen Ausdruck trennen läßt. Der emotionale

Anteil des Kommunikationsprozesses, der Ausdruck der Emotion, wird bei Mensch und Affe nicht von der Hirnrinde, sondern von einem stammesgeschichtlich älteren Hirnsystem, dem limbischen System mit seinen Verbindungen in den Hirnstamm, vermittelt. Dieses emotionale Hirnsystem, das der Kommunikation, doch nicht unbedingt der Ratio dient, kann lokal und global durch Krankheitsprozesse gestört werden. So kann sich der emotionale Ausdruck, sei es in Mimik oder Stimme, von der ihm zugehörigen Emotion, dem subjektiv erlebten Gefühl, trennen. Beide führen dann, auch gegen den Willen des Kranken, ihr Eigenleben. Beide können aber auch gemeinsam so gestört sein, daß zwar der Ausdruck dem zugehörigen Gefühl entspricht, der reale Anlaß für den gerade vorhandenen Gemütszustand jedoch fehlt. Die affektiven, vor allem manisch-depressiven Psychosen sind das beste Beispiel dafür. Hoffnungslosigkeit und Verzweiflung können in kurzer Zeit ohne Anlaß in eine Hochstimmung umschlagen, die auch auf andere ansteckend wirkt. Seit Entdeckung des Gehirnsystems, das für die Regulierung der Emotionen verantwortlich ist, gibt es ständigen Fortschritt, ja zum Teil revolutionierende Erfolge in der Behandlung von Gemütskrankheiten, die ohne Hirnforschung nicht möglich wären. Dennoch gelingt eine kausale Analyse der komplexen Zusammenhänge körperlicher und seelischer Erscheinungen noch nicht, wenn auch an ihrer zentralnervösen Grundlage nicht zu zweifeln ist. Man wird in den nächsten Jahrzehnten durch wachsende Kenntnisse der Gehirntätigkeit mit großen Fortschritten rechnen können.

Seitdem der Hirnforscher Franz Joseph Gall[20] die Grundeigenschaften des Menschen an verschiedenen Stellen der Hirnrinde lokalisierte und ihre Ausprägung an der Schädeloberfläche feststellen zu können glaubte, sind beinahe zweihundert Jahre vergangen. Gall meinte, daß die Tiere denselben Gemütsbewegungen (affections) unterworfen seien wie die Menschen. Auf kaiserliche Order mußte Gall seine Vorlesungen in Wien einstellen, da seine Lehre auf Materialismus beruhe und somit gegen die Moral verstoße. Gall erwiderte dem Kaiser, daß er die Frage nach der Existenz der Seele den Theologen überlasse und sich als Naturforscher nur auf die Untersuchung der Bedingungen beschränke, unter denen die Seele im Körper wirke. »Sie kann in ihm nur mit Hilfe eines körperlichen Werkzeuges wirken. Dieses Werkzeug aber«, das man nicht mit dem wirkenden Wesen selbst verwechseln dürfe, »ist das Gehirn«.

Ähnlich wie Gall, der von Goethe belobt und von Napoleon mißachtet wurde, werden auch heute die Hirnforscher und Ärzte, die sich mit den körperlichen Grundlagen seelischer Vorgänge und Krankheiten beschäftigen, im Streit der öffentlichen Meinung oft gröblich verunglimpft, obwohl sie der Menschheit mit ihren zumeist am Tier erprobten Entdeckungen beträchtliche Erleichterung und oft auch Befreiung von seelischen Nöten gebracht haben.

Mit der Evolution der Großhirnrinde entwickelt sich die menschliche Sprache, das alles beherrschende Kommunikationsmittel, und mit ihr das Schreiben, Lesen, Rechnen und die musikalischen Fähigkeiten. Im Modell des »Dreieinigen Gehirns« (s. S. 531) gingen diese kulturtragenden Leistungen aus der Entwicklung des »Neusäugergehirns« hervor. Dieses kontrolliert, wie am Beispiel des Sprechens gezeigt, das emotionale Gehirn – das »Altsäugergehirn« des Modells. Das emotionale Gehirn kann die Kontrolle aber auch außer Kraft setzen. Überflutende Emotionen machen zum Beispiel das Sprechen unmöglich. Sie beeinflussen unser Denken und unseren Verstand. So entstand die Metapher, daß das Neusäugergehirn auf dem Altsäugergehirn wie ein Reiter ohne Zügel auf dem Pferd sitzt. Mit diesem Bilde soll die mangelhafte Kontrolle des menschlichen Verstandes über die Emotionen zum Ausdruck kommen[9]. Sie sind die subjektiv erlebten Komponenten ursprünglich triebhaften Verhaltens. Ihre Beschreibung in Worten der Sprache ist ähnlich den Träumen nur ein matter Abglanz der subjektiv erlebten Wirklichkeit. Im Bereich der Psychopathologie entziehen sich die Emotionen nicht selten der sprachlichen Mitteilbarkeit. In welcher Weise abnormen Erlebnissen pathologische Prozesse in umschriebenen Hirnabschnitten, insbesondere in verschiedenen Bereichen des emotionalen Gehirns entsprechen, ist Gegenstand der neurobiologischen Forschung in der Psychiatrie.

Das Modell des dreieinigen Gehirns soll die Tatsache veranschaulichen, daß die Triebfedern menschlichen Handelns, menschliche Gefühle und Affekte aufs engste mit der biologischen Vergangenheit des Menschen verknüpft sind. Die Art und Weise, in der sich Menschen untereinander verständigen, miteinander umgehen und sich auseinandersetzen, trägt trotz allem kulturellen Wandel außerordentlich konservative Merkmale und ist durch die genetisch vorbestimmte Organisation des menschlichen Gehirns bedingt. Vergleiche mit dem Gehirn subhumaner Primaten und deren Verhalten erlauben Aussagen über Evolutionsschritte, die zur Menschwerdung geführt, und über das Tempo, in dem sich Organismen dieser Komplexität geändert haben. Die biogenetische Evolution des Menschen ist sicher nicht abgeschlossen, und niemand weiß, wohin sie geht. Auf jeden Fall aber ist die Zukunft des Menschen, die er als erstes und einziges Lebewesen selber plant, durch seine biologische Evolution mitbestimmt. Das Tempo der kulturellen Evolution, die beschleunigte Zunahme der Erfindungen und Entdeckungen während der letzten 1 000 Jahre, die Geschwindigkeit des Wandels in unserem Lebensraum ist atemberaubend und läßt die biologische Evolution daneben beinahe zeitlich stillstehen.

Dennoch läßt sich die biologische Evolution nicht von der kulturellen Evolution trennen. Sprechen, Schreiben und Lesen sind vorläufige Endprodukte der biogenetischen Evolution und zugleich die natürlichen Kommunikationsmittel, durch die die kulturelle Evolution eingeleitet und ermöglicht wurde. Einmal als neue Dimension der Kommunikation – ohne Zweifel in vielen kleinen Schritten – entwickelt, muß die Sprachfähigkeit sich rückgekoppelt auf die biogenetische Evolution ausgewirkt haben, da sie beträchtliche Selektionsvorteile mit sich brachte. Die Folge des Selektionsdruckes war wiederum die strukturelle Verbesserung des Gehirnsystems, das Sprache und die mit ihr verbundenen höchsten Hirnleistungen hervorbrachte. So standen menschliche Natur und Kultur in enger Wechselwirkung. Es ist natürlich, unser Dasein durch eine Kulturtradition zu bewältigen, schreibt Markl[21]. Evolutionsbiologen beschreiben die Wechselwirkung von Kultur und Natur des Menschen als Ko-Evolution mit dem Effekt der biologischen Fitness-Steigerung. In dieser Ko-Evolutionsspirale, sagt Vogel[22], hatte der Mensch zwar mehrfach die Mittel, kaum jedoch die ihm verborgenen Zwecke seines Handelns geändert: Er verwendete seine Intelligenz dazu, »mit seinen neuen kulturellen Mitteln das alte darwinsche Fitnessrennen nur um so erfolgreicher fortzusetzen«[22]. In unserem Modell bedeutet dies, daß das Rennen auch weiterhin blindlings durch das »Altsäugergehirn« bestimmt wird, gleich welche kulturellen Leistungen das »Neusäugergehirn« hervorgebracht hat.

Niemand ist heute in der Lage, die Grenzen menschlicher Erfindungsgabe vorauszusagen. In dieser Hinsicht scheint die Kapazität des Gehirns vorläufig unausgeschöpft zu sein. Das biologische Erbe des Menschen, das sein Zusammenleben, seine Verständigungsweisen und seine Gefühle bestimmt, wird in zunehmend schärferen Kontrast zur kulturellen Evolution geraten, wenn der Mensch beim Planen der Zukunft die artspezifischen Grenzen und Sackgassen seiner eigenen Biologie nicht erkennt. Die Chance des Menschen scheint mir darin zu liegen, daß er sein größtes Gut, mehr als andere Lebewesen lernen zu können, auf die Vermehrung seines Wissens über sich selbst und seine Lebensbedingungen konzentriert. Vielleicht wird er durch bessere Kenntnisse der ihm auferlegten Zwänge und der ihm zugleich gegebenen Freiheiten seine Zukunft vernünftiger planen können.

## Anmerkungen und weiterführende Literatur

[1] Ploog, D. und P. Gottwald: Verhaltensforschung. Instinkt – Lernen – Hirnfunktion. Urban & Schwarzenberg, München 1974.

[2] Ploog, D.: Sozialverhalten und Hirnfunktion beim Menschen und seinen Verwandten. Klin. Wschr. 55, 857–867 (1977) und Verhdlg. d. Ges. Dtsch. Naturf. und Ärzte 1976, 121–131.

[3] Darwin, Ch.: The Expression of the Emotions in Man and Animals. London: Murray 1872 (Der Ausdruck der Gemüthsbewegungen bei dem Menschen und den Thieren, Halle 1896).

[4] Lorenz, K.: Vergleichende Verhaltensforschung. Grundlagen der Ethologie. Springer, Wien, New York 1978.

[5] Ploog, D.: Verhaltensforschung und Psychiatrie, In: H. W. Gruhle, R. Jung, W. Mayer-Gross und M. Müller (Hrsg.) Psychiatrie der Gegenwart, Bd. I/1B. Springer, Berlin, Göttingen, Heidelberg 1964, 291–443.

[6] Ploog, D.: Der Ausdruck der Gemütsbewegungen bei Mensch und Tier. In: MPG Jahrbuch 1980. Vandenhoeck & Ruprecht, Göttingen 1980, 66–97.

[7] Eibl-Eibesfeldt, I.: Die Biologie des menschlichen Verhaltens. Grundriß der Humanethologie. Piper, München, Zürich 1984.

[8] Ploog, D.: Soziobiologie der Primaten. In: K. P. Kisker, J.-E. Meyer, C. Müller und E. Strömgren (Hrsg.), Psychiatrie der Gegenwart, Bd. I/2, 2. Aufl., Springer, Berlin, Heidelberg, New York 1980, 379–544.

[9] MacLean, P. D.: The triune brain, emotion and scientific bias. In: F. O. Schmitt, G. C. Quarton, Th. Melnechuk und G. Adelman (Hrsg.), The Neurosciences. 2nd Study Program. The Rockefeller Univ. Press, New York 1970, 336–349.

[10] Grüsser, O.-J.: Neuropsychology of face recognition. Human Neurobiol. Bd. 3, Heft 4 (1984).

[11] Kussmaul, A.: Die Störungen der Sprache. Versuch einer Pathologie der Sprache. In: H. v. Ziemssen (Hrsg.), Handbuch der Speciellen Pathologie und Therapie, 12. Bd., 2. Aufl. Verlag von F. C. W. Vogel, Leipzig 1881.

[12] Jürgens, U.: Die Stimme als emotionales Ausdrucksmittel und ihre zentralnervöse Steuerung. Hexagon Roche 9, 7–11 (1981).

[13] Ploog, D.: Kommunikation in Affengesellschaften und deren Bedeutung für die Verständigungsweisen des Menschen. In: H.-G. Gadamer und P. Vogler (Hrsg.), Neue Anthropologie, Thieme, Stuttgart 1972, 98–178 und dtv wissenschaftliche Reihe, Bd. 2, 98–178.

[14] Jürgens, U.: Neural control of vocalization in nonhuman primates. In: H. D. Steklis und M. J. Raleigh (Hrsg.), Neurobiology of Social Communication in Primates. Academic Press, New York 1979, 11–44.

[15] Ploog, D.: Stimme und Sprechen unter der Kontrolle des Gehirns. Verhdlg. d. Ges. Dtsch. Naturf. und Ärzte, Wiss. Verlagsgesellschaft m.b.H., Stuttgart 1985, 113–137.

[16] Lenneberg, E. H.: Biologische Grundlagen der Sprache. Suhrkamp, Frankfurt 1972 (Engl. Originalausgabe 1967).

[17] Jürgens, U.: Amygdalar vocalization pathways in the squirrel monkey. Brain Res. *241*, 189–196 (1982).

[18] Fechner, G. Th.: Elemente der Psychophysik II, 1860.

[19] Jürgens, U. und D. Ploog: Von der Ethologie zur Psychologie. Kindler, München 1974.

[20] Gall, F. J.: Franz Joseph Gall, 1758–1828, Naturforscher und Anthropologe. Ausgewählte Texte, eingeleitet und übersetzt und kommentiert von Erna Lesky, Wien. In: E. H. Ackerknecht und H. Buess (Hrsg.), Hubers Klassiker der Medizin und Naturwissenschaften, Bd. 15. Hans Huber, Bern, Stuttgart, Wien 1979.

[21] Markl, H.: Wie unfrei ist der Mensch? Von der Natur in der Geschichte. In: H. Markl (Hrsg.), Natur und Geschichte, Oldenbourg, München 1983, 11–50.

[22] Vogel, Ch.: Die Hominisation, ein singulärer Sprung aus dem Kontinuum der Evolution? Vortrag auf der Jahresversammlung der Deutschen Akademie der Naturforscher Leopoldina, 1985.

# Ludwig E. Feinendegen

# Mensch und Strahlung

## Einleitung

Naturgegebenheit, geschaffenes Werkzeug und Bedrohung zugleich ist »Strahlung« für viele Menschen heute ein Reizwort geworden, ist Ursache für tiefe und weitreichende Unruhe für die einen und für Hoffnung, materielle Sicherheit und Gesundheit für die anderen. Alle stimmen zu, daß die sog. ionisierende Strahlung biologische Schäden im Bereich sehr kleiner Dosen verursachen kann. Es besteht so eine erhebliche Spannung im Meinungsbild der Öffentlichkeit. Sie ist den meisten wohl bewußt und sicher nicht kurzlebig. Seit Jahren beobachtet man, wie die Meinungswellen in Nachrichten, Konferenzen und Besprechungen in Resonanz auf Meldungen wissenschaftlich-technischer Entwicklungen im Umfeld von Strahlung meist die Unruhe zum Ausdruck bringen. Dabei ist die Unruhe sicher kein einzelnes Symptom, sie muß als Zeichen einer die heutige Zivilisation durchziehenden Unsicherheit in der Bewertung des technischen Fortschrittes gesehen werden. Konrad Lorenz resümiert: »Die Lage, in die die Menschheit sich durch ihre eigenen Geistesleistungen gebracht hat, ist, kurz gesagt, verzweifelt.«

## *Nutzen und Risiko der Technik*

Was die Technik zunächst zum Dienst am Menschen, zu seiner Erfüllung und zu seinem Glück begann, wird zunehmend zur Quelle von Ängsten, Verirrungen, Vereinsamungen und Aggressionen; man sieht um sich herum Ansätze zur Zerstörung des Lebensraumes, zur bedrohlichen Veränderung der Umwelt, zu einem Zustand, den man vielleicht als Ersticken der menschlichen Gemeinschaft bezeichnen kann. Viele Menschen fühlen sich verloren, stellen die überkommene Moral in Frage und suchen vielerorts nach einer neuen Ethik.

Andere sehen unsere Zivilisation nicht unbedingt existentiell bedroht; die unbezweifelbar herrschende Krise sei früheren großen Krisen-Situationen der Menschen vergleichbar. Ein wesentliches neues Merkmal der Lage unserer Generation scheint die Diskrepanz zwischen biologischer und kulturell-wissenschaftlich-technischer Evolution zu sein. Die erste verläuft langsam und wird zudem ihres natürlichen Selektionsdruckes durch die großen Erfolge der Medizin in der Beherrschung vor allem von Seuchen und vererbbaren Erkrankungen beraubt; die Bevölkerungsexplosion ist allen bekannt. Die zweite zeigt eine der Bevölkerungsexplosion vergleichbare hohe Geschwindigkeit; allein die wirtschaftlich nutzbaren Erkenntnisse der Forschung sind schon atemberaubend. Alles soll leichter, schneller und besser gehen; Mühen und Kosten werden gespart. Aber wir werden auch überfordert, Spezialisten haben das Sagen. Als Einzelperson kommt man nicht mehr mit. Zur Information dienen Zusammenfassungen; Manipulierbarkeit wird gefährlich. Die Lawine an neuen Kenntnissen droht zu erdrücken. Man sucht einen Ausweg, strebt nach Lösungen mit dem Wunsch nach Ausgeglichenheit zwischen Einsatz und Gewinn.

Der Lebensstandard der industrialisierten Länder ist so gestiegen, daß durch ihn nahezu alle Konsumwünsche, die zudem die Werbung noch fördert, befriedigt werden und in den sog. Entwicklungsländern als Vorbild genommen noch größere Fehleinschätzungen des eigenen Wertes entstehen, als dies in Industrieländern zu beobachten ist. In der Tat, der Wert der Person an sich, ihrer Arbeit und ihres Wissens, sowie Rohstoffe und Energie auf der einen Seite und Konsum zur Erfüllung materieller und ideeller Bedürfnisse auf der anderen erscheinen als Einsatz und Gewinn.

Dem Druck zur Verschiebung der Bewertung menschlichen Tuns ganz zugunsten des materiellen Konsums und des Besitzes wird durch die Technik in unserer Zivilisation deutlich nachgeholfen, und zwar auf Kosten der Bewertung derjenigen Tugenden, welche sich zur Regelung zwischenmenschlicher Bindungen bewährt haben und bisher unsere Entwicklung förderten. So erscheint in unserer Zeit der Geschichte eine Unausgewogenheit der Bilanz auf Kosten der Person, wie sie umfassender nie war. Es sieht so aus wie eine Versklavung an die Technik.

Der Zwiespalt zwischen den sich widerstrebenden Tendenzen und Sehnsüchten – hier nach Befriedigung materieller Wünsche oder von den Interessen der Umgebung losgelöster Selbstfindung, dort nach Einsicht in die eigene Stellung mit Erfahrung von Freiheit und des eigenen Wertes in der Bindung zur Umgebung mit dem Bemühen, in Anerkennung der Partnerschaft nützlich zu sein –, ist zwar nicht neu, er ist immer die große Herausforderung des Menschen gewesen. Aber das Ungleichgewicht im Zwiespalt mit Betonung des Gewinnstrebens ist heute, so scheint es, allgemeiner und deutlicher als früher und führt zu Ängsten und Nöten der oft über sich selbst überraschten Menschen unserer Zivilisation.

Große Teile der Bevölkerung fragen stärker als je zuvor nach dem Risiko, vor dem man sich sorgt, und man beginnt zu erfahren, daß hemmungsloser Konsum das Risiko größer werden läßt als den Nutzen, den man vor sich sieht und sich wünscht. Von anderen wird diese Sorge weniger empfunden. Risiko und Nutzen liegen oft bei unterschiedlichen Bevölkerungsteilen; während die Befriedigung des einzelnen risikolos für ihn möglich sein mag, werden andere erheblichen Nachteilen und Gefahren ausgesetzt. Dafür gibt es sehr viele Beispiele. Steigende Güterproduktion bedingt erhöhten Energiebedarf mit zunehmenden Abfällen und Umwelt-, besonders Luftverschmutzung mit Gefahren für schließlich Alle. In der Erkenntnis der Notwendigkeit einer ausgeglichenen Nutzen-Risiko-Beziehung, die eine große Zahl handelnder Partner und die Gesellschaft allgemein einbezieht, scheint sich eine Kraft zur Solidarisierung zu entfalten, die zu Optimismus Anlaß gibt.

## Nutzen-Risiko-Beziehung

Es ist schwer, die Nutzen-Risiko-Relation in den Griff zu bekommen und durch Quantifizierung zu optimieren. Die Wünsche sind gegenüber dem Nutzen oft überhöht, beinhalten nicht mehr von der Mehrheit angenommene Risiken; sie sind auch deswegen häufig überzogen, weil einmal das Risiko und zum anderen der Nutzen aus dem Risiko nicht richtig eingeschätzt oder erkannt wird. Und hier gibt es heftige Auseinandersetzungen, was denn für den einzelnen wie die Gemeinschaft erstrebenswert sei, für das ein gegebenes Risiko sich lohne. Es ist also sehr wichtig, eine reale und für alle Beteiligten oder Betroffenen annehmbare Nutzen-Risiko-Beziehung zu finden.

Meist ist die Bestimmung des Wertes eines Nutzens weniger schwer als die Quantifizierung des Risikos. Manchmal ist es umgekehrt; so bringt z.B. die Anwendung von Strahlung in der Medizin einen definierten Nutzen in Erkennung und Beherrschung der Krankheit eines Patienten, der auch das dem Nutzen zugeordnete Risiko trägt. Im Gegensatz dazu steht die Frage der gesundheitlichen Schäden von seiten der friedlichen Nutzung der Kernenergie. Hier ist die Allgemeinheit betroffen, und Nutzen und Risiko verteilen sich über viele Personen mit unterschiedlicher Gewichtung auch auf nachfolgende Generationen.

Die öffentliche Diskussion zeigt vernünftigerweise deutlich, daß bei der Analyse der Nutzen-Risiko-Relation alle Ebenen der Existenz in Betracht zu ziehen sind. Ohne Rücksicht auf die menschliche Person, ihre Würde, ihr Recht auf Verantwortung, Gesundheit und Anerkennung, auf Freiheit der Wahl ihrer Bindungen in Freundschaft und Partnerschaft bleiben auch die Bewertungen von Nutzen und Risiko einer Technik unvollständig und kontrovers. Die Menschen wehren sich gegen ihre Mißachtung.

Unsere Anpassung an die Geschwindigkeit der kulturell-wissenschaftlich-technischen Evolution geht nur über die Bemühungen, die Risiken der neuen Techniken für alle richtig und umfassend zu begreifen und mit einem Wert zu versehen und zu entscheiden, inwieweit sie dem mit den Risiken eingehandelten Nutzen entsprechen. Risiken müssen zumutbar sein, um angenommen zu werden; diese Zumutbarkeit findet ihre Grenze im Wert der Person mit ihren Rechten auf Gesundheit, Anerkennung und Selbstbestimmung. So findet der Nutzen einer Technik und eines von ihm geprägten Konsums seine Grenzen an der Zumutbarkeit der Risiken für die Mitglieder der Gemeinschaft. Nutzen und Risiken haben den gemeinsamen Nenner der menschlichen Person. Dieser Bezug sollte Schlüssel sein, die »verzweifelte Lage der Menschheit« zu behandeln. Dies gibt der Ethik den Vorzug. Es ist zu fragen, ob dafür die bisherigen ethischen Normen ausreichen oder ob eine Ethik zu fordern sei. Es sieht so aus, als ob die bisher bewährten ethischen Grundsätze Richtschnur bleiben könnten.

Die zum Teil sehr heftig geführten öffentlichen Auseinandersetzungen, die auch die Struktur und Art von politischen Parteien beeinflussen, zeigen zum einen, daß die Gesellschaft der Industrieländer hellhörig geworden ist und begonnen hat, sich um Korrekturen der auf Kosten der Person gestörten Bilanz zu bemühen. Sollten diese Bemühungen aus irgendwelchen Gründen, seien sie ökonomischer, politisch-ideologischer oder gesellschaftlicher Natur, fehlschlagen, würde die Menschheit sich in der Tat in große Gefahr begeben in Konsequenz einer Selbstsucht, die ohne Rücksicht auf Bedürfnisse und Werte anderer nur dem persönlichen und materiellen Nutzen des Augenblicks dient. Es wäre die Kapitulation an das Chaos.

In der Auffindung realer Nutzen-Risiko-Koeffizienten für die einzelnen Techniken, mit denen wir unser Dasein sicherer, angenehmer und erfüllter machen wollen, liegt auch der Ansatz für Vertrauen, wenn wir die Zusammenhänge richtig verstehen können. Ohne Vertrauen bleiben Bemühungen um immer ersehnte persönliche Kontakte und Freundschaften oberflächlich und darüber hinaus ohne Fertilität für Kreativität und Leistung in der zwischenmenschlichen Beziehung. Die Vielfalt dieser Wechselwirkungen in der menschlichen Gesellschaft birgt gestaltende Kraft, fördert Ordnung aus Chaos, Struktur aus Turbulenzen, von denen keine Gesellschaft frei sein kann und auch sollte, sind sie doch im Zusammenwirken mit Bereitschaft zur zwischenmenschlichen Bindung und Leistung in ihr notwendige Voraussetzung zur Evolution. Es besteht Grund zum Optimismus für die Zukunft in der Erkennung der Tatsache, daß der Mensch sich gegen Mißachtung wehrt, wie ihn auch Selbstsucht treiben mag. Beide Bestrebungen haben vielleicht eine gemeinsame Anlage, sind wohl Ausdruck angeborener Verhaltensweisen und bedeuten Beschleunigung und Bremse zugleich.

Gerade die Anwendung der ionisierenden Strahlen hat als Einsatz nützlicher wie bedrohlicher Technik die Frage nach Nutzen und Risiko wie bisher keine andere Technik aufgeworfen und zu umfangreichen Untersuchungen geführt. Die heute in allen Ländern mit etwas unterschiedlicher Betonung eingeführten Regelungen zum Strahlenschutz brauchten eine relativ lange Entwicklung. Ursache dafür waren die im Laufe der Jahre zunehmend erkannten Gesundheitsschäden in ihren verschiedenen Ausdrucksformen und die wissenschaftliche Erarbeitung der Wirkung von Strahlen auf biologische Systeme. Mit der zunehmenden Erkenntnis, daß auch sehr kleine Mengen von ionisierender Strahlung erbliche Erkrankungen und Krebserkrankungen verursachen können, wurde die Notwendigkeit der Risikoanalyse immer deutlicher und führte schließlich zur Forderung, daß jede Anwendung von ionisierender Strahlung durch den damit erzielten Nutzen gerechtfertigt werden müsse.

Es sieht so aus, als ob wir heute eine ausreichend genaue Übersicht über das Strahlenrisiko hätten. Die auf den neueren Risiko-Untersuchungen basierenden Empfehlungen zum Strahlenschutz reduzieren die etwaigen gesundheitlichen Schäden auf eine statistisch nicht mehr erfaßbare Höhe, erscheinen also optimal angesichts des großen Nutzens aus der Anwendung der Strahlung. Besonders eindrucksvoll ist der durch Strahlenanwendung erzielte Nutzen in der Medizin. Zum Beispiel wäre es ohne Röntgenuntersuchungen der Lunge nicht gelungen, die Tuberkulose in den westlichen Ländern nahezu auszurotten. Die verantwortliche Nutzung ionisierender Strahlung in der Medizin liefert nicht nur hervorragende Bilder vom Aufbau des Körpers, sondern eröffnet heute Möglichkeiten der Analyse seiner fundamentalen Lebensvorgänge auf der molekularen Organisationsebene mit einem praktisch vernachlässigbar kleinen Risiko. Diese neuere Entwicklung in der Medizin ist in etwa analog dem Einsatz ionisierender Strahlung zur Untersuchung der Struktur und Funktion einzelner Atome im atomaren Netzwerk der Materie.

In dieser Abhandlung sollen Risiko und Nutzen der Strahlung, und hier insbesondere die Anwendung in der medizinischen Diagnostik und Therapie, besprochen werden. Die dabei offenbar werdenden Beziehungen zwischen Nutzen und Risiko zeigen auf den

verschiedenen Gebieten der Anwendung von Strahlung stets das Bemühen, den Mißbrauch zu verhindern.

## Gesundheitsbedrohende Strahlung

Obwohl jede Art von Strahlung der Materie Energie zuführt, somit auch eine Temperaturerhöhung verursacht und damit möglicherweise schädlich ist, versteht man unter der
hier besprochenen, gesundheitsbedrohenden Strahlung solche, die ganz ohne Bezug auf
Temperaturerhöhung bereits in sehr kleinen Mengen Schäden auslösen kann. Diese
kommen dadurch zustande, daß die grundlegenden Bausteine unseres Körpers, die
Atome und geordneten Gruppierungen aus Atomen, die Moleküle, bei Strahlenabsorp-
tion verändert und dadurch in ihrer Funktion beeinträchtigt werden; es können sogar
kurzzeitig neue Funktionen induziert werden. Störungen des Ablaufs der normalerweise
geordneten Wechselwirkungen auf der molekularen Organisationsebene unseres Körpers
können gravierend sein und schließlich gesundheitliche Schäden nach sich ziehen.

### Strahlenarten

Die direkt auf Atome und Moleküle einwirkenden Strahlen können unterschiedlicher Art
sein. So gibt es die Photonen, kleinste Energie-Pakete, die sich mit hoher Frequenz, oder
man kann auch sagen, mit sehr kurzer Wellenlänge, mit Lichtgeschwindigkeit fortbewe-
gen; diese wie unsichtbares und durchdringendes Licht erscheinende Strahlung entdeckte
W. C. Röntgen 1895 und erregte weltweit unerhörtes Aufsehen wie kaum je eine
Entdeckung zuvor. Es ist die besonders kurze Wellenlänge der Strahlung, welche sie, im
Gegensatz zu den Photonen des relativ langwelligen sichtbaren Lichtes oder der Radiostrahlung direkt auf Atome und Moleküle sozusagen als Antennen einwirken läßt. Atome
sind unvorstellbar klein, ebenso unvorstellbar kurz sind die Wellenlängen der gesundheitsbedrohenden Photonen. Wenn der Erdball das Herz eines Menschen wäre, würde
dieser mit seinen Händen die Umlaufbahn des Mondes fassen können; in diesem Menschen hätte ein Atom den Durchmesser eines Tennisballes.

Andere Strahlen bestehen aus winzigen Teilchen; sie sind gewöhnlich atomare Bausteine. Im freien Zustand und bei genügend hoher Geschwindigkeit kollidieren sie mit
Atomen, wobei sie deren elektrische Ladung ändern oder sie sogar aus ihrer Position
werfen. So gibt es mit hoher Geschwindigkeit, allerdings nicht Lichtgeschwindigkeit, sich
bewegende elektrisch negativ geladene, relativ leichte Teilchen, die Elektronen, die
entweder aus der den Atomkern umkreisenden Elektronenwolke oder dem Atomkern
selbst stammen können. Andere atomare Bausteine sind die Neutronen, welche keine
elektrische Ladung zeigen und deren Masse etwa der des Atomkerns des Wasserstoff
entspricht. Sie entstehen z. B. beim Zerfall des Uran und sind die wesentliche Strahlung im
Innern des Kernreaktors. Eine Vielzahl von anderen atomaren Bausteinen, wie die
Gruppe der Mesonen, ist Teil der aus dem Weltall kommenden Hintergrundstrahlung.

Auch beschleunigte, elektrisch positiv geladene Atomkerne, deren Masse mehr als

1840mal schwerer ist als die eines Elektrons, wie die Kerne des Wasserstoff, des Helium, des Kohlenstoff, sind zu Interaktionen mit Atomen und Molekülen fähig, solange ihre Geschwindigkeit groß genug ist, um trotz ihrer Masse und Ladung die Vernetzung der Atome in der Materie zu durchdringen.

## Radioisotope

Während die Photonen der Röntgenstrahlung durch erzwungene Störungen der in Schalen oder Bahnen strukturierten Elektronenwolke um den Atomkern entstehen, kommen alle anderen Strahlen aus Atomkernen, wenn diese eine für ihre optimale Konfiguration überschüssige Energie besitzen und diese abstrahlen, um damit ihren Ruhezustand zu erreichen. Diese Eigenart von bestimmten, in der Natur vorkommenden Elementen wurde etwa zwei Monate nach Röntgens erstem Bericht, durch diesen angeregt, von H. A. Becquerel in Kristallen von Uran-Sulfat gefunden; zum Nachweis der Strahlung diente wie bei Röntgen eine Platte mit photographischer Emulsion. Elemente mit instabilen, strahlenden Kernen werden nach einem Vorschlag von I. Curie radioaktive Elemente oder Radioisotope genannt; so ist radioaktiver Wasserstoff chemisch identisch mit stabilem Wasserstoff, radioaktives Jod chemisch identisch mit stabilem Jod; Uran kommt nur als Radioisotop vor. Die überschüssige Energie der Kerne wird für die einzelnen Elemente in unterschiedlicher Weise und charakteristischen Zeitspannen abgegeben, womit die optimale Kernkonfiguration mit stabilem Ruhezustand erreicht wird. Jedes radioaktive Element hat seine charakteristische Strahlung. Neben Photonen, den sog. γ-Strahlen, werden Elektronen als sog. β-Strahlen, oder die zweifach positiv geladenen Atomkerne von Helium als sog. α-Strahlen, oder Neutronen, die elektrisch neutralen Kernbausteine, mit für jedes radioaktive Element typischen Energien freigesetzt. Wird die überschüssige Energie mit elektrischer Ladung abgegeben, z. B. als α- oder β-Strahlen, so resultiert ein Atomkern mit anderer Ladung und daher veränderter chemischer Eigenschaft; das Atom hat eine Transmutation erfahren. Die Zeitspanne, in der Radioisotope ihren Ruhezustand erreichen, wird durch die sog. Halbwertzeit charakterisiert, während der die Hälfte von ihnen durch Energieabstrahlung stabil wird. Halbwertzeiten der natürlichen Radioisotope betragen Hunderttausende bis Milliarden Jahre und bezeugen den Ursprung der Erde. Künstlich hergestellte Radioisotope haben fast durchweg kurze Halbwertzeiten.

## Wechselwirkung Strahlung – Materie, biologische Wirksamkeit

Je schwerer alle die als Strahlen auftretenden Energiepakete oder Teilchen sind, vom Photon über das Elektron bis zum schweren Atomkern, und je mehr elektrische Ladung sie tragen, desto höher muß die Bewegungsenergie sein, damit sie in Materie eintreten und dort Atome direkt beeinflussen können. Je dichter der Fluß entsprechend energetischer Strahlung ist, um so höher ist die Wahrscheinlichkeit eines Treffers in der Gruppe der im Fluß liegenden Atome.

Lebendes Gewebe ist höchststrukturiert und auf die Wechselwirkung einer Vielfalt sehr unterschiedlicher Moleküle angewiesen; je höher der Fluß einer Strahlung, um so eher wird ein für die Aufrechterhaltung des Lebens wichtiges Molekül verändert und kann als solches zu biologischen Effekten und schließlich gesundheitlichen Schäden führen. Die für Lebensprozesse primär wichtigen atomaren-molekularen Veränderungen sind Verluste von elektrischer Ladung in Form von Elektronen aus den atomaren Elektronenwolken. Dies ist Folge der Kollision der Strahlen mit einem den Atomkern umkreisenden Elektron, das nun losgelöst und beschleunigt selbst zur Strahlung wird, auf seiner Flugbahn mit anderen Elektronen kollidieren kann und somit eine größere Zahl interatomarer Bindungen von Molekülen brechen kann. Der induzierte Elektronen-Verlust eines Atoms, Ionisation, führt zu einem geladenen Atom, einem Ion. Jedes primäre Strahlen-Einfang-Ereignis produziert daher viele Ionisationen.

Die biologische Wirksamkeit einer Strahlung wird wesentlich von der räumlichen Dichte der Ionisationen beeinflußt. Kommt es nicht direkt zum Treffer oder zur Kollision einer Strahlung mit Atomen und Molekülen, so kann doch durch Wechselwirkung der beschleunigten, geladenen Teilchen die Frequenz der Schwingungen der Atome in ihren Bindungen in Molekülen des exponierten Materials so verändert werden, daß molekulare Strukturen und dadurch Funktionen in lebenswichtigen Prozessen verändert werden. Je etwa die Hälfte der Energie einer Strahlung wird in Materie auf diese Weise der Anregung und die andere durch Ionisation verloren. Die Reichweite jeder Strahlenart wird durch ihre Anfangsenergie und die pro Flugstrecken-Einheit insgesamt abgegebene Energie bestimmt.

## Absorption von Photonen und Elektronen

Photonen der Qualität der Röntgen-Strahlung werden in einer konventionellen Kathodenröhre generiert und können den menschlichen Körper leicht durchdringen. Ihre Anwendung für die Röntgen-Diagnostik ist wohlbekannt. Röntgen-Strahlen erzeugen bei einem Einfang-Ereignis eine primäre Ionisation und ein beschleunigtes Elektron, das eine mittlere Reichweite von nur etwa 1/1 000 mm und eine Energie hat, die groß genug ist, auf seiner Flugbahn etwa 150 andere Atome zu ionisieren, und damit wieder pro Ionisation ein beschleunigtes Sekundärelektron freizusetzen. Ein solches Strahlen-Einfang-Ereignis führt somit über die primäre Ionisation zur Auslösung eines winzigen »Blitzes«. Je höher die Energie der die Materie treffenden Strahlen ist, um so mehr Energie wird im Mittel auf die aus der Atomhülle ausgestoßenen Elektronen bei der primären Ionisation übertragen, und um so länger ist daher ihre Flugbahn, und um so zahlreicher sind die pro Flugbahn erzeugten sekundären Ionisationen, d. h. um so stärker ist also der ausgelöste »Blitz«. Die Häufigkeit dieser »Blitze« in einem gegebenen Volumen ist proportional zum Strahlenfluß. Hochenergetische Photonen, z. B. aus radioaktivem Kobalt in einer »Kobalt-Bombe«, werden für Strahlentherapie von Tumoren genutzt und sind für viele Patienten lebensrettend.

β-Strahlen sind qualitativ vergleichbar mit den durch Photonen generierten beschleunigten Elektronen.

## Absorption und α-Strahlen

Die α-Strahlen, d. h. beschleunigte Atomkerne des Helium aus bestimmten Radioisotopen, wie die des Radium, Uran, Astatin oder Plutonium, haben aufgrund der Schwere der Teilchen und ihrer doppelt elektrisch positiven Ladung eine verhältnismäßig kurze Reichweite von nur wenigen Tausendstel mm und auf ihrer Flugbahn relativ viele Ionisationen, die pro Streckeneinheit 10- bis 100mal zahlreicher sein können als entlang den Flugbahnen der Elektronen. Je dichter Ionisationen erzeugt werden, um so eher werden in der Flugbahn liegende Moleküle verändert oder sogar vernichtet. Damit wächst die Wahrscheinlichkeit eines biologischen Schadens, der sowohl therapeutisch, z. B. zur Behandlung von Krebserkrankungen genutzt werden kann, als auch ein erhöhtes Risiko für Gesundheit in sich birgt. Die relative biologische Wirksamkeit der Strahlung steigt mit der Dichte der Ionisationen pro Streckeneinheit der Flugbahn der Teilchen und erreicht zuweilen einen Maximalwert von vielleicht 100 im Vergleich zur Wirksamkeit beschleunigter Elektronen.

In den letzten Jahren werden Bemühungen unternommen, α-Strahlen abgebende Radioisotope, z. B. 211-Astatin, an solche Moleküle zu binden, die von Tumorzellen bevorzugt angelagert bzw. aufgenommen werden und daher eine hohe Wahrscheinlichkeit haben, den sie annehmenden oder aufnehmenden Wirt zu vernichten.

## Absorption von Neutronen

Elektrisch neutrale Neutronen werden bei der Passage durch das Netz der Atome in der Materie weniger behindert, können Barrieren elektrischer Ladungen überwinden, so durch die Elektronen-Bahnen um Atomkerne dringen und mit diesen kollidieren; je nach ihrer Energie erzeugen Neutronen durch Aufprall beschleunigte Atomkerne, vor allem bei leichten Kernen, wie denen des Wasserstoff. Diese werden dadurch zu Strahlen und verursachen über ihre kurze Flugbahn relativ zahlreiche Ionisationen und können daher mit hoher Wahrscheinlichkeit Moleküle aufbrechen und vernichten und haben damit eine verhältnismäßig hohe relative biologische Wirksamkeit im Vergleich zu derjenigen von beschleunigten Elektronen. Die Therapie von bösartigen Tumoren mit hochenergetischen Neutronen wird weltweit versucht, wobei die Ergebnisse auch bei tiefer sitzenden Tumoren bereits eindrucksvoll sind.

Aufgrund ihrer neutralen Ladung werden Neutronen, wenn sie mit einer nur niedrigen Energie auf bestimmte Atomkerne treffen, diese nicht aus ihrer Position werfen, sondern von ihnen aufgenommen; damit werden diese Kerne in den Zustand der Anregung oder des Ungleichgewichtes ihrer Teile und Bindungen gebracht; der getroffene Kern wird aktiviert zu einem Radioisotop, das nun wieder eine Strahlenquelle ist. Die vom aktivierten Kern des Radioisotops schließlich abgegebene charakteristische Strahlung kann man dazu nutzen, einerseits das Einfang-Ereignis und andererseits das getroffene Element bestimmen. So ist es z. B. möglich, in sehr kleinen Mengen biologischen Gewebes oder in Körperflüssigkeiten bestimmte Elemente durch gezielte Bestrahlung mit niederenergetischen Neutronen mit höchster Präzision und Empfindlichkeit nachzuweisen. Diese als

Neutronen-Aktivierungsanalyse bezeichnete Messung hat in die Materialforschung und industrielle Qualitätskontrolle Eingang gefunden und sich auch in der Medizin außerordentlich segensreich ausgewirkt. So konnte mit dieser Technik die lebensnotwendige Bedeutung einer Reihe von in kleinsten Mengen im Körper zu findenden Metallen, d. h. von Spurenelementen, aufgefunden werden. Zum Beispiel zeigte sich unter allen Organen und Zellen des Menschen, die getestet wurden, in den Blutplättchen die höchste Konzentration des Elements Selen. Selen ist für die biologische Aktivität verschiedener Moleküle wichtig, auch von solchen, die eine vorzeitige Blutgerinnung verhindern. Selen-Mangel mag Anlaß für einen Herzinfarkt sein. – Eine weitere Anwendung des Einfangs niederenergetischer Neutronen zielt auf die Nutzung der von aktivierten Radioisotopen abgegebenen Strahlung für die Krebsbehandlung. So hat ein stabiles Isotop des Bor, 10-Bor, eine besonders hohe Bereitschaft, niederenergetische Neutronen einzufangen und sich dann unter Abstrahlung eines hochenergetischen $\alpha$-Teilchens in das stabile Lithium, 7-Lithium, zu verwandeln. Das pro Neutroneneinfang abgegebene $\alpha$-Teilchen hat eine relativ kurze Reichweite von nur wenigen Tausendstel mm und eine sehr hohe Ionisationsdichte entlang seiner Flugbahn. Von solchen $\alpha$-Strahlen getroffene Krebszellen haben nur eine geringe Chance zu überleben. Das Problem ist zweifach: einmal muß die Energie der in das Gewebe des Körpers eingestrahlten Neutronen so gewählt sein, daß sie am Ort des gewünschten Einfang-Ereignisses für den Einfang gerade optimal ist, zum anderen muß das 10-Bor in ausreichender Konzentration im zu behandelnden Tumorgewebe deponiert sein. An diesen beiden Problemen wird heute weltweit gearbeitet. Bisherige Ergebnisse sind durchaus ermutigend.

## Die Besonderheit der Auger-Elektronen

Eine besondere Art gebündelter Strahlung von Elektronen mit sehr kurzer Reichweite verdient hier Erwähnung. Sie resultiert aus der Eigenart gewisser instabiler Atomkerne, also gewisser Kerne von Radioisotopen, ihren Ruhezustand dadurch zu erreichen, daß sie überschüssige Energie nicht abgeben, sondern mangelnde Energie aufnehmen, und zwar in Form eines Elektrons aus der Atomhülle. Das dadurch entstehende Ungleichgewicht in der gesetzmäßigen Verteilung der Elektronen auf den verschiedenen Bahnen, oder Energie-Niveaus in der »Elektronen-Wolke«, um den Kern führt zu außerordentlichen Rearrangements der Elektronen mit dem Versuch der Wiederherstellung des Ausgangszustandes. Die dabei auftretenden Sprünge der Elektronen von äußeren zu inneren Umlaufbahnen setzen Energien frei, welche zum einen als Photonen abgestrahlt und zum anderen von Hüllen-Elektronen aufgenommen werden, die aus ihrer Bahn geworfen mit Beschleunigung wie $\beta$-Strahlen die umgebenden Atome ionisieren. Diese als »Auger-Elektronen« bezeichneten Strahlen haben nur relativ niedrige Energie und daher eine kurze Reichweite mit relativ hoher Dichte der Ionisierung pro Flugbahn-Streckeneinheit. – Das Radioisotop 125-Jod verhält sich so und wird durch Aufnahme eines Elektrons mit seiner negativen Ladung in den Kern zu Tellur transmutiert. Von den 53 Elektronen, die den Atomkern des Jod umgeben, werden im Mittel 22 als relativ dicht ionisierende Auger-Elektronen abgestrahlt; davon reichen nur wenige weiter als ein Tausendstel mm. Die

Situation ist sehr ähnlich einer kurz reichenden α-Strahlung. Mit anderen Worten, 125-Jod wirkt bei seiner Transmutation wie ein atomarer Feuerwerkskörper, der je nach seinem Ort im molekularen Gefüge wie ein Kugelblitz eine große, jedoch begrenzte Zerstörung verursacht. Es wird gegenwärtig an einigen Orten versucht, durch selektive Anreicherung von 125-Jod im genetischen Material von bösartigen Tumorzellen diese unter weitgehender Schonung gesunder Zellen zu vernichten.

*Vergleich natürlich und künstlich erzeugter Strahlung*

Unabhängig von der Art der Strahlen-Quelle, ob Röntgen-Röhre oder Radioisotope, seien sie aus der natürlichen Umwelt oder durch kernphysikalische Reaktionen künstlich hergestellt, ob von kernphysikalischen Maschinen, wie Reaktoren oder Atomkernbeschleunigern abgegeben, die induzierten Strahlen sind prinzipiell durchaus in Art und Wirkung miteinander vergleichbar. So ist die β-Strahlung des radioaktiven Wasserstoff, Tritium, in Art und Energie analog den Elektronen, die von konventionellen Röntgen-Strahlen aus den Atomhüllen freigesetzt werden. So kann durch Verabreichung von überall im Körper verteiltem radioaktiv markiertem Wasser eine Röntgen-Bestrahlung des Ganzkörpers imitiert werden. Ein bestrahltes biologisches Gewebe erfährt hier nur den »Blitz«, nicht aber seine Ursache. Genauso gibt es keinen prinzipiellen Unterschied zwischen α-Strahlung des in der Natur überall vorkommenden Radon und der α-Strahlung des mit Maschinen, d. h. Kernreaktoren, erzeugten Plutonium. Über die biologische Wirkung entscheidet lediglich die Energie der α-Strahlung und der Ort ihrer Absorption. Dieser wiederum ist eine Folge der lokalen Ablagerung des Radioisotops im Körper. Es ist ein Irrtum zu behaupten, es bestehe zwischen natürlicher und künstlicher Radioaktivität ein Unterschied.

## Struktur und Funktion des Körpers im Hinblick auf Strahlenwirkung

Die im vorherigen Abschnitt dargelegten Wechselwirkungen zwischen Strahlung und Materie ereignen sich an Atomen und Molekülen. Im biologischen Gewebe werden bei Strahleneinwirkung daher stets Veränderungen auf der atomaren-molekularen Organisationsebene verursacht. Auf dieser Ebene spielen sich die elementaren Lebensvorgänge ab. Störungen auf dieser Ebene können Krankheiten verursachen oder deren Folge sein. Um somit die Wirkungen der von Strahlen ausgelösten »Blitze«, d. h. Anhäufungen von primären und sekundären Ionisationen und Anregungen entlang der Flugbahn der Strahlen und der von ihnen freigesetzten Elektronen, zu verstehen, müssen Aufbau und Funktion des Körpers auf der Ebene der molekularen Organisation in Betracht gezogen werden.

## Die molekulare Ebene der Organisation

Wie alle biologischen Gewebe ist auch der menschliche Körper mit der unendlichen Vielfalt seiner Formen aus nur wenigen Atomarten, d. h. Elementen, aufgebaut; im wesentlichen sind es Kohlenstoff, Wasserstoff, Sauerstoff, Stickstoff, Phosphor und Schwefel. Dazu kommt noch Kalzium insbesondere für den Knochenaufbau; Natrium, Kalium und Chlor sind vornehmlich für das Milieu der wässerigen Lösungen verantwortlich, in denen alle Lebensprozesse ablaufen. Hinzu kommt noch eine Vielzahl von sehr kleinen Mengen von Elementen, die als Spurenelemente Hilfsfunktionen zur Aufrechterhaltung von molekularen Strukturen und Funktionen wahrnehmen. Die Atome der einzelnen genannten Elemente sind nach quantenmechanischen Gesetzen zunächst zu kleineren Einheiten, den Molekülen, arrangiert; aus der Unordnung der unabhängig voneinander auf der Erde vorkommenden einzelnen Atome entstehen durch Einfluß einer dem System aufgegebenen Turbulenz und auch durch die Fähigkeit der Atome, sich nach ihnen innewohnenden festgelegten Regeln miteinander zu verbinden, wenn sie zusammenkommen, neue Einheiten, die Moleküle. Diese beeindrucken durch ganz bestimmte Strukturen, die spezielle, aus den atomaren Bausteinen selbst nicht voraussagbare, Informationen tragen und deswegen nunmehr selbst aus der Unordnung ihres Nebeneinander in gegebener Turbulenz als neue Einheiten wieder nach den ihnen innewohnenden Regeln zueinander finden können, um größere Moleküle wiederum mit neuen spezifischen Strukturen und Informations-Gehalten aufzubauen. Mit jeder neuen Ebene der Organisation wächst die Komplexität des Systems, steigt die Vielfalt der Formen und der ihnen gegebenen neuen und von ihren Bausteinen her nicht vorhersehbaren Informationen. Größere Moleküle sind z. B. die Eiweiße, Fette und Kohlehydrate. Zum Aufbau der Eiweiße werden etwa 20 verschiedene kleinere Bausteine, die Aminosäuren, benötigt, deren kleinste bereits aus 10 Atomen von vier Elementen besteht: Kohlenstoff, Wasserstoff, Sauerstoff und Stickstoff. Die klein-molekularen Bausteine der Fette sind die Fettsäuren und andere ähnlich kleine Verbindungen, von denen viele bereits aus über 50 Einzelatomen bestehen. Andere wesentliche Bausteine sind die Zuckermoleküle, vor allem Glukose, für Kohlenhydrate, die zudem mit den Fetten wesentliche Depots für chemische Energie sind, welche in ihren interatomaren Bindungen verankert ist.

Ein besonderes Großmolekül ist das genetische Material, die Desoxyribonukleinsäure, welche in jedem Lebewesen als lange molekulare Doppelketten vorliegt; an spezielle Eiweißmoleküle gekoppelt ist sie in der menschlichen Zelle in 46 getrennte Einheiten organisiert, die während der Zellteilung als relativ kurze, stabförmige Gebilde, nämlich Chromosomen, erscheinen. Der Desoxyribonukleinsäure verwandt ist die Ribonukleinsäure. Desoxyribonukleinsäure und Ribonukleinsäure sind aus je 4 kleinmolekularen Bausteinen, den Nukleotiden, aufgebaut. Die Reihenfolge der kettenförmigen Anordnung der 4 Nukleotide im genetischen Material beinhaltet wie ein Code die Information für eine andere Gruppe von Großmolekülen, die Eiweiße, die biologische Konstruktionswerkzeuge, d. h. Enzyme, sind. Es gibt viele Tausende von Enzymen, deren Baupläne in Unterabschnitten der Desoxyribonukleinsäure, den Genen, festgelegt sind. Enzyme erkennen bestimmte Moleküle, bauen sie um, koppeln sie an andere Moleküle oder bauen sie ab. Welcher Schritt hier für die Kontinuität des Lebens zu einer jeweiligen Zeit nötig ist, wird durch Steuerungs-Moleküle zwischen den Enzymen geregelt, und zwar in einer ähnlichen Weise, wie in einer automatisch gesteuerten industriellen Produktion die Menge eines Produktes seine eigene Herstellung dem Bedarf anpaßt.

Jedes Enzym ist nur für einen einzelnen Schritt im Prozeß der gesteuerten Veränderungen der molekularen Strukturen verantwortlich. Da alle biologischen Strukturen, auch die Enzyme, nur eine zeitlich begrenzte Existenz haben, arbeiten die Enzyme in der Tat gegen das allen Lebewesen eigene Gefälle zum Untergang. Bausteine, die für Enzym-gesteuerte Aufbau- und Umbau-Prozesse notwendig sind, werden dem Körper mit der Nahrung zugeführt, und die für diese Reaktionen notwendige Energie wird den mit der Nahrung zugeführten Molekülen, vor allem den Fettsäuren und Zuckermolekülen, ebenfalls durch enzym-gesteuerten Abbau entzogen. Auch die Ausscheidung der Abbauprodukte unterliegt der Kontrolle von Enzymen. Alle diese Prozesse, die stets mit Rearrangements von Atomen und Molekülen einhergehen, werden summarisch als Stoffwechsel bezeichnet.

In vielen Tausenden Arten und Variationen arbeiten die Enzyme in einem Netzwerk mit gegenseitiger Beeinflussung und werden durch die Information im genetischen Material ständig nachgeliefert, so wie sie verlorengehen. In kaskadenförmiger Komplexität konstruieren sie schließlich die zahllosen Strukturen, aus denen die kleinsten Lebenseinheiten, die Zellen, bestehen. Diese sind von Membranen wie von einer Haut umgeben und geschützt. Jede Zelle verfügt in ihrem genetischen Material über einen kompletten Satz der Baupläne für alle Enzyme und damit auch über den Bauplan für den ganzen Körper. Ein Gramm Körpergewicht entspricht etwa 1 Milliarde Zellen.

## Die zellulare Ebene

Auch die einzelnen Zellen, so verschieden sie in Struktur und Funktion auch sind, stehen als Nachbarn in einem großen Netzwerk miteinander in Verbindung und unterliegen Regulationen, die durch Moleküle ausgeübt werden, die als Signalsubstanzen bezeichnet werden. Sie stammen meist von differenzierten oder spezialisierten Zellen und finden auf der Oberfläche anderer Zellen für die Erkennung der Signalmoleküle spezifische Rezeptoren, deren molekulare Struktur jeweils wie ein Schlüsselloch zum Schlüssel eines Signals paßt.

Jeder Zelltyp im Körper hat ganz spezielle Aufgaben, die den Organen und Geweben, die sie aufbauen, ihre besondere Funktion verleihen. Auch über die Grenzen der Organe hinweg, d. h. im ganzen Körper, sind die verschiedenen spezialisierten Zellen funktionell aufeinander abgestimmt. Hormone koordinieren die Organfunktionen über die Steuerung der in den Organen spezialisierten Zellen. Dem zentralen Nervensystem obliegt die globale Abstimmung für rasche Reaktionen, die oft mit Muskelbewegungen koordiniert sind; man denke nur an die vielfältigen Abläufe, die zur Einleitung und Durchführung einer Fluchtbewegung eines Körpers nötig sind. Ähnlich komplex sind die Mechanismen bei der Abwehr einer Infektion, bei der hochspezialisierte Zellen in vielfältiger Weise miteinander kommunizieren, um es schließlich spezialisierten Freßzellen zu ermöglichen, den eingedrungenen infektiösen Fremdkörper in sich aufzunehmen und abzubauen. Die höchste Komplexität zeigt der Aufbau des Gehirns, das mit seinen 100 Milliarden spezialisierten und tausendfach miteinander verbundenen Zellen eine Art biologischen Computer darstellt, dessen Eigenschaften zur geistigen Kommunikation befähigen.

Wie die molekularen Strukturen haben auch die von ihnen aufgebauten Zellen eine zeitlich begrenzte Existenz. Ausgereifte und differenzierte Zellen mit hochspezialisierten Funktionen teilen sich gewöhnlich nicht mehr und gehen meist relativ schnell zugrunde. Eine Ausnahme sind z. B. die Zellen des Nervensystems, die als nicht teilungsfähige Zellen eine relativ lange Lebensdauer haben.

Zur Aufrechterhaltung des Lebens müssen sehr viele Zellen ständig ersetzt werden. Unterschiedliche Organe haben hier verschiedene Anforderungen, zum Beispiel gehört ein Teil der im Blut zirkulierenden weißen Blutkörperchen zur Gruppe der Freßzellen und wird in weniger als 1 Tag völlig ausgewechselt. Diese Zellen schützen den Organismus vor Fremd-Molekülen, insbesondere vor schädlichen Viren und Bakterien. Nicht nur die weißen Blutkörperchen, sondern auch die Zellen der Haut, der Magen-Darm-Schleimhaut und der männlichen Keimdrüsen haben hohe Umsatzraten; auch diese Zellen haben besondere Schutz- und Erhaltungsfunktionen. Andererseits werden die weiblichen Eizellen im Embryo angelegt und bleiben ein Leben lang bereit liegen, um sich schließlich durch Reifung einer Befruchtung zu stellen.

Die Neubildung und funktionelle Ausreifung der Zellen ist ein recht komplexer Prozeß, der nach Bedarf gesteuert mit dem Auftreten von speziellen Signalen zur Zellteilung an die sehr unreifen Zellen, die Mutterzellen der verschiedenen Zellkategorien, beginnt; bis zur Erreichung der vollen Funktion einer spezialisierten Zelle beobachtet man 5 und mehr Zellteilungen über einen Zeitraum von Tagen. Jeder Teilungsschritt bringt in der Zelle eine streng geregelte Änderung der Abrufung des genetischen Programms zur Produktion derjenigen Enzyme, welche schließlich nach der letzten Teilungsstufe der Zelle deren besondere Funktion ermöglichen. Die für den Zellnachwuchs wichtigen Mutterzellen haben auch die Fähigkeit, bei ihrer Teilung mit ihnen strukturell und funktionell identische Tochterzellen zu liefern und somit ihren eigenen Bestand zu sichern. Erst spezifische Signale bringen die Tochterzellen auf den Weg zur Differenzierung. Die Kontinuität des Lebens hängt von der Fähigkeit der Zellerneuerung ab, ob im Knochenmark, der Haut, den männlichen Keimdrüsen als Beispiele für Organe mit schnellem Umsatz, oder der Leber und Niere als Beispiele für Organe mit niedrigem Zellumsatz. In allen Geweben des Körpers laufen analoge Prozesse ab, die gegenwärtig intensiv erforscht werden.

### Die besonders strahlenempfindlichen Zellen

Es ist bedeutsam, daß generell gerade die unreifen Mutterzellen viel strahlenempfindlicher als differenzierte Zellen sind. Zudem ist es wichtig zu erkennen, daß eine durch welche Ursache auch immer induzierte Änderung im genetischen Programm von Mutterzellen vielleicht Jahre später in den Zellnachkommen zu Fehlleistungen führt, die sich auch als bösartiges Tumorwachstum manifestieren können. Tumorzellen haben die Fähigkeit zur Reaktion auf interzelluläre Signale weitgehend verloren, zeigen oft eine längere Lebensdauer oder auch sehr häufig unkontrollierte Zellteilungen. Änderungen in der genetischen Information, im Code, von Keimzellen der Fortpflanzungsorgane bedeuten Mutationen, die für Erbkrankheiten in der Nachkommenschaft wohl zumeist erst nach mehreren Generationen verantwortlich sind.

Für das Verständnis der biologischen und gesundheitlichen Risiken einer Bestrahlung sind somit die Mutterzellen der für den unmittelbaren Schutz des Organismus wichtigen Gewebe mit hohem Zellumsatz, vor allem des blutbildenden Systems im Knochenmark und des Magen-Darm-Trakts und darüber hinaus auch alle solche Zellen wichtig, die eine lange Lebensdauer haben und fähig sind, differenzierte Tochterzellen zu produzieren. In allen diesen kritischen Zellen erscheint das genetische Material für die Ausbildung von Schäden entscheidend. Durch Strahlen-Einfang-Ereignisse veränderte oder zerstörte Enzyme spielen eine nur untergeordnete Rolle, da jede Zelle von jeder Enzymart viele Moleküle besitzt und diese relativ schnell ständig erneuert. Das genetische Material gewährleistet die Kontinuität der Bildung neuer Enzyme und damit den Ersatz von funktionsuntüchtigen Enzymen.

Genetisches Material wird insofern nicht ersetzt, als die an ihm wirkenden Enzyme lediglich eine vorhandene Struktur kopieren und nicht neu schaffen. Erst die Fehler in den Bauplänen des genetischen Materials für die Enzyme sind für die Zellteilung und Zellfunktion langfristig folgenschwer. Daher scheint das genetische Material, die Desoxyribonukleinsäure, als das für molekulare Verletzungen kritischste Substrat einer Zelle; es befindet sich nahezu ausschließlich in einer besonderen Struktur der Zelle, im Zellkern, dessen Volumen etwa ein Drittel des gesamten Zellvolumens ausmacht. Untersuchungen an menschlichen Geweben haben gezeigt, daß im Durchschnitt bei erheblichen Variationen der verschiedenen Zelltypen der Zellkern als sphärisches Volumen einen Durchmesser von etwa 8/1000 mm hat. Die Quantifizierung von Strahleneffekten verlangt die Angabe der Zahl der in einem Körper von Strahlen-Einfang-Ereignissen getroffenen sensiblen Volumina, d. h. im wesentlichen der Zellkerne, und die Größe und Zahl der in ihnen durch Strahlen-Einfang ausgelösten »Blitze«. Dies ist das Problem der Strahlendosimetrie.

## Dosimetrie

Es liegt in der Natur der ionisierenden Strahlen, ihrer Vielfalt und ihrer Energieunterschiede, daß die Quantifizierung Schwierigkeiten bereitet. Nach wie vor gibt es die Diskrepanz zwischen Konzept und Anwendung. Der gegenwärtige Stand der Entwicklung ist zwar in vieler Hinsicht praktikabel, insbesondere im Hinblick auf die Strahlenanwendung in der ärztlichen Behandlung, es mangelt aber die Rücksicht auf die reale Situation bei der Betrachtung der gesundheitlichen Schäden von sehr kleinen Strahlendosen.

### *Die Entwicklung der Dosimetrie*

Schon das Wort Dosis hat lange eine unterschiedliche Deutung erfahren. Dies ist durchaus historisch zu erklären. Wenige Jahre nach der Entdeckung der Röntgenstrahlen, 1895, begannen die Versuche, ihre gesundheitlichen Auswirkungen aufzuspüren und zu identifizieren. Dies wurde um so dringlicher, als man schon 1899 erkannte, daß Röntgenstrahlen zur Krebsbehandlung brauchbar sind. Da sehr früh durch Röntgen selbst bekannt wurde, daß Röntgenstrahlen in der Lage sind, elektrische Ladungsdifferenzen, z. B. an Metallplättchen in mit Luft oder Gas gefüllten Kammern, zu verändern, begann die Quantifizierung mit Hilfe solcher später als Ionisations-Kammern bezeichneter Anordnungen. So war die früheste 1908 von Villard vorgeschlagene Definition einer Einheit der Quantität von Röntgenstrahlen diejenige elektrische Ladung, welche als elektrostatische Einheit pro Kubikzentimeter Luft unter bestimmten Bedingungen von Temperatur und Druck freigesetzt wird. Ein anderer Vorschlag kam 1914 von T. Christen, der als Strahlendosis diejenige Energie-Einheit definierte, die von der Strahlung pro Volumen-Einheit Materie absorbiert wird. Mit diesen beiden Vorschlägen sind auch die zwei Ansätze charakterisiert, die sich bis heute in der Strahlendosimetrie weiter entwickelt haben: auf der einen Seite die Strahlenmenge an sich, der z. B. ein Körper ausgesetzt, d. h. exponiert, wird, und zum anderen die Energiemenge, die ein strahlenexponierter Körper aufnimmt, d. h. absorbiert.

Die Notwendigkeit einer internationalen Abstimmung zum Zwecke der Planung von Bestrahlung von bösartigen Tumoren und auch zum Zwecke des Schutzes vor unerwünschten Nebenwirkungen einer Strahlenexposition veranlaßte die Teilnehmer des Ersten Internationalen Kongresses für Radiologie in London 1925, eine Kommission einzusetzen, die Vorschläge für eine international annehmbare Röntgen-Einheit und für die Messung dieser Einheit ausarbeiten sollte. Die Kommission entschied sich 1928 für die Ionisationsdosis und definierte das »Röntgen« als die internationale Einheit der Röntgenstrahlen, die bei festgelegten Meßbedingungen der Ionisationskammer in 1 Kubikzentimeter atmosphärischer Luft bei 0 °C und 760 mm Druck Quecksilber die Leitfähigkeit einer elektrostatischen Einheit der Ladung meßbar macht; dies entspricht der Erzeugung von 2.08 Milliarden Ionisationen pro Kubikzentimeter Luft. Diese erste Definition erfuhr im Laufe der Jahre weitere Präzisierungen, z. B., um alle Arten von ionisierenden Strahlen zu erfassen; und sie blieb nützlich, obwohl sie gerade im Hinblick auf die Beurteilung der Wirkung unterschiedlicher Strahlenarten in biologischen Systemen Nachteile zeigte.

Im zweiten Abschnitt dieser Abhandlung wurde bereits dargelegt, daß die unterschiedlichen Strahlenarten mit ihren unterschiedlichen Energien verschiedenartige »Blitze«, d. h. unterschiedlich dichte Ionisierungen entlang der gegebenen Flugbahn der geladenen Teilchen im Gewebe erzeugen. Entscheidend für die Beurteilung oder Vorhersagbarkeit der biologischen Wirkung ionisierender Strahlen ist die Art und Zahl der »Blitze« in einem strahlenempfindlichen Volumen und die absorbierte Dosis als diejenige Energie, die von der Strahlung im Gewebe absorbiert, d. h. dort deponiert, wird.

Die vom Internationalen Kongreß für Radiologie eingesetzte Kommission zur Ausarbeitung von Strahleneinheiten wurde zur Internationalen Kommission für Strahleneinheiten und Messung (International Commission on Radiation Units and Measurements, ICRU), und definierte 1950 die Dosis als die pro Einheit Masse des Materials am interessierenden Ort deponierte Energie; als dafür vorgesehene Meßeinheit wurde das »rad« empfohlen und international angenommen. Ein rad ist gleich einer bestimmten Energie-Einheit pro Gramm Masse. 1962 empfahl die ICRU darüber hinaus, das Wort Dosis nicht mehr für die Strahlenmenge in der Luft zu gebrauchen, sondern durch das Wort »Exposition« zu ersetzen, wobei das Wort Exposition für Photonen vorbehalten blieb. Ohne die Konzepte zu ändern, empfahl ICRU 1980 in Anlehnung an andere internationale Einheiten nach DIN-Normen, die absorbierte Dosis in Joule/kg auszudrücken und dafür die Einheit Gray zu nehmen. So ist 1 Gray = 100 rad.

Diese Dosis trägt nicht der Tatsache Rechnung, daß unterschiedliche Strahlenarten trotz gleicher Dosis im exponierten Gewebe je nach ihrer Art typische »Blitze«, d. h. typisch dichte Ionisationen entlang der gegebenen Teilchen-Flugbahn, produzieren und dabei entsprechend unterschiedlich viele molekulare Veränderungen pro Streckeneinheit Flugbahn verursachen; somit haben sie keine gleiche biologische Wirksamkeit. Um die Toxizität verschiedener Strahlenarten zu beschreiben, vergleicht man sie mit einer Standard-Strahlung, für die zumeist Röntgenstrahlen gewählt werden. Je kleiner die für einen bestimmten Effekt nötige Dosis einer zu klassifizierenden Strahlung im Vergleich zu der denselben Effekt verursachenden Dosis von Röntgenstrahlen ist, um so höher liegt der Wert ihrer relativen biologischen Wirksamkeit. Um diesen Wert für unterschiedliche Strahlungen zu berücksichtigen, wurde die sog. Äquivalenz-Dosis eingeführt, welche diejenige absorbierte Dosis einer Strahlung angibt, welche die gleiche Toxizität im Hinblick auf einen definierten Effekt hat wie 1 rad oder 1 Gray Röntgenstrahlen. Als Einheiten der Äquivalenz-Dosis wurden vom ICRU zunächst rem, dann Sievert, analog zu rad und Gray, vorgeschlagen.

*Die kritische Zelle und die Mikrodosimetrie*

Wenn schon diese genannten Einheiten technisch erhebliche Schwierigkeiten bereiteten und die Fehlergrenzen bei Vergleichen zwischen den Messungen in den verschiedenen standardisierenden Laboratorien bis 5 Prozent betrugen, zeigten sich in den letzten Jahren weitere Probleme. Diese werden sofort deutlich, wenn die Situation der Energie-Absorption im Gewebe bei niedriger Exposition, d. h. im kleinen Dosisbereich, betrachtet wird. Das Konzept der absorbierten Dosis nimmt an, daß im exponierten Gewebe die Verteilung der absorbierten Energie gleichförmig, d. h. homogen, ist. Diese Annahme ist bei hohen Dosen sicher gerechtfertigt, wo sehr zahlreiche Strahlen-Einfang-Ereignisse in kleinen Volumina nur geringe statistische Schwankungen der pro Volumeneinheit absorbierten Energie erlauben. Hohe Dosen sind Werkzeug des Strahlentherapeuten der Tumorklinik. Jedoch für den Strahlenschutz, wo die Dosis generell sehr klein ist, ist die Annahme der Homogenität der Energie-Verteilung im exponierten Gewebe falsch.

Dieser besonderen Situation hat sich die Mikrodosimetrie angenommen. Sie beschäftigt sich mit den primären und sekundären Konsequenzen von Einfang-Ereignissen unterschiedlicher Strahlen-Qualitäten und untersucht, wie groß die pro Dosiseinheit verursachte Zahl der Energie-Depositionen in einem definierten Volumen ist, welchen Wert die einzelnen Energiedepositionen haben und wie sie im exponierten Gewebe verteilt sind, d. h. man fragt nach der Zahl, der Größe und der Verteilung der vom Strahleneinfang verursachten »Blitze«. Diese Betrachtungsweise, die von H. Rossi 1955 begonnen wurde, führt zum besseren Verständnis der beobachteten biologischen Effekte auch von sehr kleinen Dosen. Die Entwicklung der Mikrodosimetrie dürfte das Konzept der absorbierten

Dosis mit ihrer Einheit, dem rad bzw. Gray, in Zukunft modifizieren. Ansätze dazu sind in verschiedenen Berichten der ICRU seit 1977 erschienen.

Ein Beispiel zum Verständnis der angesprochenen Probleme der Inhomogenität der Energie-Deposition im Gewebe bei sehr kleinen Dosen gibt die Betrachtung der Ereignisse bei Exposition mit konventionellen Röntgenstrahlen, deren Photonen eine Energie von etwa 100 Kilo-Elektronenvolt haben. Da exponiertes Gewebe nie gleichförmig strahlenempfindlich ist, muß die Größe des im mikroskopischen Bereich liegenden Volumens definiert werden, in welchem die Strahlen diejenigen entscheidenden Veränderungen verursachen, welche zu biologischen Effekten führen können.

Die Berechtigung zur Forderung der Definition des strahlenempfindlichen Volumens erklärt sich sofort aus den Ausführungen auf Seite 567 f., wo der Zellkern mit dem genetischen Material vor allem der Mutterzellen als besonders kritisch und strahlenempfindlich hervorgehoben wurde. Die Mutterzellen sind wie strahlenempfindliche Mikroinseln im Gewebe. – Die innerhalb des Zellkerns befindliche Desoxyribonukleinsäure mit Hunderttausenden von Genen macht im Mittel nur etwa 2 Prozent der Kernmasse aus. So mag man einwenden, es sei realistischer, die Masse des genetischen Materials selbst zum kritischen Volumen zu machen. Dabei würde man jedoch die Probleme der Wechselwirkung der Gene untereinander und mit anderen Bestandteilen des Zellkerns nicht berücksichtigen. Die Beziehungen zwischen den Genen und von diesen zu anderen Zellkern-Bestandteilen sind außerordentlich vielseitig und könnten durchaus die primär durch Ionisationen verursachten Effekte in einzelnen Genen oder Gen-Abschnitten verändern. Darüber hinaus ist die biologische Wirkung mit gesundheitlichen Konsequenzen stets an die gesamte Zellfunktion gebunden; gehen Mutterzellen zugrunde, wird die lebensnotwendige Zellerneuerung beeinträchtigt oder kommt im schlimmsten Fall völlig zum Erliegen, und dies mit den Konsequenzen der Entwicklung der schweren Symptome der Strahlenkrankheit, die noch kurz zu besprechen sein wird. Erfährt andererseits eine Mutterzelle eine Änderung der genetischen Information ohne abzusterben, besteht die Gefahr der Entwicklung eines bösartigen Tumors, falls die Zelle beginnt, sich zwecks Zellerneuerung im Gewebe zu teilen. Dieselben Argumente gelten für andere Zellen, welche sowohl langlebig wie auch zur Zellteilung fähig sind. Aus diesen Gründen erscheint es in der Tat sinnvoll, die Mutterzellen, bzw. langlebige und teilungsfähige Zellen als die kritischen Zellen im exponierten Gewebe zu betrachten; in ihnen ist der Zellkern offenbar die kritische Struktur. Mit einem geschätzten mittleren Durchmesser von 8/1 000 mm hat der Kern als Sphäre ein Volumen von etwa 0,3 Milliardstel Kubikzentimeter, dies entspricht etwa 0,3 Milliardstel Gramm.

Die Frage ist nun: wie wahrscheinlich ist – pro Dosis – ein einzelnes Strahlen-Einfang-Ereignis mit seinem »Blitz« in wie vielen dieser sensiblen Volumina innerhalb eines Gewebes, und wieviel Energie wird pro Ereignis in ihnen deponiert.

Für das gewählte Beispiel einer Exposition mit konventionellen Röntgenstrahlen lassen sich diese Fragen relativ leicht beantworten. Zudem werden wichtige Zusammenhänge zwischen der Dosis und den von dieser erzeugten Effekten klar. Außerdem werden Hypothesen und Voraussagen gestattet, die in der gegenwärtigen, auch öffentlich geführten Diskussion um das Risiko von seiten der technisch-medizinischen Anwendung der Strahlung zur Versachlichung beitragen können.

*Das Schicksal kritischer Zellen im exponierten Gewebe*

Nach der ICRU-Definition bedeutet für konventionelle Röntgenstrahlen die Dosiseinheit rad oder 0.01 Gray pro Gramm die Energie von etwa 10 Milliarden »Blitzen«, d. h. Elektronen, die als Konsequenz des Photonen-Einfangs durch Kollision mit atomaren Hüllen-Elektronen erzeugt werden und die auf ihrer Flugbahn von je etwa 1/1 000 mm Länge im Gewebe im Mittel etwa 150 Ionisationen erzeugen. Unter Berücksichtigung von 1 Milliarde Zellen pro Gramm Gewebe bedeutet die Dosis von 1 rad etwa 10 »Blitze« pro Zelle und somit für das definierte kritische Volumen, das der Größe des Zellkerns der Mutterzelle, d. h. einem Drittel des Gesamtzellvolumens, entspricht, im Mittel etwa 3 »Blitze«. Daraus folgt, daß bei einer Dosis von 0,3 rad konventioneller Röntgenstrahlen im Mittel 1 »Blitz« jeden Zellkern treffen würde. Da die Strahlen-Einfang-Ereignisse im exponierten Gewebe statistisch verteilt sind und zudem die Energien der von ihnen erzeugten »Blitze« um einen mittleren Wert streuen, kann die tatsächliche Häufigkeit der »Blitze« pro Zellkern berechnet werden. Es zeigt sich, daß bei 0,3 rad einige Zellkerne von mehr als einem »Blitz« getroffen werden und daß etwa 37 Prozent der Zellkerne keinen »Blitz« erhalten, also völlig verschont werden. Bei weiterer Reduktion der Dosis um den Faktor 10 auf 0,03 rad werden im Mittel nur noch 10 Prozent der Zellkerne getroffen, wobei jedoch die mittlere Energie des »Blitzes« pro getroffenem Zellkern nahezu konstant bleibt. Wenn weniger als 20 Prozent aller Zellkerne getroffen werden, darf man von einem niedrigen Dosisbereich sprechen.

Bei einer Dosis von 0,003 rad oder 3 mrad, welche der Größenordnung der in einer Woche absorbierten Dosis von seiten der natürlichen Hintergrund-Strahlung für die Bevölkerung oder der zusätzlichen Belastung von beruflich strahlenexponierten Personen nahekommt, werden nur noch im Mittel 1 Prozent der Zellkerne »geblitzt«, und zwar mit immer derselben mittleren Energie pro getroffenem Kern. Da hier im Falle der Hintergrund-Strahlung die angegebene Dosis von 3 mrad Röntgenstrahlen über eine Zeit von 7 Tagen verteilt angenommen wurde, ereignet sich im Mittel pro Tag nur in ⅟₇ von 1 Prozent, d. h. in 0,15 Prozent der Zellkerne je ein »Blitz«. Mit anderen Worten, eine nahezu gleichbleibende Exposition, die zu einer Dosis von 3 mrad pro Woche führt, muß 666 Tage oder etwa 2 Jahre fortgesetzt werden, damit jeder Zellkern im Gewebe durchschnittlich einmal »geblitzt« wird; dies heißt also, daß etwa jeder zweite Zellkern im Gewebe einmal pro Jahr »geblitzt« wird. Da 1 Gramm Gewebe etwa 1 Milliarde Zellen enthält, werden davon 500 Millionen Zellkerne pro Jahr oder – mit 500 000 Minuten pro Jahr – im Mittel etwa 1 000 Zellkerne pro Minute getroffen; in einem 70 kg schweren Menschen werden somit etwa 70 Millionen Zellkerne pro Minute »geblitzt«. Mit anderen Worten, eine Dosis von 150 mrad/Jahr von konventionellen Röntgenstrahlen – und dies entspricht etwa der Dosis der natürlichen Hintergrund-Strahlung für jeden Menschen – verursacht pro Minute in etwa 70 Millionen Zellkernen des erwachsenen Körpers je 1 potentiell schädigendes Strahlen-Einfang-Ereignis. Diese Zusammenhänge sind für die Beurteilung der technisch bedingten Strahlenbelastung der Bevölkerung von großer Bedeutung.

Solche einfachen Überlegungen und Berechnungen lassen sich für jede Strahlenart anstellen. Dabei zeigt sich allgemein, daß mit fallender Dosis schließlich ein Schwellenwert erreicht wird, unterhalb welchem die Zahl der getroffenen Zellkerne dosisabhängig abnimmt, wobei die pro getroffenem Zellkern absorbierte Energie im Mittel nahezu unverändert bleibt. Im Dosisbereich unter dieser Schwelle werden biologische Effekte daher von zwei Gegebenheiten abhängig: zum einen von der Zahl der getroffenen Zellkerne und zum zweiten von der Energie, die dem getroffenen Kern mit dem Strahlen-Einfang-Ereignis, dem »Blitz«, zugeführt wird. Dieser wird von der Qualität und der Energie der das Gewebe treffenden Strahlen bestimmt. Jede Strahlen-Qualität und Energie verursacht im exponierten Gewebe einen im Mittel bestimmten »Blitz«, mit gegebener Flugbahnlänge und Ionisationsdichte entlang der Flugbahn. Die Höhe der Belastung des Zellkerns, d. h. des kritischen Volumens, wird in der mikrodosimetrischen Terminologie als »spezifische Energie«, und die Ionisationsdichte entlang der Flugbahn als »linearer Energie-Transfer« bezeichnet. Die spezifische Energie ist natürlich eine Dosis, die man durchaus in der Einheit rad oder Gray für das getroffene kritische Volumen ausdrücken kann. – Spezifische Energien, linearer Energie-Transfer und Zahl der getroffenen kritischen Volumina lassen sich für die verschiedenen Strahlenarten mit unterschiedlichen Qualitäten und Energien pro Dosis in Diagrammen und Tabellen nachlesen.

Ein Beispiel sei hier für die α-Teilchen kurz aufgezeigt. Die Dosis von 1 rad α-Teilchen, z. B. von Radium oder Plutonium, bedeutet die Energie von etwa 5 Millionen α-Teilchen pro Gramm Gewebe oder pro 1 Milliarde Zellen; dabei erzeugt jedes α-Teilchen im Mittel auf seiner Flugbahn von etwa 40/1000 mm Länge etwa 140000 Ionisationen. Da eine Zelle einen mittleren Durchmesser von etwa 10/1000 mm hat, trifft jedes α-Teilchen im Mittel etwa 4 Zellen mit ihren Zellkernen als den kritischen Volumina. Diese würden hier ungefähr hundertmal mehr Energie in Form von Ionisationen erfahren als von Röntgenstrahlen. 5 Millionen α-Teilchen würden pro rad somit etwa 20 Millionen Zellkerne treffen, d. h. etwa 2 Prozent der in 1 Gramm Gewebe befindlichen Zellkerne. Um alle Zellkerne in einem Gramm mit Sicherheit zu treffen, brauchte man daher etwa 50 rad, wobei die pro Zellkern absorbierte Energie im Mittel praktisch unverändert bliebe. Erst oberhalb von 50 rad von α-Teilchen – wie oberhalb von 0,3 rad von Röntgenstrahlen – würden stets alle kritischen Volumina zunehmend mehrere Strahlen-Einfang-Ereignisse erleiden. Nur unter diesen Gegebenheiten wäre die konventionelle Dosis-Einheit ein reales Maß. So ist die konventionelle Dosis, »Gewebedosis«, gleich dem Produkt aus dem Bruchteil getroffener kritischer Volumina und der von diesen absorbierten Energie. In niedrigen Dosis-Bereichen ist die Dosis-Einheit ohne weitere Spezifikation der Zahl der getroffenen kritischen Volumina und der Höhe der Energie-Deposition pro Strahlen-Einfang-Ereignis im kritischen Volumen irreführend, zumindest unvollständig. Es ist daher empfohlen worden, die Dosis-Einheit mit zusätzlichen Angaben über die Zahl der getroffenen Volumina und die Höhe der Energie-Deposition pro Strahlen-Einfang-Ereignis, d. h. pro »Blitz«, und die Zahl der »Blitze« im kritischen Volumen zu ergänzen.

## Kleine Dosis ist Teilkörperbestrahlung

Es ist somit offensichtlich, daß im Dosis-Bereich unterhalb einer für jede Strahlenart gegebenen Dosis-Schwelle mit der abnehmenden Zahl der von einzelnen »Blitzen« getroffenen kritischen Volumina in der Tat der Anteil der nicht bestrahlten kritischen Volumina zunimmt. Es liegt dann eine Teilkörperbestrahlung vor. Je größer der Anteil nicht bestrahlter Zellen im Körper ist, um so höher dürfte die Wahrscheinlichkeit sein, daß natürliche Kontroll-, Regel- und auch Abwehrmechnanismen gesunder Zellen gegen krankhaft veränderte Zellen voll erhalten bleiben und damit den Schaden für den Gesamtkörper unter Umständen über die in den Zellen selbst vorhandenen Reparatur-Kapazitäten hinaus weiter reduzieren. Man sollte die im kleinen Dosisbereich induzierten biologischen Schäden in einem Organismus auf die Zahl der »geblitzten« kritischen Volumina und die Größe der »Blitze« in ihnen beziehen und nicht so sehr auf die Dosis-Einheit.

## Die zeitliche Dosisverteilung

Die Frage nach dem Zeitraum, über den eine Dosis absorbiert wird, d. h. nach der Dosisleistung, führt bei Anwendung der hier kurz skizzierten mikrodosimetrischen Betrachtungsweise zu wichtigen biologischen Schlußfolgerungen. Das oben bereits genannte Beispiel der angenommenen Hintergrundstrahlung oder der beruflichen Strahlenbelastung von 3 mrad pro Woche von konventionellen Röntgenstrahlen zeigte, daß die Exposition 2 Jahre fortgesetzt werden müßte, um durchschnittlich jedes kritische Volumen einmal mit einem für die Strahlung typischen »Blitz« zu treffen. Das heißt auch, daß im Mittel das einzelne kritische Volumen alle 2 Jahre einmal ein Strahlen-Einfang-Ereignis erfahren würde. Im Verlaufe von 2 Jahren haben sich alle Zellen in den Geweben mit hohem Zellumsatz bis auf wenige Ausnahmen erneuert. Nur wenige Zellen dürften über zwei Jahre dieselben geblieben sein, z. B. einige Mutterzellen. Es wird im folgenden Abschnitt über die biologische Wirkung der Strahlen-Einfang-Ereignisse, d. h. »Blitze«, auf die Fähigkeit der Zellen hingewiesen, Schäden am genetischen Material zu erkennen und sehr weitgehend zu reparieren, allerdings mit der Möglichkeit der Fehlreparatur oder Nicht-Reparatur einzelner molekularer Veränderungen. Die Zeit zwischen zwei »Blitzen« sollte zur Minimierung von biologischen Effekten demnach so lang sein, daß eine Zelle die optimale Reparatur durchführen kann. Viele Untersuchungen gerade in den letzten Jahren weisen darauf hin, daß in etwa 90–120 Minuten die molekularen Reparaturvorgänge abgeschlossen sein dürften. Somit müßte man zumindest eine Zeit von etwa 90 Minuten zwischen zwei »Blitzen« bei einer gegebenen Dosis fordern, um einen pro Dosiseinheit minimalen biologischen Effekt zu erreichen. Mit dem Beispiel der konventionellen Röntgenstrahlen, die pro 0,3 rad im Mittel einen »Blitz« pro kritischem Volumen verursachen, würde die einfache Berechnung die Forderung nach einer maximalen Dosisleistung für kleinste Effekte etwa 0,3 rad pro 90 Minuten bringen. Dies bedeutet bei kontinuierlicher Exposition etwa 5 rad/Tag. Diese Art der Berechnung der maximalen Dosis pro Zeiteinheit, bei der ein noch optimal zu reparierender Schaden zu einem für die Strahlenart minimalen biologischen Effekt in einer Zelle führt, läßt sich für jede Strahlenart mit unterschiedlicher Qualität und Energie durchführen. Entscheidend hierbei ist die von den strahlenart-typischen »Blitzen« verursachte Größe bzw. Reparierbarkeit der für biologische Schäden relevanten molekularen Veränderungen, die gegenwärtig vielerorts untersucht werden. Zahlreiche Experimente belegen, daß bei einer Exposition mit Röntgenstrahlen mit etwa 5 rad pro Tag die biologischen Schäden linear mit der Dosis ansteigen. Diese Linearität ist Ausdruck der mit der Dosis steigenden Zahl von geschädigten Zellen, d. h. von Zellen, die während der mittleren Zeit von 90–120 Minuten zwischen zwei »Blitzen« entweder falsch oder nicht repariert wurden. Die Steilheit des Anstiegs biologischer Schäden mit steigender Dosis im niedrigen Dosisbereich hängt wesentlich ab von der Wahrscheinlichkeit der Fehl- oder Nichtreparatur und damit der Größe der Strahlenart-typischen »Blitze« und von der Reparierbarkeit der von ihnen verursachten molekularen Veränderungen.

## Durch Strahlung verursachte biologische und gesundheitsbedrohende Effekte

Die Fähigkeit der Röntgenstrahlen, Gewebe zu verletzen oder zu zerstören wurde sehr früh erfahren, zuerst von den Ärzten und Technikern, die ihre Hände zur Prüfung der Strahlen vor die Röntgenröhre hielten oder bei der Strahlenbehandlung den Patienten während der Exposition halfen. Ähnliche Schäden wurden durch Umgang mit Radium bereits in den ersten Jahren nach seiner Entdeckung berichtet. Auch Krebsentwicklung und Schäden an den geschlechtlichen Keimzellen wurden bereits im ersten Jahrzehnt nach Entdeckung der Röntgenstrahlen festgestellt. 1927 berichtete H. J. Muller über strahleninduzierte Veränderungen der Fruchtfliege durch genetische Mutation, wobei der Schaden direkt mit der Dosis anstieg. Erst in den letzten Jahrzehnten begann man, die Mechanismen der Entwicklung der Schäden auf der molekularen und zellulären Organisationsebene des Körpers zu verstehen.

Die kurze Besprechung des Aufbaus biologischer Systeme und unseres Körpers betonte die atomare-molekulare Ebene der Organisation und begründete die besondere Rolle des genetischen Materials der langlebigen und teilungsfähigen Zellen, vor allem der sog. Mutterzellen, die in den verschiedenen Geweben für die Aufrechterhaltung der Erneuerung der relativ kurzlebigen, differenzierten und spezielle Funktionen ausübenden Zellen vor allem im Knochenmark, der Magen-Darm-Schleimhaut und anderen Geweben mit langsamerem Zellumsatz verantwortlich sind. Sowohl das genetische Material, die Desoxyribonukleinsäure, wie auch die langlebigen und teilungsfähigen Zellen bzw. Mutterzellen, haben gemeinsam, daß sie vitale Schlüsselfunktionen wahrnehmen – auf der molekularen und auf der zellularen Organisationsebene des Körpers.

Des weiteren sind beide, Molekül und Zelle, in der Lage, sich selbst zu reproduzieren und haben daher die Fähigkeit, ihre Eigenschaften zu konservieren; schließlich ist beiden gemeinsam, daß sie, einmal verloren, nicht ersetzt werden können, es sei denn, man transferiere sie von einem gesunden auf den defizienten Organismus. – Die durch Strahlen-Einfang-Ereignisse verursachten Ionisationen mit der Konsequenz molekularer Veränderungen oder Zerstörungen sind daher besonders folgenschwer, wenn die Desoxyribonukleinsäure von langlebigen und teilungsfähigen Zellen, vor allem von Mutterzellen, betroffen wird. Dies schließt nicht aus, daß auch andere sensible molekulare Strukturen und Zellen in Betracht zu ziehen sind, die die Kriterien der vitalen Schlüsselfunktionen, Langlebigkeit und der mangelnden Redundanz erfüllen. Hier dürften einerseits bestimmte Membranen einzuordnen sein, an denen zahlreiche relativ kurzlebige Enzyme gebunden sind und ohne diese Bindung ihre Aktivität einbüßen; ähnlich sollten auch langlebige und für die Funktion des Organs wichtige Gruppen von Einzelzellen beachtet werden, wie diejenigen Zellen, welche die Blutgefäßwände funktionell und strukturell entscheidend stützen, die sog. Endothelzellen.

Die beiden wesentlichen Effekte ionisierender Strahlen sind entweder Zelltod oder Änderung des genetischen Materials in überlebenden Zellen, die dann als Träger einer genetischen Informations-Änderung, einer Mutation, Tochterzellen produzieren, die zu bösartigen Tumoren werden können. Mutationen in den weiblichen oder männlichen Keimzellen bedeuten die Gefahr einer meist nachteiligen Änderung der Struktur und Funktion der Nachkommen, d. h. die Gefahr von Erbkrankheiten in womöglich zahlreichen Generationen. Die Effekte Zelltod und Mutation, in Körperzellen oder speziell den geschlechtlichen Keimzellen, schließen primär einander aus.

## Strahleneffekte am genetischen Material der Zelle

Die Forschung hat bisher recht zuverlässige Daten zur strahleninduzierten Änderung der Desoxyribonukleinsäure erbracht. In nahezu allen untersuchten Zelltypen verschiedener Organismen zeigt sich ein ziemlich einheitliches Bild, wenn für Zellgröße und Menge der Desoxyribonukleinsäure entsprechende Korrekturen gemacht werden. Die pro Menge Desoxyribonukleinsäure verursachten Ionisationen führen immer zu einem sehr ähnlichen Muster der primären molekularen Veränderungen, wie dies aufgrund biophysikalischer Mechanismen zu erwarten ist. Für die Summe der Effekte pro Zelle pro »Blitz« spielt die Dichte der Ionisation natürlich eine wesentliche Rolle.

Die Fähigkeit der betroffenen Zellen, die gesetzten molekularen Schäden zu erkennen und zu reparieren ist allerdings in den verschiedenen Organismen sehr unterschiedlich. Die Säugetierzellen, und so auch die Zellen des Menschen, verfügen über einen außerordentlich effizienten und relativ strahlenresistenten Mechanismus der Reparatur, der gegenwärtig intensiv erforscht wird. Die Reparatur obliegt einer Vielzahl von Enzymen, deren Baupläne in der Desoxyribonukleinsäure, d. h. in den Genen, man in den letzten Jahren aufzuspüren begonnen hat.

Zahlreiche Laboratorien haben übereinstimmend festgestellt, daß unmittelbar nach Absorption von hohen Dosen Röntgen- oder $\gamma$-Strahlen in der Desoxyribonukleinsäure einer Säugetierzelle pro rad etwa 5–10 Einzelkettenbrüche, 0,3–0,5 Doppelkettenbrüche und mehr als 5 Änderungen an den kleinmolekularen Bausteinen, den Nukleotiden, vorliegen; eine von etwa 100 oder mehr Zellen zeigt einen Bruch in der Struktur eines Desoxyribonukleinsäure-Eiweiß-Komplexes, der für die Vorbereitung zur Zellteilung als Chromosom mikroskopisch sichtbar wird. Andere molekulare Reaktionen auf Ionisationen führen zur Vernetzung zwischen den beiden Ketten der Desoxyribonukleinsäure und zwischen diesen und anliegenden Eiweiß-Molekülen. – Einzelkettenbrüche werden mit einer Halbwertszeit von etwa 10 Minuten durch Reparatur nahezu völlig eliminiert; für Doppelkettenbrüche dauert die Reparatur länger, vielleicht mehr als eine Stunde, aber kaum mehr als zwei Stunden. Auch Veränderungen der Nukleotide werden von Reparatur-Enzymen erkannt und beseitigt. Wird der Reparaturmechanismus im Bereich hoher Dosen, d. h. von sehr vielen Ionisationen pro Zellkern, überwältigt, geht die Zelle schließlich zugrunde. Unterschiedliche Zellen sind verschieden empfindlich. Da bei Exposition mit konventionellen Röntgenstrahlen, um bei diesem Beispiel zu bleiben, eine Dosis von 1 rad im Mittel 3 Strahlen-Einfang-Ereignisse, »Blitze«, als Elektronen mit je etwa 150 Ionisationen entlang der 1/1 000 mm Reichweite der Flugbahn erzeugt, also insgesamt im Mittel etwa 450 Ionisationen sich pro Zellkern ereignen, ist die Effektivität der absorbierten Energie im Zellkern im Hinblick auf die Veränderungen der Desoxyribonukleinsäure recht gering. Ursache dafür ist zum Teil die Tatsache, daß das genetische Material nur etwa 2 Prozent der Zellkernmasse ausmacht.

## Strahleneffekte im Zellstoffwechsel

Es ist zu berücksichtigen, daß die beobachteten Veränderungen an der Desoxyribonukleinsäure nicht ausschließlich strahlenspezifisch sind, sondern auch durch chemisch besonders reaktive Moleküle, sog. Radikale, verursacht werden können. Solche Moleküle werden auch durch Strahlung in der Zelle generiert, und zwar durch die Ionisation der Wassermoleküle. Die beiden Wasserstoffatome und das Sauerstoffatom des Wassermoleküls rearrangieren sich nach Ionisation und neigen zur Bindung des in der normalen Zelle immer vorhandenen Sauerstoffs und daher zur Bildung von sehr reaktiven, mit Sauerstoff überbesetzten Molekülen, den Peroxiden, z. B. Wasserstoffsuperoxid, allgemein bekannt durch seine kosmetische Anwendung zum Bleichen der Haare. Solche reaktiven Moleküle entstehen auch im Verlaufe des normalen Stoffwechsels, so daß jede Zelle immer der Gefahr einer sozusagen inneren Vergiftung ausgesetzt ist. Aber auch hier hat die Evolution die Zelle mit Enzymen ausgestattet, die Peroxide abbauen. Auch die durch Ionisationen in Anwesenheit von Sauerstoff gebildeten Peroxide werden von diesen Enzymen zerlegt. Zur Klärung der Frage nach der schließlichen Wirkung einzelner »Blitze« mit ihren etwa 150 Ionisationen pro Zellkern im Falle konventioneller Röntgenbestrahlung ist es interessant zu untersuchen, um wieviel Prozent die im normalen Stoffwechsel entstehenden Peroxide pro »Blitz« in einer Zelle angehoben werden. Es wird vermutet, daß dieser Prozentsatz klein ist. Dies würde dazu führen anzunehmen, daß im Bereich kleiner Dosen mit einzelnen »Blitzen« pro Zelle die von Strahlen über radikale Moleküle induzierten indirekten Effekte im Normalpegel der Effekte von seiten der Peroxide einer Zelle kaum auffallen. Nur dann kämen die Effekte an der Desoxyribonukleinsäure besonders zum Tragen, wenn die molekularen Veränderungen nach einer direkten Ionisation wesentlich anders wären als die durch die Peroxide hervorgerufenen. Es besteht Anlaß, dies zu verneinen, so daß mit Recht zu fragen ist, ob in der mit normalen Reparatur-Enzymen und Enzymen zur Beseitigung von Peroxiden ausgerüsteten Säugetierzelle im Bereich kleiner Dosen überhaupt ein meßbarer Effekt zusätzlich zu den spontan auftretenden Effekten, z. B. in Form von bösartigen Tumoren, erkannt werden kann. Tatsächlich sind in Säugetierzellen nach Absorption sogar von einigen rad weder Mutationen der geschlechtlichen Keimzellen noch Krebserkrankungen festgestellt worden. Es wird auch umgekehrt von manchen Wissenschaftlern die Ansicht vertreten, daß kleine Dosen mit der

Konsequenz der leichten Anhebung des Peroxid-Pegels in der Zelle und der an der Desoxyribonukleinsäure sowieso spontan auftretenden Veränderungen die Reparatur-Kapazität eher stimulieren könnten und somit positiv zu werten seien. Ungeachtet dieser Überlegungen und Vermutungen wird gegenwärtig zur Optimierung des Strahlenschutzes allgemein davon ausgegangen, daß jede Dosis, sei sie auch noch so klein, der Säugetierzelle einen biologischen Effekt mit gesundheitlichen Schäden bringen kann.

## Dosis-Effekt-Beziehungen bei Tumorinduktion

In einigen Experimenten mit Pflanzen, vor allem mit der Dreimasterblume (Tradescantia), stieg in der Tat die Zahl der durch Änderungen im genetischen Material bedingten Farbanomalien direkt proportional, und zwar linear, mit der Dosis schon deutlich ab 0,2 rad an. Dies bedeutet, daß jeder »Blitz« eine bestimmte Wahrscheinlichkeit hat, die der Farbanomalie zugrunde liegende genetische Veränderung in einer Zelle zu verursachen. Ob eine lineare Dosis-Effekt-Beziehung im sehr kleinen Dosis-Bereich auch bei höher entwickelten Lebewesen, Säugetieren und insbesondere dem Menschen, existiert, bedarf weiterer Forschung mit sehr großen Zahlen von Einzelbeobachtungen an exponierten Organismen. Es ist fraglich, ob die geforderten großen Zahlen von Beobachtungen je möglich sein werden.

Die gefürchteten Effekte von Dosen, die zu klein sind, um die getroffene Zelle zu töten, aber groß genug sind, das genetische Material über die Spontanänderungen hinaus erkennbar zu stören, sind bösartige Tumoren und Erbkrankheiten in der Nachkommenschaft exponierter Personen. Zahlreiche Experimente, vor allem an Mäusen, und Beobachtungen an exponierten Menschen beweisen, daß Strahlen Krebs erzeugen können. Wie es dazu kommt, ist nicht bekannt. Der Mechanismus dürfte ähnlich demjenigen sein, der Krebs auch auf andere Weise, z. B. nach Einwirkung bestimmter chemisch besonders aktiver Moleküle, induziert. Für Krebserkrankungen verantwortliche Gene, die Onkogene, sind in den letzten Jahren entdeckt worden und finden seitdem weltweite Beachtung.

Sowohl beim strahleninduzierten wie beim chemisch verursachten Krebs ist die Zeitspanne zwischen Exposition und Krebserkennung relativ lang. Bei wenigen, medizinisch aus verschiedenen Gründen früher mit Strahlen behandelten Menschen und bei den Überlebenden der Atombomben-Explosionen in Hiroshima und Nagasaki zeigten sich verschiedene Arten von bösartigen Tumoren bereits nach wenigen Jahren und wurden weiterhin, je nach Art des Tumors, über mehr als 35 Jahre festgestellt. Wenn auch grundsätzlich kein Unterschied zwischen spontan auftretenden und strahleninduzierten Tumoren besteht, läßt sich der Zusammenhang zwischen Strahlenexposition und Tumor-Entwicklung durch statistische Vergleiche mit einer nicht-exponierten, aber sonst sehr ähnlichen, wenn möglich gleichartig lebenden Bevölkerung erbringen.

Wenn darüber hinaus die absorbierte Dosis bei den exponierten Personen bekannt ist, was oft außerordentlich schwierig zu erarbeiten bzw. zu rekonstruieren ist, läßt sich die Zahl der statistisch über dem Vergleichskollektiv liegenden, über alle Jahre hinweg auftretenden Krebserkrankungen mit der Höhe der Dosis korrelieren. Hierbei muß sichergestellt sein, daß die zum Vergleich gewählte Bevölkerung ähnliche Lebensbedingungen hat wie diejenige der strahlenexponierten Gruppe. Dadurch sollen andere eventuelle und weitgehend noch unbekannte Krebs-erzeugende Einwirkungen der Umwelt und Lebensweise, einschließlich der Besonderheiten der Ernährung, von der Analyse in der exponierten Gruppe ausgeschlossen werden.

Sowohl diese Analysen an exponierten Bevölkerungsgruppen, die ausführlich vom Wissenschaftlichen Komitee für die Effekte von Atomstrahlen der Vereinten Nationen (UNSCEAR) und vom Komitee des Nationalen Wissenschaftsrates der USA für die biologischen Effekte ionisierender Strahlen (BEIR) zusammengetragen und bearbeitet worden sind, wie auch die Tierexperimente mit Röntgen- und γ-Strahlen lassen vermuten, daß generell die strahleninduzierten Krebserkrankungen erst ab etwa 30 rad beobachtbar zu werden beginnen und zunächst mit der Dosis linear, dann bei unterschiedlich hohen Dosen ab etwa 70 rad exponentiell ansteigen, um jenseits etwa 300 rad wieder abzufallen. Wurden die Dosen über einen längeren Zeitraum, d. h. mit kleinerer Dosisleistung, verabreicht, blieb der Anstieg der Krebserkrankungen linear bis zu hohen Dosen von über 1000 rad. Diese Kurvenverläufe sind für die einzelnen Tumorarten nach Röntgenbestrahlung zwar qualitativ ähnlich, aber quantitativ sehr verschieden. Der Grund dafür liegt wohl in der unterschiedlichen Ansprechbarkeit der verschiedenen Zelltypen für Krebsinduktion. Zum anderen dürften auch Einflüsse des Alters und der Gesundheit der exponierten Individuen eine Rolle spielen. Jüngere und ältere Organismen scheinen empfindlicher für Krebsinduktion zu sein als solche im mittleren Alter. Weitere Unterschiede ergaben experimentelle Beobachtungen nach Bestrahlung von Tieren mit dicht ionisierenden Teilchen, wie α-Teilchen, von im Körper befindlichen radioaktiven Isotopen, oder mit beschleunigten Atomkernen; hier stieg die Häufigkeit verschiedener Krebserkrankungen nahezu immer relativ steil und linear bis zu hohen Dosen.

Diese eigenartigen besonderen Verlaufsformen der Dosis-Effekt-Beziehungen für verschiedene Bedingungen der Exposition und für verschiedene Tumoren lassen sich gut in Einklang bringen mit den im Abschnitt 4 über Dosis und zu Beginn dieses Abschnittes beschriebenen Ereignissen auf der molekularen und zellularen Organisationsebene des Körpers. Im kleinen Dosisbereich und bei niedriger Dosisleistung entscheidet die Zahl der tatsächlich »geblitzten« Zellen und die Wahrscheinlichkeit einer der Reparatur entgangenen Veränderung ihrer Desoxyribonukleinsäure, während im hohen Dosisbereich und akuter Exposition alle Zellen kurzzeitig getroffen werden und die Wahrscheinlichkeit der Veränderung der Desoxyribonukleinsäure exponentiell mit der Zahl der Strahlen-Einfang-Ereignisse ansteigt. Erreicht die Dosis Werte, bei denen zunehmend mehr Zellen abgetötet werden, geht die Wahrscheinlichkeit der Krebsinduktion im exponierten Organismus wieder zurück; dafür treten dann die Symptome der akuten Strahlenkrankheit mit schließlich tödlichem Ausgang auf; die Schwere der Krankheit ist direkt abhängig von der Dosis, d. h. von der Zahl der abgetöteten Zellen.

## Strahlenbedingte Krebskrankheiten

Auf der Basis der gesammelten Unterlagen über die Krebshäufigkeit in den verschiedenen Gruppen von strahlenexponierten Menschen ohne Rücksicht auf Alter, Geschlecht und Gesundheitszustand, wie sie UNSCEAR und BEIR berichtet haben, und unter der

Annahme, daß die pro Dosiseinheit induzierte Wahrscheinlichkeit, an Krebs zu erkranken, bei kleiner Dosis gleich ist derjenigen bei hoher Dosis, d. h. daß eine durchaus lineare Dosis-Effekt-Beziehung auch im sehr kleinen Dosisbereich besteht, wurden für verschiedene Krebserkrankungen folgende Werte als Risiko-Koeffizienten ermittelt. Dieser Koeffizient gibt die Zahl der erwarteten Krebstodesfälle pro 1 Million mit 1 rad bestrahlter Personen an. Die umfangreichsten Daten stammen von den Überlebenden der Atombomben in Japan:

| pro 1 Million pro rad | beobachtete Fälle |
|---|---|
| Leukämie | 10– 60 |
| Schilddrüsenkrebs-Erkrankungen | 20–150 |
| davon tödlich | etwa 2–15 |
| Brustkrebs | 30–200 |
| Lungenkrebs | 20–100 |
| Knochenkrebs | etwa 5 |
| Tumoren des Gehirns, | |
| oder Speicheldrüse, | |
| des Magens | 10–15 |
| der Leber | |
| des Darms | |
| | |
| Tumoren | |
| der Speiseröhre | |
| des Dünndarms | |
| der Bauchspeicheldrüse | weniger als 5 |
| des Enddarms | |
| des lymphatischen Systems | |
| der Nasennebenhöhlen | |

Dieses Spektrum der Häufigkeiten von tödlichen Krebserkrankungen nach relativ hohen Strahlendosen ist anders in der normalen Bevölkerung. Verschiedene Vergleiche zwischen den einzelnen ausgewerteten Gruppen ergaben, daß die Zahl aller Tumoren mit tödlichem Ausgang, soweit statistisch beobachtbar, zusammen etwa 3- bis 5mal größer war als die Zahl der Leukämie-Todesfälle. Die Analyse des induzierten Schilddrüsenkrebses gab das überraschende Ergebnis, daß die nach externer, meist kurzzeitiger, Exposition beobachteten Tumorhäufigkeiten sich nicht einstellten, wenn eine gleich hohe Dosis von in der Schilddrüse eingebauten 131-Jod, einem $\gamma$- und $\beta$-Strahler, stammte; im Gegenteil, die Zahl der in dieser Gruppe festgestellten Schilddrüsen-Tumoren war noch geringer als die in der nicht bestrahlten Kontroll-Gruppe. Ursache dafür dürfte einmal die niedrige Dosisleistung von 131-Jod sein und auch dessen heterogene Mikroverteilung, da Jod nur kurzzeitig in den Zellen und dann innerhalb der Hormon-Reservoirs zwischen den Zellen verweilt, bis es in das Blut abgegeben wird.

Zusammenfassend darf man annehmen, daß pro rad pro 1 Million akut exponierter

Personen etwa 150–200 Krebs-Todesfälle auftreten. Dies entspräche einer zusätzlichen Krebsinzidenz in der exponierten Gruppe von etwa 0,015 bis 0,02 Prozent pro rad.

Das spontane Krebsrisiko ist für die Gesamt-Bevölkerung der Industrienationen etwa 18–20 Prozent. Unter der Annahme der Richtigkeit der Risiko-Koeffizienten auch im Bereich kleiner Dosen bringt eine Strahlenbelastung mit 1 rad somit eine Anhebung des spontanen Krebsrisikos von etwa 20 Prozent auf 20,02 Prozent, d.h. um 0,1 Prozent des Wertes des Spontanrisikos. – Bei Langzeit-Bestrahlung mit der Chance der Zellreparatur zwischen einzelnen Strahlen-Einfang-Ereignissen, »Blitzen«, dürfte sich das strahleninduzierte Krebsrisiko pro rad bis auf $\frac{1}{3}$ des Wertes nach akuter Exposition, also von etwa 0,1 Prozent bis auf 0,03 Prozent des Spontanrisikos verringern, je nach Strahlenart.

Der Zusammenhang zwischen Krebs-Inzidenz und Dosis zeigt deutlich die enorme Fähigkeit der bestrahlten Zellen und des bestrahlten Organismus zur Reparatur und zur Abwehr gegen Krebszellen. Ein Beispiel ist die strahleninduzierte Leukämie-Häufigkeit. Leukämien entwickeln sich aus den Mutterzellen des Knochenmarks, und zwar jeweils aus einer einzelnen Zelle, wie heute allgemein angenommen wird. Ein erwachsener Mensch verfügt über etwa 1,6 Milliarden dieser Zellen. 1 rad von konventionellen Röntgenstrahlen bringt, wie oben ausgeführt, den kritischen Volumina, den Zellkernen, im Mittel drei Strahlen-Einfang-Ereignisse, »Blitze«, mit je etwa 150 Ionisationen, welche die Desoxyribonukleinsäure geringfügig verändern können. Eine Million Menschen haben insgesamt 1 Million × 1,6 Milliarden, d.h. $1,6 \times 10^{15}$ Mutterzellen des Blutes, die im Mittel je 3 »Blitze« erleiden, woraus sich schließlich etwa 40 Leukämien entwickeln. Es werden somit etwa $5 \times 10^{15}$ Blitze in $1,6 \times 10^{15}$ Mutterzellen für 40 Leukämien bilanziert. Mit anderen Worten, die Wahrscheinlichkeit eines einzelnen Blitzes in einem Zellkern im Reservoir der Mutterzellen des Blutes, eine Leukämie zu induzieren, ist etwa $1:10^{14}$; eine unglaublich geringe Wirksamkeit, Ausdruck auch der Fähigkeit der Zellen und Gewebe zur Reparatur und Abwehr gegen kranke Zellen. Die große Bedeutung der Reparatur-Enzyme für die geringe Krebs-Wahrscheinlichkeit nach Bestrahlung wird durch Beobachtungen häufiger Hautkrebse bei solchen Menschen erhellt, die an einer erblichen Hauterkrankung, der Xeroderma pigmentosum mit Defizienz im Reparatur-Mechanismus, leiden.

## Strahlenbedingte Erbkrankheiten

Veränderungen der genetischen Information in der Desoxyribonukleinsäure der männlichen und weiblichen Keimzellen machen sich nur dann bemerkbar, wenn diese zur Zeugung neuer Organismen kommen. Einige dieser Veränderungen zeigen sich gleich in der ersten oder zweiten Generation der Nachkommen durch neue, meist nachteilige bzw. krank machende Merkmale eines Individuums dieser Generation; sie sind Ausdruck dominanter Mutationen. Andere Mutationen erscheinen erst als Erbkrankheiten in späteren Generationen, Folge von rezessiven Mutationen. Analog zur Induktion von Krebskrankheiten sind strahleninduzierte Mutationen nicht spezifisch, sondern lassen sich nur durch statistisch signifikante Änderungen der spontanen Mutationsrate in einer Generation nachweisen. Bis zum Erscheinen einer mutationsbedingten Änderung in einem Individuum laufen verschiedene schwer faßbare Einflüsse und Prozesse auf der molekularen wie zellularen Organisationsebene des Körpers ab. So muß auch in Betracht gezogen werden, daß mutierte Geschlechtszellen bei der Befruchtung gegenüber normalen Zellen eher benachteiligt als bevorzugt werden.

Das strahleninduzierte Risiko für Erbkrankheiten, das sog. genetische Risiko, ist weitaus schwieriger zu beurteilen als das Krebsrisiko. Beobachtungen an Menschen sind außerordentlich spärlich. In der Nachkommenschaft der Überlebenden der Atombomben in Japan ist bisher keine statistisch signifikante Erhöhung von Erbkrankheiten erkannt worden. Recht zuverlässige Ergebnisse liegen indes von Tierexperimenten vor. Ähnlich wie bei der strahleninduzierten Krebsinduktion steigt die Mutationsrate im unteren Dosisbereich zunächst linear an, um in manchen Untersuchungen dann eine exponentielle Funktion der Dosis zu werden, einen maximalen Effekt zu zeigen und schließlich bei sehr hohen Dosen wieder abzunehmen.

Vor allem in Untersuchungen an akut bestrahlten männlichen Mäusen mit definierten genetischen Merkmalen und spontanen Mutationsraten wurde über zwei Generationen festgestellt, daß nach einer Dosis von etwa 30 rad Röntgen- oder γ-Strahlen die Mutationsrate der beobachteten Gene auf das Doppelte der Spontanrate anstieg. Bei protrahierter Exposition wurden zur Verdoppelung der spontanen Mutationsrate etwa 70–100 rad benötigt. Dies entspricht wiederum den Erwartungen, wenn man die Ereignisse auf der molekularen und zellularen Organisationsebene des Körpers betrachtet. – Bei weiblichen, akut exponierten Tieren dagegen waren weit höhere Dosen, 150 rad und mehr, erforderlich für die Verdopplung der Spontanrate; so erscheint die unreife, ruhende weibliche Eizelle allgemein vergleichsweise strahlenresistent; bei chronischer Exposition gab es fast keine Mutationen. Studien mit Mäusen zeigten aber auch, daß die reife Eizelle kurz nach dem Eisprung, d. h. kurz vor der Fähigkeit befruchtet zu werden, eine deutlich höhere Zahl von Mutationen liefert als die unreife Eizelle. Andererseits reagieren unreife Eizellen empfindlicher mit Zelltod als die reifen. Beim Menschen ist dies womöglich anders. Die hier im Augenblick laufenden wissenschaftlichen Forschungen beschäftigen sich mit der Ursache dieser besonderen Phänomene; Änderung der Steuerung der Reparatur-Enzyme sowie Zell-Selektion für Befruchtung dürften hier eine wichtige Rolle spielen.

Welche genetischen Effekte sind zu erwarten, wenn die erste und alle nachfolgenden Generationen einer Dauerexposition ausgesetzt werden, wenn man die bisherigen Kenntnisse über Induktion von Mutationen in Betracht zieht? Es gibt etwa 2 800 bekannte vererbbare Erkrankungen im Menschen, von denen etwa die Hälfte Folgen von dominanten und geschlechts-gebundenen Mutationen sind. Die andere Hälfte wird dem rezessiven Erbgang, Chromosomen-Aberrationen und weiteren noch unbekannten Ursachen zugeschrieben. Insgesamt machen diese Erbkrankheitenn etwa 20 Prozent aller angeborenen Krankheiten aus, die etwa 10 Prozent der Neugeborenen betreffen. Verschiedene Schätzungen kommen zu dem Ergebnis, daß eine Verdopplung der Mutationsrate im Gleichgewicht der Mutations-Auslösung und -Elimination im Verlauf von Generationen durch etwa 100 rad oder mehr pro Generation verursacht werden sollte. Von den induzierten Mutationen würden 20 Prozent in der ersten Generation erkennbar werden.

Diese Schätzungen und die bei männlichen Mäusen erhaltenen Ergebnisse nach chronischer Exposition über einen längeren Zeitraum lassen erwarten, daß pro rad pro Person im zeugungsfähigen Alter einer Generation die spontane Mutationsrate um etwa 1 Prozent angehoben wird. Nach akuter Exposition mit höheren Dosen würde die Anhebung vielleicht 3 Prozent der Spontanrate pro rad betragen; von diesen Mutationen würden dann etwa 20 Prozent in der ersten Generation nach Exposition erkennbar werden. Andererseits ist auch zu erwarten, daß aufgrund der durch Mutation bedingten Erkrankungen ein negativer Selektionsdruck die Mutationen aus der Population wieder verschwinden läßt. Diese, wenn auch recht unsicheren Schätzungen werden durch die Tatsache bestärkt, daß in der relativ kleinen Gruppe der Nachkommen der Überlebenden der Atombomben in Japan bisher keine statistisch signifikante Anhebung der Mutationsrate beobachtet wurde.

## Das Gesamtrisiko der strahlenbedingten Spätschäden

Krebserkrankungen und Erbkrankheiten durch genetische Mutationen sind die wesentlichen Spätschäden nach Strahlenexposition, die zu solch kleinen Dosen führte, daß die von Strahlen-Einfang-Ereignissen getroffenen, d. h. »geblitzten« Zellen nicht abgetötet wurden. Obwohl eine reale Quantifizierung der Summe der Spätschäden nur sehr schwer ist, hat ICRP 1977 zum Zweck der Risikoschätzung nach chronischer Exposition mit kleinen Dosen folgende Werte angegeben, wobei die Risiko-Koeffizienten für tödliche Krebserkrankungen und für genetische Mutationen und auch die entsprechenden prozentualen Anteile am Gesamtrisiko aufgeführt wurden:

| pro 1 Million pro rad | Prozent des Gesamtrisikos | |
|---|---|---|
| Leukämie | 20 | 12 |
| Schilddrüsenkrebs | 5 | 3 |
| Brustkrebs | 25 | 15 |
| Lungenkrebs | 20 | 12 |
| Knochenkrebs | 5 | 3 |
| alle anderen Krebsarten | 50 | 30 |
| genetische Schäden in 2 Generationen | 40 | 25 |

## Die akute Strahlenkrankheit

Die akute Strahlenkrankheit wird eher durch akute als durch chronische Exposition ausgelöst. Als Unfallfolge ist sie nach 1945 ein außerordentlich seltenes Ereignis geblieben. Bei Verhinderung eines Atomkrieges wird sie es wohl auch bleiben, da die Kernindustrie ein sehr hohes Maß an Sicherheit hat. Große Unfälle in Kernkraftwerken werden nach allen bekannten Berechnungen als höchst unwahrscheinlich angesehen, wobei heute die eventuelle Zahl der exponierten Personen und die von ihnen absorbierte Dosis nach den letzten Analysen eher kleiner als früher geschätzt wird.

Die typischen klinischen Zeichen und Befunde der akuten Strahlenkrankheit treten erst dann auf, wenn eine solche Dosis absorbiert worden ist, die groß genug ist, so viele Zellen zu töten, daß der Prozeß der lebensnotwendigen Zellerneuerung, die im dritten Abschnitt angesprochen wurde, verhindert wird. Die Organe mit hohem Zellumsatz sind daher besonders betroffen.

Der Zellumsatz paßt sich dem Ausmaß des Verlustes der funktionstüchtigen, aber nicht mehr teilungsfähigen Zellen an, durch welche Gründe er auch immer bewirkt wird und wird durch höchst komplexe und sehr spezifische Signal-Moleküle gesteuert, die ruhende Mutterzellen zur Produktion von differenzierten Tochterzellen anregen. Wie bereits ausgeführt wurde, sind Mutterzellen generell strahlenempfindlicher als differenzierte Zellen. Maßgeblich für die Entwicklung und den Verlauf der Strahlenkrankheit sind somit die Strahlenempfindlichkeit der für die Zellerneuerung verantwortlichen Mutterzellen und die Zeit, die normalerweise vom Beginn der Zellteilung in der Gruppe der Mutterzellen bis zur Ausbildung der funktionstüchtigen, differenzierten, aber teilungsunfähigen Tochterzellen benötigt wird.

Das blutbildende Knochenmark ist besonders empfindlich. Seine Mutterzellen werden etwa zur Hälfte von einer akuten Dosis von etwa 100 rad Röntgen- oder $\gamma$-Strahlung getötet. Diese Dosis konventioneller Röntgenstrahlen bringt etwa 300 Strahlen-Einfang-Ereignisse, »Blitze«, in die kritischen Volumina, die Zellkerne. Bei 200 rad überleben nur noch 25 Prozent der Mutterzellen, bei 300 rad nur noch etwa 10–15 Prozent. Mit dem innerhalb von Stunden nach der Bestrahlung eintretenden Tod von Mutterzellen verringert sich die Kapazität des Nachschubs differenzierter Zellen. Da etwa 5–7 Tage für die im Anschluß an die Teilung der Mutterzellen einsetzende Differenzierung mit Zellteilungen und schließlicher Reifung zur vollen Funktionstüchtigkeit der Zellen benötigt werden, kommt erst nach einer Woche der Ausfall der Mutterzellen voll zur Wirkung: das Absinken der Zahl der relativ kurzlebigen weißen Blutkörperchen, der infektabwehrenden Freßzellen, leitet die akute Strahlenkrankheit nach Dosen von einigen 100 rad ein. Ähnlich empfindlich reagiert die Bildung der für die Blutgerinnung wichtigen kurzlebigen Blutplättchen. Die etwa 100 Tage lang lebenden roten Blutkörperchen garantieren zunächst die Aufrechterhaltung der von ihnen speziell wahrgenommenen Funktionen des Transportes von Sauerstoff von der Lunge zu den Geweben und von Kohlendioxid von dort zurück zur Lunge. Infekte, Fieber, Blutungen werden um so lebensbedrohlicher, je stärker die Zellerneuerung gestört ist. Wenn mehr als 90–95 Prozent der Mutterzellen zugrundegehen, wird das Überleben des exponierten Individuums ohne ärztliche Behandlung unwahrscheinlich. Die Fähigkeit der Mutterzellen zur Selbsterneuerung führt zur spontanen Regeneration, wenn mehr als 5–10 Prozent von ihnen überleben; in der dritten Woche nach Exposition ist das Reservoir der Mutterzellen dann so weit aufgefüllt, daß die Blutwerte sich zu Beginn der vierten Woche zu normalisieren beginnen. Es ist nachgewiesen worden, daß die regenerierten Mutterzellen Schäden aufweisen, so daß noch für viele Monate, vielleicht Jahre, die volle Leistung zur Lieferung differenzierter Zellen beeinträchtigt ist. Ob damit das erhöhte Risiko einer nach Jahren auftretenden Leukämie zusammenhängt, wird noch erforscht.

In diesem Zusammenhang interessieren auch die seit Jahren zum Teil sehr erfolgreich laufenden Bemühungen, an Leukämie im Endstadium erkrankte Patienten mit etwa 1 000 rad $\gamma$-Strahlen zu behandeln, um möglichst alle Mutterzellen der Blutbildung zu vernichten und diese dann durch Knochenmarktransfusion von gesunden und dem

Empfänger Blutgruppen-kompatiblen Spendern zu ersetzen. Je näher die Verwandtschaft zwischen Spender und Empfänger, um so besser ist die Chance, daß die transfundierten Mutterzellen sich im Spender ansiedeln. Von dieser Art Therapie hat man auch die Entwicklung und Behandlung der akuten Strahlenkrankheiten besser verstehen und handhaben gelernt. Denn bis auf die Katastrophen in Hiroshima und Nagasaki sind nur wenige Menschen durch Unfälle tödlich bestrahlt worden.

Weitere Zellsysteme mit hohem Umsatz sind die Schleimhaut des Verdauungstraktes und die äußere Haut. Die letztere zeigt nach akuten Dosen über etwa 300 rad innerhalb von 2 Wochen Störungen der Zellerneuerung mit Haarverlust. Nach höheren Dosen reagiert sie in kürzeren Zeitintervallen mit Rötung wie nach einem Sonnenbrand und schließlich bei Dosen über 1500 rad zunehmend mit Blasen- und Geschwürbildung. – Die Schleimhaut im Verdauungstrakt läßt deutliche Störungen des Zellumsatzes nach einer Dosis von über 300 rad erkennen. Ungefähr die Hälfte der Mutterzellen dieses Zellsystems wird durch eine Dosis von etwa 300 rad Röntgen- oder $\gamma$-Strahlung abgetötet. Von der Teilung der Mutterzellen bis zur Ausbildung der funktionstüchtigen Zellen vergehen normalerweise etwa 3–5 Tage. Nach Dosen wohl über 300 rad Ganzkörperbelastung kommen demnach zu den Folgen der gefährlichen Verminderung der weißen Blutkörperchen und Blutplättchen nun auch dosisabhängig zunehmend schwere Grade des Zusammenbruchs der Magen-Darm-Schleimhaut mit blutigen Durchfällen, Wasserverlusten des Körpers und mangelnder Nahrungsaufnahme. Auch hier ist die Erholung möglich, solange eine ausreichende Zahl von Mutterzellen überlebt. So wird nach Bestrahlung mit 1000 rad zwar nahezu das gesamte Reservoir der Mutterzellen des blutbildenden Knochenmarks vernichtet, aber nur etwa 85 Prozent der Mutterzellen in der Magen-Darm-Schleimhaut gehen verloren, so daß nach Knochenmarktransfusion, rigoroser Verhütung und Behandlung von Infekten, Blutungen, Wasserverlust und Störung der Nahrungsaufnahme eine völlige Erholung resultiert.

Nach akuten Expositionen, die zu Dosen von wohl über mehr als 1000 rad führen, ist das Überleben unmöglich. Nach akuten Dosen von mehreren tausend rad sterben die Betroffenen an den rasch, innerhalb von Tagen bis Minuten je nach Dosishöhe, einsetzenden Störungen des zentralen Nervensystems mit Hirnschwellung, kleinen Blutungen und Untergang der Nervenzellen. Die Symptome sind Bewußtseinstrübung, Epilepsie-ähnliche Krämpfe, Koma und schließlich Tod. Solche Katastrophen sind außer in Japan außerordentlich selten gewesen; es gibt einzelne dokumentierte Fälle aus der Frühzeit der Entwicklung der Kernenergie.

Wenn die akute Strahlenkrankheit je nach Dosis überwunden ist, stellen sich doch häufig noch späte Effekte ein, die zumeist durch Veränderungen des sich immer relativ langsam umsetzenden Zellsystems des Bindegewebes erklärt werden. Zu den Befunden zählen Bindegewebsverdickungen, die vor allem in der Lunge gefährlich sind, aber auch von der Haut, wie sie vor allem bei den frühen Pionieren der Röntgenologie beobachtet worden sind. Zellen, die Blutgefäße auskleiden, haben ebenfalls einen relativ langsamen Umsatz; ihre Schädigungen sind dosisabhängig verantwortlich für Strukturveränderungen, besonders der kleinen Blutgefäße mit Schlängelungen und lokalen Erweiterungen; sowohl Zelluntergang als auch Änderungen der Funktion überlebender Zellen sind hier verantwortlich. Diese späten Effekte nach hohen Dosen werden häufig an solchen Stellen des Körpers beobachtet, an denen zum Zwecke der Röntgen-Strahlentherapie von Tumoren an die 5000–6000 rad in Einzeldosen von mehr als 200 rad täglich verabreicht wurden. Hier überwiegt der Nutzen der unter Umständen lebensrettenden und sehr häufig lebensverlängernden Strahlentherapie den Schaden im Bereich des gesunden Gewebes, der trotzdem die Gesamtfunktion des Körpers meist nur unwesentlich beeinflußt. Lebensgefährliche späte Effekte hoher Dosen sind neben den bereits genannten Bindegewebs-Änderungen in der Lunge mit der Konsequenz der Behinderung der Atmung auch entsprechende Veränderungen der Niere mit den Folgen der Störungen der Ausscheidung giftiger Stoffwechselabbauprodukte. Überlebende einer Bestrahlung mit hohen Dosen haben je nach exponiertem Körperteil schließlich ein Risiko an Krebs zu erkranken und Erbkrankheiten auszulösen (s. S. 571).

Akute Effekte sind besonders verhängnisvoll in Embryonen. In der Frühphase der Entwicklung des Embryos, bevor die Anlage der Organe beginnt, d. h. in den ersten Wochen nach der Befruchtung des Eies, sind die Zellen ebenso sehr strahlenempfindlich wie die Mutterzellen der Blutbildung im Knochenmark. Eine akute Dosis von 100 rad tötet die Hälfte der Zellen. In den beiden Monaten danach, wenn die einzelnen Organe sich aus den für sie dazu angeregten Zellen zu entwickeln beginnen, sinkt die Wahrscheinlichkeit der tödlichen Reaktion zugunsten von Zellveränderungen, wahrscheinlich durch Schäden in der Desoxyribonukleinsäure, die zu Mißbildungen und zu wahrscheinlich noch in der Kindheit auftretenden Krebserkrankungen führen können. In Experimenten mit Mäusen sind statistisch gesicherte Mißbildungen schon nach 5 rad berichtet worden.

Alle genannten Reaktionen nach akuter Exposition mit hohen Dosen sind der Schwere nach dosisabhängig, und das Ausmaß der Effekte pro Dosis nimmt ab, wenn die Dosis über einen längeren Zeitraum verabreicht wird. Wird z. B. eine Exposition mit relativ niedrigen Dosen pro Tag über Monate hin fortgesetzt, so erhöht sich die für einen definierten Schaden notwendige relativ hohe gesamte Dosis um das 3- bis 5fache. Die Begründung ist die gleiche, wie sie bei der Beschreibung der Risiken von Krebserkrankungen und Erbkrankheiten angegeben wurde; zwischen den einzelnen Strahlen-Einfang-Ereignissen, »Blitzen«, hat die getroffene Zelle eher die Möglichkeit der Reparatur, als wenn alle »Blitze« in sehr kurzer Zeit die Zelle überwältigen.

## Akute Strahleneffekte zur Behandlung bösartiger Tumoren

Die spektakulären Anfänge der Krebstherapie mit Röntgenstrahlen bereits im Jahre nach ihrer Entdeckung brachen den Damm der Hilflosigkeit gegenüber dieser vorher schleichend schlimmer werdenden und schließlich oft erheblich den Körper entstellenden und oft zum Tode führenden Krankheit. Auch heute noch ist die Bestrahlung eine der drei Behandlungsmöglichkeiten der bösartigen Tumoren, neben Chemotherapie und Chirurgie, deren Erfolge erst viele Jahre später denen der Röntgentherapie vergleichbar gut waren. Bemühungen um Verbesserungen durch Einsatz von dicht ionisierenden Strahlen mit unterschiedlichen Dosen und Schemata der Exposition sowie von Kombinations-Behandlungen z. B. mit Medikamenten gehen unvermindert weiter. Hierzu gehört auch die möglichst exakte Ortung eines Tumors, die Diagnose seiner Zellart oder seines Typs,

Prüfung seiner Strahlenempfindlichkeit und der Reaktion nach Bestrahlung mit eventueller Sensibilisierung der Tumorzellen mit verschiedenen Methoden, und schließlich die Verlaufskontrolle im Körper zur Messung des Effektes der Behandlung mit dem Ziel, für jeden Tumor eine individuelle Therapie maßzuschneidern. In diesen Bemühungen bietet die Welt der Wissenschaft und Medizin das Bild einer besonders wohltuenden Einmütigkeit und Entschlossenheit zum gemeinsamen Handeln.

Die in den letzten 15 Jahren entwickelte therapeutische Ganzkörperbestrahlung zur Vernichtung der leukämischen Mutterzellen mit nachfolgender Knochenmarktransfusion wurde schon im vorigen Abschnitt erwähnt. Mit hochenergetischen Photonen, d. h. Röntgen- oder γ-Strahlen, z. B. aus einer 60-Kobalt-Quelle, mit hochenergetischen Neutronen aus Generatoren oder dem Zyklotron, mit Protonen aus Atomkernbeschleunigern, wie dem Zyklotron oder Linear-Beschleuniger oder mit β-Teilchen und α-Teilchen von Radioisotopen im oder am Tumor versucht man, den Tumorzellen mit Dosen von mindestens um 5000 rem beizukommen, wobei das gesunde Gewebe weitestgehend geschont werden soll.

Trotz der großen Fortschritte in der Anwendung von Strahlen zur Therapie wird das Ziel der Tumorvernichtung ohne Zerstörung gesunden Gewebes generell noch nicht optimal erreicht. Verschiedene Tumorarten haben nur geringe Strahlenempfindlichkeit und lassen sich durch chemische Substanzen oder physikalische Interventionen wie Überwärmung für Strahlen sensibilisieren. Ideal wäre die Möglichkeit, wie an verschiedenen Orten versucht wird, Radioisotope mit hochionisierenden und energiereichen Strahlen selektiv in alle zu vernichtenden Zellen in ausreichender Menge einzuschleusen und solange zu fixieren, bis eine zur Zellvernichtung erforderliche Dosis deponiert ist. Hierfür müßten sowohl Dauer der Fixierung der Isotope in der Zelle, die Isotopenmenge, wie deren Strahlungszeit, d. h. Halbwertzeit, optimal aufeinander abgestimmt sein. Weniger günstig, aber immerhin erstrebenswert, wäre die entsprechende Deposition von geeigneten Radioisotopen in die unmittelbare Nähe der Tumorzellen. Die intensiven Forschungen auf diesem Gebiet wurden durch die Entdeckung und Einführung der ganz spezifisch für bestimmte molekulare Rezeptoren gezüchteten Eiweißkörper, der monoklonalen Antikörper, besonders stimuliert. Solche Antikörper können sozusagen als großmolekulare Raketen bereits im Experiment selektiv Tumorzellen aufgrund besonderer Membran-gebundener Moleküle ausmachen und sich an sie heften, um eine vernichtende Menge einer chemischen Substanz oder von geeigneten Radioisotopen an oder in die Tumorzellen zu bringen. Beispiele solcher Ansätze wurden im Abschnitt 2 über Strahlung erwähnt: Nutzung der Auger-Elektronen oder der Neutronen-Einfang-Therapie mit 10-Bor. Die Einführung dieses Konzepts in die klinische Praxis wird gegenwärtig weltweit probiert.

In der klinischen Praxis segensreich ist der Gebrauch von radioaktivem Jod mit einer für therapeutische Zwecke günstigen β-Strahlung, besonders von 131-Jod, für die Behandlung von allen solchen Erkrankungen der Schilddrüse, die eine Vernichtung von Schilddrüsenzellen erfordern. Nur Schilddrüsenzellen nehmen Jod auf, weil sie es zur Synthese des Schilddrüsen-Hormons brauchen. Von der Schilddrüse nicht verwertetes Jod wird relativ rasch ausgeschieden. So lassen sich sowohl bestimmte Formen der Schilddrüsen-Überfunktion, des Kropfes, und vor allem der Jod aufnehmende Krebs hervorragend behandeln. Die für die Schilddrüsenkrebs-Behandlung verabreichten Mengen von 131-Jod bringen dem Ganzkörper unter Umständen und vor allem bei mehrmals wiederholten Anwendungen erhebliche Strahlenbelastungen, die über Jahre hinweg Dosen von mehreren 100, sogar über 1 000 rad, bringen können und dies ohne erkennbare Beeinträchtigung des allgemeinen Wohlbefindens der nicht selten noch jugendlichen Patienten. Der Nutzen der unmittelbar lebensrettenden Maßnahmen überwiegt das Risiko der späten Effekte von solch hohen, über Jahre hinweg verabreichten Dosen; und das Risiko ist, wie im vorigen Abschnitt dargelegt, verhältnismäßig klein und bei begrenzter Lebenserwartung älterer Patienten praktisch vernachlässigbar, da der Zeitraum zwischen Bestrahlung und Erscheinen eines durch diese verursachten Tumors über 30 Jahre betragen kann.

Überall, wo Strahlung genutzt wird, dürfen Vorsichtsmaßnahmen nicht vernachlässigt werden. Der gesetzlich verordnete Strahlenschutz gibt hier den notwendigen Rahmen und wird im Kapitel Strahlenschutz besprochen.

## Umweltstrahlung

Die Frage der Strahlenbelastung des Menschen von seiten der natürlichen Umwelt ist nicht nur interessant, sie ist von hoher Aktualität angesichts der seit etwa 15 Jahren heftig geführten Diskussion über die gesundheitlichen Auswirkungen der technischen Nutzung der Kernenergie, die heute in den westlichen Industrieländern im Mittel 7.5 Prozent der elektrischen Energie liefert.

Im Herbst 1938 entdeckten O. Hahn und F. Straßmann die hohe Energien freisetzende Uranspaltung, und im Dezember 1942 wurde bereits der von E. Fermi in Chicago/USA errichtete Kernreaktor in Betrieb genommen. Im Frühjahr 1944 folgte der erste Schwerwasser-gekühlte Reaktor; am 16. Juli 1945 wurde die erste nukleare Explosion als Test gezündet, und am 6. August 1945 vernichtete die erste Atombombe Hiroshima. Drei Tage später, unmittelbar nach der zweiten Atombomben-Explosion, diesmal über Nagasaki, ging der zweite Weltkrieg zu Ende. Danach begannen die großen USA-Laboratorien für Kernenergie, vor allem Oak Ridge, mit dem Bemühen um die friedliche Nutzung der Kernenergie und mit der kommerziellen Herstellung von Radioisotopen, die fortan die ärztliche Diagnostik und Therapie nicht nur bereicherten, sondern auf manchen Gebieten, vor allem der Diagnostik von dynamischen Prozessen, insbesondere auf der molekularen und zellularen Ebene der Organisation des Körpers, ganz neue Möglichkeiten eröffneten; diese sind bei weitem noch nicht ausgeschöpft.

Vor dem Hintergrund dieser in wenigen Jahren rasant ablaufenden Entwicklung hat sich die Sorge um die Zukunft des Menschen und die Furcht vor langwirkenden Gefahren von seiten der Umweltstrahlung entzündet und ist eher gewachsen als geringer geworden. Große Anstrengungen werden seither unternommen, die Gefahren zu beherrschen. Hinsichtlich der Emission von Radioisotopen in die Umwelt hat die natürliche Umweltstrahlung den Wert eines Maßstabes bekommen, mit dem die zivilisatorisch bedingte Erhöhung der Strahlenbelastung verglichen wird.

*Natürliche Umweltstrahlung*

Die Menschheit lebt in einem natürlichen Strahlenfeld, dessen Komponenten vielfältig und unterschiedlichen Ursprungs sind. Die Erde enthält seit ihrer Entstehung Radioisotope zahlreicher Elemente, die mit den ihnen eigenen Halbwertzeiten stabile Elemente werden. Da das Alter der Erde etwa 5 Milliarden Jahre beträgt, sind zu unserer Zeit nur solche »primordialen« Radioisotope übriggeblieben, die sich nur sehr langsam umwandeln, eine lange Halbwertzeit haben. Zu ihnen gehören insbesondere die Radioisotope des Zink, Kalium, Rubidium und des für die Kernindustrie wichtigen Thorium und Uran sowie die aus diesen durch Umwandlung entstehenden Serien von Radioisotopen wie Radium, Radon, Polonium und Blei, die schließlich alle stabile Blei-Atome werden. Diese letzteren Radioisotope mit hohem Atomgewicht sind überwiegend α-Strahler, senden aber auch häufig γ-Strahlen aus, und vereinzelte geben dazu noch β-Teilchen ab. Das langlebige Radioisotop des Kalium ist zu etwa 90 Prozent β-Strahler und 10 Prozent γ-Strahler; das Radiosiotop des Rubidium erreicht den stabilen Zustand unter Aussendung nur von β-Strahlung. Ein Drittel der gesamten natürlichen menschlichen Strahlenbelastung kommt vom langlebigen Isotop des Kalium im Körper, es hat eine Halbwertszeit von 1.28 Milliarden Jahren.

Zu diesen Radioisotopen kommen noch zahlreiche andere, die durch hochenergetische Strahlung aus dem Weltraum in der Lufthülle der Erde ständig produziert werden und die sich schneller als die »primordialen« Radioisotope zu stabilen Tochteratomen umwandeln. Unter ihnen befinden sich im Verhältnis zu den anderen relativ große Mengen von radioaktivem Beryllium, Aluminium, Chlor und Krypton, weil deren Halbwertszeiten Hunderttausende bis Millionen Jahre betragen. Die meisten der atmosphärisch produzierten Radioisotope sind kurzlebig und solche von ihnen, die die Erdoberfläche noch erreichen, gehen in wenigen Minuten bis zu einigen Jahren in den Ruhezustand über. Längerlebig unter diesen ist der radioaktive Kohlenstoff mit seiner Halbwertzeit von 5730 Jahren sowie Radioisotope des Argon, Natrium, Schwefel und Wasserstoff. Diese Radioisotope mischen sich auf der Erdoberfläche mit den »primordialen« Radioisotopen, sind überall je nach Gesteinsart und Vegetationsart in unterschiedlichen Konzentrationen vorhanden, werden in allen Lebewesen gefunden und mit der Nahrung und in der Atemluft auch in den menschlichen Körper gebracht, wo sie sich entsprechend ihrer biochemischen Eigenschaften verhalten und entweder in den Stoffwechsel kommen oder als Fremdatome mehr oder weniger lange Zeit abgelagert werden und den Organismus bestrahlen.

Nur ein Teil der Weltraumstrahlung kommt von der Sonne und unserer Milchstraße, ein anderer kommt aus dem extragalaktischen Raum; sie dringt in die oberen Schichten der Lufthülle der Erde ein. Der größere Teil reagiert beim Durchgang durch die Atmosphäre mit Atomen der Luft, wobei neben verschiedenen Isotopen auch wieder Strahlung erzeugt wird, die zum Teil bis auf die Erdoberfläche reicht. Ein kleinerer Teil der Weltraumstrahlung erreicht direkt die Erdoberfläche und verursacht eine zusätzliche Strahlenbelastung des Menschen. Daraus ist auch ersichtlich, daß je nach der Höhe eines Wohnortes die lokalen Strahlenbelastungen schwanken. Auf 1500 m Höhe über dem Meeresspiegel ist die von kosmischer Strahlung verursachte Belastung nahezu doppelt so hoch wie in Tiefebenen. Bei einem Flug in 10 km Höhe steigt der Anteil der kosmischen Strahlenbelastung auf das 100fache.

Durch unterschiedliche Gesteinsformationen mit wechselndem Gehalt an »primordialen« Radioisotopen werden auf der Erdoberfläche ebenfalls erhebliche Schwankungen der Strahlung und damit der Strahlenbelastung dort lebender Menschen nicht selten um das Doppelte des mittleren Wertes verursacht. In Regionen, wie im Bereich des Strandes von Kerala in Indien oder auf dem brasilianischen Hochplateau, werden 100mal größere Strahlenbelastungen als im Durchschnitt gemessen. Verschiedene Baumaterialien haben unterschiedliche Konzentrationen von »primordialen« Radioisotopen und bedingen somit für die Bewohner der aus solchem Material erbauten Häuser zum Teil erhebliche Schwankungen oberhalb des Mittelwertes der Belastung im Freien. Ein Teil dieser Belastung geht auf das Konto des radioaktiven Gases Radon und seiner radioaktiven Tochteratome. Regional unterschiedlich ist auch das Entweichen des radioaktiven Radon aus dem Erdreich, so daß sogar in verschiedenen Zimmern des Untergeschosses eines Hauses die Art und Menge der Strahlung deutlich schwanken kann. Radon und die Tochteratome sind auch α-Strahler und belasten nach ihrer Einatmung die Schleimhäute der Luftröhre und Bronchien; die lokale Strahlenbelastung der Atemwege ist in Häusern wesentlich höher als im Freien.

Die Vielfalt der Strahlenarten und -energien macht es notwendig, die absorbierten Dosen nicht in der Einheit rad oder Gray, sondern in rem oder Sievert, d. h. in Einheiten der Äquivalenz-Dosis anzugeben. Wie im 4. Abschnitt erklärt wurde, gibt die Äquivalenz-Dosis diejenige Strahlendosis an, welche dasselbe Ausmaß definierter biologischer Effekte verursacht wie die gleiche Dosis in rad oder Gray von Röntgenstrahlen.

So bringt die natürliche Umweltbelastung für den Menschen in der Bundesrepublik Deutschland einen jährlichen Betrag im Mittel von etwa 0,03 rem, d. h. 30 mrem, von seiten der kosmischen Strahlung auf der Höhe des Meeresspiegels; von etwa 40 mrem von seiten der γ-Strahlung von Radioisotopen in der Erde; von etwa 30 mrem von seiten der im Körper aufgenommenen Radioisotope. Von den γ-strahlenden Radioisotopen im Baumaterial der Häuser kommen jährlich im Mittel für den Ganzkörper etwa 15 mrem hinzu.

Die Luftröhren-Schleimhaut wird allerdings lokal im Mittel mit etwa 450 mrem durch Radon, hauptsächlich vom Aufenthalt in Häusern, belastet. Auch einige andere Gewebe im Körper haben vom Mittelwert stark abweichende Belastungen, so die Oberfläche von Knochen, die Knochenhaut, mit etwa 60 mrem von seiten der dort bevorzugt abgelagerten Radioisotope des Uran und des Thorium.

Während die Ganzkörperbelastung von Einzelpersonen in einzelnen Jahren durchaus im Mittel etwa 500 mrem betragen kann, ist die natürliche Schwankungsbreite für ⅔ der Bevölkerung etwa 30–50 mrem um den Mittelwert der Ganzkörperbelastung von etwa 100 mrem.

## Zivilisatorisch bedingte Umweltstrahlung

Zu diesen Belastungen kommen die zivilisatorisch verursachten Äquivalenz-Dosen. Durch Radioisotope aus den nunmehr von den Großmächten eingestellten Atomwaffen-Versuchen in der Atmosphäre wird eine mittlere Belastung in diesen Jahren von etwa 1 mrem angegeben. Sie ist ähnlich hoch für die Summe aller anderen zivilisatorisch, aber nicht medizinisch bedingten Dosen, wobei die Kernkraftwerke den sehr kleinen Anteil von weniger als 0,1 mrem beitragen. Für Einzelpersonen in der Umgebung von Kernkraftwerken kann unter extrem ungünstigen Bedingungen des Daueraufenthaltes direkt im Kraftwerksbereich bei einer Ernährung mit ausschließlich dort gewachsenen Gemüsen und Getreiden und Milch ausschließlich dort weidender Kühe die Dosis bis auf 10 mrem steigen. Diese Belastung kommt von den aus Kernkraftwerken über Abluft und Kühlwasser in die Umgebung entweichenden Radioisotopen, die in großer Vielzahl mit sehr unterschiedlicher meist sehr kurzen Halbwertszeiten vorwiegend $\gamma$- und $\beta$-Strahler sind. Das radioaktive Jod, 131-Jod, wird wegen seiner selektiven Anreicherung in der Schilddrüse besonders beachtet. Die Belastungen sind nicht meßbar, aber berechenbar, und zwar aus den an den Werken direkt ständig gemessenen Emissionen und unter Berücksichtigung der lokalen Wetterverhältnisse, wie Windrichtung und -stärke und Niederschläge sowie der Lebens- und Eßgewohnheiten der Bevölkerung.

Eine besondere, zivilisatorisch bedingte Strahlenbelastung wird auf die ärztliche Untersuchung und Behandlung von Patienten zurückgeführt. Hierbei ist die den geschlechtlichen Keimzellen zugeführte Dosis, die Gonaden-Dosis, für die Abschätzung der möglichen Auswirkung auf Erbkrankheiten von besonderem Interesse. Alle Erhebungen kommen zu dem Ergebnis, daß in den Industrieländern die Gonaden-Dosis einen über alle Mitglieder der zeugungsfähigen Bevölkerung gemittelten Wert von etwa 50 mrem hat.

Einzelne röntgen-diagnostische Untersuchungen geben eine Strahlenbelastung für den untersuchten Körperteil meist unter 1 rad. So verursacht eine konventionelle Lungenaufnahme eine Strahlendosis im Brustbereich von etwa 100 mrad. Ausnahmen sind spezielle Verfahren, wie die unter Röntgen-Kontrolle durchgeführte Darstellung von mit Kontrastmitteln gefüllten Blutgefäßen, z. B. bei der Herz-Katheterisierung; auch die vielerorts heute eingesetzten Computer-Tomographen, die mit Röntgenstrahlen arbeiten, bringen der untersuchten Region des Körpers Belastungen von bis zu 5 oder auch mehr rad. Nuklearmedizinische Untersuchungen, die im vorletzten Abschnitt gesondert vorgestellt werden, resultieren in Strahlenbelastungen, die generell den Belastungen von seiten der Röntgen-Diagnostik entsprechen.

Man kann zusammenfassend die medizinisch verursachte Strahlenbelastung im Mittel mit der natürlichen Umweltbelastung vergleichen. Während die eine schicksalsbedingt im Mittel etwa 100 mrem bedeutet, bringt die andere für einzelne Personen in verschiedenen Jahren sehr unterschiedliche Dosiswerte, die durch ihren Nutzen für den kranken Menschen zu begründen sind.

## Umweltstrahlung und Risiko?

Gewöhnlich ist die Abschätzung der Nutzen-Risiko-Relation in der Medizin nicht schwer. Interessen und Rechte der Patienten wie der allgemeinen Bevölkerung im Arbeitsprozeß sind zu berücksichtigen. Der überwältigende Vorteil der Strahlendiagnostik, seien es röntgen- oder nuklearmedizinische Untersuchungen, ist so offenkundig, oft dramatisch, daß vernünftigerweise das im kleinen Dosisbereich zu erwägende späte Risiko einer

Krebserkrankung oder Erbkrankheit zu vernachlässigen ist. Eine durch 1 rad oder 1 rem gegenwärtig sogar pessimistisch angenommene Anhebung des spontanen Krebsrisikos um 0,1 Prozent ist lediglich eine für Berechnungen nützliche Zahl. Prinzipiell vergleichbar ist die Situation für das Risiko der Erbkrankheiten. Diese Zahlen sind nicht nachweisbar, da sie in den Schwankungen der nicht strahlenbedingten Häufigkeiten der Krebs- bzw. Erbkrankheiten untergehen.

Noch extremer ist die Analyse für die errechneten, nie gemessenen Belastungen von seiten der normal operierenden Kernkraftwerke. Die von ihnen ausgehende Strahlenbelastung ist durchweg weitaus kleiner als 1 mrem, könnte für Einzelpersonen in ungünstigsten Situationen 10 mrem betragen. Entsprechend wäre das zu berechnende hier höchste Risiko eine Anhebung der spontanen Krebs-Häufigkeit um maximal 0,001 Prozent und eine Anhebung der Häufigkeit von Erbkrankheiten um etwa 0,01 Prozent, und das noch ohne Berücksichtigung des negativen Selektionsdrucks im Vererbungsgang.

Eine für die Bevölkerung wichtige Frage bezieht sich auf die gesundheitsschädigende Wirkung der Strahlenbelastung der Schleimhäute der Luftröhre und der Bronchien durch eingeatmete radioaktive Tochteratome des Radon, das besonders in Häusern, durch Böden, aus dem Erdreich und aus Baumaterialen stammt. In den letzten Jahren ist diesem Problem viel Aufmerksamkeit gewidmet worden. Bei einer jährlichen Belastung der Atemwege von etwa 450 mrem wird im Verlaufe von 40 Jahren eine Dosis von 18 rem von $\alpha$-Teilchen akkumuliert. Der mittlere Risiko-Koeffizient für Lungenkrebs, der nahezu immer von den Zellen der Schleimhäute der Bronchien ausgeht, wurde mit 50 pro Million exponierter Personen pro rad ermittelt. So dürfte die von Radon verursachte Belastung zu insgesamt $50 \times 18 = 900$ Lungenkrebserkrankungen pro 1 Million Personen führen. Dies sind etwa 3 Prozent der gegenwärtig registrierten Lungenkrebshäufigkeit von 28 000 pro 1 Million Todesfälle.

Es wird immer wieder argumentiert, daß die von der Kernindustrie, vor allem den Kernkraftwerken, abgegebenen Radioisotope nicht natürlich seien und daher andere Wirkungen nach sich zögen als die Radioisotope der natürlichen Umwelt. Die in diesem Artikel erläuterten Arten und Wirkungen von Strahlen haben klargemacht, daß durch Strahlen ausgelöste Gesundheitsschäden nur von der auf der molekularen und zellularen Organisationsebene zu sehenden räumlichen Verteilung und Dichte der durch die Strahlen-Einfang-Ereignisse verursachten Ionisationen und Anregungen bestimmt werden. Dabei ist es völlig gleichgültig, ob es sich bei der Strahlenquelle, dem Radioisotop, um ein natürliches oder von Menschen hergestelltes handelt. Ob nun Uran oder Plutonium in der Knochenhaut abgelagert wird, die Zellen der Knochen- und Blutbildung werden von $\alpha$-Teilchen bestrahlt, und zwar ungeachtet ihrer Quelle. Bedeutsam ist die Menge dieser dort abgelagerten Radioisotope und ihre Verweildauer.

Die heterogene Verteilung der vom Körper durch natürliche, zivilisatorische oder berufliche Exposition aufgenommenen Radioisotope bedingt, wie dies am Beispiel der Radon-Inhalation, der Uranablagerung in der Knochenhaut oder der Jod-Aufnahme in die Schilddrüse deutlich wurde, eine erheblich unterschiedliche Strahlenbelastung der verschiedenen Organe. Um die Risiken, die von Belastungen einzelner Organe für den Gesamtkörper entstehen, zu vergleichen, wurden von ICRP nach einem Vorschlag von W. Jacobi die einzelnen Organ-Risiken zu einem für das Individuum relevanten Gesamtrisiko addiert. Dieses Vorgehen zeigte sich sehr vorteilhaft für eine reale Nutzen-Risiko-Analyse und für den Strahlenschutz in seinem Bemühen, die Belastung auch einzelner Organe in Grenzen zu halten. Unter Beibehaltung eines für das Individuum annehmbaren Gesamt-risikos, das einem Nutzen gegenüberzustellen wäre, können Veränderungen der Einzel-belastungen der Organe mit ihren Risiken in Betracht gezogen werden. Dadurch wird gewährleistet, daß das Risiko für irgendeine Form von Krebs und für Erbkrankheiten insgesamt unabhängig davon ist, ob der Gesamtkörper gleichförmig bestrahlt wird, wie dies gewöhnlich bei von außen kommender Umweltstrahlung zu erwarten ist, oder ob eine ungleichförmige externe oder interne Bestrahlung von im Körper heterogen verteilten Radioisotopen vorliegt.

Die Zahl der von der natürlichen und auch zivilisatorischen Umweltstrahlung verur-sachten Strahlen-Einfang-Ereignisse, »Blitze«, im erwachsenen menschlichen Körper ist zwar in absoluten Zahlen sehr hoch, wie im Abschnitt Dosimetrie erläutert wurde, aber für das kritische Volumen, den Zellkern, ist der Blitz ein seltenes Ereignis: 1 »Blitz« mit unterschiedlicher Energiemenge und -dichte etwa alle 2 Jahre pro Zellkern. Man muß daher fragen, ob die in jeder Zelle vorhandenen Reparatur-Enzyme, welche die strahlen-bedingten Änderungen der Desoxyribonukleinsäure rasch erkennen und beseitigen, in Antwort auf Umweltstrahlen in der Evolution erworben wurden. Dies scheint unwahr-scheinlich. Eher sollte man annehmen, daß die Reparaturenzyme gegen Stoffwechsel-induzierte Radikale erworben wurden; die von einzelnen »Blitzen« verursachten Ionisa-tionen führen über Reaktionen, z. B. mit Sauerstoff, zu toxischen Molekülen, welche wie die Peroxide auch im Verlaufe des normalen Zellstoffwechsels auftreten und die Desoxyri-bonukleinsäure angreifen können. Nur »Blitze« mit hoher Ionisationsdichte wie insbeson-dere von α-Teilchen und anderen beschleunigten Atomkernen oder von einer Vielzahl gleichzeitig auftretender Elektronen verursachen solch drastische, allerdings nur einzelne Zusammenbrüche von Abschnitten der Desoxyribonukleinsäure, daß sie vom Reparatur-system nicht bewältigt werden und das Überleben bedrohen können. Verschiedene Messungen an Säugetierzellen zeigten, daß im Mittel etwa 50 dieser nicht reparierbaren, als Doppelstrangbrüche der Desoxyribonukleinsäure auftretenden, drastischen Ereig-nisse für die Abtötung einer Zelle erforderlich sind. – Diese Überlegungen lassen es gerechtfertigt erscheinen, sehr kleine Dosen von Röntgen- und γ-Strahlen, d. h. einzelne »Blitze« pro kritischem Volumen, mit anderen Stimulationen des Stoffwechsels zur Produktion von toxischen Molekülen wie Peroxiden zu vergleichen. Tatsächlich ließ sich nachweisen, daß 1 rad von γ-Strahlen die Aktivität eines ausgewählten Enzyms, des Phosphat-übertragenden Moleküls »Thymidin-Kinase«, in Knochenmarkzellen von Mäu-sen in ähnlicher Weise verringern kann, wie Mangel an Vitamin E, der den Peroxidspiegel der Zellen ansteigen läßt. Während der Einwirkung eines starken und gleichförmigen Magnetfeldes war die durch Vitamin-E-Mangel induzierte Hemmung des Enzyms aufge-hoben, was anzeigt, daß im Stoffwechsel produzierte Moleküle über einen elektromagne-tisch beeinflußbaren Mechanismus Enzyme kontrollieren können. Die Frage nach den gesundheitlichen Schäden der Umweltstrahlung ist somit noch weit offen. Man weiß eben nicht, ob die von wenigen einzelnen »Blitzen« verursachten Veränderungen in der Säugetierzelle zu wirklichen Schäden führen.

Während die Risiken von seiten nicht nur der natürlichen, sondern auch der zivilisatorischen, vor allem der medizinisch bedingten, Strahlenbelastung heute ohne Zweifel nahezu immer vernachlässigbar klein im Vergleich zu dem jeweils durch diese bedingten Nutzen sind, war dies früher nicht so. Daß heute ein so großes Maß an Sicherheit der Strahlen-Anwendung und vor allem der beruflich bedingten Strahlen-Belastung erreicht wurde, ist der Selbstkontrolle der Radiologen und schließlich der parlamentarisch gegebenen Kontrolle des Strahlenschutzes zu verdanken. In keiner anderen neuen Technologie ist soviel für Schutz und Unfallverhütung investiert und geleistet worden. Die schockierenden ersten Katastrophen der Pionierzeit der Röntgenologie gaben schon früh Anlaß dazu.

## Strahlenschutz

Die Entwicklung des Strahlenschutzes ist ein hervorragendes und auch nachahmenswertes Beispiel für die Begrenzung der ungewollt schädlichen Wirkungen von neuen Technologien. Die Einhaltung der heute gültigen, gesetzlich festgelegten Strahlenschutzvorschriften gewährleistet eine im Vergleich zu den Risiken des täglichen Lebens und der als sicher geltenden Berufe ähnliche Sicherheit vor Gesundheitsschäden; sie schützt auch die Umwelt. Aus den ersten individuellen Bemühungen und nationalen Gründungen von Komitees für Strahlenschutz resultierten die anläßlich des ersten Internationalen Kongresses für Radiologie 1925 in London ins Leben gerufenen Internationalen Komitees für Röntgenstrahlen-Einheiten und für Strahlenschutz, die beide anläßlich des zweiten Kongresses 1928 in Stockholm formell konstituiert wurden. Diese beiden Komitees arbeiten noch heute als Internationale Kommission für Strahleneinheiten (ICRU) und Internationale Kommission für Strahlenschutz (ICRP). Die über die Jahre stets auf den neuesten Stand des Wissens gebrachten Empfehlungen der ICRP werden durchweg von den nationalen Strahlenschutz-Verordnungen beachtet und verwertet.

### Die neuen Strahlenschutzempfehlungen

Eine Revision der über 20 Jahre geltenden Empfehlungen zum Strahlenschutz veröffentlichte ICRP 1977. Die neuen Grundsätze führten zum erstenmal die Notwendigkeit einer Nutzen-Risiko-Analyse ein. Das beruflich durch Strahlenexposition gegebene Risiko müsse mit dem Risiko von Berufen vergleichbar sein, die einen anerkanntermaßen hohen Sicherheitsgrad haben. Zu solchen Berufen zählen allgemein diejenigen, bei denen die mittlere jährliche Sterblichkeit infolge beruflicher Gefahren 100 pro 1 Million Personen nicht überschreitet. Das Risiko ist in der Landwirtschaft 6mal, im Baugewerbe 7mal und im Bergbau 10mal höher. Keine Tätigkeit im Umgang mit Strahlung sollte gestattet sein, deren Einführung nicht zu einem Netto-Nutzen führe. Das heißt, die mit keinem Netto-Nutzen verbundene berufliche oder allgemein zivilisatorisch bedingte Strahlenbelastung sollte vermieden werden. Dabei wurde der Netto-Nutzen aus der Differenz zwischen Brutto-Nutzen und Gesamtkosten abgeleitet. Diese sollen die Gesamt-Produktionskosten und die Kosten ausmachen, die nötig sind, den Schaden sowie die Folgekosten zu verhindern. Hierbei umfaßt der Ausdruck Kosten sowohl soziale wie auch wirtschaftliche

Kosten. Mit anderen Worten, die pro Äquivalenz-Dosis anzusetzenden Kosten für Grund-Produktion der Strahlung, Strahlenschutz und den Schaden selbst sollten die pro Äquivalenz-Dosis erzielte Anhebung des Brutto-Nutzens nicht übersteigen. Bei dieser Bedingung ist der Netto-Nutzen optimal.

## Strahlenschutz in der Medizin, Rechtfertigung der Dosis

Angesichts des relativ hohen Anteils der medizinisch begründeten Strahlenbelastung an der gesamten zivilisatorisch bedingten Exposition sind die ICRP-Empfehlungen für die radiologische und nuklearmedizinische Praxis besonders aktuell. Die dem einzelnen Patienten zugemuteten Risiken sind hier ein wesentlicher Kostenfaktor. Für die ärztliche Praxis bedeutet die Empfehlung der Kosten-Nutzen-Analyse nichts Neues, da doch jede Arbeit des Arztes stets mit der Rechtfertigung des Risikos zu tun hat, auch wenn der Nutzen nicht immer leicht vorhersehbar ist, vor allem bei der Entscheidung, für eine fragliche Diagnose höhere Dosen einer Strahlenbelastung zu erlauben. Wichtig ist, inwieweit die Untersuchungs-Ergebnisse die Diagnose und die nachfolgende medizinische Versorgung positiv beeinflussen. In der Strahlentherapie ist es leichter, die Gefahren und den Nutzen abzuwägen, z. B. bei der Krebstherapie mit dem Ziel der Vernichtung des Tumors und der Erhaltung einer zumutbaren Lebensqualität. – Sowohl in der Diagnose wie der Therapie müssen immer auch alternative Verfahren erwogen werden. Sicher nicht gerechtfertigt sind häufige röntgenologische oder nuklearmedizinische Wiederholungs-Untersuchungen ohne zwingenden Grund, z. B. bei der Überweisung von Patienten zu einem anderen Arzt, der stets auf bestehende Ergebnisse zurückgreifen sollte. Natürlich erscheint es gleichermaßen wichtig, die Risiken von seiten der Strahlenanwendung in Diagnose und Therapie nicht zu überschätzen, um zu verhindern, daß gerechtfertigte Anwendungen unterbleiben. Ein Beispiel sind die Reihenuntersuchungen der ärztlichen Vorsorge bei bestimmten Bevölkerungs- und Berufsgruppen, bei denen die Berechtigung aus der Abwägung zwischen angemessenen Vorteilen für die untersuchten Personen, für die Bevölkerung in ihrer Gesamtheit und eventuell für den verantwortlichen und haftpflichtigen Arbeitgeber einerseits und den Kosten für die Untersuchung einschließlich der Risiken andererseits abgeleitet wird. Für die Tuberkulose-Bekämpfung durch Reihenuntersuchungen mit Röntgen-Aufnahmen der Lunge ist der Nutzen bisher eindeutig und klar gewesen. Ein weiteres Beispiel gibt die radiologische Praxis bei Frauen. Eine Schwangerschaft muß stets in Betracht gezogen werden; so ist der Arzt gehalten, vor Anordnung einer Untersuchung mit Strahlen nachzuforschen, ob eine Schwangerschaft vorliegt oder bestehen könnte. Embryonale Zellen sind während der Phase der Anlage der Organe besonders empfindlich für Änderungen, wahrscheinlich der Desoxyribonuklein-säure, die zu Mißbildungen führen können. Im frühesten Stadium der embryonalen Entwicklung haben die Zellen eine ähnlich hohe Strahlenempfindlichkeit wie die Mutterzellen des Blutes.

Schwierige Entscheidungen ergeben sich auch bei der Strahlenanwendung zur Forschung am Menschen. Manchmal bringt diese dem untersuchten Individuum erheblichen Nutzen, manchmal aber auch nicht. Wenn kein direkter Nutzen für den Untersuchten zu erwarten ist, empfiehlt ICRP nicht nur den Nachweis der Qualifikation der Untersucher, sondern auch die Zustimmung der für die Institution zuständigen Behörde, und zwar nach Beratung mit einem geeigneten Experten-Gremium und unter Einhaltung lokaler und nationaler Vorschriften, die allerdings sehr variieren können. Der Untersuchte muß natürlich über das Ausmaß eventueller Risiken informiert werden und seine Zustimmung geben. Für einzelne Forschungsprogramme sollten geeignete Grenzwerte genehmigt werden, die vom Alter und Gesundheitszustand des Untersuchten abhängen sollten.

## Optimierung im Strahlenschutz, Minimierung der Dosis

Eine weitere wesentliche Empfehlung von ICRP betrifft die Optimierung der Strahlenanwendung; dies meint, daß alle Strahlenexpositionen bei einer gerechtfertigten Anwendung so niedrig wie unter Berücksichtigung wirtschaftlicher und sozialer Faktoren vernünftigerweise erreichbar sein sollten. Diese Empfehlung führt zur Minimierung des Risikos und betrifft auch die Auslegung der Techniken z. B. in der Röntgendiagnostik. Die Apparate sollten gewährleisten, daß die Strahlenanwendung bei optimaler Leistung eine minimale Strahlenexposition bringt auch im Hinblick auf Abschirmungen für nicht direkt interessierende Körperregionen. Sehr wesentlich richtet sich diese Empfehlung auch an die Betreiber von kernindustriellen Anlagen, insbesondere von Kernkraftwerken und Wiederaufbereitungsanlagen. Die Praxis zeigt, daß die Empfehlungen effektiv umgesetzt werden. Die tatsächlich von der Kernindustrie verursachten Strahlenbelastungen sind für die allgemeine Bevölkerung weit innerhalb der Schwankungsbreite der natürlichen Hintergrundstrahlung.

## Strahlenschutz für die Bevölkerung

ICRP schlägt vor, die zivilisatorisch bedingte Exposition der Bevölkerung solle sich so in Grenzen halten, daß unter Anwendung der Risiko-Koeffizienten für die Spätschäden pro Dosis-Einheit, die auf der Basis der bisherigen Erfahrungen real erscheinen, das Risiko um den Faktor 10 kleiner ist als das Risiko in als sicher geltenden Berufen; dieses Risiko mit weniger als 10 Unfällen mit tödlichem Ausgang pro 1 Million Menschen pro Jahr erscheint für jedes Individuum der Bevölkerung im Vergleich zu den übrigen Risiken des Lebens annehmbar.

## Berufliche Strahlenexposition

Für die beruflich strahlenexponierten Personen werden von ICRP Grenzwerte vorgeschlagen, die unter Berücksichtigung der Forderung der Kosten-Nutzen-Analyse und der Optimierung der Technik nicht als obere Werte für »sichere Belastungen« zu verstehen sind. Das den Einzelpersonen in strahlenexponierten Berufen zugemutete Risiko sollte im

Vergleich zu den Risiken der Berufe mit anerkanntermaßen hohem Sicherheitsgrad vergleichbar und daher zumutbar sein. Dies wird erreicht wieder durch Anwendung der Risiko-Koeffizienten für Spätschäden. Pro rem pro 1 Million wurden etwa 200 Fälle mit tödlich verlaufenden Krebserkrankungen und Erbkrankheiten aufgeführt. Zum Vergleich ist der Mittelwert des Risikos mit tödlichem Ausgang in »sicheren Berufen« etwa 100 pro 1 Million pro Jahr. Die Erfahrung hat gezeigt, daß Unfälle von Mitgliedern einzelner Gruppen eine solche Verteilung zeigen, daß der Mittelwert bei etwa $\frac{1}{10}$ des Maximalwertes liegt. Dies gilt auch für die Strahlenexposition. Bei einem strahleniduzierten Risiko von 200 pro 1 Million exponierter Personen pro rem ergibt sich ein mittleres Risiko von 100 Todesfällen pro 1 Million pro 0,5 rem. Demnach wäre das Maximum der Risikoverteilung durch 5 rem gegeben. Dies führt zu der Empfehlung, daß pro Jahr ein Grenzwert von 5 rem Äquivalenz-Dosis für beruflich strahlenexponierte Personen mit einer mittleren Dosis von 0,5 rem pro Jahr einen Sicherheitsgrad bietet, der vergleichbar ist mit der Situation in Berufen mit anerkanntermaßen hohem Sicherheitsgrad. – Bei Strahlenbelastungen von seiten im Körper eingebauter Radioisotope, die häufig heterogen verteilt sind, kommt die Wichtung der Risiko-Koeffizienten für die Krebsentstehung in Einzelorganen zur Anwendung, um Grenzwerte festzulegen. Die mit diesen Koeffizienten berechneten, je nach der von einem Organ absorbierten Dosis zu erwartenden Risiken werden zusammengezählt und führen zur effektiven Äquivalenz-Dosis; diese sollte so niedrig sein, daß das Risiko für den Gesamtkörper gleich ist demjenigen nach homogener Ganzkörperbelastung von 5 rem. Der sich aus dieser Berechnung ergebende Maximalwert der Einzelorgan-Dosis ist dann die Empfehlung des Grenzwertes für die effektive Äquivalenz-Dosis. Die effektive Äquivalenz-Dosis kann für die Schilddrüse einen relativ hohen Wert annehmen, der bereits zu akuten Schäden führen könnte. Bei solchen Grenzsituationen hat ICRP für die einzelnen Organe einen oberen Grenzwert für die Äquivalenz-Dosis festgelegt, um damit nicht nur die Spätschäden, sondern auch die eventuell aus der hohen Dosis zu erwartenden Akutschäden mit in Betracht zu ziehen. Aus diesen Daten wird schließlich diejenige Menge eines Radioisotopes als pro Jahr zu begrenzende Zufuhr berechnet, durch die im Laufe von 50 Jahren, dem angenommenen Zeitraum der beruflichen Inkorporation, eine Dosis akkumuliert, die dem für das Organ oder mehrere Organe geltenden Jahresgrenzwert entspricht. Die als »50-Jahre-Äquivalenz-Dosis« bezeichnete Dosis nach Aufnahme von Radioisotopen dient also bei Kenntnis des Stoffwechselverhaltens des jeweiligen Radioisotops zur Festlegung der jährlichen Isotopenzufuhr und zur Begrenzung der Radioisotopen-Konzentration in der Luft am Arbeitsplatz. Somit werden die Risiken von verschiedenen Expositionsarten miteinander vergleichbar und können kontrolliert werden.

Die Vergleiche der verschiedenen Risiken im täglichen Leben sind aufschlußreich und belegen die Zumutbarkeit der von ICRP empfohlenen Grenzwerte und der Empfehlung, die Strahlenbelastung der Gesamtbevölkerung solle sich so in Grenzen halten, daß das Risiko um einen Faktor 10 kleiner ist als dasjenige für beruflich exponierte Personen. So ist von E. Pochin berechnet worden, daß sich das Risiko eines tödlichen Ereignisses pro 1 Million Personen im Mittel ergibt: pro 640 km weitem Flug, pro 100 km weiter Autofahrt, pro Rauchen von ¾ Zigarette, pro 1,5 minütigem Felsklettern, pro 1,5 Wochen typischer Fabrikarbeit und pro 20 Minuten Leben als 60 jähriger.

## Organisation des Strahlenschutzes

Die Organisation des Strahlenschutzes, so empfiehlt ICRP, sollte die Hauptverantwortung in die Hände der Hierarchie des Managements einer Institution legen, die eine Strahlenquelle betreibt. Die technischen Dienste zur Anwendung der Strahlenschutzverordnungen sollte je nach Größe des Betriebes oder der ärztlichen Praxis ein Strahlenschutz-Techniker übernehmen. So muß in denjenigen Arbeitsbereichen, in denen die jährliche Äquivalenz-Dosis 1,5 rem überschreiten kann, die Personendosis regelmäßig überwacht werden. Für Kontrolle des Zugangs zu diesen Bereichen, für entsprechende Abschirmungen mit strahlenabsorbierenden Materialien wie Blei, für Abstände am Arbeitsplatz zur Strahlenquelle, für Belüftungen und Warnzeichen sollte gesorgt werden. Solche Bereiche sind Kontrollbereiche. Routineüberprüfungen aller dem Strahlenschutz dienenden Systeme werden ebenso verlangt wie die regelmäßige Aufzeichnungspflicht der absorbierten Dosis, die von stets zu tragenden Dosis-angebenden kleinen Meßinstrumenten, den Dosimetern, angegeben wird. Ebenso wird die regelmäßige ärztliche Untersuchung gefordert. Diese Empfehlungen und Forderungen sind streng, aber angesichts der Möglichkeit meist Unaufmerksamkeiten zuzuschreibender Zwischenfälle mit höheren Expositionen gerechtfertigt. In der Bundesrepublik Deutschland betrugen die Äquivalenz-Dosen bei mit Personen-Dosimetern überwachten Personen im Mittel 80–85 mrem/Jahr. Weniger als 0,5 Prozent der Überwachten hatten in den letzten Jahren eine Jahresdosis von über 5 rem. Dies entspricht somit der von ICRP angegebenen Begründung für die Empfehlung eines Jahresgrenzwertes für die Äquivalenz-Dosis bei beruflich Strahlenexponierten von 5 rem.

Die Ergebnisse der Überwachungen werden schließlich für zukünftige statistische Erhebungen zum Zwecke der Überprüfung der gesundheitlichen Risiken heranzuziehen sein.

## Radioisotope in der Medizin

Die Anwendung von Röntgenstrahlen in der ärztlichen Diagnostik ist weit verbreitet, üblich und unter den notwendigen Vorsichtsmaßnahmen für Patient und Personal heute, wie bereits ausgeführt, nahezu unbedenklich im Vergleich zum Nutzen für den das Risiko tragenden Patienten. Auch in der Forschung arbeitet man in nahezu allen naturwissenschaftlichen Disziplinen, vor allem in der Physik, mit verschiedenen Strahlenarten und -energien aus unterschiedlichen Röntgen-Quellen, Radioisotopen, Beschleunigern und Reaktoren. Untersuchungen der Struktur der Materie auf der molekularen und atomaren Organisationsebene, wie in Kristallen, und der Atomkerne selbst sind weltweit im Gange und werden von der Öffentlichkeit nicht selten fast wie sportliche Ereignisse verfolgt.

Ein noch junges interdisziplinäres Fachgebiet der Medizin, die Nuklearmedizin, vereinigt viele der Expertisen der mit Strahlung vertrauten speziellen Medizin, Physik, Chemie und Elektronik, um Radioisotope für die ärztliche Diagnostik und Therapie zu nutzen. Radioisotope haben als Strahlen- und damit Signal-aussendende Indikatoren die körperlichen Funktionen auf allen Ebenen der Organisation, vor allem auf der molekularen Ebene, unblutig erfaßbar und damit im intakten Organismus des Menschen transparent gemacht. Grundlage der Nutzung von Radioisotopen als Indikatoren ist die Tatsache, daß die chemischen Eigenschaften der Radioisotope und stabilen Atome eines Elementes primär identisch sind. Die ersten Messungen der Passage eines Radioisotopes im Stoffwechsel von biologischen Systemen machte G. von Hevesy 1923 mit dem natürlichen radioaktiven Blei in Pflanzen. 1927 benutzten H. L. Blumgart und S. Weiss radioaktives Wismut, das auch Radium-C genannt wird, und einfache Strahlen-Nachweisgeräte vom Typ der Ionisationskammern, um die Zirkulation des Blutes von der Injektionsstelle am Arm zum Herzen und weiter zum anderen Arm des Patienten zu verfolgen. Die Ergebnisse waren beim Vorliegen einer Herzinsuffizienz von Normalwerten verschieden.

Nach Entdeckung der künstlichen Radioisotope des Stickstoff und des Phosphor 1934 durch I. Curie und J. F. Joliot und im selben Jahr des radioaktiven Jod durch E. Fermi eröffneten sich weitere Möglichkeiten der Indikator-Technik. So berichtete G. von Hevesy 1935 über seine Experimente mit radioaktivem Phosphor in Ratten und konnte feststellen, daß der im Körper natürlich vorkommende Phosphor einen Umsatz hat, der in einzelnen Organen unterschiedlich und im Tumor relativ hoch ist. Bereits ein Jahr später benutzte J. H. Lawrence größere Mengen von radioaktivem Phosphor zur Behandlung von Patienten mit Leukämie. Radioaktives Jod wurde 1937 von S. Hertz mit Hilfe von A. Roberts und R. D. Evans zum Studium der Schilddrüsenfunktion an Kaninchen eingesetzt. Diese bedeutenden Pionierleistungen führten zur breiteren medizinischen Nutzung von Radioisotopen, nachdem diese 1946 in den USA von den bis zum Kriegsende mit Atomwaffen beschäftigten großen Labors kommerziell angeboten werden konnten. Das erste Angebot zum Verkauf wurde am 14. Juni 1946 in der Zeitschrift Science bekanntgemacht.

*Strahlennachweisgeräte in der Medizin*

Dieser Entwicklung parallel verlief die Verbesserung der Strahlen-Nachweisgeräte. Von der photographischen Platte, über Messungen der Veränderung elektrischer Ladung in isolierten Metallplättchen, im Elektroskop, über die Ionisations-Kammern, wie die Gaszähler, kam es durch H. Geiger und W. Müller 1928 zur Konstruktion eines hochempfindlichen gasgefüllten Meßinstruments. Der berühmte Geiger-Müller-Zähler wurde erst etwa 20 Jahre später ersetzt durch die Entdeckung, daß ionisierende Strahlung in bestimmten anorganischen Kristallen Lichtblitze erzeugt, die an der Metallplatte einer unter elektrischer Spannung stehenden Vakuumröhre, d. h. einer Photokathode, Elektronen freisetzen, die wiederum durch nachfolgende Vervielfachung durch weitere im Vakuum und unter Spannung stehende Metallplättchen zu kleinen Stromstößen verstärkt werden können. Diese unabhängig voneinander von W. Coltmann und S. H. Marshall in den USA und von H. Kallmann in Deutschland 1947 bekanntgemachten Grundlagen wurden von R. Hofstadter 1948 zur Konstruktion des Natriumjodid-Kristall-Szintillationszählers weiterentwickelt. Dieser Zähler ist in verschiedenen Variationen seit Jahren überall zur Registrierung der das Körpergewebe leicht durchdringenden γ-Strahlen gebräuchlich.

Bis zur kommerziellen Verfügbarkeit großer Natrium-Jodid-Kristalle arbeitete man mit Kalzium-Wolframat-Kristallen, womit 1951 von B. Cassen und seiner Gruppe das erste Instrument zur mechanischen Aufzeichnung einer Radioisotopen-Verteilung im Körper vorgestellt wurde. Dieses als Szintigraph bekannt gewordene Gerät läßt einen hinter einem kleinen Bleifenster als Kollimator plazierten Zähler mit mechanischem Antrieb sich mäanderförmig bewegen und schrittweise kleine Körperareale ausmessen und die pro Schritt registrierten Signale von γ-strahlenden Radioisotopen als Punkte mit unterschiedlich starker Schwärzung auf Papier bringen, um schließlich zu einem Bild der Verteilung der Radioisotope im Körper zu gelangen. Nur drei Jahre später, 1954, berichteten W. Fucks und H. W. Knipping über die erste Gamma-Kamera, die sich aus zahlreichen kleinen Natrium-Jodid-Kristall-Zählern mit je einem eigenen Strahlenkollimator zusammensetzte und somit, einem Insektenauge ähnlich, simultan viele Bildelemente aufzeichnen und damit auch rasche Ortsänderungen von Radioisotopen quantifizieren konnte. Dieses als Gamma-Retina bezeichnete Instrument war für die Untersuchung der Lungenfunktion mit radioaktivem Xenon und für Kreislaufstudien nützlich und wird in abgewandelter Form heute in der klinischen Routine, z. B. für Durchblutungsmessungen des Herzens und des Gehirns, benutzt. Wesentliche Verbesserungen der Aufnahmetechnik brachte H. O. Anger 1957 durch die Konstruktion eines Meßgerätes mit einem einzigen großen Natrium-Jodid-Kristall von 25 cm Durchmesser; dieser ist hinter einer mit zahlreichen Löchern versehenen, als Kollimator dienenden Bleiplatte aufgebracht. Die einzelnen Lichtblitze im Kristall werden durch zahlreiche, damals zunächst 19 der Kristallscheibe aufsitzende Photokathoden mit Elektronen-Vervielfachern aufgrund der Asymmetrie der von ihnen empfangenen Impulsstärke geortet. Eine Weiterentwicklung der Fucks-Knipping-Kamera brachten 1960 M. A. Bender und M. Blau mit ihrer Kamera, bestehend aus 294 einzelnen kleinen Kristallen mit optischer Lichtleitung zu 35 Photokathoden und Elektronen-Vervielfachern.

Durch die Darstellung der Signale dieser Kameras auf einem Fernsehschirm ergeben sich, vor allem für die Anger-Kamera, hoch aufgelöste Bilder der im Körper verteilten Radioisotope, und zwar mit Bildfrequenzen von bis zu etwa 100 Bildern pro Sekunde. Man kann diese Kameras somit als elektronische Augen bezeichnen, die im Körper von einem Ort zum anderen, z. B. mit dem Blutstrom bewegte Radioisotope sehen und zur Abbildung für das menschliche Auge auf den Fernsehschirm bringen können. Beweglichkeit der Kameras zur optimalen Positionierung für eine Beobachtung und Messung im Körper und die Kopplung elektronischer Datenverarbeitung der empfangenen Bilder machen die Gamma-Kameras zum Hauptinstrument für die Anwendung von γ-strahlenden Radioisotopen in der ärztlichen Diagnostik. Die weitere Anwendung der Gamma-Kamera zur schichtweisen Darstellung des Körpers in Querschnitts-Bildern wurde 1963 von D. Kuhl und R. Q. Edwards vorgestellt.

In den letzten Jahren wurde begonnen, die Natrium-Jodid-Kristalle durch Germanium-Beryllium-Kristalle zu ersetzen. Diese Detektoren eignen sich wegen ihrer höheren Empfindlichkeit und Impulstrennschärfe hervorragend als kleine Einzelmeßsonden, die vor allem in dem als Positronen-Emissions-Tomographen heute zunehmend an Bedeutung gewinnenden Meß- und Aufzeichnungs-Gerät eingesetzt werden. Dieser spezielle Kameratyp wurde nach ersten Versuchen 1953 durch G. Brownell, 1975 von M. M. Ter-Pogossian und Mitarbeitern zur Ortung von solchen Radioisotopen entwickelt, deren Kerne ihre überschüssige Energie als Positronen abstrahlen. Diese verbinden sich als Antiteilchen von Elektronen nach einer Bahnstrecke von nur wenigen Millimetern mit benachbarten Elektronen und werden dabei in als Vernichtungsstrahlung bezeichnete zwei Photonen umgewandelt, welche im Winkel von 180° voneinander mit hoher Energie ausgesandt werden. Diese Strahlen werden von gegenüberliegenden, um den Körper plazierten Detektoren gleichzeitig registriert. Der Vorteil der Positronen-Emissions-Tomographie ist die Quantifizierung der Positronen aussendenden Radioisotope in der Sicht von Körperscheiben, d. h. in kleinen Volumina, wobei die Signalverarbeitung zur Konstruktion von Bildern die von A. M. Cormack und G. N. Hounsfield entwickelte Mathematik anwendet, ähnlich wie bei der Röntgen-Computer-Tomographie.

Radioisotope von den Körper aufbauenden Elementen wie Kohlenstoff, Stickstoff und Sauerstoff liegen nicht als langlebige $\gamma$-Strahler, aber teilweise als Positronen-Strahler vor. Somit lassen sich alle Stoffwechsel-Substrate des Körpers mit extern meßbaren Radioisotopen markieren und so der Stoffwechsel-Diagnostik zuführen. Hier hat sich das neue Gebiet der Radiopharmazie große Verdienste erworben.

## Diagnostik mit Radioisotopen

Neben den diagnostischen Messungen der Radioisotope oder mit diesen markierten Molekülen und Substanzen im Körper des Patienten wurde die Analyse der im Stoffwechsel ablaufenden Prozesse durch Anwendung der Indikator-Technik an isolierten Systemen wie Zellen und ihren Bestandteilen sowie Körperflüssigkeiten ergänzt. Diese erfuhren eine völlig neue Dimension, als R. S. Yalow und S. A. Berson 1959 eine Methode vorstellten, mit der kleinste Mengen des Moleküls Insulin im Blutserum nachgewiesen werden konnten. Das gelang durch Einsatz von speziell Insulin-bindenden Rezeptor-Molekülen, den Antikörpern, die als Eiweiß-Moleküle in Kaninchen in Abwehr gegen verabreichtes fremdes menschliches Insulin gebildet werden. Durch Mischung einer bestimmten Menge radioaktiv markierten Insulins mit zunehmenden Mengen von Serum mit unbekannter Insulinmenge konkurrieren beide Insuline um die Bindung an den Antikörper. Das Verhältnis der beiden gebundenen Insuline kann bestimmt werden. Unter Zuhilfenahme einer entsprechenden Eichkurve mit nicht markiertem Testinsulin ist somit die unbekannte Menge Insulin im Serum zu quantifizieren. Dieser als Radioimmun-Assay bekannt gewordene Test ist mit verschiedenen Modifikationen heute das empfindlichste Verfahren zum Nachweis praktisch aller biologisch aktiven Moleküle und hat die Diagnostik von Störungen der zellularen Regulationen, sei es bei Hormonstörungen, Immun-, Infektions- oder Krebskrankheiten, ungemein bereichert.

Die Entwicklung der Nutzung von Radioisotopen führte zu einem neuen Fach der Medizin, der Nuklearmedizin, und durch die Einführung der Gamma-Kameras und des Radioimmun-Testes verlief sie wahrhaft stürmisch. Seit etwa 1955 bis vor wenigen Jahren erfuhr die Industrie im Bereich der Herstellung von Geräten und der radioaktiv markierten Verbindungen ebenso wie die Zahl der untersuchten Patienten eine Anstiegsrate von 15–20 Prozent pro Jahr. Etwa 4 Prozent der Bevölkerung in den westlichen Industrieländern werden jetzt pro Jahr mindestens einer nuklearmedizinischen Untersuchung unterzogen. Dabei hat sich das volle Potential der Gamma-Kamera erst in den letzten Jahren gezeigt, als man lernte, die schnelle Bildgebung für funktionsdiagnostische Untersuchungen zu nutzen; denn zunächst beeindruckte die Gamma-Kamera mit ihrer hohen Bildauf-lösung die Kliniker durch die lang gesuchte Möglichkeit der bildlichen Darstellung von röntgenologisch schlecht faßbaren weichen Organen des Körpers, und zwar durch gezielte Anreicherung von mit Radioisotopen markierten Substanzen, um damit Größe, Lage und Funktion des Organs zu untersuchen. Besonders die letzte Aussage wird durch die Wahl der markierten Substanz bestimmt. So liefert radioaktives Jod Bilder der Schilddrüse, wobei heute allerdings das die Schilddrüse ähnlich spezifisch aufsuchende Pertechnetat, das mit radioaktivem Technetium markiert ist, wegen erheblicher Verringerung der Stahlenbelastung vorgezogen wird.

Auf der Suche nach geeigneten Verbindungen entwickelte sich ein eigenes Fach, die Radiopharmazie, deren Verdienste für die Entwicklung der Nuklearmedizin ähnlich hervorzuheben sind wie die der Entwicklung der Strahlen-Nachweisgeräte. Radioaktiv markierte kleinste Partikel wurden 1953 eingeführt, um die Leber, in welcher im Blut-strom befindliche kleinste Partikel abgefangen werden, zu erkennen und funktionell zu beurteilen. Hirntumore wurden 1954 erkennbar gemacht, und zwar durch die Besonder-heit der im normalen Hirn nicht zu findenden Passage von Eiweiß-Molekülen vom Blut zum Gewebe; mit radioaktivem Jod markiertes menschliches Blut-Eiweiß lieferte durch seine Anreicherung im Hirntumor die bildliche Darstellung des Tumors. 1955 schlug H. W. Knipping radioaktives Xenon für die Funktionsdiagnostik der Lunge vor, wofür er die Fucks-Knipping-Kamera einsetzte. In schneller Folge danach lernte man weitere Untersu-chungen, z. B. der Leber mit radioaktiv markiertem Farbstoff Bengal-Rosa, der speziell in der Leber ähnlich wie Gallenfarbstoff angereichert und über die Gallengänge ausgeschie-den wird. Man lernte die Untersuchung der Nieren mit radioaktiv markierten Substanzen, die in den Nieren aufgefangen und mit dem Urin ausgeschieden werden. Die Milz wurde erkennbar aufgrund ihrer Fähigkeit, geschädigte rote Blutkörperchen, und daher mit radioaktivem Chrom markierte Zellen, abzufangen. Man begann, den Blutkreislauf der Lunge dadurch zu untersuchen, daß man radioaktiv markierte Eiweiß-Partikel von genügender Größe injizierte, die vorübergehend in einigen der kleinsten Blutgefäße der Lunge ohne Gefahr für den Patienten hängenblieben und so die Verteilung des Blutstro-mes in der Lunge sichtbar machen. Auf ähnliche Weise wurden schließlich alle Organe des Körpers der nuklearmedizinischen Untersuchung zugänglich.

Heute besonders häufig ist neben den Schilddrüsen-Untersuchungen die bildliche Darstellung von Knochen-Umbauzonen, die z. B. bei der Frühdiagnose von Tumoren empfindlicher ist als konventionelle Röntgenaufnahmen; auch lassen sich vor allem Tumore der Lymphgewebe und Entzündungen bildlich darstellen; die seitengetrennte Durchblutung und Ausscheidung in den Nieren wird quantitativ gemessen, ebenso die Ausscheidung in der Leber, die Ausscheidung, Resorption und der Transport im Verdau-ungs-Trakt, die Durchblutung im Hirn, die Beatmung und Durchblutung in der Lunge und vor allem die Durchblutung und die Pumpleistung des Herzens.

Nuklearmedizinische Herzuntersuchungen haben sehr rasche Verbreitung gefunden, da sie ohne Risiko relativ schnell und ohne nennenswerte Belästigung des Patienten eine Aussage über das Vorliegen einer Herzerkrankung, insbesondere einer Durchblutungs-störung des Herzmuskels aufgrund von Verengungen der Herzkranzgefäße, erlauben. Die Bestimmung der Funktion des gesamten Blutkreislaufs durch das Herz-Lungen-

Segment und der Pumpleistung der linken Herzkammer mit radioaktiv markierten roten Blutkörperchen und der Herzmuskel-Durchblutung mit radioaktivem Thallium haben eine Empfindlichkeit von über 90 Prozent zur Entdeckung einer Herzerkrankung und sind daher den konventionellen Herzuntersuchungen, auch dem EKG, weit überlegen. Angesichts der Häufigkeit von Herz-Kreislauf-Erkrankungen in den Industrieländern haben diese besonderen Herzuntersuchungen bereits einen großen diagnostischen Beitrag geleistet.

## Radioisotope zur Messung von biochemischen Reaktionen im Körper

Bei allen diesen Untersuchungen lag zunächst das Schwergewicht auf der Bildgebung von röntgenologisch nicht direkt erkennbaren Geweben und der bildlichen Darstellung von Organfunktionen. In den letzten Jahren erfuhr die Entwicklung eine Änderung hin zur Analyse der molekularen Organisationsebene des Körpers, eine Weiterentwicklung der von Hevesy eingeführten Technik. Es zeichnet sich in der Nuklearmedizin ein Verlauf ab, der von der Erkennung des Stoffwechsels in lebenden Systemen zur bildlichen Darstellung von Organstrukturen und -funktionen des Patienten und nun zur Funktionsdiagnostik des Stoffwechsels in den Organen führt. Das heißt, man hat begonnen, die Frage nach dem Ort einer Störung um die Frage nach der Art bzw. Qualität eines gestörten Stoffwechsels zu erweitern. Hier liegt in der Tat die Zukunft der nuklearmedizinischen Diagnostik, da die neuen bildgebenden Verfahren der Röntgen-Computer-Tomographie und kürzlich der Kernspin-Resonanz-Tomographie viele, früher nur für die Indikator-Technik faßbare Strukturen mit neuen Inhalten auch der atomaren-molekularen Organisation erkennbar machen. Da auch mit Kernspin-Resonanz-Spektroskopie nur begrenzte Aussagen über enzymatisch gesteuerte Reaktionen möglich sind, ist zu erwarten, daß sich die Kernspin-Resonanz-Technik und nuklearmedizinische Stoffwechselmessungen ergänzen werden.

## Die Bedeutung der Positronenstrahler

Die Messung von Stoffwechsel-Reaktionen in den verschiedenen Organen des Körpers verlangt den Einsatz von radioaktiv markierten stoffwechselaktiven Molekülen. Diese sind meist relativ kleine Strukturen, wie die Bausteine der Kohlehydrate, der Fette, der Eiweiße, oder der Nukleinsäuren. Um von den Enzymen angenommen zu werden, die den Stoffwechsel regulieren, dürfen die Strukturen der kleinen Moleküle nicht wesentlich geändert werden. Dies führt dazu, daß es nur selten möglich ist, ein dem biologischen Material fremdes Element als Radioisotop zur Markierung zu verwenden. Hier eignen sich besonders die Positronen-strahlenden Isotope des Kohlenstoff, Stickstoff und Sauerstoff. Sie werden mit Atomkern-Beschleunigern, z. B. dem Zyklotron, durch Beschuß von Zielelementen mit beschleunigten Atomkernen hergestellt und haben eine relativ kurze Halbwertzeit; diese ist für den Positronenstrahler Kohlenstoff nur 20 Minuten, für Stickstoff 10 Minuten und für Sauerstoff 2 Minuten. Dagegen haben die Positronenstrah-

ler Fluor und Brom eine Halbwertzeit von 110 bzw. 96 Minuten. Die hohe Umwandlungs-
rate von Positronen-strahlendem Kohlenstoff, Stickstoff und Sauerstoff verlangt ihren
schnellen Einsatz für die Synthese der interessierenden markierten Moleküle und für die
Positronen-Emissions-Tomographie. Die sich daraus ergebende Notwendigkeit, die Produktion der Radioisotope, ihren Einbau in die stoffwechselaktiven Moleküle und ihre
Nutzung am Patienten an einem Ort zu vereinen, macht den Einsatz dieser Diagnostik
aufwendig, teuer und auch manchmal schwierig in der exakten zeitlichen Abstimmung
zwischen den verschiedenen Spezialisten. In Zukunft werden durch komplette Anlagen
und weitgehende Automatisierungen praktikable Lösungen angeboten werden, wie sie
sich an einigen Orten bereits bewährt haben.

So wie es möglich ist, stoffwechselaktive Moleküle mit einem üblichen γ-strahlenden
Isotop zu markieren, das eine relativ lange Halbwertzeit hat, läßt sich die Gamma-Kamera
vorteilhaft einsetzen und daher der Aufwand relativ niedrig halten; die markierte Substanz kann von einer Firma gekauft und zum Anwender gebracht werden. Jedoch hat die
Gamma-Kamera zur Zeit noch den Nachteil, daß sie die im Körper georteten Radioisotope
nicht wie der Positronen-Emissions-Tomograph absolut quantifizieren kann; daher müssen Umsatzraten und Verhältnisse von verschiedenen Isotopen zueinander für die Beurteilung des Stoffwechsels herangezogen werden.

## Stoffwechsel im Herzmuskel

Beide Verfahren, die Positronen-Emissions-Tomographie und die übliche Gamma-
Kamera-Untersuchung, können die gleiche Aussage liefern. Ein Beispiel dafür ist die
Messung des Stoffwechsels des Herzmuskels. Die Herzmuskelzelle bezieht den größten
Teil ihrer Energie aus Fettsäuren, die über das Blut transportiert und von hier aufgenommen, vorübergehend deponiert und dann abgebaut werden. Der Abbau setzt die benötigte
Energie frei. Sowohl mit Positronenstrahlendem Kohlenstoff wie in optimaler Position mit
γ-strahlendem Jod markierte Fettsäure, z. B. Palmitinsäure oder Stearinsäure, verhalten
sich im menschlichen Herzmuskel zum Verwechseln ähnlich und erlauben die Aufspü-
rung von Störungen in der Aufnahme der Fettsäure und in ihrer Freisetzung aus dem
zellularen Fettdepot in den Abbauprozeß, der im Gegensatz zu den anderen Schritten
außerordentlich rasch verläuft und daher selbst bisher nicht meßbar gemacht werden
konnte. Mit dieser Technik gelingt es seit 1978, Einflüsse der Nahrung, des Insulins und
des Sauerstoffmangels und somit bisher nur sehr schwer zu fassende Stoffwechselverän-
derungen bei verschiedenen Herzerkrankungen für den Patienten praktisch risikolos zu
beobachten und auch mit einem hohen Grad an Wahrscheinlichkeit zwischen den Durchblutungsstörungen und den eigentlichen Stoffwechselerkrankungen, den Kardiomyopa-
thien, zu unterscheiden. Auch der akute Einfluß von größeren Mengen Alkohol konnte
beobachtet werden. Es sieht auch so aus, als ob seelische Aufregungen den Stoffwechsel
des Herzens verändern können. Die Geschwindigkeit der Freisetzung der zum Abbau
kommenden Fettsäuren aus dem zellularen Fettdepot wird durch das Enzym Lipase
gesteuert jedoch andere Reaktionen können hier eine Rolle spielen, so daß die Enzym-

Spezifität der beobachteten Reaktionen noch nicht definiert werden konnte. Diese Untersuchungen komplettieren die bereits genannten diagnostischen Messungen der Herzmuskel-Durchblutung und der Herzmuskel-Pumpleistung.

## Messung einzelner Enzym-gesteuerter Reaktionen im Körper

Die neuesten nuklearmedizinischen Methoden zur Quantifizierung einzelner Enzymgesteuerter molekularer, d. h. biochemischer, Reaktionen bedienen sich prinzipiell zweier Verfahren, die in ihren Ansätzen vergleichbar sind.

Das eine Verfahren wählt ein mit einem entsprechenden Radioisotop markiertes Molekül, das für eine Enzym-gesteuerte Reaktion das spezifische Substrat ist. Es ist aber strukturell so verändert, daß es nach der Reaktion mit dem Enzym am Ort der Reaktion, d. h. in der Zelle, in der die Reaktion stattfindet, hängenbleibt. Dieses Prinzip wurde 1977 von L. Sokoloff benutzt zur Messung der Enzym-gesteuerten Übertragung eines Phosphor-Atoms an Glukose, d. h. des ersten Schrittes im Stoffwechsel des der Zelle zugeführten Zuckermoleküls. Dieses für Untersuchungen des Hirnstoffwechsels entwickelte Verfahren benutzte β-strahlenden Kohlenstoff zur Markierung des veränderten Glukose-Moleküls, der 2-Desoxyglukose, und den mikroskopischen Nachweis seiner Anreicherung mit Hilfe einer speziellen, für diese Art von Analyse entwickelten Photo-Emulsion. Es gelang dann, das Positronen-strahlende Fluor an 2-Desoxyglukose zu binden und die lokale Anreicherung des Indikators im Gehirn wie in anderen Organen des Menschen mit der Positronen-Emissions-Tomographie darzustellen. Das Ergebnis der Hirnuntersuchungen war spektakulär; es konnten bestimmte Leistungen des Gehirns wie Sehen, Hören, Sich-Erinnern, Muskelbewegungen usw. mit Veränderungen der Indikator-Anreicherung in verschiedenen, für diese Funktionen spezifisch verantwortlichen Hirngebieten in Zusammenhang gebracht werden. Die Indikator-Verteilungen waren der regionalen Durchblutung sehr ähnlich. Die ärztliche Diagnostik wohl aller Hirnerkrankungen, basierend auf Durchblutungsstörungen, Stoffwechselstörungen, Tumoren oder Entzündungen, dürfte durch diese Art Untersuchung enorm bereichert werden. Dies ist um so mehr zu betonen, als das Gehirn in der knöchernen Kapsel des Schädels nicht direkt, wie nahezu alle anderen Gewebe, durch Gewebeproben für biochemische Analysen zugänglich ist.

Eine prinzipiell ähnliche Methode ist die Beobachtung der festen Bindung von Signalsubstanzen, die mit Positronen-strahlendem Kohlenstoff oder Fluor markiert wurden, an die für diese spezifischen und im Hirn meist nicht gleichmäßig verteilten Rezeptoren an Zellmembranen. Verschiedene schwere Erkrankungen, wie die Schüttellähmung und vielleicht auch Schizophrenie, werden sich wahrscheinlich aufgrund von Störungen der Regulation der Hirnaktivität über Signalsubstanzen erfassen lassen. Auch diese Verfahren sind neu und offensichtlich vielversprechend. Schließlich wird es möglich sein, alle für den Hirnstoffwechsel wichtigen Moleküle mit Positronen-strahlendem Kohlenstoff zu markieren und mit der Positronen-Emissions-Tomographie zumindest zu beobachten, wo und wie schnell angereichert und abgebaut wird, wie dies für die Messung des Fettsäure-Stoffwechsels im Herzmuskel dargelegt wurde.

Das andere prinzipielle Verfahren erlaubt die Messung einzelner Enzym-gesteuerter molekularer Reaktionen durch Anwendung eines internen Standards, so daß jeweils zwei parallele Beobachtungen erforderlich sind. Dies ist der klassischen Biochemie geläufig. Man markiert ein interessierendes stoffwechselaktives Molekül mit zwei verschiedenen Radioisotopen in der Weise, daß nach seiner Reaktion mit dem Enzym eines der beiden Reaktionsprodukte mit seinem Radioisotop aus dem Beobachtungsfeld abwandert und das andere unterschiedlich markierte Produkt im Gesichtsfeld, d. h. am Abbauort, verbleibt. Auf diese Weise konnten 1971 Abbauort und Geschwindigkeit von Insulin durch Eiweiß-spaltendes Enzym im menschlichen Körper gemessen werden. Die duale Analyse von zwei Meßgrößen hat sich auch zur Messung des Schicksals von intravenös injiziertem genetischen Material im lebenden Tier bewährt. Durch Doppelmarkierung mit 2 verschiedenen Radioisotopen konnte 1975 die Geschwindigkeit der Aufspaltung der Desoxyribonukleinsäure in ihre Bausteine gemessen werden, da nur eines der beiden Isotope nach Aufspaltung der Desoxyribonukleinsäure praktisch sofort zur Wiederverwertung in sich zur Teilung vorbereitende Zellen gelangt, während das andere Isotop rasch ausgeschieden wird.

In ähnlichem methodischen Ansatz werden zwei unterschiedlich markierte Moleküle auf ihrem Weg durch das Gewebe gleichzeitig beobachtet; oder es wird ein einzelnes Molekül in zwei Kompartimenten, z. B. Blut und Gewebe, verfolgt. So wird seit 1980 mit Hilfe eines veränderten Zuckermoleküls, der mit Positronen-strahlendem Kohlenstoff markierten 3-Methyl-Glukose, im Hirn von Patienten der enzymartig gesteuerte Zuckertransport vom Blut in das Hirngewebe und seit kurzem dazu noch der Enzym-gesteuerte Übergang des Zuckers in den Stoffwechsel quantitativ mit Positronen-Emissions-Tomographie in einer sehr ähnlichen Weise beschrieben, als wären diese Prozesse unter den Bedingungen eines isolierten Gehirns oder einer isolierten Gewebeprobe beobachtet worden.

Es ist somit möglich geworden, elementare Lebensprozesse auf der molekularen Organisationsebene des Körpers im intakten und durch keine Eingriffe von außen gestörten Netzwerk der Enzym-gesteuerten Reaktionen, auch unter den Gegebenheiten von Krankheiten, zu beobachten.

Die von Hevesy eingeführte Indikator-Technik offenbarte, daß unterschiedliche Atome und markierte Moleküle sich verschieden schnell im Organismus umsetzen. Die Weiterentwicklung führt nun dazu, daß man herausbekommt, wie diese Umsetzungen im Stoffwechsel gesteuert werden. Hier liegt noch viel Neuland für die Zukunft der Nuklearmedizin; denn gleich welcher Art ein Erkrankung ist, es werden immer elementare Steuerungen auf der Ebene der molekularen Organisation des Körpers entweder ursächlich, wie z. B. als Konsequenz der Strahlen-Exposition, oder sekundär, wie z. B. im Falle einer Infektions-Krankheit, in Mitleidenschaft gezogen. Eine optimale Diagnose ist unter gegebenen Umständen zwingend für eine effektive Therapie. Die mit den genannten nuklearmedizinischen Untersuchungen verbundenen Strahlen-Expositionen sind praktisch vernachlässigbar klein im Verhältnis zum Nutzen für den betroffenen Patienten.

## Schluß

Die technisch-wissenschaftlich-kulturelle Evolution ist nicht nur schneller als die biologische Evolution, sie vollzieht sich mit einer Beschleunigung, die sie zumindest auf absehbare Zeit immer schneller werden läßt. Das Unvermögen bei der raschen Zunahme von Wissen und Fähigkeiten, Werkzeugen und Produkten die Übersicht zu behalten, ist angsteinflößend. Man wird ständig gezwungen, die vielverzweigten Entwicklungen in hierarchischem Denken großen Linien zuzuordnen und das Verständnis einer neuen Sache nicht immer auf die Einzelheiten ihrer Verwirklichung auszudehnen, was man an sich schon gerne möchte. Die meisen Autofahrer sind nicht in der Lage, die Technik ihres Fahrzeugs im Detail zu verstehen oder nur wahrzunehmen.

Es ist eine alte Erfahrung, daß neue technische Entwicklungen, vor allem wenn sie den Lebens- und Arbeitsstil verändern, zunächst auf Skepsis und Ablehnung stoßen; aber das Ausmaß des Nutzens mit der Freude am Zuwachs des eigenen Handlungsspielraumes und am materiellen Gewinn fasziniert auf der anderen Seite wie ein neues Spielzeug das Kind und bringt eine neue Technik eher unter die Leute. Es dauert nicht lange, bis jeder Vorteil auch Forderungen stellt, so daß die Nachteile einer Technik mit allen Konsequenzen abgewogen werden müssen.

Bei der Nutzen-Risiko-Analyse wird nicht nur der unmittelbare Nutznießer, sondern die ganze menschliche Gemeinschaft in die Verantwortung genommen. Es geht um das Ganze und die Kräfte, die es zusammenhalten. Die Annahme eines neuen Verfahrens, wie die Einführung der potentiell gefährlichen Strahlung in die Zivilisation, besonders die Medizin, verlangt Vertrauen zwischen Fachmann und Bevölkerung, zwischen Arzt und Patient. Der Mensch steht wie nie zuvor im Sog der technischen Entwicklung und fürchtet um den Verlust des Menschlichen, um seinen und der Sache Mißbrauch zu seinem Schaden im Zwang der Abhängigkeit von der Technik auf Kosten der zwischenmenschlichen Beziehungen und um seine Umwelt.

Unsere Umwelt zeigt das Bild einer Turbulenz, die durchaus kreativ genannt werden kann. Sie ist eine Herausforderung, der menschlichen Vereinsamung in diesem Strudel entgegenzuwirken, Bindungen zu fördern nicht so sehr zwischen dem Einzelnen und irgendeiner Organisation, sondern von Mensch zu Mensch, und den Sinn für das Schöne zu bewahren. Es ist zu wünschen, daß sich im Zusammenfinden Wirkungen entfalten, welche die gesellschaftlichen Strukturen für das Neue nicht nur tragfähig machen, sondern das Neue beherrschen lassen. Es gibt viele Anzeichen, daß man einander jetzt mehr als zuvor sucht, Bindungen sucht, für Verständnis und Harmonie wirbt. Die Geschichte der Entwicklung und Anwendung der Strahlung, vor allem für die Medizin, scheint als ein Beispiel für den im Menschen verankerten Wunsch nach Fortbestand einer in gegenseitiger Anerkennung erfahrenen Ablehnung gegen Mißbrauch und Freude an Übereinkunft und Harmonie. Guter Wille ist das Sich-nicht-Verweigern gegenüber den wesentlichen Kräften zur Harmonie, die uns beseelen. Optimismus ist trotz aller Ängste berechtigt.

LUDWIG E. FEINENDEGEN

## Weiterführende Literatur

Bond, V. P., Fliedner, T. M., Archambeau, J. O.: Mammalian radiation lethality – a disturbance in cellular kinetics; Academic Press, New York, London, 1965.

Grigg, E. R. N.: The trail of the invisible light – from X-Strahlen to radio(bio)logy; Charles S. Thomas Publisher, Springfield, 1965.

Feinendegen, L. E.: Tritium-labeled molecules in biology and medicine; Academic Press, New York, London, 1967.

NCRP Report No. 45: Natural background radiation in the United States, 1975.

ICRP Publication 26: Recommendations of the International Commission on Radiological Protection; Pergamon Press, Oxford, New York, Frankfurt, 1977.

Friedell, H. L.: Radiation protection – concepts and trade offs. The Lauriston S. Taylor lecture series in radiation protection and measurements, lecture no. 3. National Council on Radiation Protection and Measurements, Washington, 1979.

NCRP Report No. 63: Tritium and other radionuclide labeled organic compounds incorporated in genetic material, 1979.

Pochin, E. E.: Why be quantitative about radiation risk estimates? The Lauriston S. Taylor lecture series in radiation protection and measurements, lecture no. 2, National Council on Radiation Protection and Measurements, Washington, 1979.

Committee on the Biological Effects of Ionizing Radiations (BEIR): The effects on populations of exposure to lwo levels of ionizing radiation: 1980; National Academy Press, Washington, 1980.

Cottier, H.: Pathogenese – Ein Handbuch für die ärztliche Fortbildung; Springer Verlag, Berlin, Heidelberg, New York, 1980.

NCRP Report No. 64: Influence of dose and its distribution in time on dose-response relationships for low-LET radiations, 1980.

Wyckoff, H. O.: From »quantitiy of radiation« and »dose« to »exposure« and »absorbed dose« – An historical review. Te Lauriston S. Taylor lecture series in radiation protection and measurements, lecture no. 4, National Council on Radiation Protection and Measurements, Washington, 1980.

Jacobi, W., Paretzke, H. G., Ehling, U. H.: Strahlenexposition und Strahlenrisiko der Bevölkerung: GSF-Bericht S–710, 1981.

Prigogine I., Stengers, I.: Dialog mit der Natur – neue Wege naturwissenschaftlichen Denkens; Piper Verlag München, 1981.

ICRP Publication 30: Limits for intakes of radionuclides by workers; Pergamon Press, Oxford, New York, Frankfurt, 1982.

Minder, W.: Geschichte der Radioaktivität; Springer Verlag Berlin, Heidelberg, New York, 1981.

Ionizing radiation: sources and biological effects; United Nations Scientific Committee on the Effects of Atomic Radiation (UNSCEAR), United Nations, New York, 1982.

NCRP: Critical issues in setting radiation dose limits. Proceedings of the 17th annual meeting of the National Council on Radiation Protection and Measurements, April 8–9, 1981, Washington, 1982.

Rausch, L.: Mensch und Strahlenwirkung – Strahlenschäden, Strahlenbehandlung, Strahlenschutz; R. Piper & Co. Verlag München, Zürich, 1982.

ICRU Report 36: Microdosimetry, 1983.

Lorenz, K.: Der Abbau des Menschlichen; R. Piper & Co. Verlag München, Zürich, 1983.

NCRP: Radiation protection and new medical diagnostic approaches. Proceedings of the 18th annual meeting of the National Council on Radiation Protection and Measurements, April 6–7, 1982, Washington, 1983.

NCRP Report No. 73: Protection in nuclear medicine and ultrasound diagnostic procedures in children, 1983.

Freeman and Johnson's Clinical Radionuclide Imaging; Freeman, L. M. ed., Grune und Stratton, Inc., Orlando, San Diego, San Francisco, 1984.

Messerschmidt, O.: Biologische Folgen von Kernexplosionen – Pathogenese, Klinik, Therapie; perimed Fachbuch-Verlagsgesellschaft mbH, Erlangen, 1984.

Mitchell, J. S., Feinendegen, L. E.: Report of Meeting of Experts, »Research on the biological individualization of cancer radiotherapy including the problems of developing countries«; Strahlentherapie *11* und *12*, 1984.

ICRP Publication 41: Nonstochastic effects of ionizing radiation, Pergamon Press, Oxford, New York, Frankfurt, 1984.

## *Danksagung*

Der Autor dankt Fr. H. Flegel sehr für ausgezeichnete Assistenz bei der Erstellung und Korrekturlesung des Manuskripts.

# Lewis Thomas

# The Scale and Scope of Biomedical Science

## Introduction

In the public mind, the problem of cancer seems to stand near the center of concern in the world-wide biomedical research enterprise. It has become a kind of symbol, a surrogate for all of science, something to be argued over in the abstract by people with quite different attitudes toward the value and meaning of science. There are those who believe, as I do, that we are part way along in the early stages of a genuine revolution in biology, and when we have reached a deep enough comprehension of the most intimate and intricate events in the transformation of a normal cell to a cancer cell, we should then be able to work out new and rational methods for reversing or preventing the process. But there are others who believe, just as strongly, that the essential answers are already at hand, that all we need do is to change our ways of living, our environment, our diet, even our ways of thinking, and then the cancer problem will somehow go away. Still others take the view that cancer is simply a fact of life for multicellular organisms as complex as humans, an unavoidable aspect of being so complex, forever beyond fixing.

It is my contention that if the science continues to do as well over the next 10 years or so as it has in the past, we have an excellent chance of solving the cancer problem, but there is much more than cancer at stake. The whole array of human diseases, including the chronic and disabling ailments commonly associated with aging, are being brought under close scrutiny by the analytic power of contemporary biomedical research. The depth of our ignorance about disease mechanisms has not been made clear to the public in the past, but now there are glimmers of light in places that have always seemed blank mysteries.

The future of medicine has had its prospects vastly improved, almost overnight as it seems, by the advances in fundamental biological science that have occurred in recent years. The pace of advance continues to accelerate, so rapidly now that pieces of outstanding research done just five years ago already have an antique look to the young investigators just coming into the field.

The virologists are having a perpetual field day. The immunologists are ready to claim the whole cancer problem, including cancer therapy, as well as the whole aging problem, as their own. The biophysicists, the nucleic acid chemists, the geneticists, the cell membrane people and the cell biologists are falling over each other in the race to final answers. I have never known a period of such high excitement and such exuberant confidence in any field in biology. It begins to resemble what one reads about the early days in the 20th century physics when quantum theory was just beginning to take shape. All the researchers, especially the youngest ones, know that biological science is being upheaved by what is being discovered about cell biology, and no one can be sure what lies ahead beyond the

611

certainty that it will be brand new information at a deep level, and therefore important and useful.

Two aspects of this scientific phenomenon seem to me remarkable in terms of public policy and the implications for the future of the health sciences in general.

First, no committee could possibly have sat around a table in Washington or anywhere else in the world, in 1972, and predicted any of the things that have taken place. What we are observing is basic science at its best, moving along from one surprise to the next, capitalizing on surprise, following the new facts wherever the facts seem to lead, taking chances and making guesses all the way, driving the problem along toward its ultimate solution not by following any rule book or long-range plan, but by playing hunches. It is the wildest of all human activities, watched from the sidelines, and can only work in its own wild way.

The second remarkable feature is the sheer spread of biomedical territory that seems to be opening up as this work goes along. I have not the slightest doubt that cancer itself has turned into a soluble problem, although I have no way of guessing at the likeliest outcome.

Cellular immunology has become, just within a decade, one of the most sophisticated of biomedical disciplines, capable of opening the way into problems of autoimmune diseases such as, perhaps, rheumatoid arthritis, and multiple sclerosis.

Neurobiology has begun to take off, just in the past few years. The discovery of the endorphins, followed by a cascade of other internal hormones secreted by brain cells, has turned the central nervous system from an incomprehensible computer-like wired apparatus into a chemically-governed system of signals, now ready for direct study in the deepest and most intricate detail. Experiments with primitive marine organisms are beginning to reveal neural mechanisms and structures involved in both short-term and long-term memory. Selective enzyme deficiencies are being observed in the brain tissue of patients with Alzheimer's disease, and other forms of senile dementia are now known to be caused by a so-called »slow« virus, the C.-J. agent.

The whole field of biomedical science is on the move, as never before in the long history of medicine. I do not know what will happen over the next 20 years, but my guess is that we are on the verge of discoveries that will match the best achievements in infectious disease a generation ago. As we develop new, decisive technologies that are based on a really deep understanding of disease mechanisms, they will turn out to be relatively inexpensive compared with the kinds of measures that medicine is obliged to rely on these days for just making do. What lies ahead, if the research goes well, is a genuine high technology for medicine.

It will make an enormous difference to the practice of medicine in the decades just ahead, if we can keep the basic biomedical sciences going and keep it coupled as congenially as possible to clinical research. We should not be forgetting how useful medicine can be when its scientific base becomes really solid and effective. The disease entities which ranked as the great menaces to human health when I was a medical student on the wards of the Boston City Hospital 50 years ago were, in order of the degree of fear which they caused in the public mind, tertiary syphilis of the brain (which filled more asylum beds than schizophrenia), pulmonary tuberculosis (especially in the very young and very old, for whom it was a flat death sentence), and acute rheumatic fever (far and away the commonest cause of disabling heart disease and early death). Also, of course, poleomyelitis. These four were feared by everyone, as cancer is today. Thanks to some excellent basic science, and some exceedingly classy clinical research, all four have nearly vanished as public health problems, and the vanishing involved the expenditure of pennies compared to what we would be spending if any of them were still with us. It is this level of effectiveness that I foresee for the practice of medicine, someday ahead.

This essay, for these reasons, will deal with matters beyond the scope of cancer, even considerably beyond the matter of medicine and human disease. What I hope to explore is the importance of basic research itself, and the hope for human betterment that this endeavor may hold for all of us.

## The Coherence of International Biomedical Science

I have served a near lifetime as a working scientist in a single field known as experimental pathology, and all I have observed and learned beyond that field has been what any other outsider will have read in the papers, mostly scientific papers but newspapers as well. I have convinced myself that the behavior of the people working in my field is, in general, very like the behavior of scientists in other disciplines beyond my training and comprehension. The essential feature of the scientific way of working is that it is collective behavior, and it can be done in no other way.

All the nations of the world recognize the importance of science for their separate societies, and most of them maintain, at considerable cost, specialized governmental agencies charged with the fostering of science and the making of science policy. The public perception of this responsibility is that this is the way useful technologies are developed and improved, within that nation, and therefore the effort is worth the expense. The more science, the more technology, and the more of both the better.

But this line of thought is not what goes on in the minds of most scientists as they go about their work. To be sure, some of them, known in the trade as applied scientists, have in mind the putting together of already-accumulated items of scientific information in order to make a product of some sort, but these people represent a relative (and relatively privileged) minority among scientists. The great majority of working scientists are lodged within the world's universities, and they come to work each morning in the simple hope of finding out how things work in nature. They live in the hope as well (although they tend not to talk much about it) that whatever they learn can someday be turned into something useful. They must, however, live with almost total uncertainty about this side of the work. Their abiding puzzles are mechanisms, forms and functions, interrelationships, connections, analogies. Their instruments are hypotheses, narrow guesses for the workaday problems in science, wild hazards for the occasional chance at a big step. They make up stories about how things might best have been arranged if creation had been in their hands, and then test their stories by experiment. Usually they are wrong; in my field, which deals with the underlying mechanisms of disease, it is a piece of extraordinary luck to be right once in a hundred guesses. Once a scientific hypothesis begins to look like the right story, it is immediately the occupational responsibility of the investigator and his colleagues to attack it from every angle with the deliberate intention of proving it wrong. If all the experiments designed to prove this fail, the idea and evidence in support of the idea can now stand as a new fact, or a set of new facts, for the time being. In this way, mountains of fresh information come into existence each year, arranged in such a way as to have the look of coherence. All researchers are duty-bound to keep an eye on their part of this mass, lest they discover too late that they are on the track of a piece of scientific news already acquired and published by someone else.

It is a frustrating way to make a living, requiring a particular cast of mind to make it survivable. Among the attributes needed are first of all an agile imagination, active enough to fetch up one good, plausible story after another, resilient enough to see them destroyed as the data come in, wild enough to chase after any idea no matter how wild, tough enough to face the long prospect of failure. Minds like this do not come into being because of education, although they require a high level of disciplined, exhausting education. I believe that some people are born to be good scientists, and others are not, but this does not mean that I believe in strings of genes for science; it could as well be that excellent scientists are lacking genes that would have made them fit for other occupations. Kierkegaard had it right: »It is not true that the scientist goes after truth. It goes after him.«

Sometimes, success in science is a matter of good luck, of being in the right place at exactly the rigth time, of making a crucial observation by pure chance. More likely still, hearing a crucial remark by another investigator, also at exactly the right time.

It often seems from the outside like the most solitary of human occupations. The problem, whatever, is suddenly opened up and solved within a single mind, by something flashing into consciousness, out of nowhere. Anecdotes abound, telling of this kind of event: the mathematician Poincaré boarding a bus and suddenly seeing his solution, other scientists shaving or bathing, or dreaming of the benzene ring, or looking out the window while revelation appears. But not really out of nowhere. Almost always, what flashes in is a piece of remembered information that fits in magically to solve the puzzle, and almost always the information came originally from outside, from work done earlier by someone else, laid aside, and now found to fit.

It is in this sense that science is the most communal of human endeavors. The vast structures of physics and biology assembled in this century were put together piece by piece by countless people whose identity has by this time been forgotten. The major figures, whose names are stamped there perhaps forever, were gifted in being able to figure out where the key pieces would fit, but the pieces themselves came from other mind and hands. Albert Szent-Georgi once remarked: »Discovery consists of seeing what everybody has seen and thinking what nobody has thought.«

It is easier to recall the names of the participants years ago, because there were so few to remember. Science began as a very small enterprise, involving a few amateurs, but even then they were in touch with each other, communicating their findings. Communicating has long been a familiar word in scientific jargon. Papers submitted to the Proceedings of the Royal Society and The National Academy of Sciences are *communicated;* the word is printed there on the front page under the author's names. In the case of the Proceedings of the National Academy of Sciences there must also be printed, by federal law, a note at the bottom of that first page stating that the costs of publication of the article have been paid by the author or authors, or by their parent institutions, and that because of this the article must officially be designated as an »advertisement«. It is a very small sign of the increasing involvement of government in the style and manners of science, a minor but disturbing signal, to which I shall return later.

Today's science has expanded, within just the years of this century, from a small enterprise to an immense industry, from the commitment of a few hundred workers to one involving hundreds of thousands, maybe millions, here and abroad.

And so it is, in the face of the legislated mandates of the various governmental agencies responsible for the sponsorship of their own national science, and despite their zeal to enhance the R & D capacities within their various nations, that there is in being a world-wide community (or *nearly* world-wide, considering the side-lines position still held in some fields by the Soviet Union) of working scientists who do their work together, across oceans and national borders, without any awareness of national or ethnic or social identities. They make up, in the aggregate, the largest and most cohesive of underground movements to be found anywhere on the globe; subversive in the literal meaning of that word, which is to turn things upside down. I am not surprised that governments are edgy about the scientific communities under their governance; I am surprised that they are not more worried. Statesmen like to arrange the affairs of state in whatever orderly fashion they find most equable and stable; they do not like the prospect of having the ideas of people under their rule upheaved any day, revolutionized, changed beyond their comprehension. Or, if things like this are to take place, the statesmen would prefer to arrange them in advance, calling the shots for science before science gets round to publishing. Political doctrines can sometimes be made to conform to scientific truths, I suppose, but only after all the facts are in. It was feasible for a while, in the years after *The Origin of Species*, to cook up crazy notions about Social Darwinism and to base social policy on those headlong extrapolations, but later on, given more scrutiny of the real facts, the sociological theories lost their underpinnings. Lysenko's pre-cooked ideas about state-controlled plant genetics were attractive to Stalin, but the research had been fabricated meticulously beforehand and then tucked in place to fit with orthodox doctrine and failed, predictably and miserably. It is easier, I think, to fudge in politics than in science. I would be glad to take it farther: it is possible to fudge in politics forever, but only for a limited time in science.

This is not to assert that the facts about nature obtained by working scientists and passed along to the world are always and necessarily true, in the sense that they can then stand forever as immutable, enduring pieces of information to be added to the world's knowledge. To the contrary, great masses of the data that keep coming in are accepted for a period of months or years and then seem to drop away from notice, lose their relevance, and are replaced by new sets of information and new theories to explain them. A surprising number of scientific facts turn out to be biodegradable.

This generalization hangs on what is meant by a scientific fact. I tend to call something a fact when the data, taken together, *mean* something. It was a simple declarative statement, accepted nearly all round in the mid-nineteenth century, that our sun and solar system were several hundred million years old, but no older than that. Lord Kelvin, already a tremendous figure in classical physics, arrived at the fact by calculations based on the known sources of energy and the known rates of energy loss. The numbers were stressful for Charles Darwin, posing what he termed one of his »sorest troubles« in formulating the theory of evolution. A few hundred million years was simply not a long enough stretch of time into which the process of evolution could be compressed. T. H. Huxley pointed out then that the facts of the matter, based on perfectly straight-forward mathematics, were perhaps not as solid as they seemed. But it was not until much later, after atomic physics had emerged and it became possible to calculate the earth's age on the basis of a new level of science, that the real facts were found to fit with Darwin's theory.

Kelvin had still another opportunity to get the facts, the meaning of the data, wrong, and he was not alone in this. In a famous address before the Royal Society around the turn of the century, he celebrated the full maturity of his science. Physics, he stated, had now come almost its full distance as a completed intellectual endeavor. All that remained to be done was to tidy up a few loose ends and straighten out some small, bothersome anomalies, and physics would be home and dry. He would not have advised a young ambitious scientist to come into such an almost-finished discipline. Then came radiation, the quantum, relativity, the atomic nucleus, indeterminacy and all the rest of twentieth century physics, and a new world of facts and theories displaced the old one.

Recently, the eminent British cosmophysicist Stephen Hawking stated publicly that the fundamental laws of physics are nearing full comprehension, and that the deepest problems in modern physics will all be solved before the end of this century. Others have begun nodding their heads in agreement, and when we reach something like a consensus on this important matter, sometime within the next 10 or 15 years, it will again be time for us to be upheaved, all over again, perhaps into another new kind of universe, with another sort of huge puzzle to solve. For the time being, physics seems to have run out of paradoxes, but this does not mean that there are no paradoxes out there, waiting to be found.

One conventional, nice thing for a scientist to say when being praised for a major discovery is, »I stood on the shoulders of giants.« This sounds like the most modest of boasts, although admitting to a measure of agility in getting up there to stand. In real life, though, the shoulders are those of other ordinarysized scientists, some long dead, others just down the corridor. Once in a while, the shoulders are in fact not stood on, merely glanced over.

Most of the time, however, the information is passed around like free gifts, almost as though science were an enormous, perpetual party. A sizable amount of the pleasure in doing research comes at the moment when it is possible to tell someone about it. It is not true that scientists live in the tense fear that someone else will get to the final answer first, nor that they will kill or die when priority is at stake. A good working scientist, exploring his particular puzzle, will rush out into the corridor, even into the street, if he thinks another scientist will be there to listen to his latest piece of news. Most research is exploring in the first sense of that word: »to cry out on finding«.

This is true, at any rate, in the general field of basic biomedical research. It is not so true, for obvious reasons, in applied science, where the commercial stakes usually impose a period of silence.

At this point, it may be appropriate to define the terms. The taxonomy of scientific endeavor has become more complicated in recent years, with much blurring of the formerly sharp line dividing basic from applied science, but the difference is still there. If the research is intended to explore a mechanism in nature for its own interest, in order to find out how it works and what the component parts may be, and if the questions on which the experiments are based are tentative questions, raised as guesses in an atmosphere of uncertainty, and if when a guess turns out to be correct the result comes as an overwhelming surprise, you are doing basic science by my definition. Changing one's mind about the next experiment, even about the original hypothesis, is typical behavior. It makes no difference if something useful and usable emerges at the end as a product; it is the uncertainty at the beginning and throughout, about how the work will turn out, that makes it basic research. The surprise is not essential for my classification, although it is true that successful basic research is often associated with one exhilarating surprise after another, and that is one of the reasons for liking this occupation.

Applied research is a radically different kind of endeavor. Here, you need at the outset an array of solid scientific facts, most of them uncovered previously by people engaged in basic research. The array must suggest that something useful and usable, a product or a new technology, can be assembled by pursuing a line of inquiry indicated by the data at hand. There needs to be a high degree of certainty about the desired outcome, before the work begins. Typically, the process involves teams of investigators and a detailed protocol of the steps to be followed by each participant. There must be a general agreement by all parties that they will do exactly what the protocol says, from start to finish, without changing their minds. If the work turns out to be successful at the end, with the desired product in hand, there is quiet satisfaction all round. In applied research, the surprise comes if the thing does *not* work. An elegant example of applied science in medicine was the creation, by Jonas Salk and his collaborators, of the first vaccine against poliomyelitis. Once it was known, from basic research done by others, that there were three distinct antigenic types of polio virus, and only three, and that they could be produced in tissue cultures by the methods devised by John Enders, the vaccine became a certainty, and so it was.

In between these two there has emerged a sort of hybrid science. It might be called basic applied science, or purposive basic research, or targetted guesswork. It has become a dominant style in biomedical science in the past decade, and is best illustrated by what is happening today in research on the phenomenon of cancer. Two methods, each derived from separate lines of basic biological research, are involved. The first comes from the high technology of recombinant DNA, which has made it possible to identify naturally existing cancer genes in many different varieties of normal cells. When these genes are switched on, or moved about from one part of the genome to another, the normal cells are transformed to cancer cells. The mechanisms responsible for switching them on, and the nature of the gene products that then do the transforming, are entirely unknown, anyone's guess, nor is it at all clear what mechanisms come into play to change the physical and chemical operations of the cell. This can be regarded as basic research at its most profound level of uncertainty, in need of any number of testable hypotheses and, very likely, innumerable experiments bound to end in failure and frustration. But it is also applied science, in the sense that it is targetted toward a product even though the product is still invisible.

The second technique is derived from a piece of basic research begun two decades ago, when it was observed that any two unrelated cells, from the same or different species, can be induced to fuse together forming a single cell with a single nucleus. The phenomenon

617

was turned to use by cell biologists, who created lines of mouse-human hybrid cells for learning which enzymes in the cell were coded for by the genes on one or another chromosome. Then, some years later, Milstein and Köhler had the brilliant idea of fusing an antibody-forming lymphocyte with a mouse cancer cell, for the purpose of creating live and immortal factories producing absolutely pure antibodies, known as monoclonal antibodies. This technology is now being applied to the study of oncogenes, in hopes of identifying the specific proteins and other gene products that are produced by cancer genes. It is pure guesswork that the method will accomplish what is intended, and something like total uncertainty as to what kinds of substances are to be looked for by this immunological approach. Meanwhile, the same sorts of pure anti-cancer antibodies are being explored for their potential as therapeutic agents, in hopes that they will seek out all cancer cells in the body and destroy them one by one.

This is basic science at its best, pure research for the purpose of finding out how things work in a cancer cell. But it is at the same time a venture in applied science, for no one doubts that as the news come in we will not only be provided with a genuine comprehension of how cancer cells work, but will very likely know some useful and usable things to do for the reversal and control of the disease.

This line of work provides, as well, an excellent example of the ways in which biomedical science has been carried out as an international venture, moving back and forth across national boundaries. If the problem of human cancer is solved by one or both of these approaches, the ultimate solution cannot be fairly claimed by any nation, nor by any particular laboratory or group of laboratories within a nation. The work has reached its present stage of high promise as the result of the most intricate network of international collaborators, and it will have to progress in the same way if it is to be successful. To be sure, there will be the usual strident claims on priority by whatever laboratory is successful in putting the final piece of the puzzle in place, but everyone will know (and, I hope, remember) that the puzzle itself could not have been shaped into being without the most intense cooperation within that international network, over a period of at least 30 years. Crucial bits of information, indispensable for today's level of incomplete comprehension, and even more indispensable for framing the questions that still lie ahead, have come from laboratories all around the world. The workers in the field have been keeping in such close touch with each other that all of them know the contents of the latest paper months before its publication in a scientific journal. The word gets around these days at almost the speed of light: the results of the latest experiment in Edinburgh or Boston are known to colleagues in Melbourne or Göttingen almost as soon as completed. The mechanism for the international exchange of scientific information is informal and seemingly casual, resembling gossip more closely than any other sort of information system, except that gossip has the reputation of unreliability and this exchange is generally solid and undistorted. It arrives by telephone, or out in the lobbies and bars of the hotels and institutes where international symposia or congresses are being held, or in quick conversations between people of different nationalities crossing a campus lawn in one country or another. For the moment, the international language of science is broken English, but a surprising number of young English and American investigators are coming along partly equipped with at least French and German.

The information is not just passed around automatically, it is literally given away. This is a curious phenomenon in itself, looking something like altruism in the biological sense of that term. It is intuitively recognized by all the participants that this is the only way to keep the game going. If a piece of one's own brand-new information, just fished up in one's own laboratory, is withheld from another laboratory in another place in the interests of secrecy, the flow of essential information from that laboratory's work may also be stalled, and the whole game will slow down, maybe stop altogether.

Altruism may be too strong a term for the exchange, implying the sacrifice of something personally treasured and important. A better word might be symbiosis, for there can be no losers in the long run if the game is played in this way.

Simultaneously with the international exchange of basic scientific information, there has been an even more active transport of young scientists across borders. Up to now, most of this traffic has involved great numbers of Japanese, Indian, Korean, Taiwanese and Iranian scholars at the postdoctoral level, joining laboratories in the U.S.A., the U. K., Europe and Canada and Australia. Some of these young scientists plan to go home again after a period of several years' training, but many of them have changed their minds and hope to stay on as semipermanent visitors. In recent years, postdoctoral students from mainland China have also been coming abroad, all of them with the declared intention of returning to the People's Republic.

This kind of exchange, by the way, has nothing at all to do with altruism, and any resemblance to symbiosis is quite unintentional. Two forces are at work. First of all, the young people crossing our borders to work as postdoctoral fellows are coming to learn science because there are too few opportunities for them in India, Japan, China, Korea or wherever. And second, we are delighted to have them because they are highly motivated, bright and quick to learn, and willing to work extremely hard for relatively low stipends. Also, sad to say, the numbers of equally qualified young western nationals who want to come into science in their own countries have gradually diminished in recent years, while the demand for more researchers at this level has steadily increased.

I am not sure what the implications of this phenomenon are for the future. Perhaps it will turn out, as it should, all to the good. The young alien scientists, many of them anyway, will go home highly trained for research and potentially very productive and profitable for their home countries, and in the meantime those countries should have strengthened their own universities and scientific institutions to receive them and put them to work. On the other hand, it may not go this way. The foreign nationals may feel compelled to stay on in the west because of no openings at home, and we will at the end have effectively drained away precisely the talent needed by the home country for its future. It is a problem that we have not been inclined to worry much about at policy levels, not in the American universities and research institutes anyway. We have been glad to have the needed hands and brains, and expect someone else, presumably in Washington, to think about the long term future. Or if pressed, we can think up ready solutions for someone else to implement, like directing more foreign aid to be targetted to strengthen Indian or Chinese universities, without stopping to think how hard and complicated a task that might turn out to be.

The migrations of talented young investigators within and among the western countries themselves have been fairly steady and active, with cyclical ups and downs depending on the nature and progress of research in the numerous institutions involved. I do not know the current numbers, but I see no signs of any draining of brains from one country into another, certainly no massive emigration from Europe and Britain into the United States such as occurred in the decade after World War II. I do see a much more encouraging international phenomenon: there are many travelling scientists of all ages, ranks and nationalities, ambling into laboratories here and abroad for short stays – a few weeks or months – in order to learn a new technique or to bring in a new technique for quick application to an engrossing problem not available in the home laboratory. This is a wonderful thing for the progress of science in general, and the best of ways for scientists to make friends with their counterparts abroad. I commend it to the attention of foundations interested in international amity as well as science, and I commend it especially to those agencies of government with similar concerns.

I wish that something like this could begin to take place with the countries of Eastern Europe. Even more I wish, but with a lot less hope, that we could begin exchanging biomedical information and young (especially young!) biomedical scientists with the Soviet Union. The basic biological and behavioral sciences seem to have slowed down in Russia in recent years, or if this is not so there has surely been something appallingly wrong with the existing systems for information transfer. On the available record, there is doubt that Soviet biology has been totally caught up in the contemporary biological revolution. As for the exchange of working scientists, it has never really been tried, for various obvious reasons, and I suppose these are the worst of times to try again. Nevertheless, I wish it would happen. It would not necessarily be the entirely one-way street it is so often said to be. There are some extremely interesting studies in ecology, both theoretical and in the field, now going on in the USSR, and I keep hearing – and occasionally reading – of interesting Russian research on the relationship of neurologic and immunologic mechanisms. In any case, there is no doubt that young Soviet researchers now at the postdoctoral level would find enormous interest in the kinds of biology now being done in Western laboratories. But there it is, and, I suppose, there it lies for as far ahead as one can see. I just wish it were different.

I remember a time, in a stretch of almost 20 years before the close-down in Czechoslovakia, when a small cluster of Czech biomedical researchers in Prague had achieved a position of such eminence in my own field, immunology, that we used to hold regular conferences in that lovely city. The liveliest problem for immunology in those years was transplantation biology, and the laboratories at the Czech Academy of Science and Charles University were among the most interesting in the world. During that time the restrictions on travel were easier, and one or another young Czech immunologist was always at work as a visiting scientist in my department at NYU-Bellevue Medical Center. The ones I knew best were doctrinally pure Marxists, quite convinced that their society was on the right track and ours on the wrong, but we became good friends because of what was happening in our laboratories. Prague closed, and my friends have mostly dropped out of favor and out of sight. I wish it were not so, and it makes me melancholy to think that it may never happen again.

I have colleagues in other fields of biomedical science who tell similar stories about their own experiences with collaborators in Poland, Hungary and Rumania. Agricultural research is of special interest in Bulgaria. Such contacts have dwindled away in recent years, to the deprivation of science in general. We should be making a concerted effort to restore the connections, and I can see no risks of any kind, to either side in the cold war. I can appreciate, although with deep reservations, the governmental anxieties over the transfer of other kinds of conceivably military technological information, computers, materials chemistry, lasers and all that, but I cannot imagine any risks at all in a free exchange of immunology or molecular biology or neuroscience. What I can imagine, easily, is the creation of close, warm friendships among eager young people whose influence on future judgements in their respective societies may be decisive.

I believe that international science is an indisputable good for the world community, something to be fostered and encouraged whenever possible. I know of no other transnational human profession – and I include here the arts, music, law, finance, diplomacy, engineering and philosophy – from which human beings can take so much intellectual pleasure and at the same time produce so much of immediate and practical value for the species. The problems that lie ahead for the world, endangering not only the survival of our kind of creature but threatening the existence of numberless other species, are proper problems for science. Not to say that science will find answers in time, simply that there is no other way to solve the problems. Of these, the worst is the impending extinction of more biota than have ever been lost in geological time since the mass extinctions of the Cretaceous 65 million years ago, when 52 per cent of the world's marine species vanished along with great numbers of terrestrial creatures, including all the dinosaurs. Something on this scale lies immediately ahead, perhaps within the next few centuries, unless man can find ways to avert it. If it occurs, it will be caused by the swarming of human beings over all other ecological niches, and the destruction of those niches. It will come as the result of the deforestation now in progress, the inevitable extension of agriculture everywhere in order to feed the increasing numbers of ourselves, and the simultaneously inevitable depletion of the earth's resources. It is, at least in part, a problem for international science, and the most urgent of all imaginable scientific problems. I do not assert that science will solve it. On my blacker days I have a hunch that it is already endgame, beyond fixing. But it needs a try. It is a problem for biologists, geophysicists, demographers, chemists, climatologists, even astrophysicists. Maybe especially this last lot, since they command the technology needed most for getting a sustained, close look from the outside at what is happening to our planet.

For work of this kind, in the interest of global habitability, we need a world community of scientists, and we need to have them *at* each other, talking incessantly, telling each other everything they know the moment they learn it.

I have already noted that we have the beginnings of an international network, needing only the joining up of Soviet researchers and their colleagues in the Soviet satellite countries and the development of scientific enterprise in the emerging nations. It is in the nature of scientists who work at fundamental problems in nature to work together, to pass their information around. Now, I am obliged to pull up short of optimism, to acknowledge that what I would like to see happen may not happen at all or may be put off until too late. Some new things have begun to take place, just in the last few years, that may pull the network down.

There are just the faintest, earliest indications that something is about to go wrong.

Nationalism may be about to make its appearance as an influence on basic research, a dead hand on science. The Europeans are talking about the need to create a Third Power, based on science, standing as a buffer and equal competitor between the two existing dominant empires. This is a grand idea, one that everyone should be in favor of, all depending on how the Europeans go about it. They seem to be saying that a United States of Europe is a possibility for science, even though it has not really been feasible for agriculture, steel, wine or other aspects of trade. I agree with this, and pray that it comes about. But they are also talking about the need to »protect« European science, to stop the flow of free information to America where it becomes a source of enrichment for the U.S. This means, from what the conversations I have been hearing sound like, the introduction of new constraints on research communication, confidentiality, secrecy, and thus an end to the kind scientific gossip that has been moving science along. The British seem to be expressing similar concerns, having seen, too many times, the loss of their own basic research to development and profits in America. They will never forget penicillin. The French are convinced that there is a special French aptitude for a kind of science possible in no other culture, and they hope to lead Europe along their path. I am hearing more and more of what sound to my ear like anti-American sentiments, and they are beginning to come from the upper reaches of the European science policy establishment. I am apprehensive, still only mildly so, but worried for the future.

Another thing has been happening to basic biomedical research everywhere, and I do not know how it will come out. For the first time in the long history of biology, there is money to be made from science. The famous biological revolution is about to turn into an economic and industrial revolution. The recombinant DNA technology and the production of monoclonal antibodies are perhaps only two examples of what may lie ahead. The working scientists at their benches have suddenly discovered money, with which few of them ever had more than a nodding acquaintance in the past. Small corporations are sprouting in the vicinity of universities everywhere, issuing shares to their academic consultants, paying handsome salaries, converting a generation of people long resigned to living the lives of shabby curates into millionaires overnight, on paper anyway. Giant corporations in the chemical and pharmaceutical industry are beginning to invest huge sums in the basic science being done in universities and institutes, and the old armslength, essentially adversary relationship between industry and the academy is now becoming a partnership. I have been happy to see this happen, during a time when governmental funds for the support of basic research have been dwindling and are now being cut back. But I am beginning to worry about staying happy. So far, the terms of the new partnerships have seemed both enlightened and generous: the Hoechst and Dupont investments in molecular genetics and immunology at Harvard, for instance, are accompanied by written assurances that the companies will not have any say in what research is to be done in the laboratories; all that is asked for is a first look at the basic research as the results turn up in the laboratory notebooks. Licensing of a potential product is asserted to involve only minimal delays in publication, and all parties protest that there will be no need for secrecy, much less any gentleman's agreement on prolonged confidentiality. It makes good sense for the university to concentrate its attention on what it can do best in science, which is pure, undifferentiated basic research. It makes even more sense for industry to sponsor this kind of inquiry, since it is the long attested record that applied science and development cannot occur, ever, in the absence of fundamental information.

What worries me as an academic scientist is the money, much as I admire the direction of flow. I am concerned about what may be going on in the minds of the youngest investigators, people now working for their doctoral degrees and already looking around for postdoctoral opportunities. No matter what assurances they hear about the freedom of scientific inquiry in the university, about their sole mission to discover how nature works at a deep level, they are bound to have it somewhere in their minds that the surest way up the academic ladder will be to learn something useful, something with a chance of turning into a product. If this notion becomes the common one, driving the engine of science along, we may be about to enter a period when basic research will not be carried out for its own sake, out of pure curiosity, driven along by the imagination turned loose, but essentially controlled behind the scenes by money.

And if anything like this begins to happen, there goes the gossip and those long-distance telephone calls from New York to Basel, or Edinburgh to Melbourne. People long accustomed to telling colleagues everything they know, including everything they can guess at, may fall silent in the lobbies of international meetings. The scientific network around the world will then begin to fray and pop, and we will have lost the chance at a supranational community of aimiable intelligences.

I hope these things can be prevented. The corporate world has as much at stake as does the world of science, and ought to be taking a very long, close look at the new arrangements. And governmental policy-makers should be reviewing in detail the history of that most elegant and successful of all social inventions, the National Institutes of Health in Bethesda. It should not be forgotten that the early support by NIH of international research, with grants to laboratories in Paris, London, Cambridge, Melbourne and other places during the 1950's and 1960's, had a profound influence on the later development of both American and foreign biomedical science. These days, very little NIH money is being invested in foreign laboratories. This may be as it should be, since other countries have now become interested in supporting their own basic biomedical research, and are quite capable of doing so for the long term. It is the *history* that needs remembering: the NIH had an important hand in the early construction of today's international network of the sciences concerned with human health. Any governmental agency that can do this sort of thing should be studied closely, and remembered for the future of international amity.

I said a while back that I could not imagine any security risks in the free international exchange of basic biomedical research data, in immunology, say, or in the new neurobiology, or in recombinant DNA research involving bacteria and viruses. The cold war, I was thinking, can never involve my fields of science in the way that is now deeply distressing to some of my cousins in basic physics, chemistry, holography, robotics and computer science. I was thinking that no agency head or commission in Washington is ever likely to urge the biologists to have a care about what they are publishing lest the information turn out to be useful to the Russians. I said that I could not imagine it, and this much is true. But just because I cannot imagine it doesn't mean that someone else will not cook up the notion, sometime in the future, especially if our international relations become even nastier than they are today. Someone will think of biological warfare, and out will come the cautionary memoranda, and we will be in the same boat with our colleagues in the harder sciences.

If I were a Soviet bureaucrat, envious over the stunning progress in fundamental research being made in the outside world, nothing would cheer me up more than to learn that the Western World is beginning to talk about the need for constraints on the communication of basic science. There are ways for governments to slow down research, by interposing too many committees, or by mandating more paperwork in the applications for support, or by trying to call all the shots in advance, predicting which fields in basic research are likeliest to turn out profitable in the future. Any of these can damage science, but only transiently. The one sure way of killing it off, sure-fire, once and for all, would be to make basic research a secret occupation. If ever the international frontiers are closed down, science will at that moment be dead on its feet.

## Biomedical Science and The Third World

There are now approximately 4.5 billion members of our species alive, and sometime within the next half-century that number will be almost surely double. Something around one third of us, residing in modern, industrialized societies, enjoy what we should be calling reasonably good health, living out almost the estimated maximum life-span for normal human beings. The rest, the majority of mankind, the citizens of impoverished nations, have less than half a chance at that kind of survival, dying earlier and living miserably for as long as they do live, threatened by constant hunger and an array of debilitating diseases unknown to the lucky third.

The central foreign policy question embedded in these loose statistics is the obvious one: what should the relatively healthy 1.5 billion human beings be doing to bring the other 3 billion into the 20th (or 21st) century? I shall take it as given that there is an obligation of some sort here.

It is, in the first place, a moral obligation, but one driven by deep biological imperatives as well as by our conventional, cultural view of human morality. We are, like it or not, an intensely, compulsively social species. The reason we have survived thus far, physically fragile when compared with most other mammals, prone to nervous unsettlement by the very size and complexity of our forebrains, and competitively disadvantaged by our long period of absolutely vulnerable childhood, is that we are genetically programmed for social living. I can no more imagine a solitary, lone human being, totally and permanently unattached to the rest of mankind, than I can envision a single termite making it through life on its own, or a hermit honeybee. What holds us together in interdependent communities is language, for which we are almost certainly as programmed by our genomes as songbirds are for birdsong.

I do not mean to suggest that we are very good at this, nor that we have been successful up to now. If that were the case, we would not have swarmed around the earth in our present dense masses, increasing our population by logarithmic increments up to today's risk of crashing, in the fashion of the last several centuries. We are fairly good at family life, allowing for the fact that some families drive their members, literally, crazy. Each one of us has a circle of close friends, trusted and even loved by them, and each of those friends has another circle, and you would think the expanding circles would extend in waves to include everyone, but it is not so. We have succeeded in working out long periods of survival in tribal units, allowing for the tendencies of tribes to make war against each other. It was in the invention of nation-states that we began to endanger our place in nature, by the implicit violation of all rules of social interliving. Instead of developing as a homogeneous unit of social animals, like an expanding termitarium, we took to splitting into colonies of ourselves and now all of them have become adversaries. Some, by luck or geography or perseverance, have turned out to be rich and powerful, others dirt-poor and weak, and here we all are, in trouble. Mankind is all of a piece, a single species, and our present situation will not do.

The only excuse I can make for us is that we are new at the game and haven't yet learned it. It is a mistake to think that the cultural evolution of humanity has been in any way analogous to biological evolution. We haven't been here long enough to talk about our living habits in the terms used by paleontologists and geologists. In the long stretch of epochs called time by the earth scientists, the emergence and development of social humanity could have begun only a few moments ago. We are almost brand-new. It may even be a presumption to say that we are already a juvenile species. The life of the earth is almost 4 thousand million years, and the evolution of species is recorded in spans of many million years each. Although we turned up in something like our present form around one million years ago, we probably did not become what we would call human until we acquired human speech.

In another sense, we may all be going through a kind of childhood in the evolution of our kind of animal. Having just arrived, down from the trees and admiring our thumbs, having only begun to master the one gift that distinguishes us from all other creatures, it should perhaps not be surprising that we fumble so much. We have not yet begun to grow up. What we call contemporary culture may turn out, years hence, to have been a very early stage of primitive thought on the way to human maturity. What seems to us to be the accident proneness of statecraft, the lethal folly of nation-states, and the dismaying emptiness of the time ahead, may be merely the equivalent of early juvenile delinquency or the accidie of adolescence. It could be, as some are suggesting, that we will be killed off at this stage, that what we are living through is endgame, I do not know, but if so we will be doing it to ourselves, and probably by way of nuclear warfare. If we can stay alive, my guess is that we will someday amaze ourselves by what we can become as a species. Looked at as larvae, even as juveniles, for all our folly, we are a splendid, promising form of life and I am on our side.

I would feel better about our prospects, and more confident for our future, if I thought that we were going to solve the immediate problem of inequity. It is one thing to say that some of us are smarter and more agile than others, more skilled in the management and enrichment of our local societies, therefore bound to be better off in living. It is quite another thing, however, to say that there is anything natural or stable about a world society in which two-thirds of the population, and all the children of that two-thirds, have no real chance at human living while those of us who are well off turn our heads away.

This is not the time, in today's kind of world, for me to be talking about equity in terms of the redistribution of the world's money, nor, surely, is this the place. Nor is this a matter that I possess qualifications for talking about, much less thinking about. But I do see the possibility, at least in technological terms, for doing something about the existing gross differences in the health of peoples in various parts of the earth. Moreover, I believe that this country, and the other countries like it in the so-called industrialized world, are under a moral obligation to do whatever they can to change these inequities, simply because we are members of a social species.

There are also, I suspect, obligations of a political nature, with substantial stakes of self interest in having a stable, predictable world. The disease problems in the undeveloped nations are, in part, the result of poverty and malnutrition, and these in turn are partly the result of overpopulation. But the problem turns itself around: the overpopulation is, in part, the result of the disease, poverty and malnutrition. To get at the situation and improve it, something has to be done about all of these, in some logical sequence. It is not one problem, it is a system of problems. To change it without making matters worse will not be easy. Making well thoughtout changes in living systems is a dangerous business. Fixing one part, on one side, is likely to produce new and worse pathological events miles away on the other. The most dangerous of all courses is to begin doing things without even recognizing the existence of a system, and in this case a system in which all people are working parts.

If we should decide to leave matters roughly as they are, and to let nature simply take its course, it is hard for me to see how the future events can be politically acceptable, never mind morally. If a majority of human beings are to continue dying off before having a chance of life, succumbing to diseases that are, at least in principle, preventable, and in many cases dying of starvation with or without the associated diseases, this cannot be kept a secret. Television will be there, and as the disasters and the unhinging of whole countries of dying people become spectactular, the scrutiny by television will become closer and more continual. To say that this will have an unsettling effect on the viewing audiences in affluent countries is to understate the likely reaction. Meanwhile, the efforts will intensify among the billions of afflicted people to get out of wherever they are and to cross borders into any place where they can sense food and a hope of survival. Those left behind will continue the tropical deforestation already in progress, extinguishing immense ecosystems upon which other species are dependent and causing global climatic changes beyond predicting, jeopardizing the very life of the planet.

What, on a necessarily limited scale, can we do? Specifically, what should we be planning for the improvement of the health of the masses of people who are now condemned by circumstance to lives that are, in the old phrase, nasty, brutish and short? Is it possible to do anything, without running the risk of still another expansion of the human population? If people everywhere could become as reasonably healthy as we are in the United States, with birth rates and death rates approximately the same as ours, would the world become intolerably over-populated? Considering the alternative – a massive population explosion already under way and beyond control, based in part on the reproductive drive among people now deprived of almost everything except reproduction itself – I am not at all sure. It seems to me worth a try, and I am unable to imagine any other course of action.

When we in the western world use the word ›health‹, we mean something considerably more than survival and the absence of incapacitating diseases. To be healthy, we count it necessary to be happy and rich as well. But for the present discussion, I prefer to keep to the old-fashioned meaning.

We are worlds apart. In our kind of society, today's enormously expensive health care system was put together in the decades following World War II primarily to cope with the medical concerns of people in their middle years and old age. The improvements in the general health of our populations, which began in the 19th century, had by this time reached such a high level that premature death had become less of a genuine day-to-day event and more of a nagging, and to some extent, a neurotic anxiety. Our attention is focussed on such diseases as cancer, heart disease and stroke, but we do not have to worry about dying early from the things that are killing most people every day in the Third World.

There is no question that our health has improved spectacularly in the past century, but there is a running argument over how this came to be. One thing seems certain: it did not happen because of medicine, or medical science, or the presence of doctors.

Much of the credit should go to the plumbers and engineers of the western world. The contamination of drinking water by human feces was at one time the single greatest cause of human disease and death for us, and it remains so, along with starvation and malaria, for the Third World. Typhoid fever, cholera and dysentery were the chief threats to survival in the early years of the 19th century in New York City, and when the plumbers and sanitary engineers had done their work in the construction of our cities these diseases began to vanish. Today, cholera is unheard of in this country, but it would surely reappear if we went back to the old-fashioned ways of finding water to drink.

But long before plumbing, something else had happened to change our health prospects, Somehow, during the 17th and 18th centuries, we became richer people, here and in Europe, and were able to change the way we lived. The first and most important change was an improvement in agriculture and then in human nutrition, especially in the quantity and quality of food available to young children. As our standard of living improved, we built better shelters, with less crowding and more protection from the cold.

Medicine was only marginally involved in all this. Late in the 19th century the role of microbial infection in human disease was discovered, epidemiology became a useful science, chlorination of our water supplies was introduced, and quarantine methods were devised to limit the spread of contagions. The doctors had some voice in these improvements, but they did not invent the technologies. Medical care itself – the visits by doctors in the homes of the sick and the transport of patients to hospitals – could have had no more than marginal effects on either the prevention or reversal of disease during all the 19th century and the first third of the 20th. Indeed, during most of the centuries before this one, doctors often made things worse whenever they did anything to treat disease. They bled seriously ill patients within an inch of their lives and sometimes beyond. They administered leeches to draw off blood, spread blistering ointments over all affected parts of the body, purged the bowels with toxic doses of mercury, all in aid of eliminating what they called congestion of diseased organs, a figment of Galen's first century A.D. imagination.

It was not until the early 20th century that anything approaching rational therapy emerged for human disease, and it was not until the middle of the century that we came into possession of powerful technologies for the treatment and prevention of infection on a large scale. Now that we have them, they are blessings indeed. We no longer need worry, as everyone did when I was a medical student, about tuberculosis. At that time, in the 1930's and 1940's, people in this country were frightened by tuberculosis as they are now fearful of cancer. When tuberculosis occurred in the very young and the very old, the diagnosis was a flat death sentence. We no longer live in fear of tertiary syphilis, which once filled more beds in the insane asylums than schizophrenia; I have not heard of a case of brain syphilis in a New York medical center in the last 15 years. We probably got rid of tertiary syphilis, by the way, not by the skill of public health departments but because of the overuse of penicillin by practicing physicians; it was a sort of accident; by creating a virtual aerosol of penicillin across the land for treating upper respiratory infections, in which penicillin has no real effect, we probably wiped out most of the latent spirochaetes in the tissues of infected people. We still have acute, primary syphilis, of course, but the elimination of tertiary disease was an absolute triumph for the country's health.

In the same way, partly by accident and the overuse of antibiotics, acute rheumatic fever has become a rare disease in Europe and America, and rheumatic valvular disease, which was once the dominant form of heart disease in our society, has almost disappeared.

Pneumonia is no longer the death threat for young and middle-aged people that it was 50 years ago.

I believe that what is needed for the health of Third World societies is the same base of general hygiene that was put in place in America and Europe before the introduction of modern medicine. Unless this is done first, the adding on of our highly expensive and sophisticated technologies simply cannot work.

The people who are dying prematurely in Central and South America, and in most of Africa, and large parts of Asia, have a different set of problems. They must raise their families in the near-certainty that half or more than half of their children will die in infancy and early childhood, and accordingly they produce as many as they can as early as they can. The losses are mostly due to diarrheal diseases, caused by contaminated water supplies and by faulty hygiene. The vulnerability of young children to lethal infections is enhanced by inadequate food, and to some extent as well by inadequate information about the selection of food for young children.

Aside from the infant and child mortality from infection and malnutrition, the major health problem for people living in tropical and subtropical regions is parasitic disease.

Here is a set of health problems for which this country can really make itself useful, and may indeed be in the process of doing so. We can perhaps do a certain amount in helping to provide today's methods for the prevention and treatment of parasitic disease, but I am obliged to say quickly that these technologies are only marginally effective at their best, and they involve formidable logistical problems in getting them into the regions where they are needed. There are even more difficult obstacles – bureaucratic, cultural and financial – in seeing to it that sick people actually receive them. We should be trying harder, even so, to do what we can to help.

We should not be trying to transport our high cost, middle class, middle age and geriatric health care systems to our poor neighbors to the south, nor to their poor neighbors in Africa and Asia. They cannot cope with the high and still escalating costs of our kinds of high technology, nor is it what they really need at this stage. Our system, at its present stage, is designed to assure our citizens a chance at old age. What they hope for is a better chance at life itself. If we want to be useful, as we should, we ought to find ways to transfer another kind of governmental instrument which was, in our own laboratory, essential for our protection against contagion, malnutrition and ignorance about health. This was the local Health Department as we had it during the late 19th through the first half of the 20th century. By this time, our own local Health Departments have shrunk to vestigial organs, run out of things to do, and may be at the edge of extinction. But organizations like these, when they were working at top speed and had more missions than they could possibly cope with, are precise models for what an underdeveloped country needs. Not the typical, highly centralized bureaucratic ministry in the capital city, not even the partly decentralized but still too-large organizations resembling our State Health Departments. What I am talking about is the small, old-fashioned Board of Health, as local and autonomous as possible, overseeing at first hand the health affairs of a county, a town or a string of villages. These are instruments that have really worked in our own past.

Hospitals are needed, of course, but not on anything like the scale in my country or Europe. A modest-sized network of small regional hospitals, designed after the fashion of Scotland's cottage hospitals, would be valuable if staffed by a limited complement of physicians and surgeons. Some of these professionals already exist in the countries concerned, and more could be trained in this country if we would turn our minds to it. The present difficulty is that they lack hospital opportunities and adequate incomes in their own countries, and tend to emigrate whenever the opportunity presents. An investment in hospital construction and maintenance is obviously necessary, but only on a small scale compared with what we do in this country.

These are what are needed: sanitation, decontaminated (or better still, uncontaminated) water supplies, antibiotics and vaccines and a distribution system assuring access to these things throughout the population, a chance at access to whatever new agents turn up for treating parasitic infections, plus a network of small hospitals with professional competence in primary medical care, plus a corps of visiting nurses, all of it run by Nurse Practitioners and Physician's Assistants trained at the outset in this country and its affluent neighbors – to be later replaced or succeeded by similarly trained nurses from within the developing nations. These are the basic requirements for raising the standards of public health.

But our real contribution, for which we already possess the facilities and talent needed, will be in research. All of the diseases in question represent problems which are essentially unsolved, beyond knowing the taxonomic names of the parasites involved. Our methods for dealing with parasites are really quite primitive when compared with the technologies we have for treating and preventing bacterial and virus infections. Many of the chemicals commonly employed are nearly as toxic for the host as for the parasite, and the few effective ones – such as the current antimalarial drugs – are agents which the parasites quickly learn to resist. There is an enormous amount of pharmacologic and immunologic work still to be done.

The sheer numbers involved in the burden of parasitic disease seem overwhelming. Amebiasis affects 10 per cent of the world's population, most of it in the South. The

629

population at risk from malaria exceeds 1.2 billion, with an estimated 175 million people actively infected today. African trypanosomas (the curse of sleeping sickness) and American trypanosomiasis hold 70 million people at risk, and infect about 20 million right now. Schistosomiasis, world-wide, afflicts no less than 200 million people, filariasis and Leishmaniasis 250 million, hookworm 450 million, onchocerciasis, a common cause of blindness in the tropics, 20 million.

One thing that should catch the eye immediately in this list of numbers is that these are not mortality figures, but morbidity statistics. The actual deaths that are caused each year by these diseases represent a very much smaller number, probably no more than 1 million deaths a year for malaria in all of Africa, for example. The disease burden is not so much a *dying* problem for the poor of the world, it is the problem of living on for a somewhat shortened life span with chronic, debilitating, often incapacitating disease. Trachoma does not kill patients, but blinds more than 20 million. There are about 15 million people with leprosy, one of the most chronic of all diseases. Malaria and schistosomiasis, which between them affect a billion and a half of the world's population, are vastly more important because of the human energy that is drained away each year than for the lives lost.

This provides an answer, of sorts, to the question I raised earlier: will solving the disease problem in the developing nations simply increase their populations to intolerable levels and make matters worse? It is probably not so. What might be accomplished would be the prospect of reducing the incidence of chronic invalidism, and vastly increasing the energy and productivity of billions of people.

Rough calculations can be made of the human energy costs entailed in certain diseases. A single day of malarial fever consumes more than 5000 calories, for example. It has been estimated that this one disease represents a loss of about 20 percent of the total energy yield from grain production in the societies affected.

For many years, parasitic diseases have been thought of as problems unapproachable by real science, only to be dealt with by empirical and often exotic therapies. This view is changing rapidly. The cell biologists have recently learned how to cultivate malarial parasites, the immunologists are fascinated by their surface antigens, and the molecular biologists are now about to clone the genes responsible for the surface markers by which the parasites protect themselves against the infected human host. This means that a vaccine against malaria can now be thought of as an entirely feasible prospect for the near future. The trypanosomes are becoming objects of fascination in contemporary genetics research because of their remarkable capacity to change their surface antigens whenever the host begins to mobilize an immune response, and the genes responsible for these evasions are already being studied at first hand. If a vaccine to prevent trypanosome infection in humans and farm animals can be devised, thus eliminating African sleeping sickness, this step alone would open up for agriculture a fertile African area the size of the United States which is now uninhabitable. My guess is that parasitology will soon become one of the most active fields in advanced biomedical science, and we should soon be finding ourselves in possession of an array of brand-new technologies for both immunization and treatment.

Basic research on tropical infection and parasitism will be of enormous benefit for the health, welfare, survival and economic productivity of the impoverished countries, but there is another area of science which can be of equal importance in the long term. We are just entering a new scientific frontier in agriculture, thanks to the recent advances in molecular genetics and the recombinant DNA technique. There is now a real possibility that genetic manipulation can be used to transform the stress tolerance and disease resistance of current crops and grasslands. It has been predicted by Frank Press, President of the NAS, that »some 40 percent of the world's uncultivated but potentially productive land can be brought into production«, if fundamental problems in plant genetics can be solved.

Here is also an opportunity for the Third World nations to begin developing their own science base in biological science and biotechnology. This matter has been the subject of a wrangling debate within the United Nations Industrial Development Organization (UNIDO). At a meeting in Madrid in early September, 1983, ministerial delegates from 25 countries formalized an agreement creating, on paper, an international center for research and training in biotechnology, but they were unable to agree on a site for the center. India, Pakistan, Thailand, Tunisia, Bulgaria, Italy, Spain and Belgium each proposed themselves as host contries. The discussion broke down in an argument over the question of the attractiveness of the center's location to world class scientists. There was the predictable polarization: the representatives of the Third World countries insisted that the center should be based somewhere in their region, while the American, British, French, West Germans and Japanese spokesmen were uniformly negative. The name of the center was agreed upon, but little else: it will be called the International Center for Genetic Engineering and Biotechnology.

I should think that the dispute could be made less political and more scientific if the objectives of the proposed center were narrowed down and focussed sharply on one high priority area of research. There is little need in the Third World, at the moment anyway, for a major biotechnology research installation doing R and D on genetic engineering across the board. The manufacture for profit of products like growth hormone, interferon, insulin or industrial enzymes is unlikely to be of much use to the economies of such societies. On the other hand, the application of genetic manipulation to agricultural research would be directly relevant. Moreover, the logical place to do this work would be in the regions of the planet where, for a variety of reasons agriculture is technically infeasible or inadequate. The potential crops and feed animals to be improved exist in India and Africa, not in Belgium. Indeed, rather than having just one center in a single impoverished country, it would be more useful to set up a network of collaborating agricultural research centers in various countries of the Third World. The problems in agricultural research have become of engrossing intellectual interest to many scientists throughout the industrialized world, and I have no doubt as to the feasibility of recruiting investigators to centers where the regional problems are both novel and urgent. Indeed, there is already an informal establishment of excellent Third World scientists trained in Europe and the United States who have expressed enthusiasm for the installation of biotechnology centers in their home countries, and who are confident that these institutions can, in time, become centers of excellence. It is a very different thing from the past (and failed) attempts to introduce heavy industrialization in hopes of transforming a poor country's economy. The scientific improvement of agriculture, and as a result, the transformation of a society's nutrition, has a greater potential for the improvement of human health than any other aspect of modern technology.

In conclusion, the objection usually cited against proposals of this sort, privately if not publicly, is that the survival assured to more children and the longer life span assured to more adults could abruptly increase the population beyond the resources of any conceivable food supply. I do not believe this. My guess is that populations given some confidence that living itself is possible, and that live children are possible, would be stabilized as never before in their histories. With luck, birth control could be accepted as a necessity for living, (as it is now in China), and the present disastrous upswing in population might begin to level off. Without such a change in basic health standards, the curves will surely keep ascending, straight up until the final crash. It is worth the risk, I believe, and more than worth the relatively modest investment of money and talent from our side.

But my final argument, in my last ditch, is the simplest, most primitive and perhaps least persuasive of all in terms of foreign policy. We *owe* it. We have an obligation to assure something more like fairness and equity in human health. We do not have a choice, unless we plan to give up being human. The idea that all men and women are brothers and sisters is not a transient cultural notion, not a slogan made up to make us feel warm and comfortable inside. It is a biological imperative.

Wolfram Fischer

# Was heißt und zu welchem Ende studiert man Wirtschafts- und Sozialgeschichte?

## Die Universalgeschichte der Aufklärungszeit

»Fruchtbar und weit umfassend ist das Gebiet der Geschichte; in ihrem Kreise liegt die ganze moralische Welt. Durch alle Zustände, die der Mensch erlebte, durch alle abwechselnde Gestalten der Meinung, durch seine Torheit und seine Weisheit, seine Verschlimmerung und seine Veredlung, begleitet sie ihn; von allem, was er sich *nahm* und *gab*, muß sie Rechenschaft ablegen. Es ist keiner unter Ihnen allen, dem Geschichte nicht etwas Wichtiges zu sagen hätte; alle noch so verschiedenen Bahnen Ihrer künftigen Bestimmung verknüpfen sich irgendwo mit derselben; aber *eine* Bestimmung teilen Sie auf gleiche Weise miteinander, diejenige, welche Sie auf die Welt mitbrachten – sich als Menschen auszubilden – und zu dem Menschen eben redet die Geschichte.«

Mit diesen Worten führte Friedrich Schiller sich 1789 in seiner akademischen Antrittsrede als Professor der Geschichte an der Universität Jena ein und umriß für seine Studenten den Zweck des Studiums der Universalgeschichte.[1]

Auch heute noch können diese Sätze die Frage nach dem Sinn des Studiums der Geschichte beantworten. Aber gelten sie auch für einen Zweig dieser Wissenschaft, der sich schon durch seinen Namen offensichtlich nicht als Universal-, sondern als Spezialgeschichte ausweist? Und gehört dieser Zweig überhaupt zum Baum der Geschichtswissenschaft oder nicht viel eher zu dem der Wirtschafts- und Sozialwissenschaften? Bei der Beantwortung zumindest der letzten Frage hilft uns Schiller einen Schritt weiter. In aufklärerischer Weise sieht er die Geschichte der Menschheit auf die Gegenwart zulaufen, und aus der ganzen Summe der (überlieferten) Begebenheiten läßt er den Universalhistoriker diejenigen heraushaben, »welche auf die *heutige* Gestalt der Welt und den Zustand der jetzt lebenden Generation einen wesentlichen, unwidersprechlichen und leicht zu verfolgenden Einfluß gehabt haben. Das Verhältnis eines historischen Datums zu der *heutigen* Weltverfassung ist es also, worauf gesehen werden muß, um Materialien für die Weltgeschichte zu sammeln.«[2] Dem werden im 19. Jahrhundert die Klassiker der Geschichtswissenschaft entschieden widersprechen. Nicht auf die Gegenwart soll die Geschichte ausgerichtet sein, wird Leopold Ranke lehren, denn jede Epoche sei unmittelbar zu Gott, und es komme darauf an, sich in ihre jeweiligen Eigentümlichkeiten zu versenken, sein eigenes Selbst und damit die Bindung an eine bestimmte Gegenwart, eine bestimmte Nation, Klasse, Religion so gut wie möglich auszuschalten. Am Ende des Jahrhunderts wird dann Max Weber die Forderung aufstellen, daß auch der Sozialwissenschaftler von seiner eigenen Meinung und seinen Interessen abzusehen und zu einer distanzierten Haltung gegenüber seinem Untersuchungsgegenstand zu kommen habe.[3]

Wir wissen heute, daß dies in völliger Reinheit nie zu erreichen ist, und fühlen uns als Sozialwissenschaftler in guter Gesellschaft, da auch die Naturwissenschaften vor dem ähnlichen Problem stehen, daß jede Untersuchungsanordnung den Gegenstand der Untersuchung ändert, wie Heisenberg nachgewiesen hat. Manche bezweifeln sogar, ob Objektivität und Losgelöstheit von den eigenen Voraussetzungen und Interessen überhaupt anzustreben sei. Wenn man nur ausdrücklich sage, von welchem Standpunkt aus man spreche, welche Perspektive man wähle, welche Hypothesen man setze und welche Methoden man verwende, so sei man frei, beliebig zu verfahren.[4] Von da ist es nur ein Schritt zum umgekehrten Extrem, dem Postulat nicht nur der Konkurrenz unterschiedlicher Methoden, sondern der wissenschaftstheoretischen Anarchie.[5]

Friedrich Schiller war, ähnlich wie vor ihm schon Voltaire, von solchen Überlegungen noch völlig frei. Er sah nicht nur die Weltgeschichte selbstverständllich auf die Gegenwart zulaufen, sondern erkannte in ihr verschiedene Zivilisationsstufen, die leicht als ›niedriger‹ oder ›höher‹ zu bewerten seien. Und nicht zufällig, wie ich meine, wählte er, als er die Beschreibung des Gegenstandes der Universalgeschichte begann, ein Beispiel, das in den Bereich der Wirtschafts- und Sozialgeschichte fällt. Er beschreibt den Fortgang der materiellen Zivilisation, die Art und Weise, in der die Menschen sich am Leben erhalten, ernähren, kleiden und behausen: »Die Entdeckungen, welche unsere europäischen Seefahrer in fernen Meeren und auf entlegenen Küsten gemacht haben, geben uns ein ebenso lehrreiches wie unterhaltendes Schauspiel. Sie zeigen uns Völkerschaften, die auf mannigfachsten Stufen der Bildung um uns herum gelagert sind, wie Kinder verschiedenen Alters um einen Erwachsenen herumstehen und durch ihr Beispiel ihm in Erinnerung bringen, was er selbst vormals gewesen und wovon er ausgegangen ist ... Eine weise Hand scheint uns diese rohen Völkerstämme bis auf den Zeitpunkt aufgespart zu haben, wo wir in unserer eigenen Kultur weit genug würden fortgeschritten sein, um von dieser Entdeckung eine nützliche Anwendung auf uns selbst zu machen und den verlorenen Anfang unseres Geschlechts aus diesem Spiegel wieder herzustellen. Wie beschämend und traurig aber ist das Bild, das uns diese Völker von unserer Kindheit geben und doch ist es nicht einmal die erste Stufe mehr, auf der wir sie erblicken. Der Mensch fing noch verächtlicher an ... Was erzählen uns die Reisebeschreibungen nun von diesen Wilden? Manche fanden sie ohne Bekanntschaft mit den unentbehrlichsten Künsten, ohne das Eisen, ohne den Pflug, einige sogar ohne den Besitz des Feuers. Manche rangen noch mit wilden Tieren um Speise und Wohnung, bei vielen hatte sich die Sprache noch kaum von tierischen Tönen zu verständlichen Zeichen erhoben. Hier war nicht einmal das so einfache Band der Ehe, dort noch keine Kenntnis des *Eigentums* ... Krieg hingegen war bei allen ...«

»So waren wir«, beendet Schiller die farbige Beschreibung der Sitten der Wilden. »Was sind wir jetzt?« fragt er. Und wieder beginnt er die Schilderung der Zivilisation des 18. Jahrhunderts mit dem, was wir heute die »materielle Kultur« nennen würden, dem Gegenstand von Volkskunde und Wirtschafts- und Sozialgeschichte. Voller Enthusiasmus beschreibt er die »gegenwärtige Gestalt der Welt«: »Der menschliche Fleiß hat sie angebaut und den widerstrebenden Boden durch sein Beharren und seine Geschicklichkeit überwunden. Dort hat er dem Meere Land abgewonnen, hier dem dürren Lande Ströme gegeben. Zonen und Jahreszeiten hat der Mensch durcheinander gemengt und die weichlichen Gewächse des Orients zu seinem rauheren Himmel abgehärtet. Wie er Europa nach Westindien und dem Südmeere trug, hat er Asien in Europa auferstehen lassen.«[6]

Universalgeschichte, wie sie die Aufklärer des 18. Jahrhunderts verstanden, war also Geschichte der menschlichen Zivilisation, baute auf den wirtschaftlichen und gesellschaftlichen Zuständen die »höheren Stufen« der Kultur auf. Auch Voltaire, so sehr er meinte, man müsse die Geschichte als Philosoph schreiben und den »Geist der Zeiten« betrachten, der die Weltgeschichte lenke, schloß die menschliche Gesellschaft, die Familie, die Künste in seine Geschichtsauffassung ein, und nüchtern beschrieb er in seinem Beitrag »Histoire« für das Dictionaire Philosophique die Aufgaben der Geschichtswissenschaft: »Man verlangt von den modernen Historikern mehr Einzelheiten, besser geschilderte Tatsachen, genauere Daten, Angabe der Gewährsmänner, genauere Beachtung der Gesetze, der Sitten, des Handels, der Finanzen, der Landwirtschaft, der Bevölkerung. Es ist daher in der Geschichte wie in der Mathematik und der Physik: die Aufgaben sind gewaltig gewachsen.«[7]

## Die Verengung der Geschichte auf das Politische im 19. Jahrhundert

Erst im 19. Jahrhundert, vor allem unter Rankes Schülern, wurde daraus die Geschichte der Staatenwelt, besonders der romanisch-germanischen Völker, auf die sich die europäische Geschichtswissenschaft zunehmend konzentrierte. Wirtschaft und Gesellschaft, die materielle Kultur und die sozialen Beziehungen gingen entweder verloren oder wurden als selbstverständlich vorausgesetzt oder als Gegenstand anderer Fachwissenschaften bzw. als Spezialgebiete innerhalb einer Geschichtswissenschaft, die sich zentral mit den Großen Mächten, Männern und Ideen befaßt, ausgegliedert. Nicht alle Historiker sind diesen Weg mitgegangen. Johann Gustav Droysen (1808–1884), dessen Historik lange als das grundlegende Werk der Geschichtsmethodologie im deutschen Spachraum galt, hat, obwohl auch Historiker der preußischen Machtgeschichte, die »sozialen und geistigen Bezüge« als »ebenso wesentlich« bezeichnet wie die politischen.[8]

Auch der zweite große Geschichtsmethodologe in Deutschland am Ende des 19. Jahrhunderts, Ernst Bernheim (1850–1942), gliederte die Wirtschaftsgeschichte nicht aus der allgemeinen Geschichte aus. 1883 schrieb er an Karl Lamprecht (1856–1915), den großen Außenseiter unter den Historikern, der in Leipzig eine psychologisch fundierte Kulturgeschichtslehre zu entwickeln im Begriffe war, daß »die Wirtschaftsgeschichte in Berlin schon geradezu unter den Jüngeren Mode zu werden beginnt.« Und er fügte hinzu: »Um so besser!«[9] Das war wohl weniger auf Rankes Nachfolger auf dem Berliner Lehrstuhl, den heute vergessenen Karl Wilhelm Nitzsch (1818–1880), zurückzuführen, der sich auch wirtschaftsgeschichtlichen Themen widmete (aber 1883 schon tot war), als auf den großen Einfluß der Historischen Schule der Nationalökonomie, deren Haupt, Gustav Schmoller, zur gleichen Zeit in Berlin lehrte. Damit ist ein anderer, im ganzen wohl wichtigerer Ursprung der Wirschaftsgeschichte angesprochen, die Nationalökonomie oder besser die ältere Staatswissenschaft, in der später geschiedene Wissenschaften wie Staatsrecht, Verwaltungslehre, Ökonomie, Soziologie, Demographie, Statistik und Geographie noch zusammengebunden waren. Ihre Aufspaltung in verschiedene Fachgebiete hat dann im 19. Jahrhundert zahlreiche Methodenstreitigkeiten ausgelöst, da jede der Nachfolgewissenschaften sich als eine eigenständige zu legitimieren trachtete, und innerhalb der sich ausfächernden Staatswissenschaften sind eher systematische Forscher, die nach allgemeinen Regeln suchten, und Empiriker, die in der Erfassung und Beschreibung der »Wirklichkeit« den Hauptzweck der Wissenschaft sahen, zu unterscheiden.

Es ist hier nicht der Ort, diesen besonders – aber nicht nur – im deutschen Kulturraum ausgefochtenen Streitigkeiten nachzugehen, obwohl einige von ihnen bis heute nachwirken, ja immer wieder neu aufflammen. Die Geschichte von Wirtschaft und Gesellschaft ist in diesen Auseinandersetzungen bald von dieser, bald von jener Seite in Anspruch genommen worden, hat sich dabei jedoch in konkreten Forschungen relativ unbehelligt, aber auch wenig bemerkt entwickelt. Immerhin, zumindest eines der klassischen Werke der frühesten ›wissenschaftlichen‹, d. h. auf strengen philologischen Grundlagen beruhenden, Geschichtsforschung, ist einem wirtschaftlichen Gegenstand gewidmet: August Boeckhs (1785–1865) »Der Staatshaushalt der Athener« aus dem Jahre 1817. Seit der Mitte des 19. Jahrhunderts sind dann zahlreiche lokal- und regionalgeschichtliche Werke entstanden, in denen die Forscher der Geschichte der Bevölkerung, ihrer Erwerbstätigkeit und sozialen Organisation nachgingen. Die Auseinandersetzungen entstanden nicht über sie, sondern wenn Historiker die ›Totalität‹ der Geschichte in den Griff zu bekommen trachteten, wenn Philosophen wie Hegel und Marx die der Weltgeschichte letzten Endes zugrunde liegenden Triebkräfte aufgedeckt zu haben glaubten oder wenn Nationalökonomen proklamierten, daß es allgemeine Stufen oder Stadien der Entwicklung gebe, die alle Gesellschaften durchlaufen, oder wenn sie darum stritten, ob die Anhäufung historischer Kenntnisse der Theoriebildung vorangehen müsse oder ihr nachgeordnet sei. Die Bedeutung von Theorie ist bis heute ein beliebter Streitpunkt zwischen Historikern und Sozialwissenschaftlern, obwohl doch, so sollte man meinen, für jeden einsichtig sein müßte, was Kant schon 1787 postulierte: »Gedanken ohne Inhalt sind leer, Anschauungen ohne Begriffe sind blind.«[10] Beide sind also aufeinander angewiesen, wenn sinnvolle Erkenntnis entstehen soll.

## Wirtschafts- und Sozialgeschichte als Zweig der Geschichtswissenschaft

So überflüssig also im Grunde dieser Streit ist, so müßig ist die noch immer aufflackernde Diskussion, ob die Wirtschafts- und Sozialgeschichte eher zur Geschichte oder eher zu den Wirtschafts- und Sozialwissenschaften gehört. Sie muß notwendig beiden zugewandt sein und hat ihre Stärke gerade darin, daß sie Fragestellungen, Arbeitsmethode und Erkenntnisziele beider miteinander zu vereinbaren vermag. Unstrittig sollte eigentlich sein, daß man sie als einen von vielen Zweigen der Geschichtswissenschaft betreiben kann. So wie es eine Geschichte der Literatur, der Kunst, des Rechts und der Politik gibt, muß es auch eine Geschichte von Wirtschaft und Gesellschaft geben können. Gerade dies ist freilich unter Historikern lebhaft umstritten, und zwar aus zwei unterschiedlichen, aber miteinander zusammenhängenden Gründen. Der eine Grund liegt darin, daß Historiker noch immer und auch aus guten Gründen dazu neigen, in der Geschichte einen Gesamtprozeß zu sehen. Sie möchten die Geschichte des Menschen als Einheit begreifen. Alle seine Lebensäußerungen sollen einbezogen werden. Auch die Naturwissenschaften wollen wissen, »was die Welt im Innersten zusammenhält.« Aber sie haben sich seit langem damit abgefunden, daß dazu immer stärkere Arbeitsteilung nötig ist, bei der es freilich von Zeit zu Zeit mit Hilfe von Querverbindungen zu neuen Durchbrüchen kommen kann. Historikern ist es seit jeher schwer gefallen, die Notwendigkeit der Arbeitsteilung anzuerkennen. Sie haben daher immer wieder zu bestimmen versucht, wo das Schwergewicht der Geschichte zu liegen habe, was die ›eigentliche‹ Geschichte ausmache. Sind es die großen Religionen, sind es die Kulturen, sind es die Staaten oder Nationen, oder ist es die tägliche Mühsal des Broterwerbs, also die Wirtschaft, oder das Zusammenwirken der Menschen in sozialen Organisationen verschiedenster Art (von denen der Staat eine, vielleicht die wichtigste ist)? Je nachdem, wo man den ›eigentlichen‹ Träger der Geschichte der Menschheit sucht, setzt man seine Schwerpunkte, und die anderen Tätigkeiten des Menschen haben sich unterzuordnen. Auf diese Weise kann man endlos streiten, ob Geschichte ›in erster Linie‹ oder ›eigentlich‹ Religions-, Kultur-, Staaten-, Sozial- oder Wirtschaftsgeschichte sei. Dieser Streit führt letztlich nicht zu einer Lösung, ist also müßig.

Ernster ist der Einwand zu nehmen, daß ›Wirtschaft‹ und ›Gesellschaft‹ Abstraktionen seien, die erst im 19. Jahrhundert die jahrtausendealte Zusammengehörigkeit in der ›societas civilis‹ aufhoben, daß diese Trennung also zur Erfassung älterer historischer Strukturen ungeeignet sei. Dies ist besonders für den Begriff der Gesellschaft, weniger für den der Wirtschaft behauptet worden, der sich eher absondern ließe,[11] und die Frage, ob das gleiche nicht auch für das Recht, für die Kultur in allen ihren Ausprägungen und für die Religion gelte, wurde selten gestellt, wohl weil man sich damit abgefunden hatte, daß diese Zweige menschlicher Betätigung nicht alle gleichzeitig von demselben Forscher adäquat erforscht werden können.

Jacob Burckhardt (1818–1897) hatte noch in der Untersuchung der gegenseitigen Bedingtheit von Religion, Kultur und Staat das ›eigentliche‹ Aufgabengebiet der Geschichte gesehen, und unter Kultur begriff er, einer alten Tradition folgend, auch die materielle Kultur. Zustimmend zitierte er den englischen Rationalisten Francis Bacon (1561–1626) und den Münchener Geschichtsphilosophen Ernst von Lasaulx (1805–1861), denen zufolge die menschliche Kultur mit dem Bergbau und der Metallverarbeitung begonnen habe und über Viehzucht, Ackerbau, Schiffahrt, Handel und Gewerbe fortgeschritten sei, die »bürgerlichen Wohlstand« brachten; »dann erst wären aus dem Handwerk die Künste und aus diesen zuletzt die Wissenschaften entstanden.« Dies, so meint er, sei nur eine scheinbare Vermengung von Dingen, die ihren Ursprung in materiellen und anderen, die ihn im geistigen Bedürfnis des Menschen hätten. »Allein der Zusammenhang ist in der Tat ein sehr enger und die Dinge nicht zu sondern.«[12]

Wenn schon Geschichte eine Totalität ist, nämlich, um nochmals Burckhardt zu zitieren, die des »duldenden, handelnden und strebenden Menschen«, dann dürfen aus der Geschichte auch Kultur und Religion nicht ausgesondert werden. Denn »im Menschen ist überhaupt nie bloß eine Seite ausschließlich, sondern immer das Ganze tätig« ... und »ohnehin sind diese Dinge nicht nach der unendlichen Arbeitsteilung und Spezialisierung unserer Zeit zu beurteilen, sondern nach dem Bilde von Zeiten, da noch alles näher beisammen war.«[13]

Für die Ur- und Frühgeschichte des Menschen ist dieses Postulat am ehesten zu verwirklichen, und zwar nicht nur, weil »da noch alles näher beisammen war«, sondern auch weil die wenigen Überreste, die erhalten geblieben sind, ohnehin den ganzen Bereich der menschlichen Kultur im ursprünglichen Sinne des Wortes abdecken. Wenn im Nahen Osten, in China oder in den Anden Tontafeln, Kaisergräber oder Siedlungen aufgefunden und ausgegraben werden, so finden wir darin Hinweise auf Siedlungsweise und Ackerbau, auf Totenkult und religiöse Anschauungen. Wir sehen die Kunsterzeugnisse dieser Kulturen vor uns, vor allem in den Resten von Gebäuden oder Gefäßen oder im Schmuck; wir können daraus manchmal die soziale Organisation und die Stellung des Herrschers erschließen. Sobald wir uns jedoch den klassischen Hochkulturen schon des alten Chinas, Mesopotamiens, Persiens, Indiens, Ägyptens, Griechenlands oder Roms nähern, weiten sich die Zeugnisse aus, kommen umfangreichere schriftliche Aufzeichnungen hinzu, werden interkulturelle Zusammenhänge deutlich. Damit wird aber auch die Arbeitsteilung der Wissenschaft eine praktische Notwendigkeit. Für die Geschichte Europas seit dem Mittelalter und erst recht für die Geschichte der modernen Welt, wo immer man ihren Beginn ansetzt, ist die Fülle des Überlieferten, also des zu Untersuchenden so riesig, werden so viele Spezialkenntnisse erforderlich, daß die historischen Disziplinen sich vervielfachen müssen. Daß dabei ›Wirtschaft‹ und ›Gesellschaft‹ als zwei getrennt, wenn auch vielfach zusammenhängende Problembereiche ausgesondert werden, ist völlig legitim. In welcher Weise sie mit anderen Problembereichen, etwa der Geschichte von Naturwissenschaft und Technik oder der Geschichte des philosophischen Denkens oder der Staatenbildung in Zusammenhang gebracht werden, hängt von der Fragestellung und dem Erkenntnisziel des Forschers ab. Darüber dogmatische Vorschriften erlassen zu wollen, wäre ganz verkehrt.

Wer sich für die Geschichte der Ausbreitung der Europäer über die Welt interessiert, wird so verschiedene Felder wie die Schiffahrts- und Navigationstechnik, die Handelsverbindungen zwischen Europa und dem Osten, die geographischen Kenntnisse der Zeit, die Missionsvorstellungen des Christentums und des Islam, aber auch die innereuropäischen Machtverhältnisse beackern müssen. Wer die Bevölkerungsgeschichte Europas untersucht, wird so unterschiedliche Problemstellungen wie die Produktivität der Landwirtschaft, die Ausbreitung von Seuchen, die Heiratsgewohnheiten, Geburtenhäufigkeit innerhalb und außerhalb der Ehe und in verschiedenen sozialen Schichten, Landschaften und unter verschiedenen Religionsangehörigen, aber auch die Möglichkeiten der Wanderungen, der Berufsausbildung und der Bevölkerungspolitik ins Auge fassen müssen. Und wer sich für die Entstehung des Wohlfahrtsstaates interessiert, der muß die wirtschaftsstrukturellen Veränderungen durch die Industrialisierung, die Entstehung der Arbeiterbewegung und der politischen Parteien, das Denken der Sozialphilosophen des 19. Jahrhunderts, die Entwicklung des Versicherungswesens und des Arbeitsrechts ebenso im Blick behalten wie die militärischen und politischen Erfordernisse, denen sich die Staatsmänner gegenübergestellt sahen.

Wenn auch die Totalität der Geschichte bei keiner dieser Fragestellungen erreicht werden kann, so zeigen doch alle, daß im Bereich der Geschichtswissenschaft unterschiedliche Stränge miteinander zu verknüpfen sind, daß Wirtschafts- und Sozialgeschichte hier selten ›rein‹, d. h. ohne Berücksichtigung anderer Bereiche wie der Politik, des Wandels des Denkens und der Mentalität zu verwirklichen ist.

## Wirtschafts- und Sozialgeschichte als Teilgebiet der Wirtschafts- und Sozialwissenschaften

Wie steht es nun aber mit der Wirtschafts- und Sozialgeschichte als Teilgebiet der Wirtschafts- und Sozialwissenschaften? Diese untersuchen bestimmte Aspekte des Zusammenlebens der Menschen in einer systematisch, d. h. logisch konsistenten Weise, ähnlich wie die Chemie oder Physik bestimmte Aspekte der Natur systematisch zu begreifen suchen. Sie bilden daher Hypothesen über mögliche Zusammenhänge und bemühen sich, sie empirisch zu beweisen oder zu widerlegen. Sie definieren zunächst den Forschungsgegenstand, suchen adäquate Begriffe und Modelle zu bilden und Methoden zu entwickeln, mit deren Hilfe man diesen Gegenstand beobachten und analysieren, d. h. in kleine Bestandteile zerlegen kann. Ihr Erkenntnisziel ist meist (wenn auch nicht immer), Regelmäßigkeiten, die man früher Gesetze nannte, herauszufinden, mit deren Hilfe man auch Aussagen über nicht beobachtete Vorgänge (›Voraussagen‹) machen kann. Dabei gehen sie meist (wenn auch nicht immer) von dem, was sie in ihrer jeweiligen Gegenwart und in ihrer jeweiligen Kultur vorfinden, aus. Wissenschaftstheoretiker haben oft gemeint, daß sie dies grundsätzlich von den Naturwissenschaften unterscheide, da diese zeitlos gültige Regeln, die Sozialwissenschaftler hingegen nur Regeln finden könnten, die auf einen bestimmten Kulturbereich in einer bestimmten Zeit zutreffen. Wir wissen heute, daß dieser Unterschied so absolut nicht gegeben ist. In der Tat machen Sozialwissenschaftler oft Annahmen über ein generelles Verhalten der Menschen, die von Historikern leicht mit Gegenbeispielen anderer Verhaltensweisen zu widerlegen sind. Das weist darauf hin, daß die Sozialwissenschaften sich mit einem Gegenstand befassen, der eine historische Dimension hat. Ihr Gegenstand verändert sich in der Zeit offenbar schneller, als die Natur dies tut. Viele Sozialwissenschaftler kümmern sich jedoch darum nicht, sondern tun so, als wäre ihr Gegenstand in der Tat zeitlos. Hier kann der Wirtschafts- oder Sozialhistoriker einsetzen, insofern er selbst zum Fortschritt der systematischen Sozialwissenschaften beitragen will. Daß dies ein sehr schwieriges Geschäft ist, hat das Schicksal der historischen Schule der Nationalökonomie gezeigt. Indem nämlich die Annahmen der Sozialwissenschaften ›historisiert‹ werden, werden sie komplexer und sind schwerer zu ›operationalisieren‹, d. h. für konkrete Forschungspraktiken zu verwenden. Max Weber (1864–1920) hatte dieses Problem durch die Bildung von Idealtypen zu lösen versucht. Weber meinte, man müsse sozialwissenschaftliche Begriffe so bilden, daß man zwar von der Wirklichkeit, also von Alltagsbegriffen ausgehe, diese jedoch so sublimiere, d. h. ihres konkreten Gehaltes entleere, daß sie zum Vergleich unterschiedlicher Phänomene sozusagen als Meß- und Prüfgerät dienen könnten. Praktisch alle aus der politisch-sozialen Umgangssprache Europas genommenen Begriffe – Staat, Stadt, Unternehmung, Familie, aber auch Feudalismus, Merkantilismus – können so definiert werden, daß man mit ihrer Hilfe auch andersgeartete Gemeinwesen und Wirtschaftseinheiten oder gesellschaftliche Formationen erfassen kann, indem man die Unterschiede, die sich bei der historischen Erforschung Chinas oder Mesopotamiens oder Schwarzafrikas ergeben, mit Hilfe dieser Idealtypen aufzeigen kann.[14]

Dies ist sicher ein erheblicher Fortschritt gegenüber der naiven Verwendung von Begriffen, die aus unserem Kulturbereich und aus der Alltagssprache, oft auch aus der politischen und sozialen Polemik des 19. und 20. Jahrhunderts stammen, wie dies viele Historiker und Sozialwissenschaftler im 19. Jahrhundert getan haben (und zum Teil auch heute noch immer tun). Man wird dann die verschiedenartigsten ›Realtypen‹ von Städten in der Geschichte oder unterschiedliche Ausprägungen von Feudalismen finden, die man alle mit Hilfe des Idealtyps besser beschreiben kann. Historiker wie Otto Hintze (1861– 1940) haben von dieser Methode meisterhaft Gebrauch gemacht.[15]

Die meisten modernen Sozialwissenschaftler, insbesondere die Ökonomen, arbeiten jedoch anders. Vor allem wollen sie sich nicht mit einer Beschreibung zufrieden geben, sondern streben eine Erklärung an, d. h. sie wollen die Ursachen und die Zusammenhänge herausfinden. Sie wollen meist mit Hilfe eines Modells, d. h. einer vereinfachten Vorstellung eines komplexen Zusammenhangs, das sie oft mathematisch formulieren, die Beziehungen zwischen den verschiedenen Faktoren herausfinden und durch Funktionen dann mathematisch ausdrücken. Konkret: Wie verhält sich eine Volkswirtschaft, wenn ihr Außenhandel unbeschränkt ist im Vergleich zu einer, deren Außenhandel in bestimmter Weise, etwa durch Zölle, beeinflußt wird? Wie verhält sich eine Unternehmung, wenn die Preise für Energie, Rohstoffe oder Arbeit sich in bestimmter Weise verändern oder neue Konkurrenten in den Markt für ihre Produkte eintreten? Welche Folgen hat die Verschiebung der Altersstruktur einer Bevölkerung, z. B. der Anstieg der Rentner von 15 auf 25 Prozent im Laufe von 20 Jahren, auf die Finanzierung der Rentenversicherung oder auf die Arbeitsproduktivität? Welche Folgen hat die Einführung eines Einheitstarifs für städtische Verkehrsmittel im Unterschied zu einem nach Zonen gegliederten Tarif, und welches ist der optimale Tarif? Tausende solcher Fragen stellen sich den Sozialwissenschaftlern ständig.

Gerade die letzte Frage ist sehr geeignet, den Unterschied und die Ähnlichkeit der Arbeitsweise zwischen ihnen und einem Historiker darzulegen. Veränderungen in der Tarifpolitik im Nahverkehr hat es in den letzten 80 Jahren in vielen Städten gegeben. Der Historiker wäre geneigt, möglichst viele dieser Fälle zu untersuchen und vielleicht von daher zu einer Aussage zu kommen und wäre es nur die: im Fall a) war die Folge ein Anstieg der Benutzung und ein höheres Einkommen für die Nahverkehrsgesellschaft, im Fall b) veränderte sich fast gar nichts, im Fall c) folgte, weil der Tarif offensichtlich zu hoch angesetzt war, ein Rückgang der Benutzung, und die Stadt mußte einen größeren Zuschuß geben als bisher. Der Sozialwissenschaftler mag dies als vorläufiges Ergebnis akzeptieren, aber wird es unbefriedigend finden. Er will nicht nur wissen, wo, wann und warum in einzelnen Fällen sich Unterschiede ergaben, sondern er möchte, möglichst ohne jeden einzelnen Fall untersuchen zu müssen, an einem Modell mit unterschiedlichen Annahmen arbeitend, die Ergebnisse ›methodisch gesichert‹ erschließen. Er geht dabei fast immer davon aus, daß die Menschen sich ›rational‹ verhalten, d. h. den Aufwand minimieren wollen, mit dem sie eine bestimmte Leistung erbringen müssen, oder umgekehrt mit einem bestimmten Aufwand eine maximale Leistung erzielen wollen oder beide in das günstigst mögliche Verhältnis zueinander bringen, d. h. es zu ›optimieren‹. Dazu brauchen sie im allgemeinen, vor allem wenn es sich um kurzfristige Voraussagen handeln soll, den Historiker nicht.

Anders mag es sich verhalten, wenn längerfristige Prognosen angestrebt werden. Hier müssen oft sehr unterschiedliche mögliche ›Scenarios‹ berücksichtigt werden, insbesondere, wenn es sich um komplexere Zusammenhänge, z. B. die Veränderung der Altersstruktur und ihrer Folgen für die Rentenversicherung, handelt. Hier kann historische Forschung helfen, vernünftige Annahmen zu machen. Sie kann aufzeigen, in welchem Tempo in der Vergangenheit Veränderungen dieser Art vor sich gegangen sind, wo und möglicherweise warum bestimmte Trends abbrachen, so daß die Voraussetzungen sich änderten. Es gibt dafür einige hervorragende Beispiele, die freilich auch die Schwierigkeiten zeigen, die entstehen können, gerade wenn man historische Erfahrungen berücksichtigt. Über mehr als ein Jahrhundert bis in die 1940er Jahre hin wuchs die französische Bevölkerung langsamer als die des übrigen Europa (mit Ausnahme Irlands). Das Heiratsalter und der Abstand zwischen den Kindern lagen höher, die Kinderzahl pro Ehe niedriger als in Deutschland, Belgien oder England. Im Jahre 1938 hat einer der bekanntesten amerikanischen Demographen dieses langfristige Muster der Bevölkerungsbewegung Frankreichs dazu benutzt, Voraussagen über die voraussichtliche Bevölkerungszahl und Struktur der Bevölkerung des Landes bis Mitte der 60er Jahre und in Andeutungen auch bis in unsere Zeit zu machen.[16] Er hat sich enorm geirrt. Wenige Jahre nach dem Erscheinen seines Buches änderte sich nämlich das Verhalten der Franzosen. Nach dem Krieg unterstützte ein hohes staatliches Kindergeld dieses neue Verhalten. Die französische Bevölkerung wuchs auf einmal schneller, als dies dem säkularen Trend entsprach – mit dem Ergebnis, daß schon zu Beginn der 60er Jahre in Frankreich 25 Prozent mehr Menschen wohnten als vorausgesagt und 1985 sogar fast 90 Prozent.[17] Hier hatten also gerade die sozialhistorischen Daten dem Sozialwissenschaftler einen Streich gespielt. Soll er deswegen darauf verzichten? In den meisten Fällen verbessert die Rückschau die Prognose. Ein Beispiel ist die nationalökonomische Wachstumsforschung. Sie führt für viele Länder heute bis in die Mitte, für einige sogar bis an den Anfang des 19. Jahrhunderts zurück. Das Bruttosozialprodukt oder Volkseinkommen wurde mit Hilfe ökonomischer Modelle und statistischer Verfahren auch da geschätzt, wo nur sehr sporadische Daten vorlagen. Es ergaben sich für die meisten westeuropäischen Länder auffallend ähnliche Muster, auch einige charakteristische Unterschiede. In der Zwischenkriegszeit schien dieses Muster sich zu verändern. Es war leicht, dafür vor allem politische Einflüsse, die sich aus dem Ersten Weltkrieg ergaben, verantwortlich zu machen. Nach dem Zweiten Weltkrieg fanden die meisten Länder jedoch auf den langfristigen Wachstumspfad zurück. 20–25 Jahre wuchsen die westeuropäischen Volkswirtschaften schneller als je zuvor und schneller als die der USA oder Kanadas, wo dieser Einbruch der Zwischenkriegszeit nicht im gleichen Umfang stattgefunden hatte. Seit Beginn der 70er Jahre sind die meisten Wachstumsraten wieder in die Nähe des säkularen Trends zurückgegangen. Alle, die nur die Nachkriegszeit im Auge hatten, empfanden das als einen Schock. Zahlreiche Nationalökonomen ohne historisches Bewußtsein schrieben über das Ende des Wachstums und zerbrachen sich den Kopf über seine Gründe. Hier hätte ein Blick auf den ›säkularen Trend‹ und seine Ursachen genügt, um den Aussagen nicht nur manche Dramatik zu nehmen, sondern den Autoren auch manche kurzschlüssige Folgerungen zu ersparen.

Dies bedeutet nicht, daß etwa einem solchen Trend unveränderliche Gesetze zugrunde liegen. Aber die ökonomisch-historische Forschung hat doch gezeigt, daß es typische Entwicklungsverläufe gibt, die nur unter ganz ungewöhnlichen Umständen sich entscheidend verändern. Forschungen dieser Art können freilich nur solche Wirtschaftshistoriker betreiben, die als Nationalökonomen ausgebildet sind und statistische Arbeitsweisen beherrschen. Das trifft noch längst nicht auf alle zu, denn Wirtschafts- und Sozialhistoriker werden mit unterschiedlicher Ausbildung rekrutiert. Idealerweise sollten sie sowohl Historiker wie Ökonomen wie Soziologen sein, sowohl theoretisch denken wie mit verschiedenen empirischen Verfahren arbeiten können: historisch-philologisch (in der älteren Geschichte auch archäologisch oder epigraphisch) wie auch mathematisch-statistisch. Da diese idealen Bedingungen nur wenige erfüllen, ergibt sich, wie auch in anderen Fächern, eine Arbeitsteilung innerhalb des Gebiets. Jeder setzt den Schwerpunkt nicht nur entsprechend seinen Interessen, sondern auch seinen erlernten Fähigkeiten. Mehr und mehr wird es üblich (und notwendig), diese im Lauf eines Arbeitslebens, also auch nach der Promotion oder Habilitation, zu erweitern. Dafür gibt es einige Beispiele: Historiker, die wie Ökonomen zu denken und arbeiten gelernt haben, ohne je eine formale Bildung erhalten zu haben, und Ökonomen, die erst nach der Promotion die Arbeit in Archiven und mit Archivmaterialien sich aneigneten. Und schließlich müssen Wirtschafts- und Sozialhistoriker lernen, in Teams zu arbeiten, in denen unterschiedliche Kompetenzen sich ergänzen, oder fachfremden Rat, etwa von Computer-Spezialisten, einzuholen. Historiker, die sich diese Kenntnisse auf dem harten Wege des Selbstunterrichts während einer eigenen Forschungsarbeit erworben haben, geben inzwischen diese Kenntnisse an andere weiter. Seit ca. 15 Jahren nimmt die Zahl der Lehrbücher mit Titeln wie »The Historian and the Computer« oder »Einführung in die quantitativen Methoden für Historiker« zu, und einzelne sozialwissenschaftliche Forschungszentren halten Kurse zu diesen Zwecken ab.[18] 1972 erschienen in den USA gleich zwei Sammelwerke, in denen bisherige Forschungsergebnisse, die mit modernen sozialwissenschaftlichen Methoden erzielt worden sind, vorgestellt wurden,[19] und seit 1977 gibt es auch in Deutschland eine Zeitschrift und eine Schriftenreihe, die regelmäßig Methodenfragen und Forschungsergebnisse dieser Art veröffentlichen.[20]

## Einige Arbeitsgebiete der Wirtschafts- und Sozialgeschichte

Es wäre nun aber falsch, die Wirtschafts- und Sozialgeschichte in zwei auseinanderdriftende Teile einzuteilen, einen traditionellen, der qualitativ arbeitet, und einen modernen, der sich quantitativer Methoden bedient. Gewiß ist diese Gefahr nicht ausgeschlossen, besonders da manche Quantifizierer in der ersten Begeisterung über die neu erworbenen Fähigkeiten und die damit zu gewinnenden Erkenntnisse ›imperialistische‹ Ansprüche erheben und dazu tendieren, alle übrige Forschung als veraltet, theoretisch nicht genügend fundiert oder phantasielos abzuwerten. Manche stützen sich auf die Datenmengen nur deshalb, weil sie dabei ihre Methoden benutzen können, ohne genügend darauf zu achten, ob die Problemstellung interessant ist und ob der Forschungsaufwand, der meist sehr hoch ist, sich lohnt. Von traditioneller Seite kommt dann schnell der Gegenvorwurf, daß man durch solche Arbeiten nur genauer erfahre, was man vorher ohnehin schon gewußt habe, daß die Ergebnisse trivial seien. Dieser Vorwurf ist nicht immer von der Hand zu weisen, wenn auch einzuwenden ist, daß die empirische Überprüfung und damit Absicherung von bislang schon mit guten Gründen vermuteten und auch mit Beispielen belegten Erkenntnissen einen Fortschritt darstellt. Nur lohnt manchmal in der Tat der Aufwand kaum.

Die Bedeutung der Forschung wird jedoch auch hier vor allem von der Problemstellung geprägt sein, und die Wahl der Forschungsmethode sollte davon abhängen, welche Ergebnisse man von ihr erwarten kann. Oft werden sich quantitative und qualitative Aussagen ergänzen müssen, und manche Fragestellungen werden auch in Zukunft (nur) verbal oder mit beispielhaften, oft zufällig erhaltenen Zahlen belegt werden können, insbesondere in der älteren und außereuropäischen Geschichte. Im folgenden sollen nun einige Arbeitsgebiete der Wirtschafts- und Sozialgeschichte vorgestellt werden, in denen es in den letzten Jahrzehnten erhebliche Fortschritte gegeben hat, ohne daß der Anspruch auf Vollständigkeit erhoben wird. Er wäre nur in einem sehr viel umfangreicheren Forschungsbericht zu erfüllen. Die Beispiele werden aus unterschiedlichen Forschungsgebieten gewählt.

Zunächst sollen einige Fragen, die den Volkswirt interessieren, behandelt werden. Sie betreffen die historische Dimension der Makroökonomie. Dann folgen einige, die vor allem für Betriebswirte von Interesse sein könnten, vorwiegend aus dem Bereich der historischen Unternehmensforschung. In gleicher Weise werden auch sozialgeschichtliche Fragestellungen einmal eher zu Problemen der Makrosoziologie, also ganze Gesellschaften betreffend, zum anderen solche, die auf Teilgruppen der Gesellschaft, vor allem die Familie, bezogen sind, vorgestellt werden. Von da ist es nur ein Schritt zur historischen Demographie, der Geschichte der Bevölkerung, die in gewisser Weise allen ökonomischen wie soziologischen historischen Studien zugrunde liegen muß. Auf die anthropologische, volkskundliche, sozialpsychologische und sozialgeographische Dimension der Geschichtsforschung wird mangels Raum und mangels ausreichender Kompetenz des Autors verzichtet, doch ist ausdrücklich darauf hinzuweisen, daß auch sie in das Arbeitsgebiet des Wirtschafts- und Sozialhistorikers fallen. Zum Schluß soll noch kurz auf einen Zusammenhang hingewiesen werden, der in der Wirtschafts- und Sozialgeschichte insbesondere der angelsächsischen Tradition meist vernachlässigt wird, in Deutschland aber früher eine gute Tradition hatte und auch heute noch interessante Fragestellungen bietet: die wirtschafts- und sozialgeschichtliche Dimension des Rechts.

### Makroökonomische Fragestellungen in der Wirtschaftsgeschichte

Die Analyse wirtschaftlichen Wachstums und wirtschaftlicher Entwicklung ganzer Volkswirtschaften, einzeln oder im Vergleich (und schließlich der Weltwirtschaft) gehört zu den wichtigsten Fragestellungen des Ökonomen und ist ein zentrales Ziel der Wirtschaftspolitik in Ost und West, Nord und Süd. Wenn sie sinnvoll sein soll, kann sie sich nicht nur auf Gegenwart und Zukunft erstrecken, sondern muß die historische Dimension einbeziehen. Möglich ist sie erst geworden, seit in der Nationalökonomie in den 1930er und frühen 40er Jahren das Konzept der volkswirtschaftlichen Gesamtrechnung und Methoden zu ihrer empirischen Feststellung entwickelt wurden. Auch zuvor hat die Wirtschaftsgeschichte natürlich diese Problemstellung gekannt. Sie hat sich jedoch damit begnügen müssen, einzelne Indikatoren zu benutzen und nach der besten Einschätzung des Forschers zu gewichten. Schon immer hat die Wirtschaftsgeschichte, wie ihr führender Vertreter in England, J. H. Clapham, es formulierte, gefragt: »Wie groß? Wie lange? Wie oft? Wie repräsentativ?«[21] Gerade die letzte Frage war aber bis zur Einführung der volkswirtschaftlichen Gesamtrechnung kaum zu beantworten. Man nahm daher die Reihen, die man für wichtig erachtete und die vorhanden waren – Weizenproduktion, Kohleförderung, Eisen- und Stahlgewinnung, Verbrauch von Baumwolle, Eisenbahnverkehr, Schiffahrt, Außenhandel – als entscheidend an und kam zu einer erheblichen Überbewertung beispielsweise der Schwerindustrie, die besser erfaßbar war als die Produktion der zahlreichen und weit verstreuten Konsumgüterindustrie. Man nahm, was für England noch am verständlichsten war, den Außenhandel als synonym für den Handel insgesamt, da Zahlen für den Binnenhandel kaum vorlagen. Man kannte die Transportleistung der Eisenbahnen und der Seeschiffahrt, aber nur in geringem Umfang die der Binnenschiffahrt und fast gar nicht die des Straßenverkehrs. Man konnte im Dienstleistungsbereich etwas über das Wachstum der Banken und Sparkassen, etwa an Hand ihrer Einlagen oder der von ihnen zur Verfügung gestellten Kredite sagen, auch die Versicherungen waren erfaßbar, kaum aber Dienste wie Hotels und Restaurants, Friseure oder Arzt- oder Rechtsanwaltsleistungen. Erst das Modell der Gesamtrechnung, die Methode, das Produkt (insbesondere bei den Dienstleistungen) über das Einkommen zu schätzen, machte es möglich, die Gesamtleistung einer Volkswirtschaft zu berechnen (besser: verläßlich zu schätzen). Wirtschaftshistoriker konnten nun daran gehen, diese Schätzungen nach rückwärts zu verlängern. Dabei wird der Teil, der durch Erhebungen, etwa Steuer- und Einkommensstatistiken, oder Zahlen für die physische Produktion abgedeckt werden kann, immer kleiner und der Bereich, der durch direkte und indirekte Schätzungen erfaßt werden muß, immer größer. Dadurch wird die Genauigkeit natürlich auch geringer, der Raum für Unterschiede in den Auffassungen wächst. Um die Mitte des 19. Jahrhunderts ist in den meisten Ländern Europas der Zeitpunkt erreicht, wo nur noch wenige gedruckte Materialien von statistischen Ämtern oder halboffiziellen Veröffentlichungen beamteter und professoraler Statistiker zur Verfügung stehen, wohl aber Archivmaterial in den einzelnen Staaten oder Städten vorhanden ist, das in mühsamer, echt historischer Arbeit erst erhoben, verglichen, auf moderne Kategorien und Maßstäbe gebracht werden muß, ehe es in eine volkswirtschaftliche Gesamtrechnung eingehen kann. Diese ist bald kaum mehr für ›Deutschland‹, sondern nur noch für Preußen oder das Großherzogtum Baden oder Hessen möglich. Hier setzt die ›Historische Statistik‹ als wirtschaftsgeschichtliche Vor- und Zuarbeit für den Nationalökonomen ein. Historische Statistiken dieser Art gibt es seit längerem für die Vereinigten Staaten, die den Vorteil haben, daß sie seit 1790 regelmäßig in Zehnjahresabständen in einem Zensus nicht nur Bevölkerungszahlen, sondern auch Angaben zur Erwerbstätigkeit erhoben haben, oder in England, wo die »Politische Arithmetik« im

17. Jahrhundert entwickelt wurde und schon Ende des 17. Jahrhunderts eine erste Schätzung des Volkseinkommens vorgelegt worden ist. Schweden, Belgien, Österreich, selbst Chile haben solche Arbeiten inzwischen unternommen. In der Bundesrepublik widmet sich ihnen seit einigen Jahren ein bei der Deutschen Forschungsgemeinschaft eingerichtetes Schwerpunktprogamm. Wichtige Ziele der Wirtschaftshistoriker können dabei auch erreicht werden, wenn die Erhebungen nicht mehr flächendeckend sind. Sie geben ihm z. B. die Möglichkeiten, kleinere Regionen, etwa preußische und bayerische Regierungsbezirke, miteinander zu vergleichen und so die langfristige regionale Entwicklung der Wirtschaft besser kennenzulernen.

Ein wichtiger Nebeneffekt solcher Forschungen ist die bessere Fundierung auch der historischen Konjunkturforschung. Auf- und Abschwünge der wirtschaftlichen Aktivität waren den Menschen seit Jahrhunderten bekannt. Man brachte sie mit Ernteschwankungen, Kriegen, Seuchen, aber auch den Konjunkturen im internationalen Handel zusammen. Seit der Mitte des 19. Jahrhunderts entwickelten Ökonomen dann Theorien über den zyklischen Verlauf der Konjunkturen, versuchten Regeln zu formulieren, die sie aus der empirischen Beobachtung langer Reihen gewannen. Im Laufe der Zeit entstanden Konjunkturforschungsbüros und -institute, die in der Zwischenkriegszeit begannen, Regierungen zu beraten, wie der Konjunkturverlauf zu steuern sei. Heute gehören Konjunkturforschung und -politik zu den wichtigsten Aufgabengebieten von Nationalökonomen und Wirtschaftspolitikern in vielen Ländern der Welt. Die Wirtschaftsgeschichte hat gelernt, sich der immer feiner werdenden Instrumente der Konjunkturforscher zu bedienen;[22] andererseits kann sie durch die Erhebung und Analyse lang zurückliegender Reihen der Erforschung von Gegenwart und Zukunft eine längerfristige Perspektive anbieten, die für einzelne zentrale Indikatoren, etwa die Getreidepreise, bis in die frühe Neuzeit, ja bis ins Mittelalter zurückreicht.[23] Damit ermöglicht sie auch die Beantwortung der Frage, ob solche Konjunkturkurven oder langen Wellen wirklich erst Erscheinungen des industriellen Zeitalters (oder gar nur der kapitalistischen Wirtschaft) seien bzw. in welcher Weise sich Wechsellagen in einer vorwiegend agrarisch fundierten von denen in einer mehr industriell oder weltwirtschaftlich orientierten Wirtschaft unterscheiden. Wirtschaftshistoriker waren daher in den fünfziger und sechziger Jahren auch weniger geneigt als manche Nationalökonomen, deren zeitliche Perspektive nicht weit zurückreichte, das ›Ende der Konjunkturzyklen‹ zu verkünden, so wenig wie sie in den siebziger Jahren das Ende des Wachstums kommen sahen. Sie wissen aus ihrer Forschungserfahrung, daß beide eng miteinander verzahnt sind, auch wenn in manchen Perioden die Zyklen sich zu Wachstumsschwankungen verringern und in anderen das Wachstum zu stocken scheint, weil die Abschwünge schärfer ausgeprägt sind oder länger andauern als die Aufschwünge.

Ökonomen wollen natürlich nicht nur die Regel- und Unregelmäßigkeiten der Schwankungen beschreiben, sondern ihre Ursachen erkennen. Sie neigen dazu, die Zahl der Ursachen einzugrenzen – möglichst auf eine einzige –, seien es Ernteergebnisse in der agrarischen Gesellschaft, seien es Zins- oder Investitionsschwankungen in der industriellen. Historiker werden dies vorsichtiger beurteilen und eher dazu neigen, eine Vielzahl möglicher Ursachen anzuerkennen, die bei den einzelnen Schwankungen in unterschiedlicher Weise zusammenwirken. Manche gehen in das andere Extrem und erklären, daß jede der Schwankungen auf einer einzigartigen Ursachenkonstellation beruhe, denn nichts wiederhole sich in der Geschichte in der gleichen Weise. Beide Extreme sind dogmatisch. Sicher wird man so komplexe Vorgänge wie die Schwankungen ganzer Volkswirtschaften, ja der Weltwirtschaft, nicht auf eine einzige Ursache zurückführen können, aber es lassen sich doch Ursachenbündel finden, die typischerweise immer wieder (aber nicht notwendig in jeder einzelnen der Konjunkturschwankungen) auftreten. Dazu gehört auch ein Faktor, den man den ›sozialpsychologischen‹ nennen könnte. Die Stimmungen der Menschen schwanken zwischen Optimismus und Pessimismus. Das Allensbacher Institut hat festgestellt, daß die Ergebnisse seiner November-Umfragen über die wirtschaftlichen Erwartungen für das nächste Jahr in erstaunlichem Maße mit den wirklichen Konjunkturverläufen des kommendes Jahres übereinstimmen, ja daß diese Voraussagen z. T. besser waren als die der Konjunkturforschungsinstitute, die sich auf ›objektive‹ Frühindikatoren stützten. Für den Historiker ist dies nicht erstaunlich. Schon im 19. Jahrhundert zeigt sich nämlich ein ähnliches Phänomen: Die Handelskammern berichteten jedes Jahr nicht nur über den Ablauf des vergangenen, sondern auch über die Aussichten des kommendes Jahres. Und dabei entsprachen Befürchtungen und Hoffnungen in erstaunlicher Weise den dann eintretenden Konjunkturabläufen. Schon vor zwanzig Jahren, längst ehe ich die Ergebnisse aus Allensbach kannte, schrieb ich dazu in einer Wirtschaftsgeschichte des Ruhrgebiets, die weitgehend auf den Handelskammerberichten aus Essen und Mülheim beruht: »Besonders die älteren Berichte sind von einer kunstgerechten Vorschau noch weit entfernt; Hoffnung und Sorge, wie es weitergehen wird, kommen deutlich zum Vorschein. Die beruflichen Tugenden des Kaufmanns, vorsichtig zu kalkulieren, die Zukunft pessimistisch zu beurteilen und eher das Schlimmste als das Beste zu erwarten« (hinzuzufügen wäre: besonders, wenn er der Regierung berichtet), »sind in den meisten der Berichte ausgeprägt; nur selten schlägt sich der Taumel der Hochkonjunktur in ihnen nieder, und nie ist er ganz ungebrochen, ohne die Vorahnung einer drohenden Katastrophe. Die Berichte können daher nicht als eine völlig ›wahrheitsgetreue‹ Widerspiegelung der Konjunkturwellen betrachtet werden, obwohl sie ihr zuweilen nahe kommen, sondern sind eine Quelle eigener Art, in die die Psychologie des Unternehmers eingeprägt ist.«[24] Die Konjunkturverläufe sind hier also systematisch nach unten verzerrt. Die Aufschwünge erscheinen nicht so hoch, wie sie aus den Zahlen erscheinen würden, die Abschwünge dagegen eher größer, aber der Verlauf insgesamt wird im allgemeinen richtig vorausgesehen. Interessanterweise hat kürzlich ein Schweizer Wirtschaftshistoriker für das vorzeitige Ende der sogenannten Großen Depression in der Schweiz nach der Mitte der 1880er Jahre eine ähnliche Begründung gefunden. Lange nahm man an, daß es der Export gewesen sei, der die Schweiz eher als andere Länder aus der langen Stagnation zwischen der Mitte der siebziger und der Mitte der neunziger Jahre des vorigen Jahrhunderts herausgezogen habe. Siegenthaler stellt nun fest, daß der Sog des Exports erst später einsetzte, daß aber um die Mitte der 1880er Jahre wieder Vertrauen Fuß faßte. Er zitiert als Beleg u. a. einen Bericht der Neuen Zürcher Zeitung vom 8. Januar 1886, dessen Autor vom »Wiedererwachen des Vertrauens« spricht, das allein imstande sei, »Handel und Wandel neu zu beleben«. Zwar konnte er dieses Vertrauen nicht genau definieren, aber er meinte beobachtet zu haben: »es verläßt das Volk, kehrt wieder und erfaßt Landwirtschaft, Handel und Gewerbe mit magischer,

unwiderstehlicher Stärke.«[25] Wirtschafts- und Sozialgeschichte und moderne Umfrage-
forschung können ein solches Phänomen zunächst nur konstatieren und Hinweise geben,
wie es möglicherweise zu interpretieren sei. Es ist an der Sozialpsychologie auf Grund
solcher Hinweise, Hypothesen oder Modelle zu entwickeln, die das Phänomen möglicherweise allgemeiner erklären. Ausgerüstet mit diesen Hypothesen kann dann der Historiker
systematischer auf die Suche nach weiteren Belegen (oder Widerlegungen) gehen. So
bringen Theorie und Geschichte wissenschaftlichen Fortschritt voran.

Daß dies nicht ohne grundsätzliche Kontroversen abgeht, soll an einigen Beispielen
erläutert werden: Es gehörte zur allgemeinen Schulweisheit, daß für den Prozeß des
wirtschaftlichen Wachstums im 19. Jahrhundert die Eisenbahnen von besonderer Bedeutung gewesen sind. Anfang der sechziger Jahre untersuchten amerikanische Wirtschaftshistoriker, die durch die wiedererwachte Kontroverse um eine andere, längst als erledigt
geltende Frage, die Rentabilität der Sklavenwirtschaft im amerikanischen Süden, darauf
aufmerksam geworden waren, daß man auch alte Hypothesen, die längst erwiesen
schienen, mit neuen Methoden genauer untersuchen müsse, diese These. Sie stellten die
Frage, wie sich die amerikanische Volkswirtschaft entwickelt haben würde, wenn es keine
Eisenbahnen gegeben hätte, sondern der Transport nach wie vor auf Flüssen, Kanälen
und Straßen hätte vor sich gehen müssen. Sie berechneten die unterschiedlichen Kosten
des Transports und der Investitionen in die verschiedenen Transportmittel, den Umkreis,
innerhalb dessen es sich z. B. im Mittleren Westen auch ohne Eisenbahnen gelohnt hätte,
Weizen anzubauen, und kamen zu dem Ergebnis, daß bis zum Jahre 1890 das wirtschaftliche Wachstum der USA nur um wenige Prozentpunkte hinter dem tatsächlichen zurück-
geblieben wäre.[26] Nichtquantifizierbare Folgen des Eisenbahnbaus, die aber vermutlich
von großer Bedeutung waren, wie seine Pionierrolle bei der Durchsetzung der Dampfkraft (neben dem Bergbau) oder den Demonstrationseffekt für die Möglichkeiten des
technischen Fortschritts, der nun zum ersten Male Millionen Menschen, auch denen, die
nicht in Bergbau und Industrie arbeiteten, voll sichtbar wurde, ließen sie allerdings außer
acht.

Diese Arbeiten und ihre Propagierung riefen einen Sturm hervor. Auf der einen Seite
begann eine ganze Gruppe junger Ökonomen, sich für historische Fragen zu interessieren
und andere Bereiche der amerikanischen Wirtschaftsgeschichte, etwa die Landwirtschaft
und einzelne Industriezweige, in ähnlicher Weise zu untersuchen. Auf der anderen Seite
protestierten einige der erfahrensten Wirtschaftshistoriker des Landes, vor allem der aus
der deutschen Wissenschaftstradition kommende Fritz Redlich, gegen diese Art der
›counterfactual history‹. Er nannte das Produkt dieser Forschungen nicht Geschichte,
sondern Quasi-Geschichte. Die Frage, wie es gewesen wäre, wenn, könne der Historiker
nur mit großer Vorsicht stellen, wenn sie ihn nicht in unkontrollierbare Spekulation
führen solle.[27]

Die Vertreter der ›Neuen Wirtschaftsgeschichte‹ erwiderten darauf, daß dies erkenntnistheoretisch falsch sei. Würde man alle historischen Studien ausschließen, die mit
Annahmen arbeiten, die vom tatsächlich Beobachteten abweichen, so bliebe nicht viel an
geschichtswissenschaftlicher Literatur übrig. Der Unterschied bestehe lediglich darin, daß
die alte Schule solche Annahmen unbewußt treffe, weil alle tatsächlichen Behauptungen,
auch die, daß die Eisenbahnen das Wirtschaftswachstum getragen hätten, voraussetzten,

daß es auch anders hätte sein können. Die ›neuen‹ Wirtschaftshistoriker machten hingegen ihre Annahmen explizit und damit überprüfbar.

Dies ist in der Tat der Kernpunkt der Auseinandersetzung. Traditionelle Geschichtswissenschaft, politische wie ökonomische, behauptet oft, daß es so kam, wie es kommen mußte. Dies ist nicht nur trivial, sondern auch falsch. Immer gab es in der Geschichte Alternativen. Oft wurden sie nur um Haaresbreite, etwa um eine Stimme im Parlament, verfehlt. Mußte eine Schlacht, die auf des Messers Schneide stand, unbedingt so ausgehen, wie sie ausging, oder hätte ein einziges anderes Kommando auf einer der beiden Seiten sie nicht verändern können? Kommt der vorzeitige Tod eines Königs, weil er kommen mußte? Daß viele Historiker, insbesondere die ganze klassische deutsche Schule, so dachten, lag vor allem daran, daß sie eine außerwissenschaftliche Grundentscheidung trafen, daß für sie im Grunde alle Geschichte in Gottes Hand lag und daß es nur darauf ankomme, den Fingerzeig Gottes in der Geschichte zu erkennen. Ranke hat sich offen zu einer solchen Geschichtsauffassung, die auf seinem christlichen Glauben beruhte, bekannt. Andere, die sich nicht in diesem Glauben beruhigen konnten, haben viel stärker über Alternativen nachgedacht, die bereit standen, so zum Beispiel Friedrich der Große, der von dem »Wunder des Hauses Brandenburg« sprach, weil er genau wußte, wie oft sein Schicksal auf des Messers Schneide stand und nur ein für ihn glücklicher ›Zufall‹ – etwa das Auseinanderbrechen einer Koalition – das Unwahrscheinliche Wirklichkeit werden ließ. Richtig ist freilich, daß, wenn einmal eine Entscheidung gefallen ist, neue Daten gesetzt sind, von denen alles weitere auszugehen hat. Die jeweiligen Alternativen zu prüfen, ist also nicht nur gutes Recht sondern Pflicht, zumindest aber ein heuristisch wichtiges Mittel aller Geschichtsforschung. Mit Hilfe solcher Gedankenexperimente kann man schärfer fassen, was wurde und warum es wurde. Nur war Fogels Beispiel der Eisenbahnen zur Darlegung dieses Standpunktes nicht gut geeignet. Seit die Eisenbahnen erfunden waren, sprach soviel für sie, daß es schlecht vorzustellen ist, daß sie nicht in Amerika eingeführt worden wären, gleichgültig, ob der Fortschritt, dem man sich von ihnen versprach, nun voll oder nur in einem geringeren Grade eintrat. Untersuchungen ähnlicher Art für Europa – England, Deutschland, Belgien, Spanien – haben denn auch ergeben, daß die Eisenbahnen in der Tat eine zentrale Rolle für die wirtschaftliche Entwicklung spielten.

Ein viel besseres Demonstrationsobjekt, was die ›counterfactual history‹ zu leisten vermag, ist das Beispiel, das diese ganze Diskussion auslöste, die Frage nach der Rentabilität der Sklavenwirtschaft. Sklaverei war seit Jahrhunderten in großen Teilen der Welt, vor allem in Afrika und den arabischen Ländern, eine feste Institution. Europa hatte sie aus der Antike übernommen und im Laufe des Mittelalters allmählich abgeschafft. In Amerika lebte sie fort, wurde jedoch immer umstrittener, je mehr sich, von England ausgehend, die Antisklavereibewegung ausbreitete. Diese war – so meinten die ›idealistischen‹ Historiker – vor allem religiös und humanitär begründet. Sie erreichte schließlich nach langem Kampf, der in einem Bürgerkrieg mündete, die Abschaffung der Sklaverei auch in den USA (und später auch in anderen amerikanischen Staaten wie Brasilien). ›Realistische‹ Historiker, die davon ausgingen, daß materielle Interessen die Welt bestimmen, – und das waren in Amerika nicht nur Marxisten – hatten seit langem die Auffassung vertreten und durchgesetzt, daß die Sklaverei nicht so sehr aus moralischen und humanitären Gründen endete, sondern weil sie ohnehin nicht mehr profitabel war. Die südlichen Pflanzer verloren daher allmählich das Interesse an ihr und setzten dem Druck aus dem Norden nicht mehr so viel Widerstand entgegen. Wenn nun nachzuweisen sein sollte, daß Sklaverei in den Südstaaten entgegen dieser Auffassung weiterhin rentabel war, fällt diese materialistische Begründung in sich zusammen und die moralische tritt wieder stärker in den Vordergrund. Das rief natürlich die Neo-Marxisten auf den Plan. Einer ihrer gelehrtesten Vertreter begründete noch einmal in einem umfangreichen Buch die materialistische These für die Sklaverei und ihre Beendigung. Robert Fogel, der die Eisenbahndiskussion begonnen hatte, trat ihm in einem nicht weniger umfangreichen Buch entgegen, was ihm den Vorwurf eintrug, ein zynischer Rassist zu sein. Andere versuchten zu vermitteln.[28]

Inzwischen hat sich die ›Neue Wirtschaftsgeschichte‹, auch wenn sie nicht so neu ist, wie ihre Vertreter ursprünglich annahmen, auf vielen Gebieten und in vielen Ländern durchgesetzt, was auch ihr Gegner Fritz Redlich voraussah, als er in seiner Besprechung des Buches von Fogel schrieb, die neuen Ansätze und Methoden »are here to stay«.

## Unternehmensgeschichte (Business History)

Wirtschaftsgeschichte beschäftigt sich nicht nur mit ganzen Volkswirtschaften und den Determinanten, die gesamtwirtschaftliche Entwicklungen bestimmen. Sie widmet sich auch kleinen Einheiten, Regionen, Städten, einzelnen Sektoren wie der Landwirtschaft oder der Industrie, den Branchen innerhalb der Industrie oder der Landwirtschaft oder den Dienstleistungen, etwa den Banken, und schließlich einzelnen Unternehmungen bzw. der Geschichte der Geschäftswelt. Auch hierbei gibt es eine alte, traditionelle, vorwiegend chronologische oder einzelne Handlungen in den Vordergrund stellende Art, sie zu erforschen und darzustellen, und eine neuere systematischer etwa von betriebswirtschaftlichen oder betriebssoziologischen Fragestellungen ausgehende. Die verbreitetste Form ist die Firmengeschichte und Unternehmerbiographie. Sie ist vielerorts nicht hoch angesehen, weil sie – zu Recht oder zu Unrecht – in dem Verdacht steht, ›im Auftrag‹ geschrieben zu sein, vordergründig zu bleiben und sich nur den Erfolgreichen zu widmen. In der Tat ist ein großer Teil dieser Literatur eher journalistisch als wissenschaftlich. Seit langem aber widmen sich auch Wirtschafts- und Sozialhistoriker diesem Forschungsgebiet und haben eine beachtliche Anzahl interessanter, die Erkenntnis fördernde Arbeiten hervorgebracht. Es gibt zahlreiche große Unternehmensgeschichten, die hervorragend dokumentiert sind und nicht nur ›den‹ Unternehmer, sondern Aspekte wie Unternehmensführungsstile, innerbetriebliche Organisation, die Unternehmung im Markt, ihre Reaktion auf technischen Fortschritt, ihre eigenen Forschungsanstrengungen, die innerbetriebliche Sozialstruktur der Angestellten und Arbeiter oder ihren Einfluß auf Verbände und Politik untersuchen. Vor allem eine Reihe von amerikanischen und englischen Firmen haben den Historikern ihre Archive geöffnet, und sie umfangreiche Monographien schreiben lassen. Auch für manche deutschen Firmen liegen gediegene Studien vor, nicht nur Festschriften – obwohl auch einige Festschriften wissenschaftliche Standards voll erfüllen –, sondern auch Dissertationen.[29]

Besonders ausgebildet ist die Firmengeschichte in Schweden. Fast alle großen Unternehmen haben Historiker beauftragt oder zumindest in ihren Archiven zugelassen, und da dort im Unterschied zu Deutschland keine Kriegszerstörungen zu beklagen sind, ist man in erstaunlichem Umfang fündig geworden. Dabei sind auch die internationalen Verbindungen und Bedingungen der schwedischen Industrie, etwa des Eisenerzbergbaus, der Unternehmungen Nobels, vor allem aber der Zündholzindustrie, untersucht worden, und wirtschaftspolitisch heikle Fragen wie Kartell- und Monopolbildung wurden keineswegs gescheut, sondern sogar in den Vordergrund gestellt. Allein im Jahre 1979 sind drei Bücher in englischer Sprache in einem Stockholmer Verlag über die schwedische Zündholzindustrie erschienen und in den letzten 20 Jahren mehr als ein Dutzend Bücher und Aufsätze über die Eisenindustrie in englischer Sprache.[30] In der Schweiz sind einige gute Monographien über Firmen der chemischen Industrie erschienen.[31] Bei weitem die historikerfreundlichste Firma ist jedoch eine der ältesten des Landes überhaupt, die in ihren Anfängen bis ins 18. Jahrhundert zurückreichende Georg Fischer AG. Die Tagebücher des Vaters des Unternehmensgründers, Johann Georg Fischer, gehören zu den interessantesten Dokumenten der Industriellen Revolution auf dem Kontinent. Sie sind schon in den 1950er Jahren wissenschaftlich ediert worden, und ihr Herausgeber hat überdies eine Biographie und eine Firmengeschichte geschrieben. Später erschienen zwei sozialgeschichtliche Dissertationen über die Struktur von Arbeiter- und Angestelltenschaft des Unternehmens. Die Firma unterhält außer dem Archiv auch eine Bibliothek zur Geschichte der Eisenindustrie, die eine Fundgrube für jeden Wirtschaftshistoriker darstellt.[32]

In Deutschland haben seit längerem vor allem die Industrie- und Handelskammern sich um die Unternehmens- und die Wirtschaftsgeschichte gekümmert. Manche haben sich vor allem um ihre eigene Organisationsgeschichte bemüht, andere aber um die Wirtschaftsgeschichte ihres Bezirks. Mit ihrer Unterstützung sind daher eine Reihe von gründlichen regionalen oder städtischen Wirtschaftsgeschichten entstanden.[33] Einige unterhalten auch Wirtschaftsarchive (z. B. Köln, Dortmund, Stuttgart).

Die Wirtschaftsgeschichte einer ganzen Branche zu fördern, hat sich – nach langer Zurückhaltung gegenüber Historikern – seit einigen Jahren die deutsche Bankwirtschaft vorgenommen. Mit ihrer finanziellen Unterstützung sind in Frankfurt ein Bankarchiv und eine Gesellschaft für Bankgeschichte gegründet worden, in der Praktiker und Wirtschaftshistoriker zusammenarbeiten. Die Gesellschaft veranstaltet Tagungen, in denen aktuelle Fragen sowohl von Bankwissenschaftlern und -praktikern wie von Wirtschaftshistorikern behandelt werden. Sie veröffentlicht eine Zeitschrift, Monographien und hat in Gemeinschaftsarbeit mit Historikern eine dreibändige Geschichte der deutschen Banken herausgebracht.[34] Hervorragende Bankgeschichten gibt es auch in anderen Ländern, vor allem in Frankreich, Belgien, den Niederlanden, Großbritannien, der Schweiz und Schweden.[35] Von nicht nur bankgeschichtlicher, sondern volkswirtschaftlicher Bedeutung ist die Geschichte der Zentralbanken. Hier ist die englische Forschung führend geblieben. Die Geschichte der Bank von England ist mehrfach von den führenden Wirtschafts- und Bankhistorikern des Landes eindringlich behandelt worden.[36] Ein Vergleich verschiedener Zentralbanken erschien schon 1934.[37] In Deutschland konnte die Geschichte der Reichsbank bisher nicht geschrieben werden, weil die übriggebliebenen

Akten in der DDR unter strengem Verschluß gehalten werden. Die Deutsche Bundesbank hat jedoch zum hundertjährigen Jubiläum einer deutschen Zentralbank 1975 einen hervorragenden Sammelband herausgebracht, in dem Ökonomen und Wirtschaftshistoriker den Zusammenhang von Zentralbank, Währung und Volkswirtschaft kompetent und lesbar darlegen.[38]

Das Ziel der im englischen Sprachraum »Business History« genannten Forschungsrichtung, für die es in Deutschland weder eine gute Übersetzung noch Lehrstühle gibt, kann nicht nur sein, zahlreiche Einzelstudien über Unternehmen oder Unternehmer anzufertigen, so wichtig dies auch sein mag. Sie hat zum Ziele, die Geschichte der Wirtschaft von der Seite der in ihnen operierenden Unternehmen zu erforschen und auch solche Fragen zu behandeln wie Geschäftsklima, Wandel der Unternehmensorganisation, der Unternehmensstrategien, des Verhältnisses von Unternehmen zu ihrer Umwelt, zu Gesellschaft und Staat. Im Grunde sind ihre Aufgaben so zahlreich wie die täglichen Aufgaben in den Unternehmen. Historische Forschung hat auch hier wie in anderen Zweigen des gesellschaftlichen Lebens die Aufgabe, der Gegenwart eine historische Perspektive zu geben. Sie reicht auch nicht nur bis in das 19. Jahrhundert zurück. Bedeutende Unternehmensgeschichten sind z. B. über die italienischen Bankhäuser der Renaissance entstanden, sofern ihre Archive erhalten waren. Eines der ältesten wirtschaftsgeschichtlichen Themen in Deutschland, zu dem schon im 19. Jahrhundert hervorragende Werke, die noch immer lesenswert sind, entstanden, war die Geschichte des Hauses der Fugger.[39] Einer der gelehrtesten Wirtschaftshistoriker des 20. Jahrhunderts, der Belgier R. de Roover, der anderen Wirtschaftshistorikern den Vorteil voraus hatte, daß er gelernter Bankier war, hat sich außer mit dem Hause der Medici mit der Entwicklung eines der wichtigsten Instrumente des Finanz- und Handelsverkehrs, dem Wechsel, beschäftigt, dessen Entstehung er bis ins Mittelalter zurückverfolgte, und ebenso mit der mittelalterlichen Wirtschaftsethik.[40] Andere haben sich dem Wandel der Geschäftsusancen von den mittelalterlichen Messen über die führenden Messeplätze in Europa wie Lyon, Lissabon, Antwerpen, Amsterdam bis hin nach London gewidmet und von daher die grundlegenden Fragen der Ausbreitung der europäischen Wirtschaft über die ganze Welt hin aufzuschlüsseln versucht.[41]

Selbstverständlich befassen sich auch Historiker der europäischen Antike und anderer Kulturen mit dem Geschäftsleben dieser Zivilisationen. Besonders gründlich sind in den letzten Jahrzehnten die japanischen Traditionen der Wirtschaftsführung untersucht worden. Sozialwissenschaftler aller Ausrichtungen und vieler Nationen drängen sich seit Jahren darum, die Geheimnisse des japanischen Geschäftserfolges auch in sehr alten Traditionen zu finden. Hier geht das Interesse der Gegenwart in die historische Forschung ein. Besonders deutlich ist das in den USA, die große sozialwissenschaftliche Forschungszentren über Ostasien unterhalten und eng mit den japanischen Forschern kooperieren. Aber auch die Japaner selbst sind auf dem Gebiet der Business History außerordentlich aktiv.[42]

Von den USA ist auch der Versuch ausgegangen, die Business History ähnlich systematisch wie die makroökonomische Wirtschaftsgeschichte anzupacken. Ausgangspunkt ist dabei der Wandel der Unternehmensorganisation und -strategie in großen amerikanischen Unternehmen seit der Mitte des 19. Jahrhunderts. Unter dem Titel »Strategy and

Structure« hat Alfred D. Chandler jr., der später Professor für Business History an der Business School der Harvard University wurde, 1962 das grundlegende Werk dazu geschrieben, das 1977 durch ein weiteres unter dem Titel »The Visible Hand« ergänzt worden ist.[43] Seit einigen Jahren bemüht sich Chandler zusammen mit europäischen und japanischen Wirtschaftshistorikern, die Tragfähigkeit seines Modells auch für andere Gesellschaften zu testen, wobei sich herausgestellt hat, daß bei manchen Gemeinsamkeiten doch auch mehrere andere typische Wege der Entwicklung von Großindustrien festzustellen sind. Einige internationale Tagungen auf diesem Gebiet haben stattgefunden, und in mehreren Ländern, darunter Belgien, Frankreich und Großbritannien, sind ähnlich ehrgeizige Gesamtdarstellungen der Unternehmensgeschichte versucht worden.[44]

In der Bundesrepublik haben Historiker, die sich mit diesen Fragen beschäftigen wollen, seit der Mitte der 1950er Jahre ein wissenschaftliches Publikationsorgan, die Zeitschrift für Unternehmensgeschichte, 1956 von Wilhelm Treue unter dem Titel »Tradition. Zeitschrift für Firmengeschichte und Unternehmensbiographie« begründet. Sie enthält neben Aufsätzen auch eine laufende Bibliographie von Neuerscheinungen und Nachrichten über Archivmaterialien der Wirtschaft. Diesem Zweck dient auch die Zeitschrift »Archiv und Wirtschaft«, die seit 1968 von der Gesellschaft der Firmenarchivare herausgegeben wird. Mitte der siebziger Jahre gründete Wilhelm Treue mit Hans Pohl und mehreren Männern der Wirtschaftspraxis auch eine Gesellschaft für Unternehmensgeschichte, die zweimal im Jahr Tagungen durchführt, bei denen sich Historiker und Praktiker meist zu Diskussionen von Themen treffen, die sowohl für die heutige Wirtschaftspraxis wie von historischem Interesse sind. Die dort gehaltenen Vorträge werden in den Beiheften der Zeitschrift für Unternehmensgeschichte veröffentlicht. Behandelt wurden bisher so interessante Fragen wie Betriebliche Sozialpolitik, Technischer Fortschritt und Wirtschaftswachstum, Absatzstrategien, Mitbestimmung, Arbeitskampf, Konzentration, Aus- und Weiterbildung und Management. Leider sind bei diesen Tagungen die Wirtschaftshistoriker stets in der Überzahl. Hier wie auch bei der Gesellschaft für Bankgeschichte ist ein Forum gegeben, auf dem sich die Frage »Was ist und zu welchem Ende studiert man Wirtschafts- und Sozialgeschichte« nicht nur generell, sondern konkret diskutieren läßt, wo Wirtschaftspraktiker und Historiker Probleme, bei deren Lösung ihnen Historiker helfen können, vorstellen und Historiker ihren ›Nutzen‹ für die gegenwärtige und zukünftige Wirtschaftspraxis darlegen können. Dies ist nicht vordergründig gemeint. Gewiß können historische Forschungen kaum bei der Bewältigung der täglichen Aufgaben in Buchführung, Automatisierung oder auch Konzeption einer allgemeinen Unternehmensstrategie direkt helfen. Sie können aber verständlich machen, in welchen längerfristigen Zusammenhängen die jeweiligen Tagesaufgaben stehen, wie Problemkreise entstanden und welche Teillösungen schon früher versucht worden sind. Die betriebliche Sozialpolitik hat eine tiefe historische Wurzel, und sie ist mehreren charakteristischen Wandlungsprozessen unterworfen gewesen. Die Anforderungen, Unternehmen neu zu organisieren, ihren Führungsstil zu verändern, treten immer wieder auf, und es gibt dabei nicht nur neue, sondern auch immer wiederkehrende Anforderungen, über die der Historiker besser Bescheid weiß als der, der sich zum ersten Male und nur in einem Falle mit ihnen befaßt. Daß technischer und organisatorischer Wandel neue Anforderungen an die Vor- und Ausbildung der Arbeitnehmer stellt, kommt im Zeitalter der

Automation und des Mikrocomputers nicht zum ersten Male vor. Auch das 18. und das 19. Jahrhundert kannten solche Zeiten des Umbruchs, und man hat oft unter harten Schmerzen und auf Umwegen Lernprozesse durchgemacht.

Den deutschen Universitäten und der deutschen Wissenschaft wird oft der Vorwurf gemacht, sie lebten entweder grundsätzlich in einem Elfenbeinturm oder sie hätten sich in den sechziger und siebziger Jahren unter dem Ansturm der Studentenrevolte von allen Kontakten mit der Wirtschaft zurückgezogen. Für die deutschen Wirtschaftshistoriker trifft weder das eine noch das andere zu. Sie sind für diese Kontakte stets offen gewesen; freilich müssen sie manchmal, wenn sie oder ihre Schüler nach historischen Materialien aus der Wirtschaft fragen und den Zugang zu einem Firmenarchiv suchen, die ungeduldige Antwort hören: »Geschichte? Wir haben wahrhaftig andere Sorgen!«

## Sozialgeschichte

Auch der Wirtschaftshistoriker hat andere Sorgen. Er hat daneben noch die Sozialgeschichte zu betreiben, die im deutschen Sprachraum traditionellerweise mit der Wirtschaftsgeschichte gekoppelt ist. Und diese stellt nicht minder interessante Aufgaben. Man kann lange darüber philosophieren, ob Sozial- und Wirtschaftsgeschichte ein oder zwei Disziplinen oder Subdisziplinen sind oder gar welche die fundamentalere oder übergeordnete sei. Alles dies führt zu nichts. Halten wir uns zunächst an englischen Pragmatismus, um Probleme und Methoden einer gesamtgesellschaftlichen Geschichte kurz darzulegen. 1969 veröffentlichte Harold Perkin ein Buch mit dem Titel »The Origins of Modern English Society«. Einige Jahre zuvor äußerte er sich darüber, wie eine solche Geschichte der englischen Gesellschaft wohl angelegt sein könnte.[45] Perkin kümmert die alte Diskussion, was das Arbeitsfeld des Sozialhistorikers sei, nicht. In der Wissenschaft gebe es keine Arbeitsfelder wie in der Landwirtschaft, die nur der bearbeiten dürfe, dem sie gehören. Wissenschaftliche Disziplinen sind keine Felder und Erkenntnisse, keine Ernteergebnisse, die dem Eigentümer des Feldes gehören. Daher sei die Frage, wo der Sozialhistoriker neben anderen, etwa dem politischen oder Wirtschaftshistoriker, Platz fände, irrelevant. »Der Sozialhistoriker unterscheidet sich von anderen Historikern nur durch die Fragen, die er stellt, und die Antworten, die er sucht.« Da die Gesellschaft ebensowenig wie das Universum zur gleichen Zeit von allen Seiten betrachtet werden könne, komme es darauf an, welchen Zugang man suche, worauf man seine Aufmerksamkeit konzentrieren wolle, welche Methoden der Forschung man anwende. Er benutzt eine Analogie aus der Naturwissenschaft, obwohl er sich darüber im klaren ist, daß eine Gesellschaft weder ein Organismus noch eine Maschine sei, und empfiehlt, fünf miteinander in Beziehung stehende Aspekte zu untersuchen, die Ökologie, Anatomie, Physiologie, Pathologie und Psychologie der Gesellschaft. Was ist damit gemeint? Unter Ökologie versteht Perkin die Beziehungen der Gesellschaft zu ihrer physischen Umgebung, die geographischen Bedingungen, Klima, Bodenbeschaffenheit, Fauna und Vegetation. Die Art, in der sie auf die Gesellschaft einwirken und von ihr umgeformt werden, gehört zu den Grundbedingungen, die der Sozialhistoriker kennen müsse. Unter der Anatomie einer Gesellschaft versteht er deren Aufbau, das, was meist »Struktur« genannt wird und was sich nur langsam ändert: die Größe und Verteilung der Bevölkerung, die Art der Beschäftigung und die soziale Hierarchie; die Institutionen von der Ehe bis zum Erbrecht, die Art, in der Vereine und politische Parteien gebildet werden und schließlich die Regierungsform. Alles dies möchte er unter Anatomie einbegriffen sehen. Es handelt sich nicht nur um die Klassenstruktur, wie moderne Soziologen und Sozialhistoriker oft meinten, sondern um weit mehr, so wie es bei der Anatomie des Körpers nicht nur um das Knochengerüst, sondern auch um seine inneren Organe und die Struktur der Zellen geht.

Hier versagt jedoch die Analogie, denn eine Gesellschaft ist nicht ein Körper, der sich nach genetischen Anlagen entwickelt, und die Veränderungen im Bau der Gesellschaft zu erforschen ist schließlich eine der wichtigsten Aufgaben des Sozialhistorikers. Unter Physiologie der Gesellschaft möchte Perkin die Regeln verstanden wissen, nach denen sie funktioniert, die Kontrollen, die sie am Leben erhalten, die Art ihrer Regeneration, den Kreislauf und die Verteilung von Arbeit und Einkommen und die Übertragung von Fähigkeiten, Verhaltensweisen und Idealen von einer Generation zur nächsten. Bei diesem Studium mag der Sozialhistoriker dem politischen oder Wirtschaftshistoriker in die Quere kommen, aber »obwohl er zeitweise in denselben Gewässern fischt, wird er ein anderes Netz benutzen und einen anderen Kurs steuern als diese.« Die Pathologie einer Gesellschaft befaßt sich mit den Gebrechen einer Gesellschaft, den sozialen Problemen und den Versuchen, sie zu lösen, also mit Hunger und Krankheit, Verbrechen, Ungerechtigkeit und Intoleranz, mit Interessen-, Klassen- und Gruppenkonflikten, ja Bürgerkrieg. Die Art, wie sich solche sozialen Probleme bilden, gelöst oder beiseite geschoben werden, erlaubt einen Ausblick auf den fünften Aspekt, die Sozialpsychologie einer Gesellschaft, unter der Perkin im wesentlichen ihr Selbstverständnis und deren Wandel sieht, wobei er besonderen Wert darauf legt, wer dieses Selbstverständnis artikuliert und in welcher Weise neue Ideen über die Gestaltung einer Gesellschaft, etwa die des Wohlfahrtsstaates, zustande kommen.

Man kann gegen diese Sicht der Sozialgeschichte einwenden, daß sie, wie alle Analogien aus der Biologie, sich die Gesellschaft doch zu sehr als ein »organisches Ganzes« vorstellt und daher das ihr Eigentümliche verfehlt. Aber sie gibt immerhin eine anschauliche Beschreibung von der Vielfalt der Aufgaben, die sich der Sozialgeschichte stellen. Stärker noch als die Wirtschaftsgeschichte hat sie mit dem Problem zu ringen, daß die meisten Konzepte, die sie benutzt, der realen Erfahrung der modernen westeuropäisch-amerikanischen Gesellschaft entnommen sind und auf ältere und außereuropäische Gesellschaften schlecht passen. Manche Sozialhistoriker, voran Otto Brunner, haben daher gefordert, daß man sie mit den Begriffen der jeweiligen Zeit konfrontieren müsse, damit keine Mißverständnisse entstehen. Manche gehen sogar so weit zu fordern, die Begriffe der Sozialgeschichte nur aus der Sprache der jeweiligen Zeit zu entwickeln, was freilich jeden Vergleich verschiedener Gesellschaften, etwa der chinesischen der Han-Zeit mit der hellenistischen oder der europäischen der Renaissance, völlig unmöglich machen würde. Auch die Sozialgeschichte muß daher Begriffe und Theorien verwenden, die die moderne Soziologie ihr zur Verfügung stellt. Sie gebraucht die Termini ›soziale Schichtung‹ oder ›Stratifikation‹, um den Aufbau vieler unterschiedlicher Gesellschaften zu erfassen, oder ›Soziale Mobilität‹, um die Bewegungen, die innerhalb einer solchen Struktur stattfinden und sie verändern, zu messen.[46]

## Eine ›Neue‹ Sozialgeschichte?

Ähnlich wie sich eine ›Neue‹ Wirtschaftsgeschichte gebildet hat, gibt es auch eine ›Neue‹ Sozialgeschichte, die vorwiegend quantitativ arbeitet und möglichst genau definierte Zusammenhänge (Hypothesen) empirisch zu überprüfen sucht. Ein Beispiel dafür ist die Eliteforschung. Auch ›Elite‹ ist selbstverständlich ein Begriff aus der europäischen Geschichte. Aber man kann ihn ›neutral‹ oder ›universalistisch‹ handhaben. In jeder Gesellschaft gibt es führende Gruppen oder Familien. Man kann definieren, was man damit meint – Macht, Einfluß, Vermögen, Einkommen, Bildung –, wie man sie abgrenzt, und kann die Definition operationalisieren, d. h. so fassen, daß sich in historischen Quellen Material finden läßt, das den Umfang, die Zusammensetzung, die Herkunft, die Lebensgewohnheiten, das Selbstverständnis und die Machterhaltungstechniken dieser Gruppen charakterisiert. Man kann dies tun, um Veränderungen, die sich innerhalb einer Gesellschaft im Laufe der Zeit ergeben, herauszufinden, also einen geschichtlichen Verlauf, eine Strukturänderung in einer Gesellschaft zu beleuchten; man kann aber auch versuchen, für verschiedene Gesellschaften zu gleichen (oder zu verschiedenen) Zeiten die Eliten miteinander zu vergleichen. Wer waren die preußischen Junker im 17. und 18. Jahrhundert im Vergleich zur englischen »Gentry« im gleichen Zeitraum, welche Rolle spielten sie in ihrer Gesellschaft, inwieweit waren sie offen für den Aufstieg aus anderen Gesellschaftsschichten? Wie rekrutierte sich das preußische im Vergleich zum englischen oder russischen oder französischen Offizierskorps im späteren 19. Jahrhundert? Aus welchen sozialen Gruppen stammten die Parlamentsabgeordneten um 1848, nach 1918? Wie entstand die moderne Unternehmerschaft, wie gliederte sie sich, z. B. in Großunternehmer und in welche anderen Gruppen? Aus welchen Kreisen stammen die Manager, wie wurden sie ausgebildet, wie verlief ihre Karriere vor dem 1. Weltkrieg, in der Zwischenkriegszeit und heute? Die Sozialgeschichte des englischen Landadels, der Hofprediger Brandenburg-Preußens, der protestantischen Pfarrer Württembergs, das westdeutsche Bildungsbürgertum des 19. Jahrhunderts und die westfälischen Unternehmer sind auf diese Weise untersucht worden.[47] Je genauer eine Gruppe abzugrenzen ist, etwa durch ein bestimmtes Amt oder durch eine bestimmte Ausbildung – etwa das Durchlaufen einer der französischen Eliteschulen – oder gar durch einen eindeutigen rechtlichen Status wie bei den Standesherren, einer Gruppe von knapp 200 Familien des deutschen Hochadels, die in der napoleonischen Zeit zwar ihre Landesherrschaft verloren, aber einen rechtlich herausgehobenen Status, etwa die Steuerfreiheit oder die Weitergeltung des Erbrechts der Primogenitur oder die »Ebenbürtigkeit« mit den weiter regierenden Fürsten zugesprochen erhielten, desto leichter sind solche Untersuchungen.[48] Je schwerer eine Gruppe abzugrenzen ist – wer ist ein Großunternehmer? –, desto schwieriger ist sie.[49] Eine beliebte Frage ist die Verbindung verschiedener Eliten untereinander, etwa durch Heiraten. Wie hängen Adel und hohe Beamtenschaft und Offizierskorps zusammen? In welcher Weise verkehrten das ›gebildete Bürgertum‹, Rechtsanwälte, Ärzte, Professoren, Theologen, mit dem ›wirtschaftenden Bürgertum‹ des Rheinlands im 19. Jahrhundert?[50] Wie katholische mit protestantischen oder jüdischen Eliten?

Die Methode, die zur Untersuchung solcher Fragen oft angewendet wird, ist die ›kollektive Biographie‹, in der man möglichst viele eindeutige, objektive Merkmale aus den Lebensläufen der zu untersuchenden Individuen oder Familien statistisch zusammenstellt und analysiert. Sie ist schwerer einzusetzen für die umfangreicheren Mittel- oder gar die Unterschichten, einmal, weil die Abgrenzungsschwierigkeiten zunehmen, zum anderen, weil das Quellenmaterial oft versagt, denn Lebensläufe sind nun einmal eher von den oberen Schichten überliefert als von unteren. Hier müssen daher verschiedenartige Quellenbestände kombiniert werden.[51]

Für kleinere soziale Einheiten, etwa eine Stadt, läßt sich aber zumindest für bestimmte Zeitpunkte die soziale Schichtung einigermaßen herausarbeiten, und ein großer Teil moderner sozialgeschichtlicher Forschung befaßt sich daher mit Städten oder auch Dörfern, wo Geburts- und Heiratsregister, Einkommens- oder Vermögenssteuerlisten, Einwohnerverzeichnisse mit Berufsverzeichnissen und anderen Quellengruppen erhalten sind, oder mit dem Vergleich solcher monographischer Studien untereinander. So ist etwa, um nur ein Beispiel zu nennen, die soziale Mobilität zwischen Arbeiter- und Mittelschichtberufen in der zweiten Hälfte des 19. Jahrhunderts für Boston, Mass. mit einigen schwedischen Kleinstädten, Köln, Euskirchen, Bochum, Bielefeld, Borghorst i. W., Ludwigshafen, Esslingen und Graz miteinander verglichen worden, wobei sich erhebliche Unterschiede sowohl im Aufstieg wie im Abstieg von Berufsangehörigen in andere sozialen Schichten herausstellten.[52] Oder es wurde untersucht, aus welchen sozialen Schichten die Oberschüler und Studenten an den Universitäten und Technischen Hochschulen verschiedener europäischer Länder stammten und wie sich dies im Laufe der Jahrzehnte veränderte. Solchen Untersuchungen liegen oft gegenwartsbezogene Fragestellungen und Motive zugrunde. Ein Forscher sieht in der Vergrößerung der Chancengleichheit eine wichtige politische Forderung. Ihn interessiert nicht nur, wie es um die Chancengleichheit heute steht, sondern auch, wie sie sich in den vorangegangenen Generationen entwickelt hat. Ist es richtig, wie oft behauptet wird, daß mit der Industrialisierung die Chancengleichheit generell wächst? Oder trifft das nur für einzelne Schichten oder Gruppen zu? Oder überhaupt nicht? Welches ist der Weg, sie zu verwirklichen? Leistet Ausbildung dazu einen Beitrag und welchen? Wie sind die Chancen auf Stadt und Land verteilt, wie auf verschiedene Konfessionen, welche Chancen besitzen ethnische oder religiöse Minoritäten?

Die letzte Frage ist in den letzten 20 Jahren angesichts der Rassen- und Minoritätenprobleme dieses Landes natürlich besonders in den USA untersucht worden. Sie ist aber auch für viele andere Regionen der Welt und auch für weit zurückliegende Zeiten von großem Interesse, beispielsweise für Chinesen in Südostasien, Inder in Ostafrika, Georgier im zaristischen oder in Sowjetrußland, Tschechen oder Polen, Slowenen oder Ungarn im alten Österreich und für die Iren in England. Umfangreiche Forschungen gibt es über jüdische Gemeinden und Gruppen in vielen Weltgegenden. Deutsche Wirtschaftshistoriker haben besonders die jüdischen Familien, die aus Portugal und Spanien vertrieben wurden, untersucht.[53] Nicht minder spannend sind die z. T. mehrbändigen Studien über jüdische Gemeinden im Orient.[54] Solche Gemeindearchive erlauben manchmal die Rekonstruktion so verschiedener Aspekte des sozialen Lebens wie der Selbstregierung, die solche Gemeinden vor allem im Orient besaßen, ihrer Sozial- und Berufsstruktur, ihrer Vermögensverhältnisse, insbesondere ihres Grundbesitzes, ihrer Geschäftsbeziehungen, ihrer Religionsausübung und ihrer Familienverhältnisse. Wie bei der historischen Erforschung alter Kulturen gehören dazu umfangreiche Sprachkenntnisse. So sind die Archive der jüdischen Gemeinde in Kairo in arabischer Sprache abgefaßt, aber mit hebräischen Schriftzeichen geschrieben. Will man die Geschichte der jüdischen Gemeinden in Palästina selbst über einen längeren Zeitraum verfolgen, so braucht man dazu auch Altgriechisch, Latein und Türkisch. Und verfolgt man die Schicksale der nach Persien oder China verschlagenen Juden, so gehört natürlich auch die Kenntnis dieser Sprachen dazu.[55]

## Familiengeschichte und historische Demographie

Aber auch wenn wir im europäischen Raum bleiben, ist die Rekonstitution der kleinen sozialen Einheiten eine mühevolle Angelegenheit. Sie kann jedoch überraschende Ergebnisse bringen. Zwei Forschungsrichtungen, die eng miteinander zusammenhängen, sollen hier noch erwähnt werden, die historische Familienforschung und die historische Demographie. Mit Familienforschung ist hier nicht die Rekonstruktion des Stammbaums einzelner Familien gemeint, die Hunderttausende von Amateuren in aller Welt betreiben. Sie kann für eine allgemeine Familienforschung, die sich mit der Analyse der Familienstruktur verschiedener sozialer Schichten beschäftigt, jedoch ein wichtiges Hilfsmittel sein.

Die Familie bildet in den meisten Kulturen die grundlegende soziale Einheit. Aber sie kommt in zahlreichen Formen vor. Früher hat man gemeint, es gäbe bei der Familien- wie bei der Wirtschaftsstruktur eine Abfolge von Stufen oder Stadien, die in Europa von der Großfamilie zur Klein- oder Kernfamilie geführt habe. Erst im 19. Jahrhundert habe sich die typische bürgerliche Familie, bestehend aus Eltern und Kindern, herausgebildet, während früher im ›ganzen Haus‹ auch die Großeltern, Onkel und Tanten, vielleicht Vettern und Kusinen und nichtverwandtes Dienstpersonal zusammengelebt haben. Neuere Forschungen, die in mehreren Ländern, so in Frankreich, England, Deutschland, Österreich und den skandinavischen Ländern betrieben worden sind, haben ein sehr viel differenzierteres Bild gezeichnet, das von sozialer Schicht zu sozialer Schicht, aber auch von Ort zu Ort erhebliche Abweichungen bringt. Danach war einerseits die Kernfamilie in manchen mittleren Schichten schon sehr viel früher ausgebildet als im 19. Jahrhundert, die Großfamilie findet sich hingegen weit seltener, am ehesten in Oberschichten; aber manche Forscher sprechen davon, daß man von Familie in adeligen Haushalten des 16. oder 17. Jahrhunderts überhaupt nicht sprechen könne, da die Kinder schon sehr früh, im Alter von zwei oder drei Jahren, von den Eltern getrennt aufwuchsen, daß manchmal der Herr und die Frau des Hauses durchaus getrennte Haushalte führten, daß das sentimentale Band, das die bürgerliche Familie des 19. Jahrhunderts kennzeichnete, überhaupt nicht existierte: Ehen wurden geschlossen, um Vermögen zusammenzuführen und Nachwuchs für dieses Vermögen zu erzeugen.[56] Auch am unteren Ende der sozialen Leiter war die Familie eher die Ausnahme als die Regel, zumindest lag der Anteil der unvollständigen Familien, meist Mütter mit Kindern, aber auch Väter mit Kindern oder Kinder ohne Eltern sehr hoch. Auch die Zahl der Einpersonenhaushalte scheint größer gewesen zu sein als vermutet. Die größte Überraschung aber bildete mancherorts die Zahl der Haushalte, in denen Nichtverwandte zusammenlebten. Offenbar war das Leben viel zu hart, und der Tod riß zu viele frühe Lücken, als daß sich die Familie, vor allem die

Dreigenerationenfamilie, als Normalfall hätte ausbilden können. Wenn die mittlere Lebenserwartung 30 Jahre oder weniger betrug, so konnten viele Kinder ihre Großeltern nicht mehr erleben, und selbst wenn sie noch am Leben waren, wohnten sie durchaus nicht notwendigerweise im gleichen Haushalt.[57]

Eine weitere Überraschung, die die Familienhistoriker zuerst in England fanden, war die große Zahl der Heimatlosen, umherwandernden Personen und Familien in den Unterschichten. Die geographische Mobilität der Unterschichten war sehr viel höher, als man sich das vorgestellt hatte. Auch für den Kontinent kann man das vermuten, obwohl es sehr schwer ist, gerade für diese Schicht genaue Quellenzeugnisse zu finden. Mindestens für das Ende des 18. Jahrhunderts wissen wir jedoch, daß die Straße für viele der Wohnort war, wenn sie nicht vorübergehend oder im Alter oder bei Krankheit in Zucht- und Arbeitshäusern oder Hospitälern untergebracht wurden. Für Hunderttausende, ja Millionen begann das Leben im Findelhaus und endete in einer anderen karitativen Einrichtung, wenn nicht auf der Straße. Für einige französische und italienische Städte liegen darüber recht genaue Aufzeichnungen vor.[58]

Mit Hilfe der Familienrekonstitution, die als wissenschaftliche Methode in den 1930er und 40er Jahren in Frankreich entwickelt wurde, lassen sich auch genauere Aussagen über die vorindustrielle Bevölkerungsgeschichte machen. Meist arbeitet sie mit den Geburts-, Heirats- und Sterberegistern, die in vielen Orten Europas erhalten geblieben sind und gelegentlich bis in das 16. Jahrhundert zurückreichen. Sie erlauben, Heiratsalter von Mann und Frau, die Zahl und Zeitfolge der Geburten, die Zahl und den Anteil der unehelichen Geburten, Todesalter und oft auch Todesursache (insoweit man die manchmal sehr allgemeinen Angaben in moderne medizinische Terminologie übersetzen kann) zu ermitteln. Nur die Wanderungen sind schwer zu erfassen. Für Frankreich ergab sich, daß schon im 17. und 18. Jahrhundert offenbar Geburtenverhütung die Regel gewesen sein muß. In den meisten Dörfern lag das Heiratsalter höher als erwartet, und die Spanne zwischen den Geburten war größer, als man annahm. In manchen Dörfern zeigten sich deutlich Unterschiede zwischen den Besitzenden und Nichtbesitzenden: Die Besitzenden heirateten später und hatten weniger Kinder. Unerwartet vielfältig war die Quote der Unehelichen. Hier müssen lokale oder regionale Sitten eine große Rolle gespielt haben. Insgesamt zeigt sich, daß die ältere Vorstellung von großer Kinderzahl keineswegs die Regel war. Nur wenn viele Kinder starben, wurden oft noch spät in der Ehe weitere Kinder geboren. Die alte Auffassung, daß in der agrarischen Gesellschaft hohe Kinderzahl aus ökonomischen Gründen erwünscht war, weil sie zusätzliche Arbeitskräfte bedeutete, ließ sich keineswegs überall bestätigen, wohl aber die andere, daß Heiraten und Geburten von Ernten oder Epidemien mitbestimmt wurden. Insgesamt lassen sich die vielen Lokalstudien, die inzwischen vorliegen, nicht leicht zu einem einheitlichen Muster für die Familien- und Bevölkerungsgeschichte des vorindustriellen Europas zusammenfassen.[59]

Es ist sicher kein Zufall, daß die Forschungen dieser Art in Frankreich in den 1930er und 1940er Jahren begonnen wurden, als die Franzosen mehr als je sich Sorgen um den Bestand der Nation machten und ein Interesse daran hatten herauszufinden, aus welchen Gründen denn die Bevölkerungsentwicklung in ihrem Lande von der in den Nachbarländern seit langem abwich. Und es ist sicher kein Zufall, daß die Forschungsrichtung heute in vielen Ländern Europas blüht, weil die Frage, wie sich die Bevölkerung in Zukunft entwickelt, ob sie wachsen, stagnieren oder schrumpfen wird, nicht nur Rentenversicherungsexperten und Arbeitsmarktpolitiker beschäftigt. Auch diese Forschungen haben also durchaus einen aktuellen Bezug, selbst wenn es dem einzelnen daran Beteiligten gar nicht voll bewußt sein sollte.

## Wirtschafts-, Sozial- und Rechtsgeschichte

Für den Politiker, der familien- oder bevölkerungspolitische Ziele anstrebt, stellt sich die Frage, ob solche Ziele mit Veränderungen der Rechtsordnung oder Gesetzen zur Förderung der Familie, der Erleichterung (oder Erschwerung) des Unterhalts und der Erziehung von Kindern zu erreichen sei. Damit ist eine von vielen Verbindungen zwischen Wirtschaft, Gesellschaft und Recht angesprochen. In der deutschen Wissenschaftstradition hat die Erforschung solcher Zusammenhänge auch in der Geschichte eine alte Tradition, die aber inzwischen fast abgebrochen zu sein scheint. Das hat verschiedene Gründe. Der eine liegt darin, daß heute die anglo-amerikanischen Forschungsrichtungen vorherrschen, wo diese Verbindung nie so stark war. Der zweite Grund liegt darin, daß die Sozial- und Wirtschaftsgeschichte, die sich eng auf Rechtsquellen stützte, in Verruf kam, weil man erkannte, daß sie weitgehend nur von Normen handelte, aber zu selten den zweiten Schritt tat, die Wirksamkeit der Normen in der sozialen Wirklichkeit zu überprüfen. So hat die ältere deutsche Wirtschafts- und Sozialgeschichte die Lage des Handwerks mehr nach den Handwerksordnungen beschrieben, die Landwirtschaft vor allem nach der Veränderung der Agrarverfassung beurteilt und die Wettbewerbsformen nur nach dem Kartellrecht dargestellt. In den letzten Jahren hat sich jedoch eine Neubewertung der Rolle des Rechtes angedeutet, die ausgerechnet von den USA ausging, wo einige Wirtschaftshistoriker den »property-rights-Ansatz« der Nationalökonomie übernahmen.[60] Danach spielt die Art und Weise, in der in einer Gesellschaft über ökonomische Ressourcen disponiert wird, eine entscheidende Rolle für die wirtschaftliche Entwicklung, und Europa habe sein modernes Wachstum seit dem späteren Mittelalter vor allem wegen der Individualisierung dieser Rechte und wegen des Ausbaus eines rationalen Anreizsystems zustandegebracht, während in anderen Kulturen solche Verfügungsdispositionen viel stärker in der Hand einzelner Herrscher oder inflexibler Institutionen geblieben seien. Einige der ›Neuen Wirtschaftshistoriker‹, die in den sechziger Jahren die ökonometrische Methode propagiert hatten, bekehrten sich zu einer noch neueren, nämlich sehr alten, der vor allem im englischen Sprachraum als ›institutionell‹ bezeichneten Wirtschaftsgeschichte. Hatte es 50 Jahre lang geheißen: »Institutions do not matter«, so wurde die Parole nun umgekehrt: »Institutions matter«.[61] Diese Sichtweise hängt deutlich mit einer Diskussion zusammen, die in der amerikanischen (aber auch europäischen) Wirtschaftspolitik und Wirtschaftstheorie seit einigen Jahren im Gange ist: Wie kann eine Gesellschaft ihre kollektiven Aufgaben, vor allem die Produktion und Verteilung öffentlicher Güter wie reine Luft, sauberes Wasser, aber auch Erziehung oder Krankenpflege am besten organisieren? Soll der Staat, sollen kleinere Einheiten wie die Gemeinde, sollen Private dafür die Verantwortung tragen, und wie kann man Anreize institutionell schaffen und rechtlich absichern, daß sie am effektivsten erledigt werden? Im Grunde ist dies eine sehr alte

Diskussion, die auch im 18. und im 19. Jahrhundert schon geführt worden ist und die immer wieder, wenn größere Probleme sich aufdrängen, neu zum Vorschein kommt. Im frühen 19. Jahrhundert beantwortete man die Frage, nachdem der Staat sich als nicht sehr effizienter Verwalter von Wirtschaftsunternehmen erwiesen hatte, zunächst mit mehr Freiheit, mehr privater Verantwortung, weniger Staatseingriffen. Gegen Ende des Jahrhunderts, als die ›soziale Frage‹ in den Vordergrund drängte, wurden dann hingegen die Weichen für den Wohlfahrtsstaat gestellt, der in der Zeit nach dem Zweiten Weltkrieg seinen Höhepunkt erreichte, als Staat und Sozialversicherung zwischen einem Drittel und der Hälfte des Sozialprodukts für sich in Anspruch nahmen. Überall wird nun die Frage diskutiert, ob eine Umkehr nötig sei und wie sie in der Rechts- und Wirtschaftsordnung zu gestalten sei.

Es nimmt nicht wunder, wenn die Wirtschafts- und Sozialgeschichte sich an dieser Diskussion beteiligt. So hat sie in Zusammenarbeit mit Soziologen, Ökonomen und Juristen in den letzten Jahren die Entstehung des Wohlfahrtsstaates, vor allem der Sozialversicherung, in vergleichenden Untersuchungen aufzuhellen und die wichtigsten Motive für seine unterschiedliche Ausgestaltung aufzufinden versucht.[62] So befaßt sie sich wieder stärker mit dem Thema der Wirtschaftsordnung, dem vielschichtigen Problem des Verhältnisses von Staat und Wirtschaft in der Geschichte.[63]

Es würde zu weit führen, hier darzulegen, in welcher Weise Staat und Recht auf die Gestaltung von Wirtschaft und Gesellschaft einwirken. Sie sind allgegenwärtig, auch wenn manche Wirtschafts- und Sozialhistoriker sie heute aus ihren Forschungen ausklammern. Ob man der Frage nachgeht, welchen Einfluß die Tatsache, daß es in China vor der Revolution von 1911 kein »bürgerliches Recht«, sondern nur ein Strafrecht gab, auf die ungenügenden Entfaltungsmöglichkeiten chinesischer Kaufleute und Unternehmer hatte, so daß sie seit den 1840er Jahren in die europäischen Enklaven drängten, weil sie dort Rechtsschutz genossen; ob man prüft, ob sich die These halten läßt, daß sich das Seerecht in ungebrochener Tradition von den Phöniziern bis zu den Engländern nach den Vorstellungen der jeweils führenden Seefahrernationen entwickelte; ob man der Rolle nachspürt, die die jeweiligen Vororte des internationalen Handels auf die Gestaltung des Wechsel- und Kaufmannsrechts hatten; ob man die Verteilung der Ausbreitung der Europäer über die Erde mit der Ausdehnung ihrer Rechtsprinzipien und Rechtsinstitutionen untersucht, etwa der Einführung des englischen Gerichtsverfahrens in Indien oder des französischen Zivilrechts in Nordafrika; ob man die Bedeutung des Code Napoléon für die Modernisierung des Gewerberechts in vielen Teilen Europas oder der Ausbildung liberaler Prinzipien für die Entstehung des Bürgerlichen Gesetzbuches in Deutschland und in der Schweiz zum Thema nimmt – überall drängt sich eine enge Verbindung auf.[64] Eines der klassischen Themen der alteuropäischen Sozial- und Wirtschaftsgeschichte ist ebenso ein klassisches Thema der Rechtsgeschichte: der Feudalismus und seine allmähliche Ablösung.[65]

Auch in der neueren Geschichte lassen sich wichtige Fragen der Sozial- und Wirtschaftsgeschichte ohne Rückgriff auf den Wandel des Rechts nicht klären: die Entstehung des Beamtentums und seiner verschiedenen Ausprägungen in den unterschiedlichen Staaten Europas, die Gestaltung der öffentlichen Finanzen, des Steuersystems, die Einrichtung öffentlicher oder halböffentlicher Unternehmen, die Veränderungen der Wettbewerbsformen, der Unternehmensformen, das wachsende Ausmaß der öffentlichen Dienstleistungen aller Art. Die deutsche und die internationale Forschung auf dem Gebiet der Wirtschafts- und Sozialgeschichte hat in den letzten Jahrzehnten nur wenige Werke hervorgebracht, die die Interdependenzen dieser Art deutlich herausarbeiten.[66] Hier ergibt sich ein fruchtbares Feld gerade für solche Forscher, denen sozio- und ökonometrische Forschungsmethoden weniger liegen, die lieber auf die alten hermeneutischen Methoden der klassischen Geschichtswissenschaft vertrauen, die auch zu den Methoden des Rechtswissenschaftlers gehören.

## Probleme der Gegenwart als Motiv für das Studium der Geschichte

In der vorangegangenen Skizze konnten nur einige Arbeitsgebiete, Problemstellungen und Forschungsmethoden der Wirtschafts- und Sozialgeschichte besprochen werden. Sie sollte nicht ein Forschungsbericht für Fachgenossen, sondern eine Vorstellung eines ›kleinen Randgebietes‹ in dem großen Universum der Wissenschaft für Nichtfachleute sein. Ich hoffe, daß sie klar gemacht hat, womit Wirtschafts- und Sozialhistoriker sich beschäftigen und warum sie es tun. Wie alle Wissenschaft ist auch die Wirtschaftsgeschichte einesteils l'art pour l'art. Sie geht in einem kleinen Kreis von Fachgenossen vor sich, die sich gegenseitig belehren und die das, was sie zu wissen glauben, und die Motive, warum sie es wissen wollen, sowie die Methoden, mit denen sie zu ihrem Wissen kommen, an die nächste Generation weitergeben. Wissenschaft ist aber nicht nur dies. Sie findet ihren Antrieb in den jeweiligen Problemen einer Gegenwart. Es ist kein Zufall, daß Geschichte in jeder Generation neu geschrieben werden muß. Dies ist nicht nur so, weil neue Quellen auftauchen, neue Konzepte und Methoden entwickelt werden, sondern vor allem, weil die Fragen, die der Historiker an die Vergangenheit stellt, sich verändern. Diese Fragen aber entnimmt er vor allem den Problemen seiner eigenen Zeit – wie sollte es anders sein? Wenn die deutsche Geschichtswissenschaft des 19. Jahrhunderts sich überwiegend mit der Frage des Nationalstaates und seiner Behauptung beschäftigte, so weil dies das Hauptproblem der deutschen Politik des 19. Jahrhunderts darstellte. Wenn sich daneben in enger Verbindung mit den Wirtschafts- und Sozialwissenschaften die Wirtschafts- und Sozialgeschichte entwickelte, so deshalb, weil die Generation um Schmoller (um nur den bekanntesten Repräsentanten zu nennen) oder um Toynbee, den Älteren, in England die »Soziale Frage«, d. h. die durch die Industrialisierung bedingten oder ihr parallel gehenden sozialen Wandlungen als drängend ansah. Es ist kein Zufall, daß viele Wirtschafts- und Sozialhistoriker des 19. Jahrhunderts auch Sozialreformer waren. Daher kam ein wesentlicher Antrieb für das Studium der sozialen und ökonomischen Seite der menschlichen Entwicklung. Im Laufe der Zeit ›professionalisiert‹ sich jede Wissenschaft, wird zur Zunft, in der bestimmte Regeln gelten und wo die Motivation des einzelnen sich manchmal darin erschöpft, den Anforderungen der Zunft zu genügen. Aber sie bleibt der Außenwelt verbunden und ihren Einflüssen gegenüber offen, und diejenigen, die eine Wissenschaft vorantreiben, stellen sich oft bewußt diesen Anforderungen.

Die Wirtschafts- und Sozialgeschichte hat diese Offenheit vielleicht in gößerem Maß als andere Wissenschaften, weil sie von Geburt und Natur her interdisziplinär ist, nie in die

Schranken nur einer wissenschaftlichen Schule eingemauert war. Auch heute noch sind ihre Praktikanten unterschiedlicher Herkunft: Historiker, Ökonomen, Soziologen, Agrarwissenschaftler (ja Rechtswissenschaftler), Volkskundler, auch Geographen und Philosophen. Die Perspektiven und Methoden sind sehr unterschiedlich, können sich widersprechen, aber auch ergänzen und befruchten. Auch die Offenheit des Faches gegenüber der wirtschaftlichen, gesellschaftlichen und politischen Praxis scheint mir bemerkenswert zu sein. Umgekehrt besitzt es offensichtlich eine besondere Anziehungskraft für Menschen mit praktischer Lebenserfahrung. Es gibt dafür einen interessanten Indikator: Als der Bundesminister für Bildung und Wissenschaft, der jedes Jahr den Heinz-Maier-Leibnitz-Preis an den Nachwuchs auf drei Gebieten verteilt, 1981 die Wirtschafts- und Sozialgeschichte als eine der Disziplinen bestimmte, hatten die Preisträger dieses Faches zwar das höchste Durchschnittsalter, aber zwei von dreien waren über den zweiten Bildungsweg zur Wissenschaft gekommen. Der eine hatte jahrelang unter Tage gearbeitet und dann eine vielbeachtete Dissertation zur Sozialgeschichte des Ruhrbergarbeiters geschrieben, der andere war Kaufmann.[67] Es wäre auch eine Untersuchung wert, wie viele der Professoren dieses Faches »soziale Aufsteiger« sind. Nach meinem Eindruck, der freilich nicht auf einer repräsentativen oder Totalerhebung beruht, dürfte ihr Anteil im Vergleich mit anderen Wissenschaften überproportional sein.

Wenn mich heute Studenten fragten – was sie leider kaum tun –, zu welchem Ende sie Wirtschafts- und Sozialgeschichte studieren sollen, so würde ich ähnlich antworten wie Schiller im Jahr der Französischen Revolution: »Damit Sie die Welt, in der Sie leben, besser verstehen und vielleicht sogar die Zukunft besser gestalten helfen können. Denn das Studium der Wirtschafts- und Sozialgeschichte eröffnet Ihnen die historische Dimension der Probleme, mit denen Sie es im praktischen Leben als Wirtschafts- und Sozialwissenschaftler zu tun haben, und sofern Sie Historiker sind, zeigt sie Ihnen einen wichtigen, vielleicht den wichtigsten Aspekt der Geschichte der Menschheit, denn ›eine Bestimmung teilen Sie auf die gleiche Weise miteinander, diejenigen, welche Sie auf die Welt mitbrachten – sich als Menschen auszubilden – und zu dem Menschen eben redet die Geschichte‹.«[68]

## Anmerkungen

Dieser Aufsatz entstand während einer Gasttätigkeit als Konrad Adenauer Professor for Studies in German Public and International Affairs an der Georgetown University, School of Foreign Service, in Washington D. C. im akademischen Jahr 1984/85.

[1] Schiller, F.: Was heißt und zu welchem Ende studiert man Universalgeschichte? Eine akademische Antrittsrede. In: F. Schiller, Sämtliche Werke (Tempel-Klassiker) Bd. 9, S. 239f.

[2] Ebd. S. 254

[3] Eine gute Zusammenstellung von Äußerungen von Historikern und Sozialwissenschaftlern von der Antike bis zu Max Weber über ihre Auffassung von Geschichte bringt F. Wagner, Geschichtswissenschaft, Freiburg [2]1966

[4] S. dazu u. a. D. Junker, Über die Legitimität von Werturteilen in den Sozialwissenschaften und der

Geschichtswissenschaft. Historische Zeitschrift 211 (1970), S. 1–33; H. von der Dunk, Wertfreiheit und Geschichtswissenschaft, ebd. 214 (1972), S. 1–25; D. Junker u. P. Resinger, Was kann Objektivität in der Geschichtswissenschaft heißen und wie ist sie möglich? Ebd., Beiheft 3 (1974), S. 1–46; K. G. Faber, Theorie der Geschichtswissenschaft, München [3]1974; R. Koselleck, W. J. Mommsen, J. Rüsen (Hrsg.), Objektivität und Parteilichkeit in der Geschichtswissenschaft, München 1977

[5] Sie wird vor allem vertreten von P. Feyerabend, Against Method: Outline of an Anarchistic Theory of Knowledge, London 1975; deutsch: Wider den Methodenzwang. Skizze einer anarchistischen Erkenntnistheorie, Frankfurt [2]1977

[6] Schiller, F.: Sämtliche Werke Bd. 9, S. 245 ff.

[7] »Histoire« in: Dictionaire Philosophique, Bd. 19 (1764), S. 365 ff. (zitiert nach F. Wagner, Geschichtswissenschaft, S. 91)

[8] Wagner, F.: Geschichtswissenschaft, S. 229

[9] Oestreich, G.: Die Fachhistorie und die Anfänge der sozialgeschichtlichen Forschung in Deutschland. In: Historische Zeitschrift 208 (1969), S. 323

[10] Kants Gesammelte Schriften. Hrsg. v. der Kgl. Preuß. Akademie der Wissenschaften, Bd. III, Berlin 1911, Kritik der praktischen Vernunft (2. Auflage 1787), S. 75

[11] S. dazu W. Conze, Sozialgeschichte. In: H. U. Wehler (Hrsg.), Moderne deutsche Sozialgeschichte, Köln/Berlin 1966, S. 20 ff.

[12] Burckhardt, J.: Weltgeschichtliche Betrachtungen. Erläuterte Ausgabe, herausgegeben von Rudolf Marx, Stuttgart 1963, S. 59

[13] Ebd. S. 60

[14] Weber, M.: Gesammelte Aufsätze zur Wissenschaftslehre, Tübingen 1922, S. 119 ff.

[15] Hintze, O.: Gesammelte Abhandlungen, 3 Bde., Göttingen 1962–1967

[16] Spengler, J. J.: France Faces Depopulation, Durham N. C. 1938

[17] Die Gründe für die Fehlprognose sind erläutert bei W. Fischer, Bevölkerung als prägendes Element in der Wirtschafts- und Sozialgeschichte. In: H. Giersch (Hrsg.), Probleme der Bevölkerungsökonomie. Beihefte der Konjunkturpolitik, Heft 26, Berlin 1979, bes. S. 25 f.

[18] Beispiele sind: E. Shorter, The Historian and the Computer: A Practical Guide. Englewood Cliffs 1971; W. O. Aydelotte, Quantification in History, Raeding/Mass. 1971; R. Floud, An Introduction to Quantitative Methods for Historians, London 1973; deutsch: R. Floud, Einführung in quantitative Methoden für Historiker, Stuttgart 1980; K. H. Jarausch (Hrsg.), Quantifizierung in der Geschichtswissenschaft. Probleme und Möglichkeiten, Düsseldorf 1976; N. Ohler, Quantitative Methoden für Historiker. Eine Einführung, München 1980; K. H. Jarausch, G. Arminger, M. Thaller, Quantitative Methoden in der Geschichtswissenschaft. Eine Einführung in die Forschung, Datenverarbeitung und Statistik, Darmstadt 1985

[19] Aydelotte, W. O., A. C. Bogue, R. W. Fogel (Hrsg.), The Dimensions of Quantitative Research in History, Princeton 1972; V. A. Lorwin und J. M. Price (Hrsg.), The Dimensions of the Past. Materials, Problems, and Opportunities for Quantitative Work in History, Yale 1972

[20] Historical Social Research. Historische Sozialforschung Quantum Information und: Historisch-Sozialwissenschaftliche Forschungen, Stuttgart 1977 ff. Beide wurden von an historischen Fragen interessierten Soziologen am Institut für angewandte Sozialforschung in Köln ins Leben gerufen. Sie veranstalten auch regelmäßig Computer-Kurse für Historiker. Ferienkurse zur Einführung in die Arbeit der historischen Demographie werden an der Freien Universität Berlin unter Leitung von Prof. Arthur E. Imhof angeboten.

[21] Clapham, J. H.: Economic History as a Discipline. In: Encyclopedia of the Social Sciences, Bd. V, New York 1943, S. 327–330. Wieder abgedruckt in F. Stern (Hrsg.), Geschichte und Geschichtsschreibung, München 1966, S. 316–321

[22] Spree, R.: Zur Theoriebedürftigkeit quantitativer Wirtschaftsgeschichte (am Beispiel der historischen Konjunkturforschung und ihrer Validitätsprobleme). In: J. Kocka (Hrsg), Theorien in der Praxis des Historikers, Göttingen 1977, S. 189–204

[23] Metz, R.: Long Waves in Coinage and Grain Price-Series from the Fifteenth to the Eighteenth Century: Some Theoretical and Methodological Aspects. In: Review VII (1984), S. 599–647, mit weiterer Literatur; für Köln: D. Ebeling u. F. Irsigler, Getreideumsatz, Getreide- und Brotpreise in Köln 1368–1797, 2 Bde., Köln 1976/77

[24] Fischer, W.: Herz des Reviers. 125 Jahre Wirtschaftsgeschichte des Industrie- und Handelskammerbezirks Essen, Mülheim, Oberhausen, Essen 1965, S. 488 f.

[25] Siegenthaler, H.: Konsens, Erwartungen und Entschlußkraft: Erfahrungen der Schweiz in der Überwindung der Großen Depression vor hundert Jahren. In: Schweizerische Zeitschrift für Volkswirtschaft und Statistik 119 (1983), S. 214 f.

[26] Fogel, R.: Railroads and American Economic Growth. Essays in Econometric History, Baltimore 1964; weniger »counterfactual«, aber ähnlich »ökonometrisch« A. Fishlow, American Railroads and the Transformation of the Ante-Bellum Economy, Cambridge, Mass. 1965; eine kurze Darstellung der Fragestellungen und Forschungsmethoden gab R. Fogel, A New Economic History. In: Economic History Review. New Series, Bd. 19, (1966), S. 642–656, wiederabgedruckt in: F. Stern, The Varieties of History, New York [2]1972, S. 456–473

[27] ›New‹ and Traditional Approaches to Economic History and their Interdependence. In: Journal of Economic History 25 (1965), S. 480–95

[28] Die ökonometrischen Aufsätze, die die Kontroverse in Gang setzten und die als der Beginn der »Neuen Wirtschaftsgeschichte« gefeiert wurden, stammen von John R. Meyer und Alfred H. Conrad und erschienen 1957 im Journal of Economic History und 1958 im Journal of Political Economy. Sie sind wieder abgedruckt in A. H. Conrad u. J. R. Meyer, The Economics of Slavery, Chicago 1964. Die Gegenposition entwickelte vor allem E. D. Genovese, The Political Economy of Slavery. Studies in the Economy and Society of the Slave South, New York 1965. Eine umfangreiche ökonometrische Untersuchung unternahmen: R. W. Fogel u. S. L. Engerman, Time on the Cross, 2 Bde., Boston 1974. Sie wurde ausführlich kritisiert u. a. von H. G. Gutman, Slavery and the Numbers Game: A Critique of Time on the Cross, Urbana 1975. Eine weitere, eher positive Auseinandersetzung damit ist P. A. David u. a., Reckoning with Slavery: A Critical Study in the Quantitative History of American Negro Slavery, New York 1976

[29] Es würde zu weit führen, die wissenschaftlich soliden Firmengeschichten hier aufzuführen. Stellvertretend sollen daher nur fünf Dissertationen, dissertationsähnliche oder Habilitationsschriften genannt werden, die in den letzten Jahren in der Bundesrepublik Deutschland entstanden und in wissenschaftlichen Schriftenreihen erschienen sind: J. Kocka, Unternehmensverwaltung und Angestelltenschaft am Beispiel Siemens 1847–1914, Stuttgart 1969; H. Schomerus, Die Arbeiter der Maschinenfabrik Esslingen, Stuttgart 1977; V. Hentschel, Wirtschaftsgeschichte der Maschinenfabrik Esslingen AG. 1846–1918, Stuttgart 1977; G. Schulz, Die Arbeiter und Angestellten bei Felten & Guilleaume, Wiesbaden 1979; H. Rupieper, Arbeiter und Angestellte im Zeitalter der Industrialisierung, Frankfurt a. M., New York 1982. Angelsächsische Firmengeschichten, die weithin Anerkennung gefunden haben, sind: R. W. Hidy, The House of Baring in American trade and finance. English merchant bankers at work 1763–1861, Cambridge/Mass. 1949, [2]1970; die dreibändige Geschichte von Standard Oil: R. W. und M. E. Hidy, Pioneering in big business 1882–1911, New York 1955, G. S. Gibb, The resurgent years, 1911–1927, New York 1956, H. M. Larson, New horizons 1927–1950, New York 1971; W. J. Reader, Imperial Chemical Industries: A History, 2 Bde., London 1970/75. Die Geschichte von Unilever ist gleich von drei Autoren in sechs Bänden behandelt worden: C. Wilson, The History of Unilever: A Study in Economic Growth and Social Change, 2 Bde., London 1954; ders., Unilever, 1945–1965: Challenge and Response in the Post-

War Industrial Revolution, London 1968; W. J. Reader, Fifty years of Unilever, 1930–1980, London 1980; D. K. Fieldhouse, Unilever Overseas. The Anatomy of a Multinational, 1895–1965, London 1978

[30] Hassbring, L.: The International Development of the Swedish Match Company, 1917–1924, Stockholm 1979; H. Lindgren, Corporate Growth. The Swedish Match Industry in its Global Setting, Stockholm 1979; U. Wikander, Kreuger's Match Monopolies 1925–1930. Case studies in market control through public monopolies, Stockholm 1979. Sie wie die anderen englischsprachigen Veröffentlichungen sind nachgewiesen in D. H. Aldcroft und R. Rodger, Bibliography of European Economic and Social History, Manchester 1984, S. 200 f. Die schwedischsprachigen sind besprochen in den beiden skandinavischen Zeitschriften ›Scandinavian Economic History Review‹ und ›Economy and History‹. Mehrere stammen von K. G. Hildebrand, der auch eine Bankgeschichte auf Englisch veröffentlicht hat (s. Anm. 35)

[31] Bürgin, A.: Geschichte des Geigy-Unternehmens von 1758–1939, Basel 1958

[32] Schib, K. (Hrsg.): Johann Conrad Fischer, Tagebücher, Schaffhausen 1951; K. Schib und R. Gnade, Johann Conrad Fischer 1773–1854, Schaffhausen 1954; R. Vetterli, Industriearbeit, Arbeiterbewußtsein und gewerkschaftliche Organisation. Dargestellt am Beispiel der Georg Fischer AG (1890–1930), Göttingen 1978; H. Siegrist, Vom Familienbetrieb zum Manager-Unternehmen. Angestellte und industrielle Organisation am Beispiel der Georg Fischer AG in Schaffhausen 1797–1930, Göttingen 1980; Nachrichten aus der Eisenbibliothek der Georg Fischer Aktiengesellschaft, Schaffhausen 1963 ff.

[33] Das erste Beispiel dieser Art nach dem Zweiten Weltkrieg gab die Industrie- und Handelskammer für Südwestfalen, die den damaligen Kölner Ordinarius für Wirtschaftgeschichte, L. Beutin, beauftragte. L. Beutin; Geschichte der südwestfälischen Industrie- und Handelskammer zu Hagen und ihrer Wirtschaftslandschaft, Hagen 1956. Neuere Beispiele sind: W. Fischer, Herz des Reviers. 125 Jahre Wirtschaftgeschichte des Industrie- und Handelskammerbezirks Essen, Essen 1965; W. Mosthaf u. H. Winkel, Geschichte der württembergischen Industrie- und Handelskammern Heilbronn, Reutlingen, Stuttgart / Mittlerer Neckar und Ulm, 3 Bde., 1955, 1962, 1980; H. Winkel, Mittelrheinische Wirtschaft im Wandel der Zeit, Koblenz 1983; H. Kellenbenz (Hrsg.), Zwei Jahrtausende Kölner Wirtschaft, Köln 1975; F. W. Henning, Düsseldorf und seine Wirtschaft, Düsseldorf 1981

[34] Bankhistorisches Archiv, Zeitschrift für Bankgeschichte, 1975 ff. Deutsche Bankengeschichte, hrsg. v. G. Aschauer, K. E. Born u. a., Frankfurt 1982–1983

[35] Bouvier, J.: Le Credit Lyonnais de 1863 à 1882, Paris 1961; B. Gille, Histoire de la Maison de Rothschild, 2 Bde., Genf 1965–1967; P. W. Matthews und A. W. Tuke, A History of Barclays Bank Ltd., 1928. R. S. Sayers, Lloyds Bank in the History of English Banking, London 1957; für die Schweiz: W. A. Jöhr, Schweizerische Kreditanstalt 1856–1956, Zürich 1956; K. G. Hildebrand, Banking in a Growing Economy. Svenska Handelsbanken since 1871, o. O. 1971

[36] Clapham, J. H.: The Bank of England: A History, 2 Bde., London 1944, [2]1958; R. S. Sayers, The Bank of England 1891–1944, 3 Bde., London 1976

[37] van Dillen, J. G. (Hrsg.): History of the Principal Public Banks, London 1934, [2]1964

[38] Deutsche Bundesbank (Hrsg.), Währung und Wirtschaft in Deutschland 1876–1975, Frankfurt a. M. 1976

[39] Ehrenberg, R.: Das Zeitalter der Fugger, 2 Bde., Jena 1896; G. Freiherr v. Pölnitz, Jakob Fugger, 2 Bde., Tübingen 1949 und 1951; ders., Anton Fugger, 4 Bde., Tübingen 1958–1971; zu erwähnen ist hier auch u. a. W. Frhr. Stromer v. Reichenbach, Die Nürnberger Handelsgesellschaft Gruber-Podmer-Stromer im 15. Jahrhundert, Nürnberg 1963; ders., Oberdeutsche Hochfinanz 1350–1450, 3 Bde., Wiesbaden 1970

[40] de Roover, R.: The Rise and Decline of the Medici Bank 1397–1494, Cambridge/Mass. 1963; ders.,

L'évolution de la lettre d'échange 14.–18. siècles, Paris 1953; ders., Business, Banking and Economic Thought in Late Medieval and Early Modern Europe, Chicago 1974

[41] Zusammenfassend dazu W. Fischer, Markt- und Informationsnetze in der (neuzeitlichen) Wirtschaftgeschichte des atlantischen Raums. In: E. Streißler (Hrsg.), Information in der Wirtschaft, Berlin 1982, S. 337–359

[42] Die Japanese Society for Business History veranstaltet seit Jahren regelmäßig internationale Tagungen. Die Ergebnisse sind veröffentlicht in The International Conference on Business History Tokyo 1974ff. Inzwischen fanden auch deutsch-japanische Konferenzen zur Business History statt, s. Innovation, Know How, Rationalization and Investment in the German and Japanese Economies (Zeitschrift für Unternehmensgeschichte, Beiheft 22), hrsg. von H. Pohl, Wiesbaden 1982

[43] Außerdem schrieb oder edierte Chandler Bücher über die amerikanischen Eisenbahnen als erste Großunternehmen der USA (1965) und als Pioniere des modernen Managements (1979), über Du Pont (1971) und über die Autoindustrie (1964 und 1979)

[44] Daems, H. und H. van der Wee (Hrsg.), The Rise of Managerial Capitalism, Den Haag 1974; L. Hannah (Hrsg.), Management Strategy and Business Development. A Historical and Comparative Study, London 1976; N. Horn und J. Kocka (Hrsg.), Recht und Entwicklung der Großunternehmen im 19. und frühen 20. Jahrhundert, Göttingen 1979

[45] Perkin, H. J.: Social History, in: H. E. P. Finberg (Hrsg.), Approaches to History: A Symposion, London 1962, S. 51–83, wiederabgedruckt bei F. Stern (Hrsg.), Varieties of History, S. 430–455

[46] Es gibt zahlreiche andere Definitionsversuche der Sozialgeschichte, von denen hier nur erwähnt seien: F. Braudel, Histoire et sciences sociales: la longue durée, in: Annales: Economies, sociétés, civilisations, 13 (1958), S. 725–753; eine englische Fassung ist abgedruckt in F. Stern, The varieties of history, S. 403–429; O. Brunner, Neue Wege zur Verfassungs- und Sozialgeschichte, Göttingen [2]1968; W. Conze, Sozialgeschichte, H. Mommsen, Sozialgeschichte, beide in: H. U. Wehler, Moderne deutsche Sozialgeschichte, Köln, Berlin 1966, S. 20–34; W. Fischer, Sozialgeschichte und Wirtschaftsgeschichte. Abgrenzungen und Zusammenhänge, in: P. Chr. Ludz (Hrsg.), Soziologie und Sozialgeschichte, Kölner Zeitschrift für Soziologie, Sonderheft 16 (1973); zusammenfassend und differenzierend zugleich, mit zahlreichen Literaturangaben: J. Kocka, Sozialgeschichte. Begriff – Entwicklung – Probleme, Göttingen 1977, bes. S. 70ff. Ende der 1960er Jahre gaben die National Academy of Science und das Social Science Research Council einer Gruppe von Historikern und Soziologen den Auftrag, den Stand der Sozialgeschichte innerhalb der Geschichtswissenschaft und ihre zukünftigen Aufgaben zu umreißen. Dieser »state-of-the-art-report« gibt einen guten Überblick über eine Wissenschaft im Umbruch: D. S. Landes und C. Tilly (Hrsg.), History as a Social Science, Englewood Cliffs 1971. Einen Einblick in die Arbeiten eines Soziologen, der historisch und quantitativ arbeitet, gibt C. Tilly, As Sociology Meets History, New York u. a. 1981; stärker theoretisch und thematisch orientiert 1973 für Deutschland das von P. Chr. Ludz herausgegebene Sonderheft 16 »Soziologie und Sozialgeschichte« der Kölner Zeitschrift für Soziologie und Sozialpsychologie. Laufende Beispiele dieser Zusammenarbeit finden sich in Frankreich in der Zeitschrift »Annales« und in Deutschland in »Geschichte und Gesellschaft« (Göttingen seit 1975) mit ihren Sonderheften zu einzelnen Problemkreisen und in der von »Quantum« herausgegebenen Reihe »Historisch-Sozialwissenschaftliche Forschungen«, Stuttgart seit 1976.

[47] Stone, L. und J. C. F. Stone, An Open Elite? England 1540–1880, Oxford 1984; R. v. Thadden, Die brandenburgisch-preußischen Hofprediger im 17. und 18. Jahrhundert, Berlin 1959; M. Hasselhorn, Der altwürttembergische Pfarrstand im 18. Jahrhundert, Stuttgart 1958; H. Henning, Das westdeutsche Bürgertum in der Epoche der Hochindustrialisierung 1860–1914. Soziales Verhalten und soziale Strukturen. Teil I: Das Bildungsbürgertum in den preußischen Westprovinzen, Wiesbaden 1972; ders., Soziale Verflechtungen der Unternehmer in Westfalen 1860–1914. Ein

Beitrag zur Diskussion um die Stellung der Unternehmer in der Gesellschaft des deutschen Kaiserreiches. In: Zeitschrift für Unternehmensgeschichte 23 (1978), S. 1–30; eine breitere soziale Schicht wurde untersucht von A. Daumard, La bourgeoisie parisienne de 1815 à 1848, Paris 1963; ders., Maisons de Paris et propriétaires parisiennes au XIXe siècle, Paris 1965

[48] Gollwitzer, H.: Die Standesherren. Die politische und gesellschaftliche Stellung der Mediatisierten 1815–1918, Göttingen 1964

[49] Dazu zusammenfassend J. Kocka, Unternehmer in der deutschen Industrialisierung, Göttingen 1975

[50] Siehe H. Henning (Anm. 47)

[51] Das tut beispielsweise R. Engelsing, Zur Sozialgeschichte deutscher Mittel- und Unterschichten, Göttingen 1973

[52] Kaelble, H.: Soziale Mobilität und Chancengleichheit im 19. und 20. Jahrhundert, Göttingen 1983, S. 158

[53] Kellenbenz, H.: Sephardim an der unteren Elbe. Ihre wirtschaftliche und politische Bedeutung vom Ende des 16. bis zum Beginn des 18. Jahrhunderts, Wiesbaden 1958; H. Pohl, Die Portugiesen in Antwerpen. Zur Geschichte einer Minderheit, Wiesbaden 1977

[54] Z. B. S. D. Goitein, A Mediterranean Society. The Jewish Communities of the Arab World as Portrayed in the Accounts of the Kairo Geniza, 4 Bde., Berkeley, Los Angeles, London 1967 bis 1983

[55] Statt vieler sei hier nur das 18bändige Standardwerk genannt: S. W. Baron, A Social and Religious History of the Jews, New York, 2. Aufl. 1952–1983; der letzte Band behandelt die Juden im Ottomanischen Reich, in Persien und an der islamischen Peripherie von 1200 bis 1650

[56] Stone, L.: The Family, Sex and Marriage in England, 1500–1800, London 1977

[57] Laslett, P.: The World we have lost, London 1965; M. Mitterauer und R. Sieder, Vom Patriarchat zur Partnerschaft. Zum Strukturwandel der Familie, München 1977; R. Wall (Hrsg.), Family Forms in Historic Europe, Cambridge 1983; W. H. Hubbard, Familiengeschichte. Materialien zur deutschen Familie seit dem Ende des 18. Jahrhunderts, München 1983

[58] Küther, C.: Menschen auf der Straße. Vagierende Unterschichten in Bayern, Franken und Schwaben in der zweiten Hälfte des 18. Jahrhunderts, Göttingen 1983; V. Hunecke, Überlegungen zur Geschichte der Armut im vorindustriellen Europa, in: Geschichte und Gesellschaft 9 (1983), S. 480–512; M. Mollat (Hrsg.), Etudes sur l'histoire de la pauvreté, Paris 1974; zusammenfassend: W. Fischer, Armut in der Geschichte. Erscheinungsformen und Lösungsversuche der »Sozialen Frage« in Europa seit dem Mittelalter, Göttingen 1982

[59] Imhof, A. E.: Einführung in die historische Demographie, München 1977; A. Wrigley, Bevölkerungsstruktur im Wandel, München 1969; D. E. C. Eversley, Population in History. Essays in Historical Demography, hrsg. von D. V. Glass und D. E. C. Eversley, London 1969; T. H. Hollingworth, Historical Demography, London 1969

[60] Eine Übersicht gibt K. Borchardt, Der Property-rights-Ansatz in der Wirtschaftsgeschichte. In: J. Kocka (Hrsg.), Theorien in der Praxis des Historikers, S. 140–160

[61] Davis, L. E. und D. C. North, Institutional Change and American Economic Growth, Cambridge/Mass. 1971; D. C. North und R. P. Thomas, The Rise of the Western World. A New Economic History, Cambridge/Mass. 1973

[62] Einige der wichtigeren Arbeiten sind: J. Alber, Vom Armenhaus zum Wohlfahrtsstaat, Frankfurt a. M. 1982; P. Flora und A. J. Heidenheimer (Hrsg.), The Development of Welfare States in Europe and America, New Brunswick und London 1981; P. Flora u. a., State, Economy and Society in Western Europe 1815–1975. A Data Handbook, Frankfurt, London, Chicago 1983; P. A. Köhler und H. F. Zacher, Ein Jahrhundert Sozialversicherung in der Bundesrepublik Deutschland, Frankreich, Großbritannien, Österreich und der Schweiz, Berlin 1981

[63] Zusammenfassend dazu das Kapitel »Der Staat und die Wirtschaft« in meinem Beitrag »Europa 1850–1914«, in: W. Fischer (Hrsg.), Handbuch der europäischen Wirtschafts- und Sozialgeschichte, Bd. 5, Stuttgart 1985. Auch der Band 6, der das 20. Jahrhundert behandelt, wird einen solchen Abschnitt enthalten (Erscheinungstermin voraussichtlich 1986)

[64] Alle diese Themen werden behandelt bei W. Fischer, Die Weltwirtschaft im 20. Jahrhundert, Bd. 1: Grundlagen und Entwicklung bis 1914, München (voraussichtlich 1987)

[65] Hintze, O.: Wesen und Verbreitung des Feudalismus (1929). In: ders., Staat und Verfassung. Gesammelte Abhandlungen zur Allgemeinen Verfassungsgeschichte, Göttingen [3]1970; M. Bloch, La société féodale, 2 Bde., Paris 1939–1940 (englische Ausgabe 1963); F. Ganshof, Was ist das Lehnswesen? Darmstadt [6]1983; Th. Mayer (Hrsg.), Studien zum mittelalterlichen Lehnswesen, Lindau u. Konstanz 1960; O. Brunner, »Feudalismus«. Ein Beitrag zur Begriffsgeschichte. Mainz u. Wiesbaden 1959; J. Blum, Lord and Peasant in Russia from the Ninth to the Nineteenth Century, Princeton 1961, 1971, 1972; ders., The End of the Old Order in Rural Europe, Princeton 1978

[66] Dazu gehören R. Kosellek, Preußen zwischen Reform und Revolution: Allgemeines Landrecht, Verwaltung und soziale Bewegung von 1791 bis 1848, Stuttgart [2]1975; für das alte Europa noch immer O. Brunner, Land und Herrschaft. Grundfragen der territorialen Verfassungsgeschichte Südostdeutschland im Mittelalter, Salzburg [3]1949, 5. Auflage Wien 1965 mit dem Untertitel: Grundfragen der territorialen Verfassungsgeschichte Österreichs im Mittelalter; C. Tilly (Hrsg.), The Formation of National States in Western Europe, Princeton 1975; zwei bemerkenswerte Bücher, die den Zusammenhang von Recht, Wirtschaft und Kultur herausarbeiten: A. B. Bozeman, Politics and Culture in International History, Princeton 1960 und dies., The Future of Law in a Multicultural World, Princeton 1971

[67] Tenfelde, K.: Sozialgeschichte der Bergarbeiterschaft an der Ruhr im 19. Jahrhundert, Bonn/Bad Godesberg 1977; H. Reif, Westfälischer Adel 1770–1860. Vom Herrschaftsstand zur regionalen Elite, Göttingen 1979

[68] s. Anm. 1

Herbert Giersch

# Elemente einer Theorie weltwirtschaftlicher Entwicklung

## Fragestellung und Ausgangspunkte

Wo entsteht wirtschaftliche Entwicklung, definiert als Prozeß, in dem sich die materielle Lage der Menschen verbessert? Wie entsteht sie? Wohin und wodurch breitet sie sich im Raume aus? Wie kommt es, daß sie manchmal wie von selbst sich beschleunigt oder verlangsamt, ganz und gar stockt oder hier und dort gar einem Verfallsprozeß weicht? Wie kann es nach einer Stagnation wieder eine Phase der Beschleunigung geben? Können zurückgebliebene Länder aufholen oder stimmt es, daß die Reichen immer reicher und die Armen immer ärmer werden müssen? Was erleichtert solche Aufholprozesse, was verhindert sie? Wie konnte Japan in hundert Jahren das erreichen, wozu der Westen zweihundert Jahre gebraucht hatte? Hat das alte Europa Chancen, im Gefolge Nordamerikas zu einem neuen Entwicklungsspurt anzusetzen? Oder haben wir die Grenzen des Wachstums erreicht? Wird es, wenn die Welt an die Grenzen des Wachstums stößt, eine Katastrophe geben? All dies sind faszinierende Fragen, auf die in der Wirtschaftswissenschaft und in Nachbardisziplinen nach Antworten gesucht wird.

Versuchen wir, das, was wir vermuten oder zu wissen glauben, in ein Gesamtbild zu bringen und zu dem zu vereinigen, was man neuerdings ein Paradigma nennt. Das Paradigma muß sich in ein Weltbild einfügen, das allgemeiner ist; es sollte inhaltsvoll sein in dem Sinne, daß es der Gefahr ausgesetzt ist, an beobachtbaren Fakten zu scheitern; und es wäre gut, wenn es sich als offen und progressiv erwiese, also neue Fragen entstehen ließe und dazu ermutigte, auf diese eine Antwort zu suchen oder alte Antworten durch bessere zu ersetzen, ohne daß dazu sein Rahmen gesprengt werden muß. Als Theorie darf das Bild der weltwirtschaftlichen Entwicklung vereinfacht sein – wie die Landkarte im Verhältnis zur Landschaft. Und natürlich muß es sich dann auch auf das beschränken, was aus der Sicht des Ökonomen wesentlich erscheint.

Als gegeben dürfen wir (a priori) annehmen, daß es Menschen gibt, die fähig sind, neues Wissen zu erwerben, sei es aus eigenem Erleben oder aus den Erfahrungen anderer (Geschichte). Zum Vorwissen darf auch zählen, daß dieser Wissenserwerb im Wettbewerb geschieht, ob es nun ein Wettbewerb im Kampf ums Dasein ist, wie Darwin erkannte, als er die bereits von David Hume und dessen Schüler Adam Smith vertretene Idee der kulturellen Evolution durch Selektion auf die Biologie übertrug (Hayek 1983), oder ob es ein Wettbewerb ist, der mehr aus dem Spieltrieb entsteht, also dem Versuch, anderen nachzueifern, vorauszueilen und die Palme des Sieges streitig zu machen, ob die Trophäe nun Ansehen oder Vermögen und Sicherheit heißen mag. Mutter der Erfindung im

Wettbewerb kann Neugier oder Ehrgeiz ebenso sein wie die blanke Not, auf die der Einzelmensch im Kampf mit der Natur aktiv reagiert, wenn ihm bewußt wird, daß Hilfe von oben oder außen nur als Hilfe zur Selbsthilfe zu erlangen ist. Die Einsicht, daß es Hilfe von oben nur in dieser Form gibt, scheint wesentlich zu sein für das Entstehen einer evolutorischen Kultur (Zivilisation), im Gegensatz zu religiösen Vorstellungen, nach denen es notwendig ist, überirdische Mächte durch Opfer und sklavische Unterwerfung zur Hilfe zu nötigen.

## Kulturelle Evolution

Noch vor 400 Generationen lebte die Menschheit – in viel geringerer Zahl – in kleinen Stammesverbänden. Die Erträge der Jagd, des Fischfangs und der extensiven Landwirtschaft, bei der man den Boden bearbeitete, ohne ihn zu kultivieren, waren auch in guten Zeiten nicht reichlicher, als man für das als physische Existenzminimum brauchte. Den Unterschied zwischen damals und heute nennen wir wirtschaftliche Entwicklung, auch die Vervielfachung der Bevölkerungszahl, die die Erde zu ernähren vermag. Solche Entwicklung beruht auf dem Erwerb und dem Transfer von Wissen über die Natur (Entdeckungen und Erfindungen) und auf sozialen Lernvorgängen, die das Miteinander der Menschen innerhalb der Gruppen betreffen, also die Verhaltensweisen, Institutionen und ethischen Normen. Ebenso wie beim Wissen wird auch bei den sozialen Innovationen das Bewährte tradiert und das Irrtümliche herausgesiebt. Vor allem im Wettbewerb zwischen den Gruppen setzt sich das Überlegene durch, einschließlich jener moralischen Werte, deren Sinn der einzelne mit seiner begrenzten Einsicht und Vernunft nicht unmittelbar zu begreifen vermag (Hayek 1978).

Ebenso wie die biologische vollzieht sich die kulturelle Evolution durch Selektion im Wettbewerb. Dennoch gibt es wichtige Unterschiede. In der kulturellen Evolution wird Erworbenes dem Test des Wettbewerbs unterworfen und weitergegeben, nicht ein genetischer Code, der, abgesehen von Mutationen, konstant ist. Was sich so rasch vollzogen hat wie die wirtschaftliche Entwicklung der letzten 400 Generationen, kann deshalb nur mit kultureller Evolution erklärt werden, nicht mit biologischer. Auch ist kulturelle Selektion nicht die Auslese von Individuen und ihren angeborenen Eigenschaften, sondern von Gruppen mit überlegenen Verhaltensnormen und überlegener Produktion und Nutzung von Wissen. Schließlich gibt die kulturelle Evolution auch jenen Gruppen, die im nackten Kampf ums Dasein zum Aussterben verdammt wären, die Chance der Imitation; sie können, wenn friedlicher Wettbewerb herrscht, jene Regeln sozialer Interaktion, die sich anderswo als erfolgreich erwiesen haben, übernehmen und adaptieren, um nicht verdrängt zu werden.

Es sind wohl vor allem drei ethische Normen oder Prinzipien, die sich bisher im Prozeß der kulturellen Evolution als erfolgreich erwiesen haben. Sie können als Fundament der wirtschaftlichen Entwicklung in unserer offenen Gesellschaft gelten (Hayek 1978).

Das *erste* Prinzip ist die Anerkennung privater Eigentumsrechte. Mehr als alles andere hat das Recht des einzelnen, selbst über Güter verfügen und die Früchte seines Handelns für sich in Anspruch nehmen zu können, sich als Stimulus erwiesen, pfleglich mit

Ressourcen umzugehen, den Handel mit landwirtschaftlichen und später industriellen Produkten auszudehnen und neues Wissen zu erwerben und nutzbar zu machen.

Das *zweite* Prinzip ist die Familie. In ihr findet der einzelne Vertrauen, Sicherheit und Schutz. In Verbindung mit der Weitergabe privaten Eigentums über die Zeit, also der Möglichkeit, Eigentum zu vererben, hat die Familie sich zu einer Institution entwickelt, in der Ersparnisse gebildet werden, die vielfach über eine bloße Rücklage für einen gesicherten Lebensabend hinausgehen. In diesem Sinne hat die Familie wesentlich zur Akkumulation von Kapital und damit zum Reichtum der Nationen beigetragen.

*Schließlich* gibt es die Tugenden der Ehrlichkeit, der Wahrheitsliebe und der Vertragstreue bis hin zur Zuverlässigkeit und Pünktlichkeit, die sich als sittliche Regeln herausgebildet und vor allem in offenen Gesellschaften bewährt haben, und zwar auch aus der Sicht des einzelnen. Sie ersetzen oder entlasten ein möglicherweise kostspieliges Rechtssystem.

Obwohl sich die Traditionen und Normen der offenen Gesellschaft als überlegen herausgestellt haben, finden kollektivistische Werte vielfach noch einen starken emotionalen Anklang. Möglicherweise sind sie das natürliche Erbe aus der Zeit der ursprünglichen Stammesgesellschaft. Bevor die wirtschaftliche Entwicklung den Lebensstandard steigen ließ, konnte die Gruppe zahlenmäßig nur überleben, wenn sie die kümmerlichen Erträge der täglichen Mühsal annähernd gleich verteilte. Heute ist die Möglichkeit, durch Anstrengung oder Geschick mehr zu erwerben als andere, der notwendige Anreiz für das Vorankommen aller.

## Entwicklungsträchtige Konstellationen

Neben der Weitergabe überlegener Traditionen ist neues Wissen das Kernstück wirtschaftlicher Entwicklung. Die Wissensproduktion, die hier als zentral angesehen wird, vollzieht sich am fruchtbarsten in menschlicher Interaktion. Da die Kosten der Raumüberwindung hoch waren, geschah sie an Orten, die Agglomeration oder Ballung ermöglichen: in der Stadt, am Fluß, am Delta, an der Bucht oder in der Oase. Die evolutorische Kultur präsentiert sich demnach als eine Zivilisation (wegen civis, der Stadt-Bürger). Weil man auch von anderen lernen kann, ist der Kontakt zur Außenwelt wichtig; hieraus ergibt sich der Vorteil der Nähe zum Wasser als Ersatz für die glatte Fläche, die zu Lande oft erst geschaffen werden muß, bevor das Rad als nützlich empfunden und erfunden werden kann.

Lage schafft Ballung – und Zivilisation in der Ballung – auch dann, wenn zum Schutz gegen den äußeren Feind das öffentliche Gut »Verteidigung« produziert und angeboten werden muß. Es entsteht die Burg, die Bourgeoisie, das Bürgertum. Zu den zivilisatorisch fruchtbarsten Formen der Ballung gehört wahrscheinlich das Ghetto – im Gegensatz zu dem, was im Kommunistischen Manifest »der Idiotismus des Landlebens« genannt wird. Verteidigung ermöglicht als Nebenprodukt auch Sicherheit innerhalb der Grenzen, Rechtssicherheit als Vorbedingung für Arbeitsteilung und Tausch eingeschlossen. Je nach dem Stand der Waffentechnik sind die Verteidigungssysteme klein oder groß – vom Stammesgebilde bis zur interkontinentalen Verteidigungsgemeinschaft. Entsprechend groß sind die Chancen für Handel und entwicklungsträchtige Arbeitsteilung. Der Handel mit dem potentiellen Feind birgt Gefahren und bleibt deshalb unter seinen ökonomischen Möglichkeiten.

Ballung im Verein mit einer Lage, die Sicherheit verspricht, ist von Vorteil, weil dann Kräfte, die sonst der Verteidigung dienen müßten, für das Gewinnen und das wirtschaftliche Nutzen von neuem Wissen frei sind: eine ökonomische Rente – als Lage- und Sicherheitsrente – gestattet ein Investieren in Zivilisation. Eine ähnliche Rente ergibt sich, wenn die Umwelt günstig ist, Boden und Klima eingeschlossen. Zum Boden gehören Lagerstätten, aber man muß wissen, wie sie zu finden und zu nutzen sind. Eine Klima-Rente scheint für die wirtschaftliche Entwicklung von großer Bedeutung zu sein. In den Tropen sind offenbar die Lebensbedingungen für die ökologischen Feinde des Menschen zu günstig, als daß sich wirtschaftliche Entwicklung spontan ergeben könnte (Kamarck 1976); die Polarregionen sind dem Leben an sich nicht zuträglich. Deshalb leuchtet unmittelbar ein, warum es innerhalb der gemäßigten Zonen eher zur Zivilisationsbildung gekommen ist, vielleicht auch durch den belebenden Wechsel der Jahreszeiten mit gemäßigten Temperaturschwankungen, aber warum sich – nach unserer Kenntnis – solche Zivilisationen nur auf der nördlichen Hemisphäre gebildet haben, weiß man nicht; und warum die Zentren der Zivilisation in den letzten Jahrtausenden nach Norden gewandert sind (Ägypten, Mesopotamien, Griechenland, Rom, Oberitalien, England, Nord-Amerika), bleibt noch zu erforschen, vielleicht auch von den Klimatologen.

Klima, Lage, Lagerstätten und Ballung sind demnach Bedingungen, deren Zusammentreffen wirtschaftliche Entwicklung ermöglicht und erleichtert; doch der Auslöser – gleichsam der Blitz aus dem bewölkten Himmel – ist menschliche Interaktion beim Erzeugen und Anwenden nützlichen Wissens, ein Umsetzen der ökonomischen Renten in eine Tätigkeit, die man als Ausbeuten ungeahnter Zukunftschancen umschreiben kann. Im Gegensatz zu manchen mechanistischen Weltbildern, die den Prozeß als Nullsummenspiel begreifen (Reichtum auf Kosten der Armen) und dessen Ingangsetzen mit einem Ausbeuten anderer Menschen erklären müssen (Marxens »ursprüngliche Akkumulation«), porträtiert diese Zivilisationstheorie ein »positive sum game«, das sich in einer offenen Welt mit einer offenen Zukunft indeterminiert abspielt. Dieser Prozeß bezieht seine Dynamik aus dem Aufdecken von Unbekanntem und kann sich am Schluß in energiesparender intellektueller Kommunikation ausleben, also laufen, solange es intelligentes Leben gibt.

Am Anfang war Armut, der Mensch bedrängt von der Umwelt in seiner ökologischen Nische, ein Umstand, der regelmäßig vergessen wird, wenn internationale Vergleiche – Vergleiche also im Raum – angestellt werden, ohne daß man den Begriff Entwicklung ernst nimmt, also auch Zustände in der Zeit vergleicht.

Notwendige Bedingung für ein Vorankommen ist außer der Bereitschaft zum Lernen, also zum Speichern von Wissen und Können, das wir Humankapital nennen, das Akkumulieren von Ressourcen, also das Bilden von Sachkapital. Es ist wie beim Säen und Ernten. Ein Teil der Ernte wird als Saatgut gebraucht, und wenn die nächste Ernte größer sein soll und Produktivitätsfortschritt durch Düngen nicht in Betracht kommt, ist mehr Saatgut nötig, als für die bloße Reproduktion erforderlich wäre. Ist der Prozeß erst einmal in Gang gekommen, genügt es, wenn von dem Mehr an Ernte, das im Vergleich zu früher erzielt wird, jeweils ein konstanter Anteil in den Produktionsprozeß zurückversetzt wird. Genug

Boden und eine gleichbleibende Qualität des Saatgutes vorausgesetzt, ergibt sich so ein Erntewachstum, das konstant ist, solange der Anteil des Saatguts, der über den bloßen Reproduktionsbedarf (Reinvestition) hinausgeht, relativ zu der eigentlich konsumierbaren Ernte (dem Nettosozialprodukt) konstant bleibt. Dies erzeugt gleichmäßiges Wachstum in die Breite, einen Prozeß, der fast ohne Reibungsverluste – weil ohne Strukturwandel – wie ein Perpetuum Mobile abrollen könnte. Doch er kommt zum Ende, wenn es an gleichwertigem Boden fehlt. Die Rente, die dann die besseren oder näher gelegenen Böden als Preis für ihre Knappheit erzielen, geht zu Lasten der Erträge, die als Zins erwirtschaftet werden, das heißt, als Resultat des Investierens und als Preis für den temporären Verzicht auf den an sich in der Gegenwart möglichen Konsum. Der Spar- und Investitionsmotor erlahmt unter dem Druck der Knappheitsrenten, die durch die Grenzen des Wachstums entstehen. Wenn die Ressourcenknappheit den Zins auf Null gedrückt hat, gibt es nur noch die Reproduktion des Gleichen: ein stationäres Gleichgewicht, in das das Wachstumsgleichgewicht übergeht, sofern die »weiche Landung« auf dem Hochplateau ohne die von Krisentheoretikern prophezeiten Bremskatastrophen glückt.

## Wachstumsgrenzen und Strukturwandel

Außer durch Knappheiten bei natürlichen Ressourcen (Boden, Rohstoffe, Umwelt, Energie) kann das Wachstum gebremst werden dadurch, daß die Bevölkerung nicht genügend wächst, so daß für das Sachkapital, das im Bereich der Industrie gebildet wird, nicht genug komplementäre Arbeitskräfte vorhanden sind, oder sich für die Produkte, die Industrie und Landwirtschaft erzeugen, nicht genügend Käufer finden. Doch derzeit ist das Nachlassen des Bevölkerungswachstums, das bei nachhaltiger wirtschaftlicher Entwicklung zu erwarten steht, sobald das regenerative Verhalten (Fertilität) die Abnahme der Kindersterblichkeit eingeholt hat, für die Weltwirtschaft keine Sorge. Im Gegenteil gilt für viele zurückgebliebene Länder – wie Mexiko, Ägypten, Bangladesh oder Kenia –, daß der Rückgang der Fertilität mit dem Rückgang der Kindersterblichkeit nicht Schritt hält und die Bevölkerung deshalb in bedrohlicher Weise wächst, also gegen jenen Nahrungsspielraum drängt, der für die Menschen die natürliche Nische im ökologischen Gleichgewicht definiert – in einem Zirkel, der aus der Sicht der erfolgreichen, lernenden Zivilisation als bedauernswerter Elendszirkel empfunden werden muß.

Mangel an Arbeitskräften überwindet eine Zivilisation im wirtschaftlichen Entwicklungsprozeß durch Standortanpassung oder Innovation. Eine Form der Standortanpassung ist die Wanderung der Menschen zu den Arbeitsstätten – wie die Ost-West-Wanderung beim Aufbau der Ruhr-Industrie im 19. Jahrhundert oder die Süd-Nord-Wanderung von Gastarbeitern im Europa der 1960er Jahre. Ob es ein Sog der Zielorte oder ein Abstoßen der Herkunftsräume war, ist eine müßige Frage. Was zählt, ist das Gefälle in den Lebenschancen. Ähnliches gilt für die große transatlantische Wanderung in den Jahrhunderten nach Columbus, die in Europa den Druck der Überbevölkerung milderte und in Nordamerika eine neue lebenskräftige Zivilisation entstehen ließ. Im Gegensatz zu den kriegerischen Auseinandersetzungen um fruchtbaren Boden (»Lebensraum« hieß dies hierzulande einmal) sind dies produktive Ausgleichsprozesse, die kein (oder nicht soviel)

Blut kosten, weil das wirtschaftliche Handeln von Krämergeist geprägt ist, vielleicht auch von Abenteurertum, nicht oder kaum aber von dem, was Heldentum heißt und was eine nationalistische Weltsicht in die Formel von Blut und Boden preßte.

Die andere Form der Standortanpassung ist das Wandern der Arbeitsstätten zu den Menschen, abstrakt: das Wandern von Kapital zur Arbeit. Der internationale Kapitalausgleich von reichen Ländern mit hoher Sparquote zu ärmeren Ländern, in denen der Lebensstandard kaum das Existenzminimum überschreitet und die Sparquote deshalb niedrig ist, ist vergleichsweise leichter, weil er die traditionellen Kulturen weniger stark bedroht, als es bei Bevölkerungsverschiebungen unvermeidlich ist. Gleichwohl entstehen auch hier Überfremdungsprobleme.

Solche Ausgleichsprozesse im Raum mildern wachstumsbedingte Disproportionalitäten, die sich als Wachstumsbremsen auf der Angebotsseite erweisen. Im Zeitablauf erweitern lassen sich Angebotsengpässe durch Innovationen. Autonome Fortschritte im Wissen sind das Ergebnis des Wettbewerbs der Forscher in einer sozialen Atmosphäre, in der Neugier zählt, der interpersonelle Wissenstransfer – also das Lernen voneinander – reibungslos vonstatten geht und das Anbieten von neuem Wissen honoriert wird, sei es materiell oder auch nur immateriell. Die Formen, in denen sich der Anbieterwettbewerb in der Wissensproduktion vollzieht, haben große Ähnlichkeit mit den Marktformen im Bereich des Güterangebots, wie andernorts gezeigt wurde (Giersch 1981). Das Herausschleudern des Anwendbaren aus dem Fundus des neuen Wissens ist so unregelmäßig und so wenig vorhersehbar wie die Aktivität eines Vulkans. Aber was von dem Neuen im Bereich der Wirtschaft bevorzugt akzeptiert und herausgesucht wird, hängt ab von den Preisrelationen, vor allem von den Relationen der Angebotspreise für die produktiven Ressourcen. Wenn Arbeit knapp oder überteuert ist, bevorzugt man arbeitssparende Innovationen, und wenn Energie und Umwelt schockartig im Preise steigen (wie um 1973), nachdem sie vorher sehr billig beziehungsweise zum Nulltarif verfügbar waren, konzentriert sich das Suchen, Erfinden und Anwenden rasch auf Möglichkeiten, diese Faktoren einzusparen, selbst wenn das Einsparen mit einem höheren Arbeits- und Kapitalaufwand einhergeht; entscheidend sind im Ergebnis die Gesamtkosten pro Stück, die unter dem Druck der Konkurrenz möglichst niedrig sein müssen.

So kann technischer Fortschritt mit dem Ausweiten von Engpässen die Grenzen des Wachstums auf der Angebotsseite hinausschieben. Auf der Nachfrageseite bewirken Produktinnovationen, daß Sättigungsgrenzen allenfalls temporär auftauchen. Wichtig dabei ist, daß es nicht um Mengen geht, sondern um Werte, die sich aus dem Nutzen für die Verbraucher herleiten. Wachstum im Dienste der Endnachfrage ist daher, sobald die Grundbedürfnisse gesättigt sind, weitgehend qualitatives Wachstum. Es gibt den Menschen die Chance, besser zu speisen, statt mehr zu essen, beim Trinken zu genießen, statt nur den Durst zu stillen, schöner zu wohnen, statt nur mehr Wohnraum zu haben, weiter oder bequemer zu reisen und insgesamt mehr zu kommunizieren, und zwar zur Unterhaltung ebenso wie zur Belehrung und zur Anregung der geistigen Aktivität. Es geht um Bedürfnisse, auch um das Bedürfnis nach mehr eigenständiger Sicherheit in einer Welt mit offener und daher grundsätzlich ungewisser Zukunft, nicht um Bedarf, den man – wie in einem sozialistischen System – quantitativ erfassen und im Rahmen einer verplanten und daher geschlossenen Zukunft durch zentral gelenkte materielle Produktion decken kann. Außerdem sind Bedürfnisse kultivierbar; im Gegensatz zum Bedarf, der gedeckt wird, entsteht aus einem Bedürfnis, das befriedigt wird, oft der Wunsch nach einem höherwertigen Gut als Stifter von Nutzen.

Weil es Prozeßinnovationen gibt, autonome und solche, die durch Wachstumsgrenzen induziert sind, und weil sich über die Entfaltung der Bedürfnisse und durch Produktinnovation die Struktur der Nachfrage ständig verändert, wenn der Lebensstandard steigt, ist intensives Wachstum – im Gegensatz zum krebsartigen Wachstum in die Breite – stets mit Strukturwandel verbunden. Stockt der Strukturwandel, wird das Wachstum langsamer; korrigieren sich entstandene Disproportionalitäten, so kann das Wachstum wieder schneller werden.

Hieraus ergibt sich zunächst eine Verbindung zur Altersstruktur. Wenn wir den Lebensstandard von heute mit dem vor zehn oder zwanzig Jahren vergleichen wollen, stellen wir fest, daß viele neue Güter an die Stelle von alten getreten sind. Junge Menschen, die sich auf das Neue leichter einstellen, ja dieses sogar herbeisehnen, werden das Geschehen in der Regel viel positiver werten als ältere Menschen, die mit dem Alten vertraut waren und sich mit dem Neuen kaum mehr anfreunden können. Ähnlich verhält es sich mit dem wachstumsbedingten Strukturwandel auf der Angebotsseite. Die Jungen, die ins Arbeitsleben hineinwachsen, stehen im Gegensatz zu den Älteren nicht vor dem Problem, daß früher erworbene Kenntnisse und Fähigkeiten veralten. Dies kommt erst in späteren Jahren auf sie zu. Schließlich ergeben sich aus dem Strukturwandel für Jung und Alt unterschiedliche Urteile über den Anstieg des Preisniveaus, da die neuen und von den Jungen heiß begehrten Güter mit der Zeit im Preise fallen (oder weniger im Preise steigen), wenn sie in die Phase der Massenproduktion gelangen, während die traditionellen Güter, denen sich die Älteren verbunden fühlen, möglicherweise teurer werden, bevor sie am Ende nur noch als Antiquitäten verfügbar sind und dann nur noch zu Liebhaberpreisen zu erlangen sind. Welcher von den jüngeren Menschen würde, wäre er vor die Wahl gestellt, eine bestimmte Summe so oder so in Kaufpläne umzusetzen, lieber nach einem 20 oder 30 Jahre alten Warenhauskatalog wählen, statt nach dem letzten, der die neuesten Produkte enthält? Da müßten die Unterschiede im Preisniveau – an einem mittleren Warenkorb gemessen – schon sehr groß sein, um dem alten Katalog eine reale Chance zu geben. Freilich beschreiben solche Thesen nur eine Regel, die ihre Ausnahmen hat. (Nostalgiewellen und Phasen, in denen die Jungen dem Neuen feindlich gegenüberstehen, wird es wohl auch in Zukunft immer wieder geben.)

## Wachstumsbedingter Strukturwandel

Der wachstumsbedingte Strukturwandel ist eine Art Gesetzmäßigkeit, die auch sonst im Leben viele Parallelen hat (Boulding 1953). Denn alles, was wächst, ändert seine Proportionen, und alles, was in seinen Proportionen erstarrt, hört auf zu wachsen. Ein ebenerdiger Bungalow, in dem für jeden Raum Licht und Luft von außen hereinkommen, hat eine andere Struktur als ein gigantisches Gebäude, das nicht ohne ein komplexes Kommunikationssystem (Gänge, Aufzüge, Klimaanlagen, Beleuchtungssystem) auskommt, vergleichbar einem Tier von Mammutgröße, das entweder in der Lage sein muß, auch als Koloß feinnervig zu reagieren oder Überlebenschancen nur als Dickhäuter oder Schalentier hat, das sich vor Anpassungszwängen bewahren kann. Auch Organisationen, die größer werden, müssen entweder das Kommunikationssystem überproportional ausbauen oder sich so dezentralisieren, daß der vertikale Kommunikationsbedarf gering bleibt; sonst erstarren sie wie die großen zentral geleiteten Wirtschaftssysteme im Ostblock, die allenfalls dort eine Überlegenheit zeigen, wo es wirklich auf die Konzentration aller Kräfte ankommt, also nicht im Wirtschaftsleben.

Eine Gesetzmäßigkeit, die den wachstumsbedingten Strukturwandel weiterhin erhellt, ist die Drei-Sektoren-Hypothese. Im Zuge eines wirtschaftlichen Wachstumsprozesses mit steigendem Realeinkommen je Kopf nimmt – in neuerer Zeit – bis zu einem bestimmten Punkt der Anteil der Industrie am Beschäftigungsvolumen zu, und zwar auf Kosten des Anteils der Landwirtschaft und der traditionellen Dienstleistungsbereiche; nach diesem Punkt stagniert oder schrumpft der Industrieanteil, und zwar zugunsten des modernen Dienstleistungssektors, der hauptsächlich all das umfaßt, was mit Kommunikation im weiteren Sinne zu tun hat. Diese langfristige Gesetzmäßigkeit wird sichtbar, wenn man die Länder der Welt nach der Höhe ihres Pro-Kopf-Einkommens ordnet und dann eine Querschnittsbetrachtung anstellt. Länder, die mit einem zu großen Industrieanteil auffallen – wie die Bundesrepublik Ende der sechziger Jahre –, stehen, wenn die Erklärung nicht in geographischen Gründen zu suchen ist (Bodenschätze und günstige Verkehrsbedingungen an Rhein und Ruhr) vor verstärkten Anpassungsprozessen, wie es sie dann tatsächlich – nicht unvorhergesehen – hierzulande gegeben hat. Auch die Regionen Europas zeigen im Querschnittsvergleich dieselbe Gesetzmäßigkeit (Giersch 1979). Als Schrittmacher in die Zukunft erweisen sich demnach Regionen, die einen dynamischen tertiären Sektor beherbergen – mit Zentren der Wissenschaft und forschungsintensiven Unternehmen, die mehr auf Humankapital setzen als auf Sachkapital und sich mehr auf die Innovationskraft der Menschen verlassen als auf die Nähe zu den Lagerstätten der Industrierohstoffe.

Hieraus folgt unmittelbar: wachstumsbedingter Strukturwandel geht einher mit einem Wandel in der Standortstruktur. Die industrielle Revolution, die vor über 200 Jahren in England begann, begünstigte bei ihrem Übergreifen auf den Kontinent die rohstoffreichen und küstennahen Regionen und ließ hier einen strahlenden Stahlgürtel entstehen, der jetzt mehr und mehr zu rosten beginnt, nachdem sich die Antriebskraft für Europas wirtschaftliche Entwicklung weiter nach Süden verlagert hat, hin zu jenen Räumen, in denen die Menschen keine Möglichkeit hatten, von den ökonomischen Renten der seenahen Lage und der industriellen Rohstoffläger zu leben, sondern von jeher darauf angewiesen waren, ihre Findigkeit zu entwickeln.

### Ein räumliches Wachstumsmodell

Um das Wachstum im Raum grundsätzlich und systematisch zu erfassen – ohne Rücksicht auf die geographischen Gegebenheiten –, wiederhole ich hier den Vorschlag, im Anschluß an Thünen (1783–1850) eine homogene Fläche als Grundlage für ein Denkmodell zu nehmen und dann der Frage nachzugehen, wie sich Verbraucher und Produzenten, Arbeit und Kapital im Raum verteilen würden, wenn die Kosten der Raumüberwindung (die Transportkosten im weiteren Sinne) eine linear-homogene Funktion der Luftlinien-Entfernung wären. Da Sicherheit gegenüber äußeren Feinden und Rechtssicherheit im Innern unabdingbar dafür sind, daß sich Handel und eine Arbeitsteilung im Raum entwickeln können, muß Sicherheit als öffentliches Gut angeboten werden. Dies bedeutet, daß es eine Grenze gibt – eine kreisförmige im Falle einer homogenen Fläche – und damit auch einen ausgezeichneten Standort: das Zentrum. Was mit so großen Vorteilen der Massenproduktion erzeugt werden kann, daß der Kreis nur Raum für einen Anbieter läßt, findet seinen optimalen Standort im Zentrum – der zentrale Verwaltungsapparat des Staatswesens eingeschlossen. Auch drängen, wenn zwei Anbieter miteinander konkurrieren, beide an diesen zentralen Ort – wie im Zweiparteiensystem die Parteien im Wettbewerb um die umkämpften Wechselwähler in der Mitte (Hotelling 1929). Dagegen streben bei Gütern, deren Produktion vielen Anbietern eine Chance gibt, die Erzeuger in ihrer Standortwahl auseinander, will jeder gern möglichst viel transportkostenbedingten Schutz gegenüber der Konkurrenz genießen möchte.

Dies alles zusammen bewirkt, daß die Bevölkerungsdichte und die Wertschöpfung pro Flächeneinheit im Zentrum am größten sind und zur Peripherie hin abfallen, ziemlich kontinuierlich, wenn auch nicht ganz, weil es auch auf der Ebene außerhalb des Zentrums zur Bildung von Nebenzentren kommt, insgesamt also zu einem hierarchischen System der zentralen Orte, wie es schon Christaller (1933) beschrieben hat. Mit der Bevölkerungsdichte und der Wertschöpfung pro Flächeneinheit fallen die Bodenpreise vom Zentrum zur Peripherie, und mit den Bodenpreisen nimmt die Intensität der Bodenbewirtschaftung ab. Güter, die mit viel Arbeit erzeugt werden, aber kaum Boden als Input brauchen, finden ihren optimalen Standort im Zentrum oder in den zentralen Orten außerhalb, während Güter, die flächenintensiv erzeugt werden, mit ihren Produktionsstandorten an die Peripherie gedrängt werden, wo der Boden billig ist und wenig Menschen leben. Diese Gesetzmäßigkeit zeigt sich auch an der Höhe der Gebäude. Bei Thünen bilden sich für die einzelnen Güterarten Ringe um die zentrale Stadt, aber bei Gütern, für die die Kosten des Transports in das Zentrum stark ins Gewicht fallen – wie bei Holz –, kann es auch zwei Ringe geben; dann wird dasselbe Gut in der Nähe der Stadt sehr arbeitsintensiv erzeugt, an der Peripherie sehr bodenintensiv. Man bezeichnet dies in der Fachsprache als Umkehr der Faktorintensitäten (s. u.).

Dies ist das Grundmuster der räumlichen Arbeitsteilung in einem Zentrum-Peripherie-Modell, bezogen auf Güter, die überall erzeugt werden können (Ubiquitäten). Der Handel, der in diesem Rahmen stattfindet, sorgt tendenziell für einen Ausgleich der Unterschiede in der Faktorausstattung: Arbeit wandert in Form arbeitsintensiv erzeugter Produkte in Richtung Peripherie, Boden in Form bodenintensiv erzeugter Produkte in Richtung auf das Zentrum. Entgegen einem Theorem vom »Faktorpreisausgleich durch Handel« (Samuelson 1948), das auf speziellen Voraussetzungen beruht, bewirkt dieser Handel nicht, daß die Bodenpreise sich im Zentrum und an der Peripherie völlig ausgleichen; es bleibt ein Rest. Der Grund dafür liegt hier in den Transportkosten; in der Realität kommen noch andere Umstände hinzu.

Die Bevölkerung und mit ihr die Arbeit, die im Gegensatz zum Boden mobil ist, kann sich jedoch im Raume so verteilen, daß die Realeinkommen – genauer: die Nutzen, die sich

677

aus dem Realeinkommen ergeben – überall gleich sein müßten. Wenn die Einkommen jedoch in den Zentren tatsächlich höher sind, auch real und nicht nur nominal, so muß die Erklärung dafür darin liegen,

– daß sich Arbeit im dichtbesiedelten Zentrum besser machtvoll organisieren läßt als auf dem dünner besiedelten Lande, so daß in den Städten Reallöhne durchgesetzt werden können, die vergleichsweise hoch sind, abgesichert freilich durch Zugangssperren irgendwelcher Art, vor denen sich Warteschlangen bilden, oft in Quartieren des Elends, wo die Menschen mehr von Hoffnung als von Nahrung leben;

– daß im Zentrum mehr neues Wissen entsteht, das sich wirtschaftlich nutzen läßt und das denen, die sich zu dem neuen Wissen komplementär machen, auch durch räumliche Nähe, die Teilhabe an einer Technologierente verschafft;

– daß im Zentrum mehr Kapital gebildet wird, aber davon nicht genug in die peripheren Räume abfließt, weil mit der Entfernung auch das Risiko steigt, das die Kapitalgeber eingehen.

Auf jeden Fall beobachten wir in der wachsenden Weltwirtschaft, daß es Einkommensgefälle von den Zentren zu den peripheren Räumen gibt. Deshalb ist es plastischer, wenn wir statt von Thünens Kreisen von einem Thünen-Kegel sprechen, wobei wir in der Vertikalen die Höhe der Einkommen messen. Die Spitze bildet das Zentrum, und der Kegel wächst, wenn und soweit das Zentrum zugleich die Triebkräfte des wissenschaftlichen und technischen Fortschritts an sich zu binden vermag. In dieser evolutorischen Sicht verwundert es nicht, daß sich Wachstumszentren auch verlagern – zum Beispiel derzeit in Europa nach Süden, von Europa in die USA und in den USA selbst zunehmend nach Westen. Daß im pazifischen Raum mit Japan ein drittes großes Wachstumszentrum der westlichen Weltwirtschaft entstanden ist, ergänzt das Bild zu einem Gesamtsystem mit drei zentralen Kegelspitzen. Die Zahl kann größer oder kleiner werden, aber die Grundform des Kegels gestattet es, einige wichtige Fragen der weltwirtschaftlichen Entwicklung in einem vereinfachten systematischen Zusammenhang zu erörtern.

## Handel und Arbeitsteilung

Wenn die Bevölkerungsdichte und die verfügbaren Bestände an Humankapital und an Sachkapital vom Zentrum zur Peripherie hin abnehmen, hat jeder Standort seine spezifische Faktorausstattung, aber Punkte, die vom Zentrum gleich weit entfernt sind, unterscheiden sich in der Faktorausstattung nicht. Die Folge ist, daß es einen intensiven Güteraustausch zwischen dem zentralen Ort und den mehr oder weniger peripheren Plätzen gibt, keinen oder kaum irgendwelchen Handel zwischen ähnlich peripheren Orten. Der Grund dafür ist einfach: Handel und Tauschvorgänge beruhen auf Unterschieden, nicht auf Gleichartigkeiten. Wenn A und B – zwei Personen oder auch zwei Orte – die gleiche Bedürfnisstruktur und auch die gleichen Fähigkeiten besitzen, haben sie sich im Tausch nichts gegenseitig zu geben. Unterschiedliche Bedürfnisse bei gleichen Fähigkeiten eröffnen schon erste Chancen für einen beiderseits nützlichen Austausch. Diese Möglichkeiten erweitern sich, wenn die Partner unterschiedlich befähigt sind und die Unterschiede in den Fähigkeiten nicht gerade den Unterschieden in den Bedürfnissen entgegenkommen. Letzteres ist der Fall, wenn die Produzenten ihre besten eigenen Kunden sind – wie die Bierbrauer, die ihr Erzeugnis am liebsten selber genießen. Von solchen Ausnahmefällen abgesehen, ist der wichtigste Anlaß für den Handel (neben den Unterschieden in der Bedürfnisstruktur) die Divergenz in den Fähigkeiten; bei den Standorten und den Ländern ist es die Divergenz in der Faktorausstattung. Und die Handelsströme fließen, wie schon gesagt, in der Weise, daß sich diese Unterschiede tendenziell einebnen, jedenfalls für die Konsumenten, für die die Veranstaltung Handel und Wandel letztlich stattfindet.

Handel und Arbeitsteilung sind zwei Seiten ein und derselben Medaille. Personen und Orte spezialisieren sich auf das, was ihnen am einträglichsten ist. Einträglich ist es – bei gleichen Fähigkeiten, wie sie der Partner hat –, das abzugeben, was man als Konsument nicht so gerne mag, im Austausch für das, was man stärker begehrt. Solcher Austausch und Handel prägt den Verkehr zwischen Orten und Ländern mit vergleichbarer Faktorausstattung, also von Orten mit vergleichbarer Lage auf (oder in) dem Thünen-Kegel. Handel und Arbeitsteilung entfalten sich im Wettbewerb.

Der Wettbewerb zwischen Anbietern, die ähnliche Fähigkeiten haben, ist nicht nur Preiswettbewerb, sondern auch Qualitätswettbewerb. Dieser ist innovatorisch, manchmal gekennzeichnet durch nur kleine Produktinnovationen, die dem Anbieter durch Produktdifferenzierung eine winzige Monopolnische verschaffen. Der Handel, der sich dabei herausbildet – als ein Austausch auf gleicher Ebene –, hat sein Spiegelbild in einer Arbeitsteilung, die man als intra-industriell bezeichnet: Personenkraftwagen werden von der Bundesrepublik nach Frankreich und von Frankreich in die Bundesrepublik exportiert, natürlich nicht dieselben in der Regel, sondern ähnliche. Sozialistische Planer, die notgedrungen oder aus asketischer Überzeugung an Bedarf denken, halten solchen Handel für überflüssig und vielleicht sogar für schädlich, aber wo Bedürfnisse und Spaß zählen, Produktdifferenzierung und Produktinnovationen, ist er ein Zeichen von Blüte. Die Transportkosten, die bei diesem Handel entstehen, werden aufgewogen oder übertroffen durch die Vorteile der großen Serie, die der Auslandsabsatz zu nutzen gestattet. Die besten Kunden haben konkurrierende Anbieter natürlich in der Nähe, der eine hat sie im Schwäbischen, die anderen vielleicht unter weißblauem Himmel, insgesamt aber im Inlande. Die Inländer bilden nicht selten den Testmarkt, auf dem der Anbieter Erfolg erzielen muß, bevor er den Sprung in ferne Absatzmärkte wagen kann. Will man testen, was den Wohlhabenden draußen zu einträglichen Preisen verkauft werden kann, braucht man als Testmarkt die Wohlhabenden daheim.

Wenn der Thünen-Kegel wächst und so die Einkommen steigen, wandelt sich, wie gesagt, die Struktur der Bedürfnisse und auch der Nachfrage. Anbieter, die die Chancen des Strukturwandels auf der Nachfrageseite voll nutzen wollen, tun gut daran, sich in ihrer Produktpalette auf solche Güter zu konzentrieren, die bei steigendem Einkommen überproportional stark begehrt werden. In der Fachsprache heißen sie Güter mit hoher Einkommenselastizität der Nachfrage, in der Alltagssprache etwas abwertend oder neiderfüllt auch Luxusgüter. Den Gegensatz zu ihnen bilden Güter, die man in der Fachsprache inferior nennt, beispielsweise Kartoffeln, die bei steigendem Einkommen zunehmend im Keller bleiben und nur von den dümmsten Bauern noch in stattlicher Menge und Größe feilgeboten werden. Die Produktpalette so zu ändern, daß ständig inferiore Güter eliminiert und durch Güter mit hoher Einkommenselastizität der Nachfrage ersetzt werden, ist eine wichtige Vorbedingung dafür, daß Anbieter und Standorte beim Wachstum des Thünen-Kegels ihre Position behalten. Indem sie für neue und bessere Produkte forschen und investieren, tragen sie ihrerseits dazu bei, daß das Wachstum nicht erlahmt und der Anstieg der Einkommen anhält.

Auf der Angebotsseite zählen für die Arbeitsteilung die Kosten; die Kostendegression bei zunehmender Losgröße auf der einen Seite und die Transportkosten auf der anderen Seite bestimmen, wie groß die Absatzgebiete sein können. Entscheidend für die Arbeitsteilung im Raum – wie für die Arbeitsteilung zwischen Personen mit verschiedenen Fähigkeiten – sind die komparativen Kosten. Das hier relevante Theorem, das von Ricardo (1817) stammt, läßt sich, auf Personen bezogen, am besten an folgendem Beispiel illustrieren. Ein früherer US Außenminister hatte Spitzenfähigkeiten als Stenograf, aber er wurde nicht Stenograf, sondern Außenminister, weil ihm dies mehr einbrachte. Zum Stenografieren war ihm seine Zeit angesichts der lukrativen Alternative zu teuer, zumal er sich für den Eigenbedarf mit Kostenvorteil eine Sekretärin leisten konnte. Sekretärinnen-Dienste zu importieren und Außenminister-Dienste zu exportieren war die bessere Lösung, weil nicht das zählt, was man *absolut* am besten kann, sondern das, wozu man *relativ* am besten befähigt ist, verglichen mit den Fähigkeiten, die andere als Partner anbieten. Wenn hier von Fähigkeiten die Rede ist, so heißt das präziser: Output, bewertet zu dem erzielbaren Preis und bezogen auf die Einheit des Input (den Zeitaufwand). Man kann diese Relation auch umkehren und sagen: um ein gegebenes Einkommen (Output) zu erzielen, war es vorteilhaft, Stenografier-Stunden durch Außenminister-Stunden zu ersetzen und dafür Stenografier-Stunden zu importieren, die sich als billiger erwiesen, obwohl der Lieferant hierbei absolut gesehen nicht so produktiv war wie der Importeur. Dies ist rational, aber es steht einem naiven Vorurteil entgegen, das auf den absoluten, nicht den relativen oder komparativen Kosten beruht. Das naive Urteil begünstigt das Autarkiedenken statt der Arbeitsteilung: Wieso kommt der Bauer auf die Idee, statt der Butter, die er selbst erzeugt, Margarine zu essen, die er kaufen muß? Warum macht der große Steuerexperte seine Steuererklärung nicht selbst? Warum konnte die Wirtschaft im Raume der Bundesrepublik nach 1945 mit Vorteil den Handel mit den USA aufnehmen, obwohl die USA damals wirklich alles absolut besser konnten als wir? Warum dringen zurückgebliebene Länder mit ihren Exporten auf unseren Märkten vor, obwohl wir ihnen doch technisch in jeder Hinsicht überlegen sind? Antwort: es zählt nicht – im Gegensatz zu einer Olympiade – das absolut Beste, sondern der relative Vorteil; es zählt nicht die technische Produktivität, sondern die wirtschaftliche unter Berücksichtigung der Kosten- und Preis-*Relationen;* und selbstwenn ein Land in allem technisch unterlegen ist, so hat es doch stets auch Bereiche, in denen es relativ gut gestellt ist und deren Produkte es auf den internationalen Märkten ins Feld schicken kann, weil das Gefälle der Produktivitätsniveaus auf dem Thünen-Kegel durch ein Gefälle der Wechselkurse neutralisiert wird. Bereiche mit der relativ geringsten technischen Unterlegenheit erlangen über den Wechselkurs internationale Wettbewerbsfähigkeit. Obwohl dieses Gesetz der komparativen Vorteile (oder Kosten) im Grunde einfach ist, wird es doch so selten richtig verstanden und verinnerlicht, weil das naive Alltagsurteil durch Autarkiedenken und technisch-quantitative Vor-Urteile geprägt ist.

Im Gegensatz zu der Arbeitsteilung auf gleicher Ebene (innerhalb eines Thünen-

Kreises), die sich in Form von Produktdifferenzierung, Produktinnovation und intra-industrieller Anpassung durchsetzt, sind die Vorteile von Handel und Arbeitsteilung zwischen Orten und Ländern mit erheblichen Unterschieden im Produktivitäts- und Entwicklungsniveau schon wegen des naiven Vorurteils schwerer einsichtig zu machen. Hinzu kommen Vorurteile aus kolonialer Vorzeit. Wer technisch überlegen ist, dringt gleichsam als Sieger in das zurückgebliebene Land ein. Er hat mehr Wissen, zeigt es, belehrt und missioniert, unterwirft mit Zwang (oft weil ohne Zwang die Rechtssicherheit fehlt) und hinterläßt für Jahrzehnte eine tiefsitzende Furcht, daß der Handel und die Flagge zusammen oder kurz nacheinander kommen, also beim Handel auch Gewalt und Ausbeutung im Spiele seien. Was hiervon historisch richtig oder falsch ist, läßt sich in diesem Rahmen nicht erörtern. Festzuhalten ist nur, daß jeder Austausch und Handel, der ohne Gewalt zustandekommt, also freiwillig ist, für beide Seiten von Nutzen sein muß. Sonst bliebe es bei einem einmaligen Versuch, käme es nicht zu anhaltenden Güterströ-men. Wer behauptet, der Schwächere werde ausgebeutet in dem Sinne, daß ihm weniger an Nutzen verbliebe, als er ohne den freiwilligen Tausch hätte, leugnet entweder die Freiwilligkeit des Vorgangs oder die Mündigkeit des Schwächeren. Er macht sich, wenn Freiwilligkeit außer Zweifel steht, zum besserwisserischen Vormund. Da das Bevormun-den zum Geschäft des Politikers gehört, zumal in ehemaligen Stammesgesellschaften, und manche politische Theorien der politischen Sicht zugeneigt sind, nimmt es nicht wunder, daß der Handel zwischen fortgeschrittenen und zurückgebliebenen Ländern – zum Nachteil der mündigen Menschen – bei vielen als suspekt gilt, manchmal auch in wissen-schaftlichen Kreisen, bisweilen selbst innerhalb der ökonomischen Disziplinen.

Nichts sagt die Theorie des Handels an sich darüber aus, wieviel von dem Vorteil aus dem Spiel mit positivem Ausgang dem einen oder dem anderen zufließt. Dieser relative Vorteil wird bestimmt durch die Austauschrelationen, die sogenannten Terms of Trade. Beeinflussen kann diese nur, wer Gewicht hat – der große Anbieter oder Nachfrager, das große Land. Wer klein ist, muß die Preisverhältnisse nehmen, wie sie auch ohne ihn wären. Aber niemand ist gezwungen, als Anbieter oder Nachfrager aufzutreten und zu kontrahie-ren, wenn er nichts dabei zu gewinnen hat. So mag es sehr wohl sein, daß dem Schwächeren der kleinere Teil aus dem Handelsgewinn zufließt. Doch ist es an dieser Stelle wieder nötig, den Zeithorizont auszudehnen auf die mittelfristige Periode; dann wird sofort einsichtig, daß Handel für den Schwächeren selbst dann vorteilhaft ist, wenn der Handelsgewinn für sich genommen vollständig dem Partner zufällt. Was für den Schwächeren auch zählt, ist der Wissenstransfer durch den bloßen Kontakt mit dem anderen, der von dem Markt, den Herstellungsmethoden und dem Gebrauch des Erworbenen mehr weiß, als er selbst bisher wußte. Wie hoch diese Chance einzuschätzen ist, erkennt man unter anderem daran, daß die zurückgebliebenen Länder und ihre Sprecher, inzwischen auf den Geschmack gekom-men, die Forderung nach möglichst kostenlosem Technologietransfer vehement erheben. Daß das Wissen mit dem Handel kommt, oft umsonst, läßt das statische Weltbild ebenso außer Betracht wie das naive Ausbeutungsschema, dem die Vorstellung von einem Nullsummenspiel zugrunde liegt.

## Ankoppeln und Aufholen

Ein Land, das dem Außenhandel mit reicheren Ländern die Tore öffnet, erwirbt sich die Chance des Aufholens durch Handelsgewinne und Wissenstransfer. Es kann reicher werden und wird es nach allen vorliegenden Erfahrungen auch, im Gegensatz zu manchen Ländern, die sich nach außen abgeschottet und der Binnenwirtschaft zugewandt haben. Das erfolgreiche Öffnen setzt freilich voraus, daß sich die Wirtschaftspolitik auch im Innern mehr auf das Spiel der spontanen Kräfte verläßt als auf das Walten der zentralen Bürokratie, während das Abschotten – im Rahmen einer Politik, die Importe forciert durch Inlandsproduktion ersetzt – den zentralen Bürokratien mehr Eingriffsspielräume gibt und eine aktive Investitionslenkung erlaubt. Schon die Dezentralisierung im Innern liefert Entwicklungsanreize: mehr Menschen dürfen frei entscheiden; sehen sich in Verantwortung und daher zum Lernen angespornt; können imitieren, was andere erfolgreich probiert haben; spüren die Kostenkontrollfunktion des Wettbewerbs; und sehen sich, wenn sie im Wertbewerb vorausgeeilt sind, im Erfolg bestätigt und zu neuen Vorstößen ermutigt. Auch gestattet es die Dezentralisierung mit offenen Märkten, daß mehr Menschen den Sprung in die Selbständigkeit wagen, so daß das heimische Unternehmerpotential aktiviert und besser genutzt wird. Ein Auflockern tradierter Bindungen und ein Wandel im starren System der überkommenen Regeln, Sitten und Werte zugunsten von mehr Offenheit in der Gesellschaft wie in der Wirtschaft ist wohl in Grenzen ein unvermeidlicher Preis des Aufholens. Dieser Preis mag manchem zu hoch erscheinen, auch aus sehr verständlichen Gründen. Aber ohne diese Option wäre die Welt sehr viel ärmer.

Das Aufholen läßt sich beschleunigen, und zwar zunächst durch Ankoppeln. Die vorauseilenden Länder können daher Entwicklungshilfe am wirkungsvollsten gewähren, indem sie dieses Ankoppeln nicht abwehren, sondern erleichtern und sogar finanziell fördern. Das Erleichtern umfaßt eine Politik des Freihandels, zumindest eine Außenhandelspolitik, die die ärmeren Länder nicht diskriminiert. Länder, die das Glück haben, im weltwirtschaftlichen Entwicklungsprozeß Vorreiter oder Schrittmacher zu sein, haben ein nationalwirtschaftliches Interesse daran, möglichst wenig Ressourcen in solchen Bereichen zu binden, für die die zurückgebliebenen Länder sich schon oder bald als billigere Anbieter empfehlen. Was dabei an Ressourcen frei wird, sollte möglichst schnell eine alternative Verwendung dort finden, wo die offene Zukunft Chancen für das Neue bereit hält. Dieser vorausgreifende Strukturwandel vollzieht sich freilich nicht reibungslos. Denn an der Front der zukunftsträchtigen Investitionen ist wegen der Ungewißheit das Risiko groß, so daß Vorreiter-Länder zum Ausgleich schon recht hohe Gewinnchancen, die sicherlich Neid und Mißgunst erregen, bieten müssen, wenn es zügig vorangehen soll. Zum anderen haben die Kräfte, die am Ende der Produktivitätsskala freigesetzt werden, ein ganz anderes Qualitätsprofil, als die offenen Stellen an der Spitze verlangen. Hier ist also auch in den Zwischenbereichen viel Mobilität und Flexibilität erforderlich, sofern der Anpassungsprozeß bei den Arbeitskräften nicht nur im Zuge des Generationenwechsels, also des Auftretens neuer und des Abgangs alter Kohorten, erfolgen soll. Wo die Neigung zur Immobilität stark ist, müssen die Mobilitätsanreize entsprechend groß sein. Das betrifft die Einkommensrelationen horizontal und vertikal, die Lohnrelationen eingeschlossen, und es bezieht sich natürlich auf die Einkommen nach Abzug der direkten Steuern, vor allem, wenn letztere hoch und zur Höhe der Einkommen progressiv gestaffelt sind. Länder, die Schrittmacherfunktionen erfüllen sollen oder wollen, dürfen deshalb ihre inneren Verhältnisse nicht den zeitlich engen Postulaten einer statischen Egalität unterwerfen, die auf Neidinstinkten beruhen und nur dann lebenswichtig sind, wenn es an der Armutsgrenze (oder im Zustand der Belagerung) um das bloße kurzfristige Überleben geht. Auch hier stoßen die Prinzipien der Entwicklungsdynamik auf breite Vorurteile. Es steht zu vermuten (Hayek 1978), daß diese von jenen frühen Phasen der Geschichte herrühren, in denen die Menschheit in Sippen und Stämmen von überschaubarer Größe am Rande des Existenzminimums dahinvegetierte und ein Abweichen vom Postulat der Gleichheit für die Benachteiligten das Ende des Lebens bedeutete.

Zurückgebliebene Länder, die zum Ankoppeln ansetzen, stehen ihrerseits im Widerstreit zwischen statischer Egalität und dynamischer Effizienz. Die dynamische Ungleichheit ergibt sich schon beim ersten Abweichen von der Autarkie. Denn der Handelsgewinn, der zum Glück anfällt, kommt zunächst nur denen zugute, die die neuen Chancen wahrnehmen, sich also mit Fremden einlassen. Räumlich sind es meist die Hafenstädte oder andere ohnedies begünstigte Orte, die den Vorteil aus dem Handel wahrnehmen und dabei ihrerseits dynamische Kräfte aus dem Hinterland anlocken, das dadurch zu verarmen scheint. Dies macht die Gegensätze im Innern größer. Wer das Hinterland verläßt, um sich auch nur indirekt mit den Fremden einzulassen, gerät leicht in den Verdacht, ein Verräter zu sein. Man kann es aber auch umgekehrt sehen und sagen, daß die Egalität oder die erstarrte Struktur auf dem Lande den Aufstrebenden frustriert und ihn insofern ausbeutet, als sie ihm Lebenschancen versagt. Es kommt also auch hier ganz auf den Blickwinkel an. Der Zeithorizont spielt eine Rolle, weil nur mit der Zeit auch das Hinterland von dem Ankoppeln an die Weltwirtschaft profitiert. Ganz allgemein gilt, daß beim Auftreten des Neuen derjenige am besten fährt, der gewillt und in der Lage ist, sich zu dem Neuen komplementär zu machen. Er wird dadurch seinerseits angekoppelt und mitgezogen. Doch die Entscheidung dafür kann traditionelle Bande sprengen und scharfe Gegensätze zwischen Jung und Alt entstehen lassen. Politische Rückschläge beim Ankoppeln erscheinen deshalb nahezu unvermeidlich. Am besten gelingt das Ankoppeln deshalb dort, wo Autarkie als hoffnungsvolle Alternative ausscheidet, insbesondere im kleinen Land, das seine Selbständigkeit nicht durch Anschluß an ein großes Land preisgeben will und dadurch zur Offenheit fast verurteilt ist. Eine Parallele dazu: wo nur wenige dieselbe Sprache sprechen, ist es fast unvermeidlich, daß man auch eine Fremdsprache lernt.

Wenn aus dem Ankoppeln ein Aufholen werden soll, müssen entweder die eigenen Kräfte verstärkt mobilisiert oder Antriebskräfte und Ressourcen aus dem Ausland hereingeholt werden. Wie sich spontane Kräfte im Inlande entfalten können – unter dem Einfluß von Erziehung, Literatur und Zeitgeist –, hat vor allem McClelland (1961) beschrieben, auch wie sich latentes Unternehmerpotential besser nutzen läßt (McClelland 1965). Für das Hereinholen von Ausländern, die sich später als Unternehmer profilieren, gibt es aus der europäischen Geschichte gute Beispiele (Hugenotten, ähnlich die Juden oder später die Ostflüchtlinge); in Ostafrika übernehmen Unternehmerfunktionen die Inder, in wichtigen asiatischen Ländern die Auslandschinesen. Aber wirtschaftlichen Erfolg zu haben und anders (ein Fremder) zu sein, provoziert Neid und Haß, der sich in Teilen

Europas als Antisemitismus, vor allem in diesem Jahrhundert, ins Tragische gesteigert hat.

Unternehmerpotential im Verbund mit Kapital und Technologie können aufholbereite Länder importieren, wenn sie es ausländischen Unternehmen gestatten, Produktionsstätten zu errichten. Xenophobie bekommen solche ausländischen Töchter natürlich früher oder später ebenfalls zu spüren, und es gibt genügend Intellektuelle, auch in den Herkunftsländern dieser Direktinvestitionen, die das Wort »Ausbeutung« schnell in den Mund nehmen, sobald die erhofften Erträge tatsächlich anfallen. Auch dabei wird der falsche Maßstab angelegt, der vulgär-marxistische Maßstab des Nullsummenspiels zum einen, der Maßstab der himmlischen Vollkommenheit (»Nirwana-Approach«) zum anderen oder gar die Synthese von beidem, wie sie in Latein-Amerika vordringt. Das einzig realistische Urteil resultiert aus der Frage: wie wäre es um das betreffende Land bestellt, wenn man sich diese Auslandsinvestitionen wegdenkt (Sao Paulo ohne VW do Brasil, ohne Mercedes-Benz)?

Energieverluste beim Fusionieren unterschiedlicher Kräfte sind unvermeidlich, und stets gibt es in dieser unvollkommenen Welt Möglichkeiten, das Zusammenwirken und die Anpassung aneinander zu verbessern. Ein Interesse daran haben beide Seiten, wenn ihr Zeithorizont nicht künstlich (klassenkämpferisch) verkürzt ist. Die Vorteile des Anpassens und der schließlich erreichten Komplementarität zeigen sich erst in der mittelfristigen Periode. Die emotionale Ungeduld der Straße zu temperieren ist die Aufgabe der Politiker, die sich als Staatsmänner verstehen. Populäre Vorwürfe gegen ausländische Unternehmen haben nicht selten ihre tieferen Gründe in der Wirtschaftspolitik des Gastlandes. Wenn man sagt, diese Unternehmen drängten sich zu sehr auf den Inlandsmarkt, importierten zuviele Vorerzeugnisse, statt sie an Ort und Stelle zu erzeugen oder aus der Nähe zu beziehen, exportierten zu wenig und ließen nicht genug von ihren Gewinnen im Inlande, um sie für Kapazitätserweiterungen zu verwenden, so darf zurückgefragt werden, warum solches Verhalten rational sein kann. Auf der Suche nach einer Antwort findet man dann oft, daß die Währung des Landes überbewertet ist, so daß zuviel Anreiz zum Importieren und kaum ein Anreiz zum Exportieren besteht, daß wegen der Überbewertung der Währung die inländischen Ressourcen, einschließlich der Arbeitskräfte, im Verhältnis zu ihrer Leistung international nicht wettbewerbsfähig sind und daß die Regierung versucht, ihre ausländischen Steuerzahler so zu schröpfen, daß der Rücktransfer des Kapitals schon im Interesse der ausländischen Sparer und Anleger, die letztlich die Verluste tragen müssen, unvermeidlich erscheint. Ein Land, das sich zuerst öffnet, dann aber unter populistischem Druck zur Falle für ausländisches Kapital wird, schließt sich von selbst von der Teilhabe am allseits vorteilhaften internationalen Wirtschaftsverkehr aus; möglicherweise für lange Zeit. Wer den Ablauf politischer und damit auch wirtschaftspolitischer Prozesse kennt, wird hier zu bedenken wissen, daß auch beim Öffnen übertriebene Hoffnungen einen Überschwang erzeugen können, der einen Rückschlag zur Folge hat. Deshalb muß klargestellt sein, welche Implikationen das Ankoppeln hat.

## Implikationen für das Wechselkursgefüge

Für die Währungspolitik lautet die Lehre: gemessen an den Kosten der Güter, deren Produktionsstandort im Wachstumsprozeß aus der Nähe des Zentrums in die Nähe der Peripherie wandern muß, brauchen die Länder, die durch Ressourcenattraktion gewinnen wollen, einen realen Wechselkurs, der auf eine Unterbewertung hinausläuft. Umgekehrt sollten die Länder, die Produktionsstandorte für traditionelle Güter abzustoßen haben, um ihre Ressourcen für den Vorstoß in das Territorium der neuen Produkte freizumachen, einen realen Wechselkurs akzeptieren, der eine Überbewertung der Währung in diesem Sinne mit sich bringt. Das Währungsgefälle muß groß genug sein, um die Reibungswiderstände zu kompensieren, die in diesem Prozeß der Standortverlagerung – oder Standortinnovation – auftreten. Da es sich um einen Prozeß handelt, ist auch Zeit involviert. Wenn das Währungsgefälle vom Zentrum zur Peripherie nicht stark genug ist, entsteht im Zentrum Zeit für Defensivreaktionen. Es ist, als ob zum Schutz eine Mauer errichtet würde, die es gestattet, anstelle der Standortinnovation, die einer Kapitulation gleichkommt, eine Prozeßinnovation zu versuchen – in der Regel ein Ersatz von Arbeit durch Kapital. In einem solchen Falle kommt es leicht – wie im Falle hoher Transportkosten auf der Thünen-Fläche – zu einer Umkehr der Faktorintensitäten: dasselbe Erzeugnis wird im Zentrum sehr kapitalintensiv und an der Peripherie sehr arbeitsintensiv hergestellt. Bedenklich daran ist, daß im Zentrum Kapital gebunden wird, das besser für Produktinnovationen oder zum Schaffen von Arbeitsplätzen an der Peripherie eingesetzt werden könnte, und das im Zentrum unsinnigerweise dazu dient, Arbeitsplätze zum Erzeugen dieses Produkts an der Peripherie zu verhindern: Kapitalverschwendung zum Zwecke der Abtreibung embryonaler Arbeitsplätze in potentiellen Aufholländern.

Das Unterbewerten der Ressourcen an der Peripherie ist für den Kapitalstrom und den Prozeß der Standortinnovation ebenso wichtig wie das Überbewerten der Währungen im Zentrum. Wer Komplementäres attrahieren will, darf sich nicht selbst überbewerten. Und tut er es, nachdem er attrahiert hat, so leitet er leicht einen Scheidungsprozeß ein. Wichtig ist das Unterbewerten der inländischen Ressourcen insoweit, als es dem mobilen ausländischen Kapital Ertragschancen läßt, die um die Prämie für das höhere Risiko größer sein müssen, als sie in den zentralen Räumen mit höheren Einkommen und der höheren Sparquote sind. Es geht aber auch um die optimale Kombination von Kapital und Arbeit an der Peripherie, vor allem wenn der Bevölkerungsdruck noch stark ist. Denn wenn die Währung zu hoch bewertet ist, natürlich im Verein mit einer zentralen Bewirtschaftung (Rationierung) der Devisen, sind die Importgüter, die hereinkommen, vergleichsweise zu billig. Dazu gehören gerade in Ländern mit Devisenbewirtschaftung und ehrgeizigen Entwicklungsprogrammen die Kapitalgüter. Die Folge ihrer künstlichen Verbilligung ist, daß es privatwirtschaftlich rational wird, Techniken zu wählen, die zuviel Kapital und entsprechend weniger Arbeit binden, obwohl gesamtwirtschaftlich das Umgekehrte geboten wäre. In dieser Weise entsteht eine duale Wirtschaft mit einem städtischen und industriellen Sektor, der zu modern ist, und einem Hinterland, das an versteckter Arbeitslosigkeit leidet. Die oben erwähnten Elendsquartiere am Rande der Stadt sind alarmierender Ausdruck dieser Gegensätze.

Der Begriff Unterbewertung in diesem Zusammenhang darf in seinem spezifischen

Sinn – gemessen an den Produktionskosten standardisierter Güter, die den Charakter von Ubiquitäten haben – nicht mißverstanden werden. Denn ein Land, das Kapital importiert, muß in der Leistungsbilanz ein Defizit aufweisen und einen Wechselkurs haben, der das Importieren begünstigt und das Exportieren im Vergleich dazu bremst, also die Währung im Außenverhältnis in diesem anderen Sinne – im Sinne des Ausgleichs der Leistungsbilanz – zu hoch bewertet.

Ökonomen, die die Vorstellung von statischen und stationären Gleichgewichten verinnerlicht haben und nicht auf Anreize und Triebkräfte abstellen, haben hier Verständnisschwierigkeiten. Man kann diese überwinden, wenn man den Kapitalimport als einen autonomen Vorgang betrachtet. Der einfachste Fall ist der eines Einwanderers, der seine Kapitalgüter sozusagen mitbringt, um sie danach für eine Innovation, die er auch schon im Kopf hat, zusammen mit inländischen Ressourcen einzusetzen. Zwar hat dieser Vorgang am Wechselkurs nichts geändert, aber die Leistungsbilanz ist passiv geworden, wie sie es bei einem Kapitalimport sein muß. Wenn dieser Unternehmer ständig Kredit im Ausland erhält und dafür die entsprechenden Importe tätigt, kann der Prozeß lange andauern. Statt der guten Innovationsidee, die importiert wird, können wir auch annehmen, daß ein glänzender Unternehmer im Inlande heranwächst, der dank seiner Tatkraft als Nachfrager nach inländischen Ersparnissen den Realzins herauftreibt und im Gegensatz zu den anderen potentiellen Investoren, die er verdrängt, statt inländischer Kapitalgüter ausländische nachfragt. Er bewirkt dann eine Tendenz zur Abwertung der Inlandswährung, die das Inland für das ausländische Kapital attraktiver macht und zusammen mit dem höheren Realzins den Kapitalzufluß herbeiführt, andererseits aber auch das Exportieren begünstigt und das Importieren bremst, so daß die Abwertungstendenz in Grenzen bleibt und der Anreiz zum Kapitalzustrom nicht so groß ist. Was per Saldo an Abwertung verbleibt, ist gerade soviel wie nötig ist, um die Importe zuzüglich der importierten Kapitalgüter durch die (stimulierten) Exporte und den (induzierten) Kapitalimport finanzieren zu können. Im Vergleich zum Ausgangszustand hat sich die Währung abgewertet; gemessen daran, daß es nun einen Importüberschuß gibt, erscheint sie überbewertet. Autonome Unternehmer, autonome Kapitalimporte und autonome Importeure also muß man ins Bild bringen, wenn man die Wachstumsdynamik in der Zahlungsbilanz verstehen will. Diese autonomen Kräfte sind gleichsam die Unruh, die die Uhr in Gang hält.

Nicht nur im Hinblick auf einen kontinuierlichen Prozeß der Standortinnovationen müssen zurückgebliebene Länder billige Länder sein. Auch für das Anlocken von Touristen ist es gut, sofern nicht die Sonnenarmut des Nordens und die Sonnenwärme der Tropen bereits für das notwendige Gefälle sorgen, um den Tourismus und den Export sonnenintensiver Erzeugnisse anzuregen, für die die zurückgebliebenen Tropenregionen einen natürlichen Standortvorteil haben.

Doch abgesehen von diesen Sonderfaktoren (die wohl auch kein Zufall sind), gibt es eine natürliche Tendenz zu einem Wechselkursgefälle zwischen reichen Ländern, die teuer sind, und armen Ländern, die sich als billig präsentieren. Dies gilt auch für Stadt- und Landregionen und für mehr oder weniger wohlhabende Städte innerhalb eines Staatsraumes. Der Hauptgrund liegt darin, daß der Boden immobil ist und deshalb – wie früher gezeigt wurde – im Zentrum eine Lagerente erzielen kann. Die Transportkosten, die den Boden im Zentrum gegenüber der Konkurrenz des Bodens an der Peripherie schützen, haben oft auch einen Protektionseffekt zugunsten ortsgebundener (lokaler) Güter und Dienstleistungen, also zugunsten von Ressourcen, die zum zentral gelegenen Boden komplementär sind. Protektion heißt: weniger Wettbewerb und weniger Produktivitätssteigerung durch Wettbewerb. Das Ergebnis ist eine Produktivitätsschere, die sich im Wachstumsprozeß öffnet. Im Extremfall – etwa beim primitiven Haarschnitt – ist die Arbeitsproduktivität im hochentwickelten Zentrum nicht höher als in den zurückgebliebenen Randregionen. Während nun die Preise der leicht handelbaren Güter über den Wechselkurs (fast) nivelliert werden – auch über den Wechselkurs von eins zu eins, der zwischen den Regionen innerhalb eines Landes herrscht –, sind die Preise der lokalen Güter (einschließlich der Mieten) in den reichen Gegenden hoch und in den armen niedrig. Gemessen an einem Warenkorb, der außer den handelbaren auch solche lokalen Güter enthält, sind die reichen Regionen und Länder teuer, die armen recht billig.

Aber daraus folgt auch: wo man aufholt und die Produktivitätsschere sich öffnen läßt, gibt es eine Verteuerung in diesem Sinne. Gemessen an den Kaufkraftparitäten, die hier angesprochen sind, wertet sich die Währung des Aufhollandes auf. Gemessen an den Produktionskosten der Güter, die Gegenstand von Standortinnovationen sind oder werden sollen, darf es eine Aufwertung nicht geben; sonst koppelt sich das betreffende Land ab.

## Das Beispiel der Bundesrepublik

Wie Aufholprozesse ablaufen, kann man für die Zeit nach 1945 am besten am Beispiel der Wirtschaft im Raum der Bundesrepublik sehen. Die Startsituation war entwicklungsträchtig:

- Der Bestand an Sachkapital war kriegsbedingt zerstört, so daß der Prozeß der Entwicklung, den Schumpeter (1942) als schöpferische Zerstörung charakterisiert hat, ohne viel Rücksicht auf Bestehendes anlaufen konnte.
- Manches von den Zerstörungen erwies sich als reparabel, und die Produktivität der Reparaturinvestitionen, zu denen die Menschen die Fähigkeiten hatten, war hoch.
- Im Verhältnis zu dem reduzierten Bestand an Sachkapital gab es ein überreiches Angebot an Arbeitskräften, die qualifiziert und tüchtig waren, also reichlich Humankapital, nicht zuletzt dank dem Bevölkerungszustrom aus dem Osten.
- Der Mangel an Sachkapital, bedingt auch durch den Umstand, daß es in der Industrie eine recht strenge Komplementarität von Kapital und Arbeit gibt (fixe Koeffizienten und dadurch eine physisch begrenzte Anzahl von Arbeitsplätzen), brachte Arbeitslosigkeit (Kapitalmangel-Arbeitslosigkeit) und, da es noch kaum ein System der sozialen Sicherheit gab, ein intensives Suchen nach Arbeitsmöglichkeiten, zu sehr niedrigen Löhnen vor allem auf dem Lande, wo die Flüchtlingsbevölkerung konzentriert war.
- Die Löhne, die in der Landwirtschaft dem Grenzprodukt der Arbeit entsprachen, also nicht höher waren als das, was der zusätzliche Arbeiter zusätzlich einbrachte, hatten auch mäßigenden Einfluß auf die Löhne in der Industrie, wo die Gewerkschaften nur langsam wieder Fuß fassen konnten; infolgedessen waren die Aussichten für Investitionserträge in der Industrie so günstig, wie es zum schnellen Beseitigen des Kapital-

mangels nötig erschien: die »Kapitalmangel-Rente« beseitigte, wie es sein soll, ihre eigene Ursache.

– Das Land hatte ein großes Unternehmerpotential – auch durch Flüchtlingszustrom und Demilitarisierung; und die Chancen, es als Unternehmer zu etwas zu bringen, waren wegen des Kapitalmangels und der hohen Renditen in der verarbeitenden Industrie so gut, daß viele glänzende Erfolge zum Nachahmen anregten und es an entmutigenden Fehlstarts fast gänzlich fehlte.

– Die staatlichen Institutionen waren schwach, viele hemmende Gesetze und Bestimmungen von den Alliierten Behörden außer Kraft gesetzt, und was an Wirtschaftslenkungs-Bürokratie existierte, machte Erhard im Verein mit der Währungsreform durch weitgehende Abschaffung der Rationierung überflüssig.

– Die Offenheit der Märkte im Innern konnte leicht ergänzt werden durch ein Öffnen der Märkte im Außenhandel, weil der Marshall-Plan für Europa das Liberalisieren prämierte.

Einmal in Fahrt gekommen und – dank einer Exportpalette mit hoher Einkommenselastizität der Nachfrage – gut an das Ausland – vor allem an die USA mit ihrer überbewerteten Währung – angekoppelt, lief das Rad der wirtschaftlichen Aktivität auf den befreiten Märkten so schnell, daß die Produktivitätsfortschritte viele Jahre größer waren als das, was man in Tarifverträgen an der Lohnfront vorwegzuverteilen versucht hatte. Deshalb kam es zu einem schnellen Anstieg der Beschäftigung und zu einem rasanten Prozeß der Kapitalakkumulation, der so nachhaltig war, daß Anfang der sechziger Jahre schon Arbeitskräftemangel spürbar wurde, vor allem nach dem Versiegen des Flüchtlingszustroms im Gefolge des Berliner Mauerbaus (1961). Danach kam es zum Anwerben von Gastarbeitern: Wachstum bei anscheinend unbegrenztem Angebot an Arbeitskräften, ein Modell, das Lewis (1954) für Entwicklungsländer formuliert hatte. Wichtig dabei: zugewanderte Arbeitskräfte sind so mobil, daß der wachstumsbedingte Bedarf an Flexibilität im Arbeitsmarkt weitgehend von ihnen gedeckt werden kann und den Inländern der bessere Teil der Flexibilität vorbehalten bleibt, der Aufstieg in der Hierarchie eines expandierenden Systems.

Woher rührte das Wunder? War es der Schnellstart nach jahrzehntelanger Unterdrückung der spontanen Kräfte, das Freimachen der Bahn für die Tüchtigen oder das Nachhinken der Löhne, der Interessenverbände und der politischen Umverteilungsinstanzen? Oder war es die Hilfe von außen – ein aggressives Vordringen auf den Exportmärkten, das Ankoppeln an eine expandierende Weltwirtschaft? Niemand kann hier richtig zurechnen. Wir können nur sagen: wenn nach Jahren des Unglücks, die die Erwartungen und Ansprüche dämpfen, ohne den Leistungswillen abzutöten, glückhafte Umstände dieser Art zusammentreffen, darf man einen Prozeß erwarten, in dem die positiven Rückkoppelungen überwiegen. Dazu gehört auch, daß die sozialen Neidkomplexe zurücktreten, weil jeder hoffen darf, schon in kurzer Zeit dort zu sein, wo sich der neiderregende Vorreiter im Augenblick befindet.

Neidkomplexe werden erst dann leichter organisierbar, wenn es den Anschein hat, daß das individuelle Imitieren nicht mehr soviel einbringt wie das kollektive Protestieren. Oder wenn die Institutionen erstarken, die nicht-staatlichen ebenso wie die staatlichen. Oder wenn der Zeitgeist vom Individualismus nichts mehr wissen will und die skeptische

Generation (Schelsky 1957) von einer emotionalisierbaren abgelöst wird. Oder einfach dann, wenn die Erwartungen sich an die jüngsten Erfahrungen angepaßt haben, aber die laufenden Erfahrungen diesen Erwartungen nicht mehr genügen. Dies sind Elemente für eine komplexe Wendepunkthypothese; was zurückblieb, holt auf und wird nach dem Überholen zur Bremskraft.

Daß das Tempo der Marktexpansion nach 1948 weder im Inlande noch in der Weltwirtschaft auf Dauer durchgehalten werden könnte, mußte von vornherein klar sein. Das Buch von den Grenzen des Wachstums (1972) fand wohl nicht zuletzt auch deshalb soviel Anklang, weil es ein Unbehagen artikulierte, ebenso wie bei den Jüngeren die Studentenrevolte vier Jahre vorher. In der Zeit dazwischen wurde offenkundig, daß der Aufholprozeß im Vergleich zu den USA nun auch eine Aufwertung der westdeutschen Währung nach sich ziehen mußte. Diese traf zusammen mit einer Lohnrevolte, die nach dem Pariser Mai in den Jahren 1968 und 1969 den ganzen Nordwesten des Kontinents erfaßte. Die Gewinnkompression, die hiervon ausging, wurde nach 1970 durch den Anstieg der Kosten für Umwelt, Rohstoffe und Energie verstärkt. Und weil die Reallöhne nun noch verstärkt stiegen, erleichtert durch den Anwerbestopp für Gastarbeiter, kam es über die Gewinnkompression zu einer nachhaltigen Investitionsschwäche und über die Verteuerung der Arbeit zum Freisetzen von Arbeitskräften, sei es durch Unternehmenszusammenbrüche, sei es als Folge forcierter Rationalisierungsaktivitäten, die nötig waren, um die Arbeitsproduktivität derer, die in Beschäftigung blieben, so zu steigern, wie die hohen Reallöhne es verlangten. So wurde aus dem Kapitalmangel der Wiederaufbauzeit durch die Überakkumulation, die er in Gang setzte, und die Gegenkräfte, die sich daraus ergaben, ein reichliches Vierteljahrhundert später wieder ein Kapitalmangel, freilich auf einem weit höheren Niveau der Produktivität.

## Perspektiven der Weltwirtschaft

Im internationalen Vergleich schien es in der zweiten Hälfte der siebziger Jahre so, als habe die Wirtschaft der Bundesrepublik die der USA schon eingeholt und beinahe überholt. Es war dies die Zeit, in der die USA auch außenpolitisch Schwächesymptome zeigten, die Inflationsfurcht den Dollar als Anlagewährung auf den zweiten oder dritten Rang verwies und man noch nicht so deutlich sah, wie das marktgerechte Sinken der Reallöhne, die Entregulierung bestimmter Bereiche der US-Wirtschaft und die Entwicklung um die Technologiezentren in Kalifornien und Massachusetts der amerikanischen Wirtschaft neue Entwicklungschancen eröffnete. Die Zeichen der Schwäche im Wirtschaftskern Europas konnten lange Zeit mit großem Erfolg rhetorisch überspielt werden (Giersch 1980).

Inzwischen scheint es den USA gelungen zu sein, zu einem neuen Entwicklungsspurt anzusetzen. Der Dollar ist stark wie in der Zeit der Dollarknappheit nach dem Kriege[1] und gibt den nachhinkenden Ländern Europas erneut die Chance des exportgetriebenen Wachstums. Die Zinsen sind in den USA, aber auch in Europa, real so hoch, wie es dem weltweiten Kapitalmangel entspricht, der an der hohen nicht-konjunkturellen Arbeitslosigkeit (zu den herrschenden Reallöhnen) in Europa sichtbar wird. Im Gegensatz zu Europa und anderen Ländern sind die Reallöhne in den USA so niedrig, wie es die Arbeitsmarktlage erfordert. Deshalb können dort – trotz der hohen Realzinsen – Gewinne erwirtschaftet werden, die eine kräftige Kapitalakkumulation ermöglichen – verbunden freilich mit einem Ressourcenimport, der einem Lande an der Spitze der wirtschaftlichen Entwicklung nach unseren bisherigen Überlegungen nicht gut ansteht. Aber dies ist eine Situation des dynamischen Ungleichgewichts: der Schrittmacher, der an der Spitze vorauseilt, spendet Windschatten – exportgetriebenes Wachstum für die Nachzügler; aber diese müssen für den wechselkursbedingten Antrieb, den ihr internationaler Sektor erfährt, mit einem Resourcenentzug bezahlen, bis es ihnen gelungen ist, die importierte Kraft durch das Entfalten eigener Kräfte zu substituieren. Diese Eigenkräfte sind noch lahm, weil die Unternehmen nur bei diesem Wechselkurs gute Gewinnchancen haben und nur bei diesem Wechselkurs genügend Mittel für Investitionen und Spielgeld für riskante Forschungsvorhaben akkumulieren können. Gäben die Reallöhne auch hier nach – in ähnlicher Weise, wie es jenseits des Atlantik geschehen ist –, bedürfte es einer solchen Überbewertung des Dollars nicht. Und dann würde auch der Binnensektor Antriebskräfte entfalten, Arbeitskräfte einstellen und an der Überwindung des Kapitalmangels durch Kapitalakkumulation mitwirken können. Insoweit sind die überhöhten Löhne in Europa ebenso eine Mitursache für die hohen Realzinsen der achtziger Jahre wie der konsumbedingte Teil der Haushaltsdefizite in den USA und anderswo.

Verglichen mit der Beschleunigungsphase nach 1945 hat Europa gegenüber den USA jetzt auch den Nachteil, daß viele seiner Märkte verkrustet und durch institutionelle Zugangsbarrieren blockiert sind. Das Stichwort dafür heißt »Eurosklerose«. Das Entschlacken verlangt nach einem umfassenden System befreiender Eingriffe (Giersch 1983), die im Gegensatz zur Befreiung durch die militärische Niederlage oder die befreiende Tat Ludwig Erhards 1948 nicht schlagartig vorgenommen, ja ohne noch größere Not noch nicht einmal der breiten Öffentlichkeit einsichtig gemacht werden können. Wenn von innen heraus die Kraft zu einer derartigen Konstitutionstherapie fehlt, kann man nur hoffen, daß das Öffnen der Märkte von außen erzwungen wird, auch vom Wettbewerbsdruck der Aufholländer in Asien oder an der Peripherie Europas, die die traditionellen Produktionsbereiche in den Kernregionen einem Prozeß der schöpferischen Zerstörung aussetzen. Zonen freier Wirtschaftstätigkeit in bedrängten Regionen könnten die Bemühungen um das Schaffen eines echten Binnenmarktes innerhalb der Europäischen Gemeinschaften wirksam ergänzen und Vorbildcharakter gewinnen. Die alte Regionalpolitik, die auf kapitalintensive Infrastrukturinvestitionen setzte und Investitionssummen aus Steuermitteln bezuschußte, ist in den Jahren des Kapitalmangels und hoher Realzinsen kontraindiziert.

Japan, das zum Entwicklungszentrum Asiens geworden ist, scheint nach dem Aufholprozeß nicht soviel an Eigenkraft verloren zu haben wie Europa. Es wird sicher schon wegen der Exportaggressivität seiner großen Unternehmen zunehmend zu einer Quelle von Kapitalströmen in zurückgebliebene Länder werden, auch wenn es vermehrt auf emotionale Widerstände stößt. Für Japan gilt noch mehr als für die USA mit ihren weiten Räume zwischen dem Ost- und dem Westzentrum, daß die Ballung auf engem Raum den Kapitalabfluß und den Prozeß der internationalen Standortverlagerung in die peripheren

Regionen der Weltwirtschaft – hier vor allem natürlich im Pazifik – begünstigt und geradezu erzwingt, zumal Japan sich nicht als Einwanderungsland anbietet.

Der Wettbewerb im Bereich der Spitzentechnologien zeigt sich zunehmend als Wettbewerb zwischen den drei großen Wachstumszentren der Weltwirtschaft. Doch ist dies natürlich ein Wettbewerb zwischen Unternehmen, nicht zwischen Ländern. Technologietransfer zwischen den Zentren kann deshalb auch – wie der Technologietransfer von den reichen zu den armen Ländern – unternehmensintern stattfinden. Das internationale Unternehmen ist in sich vielleicht flexibler und transparenter als der Marktverkehr über Grenzen, die Hemmnisse darstellen. So hat ja auch die Politisierung der Weltwirtschaft das Wachstum der internationalen Unternehmen ungewollt begünstigt. Da Wissen kein ortsgebundenes (lokales) Gut ist, auch kein nationales, stellt sich natürlich die Frage, warum nationale Regierungen (oder die EG) Wert darauf legen, nationale Steuermittel zum Subventionieren der Produktion anwendbaren Wissens einzusetzen, wie es offenbar zunehmend geschieht. Aus dem Blickwinkel der statischen Wohlfahrtsökonomik sieht dies nach Verschwendung aus. Denn das Rad muß ja, um dies als Beispiel zu nehmen, nicht überall neu erfunden werden, auch nicht der elektronische Schaltkreis von minimaler Größe. Doch brauchen die Zentren, vor allem wenn sie sich im Wettbewerb untereinander behaupten wollen, eine forschungsfreundliche Atmosphäre – von der Elementarschule bis zu den Akademien der Wissenschaft. Zu ihrer Finanzierung müssen nicht notwendig Steuermittel von zentraler Stelle massiv eingesetzt werden. Wettbewerb auch in der Finanzierung kann für Vielfalt sorgen, wenn es darum geht, neue Wege zu erproben. Hier sind – von der Allgemeinbildung abgesehen – Stiftungen und Stipendien sehr wahrscheinlich nützlicher als Kultus- und Forschungsbürokratien, allgemeine Zuwendungen an konkurrierende Institutionen produktiver als spezifische Projekte, deren Förderung nicht selten funktionslose Renten entstehen läßt, schon weil es an Wettbewerb fehlt.

Wenn wir zum Schluß fragen, was die weltwirtschaftliche Entwicklung vorantreibt, so drängt sich als Antwort mehr und mehr auf: es ist die Unruh(e) des Wettbewerbs, und zwar beim bloßen Kampf ums Dasein, beim Aufholen und Vorauseilen und beim Suchen und Finden des Neuen.

## Anmerkung

[1] Der reale, also um die Differenz der Inflationsraten zwischen der Bundesrepublik Deutschland und den USA bereinigte, Wechselkurs zwischen DM und Dollar hatte Ende 1984 wieder das Niveau der 50er Jahre erreicht. Bezogen auf 1955 als Basisjahr mit einem Wechselkurs von 4,20 DM pro Dollar (real = nominal) betrug der reale Wert der amerikanischen Währung im 3. Quartal 1984 4,15 DM pro Dollar (nominal 2,92 DM pro Dollar) und im 4. Quartal 1984 4,33 DM pro Dollar (nominal 3,05 DM pro Dollar). In den 70er Jahren war der Dollar stark gefallen, mit einem Tiefstand von real 2,25 DM pro Dollar (nominal 1,83 DM pro Dollar) im Jahr 1979. Dies ergibt sich aus Berechnungen des Instituts für Weltwirtschaft. Als Deflator wurde jeweils der Konsumentenpreisindex verwandt.

## Literatur

Boulding, Kenneth E.: The Organizational Revolution, A Study in the Ethics of Economic Organization, New York 1953.

Christaller, Walter: Die zentralen Orte in Süddeutschland. Eine ökonomisch-geographische Untersuchung über die Gesetzmäßigkeit der Verbreitung und Entwicklung der Siedlungen mit städtischen Funktionen, Jena 1933.

Giersch, Herbert: Aspects of Growth, Structural Change and Employment – A Schumpeterian Perspective. In: Weltwirtschaftliches Archiv, Bd. 115, H. 4, 1979, S. 629–652.

Giersch, Herbert: Deutsche Wirtschaft – wohin?, Hrsg. vom Arbeitgeberverband der Metallindustrie, Köln 1980.

Giersch, Herbert: Wie Wissen und Wirtschaft wachsen. In: List Forum, Bd. II, Heft 3, Düsseldorf 1981, S. 143–162.

Giersch, Herbert (Hrsg.): Wie es zu schaffen ist, Agenda für die deutsche Wirtschaftspolitik, Stuttgart 1983.

Hayek, Friedrich A. v.: The Three Sources of Human Values, L. T. Hobhouse Memorial Trust Lecture, London School of Economics and Political Science, London 1978.

Hayek, Friedrich A. v.: Sitte, Ordnung und Nahrung. Über die Ethik des Eigentums und die Entwicklung der Kulturen. In: Frankfurter Allgemeine Zeitung, 30. Juli 1983, Nr. 174, S. 11.

Hotelling, Harold: Stability in Competition. In: The Economic Journal, Vol. 39, No. 153, London 1929, S. 41–57.

Kamarck, Andrew M.: The Tropics and Economic Development, Baltimore, London 1976.

Lewis, W. Arthur: Economic Development with Unlimited Supplies of Labour. In: The Manchester School of Economics and Social Studies, Vol. 22, No. 2, 1954, S. 139–191.

Marx, Karl: Das Kapital, Kritik der politischen Ökonomie, Nach der 4., von Friedrich Engels durchgesehenen und herausgegebenen Auflage, Berlin 1983, (Originalausgabe: Hamburg 1867).

McClelland, David C.: The Achieving Society, Princeton 1961.

McClelland, David C.: Achievement Motivation Can Be Developed. In: Harvard Business Review, Vol. 43, No. 6, Cambridge/Mass. 1965, S. 6–24, 178.

Meadows, Dennis, u. a.: Die Grenzen des Wachstums. Bericht des Club of Rome zur Lage der Menschheit. Stuttgart 1972 (Original: The Limits to Growth, New York 1972).

Ricardo, David: Principles of Political Economy and Taxation, London 1817.

Samuelson, Paul A.: International Trade and the Equalization of Factor Prices. In: The Economic Journal, Vol. 58, No. 230, London 1948, S. 163–184.

Schelsky, Helmut: Die skeptische Generation. Eine Soziologie der deutschen Jugend, Düsseldorf, Köln 1957.

Schumpeter, Joseph A.: Capitalism, Socialism and Democracy, London 1942.

# Paul A. Samuelson

# The Present State of Economic Science and its Probable Future Development

Economic activity is the oldest of the arts and economics is the newest of the sciences. The science of political economy is in a state of vigorous growth all over the globe. The sheer bulk of available factual knowledge is vastly greater than ever before, and the degree of sophistication involved in economic theorizing and measurement would not only astonish Adam Smith and other classical scholars but would also amaze Joseph Schumpeter and my other great teachers of fifty years ago. More economists are now alive than have ever lived since the beginning of time; more additions are made each decade to the literature of political economy than used to occur in a century.

Surely such a field defies brief description? And when it is realized that there is not universal agreement on one single correct school of economics, you may well wonder whether anything less than a treatise or bookshelf can do justice to my ambitious title. Nevertheless I believe that certain broad trends can be usefully identified. The whole can be made to be simpler than the sum of its parts.

I can paint with a broad brush a tolerably accurate picture of the present state of economics. Pinpointing where this science will be in 1990 or 2000 is of course another matter. Let me illustrate by an example. Lionel Robbins, who recently died, was a great economist at Oxford and the London School of Economics in the years 1920 to 1980. Active in helping run the U. K. World War II economic mobilization, Robbins (Lord Robbins, as he was to become) knew everybody; everybody knew him. Yet, some forty years ago in a scholarly presidential address, this great scholar made the confident prediction that the use of mathematics in economics and econometrics was a temporary vogue, a fad that would soon pass away. You have only to look into any learned journal in the economics library to realize how wrong Robbins was both quantitatively and qualitatively.

This raises the question, you may ask, whether economics indeed deserves the title of being a science? My point is not to sow such doubts. For consider a case from the hard sciences, the case of Lord Rutherford, the greatest experimental physicist of the first third of the twentieth century. After the neutron was discovered in his Cambridge laboratory, he was asked to speculate whether splitting the atom might some day become a source of useful power. Although then at the height of his wisdom, Ernest Rutherford made the wrong guess that there was some not-yet-understood law of nature that prevents us from getting out of a physics operation more of energy than we have put into it.

The essence of every science is to develop in ways not predictable in advance. So to speak, if we knew just where we were going to go in science, we'd already have marched there.

So, here I shall not presume to do the impossible. What I can usefully do is what all my life as a productive scholar I have had to try to do – to weigh the evidence and appraise the logical plausibility of each developing trend, endeavoring to pay most attention to those developments for whom the odds seem favorable. This involves of course constant refocussing as one learns from new surprises. As we say in practical forecasting, »If you must forecast, forecast often.«

## Geographic Convergence

Mainstream economics is recognizably similar over most of the globe. What, in Moscow too? It is true that the elementary textbooks employed to inculcate »sound economics« into college freshmen read very differently in the socialist states of Eastern Europe than they do in free-enterprise Texas. But if you examine the technical economics of the Soviet Academies' memoranda and reports, and cut through the verbiage and vocabulary to reach actual content, you will discover that certain principles and relations occur in common.

Two centuries ago this mainstream economics was primarily British economics: Adam Smith, David Ricardo, and John Stuart Mill were the classical writers who tried to forge political economy as a largely *deductive* science. Looking back, we realize that they over-glorified the power of *a priori* reasoning in one's isolated library and exaggerated the exactitude of alleged economic laws.

Classical economics was a successful export abroad. Educated people, in Moscow or Philadelphia or Berlin, knew of the serendipitous »invisible hand« of Adam Smith that channeled each person's selfish action to achieve the social good. Still, in the rapidly developing New World of America, the dismal science of diminishing returns and Malthusian overpopulation met with resistance. And on the continent where the industrial revolution came late, a romantic and nationalistic school of German economists suspected that Smithian laissez faire was an unconscious rationalization of the interests of the rising bourgeois class and that Ricardian free trade was an apologetics for a regime favorable to quick-off-the-mark Britain as against economies that were delayed in their domestic industrialization.

Friedrich List provided a century and a half ago a good example of a backlash to classical economics. Migrating from Germany for a sojourn in the United States, List perceived a need to protect infant industries by temporary tariffs. On his return to Germany he wrote up his heretical view that the state should interfere with laissez faire in order to promote industrialization of a young economy. The reception of a scientific theory, along with depending upon its empirical accuracy and elegance of analytical description, can also depend upon whether a society is ripe to approve of its message. List's heresy was well received in nineteenth century Germany and North America, and throughout the prein-dustrial nations there is still within our own times strong sentiment toward import quotas and protective tariffs for developmental stimulus.

Despite the above offshoot, there is a clearcut main avenue of descent from classical economics to the international mainstream economics of the 1980s. Just when John Stuart

Mill's *Principles of Political Economy* (1848) perfected and embalmed classical economics in two volumes, decadence began to set in.

Fortunately, by the last quarter of the nineteenth century, rejuvenation of classical economics occurred. Now it was no longer an English affair: joining with Jevons of Manchester to formulate the neoclassical economics that was heir to classical economics were Walras and Pareto of Lausanne, Menger and Böhm-Bawerk of Vienna, Wicksell and Cassel of Scandinavia, John Bates Clark in America, and many other writers of the period 1870 to 1930. Neoclassical economics was less *a priori* than classical economics; less preoccupied with Malthusian diminishing returns, more optimistic about technical progress; more proficient in the analysis of supply and demand, digging deeper into the structure of utility preferences and consumer choice.

## Crosscurrents

Traffic on the main highway of history never tells the full story. The continental environment that was resentful of orthodox economics and receptive to List's heresies nurtured an anti-classical movement called the German Historical School, associated at first with Roscher and later with Schmoller. The emphasis was away from deductive theory and toward empirical fact; on dynamic stages of economic development – primitive culture of hunters and croptenders, feudalism, post-reformation capitalism, and then presumed evolution past capitalism into socialism and communism.

A century ago American economists, finding no graduate schools at Oxford and Cambridge, migrated from one German university to another, attending lectures of Sombart, Wagner, and various so-called »socialists of the chair,« and writing detailed historical Ph. D. dissertations on the minutiae of economic history. They brought back to America a movement called Institutionalist Economics, which flourished fitfully from 1890 to 1930, and enrolled such eminent names as Thorstein Veblen, Wesley Mitchell, J. R. Commons, and Richard T. Ely. A politically more conservative version of this anti-theory school flourished during the 1920s in the American business schools, where future executives of Fortune-500 multinational corporations received their training by means of the case-study approach.

Today in the 1980s virtually no trace of the Institutional or Historical School can be found in university life or research institutes. As neoclassical economics veered in the direction of statistical measurement or »econometrics,« institutionalist empiricism was absorbed into the central channels of mainstream economics.

## Marxian Challenges

A more lasting challenge to mainstream economics is provided by Marxism. It has been often said that the doctrines of Karl Marx rose out of German philosophy, French socialism, and British classical economics. The geneological chart of classical economics divides after Ricardo: paralleling the mainstream channel of neoclassical economics has been the critical branch of Marx and Engels, of Lenin, Stalin, and Mao. It is idle to speculate what would today be the scientific status of Marxian economics had there never been Lenin's successful revolution of 1917. A bald fact of history is that a billion people live today in societies that formally at least profess allegiance to the economics of Karl Marx. Islamic economics may not receive many hours of discussion in the seminar rooms of MIT, but still an analyst of Iran would be ill-advised to give that subject short shrift.

New Left activism among university students in the late 1960s renewed some interest in Marxian political economy. But most of the response was among sociologists and philosophy students rather than in schools of economics and business. Even in Japan, where only a generation ago more than half of economics professors considered themselves to be Marxians, there is relatively little input into the literature of economic science originating from this wing of the profession. China today is reeling uncertainly away from Mao's centralism and is flirting skittishly with price mechanisms and incentives of the market.

## Synthesis and Dissolution

By 1930 neoclassical economics was riding high. Economic professors advised banks and wrote newspaper columns in praise of the boom in stock prices going on in Wall Street and other world bourses. The great depression of the 1930s came as a surprise to all the experts: John Maynard Keynes had just published a two-volume *Treatise on Money* that downplayed the business cycle; President Herbert Hoover, an activist engineer, commissioned a study on *Recent Social Trends,* which at the very brink of the great economic crash opined that all was well with the world economy.

For several years bankruptcies and bank failures proliferated. Unemployment swelled, reaching in both Germany and the United States a rate of 25 percent of the working force. By 1931 the gold standard collapsed like a house of cards: exchange rates floated with the winds of supply and demand; exchange and capital controls, import quotas and tariffs, and bilateral trade agreements balkanized the international division of labor built up over a century and restored after the Versailles Peace Treaty.

The tragic slump was bad for starving workers and farmers, who were understandably polarized to vote for the extreme right and the extreme left. Profits were decimated and lifetime savings wiped away. Global production fell for a decade and the capital formation and technical innovations upon which longrun progress depend were aborted by the slump.

## Keynesian Revolution

Bad as the depression was for the real world, it served as a powerful stimulant to economic science – in the same way that horrible plague provides grist for the bacteriologist's mill. Neoclassical economists had gone far in studying historic business cycles: ordinary few-year oscillations in trade; major cycles almost a decade in length; and suspected waves of longer duration. But neoclassical equilibrium theory had no paradigms to explain mass unemployment – poverty midst plenty.

Thus, at the depths of the slump a libertarian like Friedrich Hayek could warn against providing any purchasing power to the needy poor, lest this thereby distort the balance between consumption and investment spending. Keynes 1936 classic, the *General Theory of Employment, Interest and Money* provided economists with a new paradigm to handle macroeconomic policy. (The word »macroeconomics« still needed to be invented then.) Foreshadowers of Keynes – Ohlin, Myrdal, and Frisch in Scandinavia, and John Maurice Clark in the United States – were given a respectable scientific model to study and operate.

By the eve of World War II, an amalgam of neoclassical and Keynesian economics had swept the field. Historical studies show that the Allied war mobilization was the most thorough and effective ever achieved. It was a triumph of democratic dedication, but also a triumph for economic science in application.

## The Miracle Third Quarter of the Century

The scholarly discipline of economics that came out of the war was much improved in knowledge and in confidence. The successful Marshall Plan and MacArthur Occupation of Japan added to economists' hubris. Despite the doubts about the vigor of »capitalism in an oxygen tent« that had been expressed by Schumpeter and pre-Keynesians, the mixed economies soared in the post-Keynes epoch.

What Europe had not been able to accomplish after World War I, succeeded admirably after the German Currency Reform and throughout the formative decades of the Common Market. Europe narrowed the gap between it and the United States. Japan leaped from being a poor and defeated Asian country to rapid industrialization and onward to become the third largest economy in the world – subordinate only to the more populous United States and Soviet Union. (Of course in terms of per capita real income Japan exceeds the Soviet Union by almost 50 percent; and by the end of the century Japan's per capita real income looks likely to exceed that of Western Europe and then go on to overtake the U.S. standard of life. Already her actuarial life expectancies at birth are second to none.)

Graduate training in economics expanded greatly from 1950 to 1985. MIT, Stanford, Harvard, Chicago, Cambridge, Oxford, Stockholm, Bonn, Rotterdam, Louvain, and other hotbeds of mathematical rigor attracted the best students from all over the world. Millionaire professors were created overnight as the giant computers of Otto Eckstein's DRI and Lawrence Klein's Wharton-Penn Model were hired to provide forecasts for the multi-national corporations of the postwar period.

The complacency index of modern economics, future history books will record, peaked out around 1965 when the Kennedy-Johnson golden age of Camelot was at its zenith – before the miasma of the Vietnamese war took over, and prior to onset of the stagflation that pricked the bubble of the infallible mixed economy and welfare state.

## Erosion of Consensus

In science it is always the case: The king is dead; long live the new king! The Neanderthal Keynesianism of the 1930s could emphasize fiscal policy and underplay central-bank monetary policy during depression eras when short-term interest rates were virtually zero. By 1955 it was obvious that variations in the supply of money would have substantial effects upon interest rates, levels of nominal wealth, and upon the total of spending and production.

The recognition that »Money does matter« led to an overreaction by a new school who called themselves »monetarists«. In their unguarded formulations, zealous followers of Chicago's Professor Milton Friedman sometimes fell into the fallacious syllogism, »Hence, money *alone* matters.« Monetarists advocated a steady rate of growth of the money supply, with no yielding by the Federal Reserve, the Bank of England, or the *Bundesbank* to the temptation of trying to lean against the winds of forthcoming recession or inflation. Adherence to such a credible growth rule, monetarists admitted, would not create a new perfect Eden; but, given the perversity of politics and the complexities of long and variable dynamic lags, monetarists believed that stabilizing the trend of the money supply would produce the best feasible macroeconomic policy.

Able monetarists, such as Karl Brunner of Bern and Rochester, enjoyed much success in persuading European governments to eschew fine tuning and activist stabilization policies. At the same time American Keynesians, such as Franco Modigliani, James Tobin, and Robert Solow, were evolving into an eclectic post-Keynesianism that played up the role of asset stocks and liquidity in affecting flows and that tried to synthesize the policy weapons of fiscal and monetary policy.

A more fundamental challenge to the post-Keynesian eclectic mainstream than from the monetarists came from a new camp called »Rational Expectationists« or the school of »New Classical Economists.« Led by Robert Lucas and Thomas Sargent, rational expectationists appealed to countless modern statistical studies demonstrating market efficiency in stock and bond pricing. Share prices in New York and London, staple prices in Chicago or Liverpool, fluctuate with each new arrival of news but do so in such a way as to leave their next-period movement subject only to random chance. »If the Wall Street auction market for IBM common stocks yields market prices characteristic of what can be ›rationally expected‹« the New Classical writers argued, »then we should base our expectations of what is going to happen to the country's *gross national product* on a model that assumes wisdom among all actors in the economic drama to anticipate what will happen in a *market-clearing* equilibrium.«

These new conclusions are quite revolutionary. If true, they imply that the government cannot stimulate employment in an economy – except in the shortest run. If the Federal Reserve is creating new money, and people will have learned about the process, the only effects will be to raise the price level and to leave unemployment and excess capacity just where they were.

It is not facts that kill an old theory. As Schumpeter used to say even before Thomas Kuhn's *The Structure of Scientific Revolutions* was conceived, »It takes a theory to kill a theory.« As mainstream macroeconomics and monetarism failed to solve the problems of *stagflation* – a new disease in which, at the same time that unemployment is high and growing, price and wage levels experience accelerating inflation – the cream of younger economists found rational expectationism an exciting hypothesis.

Alas, in the Reagan and Thatcher crusades to bring down inflation, the history of the 1980s belied the hopes of those who believed that a credible monetary policy to reduce inflation would succeed with relatively little cost in terms of induced stagnation. Dozens of studies at the National Bureau of Economic Research, hoping to vindicate the hypotheses of rational expectations and using the most powerful methods of modern econometrics, have commonly found that modern reality deviates from that paradigm in a statistically significant way.

## Where we Stand: Birdseye View

Modern economics is in a lively stage. On the left it is challenged by disciples of John Kenneth Galbraith and by Italian and Indian neo-Keynesians of the Sraffa-Kaldor-Robinson school. On the right there is the Chicago-School insistence on the optimality of market mechanisms. Macroeconomic policy is subject to lively debate by eclectic mainstream post-Keynesians, monetarists, and rational expectationists.

Business cycle prediction utilizes the largest and fastest of modern computers. Modified Keynesian macromodels predominate at OECD and among the large consulting firms and banks. Errors of forecasts are much less than before the war. But several years ago it became apparent that accuracy was not converging toward precision: it is a if there is a Heisenberg-like *indeterminacy principle,* specifying that we may go just so far and no further in reducing down the variance of our estimates.

Outsiders complain that the trouble with economists is on how much they disagree. From six economists six different opinions, the canard claims. I have to disagree. Economists if anything tend to agree too much among themselves. And what they agree on is that last year's wisdom was wrong and needs to be replaced by this year's.

Here are some crucial questions that I think command among economists a remarkable consensus, and often their answers are at variance with those from non-economist groups.

1. *Flexible exchange rates, imperfect as they are, must be preferred to pegged exchange rates.* Restoring the gold standard cannot succeed inasmuch as modern electorates will not adhere to the rules of the gold standard that can alone keep it viable. (Do all economists agree on this? Of course not. Relatively more in France would disagree, and relatively more among the older generation. But at any World Economic Congress with a thousand attendants, 900 I believe would agree.)

2. *Most of a nation's resource allocation is best left to the market mechanism.* Even in Eastern Europe or in a Scandinavian welfare state, centralized fiats cannot deliver the goods of a growing, efficient, and equitable society. Government, as so to speak a mutual-reinsurance agency, can of course use its transfer powers to rectify partially the most severe of the inequalities and inequities dealt out by the pricing system.

3. *Irreplaceable natural resources and environmental interdependencies do constitute future problems of importance, but Club of Rome pronouncements of Doomsday downplay the contribution*

*that rationing of scarcity by market pricing can contrive and overlook the age-old struggle against the law of diminishing returns that is provided by scientific discovery and technological innovation.*

When economists from New Delhi, Budapest, and either Cambridge meet, it is a testament to the scientific content of economics that there is so much for them to discuss and to agree upon. This does not deny that scientists who begin with different value premises will end up with differences in policy recommendations. *Those* differences of opinion are quite compatible with agreement on questions of scientific fact: thus, I may favor redistributive income taxes and my old friend Milton Friedman may oppose them; that doesn't mean I deny that those taxes and transfers can do damage to efficiency and growth, but may merely reflect the fact that my value judgments deem those costs are more than offset by gains in human ethics and dignity.

## Through a Glass Darkly

Where is economic science going? One good way to present guesses on this important matter is by means of a number of short questions and answers.

*Question.* Is political economy on the verge of a great breakthrough – like the Crick-Watson discovery of double-helix DNA in molecular biology?

*Answer.* There is no evidence for this. Nor is there evidence of a fallow period in economic science, as a multitude of researchers move down trails of diminishing returns. Complacency among macroeconomists has oozed away since 1965, and deservedly so. Within the field of microeconomics – the study of pricing and production within particular sectors of the economy – rapid progress continues to take place. Economists, like invading barbarians, are spreading imperialistically into law, population studies, and sociobiology.

*Q.* Is it correct that the economics profession is growing more »conservative?«

*A.* Yes. The failures of socialism to deliver enviable economic performance in Eastern Europe and Mainland China are instilling new respect for market pricing among students of economics. (It is another thing among the populaces in poor African, Asian, and Latin American countries newly released from colonial domination.) My own concern is that we never forget to ask, »Efficiency for what?« I favor economics with a heart, and my scientific studies are reassuring that this does not require economists with wolly heads. If setting minimum wages too high will create youth unemployment, and rent ceilings will encourage arson in the slums, let people of goodwill recognize these cool truths in legislating optimally.

*Q.* Has the epidemic of mathematics in economics and econometrics run its course?

*A.* Definitely no. The leaders in our profession take these tools for granted. Excesses of formalism and sterility, experience suggests, will primarily be corrected *from within* the ruling circles of a science and not by outside sages or prophets. A Maxwell or an Einstein, rather than a Goethe, improves upon a Newton.

*Q.* What big problems loom ahead for economic science? Was Thomas Carlyle right when in the last century he called economics »the dismal science?«

*A.* The business cycle is not, like smallpox, now extinct. Nor is the evil of inflation a past problem to be read about in the history books. The science of economics is nourished by the fresh questions arising in the course of economic history, and each new decade brings its copious supply of new problems and issues.

Since the Nobel Prize in Economics was instituted in 1969, twenty two Laureates have been honored for scholarly achievements in such diverse areas as international finance, GNP forecasting, economic history and development of backward regions, risk, general equilibrium, economic philosophy and methodology and much more. Before the twentieth century comes to an end, this list will be more than doubled in length as younger scholars create new economic theories and test quantitatively existing paradigms and hypotheses.

Where economic science is concerned, as in other domains of basic knowledge, it remains true that the future is longer than the present.

**Sidney L. Jones**

# Cooperation and Competition in an Integrated World Economy

The fundamental challenge to development of a world economy is the conflict between the economic benefits of integration and the political interests of individual nations. During the first half of this century, governments typically resolved this dispute by promoting economic nationalism. Since World War II, however, most nations have moved toward more economic interdependence. Economic power, which was concentrated in the United States, has been diffused through commercial applications of technology and rapid growth of foreign trade and investment. Simple bilateral and regional economic interests have evolved into complex multilateral exchanges among industrial nations, developing countries, oil exporters, and various nonmarket economies. In this turbulent environment, the integration of economic interests has not been matched by effective political processes needed to balance the competing priorities.

While the evolving interdependence has improved total economic growth, by increasing foreign trade and investment and domestic efficiency, the intensity of competition and the ripple effects of cyclical expansions and recessions have disrupted national economies and eroded political power. The resulting loss of independence has caused many governments to intervene in the international markets to protect powerful domestic interest groups. Advocates of international cooperation, including manufacturers, farmers, and consumer groups, have prevented a return to the trade wars and economic nationalism of the 1930s but international monetary, trade, and investment issues are controversial and vulnerable to domestic political pressures. The increasing integration of the world economy has also created a »revolution of rising expectations« about future living standards, particularly in many developing countries. Even nonmarket economies must be somewhat responsive to the rising expectations of their people in this era of instantaneous communication and extensive personal travel. The political rhetoric of nationalism is no longer an adequate excuse for chronic failures in the competitive global economy.

The problem is determining how to adapt the political interests of individual nations to the collective priorities of an integrated world economy. The policy conflict is clear: electoral politics dominate the domestic policies of industrial nations while international economic decisions should be based on the principles of comparative advantage in allocating human and material resources. The crucial point is that economic success is a prerequisite for achieving most political, social, and military security goals. This proposition is generally accepted but specific policy responses are erratic and unpredictable. There is an understandable reluctance among political leaders to relinquish control over specific economic policies and to subject domestic interest groups to foreign competition

703

despite the general benefits provided by an open and competitive international economic system. A typical solution to this dilemma is to offer rhetorical support for global and regional integration while continuing to provide specific incentives and protection for domestic organizations. This paper discusses the difficulty of rationalizing the fragmenting forces of national political interests with the integrating forces of international economic efficiency.

Although there is a serious disparity between political and economic motives, international integration is increasing despite excessive nationalism, supply-side shocks, destructive wars, and geopolitical manipulation. The following analysis summarizes the factors influencing the trend toward a more open and competitive world economy. Cooperation will depend upon the positive commitment of most industrial nations, expanding foreign trade, foreign investment, integration of financial markets, stable currency exchange rates, mutual dependence upon commodity and energy resources, diffusion of technology, coordination of domestic economic policies, positive structural adjustments, efforts of multinational economic institutions, official assistance programs, and avoidance of protectionist actions. Fragmentation will result from contradictory domestic and international policy goals, intense competition for foreign trade, investment, finance, and raw materials markets, government controls and regulations, competitive currency exchange rate actions, disagreements over East-West and North-South issues, and differences between regional and global interests and responsibilities.

## The Role of Governments

Effective governments establish explicit »rules of the game« to control the competition between political and economic interests. Economic priorities include: maximum reliance on competitive markets to allocate resources and reward performance; technology and capital investment to stimulate growth; acceptance of competitive risks to create incentives; and, emphasis upon long-term goals, particularly the formation of wealth rather than mere preservation and distribution of existing assets. Political priorities generally have a different emphasis: aggressive intervention to influence marketplace results and control economic power; sustaining the security of existing interest groups; reliance upon collective decisions; aversion to competitive risks and structural adjustments; and, short-term planning horizons linked to the next elections.

Since the mid-1960s, the necessary tradeoff has increasingly been tilted toward political priorities leading to reduced economic growth and increased government intervention. The resulting stagflation conditions have intensified the usual struggle among interest groups for larger shares of the reduced output of goods and services and increased the destructive pressures for protectionism throughout the world economy. During favorable periods of strong economic growth the allocation of national incomes can be worked out reasonably well through the political processes enabling most groups to share the benefits. But when stagflation conditions develop – the combination of stagnant economic activity and rapid inflation – the competition for relative shares of a declining amount of goods and services is more complex as various interest groups become increasingly dependent upon the decisions of political leaders and government bureaucracies rather than the competitive rewards and penalties of the marketplace. A better balance between political and economic priorities is required to restore progress toward an integrated world economy. Any realignment of relative priorities, however, will confront several external restraints: the subordinate role of economic policies in domestic affairs; volatile swings in public opinions between euphoric optimism and abject pessimism that make it difficult to sustain moderate policies; the concentrated power of articulate interest groups with access to political leaders; the frequent timing of political elections; the lagged response of economic events to policy adjustments; the typical preference for simplistic solutions, such as mandatory wage and price controls and credit allocation regulations; organizational limitations resulting from the emergence of huge government, business, labor, education, and social program bureaucracies; and, the disruptive effects of uncontrollable events such as wars, social trends, weather conditions, and major technological changes. These conflicts will continue to limit international economic cooperation and integration.

## Macroeconomic Policies

Government leaders cannot evade their responsibility for creating an overall economic environment despite the many external constraints cited above. The beginning point is to develop macroeconomic policies involving fiscal spending and tax priorities and monetary actions to control the amount of money and credit in the national system. For example, in the United States the Employment Act of 1946 stated that it would be the responsibility of the Federal Government to develop policies »to promote maximum employment, production, and purchasing power« in ways that would be consistent with »other essential considerations of national policy.« This platitude identifies the broad scope of macroeconomic policy responsibilities, and most nations have made similar formal commitments. It does not, however, assign priorities among competing claims or provide specific recommendations for solving long-term structural problems or short-term cyclical, irregular, and seasonal distortions. Macro fiscal and monetary actions are therefore used to help allocate resources and the available supplies of goods and services.

During the 1950s and 1960s, many industrial nations tried to use macro fiscal and monetary policies to fine-tune their economies to complete a magic square – full employment, strong economic growth, reasonable price stability, and balance-of-payments equilibrium – and considerable confidence developed that such government actions could simultaneously achieve all four goals without making uncomfortable compromises. Vigorous economic growth did provide adequate job opportunities and inflation rates remained relatively moderate. In the resulting stable sociopolitical environment, macro policy decisions were easy because rapid growth led to great improvements in the economic welfare of most people and justified considerable redistribution of national incomes in many advanced countries. Beginning in the mid-1960s, however, the favorable equilibrium based on economic growth and stable political and social consensus began to unravel as contradictions developed among the fundamental goals of full employment, economic growth, price stability, and the balance of foreign trade and investment. As governments became increasingly concerned about continued growth and stability, difficult tradeoff decisions had to be made, which shattered the existing arrangements leading to the unfortunate stagflation conditions of the 1970s. In that more turbulent environment, the development of macro fiscal and monetary policies became the dominant challenge facing the governments of most nations.

The most direct public impact on economic activity is created by changing government budget, credit, and tax policies. General fiscal stimulus, to increase growth and reduce unemployment, is added by expanding government spending and lending programs and reducing taxes. Reversing the procedures to provide restraint can be accomplished by slowing down the normal expansion of government spending and credit programs and increasing tax revenues. Fiscal policies have become a powerful tool used by governments to promote economic growth and cyclical stability. Within this general framework, fiscal policies are also used to allocate functional responsibilities between the public and private sectors and to provide guidelines for the distribution of resources between consumption and investment claims; to allocate functional responsibilities among government agencies and assign internal budget priorities; to manage the personnel and programs of government; and, to serve as a symbol of the ability and willingness of governments to provide leadership. Tax policies are similarly used to provide incentives and penalties to influence economic decisions in addition to their fundamental role of raising revenues to pay for spending programs and interest on national debts.

If fiscal policies are too restrictive, necessary public responsibilities may be neglected and overall growth curtailed, leading to wasted opportunities and a lower standard of living, both domestically and internationally. Excessive fiscal stimulus is equally dangerous because it often causes inflationary aggregate demand conditions and a general lack of discipline in making public policy decisions. The resulting inflation eventually frustrates growth opportunities by disrupting consumption and investment decisions and chronic fiscal deficits force governments to borrow funds in domestic and international financial markets, which diverts capital away from other priorities. A responsible balance of government spending, credit, and tax policies is clearly a necessary foundation for achieving sustained economic growth and employment gains without inflation risks.

Monetary actions to influence the amounts of money and credit in an economy, and ultimately the costs of capital, represent the second major policy tool. Responsibility for determining and managing policies is usually assigned to a central monetary authority, even though the degree of independence allowed varies widely from minimal interference to almost complete control by political officials. In a few nations, responsible monetary officials are actually independent enough to limit the creation of money and credit to amounts commensurate with anticipated economic growth and transaction requirements. Whenever political allegiance is required, however, monetary policies typically become an engine of inflation required to serve the current interests of incumbent government officials. Developing the optimum balance between these extreme positions is extraordinarily difficult and actual results vary greatly and change over time. Because of the powerful and pervasive effects of monetary policies, compared with the more specific results of fiscal actions, these decisions represent the core issue of government economic leadership.

Most nations have adopted an activist approach in applying macroeconomic policies despite the complexity of making continuous adjustments. While the technical procedures are familiar, the real challenge is to maintain both balance and coordination. Sustaining proper balance is difficult because political leaders naturally prefer expansionary policies creating an asymmetrical bias in favor of increased government spending and loan programs, lower taxes, and more rapid growth of money and credit. They realize that expansionary policies are usually easy to justify and manage, somewhat riskless for short periods of time, and provide favorable political reactions. At the opposite extreme, economic policies calling for restraint are usually risky and difficult to control, almost impossible to sustain for long periods of time if real sacrifices are required, and are politically unpopular because the economic adjustment pains occur quickly, but the benefits accumulate slowly after considerable time lags. The general public is well aware of this unfavorable paradox and can usually predict the asymmetrical mix of policies and the likely stop-and-go results.

Coordination of fiscal and monetary policies is an equally difficult challenge. The ideal model would be a mutually consistent set of fiscal and monetary policies working toward well-defined goals of economic expansion or occasional restraint. The reality is a mismatch of actions in which fiscal policies are normally used to stimulate growth and to redistribute resources, incomes, and wealth, leaving the difficult burdens of sporadic restraint efforts to monetary authorities. Chronic fiscal deficits in most nations have tended to dominate policy decisions forcing monetary officials to choose between two excruciating options: either fully accommodate money and credit demands resulting from both normal economic activities and the additional burden of financing large government deficits, which will create risks of accelerating inflation, or refuse to accommodate both public and private sector requirements, which will cause economic recession risks as public borrowers crowd out private consumption and investment claims. During the 1970s, most governments chose the first option creating a worldwide explosion of inflation and excessive aggregate demand pressures. As political leaders switched to policies of restraint during the late 1970s and early 1980s, widespread recession and unemployment conditions developed. Most nations are now trying to correct this traditional policy mismatch by improving the coordination of macroeconomic actions. But it is a very difficult transition following many years of universal reliance on expansionary fiscal policies to support popular development goals combined with sporadic monetary efforts to restrict excessive growth and inflation pressures. This difficult decision is a fundamental function of sovereign governments.


*Microeconomic Policies*

In addition to influencing the general economic environment through fiscal and monetary policies, governments must also concentrate on a long list of micro policy issues. The amazing array of extremely detailed government regulations, administrative rulings, and legal requirements represents the actual operating procedures for planning and controlling economic activities reaching far beyond the broad impact of macro actions. These comprehensive rules cover almost every aspect of economic affairs, and most citizens must deal with them constantly each day. A partial listing of government rules and regulations by major economic sectors would include transportation, communication, public utilities, health and safety, environmental concerns, housing, education, consumer interests, labor relations, antitrust, legal relations, labor laws, regional economic development, occupation and professional standards, financial institutions and markets, trade and services transactions, and a multitude of others. These government activities have accumulated over the years in response to the increasing complexity of economic activities and sensitivity to public interests in such diverse categories. In many situations, the government regulations are considered to be a substitute for marketplace competition that is inappropriate or ineffective. At the same time, it must be recognized that some of the intervention is inefficient, or even counterproductive, and that rules and regulations inevitably have costs associated with their enforcement. A major function of governments is to monitor the proliferating number and scope of the intervention efforts to avoid bureaucratic inefficiency.

Although any extended discussion of micro policy issues would be inappropriate in this summary paper, it is extremely important to emphasize that domestic government rules and regulations are having a major impact on international trade and investment, and the tensions are escalating. Once again, the inherent conflict between international economic integration and domestic political fragmentation is evident. Individual nations can no longer establish unilateral guidelines for domestic activities without considering the potential costs and distortions created in trying to compete in international markets against others unwilling or unable to adopt the same restrictions. The impact of national environmental protection standards on the future location of industrial facilities is a clear example of the distortions likely to result from further integration of the international economy.

## Defensive Responses to International Competition

The processes of establishing »the rules of the game« are always difficult, but the role of governments in balancing domestic and international economic opportunities and risks is particularly complex and controversial. Each nation must continuously determine how much competitive pressure it is willing to accept to gain the benefits of expanded trade and investment. Throughout the 1970s and 1980s, most governments have experienced severe conflicts between domestic political, social, and economic goals and the realities of international competition because the overall economic benefits of improved efficiency, better allocation of resources, economies of scale, reduced inflation pressures, and broader consumer and business choices are diffused over the entire population and are generally unappreciated. In contrast, the costs and uncertainties resulting from increased foreign competition usually affect specific interest groups and are easily identified. The chronic unemployment and underemployment conditions that have prevailed have been exacerbated by foreign competition causing displaced workers and individual companies to demand political responses to their economic distress. Such reactions have not solved the problems and structural adjustment pressures appear to be increasing in most countries.

Resolving these structural and cyclical problems is a prerequisite for sustaining domestic support for international economic cooperation. It is easy for political candidates to criticize the specific risks and costs of accepting foreign goods and services and the dangers of relying upon foreign investment and raw materials. An unemployed domestic automobile worker obviously resents imported cars. A bankrupt shoe manufacturing company naturally criticizes the purchase of foreign shoes. Most governments are responsive to appeals for help because the groups directly affected are organized and aggressive, but the general public is unorganized and passive. Even when business and political leaders accept the general principles of free trade, they rarely are bothered by the transparent contradiction of arguing for specific trade and investment protection to »make the playing field level« when they are threatened by foreign competition. These pressures become particularly intense during periods of economic distress, such as the serious stagflation conditions that prevailed during the late 1970s and early 1980s.

Intense skepticism about the net effects of an open and competitive international economy, which is often based only on anecdotal evidence, has led to demands for political solutions to economic problems. Interest groups suffering from foreign competition naturally assign a high priority to obtaining preferential treatment while the general public rarely understands the specific effects of protectionist actions. The political preference for simplistic solutions to complex problems only delays the adjustment process. When short-term political goals dominate, governments respond to business and labor pressures with familiar protectionist actions such as tariffs, import quotas, restrictive government regulations, discriminatory government tax and procurement policies, export subsidies, subsidized financial credits, foreign aid preferences, barriers to foreign direct and portfolio investment, domestic content rules, international cartels, capital exchange controls, competitive currency exchange manipulation, and the use of economic sanctions to promote political and military goals.

Such government actions restrict international economic cooperation and integration. More important, the resulting economic nationalism reduces domestic growth and stability needed to sustain political and social stability. As overall economic activity slows down and becomes less creative, because of the destructive discrimination against foreign sources, a vicious chain reaction is created. Economic failure becomes cumulative and spreads to other nations, creating retaliation. Theoretical and historical evidence that such actions are ineffective at best and destructive at worst does not prevent new appeals for protection.

Governments clearly can serve a positive or negative role depending upon which macro and micro policy options are selected. The underlying tension between short-term domestic political goals and long-term international economic objectives continues to distort the mix of policies. Some governments prefer to intervene in the marketplace to influence results. Others adopt a benign neglect approach and concentrate on removing negative barriers to improved international cooperation. Whichever option is selected, the fragmenting forces of national political interests should become more responsive to the integrating forces of economic developments.

## Historical Background

The twentieth century has been a period of unprecedented aggregate growth and prosperity despite the grotesque destruction of two world wars and innumerable regional and civil wars, the shattering real and psychological effects of the Great Depression of the 1930s, and persistent gaps between the relative performance of rich and poor nations. The dominant theme has been an erratic evolution toward economic interdependence which emphasizes the importance of coordinating national policies and sharing resources and output. The increased pace of economic activity has improved average living standards and focused attention on other social and environmental issues and the continuing problems of poor countries.

### Breakdown of the International Economic System

The tragic experiences of World War I accelerated the historical trend toward economic integration by forcing many nations to combine their financial and industrial resources to achieve a military solution and postwar recovery. Growth was restored during the 1920s, as technological developments created several new industries, but severe structural and financial distortions caused a massive collapse of domestic economic activity and international trade and investment by the end of the decade. The Great Depression of the 1930s caused a total breakdown of the international economic system leaving each nation to struggle for its own survival. In the United States, between August 1929 and March 1933, the real output of goods and services declined by one-third, industrial production plummeted by one-half, one-fourth of the labor force became unemployed, the banking system was closed, and the values of financial assets and real properties were destroyed. Similar devastation occurred in other industrial countries and developing nations were decimated as the prices of raw materials collapsed. As economic nationalism became dominant, foreign trade and investment were sharply restricted by tariffs, quotas, bilateral agreements, and currency exchange controls. World trade declined to one-half of the volume and one-third of the value of the predepression levels of exchange. A second jolt occurred in 1937 when economic activity again declined rapidly and chronic unemployment conditions deteriorated. The cumulative distortions eroded general confidence and contributed to the political and social tensions which culminated in the devastation of World War II. As conditions deteriorated, the world's liberal economic system was destroyed by economic depression and military aggression. World War II did demonstrate the awesome economic power that can be created by combining technology, capital, and efficient labor and management techniques to achieve specific goals, but the extreme destruction and human suffering created by the conflict were a terrible price to pay.

*The Postwar Economic Recovery: 1945–1965*

Following the devastation of the Great Depression and World War II, most analysts anticipated further economic chaos when the war ended. The postwar economic recovery actually turned out to be a sustained period of strong growth, moderate inflation, employment gains, and expanded foreign trade and investment. The major expansionary forces became complementary: an explosion of spending for consumer goods and housing following many years of deprivation; capital investment to restore and expand the industrial base needed to satisfy the consumption demands; rapid commercial application of new technologies; low interest rates and accessible sources of credit; inexpensive energy and raw materials; large numbers of skilled workers and managers; and, extensive foreign aid to help restore the shattered world economy. The convergence of these positive factors made most nations interdependent and restored international economic integration.

As the recovery accelerated, several important international institutions were created. The United States provided assistance through its enlightened Marshall Plan and other economic aid programs. The famous Bretton Woods agreement in 1944 promoted a liberal economic order by creating the World Bank to help finance recovery and development projects and the International Monetary Fund (IMF) to coordinate monetary affairs. The IMF established a system of fixed exchange rates and mandatory rules of conduct to limit competitive currency devaluations, except in response to fundamental changes, and provided sources of credit for member nations experiencing balance-of-payments problems. The U.S. dollar became the core of the system, serving as the standard of value to which other currencies were pegged, the reserve currency for the system, the source of liquidity for economic expansion, and the basic transaction currency used for international trade and investment. A parallel system of foreign trade regulations and multinational efforts to reduce tariffs was created through the organization of the General Agreement on Tariffs and Trade (GATT).

The rapid growth of international consumption and investment, assisted by the IMF and GATT guidelines, created widespread prosperity measured by gains in per capita income and improved living standards in both industrial and developing nations. The expansion of foreign trade and investment was particularly helpful to developing nations dependent upon advanced countries for their export markets and imports of manufactured products, technology, and capital. By the mid-1960s, the world's industrial structure was restored, consumption had risen to new levels, inflation and unemployment were still moderate, government fiscal and monetary policies supported economic growth objectives, and foreign trade and investment were flourishing as the world economy became more open and competitive.

As the euphoria of the postwar economic recovery subsided, however, the signals of approaching distortions became apparent. International competition for export markets intensified as overall recovery strengthened the production and distribution capabilities of traditional and newly developed industrial countries. The resurgence of cyclical pressures once again created stop-and-go conditions and unfavorable inflation and unemployment results. Fiscal and monetary policies in many nations switched from accommodative to expansive as political leaders recognized the advantages of stimulating rapid growth prior

711

to elections. Continued geopolitical tensions and the increasing income gap between rich and poor nations added to the cyclical distortions. As the terms of trade deteriorated for developing nations dependent upon commodity exports, they had to rely on heavy borrowing from foreign financial institutions. Underlying the general international transition, the United States reported chronic balance-of-payments deficits as its small merchandise and services trading surplus was overwhelmed by massive capital outflows for foreign direct and portfolio investments, large bank loans to finance international development, and generous government assistance payments. Since the value of the U.S. dollar remained fixed under IMF rules, the competitive position of the United States was severely weakened, leading to unfortunate volatility in foreign currency exchange markets and abrasive trade and investment disputes.

By the end of the decade, the impressive growth and balance which had characterized the postwar economic recovery was rapidly eroding. Business cycle pressures became more disruptive, inflation and unemployment problems threatened long-term stability, foreign trade competition and domestic protectionist sentiment became more ominous, and the U.S. dollar was subjected to tremendous devaluation strains. Despite the general success of the postwar economic recovery, the convergence of domestic and international problems created a new sense of frustration and uncertainty by the late 1960s.

## Economic Growth and Problems during the 1970s

The 1970s decade was a volatile period combining positive economic growth and integration with disappointing cyclical problems and policies. The total output of goods and services increased, living standards improved in most countries, and foreign trade and investment continued to grow. But the international economy also suffered chronic inflation and unemployment pressures, recurring economic recessions, the collapse of the Bretton Woods monetary agreements, abrasive trade disputes, and severe supply-side shocks involving oil and commodity supplies and prices.

The period began with the total breakdown of the international monetary system based on fixed exchange rates and the convertibility of foreign currencies into gold. The Smithsonian Agreement in December 1971 formally adjusted existing exchange rates, and the traditional structure was dropped entirely in February and March of 1973 when the U.S. dollar was unilaterally devalued and a floating exchange rate system was adopted. The next major shock occurred in October of that year when world oil prices were suddenly increased fivefold and exports to some nations were arbitrarily restricted. Oil importers, including most of the leading industrial nations, suffered domestic distortions and large current account deficits in their foreign transactions, and many developing countries were forced to borrow heavily to finance their imports. Similar problems developed in various agricultural and raw materials sectors. The resulting transfers of income and wealth, from consumers to producers of energy and commodity resources, radically transformed existing international trade and financial arrangements. A subsequent doubling of world oil prices in 1979 caused a second series of problems. As massive international debts accumulated and inevitable trade tensions developed, the pace of economic activity became sluggish by the late 1970s and many borrowing nations were unable to meet their scheduled payments to creditors. The real and psychological pressures caused by loan defaults forced creditors to restrict their loans creating a vicious circle of contracting trade, reduced export earnings, and additional financial strains.

Perhaps the dominant characteristic of the international system during the 1970s was the synchronization of most national economies into a universal business cycle. Serious cyclical recessions occurred in 1970–71, 1974–75, and 1978–82. As the unfortunate »stop-and-go« pattern of recessions and booms evolved, national leaders adjusted their fiscal and monetary policies to stimulate growth to avoid the political and economic risks of unemployment. Government spending, as a share of gross domestic output, increased much more rapidly than tax revenues creating huge budget deficits and borrowing requirements. The resulting financial market distortions and rising nominal interest rates increased the volatility of foreign currency exchange rates and seriously disrupted international trade and investment. The negative repercussions included a significant slowdown in growth and serious inflation and unemployment problems in most advanced and developing nations.

Comparative Economic Performance: 1960–1970 and 1970–1980
(average annual percentage increase)

|  | United States | | European Community | | Japan | |
|---|---|---|---|---|---|---|
|  | 1960–1970 | 1970–1980 | 1960–1970 | 1970–1980 | 1960–1970 | 1970–1980 |
| Real output[1] | 3.9 | 2.9 | 4.6 | 2.9 | 10.6 | 4.9 |
| Inflation[2] | 2.6 | 6.9 | 3.8 | 9.7 | 5.7 | 8.6 |
| Unemployment[3] | 4.7 | 6.4 | 2.1 | 4.2 | 1.2 | 1.8 |
| Industrial production | 4.9 | 3.3 | 5.1 | 2.4 | 13.5 | 4.4 |

1. Gross domestic product.
2. Personal consumption expenditures price deflator.
3. Average annual rate.
Source: European Economy: Commission of the European Communities, November 1984.

The cumulative distortions created stagflation conditions of sustained double-digit levels of inflation and unemployment combined with minimal growth during an international economic recession lasting from the late 1970s into the early 1980s. As world trade stagnated, the external debt burdens of many developing nations became even more ominous because export earnings needed to service the loans were reduced. A crisis of confidence developed concerning the ability of national leaders to solve domestic problems as a foundation for continued international cooperation. As pessimism replaced the euphoria of the earlier postwar recovery, some analysts even questioned the future viability of existing policies and institutions and argued that the world was entering an extended period of structural deterioration in which unprecedented unemployment and inflation problems would persist. Such claims turned out to be seriously exaggerated, when compared with the actual results and subsequent policy actions, but the serious political and social problems created by the economic malaise do indicate that major structural and policy changes are required to restore stability and reasonable growth.

## Transition during the 1980s

Considering the size and scope of the recurring shocks, the current international economy remains relatively strong. However, the disastrous stagflation experience has forced most political leaders to adjust their macro policies. Monetary actions have significantly reduced inflation pressures. Government spending has been constrained to control the large deficits and tax policies are being evaluated to identify unnecessary disincentives. At the micro policy level, major emphasis has been given to increasing productivity by stimulating capital investment, the commercial application of technology, and removing government administrative and regulatory barriers. Foreign trade has survived most of the protectionist threats, and the international financial outlook has been helped by the general economic recovery and effective cooperation among lenders and borrowers. The cyclical expansion, which began in North America, has spread to most industrial nations, and several countries have recently graduated into the developed status. By the mid-1980s, the pattern of cyclical recovery is still moderate and the risks of continuing government deficits and high interest rates are still serious, but at least growth has been restored and some of the pervasive pessimism is beginning to disappear.

The economic history of the postwar era contains at least two major messages. First, individual nations are truly interdependent and must participate in the international economy. Second, domestic political decisions about fiscal and monetary policies can still lead to constrained growth, inflation, and unemployment problems despite the overall expansion of the world economy. When serious external shocks are added to internal policy errors, the results can be disastrous. The challenge to national leaders will continue to be one of adapting domestic political priorities to the broader goals of international economic integration.

## Factors of Cooperation and Integration

The rapid integration of international activities has improved economic performance and prospects. Most of the increasing interdependence is the direct result of the complexity and mutual dependency of modern economies. But part of the process depends upon the efforts of political leaders to obtain the benefits of international cooperation despite the resulting competitive risks. The following section summarizes these positive factors.

### Commitment to an Open and Competitive World Economy

Economic theory and actual results clearly justify policies designed to promote an open and competitive world economy. Although specific policies and behavior often fail to match this idealistic concept, the most powerful nations, measured in economic terms, have fortunately sustained their philosophical commitments despite the serious distortions

714

experienced since the mid-1960s. As long as the political leaders of these powerful national economies continue to believe that competitive markets are the best approach to maximizing output and consumption and avoiding the inflation and unemployment problems of cyclical disruptions, they will continue to accept the relatively minor erosion of national sovereignty necessary to preserve the international system, particularly when economic progress contributes to other political, social, and military security goals.

Some critics claim that this philosophical commitment is merely an example of »dogmatic liberalism«. Such accusations are unpersuasive, however, when the comparative results of various policies are carefully evaluated. The superiority of open and competitive markets in creating maximum economic benefits overwhelms negative rhetoric and defensive domestic tactics. The universal interest in improving living standards is the most powerful integrating factor in the international economy.

## The Mutual Benefits of Foreign Trade

The rapid growth of foreign trade has become the crucial variable in the integration of the world economy. The mutually beneficial exchange of goods and services has expanded twice as fast as total output and now accounts for over 25 percent of the economic activity of most industrial nations and over 50 percent for many smaller countries dependent upon exports of basic commodities. From 1965 through 1980, world exports increased from $ 189 billion to over $ 2 trillion worth of goods and services before the effects of the international recession temporarily restricted further progress. Most major industrial nations, including the United States, Canada, Japan, and the European Community, have increased their export sales and particularly impressive gains have been reported by many developing nations, OPEC oil producers, and the bloc of nonmarket economies.

World Exports (billions of U.S. dollars)

|  | 1965 | 1970 | 1975 | 1980 | 1984* |
|---|---|---|---|---|---|
| United States | 28 | 43 | 108 | 221 | 218 |
| Canada | 8 | 17 | 34 | 68 | 90 |
| Japan | 9 | 19 | 56 | 130 | 169 |
| European Community | 65 | 114 | 300 | 666 | 616 |
| Other developed countries | 22 | 34 | 87 | 200 | 197 |
| OPEC | 10 | 17 | 112 | 299 | 185 |
| Other developing countries | 24 | 36 | 96 | 258 | 285 |
| USSR | 8 | 13 | 33 | 76 | 94 |
| Eastern Europe | 12 | 18 | 45 | 86 | 100 |
| China | 2 | 2 | 7 | 19 | 27 |
| Total | 189 | 314 | 883 | 2,043 | 2,004 |
| Index: 1965 = 100 | 100 | 166 | 467 | 1,081 | 1,060 |

* Preliminary estimates
Source: Economic Report of the President (1985), United States Government; Table B-105; p. 352.

The expansion of foreign trade results from the strong postwar recovery and inter-dependence of national economies. The strategic pattern of exports and imports is even more significant because principles of comparative advantage determine competitive positions in an open international economy. Industrial nations depend upon foreign trade to provide additional markets for their output of goods and services leading to increased domestic growth, jobs, and opportunities to expand the uses of technology. From the supply side, industrial nations rely on imports of raw materials, energy resources, capital goods, and consumer products to enhance domestic consumption and investment. The competition to domestic sources provided by imports is also a powerful force in promoting productivity improvements and controlling inflation. Industrial nations receive many direct economic and indirect geopolitical benefits from the rapid growth and diversification of foreign trade.

The multilateral exchange of goods and services is even more crucial to developing nations as a foundation for domestic production for export markets and access to modern technology and resources through imports of capital goods, consumer products, pe-troleum, and important commercial services not available from local sources. Export earnings from sales of commodities, specialized manufactured products, and tourist services are particularly important to developing countries to enable them to pay for necessary imports and to service their external debts. Many industrial nations have cooperated by participating in various preferential arrangements created to reduce or eliminate tariffs and other restrictions on imports from developing countries. Such efforts are important in assisting the long-term development of many nations and as a specific program for restoring economic expansion when cyclical recessions restrict international activity. Foreign trade will remain the driving force in fostering economic growth and efficiency through transfers of resources and technology.

## Foreign Direct and Portfolio Investments

The growing amounts and strategic importance of direct foreign investment are also powerful integrating forces (defined as the book value of ownership in foreign affiliates). Many multinational companies now operate around the world and it is increasingly common to have diverse manufacturing and marketing companies, natural resources and mining firms, commercial properties, and real estate owned by foreign interests. Portfolio investments in debt and equity securities from foreign sources are also an important factor in transferring capital to promote international economic development.

From the host country's viewpoint, foreign investment usually increases domestic economic activity and creates jobs to supply local needs and produce goods and services for export markets. The pace of development and domestic efficiency can often be improved by introducing new products and services using advanced technology. Direct and portfolio investments can also strengthen the balance-of-payments position of host countries by reducing imports and substituting long-term capital for short-term foreign loans.

Foreign investors are usually attracted by opportunities to improve sales and profits by expanding into new markets and exploiting economies of scale. Other investment motives may include favorable local labor and materials costs, tax and financial incentives, access to energy and industrial supplies, unique technologies, the avoidance of protectionist barriers, and attempts to transfer capital away from unstable political and social situations. The acceleration of foreign investment has intensified the conflict between national political interests, which typically favor domestic firms and government-owned enterprises, and the economic advantages of international competition. Marketplace benefits usually prevail, despite continued examples of restrictive government regulations and capital exchange controls in many countries, but political barriers can frustrate the process.

## Integration of Financial Institutions

International economic growth has been supported by a network of financial institutions able to supply export financing and development capital. Commercial banks have provided short-term operating loans and merchant banks and public institutions have helped arrange long-term financing. The successful integration of international money and capital markets accelerated during the 1970s when the surplus earnings of oil exports were recycled to enable private and government borrowers to pay for their imports and capital investments. While that process worked well, the subsequent combination of stagnant world exports, declining commodity prices, and large debt service burdens created severe financial strains by the early 1980s. The widespread liquidity and solvency problems forced reluctant financial institutions to reschedule payments on existing debts and curtail the extension of additional credit even though international growth is dependent upon the expansion of exports and new capital investments.

The situation has been complicated by historically high interest rates and the preemption of available sources of credit by governments required to finance huge budget deficits. It is fortunate that the world's private and public financial institutions have cooperated with borrowers to avert a major crisis, but the system would work much better if available savings could be used to finance economic development rather than government deficits. As economic interdependence increases, private and public financial institutions will become even more integrated in providing international loans and arranging the sale of debt and equity securities. Money and capital markets are already linked by sophisticated communications systems and many financial transactions involve combinations of independent financial institutions from different countries. This consortium approach increases the supply of capital available to international borrowers and reduces the concentration of risks.

## Stability of Foreign Currency Exchange Rates

Continued success in the integration of international economic activities will depend upon the preservation of reasonably stable foreign currency exchange rates and free flows of credit and capital among most nations. The risks of potential appreciation and depreciation of national currencies in foreign exchange markets and arbitrary capital exchange controls must always be considered in international business and financial decisions. Uncertainty about the potential value of transactions discourages foreign trade and investment and may lead to arbitrary government regulations to limit the risks of volatile currency movements. Fluctuating currency exchange rates also directly affect domestic growth, inflation, and unemployment rates and the relative competitive position of individual industries in world markets. When foreign trade and investment decisions are discouraged by currency exchange rate distortions and credit and capital controls, overall international economic growth is reduced and protectionist rules are used to insulate domestic markets from foreign competition. For all of these reasons, there has been a strong preference for relatively predictable foreign currency exchange rates, minimum government intervention in the financial markets, and avoidance of arbitrary credit and capital exchange controls.

The original Bretton Woods agreement in 1944 emphasized the goal of stable currency exchange rates by restricting adjustments by individual nations to cases involving fundamental balance-of-payments distortions. The U.S. dollar was established as the international transaction currency and served as a standard of value for pegging the exchange rates of other national currencies. Despite an asymmetrical pattern of competitive devaluations of many national currencies against the U.S. dollar, the system of »stable-but-adjustable« rules worked reasonably well until the late 1960s when the divergence of domestic economies and emerging inflation problems disrupted the fixed-rate procedures.

Since 1973, the international monetary system has relied upon floating exchange rates with the actual values of national currencies individually determined by financial market forces. This period has been marked by many serious distortions, including widely divergent rates of inflation, recurring economic recessions, two world oil price shocks in 1973–74 and 1979, and increased governmental intervention to manipulate market values and flows of credit and capital. These disorderly market conditions are unfortunate. Various regional and international reform programs have been attempted, but it has not been possible to return to a fixed-rate system. It is generally agreed that national economic policies and resulting rates of growth, inflation, investment, and current account balances must become much more compatible before stable currency exchange rates can become a feasible policy option. There is also considerable skepticism that official government intervention in the foreign exchange markets to manipulate specific national currency values can accomplish very much, particularly when the unwanted volatile conditions are caused by fundamental economic policies and problems. Therefore, it is crucial that major nations increase their efforts to provide a positive international environment for sustained growth and modest inflation as a necessary foundation for restoring more stable currency exchange rates and avoidance of credit and capital controls.

## Sharing Energy and Commodity Resources

The two oil shocks and recurring agricultural crop disasters during the 1970s were dramatic examples of increased interdependence. Economic efficiency and specialization clearly depend upon the sharing of various energy and primary materials resources, since

718

no individual nation can be self-sufficient for very long. This mutual dependency requires more emphasis on stabilizing production and export earnings of the producing nations and guaranteeing access to valuable sources for consumers. The allocation of resources should be determined by competitive marketplace priorities rather than by short-term political pressures. Energy and commodity resources will become even more valuable and vulnerable to geopolitical manipulation as industrial development spreads throughout the world. The relative position of producers and consumers will continue to shift as economic development proceeds and nations will have to cooperate to avoid a destructive repetition of the supply shocks of the 1970s.

## The International Transfer of Technology

International interdependence is evident in the growth of foreign trade and investment, the integration of money and capital markets, mutual dependency upon primary materials, and official government assistance programs, but the driving force is the rapid diffusion of technology, which serves as a catalyst for economic development. The pervasive impact of technological change has become the key factor in promoting growth by accelerating the progress of developing countries and expanding the range of domestic and foreign opportunities for advanced nations. The intensity of international competition has also increased as more countries are able to provide unique goods and services. Comparative wage and primary resource disadvantages also can be offset through the creative use of new ideas. The fortuitous combination of new technologies, capital investment, and improved labor and management skills has enabled multinational markets to develop rapidly and increased the efficient allocation of human and material resources.

Along with the many advantages created by the international technological revolution, there are numerous competitive risks and painful structural adjustments. Change is always a threatening experience and most countries, including the most advanced economies, are increasingly vulnerable to foreign competition and volatile marketplace conditions. The resulting risks have caused some governments to intervene directly through subsidies to domestic technology programs and arbitrary barriers to imports of foreign technology. These defensive tactics are typically ineffective in halting the overall pace of technological change but the resulting distortions create large economic costs. Technology will continue to be the great equalizing force in the world economy and individual nations will have to adapt to the changing conditions to sustain domestic living standards and foreign competitiveness rather than resorting to economic nationalism as a protective shield.

## International Coordination of Domestic Economic Policies

The importance of economic development has created a collective responsibility among nations to coordinate their basic domestic policies. Coordination efforts emphasize the long-term growth of international trade and investment and domestic structural adjustments. The procedures used attempt to even out cyclical swings caused by erratic fiscal and monetary policies and severe supply-side shocks, such as the embargo on oil exports and sudden price increases. International consultation agreements can be used to coerce national policy adjustments, establish broad goals and standards, bolster confidence, and enforce sanctions. The most comprehensive multinational approach involves periodic policy and performance reviews by the World Bank, International Monetary Fund (IMF), Organization for Economic Cooperation and Development (OECD), and United Nations units. Specialized discussions are held on coordinating monetary policies at the Bank for International Settlements (BIS), trade concerns at the General Agreement on Tariffs and Trade (GATT), international oil issues at the Organization of Petroleum Exporting Countries (OPEC), and by various groups of advanced and developing countries. Some of the treaty organizations, such as the European Economic Community, develop official policy statements on a variety of economic issues affecting member nations. Other groups simply try to improve the flow of information and quality of surveillance by arranging periodic consultations. For example, considerable attention is given to the annual Economic Summit meetings of the heads of state of seven major industrial nations. The official communiques summarize their consensus views and are used to monitor subsequent national actions. Beyond these broad institutional processes, there are continuous bilateral contacts among government officials at all levels on a wide variety of public policy topics.

The proliferation of formal and informal contacts demonstrates the increasing significance of international policy coordination as the world becomes more complex and interdependent. Concerted action programs help individual nations to overcome domestic political pressures by emphasizing the consensus nature of international agreements and the inherent risks of unilateral actions. Standards of behavior are easier to accept and enforcement of necessary sanctions is more likely when individual governments recognize that policy recommendations have widespread understanding and support among powerful nations. Peer group pressure is particularly important in forcing individual national governments to conform to international trade and investment codes of conduct and restrain their fiscal and monetary policies when it becomes necessary to control inflation and reduce trade deficits. Meaningful consultations also increase the credibility of international statistics, plans, forecasts, and mutual cooperation and assistance agreements.

Despite the familiar benefits of coordinating economic policies, it is usually difficult to get individual nations to conform to general goals if they contradict their national interests. The rights and powers of sovereign nations are carefully protected by political leaders and it is unrealistic to assume that national goals, timing requirements, and available resources can be consistently coordinated within the dynamic international economy. The adamant refusal of the United States to modify its stimulative government spending and tax policies during the early 1980s is a classic example of a dominant country ignoring external pressures. The rapid increase in government budget deficits was consistently criticized by other nations concerned about international interest rates, foreign trade and investment, and currency exchange rates, but U.S. officials rejected the recommendations of international organizations and bilateral appeals. National priorities will probably continue to dominate domestic political decisions, particularly in powerful nations, but the scope and influence of international coordination efforts will also gradually increase as economic issues become more dominant and governments recognize their interdependence.

## Structural Changes in a Dynamic World Economy

International cooperation is equally important in responding to demand distortions and supply shocks created by rapidly changing competitive conditions. The dynamic pace of economic growth has improved general living standards but structural adjustment problems have afflicted specific workers, managers, and investors. Structural distortions have crucial political, social, economic and military security consequences affecting every nation. Their specific adjustment policies should be constructive and compatible to avoid unwanted shocks to the international system and even more painful domestic difficulties.

The slowdown of economic growth and the pressures of increasing inflation during the 1970s combined with rising unemployment and downside rigidities in wage rates and fringe benefits have created serious structural problems. Unemployment has risen to unprecedented levels, particularly among younger workers, making it difficult to create new jobs as traditional employment sectors have suffered. Technical obsolescence has eroded capital investments in plants and equipment leading to idle capacity, high production costs, disappointing productivity, and vulnerability to foreign competition. Sensitive political leaders have responded with direct and indirect subsidies to workers and disadvantaged companies considered to be »too big to fail«. At the same time, the formation of new firms requiring capital, technology, and unique human and material resources has languished because of the basic immobility of labor and capital in many countries. Other structural problems include: inflexible money and capital markets; chronic foreign merchandise trade and current account deficits; serious shortages of energy and primary materials resources; stifling government regulations and administrative actions; large government budget deficits; unstable monetary policies biased toward the accommodation of inflation pressures; and, an unfortunate trend toward government domination through central economic planning and controls.

The convergence of these problems – particularly the overall stagflation distortions – requires a coordinated response to sustain international growth and stable integration. Political leaders have generally adopted supportive rhetoric but a grand design of specific proposals has not been developed. The crucial factor will continue to be the overall pace of economic growth, particularly in major industrial countries, because open and competitive international markets are the major incentive to pursue positive structural changes by improving the mobility of labor, technology, and capital. The foundation for the necessary adjustments is a proper mix of macro fiscal and monetary policies to create stable growth and a promising environment for capital investments. Micropolicy initiatives to improve productivity and create jobs also contribute to the overall transition through training and educational programs, elimination of unnecessary government regulations, strong support for free international trade and capital flows, expansion of research and development activities, company mergers and acquisitions to increase competition and reduce costs, and development of »safety net« programs to alleviate the painful transition costs of transferring labor and capital investments from declining to growth sectors of the economy.

To be successful, adjustment efforts require sustained domestic support. International coordination is also needed to avoid »beggar-thy-neighbor« results when the costs of transition are shifted to other nations through foreign trade and investment barriers.

When structural changes are made, they should be compatible with the efforts of other countries to avoid cyclical distortions and investment in redundant services and industrial capacity. National policies should oppose the creation of international cartels and other restrictive practices which tend to reduce competition and perpetuate structural distortions. Finally, there should be a coordinated approach to assisting labor and management during the difficult transition phase because unemployment and financial adjustment costs typically erode domestic political and social support before the long-term economic benefits become widely recognized.

### Commitment to Multinational Institutions

The positive contributions of many multinational institutions have been an important factor in the integration of the world economy. The IMF has coordinated international monetary policies and the GATT has monitored foreign trade activities. The World Bank and its various affiliates and regional development banks have provided financial and technical project assistance. The United Nations Conference on Trade and Development (UNCTAD) has presented the views of some developing countries interested in fundamental economic reforms. At the regional level, multinational organizations, such as the European Economic Community, the Association of Southeast Asian Nations (ASEAN), the Arab Fund for Economic and Social Development, and the Organization of American States (OAS), have combined assistance programs extending beyond the resources and bilateral commitments of the member nations.

Multinational institutions try to stimulate mutual cooperation as a foundation for accepting the rule of law in international affairs. Such organizations provide a useful forum for establishing plans and procedures, monitoring actual policies and results, identifying necessary structural adjustments, determining eligibility for financial and technical assistance, settling disputes among members, and applying sanctions to force compliance to established goals. In return, member nations receive the benefits of cooperative efforts and the protective screen provided by joining the consensus position on difficult and controversial issues. Domestic political pressures can sometimes be evaded by referring to the restrictions imposed on policy decisions by multinational institutions. The recommendations and assistance provided by multinational institutions also serve as a catalyst for domestic development. Such guidance is usually less politically biased because it is based on the analysis of technical experts able to utilize the larger research and analytical resources of multinational institutions. The tangible benefits of cooperation are usually more important than the modest erosion of national sovereignty.

The future success of multinational institutions will depend upon the support given to the liberal principles that support an open and competitive world economy. Government, business, labor, and academic officials typically offer rhetorical support but pragmatic concerns about competitive pressures and budget burdens determine their actual behavior. Many developing nations argue that their interests are ignored and similar antagonism has developed in advanced nations because of the financial costs of providing assistance and constant criticism. The specific surveillance and enforcement powers of multinational institutions need to be strengthened.

The second challenge will be to adapt their goals and operating procedures to accommodate the diverse interests of both the original and new member nations. The diversity of political and economic systems represented has complicated the already difficult process of creating a consensus. Considerable thought will be required to make the operating procedures flexible enough to respond to the interests of more than 150 disparate countries without destroying the fundamental objectives of the multinational institutions.

A third objective should be to increase the scope of activities. The membership and financial resources of institutions should be expanded, emergency assistance programs should be improved without eroding the historical emphasis on long-term development goals, operating guidelines should be simplified, and enforcement sanctions should be strengthened and made more symmetrical to apply to both strong and weak members. Problems not covered by existing rules should be resolved, such as nontariff barriers, voluntary export restraints, export financing subsidies, official government assistance packages, and important services, agriculture, and technology trade disputes. Finally, multinational institutions need to play a larger role in coordinating national macro and microeconomic policies.

## Coordination of Official Government Assistance Programs

The international postwar recovery has enabled many developing countries to reach the critical point of self-sustaining growth. Their per capita output has risen from a low level even more rapidly than that of industrial nations, albeit from a low level. Their overall achievement, however, has been distorted by persistent poverty in many areas and frustrations resulting from rising expectations. Future progress will depend upon international development, supplemented by foreign investment, and the multiplier effects of foreign trade. Nevertheless, there still will be a major role for official government assistance through grants and preferential credits, particularly in helping the most destitute nations, even though the actual aid provided has never matched the ambitious goals.

Public assistance programs attempt to bridge domestic investment and foreign current account problems by providing financial and technical aid. Such programs are always vulnerable, however, because of competing political and economic priorities. Donor nations emphasize bilateral lending programs to specific areas while beneficiary nations prefer multilateral grant programs to reduce their dependency. In theory, international assistance programs should be carefully coordinated to create multiplier benefits, provide an equitable distribution, and avoid redundancy. In reality, there is little cooperation among donor nations, and the developing countries have become extremely critical leading them to demand the creation of a new international economic order involving more government planning and controls to increase public assistance. As the international economy becomes more interdependent, both advanced and developing nations will have to coordinate their efforts to improve economic results to offset restrictive political pressures. Advanced nations will have a major interest in the economic assistance programs because of their growing dependence upon foreign trade activities and the importance of stable access to primary materials and energy resources.

## Joint Efforts to Avoid Protectionist Policies

Most economists believe that the overall wealth of nations is improved by having each country pursue specific activities in which they have a comparative advantage, or minimal disadvantage, and then exchange their output of goods and services. The many advantages provided by such specialization and integration have convinced most nations that they should support consensus efforts to avoid returning to the protectionist policies of the 1930s when international cooperation collapsed. These policy issues appear to be at a turning point: international rules of conduct established in the early postwar era during extended GATT negotiations are frequently overwhelmed by intense competitive pressures and an ominous shift toward protectionism; the escalation of abrasive trade and investment problems is seriously disrupting fundamental international political and military security relationships; and, bilateral and regional agreements are becoming more important.

Increased efficiency and equity in the production and distribution of goods and services are the major advantages of free trade and investment policies. Export opportunities create domestic growth, particularly in the more dynamic sectors, and import competition forces local suppliers to improve their quality and prices. International flows of capital similarly stimulate economic development, particularly new technology and business investment. Enlightened self-interest is clearly a powerful incentive to support an open and competitive international economy. Nevertheless, there has been an unfortunate increase in national barriers, and this underlying trend is often exacerbated by deteriorating economic conditions and supply-side shocks caused by natural disasters, geopolitical tensions, and the formation of international cartels designed to manipulate market conditions. Many business and labor groups argue that the classical economic theories of free trade and investment have become hopelessly obsolete because most nations rely upon government subsidies and controls to promote exports and restrict imports to satisfy short-term political pressures. These interest groups usually express general support for the theories of open and competitive markets but then claim that unique circumstances require temporary protection. They apparently believe that free-trade processes should be changed to managed trade agreements to create a »level playing field.« The actual degree of support for the traditional principles of free trade and investment, which is actually the fairest approach to allocating resources and the output of goods and services, is considerably less than the level assumed by most economists.

The outlook for free trade and investment policies is mixed at best. Protectionist actions extend beyond historical tariffs to include »voluntary« orderly marketing agreements, quotas, domestic content requirements, import surcharges, financial subsidies, government procurement rules, and a bewildering array of regulatory and bureaucratic nontariff barriers. At least eight arguments are used to justify these invidious restrictions. First, political leaders argue that pragmatic compromises, such as import quotas, are necessary to prevent even more severe protectionist initiatives. This preemptive philosophy is inevitably a slippery slope leading to pervasive barriers. Second, it is claimed that domestic jobs can be saved by restricting imports and outflows of capital. Any temporary employment gains, however, are usually more than offset by the loss of jobs in export industries and slower domestic growth resulting from less efficient allocation of resources. The relatively few domestic jobs actually protected provide minimal benefits compared with the large additional costs suffered by domestic consumers and producers.

Third, protectionist policies are advocated to assist the transfer of resources out of declining industries at a gradual pace to avoid employment and financial shocks, even though this approach tends to perpetuate competitive disadvantages and encourage investments in the sheltered sectors. Fourth, the infant industry argument is used to justify explicit barriers to external competition for established industries while they attempt to implement structural reforms. Such restrictions typically prevent the positive development of meaningful competition allowing sheltered industries to perpetuate unfair advantages and avoid necessary adjustments. Fifth, national security issues are occasionally cited to justify the protection of basic manufacturing industries. Traditional economic concepts of comparative costs and benefits are sometimes inappropriate in analyzing risks and uncertainties in the broadest geopolitical context. There is, however, a tendency to exaggerate the strategic importance of many industries in advocating domestic protection based on national security requirements.

Sixth, it is frequently argued that protective actions are required to help alleviate serious balance-of-payments problems despite the net benefits of sustaining multilateral exchanges. Excessive emphasis upon expanding exports and reducing imports may have domestic political appeal but long-term results are normally disappointing. Seventh, critics claim that foreign trade and investment should be based on reciprocity principles requiring equal treatment. This activist approach is inherently logical and responsive to domestic interest group pressures, but it is difficult to analyze injury claims and enforce sanctions in a complex world economy. Nevertheless, legislation requiring reciprocity in international economic activities is becoming increasingly popular. Eight, some analysts believe that traditional policies are inappropriate because market economies can no longer compete against nations with central economic planning and controls. This criticism is ironic given the wide gap in comparable economic performance, and there is little evidence to suggest that command economies can compete against successful market economies. These fundamental arguments, along with many specific concerns, have created powerful domestic constituencies interested in restricting the traditional role of an open and competitive international economy.

Those who support the expansion of free trade and investment must become more effective in explaining the positive benefits of international cooperation and conformity to rules. The remarkable pace of technological development and economic change provides conclusive evidence that positive integration will increase if the world can avoid the distortions caused by excessive economic nationalism. Powerful marketplace incentives will eventually neutralize most protectionist pressures, if the net benefits and costs are jointly considered, but nations should avoid self-inflicted injuries. Political leaders are always vulnerable to special interest groups and will need the unified support of consumers and producers to avoid restrictive policies. Critics of protectionism should also emphasize the negative results of such policies: the injury to consumers caused by increased prices and reduced choices; the serious risks of escalating retaliation; the disappointing cost/benefit employment results; the increased dominance of political power over economic decisions;

and, the misallocation of resources caused by futile attempts to manipulate competitive forces. These significant costs tend to be concealed by the rhetoric of economic nationalism.

The preservation of the world's open and competitive system will require a joint effort by advanced and developing nations to share the responsibility since individual national governments are subject to intense internal pressures. Such cooperation will be a major factor in drawing nations together in the future.

## Factors of Competition and Divergence

The general trend toward international interdependence will continue, but future integration efforts will still have to overcome many contradictory political and economic forces. The following section summarizes some of the factors of competition and divergence.

### Disparate National Goals

The Williamsburg Economic Summit meeting of seven major industrial nations announced a joint commitment to »promote economic recovery« by pursuing »appropriate monetary and budget policies«. Such promises are difficult to enforce in a complex world economy in which each nation usually has specific goals for domestic growth, inflation, unemployment, and the development of local industries. Despite the general benefits of international integration, most nations remain reluctant to transfer authority to supranational organizations because such commitments complicate internal decisions and erode domestic political power. Particular problems develop when sustained stagflation conditions or balance-of-payments deficits force national leaders to emphasize short-term adjustment actions irrespective of existing international goals and agreements. Responses to external shocks also vary as threatened countries take unilateral actions to limit their losses and preserve competitive advantages. Individual nations carefully protect their authority to determine the internal mix of macro fiscal and monetary measures and micro policies involving the environment, transportation, financial markets, antitrust guidelines, government regulations, and other specific issues. Various international institutions, such as the IMF and GATT, attempt to enforce strict eligibility requirements for receiving financial and technical assistance through their surveillance authority, but most countries can usually evade external restraints by refusing to cooperate or threatening to default on existing obligations. Participation in global and regional agreements is normally voluntary and economic sanctions are rarely used to punish countries with contrary policies. International integration is also limited by various political, social, and historical factors which often overwhelm economic interests.

The recurring debate about the responsibilities of major industrial nations in promoting international growth is an example of the difficulty of coordinating national policies. Some critics argue that large economies, such as the United States, Japan, and the Federal Republic of Germany, should serve as »locomotive economies« by adopting stimulative

726

fiscal and monetary policies and permissive regulatory rules to increase their imports and reduce their exports. The political problems of relying on only a few powerful sponsors and the consistently disappointing growth and inflation results of similar demand management experiments during the 1960s and 1970s have eroded general interest in »locomotive« proposals. Nevertheless, international organizations and bilateral appeals will continue to encourage industrial nations to absorb more imports from developing countries to accelerate their progress.

The fundamental problem in expanding international coordination will continue to be the skepticism of domestic interest groups that they will actually receive any net benefits. The costs of participating in an open and competitive economy are usually easy to recognize and quantify. The benefits, however, are typically diffused and unappreciated. The specific problem of »free riders« being able to share the benefits of international cooperation, without making any contributions or accepting any sacrifices, is particularly frustrating because the voluntary nature of joint efforts makes it difficult to screen out nonparticipating countries. The resulting inequities have encouraged the formation of preferential groups, such as regional blocs and cartels, to manipulate commodity prices and production quotas, but the resulting discrimination often causes even more serious problems. A better solution would be to expand the size and scope of cooperative efforts to match the interdependence of the global economy. It would also be helpful to develop positive incentives to encourage participation rather than relying upon negative sanctions to coerce compliance. Powerful political priorities in most sovereign nations will prevent formal integration of goals and policies, but enlightened self-interest should encourage the gradual convergence of economic interests once the general public gains a better understanding of the comparative costs and benefits.

## Direct Competition for Markets

International economic transactions are a powerful integrating force, but they also create disruptive pressures. The rapid diffusion of technology and industrial capacity has increased competition among industrial nations and some developing countries have been successful in targeting specific export markets. As different countries move along the development scale, from simple agricultural activities through the processing of primary materials, light manufacturing, heavy manufacturing, and high technology to sophisticated services, the traditional industries in advanced nations face increasing export and import competition. Similar pressures exist in the expansion of international capital investments, arranging commercial and merchant bank financial services, and providing dependable sources of primary materials. Basic industries, such as steel, autos, textiles, shoes, metals, and petrochemicals, have had particular problems in adjusting to changing international demand and supply conditions by reducing costs and shifting to higher levels of technology and services. The dynamic process of accelerating economic development, based on rapid transfers of technology and capital to exploit labor and material cost advantages in developing countries, demonstrates that competitive tensions will likely escalate.

The most obvious displacement effects of international competition involve structural unemployment problems in many industrial states. By the early 1980s, there were over thirty million unemployed workers in the OECD nations, with most of them concentrated in Western Europe where unemployment rates of over ten percent were common. Part of the increased unemployment was caused by the cyclical effects of the global recession, but most of the deterioration was linked to structural adjustment problems in declining industries suffering the loss of foreign and domestic markets. The typical political response to this dilemma has been to blame foreign competition and recommend special protection for the threatened industries. This approach fails to stimulate necessary competitive adjustments and risks retaliatory actions which erode important domestic growth and inflation benefits created by foreign trade and investments. Nevertheless, there is a natural tendency to equate domestic unemployment and sluggish growth with increased imports and reduced exports. The homogeneous characteristics of most goods and services in the increasingly integrated world economy suggest that direct competition for the same markets will become even more divisive.

Most governments have found that it is easier to respond to competitive pressures with specific tariff and nontariff barriers to restrict imports and preferential export subsidies and financial arrangements rather than relying upon structural adjustments to transfer domestic resources into new activities. Workers are naturally reluctant to give up their familiar jobs to move to new positions involving painful retraining and relocation experiences and the risk of lower wages. Managers and investors are equally resentful when external competitive pressures make existing product lines and production facilities obsolete. Major structural adjustments also tend to disrupt the established infrastructure of transportation and communications facilities, education and training programs, various service industries, and government spending and revenue plans. Basic to all of these concerns is the inherent fear that personal living standards will be threatened by the changes caused by direct competition for markets. Economists may favor dynamic adjustments but politicians usually prefer the security of established relationships.

Much of the current apprehension is caused by the the rapidly changing patterns of world trade and investments. The relative dominance of the United States and Western Europe has been eroded by the emergence of Japan as a major economic power. The rapid growth of several Newly Industrialized Countries (NICs) throughout the Pacific Basin and Latin America has been even more impressive. Several countries, such as Brazil, Mexico, Hong Kong, South Korea, Singapore, and Taiwan, have sharply increased their exports of manufactured products to OECD nations. South Korea, for example, is a major steel producer and is about to begin exporting automobiles in addition to a variety of manufactured and consumer products. The traditional IMF and GATT rules were designed to coordinate the international activities of a relatively small number of industrial nations and a large group of developing nations dependent upon exports of primary materials. Adjusting these rules to respond to new sources of direct competition from the NICs and other developing nations has been unusually difficult. The inevitable result of these confusing structural changes and recurring cyclical pressures has been the tendency to politicize foreign trade and financial policy decisions.

The development of regional economic blocs is another important competitive issue,

728

particularly in special sectors, such as high-technology goods and services and agriculture. European companies are concerned that they may lag behind the United States and Japan in the commercialization of technology and have adopted a consortium approach to product development and venture capital financing. Protecting traditional agricultural interests is another controversy affecting both industrial and developing countries. The United States provides extensive price support programs, technical assistance, and trade promotion services for its farm sector. Western Europe operates a Common Agricultural Policy (CAP), which supports a comprehensive set of administered prices, production guidelines, import restrictions, export subsidies, and development grants to protect its agricultural interests. Most developing countries use similar procedures to shelter their domestic farmers. The resulting disagreements have become so abrasive that constant negotiations are required to avoid destructive trade wars. Disputes over high-technology and agricultural issues are representative of other special economic sectors where new initiatives to liberalize trade and investment are needed to maintain positive relations. Countries at different stages of economic development normally develop such mutually beneficial contacts. During periods of dynamic changes, however, competitive pressures intensify because the adjustment process is slow and painful. Political leaders naturally try to minimize the transition costs even when economic development goals are frustrated.

## Government Economic Planning and Controls

Fundamental differences between the goals and procedures of large market economies compared with command economies directed by central government planning and control agencies continue to frustrate international integration efforts. Private companies in the Western industrial nations often have difficulty arranging commercial transactions and competing for export markets with state institutions. It is naive to assume that traditional rules of free trade and investment are appropriate for economic exchanges in markets controlled by government agencies.

Part of the complexity is caused by different guidelines applied to state organizations required to serve the interests of government officials. State enterprises are typically exempt from profit requirements because domestic and political priorities over long periods of time are considered to be more important. Selective buying and selling rules are designed to promote political goals even though more advantageous economic factors have to be ignored. Command economies also rely upon comprehensive regulations to force state enterprises and hybrid organizations to allocate market shares to designated buyers and suppliers. Other operating procedure differences include extensive domestic content requirements, preferential credit and foreign currency arrangements, restricted access to commercial information, targeted official aid to promote the interests of designated buyers and sellers, and unusual emphasis upon barter trade. These restrictive practices isolate command economies from the overall integration of the global economy and unfortunately restrict internal economic progress. Nevertheless, the dominance of domestic political priorities will likely continue in many countries despite the demonstrated losses of economic efficiency and the specific inequities caused by government subsidies and mandatory controls.

The widespread use of industrial policies to allocate resources and protect domestic interest groups is another example of government intervention. Advocates of preferential development policies argue that government officials are best qualified to identify long-term national interests and coordinate economic policies to improve the balance between projected supply and demand factors. The increasing intensity of international competition has added a sense of urgency to the traditional arguments that official development goals and detailed operating plans are necessary to compete against other nations. Such claims appear to ignore the historical evidence that dynamic growth and creativity cannot be managed by government bureaucracies. Modern economic systems are extremely complex and must respond to changing supply and demand conditions rather than emphasizing the existing priorities of special interest groups. Government development programs tend to become politicized and inflexible because they must conform to the existing priorities of special interest groups. Formal development plans also become coercive and tend to perpetuate errors as responsible officials defend previous decisions to preserve their authority. The consistently disappointing results of formal industrial policies demonstrate the impossibility of obtaining the information needed to make meaningful plans and the difficulty of predicting the future. Government officials can identify fundamental factors, such as demographic trends, research and development interests, natural resources requirements, and general national goals, but they have not been able to successfully plan and control detailed economic functions in a dynamic world economy.

A third form of government intervention involves the manipulation of trade, finance, and commercial services to influence the political and military behavior of other nations. Government officials use economic sanctions to inflict damage and express disapproval rather than resorting to military force. The imposition of sanctions can serve as a short-term symbolic gesture, but the policies of the target countries are rarely responsive. Actual results are typically counterproductive because external pressures stimulate internal reactions to overcome the sanctions. The intended economic damage can usually be absorbed by target countries by arranging new sources of goods and services, actions to reallocate resources and reduce demand, creation of strategic stockpiles, and by diverting trade and financial transactions through intermediary nations. From the perspective of nations applying sanctions, their domestic and international economic interests are injured and abrasive political disputes develop concerning goals and procedures. Political officials ignore these long-term economic costs and exaggerate the potential impact of sanctions. Despite the disappointing historical evidence, economic integration goals will probably remain subordinate to sporadic political decisions to apply sanctions.

*Competitive Foreign Currency Exchange Rate Goals*

It is recognized that orderly foreign exchange markets contribute to international trade and investment activities. Nevertheless, the Bretton Woods system of fixed values and limited adjustments has been replaced by managed floating arrangements, in which market forces determine relative transaction rates, except for sporadic government intervention efforts to neutralize temporary distortions. Volatile currency exchange rate fluctuations have become common because of large discrepancies in domestic growth and inflation rates, and recurring shocks, such as oil price changes and serious economic recessions. Divergent exchange rate results have also been caused by multilateral disagreements about economic goals and national fiscal and monetary policies, particularly the relative dependence upon foreign trade and the desirability of formal government intervention in foreign exchange markets. The resulting uncertainties and competitive tensions have restricted progress toward international integration.

Wide fluctuations in the value of the U.S. dollar have disrupted the entire international monetary system. During the late 1970s the dollar deteriorated causing other nations to complain that the United States was using its special status as the reserve currency to create unfair trade advantages. The pattern was reversed in 1980 when it rapidly appreciated to extraordinarily high levels. The United States was again criticized because the appreciated value of the dollar increased the costs of commodities and oil imports creating inflation problems for other nations and forced them to constrain domestic monetary policies to protect their currencies. The sustained rise in the value of the dollar also limited American exports from its agricultural and manufacturing sectors and threatened domestic industries subject to import competition. Other industrial and developing nations have experienced similar problems despite domestic and international stabilization efforts.

The instability of currency exchange rates has politicized international trade and monetary activities and efforts to develop a new payments system. Some analysts have suggested that the destabilizing influence of the U.S. dollar should be offset by increasing the relative importance of other currencies. One example involves the formation of the European Monetary System (EMS) in 1979 to enforce discipline among a group of participating European currencies. The goal was to limit exchange rate fluctuations within a general band to control cross exchange values. It was hoped that broader cooperation would eventually lead to joint monetary intervention to stabilize values, development of a European Currency Unit (ECU), and evolution of formal coordination of domestic fiscal and monetary policies. Some positive cooperation benefits have been realized, but disparate economic goals and performance have required continuous realignments of the limited number of participating currencies. The U.S. dollar continues to serve as the key reserve and transaction currency for trade and investment.

A second reform proposal has recommended increased government intervention in foreign exchange markets to manipulate, or at least influence, currency values in accordance with theoretical calculations of purchasing power parities. Such efforts are controversial and several important countries, including the United States, remain skeptical that official government intervention can actually alter powerful marketplace forces and expectations.

A third suggestion calls for organization of a new international monetary conference to prepare fundamental reforms needed to restore formal rules and stronger surveillance authority. There probably will be a new round of consultations and development of general guidelines, but actual stabilization will depend upon the future convergence of national goals, policies, and economic events. Cooperation at this level will also require that national political interests become more compatible and more international.

*East-West Trade and Finance Issues*

A particularly divisive issue involves disagreements about the goals and procedures of East-West trade and financial contacts. The original goal was to isolate Communist nations to restrict their access to Western technology and capital. The United States denied them most-favored-nation treatment extended to other trading partners and coordinated the preparation of a comprehensive list of strategic products and technical services which could not be provided to the Soviet Union and its allies. These restrictions eventually created abrasive disputes among Western nations. One group argued that commercial and financial contacts should be restricted to limit the economic development of the Soviet bloc as a means of reducing their military strength. The opposition claimed that increasing economic exchanges would benefit the Western economies and contribute to improved East-West political and military relations. This philosophical debate has never been resolved even though there has been a gradual expansion of trade and related bank lending to the Communist bloc.

The United States has consistently tried to manipulate its economic relations with the Soviet Union bloc as part of its geopolitical strategies. The Export Control Act requires special export licenses to sell strategic goods, and a total embargo is applied to sales to Cuba, North Korea, and North Vietnam. The United States has enforced its policies through various military security agreements and occasional threats to restrict economic and political assistance to nations unwilling to cooperate. A major shift occurred in the early 1970s when trade agreements were approved to expand the sale of grains and capital goods to the Soviet bloc in exchange for primary materials, but the actual value of bilateral trade was relatively small. The original aspirations of economic détente deteriorated throughout the 1970s and then collapsed when the United States unilaterally restricted its grain exports to the Soviet Union and prohibited the sale of technical equipment to be used in building a Siberian gas pipeline to deliver natural gas to markets in Western Europe. Efforts to extend the pipeline sanctions, to include the European subsidiaries and licensees of American companies, created an unfortunate confrontation among Western nations until U.S. officials rescinded the regulations in exchange for general agreement to study the harmonization of trade and export credit policies in dealing with Eastern Europe. U.S. grain sales have been resumed, but on a smaller scale, and there are tentative signals that future commercial and financial contacts may be increased.

Western Europe has a different view of the political risks and economic benefits of East-West trade and finance based on its geographical and historical perspectives. The Federal Republic of Germany, for example, has increased its trade and financial contacts with Eastern Europe since 1969 to approximately 5 percent of its total foreign trade. For the entire Soviet bloc, East-West trade now represents over 30 percent of total foreign trade, compared with a minimal figure of less than 5 percent for Western industrial nations. East-West trade is particularly important for many European industries because it provides necessary imports of energy and primary materials from the Soviet bloc in exchange for capital goods, industrial supplies, food, consumer goods, and technical assistance. This favorable balance is expected to increase as Communist countries attempt to upgrade their disappointing performance caused by low productivity, structural limitations, shortages of skilled labor, and bureaucratic barriers, using technology and capital provided by Western sources. Western European governments argue that the new markets in Eastern Europe provide important economic benefits and improve political and social contacts without disrupting the economic and military security advantages created by the Western alliance.

The risks and benefits of East-West trade and financial contacts will likely remain controversial, and considerable care will be required to avoid internal fragmentation among Western industrial nations. Definitions of strategic technical goods and services should be clarified, and the future use of subsidized export credits and preferential development financing needs to be harmonized to avoid unproductive competition. A consensus approach to rationalizing conflicts between geopolitical goals and the apparent increase in East-West economic interdependence is also required to overcome the uncertainties which now dominate bilateral relations.

## North-South Trade and Finance Issues

An important source of dissension involves relations between industrial and Third World nations with regard to trade, investment, finance, and official public assistance. While postwar real income gains of developing countries have actually been more rapid, there are still large gaps between rich and poor nations, and extreme poverty in the poorest countries. There is also considerable criticism that the international economic system is strongly biased in favor of the interests of advanced nations. Such tensions are disruptive given the high degree of interdependence among most nations. From a positive viewpoint, there is a mutual dependency upon primary materials, manufactured products, technology, services, and flows of development credit and capital. From a negative perspective, there are risks of nationalist autarchy, growing income gaps, debt service problems, trade barriers, and destructive political and social reactions to tragic poverty and frustrated public and personal ambitions.

The growing resentment of the Third World about their disadvantageous position has resulted in demands for a »New International Economic Order«. Since the UNCTAD meeting of 77 developing nations beginning in 1964, a variety of recommendations have been made to improve their relative status: improvement in their terms of trade (relative prices between primary materials and manufactured products); structural changes, including more comprehensive price and production controls, formal allocation of markets, and less reliance on competitive forces; preferred access to industrial country markets, including expansion of the Generalized System of Preferences (GSP); income stabilization and buffer stock programs; and, increased financial and technical aid. The scope and intensity of demands have varied over time, particularly as the new industrialized countries have progressed and the heterogeneous priorities of developing nations have been difficult to coordinate, but the North-South debate has retained a harsh tone. Developed nations have tried to respond with foreign aid, technical assistance, concessionary development and trade financing, preferential trading arrangements, commodity export income and production stabilization programs, and occasional rescheduling or cancellation of existing debts. This compromise approach has left both groups dissatisfied.

A fundamental task during the 1980s will be to convert the abrasive North-South debate into positive actions extending beyond emotional rhetoric and token gestures based on guilt and retribution motivations. Recognition of the benefits and risks of economic interdependence will be necessary to overcome the barriers created by nationalistic political interests. The extreme diversity of economic and political levels of development will probably preclude any universal program, but it should be possible to improve the coordination of official assistance programs and international economic institution actions. This process will be more effective if economic factors are emphasized and political preferences are minimized in making decisions. In particular, the industrial nations of Europe, the United States, and Japan need to identify their actual goals and the amounts of resources they are actually willing to commit to joint efforts.

## Regional Versus Global Commitments

A seventh fragmenting force is the proliferation of separate groups of nations representing geographical regions, such as the European Economic Community, or specific political and economic interests, such as the Organization of Petroleum Exporting Countries. Such organizations typically provide preferential trade and financial advantages for members and attempt to coordinate their external policies. The goals and procedures of most regional and special interest blocs are usually positive, but their specific actions often create barriers to continued development of an open and competitive world economy.

There is a natural tendency for nations with similar characteristics to coordinate their policies. The formation of special organizations of neighbor states, or of producers and consumers of primary materials, has stimulated economic cooperation and exchange by eliminating credit and capital controls, internal tariffs, regulatory barriers, and the development of consensus policies to govern external contacts with other nations. These benefits to member nations are supposedly greater than the losses from discriminating against others. The process of planning and coordinating policies is formalized by frequent consultations among permanent bureaucracies and sanctions are imposed to enforce cooperation. This homogenized approach enables member nations to participate in multinational activities while reducing the risks of bilateral confrontations and restrictive domestic political pressures. Formation of regional and special interest blocs has also enabled many countries to perpetuate an image of independence from the super-power conflict between the Soviet Union and the United States, while continuing to benefit from contacts with both nations. Finally, formal cartels of exporting and importing nations are sometimes created to influence competitive conditions by manipulating the prices and production volumes of crucial goods and services.

A historical review of regional and special interest blocs indicates that they are often successful in reducing frictions and encouraging faster development, but their efforts to coordinate fiscal and monetary policies have not been able to overcome national sovereignty concerns. Political apprehension also limits the support of excluded nations required to endure specific trade and investment disadvantages and the frustrations of dealing with another institutional bureaucracy. Other countries have nevertheless accepted the evolving pattern of regional and special interest blocs because their resulting problems can usually be resolved through negotiations and they believe that there are net long-term political, social, and economic benefits.

The creation of a multinational group reflects increased involvement in international affairs. The successful European Economic Community has expanded its regional interests into the Third World through its Lomé Convention agreements with developing countries and bilateral contacts with various international political and financial institutions. This effective process should be instructive to other nations, such as the United States and the Soviet Union, as they increase their international activities. As more countries participate, the current fragmented system of regional and special interest blocs will gradually diminish and the advantages of comprehensive international integration will become more dominant. Once the level of domestic economic development reaches a minimum status, national interests rapidly expand beyond the narrow scope of special interest groups and preferential arrangements. The fundamental advantages of equal treatment and reciprocity will encourage this transition to a true world economy in which competitive market forces will replace restrictive agreements. Critics argue that domestic protectionism will prevent broader integration, but the realities of international interdependence continue to push the world economy toward a more open and competitive system despite specific examples of discrimination. The rapid growth of foreign trade and investment throughout the world is tangible evidence of this fundamental trend.

## Future Developments: Evolution toward Economic Integration

We now live in a closed economy in which the feedback effects of national actions influence the entire system. Individual nations can no longer dominate the international economy or unilaterally withdraw from external contacts. This fundamental trend toward economic integration will continue, despite strong domestic political opposition, even though the timing and specific details of the transition cannot be predicted. By the end of this century there will be even more foreign trade and investment, increased flows of capital and credit, more efficient development and sharing of resources, structural adjustments to national economies to ease the tensions of international competition, increased diffusion of the benefits of advancing technology, better harmonization of domestic economic policies, stronger multinational economic institutions, and expanded efforts to help developing nations through private and public initiatives.

The »rules of the game« will continue to shift toward international economic integration rather than domestic political priorities because of the demonstrated benefits of an open and competitive system. From a positive viewpoint, increased integration will maximize the output and efficient distribution of goods and services by following the concepts of comparative advantage. As developing nations reach the desirable threshold of economic acceleration, the international division of economic responsibilities and opportunities will become even more volatile requiring closer coordination to reduce adjustment conflicts. Individual nations will not have the necessary technology, capital, and human and material resources to satisfy their complete range of economic goals. From a negative viewpoint, there will also be an increased sense of vulnerability to external competition and the risks of relying on internal resources. The severe inflation and supply distortions of the 1970s, followed by widespread economic stagnation and unemployment during the early 1980s, have forced national leaders to reconsider traditional policies of economic nationalism.

Despite the impressive benefits created by international economic integration, however, actual progress will be irregular and the fragmenting pressures of excessive nationalism will continue to delay the transition process. The general public does not recognize the success of the integration efforts because the incremental gradualism approach rarely attracts much attention. As a result, most analyses concentrate on discouraging examples of destructive trade disputes, foreign currency exchange crises, bank lending tensions, foreign investment barriers, technology transfer disagreements, energy and commodity cartels, regional economic discrimination, political and military sanctions, and uncontrollable natural disasters. These familiar crises create a misleading impression that economic cooperation and growth are rapidly deteriorating. Beyond these short-term problems, however, favorable long-term trends continue to respond to the more powerful incentives created by economic integration. Economic cooperation and foreign trade and investment interests will eventually prevail, despite direct competitive pressures and divergent national priorities, because there is no other reasonable approach to achieving so many desirable goals.

## Summary

Most nations are experiencing accelerating changes combining upside opportunities for economic cooperation and competition with the downside risks of political fragmentation. The eventual equilibrium will determine the future organization and efficiency of the world economy. The probable movement toward a more open and competitive system will create tensions at three distinct levels. On a macro scale, economic integration needed to promote the efficient allocation of human and material resources will require private and public institutions capable of functioning in an integrated world economy. At a personal level, individuals will strive for greater self identity and rely more on local organizations. In the middle, the role of nations – the historical tribal unit – will decline as it is recognized that national governments are too small to solve unilaterally emerging international political, social, economic, and military security issues but are too large to respond effectively to the escalating aspirations and problems of individuals. The form of nation states will persist, but the substance will change. The resulting adjustments will threaten many historical values and established relationships and will be opposed by national governments seeking to preserve their existing authority. Nevertheless, historical evidence indicates that the erratic trend toward international cooperation and integration will continue despite severe national distortions and adjustment costs. Once again, there is no reasonable alternative to increasing international economic integration to respond to the complex problems of modern societies, even if domestic political policies lag behind.

The anticipated transition will help reverse the historical trend toward the centralization of economic planning and control in huge government bureaucracies. This important correction process will continue as the great disparity between the relative performance of command and market economic systems becomes more apparent. The adjustment will also cause rejection of exaggerated ideological claims in favor of the pragmatism of incremental gradualism in moving toward international economic integration. This incremental approach will not be quick or easy and national governments will intervene to protect domestic interest groups. Overall progress will often be frustrated by political policies favoring economic nationalism and necessary structural adjustments will be delayed until unfortunate crisis conditions develop. But the future allocation of resources and distribution of goods and services will increasingly depend upon marketplace priorities because this approach is more responsive to consumer and investor interests and more compatible with familiar concepts of personal freedom. If a liberal system of open and competitive markets is not provided, however, the general public will eventually lose confidence in existing political processes and will turn to other procedures to achieve economic goals.

This paper has argued that positive economic principles and tactics are a necessary prerequisite for achieving other important political, social, and military security goals. In this context, economic integration will result from the basic principles discussed: maximum reliance on competitive markets to allocate resources and reward performance; technology and capital investment to stimulate growth; acceptance of competitive risks to create incentives; and, emphasis upon long-term goals. Like most economic concepts, these principles are relatively simple to understand but difficult to use in a complex society with many competing priorities. The essence of economics is that »every good thing is not equally good« and competing claims must be ranked carefully before valuable resources are commited even though the process is difficult to complete when numerous interest groups are involved in determining the rankings. Therefore, a tradeoff between competing priorities must usually be arranged to sustain political and social acceptance. In considering the future prospects for international economic integration, the following conclusions are significant.

First, political processes must be strengthened to enable domestic governments to make difficult priority rankings when scarce resources must be allocated and the output of goods and services distributed to many competing claims. Necessary compromises between conflicting international economic and domestic political goals must be developed.

Second, powerful integrating forces will continue to strengthen the links among most nations as foreign trade and investment expands and becomes more dependent upon international sources of technology, capital, labor, and industrial materials. The coordination of national economic policies and the role of multinational institutions will become more important as the world economy becomes more open and competitive.

Third, competition will increase as nations strive to expand their exports of goods and services, foreign investments, and financial activities. Significant policy differences will be inevitable because of disparate national interests, problems, and responsibilities.

Fourth, major nations will have to give increased attention to balancing their priorities among domestic, regional, and international claims. The growing interdependence will require nations with developed domestic economies to become more sensitive to the aspirations of the developing countries and the major risks created by extended stagflation problems and repeated supply-side shocks involving oil, agricultural products, and other raw materials. At the same time, they should preserve their traditional economic goals to promote increased output and rising standards of living for more people.

Fifth, the time frame of policy decisions should be lengthened to emphasize trends rather than cyclical and irregular economic developments. Different political priorities will be required if the long-term approach to national and international progress is accepted by most nations willing to endure the risks to earn the benefits.

Bernd Rüthers

# Arbeitsrecht und Arbeitsmarkt

## Das Problem der Verschränkung ökonomischer Verhaltensweisen und rechtlicher Rahmenbedingungen

### Der verdrängte Zusammenhang

2,3 Millionen statistisch erfaßte Arbeitslose im Jahresdurchschnitt sind ein Warnzeichen für die gesamte Wirtschafts-, Gesellschafts- und Staatsordnung. Es ist geboten, die möglichen Ursachen und Zusammenhänge dieser seit fast einem Jahrzehnt andauernden umfangreichen Langzeitarbeitslosigkeit neu zu überdenken.

Die folgenden Erwägungen dienen diesem Ziel. Die Gegenüberstellung von »Arbeitsmarkt und Arbeitsrecht« als Titel einer arbeitsrechtlichen Abhandlung ist in der Bundesrepublik Deutschland bisher eher ungewöhnlich. Erst in der jüngsten Zeit nehmen auch die Arbeitsrechtler zögernd zur Kenntnis, daß die von ihnen vorbereiteten oder gefällten Entscheidungen zu einzelnen Streitfragen wegen der verallgemeinernden (»strukturellen«) Wirkungen auf gleichartige Fälle die ökonomisch wirksamen Rahmenbedingungen für das arbeitsmarktpolitische Verhalten beider Seiten am Arbeitsmarkt schaffen. Anders ausgedrückt:

Arbeitsrecht – auch in Einzelbereichen scheinbar isolierter Fallentscheidungen – kann Arbeitsplätze fordern, verhindern oder auch vernichten! Das gilt für alle Arten arbeitsrechtlicher Normsetzung, also sowohl für den Gesetzgeber (das Parlament) als auch für die Gerichte letzter Instanz (als »Ersatz«- oder »Ergänzungsgesetzgeber«). Beide Normsetzungsinstanzen haben diesen Zusammenhang über viele Jahre hin geleugnet oder verdrängt. Viele Politiker und Richter tun das bis heute.

Der Titel »Arbeitsmarkt und Arbeitsrecht« will also als Hypothese verstanden werden. Ihr Inhalt lautet: Zwischen dem Arbeitsmarkt und dem Arbeitsrecht besteht ein Verhältnis wechselseitiger intensiver Beeinflussung. Sie reagieren auf einander und sind von einander abhängig wie ein System kommunizierender Röhren.

Der Begriff »Arbeitsmarkt« hat dabei zwei mögliche Bedeutungen. Er bezeichnet zum einen die ökonomische Situation von Angebot und Nachfrage menschlicher Dienstleistungen weisungsgebundener Arbeitnehmer. Sie ist derzeit durch ein deutliches Überangebot von Arbeitsleistungen gegenüber geringer Nachfrage gekennzeichnet. Dabei sollen die regionalen und fachspezifischen Abweichungen von dieser generalisierenden Feststellung hier unberücksichtigt bleiben. Es geht um die generelle Aussage.

Der Arbeitsmarkt ist aber kein rein ökonomisches Phänomen, das allein durch die

Relation von Angebot und Nachfrage hinreichend erfaßt wird. Der Leistungsaustausch in Arbeitsverträgen (weisungsgebundene Arbeit gegen Entgelt) ist in allen Industriegesellschaften der Welt jeweils systemspezifisch eingehend rechtlich geregelt. Jedes Land hat neben der Staatsverfassung und ihr ein- und untergeordnet so etwas wie eine »Arbeitsverfassung«. Der Arbeitsmarkt ist also durch vielfältige rechtliche Rahmenbedingungen vorgeprägt und »verfaßt«.

Das ist die zentrale Aufgabe des Arbeitsrechts. Die rechtliche Steuerung des Arbeitslebens in Industriegesellschaften dient mehreren und unterschiedlichen Zwecken. Historisch gesehen stand der soziale Schutz der weisungsabhängigen, wirtschaftlich und sozial durchweg unterlegenen Arbeitnehmer bei der Entstehung des Arbeitsrechts im Vordergrund. Das hat vielfach zu dem Fehlverständnis geführt, der Sozialschutz sei der einzige, mindestens aber der allezeit vorrangige Zweck des Arbeitsrechts. Diese Auffassung hält nüchterner Betrachtung nicht stand. Industriestaaten leben wesentlich von ökonomischen Erfolgen. Der unlösbare Zusammenhang von Ökonomie, Politik und Systemstabilität steht heute im Grundsatz – unbeschadet weltanschaulicher oder systemspezifischer Differenzen – außer Frage. Die Funktionsfähigkeit der Wirtschafts- und Sozialordnung ist eine wesentliche Existenzbasis aller Industriestaaten. Das gilt insbesondere für solche, die politisch als freiheitlich-demokratische Verfassungsstaaten organisiert sind. Aus diesem Grunde ist auch das Arbeitsrecht – wie alle anderen Rechtsdisziplinen – in erster Linie darauf gerichtet, das bestehende politisch-soziale Gesamtsystem zu erhalten und zu festigen. Dem würde die Fixierung auf einen Einzelzweck widersprechen. Die soziale Schutzfunktion des Arbeitsrechts dient im Ergebnis auch der Systemerhaltung. Aber sie muß sich einfügen in eine ausgewogene Rangordnung vielfältiger, systemnotwendiger Regelungszwecke der Rechtsordnung im Dienste der Gesamtordnung. Die Verabsolutierung eines Rechtsgutes (sozialer Schutz) kann sonst die Basis dieser Gesamtordnung zerstören. Dann wäre die humane Existenzweise aller Bürger – auch der Arbeitnehmer – mit betroffen. Die Aushöhlung der öffentlichen Finanzen durch nicht finanzierbare Staatsausgaben – auch zu sozialen Zwecken – ist ein mahnendes Beispiel solcher Systemzerrüttung – sei es aus edlen oder weniger edlen Motiven.

Aufgabe des Arbeitsrechts ist es daher z. B. auch, den auf dem Arbeitsmarkt sich abzeichnenden Gefahren der Erstarrung und der Einstellungsverhinderung durch »Überregulierung« zu begegnen. Umgekehrt wird das »Marktverhalten« der Arbeitsmarktparteien von den Entwicklungen im Arbeitsrecht beeinflußt. In bestehenden Arbeitsverhältnissen werden sich die sanktionsbewehrten Regelungen in der Regel durchsetzen. Frei zu entscheidende Neuabschlüsse von Arbeitsverträgen werden beide Arbeitsmarktseiten an den ökonomischen und rechtlichen Fragen und Risiken solcher Verträge messen.

Dieser sich in beiden Richtungen vollziehende Anpassungsprozeß kann sich über lange Zeiträume erstrecken, kann aber auch sehr schnell vonstatten gehen. Zwei Beispiele sollen das Gemeinte verdeutlichen:

## Die Entstehung des Arbeitsschutzes für Kinder und Jugendliche im 19. Jahrhundert

Bestimmend für die Arbeitsmarktsituation in der Frühzeit der Industrialisierung war eine vom klassischen Liberalismus geprägte, rein marktwirtschaftlich ausgerichtete Wirtschaftspolitik, die von der Prämisse ausging, ein jeder könne seine Arbeitsbedingungen selbst am besten aushandeln; der Staat hatte sich über die Geltung des allgemeinen Zivilrechts hinaus in das Arbeitsverhältnis nicht einzumischen[1]. Andererseits waren große Teile der Bevölkerung, insbesondere die in die Städte strömende Landbevölkerung, aus Armut gezwungen, Arbeit um jeden Preis anzunehmen. Die Folgen waren niedrigste Löhne für schwerste körperliche Arbeiten, übermäßig lange Arbeitszeiten, Hilflosigkeit in Fällen von Krankheit, Unfall und Alter, Wohnungsnot und Proletarisierung eines wachsenden Teils der Bevölkerung[2].

Kinder und Jugendliche, vor deren Einsatz in Fabriken und Bergwerken man nicht zurückscheute, wurden von dieser Entwicklung besonders hart getroffen. Kennzeichnend für die verheerenden gesundheitlichen Folgen der Kinderarbeit, aber auch für die Gesinnung jener Zeit, ist ein Bericht des Generalleutnants von Horn aus dem Jahre 1828, in dem es heißt, die Industriebezirke Preußens könnten »wohl infolge der Nachtarbeit der Fabrikkinder« nicht mehr den erforderlichen Rekrutennachwuchs stellen[3]. Die erstmals schon 1819 unter militärpolitischen Aspekten gegebenen Anregungen des Herrn von Horn zur Einschränkung der Kinderarbeit wurden aus humanitären Gründen vom damaligen preußischen Kultusminister Altenstein lebhaft unterstützt.

Gleichwohl setzte sich die Erkenntnis, daß mit der Kinderarbeit schwere gesundheitliche und regelmäßig zu Dauerschädigungen führende Gefahren verbunden waren, in der frühindustriellen Gesellschaft nur langsam durch[4].

Eine gesetzliche Regelung des Problems kam im Bereich des Deutschen Bundes erstmals im Jahre 1839, also 20 Jahre nach den Initiativen von Horns und Altensteins und gegen den Widerstand der meisten betroffenen Unternehmer, zustande. Das sog. Preußische Regulativ[5] untersagte die Arbeit von Kindern unter 9 Jahren in Fabriken und Bergwerken; es verbot ferner die Arbeit der Jugendlichen unter 16 Jahren nachts und sonntags und begrenzte sie werktags auf 10 Stunden.

Mit diesem Gesetz war ein Anfang gemacht. In den folgenden Jahrzehnten folgten zahlreiche andere, die den Jugendarbeitsschutz in Teilbereichen weiter verbesserten, so vor allem die Gewerbeordnung für den Norddeutschen Bund aus dem Jahre 1869 und das Arbeiterschutzgesetz von 1891[6].

Die knappen und lückenhaften Hinweise zeigen einen für das gesetzliche Arbeitsrecht typischen Vorgang auf: Ausgangspunkt der geschilderten Entwicklung waren Arbeitsverhältnisse, in denen Kinder und Jugendliche ohne Rücksicht auf die gesundheitlichen und gesellschaftlichen Folgen zur Arbeit in Fabriken und Bergwerken herangezogen wurden. Am Ende einer sehr langwierigen Regelungsphase steht eine *rechtlich normierte* Arbeitsmarktordnung, in der Kinderarbeit generell verboten und die von Jugendlichen zahlreichen Beschränkungen unterworfen ist. Sie sollen den Erfordernissen einer gesunden Entwicklung der jungen Menschen Rechnung tragen.

Das bedeutet: Die Gesetzgebungsinstanzen haben auf eine für schädlich und gefährlich befundene Situation auf dem Arbeitsmarkt mit erheblicher, durch den Kampf gegensätzlicher Interessen bedingter Verzögerung durch die Schaffung arbeitsrechtlicher Schutzvorschriften reagiert. Der Arbeitsmarkt wiederum paßte sich den geänderten Vorgaben aus dem Arbeitsrecht an. Gegen Ende des 19. Jahrhunderts war die Kinderarbeit praktisch abgeschafft, die der Jugendlichen unterlag erheblichen, gesundheitlich und pädagogisch motivierten Beschränkungen.

Die geschilderte Entwicklung des Jugendarbeitsschutzes, die sich im 20. Jahrhundert bis zum Erlaß des Jugendarbeitsschutzgesetzes vom 1. 5. 1976 fortsetzte, ist im Grundsatz uneingeschränkt zu begrüßen. Das darf aber nicht darüber hinwegtäuschen, daß die Verklammerung von Arbeitsmarkt und Arbeitsrecht auch nachteilige Folgen für den vom Gesetzgeber als schutzwürdig erkannten Personenkreis haben kann. Dies wird an der jüngsten Entwicklung des Jugendarbeitsschutzrechts deutlich.

## Auswirkungen der Arbeitszeitvorschriften nach dem Jugendarbeitsschutzgesetz vom 1. 5. 1976

Durch § 14 JArbSchG in der Fassung vom 1. 5. 1976 wurde der zulässige Arbeitsbeginn für Jugendliche (§ 2 Abs. 2 JArbSchG) allgemein auf 7.00 Uhr festgelegt, nachdem er von 1960 bis 1976 bei 6.00 Uhr gelegen hatte. Maßgeblich für diese Entscheidung waren gesundheitspolitische Erwägungen. Ausnahmen wurden nur in bestimmten engen Grenzen zugelassen (§ 14 Abs. 2 JArbSchG). So sollten z. B. Bäckerlehrlinge über 16 Jahre um 5.00 Uhr zu arbeiten beginnen dürfen.

Die Arbeitszeit in den Bäckereien beginnt aber traditionell und berufsbedingt um 4.00 Uhr früh. Die genannte Bestimmung des JArbSchG hatte daher aus der Sicht der Bäckereibetriebe gravierende Nachteile: Die Jugendlichen waren während der betriebsüblichen Arbeitszeit nur begrenzt einsetzbar; infolge des späteren Arbeitsbeginns entgingen ihnen für ihre Ausbildung wichtige Arbeitsgänge. Außerdem empfanden viele Betriebe des Bäckerhandwerks die Ausbildung von Lehrlingen zunehmend als Belastung. Die Folge war: Ihre Einstellungsbereitschaft ging zurück.

Die – gut gemeinte – Regelung der Arbeitszeit in § 14 JArbSchG gereichte auf diese Weise den Jugendlichen vom Geltungsbeginn des Gesetzes an nicht nur zum Vorteil; sie verursachte in der Ausbildung wie in der Ausbildungsbereitschaft vieler Betriebe erhebliche Nachteile. Dies gilt nicht nur für den Bereich des Bäckereihandwerks. Auch aus vielen anderen Branchen, deren üblicher Arbeitsbeginn vor 7.00 Uhr liegt (§ 14 Abs. 1 JArbSchG) meldete sich Kritik. Besonders gravierend wurden diese Nachteile für die Jugendlichen, als im Gegensatz zur Zeit der Vollbeschäftigung ein erheblicher Mangel an Ausbildungsplätzen eintrat. Die neue Lage am Arbeitsmarkt für Jugendliche verwandelte den ohnehin problematisch gewordenen Arbeitszeitschutz in einen deutlichen Schaden: Früher aufstehen zu müssen war weniger schädlich, als keine Lehrstelle zu bekommen. Die Bundesregierung sah sich daraufhin veranlaßt, das JArbSchG erneut zu ändern[7]. Seit Oktober 1984 liegt der zulässige Arbeitsbeginn wieder allgemein bei 6.00 Uhr. Für das Bäckerhandwerk wurde der Arbeitsbeginn gestaffelt: Er liegt für Jugendliche über 15

Jahre bei 6.00 Uhr, für über 16 Jahre bei 5.00 Uhr und für Jugendliche ab 17 Jahren bei 4.00 Uhr (§ 14 Abs. 1 bis 3 JArbSchG).

Das Beispiel zeigt: Gutgemeinte arbeitsrechtliche Schutzbestimmungen können sich auf dem Arbeitsmarkt, besonders unter gewandelten ökonomischen und sozialen Bedingungen, durchaus zum Nachteil des geschützten Personenkreises auswirken. Jeder Eingriff in das geltende Arbeitsrecht, mag er unter dem Aspekt des erhöhten Sozialschutzes auch sinnvoll erscheinen, muß zuvor auf seine Auswirkungen auf den Arbeitsmarkt untersucht werden. Gehen von einer arbeitsrechtlichen Regelung arbeitsmarktpolitische Nachteile aus, so ist eine Abwägung aller zu erwartenden Folgen erforderlich. Gegebenenfalls muß – im Interesse aller, auch und gerade der Arbeitnehmer – der Mut aufgebracht werden, eine bestehende Regelung abzuändern. Dies kann im Einzelfall hart und auch unpopulär sein. Die Reaktion des Arbeitsmarkts auf die im Arbeitsrecht verankerten Beschäftigungshindernisse erfolgt jedoch unausweichlich. Dies ist besonders in Zeiten von Wirtschafts- und Beschäftigungskrisen zu beachten.

Das beherrschende arbeitsmarktpolitische Problem der 70er und 80er Jahre ist die Massenarbeitslosigkeit. Diese hat zahlreiche Ursachen. Zu nennen sind etwa die langjährige Konjunkturkrise, die hohen Lohn- und Lohnnebenkosten, die Einführung neuer, arbeitsplatzsparender Technologien mit hohem Wirkungsgrad, die demographische Entwicklung, der schlechte Ausbildungsstand vieler Arbeitsloser. Angesichts der engen Beziehung zwischen Arbeitsmarkt und Arbeitsrecht liegt die Annahme nahe, daß auch vom geltenden Arbeitsrecht Impulse zur Verschlechterung der Beschäftigungssituation ausgehen. Dies ist näher zu untersuchen.

Sollte am Ende das Ergebnis stehen, daß bestimmte arbeitsrechtliche Regelungen sich beschäftigungspolitisch nachteilig auswirken, so wäre damit eine arbeitsrechtspolitische Abwägung indiziert, ob die nachteilige Wirkung am Arbeitsmarkt durch höherrangige sozialpolitische Gesichtspunkte gerechtfertigt ist. Eine aktive Beschäftigungspolitik kommt ohne solche Überprüfungen arbeitsrechtlicher Regeln, die unter anderen Konjunkturbedingungen entstanden sind, nicht voran. Im Interesse der Arbeitslosen sind unter mehreren arbeitsrechtlichen Gestaltungsmöglichkeiten solche zu fördern, von denen positive Einflüsse auf den Arbeitsmarkt zu erwarten sind.

Dies alles kann nur in einem vorsichtigen Prozeß des Umdenkens vonstatten gehen. Dieser Artikel hätte sein Ziel erreicht, wenn er dazu einen Beitrag leisten würde.

## Auswirkungen des Arbeitsrechts auf den Arbeitsmarkt

Im folgenden sollen die Auswirkungen arbeitsrechtlicher Regelungsmechanismen im Hinblick auf die gegenwärtige Arbeitsmarktsituation näher untersucht werden.

Dabei soll in drei Schritten vorgegangen werden: An eine kurze Darstellung der Arbeitsmarktlage schließt sich eine eingehende Analyse der arbeitsrechtlichen Regelungsmechanismen und -verfahren an. Anschließend soll die Wirkungsweise des Arbeitsrechtsinstrumentariums im Hinblick auf die Arbeitsmarktsituation anhand von Beispielsfällen untersucht werden.

BERND RÜTHERS

## Die gegenwärtige Situation auf dem Arbeitsmarkt

Seit etwa Mitte der 70er Jahre wird die Entwicklung auf dem Arbeitsmarkt durch das Phänomen einer dauerhaften Massenarbeitslosigkeit bestimmt. Sie kennzeichnet die Lage trotz eines jedenfalls zeitweilig anhaltenden Wirtschaftswachstums und eines günstigen Konjunkturverlaufs also seit ca. 10 Jahren. Gleiches gilt für die anderen westlichen Industrienationen mit Ausnahme der Schweiz und Japans. Mit einer Besserung der Situation ist angesichts der in den nächsten Jahren noch auf den Markt drängenden geburtenstarken Jahrgänge auf absehbare Zeit nicht zu rechnen.

Vielmehr hat es den Anschein, als ob sich die Arbeitslosigkeit auf dem gegenwärtigen hohen Niveau »stabilisierte«: Im Jahresdurchschnitt 1984 gab es in der Bundesrepublik Deutschland etwa 2,27 Mio Arbeitslose. Von diesen waren 701 000 ein Jahr und länger ohne Arbeit, fast 304 000 zwei Jahre oder länger.

Dieser Zustand kann aus politischen und ökonomischen, vor allem aber aus humanitären Gründen nicht hingenommen werden. Er ist auch ohne schwere Systemschäden auf Dauer nicht zu verkraften. Der Vergleich mit den Krisenjahren der Weimarer Republik drängt sich auf.

Das Problem wird durch einen weiteren Aspekt kompliziert, der in seiner Tragweite heute noch gar nicht voll übersehen werden kann: die Entwicklung neuer Technologien[8]. Der wissenschaftliche und technische Fortschritt hat in vielen wichtigen Bereichen in den letzten Jahren eine rasante Entwicklung genommen und noch vor wenigen Jahrzehnten Unvorstellbares möglich gemacht. Stichworte hierzu sind die Gentechnologie, die bemannte Raumfahrt, die Verwendung von Computern und Mikroprozessoren in allen Bereichen der Produktion und der Dienstleistungen, nicht zuletzt auch im Privatbereich.

Diese Entwicklung hat in besonderem Maße das Arbeitsleben ergriffen[9]. Bildschirmarbeitsplätze, Industrieroboter, computergesteuerte Maschinen und Fertigungsstraßen, Personalinformations- und Datenverarbeitungssysteme vermitteln ein völlig andersartiges Bild dessen, was aufgrund jahrhundertealter Erfahrung unter »Arbeit« verstanden worden ist.

Die modernen Technologien bringen häufig Erleichterungen für die Arbeitnehmer mit sich. Andererseits verändern sie auf radikale Weise die Arbeitsplätze, die Berufsbilder, die gesamte Arbeitswelt. Das hat für viele Arbeitnehmer bedrohliche Auswirkungen. Die umwälzenden Änderungen verursachen umfangreiche Arbeitsplatzverluste, die nicht mehr nur ungelernte und angelernte Arbeitnehmer, sondern zunehmend auch qualifizierte Facharbeiter bis hin zum Schwund ganzer Berufsbilder (Setzer) treffen[10].

Bislang kaum geklärt sind die emotionalen und psychologischen Folgen dieser Entwicklung. Viele Arbeitnehmer haben heute Angst vor der Zukunft. Diese verständliche Reaktion resultiert zum einen aus der Sorge um den Arbeitsplatz. Menschliche Arbeit wird in wachsendem Umfang von Maschinen übernommen, die dieselben Leistungen schneller, genauer und kostengünstiger erbringen; sie wird daher fortschreitend ersetzbar. Materiell wie ideell sehen viele ihre bewährte Arbeitsleistung von einer Entwertung bedroht. Sie trifft die Menschen unmittelbar in ihrem beruflichen und persönlichen Selbstwertgefühl. Viele Arbeitnehmer stehen dem technischen Fortschritt daher mißtrauisch gegenüber. Manch einer fragt sich, in welchem Maß menschliche Arbeit als die wesentliche Grundlage ökonomischer Existenzerhaltung überhaupt noch eine Zukunft hat[11].

Alles in allem: Die aktuelle Arbeitsmarktsituation ist maßgeblich durch den Problemkomplex Arbeitslosigkeit gekennzeichnet. Die Ursachen hierfür sind vielfältig. Nicht zuletzt auch die hohen Arbeitsentgelte am deutschen Arbeitsmarkt beschleunigen Rationalisierungsstrategien und Produktionsstättenverlagerungen ins Ausland.

## Die arbeitsrechtlichen Regelungsmechanismen

Die Krise auf dem Arbeitsmarkt kann nicht ohne Rückwirkungen auf das geltende Arbeitsrecht bleiben. Die Hauptaufgabe des Arbeitsrechts ist es, Interessenkonflikte zwischen Arbeitnehmern und Arbeitgebern in systemverträglicher Weise zu regeln und so die Entfaltung der volkswirtschaftlichen Produktivkräfte zu ermöglichen und zu fördern.

In der lange andauernden Wirtschafts- und Beschäftigungskrise haben sich diese Interessenkonflikte zunehmend verschärft. Hierdurch werden die Leistungsfähigkeit und die Geltungsmacht der arbeitsrechtlichen Regelungsmechanismen auf die Probe gestellt.

Die Frage ist daher berechtigt, ob das geltende Arbeitsrecht den in Zusammenhang mit der Beschäftigungskrise entstehenden Problemen noch gewachsen ist, ob es also auch unter sich verschlechternden wirtschaftlichen und sozialen Bedingungen seine Integrations- und Stabilisierungsfunktionen ausüben kann.

Die Beantwortung dieser Frage setzt eine zutreffende Analyse der verfügbaren Regelungsinstrumente und -verfahren voraus. Hier sind drei Arten arbeitsrechtlicher Normsetzung und Gestaltung, drei »Rechtsquellenbereiche« also, zu unterscheiden.

### Staatliche Schutzgesetze

Das ursprünglich vorherrschende arbeitsrechtliche Instrument ist das zwingende *staatliche Schutzgesetz*. Klassische Beispiele sind das Mutterschutzgesetz, das Kündigungsschutzgesetz, das Jugendarbeitsschutzgesetz oder das Schwerbehindertengesetz.

Solche Schutzgesetze sind die staatliche, genauer: gesetzgeberische Reaktion auf konkrete, von den Normsetzungsinstanzen für regelungsbedürftig befundene Gefahrenlagen. Bestimmte Fallgruppen werden mit dem Ziel der sozialen Gefahrenabwehr ausschnittsweise nach dem Stand der jeweiligen Entwicklung und Erkenntnis geregelt. Neue Faktenlagen oder Wertvorstellungen in der Arbeitswelt führen bei den dynamischen, oft rasanten Veränderungen der technisch-ökonomischen und sozialen Strukturen und Bedürfnisse folgerichtig zu häufigen Novellierungen des gesetzlich geregelten Arbeitsrechts bis hin zur Grenze staatlicher Maßnahme- und Einzelfallgesetze.

Dem entspricht das äußere Erscheinungsbild des gesetzlichen Arbeitsrechts. Es besteht aus einer Vielzahl einzelner Gesetze und führt nach den Worten Mayer-Malys[12] eine »Loseblatt-Existenz«. Ein einheitliches Arbeitsgesetzbuch gibt es in der Bundesrepublik Deutschland – im Gegensatz zu einigen europäischen Nachbarstaaten – bis heute nicht.

Wichtige Teilbereiche des Arbeitsrechts, wie z. B. das Arbeitskampfrecht, sind zudem überhaupt nicht gesetzlich geregelt[13]. Andere, wie z. B. das Arbeitsvertragsrecht, wurden nur im Ansatz und in Teilbereichen kodifiziert.

In zentralen Fragen des gegenwärtigen Arbeitsrechts herrscht also ein beklagenswerter Mangel an ordnungspolitischen Entscheidungen des verfassungsmäßigen Gesetzgebers. Der Grund hierfür ist die fehlende Entscheidungsfähigkeit des Parlaments, weil solche Gesetzesvorhaben sowohl den Zusammenhalt innerhalb der jeweiligen Regierungsmehrheit als auch den innenpolitischen Frieden zwischen Regierung und sozialen Koalitionen in Frage stellen könnten.

## Soziale Selbstverwaltung

Das zweite wichtige arbeitsrechtliche Regelungsinstrument ist die weitreichende Normsetzungs- und Entscheidungsautonomie der Arbeitsmarktparteien auf verschiedenen Ebenen, die auch als »soziale Selbstverwaltung« bezeichnet werden kann.

Der Staat hat auf mehreren Ebenen seine prinzipielle (sozialstaatliche) Regelungszuständigkeit weit zurückgenommen und an seiner Statt den Parteien des Arbeitslebens weitgehende Normsetzungs- und Entscheidungskompetenzen übertragen. Er geht dabei davon aus, daß durch solche sozialautonomen Regelungsmechanismen ein angemessener Interessenausgleich der Beteiligten eher und besser herbeigeführt werden kann als durch zentralistische, gleichmacherische, staatliche Einheitsregelungen.

Die »soziale Selbstverwaltung« im vorgenannten Sinne hat verschiedene Regelungsebenen:

Auf der Ebene der *Betriebsverfassung* sind dem Betriebsrat gegenüber dem Arbeitgeber weitgehende Mitwirkungs- und Mitbestimmungsrechte bis hin zur vollen Parität bei *erzwingbaren* Mitbestimmungsangelegenheiten eingeräumt. Das Regelungsinstrument ist die erzwingbare *Betriebsvereinbarung*. Sie regelt mit normativer Wirkung – also wie ein Gesetz – die mitbestimmungspflichtigen Angelegenheiten.

Rechtsgrundlage ist das Betriebsverfassungsgesetz von 1972. Danach ist Vertretungsorgan der Arbeitnehmerschaft der Betriebsrat. Betriebsrat und Arbeitgeber haben vertrauensvoll zum Wohl der Arbeitnehmer und des Betriebes zusammenzuarbeiten (§ 2 Abs. 1 BetrVG). Beide müssen jede Tätigkeit unterlassen, die den Betriebsfrieden stören könnte. Dazu gehört das Verbot von Arbeitskampfmaßnahmen zwischen Betriebsrat und Arbeitgeber und das Verbot der parteipolitischen Betätigung im Betrieb (§ 74 Abs. 2 BetrVG).

Das Kernstück der Beteiligungsrechte des Betriebsrats nach dem Betriebsverfassungsgesetz ist die Mitbestimmung in sog. sozialen Angelegenheiten (§§ 87 ff. BetrVG). Die Mitbestimmung ist hier zwingend: Ohne Zustimmung des Betriebsrats kann der Arbeitgeber nicht wirksam handeln. Kommt keine Einigung zustande, so entscheidet eine paritätisch besetzte Einigungsstelle unter einem neutralen Vorsitzenden (§ 76 BetrVG). Die Sprüche einer solchen Einigungsstelle sind normativ verbindlich wie eine Betriebsvereinbarung.

Im Bereich der »personellen Angelegenheiten« (§§ 92 ff. BetrVG) hat der Betriebsrat unterschiedlich abgestufte Mitwirkungsrechte. Sie reichen von reinen Informationsrechten über Beratungsrechte bis hin zur gleichberechtigten, erzwingbaren Mitbestimmung. Eine in der Praxis wichtige Vorschrift ist § 102 BetrVG. Danach ist der Betriebsrat vor jeder Kündigung zu hören. Unterbleibt die Anhörung, so ist die Kündigung unwirksam. Widerspricht der Betriebsrat einer Kündigung, so hat der trotzdem gekündigte Arbeitnehmer, wenn er vor Gericht geht, einen Weiterbeschäftigungsanspruch bis zur gerichtlichen Entscheidung über die Wirksamkeit der Kündigung.

Auf der Ebene der *Unternehmensverfassung* ist für Kapitalgesellschaften eine Beteiligung von Arbeitnehmer- und Gewerkschaftsvertretern in den Aufsichtsräten vorgesehen. In den verschiedenen Größenordnungen und Wirtschaftszweigen gelten derzeit vier verschiedene Modelle der Aufsichtsratsmitbestimmung.

Das Montan-Mitbestimmungsgesetz von 1951 regelt die Beteiligung von Arbeitnehmervertretern in Aufsichtsrat und Vorstand von Unternehmen der Kohle-fördernden sowie der Eisen und Stahl erzeugenden Industrie. Es verwirklicht im Aufsichtsrat die volle paritätische Mitbestimmung.

Durch das Montan-Mitbestimmungsergänzungsgesetz von 1956 ist die paritätische Mitbestimmung auf Gesellschaften ausgedehnt worden, die von ihrem eigenen Produktionsbereich her nicht in den Montanbereich fallen, aber Unternehmen des Montanbereiches beherrschen.

Das Mitbestimmungsgesetz von 1976 verwirklicht eine nicht ganz paritätische Mitbestimmung von Arbeitnehmervertretern in den nicht zum Montanbereich gehörenden Unternehmen. Sie erfaßt Kapitalgesellschaften mit mehr als 2000 Arbeitnehmern.

Die niedrigste Stufe der Mitbestimmung in der Unternehmungsverfassung ist im Betriebsverfassungsgesetz von 1952 enthalten. Es gilt insoweit auch nach dem Inkrafttreten des Betriebsverfassungsgesetzes von 1972 für diejenigen Kapitalgesellschaften weiter, die weniger als 2000 Arbeitnehmer beschäftigen.

Das dritte wichtige Instrument sozialer Selbstverwaltung ist die *Tarifautonomie* der Gewerkschaften und der Arbeitgeberverbände oder einzelner Arbeitgeber. Sie hat ihre rechtlichen Grundlagen in der Verfassung und im Tarifvertragsgesetz.

Gem. Art. 9 Abs. 3 GG ist den Gewerkschaften und den Arbeitgeberverbänden die Regelung der »Arbeits- und Wirtschaftsbedingungen«, d. h. vor allem der materiellen Arbeitsbedingungen (Lohn, Arbeitszeit, Urlaub, soziale Sicherung etc.), überlassen. In diesem Bereich sind sie regelungs- und normsetzungsbefugt, unabhängig vom staatlichen Einfluß. Das wichtigste Regelungsinstrument der Koalitionen ist der Tarifvertrag, dessen Inhalt in freien Verhandlungen festgelegt wird. Kommen die Parteien nicht zu einer Einigung, so können sie die umstrittene Regelung durch Arbeitskampfmaßnahmen erzwingen. Aus der Verfassung (Art. 9 Abs. 3 GG) folgt insoweit, daß zwischen Arbeitgebern und Arbeitnehmern (bzw. Arbeitgeberverbänden und Gewerkschaften) ein Mindestmaß von Gleichgewicht bestehen muß. Für das Tarif- und Arbeitskampfrecht gelten die Grundsätze der Parität und des Übermaßverbotes.

Die Tarifautonomie ist gleichsam die »magna charta« der Arbeitsverfassung freiheitlicher Staats- und Wirtschaftsordnungen. Es geht dabei in erster Linie um eine staatsfreie

»Preisbildung« am Arbeitsmarkt. Die Vorstellung eines Marktes, an dem die menschliche Arbeit als »Ware« zu einem »Preis« gehandelt wird, erscheint im Hinblick auf die existentielle Abhängigkeit der Arbeitnehmer von einem ausreichenden Angebot an Arbeitsplätzen und auch wegen ihrer historisch erwiesenen wirtschaftlichen und sozialen Unterlegenheit bei schrankenlos geltender Vertragsfreiheit zunächst bedenklich. Nach einer treffenden Bemerkung von Karl Marx wird die Ware Arbeit in besonders kostbaren Behältnissen, nämlich in solchen von Fleisch und Blut, gehandelt und transportiert[14]. Die Besonderheit dieser »Marktsituation« der »Ware« Arbeit hat in allen Industriestaaten dazu geführt, daß sich das Arbeitsrecht als besondere Rechtsdisziplin herausgebildet hat. Das gilt zunächst für die umfassende staatliche Schutzgesetzgebung zugunsten der Arbeitnehmer. Dem Arbeitnehmerschutz dienen ebenso die gesetzlichen Mitbestimmungsregelungen auf allen Ebenen, die allerdings nicht auf Schutzzwecke beschränkt sind, sondern zugleich darauf zielen, die Arbeitnehmer zu gleichberechtigten, in die freiheitliche Staats- und Wirtschaftsordnug integrierten »Wirtschaftsbürgern« werden zu lassen. Aus den gleichen Gründen steht der Arbeitsmarkt unter anderen Gesetzen als die übrigen Waren- und Dienstleistungsmärkte.

Das Grundgesetz gewährleistet durch Art. 9 Abs. 3, was die Rechtsordnung sonst zu verhindern oder doch streng zu kontrollieren sucht: Die Bildung von Kartellmacht. Die Garantie der sozialen Koalitionen und ihrer tariflichen Normsetzungsbefugnisse bewirkt gleichsam »Angebotskartelle« = Gewerkschaften und »Nachfragekartelle« = Arbeitgeberverbände[15]. Das führt zu einer kartellähnlichen Vermachtung des Arbeitsmarktes im jeweiligen Tarifbereich und – unter dem Einfluß der Spitzenorganisationen beider Seiten – weit darüber hinaus.

Auf dieser Grundlage haben sich in den sozialen Koalitionen private Machtkonzentrationen von einem verfassungspolitisch bedeutsamen Ausmaß gebildet, die den Arbeitsmarkt fast souverän beherrschen und steuern können. Sie sind, wie vielfältige politische Vorgänge zeigen, nicht selten in der Lage, unmittelbar auf das hoheitliche Handeln der Staatsorgane einzuwirken oder dies mindestens zu versuchen. Für die Spitzenorganisationen beider Seiten ist der Versuch, auf die Gestaltung der staatlichen Wirtschafts- und Sozialpolitik Einfluß zu gewinnen, nach ihrem Selbstverständnis geradezu ihre wesensgemäße Aufgabe.

Diesen mächtigen Tarifparteien haben der Verfassungsgeber und der einfache Gesetzgeber eine weitreichende Normsetzungsbefugnis in den normativen Teilen der Tarifverträge verliehen. Die Grenzen dieser Normsetzungsmacht »zur Wahrung und Förderung der Arbeits- und Wirtschaftsbedingungen« (Art. 9 Abs. 3 S. 1 GG) sind allerdings ebenso vage wie umstritten.

Das geschilderte, für liberale Staats- und Wirtschaftsordnungen kennzeichnende Arbeitsmarktkonzept, das in der Tarifautonomie sein marktwirtschafts-konformes Kerninstitut hat, weist einen wichtigen Vorteil auf, nämlich den einer großen sozialen Beweglichkeit und Anpassungsfähigkeit. Anders als bei staatlich-dirigistischen Lösungen – wie etwa im Bereich zwingender staatlicher Schutzgesetze – bleibt bei ihm die freiheitliche Komponente der Privatautonomie im Grundsatz voll erhalten. Sie wird in anderer Gestalt und Qualität, nämlich auf der kollektivrechtlichen (betrieblichen und vor allem tariflichen) Ebene wiederhergestellt und gestützt, soweit sie auf der einzelvertraglichen Ebene wegen des Ungleichgewichts der Vertragsparteien zum Schaden eines angemessenen Interessenausgleichs funktionsunfähig zu werden droht.

## Die Rechtsprechung der Arbeitsgerichte

Der dritte Faktor arbeitsrechtlicher Normsetzung und damit auch recht*spolitischer* Gestaltung ist in der Rechtsprechung der Arbeitsgerichte zu sehen.

Das Zögern und die partielle Entscheidungsunfähigkeit des parlamentarischen Gesetzgebers haben nämlich zu einer exzeptionellen rechtspolitischen Tätigkeit der Arbeitsgerichtsbarkeit, insbesondere des Bundesarbeitsgerichts als letzter Instanz, geführt. Arbeitsrecht besteht daher zum großen Teil aus Richterrecht[16]. Dies gilt in erheblichem Maße etwa für das Arbeitsvertragsrecht und das Kündigungsschutz- oder das Betriebsverfassungsrecht[17]. Das gilt umfassend für das Arbeitskampfrecht[18].

Das Thema »Richterrecht und Arbeitsrecht« kann hier nicht in allen seinen Dimensionen abgehandelt werden. Das Problem ist im wesentlichen verfassungsrechtlicher Natur. Denn Richterrecht bedeutet, daß die Gerichte anstelle des regelungsverspäteten Parlaments Rechtsnormen setzen (»Ersatzgesetzgeber«). Es fehlt dem Richterrecht daher an der das Parlamentsgesetz kennzeichnenden demokratischen Legitimation. Dies erhöht seine Fragwürdigkeit im Hinblick auf das Demokratie- und mehr noch auf das Gewaltenteilungsprinzip.

Alles in allem: Richterrecht ist Notrecht. Es sollte in einer parlamentarischen Demokratie die Ausnahme, nicht die Regel sein. Das Zögern des parlamentarischen Gesetzgebers und der Wandel der technischen, ökonomischen und sozialen Fakten macht richterliche Ersatzgesetzgebung und Ergänzungsgesetzgebung allerdings in bestimmtem Umfang unvermeidbar[19]. Das bedeutet aber nicht, daß aus dem richterlichen Ausnahmerecht eine Regelerscheinung werden darf, die das Prinzip der Gewaltenteilung auf den Kopf stellt. Hier haben sich die Relationen in verfassungsrechtlich wie -politisch bedenklicher Weise verschoben.

## Wirkungsweise der arbeitsrechtlichen Regelungsmechanismen im Hinblick auf das Arbeitslosenproblem

Arbeitsrechtliche Schutzgesetze, die soziale Selbstverwaltung der Arbeitsmarktparteien und die Rechtsprechung der Arbeitsgerichte stellen das Gerüst arbeitsrechtlicher Normgebung und politischer Sozialgestaltung in dem fraglichen Sozialbereich dar.

Die sich an diese Feststellung anschließende Frage lautet: Welche Wirkungen gehen von den geschilderten Regelungsmechanismen auf den Arbeitsmarkt, genauer auf das Arbeitslosenproblem aus?

## Kündigungsschutz und Arbeitsmarkt

Die Frage sei zunächst für einen Bereich des Individualarbeitsrechts, nämlich das Kündigungsschutzrecht, erörtert. Als Beispiel mag dabei folgender Fall dienen[20]:

749

Beispiel: Die Kündigung wegen Krankheit

Die 27jährige Verlagssekretärin Annemarie S. läßt um die Jahreswende 81/82 nach fünfjähriger Betriebszugehörigkeit mit bewährter Leistungskraft plötzlich erheblich in ihrer Leistung nach. Sie weist zudem 1982 krankheitsbedingte Fehlzeiten von 95 Tagen auf. Es wird deutlich, daß sie in schwerwiegender Weise drogenabhängig ist. Von Januar bis März 1983 wird sie stationär im Krankenhaus behandelt. Anschließend geht sie in eine Entziehungskur, deren Dauer vorläufig auf 18 Monate angesetzt ist. Die endgültige Dauer der Kur wird sich erst im Laufe derselben festlegen lassen.

Der Arbeitgeber sieht also im März 1983 nach etwa 120 Krankheitsfehltagen während der zurückliegenden 12 Monate eine weitere Fehlzeit von mindestens 18 Monaten voraus. Da es sich um einen kleinen Verlag mit insgesamt fünf vergleichbaren Arbeitsplätzen handelt, sieht sich der Arbeitgeber gezwungen, den Arbeitsplatz der Frau S. anderweitig zu besetzen. Angesichts der noch zu erwartenden langen Fehlzeiten will er kündigen. Das aber erweist sich als schwierig.

Nach § 1 KSchG hängt die Wirksamkeit einer Kündigung davon ab, ob sie »sozial gerechtfertigt« ist. Zur Kündigung wegen langandauernder Krankheit hat das Bundesarbeitsgericht in einer Grundsatzentscheidung vom 25. 11. 1982[21] Richtlinien aufgestellt, die seither die gesamte gerichtliche Praxis des Kündigungsschutzes auch bei den Instanzgerichten mit gesetzesähnlicher Wirkung prägen. Dabei geht die Rechtsprechung mit vertretbaren, wenn auch sehr frag- und diskussionswürdigen Gründen davon aus, daß auch Alkoholismus, Drogenabhängigkeit und sogar Folgen eines Suizidversuches in der Regel als unverschuldete Krankheiten anzusehen seien[22].

Nach den Grundsätzen des BAG hängt die Wirksamkeit einer solchen krankheitsbedingten Kündigung von einer objektiv begründeten medizinischen Prognose ab. Eine solche Kündigung ist nur dann sozial gerechtfertigt, wenn im Zeitpunkt der Kündigung mit einer Arbeitsunfähigkeit auf *nicht absehbare Zeit* gerechnet werden muß und gerade diese Ungewißheit zu unzumutbaren betrieblichen oder wirtschaftlichen Belastungen führt.

Der Arbeitnehmer ist in solchen Fällen nach dem BAG nicht einmal verpflichtet, den Arbeitgeber von sich aus über Art und Verlauf seiner Krankheit zu informieren. Die Ursachenforschung für die Fehlzeiten liegt also primär beim Arbeitgeber. Er muß versuchen, die Fortschritte und Chancen der Genesung zu klären, bevor er kündigt. Zweifelsfälle fallen in sein Risiko.

Nach Ansicht des BAG gibt es auch keinen Erfahrungssatz, nach dem man aus einer langandauernden krankheitsbedingten Arbeitsunfähigkeit in der Vergangenheit auf eine negative gesundheitliche Konstitution in der Zukunft schließen könnte.

Der Arbeitgeber hat nach dem Bundesarbeitsgericht ferner im Zweifel Überbrückungsmaßnahmen zu ergreifen, anstatt zu kündigen. Zu diesen Überbrückungsmaßnahmen gehört nach dem BAG auch die Einstellung einer Aushilfskraft auf *unbestimmte Zeit*. Das bedeutet für den Arbeitgeber, daß diese sog. Aushilfskraft nach sechs Monaten ebenfalls unter den gesetzlichen Kündigungsschutz fällt. Der Arbeitgeber hat im Einzelfall konkret darzulegen, warum die Einstellung einer Aushilfskraft nicht möglich oder nicht zumutbar sein soll. Soweit die Grundsätze des BAG.

Im konkreten Fall der Annemarie S. ist eine objektiv gesicherte medizinische Prognose darüber, daß die Kranke auf unabsehbare Zeit arbeitsunfähig sei, nicht möglich. Sie hat im Gegenteil begründete Heilungsaussichten. Aber auch die sind unsicher. Der Verlauf der Entziehungskur muß abgewartet werden.

Im Hinblick auf die genannten Maßstäbe der Rechtsprechung muß dem Arbeitgeber von einer Kündigung abgeraten werden.

Auf den ersten Blick könnte man zufrieden von einem Triumph des sozialen Schutzgedankens im Arbeitsrecht sprechen und dieses Ergebnis als einen Erfolg des praktizierten Sozialstaates feiern. Denn man wird dem Grundansatz dieser Rechtsprechung zustimmen können, daß der Arbeitnehmer gerade während einer längeren Erkrankung sozial besonders schutzbedürftig ist.

Bei näherem Hinsehen erweist sich diese Betrachtungsweise als zu eng. Der Arbeitgeber, der über insgesamt mehr als zwei Jahre auf eine Arbeitnehmerin an einem wichtigen Arbeitplatz verzichten muß, dem ferner das volle Beweisrisiko für die Nichtabsehbarkeit der Genesung aufgeladen wird und der zudem das volle, hier besonders große Rückfallrisiko einer Drogenerkrankten zu tragen hat, ein solcher Arbeitgeber wird seine Einstellungspolitik im Unternehmen für die Zukunft gründlich revidieren. Er wird der Erforschung des Krankheitsrisikos bei Neueinstellungen eine verschärfte Aufmerksamkeit widmen.

Die Wiedereingliederung langzeitig Erkrankter in das Arbeitsleben wird, wenn sie keinen Arbeitsplatz haben, ganz beträchtlich erschwert. Anders gesagt: Der individuelle soziale Vorteil der Annemarie S., ihren Arbeitsplatz während einer Entziehungskur von ca. 18 Monaten zu behalten, wird erkauft mit einer hohen Einstellungsbarriere für solche Arbeitnehmer, die bereits einmal länger erkrankt waren und einen neuen Arbeitsplatz suchen. Der individuelle Sozialschutz zugunsten der Annemarie S., den diese Rechtsprechung bewirkt, schlägt also von einem bestimmten Intensitätsgrad an in eine kollektive Einstellungsschranke um. Das BAG hat übrigens diese Grundsätze zur Kündigung langfristig Kranker in einer späteren Entscheidung[23] entsprechend auf den Tatbestand künftiger Kurzerkrankungen eines Arbeitnehmers übertragen. Damit ist das gesamte Problemfeld »Kündigung wegen Krankheit« den geschilderten Rechtsprechungsmaßstäben unterstellt. Für die Arbeitgeberseite hat sich das Risiko solcher Kündigungen zusätzlich dadurch verschärft, daß der gekündigte Arbeitnehmer, der gegen die Kündigung klagt, einen Weiterbeschäftigungsanspruch für die gesamte Prozeßdauer hat, wenn der Betriebsrat der Kündigung nach § 102 Abs. 3 und 5 BetrVG widersprochen hat[24].

Im Ergebnis führt alles dies dazu, daß sich die Arbeitsmarktchancen kranker Arbeitnehmer erheblich verschlechtert haben.

Die Arbeitsgerichtsbarkeit der Bundesrepublik, besonders das Bundesarbeitsgericht, hat durch ausdehnende Auslegung am Parlament vorbei den Kündigungsschutz ständig verstärkt. Das hat dazu geführt, daß heute der rechtliche Bestandsschutz eines Arbeitsvertrages wesentlich stärker ausgebaut ist als der einer Ehe. Wen kann es wundern, daß die Arbeitgeber, insbesondere Klein- und Mittelbetriebe, die Einstellung neuer Arbeitskräfte ähnlich gründlich überlegen wie die Eingehung einer neuen Ehe. Beides kann teuer werden. Unter dem Gesichtspunkt des Bestandsschutzes allein müßte man einem Kleinverleger, der eine Sekretärin sucht, fast raten, die geeignete Bewerberin zu heiraten, statt sie einzustellen. Die heitere Kennzeichnung des Problems darf nicht über den Ernst seiner Arbeitsmarktfolgen hinwegtäuschen.

## Folgen des Kündigungsschutzes für spezielle Personengruppen

Diese Erkenntnis bestätigt sich, beobachtet man einmal die Arbeitsmarktentwicklung der vergangenen Jahre. Dabei fällt auf, daß die Arbeitslosenquote sozial besonders geschützter Arbeitnehmer von der Durchschnittsquote auf signifikante Weise abweicht – und zwar nach oben! Einige Zahlen mögen dies verdeutlichen:

Die Arbeitslosenquote der Schwerbehinderten lag im September 1984 bei 11,6 Prozent, die der Frauen bei 10,2 Prozent, während die Durchschnittsquote im selben Zeitraum bundesweit bei 8,6 Prozent lag. Von den 55–60jährigen Arbeitnehmern waren im September 1983 9,6 Prozent ohne Arbeit. Die durchschnittliche Arbeitslosenquote lag damals bei »nur« 8,6 Prozent[25].

Die Arbeitslosigkeit trifft also offensichtlich solche Personengruppen in besonders hohem Maße, zu deren Schutz spezielle Kündigungsschutzbestimmungen bestehen. Von dieser Feststellung ist es dann kein weiter Schritt zu einer zweiten: Frauen, Schwerbehinderte, ältere Arbeitnehmer sind gerade deshalb besonders häufig von Arbeitslosigkeit betroffen, *weil* zu ihren Gunsten ein besonders ausgeprägter Kündigungsschutz geschaffen wurde.

Diese Formulierung ist bewußt provokativ und überspitzt gewählt, ihrer Aussage nach angesichts der vielfältigen auf den Arbeitsmarkt einwirkenden Faktoren sicherlich auch von Vergröberungen nicht frei. Das nimmt ihr jedoch im Kern nichts von ihrer Berechtigung: Offensichtlich schrecken viele Arbeitgeber wegen des geltenden Kündigungsschutzrechts vor Neueinstellungen zurück.

Aufschlußreich sind in diesem Zusammenhang die Ergebnisse einer Untersuchung der sozialwissenschaftlichen Forschungsgruppe des Max-Planck-Instituts für ausländisches und internationales Privatrecht aus dem Jahre 1978[26]. Die Frage »Wirkt sich das geltende Kündigungsschutzrecht auf ihre Auswahlentscheidung bei Neueinstellungen aus?« beantworteten 60 Prozent der 562 angesprochenen Unternehmen mit »ja«. 40 Prozent erklärten darüber hinaus, sie würden nach Möglichkeit keine Schwerbehinderten einstellen. 34 Prozent gaben an, wegen des Kündigungsschutzrechts allgemein weniger Einstellungen vorzunehmen, als aus Gründen der Produktivität erforderlich wären.

Diese Zahlen beweisen eines: Arbeitsrechtlicher Sozialschutz entfaltet nicht nur Wirkungen zugunsten der in einem Arbeitsverhältnis Stehenden. Er übt gleichzeitig einen – negativen – Einfluß auf die Einstellungsbereitschaft der Arbeitgeber aus. Die Verfasser der genannten Studie sprechen hier von der »Frühwirkung der Kündigungsschutznormen«. Das Wort mag in den Ohren von 2,2 Millionen arbeitssuchenden Arbeitslosen wie blanker Hohn klingen. Es verdeutlicht aber eines:[27]

Die »Doppelwirkung« des arbeitsrechtlichen Sozialschutzes

Arbeitsrechtlicher Sozialschutz erweist sich in der Zeit der Beschäftigungskrise als zweischneidiges Schwert. Je stärker man den Sozialschutz ausbaut und damit im Ergebnis die realen Arbeitskosten verteuert, desto häufiger wird ein Arbeitgeber von der Einstellung neuer Arbeitnehmer Abstand nehmen und statt dessen lieber zu Rationalisierungsmaßnahmen oder anderen Kostensenkungsstrategien greifen. Dies gilt für die Beschäftigung neuer Arbeitnehmer an *bestehenden,* erst recht und vermehrt aber für die Standortentscheidung bei *zu errichtenden* Produktionsanlagen.

Am Ende bleibt daher nur die Erkenntnis: Arbeitsrechtlicher Sozialschutz wirkt so, wie er von den Gerichten ausgestaltet wurde, auf die Einstellungschancen der 2,2 Millionen Arbeitslosen in der Bundesrepublik Deutschland wenig förderlich ein. Er hat im Gegenteil die Einstellungsbereitschaft der Unternehmen geschwächt und die Neigung, die Überstundenquoten auszudehnen, verstärkt. Wer solche möglichen Konsequenzen aufweist, erntet Mißtrauen und Empörung, setzt sich dem Mißverständnis aus, er wolle den sozialen Fortschritt zurückdrehen, den mühsam erkämpften Sozialschutz der Arbeitnehmer abbauen. Der Vorwurf geht fehl. Denn es geht um den Nachweis einer vielleicht schmerzlichen, aber unleugbaren Wahrheit. Sie lautet: Arbeitsrechtlicher Sozialschutz ist, wenn er wirksam sein und bleiben soll, an die Funktionsgrenzen des sozialen, ökonomischen und politischen Gesamtsystems gebunden. Wird die Kostensumme des Faktors Arbeit im internationalen Vergleich über das Maß der Wettbewerbsfähigkeit hinaus verteuert, so wirkt sich das unter marktwirtschaftlichen Bedingungen auf die Nachfrage nach der menschlichen Arbeit aus.

Die Rückbesinnung auf die Zusammenhänge zwischen Sozialschutz und Funktionsfähigkeit der Wirtschaftsordnung ist ein vitales Interesse gerade der Arbeitnehmer, und zwar der arbeitenden wie – erst recht – der arbeitslosen. Wer diesen Zusammenhang verdrängt, verhält sich objektiv unsozial und, aufs Ganze gesehen, arbeitnehmerfeindlich. An dieser Einsicht ist nicht zu rütteln.

*Sozialplankosten und Arbeitsmarktfolgen*

Auch im Bereich des kollektiven Arbeitsrechts führen übersteigerte Schutznormen leicht zum Gegenteil des Gewollten. Als Beispiel sei die Rechtsprechung zu den Sozialplanleistungen genannt. Zur Anschauung kann ein Fall dienen, der sich vor einigen Jahren im Bodenseeraum zugetragen hat:

Ein größeres Unternehmen des Maschinenbaus will einen kostenungünstig arbeitenden Teilbetrieb mit ungünstiger geographischer Lage zu den Hauptproduktionsstätten verkaufen und stillegen. Die Zahl der betroffenen Arbeitnehmer beträgt 220. Ein an der Übernahme interessiertes ausländisches Unternehmen will den Betrieb und 150 der 220 Arbeitnehmer übernehmen, wenn die Sozialplankosten im Rahmen des Gesamtgeschäfts auf DM 2,2 Millionen begrenzt werden können. Der Betriebsrat besteht auf einem Kostenrahmen von 3 Millionen DM für den Sozialplan. Langwierige Verhandlungen über diesen Punkt enden ergebnislos. Das ausländische Unternehmen verzichtet auf die Übernahme. Statt der 70 Arbeitnehmer im Fall der Übernahme verlieren alle 220 ihren Arbeitsplatz.

Der erzwingbare Sozialplan, um den es in diesem Fall geht, ist 1972 in das neue Betriebsverfassungsgesetz aufgenommen worden, § 112 BetrVG. Er sichert den betroffenen Arbeitnehmern, die aus Betriebsänderungen oder Stillegungen Nachteile erleiden, etwa gar den Arbeitsplatz verlieren, einen materiellen Ausgleich zu, hauptsächlich in der Form von Abfindungszahlungen. Die gesetzliche Einrichtung solcher erzwingbarer Sozialpläne, die vom Betriebsrat auch gegen den Willen der Geschäftsleitung vor der betrieblichen, paritätischen Einigungsstelle durchgesetzt werden können (§ 112 Abs. 2–4 BetrVG), ist im Grundsatz eine begrüßenswerte Regelung des arbeitsrechtlichen Sozialschutzes.

Der finanzielle Umfang ist jedoch, wie das Beispiel zeigt, für die Unternehmen eine beträchtliche Belastung. Diese kann im Krisenfall für das Unternehmen eine Existenzgefahr werden. Abfindungszahlungen zwischen 15 und 50 Tausend DM an einzelne ausgeschiedene Arbeitnehmer sind in der Sozialplanpraxis keine Seltenheit.

Solche vorhersehbaren Belastungen können die Willensbildung gefährdeter Unternehmen dahin beeinflussen, vom Markt her notwendige Betriebsänderungen wegen der Sozialplankosten aufzuschieben oder ganz zu unterlassen. Es wäre interessant zu wissen, wie viele Betriebe in der letzten Rezession nur deshalb in Konkurs gegangen sind, weil sie die Sozialpläne für eine notwendige Schrumpfung nicht mehr zahlen konnten und deshalb rechtzeitige betriebliche Marktanpassungen unterließen oder wie viele in Bedrängnis geratene Unternehmen von anderen, gesunden Firmen nur deshalb nicht übernommen wurden, weil diese für ein Jahr eine volle Beschäftigungsgarantie hätten geben müssen (§ 613a Abs. 1 BGB). Das oben geschilderte Beispiel stellt keinen Einzelfall dar[28].

Verstärkt wurden die den Unternehmen durch die Aufstellung von Sozialplänen entstehenden Belastungen nicht zuletzt durch die Rechtsprechung des BAG[29]. Hingewiesen sei beispielshalber auf die Entscheidung vom 22. 5. 1979[30], durch die der Begriff der »Betriebsänderung« auch auf den Fall des bloßen Personalabbaus ohne Minderung von Produktionsanlagen ausgedehnt wurde[31], oder auf den Beschluß vom 17. 8. 1982[32], wonach bei jedem Betriebsänderungstatbestand zugleich wesentliche Nachteile für die Belegschaft oder erhebliche Teile der Belegschaft als gegeben unterstellt werden.

Auch die Auffassung, wonach der Sozialplan nicht bloß Überleitungs- und Vorsorgefunktion habe[33], sondern einen Ausgleich im Sinne einer Entschädigung für einen Rechtsverlust gewähre[34] – (das impliziert, daß in der Möglichkeit der Aufstellung von Sozialplänen über den bloßen Sozialschutz hinaus ein Stück »Recht am Arbeitsplatz« verwirklicht ist) – kann sich auf Äußerungen des BAG stützen[35]. Dies alles führt zu einer Tendenz unverhältnismäßig hoher Sozialplanleistungen, die von der Spruchpraxis der Einigungsstellen und der Arbeitsgerichte bestärkt und verfestigt wird.

Das am 1. 5. 1985 in Kraft getretene Beschäftigungsförderungsgesetz 1985[36] soll hier Abhilfe schaffen. Darauf wird später noch einzugehen sein. An dieser Stelle ist nur der folgende Hinweis wichtig:

Die hohen wirtschaftlichen Belastungen durch Sozialpläne, die sich als Folge der Rechtsprechung ergeben, haben wesentlich dazu beigetragen, die Arbeitgeber bei Personaldispositionen zu vorsichtiger Zurückhaltung zu veranlassen. Jede Verteuerung des

Faktors Arbeit im internationalen Vergleich wirkt sich auf die Wettbewerbsfähigkeit der Unternehmen aus. Dies hat unter marktwirtschaftlichen Bedingungen nachteilige Folgen für die Nachfrage nach menschlicher Arbeit. Im Klartext: Auch hier wirkt sich arbeitsrechtlicher Sozialschutz, so wie er von der Rechtsprechung ausgestaltet worden ist, zum Nachteil der Arbeitslosen aus.

## *Tarifautonomie und Arbeitsmarkt*

### Dezentralisierung oder Erstarrung?

Die Tarifautonomie ist in erster Linie ein Instrument der staatsfreien Vergütungsregelung (»Preisbildung«) am Arbeitsmarkt[37]. Weil es für objektiv »gerechte« Arbeitsentgelte in liberalen Staats- und Gesellschaftsordnungen keine verläßlichen Beurteilungsmerkmale gibt, hält sich der Staat aus dem Preisbildungsprozeß am Arbeitsmarkt, abgesehen von gesetzlichen Mindestlohnregelungen für tarifpolitisch nicht organisierbare Bereiche, weitgehend heraus. Er geht, wie das Bundesverfassungsgericht in mehreren Entscheidungen zur Begründung der Verfassungsgarantie für ein freies Tarifsystem ausgeführt hat[38], davon aus, daß die Beteiligten selbst in privatautonom gestalteten Verträgen am besten regeln können, was ihren Interessen entspricht.

Die Tarifautonomie enthält also ein starkes, kollektivrechtlich abgewandeltes Element der Privatautonomie und der gruppenspezifisch organisierten Selbstbestimmung. Sie dient dazu, die am Arbeitsmarkt durch das Ungleichgewicht der Parteien des Einzelarbeitsvertrages in ihrer Funktionsfähigkeit gestörte Vertragsfreiheit wiederherzustellen. Sie ist also eine *Schwester der Marktwirtschaft,* weil sie der *staatsfreien Preisregelung* am Arbeitsmarkt dient. Tarifautonomie und Marktwirtschaft hängen insoweit unlösbar zusammen.

Die Parallele zur Marktwirtschaft hat allerdings Grenzen, weil die Ausrichtung der Tarifautonomie an der Regelungsmacht starker Verbände zu einer starken Vermachtung des Arbeitsmarktes führt. Wenige starke Tarifparteien, und diese maßgeblich bestimmt von einflußreichen kleinen Führungsstäben, haben in der Tarifautonomie großen Einfluß auf die volkswirtschaftlich ungemein bedeutsame Festlegung der materiellen Arbeitsbedingungen ganzer Branchen. Das Regulativ des Wettbewerbs, das für die übrigen Waren- und Dienstleistungsmärkte eine maßgebliche Rolle spielt, ist am Arbeitsmarkt – wo der schrankenlose Wettbewerb wegen des Ungleichgewichts der Einzelvertragsparteien zur erneuten Verelendung der Arbeitnehmer führen könnte – durch ein intendiertes Machtgleichgewicht der Tarifparteien ersetzt.

Die so durch die Verfassung (Art. 9 Abs. 3 GG) und das Tarifvertragsgesetz gewährleistete Tarifautonomie soll dazu dienen, durch Vergütungsregelungen, die von beiden Arbeitsmarktparteien ausgehandelt und notfalls ausgekämpft wurden (auch der verfassungsrechtlich gewährleistete Arbeitskampf ist »Preiskampf am Arbeitsmarkt«), zu einem angemessenen Ausgleich der beiderseitigen Interessen zu kommen. Bedenkt man die außergewöhnliche Bedeutung und Tragweite der Festlegung der Arbeitsentgelte für das gesamtwirtschaftliche Geschehen, so wird die wichtige volkswirtschaftliche Steuerungs-funktion deutlich, die einer funktionsfähigen Tarifautonomie zukommt.

Dieser Steuerungsfunktion der Tarifautonomie entspricht eine Orientierung der jeweils abzuschließenden Tarifverträge an den »Arbeits- und Wirtschaftsbedingungen« (Art 9 Abs. 3 GG) der jeweils konkret abschließenden Tarifvertragsparteien. Eines der wesentlichen Merkmale des für die Bundesrepublik Deutschland geltenden Tarifsystems ist das Prinzip der fachlichen und räumlichen Gliederung. Durch die Aufteilung der Tarifabschlüsse nach den einzelnen Wirtschaftszweigen und in aller Regel noch einmal nach regionalen Tarifbezirken ergibt sich eine Dezentralisierungsmöglichkeit der inhaltli-chen Tarifgestaltungen. Sie gestattet die Anpassung der jeweiligen Abschlüsse an die besonderen Gegebenheiten und Notwendigkeiten des jeweiligen fachlichen und regiona-len Tarifbezirks. Erst dadurch wird die volkswirtschaftlich erwünschte Orientierung der Abschlüsse an den unterschiedlichen Marktsituationen in den jeweiligen Branchen und Regionen möglich. Erst die Differenzierungsmöglichkeit schafft jene Elastizität des Tarif-systems gegenüber unterschiedlichen Marktlagen, welche die staatsfreie Tarifautonomie als das marktwirtschaftskonforme Steuerungsinstrument der Arbeitsentgelte erscheinen läßt.

Bundesweit geltende, einheitliche Arbeitsbedingungen gab es in der Regel nur dort, wo der Wettbewerb an einem einheitlichen Markt einheitliche Arbeitsbedingungen erforder-lich machte, z. B. im Presse- und Druckbereich. Im übrigen ist das fachlich und regional stark aufgegliederte Tarifsystem mit der zusätzlichen Möglichkeit des Abschlusses beson-derer Tarifverträge für einzelne Unternehmen (»Haustarife« oder firmenbezogene Ver-bandstarife) auf ein Höchstmaß von Differenzierungsmöglichkeiten nach den jeweiligen Gegebenheiten angelegt.

In der Tarifpraxis der letzten 15 Jahre sind diese Möglichkeiten tarifpolitischer Diffe-renzierung und Elastizität zunehmend vernachlässigt worden. Es verbreitete sich unter dem Einfluß der beiderseitigen Spitzenorganisationen ein Trend zu einem jeweils bran-chenbezogenen »Bundeseinheitstarif«. Typischerweise liefen die jährlichen Tarifrunden so ab, daß eine der »tarifführenden« Gewerkschaften in einem möglichst konjunkturstar-ken Industriezweig (bisher in der Regel die Metallverarbeitung oder Chemie) und in einem günstigen (ertragsstarken und konfliktfähigen) »Schlüsselbezirk« einen Modellab-schluß aushandelte oder auch erkämpfte, der dann im Grundsatz unverändert auf alle anderen Tarifbezirke des Wirtschaftszweiges übertragen wurde. Auf den Inhalt des Modellabschlusses nehmen die zentralen Organisationsgremien beider Tarifparteien einen maßgeblichen Einfluß. Oft war in den letzten Jahren zu beobachten, daß ein solches Tarifmodell ohne Modifikationen auch auf ganz andere Wirtschaftszweige übertragen wurde.

Branchenspezifische oder regionale Differenzen der Konjunktur- und Ertragslage, der Unternehmensgrößen, strukturbedingte Verschiedenheiten der einzelnen Wirtschafts-zweige und Tarifgebiete, Abweichungen der Arbeitsmarktsituation, das alles bleibt bei solchen pauschalen Übertragungen eines tariflichen Schlüsselmodells regelmäßig außer Betracht. Die daraus folgenden »Bundeseinheitstarife« für ganze Branchen oder sogar für Gruppen von Wirtschaftszweigen bedeuten eine qualitative Veränderung der Wirkun-gen der Tarifpolitik und der Struktur des Arbeitsmarktes.

Dem kann nicht entgegengehalten werden, daß die jährlichen Tarifabschlüsse mit ihren quantitativen (meist prozentualen) Veränderungen der materiellen Arbeitsbedingungen auf unterschiedliche Tarifsockel übertragen werden und so geeignet seien, gerade die bestehenden Sockeldifferenzen zu verstärken oder doch zu befestigen.

Die Ausgangsbedingungen der verschiedenen Tarifbezirke und Branchen sind zwar in der Regel verschieden. Die gleichartige Aufstockung führt also nicht zu effektiv völlig gleichen Vergütungsstrukturen. Gleichwohl waren eine sehr starke Uniformierung und Zentralisierung für die Entwicklung der Tarifpolitik in den letzten Jahren unverkennbar. Die bundesweite Übernahme von »Modellabschlüssen« für ganze Branchen führte dazu, daß die marktwirtschaftskonforme Steuerungselastizität der Tarifautonomie weitestgehend verlorenging. Ungleiche regionale und fachspezifische Strukturen der einzelnen Wirtschaftszweige wurden realitätswidrig gleichbehandelt. Die Praxis der Bundeseinheitstarife blockierte die rechtzeitige, von der Marktlage her gebotene Anpassung an grundlegend gewandelte ökonomische Gegebenheiten. Die Kartellmacht der Tarifparteien bewirkte eine Erstarrung und Zementierung sachwidriger Arbeitsmarktregulierungen.

Tarifautonomie und Arbeitskampffreiheit in der Beschäftigungskrise

Zur Funktionsfähigkeit der staatsfreien Tarifautonomie ist es erforderlich, daß beim Scheitern der Tarifverhandlungen eine Lösung des Tarifkonfliktes gefunden werden kann. Die Rechtsordnung hält hier zwei Konfliktlösungsinstrumente bereit, nämlich die freiwillige Schlichtung und den tarifbezogenen Arbeitskampf.

Zur Tarifautonomie gehört, wie seit 1968 (»Notstandsverfassung«) auch das Grundgesetz (Art. 9 Abs. 3 GG) anerkennt, ein Kernbereich von Arbeitskampffreiheit. Die rechtliche Ausgestaltung dieser Arbeitskampffreiheit der sozialen Koalitionen, wie sie vom Grundgesetz vorgesehen ist, hat wichtige Folgen für die Entwicklung des Arbeitsmarktes.

Auch hier lassen sich seit einiger Zeit rechtstatsächliche und rechtspolitische Entwicklungen beobachten, die zu der Frage Anlaß geben, ob das geltende Arbeitskampfrecht den im Zuge der sich verschärfenden Wirtschafts- und Beschäftigungskrise auftretenden Problemsituationen noch gewachsen ist.

1. Als Beispiel ist der Tarifkonflikt in der Druck- und Metallindustrie vom Frühsommer 1984 zu nennen. Dieser Tarifkonflikt, der sich in der Druckindustrie über 13 und in der Metallindustrie über 7 Wochen hinzog, hat der Bundesrepublik Deutschland den härtesten und für beide Seiten sowie für die Allgemeinheit schadensträchtigsten Arbeitskampf seit 1945 gebracht.

Die direkten Produktionsausfälle werden auf ca. 12 Milliarden DM geschätzt, von denen allerdings ein Teil später durch gesteigerte Produktion (Sonderschichten) nachgeholt werden konnte. Die IG Metall zahlte aus ihrer Streikkasse nach eigenen Angaben etwa 500 Millionen DM Unterstützungsgelder an ihre Mitglieder. Die öffentlichen Hände wurden von erheblichen Steuerausfällen getroffen.

Die Zahlen sprechen für sich. Tarifkonflikte dieser Größenordnung und mit derartigen

Schadenswirkungen für die Beteiligten und für die gesamte Bevölkerung sind nicht ohne ernste Systemschäden und Arbeitsmarktfolgen wiederholbar.

Erzielt wurde eine Einigung mit einem Kostenrahmen von ca. 4 Prozent/Jahr bei einer Laufzeit von mehr als zwei Jahren. Dieser Kostenrahmen liegt durchaus auf der Linie von Tarifabschlüssen in anderen Wirtschaftszweigen, die etwa zur gleichen Zeit friedlich und ohne sich über Monate hinziehende »Sozialschlacht« vereinbart wurden.

2. Wesentliches Ergebnis des nach mühsamen Verhandlungen erzielten Kompromisses ist die Verkürzung der Arbeitszeit auf wöchentlich 38,5 Stunden, wobei für Teile des Betriebs, für einzelne Arbeitnehmer oder für Gruppen von Arbeitnehmern unterschiedliche wöchentliche Arbeitszeiten zwischen 37 und 40 Stunden festgelegt werden können[39].

Ob von dieser sog. 38,5-Stunden-Woche positive Wirkungen auf den Arbeitsmarkt ausgehen, läßt sich bislang nicht sicher sagen. Da die geänderte Arbeitszeit erst zum 1. April 1985 in Kraft getreten ist, liegen verläßliche Zahlen für das gesamte erfaßte Gebiet noch nicht vor. Nur in Teilbereichen der größeren Unternehmen werden Einstellungen zur Erhaltung der Maschinenlaufzeiten in der Produktion gemeldet. Ob insgesamt, insbesondere im Investitionsbereich, positive Effekte von der Verkürzung der Wochenarbeitszeit ausgehen, ist bisher nicht ermittelt. Sehr wahrscheinlich erscheint dies jedoch nicht. Denn die neue Regelung ist für die Unternehmen mit einer erneuten deutlichen Kostensteigerung verbunden. Ab 1. Juli 1984 wurden die Tariflöhne und -gehälter überdies um 3,3 Prozent, ab 1. April 1985 um 2 Prozent erhöht. Zusätzliche Lohnprozente verstärken die ohnehin in der Wirtschaft vorhandenen Rationalisierungstendenzen. Sie gefährden bestehende und verhindern die Schaffung neuer Arbeitsplätze. Die IG Metall hat deshalb vor 1984 dreimal nacheinander reale Lohnminderungen, also Steigerungen unterhalb der Inflationsrate, hingenommen. Das ist beachtenswert.

Das Verhältnis von Kampfaufwand und Kampfertrag im Konflikt 1984 wird allgemein, also auch auf Arbeitgeber- und Gewerkschaftsseite, als unverhältnismäßig und unvertretbar angesehen.

3. Aus dieser Erkenntnis stellt sich die Frage nach der fortdauernden Funktionsfähigkeit des Systems der Tarifautonomie. Hat die Tarifautonomie im Frühsommer 1984 versagt?

Die Beantwortung dieser Frage setzt eine Analyse der Gründe für die ungewöhnliche Härte, mit der der – auch als »Wirtschaftsbürgerkrieg« bezeichnete – Arbeitskampf in der Druck- und in der Meallindustrie geführt wurde, voraus.

a) Die langjährige Wirtschafts- und Beschäftigungskrise hat die Rahmenbedingungen einer bewährten vertrauensvollen Zusammenarbeit der Arbeitsmarktparteien auf allen Ebenen (Arbeitsvertrag, Betriebsverfassung, Unternehmensmitbestimmung, Tarifautonomie, gesamtwirtschaftliche Beziehungen) einschneidend verändert. Die »Arbeitsbeziehungen« in der Bundesrepublik Deutschland insgesamt befinden sich in einer Krise:

Die Sozialpartnerbeziehungen haben sich auf *allen* genannten Ebenen verschärft. Aus bewährter, international beachteter und sozialordnungsfestigender Kooperation droht dauerhafte reale und ideologisch überhöhte Konfrontation zu werden. Die Handlungs- und Verhandlungsspielräume aller Beteiligten sind durch die Wirtschafts- und Beschäftigungskrise, also auch durch Auswirkungen des verschärften internationalen Wettbewerbs, wesentlich enger geworden. Diese »Krise der Arbeitsbeziehungen« wird besonders deutlich auf der Tarifebene.

b) Der Arbeitskampf 1984 hatte weiter eine Reihe von Besonderheiten, die für den Gesamtzustand der Tarifautonomie kennzeichnend sind. Es fand eine Überlagerung zweier rechtlich selbständiger Arbeitskämpfe (Druck- und Metallindustrie) statt. Die Kernforderung (35-Stunden-Woche bei vollem Lohnausgleich) war identisch. Die Kumulation der Kampfstrategien führte zu einer wechselseitigen, mindestens psychologischen Steigerung der Kampfwirkungen in der Sicht der öffentlichen Meinung.

Der Schlüssel zum Verständnis dieses Konfliktes ist diese rigorose Forderung nach der 35-Stunden-Woche, über deren Kostenrahmen die Parteien streiten. Sie mußte in der Wirtschaftslage, in der sie deklariert wurde, auf erbitterte Ablehnung der Gegenseite stoßen. Die Arbeitgeber vermuteten von Anfang an, daß mit dieser Forderung der Weg in den Arbeitskampf für die IG Metall aus innergewerkschaftlichen Gründen programmiert werden sollte. Sie setzten gleichwohl der kämpferischen Forderung ein kombiniertes Angebot aus Lohnerhöhung, Vorruhestand und Arbeitszeitflexibilisierung entgegen. Die IG Metall lehnte das ab. In der Frage der Wochenarbeitszeit standen sich die Positionen unversöhnlich gegenüber.

Die im Kernpunkt bundesweit einheitliche Forderungsstruktur für mehrere Wirtschaftszweige sollte eine generelle Weichenstellung in der Arbeitszeitpolitik bringen. Die langfristige Bedeutung dieser Weichenstellung wird deutlich, wenn man weiß, daß 1984 (also *vor* der tariflichen Arbeitszeitverkürzung) die deutschen Arbeiter im Durchschnitt real etwa 1400 Jahresstunden, die Schweizer etwa 1800 Jahresstunden arbeiteten. Die Meinungen im DGB zu dieser Strategie waren und sind geteilt. Während HBV und ÖTV mit der IG Metall und der IG Druck solidarisch sind, verfolgen die IG Chemie, die IG Bau, die IG Textil und andere abweichende Tarifziele.

c) Im Druck- und Metallbereich wird diese Ausgangslage des Arbeitskampfs 1984 durch zusätzliche Umstände gekennzeichnet.

Das Sozialpartnerklima in den beiden 1984 umkämpften Industriezweigen ist traditionell schlechter als etwa in der Chemie-, Bau- oder Textilindustrie. Das aktuelle Verhältnis der Tarifparteien im Druck- und Metallbereich muß als gespannt und kritisch bezeichnet werden. Die beiden »angreifenden« Gewerkschaften haben – zumindest nach ihrem Selbstverständnis – eine besondere Führungsrolle in der Arbeiterbewegung inne, die sie auch für die Arbeitszeitfrage reklamierten. In den Verbänden beider Seiten sind seit mehreren Jahren deutliche Flügeldifferenzen, vielleicht muß man sagen Flügelkämpfe, auszumachen, die sich vor allem an der »Härte« des aktuell einzuschlagenden Tarifkurses, aber auch der tarifpolitischen Langzeitstrategie entzünden. Die Entscheidungsfähigkeit beider Seiten in tariflichen Spannungslagen wird zusätzlich durch komplizierte und schwierig zu handhabende Entscheidungsmechanismen (»Rückbindung an die Basis«) eingeschränkt. Eine Begrenzung und Kanalisierung solcher Konfliktlagen durch die beiderseits akzeptierte Steuerung ausstrahlungskräftiger Führungspersönlichkeiten wird durch die stärkere Gewichtung, sei es basisdemokratischer, sei es bürokratischer Herrschafts- und Entscheidungsstrukturen, immer schwieriger. Folgerichtig sind informelle Spitzengespräche beider Seiten ohne vorgefertigte und publizierte Protokolle selten geworden.

Die Folge war der Aufbau unversöhnlicher Tarifpositionen vor Beginn der Tarifverhandlungen, die eine friedliche Einigung wegen der Unüberbrückbarkeit der Differenzen von vornherein erschweren oder ausschließen. Das trifft für den Tarifkonflikt 1984 in besonderem Maße zu.

d) Die beiden Gewerkschaften IG Druck und IG Metall haben als Folge der geschilderten grundlegenden technologischen und ökonomischen Veränderungen drängende Strukturprobleme zu bewältigen. Die IG Druck und Papier hat in weniger als zehn Jahren durch die Einführung des rechnergesteuerten Fotosatzverfahrens die Kernmannschaft ihrer Mitgliedschaft verloren: Es gibt (fast) keine Setzer mehr. Sie waren einmal eine Elite der Arbeiterbewegung. Welche Gewerkschaft kann in ihrem Gesamtverhalten als Tarifpartei und als Ordnungsfaktor des Arbeits- und Wirtschaftslebens unbeeindruckt bleiben, wenn sie tragende Kerngruppen ihrer bisherigen Organisationsmacht schwinden sieht?

Die IG Metall fürchtet als Folge anhaltender Automatisierungs- und Rationalisierungsstrategien erhebliche Arbeitsplatzverluste und -gefährdungen in ihrer Branche. Beide Gewerkschaften sehen sich seit mehreren Jahren mit dem Ende einer dreißigjährigen Phase ständig expansiver Lohnpolitik konfrontiert. Sie mußten mehrfach (1981–1983) reale Einkommensminderungen ihrer Mitglieder tarifvertraglich absegnen. Das ist für die Funktionäre und die Gewerkschaftsbürokratie schwer zu verdauen. Unmut hatte sich angestaut.

Für ehemals stolze, im Kampf um ständig bessere Arbeitsbedingungen führende Gewerkschaften bedeutete dies die Gefährdung oder gar den Verlust ihrer Attraktivität und Glaubwürdigkeit vor ihren Mitgliedern. Sie sind auf der Suche nach (neuen) Legitimationsgründen. Das Arbeitszeitthema war und ist ein solcher Versuch, der allerdings den Mitgliedern schwer zu vermitteln war.

e) Beide Gewerkschaften beherbergen nicht unbedeutende Gruppen, welche als Antwort auf die Folgen der Wirtschaftskrise das wirtschaftliche, gesellschaftliche und politische Gesamtsystem der Bundesrepublik Deutschland in Frage stellen, an dessen Erfolgen sie über Jahrzehnte hin mitgewirkt und partizipiert haben. Systemloyalität ist aber auf Dauer nur von Partnern zu erwarten, die frei sind von existentieller und organisationspolitischer Existenzangst. Und um ihre Existenz bangen die Gewerkschaften. Die anhaltend hohe Arbeitslosigkeit hat nicht nur ihre Mitgliederzahlen schrumpfen lassen, Angst um den Arbeitsplatz dämpft auch die Kampffreude ihrer verbliebenen Mitglieder. Die traditionell kämpferischen Arbeitnehmergruppen werden kleiner, die Mobilisierung der übrigen wird für die Gewerkschaften in der Zukunft ein Überlebensproblem.

In der öffentlichen und auch in der innergewerkschaftlichen Diskussion wird nicht selten die tarifpolitische und teilweise auch die generelle politische Radikalisierung bestimmter Gewerkschaften festgestellt und beklagt. Tatsächlich ist ein gewisser partieller Radikalisierungsprozeß unbestreitbar. Dieser spielt sich aber eher in den mittleren Funktionärsschichten als an der breiten Basis oder an der Spitze ab. Ihn auf besonders radikale Führungspersönlichkeiten zurückzuführen, hieße, einer verkürzten Sicht des Problems Vorschub zu leisten. Sicher ist der personelle Faktor in beiden Gewerkschaften – gerade nach dem latent vollzogenen Generationenwechsel – nicht zu unterschätzen. Gleichwohl sind die Verschärfungen der Gangart in dieser Runde eher eine Folge ernster organisationspolitischer und ideologischer Unsicherheiten der beteiligten Gewerkschaften.

Manche der nicht gerade seltenen Arbeitskampfexzesse 1984, besonders im Druckbereich, sind hauptsächlich auf die Hilflosigkeit oder auch auf die ohnmächtige Wut mancher Funktionärsgruppen gegenüber dem nicht verarbeiteten technologischen Wandel in ihren Branchen zurückzuführen.

f) Auch die Arbeitgeberseite hat unter den veränderten technischen, ökonomischen und sozialen Bedingungen mit Anpassungsproblemen der Tarifstrategie zu kämpfen. Das alte, über Jahrzehnte hin geübte Funktionsschema »Gewerkschaftsforderung ./. Zurückweisung durch die Arbeitgeberseite als unerfüllbar« führt in der neuen Lage und angesichts der vorzeitig deklarierten Extrempositionen nicht mehr zu einem friedlichen Interessenausgleich.

Die Arbeitgeber haben begonnen, das einzusehen und neue Wege zu suchen. Die Mentalität, ökonomische oder soziale »Besitzstände« als unantastbar anzusehen, ist aber immer noch auf beiden Seiten verbreitet; entsprechend schwer fällt es auch den Arbeitgebern, bisher gehaltene Positionen unter veränderten Bedingungen kritisch zu überdenken. Die konstruktive Phantasiefähigkeit der Tarifparteien bekommt für die Tarifautonomie existentielle Bedeutung, wenn die Handlungs- und Verteilungsspielräume kleiner werden, die Tarifforderungen sich strukturell verändern und auch der Tarifpartner in einer Anpassungskrise steht.

Phantasie muß nicht etwa falsche Nachgiebigkeit gegenüber dem Gegenspieler bedeuten. Die neuen Sachverhalte vom radikal veränderten Arbeitsmarkt über die Einführung neuer Technologien bis zu den Strukturveränderungen ganzer Wirtschaftszweige erfordern aber von beiden Tarifparteien wesentlich mehr tarifpolitische Beweglichkeit und neue, die Interessen des Gegenspielers mitberücksichtigende, konstruktive Regelungsmodelle.

g) Die weitgehende Politisierung des Tarifkonfliktes 1984 war eine weitere Besonderheit. Sie hatte mehrere Ursachen und Aspekte. Die Forderung nach einer Verkürzung der Wochenarbeitszeit um 5 Stunden (also um 12,5 Prozent) bei vollem Lohnausgleich in der gegebenen Wirtschafts- und Arbeitsmarktlage betraf nicht nur die Tarifparteien, sondern das Gesamtsystem. Tarifpolitik wurde – zum Teil offen deklariert – als Instrument der allgemeinen Politikveränderung aufgefaßt. Die Gewerkschaften machten Front gegen den »Sozialabbau«, die »Wende-Politik« und die Koalition aus Konservativen und Kapitalisten, als welche die Bundesregierung und die (überwiegend von Arbeitnehmern gewählte) Parlamentsmehrheit bezeichnet wurde.

Der Bundeskanzler gab der Diskussion über die Politisierung des Tarifkonfliktes einen neuen Schub, indem er die Forderung nach weniger Arbeit bei vollem Lohnausgleich für die aktuelle Wirtschaftslage im Vorfeld der Tarifverhandlungen in ihrer Wirkung auf die Wirtschaftsentwicklung und den Arbeitsmarkt als »dumm und töricht« bezeichnete. Die Gewerkschaften sahen darin eine massive politische Einmischung in die Tarifautonomie. Die zahlreichen Solidaritätsbekundungen der SPD-Führung mit den Tarifforderungen der Gewerkschaften rundeten den Tatbestand der Politisierung des Konfliktes ab. Sie hat dazu beigetragen, die Verhärtung der Standpunkte, die sich aus der Lage der Tarifparteien und aus der verbandsmäßigen Interessenrepräsentation ohnehin ergab, zusätzlich zu verschärfen.

4. Trotz aller widrigen Vorgänge, Begleiterscheinungen und Folgeschäden haben die

Tarifparteien den Konflikt letzten Endes im Rahmen eigenverantwortlich vereinbarter (und sogar aktuell in der Kampfsituation gemeinsam geänderter) Verfahren beigelegt und von beiden Seiten akzeptierte Lösungen der Streitfragen gefunden. Im Grundsatz hat sich die Tarifautonomie daher auch 1984 wieder bewährt.

Das lange Zeit international hochgeachtete deutsche Modell eines kooperativen Interessenausgleichs am Arbeitsmarkt und das Vertrauen in die tragenden Institutionen haben jedoch Risse bekommen. Konnte man bisher gelegentliche Arbeitskämpfe als notwendige Betriebskosten einer freiheitlichen kollektivvertraglichen Sozialgestaltung einordnen, so weckte die Gesamtorganisation dieses Tarifkonflikts erstmals Erinnerungen daran, daß Arbeitskämpfe auch Elemente des Faustrechts enthalten und zu einem »Wirtschaftsbürgerkrieg« gegen eine ungeliebte Wirtschafts- und Sozialordnung entarten können. Die Bundesrepublik Deutschland geht aus dieser – am Ergebnis gemessen – überflüssigen Sozialschlacht nicht nur mit materiellen Blessuren und mit gemindertem Vertrauen ausländischer Handelspartner und Anleger (»Arbeitsplatzproduzenten«!) hervor. Sie hat eine gesellschaftspolitische Bewußtseinskrise zu überwinden. Wo sind die Grenzen der Arbeitskampffreiheit? Ist Tarifautonomie eine Veranstaltung von Dauerpartnern mit unterschiedlichen Interessen oder ein Klassenkampf ohne Rücksicht auf die Existenz des Gegenspielers und die Erfordernisse des Gemeinwohls?

Die staatsfreie Tarifautonomie hat sich auch 1984, trotz der Irrwege dieses Konfliktes, trotz Fehlkalkulationen beider Seiten und trotz der überflüssigen Kampfschäden, letztlich bewährt. Sie ist als Ordnungsmittel einer freiheitlichen Gesellschaftsordnung – und nur in freiheitlichen Gemeinwesen gibt es staatsfreie Tarifautonomie – unverzichtbar. Aber: Die Funktionsbedingungen und die Spielregeln dieser Tarifautonomie werden nicht mehr gesehen oder sogar bewußt überdehnt.

5. Trotz der offenkundigen Krisen- und Schieflage der Tarifautonomie darf diese – bei all ihren Schwächen und Risiken – nicht vorzeitig aufgegeben werden. Die Tarifparteien müssen sich allerdings auf die Grundbedingung dieser Einrichtung, nämlich auf eine konstruktive und vertrauensvolle Zusammenarbeit, besinnen. Sie liegt im Interesse beider Seiten. Sie liegt vor allem aber im Interesse der Arbeitslosen. Ihnen ist mit einer Wiederholung der »Sozialschlacht« am wenigsten gedient: Jede Belastung der Volkswirtschaft muß letztlich zu einer Verschärfung der Beschäftigungskrise führen. Lippenbekenntnisse zugunsten der Arbeitslosen, wie sie aus beiden Lagern bekannt sind, können nicht darüber hinwegtäuschen, daß Tarifpolitik im Stile des Jahres 1984 zuvörderst an den Interessen der Mitglieder orientiert ist.

Letzten Endes besteht auch nach dem Arbeitskampf 1984 kein Anlaß zur Resignation. Die Bundesrepublik Deutschland ist immer noch, nach Österreich und der Schweiz, eines der arbeitskampfärmsten Industrieländer der westlichen Welt. Das hat neben anderen zwei Gründe:

Der eine ist die starke Stellung der DGB-Gewerkschaften im Arbeits- und Wirtschaftsleben der Bundesrepublik Deutschland. Sie führte dazu, daß bei uns die negativen Folgen des tarifpolitischen Verdrängungswettbewerbs ideologisch formierter Richtungsgewerkschaften weitgehend entfielen.

Der andere Grund ist das Mitbestimmungssystem in der Bundesrepublik Deutschland. Die zahlreichen Mitwirkungs- und Mitbestimmungsrechte der Arbeitnehmer, der

Betriebsräte und der Gewerkschaften haben ungeachtet aller Probleme, die es dadurch gibt, ein hohes Maß von Kooperationsbereitschaft und Integrationsbewußtsein der Arbeitnehmer und der Gewerkschaften bewirkt. Diese gesetzlich verankerte Mitbestimmung ist eine konsequente Frucht der deutschen nationalen und Sozialgeschichte. Zwei verlorene Weltkriege, zwei zerrüttete Währungs- und Wirtschaftsordnungen bildeten die Ausgangslage, in der jeweils eine Art »Kooperationsvertrag« zwischen den Gewerkschaften und den Arbeitgebern zustande kam. Die Mitbestimmung im Geiste vertrauensvoller Zusammenarbeit auf allen Ebenen war nach diesen Sozialkatastrophen eine gesellschaftspolitische Notwendigkeit staatlicher Stabilität und wirtschaftlicher Gesundung.

In diesem Sinne sind auch heute, nach 1984, Tarifautonomie und Mitbestimmung die Eckpfeiler eines Systems kooperativer Gestaltung der Arbeitsbeziehungen, um das uns viele andere Staaten beneiden. Sie tragen ein bislang erfolgreiches soziales Modell. Sein Fortbestand ist abhängig von dem Maß, in welchem sich beide Seiten um Kooperationsbereitschaft und Kompromißfähigkeit bemühen und ihrer gesamtgesellschaftlichen Verantwortung bewußt werden. Weitermachen wie bisher genügt nicht.

## Zwischenergebnis

Das arbeitsrechtliche Instrumentarium arbeitet zu langsam und zu schwerfällig, als daß es geeignet wäre, unmittelbar und kurzfristig einen Wandel der Arbeitsmarktlage zu bewirken.

Veränderungen auf dem Arbeitsmarkt haben zwar Entwicklungen im Bereich des Arbeitsrechts und umgekehrt zur Folge. Es findet also eine Reaktion »Arbeitsrecht ./. Arbeitsmarkt« statt. Diese Reaktion erfolgt jedoch mit beträchtlicher zeitlicher Verzögerung. Durch verfehlte oder überholte Regelungen im Arbeitsrecht werden aber unzweifelhaft Fehlentwicklungen auf dem Arbeitsmarkt verstärkt.

1. Das Gesagte gilt für alle Arbeitsrechtsregelungen, besonders für das gesetzliche Arbeitsrecht. Die in der Praxis bedeutsamsten Schutzgesetze entstanden in den 60er und frühen 70er Jahren bzw. wurden in diesen Jahren grundlegend umgestaltet. Sie stammen also aus Zeiten der Voll- und Überbeschäftigung. Das gilt beispielsweise für das Kündigungsschutzgesetz (1969), das Mutterschutzgesetz (1968) oder das Betriebsverfassungsgesetz (1972).

Der damalige Gesetzgeber hatte ausschließlich solche Arbeitnehmer im Blick, die in einem festen Arbeitsverhältnis standen. Sie sollten vor unbilligen Härten – Kündigung während einer Schwangerschaft, sozial nicht gerechtfertigte Kündigung älterer Arbeitnehmer mit langjähriger Betriebszugehörigkeit, Personalabbau bei Betriebsänderungen ohne Absicherung der Entlassenen – bewahrt werden.

Nicht bedacht wurde, daß derartige Maßnahmen des Sozialschutzes die Kosten des Faktors Arbeit verteuern und so die Schwelle für die Einstellung neuer Arbeitnehmer erhöhen. Diese – negativen – Folgewirkungen wurden erst in Zeiten der Wirtschafts- und Beschäftigungskrise sichtbar. Der Weg von der Problemerkenntnis bis hin zur Entwicklung von neuen Lösungsansätzen sollte nochmals lange Jahre in Anspruch nehmen. Das Jugendarbeitsschutzgesetz ist am 21. 10. 1984 novelliert worden, das Beschäftigungsförderungsgesetz trat am 1. 5. 1985 in Kraft – nach 10 Jahren Massenarbeitslosigkeit. Es waren dies die ersten, den arbeitsrechtlichen Sozialschutz in Teilbereichen einschränkenden Maßnahmen.

Die Gesetzgebungsmaschinerie arbeitet überaus langsam und schwerfällig. Dies liegt nicht nur an der komplizierten Verfahrensweise. Der parlamentarische Gesetzgeber wird sich im Zweifel immer nur zu solchen Regelungen aufraffen, für die relativ breite und, parteipolitisch gesehen, koalitionsübergreifende Mehrheiten zu erwarten sind. Arbeitsrechtliche Regelungen mit knappen Regierungsmehrheiten sind Belastungsproben für die jeweilige Koalition und den inneren Frieden. In gewisser Hinsicht liegt in der beschränkten gesetzgeberischen Handlungsfähigkeit aber auch ein Gutes: Die sich immer wieder ändernden Verhältnisse auf dem Arbeitsmarkt hätten sonst möglicherweise eine Vielzahl hektisch zusammengeschusterter Gesetze zur Folge; und die bringen am Ende mehr Schaden als Nutzen.

Wichtig ist jedoch die Einsicht: Bei der Verwirklichung von Gesetzesvorhaben, die dem Sozialschutz dienen wollen, sollten deren Auswirkungen unter sich verschlechternden äußeren Bedingungen mehr als bisher in die Betrachtung einbezogen werden. Die aktuelle Auseinandersetzung über die Einführung eines Erziehungsgeldes bei gleichzeitiger Arbeitsplatzgarantie stimmt in dieser Hinsicht allerdings nicht optimistisch.

2. Das Gesagte gilt auch für die Rechtsprechung der Arbeitsgerichte.

Sie ist großenteils gekennzeichnet durch die Einübung langjähriger Regelungsgewohnheiten, die den gründlich veränderten wirtschaftlichen Verhältnissen nicht mehr voll gerecht werden. Deutlich wird dies am Fall der Annemarie S.[40]. Dieses Beispiel zeigt, daß das Richterrecht im Arbeitsrecht eine ausgeprägte *ökonomische* Funktion hat. Es schafft und verteilt materielle Ansprüche und Kosten, welche den Ablauf des Wirtschaftsprozesses maßgeblich beeinflussen können. Diese Umverteilung wird vom Bundesarbeitsgericht am Parlament vorbei vorgenommen.

Die Rahmenbedingungen für die Kostenzuteilung haben sich nun aber nachhaltig geändert. Über Jahrzehnte hin konnten die Arbeitsgerichte bei der Belastung der Arbeitgeberseite mit zusätzlichen Kosten als Folge ihrer Rechtsfortbildung davon ausgehen: Das Unternehmen wird's schon tragen können. Jetzt ist die Lage anders: Weitere, im Gesetz nicht vorgesehene Kostenfolgen aus richterlicher Rechtsfortbildung haben unmittelbare und mittelbare arbeitsmarktpolitische Wirkungen. Anders ausgedrückt:

Kostensteigerndes Richterrecht ist geeignet, die Arbeitslosenquote zu steigern und die Überlebenschancen schwacher Unternehmen zusätzlich zu schmälern. Die Zeiten, da die Arbeitsgerichte in Regelungsfragen materielle Umverteilungsmaßnahmen aus dem Füllhorn einer unerschütterlich erscheinenden Finanzkraft der Unternehmen vornehmen konnten, sind vorüber. Es ist eine falsche Vorstellung, wenn man lange gemeint hat, die Unternehmen seien Wesen, die im Himmel gefüttert würden und auf Erden nur gemolken werden müßten.

Die Problematik hat einen rechtspolitischen Hintergrund[41]: Den Gerichten ist von der Verfassung in erster Linie der Bereich der *Rechtsanwendung* zugewiesen. Richterrecht ist immer nur Notrecht. Zu rechts- oder sozialpolitisch motivierten Eingriffen oder gar Übergriffen in den gesetzlichen Normbestand sind die Gerichte nicht befugt. Sie verstoßen damit gegen die Verfassung.

Das Bundesverfassungsgericht mußte die über lange Jahre hinweg praktizierte Fehleinschätzung der überzogenen politischen Rolle auf seiten der Arbeitsgerichtsbarkeit mehrfach korrigieren. Es ging im einzelnen um das Zugangsrecht betriebsfremder Gewerkschaftsbeauftragter zu kirchlichen Einrichtungen[42], um die Ausschlußklauseln bei betrieblichen Pensionszulagen[43], um die Annahme unbefristeter Arbeitsverträge für ständige »freie Mitarbeiter« bei Rundfunkanstalten[44] und um die richterrechtliche Konstruktion einer Gruppe 0 in § 61 Abs. 1 KO für Sozialplanansprüche[45]. Insbesondere in der letztgenannten Entscheidung hat das Bundesverfassungsgericht die begrenzte Reichweite des Sozialstaatsprinzips für die richterliche Konstruktion von im Gesetz nicht geregelten, neuen Ansprüchen betont. Wörtlich heißt es dort:

»Das Sozialstaatsprinzip des Grundgesetzes enthält infolge seiner Weite und Unbestimmtheit regelmäßig keine unmittelbaren Handlungsanweisungen, die durch die Gerichte ohne gesetzliche Grundlage in einfaches Recht umgesetzt werden könnten. . . . Es zu verwirklichen ist in erster Linie Aufgabe des Gesetzgebers . . . Die Erwägungen des BAG hierzu . . . machen deutlich, daß es sich aus im wesentlichen *sozialpolitischen* Gründen zu seinem Eingriff in das Ranggefüge der Konkursordnung entschlossen hat.«

Die Differenz, die sich hier zwischen dem Bundesverfassungsgericht und dem Bundesarbeitsgericht in der Frage der Zulässigkeitsgrenzen richterlicher Rechtsfortbildung und richterlicher Gesetzeskorrektur zeigt, ist grundlegender Natur. Sie betrifft Kernfragen der begrenzten Rolle der Gerichte im gewaltenteilenden Rechtsstaat. Es geht zugleich um richterlich-eigenmächtige, vom Gesetz nicht gedeckte Eingriffe in die Arbeitsmarktstruktur.

Das Thema ist mit den genannten Entscheidungen des Bundesverfassungsgerichts zwar in aller Schärfe gestellt, aber nicht etwa gelöst. Die Arbeitsgerichtsbarkeit zeigt traditionell die Neigung, den von ihr sozialstaatlich für geboten erachteten Sozialschutz auch ohne gesetzliche Grundlage und gegen rechtsstaatliche Schranken der Gewaltenteilung richterrechtlich durchzusetzen.

Demgegenüber ist mit dem Bundesverfassungsgericht an der begrenzten Normsetzungskompetenz der Gerichte festzuhalten. Gerichte sind an »Gesetz und Recht« gebunden. Sie haben die bestehende Rechtsordnung anzuwenden und im Lückenbereich notfalls zu ergänzen und fortzubilden. Ihre Rechtsfortbildungsaufgabe ist jedoch durch zwingendes Gesetzesrecht begrenzt. Wo danach Raum ist für Richterrecht, weil eine gesetzliche Regelung fehlt (nicht etwa ein bestehendes Gesetz dem Richter mißfällt), dort haben sie die Lücke nach den Maßstäben der Gesamtrechtsordnung auszufüllen. Ihre Aufgabe ist es, die bestehende Rechtsordnung in der Lücke »fortzuschreiben«, nicht aber vorhandene Gesetze zu verdrängen und eine neue, ihnen gewünscht erscheinende Ordnung richterrechtlich zu erlassen (Art. 1 Abs. 2 schweizerisches ZGB sagt zur rechtsfortbildenden Rolle des Richters sehr treffend: »Er folgt dabei bewährter Lehre und Überlieferung«).

Gerichte sind keine Instanzen zur Ersatzvornahme rechtspolitischer Reformstrategien. Solches richterliches Handeln setzt die Normsetzungsregeln der Verfassung und damit das Demokratieprinzip außer Kraft. Das Richterrecht ist daher nur in einem sehr begrenzten Umfang in der Lage, den tiefgreifenden Strukturveränderungen in der Arbeitswelt Rechnung zu tragen.

3. Das eingangs Gesagte gilt schließlich, in abgeschwächter Form, auch für den Bereich der sozialen Autonomie und hierbei wiederum besonders für die Tarifautonomie.

Die traditionell geübte Tarifpolitik wurde unter den Bedingungen der Hochkonjunktur und der Vollbeschäftigung konzipiert. Unter den gewandelten Umständen ist sie zweifelhaft, ja sogar ökonomisch unsinnig geworden. Das alte, über Jahrzehnte hin angewandte Funktionsschema »Gewerkschaftsforderung – Zurückweisung durch die Arbeitgeber« führt angesichts der angespannten wirtschaftlichen Lage und der damit verbundenen Einengung der Handlungsspielräume der Beteiligten nicht mehr zu einem befriedigenden Interessenausgleich. Dies gilt insbesondere dann, wenn die Herbeiführung durch vorzeitige Festlegung auf Extrempositionen erleichtert werden soll. Die Mentalität, ökonomische und soziale Besitzstände als unantastbar anzusehen, ist bei beiden Tarifparteien verbreitet. Entsprechend schwer fällt es ihnen, bislang behauptete Positionen angesichts der veränderten wirtschaftlichen Gegebenheiten zu überdenken.

Von der real betriebenen Tarifpolitik der letzten Jahre – einschließlich 1984 – gehen auf den Arbeitsmarkt insgesamt eher negative Wirkungen aus. Das läßt eine Reihe ökonomischer Daten vermuten, zu denen die Schwarzarbeit, die umfangreiche Dauerarbeitslosigkeit und Kurzarbeit sowie die Investitions- und Einstellungsscheu besonders der kleinen und mittleren Unternehmen zählen. Die bisher geübte Tarifpolitik erweckt – gemessen an ihren Folgen – den Eindruck, daß beide Tarifpartner ihre Strategie allen gegenteiligen Lippenbekundungen zum Trotz maßgeblich an den Interessen ihrer jeweiligen zahlenden Mitglieder orientieren. Die Arbeitslosen sind in der realen Tarifpolitik nicht oder schlecht repräsentiert. Für das Arbeitslosenproblem ist von dieser praktizierten Aufgabenerfüllung der Tarifparteien keine Besserung zu erwarten.

Dennoch haben die Regelungsinstrumente der sozialen Selbstverwaltung (Betriebsvereinbarung, Tarifvertrag, Unternehmensmitbestimmung) gegenüber der staatlichen Normsetzung im Arbeitsleben (Gesetzgebung und Richterrecht) den in seiner Bedeutung bisher kaum voll erkannten und genutzten Vorteil größtmöglicher Elastizität gegenüber neuen Sachverhalten, Wertungsprioritäten und Regelungsbedürfnissen. Sie können stärker differenzieren, sind zudem nicht auf Dauer angelegt, sondern werden laufend überprüft, und sie beruhen auf der Einigung der jeweils sachnächsten Regelungsinstanzen. Die Normsetzer werden von dem Vereinbarten auch selbst betroffen.

Das staatliche Arbeitsrecht hingegen ist seiner Entstehung und Bestimmung gemäß in der Regel auf die bundeseinheitliche und (einseitig) zwingende Normierung bestimmter Sachverhalte ausgerichtet. Es ist, einmal in Kraft gesetzt, starr und schwer abänderbar, kennt selten ausreichende regionale, branchenspezifische oder nach der Größe der Unternehmen abgestufte Differenzierungen. Es arbeitet im großen und ganzen nach dem »Rasenmäher-Prinzip«.

Dieser Trend zu Einheitsregelungen hatte in der Zeit der Hochkonjunktur und der Überbeschäftigung auch die Regelungspraxis der sozialen Selbstverwaltung, besonders die Tarifpolitik beider Seiten, erfaßt. Bis in die letzten Monate hinein war und ist die geschilderte Praxis der sog. Bundeseinheitstarife für ganze Wirtschaftszweige trotz starker regionaler Konjunktur- und Ertragsdifferenzen zu beobachten. Auch die einheitliche Proklamation der 38,5- bzw. 35-Stunden-Woche für ganz verschiedene Wirtschaftszweige mit sehr unterschiedlichen ökonomischen und sozialen Rahmenbedingungen kennzeichnet das Denken in unreflektierten, pauschalen Kategorien ohne Arbeitsmarktverantwortung. Diese Praxis hatte plausible Entstehungsgründe. Sie läuft jedoch, wie jetzt auch Vertreter von Spitzenverbänden erkannt und offen bekannt haben, der quasi-marktwirtschaftlichen Preisbildungsfunktion der Tarifautonomie am Arbeitsmarkt zuwider. Sie ist unter den gewandelten Umständen tarifpolitisch wie ökonomisch unsinnig geworden.

## Flexibilisierung als Modell der Zukunft

### Deregulierung und Differenzierung als Entkrampfungstherapie

Der neue Trend zu sinnvollen Differenzierungen der Arbeitsbedingungen hat im großen Tarifkonflikt 1984 und der ihn beendenden Schlichtung sein Schlagwort erhalten. Es heißt »Flexibilisierung«. Das ist kein auf die damals umkämpfte Arbeitszeitverteilung begrenztes Problemfeld.

Die von den Tarifparteien in der Arbeitszeitfrage freiwillig – nicht ohne Handlungszwänge beider Seiten, aber ohne jeden Druck der Schlichter – vollzogene Trendwende zur Auflockerung und Differenzierung der Arbeitsbedingungen nach technischen, ökonomischen und sozialen Gesichtspunkten ist kein punktuell und isoliert zu sehender Vorgang. Ihm liegt die Einsicht zugrunde, daß die totale Einheit und Starrheit der kollektiven Arbeitsbedingungen von Kiel bis Konstanz kein quasi naturrechtliches und überzeitlich gültiges Prinzip der Tarif- und Betriebsgestaltung sein muß. Die Aufrechterhaltung sachwidrig gewordener Einheitsregelungen bei ungleichen Branchen- oder regionalen Verhältnissen kann dazu beitragen, die ohnehin schwierige Arbeitsmarktlage weiter zu verschärfen und die Beschäftigungsinteressen der Arbeitnehmer zu schmälern.

Die »Flexibilisierung« stößt, wie der Vollzug der Arbeitszeittarife von 1984 gezeigt hat, bei den Konservativen und Traditionalisten *beider* Arbeitsmarktparteien auf Widerstände. Das hat Gründe. Sie erfordert weit mehr Regelungsphantasie als der Einheitstopf egalitärer Lösungen. Sie verlagert teilweise Regelungs- und Entscheidungskompetenzen auf untere Ebenen, schmälert also den Einfluß und die Macht der Verbandsspitzen und verlagert zugleich damit auch Reibungs- und Konfliktpotentiale von der Tarifebene in die Unternehmen und Betriebe.

Flexibilisierung der Arbeitsbedingungen kann die Ausprägung unterschiedlicher Arbeitnehmergruppen, kann Einkommens- und soziale Rangunterschiede innerhalb der Arbeitnehmerschaft fördern. Wer Anhänger einer möglichst egalitär gedachten und organisierten Arbeitnehmerschaft ist, hat Schwierigkeiten, die Notwendigkeiten und die Chancen der Flexibilisierung der Arbeitsbedingungen, die auch und gerade im Interesse der Arbeitnehmer liegen, kurzfristig zu erkennen.

In der Durchführung kann die Flexibilisierung für einzelne Arbeitnehmergruppen zusätzliche soziale Schutzprobleme und das Risiko von individuellen Einkommensminderungen mit sich bringen. Sie muß also von den Arbeitsmarktparteien in sozial vertretbarer Weise organisiert und praktiziert werden.

Andererseits liegt in der sachgerechten Differenzierung und Flexibilisierung der kollektiven Arbeitsbedingungen eine große systemkonforme Chance, die Herausforderung zu bewältigen, die von den Strukturwandlungen der Arbeitswelt und von den Lähmungserscheinungen auf dem Arbeitsmarkt an das Arbeitsrecht gestellt werden. Gegenüber der durch pauschale Einheitsabschlüsse geförderten Erstarrung muß ein Grundsatz der möglichen und effektiven De-Regulierung des Arbeitsmarktes treten. Das setzt Bewußtseinsveränderungen auf beiden Seiten voraus. Das Denken ausschließlich im Geiste der Wahrung von »Besitzständen« ist der Anpassung an neue Realitäten feindlich. Soziale Beweglichkeit im Sinne einer Erhaltung und Stärkung freiheitlicher Ordnungsstrukturen liegt im Interesse beider Arbeitsmarktparteien.

Die Hauptlast der Bewältigung neuer Gegebenheiten in der Arbeitswelt wird auf die Regelungsmechanismen der sozialen Autonomie der Arbeitsmarktparteien zukommen. Tarifverträge, Unternehmensmitbestimmung und Betriebsvereinbarungen haben also die Last der erforderlichen Anpassungsstrategien des Arbeitsrechts an den veränderten Arbeitsmarkt zu tragen.

## Instrumente

Auf welchem Wege und mit welchen Mitteln läßt sich ein Mehr an Flexibilität in der Arbeitswelt erreichen?

### Tariföffnungsklauseln

Eine Möglichkeit besteht in der Vereinbarung von Tariföffnungsklauseln. Die Tarifpartner lassen dabei durch ausdrückliche Ermächtigung im Tarifvertrag zu, daß durch Betriebsvereinbarung in gewissen Grenzen von den Regelungen des Tarifvertrages abgewichen bzw. diese Regelungen für den jeweiligen Betrieb konkretisiert werden können (vgl. § 77 Abs. 3 BetrVG und § 4 Abs. 3 Fall 1 TVG).

Ein Beispiel für eine solche Tariföffnungsklausel findet sich in dem Manteltarifvertrag für die Arbeiter und Angestellten der Metallindustrie in Nordwürttemberg/Nordbaden in der Fassung vom 3. Juli 1984. Wesentlicher Inhalt dieses Manteltarifvertrages, durch den der Arbeitskampf 1984 in der Metallindustrie beendet wurde, ist die Verkürzung der Wochenarbeitszeit auf im Durchschnitt 38,5 Stunden, wobei die Festlegung der individuellen Arbeitszeit innerhalb einer Spanne von 37 bis 40 Stunden/Woche durch Betriebsvereinbarung erfolgen kann.

§ 7.1 des Tarifvertrages lautet: »Die tarifliche wöchentliche Arbeitszeit ohne Pausen beträgt 38,5 Stunden. Die Arbeitszeit im Betrieb wird im Rahmen des Volumens, das sich aus dem für den Betrieb festgelegten Durchschnitt aller Vollzeitbeschäftigten ergibt, durch *Betriebsvereinbarung* geregelt. Dabei können für Teile des Betriebs, für einzelne Arbeitnehmer oder für Gruppen von Arbeitnehmern unterschiedliche wöchentliche Arbeitszeiten festgelegt werden.

Die individuelle regelmäßige wöchentliche Arbeitszeit kann zwischen 37 und 40 Stunden (Vollzeitbeschäftigte) betragen. Die Spanne zwischen 37 und 40 Stunden soll angemessen ausgefüllt werden. Dabei sind die betrieblichen Bedürfnisse zu berücksichtigen«.

Der unbestreitbare Vorteil dieser Regelung liegt darin, daß die endgültige Festlegung der individuellen Arbeitszeit jeweils »vor Ort« im Betrieb durch Betriebsrat und Arbeitgeber vereinbart wird. Das Letztentscheidungsrecht wird also – im Rahmen der genannten zeitlichen Grenzen – den Instanzen übertragen, die sich durch größtmögliche Sachnähe auszeichnen und daher besser als die Tarifparteien die für den jeweiligen Betrieb geltenden regionalen, wirtschaftlichen, technischen und sozialen Besonderheiten berücksichtigen können. Dabei steht den Betriebspartnern eine breite Palette von Gestaltungsmöglichkeiten zur Verfügung[46]. Das Flexibilisierungskonzept wird somit nicht nur den Interessen des Arbeitgebers, sondern vor allem auch denen des einzelnen Arbeitnehmers gerecht.

Für eine derartige Arbeitszeitflexibilisierung sprechen nach Auffassung des Instituts der Deutschen Wirtschaft auch Modellrechnungen, wonach diese mittelfristig gesamtbetriebliche Kostenvorteile bringen und gleichzeitig beschäftigungswirksamer als eine kollektive Arbeitszeitregelung sein soll[47].

Mit der oben wiedergegebenen Klausel haben die Tarifpartner in Nordwürttemberg/ Nordbaden als »Branchen-Vorreiter« nicht nur sozialpolitisches, sondern auch juristisches Neuland betreten.

Gegen ihre rechtliche Zulässigkeit werden verschiedentlich Bedenken erhoben[48]. Diese beziehen sich im wesentlichen auf die Außenseiterproblematik sowie auf die tarifvertragliche Ermächtigung der Betriebspartner zur Festsetzung der regelmäßigen wöchentlichen Arbeitszeit; dies wird als Überschreitung der Tarifautonomie angesehen. Die gegen die Tariföffnungsklausel vorgetragenen Bedenken sind m. E. letztlich nicht überzeugend[49]. Die wissenschaftliche Diskussion ist allerdings noch im Gang[50].

## *Gesetzgeberische Maßnahmen zur Förderung der Flexibilisierung*

»Flexibilisierung« ist nicht nur eine Aufgabe der Arbeitsmarktparteien. Auch der Gesetzgeber muß ihr gegenüber den Vereinheitlichungstrends des Arbeitsrechts in der Vergangenheit im Interesse einer Entspannung und Öffnung am Arbeitsmarkt größere Chancen einräumen. Das gilt ganz besonders für jene Festschreibungstendenzen, die am Parlament vorbei durch eine kostenblinde Rechtsprechung eingeführt worden sind und die die gegenwärtige Einstellungsscheu maßgeblich mit verursacht haben. Dem Gesetzgeber stehen bei der Förderung von Flexibilisierungstendenzen in der Arbeitswelt zwei Möglichkeiten zur Verfügung: Er kann einmal seine Regelungskompetenz in bestimmten Fragen auf die Arbeitsmarktparteien, insbesondere die Tarifpartner, übertragen. Ein Mehr an Flexibilisierung wird hier also durch das Tätigwerden der Sozialpartner aufgrund staatlicher Ermächtigung verwirklicht.

Der Gesetzgeber kann aber auch unmittelbar auf das einzelne Arbeitsverhältnis einwirken und innerhalb desselben flexiblere Gestaltungsmöglichkeiten schaffen oder überholte, negativ wirkende zwingende Vorschriften einschränken oder aufheben (»Deregulierung«).

Gestaltung durch die Sozialpartner aufgrund gesetzlicher Ermächtigung

Der erstgenannte Weg zu mehr Flexibilität im Arbeitsleben läßt sich durch Schaffung gesetzlicher Öffnungsklauseln beschreiten, die zulassen, daß die Tarifpartner von bestimmten Vorschriften des Gesetzes nicht nur zugunsten, sondern auch zu Lasten der Arbeitnehmer abweichen können.

Derartige Öffnungsklauseln finden sich zum Beispiel in §§ 616 Abs. 2 S. 2 und 622 Abs. 3 BGB, in §§ 2 Abs. 3 LFZG, 13 Abs. 1 S. 1 BUrlG und 7 AZO sowie neuerdings auch in § 6 des Gesetzes über arbeitsrechtliche Vorschriften zur Beschäftigungsförderung (BeschFG) vom 26. April 1985[51] und § 21 § 21a des geänderten Jugendarbeitsschutzgesetzes[52].

1. In § 6 BeschFG werden die Tarifvertragsparteien zu Abweichungen von den Bestimmungen des Gesetzes über die Teilzeitarbeit ermächtigt. So können sie z.B. vereinbaren, daß die Teilzeitarbeit erst von einer bestimmten Arbeitszeitdauer an in den tariflichen Geltungsbereich fällt[53].

Das Verbot der Ungleichbehandlung teilzeitbeschäftigter Arbeitnehmer im Verhältnis zu vollzeitbeschäftigten wegen der Teilzeitarbeit gilt allerdings auch für die Tarifpartner, die von der Ermächtigung des § 6 Gebrauch machen. § 2 Abs. 1 BeschFG ist insoweit im Rahmen des Art. 3 Abs. 1 GG tariffest, ohne daß dies in § 6 BeschFG ausdrücklich gesagt wird[54].

Das geänderte Jugendarbeitsschutzgesetz sieht in § 21a vor, daß durch Tarifvertrag und sogar durch Betriebsvereinbarung aufgrund eines Tarifvertrages von den Arbeitszeitgrundnormen abgewichen werden kann. So ist es z.B. zulässig, die höchstzulässige Arbeitszeit zu verlängern (§ 21a Abs. 1 Nr. 1) und Mindestpausen und Mindestruhezeiten zu verkürzen (§ 21 § 21a Abs. 1 Nr. 2). Dabei werden allerdings vom Gesetz bestimmte Ober- und Untergrenzen gezogen, die in den erhöhten Anforderungen an den Gesundheitsschutz Jugendlicher ihren Grund haben.

2. Die Schaffung tarifdispositiven Gesetzesrechts folgt der Erkenntnis, daß die Tarifvertragsparteien sachlich gebotene Abweichungen von den Gesetzesregelungen oft besser als der Gesetzgeber beurteilen können und daß sie dabei auch die Schutzinteressen der Arbeitnehmer in der Regel ausreichend berücksichtigen. Es wird also zum einen die größere Sachnähe der Tarifpartner anerkannt: Diese können viel stärker differenzieren, ihr Regelungen den Erfordernissen des einzelnen Beschäftigungsbereichs schneller und leichter anpassen und auch regionalen Besonderheiten Rechnung tragen[55]. Insofern gilt das oben zu den Tariföffnungsklauseln zwecks Zulassung abweichender Betriebsvereinbarungen Ausgeführte entsprechend. Zum anderen liegt ein Vorteil derartiger Öffnungsklauseln darin, daß solche im tarifdispositiven Bereich getroffenen Regelungen auf einer *Einigung* der Tarifpartner, also nicht auf einem Akt zwangsweiser staatlicher Rechtssetzung, beruhen. Das bedeutet, daß die Tarifpartner einerseits stärker als bisher in die Regelungsverantwortung einbezogen sind, daß sie andererseits aber auch größere Einflußmöglichkeiten haben, die sie nutzen können, um die vom starren gesetzlichen Arbeitsrechtsschutz ausgehenden negativen Auswirkungen auf die Beschäftigungslage zu vermeiden oder zu mildern.

Gesetzliche Öffnungsklauseln zwecks Zulassung abweichender Tarifvereinbarungen sind daher zur Förderung der Flexibilisierung in der Arbeitswelt zu begrüßen[56].

Auch der Gesetzgeber hat ihre Bedeutung erkannt und bedient sich ihrer, wie die Beispiele aus dem Beschäftigungsförderungsgesetz und dem Jugendarbeitsschutzgesetz zeigen, in zunehmendem Maße. Für das geplante Arbeitszeitgesetz ist ebenfalls die Verwendung derartiger Klauseln vorgesehen (§ 4 des Regierungsentwurfs)[57]. In der Literatur wird teilweise ihre Ausdehnung auf weitere Bereiche, wie z. B. den Kündigungsschutz und die Dauer und Höhe der Lohnfortzahlung im Krankheitsfall, vorgeschlagen[58].

## Gestaltung durch den Gesetzgeber

Im Laufe der vergangenen Monate sind mehrere Gesetzesvorhaben verwirklicht worden, die allesamt dem Ziel zu dienen bestimmt sind, mehr Flexibilität innerhalb des einzelnen Arbeitsverhältnisses zuzulassen und so den Arbeitsmarkt zu entlasten.

In diesem Zusammenhang ist an erster Stelle das *Beschäftigungsförderungsgesetz* zu nennen, das am 1. Mai 1985 in Kraft getreten ist. Seine wichtigsten arbeitsrechtlichen Regelungen seien hier kurz skizziert[59]. Es sind dies
– der erleichterte Abschluß befristeter Arbeitsverträge,
– der bessere Schutz für Teilzeitarbeit sowie
– die Änderungen der Sozialplanvorschriften im Betriebsverfassungsgesetz.

Das Gesetz über arbeitsrechtliche Vorschriften zur Beschäftigungsförderung (Art. 1 des BeschFG) enthält in seinem § 1 Bestimmungen über die erleichterte Zulassung befristeter Arbeitsverträge.

Vom 1. Mai 1985 bis zum 1. Januar 1990 ist es demnach zulässig, die einmalige Befristung des Arbeitsvertrages bis zur Dauer von 18 Monaten zu vereinbaren, wenn
– der Arbeitnehmer neu eingestellt wird oder
– der Arbeitnehmer im unmittelbaren Anschluß an die Berufsausbildung nur vorübergehend weiterbeschäftigt werden kann, weil kein Arbeitsplatz für einen unbefristet einzustellenden Arbeitnehmer zur Verfügung steht.

Bei neugegründeten Unternehmen sollen mit dem genannten Personenkreis sogar bis zu einer Dauer von 2 Jahren befristete Arbeitsverträge geschlossen werden können, wenn
– der Arbeitgeber seit maximal 6 Monaten eine selbständige Erwerbstätigkeit aufgenommen hat und
– bei dem Arbeitgeber nicht mehr als zwanzig Arbeitnehmer – ausschließlich der zu ihrer Berufsbildung Beschäftigten – tätig sind.

Mit diesen Vorschriften hat der Gesetzgeber einen neuen sachlichen Grund für die Befristung eines Arbeitsvertrages geschaffen, nämlich den der »Beschäftigungsförderung«[60]. Man kann darüber streiten, ob er mit der befristeten Freigabe der Befristung von Arbeitsverhältnissen ohne sonstige Sachgründe von der Rechtsprechung der BAG zu § 620 BGB abgegangen ist[61]. Nach Auffassung des BAG stellen befristete Arbeitsverhältnisse generell eine Umgehung der Kündigungsvorschriften dar, wenn nicht zu ihrer Rechtfertigung ein sachlicher Grund eingreift[62]. Diese Rechtsprechung bleibt im Grundsatz unberührt[63]. Nach wie vor ist es im übrigen daher möglich, Arbeitsverträge bei Vorliegen eines Sachgrundes iSd Rechtsprechung – z. B. Probezeit – zu befristen[64].

Die Vorschriften des Art. 1 § 1 BeschFG waren Hauptgegenstand der überaus kontrovers geführten politischen und wissenschaftlichen Diskussion um das Beschäftigungsförderungsgesetz. Eingewandt wurde vor allem, sie förderten den Abbau von Dauerarbeitsplätzen zugunsten einer »hire-and-fire«-Politik nach amerikanischem Muster[65]. Diese Bedenken greifen insofern nicht durch, als Voraussetzung für die Befristung die *Neueinstellung* eines Arbeitnehmers ist (§ 1 Abs. 1 Nr. 1). Diese ist in Abs. 1 S. 2 negativ dahingehend definiert, daß zu einem vorhergehenden befristeten oder unbefristeten Arbeitsvertrag mit demselben Arbeitgeber kein enger sachlicher Zusammenhang bestehen darf. Ein solcher ist aber stets anzunehmen, wenn zwischen den Arbeitsverträgen ein Zeitraum von weniger als vier Monaten liegt. Hieraus und aus den Worten »einmalige Befristung« ergibt sich, daß die Neuregelung nicht die sog. Kettenarbeitsverträge legalisieren soll. Für diese bleibt es also bei der bisherigen Rechtsprechung des BAG[66].

Einleuchtender erscheint ein anderer Einwand: Aufgrund der neuen Rechtslage ist zu erwarten, daß in Zukunft befristete Arbeitsverträge vermehrt gerade mit solchen Arbeitnehmern geschlossen werden könnten, zu deren Gunsten ein spezielles Kündigungsschutzrecht geschaffen wurde. Denn die Regelungen über die erleichterte Zulassung befristeter Arbeitsverträge gelten auch für diesen Personenkreis; die besonderen Schutzvorschriften des Mutterschutzgesetzes, des Schwerbehindertengesetzes oder des Wehrpflichtgesetzes laufen also leer, wenn hier befristete Verträge geschlossen werden. Es ist daher nicht ausgeschlossen, daß beispielsweise Frauen es in der Zukunft noch schwerer haben können, einen Dauerarbeitsplatz zu finden.

Der Gesetzgeber hat dieses Problem nicht verkannt. Dennoch hat er sich gegen eine Ausnahmeregelung zugunsten der vom besonderen Kündigungsschutz erfaßten Personen entschieden. Ausschlaggebend war dabei die Überlegung, daß anderenfalls die Chancen z. B. *arbeitsloser* weiblicher Arbeitnehmer, wenigstens einen *befristeten* Arbeitsplatz zu erlangen, entscheidend vermindert würden[67]. Der Gesetzgeber hält sich im Rahmen seines Ermessens, wenn er sich in diesem Dilemma gegen die Schaffung einer Ausnahmeregelung entscheidet[68]; dies gilt um so mehr, als das Gesetz nur einer Sondersituation auf dem Arbeitsmarkt Rechnung tragen soll und seine Geltungszeit – in Erwartung einer Entspannung der Beschäftigungslage in den 90er Jahren[69] – von vornherein zeitlich begrenzt ist.

Im übrigen entbindet Art. 1 § 1 BeschFG den Arbeitgeber nicht von der Beachtung des verfassungsrechtlichen bzw. einfachgesetzlichen Diskriminierungsverbotes[70]. Er darf daher nicht etwa mit männlichen Arbeitnehmern nur unbefristete, mit Frauen hingegen nur befristete Arbeitsverträge abschließen. Dies verstieße gegen § 611 a BGB.

Ob von der erleichterten Zulassung befristeter Arbeitsverträge positive Wirkungen auf die Arbeitsmarktsituation ausgehen, läßt sich in Anbetracht der kurzen Geltungszeit des Gesetzes noch nicht sagen. Eine Garantie, über diesen Weg neue Arbeitsplätze zu gewinnen, besteht nicht. Sie wäre nur gegeben, wenn man sichergestellt hätte, daß die Arbeitgeber mit den befristet Beschäftigten nicht ihren »normalen« Personalbedarf abdecken könnten, sondern zusätzliche Einstellungen vornehmen *müßten*. Dies wäre aber mit der bisher im Grundsatz unangetasteten Abschlußfreiheit für Arbeitsverträge und auch mit dem Ziel der Regelung, den Arbeitgebern mehr personelle Dispositionsfreiheit einzuräumen, nicht vereinbar gewesen[71].

Insgesamt kann man in dem Gesetz einen notwendigen und ausgewogenen Schritt zu einer maßvollen Deregulierung des Arbeitsmarktes sehen. Die Schaffung neuer Arbeitsplätze erscheint möglich. Das Hauptargument der Arbeitgeberseite gegen die Vornahme von Neueinstellungen – die Kostenfolgen des überzogenen arbeitsrechtlichen Sozialschutzes – dürfte angesichts der neuen Befristungsmöglichkeiten in Zukunft an Geltungskraft verlieren. Ob sich allerdings auch die Erwartung erfüllt, die erleichterte Zulassung befristeter Arbeitsverträge werde zum Abbau der z. B. im Jahre 1983 geleisteten 1,4 Mio Überstunden beitragen[72], darf bezweifelt werden[73]. Um dieses Ziel zu erreichen, wären zusätzliche Maßnahmen des Gesetzgebers, wie z. B. die zwingende Abgeltung von Überstunden, die ein bestimmtes Maß überschreiten, durch Freizeit – erforderlich gewesen[74].

In seinen §§ 2–6 enthält Art. 1 BeschFG 1985 Regelungen zum Schutz der Teilzeitarbeit. Dabei sind zwei Schutzrichtungen erkennbar. Einmal sollen teilzeitbeschäftigte Arbeitnehmer im Arbeitsverhältnis vor einer sachlich nicht gerechtfertigten Ungleichbehandlung im Verhältnis zu Vollzeitbeschäftigten bewahrt werden (§ 2 Abs. 1). Damit soll dem Gedanken, daß Teilzeitarbeit lediglich quantitativ als geringer anzusehen ist als Vollzeitarbeit, Geltung verschafft werden[75]. Der Lohn für Teilzeitarbeit darf also z. B. grundsätzlich nur proportional zu der geringeren Arbeitszeit niedriger liegen als der Lohn für vergleichbare Vollzeitarbeit[76]. Insoweit hat sich der Gesetzgeber mit dieser Regelung der Rechtsprechung des BAG zur Teilzeitarbeit angeschlossen[77].

Mit §§ 3–5 des Gesetzes sollen bestimmte Formen der Teilzeitarbeit sozial verträglicher ausgestaltet werden. Für den Fall der Arbeitsplatzteilung (job-sharing) schließt § 5 beispielsweise die automatische Vertretungspflicht der in die Arbeitsplatzteilung einbezogenen Arbeitnehmer für einen ausgefallenen Arbeitnehmer aus.

Die Vorschriften des 2. Abschnitts des Beschäftigungsförderungsgesetzes verbessern die rechtliche Stellung der Teilzeitbeschäftigten, um so die Teilzeitarbeit für solche Arbeitnehmer attraktiver zu machen, die derzeit noch vollzeitbeschäftigt sind, aber auf eine Teilzeitstelle überwechseln möchten[78]. Damit soll dem Umstand Rechnung getragen werden, daß der Anteil der teilzeitbeschäftigten Arbeitnehmer an der Gesamtzahl der Beschäftigten mit 8,9 Prozent deutlich unter dem Anteil in vergleichbaren Industrienationen liegt[79]. Ziel des Gesetzgebers ist es, die Zahl der Teilzeitarbeitsplätze zu erhöhen, um so die Leistungsfähigkeit und Flexibilität der Unternehmen zu steigern[80]. Zu einer Verbesserung der Arbeitsmarktlage werden die neuen Regelungen allerdings nur mittelfristig beitragen können[81].

Die Sozialplanregelungen des Betriebsverfassungsgesetzes wurden durch das Beschäftigungsförderungsgesetz 1985 in wichtigen Punkten geändert.

In dem neu eingefügten § 112 Abs. 4 BetrVG werden der Einigungsstelle für ihre Entscheidung über die Aufstellung eines Sozialplans (§ 112 Abs. 4 BetrVG) *Leitlinien* an die Hand gegeben.

Sie soll beispielsweise bei der Festsetzung von Sozialplanleistungen den Gegebenheiten des Einzelfalls Rechnung tragen. Sinn dieser Bestimmung ist es, die Einigungsstelle dazu anzuhalten, nicht von vornherein nach Art der bisweilen in der Vergangenheit verdeckt gehandhabten »Abfindungstabellen« generell Pauschalleistungen festzusetzen[82].

Bei ihrer Entscheidung hat die Einigungsstelle in Zukunft auch die Aussichten der betroffenen Arbeitnehmer auf dem Arbeitsmarkt zu berücksichtigen. Solche Arbeitnehmer, die die Weiterbeschäftigung in einem zumutbaren Arbeitsverhältnis im selben Betrieb oder in einem anderen Betrieb des Unternehmens oder eines zum Konzern gehörenden Unternehmens ablehnen, sollen von Sozialplanleistungen ausgeschlossen werden. Derartige Ausschlußklauseln waren auch bisher schon in der Rechtsprechung anerkannt[83]. Wichtig ist, daß die mögliche Weiterbeschäftigung an einem anderen Ort für sich allein die Zumutbarkeit nicht ausschließt. Anderes gilt dann allerdings, wenn weitere, z. B. familiäre, Umstände hinzutreten[84].

Der durch das Beschäftigungsförderungsgesetz 1985 neu eingeführte § 112 a BetrVG sieht nunmehr ausdrücklich die Erzwingbarkeit von Sozialplänen bei bloßem Personalabbau ohne Abbau der sächlichen Betriebsmittel vor. Er bestätigt damit insoweit von Gesetzes wegen die ausdehnende, gegen die Entstehungsgeschichte des Betriebsverfassungsgesetzes 1972 gerichtete Rechtsprechung des Bundesarbeitsgerichts[85]. Erhöht werden allerdings die von der Rechtsprechung entwickelten »Schwellenwerte«, von denen an ein Personalabbau sozialplanpflichtig wird. In größeren Betrieben müssen nunmehr z. B. 10 Prozent der regelmäßig beschäftigten Arbeitnehmer statt bisher 5 Prozent entlassen werden.

Eine wichtige Ausnahme soll die Investitionsbereitschaft in Unternehmensgründungen fördern: Bei neu gegründeten Unternehmen finden die Vorschriften über die Erzwingbarkeit des Sozialplans während der ersten vier Jahre nach der Gründung keine Anwendung (§ 112 a Abs. 2 S. 1 BetrVG).

Die neuen Sozialplanregelungen haben zum Ziel, die Schaffung neuer Arbeitsplätze zu begünstigen sowie die Flexibilität an bestehenden Produktionsanlagen zu erhöhen und damit die Bereitschaft der Arbeitgeber zu fördern, im Zuge der konjunkturellen Wiederbelebung vermehrt Arbeitnehmer einzustellen. Sie sollen ferner der Sorge mancher Arbeitgeber entgegenwirken, daß bei geplanten Betriebsänderungen unberechenbar hohe Sozialplanlasten auf das Unternehmen zukommen[86].

Ob das letztgenannte Ziel auf dem vom Gesetzgeber gewählten Weg zu erreichen ist, kann allerdings bezweifelt werden[87].

Insgesamt betrachtet können die neuen Regelungen zwar zu einer Entlastung der Unternehmen beitragen und so mittelbar auch bei der gewünschten Entspannung der Arbeitsmarktlage mitwirken. Zu größerer Berechenbarkeit der Sozialplanleistungen dürften sie jedoch kaum führen. Denn der Gesetzgeber hat darauf verzichtet, Obergrenzen für die Festsetzung von Leistungen aus einem Sozialplan festzusetzen. Im neuen § 112 Abs. 5 Nr. 3 BetrVG wird der Einigungsstelle lediglich auferlegt, darauf zu achten, daß bei der Bemessung des Gesamtbetrages der Sozialplanleistungen der Fortbestand des Unternehmens und die nach Durchführung der Betriebsänderung verbleibenden Arbeitsplätze nicht gefährdet werden.

Diese Bestimmung soll eine gewisse flexible Obergrenze für Sozialplanleistungen bewirken[88]. Wesentlich zu der von Unternehmen gefürchteten Unberechenbarkeit dürfte jedoch das Fehlen von Höchstsummen beigetragen haben. An dieser Sorge ändern auch die neuen Vorschriften nichts.

Das am 1. Mai 1984 in Kraft getretene Gesetz zur Erleichterung des Übergangs vom Arbeitsleben in den Ruhestand[89] (Vorruhestandsgesetz) und die in dessen Folge abgeschlossenen Vorruhestandstarifverträge[90] haben einen neuen Weg geschaffen, älteren Arbeitnehmern das Ausscheiden aus dem Erwerbsleben zu ermöglichen.

Nach dem *Vorruhestandsgesetz* gewährt die Bundesanstalt für Arbeit Arbeitgebern, die einem älteren, aus dem Arbeitsleben ausgeschiedenen Arbeitnehmer ein Vorruhestandsgeld in Höhe von mindestens 65 Prozent des früheren Bruttolohns zahlen, hierzu und zu den Arbeitgeberanteilen an den Beiträgen zur Renten- und Krankenversicherung einen Zuschuß von 35 Prozent (§§ 1–3 VRG). Voraussetzung ist die Besetzung der freiwerdenden Arbeitsstelle mit einem anderen Arbeitnehmer oder, in Kleinbetrieben, mit einem Auszubildenden (§ 2 Abs. 1 Nr. 5 VRG).

Ergänzt wird das Vorruhestandsgesetz durch die gleichzeitige Novellierung der sog. 59er-Regelung[91]. Wenn ein ausgeschiedener Arbeitnehmer nach einjähriger Arbeitslosigkeit vorgezogenes gesetzliches Altersruhegeld in Anspruch nimmt (§ 1248 Abs. 2 RVO), so muß der Arbeitgeber nicht nur 1 Jahr lang der Bundesanstalt für Arbeit die gewährten Arbeitslosengeldzahlungen, sondern weitere drei Jahre lang dem zuständigen Rentenversicherungsträger die von diesem geleisteten Renten erstatten.

Der Grund für die Verschärfung der 59er-Regelung besteht darin, daß das Vorruhestandsgesetz den Arbeitgebern erhebliche Lasten auferlegt, wogegen die 59er-Regelung in ihrer bis zum 30. April 1984 geltenden Form vergleichsweise kostengünstig war[92]. Hätte der Gesetzgeber die 59er Regelung unverändert neben dem Vorruhestandsgesetz bestehen lassen, so hätten sich viele Betriebe für die 59er-Regelung entschieden. Dieser Weg ist jedoch arbeitsmarktpolitisch unwirksam[93].

Die Bundesregierung sieht im Vorruhestandsgesetz eine Maßnahme innerhalb eines arbeitsmarktpolitischen Gesamtkonzepts, das unter anderem auch die Flexibilisierung der überkommenen Arbeitszeitformen umfaßt. Sie verspricht sich von der neuen Regelung vor allem eine Verbesserung der Beschäftigungslage: Ältere Arbeitnehmer sollen die Möglichkeit erhalten, ihre Arbeitsplätze anderen Arbeitnehmern, insbesondere den in den nächsten Jahren auf den Arbeitsmarkt drängenden Jugendlichen der geburtenstarken Jahrgänge, freizumachen.

Dabei geht die Bundesregierung in ihren Berechnungen davon aus, daß die Zahl der in Frage kommenden Arbeitnehmer bei ca. 1 Million liegt und daß etwa 50 Prozent davon vom Vorruhestand Gebrauch machen. Bei einer Wiederbesetzungsquote von ebenfalls 50 Prozent wäre dann mit einem arbeitsmarktentlastenden Effekt von ca. 250 000 Personen zu rechnen[94].

Diese Erwartungen haben sich jedoch bislang nicht erfüllt. Nach einer Untersuchung des Instituts für Arbeitsmarkt- und Berufsforschung der Bundesanstalt für Arbeit wurden zwischen Mai 1984 und April 1985 erst 10 109 Anträge auf Vorruhestandsleistungen gestellt[95].

Die Diskrepanz zwischen der Zahl der bei der Bundesanstalt für Arbeit eingegangenen Anträge und dem »Antragspotential« ist u. a. eine Folge der Vorruhestandstarifverträge, die überwiegend erst Anfang 1985 in Kraft getreten sind und die z. T. zusätzliche Fristen beim Beginn des Vorruhestandes sowie Einspruchsrechte einräumen, die den Vorruhestand zusätzlich weiter zeitlich hinausschieben. Hinzu kommt, daß die Akzeptanz bei den

Arbeitnehmern niedriger zu sein scheint als erwartet[96] und daß viele Unternehmen vor der erheblichen Kostenbelastung zurückschrecken[97]. Über die Auswirkungen der neuen Regelung auf dem Arbeitsmarkt läßt sich angesichts dieser Lage noch nichts Endgültiges sagen. Feststehen dürfte aber bereits, daß die von der Bundesregierung erwarteten Werte nicht so bald erreicht werden.

## Entwicklungstendenzen im Arbeitsrecht

I. Die vergangenen 15 Monate haben aus der Sicht des Sommers 1985 für das Arbeitsrecht in der Bundesrepublik Deutschland entscheidende Neuerungen gebracht. Im Bereich des staatlich gesetzten Arbeitsrechts ist dies vor allem das Beschäftigungsförderungsgesetz; im Bereich der sozialen Selbstverwaltung sind dies der Manteltarifvertrag Nordwürttemberg/ Nordbaden und die diesem folgenden Tarifverträge. Dabei sind die Ausstrahlungen in viele andere Wirtschaftszweige mit zu beachten.

Das Beschäftigungsförderungsgesetz regelt u. a. die erleichterte Zulassung befristeter Arbeitsverträge. Damit reduziert es den Anwendungsbereich des gesetzlichen Kündigungsschutzrechts, greift also in bisher zugunsten der Arbeitnehmer bestehende Schutzpositionen ein. Gleichzeitig erweitert es den Gestaltungsspielraum der Arbeitsvertragspartner.

Hier wird eine Tendenz deutlich: Mehr Vertragsfreiheit im Arbeitsrecht, weniger staatliche Regelung. Das Arbeitsrecht entwickelt sich weg von der hoheitlichen Gestaltung durch den Gesetzgeber hin zu privatautonomer Gestaltung durch die am Arbeitsvertrag Beteiligten.

Im Bereich der sozialen Selbstverwaltung läßt sich eine ähnliche Entwicklung feststellen. Durch die Verwendung von Öffnungsklauseln im Gesetz stellt der Gesetzgeber das von ihm geschaffene Recht zur Disposition der Tarifvertragsparteien (Beispiel: § 6 BeschFG) oder der Betriebspartner (Beispiel: § 21a JArbSchG). Diese können auch zuungunsten der Arbeitnehmer von der gesetzlichen Regelung abweichen. Hier reduziert sich also abermals der Bereich staatlichen Arbeitsrechts; es erweitern sich die Gestaltungsmöglichkeiten der nicht-staatlichen Normsetzungsinstanzen.

Diese Tendenz setzt sich auf den verschiedenen Ebenen der sozialen Autonomie fort. Durch die Vereinbarung von Tariföffnungsklauseln (Beispiel: § 7.1 MTV Nordwürttemberg/Nordbaden) werden Regelungsinhalte des Tarifvertrages zur Disposition der Betriebspartner gestellt. Dies führt zu einer Erweiterung der Gestaltungsmöglichkeiten der »unteren« im Verhältnis zu den »oberen« Instanzen. Der Gedanke einer neuen Subsidiarität im Arbeitsleben und am Arbeitsmarkt gewinnt Boden.

Ob die im Beschäftigungsförderungsgesetz enthaltenen Bestimmungen, die im MTV Nordwürttemberg/Nordbaden und den ihm folgenden Tarifverträgen getroffenen Vereinbarungen beschäftigungspolitisch gesehen ihr Ziel erreichen werden, ob sie also zu einer grundlegenden Entspannung der Arbeitsmarktlage beitragen, kann heute noch nicht gesagt werden. Sehr wahrscheinlich erscheint dies – aus verschiedenen Gründen, die auch außerhalb arbeitsrechtlicher Einflußchancen liegen – nicht. Eines ist jedoch wichtig: Beide Neuerungen stehen für eine Entwicklung, die Aussicht hat, das Arbeitsrecht der

Zukunft entscheidend zu prägen. Diese sich abzeichnende Entwicklung kann man als »Deregulierung« übernormierter Sozialbereiche bezeichnen.

II. Deregulierung, Flexibilisierung und vertragliche Gestaltungsfreiheit sind die Stichworte, die den Weg des Arbeitsrechts in den nächsten Jahren bestimmen werden. Das ist einerseits zu begrüßen. Das bisher geltende Arbeitsrecht hat sich in der Wirtschafts- und Beschäftigungskrise als zu starr und schwerfällig erwiesen. Die Erkenntnis, daß arbeitsrechtliche Schutzmaßnahmen, die zugunsten der in einem festen Arbeitsverhältnis stehenden Arbeitnehmer geschaffen wurden, häufig genug zum Nachteil der Arbeitslosen wirken, hat sich nur langsam durchgesetzt. Sie hat noch heute mächtige Gegner. Die erleichterte Zulassung befristeter Arbeitsverträge durch das Beschäftigungsförderungsgesetz zeigt aber, daß sich der Gesetzgeber dieser Erkenntnis nicht mehr verschließt.

Die sich abzeichnende Entwicklung birgt jedoch auch Gefahren:

Arbeitsrecht ist nach wie vor in erster Linie Schutzrecht. Die Arbeitnehmer sind nach wie vor schutzbedürftig. Ließe man einen unbeschränkten oder unbedachten Abbau der zu ihren Gunsten bestehenden Vorschriften zu, so gerieten wir vielleicht bald wieder in eine Entwicklung, die in die Nähe der eingangs geschilderten katastrophalen Verhältnisse des frühen 19. Jahrhunderts führen könnte.

Beides – staatliche Gestaltung und Deregulierung – muß sich also in ausgewogenen Grenzen halten. Dies hindert nicht, über neue Formen der Zusammenarbeit nachzudenken. Der Vorschlag, in größerem Umfang sog. Mitarbeiterverhältnisse einzuführen – eine Mischform von Gesellschafts- und Arbeitsrecht unter Beibehaltung der den Gesundheitsschutz betreffenden Vorschriften des Arbeitnehmerschutzrechts – könnte ein Denkanstoß in dieser Richtung sein[98].

## Ergebnisse

I. Der unlösbare Zusammenhang von Arbeitsmarkt und Arbeitsrecht ist – besonders in der Zeit der Hochkonjunktur und der Überbeschäftigung – lange übersehen, vernachlässigt und verdrängt worden. Diese realitätswidrige Grundhaltung wirkt bei den an der Normsetzung beteiligten Instanzen (Parlament, Exekutive, Arbeitsgerichtsbarkeit und Arbeitsrechtswissenschaft) in erheblichem Umfang bis heute fort.

II. Die Konzeption eines der Privatautonomie zugeordneten »Arbeitsmarktes«, der maßgeblich durch eine kollektivrechtlich organisierte »soziale Selbstverwaltung« gesteuert wird, ist ein notwendiger Bestandteil einer freiheitlich organisierten Staats- und Gesellschaftsordnung. Das wichtigste Steuerungsinstrument dieser sozialen Selbstverwaltung ist die staatsfreie Tarifautonomie. Sie ist eine Schwester oder doch Stiefschwester der Marktwirtschaft. Sie wird durch Art. 9 Abs. 3 GG verfassungsrechtlich gewährleistet. Die Verfassungsgarantie bewirkt im Interesse des Schutzes der sozial unterlegenen einzelnen Arbeitnehmer eine kartellähnliche Vermachtung des Arbeitsmarktes durch die sozialen Koalitionen. Das kann zu unerwünschten und marktwidrigen Erstarrungstendenzen der tariflich geregelten Arbeitsbedingungen führen. Vom ordnungspolitischen Konzept her ist die Tarifautonomie auf eine marktkonforme Steuerung der branchenspezifischen, regionalen und unternehmensspezifischen Konjunktur- und Marktsituationen gerichtet. Sie soll dem marktgerechten Interessenausgleich der jeweiligen Tarifparteien dienen.

III. Die arbeitsrechtlichen Regelungsmechanismen (staatliche Schutzgesetze, soziale Selbstverwaltung und arbeitsgerichtliche Rechtsprechung) haben auf die veränderte Lage am Arbeitsmarkt (langandauernde Wirtschafts- und Beschäftigungskrise) lange unzureichend, verspätet oder sogar krisenfördernd reagiert. Das läßt sich für die Rechtsprechung des Bundesarbeitsgerichts an konkreten Grundsatzentscheidungen zu wichtigen, arbeitsmarktpolitisch bedeutsamen Fallgruppen belegen.

IV. Die Tarifpolitik der sozialen Koalitionen ist unter dem Einfluß der Spitzenorganisationen über Jahre hin einer problematischen Tendenz zu »Bundeseinheitstarifen« gefolgt. Dadurch ging die volkswirtschaftlich wichtige Steuerungsfunktion des Tarifsystems im Sinne von marktkonformen, branchenspezifisch und regional differenzierten Tarifabschlüssen weitgehend verloren. Wenige »Modellabschlüsse« legten die »Arbeitsmarktpreise« für die ganze Bundesrepublik Deutschland fest.

V. Die Wirtschafts- und Beschäftigungskrise hat die »Arbeitsbeziehungen« in der Bundesrepublik Deutschland auf allen Ebenen (Einzelarbeitsverträge, Betriebsverfassung, Unternehmensmitbestimmung, Tarifautonomie und Arbeitskampf, gesamtwirtschaftliche Ebene) verschärft. Das hat sich beispielhaft an den harten Arbeitskämpfen in der Metall- und Druckindustrie 1984 gezeigt. Sie kennzeichnen zugleich die äußerst schwierige Situation der Gewerkschaften und ihrer Tarifpolitik in Zeiten strukturell bedingter Langzeitarbeitslosigkeit. Ihr Vertrauen in die Regulationsfähigkeit marktwirtschaftlicher Systeme wird im Kern berührt.

VI. Tarifautonomie und Mitbestimmung haben sich auch in den großen Arbeitskonflikten 1984 als Eckpfeiler eines Systems kooperativer Gestaltung der Arbeits(markt)beziehungen bewährt. Sie tragen ein bislang ungebrochen erfolgreiches soziales Modell, um das uns viele andere Staaten beneiden.

VII. Insgesamt arbeitet das Regelungsinstrumentarium des Arbeitsrechts zu langsam, zu schwerfällig und zu undifferenziert; es ist in dieser Wirkungsweise wenig geeignet, unmittelbar und kurzfristig zu einer effektiven Besserung der Arbeitsmarktlage beizutragen. Das Arbeitsrecht ist in diesem Zustand fehlender marktkonformer Elastizität oft eher ein Faktor der Verstärkung ungünstiger Arbeitsmarktwirkungen. Das gilt besonders für unbedachte Fortschreibungen traditioneller Regulierungs- und Verhaltensweisen.

VIII. Gegenüber den Erstarrungstendenzen im Arbeitsrecht ist bei allen Beteiligten ein neues Bewußtsein für die Notwendigkeit und die Vorzüge einer neuen sozialen Beweglichkeit erforderlich. Das Ziel einer neu zu konzipierenden Arbeitsrechtspolitik sollte eine sozial ausgewogene und verantwortbare Flexibilisierung, Differenzierung und Deregulierung der Arbeitsmarktbeziehungen sein. Diese Forderung gilt für alle Regelungsebenen des Arbeitsrechts, also für Tarifverträge und Betriebsvereinbarungen genauso wie für staatliche Schutzgesetze und für die lückenfüllende und gesetzesergänzende Ersatzgesetzgebung des Bundesarbeitsgerichts. Der Gesetzgeber (z. B. »Beschäftigungsförderungsgesetz«) und die Tarifparteien (z. B. Flexibilisierung der 38,5-Stunden-Woche) haben wichtige erste Schritte in diese Richtung unternommen. Die Entwicklung ist nicht abgeschlossen.

## Anmerkungen und Literatur

[1] Vgl. Benöhr, Wirtschaftsliberalismus und Gesetzgebung am Ende des 19. Jahrhunderts, in: ZfA 1977, 187 ff., 190 ff.

[2] Gamillscheg, Arbeitsrecht I, 6. Aufl., 1983, Nr. 3; Molitor/Volmer/Germelmann, Jugendarbeitsschutzgesetz, 2. Aufl., 1978, Einl. Rz. 1.

[3] Zitiert bei Molitor/Volmer/Germelmann, a.a.O. (Fn. 2).

[4] Vgl. insoweit die vielsagenden Antworten des Bürgermeisters von Ratingen auf eine Anfrage des Düsseldorfer Landrats über die Kinderarbeit in seinem Bezirk vom 22. August 1824, abgedr. in: Pöls, Deutsche Sozialgeschichte I, 1973, 2. Kapitel Nr. 23, S. 246.

[5] Abgedruckt bei Ebel, Quellen zur Geschichte des deutschen Arbeitsrechts (bis 1849), 1964, Nr. 86.

[6] Nachweise bei Molitor/Volmer/Germelmann, a.a.O. (Fn. 2) Einl. Rz. 5 ff.

[7] BT-Drucks. 10/2012, S. 1 ff.; zu der Gesetzesänderung im einzelnen Anzinger, Erstes Gesetz zur Änderung des Jugendarbeitsschutzgesetzes – Ein Bericht, in: NZA 1984, 342; Zmarzlik, Zur Änderung des Jugendarbeitsschutzgesetzes, DB 1984, 2349 ff.

[8] Zu den sich hier stellenden rechtlichen Problemen vgl. Wlotzke, Das gesetzliche Arbeitsrecht in einer sich wandelnden Arbeitswelt, DB 1985, 754 ff., 759 ff.; Kissel, Gedanken zum Verhältnis von moderner Technologie und Arbeitsrecht, NZA 1984, 1 ff.

[9] Kissel, Gedanken zum Verhältnis von moderner Technologie und Arbeitsrecht, NZA 1984, 1 ff., 2 f.

[10] Vgl. die Übersicht in: DIE ZEIT, Nr. 17 v. 19. 4. 1985, S. 24: Der Anteil der arbeitssuchenden Männer und Frauen, die eine abgeschlossene Berufsausbildung haben, stieg in den letzten 4 Jahren von 46 Prozent auf 51 Prozent.

[11] Vgl. hierzu nur die letzthin im Auftrag mehrerer Presseunternehmen durchgeführte Umfrage, die die Skepsis einer Mehrheit der Bevölkerung der Bundesrepublik Deutschland gegenüber dem technischen Wandel eindrucksvoll belegt; in: DIE ZEIT, Nr. 23 v. 31. 5. 1985, S. 27 f.

[12] Österreichisches Arbeitsrecht, 1970, S. 15.

[13] Gegen eine Kodifizierung des Arbeitskampfrechts vgl. Gentz, Brauchen wir ein neues Tarif- und Arbeitskampfrecht?, NZA 1985, 305 ff.

[14] MEW VI, S. 399.

[15] Rüthers, Arbeitsrecht und politisches System, 1973, S. 21 f.

[16] Vgl. Rüthers, Arbeitsrecht und politisches System, 1973, S. 40 f.; Die unbegrenzte Auslegung, 1973, S. 463.

[17] Vgl. Nachweise bei Gamillscheg, Arbeitsrecht I, 6. Aufl., 1983, Nr. 31.

[18] Brox/Rüthers, Arbeitskampfrecht, 2. Aufl., 1981, S. 64.

[19] Rüthers, Die unbegrenzte Auslegung, 1973, S. 474.

[20] Zum Sachverhalt, vgl. auch Rüthers, Der Schutz wird zur Strafe, in: FAZ, Nr. 92 v. 20. April 1985, S. 15.

[21] BAGE 40, 361 = AP Nr. 7 zu § 1 KSchG 1969 Krankheit = DB 1983, 1047 = EzA § 1 KSchG Nr. 10 Krankheit; vgl. auch letzthin BAG, Urt. v. 15. 8. 1984, BB 1985, 800 = NZA 1985, 357.

[22] BAG, Urt. v. 1. 6. 1983, DB 1983, S. 2420; BSG, Urt. v. 18. 6. 1968, BSGE 28, 114; BSG, Urt. vom 15. 2. 1978, BSGE 46, 41, 42; vgl. aber auch LAG Frankfurt, Urt. v. 27. 9. 1984, NZA 1985, 293 = DB 1984, 768 (alle zur Alkoholsucht). Gemeinschaftskommentar zum KSchG, 2. Aufl., 1984, § 1 KSchG Rz. 194, 194 a; Lepke, Zur Kündigung des Arbeitgebers wegen Trunk- und Drogensucht des Arbeitnehmers, DB 1982, 173 ff. (zur Rauschgiftsucht); BAG, Urt. v. 28. 2. 1979, BAGE 31, 331 = AP Nr. 44 zu § 1 LFZG (Suizid).

[23] Urt. v. 23. 6. 1983; EzA § 1 KSchG Krankheit Nr. 12 = DB 1983, 2524; vgl. a. BAG, Urt. v. 15. 2. 1984, NZA 1984, 86.

[24] BAG (Großer Senat), Beschl. vom 27. 2. 1985, DB 1985, 551 (Presseinformation).

[25] Amtliche Nachrichten der Bundesanstalt für Arbeit 11/1984, S. 1449 sowie 3/1984, S. 351.

[26] Falke/Höland/Rhode/Zimmermann, Kündigungspraxis und Kündigungsschutz in der Bundesrepublik Deutschland, 1978, S. 156.

[27] Vgl. zum folgenden auch Hanau, Arbeitsrecht in der sozialen Marktwirtschaft, in: Festschrift zum 125jährigen Bestehen der juristischen Gesellschaft zu Berlin, 1984, S. 227 ff., 229 ff.

[28] Vgl. a. Uhlenbruck, Sanierung und Reorganisation als drittes Insolvenzverfahren in einem künftigen Recht, in: KTS 1981, S. 513 ff., 558, der damit die Erfahrungen vieler Konkursverwalter wiedergibt, sowie Hanau, a.a.O. (Fn. 27), S. 236 ff.

[29] Vgl. Erdmann, Auswirkungen der Arbeitsrechtsprechung auf die wirtschaftliche Unternehmensführung, DB 1985, 41 ff., 42.

[30] AP Nr. 4 zu § 111 BetrVG 1972 = SAE 1980, 90 ff.

[31] Diese Rechtsprechung wurde zwischenzeitlich vom BeschFG übernommen (Art. 2 Nr. 2 BeschFG). Die Voraussetzungen für die Annahme einer Betriebsänderung wurden allerdings verschärft. Der Prozentsatz an Arbeitnehmern der Belegschaft, der für eine Entlassung vorgesehen ist, wurde im Schnitt verdoppelt: z. B. in größeren Betrieben von 5 Prozent auf 10 Prozent.

[32] AP Nr. 11 zu § 111 BetrVG 1972 = SAE 1984, 234 = DB 1983, 344.

[33] So z. B. Galperin/Löwisch, Kommentar zum BetrVG, 6. Aufl., 1982, § 112 Rz. 3, 3a.

[34] Vgl. die Nachweise bei Galperin/Löwisch, a.a.O. (Fn. 33), Rz. 3.

[35] Großer Senat, Urt. v. 13. 12. 1978, AP Nr. 6 zu § 112 BetrVG 1972 = BB 1979, 267 (aufgehoben durch BVerfG, Beschl. v. 19. 10. 1983, EzA Nr. 27 zu § 112 BetrVG 1972 = AP Nr. 22 zu § 112 BetrVG 1972); wohl auch BAG, Beschl. v. 23. 4. 1985, Presseinformation, DB 1985, 1030.

[36] BGBl Teil I, Jahrgang 1985 Nr. 21, S. 710 ff.

[37] Vgl. oben S. 747 f.

[38] BVerfGE, Beschl. v. 27. 2. 1973, BVerfGE 34, 307, 316 m. N.

[39] Zu den Bedenken gegen die Differenzierung der Arbeitszeit vgl. Löwisch, Die Einbeziehung der Nichtorganisierten in die neuen Arbeitszeittarifverträge der Metallindustrie, DB 1984, 2457 ff.; ders., Die Rechtsstellung der Nichtorganisierten gegenüber dem Tarifvertrag, NZA 1985, 170 ff.; v. Hoyningen-Huene, Kompetenzüberschreitende Tarifverträge zur Regelung unterschiedlicher Wochenarbeitszeiten, NZA 1985, 169 ff.; ders., Die Einführung und Anwendung flexibler Arbeitszeiten im Betrieb, NZA 1985, 9 ff.; Richardi, Die tarif- und betriebsverfassungsrechtliche Bedeutung der tarifvertraglichen Arbeitszeitregelung in der Metallindustrie, NZA 1984, 387 ff.; ders., Verkürzung und Differenzierung der Arbeitszeit als Prüfsteine des kollektiven Arbeitsrechts, NZA 1985, 172 ff.; Herschel, Tarifautonomie und Betriebsautonomie, AuR 1984, 321 ff.; Schüren, Neue rechtliche Rahmenbedingungen zur Arbeitszeitflexibilisierung, RdA 1985, 22 ff.; vgl. a. Buchner, Rechtswirksamkeit der tarifvertraglichen Regelung über die Flexibilisierung der Arbeitszeit in der Metallindustrie, DB 1985, 913 ff.; Linnenkohl/Rauschenberg, Tarifvertragliche Neuregelung der Wochenarbeitszeit und betriebsverfassungsrechtliche Gestaltungsmöglichkeiten, BB 1984, 2197 ff., 2200; Hanau, Verkürzung und Differenzierung der Arbeitszeit als Prüfsteine des kollektiven Arbeitsrechts, NZA 1985, 73 ff.; Ziepke, Kommentar zum Tarifvertrag vom 3. 7. 1984 zur Änderung des Manteltarifvertrags vom 30. 4. 1980 sowie zum Lohnabkommen vom 3. 7. 1984, § 2 Anm. 5.

[40] Vgl. oben S. 750 f.

[41] Vgl. zum folgenden auch Erdmann, a.a.O. (Fn. 29), S. 43 ff.

[42] BVerfG, Beschl. v. 17. 2. 1981, BVerfGE 57, 220, 248.

[43] BVerfG, Beschl. v. 19. 10. 1983, BVerfGE 65, 196, 215 ff.

[44] BVerfG, Beschl. v. 13. 1. 1982, BVerfGE 59, 231 ff. = AP Nr. 1 zu Art. 5 GG Rundfunkfreiheit = EzA Nr. 9 zu Art. 5 GG.

[45] BVerfG, Beschl. v. 19. 10. 1983, BVerfGE 65, 182, 191 ff. = EzA Nr. 27 zu § 112 BetrVG 1972 = AP Nr. 22 zu § 112 BetrVG 1972.

[46] Zu diesen vgl. Linnenkohl/Rauschenberg, Tarifvertragliche Neuregelung der Wochenarbeitszeit und betriebsverfassungsrechtliche Gestaltungsmöglichkeiten, BB 1984, 2197 ff.

[47] iwd Nr. 36 vom 6. 9. 1984, S. 4 f.

[48] Löwisch, Die Einbeziehung der Nichtorganisierten in die neuen Arbeitszeittarifverträge der Metallindustrie, DB 1984, 2457 ff.; ders., Die Rechtsstellung der Nichtorganisierten gegenüber dem Tarifvertrag, NZA 1985, 170 ff.; v. Hoyningen-Huene, Kompetenzüberschreitende Tarifverträge zur Regelung unterschiedlicher Wochenarbeitszeiten, NZA 1985, 169 ff.; ders., Die Einführung und Anwendung flexibler Arbeitszeiten im Betrieb, NZA 1985, 9 ff.; Richardi, Die tarif- und betriebsverfassungsrechtliche Bedeutung der tarifvertraglichen Arbeitszeitregelung in der Metallindustrie, NZA 1984, 387 ff.; ders., Verkürzung und Differenzierung der Arbeitszeit als Prüfsteine des kollektiven Arbeitsrechts, NZA 1985, 172 ff.; Herschel, Tarifautonomie und Betriebsautonomie, AuR 1984, 321 ff.; Schüren, Neue rechtliche Rahmenbedingungen zur Arbeitszeitflexibilisierung, RdA 1985, 22 ff.

[49] Vgl. a. Buchner, Rechtswirksamkeit der tarifvertraglichen Regelung über die Flexibilisierung der Arbeitszeit in der Metallindustrie, DB 1985, 913 ff.; Linnenkohl/Rauschenberg, a.a.O. (Fn. 46) 2200; Hanau, Verkürzung und Differenzierung der Arbeitszeit als Prüfsteine des kollektiven Arbeitsrechts, NZA 1985, 73 ff.; Ziepke, Komm. zum Tarifvertrag vom 3. 7. 1984 zur Änderung der Manteltarifverträge vom 30. 4. 1980 sowie zum Lohnabkommen vom 3. 7. 1984, § 2 Anm. 5.

[50] Vgl. Buchner, a.a.O. (Fn. 49).

[51] BGBl. Teil I, Jahrgang 1985, Nr. 21, S. 710 ff.

[52] BT-Drucks. 10/2012, S. 1 ff.

[53] Wlotzke, Das gesetzliche Arbeitsrecht in einer sich wandelnden Arbeitswelt, DB 1985, 757.

[54] Löwisch, Das Beschäftigungsförderungsgesetz 1985, BB 1985, 1200, 1203; Hanau, Der Regierungsentwurf eines Beschäftigungsförderungsgesetzes 1985 oder: Hier hat der Chef selbst gekocht, NZA 1984, 345, 346; Wlotzke, Das gesetzliche Arbeitsrecht in einer sich wandelnden Arbeitswelt, DB 1985, 757.

[55] Vgl. die Regierungsbegründung zum BeschFG, BT-Drucks. 10/2102, S. 26 sowie BT-Drucks. 10/2012, S. 14.

[56] Vgl. a. Hanau, a.a.O. (Fn. 27), S. 232 ff.; Wlotzke, Das gesetzliche Arbeitsrecht in einer sich wandelnden Arbeitswelt, DB 1985, 757; Lorenz/Schwedes, Das Beschäftigungsförderungsgesetz, DB 1985, 1077 ff., 1080; Anzinger, Erstes Gesetz zur Änderung des JArbSchG, NZA 1984, 342.

[57] BR-Drucks. 401/84; hierzu Wlotzke, Zum Regierungsentwurf eines neuen Arbeitszeitgesetzes, NZA 1984, 182 ff.

[58] Hanau, a.a.O. (Fn. 27), S. 234.

[59] Eingehend hierzu Löwisch, Das Beschäftigungsförderungsgesetz 1985, BB 1985, 1200 ff.; Wlotzke, Zum arbeitsrechtlichen Teil des Regierungsentwurfs eines Beschäftigungsförderungsgesetzes 1985 – Ein Bericht, NZA 1984, 217 ff.; ders., Das gesetzliche Arbeitsrecht in einer sich wandelnden Arbeitswelt, DB 1985, 754 ff., 756 ff.; Friedhofen/Weber, Rechtsprobleme des befristeten Arbeitsvertrages nach Art. 1 § 1 des Beschäftigungsförderungsgesetzes 1985, NZA 1985, 337 ff.; Hanau, Der Regierungsentwurf eines Beschäftigungsförderungsgesetzes 1985 oder: Hier hat der Chef selbst gekocht, NZA 1984, 345 ff.; Weiler, Der befristete Arbeitsvertrag, BB 1985, 934 ff.

[60] So auch Friedhofen/Weber, a.a.O. (Fn. 59), 338; Hanau, a.a.O. (Fn. 59), 346.

[61] So Kehrmann, Arbeitsrecht im Betrieb, 1984, 52.

[62] BAG, (Großer Senat), Beschl. v. 12. 10. 1960 = BAGE 10, 65 = AP Nr. 16 zu § 620 BGB befristeter Arbeitsvertrag.

[63] Friedhofen/Weber, a.a.O. (Fn. 59), 338; Wlotzke, a.a.O. (Fn. 59), 218; Hanau, a.a.O. (Fn. 59), 346.

[64] Zu den von der Rechtsprechung anerkannten Sachgründen vgl. die Übersicht bei Schaub, Arbeitsrechtshandbuch, 5. Aufl., 1983, S. 165 ff.

[65] Vgl. die Argumente der Abgeordneten Anke Fuchs im Streitgespräch mit Bundesminister Dr. Norbert Blüm, in: DIE ZEIT Nr. 41 vom 5. 10. 1984, S. 25 ff.

[66] Vgl. hierzu die Übersicht bei Gamillscheg, a.a.O. (Fn. 2), Nr. 59 c.

[67] Vgl. Begründung des Regierungsentwurfs, BT-Drucks. 10/2102, S. 24; Bundesminister Blüm, in: DIE ZEIT Nr. 41 vom 5. 10. 1984, S. 25 ff.

[68] Löwisch, a.a.O. (Fn. 59), 1202.

[69] Vgl. Begründung des Regierungsentwurfs, BT-Drucks. 10/2102, S. 16.

[70] Löwisch, a.a.O. (Fn. 59), 1202.

[71] Wlotzke, Das gesetzliche Arbeitsrecht in einer sich wandelnden Arbeitswelt, DB 1985, 758.

[72] Begründung des Regierungsentwurfs, BT-Drucks. 10/2102, S. 14.

[73] Wlotzke, Das gesetzliche Arbeitsrecht in einer sich wandelnden Arbeitswelt, DB 1985, 758.

[74] Vgl. Wlotzke, Das gesetzliche Arbeitsrecht in einer sich wandelnden Arbeitswelt, DB 1985, 758.

[75] Löwisch, a.a.O. (Fn. 59), 1203.

[76] Wlotzke, Das gesetzliche Arbeitsrecht in einer sich wandelnden Arbeitswelt, DB 1985, 757; Löwisch, a.a.O. (Fn. 59), 1203.

[77] Vgl. BAG, Urt. v. 6. 4. 1982, AP Nr. 1 zu § 1 BetrAVG Gleichbehandlung = DB 1982, 1466.

[78] Begründung des Regierungsentwurfs, BT-Drucks. 10/2102, S. 14, 16; kritisch zu diesem Konzept Hanau, a.a.O. (Fn. 59), 346.

[79] Löwisch, Arbeits- und sozialrechtliche Hemmnisse einer weiteren Flexibilisierung der Arbeitszeit, RdA 1984, 197 ff., 198 (Fn. 1).

[80] Begründung des Regierungsentwurfs, BT-Drucks. 10/1202, S. 16.

[81] Wlotzke, Das gesetzliche Arbeitsrecht in einer sich wandelnden Arbeitswelt, DB 1985, 757.

[82] Begründung des Regierungsentwurfs, BT-Drucks. 10/2102, S. 17.

[83] BAG, Urt. v. 8. 12. 1976, AP Nr. 3 zu § 112 BetrVG 1972 = BB 1977, 495 = DB 1977, 729.

[84] Löwisch, a.a.O. (Fn. 59), 1206; Wlotzke, NZA 1984, 221.

[85] Vgl. BAG AP Nr. 3, 4, 5, 7 zu § 111 BetrVG 1972; BAG, Urt. v. 2. 8. 1983, DB 1983, 2776 in Anlehnung an § 17 KSchG.

[86] Begründung des Regierungsentwurfs, BT-Drucks. 10/2102, S. 17.

[87] Vgl. Hanau, a.a.O. (Fn. 59), 348.

[88] Begründung des Regierungsentwurfs, BT-Drucks. 10/2102, S. 27.

[89] BGBl, Teil I, 1984, S. 601 ff.

[90] Z. B. der Vorruhestandstarifvertrag der Metallindustrie Nordwürttemberg/Nordbaden vom 28. Juni 1984.

[91] Gesetz zur Anpassung des Rechts der Arbeitsförderung und der gesetzlichen Rentenversicherung an die Einführung von Vorruhestandsleistungen vom 13. 4. 1984, BGBl. Teil I, 1984, 610.

[92] Siegers, Vorruhestandsgesetz und Novellierung der 59er-Regelung, NZA 1984, 7 ff., 11.

[93] Siegers, Vorruhestandsgesetz und Novellierung der 59er-Regelung, NZA 1984, 11.

[94] Begründung des Regierungsentwurfs, BR-Drucks. 552/83, S. 14.

[95] FAZ Nr. 133 vom 12. 6. 1985, S. 14.

[96] FAZ Nr. 133 vom 12. 6. 1985, S. 14.

[97] Vgl. hierzu Faude, Gleitender Übergang in den Ruhestand, BB 1985, 735.

[98] Adomeit, Das Arbeitsrecht und unsere wirtschaftliche Zukunft, 1985, S. 40.

Seymour Martin Lipset

# Historical Traditions and National Characteristics:
# A Comparative Analysis of Canada and the United States

There is much to be gained, both in empirical and analytic terms, from a systematic comparative study of Canada and the United States. They have many of the same ecological and demographic conditions, approximately the same level of economic development, and similar rates of upward and downward social mobility. And alongside the obvious distinctiveness of francophone Quebec, anglophone Canadians and Americans have much in common in cultural terms as well. Yet, although overall these two people probably resemble each other more than any other two nations on earth, there are consistent patterns of difference between them. To discover and analyze the factors which create and perpetuate such differences among nations is one of the more intriguing and difficult tasks in comparative study.[1]

In this essay I shall focus on value differences between the two countries, that is, differences in that set attitudes which tends to characterize and permeate both the public and private ethos in each country. The central argument of the paper is that Canada has been a more elitist, law-abiding, statist, collectivity-oriented, and particularistic (group-oriented) society than the United States,[2] and that these fundamental distinctions stem in large part from the defining event which gave birth to both countries, the American Revolution. The social effects of this division have been subsequently reinforced by variations in religious traditions, political and legal institutions, and socio-economic structures, among other factors.

A brief characterization of the essential core, or organizing principles, of each society may help clarify the type of difference being referred to here. With respect to the United States, the emphases on individualism and achievement-orientation by the American colonists were an important motivating force in the launching of the American Revolution, and were embodied in the Declaration of Independence. The manifestation of such attitudes in this historic event and their crystallization in an historic document provided a basis for the reinforcement and encouragement of these orientations throughout subsequent American history. Thus, the United States remained through the nineteenth and early twentieth centuries the extreme example of classically liberal or Lockean society which rejected the assumptions of the alliance of throne and altar, of ascriptive elitism, of mercantilism, of *noblesse oblige*, of communitarianism. Friedrich Engels, among other foreign visitors, noted that as compared to Europe, the United States was »purely bourgeois, so entirely without a feudal past.«[3]

By contrast, both major Canadian linguistic groups sought to preserve their values and culture by reacting against liberal revolutions. English-speaking Canada exists because she opposed the Declaration of Independence; French-speaking Canada, largely under the leadership of Catholic clerics, also sought to isolate herself from the anti-clerical, democratic values of the French Revolution.[4] The leaders of both, after 1783 and 1789, consciously attempted to create a conservative, monarchical and ecclesiastical society in North America. Canadian elites of both linguistic groups saw the need to use the state to protect minority cultures, English Canadians against Yankees, French Canadians against anglophones. In the United States, on the other hand, the Atlantic Ocean provided an effective barrier against the major locus of perceived threat – Britain – which helped sustain the American ideological commitment to a weak state that did not have to maintain extensive military forces. As with the United States, however, these initial »organizing principles« in Canada served to structure subsequent developments north of the border. Although the content and extent of the differences between the two countries have changed over time, the contemporary variations still reflect the impact of the American Revolution. Before presenting empirical findings which sustain these general arguments, I would first like to address a number of questions related to comparative social science in general, and to the study of national value systems in particular, illustrating the points raised with examples drawn from the Canadian and American cases.

Basically, all social science is comparative. Social scientists seek to formulate generalizations which apply to all human behavior; to do this involves specifying the conditions under which a given relationship among two or more variables holds true. In attempting to account for a specific pattern of behavior which has occurred in a given part of the world, for instance, the causal relationship (if any) between the emergence of Protestantism and the rise of capitalism, it is clearly necessary to engage in comparative research. Without examining social relations in different nations, it is impossible to know to what extent a given factor actually has its suggested effect. For example, if it is true that the German *Standesstaat* (rigid status system) has played an important role in determining the authoritarian tradition of German politics, how does it happen that a similar structure in Sweden has been associated with a very different political culture?

In seeking to develop an answer to such a question, the social scientist, guided by a set of theoretical suppositions concerning the phenomenon under study, can turn to a comparative analysis of other variables (such as the educational system or family structure) to determine whether they mediate the impact of the status system on political culture. Perhaps variations along these dimensions, or, possibly, consequences associated with differences in potential military power, will explain why comparable status systems in Germany and Sweden have been linked to varying political outcomes. A complementary line of inquiry might involve studying these various aspects of society in countries which have a political culture similar to that of Sweden, to determine whether the same set of factors are associated with comparable political culture in a variety of contexts.

If this sounds vaguely reminiscent of the natural scientist's behavior in the laboratory – for instance, observing the properties of different gases at a constant temperature and volume, then examining the impact of changing the temperature, or the volume, or both – it is because the two research endeavors do share an underlying logic of inquiry. However, the social scientist is simply not free to manipulate variables which are of theoretical interest in the same way as is the laboratory scientist. Statistical methods, such as those used in the analysis of large scale surveys of voting behavior and political attitudes, do permit an approximation of the laboratory practice of holding all variables constant except those whose relationship is being investigated. However, such methods are suitable only where the quantification of relevant variables is both possible and appropriate, and where the number of cases is large enough to satisfy statistical requirements.

When the social scientist wants to explain a particular difference among a limited number of cases – for instance the prevailing political values in two or three countries – the problem of »too few cases, too many variables« can be mitigated somewhat by the selection of countries for analysis. That is, by choosing countries for comparison so that the range of variables on which the chosen cases are similar is maximized, the researcher can increase the certainty with which the variation in the phenomenon being studied can be attributed to those variables on which the two cases differ from each other. While obviously not as stringent as laboratory procedures, a careful selection of cases can allow the investigator to control for a large number of variables, and hence greatly enhance the analytic rigor of the research. This set of considerations renders Canada and the United States a promising combination for the purposes of comparative analysis.

It is important to note that any effort to specify the values, ethos, or national character of nations confronts the problem that such statements are necessarily made in a comparative context. Thus the assertion that the United States or Canada is a materialistic nation, that it is egalitarian, that its family system is unstable, obviously does not refer to these characteristics in any absolute sense. The statement that a national value system is egalitarian clearly does not imply the absence of severe differences in power, income, wealth or status. Generally this statement means that, from a comparative perspective, nations classified as egalitarian tend to place more emphasis on universalistic criteria in judging others, and tend to de-emphasize the institutionalization of hierarchical differences.

The key words here are »tend«, »more than« and »comparative«. No one suggests that any given complex social structure is in fact egalitarian in any absolute sense. Macroscopic sociology employs polarity concepts when it compares core aspects of societies – *Gemein-schaft-Gesellschaft*, organic solidarity – mechanical solidarity, inner-directed – other-directed, diffuseness – specificity, achievement – ascription, traditional – modern, and this approach purposely exaggerates such differences for analytic purposes.

Related to this point is a second one concerning the frame of reference within which specific comparisons are made. It may seem a truism, but is nonetheless worth stating, that what appear as significant differences when viewed through one lens may seem to be minor variations viewed through another. For example an American political scientist, Louis Hartz, has argued that Canada, the United States and other countries settled by groups emigrating from Europe are all »fragment cultures,« since the upper and lower strata did not move. As a result, they lacked the privileged aristocratic class and its institutions such as were found in the European »whole«. The North American states were formed as predominantly »middle-class« liberal societies. Hence traditional European conservatism, which emphasized a strong monarchical state, was not present in the settler societies. Over time, the very absence of a traditional right transmuted the original liberal or radical doctrines into conservative dogmas of the »fragment.« It is impossible to build an ideological left in the fragment cultures because there is no hereditary aristocracy against whom to rebel, and because the philosophical bases on which an ideological left might be founded are already institutionalized as part of the received liberal and radical tradition of the society.[5]

Hence, for Hartz the American Revolution is not, and cannot be seen as, a watershed event signalling a radical distinction between the value system developing in post-revolutionary America and that emerging in counter-revolutionary Canada. The minor differences between the two are of far less significance than the traits they share in common, and which sharply set them off from European societies. By contrast, the perspective that I have emphasized sees a greater degree of continuity between the communitarian and elitist aspects of Imperial Britain and the character of Canadian value orientations than Hartz's analysis suggests. My analysis indicates that the survival of these attitudes in Canada, and their relative absence in the United States is an important distinction between the two countries which has resulted, in the first instance, from the Revolution south of the border and its rejection to the north.[6]

One aspect of this distinction is a greater conservatism in Canada – in the European sense of the word – than in the United States. This political orientation, with its emphasis on the values of *noblesse oblige* and state responsibility, has meant, ironically, that Canada has provided a more favorable political and social climate for the development of welfare state policies than is found south of the border.

The effort to relate variations in the value systems and institutions of nations to the differences in their key formative experiences provides a good illustration of Max Weber's methodological dictum that current differences among social structures may often be linked to specific historical events which set one process in motion in one nation or unit, and a different one in a second. Weber, in fact, used the analogy of a dice game in which each time the dice came up with a certain number they were loaded in the direction of coming up with that number again. That is, a decision in a certain direction tends to reinforce those elements which are congruent with it. In other words, historical events establish values and predispositions, and these in turn affect later events.[7]

One illustration of how, in concrete terms, this process can unfold can be seen by looking at the broad sweep of Canadian history from the time of the American Revolution through to the establishment of Canadian independence in 1867. It was not just in 1776 that those to the north opted for the more conservative path. Canadian historians have noted that the democratic or populist elements lost their battle on many occasions. As Frank Underhill summed up that history:

»Our forefathers made the great refusal in 1776 when they declined to join the revolting American colonies. They made it again in 1812 when they repelled American invasions. They made it again in 1837 when they rejected a revolution motivated by ideals of Jacksonian democracy, and opted for a staid moderate respectable British Whiggism which they called ›Responsible Government‹. They made it once more in 1867 when the separate British colonies joined to set up a new nationality in order to preempt [American] expansionism . . . [It] would be hard to overestimate the amount of energy we have devoted to this cause.«[8]

This sequence is understandable in view of the fact that as a result of the American Revolution, flocks of Loyalists – those most opposed to the populist egalitarianism of the Revolution – emigrated to Canada. As J. M. S. Careless, another Canadian historian, has noted, they formed the »backbone of . . . resistance« to American invasion in 1812.[9] The dice were loaded in this instance in the direction of a more conservative posture in Canada than in the United States by virtue of the Revolution and the subsequent migration north by those opposed to the values embodied in this historic event. Interestingly enough, as suggested earlier, it may be argued that the values inherent in a monarchically-rooted conservatism such as those which developed in Canada and much of Europe give rise in the modern world to support for social democratic redistributive and welfare policies. Conversely a dominant laissez-faire Lockean tradition which has been characteristic of the United States for much of its history is antithetical to such programs. Northrop Frye, Canada's leading literary critic, called attention to this alliance of opposites when he stated in 1952: »The Canadian point of view is at once more conservative and more radical than Whiggery [the liberal ideology of the American Revolution], closer both to aristocracy and to democracy [equality] . . .«[10]

The attitudes and values characteristic of a people do not exist in a vacuum, however. It is important to recognize that one of the major factors explaining the persistence of particular orientations is that they become embodied in institutions which help perpetuate them. An illustration of this interaction between values and institutions can be found by comparing religious institutions and attitudes in Canada and the United States, which have consistently differed.[11] The American tradition and law have placed much more emphasis on separation of church and state than has the Canadian. A large majority of Americans has adhered to Protestant sects, which had opposed the established state Church in England. These largely have a congregational structure, and foster the idea of an individual relationship with God. Most Canadians have belonged to either the Roman Catholic or the Anglican churches, both of which have been hierarchically organized state religions in Britain and Europe. While efforts to sustain church establishment ultimately failed in Canada, state support of religious institutions, particulary schools, has continued into the present. Hence religious institutions have both reflected and contributed to anti-elitist and individualist orientations in the United States and countered them in Canada.

It should be noted that a great deal of debate has been generated over the question of the relative significance of Canadian-American value differences. The argument essentially has been between those like myself, who emphasize the distinctiveness of the *values* of the two countries, and the ways these in turn affect behavior, beliefs and institutional arrangements, and those who place primary importance on various *structural* differences, particularly geographic, economic, and political factors. It should be stressed, however, that a concern with the influence of economic, ecologic, and value elements in determining given national developments or traits is not a matter of dealing with alternative mutually exclusive hypotheses. Rather, as in the case of Weber's discussion of the relative contribution of economic and value factors in the rise of capitalism, one may conclude that different variables are each necessary but not sufficient to produce the results sometimes credited to one of them alone.

And, in fact, when the arguments of those identified as adhering to one or the other interpretation of the sources of Canadian-American differences (values or structure) are carefully examined, it becomes apparent that most of the distinctions really are ones of emphasis. For example, my own analysis takes into account that the two nations do vary in their ecology, demography and economy, and that these differences have exerted an important influence on the development of values and attitudes on both sides of the border. Canada controls an area which, while larger than her southern neighbor's, is much less hospitable to human habitation in terms of climate and resources. Her geographical extent and weaker population base have contributed to an emphasis on direct government involvement in the economy to provide various services, for which sufficient private capital or a profitable market have not been available.[12] South of the border, the anti-statist emphasis subsumed in the revolutionary ideology was not challenged by the need to call upon the state to intervene economically to protect the nation's independence against a powerful neighbor.[13]

In a similar way, those whose analysis emphasizes the significance of structural factors also acknowledge the role that values play in affecting the development of political and economic differences across the border. A good example can be found in the writing of Friedrich Engels, the co-founder of the most influential structural approach of all. He was one of the first writers to contend that Canada's economic backwardness compared to the United States is primarily a function of her value system. Following a visit to both countries in 1888, he wrote: »Here one sees how necessary the *feverish speculative spirit* of the Americans is for the rapid development of a new country« and looked forward to the abolition of »this ridiculous boundary line« separating the two countries.[14] More recently, Harold Innis, a Canadian historian who has strongly emphasized structural factors, such as the »hard« character of the Canadian frontier in affecting Canadian orientations, has also noted the importance of »the essentially counter-revolutionary traditions, represented by the United Empire Loyalists and by the Church in French Canada, which escaped the influences of the French Revolution.«[15]

A comparison of the frontier experiences of the two countries encapsulates the ways in which values and structural factors can interact to produce different outcomes. Inasmuch as Canada had to be on constant guard against the expansionist tendencies of the United States, it could not leave its frontier communities unprotected or autonomous. »It was in the established tradition of British North America that the power of the civil authority should operate well in advance of the spread of settlement.«[16] Law and order in the form of the centrally controlled North West Mounted Police moved into the frontier before and along with the settlers. This contributed to the establishment of a much greater tradition of respect for the institutions of law and order on the Canadian frontier as compared with the American, meant the absence of vigilante activity in Canada, and enabled Canada to avoid the Indian Wars which were occurring south of the border.

The pervasiveness of government legal controls on the Canadian frontier seriously undermined the development of an excessive emphasis on individualism which characterizes the United States. The development of the Canadian frontier, in fact, did not simply follow on population movements impelled by natural social pressures, as occurred in the United States. Rather, the Canadian government felt the need deliberately to plan for the settlement of the West. As Canadian sociologist S. D. Clark has put it:

»Canada maintained her separate political existence but only by resisting any movement on the part of her population, which had the effect of weakening the controls of central political authority. The claims to the interior of the continent were staked not by advancing frontiersmen, acting on their own, but by advancing armies and police forces, large corporate economic enterprises and ecclesiastical organizations, supported by the state. The Canadian political temper, as a result, has run sharply counter to the American. Those creeds of American political life – individual rights, local autonomy, and limitation of executive power – which have contributed so much to the political strength of the American community have found less strong support within the Canadian political system.«[17]

And this history of active state involvement in the political and economic development of the country is reinforced by the population and geographic factors that today encourage a continued state role in economic investment and the provision of industrial infrastructure. Thus it may be argued with Weber that the appropriate structural environment for a given development requires the emergence of facilitating values, or that necessary values will not result in the anticipated changes unless the structural conditions are propitious.

Given all of the differences distinguishing the Canadian historical experience from the American, it is not surprising that the peoples of the two countries formulated their self-conceptions in sharply different ways. As an ideological nation whose left and right *both* take sustenance from the American Creed, the United States is quite different from Canada, which lacks any founding myth, and whose intellectuals frequently question whether the country has a national identity. Sacvan Bercovitch has well described America's impact on a Canadian during the conflict-ridden sixties.

»My first encounter with American consensus was in the late sixties, when I crossed the border into the United States and found myself inside the myth of America ... of a country that despite its arbitrary frontiers, despite its bewildering mix of race and creed, could believe in something called the True America, and could invest that patent fiction with all the moral and emotional appeal of a religious symbol ... Here was the Jewish anarchist Paul Goodman berating the Midwest for abandoning the promise; here the descendant of American slaves, Martin Luther King, denouncing injustice as a violation of the American Way; here, an endless debate about national destiny, ... conservatives scavenging for un-Americans, New Left historians recalling the country to its sacred mission ...

»Nothing in my Canadian background had prepared me for that spectacle ... To a Canadian skeptic ..., it made for a breathtaking scene: a pluralistic pragmatic people openly living in a dream, bound together by an ideological consensus unmatched by any other modern society.

»Let me repeat that mundane phrase: *ideological consensus* ... It was a hundred sects and factions, each apparently different from the others, yet celebrating the same mission ...«[18]

Although interpreted in a variety of ways by different groups and individuals, the ideology of the American Revolution provides for each of them a raison d'etre for the

Republic – it explains why the United States came into being, and what it means to be American.

The contrast with Canada is a sharp one. Canada could not offer her citizens »the prospect of a fresh start, ... because (as the Canadian poet Douglas Le Pan put it) Canada is ›a country without a mythology.‹«[19] To justify her separate existence, both linguistic cultures deprecated American values and institutions. As Frank Underhill once noted, Canadians are the world's oldest and most continuing anti-Americans.[20] This stance is reflected in the writings of various Canadian observers in the 1920s, who »discerned and condemned an excessive egalitarian quality derived from notions of independence and democracy that had been set free during the [American] Revolution.«[21] Further evidence of such attitudes was gathered during the 1930s when the first efforts at a systematic sociological investigation of opinions in Canada concerning themselves and Americans were launched. One of the most important and prolific contributors to the research was S. D. Clark, then starting his scholarly career. He summarized his findings in the following terms:

»Canadian national life can almost be said to take its rise in the negative will to resist absorption in the American Republic. It is largely about the United States as an object that the consciousness of Canadian national unity has grown up...

»Constantly in the course of this study we shall come across the idea that Canadian life is simpler, more honest, more moral and more religious than life in the United States, that it lies closer to the rural virtues and has achieved urbanization without giving the same scope to corrupting influences which has been afforded them in the United States.«[22]

As Clark suggests in this passage, Canadians have tended to define themselves, not in terms of their own national history and tradition, but rather by reference to what they are *not:* American.

These differences between Canada and the United States can be seen, not just in history or in the findings of social science research, but also in the novels, poems, and stories created by writers in each country. In fact, of all artifacts, the art and literature of a nation should most reflect, as well as establish, her basic myths and values. And many analysts of North American literature have emphasized the continuing effects of the »mythic and psychic consequences of founding a country on revolution or out of the rejection of revolution.«[23]

Russell Brown, who has studied Canadian and American literature in a comparative context, argues that a revolt against tradition and authority, against king and ancestral fatherland, is at some deepest level an Oedipal act.[24] He notes with respect to this that critics have identified the writings of a number of American authors as reflecting Oedipal themes. In elaborating this point, Brown argues:

»The American desire to free oneself from the father is also a desire to escape the past, its tradition and authority. It is no surprise that the American hero par excellence is that man without fathers, Adam... The American flight from history is the root of the American dream, the Horatio Alger myth, the self-made man.«[25]

If American literature is pervaded by a mood, it is one of optimism. By contrast, Canadian literary critics tend to see their own country and their literature as reflecting defeat, difficult physical circumstances, and abandonment by Britain. According to Robert

L. McDougall, the representative images in Canadian writing »are those of denial and defeat rather than fulfilment and victory.«[26] Russell Brown, quoted above, couches the distinction between the two national literatures in terms of alternate Greek myths. It is not the Oedipal theme of generational conflict that one finds reflected in literature written north of the border, but rather the myth of Telemachus. This Greek character has grown up without his father who, for reasons unfathomable to the young man, left the family home while the boy was till young. Thus, Telemachus sets out at the beginning of the Odyssey to find his father, trying to discover the events which took him away.[27] This concern with the past and with the roots of identity is prototypically Canadian. The contrast between the conservatism of this historically-oriented, backward-looking perspective and the prospects for radical »newness« conveyed by the themes and images of American literature is striking.

One of Canada's foremost novelists, Margaret Atwood, has vividly captured this distinction in discussing what she sees as the central symbol of each of these two countries and their cultures. She suggests that the symbol for America is »The Frontier,« which implies »a place that is *new*, where the old order can be discarded« and which »holds out a hope, never fulfilled but always promised, of Utopia, the perfect human society«. She notes that most twentieth century American literature is about the »gap between the promise and the actuality, between the imagined ideal ... and the actual squalid materialism, dotty small town, nasty city, or redneck-filled outback.«[28] Such an image both reflects and encourages a belief that one ought to *strive*, to seek out the better in life.

The central symbol for Canada, by contrast, based on numerous examples of its appearance in French and English Canadian literature, is »Survival, *la Survivance*«. The main meaning of survival in Canadian literature is the most basic one, »hanging on, staying alive«. Atwood notes the continued Canadian concern with Canada: does it exist? will it last? what does it mean to be a Canadian? do we have an identity? etc. As she puts it: »Canadians are forever taking the national pulse like doctors at a sickbed; the aim is not to see whether the patient will live well but simply whether he will live at all.«[29]

Atwood points out other national differences which are reflected in the literature of the two countries; one of the most important of these is the difference in the way the two societies look at authority. She argues that Canadians, unlike Americans, do not see authority or government as an enemy, »Canada must be the only country in the world where a policeman [the Mountie] is used as a national symbol.« It is not surprising, then, to find that rebels and revolutionists are not heroes in Canadian literature.[30]

The study of a nation's arts and literature is important to any effort to *understand* her values. But as Ronald Sutherland has suggested, literature also helps *form* national values: »The greatest writers of a nation ... respond to the forces that condition a nation's philosophy of life, and they in turn condition that philosophy.«[31] Literature is, of course, not alone or even predominant in these respects. As we turn now to a systematic comparison of a number of facets of two societies, ranging from law and crime to center-periphery relations, we shall continue to observe this mutual interaction between the values predominant in a nation and the institutions which both reflect and shape them.

## Religion

One sphere of life in which this relationship is clearly observable is that of religion. As far as understanding the ways in which religious tradition in Canada differs from that in the United States is concerned, Harold Innis may have said it all when he wrote that a »counter-revolutionary tradition implies an emphasis on ecclesiasticism.«[32] As previously mentioned, the majority of Canadians adhere to the Roman Catholic or Anglican churches, both of which are hierarchically organized and continued until recently to have a strong relationship to the state. On the other hand, most Americans have belonged to the more individualist »nonconformist« Protestant sects.[33] Sutherland sums up the differences as follows:

»American puritanism, developing as it did from the peculiar notions of a small and persecuted sect, underlined self-reliance and the responsibility of the individual... Canada, by contrast, had relatively sophisticated church systems among both Catholics and Protestants. New England Puritanism and subsequent evangelical movements called for personal seeking of God, working out one's own salvation through ›fear and trembling.‹ Canadians, on the other hand, had the security of reliance upon a church establishment, detailed codes of behaviour, a controlling system; and in general, *until very recently*, Canadians have tended to depend upon and to trust systems which control their lives...«[34]

The abolition of established religion in the United States fostered a strong commitment to voluntarism which, as Tocqueville argued, has been an important factor strengthening religion in the United States. In his view, voluntary competitive institutions which rely on their membership for funds and support are likely to be stronger than institutions supported by the state. Moreover, this commitment to voluntarism, together with the considerable strength of the dissenting and anti-statist Methodist and Baptist denominations, meant that religion not only contributed to the economic orientations of the people, but also reinforced the egalitarian and democratic ethos. Tocqueville pointed out that all American denominations were minorities and hence had an interest in liberty and a weak state.[35]

By contrast, as John Webster Grant points out, Canadians have »never succeeded in drawing with any precision a line between areas in which the state has a legitimate interest and those that ought to be left to the voluntary activities of the churches... [Few Canadians find ›the separation of Church and State‹ an acceptable description either of their situation or of their ideal for it.«[36]

Both the Church of England and the Roman Catholic Church received overt government support and, in return, gave strong support to the established political and social order. Hence one found mutually reinforcing conservative forces at the summits of the class, church and political structures.[37] In comparing French and English Canada, Roger O'Toole emphasizes that until recently in Quebec the Roman Catholic Church has retained the informal role of the state church of French Canada. And, although the Anglican Church failed in its effort to become a »national« church in English Canada, it helped establish the founding ethos of the country and to legitimate »monarchy, aristocracy, and British constitutionalism [as] part of a sacred scenario...[I]ts condemnation of mass democracy, egalitarianism, republicanism, and revolution as the work of the devil, left an indelible mark on English-Canadian political life.«[38]

Just as religious practices and institutions can reinforce general value orientations prevalent in a national community, so too can the latter influence the former, as is demonstrated in Kenneth Westhues' comparative study of the American and Canadian Catholic churches. He suggests that there has been an »acceptance by the American [Church] of the role of voluntary association ... as the most it could hope for«.[39] Thus, the Catholic Church in the United States has taken over many of the characteristics of Protestantism, including a strong emphasis on individual moralism.[40] As a result, the Vatican has frowned on the American church and has, in fact, not treated it as well as the Canadian affiliate. The conflict between the Catholic Church and its American branch is a result of the difference »between that world-view, espoused by the American state, which takes the individual as the basic reality of social life, and the church's world-view, which defines the group as primary. American non-recognition of the church is thus not merely a political matter... It is instead a genuinely sociological issue, resting as it does on a fundamental conflict of values.«[41]

And Westhues argues, the »major question always before the Catholic church in the United States has been how far to assimilate to the American way of life.« This question »has never arisen in Canada, basically for the lack of a national ideology for defining what the Candian way of life is or ought to be[42].«

Religion in both countries has become more secularized in tandem with increased urbanization and education. For instance, Canadian Catholicism, particularly in Quebec, has modified the nature of its corporatist commitment from a link to agrarian and elitist anti-industrial values to a tie to leftist socialist beliefs. These variations, of course, parallel the changes in French Canadian nationalism. Public opinion research suggests that francophone Catholics have given up much of their commitment to Jansenist puritanical values, particularly as they affect sexual behavior and family size. This secularizing trend, although generally observable in both countries, has been less noticeable in the United States, particularly among evangelical Protestants. Americans, according to data from sample surveys presented below, are much more likely to attend church regularly than Canadians, and to adhere to fundamentalist and moralistic beliefs. And the continued strength of Protestant evangelical, sectarian and fundamentalist religion south of the border has meant that traditional values related to sex, family and morality in general are stronger there than in Canada.

A large body of public opinion data gathered in the two countries bears on these issues. Most findings are not precisely comparable because of variations in question wording. Fortunately, a research organization linked to the Catholic Church, CARA, has conducted a systematically comparative study of values in 22 countries, including Canada and the United States, where the data were collected by the Gallup Poll at the start of the eighties.[43] The two tables which follow present some of the relevant CARA findings:

Table 1: Religious Beliefs and Values 1980–81 (in percent)

|  | Americans | English Canadians | French Canadians |
|---|---|---|---|
| How important is God in your life? | | | |
| (1 = not at all; 10 = very important) | | | |
| Percentage choosing 9 or 10 | 59 | 44 | 47 |
| Believe »there is a personal God« | 65 | 49 | 56 |
| Believe the ten Commandments apply fully to themselves | 83 | 76 | 67 |
| Believe the ten Commandments apply fully to others as well | 36 | 28 | 23 |
| Believe in »the Devil« | 66 | 46 | 25 |
| Believe in »Hell« | 67 | 45 | 22 |
| Believe in »Heaven« | 84 | 73 | 58 |
| Believe in life after death | 71 | 61 | 63 |
| Believe in a soul | 88 | 80 | 80 |

Table 2: Social Values 1980–81 (in percent)

|  | Americans | English Canadians | French Canadians |
|---|---|---|---|
| Agree that »Marriage is an outdated institution« | 7 | 11 | 19 |
| Believe that »individuals should have a chance to enjoy complete sexual freedom without being restricted« | 18 | 18 | 24 |
| Disapprove of idea of a woman wanting a child but not a stable relationship with one man | 58 | 53 | 34 |
| Agree that sexual activity must subscribe to certain moral rules | 51 | 49 | 34 |

Source: CARA, Center for Applied Research in the Apostolate, Values Study of Canada (code book) (Washington, DC: May 1983)

There is a consistent pattern in these data: Americans far outnumber Canadians generally in giving expression to Protestant fundamentalist beliefs, with anglophones more likely to hold such views than francophones. And, congruent with the variation in religious practice and belief, Americans appear to be more puritanical than Canadians, with francophones the most tolerant with respect to sexual behavior.

Institutionally, national values should be clearly expressed in a nation's system of laws and the way individuals are treated under and react to them and, in fact, this is what we find in examining these aspects of Canadian and American society.

## Law and Deviance

The difference in the role of law in the two countries is linked to the historical emphases on the rights and obligations of the community as compared to those of the individual. The explicit concern of Canada's Founding Fathers with »Peace, Order, and Good Government« implies control and protection. The American stress on »Life, Liberty, and the Pursuit of Happiness« suggests upholding the rights of the individual. This latter concern for rights, including those of people accused of crime and of political dissidents, is inherent in the »due process« model, involving various legal inhibitions on the power of the police and prosecutors, characteristic of the United States. The »crime control« model, more evident in Canada, as well as Europe, emphasizes the maintenance of law and order, and is less protective of the rights of the accused and of individuals generally.[44] As John Hagan and Jeffrey Leon indicate:

»[T]he due-process model is much concerned with exclusionary rules of evidence, the right to counsel, and other procedural safeguards thought useful in protecting accused persons from unjust applications of criminal sanctions.«

»...[T]he crime-control model places heavy emphasis on the repression of criminal conduct, arguing that only by insuring order can individuals in a society be guaranteed personal freedom. It is for this reason that advocates of crime control are less anxious to presume the innocence of accused persons and to protect such persons against sometimes dubious findings of guilt.«[45]

Property rights and civil liberties are also under less constitutional protection in Canada than in the United States. John Mercer and Michael Goldberg note:

»In Canada ... property rights are not vested with the individual but rather with the Crown, just the opposite of the U.S. where the Fifth and Fourteenth Amendments to the U.S. Constitution guarantee property rights. Interestingly, in the [recently enacted] Canadian Charter of Rights and Freedoms property rights (as distinct from human rights) were explicitly not protected ... Such a state of affairs would be unacceptable in the United States where individual rights and particularly those related to personal and real property are sacrosanct.«[46]

The Canadian government has greater legal power to restrict freedom of speech and to invade personal privacy. Acting through an order-in-council, it may limit public discussion of particular issues and, as in 1970 during the Quebec crisis, impose a form of military control.[47] Comparing American and Canadian public reactions to violations of privacy by the government, Alan Westin writes:

»[I]t is important to note that in Canada there have been some incidents which, had they happened in the United States, would probably have led to great causes celebres. Most Canadians seem to have accepted Royal Canadian Mounted Police break-ins without warrants between 1970 and 1978, and also the RCMP's secret access to income tax information, and to personal health information from the Ontario Health Insurance Plan. If I read the Canadian scene correctly, those did not shock and outrage most Canadians.«[48]

That Canadians and Americans differ in the way they react to the law is demonstrated strikingly in the aggregate difference between the two with respect to crime rates for major offenses. Americans are much more prone than Canadians to commit violent offenses like murder, robbery, and rape and to be arrested for the use of serious illegal drugs such as opiates and cocaine. They are also much more likely to take part in protest demonstrations and riots, as the following table shows.

Table 3: Political Protest and Violence in Canada and the United States

|  | U.S. | | Canada | |
|  | 48–67 | 68–77 | 48–67 | 68–77 |
| --- | --- | --- | --- | --- |
| Number of Protest Demonstrations | 1179 | 1005 | 27 | 33 |
| Number of Riots | 683 | 149 | 29 | 5 |
| Deaths from Political Violence | 320 | 114 | 8 | 4 |

Source: Calculated from data in Charles Lewis Taylor and David A. Jodice, World Handbook of Political and Social Indicators, v. 2, (New Haven: Yale University Press, 1983, 3rd ed.), pp. 19–25, 33–36, 47–51.

Although the United States population outnumbers the Canadian by about ten to one, the ratios for political protest activities have ranged from twenty to one to forty to one.

Evidence from national opinion surveys in the two countries indicates that lower rates of crime and violence in Canada are accompanied by greater respect for police, public backing for stronger punishment of criminals, and a higher level of support for gun control legislation. For example, when asked by the Canadian Gallup poll in 1978 to rate the local, provincial, and Royal Canadian Mounted Police, a large majority said »excellent or good« for each, 64 percent, 64 percent, and 61 percent. The corresponding percentages reported by the Harris survey for local, state and federal law enforcement officials in 1981 were 62, 57, and 48.[49] In the early eighties, the CARA surveys conducted by Gallup found more Canadians (86 percent) than Americans (76 percent) voicing a great deal or quite a lot of confidence in the police. There was no significant difference between the two Canadian linguistic groups on this item.

In the United States, gun ownership has been regarded as a »right«, one linked to a constitutional guarantee established to protect the citizen. Canada's policy is based on the belief that »ownership of ›offensive weapons‹ or ›guns‹ is a privilege, not a right.«[50] It is not surprising, then, that Canadians have consistently been much more supportive of gun control legislation than Americans and have been much less likely to own guns.[51] When asked by the Gallup Polls in 1975, »Would you favor or oppose a law which would require a person to obtain a police permit before he or she could buy a gun?« 83 percent of Canadians voiced support compared to 67 percent of Americans.[52]

The lesser respect for the law, for the »rules of the game« in the United States, may be viewed as inherent in a system in which egalitarianism is strongly valued and in which diffuse elitism is lacking. Generalized deference is not accorded to those at the top; therefore, in the United States there is a greater propensity to redefine the rules or to ignore them. The decisions of the leadership are constantly being questioned. While Canadians incline toward the use of »lawful« and traditionally institutionalized means for altering regulations which they believe are unjust, Americans seem more disposed to employ informal and often extralegal means to correct what they perceive as wrong.

The greater lawlessness and corruption in the United States may be attributed in part to the greater strength of the achievement value in the more populous nation. As Robert Merton has pointed out, a strong emphasis on achievement means that »[t]he moral mandate to achieve success thus exerts pressure to succeed, by fair means if possible and by foul means if necessary«.[53] Merton accounts for the greater adherence to approved means of behavior in much of Europe compared to the United States as derivative from variations in the emphasis on achievement for all. And the same logic implies that since Americans are more likely than their Canadian neighbors to be concerned with the achievement of ends – particularly pecuniary success – they will be less concerned with the use of the socially appropriate *means;* hence we should expect a higher incidence of deviations from conventional norms in politics and other aspects of life south of the forty-ninth parallel.

Although the cross-national behavioral and attitudinal variations with respect to law and crime have continued down to the present, Canada has been involved since 1960 in a process of changing her fundamental rules in what has been described as American and due process directions. The adoption of a Bill of Rights in 1960, replaced by the more comprehensive Charter of Rights and Freedoms in 1982, was designed to create a basis, absent from the British North America Act, for judicial intervention to protect individual rights and civil liberties.

While these changes are important, it is doubtful that they will come close to eliminating the differences in legal cultures. Canadian courts have been more respectful than American ones of the rest of the political system. As Kenneth McNaught concluded in 1975,

»... our judges and lawyers, supported by the press and public opinion, reject any concept of the courts as positive instruments in the political process... [P]olitical action outside the party-parliamentary structure tends automatically to be suspect – and not least because it smacks of Americanism. This deep-grained Canadian attitude of distinguishing amongst proper and improper methods of dealing with societal organization and problems reveal us as being, to some extent, what Walter Bagehot once called a ›deferential society‹.«[54]

Beyond these general distinctions there are specific provisions in the new Charter of Rights and Freedoms which set it apart from the American Bill of Rights. For example, to protect parliamentary supremacy, the Canadian constitution provides that Parliament or a provincial legislature may »opt out« of the constitutional restrictions by inserting into any law a clause that it shall operate regardless of any part of the Charter. In addition, the new rights do not include any assurance that an accused person shall have a lawyer, nor that he has the right to remain silent, nor that he need not answer questions which may tend to incriminate him in civil cases or investigatory proceedings.[55]

Just as the legal system has aspects which are relevant both to our private lives and public realm, so too does economy. Thus the next task is to examine the relationship between values and structure in the two North American states in this sphere of activity.

## The Economy: The Private Sector

The United States, born modern, without a feudal elitist corporatist tradition, could create, outside of the agrarian South, what Engels described as the purest example of a bourgeois society. Canada, as we have seen, was somewhat different, and that difference affected the way her citizens have done business. As Herschel Hardin puts it:

»It was ... rough egalitarianism, practical education ... and the relentless psychic push to keep up in the ›Lockian [sic] race‹ that made the exceptional United States go.

»[T]o expect that on this side of the border, out of a French Canada tied to its clerical, feudal past, and out of an English-speaking Canada, which, although it inherited much of the spirit of liberal capitalism, was nevertheless an elitist, conservative, defensive colony – to expect it *without an intense ideological revolution* – was to dream a derivative impossibility.«[56]

And as a result, according to Hardin, Canadian entrepreneurs have been less aggressive, less innovating, less risk-taking than American.[57] Hardin seeks to demonstrate that private enterprise in Canada »has been a monumental failure« in developing new technology and industry, to the extent that Canadian business has rarely been involved in creating industries to process many significant inventions by Canadians, who have had to go abroad to get their discoveries marketed.[58]

This has been partly due to traditional management values and organizational processes.[59] Also important is the fact that, compared to Americans, Canadian investors and financial institutions are less disposed to provide venture capital. They »tend consistently to avoid offering encouragement to the entrepreneur with a new technology-based product ... [or to] innovative industries«.[60]

The thesis has been elaborated by economists. Jenny Podoluk found that »investment is a much more significant source of personal income in the United States than in Canada ... When Canadians have invested, the risky new Canadian enterprise has not been as attractive as the established American corporation«.[61] Kenneth Glazier, in explaining the Canadian tendency to invest in the U.S. rather than in Canada, argues that »One reason is that Canadians traditionally have been conservative, exhibiting an inferiority complex about their own destiny as a nation and about the potential of their country...

»Thus, with Canadians investing in the ›sure‹ companies of the United States, Canada has for generations suffered not only from a labor drain and a brain drain to the United States, but also from a considerably larger capital drain.«[52]

Data drawn from opinion polls reinforce the comparative generalizations about the greater economic prudence of Canadians. Studies of English and French speaking Canadians indicate that on most items, anglophones fall between Americans and francophones. When asked by the American and Canadian Gallup Polls in 1979 (U.S.) and 1980 (Canada) about usage of credit cards, 51 percent of Canadians said they never used one, as compared to 35 percent of Americans. The latter were more likely than Canadians to report »regular« usage, 32 percent to 16 percent. Francophones made less use of credit cards (64 percent, never) than anglophones (44 percent, never). English speakers were also more likely to be regular users than French speakers.[63]

These national differences in the degree of risk generally accepted by actors in the

Table 4: Attitudes Toward Work

|  | Americans | English Canadians | French Canadians |
|---|---|---|---|
| Percentage of respondents who: | | | |
| Express a great deal of pride in the work they do | 84 | 77 | 38 |
| Say they never feel exploited | 37 | 44 | 56 |
| Say employees should unquestioningly follow their superior's instructions on a job | 68 | 57 | 45 |
| Score high (8, 9, 10) on a 10 point scale of job satisfaction | 63 | 69 | 74 |

Source: CARA, Center for Applied Research in the Apostolate, Values Study of Canada (code book) (Washington, DC: May 1983).

economic sphere are accompanied by differences in attitudes toward, or the absorption of, the values of the business-industrial system. The following table shows responses to a number of questions dealing with feelings about work asked in the CARA surveys referred to earlier.

On the first three questions, Americans were more disposed to give the »business« answer, English Canadians were second and French Canadians third. But Americans were least likely to score high with regard to job satisfaction. This response pattern, the inverse of those reported for pride in the job and feelings of exploitation, may reflect a greater interest by Americans in achieving upward mobility through a change in job.

If Canadians have been more conservative than Americans in their behavior in the private sector, they have been much more prone to rely on the state to handle economic and other matters, as the next section indicates.

## The Economy: The Public Sector

As mentioned earlier, and as will be further elaborated below, the stronger conservative orientation north of the border historically has meant a larger role for the state in the Canadian economy. For example, the proportion of the Canadian G. N. P. in government hands as of the mid seventies was 41 percent, compared to 34 percent in the United States; as of 1982 the ratio was 44 to 38 percent.[64] Subtracting defense spending, roughly two percent for Canada, and five to six percent for the U.S., widens the gap between the two countries considerably.[65] Taxes as a share of total domestic product were 35 percent in Canada as compared to 30 percent in the United States in 1982.[66] Unlike »the United States, [Canada] has never experienced a period of pure unadulterated *laissez-faire* market capitalism«.[67] The period since 1960 has witnessed a particularly rapid expansion in the number of crown corporations: fully 70 percent of them were created in the past quarter of a century.[68] Mercer and Goldberg have summed up the magnitude of government involvement in the Canadian economy as of 1982:

»Of 400 top industrial firms, 25 were controlled by the federal or provincial governments. Of the top 50 industrials, all ranked by sales, 7 were either wholly-owned or controlled by the federal or provincial governments. For financial institutions, 9 of the top 75 were federally or provincially owned or controlled... Canadian governments at all levels exhibit little reticence about involvement in such diverse enterprises as railroads, airlines, aircraft manufacture, financial institutions, steel companies, oil companies, and selling and producing atomic reactors for energy generation.«[69]

Research based on opinion poll interviews indicates that Canadians, at both elite and mass levels, are more supportive than Americans of state intervention. Summarizing surveys of high level civil servants and federal, state and provincial legislators, Robert Presthus reports, »[a] sharp difference between the two [national] elites on ›economic liberalism‹, defined as a preference for ›big government‹... Only about 17 percent of the American legislative elite ranks high on this disposition, compared with fully 40 percent of their Canadian peers... [T]he direction is the same among bureaucrats, only 17 percent of whom rank high among the American sample, compared with almost 30 percent among Canadians.«[70]

Differences related to party affiliation in both countries emphasize this cross-national variation. Canadian Liberal legislators score much higher than American Democrats on economic liberalism and Canadian Conservatives score much higher than Republicans. Conservatives and Republicans in each country are lower on economic liberalism than Liberals and Democrats, but *Canadian Conservatives are higher than American Democrats.*[71]

Mass attitudinal data reinforce the thesis that Canadians are more collectivity oriented than Americans and therefore are more likely to support government intervention. In the 1968–70 studies of American and English Canadian attitudes discussed earlier, Stephen Arnold and Douglas Tigert found that, compared to Canadians, Americans are more opposed to big government and less likely to believe that government should guarantee everyone an income (see Table 5). They also reported that Americans are more likely than Canadians to take part in voluntary communitarian activities which, according to the authors, contradicts my assumption that Canadians are more collectivity oriented.[72] However, I would argue that the findings support this contention, since they demonstrate that Americans are more likely to take part in voluntary activity to achieve particular goals, while Canadians are more disposed to rely on the state.[73] And in fact, a subsequent article by Stephan Arnold and James Barnes dealing with the same findings concluded: »Americans were found to be individualistic, whereas Canadians were more collectively oriented«, more supportive of state provision of medical care or a guaranteed minimum income.[74]

The existence of an electorally viable social-democratic party, the New Democrats (NDP), in Canada has been taken by various writers as an outgrowth of the greater influence of the tory-statist tradition and the stronger collectivity orientation north of the border. Conversely, the absence of a significant socialist movement to the south is explained in part by the vitality of the anti-statist and individualist values in the United States. There is, of course, good reason to believe, as Louis Hartz, Gad Horowitz, and I, among others, have argued,

Table 5: Attitudes Toward Government (in percent)

|  | Mean Level of Agreement | |
| --- | --- | --- |
|  | Americans | Canadians |
| The government in Ottawa (Washington) is too big and powerful | 54 | 40 |
| The government should guarantee everyone at least $ 3000 per year whether he works or not | 14 | 36 |

Source: S. J. Arnold and D. J. Tigert, »Canadians and Americans: A Comparative Analysis«, International Journal of Comparative Sociology, 15 (March-June 1974), p. 80.

that social democratic movements are the other side of statist conservatism, that Tories and socialists are likely to be found in the same polity, while a dominant Lockean liberal tradition inhibits the emergence of socialism as a political force.[75] The emergence of a socialist movement advocating increased government intervention and ownership is much less disharmonious in conservative societies than it is in liberal ones.

The thesis that a Tory statist tradition is conducive to the emergence of socialist movements has been criticized on the grounds that socialist parties have been weakest in the most traditional parts of Canada, Quebec and the Maritimes.[76] However, two Canadian political scientists, William Christian and Colin Campbell, see the recent rise to power in Quebec of a social democratic movement, the Parti Quebecois, as reflecting the propensity for a leftist collectivism inherent in Canadian elitist values, that can appear only after the bulwarks of the traditional system break down. They conclude that the emergence of socialism »in Quebec in reaction to the incursions of liberalism and capitalism is hardly surprising from a Hartzean viewpoint, for ... Quebec's stock of political ideas includes a strong collectivist element. This collectivism is deeply embedded in Quebec's institutions: from the earliest days of New France, the government actively intervened on a broad scale in economic affairs... The church, by its nature a collectivist institution, has long encouraged community enterprise... Quebec's collectivist past provided receptive and fruitful soil for socialist ideas once the invasion of liberal capitalism had broken the monopoly of the old conservative ideology...«

However, there are other plausible explanations for the difference in the political party system of Canada and the United States which suggest that the contrast in socialist strength should not be relied on as evidence of varying predispositions among the two populations. As I noted in an article on »Radicalism in North America,« one of the main factors differentiating the United States from Canada and most other democratic countries has been its system of direct election of the President. In America, the nation is effectively one constituency and the American electorate is led to see votes for anyone other than the two major candidates as effectively wasted. Seemingly, the American constitutional system serves to inhibit, if not to prevent, electorally viable third parties, and has produced a concealed multi-party or multi-factional system, operating within the two major parties, while Canadian constituency contests are more conducive to viable third, and even fourth, parties.[78] And many, such as Michael Harrington, former national chairman of the Socialist Party of the U.S., have argued that there is a social democratic faction in America that largely operates within the Democratic Party.[79]

Evidence, independent of the effect of diverse electoral systems, that the forces making for class consciousness and organization, linked to collectivity orientations, are more powerful in Canada than the United States may be found in trade union membership statistics. Canada not only has had much stronger socialist parties than America since the 1930s, but workers in the northern country are now much more heavily involved in unions than those in the south. By 1983, only one-fifth of the non-agricultural labor force in the United States belonged to labor organizations compared to 40 percent in Canada.[80] In the U.S., the percentage organized in unions has fallen steadily from a high point of 32.5 in 1954, while in Canada, the figure has moved up from 22. Organized labor in Canada surpassed that in the United States for the first time in 1973. In harmony with the evidence that francophones are more collectivity oriented than anglophones, a larger proportion of workers in Quebec belong to unions than in the rest of the country.

To explain these changes and variations would go beyond the scope of this paper. It may be suggested, however, that the long post-war prosperity refurbished the anti-statist and individualistic values of the United States, while in Canada, economic growth reinforced class and collectivity orientations. Certainly, the successful campaign conducted by Brian Mulroney and the Progressive Conservatives in 1984 continued to emphasize the Tory welfare tradition, while anti-statist conservativism (Lockean liberalism) has been strengthened in Reaganite America.

## Elitism and Equalitarianism

From a consideration of the role of the state with respect to economic policies, it seems appropriate to turn to aspects of stratification. In earlier writings on this subject, I suggested that Canada and the United States vary with respect to the values of equalitarianism-elitism and achievement-ascription.[81] Elitism is presumed to be reflected in diffuse respect for authority, and in Canada contributes to the encouragement of a greater role for the state in economic and social affairs. Equalitarianism can be perceived as the polar constrast to elitism, in Tocquevillian terms as generalized respect for »all persons ... because they are human beings«.[82] Equalitarianism, however, has many meanings, not all of which are incompatible with elitism. Conceptualized as »equality of result«, it enters into the political arena in efforts to reduce inequality on a group level. And, reiterating the arguments just presented, it may be said that Tory stimuli, elitist in origin, produce social democratic responses, efforts to protect and upgrade the position of less privileged strata.

Conceptualizing equalitarianism in this fashion leads to the expectation that nations which rank high with respect to the value of achievement, »equality of opportunity«, will be less concerned with reducing inequality of condition. If the United States is more achievement oriented and less elitist than Canada, then she should place more emphasis on educational equality as the primary mechanism for moving into the higher socio-economic positions. Canada, on the other hand, should be more favorable to redistributive proposals, thus upgrading the lower strata, as, in fact, she is.

Robert Kudrle and Theodore Marmor note that »the ideological difference – slight by international standards – between Canada and the United States appears to have made a considerable difference in welfare state developments«.[83] Canadian programs were adopted earlier, »exhibited a steadier development«, are financed more progressively and/or are more income redistributive in the areas of old age security, unemployment insurance, and family allowances (non-existent in the U.S.), and medical care.[84] Similarly, a recent study of health care practices notes that »the equity objective in health has a much higher priority in Canada than in the United States...«[85]

The main evidence which bears on the relationship between elitism and equality of opportunity in my earlier essay concerns education. As of 1960, the proportion of Canadians aged 20–24 in higher education (16 percent) was much lower than that of Americans (32 percent). The educational literature of the time also called attention to the more elitist character of the Canadian system, the fact that education in the north was more humanistic and less vocational and professional in orientation.

The numbers of people attending higher education have increased greatly in both North American societies during the past two decades, although there is still a considerable gap. As of 1979, the percentage of Canadians aged 20–24 in higher education had risen to 36, but the comparable American figure had increased to 55.[86] The proportion of Canadians enrolled in tertiary education jumped by 125 percent; that of Americans by 72 percent. Americans, however, moved up more in absolute terms, 23 percent to 20 percent for Canadians.

Some analysts of recent changes in Canadian universities have referred to them as »Americanizations«.[87] Canada not only sharply increased the number of universities and places for students, but her higher education institutions, following public policy, have changed. They have incorporated practical and vocationally relevant subjects, expanded the social sciences and graduate programs, and placed greater emphasis on faculty scholarship. As Claude Bissell, former President of the University of Toronto, emphasizes, his country has been moving away from an elitist conception of higher education.

»By endorsing a policy of open accessibility and the concept of the social value of new knowledge, Canada was, one might say, at long last accepting in its educational practices some of the concepts implicit in the American Revolution...

»[It was giving up] the conservative, antirevolutionary concepts that had dominated higher education in Canada – the bias to languages and philosophy, the emphasis on thoroughness in the undergraduate degree, and the untroubled merger of the religious and the secular...«[88]

The changes in the size and content of higher education in Canada should lead to a reduction in the proportion of persons without professional training who hold top jobs. Comparative data indicate that Canada has differed from America, and resembled Britain, in disproportionately recruiting her business and political administrative elites from those without a professional or technical education. As Charles McMillan reports, »Canadian managers tend to be less well educated than their counterparts in any other industrialized country with the possible exception of Britain«.[89]

This conclusion is documented by Wallace Clement's studies of business elites which reveal that the Canadians not only have less specialized education than the Americans, but also that the former are much more likely to have an elitist social background. As Clement reports, »entrance to the economic elite is easier for persons from outside the upper class in the United States than it is in Canada ... [T]he U.S. elite is more open, recruiting from a much broader class base than is the case in Canada«.[90] Sixty-one percent of the Canadian top executives are of upper class origin compared to 36 percent of the Americans.[91]

Similar cross-national differences among top civil servants were reported by Robert Presthus and William Monopoli from studies done during the late sixties and early seventies.[92] These revealed a much higher proportion of Canadian than of American bureaucrats were of upper class origin. Presthus explained the phenomena »both in industry and government« as reflecting »strong traces of the ›generalist‹, amateur approach to administration. The Canadian higher civil service is patterned rather closely after the British administrative class, which even today tends to symbolize traditional and charismatic bases of authority. Technical aspects of government programmes tend to be de-emphasized, while policy-making and the amateur-classicist syndrome are magnified ...«[93]

As with many other Canadian institutions, the civil service has been changing. A more recent survey of bureaucrats in central government agencies by Colin Campbell and George Szablowski finds that in »the past decade Canada has seen a remarkable influx of bureaucrats representing segments of the populace traditionally excluded from senior positions in the public service,« and that many of those interviewed had »experienced rapid upward mobility«.[94] These developments may reflect the documented decrease in educational inheritance in Canada as the higher education system has grown.[95]

Cross-national surveys conducted in recent years have explicitly sought to estimate support for meritocracy when contrasted with equality of result. Their findings point to strong differences between Americans and Canadians on these issues. In the fall of 1979, national samples in the two countries were asked by a Japanese research group to choose between the two in fairly direct fashion:

»Here are two opinions about conditions existing in our country. Which do you happen to agree with?

»A. There is too much emphasis upon the principle of equality. People should be given the opportunity to choose their own economic and social life according to their individual abilities.«

»B. Too much liberalism has been producing increasingly wide differences in people's economic and social life. People should live more equally.«

Forty-one percent of the Canadians chose the more egalitarian and collectivity oriented option B. The proportion of Americans responding this way was 32 percent. Clearly the pattern of responses suggests that Canadians value equality of result more than Americans, while the latter are more achievement oriented.[96]

CARA put the same issue in the following way:

»I'd like to relate an incident to you and ask your opinion of it. There are two secretaries, of the same age, doing practically the same job.

»One of the secretaries finds out that the other one earns $ 20 per week more than she

804

does. She complains to her boss. He says, quite rightly, that the other secretary is quicker, more efficient, and more reliable at her job. In your opinion, is it fair or not fair that one secretary is paid more than the other?«

The way this question is formulated is clearly biased in favor of saying that the more productive secretary should be paid more, and large majorities on both sides of border responded this way. Close to twice the proportion of francophone Canadians as Americans, 32 percent to 17 percent, said it is unfair to pay the more efficient worker a higher rate while the anglophones fell in the middle, 23 percent.

The CARA study also found that the different North American groups adhered to expectation when choosing between classic statements of the conflict between liberty and equality. They were asked:

»Which of these two statements comes closest to your own opinion?

(A) I find that both freedom and equality are important but if I were to make up my mind for one or the other, I would consider personal freedom more important, that is, everyone can live in freedom and develop without hindrance.

(B) Certainly both freedom and equality are important, but if I were to make up my mind for one of the two, I would consider equality more important, that is, that nobody is underprivileged and that social class differences are not so strong.«

Most respondents chose freedom over equality, but not surprisingly, Americans led in this preference. Seventy-two percent of them agreed with the first statement as compared to 64 percent of the English Canadians and 57 percent of the French Canadians. Conversely, 38 percent of the francophones, 29 percent of the anglophones, and only 20 percent of the Americans agreed that an emphasis on the reduction of class differences is more important than freedom.

If greater commitment to equality of result leads Canadians to voice a higher preference for equality over freedom or liberty, the assumption that Canada is more elitist than the United States implies, as I noted in an earlier comparison of the two societies, that Canadians should be more tolerant toward deviants or dissidents than Americans.[97] I suggested that even without a due process system, the greater tolerance and civil liberties for unpopular groups in elitist democracies, such as Britain and Canada, as compared to populist ones reflected the ability of elites in the former to protect minority rights. Opinion studies from many democratic societies indicate that educated elites invariably are more tolerant than the less educated; hence the tyranny of the majority is less of a problem in a more elitist system. And the CARA data bear out the anticipation that Canadians would, therefore, be more tolerant than their southern neighbors. When asked about various kinds of unpopular people, which of them you »would not like to have as neighbors«, Canadians, the francophones particularly, were more accepting than Americans. The latter were more likely (48 percent) than English Canadians (40 percent) or French Canadians (30 percent) to say that they were opposed to having »people with a criminal record as neighbors«. Americans also were more disposed to find »emotionally unstable people« offensive as neighbors (47 percent) than English Canadians (33 percent) or French Canadians (13 percent). Not surprisingly, Americans exhibited less tolerance for people described as »extremists«. Thus, »left-wing extremists« were rejected as neighbors by 34 percent of the Americans, 31 percent of the English Canadians, and only 20 percent of the

French Canadians; while »right-wing extremists« were turned down by 26 percent of the Americans, 24 percent of the anglophone Canadians, and 14 percent of the franco-phones.

As a final subject, this analysis turns to national unity, to the ways that subgroups, ethnic and regional, behave in the two societies.


## Mosaic and Melting Pot: Center and Periphery

In an earlier paper, I asserted that »Canada is more particularistic (group-attribute conscious) than the seemingly more universalistic United States«.[98] These differences are reflected (a) in the Canadian concept of the »mosaic,« applied to the right to cultural survival of ethnic groups, as compared to the American notion of the »melting pot«; (b) in the more frequent recurrence and survival of strong regionally based third parties in Canada than in the United States; and (c) in the greater strength of provinces within the Canadian union, compared to the relative weakness of the states and the nationalization of politics, i.e., the decline of regionalism, in America.

The origin of these cross-national differences, as with those previously discussed, can be traced to the impact of the Revolution. American universalism, the desire to incorporate diverse groups into one culturally unified whole, is inherent in the founding ideology, the American Creed. Canadian particularism, the preservation of sub-national group loyalties, an outgrowth of the commitment to the maintenance of two linguistic sub-cultures, is derivative from the decision of the francophone clerical elite to remain loyal to the British monarchy, as a protection against the threat posed by Puritanism and democratic populism from the revolutionary south. Given the importance of the French speaking areas to British North America, the subsequent Canadian federal state incorporated protections for the linguistic minority, and the provinces assumed considerable power.

These differences could be expected to decline with modernization. Most analysts have assumed that industrialization, urbanization, and the spread of education would reduce ethnic and regional consciousness, that universalism would supplant particularism. As Nathan Glazer and Daniel P. Moynihan noted, it was generally believed that »divisions of culture, religion, language [and race] ... would inevitably lose their weight and sharpness in modern and modernizing societies, ... that common systems of education and com-munication would level differences«.[99] Samuel Beer has argued that modernization inherently led to a growth in authority at the center and a decline in state and provincial power as the different parts of federal countries became more differentiated and interde-pendent. As he put it: »In the United States, as in other modernizing societies, the general historical record has spelled centralization ... [T]he main reasons for this change are ... to be found ... in the new forces produced by an advanced modernity.«[100]

The validity of the assumptions that structural modernization would sharply reduce ethnic and regional diversity and the power of federal sub-units has been challenged by developments both within and outside of Canada. From the sixties on the world has witnessed an ethnic revival in many countries. In Canada, even prior to the revival, the values underlying the concept of the »mosaic« meant that various minorities, in addition to the francophones, would be able to sustain a stronger group life than comparable ones in the United States. As Arthur Davis points out:

»[E]thnic and regional differences ... have been more generally accepted, more legitimized [in Canada] than they have been in our southern neighbour. There has not been as much pressure in Canada for ›assimilation‹ as there has been in the United States ... Hutterite communities unquestionably are granted more autonomy in Canada than in the United States. Likewise, the Indians of Canada, however rudely they were shunted on to reservations ... were seldom treated with such overt coercion as were the American Indians.«[101]

The differing organization of Jews in Canada and the United States also shows how the structure and behavior of an ethnic-religious group may vary with national environments. Canadian Jewry is much better organized as a community than its American counterpart. A single national organization, the Canadian Jewish Congress, represents all Jews in Canada, while there is no comparable group in the United States. A much higher proportion of Jewish youth is enrolled in day schools in Canada than in the United States, while the intermarriage rate is lower north of the border in spite of the fact that the Canadian Jewish community is much smaller than the American. The size factor should have led to greater assimilation in Canada, but the emphasis on particularistic group organization subsumed in the mosaic character of Canada seemingly helps to perpetuate a more solidaristic Canadian Jewish community.[102]

The greater autonomy and coherence of ethnic groups north of the border is the result, not just of a different set of attitudes, but also of explicit government policies which reflect them. Ever since the publication in 1969 of the fourth volume of the *Report of the Royal Commission on Bilingualism and Biculturalism*, the country has been committed to helping all ethnic groups through a policy of promoting »multiculturalism«.[103] The extent of the government's willingness to support this policy was reflected in the 1973 establishment of a cabinet ministry with the exclusive responsibility of multiculturalism. In addition, the government has provided funding to ethnic minorities for projects designed to celebrate and extend their cultures.

During the past two decades Blacks have assumed a role within the American policy somewhat similar to that which the Quebecois play in Canada. The call for »Black Power«, in the context of demands for group, as distinct from individual, rights through affirmative action quotas and other forms of aid, has led the United States to explicitly accept particularistic standards for dealing with racial and ethnic groups. Much as francophones have legitimated cultural autonomy for other non-Anglo-Saxon Canadians, the changing position of Blacks has enabled other American ethnic groups and women to claim similar particularistic rights. In effect, the United States has moved toward replacing the ideal of the »melting pot« with that of the »mosaic«. Nevertheless, as John Porter argued at the end of the seventies, these changes still leave the United States a more universalistic society than Canada.[104]

If the two North American countries have reduced some of the variation in the ways they define the position of minorities, they are more disparate than before with respect to the importance of the center and the periphery – the national government versus the regions,

807

states, and provinces. Regional differences have steadily declined in the United States; they have remained important or have even increased in Canada.[105]

Canadian provinces have become more disposed than American states to challenge the power of the federal government. Movements advocating secession have recurred in this century, not only Quebec, but in parts of the Maritimes, the Prairies, and British Columbia as well. The tensions between Ottawa and the provinces and regions are not simply conflicts among politicians over the distribution of power. Public sentiment in Canada remains much more territorial than in the United States, reflecting more distinct regional and provincial interests and values. In a comparative analysis of »voting between 1945 and 1970 in seventeen western nations, Canada ranked among the least nationalized, while the United States was the most nationalized. Over the time span of the study, voting in the United States was progressively nationalized whereas Canada experienced no change.«[106]

The sharp discrepancy between Canadian and American developments, on the one hand a weakening of the power of the national government, on the other a strengthening of it, has led political scientists to ask »what has accounted for these contradictory developments?« The answers suggested are manifold. Few Canadian scholars are ready to agree, as John Porter was, that the difference represents the continued influence in Canada of counterrevolutionary traditions and institutions, or that the variations represent a »choice of different sets of values, as the choice between a preference for the maintenance of group identities or for the diffusion of individual universalism.«[107] Rather, they discuss a variety of relevant factors: »*societal* (economic, demographic, and international forces) and *institutional* (the formal or constitutional structures of the state).«[108]

Two variables, both of which may be linked to the outcome of the American Revolution, appear to be most important. One is the role of the French Canadians discussed earlier. The other is the effect of the variation between the Presidential-Congressional divided-powers American system and the British parliamentary model. As Roger Gibbins emphasizes, »the Quebecois ... have used the Quebec provincial government as an instrument of cultural survival and, because the stakes are so high, provincial rights have been guarded with a vigor unknown in the United States.«[109] Smaller provinces, seeking to protect their autonomy, have been able to do so because Quebec has always been in the forefront of the struggle.

The much greater propensity of Canadian provinces as compared to American states to engage in recurrent struggles with the federal government and to support a variety of particularistic third parties may be explained by the fact that regional interests are much less well protected in Parliament than in Congress. As I argued three decades ago: »Given the tight national party discipline imposed by a parliamentary as compared with a presidential system, Canadians are forced to find a way of expressing their special regional or other group needs ... [T]he Canadian solution has been to frequently support different parties on a provincial level than those which they back nationally,« so that provincial governments may carry out the representation tasks which in the United States are fulfilled by Congressional interest blocs.[110] Or, as Donald Smiley puts it, »[C]ongressionalism appears to inhibit the direct confrontation of federal and state governments, while the parliamentary forms in their contemporary Canadian variant sharpen the conflict between federal and provincial jurisdictions.«[111]

## Conclusion

Without succumbing further to the temptation of discussing other Canadian-American differences, there can be little doubt that regardless of how much emphasis is placed on structural or cultural (value) factors in accounting for variations, that Canada and the United States continue to differ considerably along most of the dimensions suggested in my previous work.

Some critics of the cultural approach, such as Arthur Davis and I. L. Horowitz have contended that the differences between the two nations have largely been a function of »cultural lag,« that Canada, traditionally somewhat less developed economically than the United States, has been slower to give up the values and life styles characteristic of a less industrialized, more agrarian society.[112] Presumably then, as the structural gap declines, Canada should become more like the United States. A similar thesis, on a broader scale, has been enunciated by various proponents of world system or convergence theories, who see national cultural differences diminishing, if not vanishing, as the industrial systems of the developed countries come to approximate each other. In the specific case of Canada and the United States, the two should become even more similar since the »American connection« has resulted in increased domination by American companies over broad sections of Canadian economic life, while Canada has also become more culturally dependent on its southern neighbor through the spread of the American mass media, particularly television, as well as various forms of journalism. Since World War II, substantial changes in economic productivity, education – quantitatively and qualitatively –, and in rates of upward social mobility, that have been described in Canada, particularly Quebec, as the »quiet revolution« and in the United States as »the post-industrial revolution,« have clearly reduced the structural gap. But there has been no consistent decline in the patterns of differences in behavior and values. As has been elaborated in the preceding pages, significant variations remain across the border with respect to a broad range of societal conditions.

I have paid more attention here than in my earlier writings to variations between the two Canadian linguistic cultures. The evidence indicates that francophone Canadians vary more from their anglophone co-nationals than the latter do from Americans. Quebec, once the most conservative part of Canada, has become the most liberal on social issues and has a quasi-socialist provincial government. Clearly, as John Porter and others have emphasized, there are Canadian styles and values that differentiate both linguistic cultures from the American one.

The cultural and political differences between the two North American nations suggest why they occasionally have some difficulty understanding each other in the international arena. There are the obvious effects of variations in size, power, and awareness of the other. Canadians object to being taken for granted, and to being ignored by their neighbor. As citizens of a less populous power, they sympathize with other small or weak countries who are pressed by the United States. But beyond the consequences of variations in national power and interests, Canadians and Americans, as I have tried to spell out here, have a somewhat different *Weltanschauung*, world view, ideology. Derivative from their revolutionary and sectarian Protestant heritages, Americans, more than other western peoples, tend to view international politics in non-negotiable moralistic and ideological terms. Canadians, like Europeans, with whom they share a Church rather than a sectarian religious tradition, and a national self-conception drawn from a common history rather than a revolutionary ideology, are more disposed to perceive foreign policy conflicts as reflections of interest differences, and therefore subject to negotiation and compromise.

In trying in the early fifties to answer the question what is »distinctively Canadian,« Frye noted that »historically, a Candian is an American who rejects the Revolution.«[113] By the mid sixties, I suggested that the national self-images were changing as a result of varying perceptions of international events, that »[m]any Canadians now view their country as more ›leftist‹ or liberal in its institutions and international objectives than the United States.«[114] Since then, many Canadians, including Conservatives, have supported the »Revolution« in various places, such as Vietnam, Nicaragua, and El Salvador, while the United States has backed the »Counterrevolution,« the »contras«. (Americans, it should be noted, often take this position in the context of a belief that they are backing democracy, the people, against actual or potential tyrants).

The United States and Canada remain two nations formed around sharply different organizing principles. As various novelists and literary critics have emphasized, their basic myths vary considerably, and national ethoses and structures too are determined in large part by such myths. However, the differences in themes in the two national literatures have declined in the past two decades. Ronald Sutherland and A. J. M. Smith, two Canadian literary critics, have both called attention to a new nationalism north of the border, one which has produced a more radical literature.[115] But ironically, as Sutherland points out, these changes are making Canada and her fiction more American, involving a greater emphasis on values such as pride in country, self-reliance, individualism, independence and self confidence.

It may be argued, however, that these changes, while reducing some traditional differences, have enhanced others. The new nationalism, often linked among intellectuals both to socialism and Toryism, seeks to resist takeover of Canada's economy and increased cultural and media influence by Americans, and its weapon in so doing is the remedy of state action. As Christian and Campbell have observed in this context: »Toryism, socialism, and nationalism all share a common collectivist orientation in various forms.«

Although some will disagree, there can be no argument. As Margaret Atwood has well put it: »Americans and Canadians are not the same, they are the products of two very different histories, two very different situations.«[116]

## Notes

[1] My initial treatment of this subject was presented in my book, The First New Nation: The United States in Historical and Comparative Perspective (New York: Basic Books, 1963; expanded paperback edition, New York: W. W. Norton, 1979) in Chapter 7, »Value Differences, Absolute or Relative: The English Speaking Democracies.« The arguments presented there were elaborated in S. M. Lipset, »Revolution and Counterrevolution: The United States and Canada,« in Thomas R. Ford (ed.), The Revolutionary Theme in Contemporary America (Lexington: University of

Kentucky Press, 1965), pp. 21–64. This article was subsequently incorporated as a chapter in my book, Revolution and Counterrevolution (New York: Basic Books, 1968), pp. 31–63, and in a revised paperback edition (Garden City, NY: Anchor Books, 1970), pp. 37–75. The page references to the article here are to the 1970 edition, which has the widest circulation of the three. A German translation of a shortened version was published as »Kanada und die Vereinigten Staaten: Eine Vergleichende Betrachtung,« in Kölner Zeitschrift für Soziologie und Sozialpsychologie, 17 (1965) Heft 3, pp. 659–674.

[2] For a review of propositions in the literature see Stephen J. Arnold and James G. Barnes, »Canadian and American National Character as a Basis for Market Segmentation,« in J. Sheth (ed.), Research in Marketing, v. 2 (Greenwich, Conn.: JAI Press, 1979), esp. pp. 3–6. See also Frank G. Vallee and Donald R. Whyte (eds.), Canadian Society: Sociological Perspectives (Toronto: Macmillan of Canada, 1971, 3rd ed.), pp. 556–575, esp. pp. 559–564; and W. Peter Archibald, Social Psychology as Political Economy (Toronto: McGraw-Hill Ryerson, 1978), pp. 231–241.

[3] »Engels to Sorge,« February 8, 1890, in Karl Marx and Friedrich Engels, Selected Correspondence (New York: International Publishers, 1942), p. 467.

[4] Northrop Frye notes that English Canada should be »thought of . . . as a country that grew out of a Tory opposition to the Whig victory in the American Revolution . . . [Quebec reacted against] the French Revolution with its strongly anti-clerical bias. The clergy remained the ideologically dominant group in Quebec down to a generation ago, and the clergy wanted no part of the French Revolution or anything it stood for.« Frye, Divisions on a Ground: Essays on Canadian Culture (Toronto: Anansi, 1982), p. 66. For a discussion of Canada's three founding nationalities, the English, the French and the Scots (those who settled in Nova Scotia were Jacobites) as defeated peoples, see Hugh MacLennan, »A Society in Revolt,« in Judith Webster (ed.), Voices of Canada. An Introduction to Canadian Culture (Burlington, Vt.: Association for Canadian Studies in the United States, 1977), p. 30.

[5] Hartz, Louis: The Founding of New Societies (New York: Harcourt, Brace, and World, 1964), pp. 1–48.

[6] Hartz, however, does note that English Canada is »etched with a Tory streak coming out of the American Revolution.« Ibid., p. 34.

[7] Weber, Max: The Methodology of the Social Sciences (Glencoe, Ill.: The Free Press, 1949), pp. 182–185.

[8] Underhill, Frank: In Search of Canadian Liberalism (Toronto: The Macmillan Company of Canada, 1960), p. 222.

[9] Careless, J. M. S.: Canada: A Story of Challenge (Cambridge: Cambridge University Press, 1963), p. 113.

[10] Frye, Northrop: »Letters in Canada: 1952 Part I: Publications in English,« The University of Toronto Quarterly, 22 (April 1953), p. 273.

[11] See S. M. Lipset: The First New Nation, pp. 140–170, and S. D. Clark, Church and Sect in Canada (Toronto: Universtity of Toronto Press, 1948).

[12] Bryce, James: Modern Democracies, v. 1 (New York: Macmillan, 1921), p. 471.

[13] The so-called Laurentian thesis advanced by some economic historians suggests that without state intervention and economic links in Europe, Canada could not have survived as a separate country. See Harold A. Innis, Essays in Canadian History (Toronto: University of Toronto Press, 1956).

[14] »Engels to Sorge,« September 10, 1888 in Karl Marx and Friedrich Engels, Letters to Americans (New York: International Publishers, 1953), p. 204. (emphasis S. M. L.).

[15] Innis, Essays, p. 406.

[16] McInnis, Edgar W.: The Unguarded Frontier (Garden City, NY: Doubleday, Doran & Co., 1942), pp. 306–307.

[17] Clark, S. D.: The Developing Canadian Community (Toronto: University of Toronto Press, 1962), p. 214.

[18] Bercovitch, Sacvan: »The Rites of Assent: Rhetoric, Ritual and the Ideology of American Consensus,« in Sam B. Girgus (ed.), The American Self. Myth, Ideology and Popular Culture (Albuquerque: University of New Mexico Press, 1981), pp. 5–6. (Emphasis in original.)

[19] Ibid., p. 24.

[20] Underhill, In Search of Canadian Liberalism, p. 222. For an elaboration see John C. Kendall, »A Canadian Construction of Reality: Northern Images of the United States,« The American Review of Canadian Studies, 4 (Spring 1974), pp. 20–36.

[21] Weaver, John Charles: »Imperilled Dreams: Canadian Opposition to the American Empire, 1918–1930,« (Ph. D. dissertation, Department of History, Duke University, 1973), p. 80.

[22] Clark, S. D.: in H. F. Angus (ed.), Canada and Her Great Neighbor: Sociological Surveys of Opinions and Attitudes in Canada Concerning the United States (Toronto: The Ryerson Press, 1938), pp. 243, 245. For a comparable report by a historian of the 1930s in Canada see H. Blair Neatby, The Politics of Chaos: Canada in the Thirties (Toronto: Macmillan of Canada, 1972), pp. 10–14.

[23] Brown, Russell M.: »Telemachus and Oedipus: Images of Tradition and Authority in Canadian and American Fiction,« (Department of English, University of Toronto), p. 2.

[24] Ibid.

[25] Ibid., p. 17.

[26] McDougall, Robert L.: »The Dodo and the Cruising Auk,« Canadian Literature, no. 18 (Autumn 1963), pp. 10–11.

[27] Brown, »Telemachus and Oedipus,« p. 8.

[28] Atwood, Margaret: Survival: A Thematic Guide to Canadian Literature (Toronto: Anansi Press, 1972), pp. 31–32.

[29] Ibid., p. 33.

[30] Ibid., p. 171.

[31] Sutherland, Ronald: »A Literary Perspective: The Development of a National Consciousness,« in William Metcalfe (ed.), Understanding Canada (New York: New York University Press, 1982), p. 402.

[32] Innis, Essays, p. 385.

[33] As Edmund Burke noted in his speech to Parliament trying to explain the motives and behavior of the American colonists at the time of the revolution, their religious beliefs made them the Protestants of Protestantism, the dissenters of dissent, the individualists par excellence. Edmund Burke, Selected Works (Oxford: Clarendon Press, 1904), pp. 180–181. Sociologists of religion have also noted that variations in theology (the fostering of individualism by the sects compared to an organic collectivity relationship nurtured by the churches) have affected the values and institutions of the two countries. See section on »Volunteerism, the Source of Religious Strength,« in S. M. Lipset, The First New Nation, pp. 159–169.

[34] Sutherland, Ronald: The New Hero: Essays in Comparative Quebec/Canadian Literature (Toronto: Macmillan of Canada, 1977), pp. 2–3.

[35] Tocqueville, Alexis de: Democracy in America, v. 1 (New York: Vintage Books, 1945), p. 312.

[36] Grant, John Webster: »At Least You Knew Where You Stood With Them: Reflections on Religious Pluralism in Canada and the United States,« Studies in Religion, 2 (Spring 1973), p. 34.

[37] Clark, S. D.: »The Canadian Community,« in George W. Brown (ed.), Canada (Berkeley: University of California Press, 1950), p. 388.

[38] O'Toole, Roger: »Some Good Purpose: Notes on Religion and Political Culture in Canada,« Annual Review of the Social Sciences of Religion, v. 6 (The Hague: Mouton, 1982), pp. 184–185.

[39] Westhues, Kenneth: »Stars and Stripes, The Maple Leaf, and the Papal Coat of Arms,« Canadian Journal of Sociology 3 (Spring 1978), p. 251.

[40] See R. L. Bruckberger, »The American Catholics as a Minority,« in Thomas T. McAvoy (ed.), Roman Catholicism and the American Way of Life (Notre Dame, Ind.: University of Notre Dame Press, 1960), pp. 45–47.

[41] Westhues, »Stars and Stripes,« p. 256.

[42] Ibid., pp. 254–255.

[43] See CARA, Center for Applied Research in the Apostolate, Values Study of Canada (code book) (Washington, DC: May 1983). The percentages for the United States are based on 1,729 respondents, for English-speaking Canadians 913 respondents, and for French-speaking Canadians, 338 respondents.

[44] These models are taken from the work of Herbert Packer, »Two Models of the Criminal Process,« University of Pennsylvania Law Review, 113 (November 1964), pp. 1–68.

[45] Hagan, John and Jeffrey Leon, »Philosophy and Sociology of Crime Control,« in Harry M. Johnson (ed.), Social System and Legal Process (San Francisco: Jossey-Bass, 1978) p. 182. See also Curt T. Griffiths, John F. Klein, and Simon N. Verdun-Jones, Criminal Justice in Canada (Scarborough, Ont.: Butterworth, 1980), and Lorne Tepperman, Crime Control: The Urge Toward Authority (Toronto: McGraw-Hill Ryerson, 1977).

[46] Mercer, John and Michael Goldberg: »Value Differences and Their Meaning for Urban Development in the U.S.A.,« Working Paper No. 12, UBC Research in Land Economics (Vancouver, B. C.: Faculty of Commerce, University of British Columbia, 1982), p. 22.

[47] See Callwood, June: Portrait of Canada (Garden City, N. Y.: Doubleday and Co., 1981), pp. 333–334, 341–342; David Bell and Lorne Tepperman, The Roots of Disunity: A Look at Canadian Political Culture (Toronto: McClelland and Stewart, Ltd., 1979), pp. 83–84; Denis Smith: Bleeding Hearts ... Bleeding Country: Canada and the Quebec Crisis (Edmonton: M. G. Hurtig, 1971).

[48] Westin, Alan F.: »The United States Bill of Rights and the Canadian Charter: A Socio-Political Analysis,« in William R. McKercher (ed.), The U.S. Bill of Rights and the Canadian Charter of Rights and Freedoms (Toronto: Ontario Economic Council, 1983), p. 41.

[49] Data from the Roper Center, Storrs, Connecticut. A comparison of the attitudes of a sample of the public in Calgary in 1975 with those in Seattle in 1973 also indicates more positive attitudes towards police in Canada than in the United States. John F. Klein, Jim R. Webb, and J. E. DiSanto, »Experience With Police and Attitudes Towards the Police,« Canadian Journal of Sociology, 3 (Fall 1978), pp. 441–456.

[50] Ted E. Thomas, »The Gun Control Issue: A Sociological Analysis of United States and Canadian Attitudes and Policies,« (Oakland, CA: Department of Sociology, Mills College, 1983), p. 40.

[51] Ibid., p. 6. The level of handgun ownership in Canada has been »about one fifth that of the United States«.

[52] Michalos, Alex C.: North American Social Report: A Comparative Study of the Quality ot Life in Canada and the USA from 1964 to 1974, v. 2 (Dordrecht, Holland: D. Reidel Publishing Co., 1980), p 147; see also pp. 58–59. Analysis of the 1975 Canadian data at the Roper Center revealed no difference in the attitudes of the two Canadian linguistic groups on this issue.

[53] Merton, Robert K.: Social Theory and Social Structure (Glencoe, Ill.: The Free Press, 1957), p. 169.

[54] McNaught, Kenneth: »Political Trials and the Canadian Political Tradition,« in Martin L. Friedland (ed.), Courts and Trials: A Multidisciplinary Approach (Toronto: University of Toronto Press, 1975), p. 138; see also John D. Whyte, »Civil Liberties and the Courts,« Queen's Quarterly, 83 (Winter 1976), pp. 656–657; Katherine Swinton, »Judicial Policy Making: American

and Canadian Perspectives,« The Canadian Review of American Studies, 10 (Spring 1979), pp. 91–93.

[55] Pye, A. Kenneth: »The Rights of Persons Accused of Crime Under the Canadian Constitution: A Comparative Perspective,« Law and Contemporary Problems, 45 (Autumn 1982), pp. 221–248; Edward McWhinney, Canada and the Constitution, 1979–1982 (Toronto: University of Toronto Press, 1982), pp. 55–57, 61; Westin, »The United States Bill of Rights,« pp. 27–44. See also the other articles in McKercher (ed.), The U.S. Bill of Rights.

[56] Hardin, Herschel: A Nation Unaware: The Canadian Economic Culture (Vancouver: J. J. Douglas, 1974), p. 62 (emphasis in original).

[57] As economist Peter Karl Kresl puts it: »Canadians have been described as a nation of ›satisficers.‹ By this it is meant that economic decision makers tend to be content with a pace of economic activity and a degree of efficiency that is not the maximum possible but is rather one that is adequate, or that suffices... Hand in hand with this is ... the frequently observed lack of aggressiveness and competence on the part of much of Canadian industrial leadership.« »An Economics Perspective: Canada in the International Economy,« in Metcalfe (ed.), Understanding Canada, p. 240.

[58] See also Brown, J. J.: Ideas in Exile, a History of Canadian Invention (Toronto: McClelland and Stewart, 1967), and Pierre L. Bourgault, Innovation and the Structure of Canadian Industry (Ottawa: Information Canada, Science Council of Canada, 1972). Hardin, A Nation Unaware, pp. 102–105.

[59] McMillan, Charles J.: »The Changing Competitive Environment of Canadian Business,« Journal of Canadian Studies, 13 (Spring 1978), p. 45. Canadian novelist Mordecai Richler has bemoaned Canada's lack of »an indigenous buccaneering capitalist class,« suggesting that Canadians have been »timorous... circumspect investors in insurance and trust companies.« Richler, »Letter from Ottawa: The Sorry State of Canadian Nationalism,« Harper's 250 (June 1975), p. 32. See also Edgar Z. Friedenberg, Deference to Authority (White Plains, NY: M. E. Sharpe, Inc., 1980) p. 142.

[60] Science Council of Canada: »Innovation in a Cold Climate: Impediments to Innovation,« in Abraham Rotstein and Gary Lax (eds.), Independence: The Canadian Challenge (Toronto: The Committee for an Independent Canada, 1972), p. 123.

[61] As summarized in Harry H. Hiller, Canadian Society: A Sociological Analysis (Scarborough, Ontario: Prentice-Hall of Canada, Ltd., 1976), p. 144. John Crispo also notes the »propensity among Canadians to invest more abroad.« John Crispo, Mandate for Canada (Don Mills, Ontario: General Publishing Co., 1979), p. 28. See also Kresl, »An Economics Perspective,« pp. 240–241.

[62] Glazier, Kenneth M.: »Canadian Investment in the United States: Putting Your Money Where Your Mouth Is,« Journal of Contemporary Business, 1 (Autumn 1972), p. 61.

[63] Data computed at my request from Gallup studies in files at the Roper Center, Storrs, Connecticut.

[64] Nelles, H. V.: »Defensive Expansionism Revisited: Federalism, The State and Economic Nationalism in Canada, 1959–1979,« The (Japanese) Annual Review of Canadian Studies 2 (1980), p. 132; footnote 28, p. 143. United Nations, World Economic Survey, 1983 (supplement), (New York: United Nations, 1983), p. 22.

[65] See World Military Expenditures and Arms Transfers 1971–1980 (Washington, DC: U.S. Arms Control and Disarmament Agency, 1982), pp. 42, 71.

[66] »How Big is Government's Bite?,« U.S. News and World Report, August 27, 1984, p. 65. The source is the Organization for Economic Cooperation and Development.

[67] McLeod, J. T.: »The Free Enterprise Dodo is No Phoenix,« Canadian Forum, 56 (August 1976), p. 10; see also H. G. J. Aitken, »Defensive Expansionism: The State and Economic Growth in Canada,« in H. G. J. Aitken (ed.), The State and Economic Growth (New York: Social Science Research Council , 1959).

[68] Chandler, Marsha A.: »The Politics of Public Enterprise,« in J. Robert S. Pritchard (ed.), Crown Corporations in Canada (Toronto: Butterworth, 1983), p. 187.

[69] Mercer and Goldberg, »Value Differences and Their Meaning,« p. 27.

[70] Presthus, Robert: Elites in the Policy Process (Toronto: Macmillan of Canada, 1974), p. 463.

[71] Presthus, Robert: »Aspects of Political Culture and Legislative Behavior: United States and Canada,« in Robert Presthus (ed.), Cross-National Perspectives: United States and Canada (Leiden: E. J. Brill, 1977), p. 15.

[72] Arnold, Stephen J. and Douglas J. Tigert: »Canadians and Americans: A Comparative Analysis,« International Journal of Comparative Sociology, 15 (March-June 1974), pp. 30–31.

[73] The CARA studies document that Americans are much more likely to belong to voluntary associations than Canadians. These results differ from those reported by James Curtis, who found little difference when he compared the data of two national surveys. See James Curtis, »Voluntary Association Joining: A Cross-National Comparative Note,« American Sociological Review, 36 (October 1971), p. 874.

[74] Arnold and Barnes, »Canadian and American National Character,« p. 32.

[75] See Louis Hartz, The Liberal Tradition in America (New York: Harcourt, Brace, 1955), and The Founding of New Societies, pp. 1–48; Gad Horowitz, Canadian Labour in Politics (Toronto: University of Toronto Press, 1968), pp. 3–57; S. M. Lipset, »Why No Socialism in the United States?,« in S. Bialer and S. Sluzar (eds.), Sources of Contemporary Radicalism, v. 1 (Boulder, Colo.: Westview Press, 1977), pp. 79–83, »Socialism in America,« in P. Kurtz (ed.), Sidney Hook: Philosopher of Democracy and Humanism (Buffalo, NY: Prometheus Books, 1983), pp. 52–53.

[76] See Robert J. Brym, »Social Movements and Third Parties,« in S. D. Berkowitz (ed.), Models and Myths in Canadian Sociology (Toronto: Butterworth, 1984), pp. 34–35.

[77] Christian, William and Colin Campbell, Political Parties and Ideologies in Canada, 2nd. ed. (Toronto: McGraw-Hill Ryerson, 1983), pp. 35–36.

[78] Lipset, S. M.: »Radicalism in North America: A Comparative View of the Party Systems in Canada and the United States,« Transactions of the Royal Society of Canada, 14 (Fourth Series), 1976, pp. 36–52. The argument that the difference in the voting strength of socialism is largely a function of the varying electoral systems has been challenged recently by Robert Kudrle and Theodore Marmor. They emphasize that the Canadian labor movement »is more socialist than is the U.S. labor movement and always has been« and conclude that »a real but unknown part« of the greater strength of the social democratic New Democratic Party, as compared to that received by American socialists, »may be reflecting a different underlying distribution of values from the United States.« Robert T. Kudrle and Theodore R. Marmor, »The Development of Welfare States in North America,« in Peter Flora and Arnold J. Heidenheimer (eds.), The Development of Welfare States in Europe and America (New Brunswick, NJ: Transaction Books, 1981), p. 112. See also Steven J. Rosenstone, Roy L. Behr and Edward H. Lazarus, Third Parties in America, Citizen Response to Major Party Failure (Princeton, NJ: Princeton University Press, 1984).

[79] Harrington, Michael: Socialism (New York: Saturday Review Press, 1972), pp. 250–269. Norman Thomas, the six-time candidate of the Socialist Party for President also came to believe that the electoral system negated efforts to create a third party, that socialists should work within the major parties. Ibid., p. 262.

[80] Troy, Leo, and Leo Sheflin, Union Sourcebook, (West Orange, NJ: IRDIS Publishers, 1985), and Department of Labour, Canada, Information, June 26, 1984, Table 1. In both countries, unions are much stronger in the public sector than in the private one. See also Joseph B. Rose and Gary N. Chaison, »The State of the Unions: United States and Canada,« Journal of Labor Research, 6 (Winter 1985), pp. 97–111.

[81] Lipset, »Revolution and Counter-Revolution,« pp. 38–39.

[82] Ibid., p. 38.

[83] Kudrle and Marmor, »The Development of Welfare States,« p. 112.

[84] Ibid., pp. 91–111.

[85] Weller, Geoffrey R.: »Common Problems, Alternative Solutions: A Comparison of the Canadian and American Health Systems,« (Thunder Bay, Ont.: Department of Political Science, Lakehead University, 1984), p. 12

[86] The data for 1960 and 1970 are from World Bank, World Development Report 1983 (New York: Oxford University Press, 1983), p. 197; UNESCO, Statistical Yearbook, 1982 (Paris: UNESCO, 1982), pp. 111–143; Statistical Abstract of the U.S. 1982–83, (103rd edition) p. 159. The 1960 data reported here are different from those in »Revolution and Counterrevolution,« but I have used these from the same sources for consistency.

[87] Bissell, Claude: »The Place of Learning and the Arts in Canadian Life,« in Preston (ed.), Perspectives on Revolution and Evolution (Durham, NC: Duke University Press, 1979), p. 198.

[88] Ibid., pp. 198–199.

[89] McMillan, »The Changing Competitive Environment,« p. 45. Writing in 1978, he suggested the gap still existed in spite in the growth in numbers of business students.

[90] Clement, Wallace: Continental Corporate Power (Toronto: McClelland and Stewart, 1977), pp. 183, 209.

[91] Ibid., pp. 215–250, esp. p. 216. See also A. E. Safarian, The Performance of Foreign-Owned Firms in Canada (Washington, DC: National Planning Association, 1969), p. 13.

[92] Presthus, Robert, and William V. Monopoli, »Bureaucracy in the United States and Canada: Social, Attitudinal and Behavioral Variables,« in Presthus (ed.), Cross-National Perspectives, pp. 176–190.

[93] Presthus, Robert: Elite Accomodation in Canadian Politics (Cambridge: Cambridge University Press, 1973), pp. 34, 98.

[94] Campbell, Colin, and George J. Szablowski, The Superbureaucrats: Structure and Behaviour in Central Agencies (Toronto: Macmillan of Canada, 1979), pp. 105, 121.

[95] Manzer, R.: Canada: A Socio-Political Report (Toronto: McGraw-Hill Ryerson, 1974), pp. 188–206.

[96] Hastings, Elizabeth H. and Philip K. Hastings (eds.), Index to International Public Opinion, 1980–1981 (Westport, Conn.: Greenwood Press, 1982), pp. 519, 520, 525. Further evidence that Americans emphasize achievement more than Canadians may be found in Geert Hofstede's multinational comparison of work-related employee attitudes, Culture's Consequences. International Differences in Work-Related Values (Beverly Hills: Sage Publications, 1984), pp. 155–158, 186–188.

[97] In »Revolution and Counterrevolution,« pp. 46–48.

[98] Ibid., p. 55.

[99] Glazer, Nathan and Daniel P. Moynihan, »Introduction,« in Glazer and Moynihan (eds.), Ethnicity: Theory and Experience (Cambridge: Harvard University Press, 1975), pp. 6–7.

[100] Beer, Samuel: »The Modernization of American Federalism,« Publius: The Journal of Federalism, 3 (Fall 1973), p. 52. See also Sidney Tarrow, »Introduction,« in Sidney Tarrow, Peter J. Katzenstein and Luigi Graziano (eds.), Territorial Politics in Industrial Nations (New York: Praeger, 1978), pp. 6–14. See John Porter, The Measure of Canadian Society: Education, Equality and Opportunity (Agincourt, Ontario: Gage Publishing, 1979), pp. 172–173 for an argument that a decentralized federal system such as the Canadian runs against the current of modernization.

[101] Davis, Arthur K.: »Canadian Society and History as Hinterland versus Metropolis,« in Richard J. Ossenberg (ed)., Canadian Society: Pluralism, Change and Conflict (Scarborough, Ontario: Prentice Hall, 1971), p. 27.

[102] Schoenfeld, Stuart: »The Jewish Religion in North America: Canadian and American Comparisons,« Canadian Journal of Sociology, 3 (Spring 1978), pp. 209–231.

[103] Report of the Royal Commission on Bilingualism and Biculturalism, Book 4, The Cultural Contribution of the Other Ethnic Groups (Ottawa: Queen's Printer, 1969).

[104] Porter, The Measure, p. 160.

[105] Schwartz, Mildred A.: Politics and Territory. The Sociology of Regional Persistence in Canada (Montreal: McGill-Queen's University Press, 1974). This is the most comprehensive sociological work on the subject. See also Ralph Matthews, »Regional Differences in Canada: Social versus Economic Interpretations,« in Dennis Forcese and Stephen Richer (eds.), Social Issues: Sociological Views of Canada (Scarborough, Ontario: Prentice-Hall, 1982), pp. 82–123.

[106] Gibbins, Roger: Regionalism: Territorial Politics in Canada and the United States (Toronto: Butterworth, 1982), p. 158. Gibbins' statement is based on the research of others.

[107] Hueglin, Thomas O.: »The End of Institutional Tidiness? Trends of Late Federalism in the United States and Canada,« (Kingston, Ont.: Department of Political Science, Queen's University, 1984), p. 22. This is Hueglin's characterization of the predominant perspective on this question, with which he disagrees.

[108] Esman, Milton J.: »Federalism and Modernization: Canada and the United States,« Publius: The Journal of Federalism, 14 (Winter 1984), pp. 23–31; Donald V. Smiley, »Public Sector Politics, Modernization and Federalism: The Canadian and American Experiences,« Publius The Journal of Federalism, 14 (Winter 1984), pp. 52–59.

[109] Gibbins, Roger: Regionalism, p. 192.

[110] I first elaborated this analysis in S. M. Lipset, »Democracy in Alberta,« The Canadian Forum, 34 (November, December 1954), pp. 175–177, 196–198. The above summary is taken from an extension of the argument in Lipset, Radicalism in North America, pp. 47–51.

[111] Smiley, »Public Sector Politics,« p. 55.

[112] Davis, Canadian Society and Irving Louis Horowitz, »The Hemispheric Connection: a Critique and Corrective to the Entrepreneurial Thesis of Development with Special Emphasis on the Canadian Case,« Queen's Quarterly 80 (Autumn 1973), pp. 327–359.

[113] Frye, »Letters in Canada,« p. 273.

[114] Lipset, »Revolution and Counterrevolution,« p. 74.

[115] Sutherland, The New Hero, p. 413; A. J. M. Smith, »Evolution and Revolution as Aspects of English-Canadian and American Literature,« in Preston (ed.), Perspectives on Revolution, pp. 236–237.

[116] Atwood, Margaret: Second Words: Selected Critical Prose (Boston: Beacon Press, 1984), p. 392. For an excellent statement by a Canadian historian detailing the relationship between the diverse histories and contemporary North American societies in terms highly similar to those presented here, see Kenneth McNaught, »Approaches to the Study of Canadian History,« The (Japanese) Annual Review of Canadian Studies 5 (1984), pp. 89–102.

# Edward Shils

# The Universality of Science

In 1882, Yukichi Fukuzawa, the beacon of the Japanese enlightenment wrote: »From the beginning of creation up until today, the world has remained the same throughout ancient and modern times and has not changed. Water in the pre-historic age boiled when it met with heat at a temperature of 212 °F and water in the present Meiji period reacts in the same way. Steam in the West and in the East does not differ in expansive force. If an American dies of taking too much morphine, a Japanese also dies if he takes the same dosage. These we call the principles of nature and the search for them and the use of them, we call physics. There should be nothing which escapes these principles.« Fukuzawa wished his fellow-countrymen to cultivate scientific studies. He regarded the acceptance of the propositions discovered by scientists in Western countries as obligatory on anyone who wished to be a scientist, whatever the country in which he was born, whatever his nationality or race. He believed that the methods by which scientific knowledge is established as valid are the methods which scientists everywhere would have to use. He thought that anyone who wished to have truthful knowledge of the world, regardless of his religious beliefs or literary culture would have to submit to the discipline of adherence to scientific methods of observation and analysis. Fukuzawa thought that the Japanese could become scientists if they trained themselves appropriately by acquiring the relevant substance of scientific knowledge and acquired the required discipline of scientific observation and analysis. He affirmed the postulate of the universality of science.

The idea of the universality of science has sometimes been interpreted to mean that its propositions are valid for everybody, i.e. for those who are capable of understanding them, and who understand and can apply the criteria necessary to test that validity. A variant of this conception of the universality of science is that the propositions of science are valid for everybody, in the world, regardless of the history and culture of the country in which they live, once they have met the tests which are preconditions for their acceptance by qualified persons, i.e., by scientists. In these slightly variant senses, the essential point is that the truthfulness of scientific propositions does not depend on the religious beliefs, national or ethnic collective consciousness, class-affiliation or outlook or political loyalty. Sometimes it has been interpreted to mean that scientific knowledge has the potentiality of universal diffusion or possession. Sometimes it has been interpreted to mean that science is universally possessed and the acquisition of new scientific knowledge is cultivated every-where. Each of these interpretations contains some truth. The first is the crucial one.

A scientific proposition is regarded as true if it meets certain criteria of truthfulness; the acceptance of the appropriateness of those criteria is a precondition for the assessment of the validity of the proposition. The criteria of scientific truth have to be learned by study and by the experience of doing scientific work. These criteria can be applied by any human mind sufficiently observant and imaginative, sufficiently trained and sufficiently ratiocina-tived and self-disciplined. They can be learned by any human being, independently of the religious, political and ethical beliefs prevailing in the society to which he was born, and independently of sex and color. Science as a body of knowledge has been learned by Europeans, North Americans, South Americans, Indians, Chinese, Japanese and Africans. Science as a set of procedures or methods for constructing and testing propositions and for discovering new ones can be learned by members of all the societies in all the territories of the earth's surface. The universal validity of science makes it possible for all mankind, despite its religious, ethnic, cultural and political divisions, to participate in the acquisition and discovery of scientific knowledge.

This has little to do, however, with the markedly unequal distribution of scientific knowledge at present within any particular society and among societies.

## The Topography of Scientific Knowledge and Discovery

Scientific knowledge is not, even today, when scientific knowledge is more diffused over the earth's surface than it has ever been in the past, universally possessed. It has never been universally and equally possessed by all living human beings. It is not equally possessed even within the societies which have contributed most to the existing body of scientific knowledge. It is obvious that not every member of German, French, British, Italian or American society possesses even in very simplified form, the existing body of scientific knowledge; it is equally obvious that not everyone in those societies knows and can practice the methods by which scientific knowledge can be acquired and can be assessed to be true. Only a tiny fraction of the population of those societies ever makes any scientific dis-coveries. And within that very small section of the population, each of the members of which has a considerable amount of scientific knowledge and some mastery of the methods of scientific discovery and assessment, no one person knows all of existing scientific knowledge, but some have much more such knowledge than others. We take this inequality in the distribution of scientific knowledge within society for granted. We do not regard this inequality as incompatible with the universality of science because the latter refers to all the branches of mankind and not to all the individual members of any single society. Yet insofar as there is a marked inequality in the distribution of scientific knowledge and scientific discovery among societies, the territorial universality of science is to that extent limited.

The inequality among societies in the distribution of existing scientific knowledge is great. The inequalities if the distribution of knowledge among societies is an inequality of the peaks; it is an inequality of the restricted groups which within their respective societies have a relatively intensive or concentrated possession of scientific knowledge. Further-more, the distribution of established scientific knowledge among the scientific elites of the different countries of the world is probably less unequal than the distribution of the discovery of new knowledge. Thus, the contributions of the various societies of the world in any given period to the existing body of scientific knowledge have been very unequal. Although the sense of nationality might not have been acute, as it has become in modern times, leading scientists of their respective societies were aware that knowledge they desired might be acquired from the scientists of other societies. It was seen quite early that not all that was known was to be found exclusively in one's own society. This proposition might not apply to ancient or medieval China; according to Joseph Needham, Chinese scientists did not seek to learn from the scientists of other societies. Be that as it may, the scientists of ancient Greece, of medieval India, of Islam and of late medieval Europe did not regard their societies or civilizations as scientifically self-contained. They did not aspire to scientific autarchy; they certainly did not practice it.

For all of its history the pursuit of scientific knowledge has been a collective undertaking of one scientist with others living and dead in his own society; for most of its history it has also been a collective undertaking of scientists with other scientists in other societies and even in other civilizations. The international or »intercivilizational« side of the collective effort includes both collaboration between scientific equals or a collaboration between scientific unequals.

This inequality in the scientific achievement of whole societies does not stand in contradiction to the universal validity of science. Indeed insofar as the scientists of different societies and civilizations – equal or unequal – draw on each other's knowledge or seek each other's judgment and counsel, they are affirming the universal validity of science.

The collaboration of equals from many different countries expresses their confidence in the universal validity of science and in the realizability of the universality of science; the efforts by those who have lesser scientific achievement to learn from those with greater achievements express a similar confidence. The desire to possess the knowledge already possessed by others and the desire to create knowledge of the kind already created by others likewise testifies to the belief that the truths of science are the same for all nations, religious communities, races and civilizations. Indifference, incapacity or the deliberate effort to block the growth of science has no bearing on its universal validity. In fact it is entirely the other way round. No one has to do scientific research. Scientific knowledge is not imposed coercively. Knowing it and appreciating its truth is a voluntary cognitive act which can only occur if the appreciative recipient accepts its veracity and affirms the standards by which those who communicate it wish it to be judged. It is undertaken because it is believed to be the best way to reach truths which are the same for every human being.

## The Movement of Scientific Knowledge and Discovery: Center and Periphery

The topography of knowledge and discovery is not static. There is always a movement of knowledge from its discoverers. It could not become part of the corpus of knowledge unless it moved from its discoverer to an assessor who confirms that it is to be incorporated into the body of scientific knowledge or who decides that it cannot meet the tests put to it and that it is not a discovery or at least not a discovery of any significance. Thus a minimum of movement is the condition of a consensus of a plurality of scientifically qualified persons; it is inherent in the nature of scientific knowledge. It would not be knowledge without this consensus of the discoverer and the assessors of the discovery. Consensus means sharing and sharing occurs through movement.

Beyond that central circle of discoverers and confirming – or disconfirming – assessors, there is a much wider outer circle or periphery of scientists who accept the truthfulness of what has been released to them from the central circle, teach it to others and base their own research on it. It is not accepted as dogma; rather it is accepted with the presumption that it is true, that it has been verified, that it can be verified again and that it can be improved upon.

On the whole, the peripheral circle is content to receive; it does not make important discoveries. It does not have the self-confidence to aspire to do so or it thinks that scientific work consists in receiving what has been discovered by others and reasserting it in teaching or redemonstrating it in research. It therefore reinforces the inequality between the central and peripheral circles. Here and there in this peripheral circle there is occasionally a challenge to the validity of what has come from the central circle, sometimes a discovery appears there and makes its way from the peripheral circle to the central one. At the same time, it must be stressed, there is not a hard and fast line between the center and its peripheries. Some peripheries are closer to the center than others. Some are more absorptive and also more creative than others of new discoveries. There is also a creativity in application of the absorbed knowledge, and this can occur in societies which are quite peripheral in scientific discoveries.

At the outermost band of the periphery there are persons who have no interest in the scientific achievements in the central circle and who are content to do no more than reproduce in teaching the knowledge acquired in earlier decades and even generations. Within some societies, the central circle is large, and the peripheral circle is much larger; in other societies, both are small. The peripheral circle is always larger than the central one.

This pattern of discovery, confirmation, acceptance, extension and transmission within societies is reproduced among societies. There are some societies which, at any given time, constitute the central circle for other societies which constitute the peripheral circles. (I shall refer to these as centers and peripheries.)

There is likely to be a plurality of points within the central circle of a particular society. The scientists at these points are in a degree and pattern of interaction with each other which forms them into a single complex center. The scientists at the center of a particular society or the scientists at the centers of a cluster of societies may constitute a center for the scientists at numerous points of the periphery. For the peripheral societies, there may be one society or one civilization consisting of a cluster of societies, which constitute the center to which their attention is turned and from which they receive and reproduce scientific knowledge and sometimes add to it. To the extent of that they add to and improve the knowledge they have absorbed, and to the extent that their additions and improvements are acknowledged and used by the existing centers, they tend to become centers in their own right.

Scientific knowledge moves from center – or centers – to peripheries because individuals at the peripheries desire it. The movement can be helped by the establishment of institutions, such as secondary schools, colleges, universities, and research institutes in the peripheral societies, which deliberately bring that knowledge into those societies and then diffuse it to wider circles of the population of the peripheral societies which wish to come into possession of that knowledge. This acquisition does not necessarily close the gap of inequality either in acquisition or in discovery. This gap might even become larger. But it is important to emphasize that the gap can also become smaller, *i.e.*, the periphery might enter into the circle of discovery and persuade the center of the validity of its discoveries. Such parts of the periphery thereby come closer to the center as a site of discovery. In so doing, they come actively to participate in the universality of science and to share in and affirm its universal validity.

## The Transformation of Peripheries into Centers

How and under what conditions does a scientifically peripheral society become a scientifi-cally central one? In other words, how and under what conditions does a society which has hitherto made few significant scientific discoveries in a given period enter into a condition of making many important discoveries, coming thereby to a greater equality with existing centers? Ever since scientific knowledge was first created, there have been centers and peripheries. No society became a center all at once. No society which was a center was always a center. It might have been scientifically inert, neither receiving nor giving or it might have been almost entirely receptive, giving nothing but receiving much from the centers. Once it became a center, after developing an internal center of its own, it continued to draw from other some centers.

*Some historical instances:* In antiquity, Mesopotamia in particular became a creative center in mathematics and astronomy. So did India. Classical Greece became a center in its turn drawing on knowledge acquired from Mesopotamia and from India via Mesopotamia. Mesopotamian science was, in the course of a half millennium, out-distanced by Greek science and then, in the Hellenistic age, was supplanted by it. Greek science expanded throughout the Hellenistic area. Although it ceased to be produced predominantly in Greece, it was cultivated by the inhabitants of that area who had acquired Hellenistic culture and the Greek language. The acquisition of the Greek language by the stratum which come to share in the Hellenistic civilization made it relatively easy for it to acquire Greek science. By the time that Greece itself had ceased to be the major center it had once been, scientific discoveries were made in the Ptolemiac and Seleucid areas of Hellenistic civilization.

When the Arabs established their military and political dominion over the territories ruled by the successors of Alexander and their heirs, and then by the Romans, they themselves were without scientific knowledge at the level which had been attained in Mesopotamia and Greece. The Arabs gradually acquired from the inhabitants of the areas which they conquered a body of scientific knowledge, mathematical, astronomical and medical such as they had previously lacked. At first they did no more than accept the knowledge which was provided for them by translations made first from Greek into Syriac and then from the latter language, into Arabic. The translators, who had belonged to the conquered societies, often did their work at the behest and with the support of rulers and high officials of the caliphate. The Muslims at first achieved very little in the way of scientific discovery; they were for several centuries recipients, albeit active and desirous recipients, of the knowledge which had already been acquired in the civilization and societies which they conquered. The movement of knowledge was from the center of a society which the Arabs had conquered, of which they became the political center, and which they drew upon to form their own intellectual center. It was a period of learning from an intellectual center of a country which they had turned into their own political periphery. The period of translations from Greek into Syriac did not last indefinitely; Greek works began to be translated in large numbers directly into Arabic. More important became the production among the Arabs themselves of works of scientific discovery.

Then having assimilated what the conquered Hellenistic center could offer them, they had only one other center to face, that was the Indian center. A relatively animated intellectual as well as commercial, interaction occurred between the Arabic caliphate and India. Muslim travellers to India brought back manuscripts of Indian works in mathematics, astronomy, botany, *etc;* Indian mathematicians were invited to the caliphate, to aid in the translations of their own works into Arabic and to discuss their scientific problems with their Arabic peers. An approximation to an Arab-Indian center was formed, although it was not one of intense interaction.

The Islamic center was not concentrated at a single point. There was a plurality of centers in vigorous communication with each other by the movement of manuscripts, by correspondence and by meetings of individual scholars who travelled widely in search of learning, often incidentally to the performance of other missions. A few cities in the Iberian peninsula, Tunis, Cairo, Alexandria and Baghdad were major centers of the natural sciences. Although they continued to draw from the ancient Greek and Hellenistic centers, on which their own Islamic societies and civilisations had been superimposed, their centrality was constituted by the production of original works by Arab scholars based on freshly made observations.

*The Reemergence of a European Center:* The recovery by Europe of the scientific achievements of the ancient Greek and Hellenistic centers was accomplished first from translations into Latin from Arabic translations of ancient Greek works and of summaries and commentaries on those works made by Muslim, Jewish and Christian scholars resident in the Islamic world. The renaissance of Greek studies, stimulated by the migration of scholars from Byzantium, brought back to Southern Europe the achievements of the ancient European scientific center which had ceased to be effective in Europe. From that time onward, the center of scientific discovery became located, first in Southern Europe, and then increasingly in central and northern Europe, the Middle East became an inert periphery; India had been one for a longer time. The emergence of printed texts and the use of the commonly shared Latin language, made for active reception and intensive interaction among the different European centers. By the 17th century, Paris, London, Oxford and Cambridge, joined the Italian cities as the predominant centers.

In scientific matters, China had been a center without a periphery beyond Japan and Korea; it had intermittent contacts with the sparse Indian centers. The movement of Chinese science beyond that was slight, even negligible. Japan had no scientific activity other than the scant amount it imported from China. Western science began to be received in China by the 17th century and in Japan by the 18th or early 19th century. By the middle of the 19th century, Chinese and Japanese scientists began to regard Europe as the center to which they should look for scientific knowledge as well as for the social, economic, political and military benefits which were possible on the basis of scientific knowledge. In the 17th and 18th centuries, European science was being expanded into North America. By the second half of the 19th century it began to be expanded into South America and into India which had long since ceased to be a productive center creating new scientific knowledge through the growth of its own indigenous scientific traditions. By the 20th century, scientific knowledge began to be equally shared by Europe and North America, although in the early part of the century, North America was still a periphery to the European center in the making of scientific discoveries. In the same period, India moved closer to the center in the sharing of knowledge although much more haltingly in the creation of new scientific knowledge. (It may be mentioned that India in particular and Latin America to a lesser extent, have given birth to persons who have later made important discoveries but mainly after their immigration to the European and North American centers.) South America has not yet succeeded in becoming a productive center; its acquisition of established scientific knowledge has also been limited.

The most important modern transplantation occurred in the latter part of the 19th century from Europe to North America. It was however only in the 20th century, that North America emerged as a creative center but even then, until the third decade of the present century it remained mainly a periphery of Europe, more receptive and productive than Latin America and Asia but still primarily receptive of knowledge created in Europe.

A similar expansion occurred eastward from Western and Central Europe. Russia had no indigenous traditional science. Byzantium from which Slavic civilization took much of its substance had never been a center of scientific study and discovery and it could not therefore serve as a center from which science could be expanded and implanted into Russia. The first Russian steps in the acquisition of scientific knowledge and scientific discovery were taken in the latter decades of the 18th century; it was only in the 19th century that Russia ceased to be only a receptive periphery and became a more creative periphery, closer to the Western and Central European center, not too different, at the time, from the United States.

The United States had the advantage, in the last third of the century, of a system of free public education and an increasing number of state universities in the Middle and Far West of the country. These institutions became extensive recipients of European science and provided a reservoir of persons instructed in the elements of scientific knowledge and in the methods of acquiring new scientific knowledge. This occurred at about the same time that the German universities were reaching unprecedented heights in the production of trained scientists and of major scientific discoveries. The migration of American students for purposes of study at German universities was greater than the migration of Russians and other Eastern Europeans; but both were of great importance for bringing the North American and the Eastern European peripheries closer to the Western and Central European center.

Both of these migrations which in most cases were temporary, brought back to their respective native countries not only the stocks of established knowledge but also the tradition of the quest for new scientific knowledge. In the Unites States, the returning of scientific migrants had the advantage of the continuously growing public and then the private universities, new and old, which provided opportunities for appointments as university teachers; these appointments entailed not only the obligation to teach scientific knowledge and methods but also the obligation and the opportunity to do scientific research. Still at least a half century elapsed before American scientists passed from the condition of eager and active recipients to that of creativity in discovery. The first American to be selected for the Nobel Prize in physics was Albert Michelson who was of European birth, and who was awarded the prize in 1907. He himself had studied in Germany in 1880 and 1881. The next American to be awarded the Nobel Prize in physics was Robert Millikan in 1923; he had also studied in Germany in 1895 and 1896. The first American scientist after Benjamin Franklin to win attention in Europe was Willard Gibbs who had studied in Paris in 1860 and 1867, and in Germany in 1867 and 1868. (The movement of American students of scientific subjects to Germany diminished to a trickle by the beginning of the century.)

The establishment of summer schools in physics at the University of Michigan in the 1920s renewed the stimulus which the German scientific ethos had given to aspirant American scientists in earlier decades. Although this time the movement of persons was in the reverse direction, the movement of scientific knowledge continued in the westward direction. The award by the Rockefeller Foundation of post-doctoral fellowships in the 1920s turned the movement of persons back into its earlier direction but by this time other parts of the wide European center beside Germany most notably Copenhagen and Cambridge, attracted young American scientists.

The historical tragedy initiated by the accession of the Nazis to power in German society engendered a most intensive movement of knowledge from one European center to the American periphery – still peripheral but less remote in substance from the European center than it had been half a century earlier. Nearly a third of the teachers in German universities were dismissed on »racial« or political grounds and many of the physicists, chemists and biologists among them found refuge in the United States. A smaller number were accorded academic hospitality in Great Britain and of these, some later went on to the United States.

*The Emergence of North America as a Major Scientific Center:* By the 1930s, American scientists at numerous universities and research institutions were already well on their way towards the creation of a major center of scientific discovery in the United States. The immigration of German refugees advanced this process very markedly. The Italian Fascist persecution of the Jews added a small number of scientists of great talent to this immigration. The refugees soon became assimilated into the society of the United States and they fused relatively frictionlessly with American scientists; they were at home with each other. The harsh and doctrinaire intrusion of the Nazi regime into German university life and scientific work, the isolation and distraction which inevitably accompanied the war and the disordered state of German society and German academic institutions in the first decade after the war, slowed down or retarded German science while American science moved speedily ahead. Whereas after the First World War, Germany resumed its scientific centrality quite soon, this did not occur with the same speed after the Second World War. Nonetheless in Germany too, scientific activity and achievement have made a remarkable recovery but it has not resumed the preponderant centrality which it exercised before the First World War and to some extent during the two decades between 1919 and 1939.

The confidence bred of the achievements of American academic scientists during the Second World War and the amplitude of governmental financial support made possible activities of a scale and quality which had not been anticipated or even aspired to before that war. Then for about three decades after the Second World War the scientific community of the United States became the ascendant center of scientific activity all over the world. Scientists from many countries, including the formerly ascendant centers of Germany, Great Britain and France came to the United States to study and to do research. Some stayed for extended periods. Gradually the European centers reasserted themselves and regained a considerable amount of the momentum which they had before the Second World War. The movement of persons westward diminished; the »brain-drain« which a was a characteristic phenomenon of the relocation of the center from the Western European centers to the new center in the United States diminished markedly.

In this period after the Second World War, India, building on the implantation of scientific institutions by the British before the war, increased the amount of its scientific activity many fold. It remained however a periphery, receiving much established scientific knowledge but adding relatively little new scientific knowledge to the existing stock. The few fitful starts made by creative Indian scientists were unable to implant the scientific ethos in India sufficiently for India to become a major center. Some of the small number of highly distinguished Indian scientists made their careers and gained their influence and fame in Great Britain and the United States. The institutional setting in India could not provide their genius with the steadily sustaining stimulus which genius often needs to come to fruition. They tended to immigrate to the United States and Great Britain because these two countries formed a major part of the center of science in the whole world and because they could find appointments there; they also went to these countries rather than to others because their mastery of the English language permitted their easier assimilation there.

The westward movement of the center was attended and fostered by the replacement of German as the major scientific language by English, just as in the course of the 19th century, German had replaced French and in the seventeenth and eighteenth centuries the vernacular languages had replaced Latin as the language of scientific publication and communication. The use of Latin in Europe as the language of scientific communication neither enhanced nor diminished the scientific centrality of any country or set of countries. In contrast with this, the employment of the vernacular of one particular country confers on that country's scientific output an accessibility which is not available to the scientific production of countries, the languages of which are less or little known outside their own boundaries. This is true even of large countries like the Soviet Union and China and of Japan as well. Where the language of any particular country is known only to a relatively small fraction of the scientists in the world, that country would be almost predestined by the inaccessibility of its scientific works – if they are written in its vernacular – to a position of peripherality. It can escape this destiny by renouncing the use of its own language for scientific publication and using for its publication the language of a country which has both a large number of scientists and eminence as a scientific center on the basis of the quality and quantity of the achievements of its scientists. Language and magnitude of achievement go hand in hand to generate centrality. (Nevertheless, the employment of a foreign language for scientific publication is not an unqualified advantage for the scientific community which thinks itself compelled to use it. It is possible that immediate entry by a fledgling scientist into the world-wide competition overpowers the stimulus which is generated by local and national scientific communities.)

## The Preconditions of Scientific Centrality

The case of the United States which moved in a century and a half to a widely ranging centrality in a large number of fields of science from a position of inconsequential peripherality is in certain respects a unique event in the social history of the pursuit of scientific knowledge. The emergence of Islam as a scientific center was primarily the continuation of the centrality of eastern areas of the Mediterranean basin – Greece and the Hellenistic societies – and Mesopotamia. Once the ancient Greek and Hellenistic works were translated, Arab scientists had available to them the then existent corpus of scientific achievement; India and China had scientific knowledge but the barriers of distance and language were too great for the expansion of Chinese scientific knowledge. Arabic science first lived from the knowledge of the scientific center which it had conquered before it became a creative center in its own right. High mental endowment, the patronage of rulers, the general appreciation of abstract theological and philosophical reasoning combined with the interactions of numerous sub-centers using Arabic as a common language to make the Islamic area into a site of high scientific achievement. The ascent of Europe as a cluster of scientific centers was greatly aided by the use of Latin as its common language, the acquisition of the achievements of Islamic scientific knowledge through translation from Arabic into Latin and the restoration to European possession of the Greek and Hellenistic scientific tradition. The increasing intensity of diplomatic and commercial relations aided the interactions of a plurality of scientific sub-centers formed around the dominant Italian cities and Paris. In the sixteenth century, Europe had ceased to be a periphery to a center outside itself. At the same time, it had no peripheries outside itself. The center and the peripheries were all in Europe. The main centers were in Italy; these were joined in the course of time by centers in France, Germany, Holland and England. In the seventeenth century, France came to the fore with England and so it remained in the eighteenth century. In the nineteenth century, the forefront was occupied by Great Britain and the German-speaking part of central Europe but none of the European countries which had been important lapsed into a merely receptive periphery. The distance between the centers and the peripheries was not so great, if the Balkan countries are disregarded. There was a genuine republic of science; some of its territorial subdivisions were less fertile than others. The republic was an aristocratic one with respect to discovery but with respect to knowledge of what had been discovered there was a large body of citizens of the republic. On a continental scale, the territorial universality of science was realized.

The universality of science and its universal validity arae precondition of centrality and peripherality. There could be no periphery if it did not accept the universal validity of the scientific products of the center. No network of centers could exist if each did not believe in the universal validity of scientific knowledge. There could be no center if the individual members of that center did not believe in its validity for others beyond their own local scientific circles and their own national scientific community. The confident awareness of the universal validity of scientific knowledge is one of the foundations on which a center rests. This however is not sufficient to enable an aggregate of scientists of become a center after having been a periphery.

Institutions play a part of some importance partly because they provide the material sustenance, the resources and facilities with which scientific work is done, provide the time relatively unencumbered by other pursuits in which it can be done but mainly because they provide the intellectual conviviality which sustains the scientific ethos. They exemplify in the bearing and accomplishments of their members exigent standards of performance and assessment. Institutions are therefore important in the maintenance of a center because they conserve and enforce the tradition of the ethos of science.

Institutions are important too because they bring together, within a scientific tradition, persons of high talent, imagination and curiosity, disciplined but not constricted by the tradition. Traditions, institutions, resources are necessary but they are not sufficient. In any case, even though resources can be supplied and the external forms of institutions can be established, traditions cannot be created by deliberation. And even where they have existed they are not enough to generate the creative imagination which makes a center.

*The Case of the United States:* A closer examination of how the United States moved from being a minor or remote periphery of scientific activity to a degree of centrality in which for a time it even surpassed the older Western European centers, might throw some light on this subject. One very general condition was the possession of a common language with Great Britain which was one of the great centers of the scientific world; this made the British scientific literature easily accessible to American scientists. Another condition was the personal contact of young American scientists with eminent German scientists and, in the environment of the German universities, with other ambitious and talented young American scientists. They brought back with them a passion for scientific knowledge and the ethos which they had acquired through proximity with their older German teachers and the younger German and American scientists. They also brought back with them the »idea« of the university. The university was a nest for the nurturing of scientists. It reduced the accidental element in the encounter of masters and pupils by providing an institutional setting in which they could be together, withdraw into solitude and come together in cyclical sequence. The German university was the first »teaching machine« and unlike later »teaching machines«, it did not exclude the ties of personal contact and empathy.

In Germany, the Americans became aware of the functioning of universities in the advancement and not just in the transmission of knowledge; they learned about seminars and institutes and work in laboratories in the presence of their elders and coevals. (The older non-academic pattern of scientific apprenticeship possessed neither the coevals in the laboratory nor the coevals in the seminars.) Local circles of coevals are crucial constituents of the vitality of national and international scientific communities.

When they returned from Germany, they were ready to become members of a translocal scientific community running beyond the confines of their own departments and their own universities. They returned to universities – the new private universities, especially The

Johns Hopkins, Clark and Chicago Universities – and to Princeton and Harvard and to some of the older state universities. Within some of those universities they might feel themselves isolated from their colleagues who had not studied abroad but they also were aware of members of their own generation in other American universities who had shared their scientific experience in Germany. They were heartened by that awareness. They had a sense of membership in a national and an international scientific community; this helped to protect them from becoming downhearted because their immediate colleagues did not always share the enthusiasm for research which they had brought back from Germany.

The American scientific community matured slowly but under the favorable circumstance of the relatively munificent provision of facilities in the new private universities and the state universities of the Middle and Far West; they had the benefit of having seen their ideal in action in the German universities and they were confident that that ideal could also be realized in the United States. In the 1920s they had the benefits of a public opinion which »believed« in science and in its practical, improving value. In the depressing circumstances of the 1930s, they had the benefit of the company of the German successors to the great scientists of the 19th century with whom the best of their elders had studied. Then in the Second World War, they had the great resources of the federal government, sparing nothing to win the war; they were glad to be given responsibilities and to know that their achievements could make a difference in the outcome of the war. All through these decades, they had the advantage of adventurousness, of being willing to take the risk of being wrong, while knowing all the while that if they were careless or unscrupulous all would be undone.

Of all these conditions, several stand out: the disciplining and inspiring contact at the great centers of science of the latter part of the 19th century, intellectual courage and the assimilation of the scientific ethos, love of knowledge, and the desire for fundamental understanding. Scarcely less decisive among the favorable conditions was the opening up of the American universities to scientific research. This permitted a density and intensity of interaction with colleagues within and between universities which far exceeded what was available to young scientists in Italy, France, England, Germany, *etc.*, in the »heroic age« of science.

## A World-wide Aspiration towards Centrality

As a result of the simultaneous fertility of a plurality of centers in Europe and in the United States, the pursuit of scientific discovery has expanded territorially on a greater scale than ever before in the history of science. These dazzling results and some of their practical consequences in agriculture, medicine, transportation and communication and a new awareness of the poverty and misery of much of the human race have led to a mighty surge of effort to promote science nearly everywhere on the surface of the earth. There is in a special sense a desire for the universalization of science. The whole world now seeks incorporation into the scientific community, the centers of which are in Europe and in the United States and to a lesser extent in Japan. China, India, the numerous countries of Latin America, Black Africa and the Middle East, are trying, now fitfully, now zealously, sometimes half-heartedly and hypocritically, sometimes in deep sincerity, to promote, within their own societies, science on the model of Western scientific centers. They are aware of their scientific peripherality and wish to overcome it, thereby shortening the radius which marks the difference between center and periphery. Many writers on science in those countries are aware of their own peripherality and they even use the terminology of »center« and »periphery« to describe the present situation of science in their respective countries.

Their ideas about how to stimulate the growth of knowledge in their own countries, how to promote scientific discovery and how to use scientific knowledge for practical ends are very unclear. They are struggling in an uncharted sea. Science has never been deliberately planned and guided in the way in which politicians, government officials and administrators of science have been trying to do. Thus far most of these »forced marches« have ended in failure and the successes have not been those which were sought or anticipated. Nevertheless, all the fanfare, all the propaganda, and all the creations of institutions bespeak a conviction that scientific knowledge must be drawn into their countries, and transmitted to the members of their societies and that new scientific discoveries and inventions must be made by their fellow-countrymen.

Is the end which they seek likely to occur? There are in principle no insuperable obstacles. The rise of American science is evidence that it is certainly possible to pass from extreme peripherality to centrality in a little more than a century. Japan is also evidence that scientific peripherality is not an ineluctible and permanent destiny.

When the Arabs began their rapid and far-extended expansion beyond the limits of the Arabian péninsula, they had no scientific knowledge. Within three centuries they became the scientific center of the world and they remained so until the center moved westward and northward. The Russians had no science in the early 18th century; by the end of the 19th century Russia became a scientific center, not it is true, at the very center, but not far removed from it. In many fields today Russian science is part of the world's center.

What has happened in the past might well happen again in the future. Why has it not happened so far, despite the efforts of international institutions to reduce the distance between center and periphery, despite the eagerness of heads of governments and government officials responsible for science policy, and despite the efforts of their scientists to produce scientific works which will gain international recognition? The answers to this question are very difficult.

One thing is clear, however. This is that the efforts to draw science into one's own country and the frequent expressions of the desirability of becoming the site of scientific discovery and of scientific technological inventions of economic value, all postulate the universal validity of scientific knowledge and the methods by which such knowledge is to be assessed. Those scientists who wish to publish in internationally recognized journals are not just submitting abjectly to the prestige of their once imperial rulers. They know that the test of good scientific work is its positive assessment by scientists of the highest quality of achievement. They testify to the universality of science and to their affirmation of its universal validity.

Radicals in politics, government, universities and the press in the West, in Asia, Latin America and Africa complain bitterly about cultural imperialism and science as a gratification of a bourgeois drive to dominate but those of them who do scientific work know that scientific knowledge, if it is scientific and hence valid, is true regardless of whether it is done by imperialists or by socialists, whether it is done by white men, yellow men, brown men or black men or by women of all colors.

The existence of »national traditions« in science means only that scientific knowledge has been created in many different national societies, and that the traditions in those national societies might vary with respect to the field of work and the subject-matter and problem chosen in each field. The fact that scientists are nationals of particular societies has no significance for the universality of scientific knowledge, or for its universal validity. If this were not so, there would be no efforts made to universalize its possession and discovery. The fact that it has not become universal in the latter sense and that many individuals in many societies want to make it universal in that latter sense testifies to the strength of the postulate of its universal validity, and its potential usefulness in the achievement of important practical benefits.

## Breaking out of the Periphery: The Indian Case

Although the universal validity of scientific knowledge is now very widely accepted – there are some radical refusals among literary and political intellectuals – the extent of the universalization of scientific discovery among the societies of the world is still very slight. Both the affirmation of the universal validity of knowledge and the mastery of existing or established knowledge are necessary for discovery. They are not enough.

The problems of closing the gap between center and periphery in science are well illustrated by the scientific experience of India.

India has an ancient tradition of scientific knowledge and a millennium and a half ago it could have been looked upon as one of the centers of science in the world. It was of course a very different kind of center from the kind which the world has experienced in the past two centuries; it was less voluminous in its production, much less intense in its intercourse with its peripheries and with other centers. This scientific tradition died away, surviving in ayurvedic medicine and astrology into modern times. Nonetheless, when India made its entry into the world of modern science in the latter part of the nineteenth century, it was no longer attending to its own tradition. The science which it sought and which was offered to it was modern Western science mediated through British teachers and British textbooks and through Indians who had acquired that knowledge. There were few scientists in India in the 1880s and most of these were British employees in the governmental scientific services, teachers in government and missionary colleges or civil servants who were amateur scientists.

It is illuminating to enquire into the situation of India in order to see some of the obstacles to the universalization of scientific discovery. India now has a larger number of persons classified as scientists than most of the countries of the world. In addition to a small number of superior undergraduate colleges which offer very demanding advanced instruction in scientific subjects, there are many universities offering the possibilities of research for the doctorate; there are numerous governmentally founded and supported research institutes as well as a few private research institutes, which are now largely governmentally supported. The first prime minister of the government of India after independence and for a long time thereafter, that was a rationalist as well as a nationalist. He believed in the universal validity of science and in the value of science for social and economic progress as well as its value for freeing the Indian people from superstition and torpor. The government of India has never shown itself to be – at least in its declarations of policy – indifferent to scientific knowledge and to institutional provision for them. Large sums of money have been allocated for scientific research. Indian scientists have not been neglected by the public authorities; they are repeatedly called upon to aid in the development of their country; they have been appointed to prominent positions as advisors to the planning and other central bodies; they have their own preserve in the Council of Scientific and Industrial Research and in the directorships of the more than forty national laboratories.

There can furthermore be no doubt about the native endowment of the Indian people for scientific achievements. Working under difficult conditions, one Indian physicist, C. V. Raman won the Nobel Prize in 1930; in recent years two Indians have been awarded the Nobel Prize, one for physics and one for biology and medicine. Both have done their work outside of India. There are numerous Indian mathematicians, astrophysicists, statisticians and physicists holding appointments in universities and research institutes outside of India; some of them are very distinguished.

Why then, with the relative amplitude of resources, with the relatively large number of Indian scientists of merit and with some of genius, is Indian science still regarded by Indian and foreign scientists as being at the periphery? It is not that Indian science is relegated to obscurity because the larger world is ignorant of the Indian vernacular languages. The larger world is indeed so ignorant but this does not hide the work of Indian scientists since they publish their scientific works in English. Indian scientists do not have to be demoralized by an inevitable invisibility.

The use of English as the language of publication makes the works of Indian scientists in principle accessible to scientists of the centers of scientific work in practically all fields but this is not the end of the problem.

India has many scientific journals published in English but not many of them are read outside of India and they are not as respectfully read within India as are the published works of the center. To have their works read by scientists at the center, Indian scientists must publish in the journals of the center. Competition for publication is intense. It is difficult to know whether the papers submitted by Indian authors are regarded by editors and referees as seriously as papers submitted by authors from scientific institutions at the center. It is quite likely that there is little or no prejudice against Indian authors as such among the referees of the central journals. I myself have never heard any Indian scientist complain that he was a victim of a prejudiced assessment.

Yet, the fact remains that Indian scientists are convinced that their work will be lost to world-science, the science of the center, if they publish in Indian journals and they feel handicapped in the competition for publication at the center. If they wirk on subjects of world-wide interest, they fear »anticipation«, *i.e.*, being preceeded by others in the publication of their results; if they work on trivial subjects they will be disregarded. This makes for deficient self-confidence. To work on new subjects which have not been taken up at the center is risky and requires a stout heart; it requires self-confidence and some support, financial and moral, from elders and coevals.

The self-confidence of young scientists who do not receive encouragement from their elders and who are not sustained by a lively intercourse with their coevals, near and remote, within India is bound to be stunted. Physical isolation, the condition of having few fellow-scientists – in general or in one's own field with whom, under favorable circumstances, one could discuss one's scientific work has not been an obvious handicap in India. Yet, this encouragement has not been forthcoming in India.

There is another feature of Indian scientific life which inhibits the Indian scientist. The scientific ethos has been poorly implanted. Respect for procedural rules, meticulousness, honesty may well be there in ample quantity but the combination of respect and independence *vis-à-vis* the substantive scientific tradition seems not to have been perceived, assimilated and put into practice. Indian scientists believe in the seriousness of science, they believe in the validity of what they have received but they have not yet developed the inner freedom which would permit them simultaneously to believe in the validity of what they have received and to be critical towards it, to seek out and find its insufficiency and to feel themselves entitled to correct that insufficiency. They do not think that their responsibility as scientists includes the discernment of flaws in the knowledge they have received and the finding of ways of improving it; they do not regard it as their responsibility to seek out or to be open to problems on which others have not yet worked.

Perhaps this is a characteristic defect of scientific knowledge at the periphery.

## The Burden of Peripherality in Science

What difference does it make whether one is at the periphery or at the center? Why should it make a difference, as long as one is serious, hard working, abreast of the literature of one's subject and has resources to do the work one wishes to do? Why pay attention to the center? Why think of it as a center? Why respect it for what makes it the center, and why be disparaging to the achievements of the periphery or why, as an alternative to disparagement of the periphery, abuse and deny the center?

It is in the nature of the universality of science for there to be a consensus – never complete – about the difference between truth and falsity, between »good science« and »poor science«. Scientific knowledge entails openness to what is done elsewhere; it entails emulation. There is no easy way to be a »big frog in a small pond« in science. One is always in a »big pond«, even if the special field is a very narrow one. This is the price for believing in the universal validity of science, and in the realizability of its universality.

A scientist at the periphery cannot avoid assessing himself in the light of the achievements of the center. Consciousness of ones location at the periphery has a depressing effect on the self-esteem of a scientist. The sense of being beyond or outside the radius of regard by the scientists whose achievements are acknowledged dampens self-esteem and hence self-confidence. Self-confidence is an influential factor in the making of a scientist. Of course, self-confidence is not everything. Far from it: Knowledge, diligence, imagination, sensitivity to problems are no less important. A sustaining environment is no less important; encouragement by the interested and sympathetic responses to this new ideas by elders and coevals are important in heartening any scientist in his effort to deal with a difficult problem. For various reasons, this is often lacking among scientists in periphered countries.

Nevertheless, confidence in one's capacity to detect and define significant problems, to grasp their susceptibility to solution, to lay out the procedures for their solution, to respond imaginatively to unanticipated events and to analyze the results in a way which carries convictions to others whom one esteems, all depend on self-confidence. Self-confidence is partly a temperamental matter, but it is also partly a result of experience as a scientist. These experiences include the receipt of the confidence of a generally esteemed scientist during one's days as a student and in the early years of one's career; it means enjoying the intellectual sympathy and esteem of colleagues, present and remote, known individually or known only by name and work. Awareness of peripherality has a debilitating effect on the growth of self-confidence in a scientist. To see oneself surrounded by colleagues who have a similar sense of their own peripherality reinforces one's sense of one's own peripherality. The environment remains lifeless, if not inimical, it has no intellectual vitality and consequently none of the stimulation which comes from the presence of scientifically vital individuals. This is aggravated by resentment and jealousy towards the scientist with novel ideas.

The presence of other scientists without high levels of aspiration, without a high standard to which they aspire and which they expect of their colleagues makes a scientist intellectually flabby; he does not exert himself. He does not try to achieve results he has not achieved before. This is the deeper significance of the isolation of the scientist in a peripheral society. Even those scientists in scientifically peripheral societies who tried to live up to high standards, which they learned from distinguished scientists who were their teachers, lose their scientific zeal after they have lived in a scientifically inert or corroding environment for some time. Only the strongest character can resist such a state of inertia in their immediate colleagues and in their remoter colleagues within their own country.

About thirty years ago, the late C. V. Raman, the only Indian scientist who was ever awarded the Nobel Prize for work he did entirely in India and who himself had never studied abroad, said to me: »India has no intellectual tradition.« What he meant was that there was no body of scientists in India who held before themselves, their colleagues and their juniors a high standard of scientific discrimination and who embodied that standard in their own bearing and achievements.

The absence of such a tradition and its institutional embodiment is the burden of peripherality. The implantation of such a tradition is a condition of the transcendence of peripherality and of an approach to centrality. This implantation is the subtle and difficult task of those who would universalize scientific discovery. It is one of the great task which Professor Abdus Salam has been attempting resolve through the work of the International Institute of Theoretical Physics in Trieste.

EDWARD SHILS

# The Convergence of the Cognitive and the Territorial Universality of Science

The universal cognitive validity of scientific propositions is the foundation of the expansion and implantation of the scientific ethos into territories in which it has not previously, or at least, not recently, existed. The expansion of the possession of scientific knowledge to the minority of the population in societies in many far-flung parts of the earth's surface has occurred in the 20th century on a scale never previously attained. This expansion has been a movement of knowledge from centers to peripheries.

There is a potentiality given by the cognitive universality of science. It is to arouse the capacity to obey and to act in accordance with the scientific ethos and the traditions which bear it. It is this potentiality which enables scientific knowledge and scientific activity to expand over many parts of the earth and into a variety of civilizations with different religious, literary and moral traditions. The scientific ethos is the affirmation of the imperative of discovery and submission to the discipline of rules both explicit and unarticulated – perhaps ultimately unarticulatible – which lead to and attest to significant discoveries.

The scientific ethos is mobile but it is not like quicksilver. It does not move randomly or speedily. It is sustained by the activities and intercourse of scientific centers. Old centers can die, new centers can come into existence. The coming into existence of a new scientific center does not mean that the older centers need necessarily cease to be centers. The hierarchy of centers might change in the course of time. Within the larger, spatially more extensive center, some particular centers might gain a greater ascendancy in relation to other centers. But the addition of a new center to the larger central area does not mean that any existing center must become peripheral.

It is conceivable that the earth's surface could be covered by a large number of centers. This would be an extension to the earth as a whole of the situation of the Western and Central European and the North American centers today. There would still be peripheries within each society. There might and probably would remain international peripheries but the distance between them and the center might not be as great as it has been over the past centuries. Then the universal cognitive validity of science would bear its fruit in the territorial universality of scientific discovery.

Karl Dietrich Bracher

# Die Ausbreitung des Totalitarismus im 20. Jahrhundert

## Ideologien und Realitäten

### Einleitung

Der Gegenstand dieses Aufsatzes hat den Verfasser immer wieder beschäftigt, während er über mehr als dreieinhalb Jahrzehnte hinweg an seinen Studien über die Weimarer Republik und den Nationalsozialismus, die Problemgeschichte Europas im 20. Jahrhundert und die Konfrontationen von Demokratie und Diktatur einst und jetzt arbeitete. Schon immer gehörte dazu die Frage nach Fortschritt und Verfall, nach dem intellektuellen und ideologischen Hintergrund der großen Krisen der modernen Welt: sie sind nicht zuletzt auch Krisen des Denkens, der politischen Ideen im Zeichen des Aufstiegs einer neuen Herrschaftsform unseres Jahrhunderts, des Totalitarismus.

Unsere historische Betrachtung gewinnt neue Aktualität angesichts der gegenwärtigen Auseinandersetzung um den tiefen Wandel der sozialen und politischen Werte in den siebziger Jahren. Sie geschieht inmitten einer deutschen Erfahrung, die aufregend und bestürzend deutlich macht, wie stark immer wieder die besonderen Belastungen deutscher Geschichte und deutschen Denkens auf die Verhaltens- und Orientierungsprobleme zumal der jüngeren Deutschen einwirken. Nach dem Generationsbruch der sechziger Jahre kamen statt der vielbeschworenen Entideologisierung neue Wellen ideologischer Renaissance. Als sich zeigte, daß die Verwirklichung hoch gesteckter politischer Erwartungen an Grenzen stieß, lebte die zumal in Deutschland so schmerzhafte, überwunden geglaubte Konfrontation von Macht und Geist, Politik und Ideal wieder auf. Es gab neue Zeichen jener Störung eines normalen Verhältnisses zur politischen Realität, an der die erste deutsche Demokratie 1933 gescheitert ist. Dabei spielte die Anfechtung und Verunsicherung von institutionellen Formen der Bildung und Erziehung, Familie und Schule im Zeichen eines unerwartet raschen, radikalen Wertewandels keine geringe Rolle. Der Glaube an sozialen Fortschritt und gesellschaftliche Emanzipation setzte die Ära der sozialliberalen Koalition seit 1969 unter starken Reformdruck. Um so mehr wurde die Wachstumskrise seit Mitte der siebziger Jahre als eine Fortschrittskrise der Industriegesellschaft dann von einer zunehmenden Zahl von Zeitgenossen empört oder resignierend als Krise der westlichen Zivilisation überhaupt gedeutet.

In dieser erregten, erregenden Diskussion, die teilweise wie ein Rückfall in die Demokratie- und Zivilisationskritik der zwanziger Jahre erscheint, ist die Vergegenwärtigung der großen ideologischen Auseinandersetzungen unseres Jahrhunderts von neuer

Bedeutung. Es genügt nicht, kurzatmig auf die wieder einmal so anspruchsvoll weltanschaulich auftretenden Massen- »Bewegungen« unserer Tage zu starren. Durch einen kritischen Überblick über das Auf und Ab der ideologischen Verführungen, denen Europa und besonders die Deutschen seit der Jahrhundertwende ausgesetzt waren, sind jene neuen Verwirrungen und drohenden Verirrungen in die richtige Perspektive zu rücken, denen die westlichen Demokratien angesichts der alten und neuen Welterlösungslehren mit ihren irrationalen Wirkungen konfrontiert sind. Besonders Intellektuelle, Jugend und Kirchen treten als Träger eines radikal wiederbelebten Krisendenkens hervor, wonach nun der drohende atomare Untergang alles überschattet.

Das sind Neigungen, die schon in der Parole vom »Untergang des Abendlandes« vor und nach dem Ersten Weltkrieg mächtig waren. Wir haben damals erfahren, welche zerstörerische Negativkraft die irrationale Aufladung und der politische Mißbrauch, d. h. die Ideologisierung solcher Gedanken entfalten können: Kriegsfatalismus und Kommunismus, Faschismus und Nationalsozialismus, autoritäre und totalitäre Bewegungen waren Folgen, die schließlich im Vernichtungsregime des »Dritten Reiches« kulminierten. Daher wird auch jede Neuerscheinung des »deutschen Problems«, das sich in neutralistisch-antiwestlichen Sonderwegs-Ideen, in der erneuten Suche nach deutscher »Identität« zu Wort meldet, besondere Aufmerksamkeit erfordern.

Die Zerrissenheit Deutschlands in einer Welt, die nach wie vor von Nationalstaaten geprägt und durch den Ost-West-Konflikt bestimmt wird, enthält ideologische Sprengkräfte. Sie gilt es aus historisch-politischer Kenntnis der alten und neuen Ideen unserer Zeitgeschichte kritisch zu durchleuchten, ihre rationalen und irrationalen Wirkungsweisen aufzudecken. Zwar glaubte man in den fünfziger Jahren, nach den destruktiven Erfahrungen und Erschöpfungen des Zweiten Weltkriegs sei das Ende des ideologischen Zeitalters gekommen. Aber auch Skeptiker wie Raymond Aron († 1983) sprachen nach früheren Entideologisierungsprognosen zuletzt wieder von der Fortdauer, ja »Unsterblichkeit« von Ideologien – und von der ständigen »Gefährdung des Westens durch Irrationalität«.[1] Sie kündigt sich in Deutschland durch den Anti-Begriff der »Bewegung« an, der schon seit der Jugendbewegung der Jahrhundertwende als ideell und moralisch begründete Gegenposition zu westlicher Zivilisation und Politik, zur parlamentarisch-parteienstaatlichen Demokratie besonders ideologiehaltig ist. Auch die Diskreditierung durch die nationalsozialistische »Bewegung« war offenbar nicht abschreckend genug.

Hier tut sich erneut die Gefahr eines ideologischen Denkens auf, das extrem idealzielorientiert die fundamentale Bedeutung der verfassungspolitischen Strukturen abwertet. Wenn man die (nicht nur ökologische) Krisenliteratur des letzten Jahrzehnts mit ideologiekritischen Augen liest, fühlt man sich zuweilen an das Gefühl der Ausweglosigkeit erinnert, das viele Intellektuelle zwischen den beiden Weltkriegen anfällig für die Ideologisierung des Denkens werden ließ, so daß ihnen damals nur noch die unheilvolle Alternative zwischen Faschismus und Kommunismus zu bleiben schien. Die ideologische Flucht aus der Wirklichkeit kann pseudoreligiöse Züge annehmen, sie kann zur Unterminierung einer offenen Gesellschaft führen und deren Widerstandsfähigkeit gegen Diktaturen von rechts oder links schwächen.

Die neuen ideologischen Bewegungen verfügen, sofern sie nicht den totalitären Anspruch von Sekten- und Theokratiebewegungen (wie zuletzt im Iran des Khomeini) erheben, noch nicht über die geschlossenen System- und Theoriebildungen, wie sie für den Marxismus-Leninismus oder auch den Nationalsozialismus kennzeichnend sind. Aber typisch ist durchaus die Verwendung von suggestiven »Leerformeln«, wie wir sie jetzt beim Friedensbegriff der gleichnamigen Bewegungen vorfinden: ihre Funktion ist die Dramatisierung und emotionale Mobilisierung. Als Alternativbewegungen mit ökologischer, antiatomarer und antiamerikanischer Stoßrichtung rühren sie dann an Grundlagen des westlichen Demokratieverständnisses, wenn sie sich als Fundamental-, sprich Systemopposition verstehen und – wie auch die Bewegung der »Grünen« in Westdeutschland – ganz betont ihr Standbein außerhalb der Parlamentsdemokratie haben. Im Grenzbereich zwischen Demokratie und Diktatur operierend, können sie Inkubationsraum totalitärer Ideologien sein: Vorstadien und Übergangsformen eines Ideologisierungsprozesses, bei dem die machtpolitischen Positions- und Ausscheidungskämpfe noch nicht entschieden sind.

## Zeiten der Verführung

Einem bedrohlichen Rückgang des Geschichtsbewußtseins im Zeichen der Kulturrevolution von 1968 ist nun seit einigen Jahren die Besinnung auf große historische Daten gefolgt. Das teilt sich erfreulicherweise auch einem größerem Publikum mit: wichtige Forschungen und Bücher entstehen, neue Diskussionen um eine geschichtlich vertiefte Erhellung der Gegenwart werden geführt. Bei allem Vorbehalt gegen Modethemen und Medienwellen liegt darin auch die Bedeutung der Jubiläumsbemühungen um Luther und Marx (1983), um Wagner und Orwell (1984).

Gerade der letztere Anlaß zeigt aber, daß die Erinnerung an Personen und Namen wenig fruchtet, wenn sie nicht zugleich die Aufmerksamkeit für die große Bedeutung von politisch-ideologischen Strömungen und Bewegungen in der neueren Geschichte weckt und vertieft. Orwell – dies Pseudonym des englischen Schriftstellers Eric Blair (1903–1950) wird gegenwärtig viel gebraucht und mißbraucht für politische Auseinandersetzungen um die moderne technische Entwicklung und ihre ambivalenten Folgen: Computerwesen, Überwachung, Kriegstechnik. Orwell wollte aber, wie er ausdrücklich betont, keine Utopie schreiben, sondern eine historisch-politische Warnung vermitteln.[2]

Die ursprüngliche Botschaft, der zeitgeschichtliche Zusammenhang, aus dem seine Bücher und Visionen entstanden, war bei aller futuristischen Einkleidung doch erstlinig nichts anderes als die erschütternde Erfahrung der so entscheidenden dreißiger und vierziger Jahre unseres Jahrhunderts: nämlich die Erfahrung jener totalitären Diktaturen, die unter den großen Veränderungen und Erschütterungen dieses 20. Jahrhunderts erstmals in der Geschichte schreckliche Wirklichkeit wurden.

Neben den politischen, sozialen und wirtschaftlichen Faktoren war es ganz besonders die verführerische Verheißung und Faszination totalitärer Scheinparadiese, die den modernen Diktaturen neuen Stils nicht allein durch Zwang und Terror den Weg bereitete. Irregeführte Zustimmung und Anpassung ebenso wie Zwang und Terror festigten ihre Macht. Gerade Ideologien, die nicht bloß Gedanken zur Rechtfertigung der Politik, sondern geschlossene und unbedingt verbindliche, ja religionsähnliche Gebilde sind und ihre Anhänger zu fanatischen Gläubigen oder willigen Bekehrten machen, erlangen in unserem Jahrhundert der Säkularisierung und des Religionsverfalls erstrangige Bedeutung.

Diese Form der totalitären Verführung, in der Zwang und Zustimmung zusammenfließen, finden wir in den zahlreichen Berichten von Bekehrung und Abfall dokumentiert, die vor allem seit den vierziger Jahren von Betroffenen veröffentlicht wurden: so besonders eindrucksvoll von Orwells Freund Arthur Koestler in seinen Romanen (»Sonnenfinsternis«, 1940) und Erinnerungen (»Pfeil ins Blaue«, 1953) wie in dem (mit Ignazio Silone, André Gide, Stephen Spender u. a. veröffentlichten) Sammelband mit dem sprechenden Titel: The God that failed – Ein Gott, der keiner war (1950). Oder wenig später bei Czeslaw Milosz, dem heutigen Literaturnobelpreisträger, in seiner Charakteristik kommunistischer Intellektueller im gleichgeschalteten sowjetischen Nachkriegspolen: Verführtes Denken (1953)[3]. Der vor kurzem verstorbene Psychologe und Schriftsteller Manès Sperber hat sein Engagement in der kommunistischen Partei von 1927 bis 1937 auf charakteristische Weise damit begründet, daß er wie andere als ehedem gläubiger Mensch die Unmündigkeit des Menschen habe abschaffen wollen. Unter dem Eindruck der Schauprozesse und Mordurteile in der Stalin-Ära brach er dann mit der Partei und sagte dem Glauben an erlösende Revolutionen ab.[4]

Es war und ist »der faszinierende Irrtum«, wie es, auf die erstaunliche Fortdauer und Ausdehnung des Marxismus bezogen, Klaus Hornung nennt[5]. Am Schluß der trostlosesten Negativutopie des totalitären Staates, am Ende von Orwells »1984« lesen wir: »Er saß auf der öffentlichen Anklagebank, gestand alles, belastete jedermann«. Dann die grausigen Schlüsselsätze: »Das langerhoffte (!) Geschoß drang ihm in sein Gehirn ... Er hatte den Sieg über sich selbst errungen. Er liebte den Großen Bruder« (dessen Vertreter ihn zuvor lange bis in die tiefste Erniedrigung gequält hatte!).

## Prognosen des Jahrhunderts

Was das 20. Jahrhundert ist und war – darauf sind im Laufe der letzten achtzig Jahre viele höchst verschiedene Antworten gegeben worden. Aber die meisten Interpreten der Zeit gehen doch dahin, das Jahrhundert als Einheit zu sehen und unter ein bestimmtes Signum zu stellen. Das mag eher überraschen, wenn man die tiefen Brüche bedenkt, von denen unser Saeculum zerrissen wurde – und die ungeheuren Veränderungen sieht, die es über die Menschen und Völker, Gesellschaften und Staaten gebracht hat: besonders die großen Gegensätze und Konflikte des rapiden Modernisierungsprozesses, der die ganze Erde erfaßt und erschlossen hat, sie aber auch fortdauernd und zunehmend bedroht.

Bemerkenswert verschieden und widersprüchlich sind von Anfang an die Erwartungen und Deutungen der Zeitgenossen. Um nur vier Beispiele aus dem ersten Viertel des Saeculums zu geben: für westliche Liberale wie H. G. Wells oder Präsident Wilson war es das Jahrhundert der Demokratie und des Fortschritts; für die Revolutionäre von links das Jahrhundert des Sozialismus, des Mythos der siegreichen Arbeiterklasse also; die Ideologen von rechts wie Houston Stewart Chamberlain und Alfred Rosenberg stellten das Jahrhundert unter den Mythos der Rasse, dem Millionen geopfert wurden;[6] doch für einen konservativen Protestanten wie Otto Dibelius war es andererseits »Das Jahrhundert der Kirche«, wie sein gleichnamiges Buch von 1926 programmatisch verkündete, das neue Chancen für Religiosität erwartete, ja die christliche Kirche als Bollwerk des Abendlandes und geistige Heimat sah.

Es wurde aber nicht zuletzt für viele Menschen und Völker das »Jahrhundert der Wölfe« (so Nadeshda Mandelstam 1971), ja das Jahrhundert des Totalitarismus. Und das blieb es auch nach dem Untergang Hitlers und dem Tod Stalins, mit der Fortdauer der Diktaturen und ihrer weiteren Ausdehnung und Vermehrung in aller Welt: es blieb das Jahrhundert der totalitären Verführung, also des potentiellen Totalitarismus auch in veränderten Formen.

Blicken wir noch einmal auf diese vier Prognosen, die so extrem weit auseinander zu liegen scheinen, dann erkennen wir doch ein Ähnliches: nämlich die Erwartung gewaltiger Veränderungen unter einem großen, alles beherrschenden Prinzip, das den Umbruch und die neue Welt verheißt. Ein glaubensmäßiger, ja apokalyptischer Ton ist vernehmbar, der die rationalen Zivilisationsdeutungen übertönt. Denn die Erwartung, unter der die Westmächte den Ersten Weltkrieg führten: »to make the world safe for democracy« (H. G. Wells 1914), erfüllte sich nicht. Vielmehr waren danach die zwanziger Jahre umgetrieben von den tiefen Zweifeln der Kulturkritik, den nihilismusnahen Krisenphilosophien des Existenzialismus, der erschütternden Umwertung von Werten und den apokalyptischen Parolen vom »Untergang des Abendlandes« (Spengler 1918). Und eben daraus zog auch Dibelius seine Parole vom Jahrhundert der Kirche: der Zusammenbruch der alten Ordnungen 1918 und die Drohung des Bolschewismus, so hieß es hier, schaffe gerade freien Raum für eine große Zeit der Kirche – als »eine Mauer..., die die christliche Kultur des Abendlandes schirme, nachdem kein Staat sie mehr schützen will«[7].

Das aber war vor allem auch der Ansatzpunkt des konkurrierenden Phänomens: der totalitären Verführung. Statt einer Erneuerung der Kirchen angesichts der Entwicklungs- und Modernitätskrise des Christentums kam der Aufstieg politischer Religionen. Die Autonomisierung von Staat und Gesellschaft, die Säkularisierung aller Lebensbeziehungen trieb den Wunsch nach neuen umfassenden Bindungen hervor, die nun freilich mehr denn je zuvor in der Geschichte zum politischen Irrationalismus, zur Vergötzung politischer Ideen, Bewegungen und Führer verleiteten. In der Tat wird der scheinbar unaufhaltsame Fortschritt von Wirtschaft und Gesellschaft im Zeichen rationaler Wissenschaft und Technik und einer weltweiten Ausdehnung moderner Zivilisation schon seit der Jahrhundertwende immer nachhaltiger in Frage gestellt. Es sind die erschütternden Brechungen des Fortschritts in den großen Kriegen und Krisen unseres Jahrhunderts, von Kulturkritikern wie Nietzsche lange schon antizipiert und dann doch weithin unerwartet erfahren, die viele rationale Gewißheiten zerstören und Europa für irrationales Denken empfänglich machen. Ideologisierung und Fortschrittskrise werden zum faszinierenden Antrieb – und zum Alptraum.

Der Kampf der Ideen und Ideologien vermag lange gehegte Wert- und Moralordnungen umzustürzen. Daher auch jene neue Schärfe und jener umfassende Totalitätsanspruch, die den Vorgang der Ideologisierung in Staat und Gesellschaft, Wirtschaft und Kultur kennzeichnen. So kommt es seit der Jahrhundertwende in rascher Folge zur Vorbereitung und Durchsetzung hochideologisierter Diktaturregime. Die sie tragenden Gruppen und Parteien vertreten einen unerbittlichen Realisierungsanspruch absolut gesetzter Gedanken von äußerster Zuspitzung und Radikalität. Ob nun konservativer, demokratischer oder sozialistischer Herkunft, bilden diese ein brisantes Gemisch von links- und rechtsradikalen, progressivistischen und romantisch-reaktionären Antriebskräften. Die alte Frage nach der Bedeutung politischer Ideen im Verhältnis zur politischen Realität rückt nun in ein ungleich schärferes Licht. Der umstrittene Begriff der »Ideologie«, der ideellen Begründung politischer Herrschaft erhält eine Schlüsselrolle in den großen Auseinandersetzungen um die »richtige« Weltanschauung des Jahrhunderts. Und die meisten Ideologien erheben zugleich Anspruch auf die Gestaltung des »Fortschritts«, ja treten als seine weltgeschichtlichen Träger auf. Beide Begriffe bedürfen immer aufs neue der Klärung.

Wir leben in einem Jahrhundert der Ideologien. Die optimistische Rede von einem baldigen »Ende des ideologischen Zeitalters« hat sich ebenso als Täuschung der fünfziger Jahre erwiesen wie das Wort vom Niedergang der Intellektuellen.[8] Nicht die »Erschöpfung« oder das »Altern« politischer Ideen in der Zeit nach dem Zweiten Weltkrieg, sondern eine Neuaufladung ideologischer Energien und intellektueller Verführungen bleibt kennzeichnend auch für die Epoche der nacheuropäischen Modernisierung der Welt. Dies verbindet die zweite Hälfte des Jahrhunderts mit den Ausbrüchen und Irrungen der ersten Jahrzehnte, die seit den sechziger Jahren geradezu eine Reprise erleben. Nun ist von neomarxistischen, neoliberalen, neokonservativen Bewegungen die Rede: »neu« oder nicht, das ideologische Bedürfnis ist jedenfalls nicht gestillt. Auch nicht mit der Einsicht, daß Europa nur noch fähig scheint, Entwicklungen nachzuvollziehen, die anderwärts in Gang kommen, zumal in Amerika und der Dritten Welt: Studenten- und Jugendrevolten, Anti-Vietnambewegung und Entspannungspolitik, zuletzt menschenrechtliche und erneut neokonservative Impulse aus der Neuen Welt.

## Jahrhundertwende

Dem Zeitgenossen des ausgehenden 20. Jahrhunderts erscheint nach zwei europäischen Bruderkriegen, die zu Weltkriegen wurden und das bisherige Staatensystem umgewälzt haben, das vorangehende 19. Jahrhundert als eine ungleich harmlosere, fast eine gute alte Zeit. Sie stand im Zeichen des *Fortschrittsoptimismus* und eines Zukunftsglaubens, der auch durch verschiedene »Kabinettskriege« nicht gestört und noch verstärkt wurde durch das Erleben von populären Volkskriegen im Zeichen der nationalen Erhebung: durch die französischen Revolutionskriege ausgelöst und durch die Auflösung oder Umwandlung von Imperien in Nationalstaaten ermöglicht. Der Kontrast zu unserer heutigen Zeit des *Pessimismus,* ja einer teilweise apokalyptischen Endzeitstimmung (»In letzter Stunde«, 1982)[9], könnte nicht größer sein. Und in der Tat: die Scheidelinie verläuft ziemlich genau um die Jahrhundertwende – mit dem Endpunkt des Weltkriegsausbruchs von 1914, dieses ersten technischen Massenkrieges.

Wie war es möglich, daß Jahrzehnten der zunehmenden Friedenssicherung, der scheinbar definitiven Fortschritte in der humanitären Abschaffung der Sklaverei und der Zähmung des Krieges die ungeheuerlichsten Rückfälle in die Barbarei folgten: auf den Ersten der Zweite Weltkrieg, Völkermord und innere Unterdrückung, Arbeits- und

Konzentrationslager, Totalisierung des Krieges durch Einbeziehung der Zivilbevölkerung, Exilierung, Deportation und Massenaustreibung, dann aber umgekehrt nach 1945 auch Ausreise- und Bewegungsverbot gegen die eigenen Staatsbürger, samt drakonischer Bestrafung von Staats- oder Republikflucht – und dies alles im Namen des Volkes, einer angeblich besseren, endgültigen Volksherrschaft? Wie weit ist dies wirklich die Bilanz unseres Jahrhunderts, das es in seinen zerstörerischen Ausmaßen von der bisherigen Geschichte der Menschheit und vor allem auch Europas, des sich christlich nennenden Abendlandes abhebt?

Wenn wir die Geschichte unseres Jahrhunderts heute fast ganz überblicken können, so treten auch die großen Zäsuren und Weichenstellungen, die Entscheidungen und großen Versäumnisse deutlich hervor. Besondere Bedeutung kommt nach den beiden Weltkriegen dem tiefen Einschnitt um die Jahrhundertmitte zu – 1945 –, dessen Folgewirkung bis heute bestimmendes Gewicht besitzt. Die großen Konstellationen der Weltpolitik und auch die innere Verfassung der heutigen Gesellschaften und Staaten datieren wesentlich aus den späten vierziger Jahren, und auch der Beginn der Dritten Welt mit ihren neuen Staaten geht darauf zurück.[10]

Ähnliches gilt für den Beginn unseres Jahrhunderts. Hier war es der plötzliche Stoß der großen Veränderungen um die »Wasserscheide« (Romein) der Jahrhundertwende[11], der neben den Fortschrittsgefühlen auch schon die Krisenstimmungen des technischen Zeitalters hervorbrachte. Von den Ahnungen des fin de siècle führen sie zum Katastrophendatum des Ersten Weltkriegs. Es sind zahlreiche weitere Daten und Epochenzusammenhänge, die zur Charakterisierung und zum Verständnis der verschiedenen Dekaden dieses Jahrhunderts dienen können, nicht zuletzt der Einbruch der großen Wirtschaftskrisen, die als Arbeits- und Gesellschaftskrisen das politische Denken und Verhalten aufs nachhaltigste beeinflussen und beeinträchtigen.

Aber entscheidende Bedeutung besitzt doch vor allem das Auftreten eines neuen Phänomens in der Geschichte der Menschheit, über dessen Herleitung und Fortdauer bis heute tiefe Meinungsverschiedenheiten in Politik und Wissenschaft herrschen: das Phänomen des modernen Totalitarismus. Es ist nur zu verstehen als Folge der großen Labilität und Unsicherheit des aus bisherigen Bindungen gelösten modernen Menschen, der nach neuer Identität sucht und danach strebt, sein Idealbedürfnis zu befriedigen. Und zwar in durchaus verschiedenen Formen: sei es als Intellektueller in Bewunderung perfektionistischer politischer Lösungen, sei es als vereinsamt-isolierter »Massenmensch«, der einer betäubenden Kollektiv- und Gemeinschaftssucht anheimfällt – vor allem in Zeiten wirtschaftlicher und sozialer Krisen.[12]

## Die drei Dimensionen

Ich möchte zunächst von den verschiedenen Dimensionen, dann von den großen Weichenstellungen totalitärer Politik sprechen. Der Totalitarismus breitet sich seit Ende des 19. Jahrhunderts in drei großen Dimensionen aus:

1. Die Entfaltung totalitärer *Ideologien* geschieht vor allem im Klassenkampf- und Rassenkampf-Denken.

2. Der Aufstieg totalitärer *Bewegungen* wird durch die politisch-sozialen Erschütterungen der Modernisierung und des Ersten Weltkriegs beschleunigt.

3. Der Ausbau totalitärer *Herrschaftssysteme* schließlich vollzieht sich im Vakuum der Nachkriegskrisen, zumal des Scheiterns der neu begründeten Demokratien.

Es sind die siebziger und achtziger Jahre des 19. Jahrhunderts, in denen sich diese Entwicklungen bereits sichtbar vorbereiten. Ideen- und geistesgeschichtlich kommt dabei aufwühlenden Ereignissen wie der Kommune in Frankreich 1871 und den großen Wirtschaftskrisen der Gründerzeit mit der Folge einer radikalen Kapitalismuskritik fortwirkende Bedeutung zu. Denn sie führen einerseits zur Verschärfung und Radikalisierung des Sozialismus im antiliberalen Sinn der marxistischen Doktrin, mit der Parole von der Diktatur des Proletariats; andererseits kommt es zur rassistischen Zuspitzung des Nationalismus und Antisemitismus, mit der Folge extrem biologisch-darwinistischer Gesellschaftstheorien, die anstelle des Klassenkampfes den Völkerkampf, das Freund-Feind-Verhältnis und das »Recht des Stärkeren« zum Grundprinzip des Politischen erheben. Beide Extremideologien berufen sich auf die umstürzenden Erkenntnisse Darwins und die moderne Wissenschaft, ja sie treten selbst mit dem Anspruch wissenschaftlicher Unfehlbarkeit auf.

Diese Front des Antiliberalismus sowohl von rechts wie von links ist es, die sich in der Kulturkritik und im Zivilisationspessimismus zu einer explosiven Mischung verdichtet und die Gedanken liberalen Fortschritts und demokratischer Kompromißformen, die in Mittel- und Osteuropa erst ganz langsam Fuß fassen, gleich zu Beginn in Frage stellt, ihnen den Kampf ansagt. In diesem Sinne wird besonders auch die Philosophie Nietzsches verstanden und posthum manipuliert (wie z.B. in den Verfälschungen der Schwester Elisabeth Förster-Nietzsche), obgleich Nietzsche selbst Antisemitismus und Nationalismus abgelehnt hatte. Seine scharfen Aphorismen gegen die liberale Kultur und ihre christlichen wie demokratischen Elemente waren jedenfalls leicht und mit weit ausstrahlender Wirkung zu mißbrauchen.

Die intellektuellen Geburtshelfer der totalitären Ideologien wirkten nach links und rechts: so dienten Mussolini, der zunächst radikaler Sozialist war und im Krieg dann zum Begründer des Faschismus wurde, ganz wesentlich Marx und Nietzsche als Ideenspender (wie besonders E. Nolte aufgezeigt hat). Auf der anderen Seite war es der Streit um ein reformerisches oder revolutionäres Verständnis des Sozialismus, der in derselben Zeit vor und nach der Jahrhundertwende eine radikale, gewaltbejahende Version hervorbrachte, wie sie besonders der französische Gewaltphilosoph George Sorel (1908) und dann der russische Vorkämpfer eines diktatorischen Einparteien-Sozialismus, Lenin, mit weltgeschichtlichen Folgen vertraten.[13]

Man kann in der Tat feststellen, daß am Vorabend des Ersten Weltkriegs die Gedanken und Zielvorstellungen, teilweise auch schon die Mittel zur Verwirklichung einer bislang unerhörten Form allumfassender, ideologisch totalisierter Herrschaft bereitlagen, und daß es nur des ersten modernen Massenkriegs bedurfte, um bisherige Strukturen, Maßstäbe und Hemmungen noch rascher zu beseitigen oder sie umkehrbar, moralisch pervertierbar zu machen. Vor allem Lenin und Hitler haben diese innere, geistig-psychische Bedeutung des Krieges (nicht nur die äußere) erkannt. Es entstand ein geistig-politisches Vakuum, in dem es ungleich erfolgreicher möglich war, die Mobilisierung von sozialideologischen »Bewegungen« jenseits der bisherigen Parteien und Organisationen zu betreiben. Sie vermochten sich als mächtige verführerische Alternativen sowohl zu den bisherigen halbabsoluten Monarchien wie zu den nur halbgelungenen, schwachen bürgerlichen Demokratien zu entwickeln, ja schon 1917 in Rußland, 1922 in Italien die Macht zu ergreifen.

## Die großen Weichenstellungen

Es sind mehrere große Einschnitte und Weichenstellungen, über die sich die Ausbreitung, die Wandlungen und Renaissancen des Totalitarismus im Laufe des Jahrhunderts vollziehen. Wir betrachten nun jene acht zeitlichen Zusammenhänge, die mir besonders wichtig erscheinen.

1. Die Gedanken- und Formationsperiode *um 1900:* Die Jahrhundertwende bildet den Kristallisationspunkt einer Zeit der Gärung, die von den achtziger Jahren bis 1914 reicht. Es ist gleichsam die *Bereitstellung* der Ideen und Weltanschauungen, der politischen Heilslehren wie des technisch-ökonomischen und sozial-psychischen Potentials, das die Mobilisierung von Massen für absolut gesetzte Ziele und die Bereitschaft oder Anfälligkeit nicht zuletzt auch von Bürgern und Intellektuellen für den Prozeß der totalitären Verführung überhaupt möglich macht.

2. Die Konkretisierungsperiode von *1917–1923:* Der Krieg von 1914–18 und seine unmittelbaren Folgen sind Träger der *ersten Durchbrüche* und Realisationen von Ideen, die nun zu politischen Ideologien geformt, dem am Ende des Krieges proklamierten Zeitalter der Demokratien die Diktatur neuen Stils entgegenstellen: Kommunismus und Faschismus. In Rußland geschieht 1917 unter Lenin die erste Machtergreifung, die mit diesem totalen Anspruch auftritt und zugleich die Weltrevolution verkündet.

Das folgende Jahrfünft bringt die eigentliche Begründung des Totalitarismus als Herrschaftsprinzip, wenn noch nicht Herrschaftsform. Der Befestigung der kommunistischen Alleinherrschaft in der neugeformten Sowjetunion und den anderen freilich gescheiterten Revolutionsversuchen in Europa folgt die alternative Begründung nationalistisch-sozialer Bewegungen, die gegen Liberalismus und Marxismus gleichermaßen gerichtet sind. An die Macht kommen sie zuerst 1922 in Italien unter Mussolini. Und während der sterbende Lenin durch Stalin, den Vollender eines totalitären Kommunismus, abgelöst wird, tritt als erster der italienische Diktator ausdrücklich unter dem Anspruch auf, den der Begriff »totalitär« bezeichnet, nachdem er zunächst (1923) von seinen liberalen Kritikern gegen ihn benutzt worden war.[14]

Es beginnt die »Periode des Wettstreits zwischen totalitärem Nationalismus und totalitärem Marxismus« (Seton-Watson).[15]

In Deutschland freilich scheitert zur gleichen Zeit mit dem – Mussolinis Marsch auf Rom nachempfundenen – Putschversuch Hitlers in München 1923 die erste Diktaturwelle, die zunächst von links in der Münchener Räterepublik 1919, Hitler entscheidendem politischen Erlebnis, dann von rechts im Kapp-Putsch von 1920 gegen die Weimarer Republik hochgeschwappt war.

3. Eben dort aber geschieht dann die nach 1917 folgenschwerste totalitäre Machtergrei-

fung von *1933/34*. Sie bildet den *Kulminationspunkt* einer autoritären Welle, die in den meisten neugegründeten Staaten der Nachkriegszeit die noch schwachen krisengeschüttelten Demokratien »übermannte« – eben mittels eines Kults des starken Mannes: von Ungarn (Horthy) und Polen (Pilsudski) über Portugal (Salazar) und Spanien (Franco) zu den Staaten des Baltikums und des Balkans, zu Österreich und Griechenland (Metaxas). Der Nationalsozialismus freilich war unter all diesen antiliberalen und antidemokratischen Ideen- und Machtströmungen in Theorie und Praxis die weitaus radikalste, jedenfalls nicht minder konsequent und zugleich umfassend totalitär wie die kommunistische. Er stand wohl dem italienischen Faschismus nahe, entlehnte ihm auch manche Formen und Parolen, rückte aber in der rassistischen Zielsetzung wie in der menschenverachtenden Volkskollektiv-Ideologie sehr viel näher an die Herrschaftsweise des Stalinismus heran, als dies die so betont »antifaschistischen« Sympathisanten des kommunistischen Experiments wahrhaben wollten.

Während die zwanziger Jahre noch offen erschienen und erfüllt von den Möglichkeiten geistiger wie politischer Vielfalt, wurden nun die dreißiger Jahre überschattet und bedrängt von zwei großen Lagern, die trotz aller gegenseitigen Konfrontation doch beide vor allem entschiedene Feinde der pluralistischen Demokratie und ihrer Werte waren, indem sie der Errungenschaft freiheitlicher und menschenrechtlicher Politik die Verführungskraft sozialistischer und/oder nationalistischer Gemeinschaftsmystik entgegenstellten. Dazwischen schwankten und fielen die meist jungen europäischen Demokratien unter dem Druck der wirtschaftlichen und nationalen Krisen. Es schien sich zu beweisen, daß diese Staatsform nur in Ausnahmefällen lebensfähig war, und daß die Staats- und Gesellschaftsform der Zukunft von jenen cäsaristischen Führergestalten geprägt werden sollte, die nicht nur Oswald Spengler, sondern auch Max Weber vorausgesehen hatte.[16]

## Die neuen Regime

Betrachten wir an dieser Stelle das Wesen der neuen Regime. Die autoritäre Welle der Zwischenkriegszeit, der Ruf nach dem Diktator war die eine Voraussetzung für den Totalitarismus. Die andere Voraussetzung bildeten die gesteigerten Möglichkeiten, die das technisierte Massenzeitalter zur Erfassung und Gleichschaltung des Lebens *und* Denkens aller Staatsbürger bietet. Denn im Unterschied zu älteren, gleichsam konventionellen Formen von Diktatur- und Militärregimen wird nun der Anspruch auf Totalität der Herrschaft und Unterwerfung, auf Identität von Führer- und Parteibewegung, Volk und Individuum erhoben. Und dies war nur durchzusetzen, wenn neben der politischen Kontrolle der Glaube an *eine* absolut gesetzte Ideologie verbindlich gemacht wird, bei Strafe des Lebens.

Marxistisch-leninistisches Dogma vom Klassenkampf oder faschistisch-nationalsozialistische Freund-Feindlehre vom Völker- und Rassenkampf waren solche totalitären Ideologien, die alle Herrschaftsakte rechtfertigten, selbst Massenverbrechen und Völkermord, ob dies nun im Namen des Volks-, Partei- oder Führerwillens geschah, ob es pseudodemokratisch und pseudolegal oder revolutionär-messianisch-chiliastisch stilisiert war wie in den Zukunftsmythen eines klassenlosen Arbeiterparadieses oder eines »Tausendjährigen

Reiches«. Auch die Wirkung pseudoreligiöser Bedürfnisse und Manipulationen in einer Zeit des Verfalls und Vakuums religiöser Werte ist wichtig: der brünstige Glaube an Adolf Hitler etwa, aber auch an Symbole und Riten der Massenversammlung, die das irrationale Erlebnis der Gemeinschaft vermitteln sollen.

Der Totalitarismus als Möglichkeit und Versuch, der gewiß nirgends völlig, aber doch so weit zu verwirklichen war, daß er normalen Bürgern die grausigsten Verbrechen zumuten konnte, zielte auf die Beseitigung aller persönlichen, vorstaatlichen Freiheitsrechte und Auslöschung des Individuums. Aber zugleich erweckte er den Eindruck, daß er besser und effektiver als alle bisherigen Staats- und Gesellschaftsformen die wahre Bestimmung des Menschen, ja die wahre Demokratie und den perfekten Wohlfahrtsstaat realisieren könne. Diese Verführungskraft war mit Mitteln moderner Technik, Propaganda und Kommunikation besser zu verwirklichen als je zuvor in der Geschichte. Der Totalitarismus war gerade in dieser Hinsicht »das politische Phänomen des 20. Jahrhunderts« (Gerhard Leibholz).

Bei allen Unterschieden zwischen Kommunismus, Faschismus und Nationalsozialismus zeigen sich in jedem Fall drei große charakteristische Tendenzen:

a.) Die möglichst totale Herrschaftsverfügung einer einzigen, totalitär organisierten Partei und ihrer Führung, die mit den Attributen der Unfehlbarkeit und dem Anspruch auf pseudoreligiöse Massenverehrung ausgestattet ist. Nach den Erfahrungen unseres Jahrhunderts kann sich die Machtergreifung einer solchen totalitären Partei nicht nur, in der gleichsam klassischen Weise, über die revolutionäre Putschaktion einer militanten Minderheit (russische Oktoberrevolution 1917), sondern auch auf dem Weg der Aushöhlung, des Mißbrauchs und der scheinrechtlichen Manipulation demokratischer Institutionen (pseudolegale Machtergreifung des Nationalsozialismus 1933) vollziehen. Alle anderen Parteien und Gruppen, die das politische und gesellschaftliche Leben repräsentieren, werden in der Folge entweder durch Verbot und Terror vernichtet oder durch Irreführung und Gewaltdrohung gleichgeschaltet, d. h. zu willenloser Scheinexistenz in Scheinwahlen und Scheinparlamenten erniedrigt, wie in den kommunistischen »Volksdemokratien« mit den Einheitslisten der »Nationalen Front«.

b.) Der totale Einparteienstaat stützt sich dabei auf eine militante Ideologie, die gleichsam als »Ersatzreligion«, als Heilslehre mit politischem Ausschließlichkeitsanspruch die Unterdrückung jeder Opposition und die totale »Ausrichtung« des Staatsbürgers sowohl historisch wie zukunftsutopisch zu begründen und zu rechtfertigen sucht. So verschieden geschichtlicher Hintergrund, politische Gestaltungsziele und ideologische Doktrin bzw. Gedankenführung der drei wichtigsten totalitären Systeme sind, so treffen sich russischer Bolschewismus, italienischer Faschismus und deutscher Nationalsozialismus doch in der Technik allgegenwärtiger Überwachung (Geheimpolizei), Verfolgung (Konzentrationslager) und massiver Beeinflussung bzw. Monopolisierung der öffentlichen Meinung. Die bedingungslose Zustimmung der Massen wird mit allen Mitteln moderner Propaganda- und Werbetechnik manipuliert; sie ist gemäß den Erkenntnissen der neueren Massenpsychologie auf die Erzeugung einer permanenten Kampfstimmung gegen einen absolut gesetzten Feind gerichtet, wobei sowohl die »positiven« Schutz- und Begeisterungsbedürfnisse wie die »negativen« Furcht- und Zwangsvorstellungen der Massen mobilisiert und zur Herrschaftsbefestigung eingesetzt werden. In überdimensionalen Kundgebungen und Aufmärschen findet das rigoros gelenkte Bewegungs-, Spannungs- und Unterhaltungsbedürfnis Befriedigung; die einseitige Organisierung aller Lebensbereiche vermittelt zugleich ein Gefühl der Geborgenheit, erzwingt die Unterwerfung des einzelnen unter die »Gemeinschaft« des Kollektivs und ersetzt die rechtsstaatliche Legitimierung durch ein System der scheinlegalen Zustimmung. Mit dem Anspruch auf völlige Verfügung über Leben und Glauben seiner Bürger verneint der totale Staat jedes Recht auf Freiheit, jeden letzten Wert und Zweck neben sich selbst als der allein verbindlichen »Totalität aller Zwecke«.

c.) Ein wesentlicher Bestandteil der totalitären Herrschaftsideologie ist der Mythos von der höheren Effektivität eines solchen totalen Kommandostaates gegenüber dem komplizierten, durch mannigfache Kontrollen und Sicherungen eingeschränkten demokratischen Rechtsstaat. Die totalitäre Ideologie beruft sich dabei auf die Möglichkeiten wirtschaftlicher und sozialer Gesamtplanung (Vier- oder Fünfjahrespläne), auf die schnellere politische und militärische Reaktionsfähigkeit oder auf die Gleichschaltung politisch-administrativer Prozesse und die größere Stabilität diktaturförmiger Staatsführung. Dieser weitverbreiteten Auffassung entspricht die Wirklichkeit totalitärer Herrschaftspolitik jedoch nur sehr bedingt. Ständige Rivalitäten innerhalb der totalitären Partei und ihrer Führungsgremien, ein unlösbarer Dualismus zwischen Partei und Staat und die Willkürakte einer unkontrollierten, mit Kompetenzen überladenen Zentralinstanz wirken der Perfektion eines nach dem Vorbild militärischer Kommandostruktur gestalteten Befehlsstaates entgegen. In diesem Zwangssystem werden partielle Verbesserungen durch einen gewaltigen Verlust an Bewegungsfreiheit, rechtlicher Ordnung und menschlicher Substanz erkauft, ohne daß doch das vorgegebene Ideal vollkommener Sicherheit und Überschaubarkeit verwirklicht wird. Das Schicksal des Faschismus und des Nationalsozialismus und die Anpassungsschwierigkeiten des nachstalinschen Kommunismus lassen erkennen, daß totalitäre Herrschaftssysteme keineswegs höhere Krisenfestigkeit und wirksamere »Ordnung« verbürgen; ihre kontrollentzogene Zwangsordnung gestaltet vielmehr die Ausübung und das Ergebnis politischer Machtkonzentration auf die Dauer unendlich verlustreicher als das scheinbar schwerfälligere Gewaltenteilungs- und Kompromißverfahren eines demokratischen Rechtsstaats.

4. Den nächsten großen Einschnitt markiert der Beginn des Zweiten Weltkriegs 1939; er zeichnete sich schon seit 1937 ab. Mit dem spanischen Bürgerkrieg, der ja bis 1939 wütete, war – wie ihn auch die Diktatoren verstanden – eine Generalprobe des großen *ideologischen Bürgerkriegs* im Gange, der die entscheidenden Weichenstellungen der künftigen Weltpolitik vorbereiten sollte. Es war aber auch die Zeit, in der für scharfsinnige Beobachter ein für allemal sichtbar wurde, welche unmenschliche Drohung der Totalitarismus von rechts wie von links bedeutete.

So entstanden denn gerade aus dieser damaligen Anschauung zwei der scharfsinnigsten Analysen der totalitären Drohung, die bis heute gültig sind: die Schreckvision von George Orwell und die große Ideologiekritik von Jakob Talmon. Der englische Schriftsteller Orwell (1903–1950) war bekanntlich selbst am spanischen Bürgerkrieg beteiligt und erlebte dort 1937 sein Damascus; und der polnisch-israelische Historiker Talmon (1916–1980), dem wir die geschichtlich umfassendste dreibändige Darstellung der geistigen Ursprünge und Folgen der »totalitären Demokratie« verdanken, wurde damals als Student erklärtermaßen zuerst und entscheidend inspiriert durch jenen Zusammenhang von 1937–39: den spanischen Bürgerkrieg, die stalinistischen Schauprozesse und die national-sozialistische Judenverfolgung.[17] Das drückt dann auch Orwells Selbstkritik (von 1944) aus, die ja bis heute gültig ist: die linken Intellektuellen zumal machten den Fehler oder erlägen dem Irrtum, daß sie »antifaschistisch sein wollten, ohne antitotalitär zu sein«. Und Talmon hat bis zu seinem allzu frühen Tod (1980) immer wieder betont, daß gerade seine grundlegende Einsicht in den pseudodemokratischen Charakter totalitären Denkens und Handelns auf diese bestürzende Erfahrung am Ende der dreißiger Jahre zurückgehe, in der er nun auch als betroffener Historiker eine Analogie zur terroristischen Phase der Französischen Revolution unter Robespierre (1793), also zur Entstehung der furchtbaren Idee und Realität einer totalitären Demokratie als radikalster Diktatur sah.

Tatsächlich wurde dieser historische Zusammenhang gerade in der Folge noch drama-tisch bestätigt. Der so überraschende und doch durchaus charakteristische Pakt Hitlers und Stalins 1939 ließ die Unterscheidung von Rechts- und Linksdiktatur zurücktreten hinter dem negativ-gemeinsamen Willen der Diktatoren zur totalitären Veränderung (und zeitweiligen Aufteilung) der Welt. Aber verhängnisvoller Weise wurde diese noch allzu wenig verbreitete Erkenntnis schon zwei Jahre später wieder verwirrt oder verwischt durch die von Hitlers Angriff auf die Sowjetunion zusammengebrachte Anti-Hitler-Koalition von 1941–1945. Sie verleitete zu umgekehrten Illusionen und Fehleinschätzun-gen von weltpolitischer Bedeutung.[18] Denn diese Illusionen mußten bei Wegfall des gemeinsamen Feindes, Hitler, geradezu notwendig zur neuerlichen Enttäuschung und in den Kalten Krieg führen.

## Demokratie oder Diktatur

5. Eben dies macht die *vierziger und fünfziger Jahre* zu einer Zeit der Veränderung, doch zugleich neuer Ausbreitung totalitärer Tendenzen. Waren die zwanziger Jahre eine Ära der großen inneren Auseinandersetzungen nach dem Ersten Weltkrieg, die dreißiger Jahre die Zeit der unaufhaltsam vordringenden Diktaturen und die fünfziger Jahre im Westen die Epoche des erstaunlichen Wiederaufbaus, ja eines eigentlich zum ersten Mal erfolgreichen Funktionierens, einer Blüte der freiheitlich-pluralistischen Demokratie, so erscheinen die vierziger Jahre auf den ersten Blick gerade nicht als eine Einheit; sie sind vielmehr durch den weltpolitischen, weltgeschichtlichen Einschnitt von 1945 in zwei völlig verschiedene Perioden geteilt. Auf die brutalen Eindrücke des Totalitarismus und die katastrophalen Folgen des Hitlerreiches folgt nach der Befreiung von 1945 sogleich die Zerspaltung in den tiefen Gegensatz von Diktaturen und Demokratien. Durch drei große Zusammenhänge ist diese 5. Phase totalitärer Ausbreitung bestimmt.

(1) Mit der diktatorischen Machtentfaltung und den siegreichen Eroberungskriegen, die Hitler, Mussolini und Japan 1942/43 auf den Höhepunkt ihrer Herrschaft führen, tritt die Kehrseite einer zerstörerischen, menschenvernichtenden Politik hervor, die in der totalen Niederlage dieser autoritär-totalitären Regime endete.

Und gleichzeitig (2) entfalten und verstärken sich auch die Kräfte und Bewegungen des Widerstands, der Befreiung und des Wiederaufbaus, die im Zeichen der Demokratie und der Idee eines vereinigten Europas, ja einer friedlichen Kooperation aller Völker und Staaten der Welt stehen.

Aber (3) schließlich bestimmt die konkrete Erfahrung der politischen und ideologischen Teilung Europas nach Kriegsende das Geschehen: mit der Fortdauer und Steigerung des Stalinschen Totalitarismus im Osten kommt es zugleich zu der Einbeziehung des geschlagenen Deutschland in die Machtblöcke des Sowjet-Kommunismus und der westlichen Demokratien und schließlich zu seiner Spaltung in zwei ideologisch scharf getrennte Staaten.

Am Ende des Jahrzehnts steht, grundlegend bis heute, die übergreifende Realität einer bipolaren Weltordnung, in der sich die alte Prognose eines Alexis de Tocqueville – schon 1835 formuliert – zu bestätigen schien: der Weltgegensatz der Globalmächte Amerika und Rußland entsprach nun zugleich einer Weltalternative von Freiheit oder Knechtschaft, und jeder von ihnen schien »nach einem geheimen Plan der Vorsehung berufen, eines Tages die Geschicke der halben Welt in seiner Hand zu halten«.[19]

Aber grundlegend verschieden zum Ersten Weltkrieg waren die Erfahrungen des Zweiten Weltkriegs. Er brachte ideologisch schärfer und politisch radikaler noch als der Erste Weltkrieg die Zerstörungskräfte der modernen Gesellschafts- und Staaten-Konflikte zu einer bislang unerhörten Entladung. In ihm verbanden sich die technisch gesteigerten nationalistischen und imperialistischen Ambitionen zumal der zuspätgekommenen Aufsteigermächte Deutschland, Italien und Japan mit der Stoßkraft totalitärer Weltanschauungen, welche den ganzen Menschen mit pseudoreligiöser Intensität zu erfassen und für eine totale Eroberungs- und Herrschaftsidee einzusetzen suchen: sei es das erneuerte Römische Imperium (Faschismus), ein germanisch-deutsches Rasse-Reich (Nationalsozialismus) oder der weltrevolutionäre Sieg im Klassenkampf (Kommunismus).

Die gnadenlose Auseinandersetzung wurde nach dem frühen kommunistischen Vorbild bei der Vernichtung des Klassenfeindes geführt, wobei der Nationalsozialismus die Mittel kollektiver Verfolgung bis zur Ausrottung mißliebiger, zum absoluten (Rasse-) Feind erklärter Minderheiten und Völker anwandte: mit dem Überfall auf die zunächst (1939) im Beutepakt verbündete Sowjetunion 1941 beginnt auch die systematische Judenvernichtung. Aber die schreckliche Erfahrung von brutaler Unterdrückung und totalem Kampf, die mehr Menschenopfer und Zerstörungen als irgendein anderer Krieg kostete, schuf schließlich die Voraussetzung für eine Erneuerung freiheitlich-demokratischer Staats- und Gesellschaftsordnungen.[20] Auch die Gründung des Staates Israel (1948) für das über Jahrhunderte verfolgte Volk der Juden war eine Folge dieser erschütternden Erfahrungen. Auf den Triumph der autoritären Welle in den dreißiger Jahren, die bis 1940 alle Demokratien des europäischen Kontinents (außer Schweden und der Schweiz) ausgelöscht hatte, antwortete nun ein entschiedener Wille zur Befreiung von Diktatur und Gewaltherrschaft. Die Widerstandsbewegungen gegen den nationalsozialistischen Eroberer wollten zum Ausgangspunkt für eine neue Ordnung der Staatengesellschaft werden, die auf Demokratie und Zusammenarbeit gegründet war.

Dies gelang freilich nur im Westen des befreiten Europa und in der atlantischen Welt. Die weiterreichenden Erwartungen und Hoffnungen, die besonders auch der amerikanische Präsident Franklin Roosevelt in einen endgültigen Frieden und eine Weltordnung der »Vereinigten Nationen« gesetzt hatte, gingen mit seinem Tod noch vor Kriegsende

(1945) und mit dem Fortdauern der ideologischen Machtpolitik Stalins in die Realität des »Kalten Krieges« über. Tatsächlich zeichnete sich die neue, nun kommunistische Gleichschaltung Osteuropas durch die Sowjetunion schon seit 1944 (Polen) ab, die Konsequenz militärischer Blockbildung wurde bereits 1946 mit einem »Eisernen Vorhang« durch Europa (so Churchill) besiegelt, und unausweichlich waren angesichts der kommunistischen Machtergreifung in der Tschechoslowakei und der Berlin-Blockade die zwischen 1947 und 1949 folgenden großen antitotalitären Entscheidungen des Westens. Trumandoktrin und Marshallplan, Berliner Luftbrücke und Nordatlantikpakt, schließlich der Koreakrieg (1950) führten zu einer bipolaren Struktur der Weltpolitik: geradezu zur Teilung in zwei auch gesellschaftlich und ideell konträre Welten, während die »Dritte Welt« der Kolonial- und Entwicklungsländer noch am Rande blieb, Indien nach Erlangung der Unabhängigkeit (1947) im Mühen um die Demokratie, China nach dem Bürgerkrieg im Übergang zum Kommunismus (1949).

So wurde die Stabilisierung der westeuropäischen Demokratien schon früh abgeschirmt durch eine Bündnis- und Kooperationspolitik mit Amerika, die nicht zuletzt eine Folge der sowjetrussischen Herrschaftsanspüche war: ein Bündnis, das sich von der russischen Hegemonial- und Besatzungspolitik in Ost- und Mitteleuropa ganz und gar unterschied. Nach dem Ersten Weltkrieg hatte ein ungehemmter Nationalismus die Politik der europäischen Länder erregt und die inneren Grundlagen der Demokratien zerstört, während sich die USA, die den Krieg entschieden, die Friedensordnung und den Völkerbund inauguriert hatten, aus der internationalen Politik zurückzogen. Anders nach 1945. Die amerikanische Politik der Abschirmung und Eindämmung gegenüber dem Kommunismus stellte Westeuropa durch den Marshall-Plan und das NATO-Bündnis alsbald in den Rahmen einer intensiven internationalen Kooperation. Es ergaben sich Aspekte für eine supranationale Intergration in westeuropäisch-atlantische Gemeinschaftsformen, die eine Art Schutzschirm über den neuen Parlamentsdemokratien darstellten und eine ungestörtere, weniger krisenerschütterte Entwicklung als nach dem Ersten Weltkrieg ermöglichten. Dies hinderte zwar nicht, daß die politische Zersplitterung und die Existenz starker kommunistischer Parteien, zumal in Italien und Frankreich, weiterhin die Gefahr innenpolitischer Krisen mit sich brachte. Aber eine Wiederholung der demokratischen Systemkrisen der Vorkriegszeit, die zur Kapitulation vor den Diktatoren geführt hatten, konnte in allen Fällen vermieden werden. Demokratische stand nun gegen totalitäre Europapolitik.[21]

Vor allem trat an die Stelle des Gewirrs nationaler Ambitionen inmitten des Elends der zweiten Nachkriegszeit die konkrete Einsicht in die Notwendigkeit einer Selbstbeschränkung nationaler Souveränitäten, wie ja schon die Widerstandsbewegungen weitreichende Pläne zur engeren europäischen Kooperation, sogar zur politischen Integration Europas ausgearbeitet hatten.

Die Anerkennung einer derartigen Verflechtung wurde durch den unaufhaltsamen Abbau der Kolonialreiche erleichtert, weil er die europäischen Staaten stärker auf die Aufgaben der inneren Strukturreform und der Kooperationspolitik verwies. Überdies: die ökonomische Stabilisierung im Namen eines – freilich sozial-marktwirtschaftlichen – Kapitalismus, den die totalitären Ideologen längst totgesagt hatten, kontrastierte grell mit den Mißerfolgen der kommunistischen Wirtschaftspolitik in Osteuropa. Dies und die blutigen Säuberungen vor und nach dem Bruch mit Tito verminderten zusätzlich die Anziehungskraft sozialistischer Politik im Westen Europas und hatte das Ausscheiden der kommunistischen Parteien auch aus den Regierungen Frankreichs und Italiens zur Folge.

Die liberal-demokratische Stabilisierung Westeuropas war nicht das Resultat einer finsteren Verschwörung kapitalistischer Imperialisten, wie die sowjetische Propagandathese lautete. Nicht nur der totalitäre Kommunismus, sondern auch die Ideen einer sozialistischen Umgestaltung der Demokratie und einer von den Supermächten unabhängigen europäischen Entwicklung sind durch die repressive Wirtschafts- und Gleichschaltungspolitik der Sowjets in Osteuropa diskreditiert worden.

## Alte und neue Drohungen

Die weitere Entwicklung und Abwehr des Totalitarismus beruhen ganz wesentlich auf diesen grundlegenden Entscheidungen der vierziger Jahre.

6. Eine sechste wichtige Etappe im Anschluß daran markiert die Zeit von *1953–1956:* vom Tode Stalins, des ersten und scheinbar letzten totalitären Diktators zur teilweise demonstrativen Entstalinisierungspolitik Chruschtschows. Es ist aber, nach der blutigen Ausdehnung des Spät-Stalinismus auf Osteuropa (1948ff), zugleich die Zeit der Befestigung und des Ausbaus der kommunistischen Diktatur in China und – mit der Distanzierung von Moskau – der Begründung eines nicht weniger totalitären Ideologieanspruchs nun des Maoismus, der an Stalin demonstrativ festhält[22]. Damit beginnt die weitere Ära eines Nachkriegs-Totalitarismus, der weiter ausstrahlt als je zuvor: ein Viertel der Weltbevölkerung im Land der Mitte sind ein Potential, das auf die weiten Regionen und jungen Staaten im Zuge des Entkolonisierungsprozesses drückt.

Die Dritte Welt tritt in die Geschichte ein: ein großes Feld für Agitatoren und Ideologen im Gewande von Befreiungsbewegungen, die fast immer in Diktaturen enden. Ein weiteres Signal, nun für Lateinamerika, war die Machtergreifung von Fidel Castro in Kuba; auch die Popularisierung des Castrismus und seines Guerillahelden Che Guevara wirkt nicht nur in die Dritte Welt, sondern als romantische Revolutionsbotschaft auch zurück auf Intellektuelle und Studenten der westlichen Welt. Teile der Kirchen, zunächst der protestantischen, dann zunehmend der katholischen, werden schließlich darin verwikkelt, liefern eine »Theologie der Revolution«, lassen sich von politischen Religionen faszinieren[23].

7. Von hier – 7. Phase – spannt sich ein Bogen zum Jahre 1968, dem Höhepunkt der westlichen Protestbewegungen, die zumal als neomarxistische »Neue Linke« auf eine neue Anfechtung der parlamentarischen Demokratie, auf eine neue Welle totalitären Politikverständnisses hinsteuerten. Wieder trat nun die grundlegende Unterscheidung hervor, die schon bei der frühesten Anfechtung der repäsentativen Demokratie in der terroristischen Phase der Französischen Revolution 1793 sichtbar wurde, dann in der so gern zitierten Pariser Kommune von 1871 blutig ausgetragen wurde und schließlich in der Revolutionsphase von 1917–1919 zugleich mit der Spaltung von Sozialismus und Kommunismus die große Trennung zwischen rechtsstaatlichem und diktatorischem, freiheitlichem und totalitärem Demokratieverständnis markiert hatte.

Gewiß waren die westlichen Staaten dieses Mal nicht existenziell bedroht wie in jenen historischen Fällen. Es handelte sich 1968 eher um eine generationsbedingte Herausforderung der Gesellschaft, die ihre antitotalitäre Ausrichtung mit dem Schwinden der abschreckenden Erfahrung des Alt-Totalitarismus abzuwerfen begann. Indem die Wortführer dieser Generation die Notwendigkeit von Herrschaft überhaupt leugneten, verdrängten oder bagatellisierten sie aber auch den Unterschied zwischen den politischen Systemen. Gleichzeitig suchten sie in der Terrorismusdiskussion den Gewaltbegriff zu entgrenzen, dem Staat zu entwinden[24]. Und dies war nicht ein harmloses Experiment, sondern konnte zu einer bedenklichen Selbstentwaffnung führen; die ideologisch motivierte Tabuisierung des Totalitarismusbegriffes selbst gehört zu solchen Selbstgefährdungen und Schwachstellen der Demokratie in den siebziger Jahren.

Denn nicht das Verschwinden der pseudodemokratischen Diktaturen, sondern gerade ihre Häufung in allen Kontinenten führt zu der Neigung, sie nicht mehr beim Namen zu nennen. Das gilt vor allem auch für die kommunistischen Systeme, die sich schon immer gegen die Bezeichnung »totalitär« verwahrt hatten (dabei zugleich jeden »Reformismus« gegen die Allmacht des Systems ungerührt verdammten), und es sich nun gern gefallen ließen, im Namen von Entspannung und Zusammenarbeit gleichsam »enttotalisiert« zu werden, auch wenn sich am totalitären Monopol von Partei und Geheimdienst, von Nomenklatura und Ideologie nichts prinzipiell, nur graduell einiges änderte[25].

8. Die siebziger Jahre sind also vor allem auch geprägt vom Ringen um das Demokratieverständnis. Die Auseinandersetzung mit totalitären Mächten und Tendenzen wird von der Entspannungseuphorie verdrängt. Sie tritt in eine weitere Phase dann in der Zeit um 1978 ein, als die sich verschärfende Wirtschaftskrise mit dem letzten Höhepunkt des Terrorismus und dem Auftreten zivilisationskritischer Ideologien und Bewegungen zusammentrifft. Der Aufschwung von alternativen und ökologischen Überzeugungen zusammen mit pazifistischen und neutralistischen Bewegungen, die Neubelebung eines angeblich dritten Weges *zwischen* den Fronten, jenseits der parlamentarischen Demokratie und auch der Industriegesellschaft – all dies brachte wieder einen »Hauch von Totalitarismus« mit sich (K. Sontheimer[26]) und rief einen politisch-moralischen Rigorismus auf den Plan, der teilweise an selbstzerstörerische Strömungen der zwanziger Jahre und danach erinnerte.

Damit wird die totalitäre Problematik heute wieder in ein verändertes Licht gerückt: wir leben nicht mehr in den Zeiten erfolgsgewisser Entideologisierung, sondern neuer Unsicherheiten und Angstphilosophien. Nun geht es nicht mehr wie bei der Bewegung von 1968 um optimistische Fortschrittsgedanken, die einst liberale und sozialistische Emanzipationsideen emporgetragen hatten, auch nicht um national-imperiale Expansionsideen, sondern um eine Kultur- und Gesellschaftskritik im Zeichen antistaatlicher Gemeinschaftsideale. Die Klage über die allzu rationale Fortschrittsgesellschaft, eine angebliche Verschiebung des Bewußtseins von materialistischen zu »postmaterialistischen« Werten (R. Inglehart) – solche freilich fragwürdigen heutigen Generations-Diagnosen verbinden sich mit neoidealistischen und irrationalistischen Utopien vom heilen Leben.[27]

Bedürfnisse dieser Art haben sich totalitäre Bewegungen seit je zunutze gemacht. Sie treten heute vor allem wieder in pseudo-religiöser Form auf. Nicht nur ist ein Drittel der Weltbevölkerung kommunistischen Systemen unterworfen, die nach wie vor auf ideologischen Ansprüchen und Fiktionen wie der von einer totalen Identität zwischen Regime und Volk beruhen. Das Vordringen zumal der islamischen Erneuerungsrevolution auf Religionsbasis und der Erfolg von Sektenbewegungen in westlichen Demokratien zeigt die Stärke des totalitären Verführungspotentials. Es erwächst nach wie vor oder erneut und nun weltweit aus der Krise im Gefolge von Säkularisierung und Modernisierung. Über zwei Drittel der Menschheit herrschen Diktaturen, und über ein Drittel haben totalitären Zuschnitt. Noch ist das Jahrhundert nicht zu Ende, das mit schrecklichem Recht nicht zuletzt das Jahrhundert des Totalitarismus genannt werden muß.

## Ost-West-Konflikt und Ideologie

Im Unterschied zu den fünfziger und sechziger Jahren unterliegt die ideologische Dimension heute eher der Gefahr einer Unterschätzung. Sie verdient jedenfalls nach wie vor genaue Beachtung. Das gilt sowohl (1) für die tatsächliche Frage nach der Bedeutung oder dem Verschwinden ideologischen Denkens – seine Konstanten oder Veränderungen im Ost-West- wie Nord-Süd-Konflikt. Es gilt mehr noch (2) für die wechselhafte Einschätzung der ideologischen Dimension, ihre Verkennung oder Verdrängung in der nicht-kommunistischen, westlichen und deutschen Diskussion – mit der Vorstellung, die Betonung des ideologischen Gegensatzes schade der Entspannung, das Herabspielen der Ideologie hingegen fördere sie. Die Tabuisierung des Totalitarismusbegriffs hat seit Ende der sechziger Jahre gerade auch in dieser Hinsicht nachhaltige Wirkungen gezeitigt. Der Aufschwung eines antifaschistischen *statt* antitotalitären Demokratieverständnisses ging auf Kosten der Einsicht in totalitäre Strukturen und Tendenzen, wurde erkauft mit einseitigen, einäugigen Diktaturbegriffen, die sich nur gegen »rechts« und »Kapitalismus« richteten, dagegen »linke«, betont »sozialistische« und »antifaschistische« Diktatursysteme und -bewegungen verschonten.

In der Tat: Unter der Flagge der »Entideologisierung« segelte jener historisch-politische Revisionismus, der sich seit Ende der sechziger Jahre gegen Totalitarismustheorien und -begriffe überhaupt richtete und diese mit dem nicht minder globalen Verdikt des Antikommunismus belegte, ja kurzerhand erledigte. Man vergleiche die seit dieser Zeit weithin übliche Hinrichtung in Fußnoten, die nicht wenige Nationalsozialismus- und Kommunismusforscher nun ereilte: A. oder B. halte unglaublicherweise noch immer an einem Totalitarismusbegriff fest! Oder: er argumentiere antikommunistisch und verfalle daher der »Grundtorheit unserer Epoche«; in dieser mißdeutbaren Formulierung Thomas Manns (1942) steckte ein so lapidarer wie wirkungsvoller Vorwurf, der schon aus der leninistischen Feindpropaganda der zwanziger Jahre stammte und in Vereinfachung der antifaschistischen Kampfparole von vielen Intellektuellen (z. T. vorübergehend) akzeptiert worden war. Auch in dieser Hinsicht also ein Rückfall oder Rückgriff in die zwanziger und dreißiger Jahre.[28]

Freilich sind wir entgegen den Erwartungen der Nachkriegs- und dann der Détentezeit weder 1960 (Daniel Bell) noch 1981 (Peter Bender) an das oft prophezeite Ende des ideologischen Zeitalters gekommen.[29] Im konkreten Fall des Ost-West-Konflikts trat an die Stelle vielmehr eine Art Ideologisierung des Entspannungsbegriffs, eine verführerische Verheißung, die letztlich auch der Totalisierung des Friedensgedankens zu einer Massen-Friedensbewegung zugrundeliegt. Etwas ursprünglich Richtiges wird hier gerade wegen der ungebrochenen Wirkung ideologischen Denkens überspitzt und manipuliert: die zutreffende Beobachtung einer zunehmenden Anfechtung der kommunistischen Ideologie auch unter ihren Anhängern geht doch einher mit einer Relativierung des freiheitlichen Demokratiegedankens im Westen; und die ursprünglich ebenso zutreffende Forderung nach einer die Westpolitik ergänzenden deutschen »Ostpolitik« rückt unversehens in den Rang weltanschaulicher Ortsbestimmung auf, erlangt neben der internationalen Dimension nun unter dem Dach der »Friedensbewegung« eine innenpolitische und ideologische Dimension.

Der Streit um eine mögliche Konvergenz der Systeme als Ende des Ost-West-Konfliktes – Wandel durch Annäherung? – wird durch ein Herunterspielen des ideologisch-antagonistischen Gehalts von Koexistenzpolitik einseitig vorentschieden, statt daß die erklärte Funktion der Koexistenzdoktrin als Instrument des fortdauernden Kampfes gegen die »kapitalistische« Welt ernst genommen wird.[30] In einer BBC-Sendung stellten 1983 Leszek Kolakowski und Leonard Schapiro bezeichnend ähnlich und doch in der Deutung verschieden die paradoxe Formel auf, als Diagnose und Prognose zugleich[31]: die kommunistische Ideologie sei in den Ländern ihrer Herrschaft »dead but indispensable«, unentbehrlich nämlich zur Legitimierung des Machtmonopols »der« Partei (Innendiktatur) wie des »proletarischen Internationalismus« (Außenherrschaft). Fraglich mag ja nun sein, wie tot diese Ideologie ist oder sogar schon 1956 und 1968 war. Aber unbestreitbar bleibt eine totalitäre Ideologie die gültige Voraussetzung, der Legitimierungsgrund des totalitären Einparteienregimes, dessen Abschaffung ja auch nach der Hoffnung und Enttäuschung in Polen weder geplant noch absehbar ist. Und unbestreitbar ist auch die Anziehungs-Verführungs- und Verwirrungskraft, die nach wie vor unilateralen politischen Religionen mit Sozialismus-Anspruch in der nicht-kommunistischen Welt unter Protest- oder Befreiungsbewegungen sowie im immer neuen Generationskonflikt, zumal im Vakuum eines vielbeschworenen »Wertwandels« zukommt.

Man kann diese Bemerkungen zu einem zeitweilig vernachlässigten Aspekt einer allzu euphorischen Ost-West-Forschung der siebziger Jahre in drei Punkte zusammenfassen.

Die Ost-West-Politik steht gerade auch in der Zeit der Entspannungspolitik unter der dauernden *Spannung* eines dreidimensionalen Bezugssystems, dessen verschiedene Komponenten nicht in ihrem engen, untrennbaren Wechselverhältnis bagatellisiert werden dürfen, und zwar so wenig im wissenschaftlichen Wunschglauben wie in der politischen Einschätzung; wer von Außenpolitik spricht, muß auch von Innenpolitik und von Ideologie sprechen.

1. In der Außenpolitik ist es die Sicherheitsfrage, die allzu lange überspielt, sich als Spannungsfaktor (mit dem Ungleichgewicht der Rüstung) heute umso schärfer zu Wort meldet.

2. In der Innenpolitik ist es die Vernachlässigung der Systemfrage, die den Blick für das Demokratieverständnis getrübt hat.

3. In der Ideologiedebatte schließlich steht die Freiheitsfrage, das Bewußtsein von dem grundlegenden Gegensatz zwischen offener und geschlossener Gesellschaft auf dem Spiel.

Dem entspricht die Bedeutung, die einer engen Kooperation der drei Hauptbereiche

der Politikwissenschaft, aber auch der interdisziplinären Zusammenarbeit mit historischen, ökonomischen, philosophischen, juristischen Analysen zukommt. Die konkrete
politikwissenschaftliche Folgerung aus der kritischen Betrachtung der Ost-West-Bezie-
hungen lautet: den Konflikt anerkennen (Unterschiede) – ihn aushalten (Abschreckung) –
ihn regulieren (Gleichgewicht). Dies geschieht ohne die Illusion einer endgültigen Lösung
und setzt unabdingbar voraus die Erhaltung des westlichen Bündnisses und einer klaren
ideellen Solidarität über bloßes Interessen- und Sicherheitsdenken hinaus, aber auch
gegen einen utopischen Neutralismus, einen Rückfall in die alt-neue Ideologie des
»Dritten Weges« zwischen West und Ost, Demokratie und Sozialismus.

In allen drei Fällen der Ost-West-Problematik büßen wir, Politikwissenschaftler wie
Politiker, für Fehler und Unterlassungen oder Unterschätzungen der siebziger Jahre.
Wenn vor allem der grundlegende Unterschied zwischen Demokratie und Diktatur
vernachlässigt wird, und sei es für noch so wünschenswerte Zwecke der Entideologisierung
und Entspannung, dann ist ja übrigens auch die Grundlage gerade unserer Wissenschaft
in Gefahr, nämlich die Möglichkeit zur freien und pluralistischen Kritik nicht zuletzt des
eigenen politischen Systems. Verführbarkeit und Erpreßbarkeit durch Sog und Druck gibt
es nicht nur in der Politik, sondern auch im wissenschaftlichen Denken, Reden und
Schreiben – und zwar im Vorfeld von Diktaturen, lange vor ihrer Durchsetzung. Das sollte
zumal in Deutschland als leidvolle historische Erfahrung bekannt genug sein.

## Die Aktualität des Totalitären

An drei gegenwärtigen Ansatzpunkten totalitärer Politik wird die fortbestehende und
künftige Problematik deutlich.

1. Die weitere Technisierung unseres Lebens perfektioniert auch die Fähigkeiten zur
Überwachung und Manipulierung immer noch mehr: Massenmedien und Datentechnik
im Computer-Zeitalter gefährden zugleich die Freiheit im bürokratischen Wohlfahrtsstaat, der immer größere Erwartungen und damit auch Kompetenzen auf sich zieht. Alles
kommt, mehr denn je, auf das politische System an.

2. Der Spät-Totalitarismus in kommunistischen Systemen ist trotz Anfechtung der
Ideologie noch immer mächtig genug, jede Opposition von Dissidenten zu ersticken, wenn
es zweckmäßig erscheint. Eine neuere Untersuchung über Sowjetrecht und Sowjetwirk-
lichkeit[32] macht deutlich, daß zwar die wirtschaftlichen und sozialen Rechte besonders
herausgestellt werden, aber auch hier Theorie und Praxis weit auseinanderklaffen.
Vollends gilt dies für die politischen Rechte. Rigoros eingeschränkte Meinungsfreiheit,
Geheimhaltung der Rechtsakte, Pflicht statt Recht zur Partizipation, Akklamationszwang
statt Wahl, Fehlen des Begriffs der Menschenrechte, keine Begrenzung der Staatsmacht,
sondern deren Glorifizierung, Religionseinschränkung, kein Habeas Corpus sondern
psychiatrische Kliniken für Andersdenkende, keine fairen Strafprozesse sondern Drohung des Gulag, Willkür und äußerste Ungleichheit zwischen Privilegiertenklasse und
terroristischer Verfolgung von Dissidenten – kurz, ein Untertanen- statt Bürgerrecht,
über dem nach wie vor durchaus totalitär das Wahrheitsmonopol der Partei und die
Forderung nach voller Hingabe an das System steht. Die oft erwartete, erhoffte Liberalisie-

rung bleibt stets widerrufbar, auch wenn sich die Formen verfeinern. Aber keine Ideologie ist in der Welt weiterverbreitet als der Kult des Leninismus. Er herrscht über ein Großteil der Menschheit und wirkt auf revolutionäre Jugend- und Befreiungsbewegungen in allen Kontinenten.

3. Alle Ideen und Bewegungen mit absoluter, unilateraler Zielsetzung sind auch heute potentiell totalitär, sofern ihnen der Zweck die Mittel heiligt und sie den Glauben verbreiten, daß es einen Schlüssel zur Lösung aller Probleme hier auf Erden gäbe. Durch einseitigen fanatischen Sendungsglauben und sozialutopische, gewaltträchtige Perfektionstheorien unterminieren sie jetzt wie einst pluralistische Demokratien und ihre auf gegenseitiger Toleranz beruhenden Methoden liberaler, parlamentarischer Politik. Demokratie aber ist Selbstbeschränkung, Ideologie hingegen Selbstüberhöhung, und diese gewinnt leider immer wieder die Oberhand über jene[33]. Denn immer wieder geschieht mit der Ideologie von der »wahren« Demokratie ein fataler »Umschlag von der Emanzipation zum Despotismus«.[34] Die entscheidende, zweifelnde Frage bleibt, wie weit der Mensch wirklich einen Drang zur Freiheit habe und wie er der Freiheit gewachsen sei. Oder ob er nicht immer wieder Führer, Systeme und Ideologien suche, die ihn von seiner Freiheit befreien und in Dienst nehmen: eine politische Religion also, die ihm die Ungewißheit über Gut und Böse, Sinn und Sinnlosigkeit nimmt. Dabei mögen sich Fortschritts- und Aberglaube, Wissenschaftskult und Lebensangst seltsam vermischen: am stalinistischen Terror und der nationalsozialistischen Judenverfolgung haben wir exemplarisch erlebt, was pseudowissenschaftlicher ideologischer Wahn vermag, wenn er totalitäre Herrschaftsmittel gewinnt, d. h. wenn die totale Idee (der Rasse oder Klasse) vor die Beachtung der Menschenrechte rückt.

Die Erinnerung an die millionenfachen Opfer links- und rechtsradikalen totalitären Wahns zwingt uns, die historischen Einsichten ernst zu nehmen, die zwei Zeitgenossen aus dem Kreis der verfolgten Völker, ein Tscheche und ein Jude, als Warnung gegen alte und neue Verführung formuliert haben[35]: »Keine Utopie kann ohne Terror verwirklicht werden, und nach kurzem bleibt allein der Terror« (E. V. Kohák, 1968). Und: »Es gibt ein ironisches Gesetz der Geschichte, daß sich revolutionäre Erlösungspläne zu Terrorregimen entwickeln, und daß die Verheißung einer vollkommenen direkten Demokratie in der Praxis die Form totalitärer Diktatur annimmt.« (Talmon, 1980)

Um aus dieser Erfahrung unseres zu Ende gehenden Jahrhunderts zu lernen und die Wiederholung und Fortsetzung der totalitären Verführung zu hindern, gilt es die Geschichte der Diktaturen heute nicht weniger ernst zu nehmen – auch wenn diese nun ostentativ im Gewand der Demokratie erscheinen, was sie nur noch gefährlicher, unwiderstehlicher macht.

## Anmerkungen und Literatur

[1] Raymond Aron, »Die Unsterblichkeit der Ideologie«, in: Die politische Meinung. 202 (1982), S. 69 ff.

[2] Vgl. besonders Bernard Crick, George Orwell. A Life, London 1980, S. 395; Jeffrey Meyers, George Orwell. The Critical Heritage, London 1975, S. 277 ff.; ferner William Steinhoff, George

Orwell and the Origins of »1984«, Ann Arbor 1975, S. 198f.; sowie K. D. Bracher, »Die totalitäre Utopie: Orwells 1984«, in: Geschichte und Gegenwart 3 (1984), S. 3ff.

[3] Czeslaw Milosz, *The Captive Mind*, deutsch Köln 1955, S. 53 über die Wirkung der verbotenen Orwell-Lektüre auf kommunistische Funktionäre und Intelligenz im damaligen Polen. Zum Gesamtzusammenhang von totalitärer Bekehrung und Desillusionierung Jürgen Rühle, *Literatur und Revolution*, München-Zürich 1963 S. 400ff.; sowie (mit der Literatur) K. D. Bracher, *Zeit der Ideologien. Eine Geschichte politischen Denkens im 20. Jahrhundert*, 2. Aufl. Stuttgart 1985, S. 182ff., 213ff.

[4] Davon handelt auch Sperbers großes Hauptwerk, die Trilogie *Nur eine Träne im Ozean* (1961), die von 1931 bis 1945 in neun europäischen Ländern spielt: »die Tragödie des politischen Gewissens in unserem Jahrhundert, demonstriert an den Schicksalen von Kommunisten«, die »als Opfer ihrer eigenen Genossen« untergehen (Marcel Reich-Ranicki, in: *FAZ* 32, 7. 2. 1984, S. 21).

[5] Klaus Hornung, *Der faszinierende Irrtum. Karl Marx und die Folgen*, Freiburg/Br. 1978, S. 23ff; 141ff.

[6] Jacob Katz, *From Prejudice to Destruction. Anti-Semitism 1700–1933*, Cambridge/Mass. 1980, S. 303ff.

[7] Vgl. Andreas Lindt, *Das Zeitalter des Totalitarismus. Politische Heilslehren und ökumenischer Aufbruch*, Stuttgart 1981, S. 92. Zum historischen Gesamtzusammenhang meine Bücher *Europa in der Krise. Innengeschichte und Weltpolitik seit 1917*, Frankfurt-Berlin-Wien 1979, S. 32ff; *Geschichte und Gewalt*, Berlin 1981, S. 127ff.

[8] So seinerzeit Daniel Bell, *The End of Ideology. On the Exhaustion of Political Ideas in the Fifties*, Glencoe 1960, S. 369ff; heute wieder Peter Bender, *Das Ende des ideologischen Zeitalters*, Berlin 1981; ferner Thomas Molnar, *Kampf und Niedergang der Intellektuellen*, München 1966 *(The Decline of the Intellectuals*, New York 1962).

[9] So das gleichnamige Buch mit endzeitlichen Aufrufen von Walter Jens (Hrsg.), H. Albertz, G. Bastian, E. Eppler, H. Richter u. a., München 1982.

[10] Vgl. K. D. Bracher, *Europa in der Krise*, S. 286ff.

[11] Jan Romein, *The Watershed of Two Eras, Europa in 1900*, New York 1978.

[12] Die Kontroversliteratur zum Totalitarismusproblem ist ins Uferlose angewachsen. Grundlegend nach wie vor: Leonard Schapiro, *Totalitarianism*, London 1972; vgl. Ernest A. Menze (Hrsg.), *Totalitarianism Revisited*, Port Washington, N. Y. 1981; Manfred Funke (Hrsg.), *Totalitarismus*, Düsseldorf 1978; K. D. Bracher, *Zeitgeschichtliche Kontroversen. Um Faschismus, Totalitarismus, Demokratie*, erweiterte Neuauflage 1984.

[13] Zur Diskussion der formativen Periode um 1900 Gesichtspunkte und Literatur bei K. D. Bracher, *Zeit der Ideologien*, S. 32ff.; 130ff. Vgl. Ernst Nolte, »Marx und Nietzsche im Sozialismus des jungen Mussolini«, in: *Historische Zeitschrift* 191 (1960), S. 249ff. Zum Sozialdarwinismus schon bei Marx auch Helmut Lamprecht, »Der Ursprung der Arten und des Klassenkampfes«, in: *FAZ* 72 (24. 3. 84) Beilage.

[14] Zuerst besonders vom liberalen Parteiführer Giovanni Amendola: Jens Petersen, »Die Entstehung des Totalitarismusbegriffs in Italien«, in: M. Funke, *Totalitarismus*, S. 105ff.

[15] In: *International Fascism*, London 1979, S. 368f.

[16] Dazu und zum Folgenden vom Verfasser: *Die nationalsozialistische Machtergreifung* I, 3. Aufl. 1974, S. 28ff; *Die deutsche Diktatur* 6. Aufl. 1979, S. 184ff; *Europa in der Krise*, S. 156ff; *Zeit der Ideologien*, S. 170ff.

[17] J. L. Talmon, *The Myth of the Nation and the Vision of Revolution. The Origins of Totalitarian Polarization in the Twentieth Century*, London 1980, S. 535ff. Vorangegangen waren die Bände; *Die Ursprünge der totalitären Demokratie*, Köln-Opladen 1961 (engl. 1952); sowie *Political Messianism: the Romantic Phase*, London 1960. Zu Orwell K. D. Bracher, »Die totalitäre Utopie«, S. 3ff.; Patrik von zur Mühlen, *Spanien war ihre Hoffnung*, Bonn 1983, S. 62ff; George Watson, *Politics and Literature in Modern Britain*, London 1977, S. 41ff; und besonders Bernhard Crick, *George Orwell*, S. 340ff.

[18] Vgl. Andreas Hillgruber, Klaus Hildebrand, *Kalkül zwischen Macht und Ideologie. Der Hitler-Stalinpakt: Parallelen bis heute?* Zürich 1980, S. 25 ff; 35 ff. Ferner Robert Beitzell, *The Uneasy Alliance. America, Britain and Russia 1941–1945*, New York 1972; James Joll, *Europe since 1870*, London 1973, S. 423 ff.

[19] Alexis de Tocqueville, *De la démocratie en Amérique* (1835), Bd I, Schlußbetrachtung.

[20] Zum folgenden James Joll, *Europe since 1870*, S. 393 ff; K. D. Bracher, *Europa in der Krise*, S. 255; Walter Lipgens, *Europa-Föderationspläne der Widerstandsbewegungen 1940–1945*, München 1968; ders., *Die Anfänge der Europäischen Einigungspolitik 1945–1950*, 1. Teil, Stuttgart 1977, S. 43 ff.

[21] Bracher K. D.,: »Demokratische und totalitäre Europapolitik«, in: U. Altermatt, J. Garamvölgyi (Hrsg.), *Innen- und Außenpolitik, Primat oder Interdependenz?* (Festschrift für Walter Hofer), Bern-Stuttgart 1980, S. 73 ff.

[22] Grundlegend Leonard Schapiro und John W. Lewis, »The Roles of the Monolithic Party under the Totalitarien Leader«, in: *The China Quarterly* Oct.–Dec. 1969, S. 50 ff.

[23] Literatur bei K. D. Bracher, *Zeit der Ideologien*, S. 293 ff; *Europa in der Kirse*, S. 435 ff.

[24] Zur Gewaltproblematik jetzt grundlegend Ulrich Matz, »Der Primat der Ideologie und der Bruch der Regeln«, in: *Gewalt und Legitimität* (Analysen zum Terrorismus 4/1), Opladen 1983, S. 43 ff.; vgl. K. D. Bracher, *Geschichte und Gewalt*, S. 106 ff. Zur Begriffsdiskussion auch in *Totalitarismus und Faschismus. Eine wissenschaftliche und politische Begriffskontroverse*, München-Wien 1980, S. 10 ff; K. D. Bracher, *Schlüsselwörter in der Geschichte*, Düsseldorf 1978, S. 49 ff; *Zeitgeschichtliche Kontroversen*, S. 7 ff.

[25] Dazu Boris Meissner, »Wandlungen des sowjetkommunistischen Einparteistaates«, in: *Recht und Staat im sozialen Wandel* (Festschrift für H. U. Scupin), Berlin 1983, S. 53 ff. Michael Voslensky, *Nomenklatura. Die herrschende Klasse der Sowjetunion*, München 1984.

[26] Vgl. überhaupt Kurt Sontheimers aufschlußreiche Bücher: *Das Elend der Intellektuellen*, Hamburg 1976, und: *Zeitenwende?* Hamburg 1983; K. D. Bracher, »Zauberformel und Alleinanspruch. Eine Ideologiekritik der Friedensbewegung,« in: *Die politische Meinung* 210 (1983) S. 6 ff.

[27] Ronald Inglehart, *The Silent Revolution. Changing Values and Political Styles among Western Publics*, Princeton 1977;

[28] Vgl. K. D. Bracher »Demokratie und Ideologie im Zeitalter der Machtergreifungen«, in: *Vierteljahrshefte für Zeitgeschichte* 31 (1983), S. 1 ff; »Das Problem des ›Antikommunismus‹ in den zwanziger und dreißiger Jahren«, in: *Ist der »Antikommunismus« überholt?* (Akademie für politische Bildung Tutzing. Zur aktuellen Diskussion, Heft 3, November 1983), S. 14 ff.

[29] Vgl. zum Vorstehenden kontrovers Daniel Bell, *The End of Ideology*, New York 1960; Peter Bender, *Das Ende des ideologischen Zeitalters*, Berlin 1981; Hans-Peter Schwarz, Boris Meißner (Hrsg.), *Entspannungspolitik in Ost und West*, Köln 1979; K. D. Bracher, »Zauberformel und Alleinanspruch«, S. 4 ff.

[30] Treffend kritisiert Gesine Schwan, die SPD sei unter Brandt zum »Gefangenen einer mystifizierten Entspannungspolitik geworden«: in *Neue Gesellschaft* vom 15. 10. 1983, und *Frankfurter Allgemeine Zeitung* vom 20. 10. 1983, S. 8.

[31] Vgl. auch Michael Charlton, »The Eclipse of Ideology«, in: *Encounter* LXI No. 2 (1983), S. 23 ff, sowie Melvin J. Lasky, *ebenda* S. 90 ff, über alte und neue (deutsche) Illusionen samt Amerikakritik.

[32] Otto Luchterhand, *UNO-Menschenrechtskonventionen, Sowjetrecht-Sowjetwirklichkeit. Ein kritischer Vergleich*, Baden-Baden 1983.

[33] K. D. Bracher, *Demokratie und Ideologie im 20. Jahrhundert*, Bonn 1982, S. 5; 21 ff.

[34] Klaus, Hornung: *Der faszinierende Irrtum*, S. 134.

[35] Vgl. *Zeit der Ideologien*, S. 120.

**Dolf Sternberger**

# Politie und Leviathan

## Ein Streit um den antiken und den modernen Staat

Aus der Geschichte der europäischen Literatur, auch der bildenden Kunst, ist uns die »querelle des anciens et des modernes« bekannt, der Streit zwischen jenen, welche die antiken Autoren als schlechthin unerreicht, wenn nicht unerreichbar preisen, und den anderen, welche die modernen, ihnen zeitgenössischen Dichter – oder Künstler – mit Stolz für ebenbürtig oder sogar überlegen erklären. Man datiert diese Auseinandersetzungen, was Frankreich angeht, in das siebzehnte und achtzehnte Jahrhundert, doch blieben sie nicht auf Frankreich beschränkt, und es hat zudem bedeutsame Vorspiele in der italienischen Renaissance gegeben. In England spricht man auch von der »battle of the books« und spielt damit auf die Satire an, worin Jonathan Swift (1697) zum Beispiel den Aristoteles einen Pfeil abschießen läßt, der zwar Bacon verfehlt, aber Cartesius tödlich trifft, oder Vergil »vom linken Flügel der Reiterei« gegen Dryden antreten heißt, von dem er mitteilt, sein Helm sei wohl neunmal größer als der Kopf, und dergleichen mehr: daß der Verfasser die Partei der Alten ergriffen hat, wird rasch deutlich, doch illustrieren jene Namen, daß auch die Partei der Modernen – nach unseren heutigen Begriffen – durchaus respektabel vertreten ist.

Das sind literarhistorische Kuriositäten, sie bezeugen ein aufkommendes Selbstbewußtsein der Modernität, zugleich eine Dämmerung der unbedingten Musterhaftigkeit der antiken Werke. Seither hat sich wohl ein Ausgleichsfrieden in diesem Streit hergestellt, die neuere Bildung hält an Homer und Vergil fest – soweit die alten Sprachen noch gelehrt werden –, zögert aber nicht, ihnen etwa Tolstoi und Proust (um nur von der epischen Gattung zu reden) an die Seite zu rücken. In der Philosophie stehen Platon und Aristoteles, nach manchen historischen Wechselfällen, von neuem in der höchsten Geltung, und ich bin nicht sicher, ob Kant und Hegel, gar Nietzsche den gleichen Rang einnehmen; Cartesius hat sich von dem Swiftschen Pfeilschuß kaum völlig erholen können.

Indessen sind weder die Kämpfe noch die Vergleiche noch die Versöhnungen zwischen antiken Überlieferungen und modernen Erscheinungen auf Poesie und Philosophie – und die bildenden Künste – begrenzt. Es gibt auch eine »querelle« wegen der Staaten und Staats-Ideen, der politischen Modelle und Verfassungs-Typen. Auch diese europäische Diskussion beginnt mit der frühen Neuzeit, sie orientiert sich, was die antiken Quellen und Muster anlangt, einerseits an den politischen Schriften des Aristoteles, dann auch des Platon, andererseits am Bilde der römischen Republik, wie es aus den alten Geschichtsschreibern, Livius zumal, und aus Cicero hervortrat. Rom übte, mindestens seit der Renaissance und seit den ›bürgerlichen‹ oder politischen Humanisten, und auf lange hinaus wegen seiner Macht und Größe die stärkere Anziehung, Athen, die griechische Polis blieb demgegenüber im Schatten oder spielte eine mehr abstrakte Rolle als Substrat der aristotelischen Theorie. Wenn ich mich nicht täusche, hat das Interesse an der Polis in der politischen, historischen und philosophischen Literatur in unserem Jahrhundert eine solche Kraft gewonnen, daß dagegen wiederum die römischen Erinnerungen etwas zu verblassen scheinen. Die Geschichte dieser ›querelle politique des anciens et des modernes‹ ist, soweit ich weiß, noch nicht geschrieben worden. Ich kann und will davon hier nicht mehr als ein paar Momente sprunghaft ins Gedächtnis rufen.

## Machiavellis Republik

Das glänzendste Beispiel entschiedener und konsequenter Bewunderung des politischen Altertums hat Niccolo Machiavelli geliefert mit dem großen Werk der ›Discorsi sopra la prima deca di Tito Livio‹. Ein deutscher Übersetzer, Oppeln-Bronikowski, hat diesen eher etwas schulmäßigen Titel frei, doch nicht abwegig wiedergegeben mit ›Politische Betrachtungen über die alte und die italienische Geschichte‹. Er hat damit deutlich gemacht, daß es dem Autor nicht allein auf das Verständnis, sondern zugleich auf die Anwendung der Lehren der römischen Geschichte ankam. Machiavelli hat es selbst scharf ausgesprochen: »Zahllose Leser finden nur Vergnügen daran, die bunte Mannigfaltigkeit der Ereignisse an sich vorüberziehen zu lassen, ohne daß es ihnen einfällt, sie nachzuahmen«. Und er wirft mit einem einzigen Satz gleichsam eine Theorie der Nachahmung in die Debatte, die alle historistischen Bedenken beiseite zu fegen bestimmt ist: Jene »halten die Nachahmung nicht nur für schwierig, sondern für unmöglich, als ob Himmel, Sonne, Elemente und Menschen in Bewegung, Gestalt und Kräften anders wären als ehedem«. Drastisch hat schon Machiavellis bedächtigerer Zeitgenosse Guicciardini in einer seiner Notizen diesem Vertrauen in die potentielle Unveränderlichkeit wie der Natur so auch des Menschen das Erfordernis der Proportionalität der handelnden Subjekte entgegengesetzt: man könne einen Esel nicht lehren, wie ein Pferd zu laufen. Auch dieser Einwand gehört in die Geschichte und in die Topik der ›querelle politique‹, er ist bis auf unsere Tage zwar in wechselnder wissenschaftlicher Einkleidung, aber doch ganz ebenso häufig wiedergekehrt wie jene unumwundene Zuversicht in die immerwährenden menschlichen Ressourcen. Wir werden hier im Fortgang unserer Erörterung, und zwar noch und gerade im Hinblick auf die jüngste, auf unsere eigene Auseinandersetzung mit den antiken Verfassungsfiguren beide Positionen wiederfinden und zu bedenken haben, sowohl das Argument der Vergleichbarkeit, wie es Machiavelli, als auch das Argument des historischen Artunterschieds, wie es Guicciardini formuliert hat.

Machiavelli hat in diesem seinem gründlicheren, wenn auch minder berühmten politischen Werk aus der römischen Geschichte, wie Livius sie überliefert, eine große Zahl von Maximen hergeleitet, die zu befolgen er seiner italienischen Gegenwart empfahl. Man braucht nur die Überschriften der mehr als hundertvierzig Kapitel im Inhaltsverzeichnis zu lesen, um sich von dem Umfang, der Art und der Reichweite seiner politischen Lebensregeln eine Vorstellung zu bilden. Einige von ihnen stehen denjenigen recht nahe, welche er in seinem ›Principe‹ aufgestellt hat; diese erkennt man vielfach daran, daß

›Republiken‹ und ›Fürsten‹ schon in der Überschrift als gleichgestellte Subjekte des Handelns auftreten. Doch kann auch solche gelegentliche Vertauschbarkeit der Staatsformen, wenn es sich um Kunstmittel des Machterwerbs und der Herrschaft handelt, nicht die fundamentale Unterscheidung verdunkeln, die in diesem Buche durchgängig festgehalten ist: die zwischen Freiheit und Tyrannei. Nichts bezeugt seine Unterscheidung wie seine Entscheidung deutlicher als sein Urteil über die Figur der römischen Geschichte, die am strahlendsten im Gedächtnis der Nachwelt geblieben ist und die gerade in der Epoche der Renaissance so viel Nacheiferung geweckt hat, über Cäsar: »Lasse sich niemand durch die Verherrlichung Cäsars von Seiten der Schriftsteller blenden ... Will man ... wissen, was freie Schriftsteller von ihm sagen würden, so lese man, was sie über Catilina sagen! Ja, Cäsar ist noch verabscheuungswürdiger, weil jemand, der Unrecht getan hat, mehr Tadel verdient als jemand, der Unrecht tun wollte«. Diese kühnen Worte hätten es verdient, sich wenigstens ebenso fest in der Überlieferung einzupflanzen wie jene Ratschläge aus dem ›Principe‹, die einem Tyrannen von der Art des neuen Cäsar, nämlich des Cäsar Borgia, zugedacht sind. Aber in diesem Punkt ist die Rezeptionsgeschichte ziemlich bläßlich geblieben. Gewiß ist Machiavelli nicht der erste gewesen, der ein so heftiges Verdikt über Julius Cäsar gefällt hat, er folgt darin einer Tradition, denn es gibt bei den älteren ›bürgerlichen‹ Humanisten, zumal den florentinischen, ähnliche Äußerungen. Doch fällt das Urteil des Machiavelli stärker auf als dasjenige anderer Autoren, weil er der Verfasser des ›Principe‹ ist, es fällt aus eben diesem Grund auch stärker ins Gewicht.

Es ist durchaus die Größe Roms, die Machiavelli fasziniert, aber die der Republik. Ja, die Größe Roms ist nach seiner Deutung sogar gerade und ausschließlich aus den Kräften der Republik erwachsen. Ihre Einrichtungen, ihre ›Verfassung‹ beschreibt er – ganz in der Weise ihres antiken Bewunderers Polybius – als Mischung aus einem monarchischen, einem aristokratischen und einem demokratischen Element, wie sie sich in der Dreiheit des Konsulats, des Senats und des Tribunats darstellt. Doch begnügt er sich nicht mit der Repetition dieser klassischen Verfassungslehre, die sich in letzter Instanz von Platon und Aristoteles herschreibt. Eigentümlich ist ihm vielmehr die Einsicht, daß gerade die Kämpfe zwischen Plebejern und Patriziern die Einrichtungen schufen, welche der inneren Freiheit und der äußeren Macht so günstig waren – »che la disunione della Plebe e del Senato romano fece libera e potente quella republica«. Ja, er kommt (im sechsten Kapitel des Ersten Buches) zu der paradoxen These, daß die Feindseligkeit zwischen Senat und Volk, daß – mit modernen Worten – der Klassenwiderspruch, der an der Wurzel der römischen Verfassung liegt und in ihrer Anordnung gleichsam perpetuiert erscheint, ein unersetzlich notwendiges dynamisches Element und eine Triebkraft des Aufstiegs Roms bilde. Im Vergleich mit dem antiken literarischen Muster der Gemischten Verfassung, also Sparta, und mit dem modernen, also Venedig, verdient für Machiavelli Rom den Vorzug: weil man ohnehin »das Gleichgewicht (der Klassen) nicht erhalten noch den Mittelweg (zwischen den ›einfachen‹ Regierungsformen) genau einhalten« könne, sei es am besten, den inneren Zwist ›als ein notwendiges Übel‹ hinzunehmen, ihn in die Verfassung einzubauen. Ohne ihn wäre Rom nicht zu seiner Größe gelangt. Und darum seien die römischen Einrichtungen nachzuahmen und keine anderen, dann jedenfalls, wenn eine Stadt nach Größe, das heißt nach Ausdehnung und Herrschaft, strebe. In dem Italien der Päpste, der kleinen Stadt-Herzöge und der um die Vorherrschaft konkurrierenden europäischen Großmächte war wohl niemand, der diesen Rat mit Nutzen hätte hören und befolgen können.

Derart hat Machiavelli mit seinem unerschrockenen Blick einen Begriff der ›alten Politie‹ entworfen und zur Nachahmung empfohlen, der die konventionelle Figur der ›Mischung‹ übertrifft: es ist, modern gesprochen, der Begriff der Integration nicht durch Versöhnung, geschweige durch ›Gleichschaltung‹ oder sonstigen Einheitszwang, sondern durch rechtsförmige Bewahrung des Streits. Ich kann mir hier den vorgreifenden Hinweis nicht versagen, daß dieses Merkmal – in verwandelter Gestalt – an der ›neuen Politie‹, nämlich am modernen Verfassungsstaat, sich wiederfindet. Ob Nachahmung dazu beigetragen hat, mag dahingestellt bleiben.

## Der schreckliche Souverän des Thomas Hobbes

Machiavelli lebte in einer Epoche der Umstürze und Untergänge, die Geschichtsforschung spricht von der »Krise des italienischen Staatensystems«, und sein Œuvre ist – in einem berühmten Buche (von René König) – als eine große Krisen-Analyse gedeutet worden. Eben dasselbe gilt von Thomas Hobbes, der im darauffolgenden Jahrhundert in England den Zusammenbruch des Königtums, die Herrschaft des Parlaments, der Revolutions-Armee und die Errichtung der Republik erfuhr. Er hat denjenigen Staat erdacht, welcher des Bürgerkriegs Herr werden, den Bürgerkrieg schlechthin ausschließen sollte. Während aber der vormalige florentinische Staatssekretär – in dem größeren und breiteren seiner politischen Hauptwerke, eben den ›Discorsi‹ – mit aller Macht das antike Vorbild ergriff, um ihm die Maximen heilsamen Handelns zu entreißen, nimmt der englische Philosoph in unserer ›querelle politique‹ die äußerste Gegenposition ein, indem er, nach seinem eigenen Wort, dem Altertum überhaupt nichts verdanken will. Allerdings gibt es hier auch keine Hilfe aus der Moderne. Hobbes hat wohl das eine und andere Lob für Heinrich VIII. oder Jakob I. übrig, aber insgesamt gilt ihm, was die Politik betrifft – und er benutzt dieses Wort, vielleicht mit einigem Sarkasmus, um den Gegenstand seiner Theorie zu benennen: »the doctrine of the Politiques« –, die neue Zeit nicht für besser als die alte, außer allenfalls durch den Auftritt des Christentums.

Der Name seines Idealstaats ist weder der antiken noch der modernen Geschichte entnommen, sondern der Mythologie. Der Heiland heißt hier weder Scipio noch Borgia, auch nicht Karl Stuart und nicht Oliver Cromwell. Er führt überhaupt keinen menschlichen, sondern einen nicht-menschlichen, vielleicht übermenschlichen Namen: es ist der Name jenes furchtbaren Ungeheuers, das erschaffen zu haben Jahwe gegenüber dem aufsässigen Hiob sich rühmt, um ihn zum Schweigen zu bringen. Von ihm, dem Leviathan, heißt es in der Bibel: »Auf seinem Halse wohnt die Stärke, und vor ihm her hüpft die Angst«. Und wiederum: »Auf Erden ist seinesgleichen niemand; er ist gemacht, ohne Furcht zu sein. Er verachtet alles, was hoch ist; er ist ein König über alles stolze Wild« (Hiob 11, 14 und 25–26). Man hat mit vollem Recht die absolute Rationalität hervorgehoben, die bei der Konstruktion des Hobbes'schen souveränen Staates waltet, indem er ja aus lauter naturgesetzlichem Eigeninteresse erwächst, aus lauter Einsicht in die Notwendigkeit des Gesellschaftsvertrags und das heißt auch in die Notwendigkeit, die freie Selbstbestimmung um der Sicherheit und des Friedens willen jener souveränen Macht zu opfern. In der Tat scheint die bare Vernünftigkeit dieses Begründungszusammenhanges von keinem Spritzer geschichtlichen Schlamms befleckt, von keinem Trieb verwirrt. Umso mehr muß die ungeheuerliche mythologische Metapher erstaunen, welche dem Ergebnis dieser zwingenden Prozedur den Namen gibt. Dieser ›Souverän‹ ist ein Unwesen, und auch die durchaus phantastischen logischen Paradoxe, die Hobbes erfunden hat, um ihm gleichsam seine Stelle im Kosmos anzuweisen, bezeugen seinen supranaturalen Charakter: er heißt ihn ja einen »artificial man«, einen künstlichen Menschen, und einen »mortal god«, einen sterblichen Gott. In solchen Sprachfiguren verrät sich, dem erfinderischen Sprecher doch nur halb bewußt, die eigene Natur dieses Konstrukts: sie ist dämonisch. Es ist, als hätten die wimmelnden menschlichen Individuen, indem sie dieses sonderbare und fürchterliche ›Gemeinwesen‹ (Commonwealth) mit Aufbietung aller ihrer Vernunft erschufen, einen Dämon in die Welt gerufen, der am Ende ihrer Vernünftigkeit spotten werde. Soviel ergibt die unbefangene Diagnose der Hobbes'schen Sprache, seiner Begriffskreaturen und seiner Namengebung. Sprachbilder legen, diesseits der diskursiven Argumentation, ihre eigene Wahrheit an den Tag.

Der uralte Schrecken, den die Beschwörung des ›Leviathans‹ erzeugt, gewiß auch erzeugen sollte, hat sich seither mit der Fortbildung der absoluten Souveränität zum totalen Staat und zur totalitären Herrschaft – in den Dimensionen des zwanzigsten Jahrhunderts – erneuert, ausgebreitet und vervielfacht. Diese ›Modernität‹ des Leviathan war seinem Autor freilich unbekannt, weil noch in der Zukunft verborgen. Hannah Arendt hat in ihrem großen Werk über die ›Ursprünge des Totalitarismus‹ dieses historische Verhältnis in der sarkastischen Formel ausgedrückt, der Staat habe nahezu dreihundert Jahre gebraucht, um Hobbes' theoretische Einsicht in die »Zweckmäßigkeit der Praxis« zu überführen, oder Hobbes' logischer Scharfsinn habe die abendländische Tradition »um dreihundert Jahre zu früh pulverisiert«. Hannah Arendt spielt selbst, wie ich noch zeigen will, eine charakteristische Rolle in der jüngsten Phase der ›querelle politique des anciens et des modernes‹, und zwar in der Front der Verteidiger des Alten – das heißt der Polis und der Res publica –, und es ist gerade die Erfahrung jener entsetzlichen, von Hobbes vorausgedachten ›Modernität‹, welche sie zu einer verzweifelten Statthalterin der Politie gemacht hat.

Wenn also Thomas Hobbes auch ganz gewiß kein Lobredner der wirklich existierenden modernen Staatenwelt gewesen ist, sondern ihr vielmehr das ebenso rationale wie mythische Unwesen seines Macht versammelnden und Recht aufsaugenden Leviathan entgegengemauert hat, so wurde er in jedem Fall der anmaßlichste und schnödeste Schmähredner, der sich je in der europäischen Geistesgeschichte auf die Überlieferungen des griechischen und römischen Altertums gestürzt hat. Man wird schwerlich eine respektlosere Äußerung über das klassische Athen der Philosophen finden, als er sie getan hat: die Schüler Platons und der ›Akademie‹, die aristotelischen ›Peripathetiker‹, die Zuhörer des Zeno in der ›Stoa‹, das müsse man sich so vorstellen, wie wenn man in London die Leute nach der Paulskirche oder nach der Börse bezeichnen würde, nach den Plätzen, wo sie sich treffen, »um zu schwatzen und herumzulungern« (»to prate and loyter«).

Um aber auf die spezifischen politischen Lehren und Figuren der antiken Überlieferung zurückzukommen, so will ich an erster Stelle an das Theorem von der ›Bewahrung des Streites‹ zwischen Senat und Volk in der römischen Republik anknüpfen, wie es Machiavelli (auf der Spur des Polybius) entwickelt hatte. Weit entfernt, diesem Gegensatz und dieser konstitutionellen Ausgestaltung irgendeine Funktion im Prozeß des römischen Aufstiegs zuzuerkennen, hat Hobbes ihm gerade umgekehrt die Schuld an allen Störungen und Umstürzen gegeben. Die Formel ›Senatus populusque Romanus‹, dieses Ur-Motto einer zusammengesetzten, einer ›gemischten‹ Verfassung, stellt sich für Hobbes gerade als ein chronisches Bürgerkriegsprogramm dar: »Weder der Senat noch das Volk nahm die ganze Macht in Anspruch, und das verursachte zuerst die Aufstände von Tiberius Gracchus, Caius Gracchus, Lucius Saturninus und anderen, und späterhin die Kriege zwischen Senat und Volk unter Marius und Sulla, wiederum unter Pompejus und Cäsar, bis zur Auslöschung ihrer Demokratie und der Errichtung einer Monarchie.« Das ganze Kapitel, dem diese Passage zugehört – es ist das neunundzwanzigste des zweiten Teiles des ›Leviathan‹ –, handelt von »those things that weaken, or tend to the Dissolution of a Commonwealth« (das Wort ›Dissolution‹, Auflösung, ist mit lauter großen Buchstaben ausgedruckt), und hier finden wir die würdigsten Prinzipien des Verfassungsstaats wieder, die Gewaltenteilung ebenso wie die Lehre von der Gemischten Regierung. Jene verstoße »plainly and directly« gegen das Wesen eines Staates, Teilung heiße Auflösung der Gewalt, und diese, die Mischung aus Monarchie, Aristokratie und Demokratie, schaffe »nicht einen einzigen unabhängigen Staat, sondern drei unabhängige Parteien« – »such government is not government, but division of the Commonwealth into three Fractions«. Hier zieht er den berühmten Vergleich mit der Mißgeburt, die er einmal gesehen habe, dem Doppelkörper der ›siamesischen Zwillinge‹ – »und wäre da noch ein dritter Mensch auf der anderen Seite herausgewachsen, so wäre der Vergleich mit der Mischverfassung vollends exakt«. (Man muß sich vor Augen halten, daß die herrschende englische Anwendung des antiken Theorems die drei ›Verfassungen‹ in den drei Gliedern des Reichsaufbaus inkorporiert sah, nämlich in King, Lords und Commons.) Dieses Gleichnis hat sich nachmals Jean-Jacques Rousseau zu eigen gemacht, denn auch er wollte einen ›monolithischen‹ Staat, aber nicht der Macht, sondern der Einheit der Nation wegen.

Es ist fast überflüssig, alle Ziele dieses Generalangriffs im einzelnen aufzuführen. Nur einen Punkt will ich noch in Erinnerung rufen, weil er die Radikalität dieses Buches ebenso drastisch illustriert wie die absolute Nichtachtung, die sein Verfasser selbst den ehrwürdigsten Doktrinen entgegenbringt. Tausend Jahre hatte gegolten, daß der unrechtmäßige, der gewalttätige, gesetzlose, eigensüchtige oder willkürliche Herrscher den antiken Namen des ›Tyrannen‹ trug, und auch die Königslehre des gesamten christlichen Mittelalters hatte daran festgehalten, die Fürstenspiegel hatten dieses Diptychon des tugendhaften Königs und des lasterhaften Tyrannen immer wieder neu gemalt und ihre Adressaten gewarnt, das königliche Prinzip des Gemeinwohls zu verletzen, zu Tyrannen zu entarten. Nicht einmal Niccolo Machiavelli hat an dem hergebrachten aristotelischen Sprachgebrauch etwas geändert, als er – in seiner berühmteren Schrift, dem ›Principe‹ – daran ging, jenes Diptychon auseinanderzunehmen und den Tyrannen zu isolieren: er nannte seinen Gewalt-Heiland den ›neuen Fürsten‹, nicht den Tyrannen, und seine Herrschaft das »principato nuovo«, nicht die Tyrannis. Mit dieser Rücksicht hat erst und einzig Thomas Hobbes aufgeräumt. »Ein ›Tyrann‹ bedeutete ursprünglich gar nicht mehr als einfach einen Monarchen«, sagt er. ›Tyrann‹ sei einer jener »evil names«, welche die unzufriedenen Untertanen ihrer Obrigkeit beilegten, indem doch »was die Leute kränkt, nichts anderes ist, als daß sie so regiert werden, wie es ... der Öffentliche Repräsentant ... für richtig hält«. Sie wüßten nicht – »außer vielleicht kurz nach einem Bürgerkrieg« (da blickt die bittere Zeit=Erfahrung hervor!) –, daß ohne solch ein ›Willkür-Regiment‹ ewig Bürgerkrieg wäre.

Auch ist ein wesentlicher Unterschied, daß Machiavelli kein System errichtet hat. Hält man seine beiden politischen Werke, den ›Principe‹ und die ›Discorsi‹, in Ruhe nebeneinander und läßt man die Frage nach den inneren Motiven des Autors auf sich beruhen, so erkennt man, daß hier zwei ganz verschiedene Staatszustände zugrundeliegen, nämlich dort, im Fall des ›Principe‹, der Ausnahmezustand, und hier, im Fall der ‹Discorsi›, der Normalzustand. Eine solche Unterscheidung hat Hobbes nicht getroffen, nicht wahrgenommen und nicht wahrhaben wollen. Er sah nur die Alternative zwischen der Anarchie (des Naturzustands) und der leviathanischen Herrschaft (des Gesellschaftszustands). Der Name Hobbes bezeichnet das Ende des Humanismus, und zwar in jedem Sinne dieses Wortes. Und wenn dies die Definition von Modernität ist, so steht er in der vordersten Front der ›Modernen‹ wider die ›Alten‹. Ich hoffe das Gegenteil dartun zu können: daß die alte Politie nicht – oder doch nicht auf Dauer und nicht überall – vom souveränen Leviathan abgelöst worden ist, sondern von der neuen Politie.

Das Studium der griechischen und römischen Klassik hat Hobbes mit deutlichen und groben Worten verworfen, er deutet sogar an, daß man es am besten verbiete, wenn man seine ›zersetzende‹ Wirkung verhüten wolle. (›Dissolution‹ läßt sich wohl ohne Mühe mit diesem fatal belasteten deutschen Wort wiedergeben.) Ja, er hält in seinem unersättlichen Trotz am Ende eine quasi-theologische Kategorie bereit, eine Art geistesgeschichtlicher Hölle oder Unterwelt, worin er die antiken politischen Überlieferungen mitsamt ihrer christlichen Amalgamierung in Bausch und Bogen verschwinden läßt: das »Reich der Finsternis« (»Kingdom of darkness«, nach Paulus, zumal Epheser 6, 12). Er beschreibt es als eine einzige Verschwörung von Betrügern, welche mit dem Mittel »falscher und irriger Doktrinen« das natürliche Licht des Verstandes auszulöschen und so ihre dämonische Herrschaft zu errichten streben. Dort findet man namentlich den Aristoteles wieder. Ich führe nur einen einzigen Satz an: »Und ich glaube, daß kaum etwas in der Naturphilosophie absurder ausgedrückt werden kann, als was jetzt Aristoteles' Metaphysik genannt wird, noch etwas dem Wesen der Regierung mehr zuwider als vieles von dem, was er in seiner ›Politik‹ gesagt hat, noch etwas auf ahnungslosere Weise als ein großer Teil seiner ›Ethik‹.« Hier hat, nach Swifts satirischem Szenarium, die »battle of the books« einen Höhepunkt erreicht. Es ist handgreiflich, daß Hobbes den Platz selber beansprucht, von dem er den Aristoteles zu vertreiben unternimmt.

Merkwürdig bleibt bei alledem, daß sein ›Reich des Lichtes‹ von einem veritablen Drachen regiert wird. Ein deutscher Bewunderer von Hobbes, Carl Schmitt, hat die mythologischen Metaphern des Buchtitels für einen bloßen literarischen Fehlgriff erklärt, der unseligerweise am Ende dazu beigetragen habe, die Lehre selber zu desavuieren. Das wurde im Jahre 1938 geschrieben und veröffentlicht, als die totalitäre ›Modernität‹ auf der Höhe ihrer Macht stand. Doch hat sich Schmitt auch insofern als Hobbesianer bewährt, als er selbst gewissermaßen im Bilde blieb und – nicht ohne einige ohnmächtige Hellsicht – Klage darüber anstimmte, daß das Ungeheuer erlegt, ausgeweidet und zerschnitten werde.

## Antik-moderne Amalgame

Ich gehe nicht in historischer Folge voran, sondern überspringe jene Vergleichungen der alten und der neuen Politik, welche mit der Entdeckung der ›Repräsentation‹ und des Parlaments als einer ›repräsentativen‹ Körperschaft (anstatt einer Reichsversammlung) einsetzten und mit unterschiedlichen Argumenten die Vorzüge solcher Neuerung gegenüber der antiken, zumal athenischen Demokratie hervorkehrten. Montesquieu war wohl der erste bedeutende Theoretiker, der dies am englischen Exempel gerühmt hat, einige amerikanische Verfassungsdenker taten es ihm nach. Hier wurde indessen nicht, wie im Fall des maßlosen Thomas Hobbes, das Altertum verworfen zugunsten einer monströsen Modernität, die erst noch zu verwirklichen war: vielmehr meinten diese ›Modernen‹ das antike Vorbild in gewisser Weise zu bewahren, indem sie es verbesserten. Diese verbessernde Bewahrung und diese Art ›fortschrittlicher‹ Versöhnung oder Amalgamierung antiker und moderner Positionen ist bis zum heutigen Tag wie in einer Versteinerung erkennbar geblieben in dem Terminus ›Repräsentative Demokratie‹. Die Denker und Gründer, die derart zur Ausbildung des modernen Verfassungsstaates beigetragen haben, rückten an die Stelle der alten Politie eine neue, die sie teils aus der Beobachtung ableiteten, teils aus Prinzipien deduzierten und sogleich, jedenfalls bei der Neuschöpfung der Verfassungen Nordamerikas, in die Praxis zu überführen unternahmen.

## Hannah Arendt

Anstatt jedoch diese ferneren Epochen der ›querelle politique‹ und diese ungemein produktiven Formen des Ausgleichs klassizistischer und modernistischer Positionen zu untersuchen, mache ich einen großen Sprung und trete in eine Phase der Auseinandersetzung ein, die sozusagen noch im Gange ist. Es ist zuvor der Name derjenigen Autorin genannt worden, die in unserer Lebenszeit und in dem ungeheuerlichen Erfahrungsgewitter dieses Jahrhunderts so scharf nach den ›Ursprüngen des Totalitarismus‹ gegraben hat: Hannah Arendt. Sie war es, die mit unerschrockener Klarheit im ›Leviathan‹ eine Vorzeichnung des totalen Staates erkannte und die zugleich den Entwurf von Hobbes als einen »Bruch mit allen abendländischen Traditionen zugleich« und darum als ein Signal zum ›Untergang des Abendlandes‹ bloßgestellt hat (ohne ihm übrigens seine eigentümliche Größe abzuerkennen). Ich habe aber auch schon angedeutet, daß ebenderselben Autorin die schönste philosophische Rekonstruktion der griechischen Polis oder des aristotelischen Staates verdankt wird, die wohl in unseren Tagen geglückt ist.

In der Tat ist er der aristotelische Begriff des Politischen, den sie frisch aufgefaßt und aufgearbeitet hat, nicht der platonische, derjenige also, welcher auf der Doppelbestimmung (aus dem Ersten Buch der ›Politik‹) beruht, wonach der Mensch von Natur ein politisches – oder: staatliches – oder: bürgerliches – Wesen und zugleich das einzige Wesen sei, das Sprache (Logos) habe. Mit ihren eigenen Worten: »Menschen sind nur darum zur Politik begabte Wesen, weil sie mit Sprache begabte Wesen sind«. Nicht minder entschieden aristotelisch ist ein anderes Motiv, das in allen ihren einschlägigen Schriften wiederkehrt, das der Vielheit oder Pluralität als des fundamentalen Konstitutionsprinzips des politischen Lebens, woraus denn allein das Miteinander-Reden und Miteinander-Handeln erwächst ebenso wie der Wetteifer in der »Begierde sich auszuzeichnen«, den sie recht eigentlich als den Pulsschlag des Staates begriff.

So energisch beharrte sie auf diesem Prinzip der Vielheit als dem existenziellen Grund und Merkmal des Politischen – und das heißt nicht allein der Staatenwelt, sondern vor allem des Staates selbst –, daß sie sich zu dem kühnen Verdikt hat fortreißen lassen, der »größte Teil der politischen Philosophie seit Plato« – denn in Platons ›Staat‹ ist gerade die Einheit des Staates und nicht seine Vielheit als höchstes Gut zuerst aufgestellt worden: derjenige Staat gilt ihm als der beste, der ›einem einzelnen Menschen am nächsten kommt« – sei dem Versuch gewidmet gewesen. »Politik überhaupt abzuschaffen«. Das ist gewiß eine starke Übertreibung, da es ja nicht allein eine platonische, sondern auch eine aristotelische Traditionslinie in der politischen Geistesgeschichte des Abendlandes gibt, die sogar weit mächtiger gewirkt hat als jene. Aber die vielleicht unbedachte Formulierung hat den Vorzug der Deutlichkeit und Unbedingtheit: es spricht hier nicht ein historisches, sondern ein philosophisches Ingenium. Man muß bei jenen Nachfolgern der einheitsstaatlichen und staatseinheitlichen ›Politeia‹ Platons namentlich an Hobbes und Rousseau, an den ›Leviathan‹ und an die ›volonté générale‹ denken. Solche Einheit bedeutet das Ende nicht nur der Vielheit, sondern auch der Freiheit der vielen gleichen und gleich freien Bürger, welche die Polis miteinander bilden, sie mündet unweigerlich in Herrschaft. »Herrschaft« aber, sagt Arendt, »zerstört den politischen Raum«. Aus diesen fundamentalen Unterscheidungen zwischen Vielheit und Einheit als zwischen Gesellschaft und Herrschaft und aus dem entschiedenen Votum für jene und wider diese können wir bereits den Schluß ziehen, daß Arendt im ›Streit der Alten und der Neuen‹ zwar die Partei der Antike, aber doch nicht der ganzen und ungeteilten Antike ergriffen hat, sondern ganz offenbar und ausschließlich die aristotelische. Denn ihre Entgegensetzung der Polis oder des ›politischen Raums‹ gegen alle Herrschaft fußt genau auf der ersten und schärfsten Unterscheidung, die Aristoteles selbst in der ›Politik‹ getroffen hat: der zwischen ›archē politikē‹ und ›archē despotikē‹, das ist zwischen dem Bezirk des Staates und dem Bezirk des Hauses. Sein großes Werk hebt sogleich an mit der Warnung vor einer Verwechslung oder Vermischung dieser beiden Phänomene und Prinzipien. Und das ist es auch, was in der Epoche der Wiederentdeckung der ›Politik‹ des Aristoteles, im dreizehnten Jahrhundert, die großen Doctores, die sie zuerst kommentierten, Albertus Magnus und Thomas Aquinos, am gründlichsten und deutlichsten aufgenommen und weitergegeben haben: »non sunt idem principatus, politica et despotica« (nach der Formulierung des Albertus Magnus), zu deutsch: Es ist nicht dieselbe Regierungsart – die politische und die despotische. Ja, dieser mittelalterliche Gelehrte hat sogar mit hoher Klarheit die Erläuterung hinzugefügt, die ›politische‹ Regierungsart habe es mit »freien Mitbürgern« (liberi concives), die despotische hingegen mit Sklaven (servi) zu tun. Hier haben wir eben diejenige große Tradition vor Augen, von der ich zuvor gesprochen habe: es ist die aristotelische und nicht die platonische, und in ihrer Spur bewegt sich auch der Gedanke von Hannah Arendt. Es scheint zunächst, sie habe Partei ergriffen nicht so sehr für die Alten und wider die Modernen als vielmehr für die aristotelische Politik und wider die platonische Herrschaft.

Allerdings hat Frau Arendt – im Zusammenhang einer Untersuchung über das Wesen der Autorität – sogar den Aristoteles dafür verantwortlich gemacht, daß man im politischen Gemeinwesen Herrschende und Beherrschte unterscheide, und daß dieses Verhältnis zudem als naturgegeben aufgefaßt werde, da es in dem der Älteren zu den Jüngeren, der Eltern zu den Kindern vorgebildet sei. Ich muß mich hier einmischen und den Aristoteles vor einer Mißdeutung in Schutz nehmen, die nur durch einen zur Idiosynkrasie gesteigerten Argwohn gegen jegliche Rechtfertigung von Unfreiheit zu erklären ist. Die Stelle im Siebenten Buch der ›Politik‹, die Arendt ihm so übel ankreidet, hat, wenn man sie nur vollständig ins Auge faßt, gar keinen anderen Sinn als jener vielzitierte Passus aus dem Dritten Buch, der aus der Gleichheit der Bürger für den Staat die Konsequenz zieht, »daß man regieren und regiert zu werden verstehe«, und »daß die Bekleidung der Ämter unter ihnen abwechsele«. Ganz ebenso ist die Meinung im Siebenten Buch (wo von der Erziehung die Rede ist), daß es zwar immer »Regierende und Regierte« gebe – denn so muß man ›archon‹ und ›archomenos‹ verdeutschen, die Wörter haben von Grund auf eine ›politische‹, nicht eine herrschaftliche Bedeutung –, daß aber »alle Staatsbürger in gleicher Weise an dem abwechselnden Regieren und Regiertwerden Anteil haben müssen«: so sagt Aristoteles wörtlich. Sogar die Analogisierung mit dem pädagogischen Verhältnis führt er, vielleicht ein wenig spitzfindig, zu demselben logischen Ziel, indem die Jüngeren selbst »einst Anteil an der Regierung erhalten werden«, und es somit auch hier »in gewisser Weise dieselben Leute sind, welche regieren und regiert werden«. Auch diese Argumentation ist merklich gegen die platonische Dauerherrschaft der Weisen und Guten gerichtet. Es war auch Platon und nicht Aristoteles, wie Arendt meint, der das Herrschaftsverhältnis als ein Naturphänomen legitimiert: daß der Stärkere herrsche und der Schwächere gehorche, heißt es in den ›Gesetzen‹, sei ein »Verhältnis, das sich in der ganzen Welt der Kreaturen am häufgsten findet und ›der Natur entspricht‹, wie der Thebaner Pindar einmal gesagt hat«.

Ich bin bei alledem nicht ganz sicher, ob wirklich nur ungenaue oder voreingenommene Lektüre des Textes die Ursache davon war, daß Hannah Arendt, wiewohl eine leidenschaftliche Philologin, auch noch den Aristoteles für eine herrschaftliche Pervertierung der Polis-Idee mitverantwortlich gemacht hat, denselben Aristoteles, dem sie schließlich in allererster Linie die Erkenntnis zu danken hat, daß der Mensch für die Polis geboren sei. Es könnte am Ende auch sein, daß schon die bloße Differenz der Regierenden und der Regierten, wie sie dort statuiert ist, gleich wie sie im folgenden auch durch das Merkmal des Wechsels gemäßigt und gleichsam erträglich gemacht werden mag, als solche ihren Widerspruch und Widerstand erregt hätte. Es könnte – mit anderen Worten – auch sein, daß das Phänomen und die Aufgabe des Regierens schlechthin ihrem Konzept zuwider oder zumindest fremd geblieben wäre. Vielleicht hat die Vorstellung des ›Miteinander‹ – im Miteinander-Reden und Miteinander-Handeln – ihren begeisterten Sinn derart ausschließlich erfüllt, daß ihr darüber jegliche Gliederung und Anordnung der politischen Funktionen, wie sie der Staat, auch der antike, auch der Staat des Philosophen Aristoteles, doch erfordert, aus dem Gesichtskreis entschwand. Es gibt gewisse Anzeichen, die eine solche Deutung nahelegen, wie wenig sie auch zu einem so scharfsichtigen Geiste zu stimmen scheint. Vielleicht geht gerade die Courage zur bittersten Einsicht – wie Hannah Arendt sie so gründlich bewiesen hat – kontrastweise mit der unschuldigsten Geistesträumerei einher.

Wenngleich Hannah Arendt also den fundamentalen Gegensatz von Herrschaft und Gemeinschaft (in Sinn der aristotelischen ›Koinonia‹) und also den Verderb der Polis zu einem auf Dauer etablierten oligarchischen Herrschaftssystem schon in der politischen Philosophie der Alten selbst – und aus Überempfindlichkeit sogar innerhalb der aristotelischen ›Politik‹ – entdeckt hat, so scheint sie doch erst der Moderne eine definitive und hoffnungslose Verfehlung der eigentlichen ›politischen‹, aus Gleichheit und Freiheit erwachsenden Möglichkeit des Miteinander-Handelns zuzuschreiben. Die Moderne ist in ihrem Œuvre geradezu definiert als die Verfehlung des Politischen, ja als seine Vernichtung. Soweit jedenfalls die neueste Zeit, zumal das zwanzigste Jahrhundert – in Arendts Perspektive – die Modernität repräsentiert, steht sie im finsteren Schatten des totalitären Staates deutscher wie russischer Prägung. Der Totalitarismus ist das überwältigende Phänomen, die überwältigende Erfahrung der Moderne. Arendt hat in ihrem monumentalen Buch über die ›Ursprünge des Totalitarismus‹ ein ganzes Bündel von quasi sozialhistorischen Ursachen exemplarisch für die Ausbildung der totalitären Herrschaftssysteme angeführt – die Analyse des Antisemitismus, die den ersten der drei Teile des Buches in Anspruch nimmt, stellt das energischste und gründlichste, die These von der führenden Rolle des Mob im totalitären Deutschland das originellste Element dieser Nachforschung dar –, aber insgesamt reichen alle ihre Herleitungen doch nicht aus, die schlechthin beherrschende Rolle des Totalitarismus, die annähernde Identifizierung der politischen (vielmehr widerpolitischen) Modernität mit dem Totalitarismus zu rechtfertigen. Hannah Arendts historische Untersuchungen bewegen sich nicht in den Bahnen der Kausalität noch auch der Kontinuität. Hier wird Geschichte von Kategorien regiert, ihre Umwälzungen haben selbst den Charakter kategorialer Katastrophen und kategorialer Neuanfänge. So gilt hier weithin, daß die moderne Welt durch die Katastrophe des Politischen und den realen Triumph des Leviathan gekennzeichnet sei.

Die antike ›Politik‹ in ihrer Idealität scheint daher wie versperrt und verriegelt, an Renaissance und Nachahmung ist nicht zu denken. Machiavelli hatte die römische Republik (des Titus Livius) durchaus nicht verriegelt und versperrt, sondern vielmehr der entarteten Moderne, seiner dekadenten Gegenwart, als scharfe Lektion zur Nacheiferung vorgestellt. Wiewohl Hannah Arendt sich mit Machiavelli in der ›querelle politique‹ in derselben Front befindet – seiner ›Republik‹ entspricht ihre ›Polis‹ –, scheint ihr im Gegensatz zu ihm jede pädagogische oder nur appellative Regung vergangen. Bild und Begriff der antiken Stadt ist womöglich gerade darum so sublim gezeichnet und gedeutet, weil diese Stadt ihr für ganz und gar versunken gilt. Die moderne Welt andrerseits stellt sich ihr – um den Ausdruck von Thomas Hobbes in umgekehrter Anwendung zu gebrauchen – als ein veritables ›Kingdom of darkness‹ dar, und zwar gerade deswegen, weil in ihr der Drache herrscht, dem jener die Rettung hatte anvertrauen wollen.

## Aristokratie der Räte

Doch ist das nicht die ganze Geschichte. Während in Arendts Augen die etablierten staatlichen Systeme der Moderne samt und sonders – bei einer nur matten und unsicheren Unterscheidung der Parteidiktaturen und des Parteienpluralismus der Verfassungsstaaten – ihren Bürgern das Glück der aktiven Teilnahme an öffentlicher Macht versagen, so meint sie doch polis-hafte Chancen in gewissen Momenten der neueren und neuesten, ja der allerjüngsten Geschichte aufblitzen zu sehen, nämlich in Gestalt der revolutionären ›Räte‹, der englischen und amerikanischen Councils, der französischen sociétés populaires, der russischen Sowjets, der ungarischen Räte von 1956, ja noch der spontanen Aktionsgruppen der Studentenbewegung von 1968 in beiden Kontinenten. Obwohl sie in ihrem Buch ›On Revolution‹ die amerikanische Revolution gegenüber der französischen als die eigentlich politische gepriesen hat, so blieb doch sogar an ihr der Mangel, daß die Verfassung, wie sie es ausdrückt, »den öffentlichen Raum auf die vom Volke gewählten Abgeordneten eingeschränkt«, daß sie die lokalen Bürgerversammlungen, die ›town-hall-meetings‹ erstickt und derart »das Land um sein stolzestes Erbe« gebracht habe. Nachmals sind in der Tat in revolutionären Momenten immer wieder solche spontanen Beratungsgremien entstanden und freilich auch alsbald wieder vergangen – oder zu einer bloßen Fassade degeneriert wie in der ›Sowjet‹-Union –, die in einem kategorialen Sinn (und für einen emphatisch verklärenden Geist) an das Urbild der Ekklesia erinnern mochten. In Arendts Darstellung nehmen sich die ›Räte‹ wie phosphoreszierende Geistererscheinungen der antiken Bürgerstadt aus. Sie hat sich offenbar nicht gefragt, woran es liegt, daß diese Bildungen ephemer geblieben, warum sie unter die Herrschaft von Berufsrevolutionären und schließlich von Parteiapparaten geraten sind. Auch ihr so unbedenklicher, von reinster Denkphantasie geleiteter Entwurf einer föderativen Räteverfassung – als einer neuen Staatsform, »die es jedem inmitten der Massengesellschaften doch erlauben könnte, an den öffentlichen Angelegenheiten der Zeit teilzunehmen« – enthält keinen Hinweis darauf, wie hier Regierung zustande komme oder wie ›Exekutive‹ bestellt werde.

Andererseits war die Philosophin nicht so blind, der allgemeinen Bürgerschaft unter modernen Verhältnissen eine stetige politische Präsenz und Aktivität zuzutrauen. Im Gegenteil scheute sie weder davor zurück, der Ausbildung neuer Eliten das Wort zu reden, noch auch davor, ihr etabliertes Rätesystem ausdrücklich als eine »aristokratische Staatsform« zu kennzeichnen, die womöglich gar auf allgemeine Wahlen verzichten würde. »Nur wer an der Welt wirklich interessiert ist, sollte eine Stimme haben im Gang der Welt.« Ich weiß nicht, ob Frau Arendt in ihrem Konstruktions-Eifer wahrgenommen hat, wie sehr ihre Republik, die doch ursprünglich aus aristotelischer Wurzel erwachsen war, an diesem räte-aristokratischen Ende der Staatsutopie Platons ähnelt: der Rechtsgrund der Elitenbildung ist gewiß ein andrer, liegt nicht in der Erkenntnis des Guten, sondern in der Bewirkung des Zuträglichen, nicht in der Weisheit, sondern in der klugen Tätigkeit, nicht in der Theorie, sondern in der Praxis. Dennoch: Wie sollten die modernen Völker, die doch aus den ›demokratischen‹ Revolutionen, das heißt, aus den Triebkräften der Menschenrechte sich formiert haben, das Regiment solch einer Sonderart von Mönchen der öffentlichen Tugend hinnehmen und ertragen!

Noch eine andere Analogie legt sich nahe, sie betrifft nicht ihre Verfassungsphantasie, sondern das Ganze dieser politischen Philosophie. In der ›querelle politique des anciens et des modernes‹ finden wir Hannah Arendt an der Seite von Niccolo Machiavelli – wenn man die Differenz des römischen und des griechischen Musterbildes hintansetzt. (Sie hat ihrer Sympathie für den Florentiner Renaissance-Denker mehrfach deutlichen Ausdruck verliehen.) Aber wir sehen jetzt, daß auch ihre eigene so viel geheimere, lang zurückgedämmte Vision vom Neubeginn als einer Wiedergeburt des Alten sich durchaus dem Machiavelli'schen Heilgift – des ›nuovo principe‹ – an die Seite rücken läßt: Was dort der Usurpator leisten sollte, tut in Arendts Vorstellung die Revolution. Der Blitz der Revolutions-Idee steht innerhalb des freilich ungewissen, bloß schüchtern potentiellen Heilsplanes gleichsam an derselben Stelle wie dort der Gewaltstreich des emanzipierten Tyrannen. Und in beiden Fällen wird von solcher Tat oder solchem Ereignis die Rettung erhofft – man könnte mit einer figürlichen Wendung beider Hoffnungen synthetisch präzisieren: die Rettung des politischen Vaterlands. Beide, Machiavelli wie Arendt, haben Ankündigungen in der Geschichts-Erfahrung als Zeitgenossen zu vernehmen, große Zeichen zu erblicken gemeint, jener in dem Auftritt des Täters und Untäters Cesare Borgia, diese in der erregenden Erhebung von 1956 in Ungarn und abermals, mit wohl verminderter Emphase, in den Studentenunruhen von Berkeley und Chicago. In Hannah Arendts Werk läßt sich übrigens eine Stütze für diese meine Analogisierung finden: sie hat Machiavelli selbst als eine Art von Revolutionsdenker beschrieben und zu ihrer Bestätigung wiederum mit Nachdruck Robespierre zitiert – »der es ja nun wirklich hat wissen müssen« – mit dem Satz, der Plan der französischen Revolution sei buchstäblich in den Büchern Machiavellis aufgeschrieben. Das mag auf die urbildliche römische Republik zielen und zugleich vermutlich auf die Rechtfertigung der Gewalt. Robespierre hat gehandelt, er hat den methodischen Terror eingeführt, der ein ›modernes‹ Phänomen geworden und geblieben ist. In Arendt wie in Machiavelli haben wir es mit Schriftstellern zu tun. Sie haben sich nicht damit begnügt, die Welt zu interpretieren, aber sie haben sie auch nicht handelnd verändert, sie haben die Veränderung der Welt interpretiert, sowohl die wirkliche als auch die mögliche.

## Wiederkehr der versunkenen Stadt

Unter der Hand finde ich mich selbst in den ›Streit der Alten und der Modernen‹ verstrickt, kann ihn nicht weiterhin in der Rolle des Betrachters und Deuters bloß begleiten, kann mich nicht heraushalten. Ja, ich glaube, daß niemand sich heraushalten sollte, der in unserer eigenen politischen Welt sich zu orientieren und dabei doch mit den großen Überlieferungen der politischen Philosophie im Guten wie im Bösen im Zusammenhang zu bleiben strebt. Und es ist vergeblich, uns solchen Zusammenhang durch Verdikte nach der Art des Hobbes abschneiden zu wollen, diese antiken Überlieferungen sind gegenwärtig in unserem Vokabular, in unseren Reden wie in unseren Denkfiguren. Hobbes hatte die Alten verworfen, weil er bei ihnen keine Anweisung fand, die Gebrechen seiner Zeit zu heilen; anstatt dessen buk und baute er aus dem Sand einer zerstäubten Gesellschaft den Staat der absoluten Souveränität. Den seither (und zumal in Deutschland) seine späten Lehrlinge für den Staat der absoluten Modernität erklären – und nicht allein seine Lehrlinge, sondern bisweilen auch solche Denker, welche an der absoluten Monstrosität der totalen Parteiherrschaften verzweifeln und sich darum von der Modernität gänzlich abwenden. Wie in einem utopischen Exil bewegte sich der starke Geist Hannah Arendts in den Grundrissen der versunkenen antiken Ordnungen und weigerte sich, in ihrer gegenwärtigen Welt, der sie doch leidenschaftlich zugewandt blieb, irgend politische

Formen wahrzunehmen, die den verklärten des Altertums durch Fortbildung, Erneuerung oder Verwandlung ähnlich wären, es seien denn jene ephemeren Erscheinungen der Revolution, denen sie selbst gelegentlich den Charakter einer Fata Morgana zugeschrieben hat.

Ich will ihr moderne politische Gebilde entgegenhalten, welche durchaus in der Kontinuität der abendländischen Geschichte stehen und gleichwohl – oder ebendeswegen – den Andrang der ideologischen Massenbewegungen und Gewaltherrschaften überlebt haben. Die antike politische Tradition war in das russische Reich überhaupt nicht, in das deutsche nur gelegentlich und flüchtig eingedrungen; im Westen, zumal in England und seinen amerikanischen Kolonien hatte sie geistige und institutionelle Wurzeln gezogen. Im gleichen Zuge mit diesen Hinweisen auf den modernen Verfassungsstaat – denn er ist es, der sich trotz Hitler und Stalin und trotz der ›Modernität‹ der Massenbewegungen und Gewaltherrschaften lebenskräftig erhalten hat – will ich aber auch nach der ›antiken‹ Seite eine gewisse Korrektur anbringen, nämlich in den allzu blanken Grundriss der Polis, wie wir sie aus Arendts enthusiastischer Vorstellung kennengelernt haben, einige Erdfarben eintragen, die ihn dem modernen Betrachter womöglich etwas näher rücken und deutlicher erkennbar werden lassen.

## Blick auf Aristoteles

»Die abendländische Tradition politischen Denkens hat einen klar datierbaren Anfang, sie beginnt mit den Lehren Platons und Aristoteles'.« Diesem Satz von Arendt kann niemand widersprechen. Anders steht es mit dem unmittelbar nachfolgenden, wonach diese Tradition »in den Theorien von Karl Marx ein ebenso definitives Ende gefunden« habe: das wollen wir dahingestellt sein lassen – zumal Marx mehr in die Geschichte des ökonomischen als des politischen Denkens gehört und freilich auch und vor allem in diejenige der Eschatologik, welche denn den Staat sprengt und an Politik allenfalls ein taktisches Interesse nimmt.

Was die beiden klassischen Autoren des griechischen Altertums betrifft, so möchte ich mich an den Staat des Aristoteles halten. Seine acht Bücher von der Politik haben weithin beschreibenden Charakter, stellen ein frühes Meisterwerk empirischer Politischer Wissenschaft dar, wenngleich die Beschreibung und klassifizierende Ordnung der Staatsformen und Regierungsarten, welche die gesamte Nachwelt von ihm geerbt hat, nicht das letzte und innerste Ziel seiner Erkenntnisbemühungen bildet, vielmehr in alledem das Gute und das Schlechte unterschieden und zuletzt die einwohnende Norm, nämlich die beste erreichbare, die beste menschenmögliche Staatsverfassung aufgesucht – und auch wirklich aufgefunden wird. Der Staat des Aristoteles ist etwas anderes als der Staat des Platon, er ist nicht aus dem Himmel der Idee deduziert und auskonstruiert, er ist durchaus in dieser Welt zuhause, in dieser mannigfaltigen Erfahrungswelt der wirklichen Menschen – oder vielmehr der Hellenen mit ihren ›Poleis‹, ihren Städten, die zugleich ihre Staaten sind. Aristoteles sagt sehr wohl, was sein soll, aber er sucht es auf in dem, was ist, er erinnert das Vorfindliche an sein eigenes Wesen und hilft den Realien da und dort gleichsam ein wenig nach mit praktischen Winken, daß sie ihr Wesen womöglich besser zu erfüllen lernen. Mit dem Staat des Aristoteles meine ich nicht die Monarchie und die Aristokratie und die Demokratie noch die Oligarchie noch gar die Tyrannis, ich meine keine dieser einzelnen Formen, die der Sammler und Ordner, der Logiker Aristoteles sämtlich als ›Verfassungen‹ bezeichnet (griechisch ›politeiai‹, das heißt eben ›Verfassungen‹ oder auch ›Staatsformen‹ oder auch ›Regierungssysteme‹ – das gilt mir gleich), ich meine nicht diese ›Politien‹ im unspezifischen Sinne des Wortes, sondern die ›Politie‹ im spezifischen Sinne des Wortes, denn so heißt auch seine beste Verfassung, seine empirisch-normative Ordnung, und es scheint mir eine hohe Bedeutung und einen tiefen Sinn anzuzeigen, daß ein und dasselbe Wort ihm sowohl dienlich ist, das bloße genus in seiner blassen Allgemeinheit als auch das exemplarisch Wohlgelungene in seiner ganz besonderen Beschaffenheit zu bezeichnen, daß ›die‹ Politie als eine eigene und eigentümliche Form oder Verfassung zu jenen bekannten Politeia-Arten hinzutritt, eine fünfte zu den vieren oder eine sechste zu den fünfen: die eigentlich gemeinte, die als inneres Ziel oder Urbild in Gestalt des Gattungsnamens durch all jene Abwandlungen, auch Verkehrungen, durch all die verschiedenen guten und schlechten ›Verfassungen‹ gleichsam mitgewandert war. Aristoteles hat den Doppelsinn des Wortes ›politeia‹ bewußt gehandhabt und selbst erläutert: Wenn nämlich, heißt es (im Dritten Buch: 1279 a 37), »die Menge des Volkes – ›plēthos ist das Wort – den Staat im Sinne des Gemeinwohls verwaltet, so wird dies mit dem gemeinsamen Namen aller Verfassungen benannt, nämlich Politeia. Und das mit Recht, denn daß ein einzelner oder eine Minderzahl sich durch besondere Tugend auszeichnet, das kann leicht vorkommen, daß aber eine größere Zahl es zu vollständiger Tugend im strengen Sinne bringt, ist schon eine schwierige Sache...« undsofort. Das heißt doch offenbar, daß die Politie das höchste und schwerste erfordert und ebendarum den allgemeinen Namen gleichsam in der dichtesten Konzentration führt, als ›die Verfassung‹ schlechthin zu gelten hat, das Maß und Muster aller Verfassungen. Das ist er, der Staat des Aristoteles.

Daß er von der ›Menge‹ regiert werde, erscheint uns freilich als ein etwas zweifelhaftes Kennzeichen, auch wenn wir hören, es sei eine ›tugendhafte‹, das heißt eine tüchtige, fähige, gewissermassen staatstaugliche, verantwortlich handelnde Menge, die ihr Werk ›im Sinne des Gemeinwohls‹ tut – aber diese ›Menge‹ –, das ist nicht so etwas wie ›die Masse‹ oder ›der große Haufen‹, sondern es ist die Gesamtheit der Bürger. Wie es sich mit ihnen verhält, das geht aus dem lapidaren Satze hervor, der im siebten Buch zu finden ist (1328 a 35): »Der Staat aber ist eine Gemeinschaft von Gleichen.« Griechisch: Hè de polis koinonia tis esti ton homoion. Lateinisch, nach der maßgeblichen mittelalterlichen Übersetzung des Wilhelm von Moerbeke: Civitas autem communitas quaedam est similium. Das ist eine erstaunliche Definition des Staates. Erstaunlich in mehrfacher Hinsicht: Daß die Bürgergleichheit als Wesensbestimmung des Staates schlechthin aufgestellt wird, muß ja die Monarchie, die Aristokratie, die Oligarchie, die doch alle handgreiflich auf Ungleichheit beruhen und alle jeweils ein Herrschaftsverhältnis bezeichnen, notwendig zu unechten oder in irgendeinem Sinn wesenswidrigen Abarten des eigentlichen Staates stempeln, und das gilt ganz ebenso von den guten wie den schlechten Verfassungen der aristotelischen Phänomenologie mit der einzigen Ausnahme der ›Politie‹ selbst. Das Wesensgemäße ist auch das Seltene.

So weit sind wir noch ganz auf derselben Spur mit Frau Arendt. Daß diese gleichen und freien Bürger jeder für sich in seinem Haus ein Herr ist und über Frauen, Kinder und Sklaven Herrschaft ausübt, daß also jeder von ihnen gleichsam in zwei ›Gesellschaften‹ lebt, in der despotischen Ordnung des Oikos und in der politischen des Staates, diese Differenz und diese Doppelrolle hat wohl niemand in unserer Zeit so scharf erkannt und definiert wie gerade Frau Arendt. Eine gewisse Abweichung von der aristotelischen Beschreibung der bürgerlichen Wirksamkeit in der Polis – oder ein gewisser Mangel an Verständnis, der weniger sprachlich als vielmehr phänomenologisch begründet scheint, ist uns früher schon aufgefallen: dort, wo es von den Bürgern heißt, daß sie einander im Wechsel regieren, hatte sie ja ein Moment von Herrschaft gewittert, das doch vom Begriff und Bild der eigentlichen Polis gänzlich fernzuhalten sei. (Das griechische ›archē‹ wird englisch gut mit ›rule‹ wiedergegeben, bedeutet auf deutsch ›Regierung‹, und das ist nicht dasselbe wie ›Herrschaft‹.) Noch anstößiger müßte ihr die Unterscheidung des Aristoteles gewesen sein, wonach es einerseits Bürger gibt, die die (zahlreichen) Ämter der Verwaltung und der militärischen Führung versehen – und zwar eben im Wechsel und auf Zeit –, andererseits aber die große Menge durch ihre Teilnahme an der Versammlung (der Ekklesia) und am Gericht ihre politischen Funktionen erfüllt. Diese letzteren bestimmt er in ingeniöser Weise als unbefristete Ämter; er macht sich und seinen Hörern durch diese logische Zuordnung den Kernsatz erst vollends einleuchtend, daß Bürger diejenigen seien, die in irgendeiner Weise an der Regierung teilhaben. Dieser Satz spielt in Arendts Œuvre durchgängig eine bedeutende Rolle, während die Differenzierung der Arten von Ämtern ihre Aufmerksamkeit nicht gefunden zu haben scheint. Indessen ist es gerade diese Unterscheidung, die in den späteren Partien der ›Politik‹ des Aristoteles zu schwerwiegenden verfassungstheoretischen Konsequenzen führt, nämlich zu einer feineren, freilich auch komplizierteren – vielleicht resignativen – Bestimmung des Wesens der ›Politie‹ als der besten möglichen Staatsverfassung.

Aristoteles ist ein Denker der praktischen Vernunft. Mit einem trivial sprichwörtlichen, aber doch treffenden Ausdruck kann man ihn auch einen Denker nennen, der die Kirche im Dorf läßt. Zwar hat er jene Definition aufgestellt, wonach in der Politie die Menge der Bürgerschaft mit vollkommener Tugend den Staat im Sinne des Gemeinwohls verwaltet, aber er hat auch bemerkt, es sei unmöglich, »daß die so beschriebene Tugend allen Bürgern eigen ist«; namentlich machen ihm immer wieder die Handwerker und Tagelöhner Kopfzerbrechen, ihnen sei es unmöglich, »sich in den Werken der Tugend zu üben« (das meint: selbstlos für das öffentliche Wohl zu wirken), und zwar deshalb, weil sie, mit Erwerbsarbeit beschäftigt und in ihr befangen, in der »Unmuße« (a-scholía) leben, daher auch gar nicht recht abkömmlich sind. (Die Sache ist nicht so altertümlich, wie es klingt: es ist diese selbe Art der Verhinderung, an welcher das Experiment des Rätesystems immer gescheitert ist.) Und wiederum hat Aristoteles zwar die bürgerliche Besetzung der Ämter in sein reines Modell aufgenommen, aber er hat doch bemerkt, daß Dilettantismus verhütet werden sollte, und daß zu den Voraussetzungen, jedenfalls bei den großen Staatsämtern, außer der Tugend (und, notabene, der »Ergebenheit gegenüber der bestehenden Verfassung«) auch »die möglichste Befähigung zu den Geschäften des betreffenden Amtes« gehöre, daher man denn gut tue, für die Wahl in die – zudem langfristigen – Führungsämter, zumal die militärischen und die finanziellen, nur Kandidaten aus den höheren Schatzungsklassen zuzulassen. (Die Feldherren [strategoï], deren es in Athen immer zehn zu gleicher Zeit gab, die von der Bürgerschaft für vier Jahre gewählt wurden, aber auch zur Wiederwahl kandidieren konnten, bildeten – nach dem Urteil der historischen Wissenschaft – in der klassischen Zeit »das wichtigste Exekutivorgan des Staates«; alle die vertrauten großen Namen der athenischen Geschichte – Themistokles, Perikles, Alkibiades – sind die Namen von Strategen.)

Kurz, es gibt im Staate des Aristoteles unter den gleichen Bürgern, aus Gründen vitaler Logik, doch so etwas wie eine ›politische Klasse‹, und sie rekrutiert sich vorwiegend aus den wohlhabenden vornehmen Familien. Ihr Gewicht wird aber in dem Staate des Aristoteles (und im historischen Athen) balanciert durch diejenigen Einrichtungen, in denen die ›Menge‹ entschied, das ist vor allem die Bürgerversammlung, an der alle Bürger teilnehmen konnten. (Eine solche Versammlung fand in Athen alle acht bis zehn Tage statt, die Teilnehmer zählten wohl nach Tausenden, und ihnen wurden – damit die Erwerbstätigen einen Ausgleich hatten – Diäten gezahlt; deren Höhe hat sich im Laufe des vierten Jahrhunderts versechsfacht, zur Zeit des Aristoteles beliefen sie sich auf eine Drachme.) Man versteht das System und man versteht den Aristoteles nur dann, wenn man die übergreifende Natur des Bürgers und der Bürgerschaft im Sinn behält. Aber es zeigt sich, daß die Politie – diejenige, die er einzig für praktikabel hält – nicht von einfacher Art ist, sondern von gemischter Art: »So wird es möglich«, sagt Aristoteles im Fünften Buch der ›Politik‹, »Aristokratie und Demokratie zu verbinden ... Demokratisch nämlich ist es, daß alle an der Regierung teilnehmen, aristokratisch aber, daß nur die Vornehmen die Staatsämter innehaben.«

Es war diese Konstruktion der Politie als einer gemischten Verfassung, welche auch in der modernen Zeit in den europäischen Reichen Geschichte gemacht hat, Verfassungsgeschichte. In Verwandlungen hat das Theorem der Gemischten Verfassung, mixed government, gouvernement mixte, jahrhundertelang in ganz Europa gegolten und hat es beigetragen, Königsherrschaft zu mässigen, sie an die Stände zu binden, die Reichsversammlung zu legitimieren, eine ›politische‹, das heißt konstitutionelle Regierungsweise zu befördern. Indem die aristotelischen Begriffe auf die bestehenden Systeme angewendet wurden, tat dieser alte Impfstoff seine Wirkung, und er hat immer in der Richtung des Verfassungsstaates gewirkt. Ich flechte diese historische Erinnerung hier ein, um jene Kontinuität der abendländischen politischen Theorie in ihrer praktischen Wirkung beiläufig zu illustrieren, von welcher Hannah Arendt mit so tiefer Teilnahme spricht, indem sie ihren Untergang in den Schrecknissen des ›modernen‹ Zeitalters, zumal des zwanzigsten Jahrhunderts, beklagt.

## Dialektik der Menschenrechte

Der Verfassungsstaat der Neuzeit ist dem antiken, wie ihn Aristoteles uns im Umriß kennen lehrt, in vieler Hinsicht handgreiflich unähnlich. Die Polis-Bürgerschaften zählten nach Tausenden, allenfalls wenigen Zehntausenden, wie denn auch die modernen Territorien im Vergleich mit jenen kleinen Städten mit ihrem jeweiligen Umland, auch wenn man die abhängigen Gebiete mitbedenkt, sich geradezu monströs ausnehmen. Ihre gesellschaftliche Beschaffenheit ist von derjenigen des antiken Staates elementar und radikal unterschieden insofern, als sie auf der menschenrechtlich begründeten Egalität ihrer Bürger beruht, während es, nach Jacob Burckhardts derbem Wort, im Altertum Menschenrechte überhaupt nicht gab. Die Bürgerschaft der aristotelischen Polis stellt sich eher als eine Art Herren-Club dar, und zwar ganz unabhängig von dem ökonomischen Status, dem Reichtum oder der Armut des einzelnen Mitgliedes.

Auch Hannah Arendt hat diese gewaltige Differenz mit aller Deutlichkeit wahrgenommen. »Die politische Neuzeit«, sagt sie in dem Buch über den Totalitarismus, hebe »mit der Erklärung der Menschenrechte durch die beiden großen Revolutionen« an. Insoweit scheint die Fürsprecherin der Alten hier für einen Augenblick doch die Front zu wechseln und in das Lob der Neuzeit, des Triumphs der Aufklärung einzustimmen, und tatsächlich hat sie (in ihrem Buch ›Über die Revolution‹) dieser weltgeschichtlichen Neuerung auch eine hohe Bedeutung zuerkannt. Aber sie trifft eine kuriose Unterscheidung zwischen der »Neuzeit« und der »modernen Welt«; jene zeigt sich im hellen Licht der Aufklärungs- und Revolutions-Epoche, diese in den düsteren Farben der Industrialisierung und Technisierung, schließlich des Imperialismus und der gestaltlosen Massengesellschaft, und am Ende fällt der Untergang des (europäischen) Nationalstaats mit dem »Ende der Menschenrechte« in eins zusammen. Es scheint in solcher Analyse, als sei der eigentlichen »Neuzeit« nur eine kurze Frist gegönnt gewesen, sie sei in der Katastrophe der Modernität versunken. Wiederum hat die existenzielle Erfahrung des Totalitarismus, zumal der faktischen Abschaffung der Menschenrechte, der erklärten und praktizierten Leugnung der Menschengleichheit im Deutschland der Rassen-Ideologie, und die »neue Vogelfreiheit« der staatenlosen Flüchtlinge, deren abstraktes Menschenrecht ihnen keinen anderen als allenfalls einen caritativen Schutz zu gewähren vermochte, die Diagnose geprägt und eine absolute Abwendung von der politischen ›Moderne‹ bewirkt. Die ungeheuerliche weltgeschichtliche Neuerung der terroristisch-ideologischen Parteiherrschaft – in beiderlei Gestalt –, welche wohl kein anderer Denker mit gleicher Unerschrockenheit des Erkenntniswillens, nein, ich sollte sagen: mit gleich hellsichtigem Schrecken ins Auge gefaßt hat, verdunkelt in diesem Geschichtsbild alsbald jene andere, ihr voraufgehende Neuerung der Menschenrechte, schiebt sich vor sie wie der Mondschatten bei der Sonnenfinsternis.

Und doch macht sich auch hier wieder jene Identifizierung geschichtlicher Veränderungen mit kategorialen Unterscheidungen geltend, auf die ich schon früher aufmerksam zu machen versucht habe: sie ist der Arendtschen philosophischen Historiographie – eine ›Geschichtsphilosophie‹ möchte ich sie nicht nennen – durchaus eigentümlich, verleiht ihr eine schneidende Schärfe, scheint indessen der Wahrnehmung langfristiger Prozesse im Wege zu stehen. So hat sie zwar den Auftritt des «Begriffs der Menschenrechte« (wie der charakteristische Ausdruck lautet) wie im Blitzlicht als Ereignis aufgefaßt und dargestellt, aber ihren ungeheuren gesellschaftlichen Folge-Wirkungen kaum einen Blick gegönnt. Wir finden zwar die geistesgeschichtliche Bemerkung, der »Begriff der Menschenrechte« spiele »im politischen Denken des 19. Jahrhunderts kaum eine Rolle«, aber von den mächtigen Befreiungsvorgängen, die dieser ›Begriff‹ – auch ohne erneute theoretische Reflexion – in der faktischen Sozialgeschichte hervorgerufen hat, scheint die Philosophin keine Notiz zu nehmen. Diese Idee, das ist vor allem die Intention, die Menschengleichheit als Schöpfungs- oder als rationale Naturgleichheit, endlich in der gesellschaftlichen Welt zu verwirklichen, hat den Boden der überlieferten europäischen Gesellschaftsordnungen gänzlich umgepflügt. Ihr Effekt läßt sich recht gut mit einem Griff verständlich machen, wenn man sich die antike Hausherrschaft als Gegenbild vergegenwärtigt: die menschenrechtlichen Emanzipationen haben – symbolisch gesprochen – die abhängigen Insassen des Haushalts und Beisassen des Staates sämtlich nacheinander freigesetzt und den Bürgern potentiell gleichgestellt, die Sklaven, die Frauen, die eingesessenen Fremden.

England ging voran mit der Abschaffung des Sklavenhandels zwischen Afrika und Amerika, der Akt gewann exemplarische Bedeutung. Es bedurfte eines Bürgerkrieges, die amerikanische Negersklaverei selbst aufzuheben. Ihr läßt sich die europäische, zumal osteuropäische Befreiung der untertänigen Bauern, Hörigen und Leibeigenen an die Seite rücken. Die Frauen-Emanzipation hängt mit derjenigen der Sklaven insofern zusammen, als Frauen schon um 1830 in der amerikanischen Anti-Slavery-Society maßgeblich mitwirkten; den englischen Suffragetten und deutschen Frauenrechtlerinnen der letzten Jahrhundertwende folgte in jüngster Zeit ein neuer Schub, noch und von neuem menschenrechtlich motiviert, unter den Parolen der ›Women's Liberation‹ und des Feminismus. Die Geschichte der Juden-Emanzipation beginnt mit der amerikanischen und der französischen Revolution, sie erfuhr in Frankreich selbst einen schweren Rückschlag mit der Dreyfus-Affäre (von 1895), einen Abbruch und höllischen Absturz in der Mitte Europas in diesem Jahrhundert; das Menschenrecht gebar das Unmenschen-Unrecht, der Prozeß der Eingliederung verkehrte sich nicht allein zur Ausstoßung, sondern zur Auslöschung. Der andere Befreiungsweg, die Gründung des jüdischen ›Nationalstaats‹ auf alt-orientalischem Boden, mag als eine Wiederaufnahme der Menschenrechtsbewegung mit notgedrungen anderen Mitteln aufgefaßt werden.

Als weitere Etappen des gesamten Emanzipationsprozesses nenne ich die Selbstbefreiung der Lohnarbeiter, die mit unterschiedlichen Strategien in Gestalt der Gewerkschaften in den Ländern des Westens mächtige innerstaatliche Verfassungsfaktoren eigner Art heraufgeführt hat. Das alte Revolutionslied von der ›Internationale‹ nahm den bürgerlichen Kampfruf und Hauptbegriff unmittelbar auf wie in einem Stafettenlauf der Klassen: »Die Internationale erkämpft das Menschenrecht«. Gewiß muß man die Entlassung der Kolonialvölker in die politische Selbständigkeit in diese weltgeschichtliche Folge einfügen. Auch die älteren und jüngeren ›Jugendbewegungen‹, die friedlichen und die aggressiven, die schwärmerischen, die ausschweifenden oder aussteigenden, die exzentrischen und die militanten, gehören in die historische Phänomenologie der Emanzipationen. Schließlich sind in jüngster Zeit Gruppen aus dem sozialen Halbdunkel ins öffentliche Licht getreten, die durch physische oder biologische Abweichung von der vorherrschenden Normalität definiert sind, wie namentlich die Homosexuellen, und auch ihre Befreiung aus uralter Diskriminierung ist als Spätfolge der Menschenrechtsbewegung zu verstehen. Ihre langhin wirkende Dynamik hat freilich auch einen überschwenglichen Emanzipatismus, ja Exhibitionismus hervorgebracht, der zuweilen die gesellschaftliche Moral gefährdet, indem er Selbstdisziplin und wechselseitige Rücksicht außer Kraft zu setzen neigt. Währenddessen tritt die weltgeschichtliche Energie der Menschenrechte in der weiten Welt außerhalb des Okzidents erst neuerdings in die Epoche ihrer Wirksamkeit ein, vielfach unter der Beteiligung internationaler Organisationen.

In ihrer Gesamtheit machen diese Prozesse die vitale Seite jenes geistigen ›Begriffs‹, also die reale Dynamik der Menschenrechtsbewegung aus. Sie erfüllt gerade die Ära der

Industrialisierung und Technisierung, das neunzehnte und zwanzigste Jahrhundert und sie hat allerdings jene ›moderne‹ Massengesellschaft produziert, welche nachmals zum Stoff und Nährboden totalitärer Herrschaftssysteme werden konnte und geworden ist. Sie hat in der Tat auf diese Weise – wie schon angedeutet – die Vernichtung dessen herbeigeführt, was ihren eignen Ursprung bestimmte, und was ihre Triebkraft war: des Menschenrechts selber. Diese entsetzliche Dialektik ist es, die Hannah Arendts Sinn und Geist gefangen hielt und die ihren Blick, sofern er sich vom Schrecken ab- und dem glücklich Gelungenen zuwenden wollte, in die Richtung der Antike zwang. Aber sie bildet doch nur die eine Hälfte der Geschichte, gleichsam die Nachtseite der ›Moderne‹.

## Tagseite der Moderne

Die Tagseite – das ist der gleichfalls ›moderne‹ Verfassungsstaat. Das Menschenrecht ist, politisch betrachtet, an sich selbst ein doppeldeutiges, ja zweischneidiges Ding. Wenn und sofern es als ein naturgegebenes und daher, gemäß den Lehren vom Gesellschafts- oder Staatsvertrag, auch als ein ›vorstaatliches‹ Recht aufgefaßt wird, adressiert es sich an den Staat als solchen, fordert ihn zu Schutz und Schirm auf, fordert ihn auch heraus, droht ihm für den Weigerungsfall mit Widerstand oder mit Auszug; im Innersten ist gar ein Keim von Anarchie verborgen. Eigentlich aber ist ein ›vorstaatliches‹ Recht, wörtlich genommen, mag es sich auch auf Gott und Natur berufen, ein nichtiges Recht, denn wo kein Staat ist, ist kein Recht installiert und kein Richter, es zu sprechen. Man kann sich hier an Hegel halten: »Die Bestimmungen des individuellen Willens sind durch den Staat in ein objektives Dasein gebracht, und kommen durch ihn erst zu ihrer Wahrheit und Verwirklichung« (Philosophie des Rechts, § 261, Zusatz). Darum muß Menschenrecht zum Bürgerrecht werden, wenn es gelten will, und so behandelt die berühmte französische Erklärung von 1789 in einem und demselben Stück die »Rechte des Menschen und des Bürgers«.

An diesem Punkt entsteht aber eine neue Doppeldeutigkeit, und ihr hat wiederum gerade Hannah Arendt eine scharfe Aufmerksamkeit gewidmet: der Bürger des Staats kann sich mit dem Anspruch bescheiden, seine private Freiheit von den Behörden gewährleistet zu wissen und im Konfliktfall von den Gerichten Gerechtigkeit zu erfahren; oder aber er kann aktiven Anteil an der Staatsgewalt erstreben. Arendt wollte diese letztere Art von Bürgerrecht, die eigentliche ›Participation‹, im Grunde einzig im antiken Staat, also in der Polis, im Staate des Aristoteles, wiedererkennen; die Moderne, meinte sie, kenne nur den Bürger als rechtlich gesicherten Schutzbefohlenen. Er sollte aber, nach ihrem brennenden theoretischen Begehr, nicht allein das Recht des Staates genießen – was gewiß nicht gering zu achten war und ist –, sondern an seiner Macht teilhaben, zu seiner Macht beitragen. Sie hat Macht geradezu aus dem Zusammenwirken einer Mehrzahl von Personen hergeleitet und sehr energisch von Gewalt, auch von Befehlsgewalt, unterschieden.

Daß die Revolutionen des achtzehnten Jahrhunderts etwas von antiker – übrigens auch antikisierender – bürgerlicher Teilhabe aufgenommen und ausgestrahlt haben, kommt selbstverständlich auch in Arendts Untersuchungen durchaus kräftig zur Geltung. Indessen bleiben dort die institutionellen Dauerfolgen dieser Aufbrüche einigermaßen im

Schatten. Schon die ersten revolutionären Erklärungen oder Verfassungen lassen aber über die Hauptform solcher Teilhabe in Wahrheit keinen Zweifel: »Tous les citoyens ont droit de concourir personnellement, ou par leurs représentants, à sa formation« (nämlich an der Bildung des Gesetzes), heißt es in der Déclaration von 1789, und die sogenannte jakobinische Verfassung von 1793 fügt, indem sie von jener noch mittelalterlichen Alternativ-Formel abgeht, das Recht der Benennung von »Mandataren« oder »Agenten«, das heißt von Abgeordneten, hinzu. Die früheste amerikanische Bill of Rights, die von Virginia, die 1776 ergangen ist, hatte sich in dieser Hinsicht deutlicher und praktikabler ausgedrückt, indem sie in ihrem sechsten Artikel die Freiheit der Wahl von »representatives of the people« statuiert und das Stimmrecht allen Männern zuerkennt, die von ihrem »permanent common interest with, and attachment to the community« ausreichend Zeugnis gegeben haben. Kurz, das entscheidende positive Bürgerrecht in den modernen Verfassungsstaaten ist das Wahlrecht. Die menschenrechtliche Menge der aus ihrer vorigen Abhängigkeit befreiten Individuen wird als Bürgerschaft im Staat integriert in dem Maße, als ihr ein Wahl- und Stimmrecht zuteil wird. Gewiß ist das nicht das einzige Vehikel ihrer möglichen Eingliederung, aber es ist das stärkste ebendeswegen, weil es aktive Mitwirkung und also Teilhabe am Leben des Staates mit sich bringt.

Ich kann hier die wechselvolle Geschichte des Wahlrechts in Europa und Amerika nicht aufrollen, will nur flüchtig daran erinnern, daß ein allgemeines und gleiches Wahlrecht der volljährigen männlichen Bürger zuerst in den Vereinigten Staaten auf Dauer erreicht wurde – es war um 1825 –, daß es freilich nur den Weißen gehörte, während die Schwarzen erst nach dem Bürgerkrieg von Bundes wegen damit ausgerüstet wurden, trotzdem im Süden auf die ungehinderte Ausübung noch fast ein Jahrhundert warten mußten; daß Frankreich nach dem Geisterzug der revolutionären, diktatorischen und restaurativen Verfassungs-Experimente erst mit der Februarrevolution von 1848 eine einigermaßen stetige und kompakte männliche Wählerschaft etabliert hat, welcher nach dem Zweiten Weltkrieg eine ebenso starke weibliche an die Seite trat; daß Großbritannien das einzigartige Beispiel einer vollkommen friedlichen, ganz allmählichen Auf- und Ablösung traditioneller Privilegien in zögernden Reform-Schritten bietet, welche in den zwanziger Jahren unseres Jahrhunderts vollends zur Allgemeinheit des Wahlrechts der erwachsenen Männer und Frauen geführt hat. Überall veränderte das Heranwachsen und die schließliche Ausbildung dieser Massenwählerschaften, ob sich der Prozeß in eruptiver oder in evolutionärer Weise vollzog, die Beschaffenheit des Staates und die Komposition seiner Verfassungskräfte, und das gilt auch dann, wenn solch eine Wählerschaft – wie im Fall der Bestellung des Bismarckschen Reichstags, die ja mit der preußisch-dynastischen Konstruktion der Reichsspitze und ihrem Beamten- und Militärregiment einherging – auf die eigentliche Regierungstätigkeit nur geringen und indirekten Einfluß auszuüben vermochte. Überhaupt hat das neue Element der menschen- und bürgerrechtlichen Massengesellschaft, insofern und insoweit sie mit Hilfe des Wahlrechts politisch integriert und aktiviert wurde, in den verschiedenen Ländern des Westens ganz verschiedene Positionen und Funktionen inne: Konventionell ausgedrückt, variiert seine Bedeutung nach den Verfassungstypen, ob die Wählerschaft sich nämlich in ein präsidiales oder ein parlamentarisches System einfügt, ob alle politischen Hauptorgane des Staates durch Wahl bestellt werden (wie in USA) oder ob dies nur für eine der beiden Kammern gilt (wie in

Großbritannien), ob das Parlament nach Anlage und Gesinnung dienlich ist, die Regierung zu bilden und zu stützen (wie abermals in Großbritannien), oder eher dazu, sie zu kontrollieren (wie in der Dritten französischen Republik), oder ob es auf eine Mitwirkung bei der Gesetzgebung beschränkt ist (wie der Reichstag im kaiserlichen Deutschland). Weiter hängt die Rolle der Wählerschaft im Ganzen des Staats nach Art und Macht von den näheren Bestimmungen des Wahlrechts selber ab, ob es geheim oder öffentlich, ob es direkt oder indirekt ausgeübt wurde, und nach welchem ›System‹ die Stimmen verwertet werden, das heißt, wie das Resultat der Wahl gefunden wird. Endlich kommt viel darauf an, wie die Kandidaturen aufgestellt werden, wie weit die Wählerschaft auf die Vorschläge einzuwirken vermag, oder ob sie nur zwischen anderwärts vorgefertigten ›Tickets‹ eine Entscheidung zu treffen vermag.

Unerachtet all dieser beträchtlichen verfassungspolitischen, rechtlichen, systemtechnischen, geistigen und vitalen Unterschiede bleibt es dabei, daß überall in den Staaten des Westens ein mächtiges demokratisches Potential heran- und hereingewachsen ist, und das ist eine Konsequenz der Menschenrechtsbewegung, im strengen politischen Sinn ihre bedeutendste Konsequenz. Hannah Arendt hat bei ihrer Darstellung der Entstehung der amerikanischen Verfassung tief beklagt, daß sie »den öffentlichen Raum auf die vom Volke gewählten Abgeordneten beschränkt« habe, und sie wird diese resignative Feststellung wohl auch auf den Typus des westlichen Verfassungsstaats im allgemeinen auszudehnen geneigt sein. Ich kann die Schranken nicht wahrnehmen, welche die menschen- und bürgerrechtliche Gesellschaft von dem ›öffentlichen Raum‹ fernhalten. Mir scheint es im Gegenteil offenkundig, daß sie in ihrer Rolle als Wählerschaft in den ›öffentlichen Raum‹ frisch eingetreten ist. Wählerschaften treffen im Verfassungsstaat tatsächlich überall große Entscheidungen, wie unterschiedlich die Durchschlagskraft eines Wahlaktes in verschiedenen politischen Systemen – und in verschiedenen historischen Phasen ihrer Ausbildung – auch bemessen werden mag. Und wenn man mit Arendt, nämlich im Sinn ihres antiken Musters, mehr auf die Teilnahme an der öffentlichen Beratung und am Wettstreit der Rede als auf das Merkmal der Entscheidung achten will, so bleibt uns der ›moderne‹ Verfassungsstaat auch in dieser Hinsicht nichts schuldig: Ein großer nationaler Wahlkampf hat geradezu sein Wesen darin, die potentielle Wählerschaft in ihrer Breite und Tiefe in die personellen wie die programmatischen Alternativen hereinzuziehen, ihre Diskussion mit Anwendung aller publizistischen Möglichkeiten allgemein zu machen. Ein solcher Wahlkampf läßt sich durchaus als eine einzige gewaltige, in Raum und Zeit ausgedehnte Ratsversammlung ansehen, bei deren Ausgang schließlich die Teilnehmer – Jefferson's und Arendts »participators« – ihre Entscheidung treffen und derart ihre bürgerliche Rolle besiegeln. Kurz, die ›Moderne‹ hat aus der größten Neuerung der Neuzeit, der praktischen Realisierung der Menschengleichheit, nicht nur den Stoff zu totalitärer Herrschaft, sondern ebensowohl die Kraft zu freien Staatswesen gewonnen.

## Die Oligarchie der Parteien

Bei der Beschreibung des Wahlkampfs als einer Art von ausgedehnter Massen-Ratsversammlung (mit unbestimmter, weil zumeist freiwilliger Beteiligung, aber mit deutlichem Beratungsziel und festem Entscheidungstermin) habe ich ein wichtiges Element ausgelassen: die Parteien. Diese kollektiven Akteure, die wir überall in den modernen Verfassungsstaaten am Werk sehen, haben kein Vorbild in der Antike; es gab selbstverständlich Parteiungen, die sich an personelle Alternativen oder an strittige politische Fragen hefteten, und es gab fundamentale Klassengegensätze – das Wort im weitestmöglichen Sinn verstanden –, wie sie auch bei den verfassungspolitischen Erörterungen des Aristoteles eine beinahe naturgesetz-artige Voraussetzung bilden, aber es gab keine stetigen Organisationen, die um die Besetzung der Ämter und um lang- oder auch kurzfristige Aktionsprogramme in legitimen Wettstreit getreten wären. In der idealen Polis, wie sie den philosophischen Entwürfen und historischen Urteilen Hannah Arendts zugrundeliegt, gibt es zwar den charakteristischen Wetteifer der Einzelnen, sich zum Ruhme des Staates auszuzeichnen, aber es gibt keine Partei-Formationen. (In diesem Punkt läßt sich eine gewisse Gesinnungsverwandtschaft mit Jean-Jacques Rousseau beobachten, obwohl die Doktrin der Souveränität der Arendt'schen ›Staatslehre‹ ganz fern liegt; immerhin ist auch der Autor des ›Contrat Social‹, wiewohl er die politische ›Modernität‹ heraufzuführen so viel beigetragen hat, im Grunde ein Partisan der Antike.)

Ebensowenig gibt es organisierte Parteien in jenen revolutionären Bildungen der ›Räte‹ und des Rätesystems, das in Arendts Theorie gleichsam die irrlichternde Auferstehung der Ekklesia der antiken Polis darstellt. »Parteien im modernen Sinn«, heißt es in ihrem Buch ›Über die Revolution‹, »... sind noch niemals während und aus einer Revolution entstanden; sie entstanden nach den großen Revolutionen mit der Ausdehnung des Wahlrechts ...«. Frau Arendt sieht daher den Parteien überall und überhaupt mit Unbehagen zu, sie trifft zwar eine kategoriale – und kategorische – Unterscheidung zwischen dem »Parteiensystem« und dem »Rätesystem«, aber leider nur blasse und beiläufige Unterscheidungen zwischen den verschiedenen ›Parteiensystemen‹, nämlich zwischen der Herrschaft einer einzigen Partei und dem Parteienpluralismus der Verfassungsstaaten. Und dieser Unterschied ist ja nicht bloß derjenige zwischen Einzahl und Mehrzahl, sondern zugleich der zwischen der ideologischen Kirche mit Zwangsgewalt auf der einen, den staatsdienlichen Reservekorps an Personal und auch an programmatischen Ideen auf der anderen Seite. Bisweilen scheint es, als kreide Frau Arendt es allen Parteien und Parteiensystemen an, daß der Berufsrevolutionär Lenin mit seiner bolschewistischen Partei die Spontaneität und Autonomie der revolutionären Sowjets erdrosselt hat. So scharfsinnig sie diesen Vorgang analysiert – und sie sah ihn in der ungarischen Erhebung von 1956 sich wiederholen –, so wenig hat sie der Frage nachgeforscht, warum es wohl so gekommen sei, worin die Schwäche der Räte und worin die relative Stärke der Parteiorganisation wohl gelegen habe. Das reine Musterbild gemeinsamer öffentlicher Tätigkeit, wie es sich dort in der antiken Polis, hier in den revolutionären Räten, und beide Male als unmittelbare »Volksmacht« darstellt, schien ihr durch die Dazwischenkunft organisierter Parteien gestört und verdorben. Nicht viel anders, wenn auch in minder heftigem Ton, urteilt sie über die Parteien in repräsentativen Verfassungssystemen: mit ihrem Nominierungs-Monopol seien sie »nicht mehr als Organe der Volksmacht anzusehen..., sondern vielmehr als die sehr wirksamen Hilfsmittel, durch welche eben diese Macht des Volkes eingeschränkt und kontrolliert wird«. (Man muß sich von den deutschen Worten nicht irritieren lassen: es handelt sich nicht um das monströse Kollektivwesen ›Volk‹, es handelt sich um › die Leute‹ – im englischen Text um »the power of the people« oder, wie es im selben Zusammenhang in phänomenologischer Weise definiert ist, »the power that arises out of joint action and joint deliberation«.) Mit einem Wort, der Verfassungsstaat sei zur Oligarchie geworden, und die Auswahl dieser ›Wenigen‹, von welchen die ›Vielen‹ regiert würden, liege in der Hand der Parteien.

Das trifft gewiß eine Realität. Tatsächlich werden die verfassungsmäßig oder gesetzlich oder nach dem Herkommen definierten Führungs-Ämter der Regierung, der Gesetzgebung und der Verwaltung der Staaten auf allen Ebenen in aller Regel von politischen Parteien entweder gestellt oder bestellt. Parteien lassen sich geradezu als Vereine zur Beschaffung von Regierungspersonal verstehen: jede von ihnen wird von einer Equipe oder einer ›Mannschaft‹ geleitet, welche die großen Ämter einschließlich der parlamentarischen Mandate entweder innehat oder zu besetzen strebt. Ihre Kohärenz zusamt derjenigen ihrer Anhänger und Förderer wird zudem durch eine gewisse, meist rudimentäre gemeinsame Gesinnung und durch mehr oder minder langfristige und mehr oder minder umfassende Aktionspläne befestigt. Ob eine der zwei, drei oder mehr großen politischen Parteien der westlichen Verfassungsstaaten in einem bestimmten Zeitpunkt die Regierung versieht oder sich in der Opposition befindet, ob sie untereinander eindeutig konkurrieren oder ob sie in zeitweiligen Bündnissen miteinander kooperieren, fest steht, daß sie innerhalb einer Staatsgesellschaft jeweils in der Tat insgesamt eine Oligarchie darstellen. Aber das ist doch nur die halbe Wahrheit. Die andere Hälfte besteht darin, daß eine solche Partei-Mannschaft die staatlichen Positionen nur in dem Maße zu besetzen vermag, als die allgemeine Wählerschaft ihr dazu den Auftrag gibt. Jenem oligarchischen Faktor korrespondiert dieser demokratische, beide zusammen in ihrer Verschränkung machen das Lebensgesetz des Verfassungsstaates aus.

Frau Arendt hat den Begriff der ›Oligarchie‹ in diesem Zusammenhang durchaus cum grano salis gehandhabt, sie hat mit ihrer gewohnten Präzision (zumal wenn es sich um antike Denkfiguren handelt) die Einschränkung gemacht, daß wir es hier nicht mit einer Herrschaftsform im klassischen Sinn, »also der Herrschaft einer Minderheit im Interesse eben der herrschenden Schicht«, zu tun haben. Aber sie scheint den eigentlichen verfassungspolitischen Grund davon, daß es zu einer solchen Herrschaft nicht zu kommen pflegt, nicht wahrgenommen zu haben; allzu sehr ist ihre Vorstellung besetzt von dem Gegenbild der Polis, wo »jeder Bürger ... zeitweilig ... die Regierungsgeschäfte in die Hand zu bekommen« die Chance gehabt habe, als daß ihr die entscheidende öffentliche Aktivität der modernen Bürgerschaft, unter den möglichen Partei-Mannschaften eine Wahl zu treffen und ebendadurch oligarchische Herrschaft zu verhüten, wirklich vor Augen getreten wäre. Querelle des anciens et des modernes! Die Präokkupation mit der Ekklesia als dem absoluten Muster von Politik hat hier offenbar die Aussicht auf ein mächtiges modernes Phänomen versperrt, ein Phänomen, das zudem in gewissem Sinn gerade an die Stelle der antiken Volksversammlung getreten ist. Die Denkerin hat zwar, wenn auch etwas halbherzig, eingeräumt, »daß unsere Art Demokratie zumindest ...

vorgibt, eine Oligarchie im Interesse der Massen zu sein«, und daß sie dies sogar »weitgehend mit Recht« tue, aber sie fügt nicht ohne Bitterkeit sogleich hinzu, dieses Interesse sei »das private Wohlbefinden« der Massen, und das ist, gemäß ihrer philosophischen – und wiederum antikischen, ja aristotelischen – Grundunterscheidung zwischen den Sphären von Polis und Oikos, von Staat und Haus oder von öffentlicher und privater Existenz, gerade nicht das rechte Wesen und Ziel politischer Tätigkeit. (Man muß übrigens beklagen, daß in Arendts Theorie der Praxis eine substantielle Erörterung politischer Themen und Probleme kaum in Andeutungen angestellt worden ist; das ›private Wohlbefinden‹ der Bevölkerung kann, wenn man die Sachen ›praktisch‹ betrachtet, vom ›öffentlichen Wohl‹, welches doch offenbar den Gegenstand der »gemeinsamen Beratung und des gemeinsamen Handelns« bilden muß, nicht so scharf abgetrennt werden, wie es die Arendt'sche Kategorienlehre will.) So hat sie denn das ›Oligarchie‹-Urteil zwar mit einem ›Demokratie‹-Argument gemäßigt, aber der Gedanke ist ihr mehr ideologiekritisch als verfassungspolitisch geraten, er endigt mit einem Seitenhieb auf den (typisch modernen) ›Wohlfahrtsstaat‹. Unversehens waren Oligarchie und Demokratie in einen gewissen Konnex miteinander getreten, aber in einen schiefen, fast heuchlerischen – ›Demokratie‹ sei Oligarchie im Interesse der Massen. Der Gedanke glitt vorüber, keine Wünschelrute zeigte an, daß dicht nebenan der Schatz vergraben war.

## Bürgerliche Teilhabe an der Regierung

»Die Politie ist eben, kurz gesagt, eine Mischung von Oligarchie und Demokratie«, heißt es im Vierten Buch der ›Politik‹ des Aristoteles, und ich wiederhole, was hier schon früher dargelegt worden ist, daß nämlich unter der ›Politie‹ die beste erreichbare Verfassung zu verstehen ist. (Genau genommen, entwickelt der Philosoph in diesem Kapitel zwei verschiedene Spielarten der ›Politie‹; die eine ist durch die Vorherrschaft des Mittelstandes gekennzeichnet, der zwischen den Klassen der Reichen und der Armen steht, von dem er jedoch sogleich mit Bedauern feststellt, daß er in den meisten Staaten zu schwach sei, und darum richtet sich die Aufmerksamkeit in der Folge auf die zweite Spielart, und das ist die ›Mischung‹ aus Oligarchie und Demokratie.) Die beiden Elemente solcher Mischung sieht Aristoteles, je für sich betrachtet, als schlechte Verfassungen – oder Regierungssysteme – an, eine ausschließliche Herrschaft der Wenigen, und diese Wenigen sind nach seiner skeptischen Soziologie mehr durch ihren Reichtum als durch ihren Adel ausgezeichnet, gilt ihm für ebenso ungerecht oder gemeinschaftswidrig – Arendt würde sagen: widerpolitisch – wie eine ausschließliche Dauerherrschaft der Vielen, also der ›Armen‹ oder der Volksmenge. Diese Beurteilung zumal der Demokratie muß den heutigen Leser überraschen, der seit langem gewöhnt ist, die ideale antike Polis gerade mit der Demokratie gleichzusetzen und zudem auch den modernen Verfassungsstaat mit diesem selben Namen zu bezeichnen. In der Sprache des Aristoteles aber ist der ›Demos‹ eine Klasse, eine von zwei Klassen, diejenige, die durch eigne Arbeit ihren Unterhalt verdient und daher keine ›Muße‹ hat, auch nicht die Muße, große öffentliche Ämter zu versehen. Eine Klassenherrschaft ist in jedem Fall vom Übel deswegen, weil sie der Gleichheit der freien Bürger insgesamt widerstreitet, die Freiheit der gleichen Bürger der jeweils anderen Seite verletzt. Seine leitende Maxime hat er selbst sehr einfach formuliert: »Man muß ... diese beiden miteinander in eine ausgleichende Verbindung setzen.« (Das griechische Wort ist ›Synkrisis‹ – man kann es auch mit ›vergleichende Vereinigung‹ wiedergeben.) Und er hat einige empirische Beobachtungen zusammengetragen, vor allem aber einige eigene gesetzgeberische Phantasie aufgeboten, solche Verknüpfung der beiden Elemente und der beiden Faktoren ins Werk zu setzen.

Wir müssen das soziale Substrat der aristotelischen Verfassungsbegriffe ganz aus dem Spiel lassen, wenn wir sie auf unsere modernen Verhältnisse anwenden – oder, besser gesagt: wenn wir ihre Wiederkehr im Stoff des modernen Staates und der modernen Gesellschaft erkennen wollen. Die moderne ›Oligarchie‹ stellt sich – darin traf Hannah Arendt durchaus ins Schwarze – als die Gesamtheit der politischen Parteien, die moderne ›Demokratie‹ als die allgemeine Bürgerschaft dar, wie sie aus den menschenrechtlichen Emanzipationsprozessen hervorgegangen ist. Von jenen oder doch von ihren Führungsmannschaften gilt buchstäblich dasselbe, was Aristoteles – übrigens mit offenkundiger Billigung – von den ›Vornehmen‹ und Wohlhabenden, von der Muße-Klasse der Polis-Gesellschaft sagt: daß sie die großen Ämter des Staates versehen, und zwar jeweils auf Zeit und im Wechsel untereinander: diese Analogie ist augenfällig. Etwas anders scheint es sich mit dem demokratischen Element zu verhalten, und es ist ja gerade das Bild der antiken Volksversammlung, welches den Möglichkeiten bürgerlicher Betätigung im modernen Verfassungsstaat so oft entgegengehalten wird, und wogegen sich diese so bescheiden ausnehmen.

Schon früher habe ich den modernen Wahlkampf, diesen Wettstreit verschiedener Partei-Kandidaten, -Exponenten oder -Mannschaften untereinander inmitten eines Publikums, das nicht allein zuschaut, Zu- und Abneigungen zu erkennen gibt, gelegentlich sich mit Fragen und Einwänden zu Wort meldet, auch vermöge der Demographie Stimmungen und Meinungen aussendet, sondern das am Ende die Entscheidung trifft, mit einer ausgedehnten, vielleicht ungefügen, doch zeitlich und räumlich begrenzten Dauer-Volksversammlung verglichen. Dabei ist freilich zu bedenken, daß eine und dieselbe Wählerschaft nur in mehrjährigen Abständen ›zusammentritt‹, daß wiederum aber dieselben individuellen Bürger auch inzwischen zu anderen Wahl-Zwecken und also in anderen funktionalen Eigenschaften, womöglich sogar des öfteren, aktiv werden können, und daß jede einzelne dieser ›Beratungen‹ mit einer definitiven Abstimmung beendigt wird. Zudem führt die Aktivität der gewählten Amtsinhaber, mögen sie regieren oder opponieren, legislative oder exekutive, beratende oder verwaltende Aufgaben zu erfüllen haben, unvermeidlich immer eine Perspektive auf die nächstbevorstehende Wahl mit sich, die ja allemal ein – gerechtes oder ungerechtes – Urteil über die vergangene Leistung darstellt. In dieser Weise bleibt die Wählerschaft als eine ›fleet in being‹ stets gegenwärtig.

Die Vergleichbarkeit des modernen Wahlvorgangs mit der antiken Volksversammlung läßt sich aber auch von der anderen Seite erweisen oder doch stützen. Aristoteles nämlich war, als er den politischen Begriff des Bürgers möglichst allgemeingültig zu bestimmen unternahm, gar nicht so ganz sicher, ob denn die schlichte Teilnahme an der Volksversammlung (und am Volksgericht – aber das müssen wir hier beiseite lassen) wirklich als eine Art von Regierungstätigkeit aufgefaßt werden könne. Jedenfalls nimmt er das Argument durchaus ernst, daß diese Teilnahmerechte und -pflichten doch mit der

Befugnis zu eigentlichen staatlichen Ehrenämtern nicht auf eine Stufe gestellt werden könnten, und er hat zur Berücksichtigung dieses Einwands die ingeniöse logische Unterscheidung zwischen befristeten und unbefristeten Ämtern getroffen, das heißt, er hat auch jene Teilnahme an der Versammlung als eine andere Art von Amt definiert: »Die Regierungsämter sind aber ... zweifacher Art: die Teilnahme an den einen ist einer bestimmten zeitlichen Beschränkung unterworfen, dergestalt, daß manche von ihnen derselbe Bürger entweder gar nicht oder doch erst nach Ablauf einer bestimmten Zeitfrist bekleiden darf, die anderen sind ohne eine solche Beschränkung, nämlich die Mitgliedschaft an Volksgericht und Volksversammlung.« Er macht zudem auf die Schwierigkeit aufmerksam, daß diese beiden Tätigkeiten keinen gemeinsamen Namen haben, daß es also hier, modern gesprochen, an einem übergeordneten Rechtsbegriff mangelt, der sie als Ämter und als Regierungsfunktionen überhaupt kenntlich machte. Wörtlich heißt es, »anonym«, das ist »namenlos« sei das ihnen gemeinsame Wesen, und was keinen Namen hat, das ist offenbar unerkannt und so womöglich gar nicht vorhanden. Aber Aristoteles füllt diese Lücke alsbald aus und prägt seinerseits eine Bezeichnung: diese Teilnahmerechte sollen »eine nicht an besondere Bestimmungen gebundene Regierungsgewalt« heißen. (Im Urtext ist der Ausdruck weniger umständlich: aoristos archōn.) Es ist ein sehr weiter Begriff von Regierung und Amtstätigkeit, der auf diese Art hier eingeführt wird, und er scheint ganz offenbar eine Neuerung im wissenschaftlichen Sprachgebrauch darzustellen. Mit auffallend starken Worten rechtfertigt der Denker diese seine Prägung: »... wäre es nicht lächerlich, wenn man behaupten wollte, daß derjenige, der durch seine Stimme den Entschließungen des Staates Kraft gibt, nicht an der Staatsregierung Anteil hätte?« Auf dieser Erwägung fußt denn, wie bekannt, die definitive allgemeine Bestimmung des Bürgers: er ist derjenige, welcher an der Regierung teilhat – immer, so muß man im Stillen ergänzen, im Unterschied zu all denen, die als Abhängige oder irgend Untertänige nur im Haushalt leben. Noch einfacher ausgedrückt: Bürger haben allzumal als solche ein Amt inne, auch wenn sie keine Archonten sind, keiner Behörde zugehören, nicht durch Wahl oder Los in eine definierte und befristete Stellung berufen wurden.

In beiderlei Hinsicht läßt diese ›antike‹ Erwägung sich auf ›moderne‹ Verhältnisse übertragen: sowohl bezüglich des deutlichen Unterschieds zwischen den Inhabern förmlicher Regierungsämter und der übrigen Bürgerschaft – und potentiellen Wählerschaft – als auch bezüglich der Einbeziehung dieser letzteren in den weiten Umkreis der Teilnehmer an der Regierungstätigkeit (oder, mit Arendts Ausdruck, am ›öffentlichen Raum‹). Wir haben die Ämter, die von den Mitgliedern der ›politischen Klasse‹, auf Grund von Partei-Vorschlägen, je auf Zeit besetzt werden, und wir haben die Wähler, deren Antwort auf die Partei-Vorschläge über diese Besetzung entscheidet. Und wir können die rhetorische Frage des Aristoteles in einer leichten Abwandlung auch ›modernerweise‹ stellen: Wäre es nicht lächerlich, wenn man behaupten wollte, daß derjenige, der durch seine Stimme über die Besetzung der großen Ämter des Staates entscheidet, nicht an der Staatsregierung Anteil hätte? – Nein, es ist nicht bloß eine logische und rhetorische Operation, die wir hier vom ›antiken‹ in den ›modernen‹ Erfahrungsstoff übertrügen. Die Übertragung ist nur möglich, weil eine phänomenale Ähnlichkeit, eine reelle Wiederkehr derselben Strukturen vorliegt. Und am meisten muß uns der Umstand erstaunen, daß es gerade die absolut neuzeitliche, völlig vorbildlose, durchaus unantike Idee und Kraft des allgemeinen Menschenrechts war, welche den modernen Staat der antiken Polis ähnlich gemacht hat.

## Drei Kronzeugen

Diese Ähnlichkeit ist in der modernen Wissenschaft des öfteren bemerkt worden, wenn auch die Kriterien der Vergleichung nicht immer dieselben waren. Ich möchte drei bedeutende europäische Gelehrte der letzten hundert Jahre anführen, die in diesem Punkt unser Interesse verdienen, einen Juristen, einen Soziologen und einen Philologen.

Der Jurist ist Georg Jellinek, der Begründer der ›Allgemeinen Staatslehre‹. In diesem Werk, das zuerst im Jahre 1900 erschien, findet sich die erstaunliche Bemerkung, der moderne Staat habe »als Endpunkt erreicht, was für den antiken bereits Ausgangspunkt« gewesen sei, und er meint den Verfassungs-Charakter, vor allem aber die Achtung der persönlichen Freiheit.

Die Formulierungen des großen italienischen Soziologen Gaetano Mosca – er ist es, dem wir den Begriff der ›politischen Klasse‹ verdanken – gehen in ähnliche Richtung, nehmen aber deutlicher auf die Erscheinungen Bezug, die uns hier beschäftigen: »In der griechischen Antike«, sagt Mosca, »betrachtete sich zum ersen Mal ein Kulturvolk nur dann als frei, wenn die Mehrheit der Bürger selbst die Gesetze beschloß und die Behörden für eine bestimmte Zeit und für genau bestimmte Aufgaben wählte«, und diese Grundbegriffe, heißt es weiter, »haben ... die politische Ordnung der europäischen Staaten des achtzehnten und neunzehnten Jahrhunderts umgestaltet, nachdem sie den neuen Verhältnissen möglichst angepaßt worden waren.« Diese Passage der berühmten ›Elementi di scienza politica‹ stammt wohl aus der Auflage von 1922. Sie statuiert nicht nur eine Ähnlichkeit, sondern einen historischen Zusammenhang, ein Fortwirken der antiken Prinzipien in den modernen Staaten.

Der uns zeitgenössische deutsche Altphilologe und Historiker Kurt von Fritz wiederum hat mit einzigartiger Entschiedenheit die Ähnlichkeit hervorgekehrt und sie nicht allein in wesentlichen Begriffen und Triebkräften, sondern geradezu in den Verfassungsverhältnissen aufgefunden: die antiken Institutionen hätten »mit den heutigen viel größere Ähnlichkeit als die Verhältnisse in allen anderen historischen Epochen vom frühen Mittelalter bis zum dritten Viertel des 18. Jahrhunderts«. Der Satz stammt vom Jahre 1976.

Diese Autoren können einige Autorität in Anspruch nehmen. Ihre einschlägigen Äußerungen haben mich, als ich zufällig darauf stieß, in dem Gefühl bestärkt, auf der rechten Spur zu sein.

## Gemischte Verfassung

Gewiß haben die antiken Ekklesiasten in der Versammlung über Gesetze und über Maßnahmen der großen Politik selber Beschlüsse gefaßt, während im modernen Verfassungsstaat die bürgerliche Wirksamkeit zumeist auf Wahlhandlungen beschränkt ist; die eigentlichen Plebiszite (oder Referenden) stehen einzig im Fall der Schweiz im Vordergrund, sonst und insgesamt spielen sie eine eher exzeptionelle oder okkasionelle Rolle. Man muß sich indessen klar machen, daß die Teilnehmer der Volksversammlung, die in Athen nach Tausenden zählten, die Sachen nicht ab ovo berieten noch zu beraten imstande gewesen wären, daß sie vielmehr sich mit Vorlagen konfrontiert fanden, die von Beamten entworfen und im ›Rat‹ vorbesprochen waren, und daß es schließlich auch in der Versammlung selbst in aller Regel die anerkannten Meinungsführer und kompetenten Sachkenner, die ›Rhetoren‹, waren, welche den Gang der Verhandlung bestimmten. Dergleichen Erkenntnisse der neueren Forschung kommen mit den Definitionen und Urteilen des Aristoteles durchaus überein. Sie bestätigen und spezifizieren den ›Mischungs‹-Charakter der alten Politie auch im Hinblick auf die einzelnen Prozeduren. Die Zusammenfügung eines oligarchischen und eines demokratischen Faktors, die derart sogar innerhalb der Institution der Volksversammlung und ihrer Verfahrensweise noch einmal von neuem sichtbar wird, scheint der modernen Verknüpfung von politischer Klasse und allgemeiner Wählerschaft in der Tat so ähnlich zu sehen, daß der Gegensatz der Funktionen, das heißt der Arten der Entscheidung, nämlich der materiellen Beschlüsse dort, der Wahlentscheidungen hier, darüber einiges von seiner Schärfe verliert. Jedenfalls gilt dies, sobald wir die fraglichen Phänomene vor dem Hintergrund der ›querelle des anciens et des modernes‹ betrachten. Wenn wir einmal für einen Augenblick ganz grobe und banale Ausdrücke gebrauchen dürfen, so stellt sich der Vergleich zwischen Polis und modernem Verfassungsstaat für Hannah Arendt – wie für viele heutige Kritiker des Parteiensystems – so dar, als wäre jene durch rein demokratische Einrichtungen, dieser hingegen durch oligarchische ›Herrschaft‹ gekennzeichnet. (Es wird den Gedanken Arendts damit nicht einmal Gewalt angetan, denn sie hat selbst vom Repräsentativsystem als einer »Oligarchie« und von den Räten als einer »demokratischen« Alternative gesprochen; sie hat nicht in jedem Augenblick und auf jeder Seite ihres Œuvres die äußersten und feinsten begrifflichen Zuspitzungen angestrebt.) Es kommt aber nun darauf an, hier wie dort, im antiken wie im modernen Fall, die je eigentümliche ›Mischung‹ der beiden Verfassungs-Elemente zu erkennen. Die alte Politie können wir mit Hilfe der Untersuchungen des Aristoteles einigermaßen deutlich rekonstruieren. Der moderne Verfassungsstaat aber ist die neue Politie.

Selbstverständlich gibt es nicht ›den‹ Verfassungsstaat. Wir haben hier nur einen idealtypischen Begriff gehandhabt, und dabei soll es in dem gegenwärtigen Zusammenhang auch bleiben. Die einzelnen Ausprägungen zu analysieren, ist eine andere Aufgabe. Ein Kriterium zur Unterscheidung der guten und der weniger gut geratenen ›Mischungs‹-Verhältnisse hat Aristoteles mit dem Satz aufgestellt, es müsse »in einer wohlgemischten Politie beides zu erkennen sein und doch wieder keins von beiden«, nämlich vom oligarchischen und vom demokratischen Element. Mit diesem Maßstab lassen sich durchaus auch die inneren Verhältnisse, die Stärken und Schwächen moderner ›Politien‹ messen, und man wird, wenn man eine solche einwohnende Norm der ›Synkrisis‹, der ausgleichenden Vereinigung der beiden Faktoren, im Sinn behält, womöglich auch die Dauerhaftigkeit des Verfassungsgebäudes, seine Aussichten und seine Gefährdungen besser abzuschätzen vermögen. Ich gebrauche den ehrwürdigen Terminus ›Mischung‹, um das innere Gesetz sowohl der alten als auch der neuen Politie zu bezeichnen. Sofern jedoch diese in ihrem Kernbestand überall durch Repräsentation ausgezeichnet ist, wird das Verhältnis des oligarchischen und des demokratischen Elements treffender als eines der Verknüpfung, ja Verschränkung zu beschreiben sein. Der beiderseitige Doppelsinn, daß die Regierenden doch nur die Gewählten, die Regierten aber zugleich die Wähler sind oder doch sein können, bedeutet, der Möglichkeit nach, eine so dichte Verklammerung bei wechselseitiger Abhängigkeit der beiden Grundfaktoren, wie sie selbst die kunstvollsten Maßnahmen der Antike nicht hätten gewährleisten können, von denen Aristoteles berichtet oder die er selbst vorgeschlagen hat.

Dennoch liegt in diesem Schematismus als solchem keine Garantie der Beständigkeit des ganzen Staates, die enge Verknüpfung ist nicht notwendig auch eine ›gute Mischung‹ im aristotelischen Sinn. Die Oligarchie kann übermütig werden, die Demokratie in Ohnmacht sinken, und beides ist womöglich zuletzt aus unscheinbaren Fehlern in der Anlage oder in der Gesetzgebung oder in der politischen Rechtsprechung erwachsen. Die möglichen Gefährdungen – zum Beispiel in kontinentaleuropäischen Staaten – sind mannigfach: das Parteiensystem kann zerfallen, ohne daß die Wählerschaft die Mittel hat, eine Mehrheit zu beschaffen und eine Re-Integration zu bewirken; anarchische Tendenzen können so übermächtig werden, daß schwache, weil uneinige Koalitionsregierungen ihrer nicht mehr Herr werden und am Ende einem Staatsstreich, einer Parteidiktatur oder gar einer äußeren Intervention zum Opfer fallen. Derart kann bei unglücklichen Umständen, etwa bei andauernd hoher Arbeitslosigkeit, bei starker Teuerung, bei um sich greifenden Streiks und Unruhen durchaus auch wahr werden, was Hannah Arendt – auf Grund der traumatischen Erfahrung von Weimar – für innere Notwendigkeit gehalten hat, die »Ein-Partei-Diktatur« als »gleichsam logische Konsequenz des Vielparteiensystems«. Mit einem Wort: die Politie ist vor dem Leviathan nicht sicher. Die Bewahrung und Verteidigung des Verfassungsstaats ist nicht allein eine Frage von Raketen. Der Leviathan kann auch im Inneren wachsen, ein Keim davon ist wohl immer präsent.

### Der Staat – Vielheit oder Einheit?

Es ist nicht nur das Axiom der bürgerlichen Gleichheit, auch nicht nur die Figur der Gemischten Verfassung, was den modernen Verfassungsstaat mit der antiken Politie (im Sinne des Aristoteles) verbindet. Grundlegender noch und zugleich umfassender sind beide durch die Kategorie der Vielheit bestimmt – gemäß dem Satze des Aristoteles, »... denn eine Vielheit seiner Natur nach ist der Staat, und um zu einer Einheit zu werden, müßte er ... aus dem Staat zur Familie und aus der Familie zum Einzelmenschen werden«. Dieser Satz macht Aristoteles zum Erzvater jeder pluralistischen Staatslehre, und seine Definition reicht erheblich weiter als jene neueren Theorien, die unter dem Namen ›Pluralismus‹ wesentlich die organisierten ökonomischen Interessen verstehen. Aristoteles meint die Vielheit der Personen, der Bürger selber, die »universitas civium«, um es mit einem sprechenden Grundbegriff des Marsilius von Padua auszudrücken, eines politischen Aristotelikers aus dem vierzehnten Jahrhundert. Das originale griechische Wort ist ›plēthos‹, das heißt auch so viel wie Menge und Volksmenge; so könnte man den Satz durchaus auch dahin auslegen, er meine das, was der moderne Sprachgebrauch ›Gesellschaft‹ nennt. Das mag auch für einen Augenblick gelten. Sobald aber jener andere Satz hinzugedacht wird, den ich schon früher angeführt habe, wonach die Polis, der Staat, »eine Gemeinschaft (oder Gesellschaft) von Gleichen« sei, zeigt sich die Unzulänglichkeit oder Schiefheit einer ›soziologischen‹ Auslegung. Der Staat heißt die Menge oder die Vielheit der gleichen Bürger, aber in ihrer Vereinigung, in ihrer Gemeinschaft oder Gesellschaft. Die Gesellschaftlichkeit ist nichts Abgesondertes, sie ist selber ein Merkmal des Staates. Dieser Staat, die Polis und die Politie, ist ein gesellschaftlicher Staat. Oder auch: Dieser Staat ist die vereinigte Vielheit seiner Bürger. Zugleich gewinnt man aber beim Studium der ›Acht Bücher von der Politik‹ den Eindurck, es sei unter dieser Vielheit doch auch die Vielheit und Unterschiedlichkeit der Stände und Klassen, sogar die Gegensätzlichkeit der Wenigen und der Vielen, der Wohlhabenden und der Armen unter den Bürgern mitgedacht, wovon oft und einläßlich in dem Werke des Aristoteles die Rede ist, zumal ja jene Vorkehrungen der ›Gemischten Verfassung‹ gerade zur politischen Verknüpfung oder »ausgleichenden Vereinigung« solcher Gegensätze – oder, wie die Marxisten sagen: solcher ›Widersprüche‹ – helfen sollen.

»Eine Vielheit seiner Natur nach« ist aber auch der moderne Verfassungsstaat, insofern er eine Menge von Bürgern, aber auch eine Vielfalt von kollektiven Interessen, zuweilen von regionalen und ethnischen Gruppierungen, überall jedenfalls von politischen Gesinnungen und Absichten, daher eine Mehrzahl organisierter Parteien umfaßt. Und diese Vielheit ist ebenfalls vereinigt oder im steten Prozess der Vereinigung begriffen. Sie ist vereinigt kraft einer grundlegenden Vereinbarung, die wir die Verfassung oder das Grundgesetz nennen, und sie lebt fort in einer steten Folge von Vereinbarungen zumal in Gestalt von geschriebenen oder herkömmlichen Regelsystemen, ferner von Gesetzen und Verordnungen, schließlich auch in Gestalt von zeitweilig geltenden Abmachungen, die gewisse repräsentative Verbände miteinander treffen, zum Beispiel zur Festlegung von Arbeitsbedingungen in wirtschaftlichen Unternehmungen.

Die These von der Vielheit hat Aristoteles, wie ich hier schon früher erwähnt habe, dem platonischen Sokrates entgegengehalten, dessen Staatslehre es gerade auf die größtmögliche Einheit abgesehen hat; von ihm stammt ja auch der Vergleich des Staates mit einer menschlichen Person, eben jene teils metaphorische, teils aber auch begrifflich ausgeführte Vorstellung, welche Aristoteles mit polemischer Schärfe als eine Verfehlung der Natur des Staates attackiert hat, die, falls in praktische Wirklichkeit überführt, den Staat in den Untergang stürzen müßte. In Platons ›Staat‹ formuliert Sokrates die Einheits-Theorie des Staates als eine Lehre vom größten Gut und vom größten Übel:

»Wissen wir nun ein größeres Übel für den Staat als das, was ihn zerreißt und aus *einem* viele macht? Oder ein größeres Gut als das, was verbindet und *eins* macht?«

Es läßt sich in der Sphäre der fundamentalen logischen Bestimmungen wohl keine deutlichere Antithese denken als diese, die durch die Namen der beiden größten Denker des Altertums symbolisiert wird. Ein Versuch, die Gegensätze dadurch zu versöhnen, daß man die aristotelische Vereinigung der Bürger in der ›politischen Gemeinschaft‹ als ein Einheits-Telos deutete, und daß man andrerseits auch an der platonischen Formel das ethische Moment, den Prozess der Einswerdung hervorkehrte, müßte am Ende doch scheitern. Es läßt sich nicht verwischen, daß ebendiejenige Vielheit, die in Platons Augen als Zerfall und als ein Übel erscheint, in der Darlegung des Aristoteles gerade das natürliche Wesen, zum wenigsten aber die Ausgangslage und faktische gesellschaftliche Beschaffenheit des Staates bildet. Die kategoriale Antithese von Einheit und Vielheit fordert, wie mir scheint, die bedeutendste Entscheidung oder doch die tiefste Bemühung der Staatslehre. Sie greift weiter als die konventionellen Begriffspaare von Macht und Recht, von Autorität und Zwangsgewalt oder von Führung und Gesetz. Wohl mag zutreffen, daß die kategoriale Bestimmung nicht alles aussagt. Was immer wir aber des Näheren über Integrations-Prozesse, Verhaltensweisen, Institutionen und Verfassungsregeln, über Zwecke des Staates, seine Ämter und seine Maximen hinzufügen mögen, so bleibt es doch dabei, daß an erster Stelle die Frage steht, in welche Kategorie der Staat gehöre, in die der Einheit oder in die der Vielheit.

Die Staatsbilder und Staatskonstruktionen der Philosophen und ihrer Gesellen, lassen sich hiernach, wie es scheint, bequem sortieren. Der Einheitslehre folgen, nach Platon, je in ihrer Weise die großen Theoretiker der Souveränität, Bodin, Hobbes und Rousseau. Aber auch der Marxismus und alle seine russischen Fortsetzer haben offenbar einen platonischen Zug, wenn er auch ins Eschatologische versenkt oder versetzt ist: Was sie erwarten und erstreben, ist die Aufhebung nicht allein von Herrschaft und Unterdrückung, sondern des gesellschaftlichen ›Widerspruchs‹ überhaupt, freilich auch des Staates selbst; ihre letzte Einheit soll sozusagen keiner Klammer mehr bedürftig sein. (In den existierenden sozialistischen Staaten erscheint die Einheit als vorweggenommene, dogmatisch dekretiert und durch Zwangsgewalt trügerisch hergestellt, in der Einzahl der einen Partei und der Einheitsliste, die den ›Wahl‹ genannten Akten der universalen Zustimmung zugrundegelegt zu werden pflegt.) Es widerstrebt mir, totalitäre Parteiherrschaft als Typus eines ›Staats‹ aufzuführen, sie läßt sich immerhin als eine äußerste Zuspitzung – und monströse Perversion – des Einheitsdenkens auffassen. In Deutschland hat es den Einheitsrausch der ›Volksgemeinschaft‹ mit Abstoßung und schließlicher Vertilgung der fremden ›Rasse‹ als des demonstrativ und denunziativ einzigen Elements von Andersheit, des Residuums von ›Vielheit‹ hervorgebracht. Und es hat jene neue Dreifaltigkeit zur Parole erhoben, die eigentlich nur eine Dreifach-Einheit war, indem sie Biologismus, Imperialismus und Autoritarismus miteinander verkittet: »Ein Volk, ein Reich, ein Führer!« Der Vielheits-Theorie andererseits ordnen sich, nach dem Vorgang – und weithin auch unter dem fortwirkenden oder wiederkehrenden Einfluß – des Aristoteles, alle diejenigen Modelle zu, welche durch eine ›Mischung‹ von Verfassungstypen oder auch durch eine Teilung der Staatsgewalt in mehrere ›Gewalten‹ gekennzeichnet sind, wie sie John Locke, Montesquieu und die amerikanischen Verfassungsväter vorgetragen und auch verwirklicht haben.

So stünden denn also die Einheits- und die Vielheits-Theoreme des Staates einander gleichermaßen schroff gegenüber in der Antike wie in der Moderne, in der Moderne wie in der Antike? War Platons ›Staat‹ schon ein kleiner Leviathan, eine Vorzeichnung womöglich des Totalitarismus in abstrakter Idealität? (Immerhin fällt auf, daß Thomas Hobbes unter den antiken Denkern, die er in Bausch und Bogen in das Reich des finsteren Irrtums verweist, doch dem einzigen Platon gelegentlich eine gewisse Sympathie bezeugt, ja daß er sich sogar an einer Stelle seines ›Leviathan‹ mit ihm vergleicht,– auch er wünscht sein Buch in die Hand eines Souveräns!) Daß Hobbes selber sich wahrhaftig als ein Entwurf des totalen Staates lesen läßt, haben wir sogar von Hannah Arendt gehört, die doch insgesamt die ›Modernität‹ des Totalitarismus als ein absolut und unvergleichbar neues Phänomen beschreibt. Und es ist fast unmöglich, bei der Betrachtung des berühmten Stiches, der auf dem Titelblatt des Buches vom ›Leviathan‹ zu sehen ist, diese Linie nicht in Gedanken auszuziehen: dieser riesenhafte ›Souverän‹, der die ›Vielen‹, nämlich seine Untertanen, wie die Zellen seines Körpers, gleich vereinzelt und gleich machtlos, im Inneren seiner einzigen Gestalt versammelt hält, und der zudem gleichermaßen Schwert wie Bischofsstab in Händen führt, also wie das Gericht so auch den rechten Glauben lenkt!

Und wiederum: War die athenische Polis – oder, wenn nicht die historische, so doch die philosophische, die Politie der Aristoteles schon ein früher Verfassungsstaat, einer ohne Menschenrechte allerdings? Das habe ich selbst in der Tat vorausgesetzt oder anzunehmen nahegelegt, indem ich für diesen geradezu den Namen der ›neuen Politie‹ vorschlug. Auch die Wiederkehr der Volksversammlung in der modernen Wählerschaft, die Wiederkehr der Ämter-Oligarchen in Gestalt der politischen Parteien und schließlich die Wiederkehr der ›Gemischten Verfassung‹ des Aristoteles in Gestalt der modernen ›Repräsentativen Demokratie‹ habe ich nachzuweisen unternommen. Auf dieser Seite der Formen, die unter die Kategorie der ›Vielheit‹ fallen, hat uns die positive Vergleichbarkeit und sogar der ideengeschichtliche Zusammenhang eigentlich die ganze Zeit schon beschäftigt.

Es war und ist das freilich jedes Mal eine Wiederkehr in Verwandlungen. Die Bürgerschaft der antiken Stadt ist immer eine Art Herren-Club, die des modernen Verfassungsstaates hat sich, im Gegensatz dazu, gerade aus der Abtragung von Privilegien – und der Aufhebung von Untertänigkeiten – überhaupt erst konstituiert. Der ›Rat der Fünfhundert‹ in Athen war kein Parlament, denn er konnte alle Sachen nur vorberaten, die Befugnis zum Beschluß hatte einzig die Ekklesia. Dieses Verhältnis wäre allenfalls mit dem eines modernen Parlamentsausschusses zum Plenum zu vergleichen. Die alte Volksversammlung wurde zwar auch als Wählerschaft tätig, aber eine moderne Wählerschaft hat in den meisten Fällen keine Möglichkeit, unmittelbar sachliche Entscheidungen zu treffen, wie es die Hauptaufgabe der Ekklesia war. Um davon zu schweigen, daß es eine Ämterbesetzung durch Auslosung unter modernen Verhältnissen überhaupt nicht gibt und schlechterdings nicht geben kann. Die massivsten Unähnlichkeiten der neuen und der alten Politie habe ich noch gar nicht genannt, sie sind jedermann vor Augen: das monströse moderne Territorium, die Millionenbevölkerung im Vergleich mit der Polis-Bürgerschaft, die höchstens nach wenigen Zehntausenden zählte: die professionellen Beamtenschaften moderner Staaten im Vergleich mit den ehrenamtlichen des Altertums; unser überwiegend professionelles, gelehrtes Gerichtspersonal im Vergleich mit dem antiken Volksgericht. Diese Institution, die Aristoteles in einem Atemzug mit der Volksversammlung und in demselben Sinn anführt, habe ich oben aus der Betrachtung ausdrücklich ausgeklammert, weil sie schlechterdings kein Pendant im Verfassungsstaat hat, und auch deswegen, weil wir leicht einen Verdacht schöpfen auf ungesundes Volksempfinden. Endlich muß auf der ›oligarchischen‹ Seite der modernen Merkwürdigkeit gedacht werden, daß da zwar eine zusammenhängende Schicht von ›Politikern‹ die Stellungen hält oder beansprucht, daß sie aber wesensgemäß in einer Mehrzahl von Vereinen oder Gesinnungsbruderschaften organisiert ist, die teils scharf miteinander konkurrieren, auch öffentlich streiten, teils miteinander kooperieren und Verträge schließen; die Pluralität der politischen Parteien hat keine Entsprechung im aristotelischen

Staat. Die Züge, die den Vergleich des antiken mit dem modernen Phänomen jeweils möglich machen, ja den Zusammenhang erkennen lassen, sind in ganz unähnlichen Stoffen gleichsam eingelagert, woraus sie nur eben hervorschimmern wie die Metalladern aus dem Gestein.

So gilt auch auf der Seite der Einheitstheorie des Staates, daß die antiken und die modernen Ausprägungen nur im Sinne eingreifender und umschaffender Metamorphosen miteinander zusammenhängen. (Den Begriff der Metamorphose möchte ich nach der Art verstanden wissen, wie Goethe ihn in seiner Pflanzenlehre entwickelt hat.) Die Totalität des ›totalitären‹ Herrschaftsanspruchs, mag er sich auf ›Volksgemeinschaft‹ oder auf Klassen-Solidarität stützen, wird in jedem Fall mit dem Mittel von Massenorganisationen, namentlich einer Massenpartei hergestellt, von dem eher ›konventionellen‹ Instrumentarium der Geheimpolizei einmal abgesehen. Dergleichen fehlt völlig in dem System der Souveränität, wie Thomas Hobbes es aufgestellt hat. Wiederum hat jene metaphorische Personalität des Staates, die der platonische Sokrates beschwört, keine unmittelbar rechtliche Bedeutung, wie sie doch der Souveränitäts-Doktrin der frühen Neuzeit zukommt. Wenn man in der Sphäre der literarischen Figurationen die Vergleichung anstellen will, so wird man auch einen beträchtlichen Unterschied wahrnehmen zwischen der platonischen Menschengestalt und dem Hobbes'schen Ungetüm des Leviathan, und selbst die Künstlichkeit seines »artificial Man« markiert, wiewohl die Bilder hier näher aneinanderrücken, doch einen eigentümlich verwandelten Aggregatzustand der ›Einheits‹-Theorie im Vergleich mit dem des klassischen ›Staatskörpers‹. Von der philosophischen Differenz will ich gar nicht sprechen, es ist die Differenz einer unbedingten ›theoretischen‹ Legitimation der Herrschaft in Staate Platons, von einer entschieden ›praktischen‹ in demjenigen des Hobbes, die Differenz zwischen der Führung durch Ideen-Erkenntnis dort und dem Nutzen der Sicherheit hier.

Von der ›querelle des anciens et des modernes‹ haben wir uns im Gang der Erörterung weit entfernt. Eine Weile lang schien eine ›querelle des Platoniens et des Aristotelistes‹ an ihre Stelle zu rücken – in dem Sinn, als kehre der Gegensatz der Einheitstheorie und der Vielheitstheorie des Staates in beiden Zeitaltern wieder, und als könne der Streit ein für allemal entschieden werden, wenn man entweder für Platon oder für Aristoteles Partei ergreife. Und ich gestehe, daß ich dieser Neigung – und zwar der Neigung, gewisse Darlegungen des Aristoteles für fortdauernd gültig, ja für endgültig zu halten – zeitweilig gerne nachgebe. Und doch können wir, wie sich zuletzt gezeigt hat, die Rechnung nicht ohne die Geschichte machen, und sie duldet keine solchen Endgültigkeiten. Wir haben eine große kategoriale Alternative wahrgenommen, wie sie in der antiken Philosophie sich ausgeprägt hat, auch ihre Wiederkehr in der Moderne, und zwar in neuzeitlichen Theoremen und schließlich in wirklichen politischen Gestaltungen unseres eignen Jahrhunderts. Aber es ist eine Wiederkehr in jeweils ganz und gar verwandelter Erscheinung, zudem inmitten fremdartiger Kulissen, die das Wiedererkennen der vertrauten Züge bisweilen erheblich erschweren. Die kriminelle Ungeheuerlichkeit totalitärer Parteiherrschaft ist allein der Moderne eigentümlich, darin behält Hannah Arendt recht. Ihre Erfahrung hat uns hellhörig gemacht für theoretische Vorspiele vom Schlage des ›Leviathan‹, aber wir werden nicht der Besessenheit anheimfallen, durch alle Epochen und Konstellationen der Geschichte hindurch einen Erbgang des Bösen zu verfolgen, also die

Einheitstheorie des Staates wie eine ›civitas diaboli peregrinans‹ zu behandeln. Die Kategorie unterliegt der Metamorphose.

Den Verfassungsstaat andererseits können wir in der Tat als eine ›neue Politie‹ auffassen, wenn wir seine oligarchischen und seine demokratischen Elemente herauspräparieren und ihre spezifische Verknüpfung als metamorphotische Wiederkehr der alten Figur der Gemischten Verfassung deuten. Wir können noch weiter gehen und in der durchaus modernen Entgegensetzung von Regierung und Opposition – von Regierungsparteien und Oppositionsparteien – eine verwandelte Gestalt jenes Urgegensatzes (der Patrizier und Plebejer) erkennen, der, als ein institutionalisierter Dauerstreit, nach dem Urteil des Machiavelli gerade die Freiheit und die Größe Roms mitbegründet habe. Auch hier sind natürlich die Unterschiede unübersehbar, selbst wenn man die soziologische Einzigartigkeit und Seltsamkeit dieses römischen ›Klassen-Widerspruchs‹ ganz aus dem Spiel läßt: das antike Oppositionsverhältnis ist starr, ein für allemal fixiert und rechtlich ausgeformt, das moderne hat sein Wesen gerade umgekehrt in der Möglichkeit des Wechsels der Rollen. Trotzdem blitzt da eine Ähnlichkeit hervor, sie läßt sich in die Formel von der rechtsförmigen Bewahrung, ebendarum auch der Zivilisierung des Streits fassen, als welche selbst zu einer Gewähr des innerstaatlichen Friedens wird oder doch werden kann. Es bleibt ein gefährliches und gefährdendes Institut, auch in seiner modernen Gestalt. Was Thomas Hobbes – im strikten Widerspruch zu Machiavelli – von jener römischen Verfassungs-Antithese sagte, daß sie nämlich zur Quelle des Bürgerkriegs geworden sei, das kann auch von der modernen gelten: alles hängt an der habituellen Anerkennung der gemeinsamen Spielregel, also im letzten Grunde am Spiel-Charakter solchen Streites. Ein politischer Denker Italiens, Guilemo Ferrero, ist so weit gegangen, die Doppelheit von Regierung und Opposition zum innersten Prinzip der Legitimität des Verfassungsstaates zu erklären. Das trifft wohl so lange zu, als das System eine vernünftige Möglichkeit des Rollentauschs zuläßt. Tritt Opposition aus dem System heraus, kündigt sie die Spielregel auf und gefährdet sie die Verfassung selbst, die Verfassung der Vielen, so wird es Zeit für den Staat, das heißt für die Regierung, im Namen des Staates die Zähne zu zeigen. Die Regierung aber kann nur eine einzige sein.

## Einigung

Die Singularität der Regierung inmitten der Pluralität des Staates – das ist indessen nicht die einzige Art, wie die Kategorien einander lebendig berühren. Aus dem ganzen Staat eine Einheit zu machen, das zwar überanstrengt die menschlichen Möglichkeiten – jedenfalls die bürgerlichen Möglichkeiten. Es sei denn, der Staat würde entweder zur Kirche oder zur Zwangsanstalt oder zu beidem zugleich. (Was Platon ›Politeia‹ nannte, war auch eine Kirche, nur eine philosophische, regiert von Priestern der Idee.) Wohl aber sind Menschen und sind Bürger imstande, sich miteinander zu einigen. Einheit ist unmenschlich, Einigung ist menschlich. Der Verfassungsstaat ist darauf eingerichtet, Einigung zu ermöglichen. Sie geschieht entweder im Wege des materialen Kompromisses oder durch die Einhaltung der Spielregel, daß Mehrheit bestimmen, Minderheit sich fügen soll, oder schließlich durch Rekurs auf die Entscheidung des Gerichts, welches die uneinigen

Parteien als unparteiische Instanz respektieren. Eine Vielheit seiner Natur nach ist der Staat, sagt Aristoteles, aber wir müssen hinzusetzen, daß er auch eine Veranstaltung zur Einigung der Vielen ist und zugleich der fortwährende Prozeß solcher Einigung. Nicht Einheit kann das Wesen des Staates sein, wohl aber Frieden.

Günter Busch

# Grab oder Schatzhaus

## Ein Kapitel Museumsgeschichte im Spiegel zweier Bilder

### Vorgeschichte

Das Wort ist antiken Ursprungs: Museum – mouseion. Im Altertum bezeichnete es recht allgemein einen Ort, an dem die Musen wohnen, dann aber genauer eine Stätte gelehrter Betätigung, an der Forschung und Diskussion, später auch Lehre geübt wurden. Als bekanntestes Museum in diesem Verstande gilt das von Alexandria, neben der dortigen berühmteren Bibliothek, oder auch das von Pergamon. Museen in modernem Sinne, öffentliche Einrichtungen zum Sammeln, Bewahren und Zur-Schau-Stellen von Kunstwerken, kannten weder Griechen noch Römer der klassischen Epochen. Erst in hellenistischer Zeit entwickelten sich gewisse bevorzugte Heiligtümer zu wahren Sammelplätzen von geweihten *Skulpturen,* so das Heraion in Olympia oder das auf Samos. Auch bewahrte etwa die Pinakothek auf der Akropolis von Athen eine Sammlung von *gemalten Weihbildern,* die aus konservatorischen Gründen nicht wie die Bronze- oder Marmorfiguren im Freien aufgestellt werden konnten, und um 300 v. Chr. wurde in Sikyon eine ähnliche »Gemäldegalerie« ins Leben gerufen. Daneben gab es an mehreren Orten, wie in Delphi, Schatzhäuser, in denen u. a. besonders kostbare Weihgaben verschiedenster Art und Materialien verwahrt wurden. Endlich entstanden vereinzelt private Kunstsammlungen, die offenbar gelegentlich sogar nach quasi kunsthistorischer Systematik »museal« zusammengebracht und angeordnet waren, wie jene Kopiensammlung des von Horaz erwähnten Iuba in Caesarea Iol.[1] In diesen sehr verschieden gearteten Beispielen mag man Vorformen planmäßigen Kunst-Sammelns und Hinweise auf spätere Entwicklungen zum Kunst-Museum erblicken. Museen in unserem Verstande waren sie alle nicht; denn es fehlte ihnen die wesentliche Voraussetzung: ein Bedürfnis, Kunstwerke um ihrer selbst willen und auf Dauer an besonderem Ort eigens zu *veröffentlichen.* Ein solches Bedürfnis konnte nicht bestehen. Kunst war im religiösen und im davon nicht zu trennenden staatlichen Raum zum größten Teil ganz selbstverständlich öffentlicher Natur, sie hatte öffentliche Funktion, und war damit für jedermann stets gegenwärtig. Wo sie, anfangs nur in Ausnahmefällen, von einzelnen gesammelt wurde, blieb sie freilich in der Regel dem allgemeinen Zugang entzogen. Erst um die Mitte des 18. Jahrhunderts ergab sich eine grundsätzlich neue Situation. Im Bereich der Kirche, jedenfalls der katholischen, hatte die bildende Kunst ihre öffentliche Präsenz bis dahin weitgehend bewahrt. Im Bereich des Staates galt dies jedoch nur noch in Grenzen: staatliche Repräsentation, fürstliche Selbstdarstellung durch Kunst richteten sich mehr und mehr an einen bevorzugten Kreis von gleichgestellten oder doch adeligen Adressaten, die der spezifischen Symbolsprache ihrer Zeugnisse kundig waren. In protestantischen Gebieten wie in den nördlichen Niederlanden hatte das Bürgertum der Kunst bereits im 17. Jahrhundert, über ihre Repräsentations-Aufgaben für das Gemeinwesen hinaus, eine neue »private Öffentlichkeit« verschafft: der vergleichsweise sehr großen Zahl von produzierenden Künstlern der verschiedenen Fachgebiete, Malern zumal, entsprach eine ebenso ungewöhnlich große Zahl von Kunstkäufern, die bei weitgehend merkantilem Interesse indessen nur z. T. als Kunst-Sammler im modernen Sinne anzusprechen sind: Bildnis, Sittenbild, Landschaft, Marine und Stilleben befriedigten, trotz all ihrer ikonographischen Befrachtung für Eingeweihte, ein allgemein-menschliches, *naives* Bildbedürfnis, das sich im Bereich der reformierten Kirche nicht mehr befriedigt fand[2].

Erst mit der Aufklärung und dann der Französischen Revolution konnte nach und nach der Gedanke in ganz Europa Raum gewinnen, Kunst *als Kunst* einer weiten Öffentlichkeit in eigens dafür bestimmten Gebäuden ständig zur Schau zu stellen. Erst jetzt wurden Museen als öffentliche Schatzhäuser in der Nachfolge der fürstlichen Kunstkammern und bürgerlichen Sammlungen und als Stätten musischer Bildung denkbar, ihre Einrichtung als volkserzieherische Notwendigkeit für die Gemeinschaft der Bürger postuliert: »...den Sinn für das Schöne zu verbreiten und auszubilden«[3].

So ist denn die folgende, sich antikisch drapierende Museums-Anekdote leicht als ein bezeichnendes Erzeugnis des neunzehnten, des museumsseligen Jahrhunderts, als ein Pasticcio, zu erkennen. Sie offenbart indessen zugleich die von Beginn an vorhandene Skepsis, mit der man diesem neuen Sproß am Baume der Kultur zumal in Künstlerkreisen begegnete:

»Der Philosoph Demogenes kam einst nach Apollonia und erblickte dort an der Hauptstraße als erstes ein breites und prächtiges Gebäude. ›Was stellt dies vor?‹, frug er die Apollonier. – ›Das ist unser Museum‹, antworteten sie voll Stolz. – ›Und die mageren, dürren Männer, die hineingehen und herauskommen, wer sind sie?‹ – ›Das sind unsere Künstler‹. Worauf Demogenes in Lachen ausbrach und sagte: ›Apollonier, Euer Museum ist schön und groß, aber Eure Maler werden Euch aus Mangel an Brot eines Tages eingehen. Beeilt Euch die Pythia deshalb um Rat zu fragen.‹ ›Die Pythia ist weit und Du bist weise, Demogenes‹, antworteten die Apollonier‹, ›gib Du uns Deinen Rat‹. Worauf Demogenes eine Kohle aufhob und an die weiße Wand schrieb: ›Gedenket nicht der Kunst, sondern des Künstlers!‹«

Der dies mit spürbarer Bosheit formulierte und in seinen »Mélanges« veröffentlichte, war der Genfer Maler und Zeichner *Rodolphe Töpffer* (1799–1846), der Erfinder der Comic-Strips, dessen »Bildromane« Goethe bewunderte.[4] Er rückte einen bis heute gern bemühten Aspekt des öffentlichen Kunstsammelns ins Blickfeld, den aktuell-sozialen: was Staat oder Privatmann an finanziellen Aufwendungen in die öffentlichen Kunst-Sammlungen investieren, sollten sie richtiger und sinnvoller den lebenden Künstlern zukommen lassen, die nach dem Wegfall der großen kirchlichen und fürstlichen Aufträge eben »magere, dürre Männer« geworden sind – als unerwartetes Ergebnis ihrer neuen, schöpferischen Freiheit. Die Anekdote behauptete außerdem, daß die Künstler, jedenfalls in Apollonia, ins Museum gegangen seien, und endlich, daß es dort überhaupt ein Museum moderner Art gegeben habe.

»Gedenket nicht der Kunst, sondern des Künstlers!« Der amerikanische Kunstgelehrte *Bernard Berenson* (1865–1959) bemerkte demgegenüber in seinem Buche über »Ästhetik und Geschichte in der bildenden Kunst«[5]: »Wendet sich das Interesse« – des Kunsthistorikers – »vordringlich dem Künstler und nicht seiner Kunst zu, so verrät sich darin eine Schwäche für Heldenverehrung, und hinter der Maske des Helden verbirgt sich eine Neigung zur Selbstvergötterung, vor der wir uns hüten sollten.« Und etwas weiter heißt es bei Berenson: »Im gleichen Augenblick, in dem es geschaffen ist, wird das Geschaffene seinem Erschaffer entfremdet.« Den Gipfel seiner Entfremdung erfährt es offenbar im Museum.

Die Formulierung des Titels über dieser Betrachtung: »Grab oder Schatzhaus...« (tombe ou trésor) geht auf einen Vers von *Paul Valéry* zurück. Damit soll für einmal nicht auf das vielbenützte Klischee vom »verstaubten Plunder« abgelebter, toter, eben »musealer« Vergangenheit geantwortet werden, um also dem »neuen«, dem »lebendigen Museum« das Wort zu reden. Valéry meinte es anders. Heute dient das Schlagwort vom endlich mit neuer, gegenwärtiger Lebenskraft zu erfüllenden »Aktionsraum«, den das Kunstmuseum auf Grund eines wesentlich »erweiterten« Kunstbegriffs (und Künstlerbegriffs – Beuys!) zu verkörpern habe, nicht selten dazu, mancherlei Betätigungen zu legitimieren, mit denen, unter politischen, gesellschaftlichen, therapeutischen und sonstigen Vorwänden, versucht wird, das Kunstmuseum in ein allgemeines Show-Geschäft zu integrieren. Das meinte Valéry wahrlich nicht, und das meint auch diese Betrachtung nicht. Recht besehen und ernsthaft gestellt, ist aber die Frage, ob es »Grab oder Schatzhaus« sei, eine Frage die jeden Museumsmann jeden Tag aufs neue herausfordern, umtreiben müßte, jeden der seine Aufgabe gegenüber den ihm anvertrauten Kunstwerken und gegenüber der Öffentlichkeit nicht lediglich als Problem einer reinlichen Verwaltung und einer ordentlichen oder spektakulären Darbietung von »Objekten visueller Kommunikation« begreift.

Nun geht es hier, wie der Untertitel besagt, außerdem und in Wahrheit vor allem, ganz konkret um die genauere Betrachtung zweier oder dreier Bilder mit einigen dazugehörigen Vergleichsstücken. Es sind Bilder, die sich in dem Museum befinden, dem der Verfasser über längere Zeit hat vorstehen dürfen. Ein Gutteil dieser vierzig Jahre hat ihn das Thema in seiner allgemeinen und grundsätzlichen Bedeutung beschäftigt, ebenso aber in seiner scheinbar zufällig entstandenen Konkretisierung in Gestalt zweier Gemälde von *Caspar David Friedrich* und *Hubert Robert,* dessen Name unmittelbar neben dem des großen deutschen Romantikers kurios, wenn nicht deplaciert erscheinen möchte.

Bei der Durchsicht der über viele Jahre gesammelten Materialien zu unserem Problem stieß ich auf einen Brief des bedeutenden, inzwischen gestorbenen Kölner Museumskollegen und Mediävisten *Hermann Schnitzler,* dem ich, wie auch dem Hamburger Kunsthistoriker *Christian Beutler,* wesentliche Anregungen und Auskünfte zum Thema zu danken habe. Schnitzler schrieb in Hinsicht auf jene Bilder von Friedrich und Robert, zugleich aber auch sehr allgemein und tiefsinnig zu dem dahinterstehenden Fragenbereich: »...die Probleme von Tod und Museum (oder wie immer Sie es nennen wollen), was uns so sehr an die Nieren geht«[6]. – »Tod und Museum« – »Grab oder Schatzhaus«? – Im Jahre 1937 hatte *Paul Valéry* eine Widmungsinschrift für das Palais de Chaillot in Paris, das als ein Mehrzweck-Museum zur Welt-Ausstellung errichtet wurde, zu stiften. Er dichtete, was

noch heute in goldenen Lettern dort zu lesen ist – der Architekt hatte die Zahl der Wörter
genau vorgeschrieben:

>>Il dépend de celui qui passe,
Que je sois tombe ou trésor,
Que je parle ou me taise,
Ceci ne tient qu'à toi, ami,
N'entre pas sans désir.<<

Ich habe es so übersetzt und mich als Museumsmann im Zeitalter eines kommerzialisierten
Massenkonsums von Kunst und Kunstsurrogaten mit Hilfe der Medien, also auf mediati-
sierte Weise, immer wieder gedrängt gesehen, es zu zitieren:

>>Bei ihm liegt's, der mir naht,
Ob ich Grab sei oder Schatzhaus,
Ob ich rede oder schweige,
Bei Dir allein, Freund,
Tritt hier nicht ein,
Wenn Dich's nicht treibt.<<

In Parenthese und zur Erhellung des Problems aus einem anderen Blickwinkel: was
mögen sich der Bildhauer *Auguste Rodin* und auch sein Auftraggeber, der Unterstaatsse-
kretär im Ministerium der Schönen Künste, ein M. Turquet, gedacht haben, als dieser
jenen im Jahre 1880, über 50 Jahre vor Valéry's Versen, veranlaßte, seine bildnerischen
Gedanken über ein Höllentor Dantescher Herleitung in solcher Richtung fortzuführen,
daß daraus ein Portal für das am Quai d'Orsay neu geplante Musée des Arts Décoratifs
würde? Der Museumsplan mußte seinerzeit dem Bahnhof dort den Vortritt lassen. Eine
späte Gerechtigkeit will diesen nun in unseren Tagen in ein Museum des 19. Jahrhunderts
verwandeln. Damals hieß es: >>... une porte décorative en bas-relief représentant La Divine
Comédie du Dante<<. War für jene beiden, den Künstler und seinen Auftraggeber, das
*Museum* der Dekorativen Künste die Hölle schlechthin, an deren Pforte alle Hoffnungen
zu lassen wären, oder waren es diese *Dekorativen Künste* selbst? Offenbar aber betrachteten
überhaupt, wie schon jener Zeichner aus Genf, einige Freunde und Benutzer des
Museums, darunter der Dichter und der Bildhauer, vielleicht auch jener Kultur-Beamte,
>>das Museum<< und seinen Betrieb mit ähnlichen Vorbehalten, wie sie heute unter
Eingeweihten zur Regel oder gar zur Mode geworden sind? Dabei war das Museum als
öffentliche Einrichtung in Frankreich eben erst hundert Jahre alt – nicht so alt wie das
*Britische Museum* (gegründet 1753) oder gar das *Amerbach-Kabinett* in Basel, das schon im
Jahre 1661 auf Ratsbeschluß von der Stadt erworben und öffentlich zugänglich gehalten
wurde. Wie schon gesagt, war das Museum neben manchem anderen mehr, womit wir uns
bis heute beschäftigen, ein Kind der Aufklärung und zumal der Französischen Revolution.
Recht besehen waren es in Frankreich, in Paris, zwei vielleicht sogar drei Kinder gewesen –
illegitimer Abkunft allzumal. Nur eines davon überlebte. Trotz zögerlicher Anfänge nahm
es eine glorreiche Entwicklung: der *Louvre*, das zum Schatzhaus der Nation umgewidmete
alte Königsschloß mit seinen Sälen und Galerien[7]. Nach dem Revolutions-Dekret von 1791
über die Verstaatlichung des Königlichen Kunstbesitzes wurde zwei Jahre später in der

*Grande Galerie* des Louvre das *Muséum Français* eröffnet. 1798 wurde es zum *Musée Central des Arts* umgetauft, um seit 1804 in völlig neuer Gestalt, als *Musée Napoléon*, weit über seine ursprüngliche Funktion und Kapazität hinaus, die weltbeherrschende Position seines Namensgebers und »Stifters« durch die berühmtesten Kunstwerke aus aller Herren Länder zu repräsentieren. Mit dem Sieg der Alliierten war dieses »dritte Kind« indessen gezwungen, die durch den Kaiser bzw. seine Agenten in ganze Europa zusammengeraubten Meisterwerke an die ursprünglichen Besitzer zurückzugeben. Das Beispiel Napoleons aber sollte, auch auf diesem Gebiet, bis in unser Jahrhundert fortwirken[8].

Kaum anders verhielt es sich mit dem »zweiten Kind«: Das *Musée des Monuments Français* verblich nach vielversprechenden Anfängen schon 1816 mit der Restauration – nur wenige unmittelbare Spuren zeugen heute von seiner kurzen und dennoch folgenreichen Existenz[9]. Davon wird ausführlicher zu sprechen sein. Dahinter stand u. a. ein langjähriges, mit Erbitterung geführtes, persönliches Duell zwischen den beiden Museumsdirektoren *Vivant Denon* (1747–1825) und *Alexandre Lenoir* (1761–1839). Denon, der Louvre, obsiegte. Nun diente der Louvre seit langem, schon während seiner Zeit als Königsschloß, jedenfalls in Teilen, der Kunst. Bereits unter Ludwig XIV. gab es hier Ateliers für Maler, Bildhauer, Ebenisten, Architekten etc. – ursprünglich natürlich für die am Schloßbau und seiner Ausgestaltung unmittelbar Beschäftigten. Daraus wurde eine Gewohnheit, die u. a. auch einer öffentlichen Anerkennung der hier Logierenden gleichkam. Erst Napoleon machte diesem Zustand und den damit verbundenen Unzuträglichkeiten 1806 ein Ende. Neben anderen mußte damals übrigens auch der Maler *Hubert Robert* sein Domizil aufgeben, das er als Nachfolger des Bildhauers *Jean-Baptiste Lemoyne* seit 1778 innehatte – von ersterem wird zu sprechen sein. Ebenso standen hier schon frühzeitig von Fall zu Fall einzelne Räume oder Raumzusammenhänge für Ausstellungszwecke zur Verfügung. So sollte die seit 1665 bzw. 1667 durch den großen Colbert eingeführte *Zweijahres-Ausstellung der Akademie*, zuerst nicht regelmäßig, doch dann als feste Institution, im Louvre ihren ständigen Ort finden, anfangs in einem Teil der *Grande Galerie*, seit 1737 (bis 1848) dazu und vor allem im *Salon carré*, der dem Unternehmen dann den Namen gegeben hat. Ebenso wurde die anschließende *Galerie d'Apollon* bei Bedarf hinzugenommen.

Vielberühmt sind die zauberhaften in Aquarell über Federvorzeichnung gemalten Salon-Ansichten, die *Gabriel de Saint-Aubin* (1724–1780) von den Ausstellungen der Jahre 1765 und 1767 geschaffen hat – so authentische wie phantasievolle Dokumentationen eines nicht geringen Teils der jeweils ausgestellten Kunstwerke[10]. Im Darstellungstypus gehen diese Blätter und ebenso zahlreiche, druckgraphische Abbildungen verschiedener Meister von entsprechenden Ausstellungen des ausgehenden 18. und des beginnenden 19. Jahrhunderts in Paris oder auch in London[11] mehr oder minder alle auf die niederländischen Galeriebilder des 17. Jahrhunderts zurück, die der Antwerpener *Hieronymus Francken der Jüngere* (1581–1642) recht eigentlich kreiert hat[12]. In der Art der Bilderhängung – drei, seltener vier oder fünf Reihen von Gemälden übereinander – hatte sich seit den Tagen Franckens so gut wie nichts geändert: auch die Akademie-Ausstellungen und Salons des 18. Jahrhunderts, wie nicht anders gewisse gelegentlich im Bild überlieferte Kunsthandlungs- und Auktionsdarbietungen, bedienten sich dieses Prinzips eines mehr oder minder gegliederten, teppichhaften Neben- und Übereinanders ihrer späterhin zumeist goldgerahmten Ausstellungsobjekte.

Durchaus anders als in jenen Aquarellen aber verfuhr derselbe Gabriel de Saint-Aubin in seiner *Ansicht des Salon du Louvre im Jahre 1753* (Abb. 1). Nicht die Dokumentation einzelner Stücke zum Nutzen und zur Freude zeitgenössischer und späterer Sammler und Kunstfreunde war das Ziel dieser meisterlichen, handgroßen Radierung, sondern die künstlerische Vergegenwärtigung des hauptstädtischen Kunstlebens und einer musisch-geistigen Lebensform des Ancien Régime schlechthin. »Tout Paris« scheint die Treppen des Königsschlosses zum Salon Carré emporzusteigen. Der Betrachter meint, die Gewänder und die Perücken rhythmisch wippen zu sehen, das Rauschen der Seide und das Gewirr der Stimmen zu vernehmen. »Man« kam, ein gebildetes Publikum, darunter gewiß auch die unmittelbar betroffenen Künstler mit ihrem Anhang, doch im Gesamteindruck eine wirkliche *Öffentlichkeit* von Interessierten, um diese Zweijahresausstellung mit gewiß unterschiedlicher Aufmerksamkeit in Augenschein zu nehmen, zu diskutieren und zu kritisieren. Auf jenen Galeriebildern eines Francken oder Teniers und ihrer Nachfolger bis hin zu Watteaus Ladenschild von 1721, figurierten einzelne, oft bildnishaft genau charakterisierte Personen: so etwa im Falle des Teniers der sammelnde Erzherzog Leopold Wilhelm und sein Hofmaler, »Kammerdiener« und Galeriedirektor in einem, dazu wenige Begleitpersonen, Besucher und Bediente. Hier aber ist zum ersten Male ein *Kunst-Publikum,* nicht als anonyme Masse doch als eine homogene Versammlung von sachkundigen Individualitäten dargestellt, ohne daß im einzelnen dabei Portraits gemeint wären: nicht wenige Gestalten sind vom Rücken gesehen oder in Schatten getaucht, einige kehren dazu, wie bei heutigen Vernissagen nicht anders, den Bildern ihren Rücken zu. In summa: eine lebenswahre Schilderung, in der das Menschliche deutlich überwiegt gegenüber den Kunstwerken, die absichtlich nicht genauer charakterisiert sind, vielmehr als Fond des Ganzen wirken. – Bald darauf begann *Diderot* über Kunst zu räsonnieren und dann seine »Salons« in der Correspondance littéraire des Baron Grimm zu veröffentlichen. Doch ist zu betonen: was hier dargestellt ist, war noch nicht »das Museum« sondern eine *Ausstellung von Gegenwartskunst* – weder Grab noch Schatzhaus[13].

## Hubert Robert

Museum, auch in heutigem Verstande, wurde indessen alsbald die *Grande Galerie des Louvre* – und ein Künstler hat sich vor anderen immer wieder damit befaßt, diesen grandiosen Raumeindruck, diese »belle perspective«, mit den dort verteilten Kunstwerken *und* deren Betrachtern im Bilde zu beschwören: jener *Hubert Robert,* dessen Bildnis von der Hand der *Mme. Vigée-Lebrun* (1755–1842) (Abb. 2) heute in eben der Grande Galerie hängt. 1788, am Vorabend der Revolution entstanden, zeigt es den kraftvollen Mann, wie er sich in kühner Schräge, doch ohne eigentlich pompös-barocke Allüre, auf eine steinerne Brüstung stützt, die ihrerseits von italienischen Vorbildern der Frührenaissance entlehnt ist. Pinsel und Palette hält er als Insignien seines schöpferischen Vermögens in der Linken. Er scheint den protestierenden, den dritten Stand exemplarisch zu verkörpern – raumgreifend und fordernd: die neue Freiheit und die ein wenig rüde Würde des Bürgers, des Bürger-Künstlers. Doch lehren seine Biographie und vielleicht auch seine Physiognomie anderes. Bei allem Selbstbewußtsein war er als Mensch und als Künstler noch durchaus im Ancien

Régime und seinen Hierarchien verwurzelt. So wurde er denn 1793 als Royalist denunziert – wohl nicht durch den großen *Jacques-Louis David* (1747–1825), wie Mme. Vigée-Lebrun argwöhnte, den politischen und künstlerischen Protagonisten der Revolution, sondern durch einen kleineren, neidischen Akademie-Kollegen, der ihm seine Erfolge mißgönnte. Denn Robert war ein vielbeschäftigter, mit Aufträgen wahrhaft überhäufter, allseits hochgeschätzter Ruinenmaler, dazu Landschaftsgärtner und -entwerfer gewesen – wohlgemerkt für die alte Gesellschaft. Etliche Monate saß er im Gefängnis, erst in Saint-Lazare, dann in Sainte-Pélagie, lange Zeit jeden Tag gewärtig, hingerichtet zu werden. Vielleicht nur auf Grund einer Namensverwechslung – ein anderer Robert wurde geköpft – entging er der Guillotine, bis ihm mit vielen anderen das Ende der »Terreur«, der 9. Thermidor 1794, die Freiheit brachte. Die endlosen Stunden der Gefangenschaft hatte er sich mit Zeichnen und Malen zu verkürzen gesucht. Daraus sind über fünfzig Bilder entstanden, die, entgegen der Wirklichkeit, den Eindruck eines »fidelen Gefängnisses« erweckt haben.[14] Es empfiehlt sich, hier wie auch sonst, durch den heiteren Schein seiner Malerei hindurchzublicken. Seine Kunst ist ein typisches Gewächs des Dixhuitième und immer auch etwas mehr als das. – *Ruinenmaler* war sein offizieller Titel, als Mitglied dieser Sparte wurde er 1765, zweiunddreißigjährig, in die Akademie aufgenommen. 1733 geboren, ein Jahr jünger als Joseph Haydn und zwei Jahre älter noch als der Schweizer Landschaftsvedutist Caspar Wolf (1735–1798), an den zu erinnern sein wird, hatte der junge Mann in den fünfziger und den frühen sechziger Jahren in Rom und Neapel sein Metier gelernt. Zusammen mit *Fragonard* (1732–1806) und dem *Abbé de Saint-Non* (1727bis 1791) hatte er dort zeichnend und malend die Reste der Antike in ihrer natürlichen, landschaftlichen Umgebung studiert – ein Romantiker avant la lettre? Der indessen paradoxerweise zu dieser Weltsicht durch die klassischen Werke der Römer inspiriert wurde? Er bewegte sich dabei nicht allein auf den Spuren eines *Poussin* und eines *Claude* (Abb. 18). Unmittelbarer stand er unter dem Eindruck der Ruinen-Veduten und -Capricci einiger italienischer Zeitgenossen, vor allem *Giovanni Paolo Pauninis* (1691–1765) und *Giovanni Battista Piranesis* (1720–1778) (Abb. 15b), dessen Radierungen bis in das 19. Jahrhundert hinein bei etlichen französischen Künstlern bis hin zu *Victor Hugo* oder *Gustave Doré,* aber auch bei Theater-Dekorateuren und Architekten fortgewirkt haben.[15] Seine Wahlverwandtschaft zu Pannini ging anfangs so weit, daß es bis heute in der Wissenschaft zwischen beiden Künstlern strittige Werke gibt.[16] Gewisse Kunstgriffe stürzender Perspektive, maßstäblicher Raffungen oder Dehnungen, das Hantieren mit »antiken« architektonischen Versatzstücken dankte auch der spätere, der Pariser Robert in seinen dort gemalten Capricci, in seinen französischen »vedute ideate«, jenen Reise- und Kunsteindrücken, jenen italienischen Vorbildern, hinter denen immer auch die Theatertradition der Szenographie eine Rolle spielte.

Sein Leben und seine Kunst seien mit einem Zitat charakterisiert. *Louis Hautecoeur* schrieb in der Einleitung zum Katalog der Gedächtnisausstellung zum 200. Geburtstag des Künstlers, die 1933 in der Pariser Orangerie stattfand[17]: »Ruinenmaler, Landschafter, Chronist Pariser Begebenheiten, Entwurfszeichner für Gärten, premier garde des tableaux, statues, vases de Sa Majesté, Epikuräer doch ohne Weichlichkeit in Zeiten des Wohlstands, Stoiker doch ohne Selbstmitleid unter den Widrigkeiten des Geschickes, ein guter Ehemann, guter Vater, zartfühlender Freund – als solcher komponierte Hubert

Robert sein Leben, das lang währte, wie seine Bilder, die zahlreich waren. Maß und Phantasie gingen darin eine gute Ehe ein. Eine schöne Perspektive, gerahmt von den berühmtesten Denkmälern aus Rom und Paris, belebt von den liebenswürdigsten Personen seiner Zeit, führte ihn bis an einen fernen Horizont. Die Grabstelen seiner vier Kinder, die Architektur eines Gefängnisses weckten in ihm eine gewisse Melancholie, in der sich schon damals romantische Gemüter gefielen. Doch vermochte diese nicht die Grazie zu ersticken, die seine glückliche Natur ausstrahlte, noch das Licht, das die betörten Augen dieses Parisers aus Italien mitgebracht hatten.«

Dieser Maler und Gärtner des Ancien Régime malte aber u. a. auch Bilder wie jene »Démolition des maisons au pont-au-change«, von der eine Fassung im Musée Carnavalet in Paris (Abb. 8b) und die wohl schönere in der Münchener Alten Pinakothek sich befindet.[18] Gewiß geht es auch hier um eine der typischen Ruinendarstellungen dieses Spezialisten. Doch ist darin mehr und anderes. 1788 entstanden, zeigt das Bild einen stadtplanerischen Akt des »Vandalismus« *vor* der Revolution. Die Häuser auf der Brücke waren gegen die Mitte des vorhergehenden Jahrhunderts errichtet. Getreulich schildert der Künstler ein aktuelles Geschehnis aus der Baugeschichte der Stadt. Der »Chronist Pariser Begebenheiten« ist in seinem Element als sachlicher Vedutist: die Schuttberge aus weißem Kalkstein, dahinter die Tour d'Horloge, die Concièrgerie und die Spitze der Saint-Chapelle – alles ist genau zu identifizieren und genau zu datieren – ein Dokument. Aber – vor den Augen des Betrachters wird daraus eine seltsame, fast abstrakte Landschaft, in der die raumgreifende und raumschaffende Macht der *Natur,* über die formlosen Gebirge von Staub und Zerstörung triumphierend, ihr Gesetz und ihre Ordnung zur Geltung bringt. Ähnliches haben viele in Kriegs- und Nachkriegsjahren erlebt.

Hubert Robert war offenbar mehr als ein Spezialist für Stadt-Veduten, mehr als ein versierter Verfertiger von spielerischen Architektur-Capricci, der er freilich auch sein konnte. Als ein bezeichnendes Beispiel für viele sei auf jene Kompilation aus römischen Erinnerungen (auf Grund seiner zahllosen zeichnerischen Studien am Ort) verwiesen, darin der Künstler in einem imaginierten Ensemble von Vesta-Tempel und Triumphbogen dem Reiter-Standbild des Marc Aurel eine lustige Wäscheleine mit buntem Zeug um den Pferdehals windet (Abb. 8a). Gewiß wird auch hier die Vergänglichkeit von Menschenwerk und Menschenruhm aufs eindringlichste berufen, doch ist zugleich ein Ton des Ironisch-Frivolen als Beimengung des Jahrhunderts mit dabei.[19]

Mit der zuerst wilden, dann planmäßigen Demolierung von Kirchen und Palästen durch die Revolution waren dem Künstler später auch in Paris originale Anregungen in großer Zahl gegeben. Robert wurde nicht müde, sie festzuhalten und z. T. gleichsam in antikes Versmaß zu übertragen – durch Verwendung eben jener »italienischen« Versatzstücke.[20] In einem Briefe des Baron Grimm an die Kaiserin Catharina II. heißt es dazu: »Man darf annehmen, daß Robert, dessen hauptsächliches Talent im Malen von Ruinen besteht, sich im Augenblick in seinem Vaterland wie Hahn im Korbe fühlen muß. Nach welcher Seite er sich auch wendet, er findet sein Genre im Übermaß: die schönsten und frischesten Ruinen der Welt.«[21] Doch nicht genug – die spielende Phantasie des Malers hat auch in Wirklichkeit intakt gebliebene Architektur in einen malerischen Zustand der Zerstörung versetzt, so die Kirche der Sorbonne, »imaginée en ruines«, wie der offizielle Bildtitel lautet,[22] oder die *Grande Galerie des Louvre*[23] (Abb. 11b). Zuerst als »Premier Garde des Tableaux, Statues

Farbtafel I: Hubert Robert, Eingangssaal des Museums der Monumente, 1801; Bremen

Farbtafel II: Hubert Robert, Der Garten der Monumente, 1802/03; Bremen

Farbtafel III: Caspar David Friedrich, Felsengrund mit Arminiusgrab, 1813/14; Bremen

etc.« des Königs, als ein Louvre-Direktor lange vor dem veritablen, durch Napoleon ernannten, Vivant Denon, dann, nach seiner Rückkehr aus dem Gefängnis, seit April 1795, in höchst amtlicher Funktion für das neue Regime als Mitglied und zeitweiliger Präsident des ersten und des zweiten *Conservatoire du Muséum* bzw. des *Musée Central des Arts* – immer wieder neu hatte sich Robert mit den Problemen der Raumaufteilung, der Einrichtung und der Lichtführung in den Sammlungsräumen zu befassen. Doch die imaginierte Zerstörung, wie sie das Ruinenbild der Grande Galerie darstellt, geht offenbar über die praktischen Erwägungen und die amtlichen Obliegenheiten eines Conservators weit hinaus. Sie läßt vielleicht aber erkennen, daß auch dieser Mann von Grazie sich jener Frage nach »Tod und Museum, was uns so sehr an die Nieren geht«, nicht entziehen konnte. Doch wendete er die Melancholie seines Gegenstandes und dessen malerischer Darstellung durch einen besonderen Kunstgriff zugleich ins Optimistische. Robert versetzte außer einem der Michelangelo Sklaven den römischen Apoll von Belvedere in die ruinierte Galerie von Paris und rückte dazu einen Zeichner davor, der also inmitten der Zerstörung das »vollkommene Kunstwerk«, als welches die Zeit gerade diese Skulptur begriff,[24] studiert. So ließ er die Kunst über alle Vergänglichkeit triumphieren: Kunst ist im Kern unzerstörbar, sie lebt in der Rezeption zumal durch den Nachschaffenden fort – so offenbar sein ästhetischer Glaube.

Die übrigen Darstellungen der Grande Galerie, die wir dem Maler verdanken (Abb. 10a, 10b, 11a), werden häufig als »Projet d'amélioration« oder »d'aménagement« bezeichnet, so die große Fassung »La Grande Galerie du Muséum«, die 1790 datiert ist: »Projet pour éclairer la Gallerie du Musée par la voute et pour la diviser sans ôter la vue de la prolongation du local«.[25] Die Frage des Oberlichts in der Galerie hatte die Verantwortlichen, und so Robert vor allem, seit Jahren beschäftigt. Diese Überlegungen führten dazu, daß der Salon Carré 1789 umgebaut, seine sämtlichen Fenster verblendet und der Plafond mit einer Laterne dem Licht geöffnet wurde. Offenbar folgte man damit englischen Erwägungen und Anregungen: die Ausstellungen der Royal Academy in London im Somerset-House fanden seit den frühen achtziger Jahren unter Seiten-Oberlicht-Laternen statt, wie mehrere zeitgenössische Darstellungen belegen.[26] Ob Hubert Robert als der eigentliche und alleinige Erfinder der Oberlicht-Lösung in der Grande Galerie zu gelten hat, wie gesagt worden ist, darf eher bezweifelt werden. In mehreren Fassungen von einschlägigen Galerie-Interieurs variierte er die Möglichkeiten des Lichteinfalls und ebenso der architektonischen Rhythmisierung des Raumes, und setzte damit die laufenden theoretischen Erörterungen ins Sichtbare um, bis Percier und Fontaine endlich die noch heute gültige architektonische Form realisierten. Auch probierte er die Abschrankung der Bilder vom Publikum durch ein einfaches durchlaufendes Geländer oder die Akzentuierung des Raumes durch frei aufgestellte Skulpturen. Die figürliche Staffage ist bemerkenswert: Robert gibt zumeist den Eindruck eines freundlich besuchten, doch nicht überfüllten Museumsraums, wobei die Kopierenden (Maler oder Zeichner beiderlei Geschlechts) besonders hervortreten. Daneben erscheinen einzelne stumme Betrachter vor den Bildern oder Zuschauende, die den Kopisten über die Schulter blicken, hier und da eine Mutter mit ihrem Kind. Die Kunstwerke treten im allgemeinen hinter dem Gesamteindruck des Raumes zurück, doch sind in den ausgeführteren Fassungen, so in dem großen Bilde von 1790 (Abb. 10b), einige der vorn hängenden Gemälde deutlich charakterisiert: die »Hl. Familie« und das »Jünglingsporträt« von Raphael, die »Entführung der Dejanira« und der »Kampf des Herkules mit Achelous« von Guido Reni, die »Grablegung« von Tizian, die »Näherin« von Feti oder die »Vision des Hl. Bruno« von Mola.

## Die Eingangshalle im Museum der Monumente

Im Jahre 1962 habe ich für die *Kunsthalle Bremen* auf einer Münchener Auktion ein *Museumsinterieur*[27] von der Hand *Hubert Roberts* erworben (Farbtafel I, Abb. 13b), das nach der dazu gelieferten Expertise von Hermann Voß eine »römische Thermenhalle« wiedergab. Die römische Provenienz war schon wegen der gotischen Rose in der Rückwand des Raumes unwahrscheinlich. Das Rätsel löste sich beim weiteren Studium des Bildes – u. a. im Austausch mit *Christian Beutler*. Es stellt den Eingangssaal, die »Salle d'Introduction« des bereits erwähnten *Musée des Monuments Français* dar mit dem Grabmal der Diane de Poitiers aus Anet als hochragendem Mittelstück. Ehe aber auf Einzelheiten einzugehen ist, muß die Geschichte dieses Museums, des »zweiten Kindes« der Revolution, skizziert werden. Im Kloster der Kleinen Augustiner auf der Rive Gauche, dem Louvre gerade gegenüber in dem Carrée gelegen, das durch den Quai Malaquais, die Rue des Saints-Pères, die Rue Jacob und die Rue – eben des Petits-Augustins gebildet wird, hatte der Maler *Alexandre Lenoir* im Auftrage des Revolutionsregimes ein Depot eingerichtet, das Kunstwerke aufzunehmen hatte, die infolge der Revolution »herrenlos« bzw. »Eigentum der Nation« geworden waren. – Übrigens handelte es sich dabei ursprünglich nur um eine von neun derartigen Sammelstellen, die über die ganze Stadt verteilt waren. Es wird außerdem berichtet, daß von diesen Depots aus ein schwunghafter z. T. internationaler Handel mit Objekten und Materialien wie Marmor und Bronze betrieben wurde, wovon gewiß Lenoir und sein Institut nicht ausgeschlossen waren.

*Lenoir* (Abb. 4, 5) ist 1762 geboren, so war er ein Menschenalter jünger als Robert. Als Maler war er Schüler des *Gabriel François Doyen* und damit Enkelschüler des *Carle van Loo*. Seit 1791 hatte er im Kloster der Kleinen Augustiner die »œuvres déplacés« zusammengetragen: Skulpturen, Architekturteile, aber auch Gemälde, Glasfenster und Werke des Kunstgewerbes, künstlerische Zeugnisse der Vergangenheit, die der Vandalismus[28] der Revolution beim Niederbrennen und Niederreißen, Ausrauben und Zerschlagen von königlichen und adeligen Schlössern, von Klöstern, Kirchen und kirchlichen Gebäuden übriggelassen hatte – ein riesiges Reservoir von heterogenen Kunstgegenständen, das dank des Sammeleifers seines Betreuers ständig wuchs. Sein Lehrer Doyen hatte ihn für das Amt des »Oberaufsehers« empfohlen. Im Jahre 1795 aber hatte es der Citoyen Lenoir durchgesetzt, daß allein sein *Depot der verschleppten Kunstwerke* zum *Museum der französischen Monumente* erhoben und er selbst zum Conservateur des Instituts ernannt wurde. Am 15. Fructidor des Jahres III der Französischen Republik (une et indivisible) wurde das Museum feierlich dem Publikum geöffnet – zwei Jahre nach dem *Muséum Français* im Louvre, dessen Anfänge übrigens durch eine gewisse Lethargie bei den Beteiligten gegenüber der Öffentlichkeit gekennzeichnet waren. Demgegenüber fand das jüngere Haus auf dem linken Ufer dank seiner Aktivitäten schon bald großen Widerhall bei einem

neuen Publikum. Von daher datiert der Antagonismus zwischen den beiden Neugrün-
dungen, der freilich erst unter Napoleon die Form persönlicher Rivalität zwischen den
beiden Direktoren Lenoir und Denon annahm. Einstweilen saßen im Conservatoire des
Louvre würdige Künstler des Ancien Régime(!), u. a. der Citoyen Robert, mit dem Lenoir
also schon aus jenen Tagen in gelegentlichem, nicht unfreundlichem, persönlichem und
amtlichem Kontakt stand, wie aus den Protokollen des Conservatoire hervorgeht[29].

Mit unheimlicher Energie, dazu offenbar einem Gutteil massiven Geschäftssinnes wohl
über die Grenzen einer Beamtenloyalität hinaus – aber eine solche Loyalität hatte sich eben
erst neu aus dem Nichts zu konstituieren – ging Lenoir zu Werke. Schließlich mußten die
häufig schwergewichtigen Objekte aufgestöbert, unter wechselnden Bedingungen erworben oder beschlagnahmt, abgebaut und über weite Strecken transportiert werden, wobei
es ohne Bestechungen gewiß nicht abgegangen sein wird. Dann mußten sie an Ort und
Stelle wieder zusammengebaut und restauriert werden – und dies alles wollte bezahlt
werden. Trotz aller Schatten, die dabei auf seine Tätigkeit gefallen sind – bewunderungs-
würdig bleibt der Enthusiasmus, mit dem sich Lenoir gegenüber den verschiedenen
Instanzen und Kommitees der Revolution, einem Heer von weitgehend Ahnungslosen mit
einer neuen, doktrinären Bürokratie und ihrem handfesten Neid auf einen einstweilen
Erfolgreichen durchzusetzen wußte – »malgré des envieux«, wie er selbst schreibt[30]. Zwar
mußte er schon vor den Zeiten Denons aus seinem Depot immer wieder Werke an das
Muséum abgeben – zumal Gemälde, Dinge des Kunstgewerbes, Glasfenster, die der
Handzeichnungssammlung zugeordnet werden sollten – »Wo aber und wie will man sie
aufstellen?« bemerkt Lenoir zu dem entsprechenden Ersuchen. Das Interesse des Louvre
an Skulpturen hielt sich demgegenüber in auffälligen Grenzen – offenbar hatten im
Conservatoire die Maler das Sagen, auch stand man weithin noch mit völliger Verständnis-
losigkeit vor den meisten Werken des Mittelalters. Diese Barrieren hat ja erst Lenoir durch
sein Museum langsam abgebaut. Einzig die beiden Sklaven Michelangelos wurden ange-
fordert, um als Türhüter am Eingang des Muséum postiert zu werden[31]. So brachte
Lenoir, allen Widerständen zum Trotz, in wenigen Jahren sein Museum zusammen, das er
nach Jahrhunderten »par ordre chronologique« Saal bei Saal gliederte, diese Säle »déco-
rées avec l'architecture convenable à chaque époque« – das erste chronologisch durchge-
ordnete Museum der Geschichte überhaupt[32] (Abb. 14a). Und er berief sich dabei auf den
Vater der Kunstgeschichte *Johann Joachim Winckelmann*, dessen Büste von der Hand des
Bildhauers *Claude-André Deseine* (1740–1823) im Foyer des Hauses stand. Im gleich näher
zu erörternden Museumskatalog bemerkt Lenoir hierzu: »Winckelmann hat eine Reihe
kostbarer Werke zum Studium der bildenden Künste – du dessin – hinterlassen. Vor allem
hat er in seiner ›Geschichte der Kunst des Altertums‹ die chronologischen Entwicklungen
der Künste mit einem Feingefühl dargelegt, das Kennzeichen seiner großen Bildung und
tiefsten Kennerschaft ist. – Die Hochachtung, die dieser hervorragende Mann mir
eingeflößt hat, die Anerkennung, die ihm die Künstler zollen, dies alles hat mich bewogen,
ihm ein Denkmal zu errichten. In den Sockel seiner Büste habe ich ein Bas-Relief
eingelassen, das er in seinen Werken veröffentlicht hat...« Dieses frühe Bekenntnis zur
*geschichtlichen* Grundlage einer öffentlichen Kunstsammlung charakterisiert den Geist, in
dem Lenoir sein Museum schuf[33]. Eingedenk der historischen Bedeutung der Kunst und
der Kultur seines Landes rettete er in den zahlreichen kostbaren Dokumenten seines

Hauses das Bewußtsein von einer ununterbrochenen geistigen Überlieferung über die Jahre des revolutionären Umbruchs hinweg. Allein diese Tatsache ist ein Ruhmestitel seiner musealen Bemühung, so fragwürdig seine Methoden im einzelnen gewesen sein mögen, wie noch in Beispielen zu zeigen sein wird. Was er rettete, ist zum Teil an seinen ursprünglichen Ort zurückgekehrt – dies gilt vor allem für die kirchlichen Grabmäler. Ein wesentlicher anderer Teil befindet sich heute im Louvre, obwohl längst nicht alles davon ausgestellt ist[34].

Mit dem Amtsantritt *Vivant Denons* (Abb. 6, 7), der auch die Entmachtung des Conservatoire und seiner Mitglieder, d. h. nicht zuletzt auch Hubert Roberts bedeutete, waren weitere wichtige Werke an den Louvre abzuliefern. Denon hatte den direkteren Zugang zu Napoleon, seit er diesen 1798 auf seiner Militär-Expedition nach Ägypten begleitet hatte. Die Lebensgeschichte dieses vielseitigen Malers, Graphikers (frühen Lithographen!), Schriftstellers und Museumsmannes ist nicht allein symptomatisch für die Epoche, sie ist zudem auf vielfältige Weise mit unserem Thema und seinen Hauptakteuren verknüpft. Dies mag rechtfertigen, sie hier in ihren Hauptdaten einzufügen: Der 1747 Geborene – damals besuchte Johann Sebastian Bach Friedrich den Großen in Berlin und Potsdam, zwei Jahre darauf wurde Goethe geboren – ging als junger Mann mit dem französischen Botschafter, dem Grafen Clermont d'Amboise, nach Neapel. So bewegte er sich auf den Spuren Roberts, Fragonards und des Abbé de Saint-Non, dessen Illustrationen zum »Voyage historique et pittoresque de Naples et Sicilie« er fortsetzte. Nach der Aufnahme in die Akademie im Jahre 1787 als Protégé der alten Gesellschaft mußte ihn 1794 sein um ein Jahr jüngerer Freund Jacques-Louis David vor dem Schafott retten. 1798 aber war er bereits persona grata beim General Bonaparte. Sein archäologisches Illustrationswerk »Le voyage dans la Haute et Basse Egypte« gibt noch heute Kunde von seiner engen Verbindung zu dem neuen Machthaber, dessen »Auge in Sachen Kunst« – oeil en Beaux-Arts – er wurde, unübergehbare Instanz in allen Fragen offizieller künstlerischer Selbstdarstellung des Ersten Konsuls und dann des Kaisers, womit er nicht nur den großen Antonio Canova ausgestochen hatte, sondern auch den Einfluß Davids mehr und mehr zurückdrängte. Von der Bildnismedaille bis zum Staatsakt – alles Einschlägige unterlag der ästhetischen Überwachung durch den Baron Denon. 1802 wurde er zum Directeur général des Muséum Français ernannt und damit zum Vorgesetzten Lenoirs[35]. Fortan betrachtete er das Musée des Monuments auf dem linken Seineufer als bloße Dépendance seines Louvre, während Lenoir seinerseits nur um so hartnäckiger sämtliche französischen Kunstwerke für sein Haus beanspruchte; nach seiner Vorstellung sollte der Louvre nur die Antiken und die Ausländischen Schulen umfassen.[36] Doch trotz aller zähneknirschenden Willfährigkeit gegenüber den hochgestochenen Wünschen Joséphines und Napoleons zur Abgabe von bedeutenden Dekorationsstücken für die Tuilerien und Saint-Cloud blieb seine Position schwach[37].

Ein weiterer über die persönlichen Konstellationen hinausgreifender Grund kam hinzu: 1801 schloß Napoleon das Konkordat mit dem Heiligen Stuhl, das zwar die Säkularisation des Kirchenguts sanktionierte, den Katholizismus aber zur Staatsreligion erklärte. Deshalb sah sich Lenoir alsbald den Forderungen einzelner Kirchengemeinden gegenüber, die die Rückgabe wichtiger Stücke aus seinem Museumsensemble verlangten. Napoleon selbst entwickelte jedoch weiterreichende Pläne, die der historischen Legitimierung seiner Dynastie galten. So sollten nach seinen Vorstellungen, an denen Denon gewiß nicht unbeteiligt war, die Königsgräber aus Saint-Denis, die Lenoir nach deren Schändung dort geborgen und zu wahren Kristallisationspunkten seiner historischen Museumsordnung gemacht hatte (s. u. S. 913 und Abb. 9b), sämtlich im Pantheon ihren endgültigen Ort finden – dies des Kaisers 1806 erklärte Absicht, die er indessen 1811 geändert hatte. Denn nun plante er, die altehrwürdige Grablege der französischen Könige in Saint-Denis aus Gründen monarchischer Kontinuität für sich und seine Erben mit in Anspruch zu nehmen[38]. Deshalb war nun »nach Wichtigkeit« eine Aufteilung der Sarkophage zwischen Saint-Denis und Sainte-Geneviève – dem Pantheon – vorgesehen[39]. Daß die geschichtliche Entwicklung dann sehr bald über solche Pläne hinwegging, ändert nichts an der für Lenoir bedrückenden Tatsache, daß er schon von 1801/02 an immer wieder mit massiven Hindernissen oder mit punktuellen Widerständen durch Denon, vor allem aber mit grundsätzlichen Ungewißheiten zu rechnen hatte, die von allerhöchster Stelle ausgingen. Um so eifriger betrieb er sein bewunderungs- und fragwürdiges Geschäft als sammelnder, ordnender, restaurierender und propagierender Museumsmann.

Dieser letztere Teil seiner Tätigkeit manifestierte sich schon frühzeitig in den Veröffentlichungen seines Hauses. Die von ihm herausgegebenen, kommentierten und eingeleiteten Sammlungskataloge, die, schon von 1793 an, in insgesamt zwölf Ausgaben erschienen sind, dienten dem Autor von Beginn an nicht nur zur sachlichen Information des Museumsbesuchers – der instruction publique, wie sie die Zeit forderte –, sondern vor allem auch der Werbung für seine Museumsidee. In ausführlichem Vorwort – avant-propos – und einer entsprechenden historischen Einleitung legte der Conservateur oder Administrateur Sinn und Zweck seines Instituts, dessen jeweiligen Stand und künftige Perspektiven dar: 1793, 1796, 1797, 1798, 1800, 1802, 1803, 1806, 1810, 1815, nochmals 1815 – wegen der Hundert Tage des aus Elba zurückgekehrten Napoleon – und endlich 1816. Dabei vermochte er sich auf das geschmeidigste den temporären politischen Konstellationen anzupassen. Das anfangs nur als *Dépôt des Petits-Augustins* firmierende Institut avancierte auf dem Titelblatt erst zum *Dépôt National,* dann zum *Musée des Monumens Français* (Abb. S. 910), 1810 endlich zum *Musée Impérial des Monumens Français,* um 1815 den kaiserlichen Titel wieder einzubüßen, der freilich auch für die Hundert Tage nicht wieder aufgenommen wurde; 1816 heißt es dann *Musée Royale* etc. Doch haben ihm dies und andere gezielte Hinweise auf die wiederhergestellte Monarchie nicht geholfen, die Auflösung des Hauses hinauszuzögern oder gar zu verhindern. Auf einzelne Abschnitte aus diesen Katalogen wird im Zusammenhang mit unseren speziellen Erörterungen zurückzukommen sein[40].

Neben diesen Katalogen gab Lenoir schon vom Jahre 1795 an in Folio-Format ein Beschreibungs- und Tafelwerk heraus, von dem sechs Lieferungen erschienen sind. Im Jahre 1800 nahm er das Vorhaben, nun in Oktav-Format, wieder auf; von dieser Ausgabe sind bis 1821, also über die Lebensdauer des Museums hinaus, insgesamt acht Bände erschienen, jeweils mit 130 bis 350 Seiten Text und ziemlich gleichbleibend mit vierzig bis fünfundvierzig Tafeln. Die Abbildungen gingen auf seine eigenhändigen Originalvorlagen zurück[41]. Vom ersten dieser Bände gab es sogar eine englische Edition. In zahlreichen Rapports, Mémoires, Receuils d'observation, Dissertations, Notices, Descriptions de quelques monumens, Considérations etc. hat Lenoir überdies über einzelne Objekte, Werk-

# DESCRIPTION

## HISTORIQUE ET CHRONOLOGIQUE

### DES

## MONUMENS DE SCULPTURE,

### RÉUNIS AU MUSÉE

### DES

## MONUMENS FRANÇAIS;

Par ALEXANDRE LENOIR,

Conservateur de ce Musée;

*Suivie d'un traité historique de la Peinture sur verre,*
*par le même auteur.*

Troisieme édition, revue, corrigée et considérablement augmentée. Prix, 36 sous broché, et 50 sous franc de port pour les départemens.

A PARIS,

Au Musée, rue des Petits-Augustins.

An V de la République.

Titelblatt des Katalogs von 1797

910

gruppen, Bergungsaktionen usw. berichtet. Unter diesen Einzelveröffentlichungen befinden sich auch eine bemerkenswerte Erinnerungsschrift an *Jacques Louis David*, die 1825 unter dem Titel *Souvenirs historiques* erschienen ist – eine eher anekdotische Biographie wie Courajod zu Recht feststellt[42]. Außer diesen eigenen Publikationen ist indessen eine Gruppe von fremden Werken über das Musée von Bedeutung. Zahlreiche Künstler zeichneten und malten unmittelbar unter den Augen des Museumsdirektors und sehr in seinem Sinne (s. u. S. 913) nach den ausgestellten Werken im einzelnen oder in ganzen Raumzusammenhängen. Daraus sind mehrere Abbildungswerke entstanden, unter denen zwei Tafelwerke besondere Aufmerksamkeit verdienen – beide erst nach der Auflösung des Museums herausgekommen: zum einen *Vues pittoresques et perspectives du Musée des monumens français,* etc., gravées au burin en 20 estampes par Réville et Lavallée, d'après les dessins de M. Vauzelle, avec un texte explicatif par B. de Roquefort. Paris, Didot, 1816, in-folio maximo; auf dieses Werk und auf den Zeichner und Maler *Jean-Lubin Vauzelle,* der übrigens ein Schüler Hubert Roberts war, wird zu verweisen sein (s. u. S. 915); zum anderen *Souvenirs du Musée* etc., collection de 40 dessins perspectifs, gravés au trait, représentant les principaux aspects sous les quels on a pu considerer tous les monuments réunis dans ce musée, dessinés par M. J.-E. Biet et gravés par MM. Normand père et fils (Abb. S. 912), avec un texte explicatif par M. J.-P. Brès, Paris etc. Das Werk wurde erst 1821 begonnen und 1826 beendet. Beide Publikationen sind mit Sicherheit von Lenoir selbst inspiriert,[43] beide waren sie retrospektiven Charakters.

Zum Trost für sein verlorenes Amt und in Anerkennung seiner unbezweifelbaren Verdienste um die Bergung der Königsgräber in der Basilika von Saint-Denis nach deren Zerstörung durch den Mob der Revolution, ernannte ihn Ludwig XVIII. zum Chevalier und machte ihn zum Conservateur der alten Grabeskirche der Monarchie. So hatte er denn in seiner neuen Funktion dieselben Sarkophage, soweit sie erhalten waren, die er seiner chronologischen Ordnung entsprechend auf die verschiedenen Säle seines Museums verteilt hatte, wieder an ihren Ursprungsort zurückzubringen, um sie dort, wieder unter Anwendung seiner eigenmächtigen denkmalpflegerischen Prinzipien, neu installieren zu lassen[44].

Nach diesem kurzen Überblick über die Geschichte seines Museums ist in dieses selbst zurückzukehren, so wie es Hubert Robert und mit ihm und nach ihm die jüngeren Vedutisten in ihren Zeichnungen, Stichen und Bildern lebendig erhalten haben. Die durch Robert in seinem Bremer Bilde wiedergegebene *Salle d'Introduction* des Museums (Farbtafel I) war die ursprüngliche Klosterkirche der Kleinen Augustiner, der einzige noch heute in seiner historischen Architektur im wesentlichen erhaltene Teil der alten Anlage – heute innerhalb des Gebäudekomplexes der Ecole des Beaux-Arts an der Rue Bonaparte gelegen. Dieser ehrwürdige Raum beherbergte bis in unsere Tage die Gips-Sammlung der Kunst-Akademie (Abb. 14b), wie u. a. photographische Aufnahmen aus den sechziger Jahren unseres Jahrhunderts mit einem malerischen Wirrwarr von Abgüssen nach den berühmtesten Skulpturen der Kunstgeschichte dartun. Der Betrachter denkt an Adolph Menzels Darstellung der Berliner Antiken im »Aufbewahrungssaal während des Museumsneubaus 1848«[45]. – Seit einiger Zeit ist man in Paris dabei, die architektonischen und sonstigen Relikte aus der kurzen Museumszeit an und in den Baulichkeiten der Ecole des Beaux-Arts zu schützen und zu restaurieren.

Umrißstich von Biet, Eingangssaal des Museums der Monumente, 1831

VUE. DU. SALON. DU. LOUVRE EN L'ANNÉE 1753

Abb. 1: Gabriel de Saint-Aubin, Der Salon von 1753; Radierung.

Abb. 2: Elisabeth Vigée-Lebrun, Bildnis Hubert Robert, 1788; Paris, Louvre »Hubert Robert, 60 Jahre alt, in Paris geboren, Maler, wohnhaft in der Galerie des ›Muséum‹, Größe fünf Fuß vier Zoll. Graue Haare, sehr hohe Stirn, schwarze Augenbrauen, graue Augen, große Nase, kleiner Mund, rundes Kinn, ovales und volles Gesicht« (Polizeiprotokoll bei Gelegenheit der Überstellung des Gefangenen Robert von Saint-Lazare nach Sainte-Pélagie – nach Gabillot, a.a.O., S. 182 ff.).

Abb. 3: Caspar David Friedrich, Selbstbildnis, Kreidezeichnung, gegen 1820; Berlin.
»In der Physiognomie Friedrichs ist viel von jenem nachdenklichen Ausdruck zu bemerken, den man bei Menschen zu finden pflegt, die sich mit großen Gedanken befassen. Auf seinem Antlitz trägt er Züge von Melancholie, von Freundlichkeit und Scheu. Man sieht, daß die Energie seines Charakters seine Leidenschaften, die stark sein müssen, beherrscht ... Im Sitzen beugt er den Kopf gewöhnlich absichtslos zur Erde. Selten lacht er, doch dann hat sein Lachen die Naivetät eines Kindes ... Er redet nicht schnell mit wenig Betonung, wie es bei nachdenklichen Menschen so ist. Er ist groß, von kräftigem Knochenbau, die Muskeln sind durchgebildet, die Hände mager und intelligent«. So notierte der französische Bildhauer und Bildnisspezialist Pierre-Jean David d'Angers in sein Carnet No. 27 im Jahre 1834 (Les Carnets de D. d'A., Paris 1 58, S. 327 ff.).

Abb. 4: R. Delafontaine, Bildnis Lenoir, 1815/16; Versailles.

Abb. 5: J. L. David, Bildnis Lenoir, 1817; Paris, Louvre.

Abb. 6: Anonymer Zeichner, Bildnis Denon, um 1780, Privatbesitz.

Abb. 7: Vivant Denon, Selbstbildnis zeichnend, 1816, Lithographie.

Abb. 8a: Hubert Robert, Römisches Architektur-Capriccio; Paris, Louvre.

Abb. 8b: Hubert Robert, Der Abriß der Häuser auf dem Pont-au-change, 1788; München.

Abb. 9a: Paul Delaroche, Die Auferstehung Napoleons.

Abb. 9b: Hubert Robert, Die Bergung der Königsgräber in Saint-Denis; Paris, Carnavalet.

Abb. 10a: Hubert Robert, Die Grande Galerie des Louvre (Skizze); Paris, Louvre.

Abb. 10b: Hubert Robert, Die Grande Galerie des Louvre; Paris, Louvre.

Abb. 11a: Hubert Robert, Die Grande Galerie des Louvre; Paris, Louvre.

Abb. 11b: Hubert Robert, Die Grande Galerie des Louvre in Ruinen; Paris, Louvre.

Tafel XXXVII

Abb. 12a: Stich nach Lubin Vauzelle, Die Eingangshalle des Museums der Monumente.

Abb. 12b: Hubert Robert, Eingangssaal des Museums der Monumente; Paris, Louvre.

Abb. 13a: Lubin Vauzelle, Eingangssaal des Museums der Monumente, Paris, Carnavalet.

Abb. 13b: Hubert Robert, Eingangssaal des Museums der Monumente, 1801; Bremen.

Abb. 14a: Stich nach Lenoir, Der Saal des 13. Jahrhunderts.

Abb. 14b: Photo, Ecole des Beaux-Arts, Gipssaal.

Abb. 15a: Stich nach Lenoir, Der Garten der Monumente.

Abb. 15b: Piranesi, Zweites Titelblatt zu den Antichità Romane, 1756, Radierung.

Abb. 16a: Stich nach Lenoir, Der Garten der Monumente.

Abb. 16b: Hubert Robert, Der Garten der Monumente, um 1803; Paris, Carnavalet.

Abb. 17a: J. Arnout, Der Eingang zur Ecole des Beaux-Arts, um 1850, Lithographie.

Abb. 17b: Hubert Robert, Der Garten der Monumente, 1802/03; Bremen.

Abb. 18: Richard Earlom nach Claude Lorrain, Römische Landschaft, 1817, Radierung.

Abb. 19a: C. D. Friedrich, Felsengrund, Sepia, Kopenhagen.

Abb. 19b: C. D. Friedrich, Arminiusgrab, 1812; Hamburg.

Abb. 20a: J. H. W. Tischbein, Grabmale, Aquarell, Oldenburg.

Abb. 20b: C. D. Friedrich, Felsengrund mit Wanderern, Kiel.

Abb. 21 a: Ausschnitt aus 21 b.

Abb. 21 b: C. D. Friedrich, Felsengrund mit Arminiusgrab, 1813/14; Bremen.

Dieser Eingangshalle hatte Lenoir programmatische Funktion im Rahmen seiner Museumsidee zugedacht. So schreibt er in seinem Katalogvorwort[46]: »Ein Einführungssaal schien mir unabweisbar nötig, um als Ouvertüre in das Museum zu dienen. Dieser Teil sollte Monumente aus allen Jahrhunderten enthalten – chronologisch aufgebaut«, wie die übrigen Sammlungen in den folgenden Einzelräumen dann ohnehin: Saal des dreizehnten, des vierzehnten Jahrhundert usw. – insgesamt fünf Jahrhunderte, dazu ein Kapellenraum mit dem Grabmal Franz I.[47] »Der Künstler« (dieser voran!) »und der Kunstliebhaber werden mit einem Blick die Kindheit der Kunst bei den Gotiker (chez les Goths), ihre Fortschritte unter Ludwig XII. und ihre Vollkommenheit unter Franz I. überschauen, – den Ursprung ihres Niedergangs unter Ludwig XIV., dieser deshalb bemerkenswerten Epoche in den Künsten, die auf der Zeichnung basieren, wegen der Flucht *Poussins*« (nach Rom vor den Pariser Intriguen *Vouets*). »Endlich wird man Schritt für Schritt den Monumenten unseres Jahrhunderts folgen, dem klassischen Stil, wie er in unseren Bereichen durch die öffentlichen Vorlesungen *Joseph-Marie Viens* wiederhergestellt worden ist.«[48] In der dem Avant-Propos folgenden Introduction, einem allgemeinen kunsthistorischen Überblick, mit dem er die Ordnung seiner Sammlungen näher begründet, findet sich u. a. ein bemerkenswertes Bekenntnis zur kunstpädagogischen Aufgabe des Museums: »In jenen Jahren des Unheils für die Künste besaß Paris weder ein Museum noch öffentliche Sammlungen« (wie Rom zur Zeit Raffaels und Michelangelos). »Die Meister der Zeit verbargen die Meisterwerke der Großen und erklärten nur sich selbst zum Vorbild. So machten sie aus ihren Schülern wahre Sklaven, die sie ihre Livree tragen ließen. Ich, der ich seit meiner Jugend der Zeichenkunst zugetan bin, war seit je davon überzeugt, daß die Sammlungen für den Fortschritt der Künste wertvoller sind als die Schulen [...] Die Vorbilder, die man vor Augen hat, die Vergleiche, die man von einer Kunstweise zur anderen ziehen kann, bilden den Geschmack und begründen ein vernünftiges Studium. Ohne diese Arbeit des Geistes ist das Studium nur Routine, die Kunst wird zum bloßen Handwerk und sinkt unaufhaltsam herab. Anmerkung [von Lenoir selbst]: Diese gewichtigen Gründe haben mich veranlaßt, in dem Museum, das ich leite, einen theoretischen Lehrgang und eine praktische Schule der Zeichenkunst zu eröffnen.« Zwei Absätze weiter, nachdem er Vien noch einmal gepriesen und seine zahlreichen Schüler hervorgehoben hat, die »für die Zukunft eine französische Schule ebenbürtig der römischen« erwarten ließen, heißt es: »Was für eine glänzende Laufbahn eröffnet sich unseren Malern und unseren Bildhauern. Die Geschichte der französischen Revolution ist ein riesiges Feld, das sie in Ehren durchwandern. Nicht mehr die Märtyrer-Palme oder -Krone Christi werden sie darstellen, sondern die der Victoria, der Liberté, der Eintracht und des Friedens. Lachende Bilder einer sanften Philanthropie, wie sie in unseren Tempeln praktiziert wird, werden schließlich an die Stelle einer traurigen Religion treten, deren Mythologie den Künsten nur Bettler, Kranke und Tote präsentiert.« 1802 sah sich Lenoir noch durchaus auf der Höhe der Zeit und er entwickelte dementsprechend den konkreten, politisch-didaktischen Zweck, dem also sein Haus zu dienen hatte. Die »lachenden Bilder einer sanften Philanthropie« sind bis in unser Jahrhundert, bis in unsere unmittelbare Gegenwart hinein unter verschiedenen politischen Konstellationen von öffentlichen Erziehern zur Kunst als erstrebenswert gepriesen. Damals aber wurde aus dem General Bonaparte der erste Konsul und dann der Kaiser der Franzosen, der die Welt eroberte, so daß auch die Bildprogramme sich bald weniger friedlichen Inhalten zuzuwenden hatten[49].

Hubert Roberts Bild (Farbtafel I), das gewiß nicht zufällig jenen Raum wiedergibt, der das Programm des Museums in nuce enthält, wird überragt von dem hochgetürmten Monument der Diane de Poitiers, der Geliebten Heinrichs II[50]. Lenoir hatte es aus der Schloßkapelle in Anet herbeigeschafft. Dort aber lagen die vier, den Sarkophag tragenden Sphingen auf einem wenig über den Fußboden erhobenen zweistufigen Untersatz, wie eine Zeichnung nach dem ursprünglichen Zustand erweist[51]. Lenoir hat sie statt dessen auf einen übermannshohen Sockel seiner eigenen Erfindung gesetzt und diesen Sockel ringsherum mit vier kostbaren Emails dekoriert, die aus der Sainte-Chapelle stammen (heute im Louvre). Er hat dazu an die vier Ecken Holzfiguren gerückt, die aus der Werkstatt Germain Pilons kommen und ehedem den Schrein der Sainte-Geneviève in ihrer Abtei-Kirche trugen, bevor diese durch das Panthéon ersetzt wurde.[52] In der ausführlichen Katalogbeschreibung durch Lenoir heißt es unter der Nummer 466[53]: »Aus dem Schloß von Anet. Die Marmorstatue der knienden Diane de Poitiers, berühmt durch ihre Liebschaften und ihre Gabe, die Regierungsgeschäfte zu führen – gestorben 1566, auf einem Sarkophag von schwarzem Marmor [...], von vier Sphinxköpfen getragen, das Ganze auf einen Sockel gesetzt, der von vier weiblichen Figuren getragen wird. – Dieses Grabmal, dessen Trümmer ich in Anet gekauft habe, befand sich in einem derartigen Zustand der Verwahrlosung, que les animaux les plus vils paissaient dedans; es war nach meinen Angaben zu restaurieren (Abb. 12a, 12b). Da ich kein Betpult beschaffen konnte, das vor Diane stand, habe ich in ihre Nähe einen Hund als Sinnbild der Treue postiert, der die Flamme Amors behütet; weiter hinten sieht man Amor auf Folianten sitzen, wie er dabei ist, die Geschichte dieser illustren Frau aufzuschreiben. Ich habe das Monument auf einen Sockel gehoben, den ich durch vier Nymphen habe stützen lassen. Pilon, ihr Schöpfer, hat Grazie und Geschmack in die Erfindung und die Ausführung dieser Figuren gelegt, die er aus Holz geschnitzt hat, daß sie ursprünglich den Schrein der Hl. Genoveva trügen. Die Emails, die ich in diesen Sockel eingefügt habe, passen vorzüglich; denn auf der einen Seite sieht man Franz I. und auf der anderen Heinrich II. vor Diane knieend [...] Sie stellen Themen der Andacht dar, die in Poitiers nach den Cartons Raffaels ausgeführt wird.«[54] Eine solche hier absichtlich in aller Ausführlichkeit wiedergegebene Katalogbeschreibung bietet, als ein bezeichnendes Beispiel für mehrere, genauen Einblick in den Geist und in die Methoden eines enragierten Museumsmannes am Beginn des Museumswesens überhaupt. Zugleich aber offenbart sich Lenoirs besondere Begabung, seine fragwürdigen Methoden zu begründen und dem Publikum schmackhaft zu machen.

Das *Bremer Bild* Hubert Roberts (Abb. 13a, 13b), wie auch einige weitere hier wiedergegebenen Abbildungen der Salle d'Introduction, sind überdies vorzüglich geeignet, die Angaben Lenoirs im Einzelnen zu überprüfen. Es würde den Rahmen der hier anzustellenden Überlegungen überschreiten, wenn auch auf die übrigen in diesem Saal versammelten Kunstwerke im einzelnen nach Vor- und Nachgeschichte eingegangen würde, auf die verschiedenen Wandgrabmäler, auf den gotischen Gisant (wahrscheinlich aus St. Denis) oder auf die dekorativ neben die hintere Seitenkapelle postierten überlebensgroßen Aktfiguren (wahrscheinlich von der Porte Saint-Antoine). Die aus verschiedenen

914

Zeiten stammenden und also jeweils verschiedenen Phasen der Einrichtung spiegelnden Darstellungen – die Sammlung befand sich bis zu ihrem vorzeitigen Ende 1816 immer in einem Zustand des Wachstums und der Veränderung – lassen in Hinsicht auf das Hauptmotiv diesen Schluß zu: offenbar hat Robert, bei aller malerischen Freiheit und bei deutlichem Rückgriff auf das typische Requisitorium des Ruinenspezialisten (Architekturteile etc.) das Grabmal aus Anet getreulich so abgebildet, wie es sich vor seinen Augen darbot – als ein Konglomerat aus höchst heterogenen Elementen. Der Vergleich der Bremer Fassung mit der des Musée Carnavalet (Abb. 12a, 12b) und auch mit den verschiedenen Stichen zeigt indessen einen wesentlichen Unterschied: die bereits im Katalogtext von 1802 geschilderten plastischen Zutaten (Hund, Amor, etc.) treten erst in dem Pariser Bild auf. Das Gemälde desselben Themas von *Jean-Lubin Vauzelle* (1776–1837) im Musée Carnavalet (Abb. 13a), war 1812 im Salon ausgestellt; es wird von M. M. Gallet mit guten Gründen vor 1806 datiert, indes die Stichwiedergabe nach Vauzelles Zeichnung für die große Tafel-Publikation den späteren, den letzten Zustand des Saales zeigt.[55] (In beiden Fällen sind die genannten Zutaten deutlich zu erkennen.) Das aber bedeutet, daß das Pariser Exemplar des Robert-Bildes später ist als das Bremer, etwa 1802 entstanden sein muß, während dieses Bild bald nach 1800 zu datieren ist. Lenoir ließ jene plastischen Hinzufügungen, wahrscheinlich nach seinen eigenen Entwurfszeichnungen, durch den Bildhauer *Pierre-Nicolas Beauvallet* (1750–1818) verfertigen, der ihm »sein Talent bei der Restaurierung von mehreren verstümmelten Denkmälern« geliehen hat, wie es im Avant-Propos von 1802 heißt. Und er habe das »aus Freundschaft zu mir« getan. Man erkenne aber an der glänzenden Ausführung leicht, daß er bei derartigen Dingen »mehr noch denn aus Freundschaft aus Interesse« gehandelt habe. Mit Hilfe also dieses ihm freundschaftlich verbundenen Pajou-Schülers hat Lenoir nicht nur abgebrochene Finger, Nasen, Hände und Füße neu hinzuerfinden lassen. So hat dieser Vorgänger Viollet-le-Duc's an seinen Monumenten gebastelt und geändert – im Sinne einer mißverstandenen historisierenden Denkmalpflege und »in der besten Absicht«, wie sie bezeichnend sind für das eben beginnende Jahrhundert[56]. Doch haben schon die Zeitgenossen ein solches Verfahren beanstandet. So heißt es etwa in einem Bericht, der 1807 von Barbier de Neuville, Attaché im Innenministerium redigiert, wahrscheinlich an Lenoirs Kontrahenten und Vorgesetzten Vivant Denon gelangte: »Wenn Lenoir auch gewisse Objekte, die vielleicht während der Delirien der Revolution zerstört worden wären, gerettet hat – öfter hat er die Departements von allem geplündert, was das Interesse oder die Neugier der Fremden erregen könnte. Was aber noch schlimmer ist, ist die Tatsache, daß Denkmäler, die einmal in sein Museum gelangt sind, ihre Form verändern – changent de forme – oder auf bizarre Weise mit anderen Denkmälern vereinigt werden, die etliche Male noch nicht einmal aus demselben Jahrhundert stammen. Menschen von Geschmack beklagen dies, die Kenner des Alten und die Künstler hören nicht auf, gegen solchen Mißbrauch öffentlich zu protestieren«[57]. Oder: Quatremère de Quincy[58] spricht von dem Museum Lenoirs als dem »Produkt von fünfundzwanzig Jahren Raubzügen, das nur noch einen trübseligen Friedhof der Kunst« darstellte, eine »Magazinierung, die unnötig für die Kunstwerke« sei, »die Belehrungen, die die Künstler dort empfangen«, seien »tote Belehrungen«[59]. Lenoirs Mitarbeiter bei den Restaurierungen, der Bildhauer Claude-André Deseine, veröffentlichte gar ein Pamphlet unter dem Titel »Opinion sur les Musées«, in dem er gegen die

»unangemessenen Vermengungen oder mißbräuchlichen Restaurierungen« polemisierte. Natürlich hatte er Einblick in die geübten Praktiken, scheint sich indessen mit dieser Veröffentlichung eher selbst haben salvieren zu wollen[60].

Ins Zentrum also unserer grundsätzlichen Frage führt die Betrachtung dieses Bildes und eines seiner Details: das zum historischen und künstlerischen Museumstück »erhobene«, auf ein Piedestal gesetzte Grabmal offenbart sich als das zum Museumstück verfälschte, degradierte Grab eines Menschen: »Tod und Museum, was uns so sehr an die Nieren geht.« Und es läßt sich die Erkenntnis nicht umgehen, daß ein großer Teil der achtunggebietenden archäologischen oder kunsthistorischen Bemühung unseres Fachs, der Museumsleute zumal, aufs engste mit Grabräuberei und Ähnlichem verknüpft ist.

Aus seinen speziellen künstlerischen Neigungen, die sich, wie gezeigt, durchaus aus dem 18. Jahrhundert her schreiben, hat Hubert Robert das Transitorische der musealen Situation betont, nicht zuletzt durch die Einführung jener antikisch erscheinenden Architekturelemente, Grabplatten, Basen, Kapitelle, wie sie ihm aus dem Süden in natura und von Pannini und Piranesi her geläufig waren. Hier dienen sie vorn als Repoussoir und aber auch zur malerischen Auflockerung im Lichteinfall des Hintergrunds. In beiden Fällen fungieren sie zudem als gewichtige, betonende Sockel für die figürliche Staffage. Ins Bild hinein und auf seine Einzelheiten verweisende, im Gespräch begriffene oder auch stumm betrachtende Gestalten sind es, die den lehrhaften Charakter der Darstellung und der ihr zum Vorbild dienenden Institution Museum unterstreichen. In diesem Punkte begegneten sich die Absichten des Malers mit denen des Museumsdirektors unmittelbar. In der Bremer Fassung sind überdies zwei Figuren besonders hervorzuheben, wie sie auch durch den Maler selbst absichtsvoll an markanter Stelle innerhalb der Bildkomposition postiert wurden. Da ist einmal, fast genau in der Bildmitte (gerade unter dem Kopf des Gisant), der Zeichner, der also im Sinne Lenoirs das Museum als Studienort, als »une école pratique de l'art du dessin« benutzt, da »die Sammlungen für den Fortschritt der Kunst wertvoller sind als die Akademien«. Endlich steht vorn links vor dem Pastiche-Sockel der Amateur (als Einzelperson!), den Blick zum Monument erhoben und den Katalog in der Hand, der Bildungsreisende (mit Hut und Stock), der das Gedruckte vermittels der Autopsie auf seine Stichhaltigkeit prüft. Zugleich verkörpert er den Betrachter überhaupt, der nicht mehr vor dem Bilde verharrt, sondern in dieses, in seinen Geistesraum, mit hineintritt – wie dies in der Kunst der Romantik, die unmittelbar vor der Türe stand, künftig so oft geschehen sollte. Nochmals aber: das Bild, bald nach 1800 entstanden, stammt noch durchaus aus der Anschauungswelt der vergangenen Epoche. Mit leichtem raschem Pinsel schreibt und tupft ein wirklicher Maler seine Bildvorstellung auf die Leinwand, in jener silbrig-blonden Farbskala, die von Chardin und den Pastellmalern sich herleitet. Bei aller Treue ist immer auch ein Gutteil Improvisation mit im Spiel, Freiheit des Blicks und der Hand aus einer heiteren Vergangenheit, indessen die Freiheiten, die sich ein Lenoir erlaubte, der neuen, der schwierigeren Zukunft angehören.

## Elysium

Deutlicher noch als in diesem Museumsbild und seinem Umfeld tritt uns unsere Grundfrage in einem zweiten Gemälde von Hubert Robert entgegen, das offenbar durch »die
Anziehungskraft des Bezüglichen«[61] ebenfalls in den Besitz der Kunsthalle Bremen
gelangt ist – übrigens zu anderer Zeit und aus anderer Quelle als das eben behandelte. Es
stellt den *Garten der Monumente* dar (Farbtafel II), den Lenoir auf dem Gelände des
Klostergartens der Kleinen Augustiner unmittelbar neben seinem Museum angelegt
hatte. Wie im Falle der Salle d'Introduction existieren auch von diesem Bilde mehrere
eigenhändige Fassungen[62] (Abb. 16 b). Wieder ist Lenoir selbst, aus seinem Katalog von
1802, zu zitieren[63]: »Ein Elysium – un Elysée – dieses Wort scheint mir dem Charakter zu
entsprechen, den ich meinem Institut verliehen habe« – an anderer Stelle, so im Vorwort
des Katalogs von 1815, vergleicht er sein Museum mit Westminster-Abbey, dem Natio-
nalmausoleum der Engländer[64] – »und der Garten hat mir alle Möglichkeiten in die Hand
gegeben, meine Pläne zu verwirklichen. In diesem stillen und friedlichen Garten sind
mehr als vierzig Statuen – Bildwerke – zu sehen, Grabmäler hier und da auf grünem Rasen
errichtet, erheben sie sich voller Würde inmitten der Stille, der Ruhe. Pinien, Cypressen
und Pappeln begleiten sie; Masken und Urnen, die auf die Mauern gestellt sind, tragen mit
dazu bei, diesem Ort des Glücks – à ce lieu de bonheur – jene sanfte Melancholie zu
verleihen, die zu empfindsamen Seelen spricht. Endlich trifft man hier auf das Grabmal
der Héloïse und des Abélard, in das ich die Namen dieser unglücklichen Gatten habe
einmeißeln lassen.[65] [...] In den Sarkophagen, die nach meinen Entwürfen ausgeführt
sind, ruhen die erlauchten sterblichen Überreste – les illustres restes – von Descartes,
Molière, Lafontaine und Boileau etc.« So hatte er also, der in seinen Museumssälen, trotz
aller zeitweilig zu demonstrierenden republikanischen Gesinnung, französische, patrioti-
sche Kunst-Geschichte jeweils an den Grabmälern ihrer königlichen Protagonisten exemplifiziert hatte, was sein Katalogvorwort etwa schon in der Revolutions-Fassung von *1794*
betonte (»sous Louis XII., sous François I., sous Louis XIV., sous Louis XV...«) – so hatte
er im Garten eine wahre Reliquien-Sammlung zusammengetragen – echte Reliquien zum
Unterschied von vielen der Kirche, worauf mich Hermann Schnitzler in jenem Brief
hinwies. Es waren Reliquien von den Heroen des französischen Geistes. Und Lenoir
bemühte sich wie die Reliquiensammler von einst um weitere »restes«, so von Pascal, von
Racine. Im Katalogvorwort von 1815 spricht er von »den Gebeinen der hervorragendsten
hommes de lettres, deren Frankreich sich rühmen kann [...] M. Lenoir hat ihr Andenken
durch einfache, doch in ihrer Komposition und der Strenge ihres Stils interessante
Monumente geehrt, die er in ihrem Genre jeweils jedem einzelnen von ihnen angepaßt
hat«. Es folgt eine etwas erweiterte Beschreibung der Gartengestaltung. Man solle dort
promenieren, sich informieren und – so heißt es an anderer Stelle – »inmitten der hohen
Bäume ernsten Gestalten in langen, liliengeschmückten Gewändern begegnen«. Woraus
erhellt, daß dieser Passus nach der Wiederkehr der Bourbonen geschrieben wurde. Jules
Michelet bekannte, daß ihm hier in diesem Garten der Geist der französischen Geschichte
aufgegangen sei.[66] *Louis Réau* spricht in seinen »Monuments détruits de l'Art Français« von
»einer Art von archäologischem Park im Stil der englischen Gärten [...],[67] die durch
Hubert Robert«, den Gartengestalter, »in Mode gekommen waren«, von einem »Panthéon

en plein air«, in dem »empfindsame Seelen, durch die Lektüre der neuen Héloïse von Jean-Jacques Rousseau in Rührung versetzt, sich sentimentalen Träumereien über die Kürze des Lebens und die Dauer des Ruhmes hingeben konnten«. Von heute aus gesehen ist darin eher eine Frühform eines Museumsgartens mit »Plastik im Freien« zu erkennen oder von Freilichtausstellungen, wie sie für Skulpturen vom Londoner Battersea-Park über Arnhem, Middelheim und Basel bis zu den Bundesgartenschauen mit ihren entsprechenden Darbietungen inzwischen weithin üblich geworden sind. Diese Veranstaltungen haben gewiß viel für eine neue Popularisierung der spröden Kunst der Skulptur bewirkt, nachdem Denkmäler im Verstande des 19. Jahrhunderts in unserer Zeit ihre Glaubwürdigkeit offenbar zu gutem Teil eingebüßt haben. Zu bedenken aber bleibt, daß nicht wenige der in den genannten Ausstellungen gezeigten Werke für eine Freiaufstellung weder ursprünglich gedacht waren, noch von ihrer Gestaltung her dafür geeignet sind. Dies gilt indessen nicht für die Monumente in Lenoirs Elysium, deren äußere Form er ja großenteils selbst bestimmt hatte, wobei er sich weitgehend an antiken Beispielen orientierte, wie sie ihm aus den einschlägigen italienischen Stich-Werken geläufig sein mußten. Und auch der von Réau berufene, »englische Garten« hat, wie dieser selbst, seinen Ursprung im Süden, in den römischen Ruinenfeldern, deren malerischen Zauber von ehrwürdigen architektonischen und plastischen Resten inmitten einer lichten Vegetation schon Poussin und Claude (Abb. 18) und ihre Zeitgenossen im siebzehnten Jahrhundert entdeckt hatten[68].

Die Darstellung des *Gartens der Monumente* (Abb. 17b), wie sie Hubert Robert gegeben hat, wird überragt, ähnlich wie bei dem Interieurbilde durch das überhöhte Grabmal der Diane, von einer hohen korinthischen Säule (übrigens unbekannter Provenienz) auf hohem Sockel – Lenoir liebte die hohen Sockel –, den er mit Bas-Reliefs in Bronze vom zerstörten Monument Ludwig XIV. von der Place des Victoires dekoriert hatte. Überdies hatte er die Säule, auf die er ursprünglich eine Figur Ludwigs XIV. von Guillain vom Pont-au-Change placiert hatte (deshalb die Reliefs entsprechender Thematik), im Jahre VIII. der Republik, im Jahre 1800, mit einer unverfänglicheren »Abundantia« im Pilon-Stil bekrönt. Lenoir und auf seinen Spuren Robert, sie wußten optische Akzente zu setzen. Diese Säule aber, bis vor kurzem mit derselben Bekrönung darauf, wenn auch auf angemessenerem, bescheidenerem Piedestal, steht noch heute mehr oder weniger in situ – im Eingangshof nämlich der Ecole des Beaux-Arts an der Rue Bonaparte[69] (Abb. 17a). Die übrigen Denkmäler auf dem Bilde oder auch auf den Stichen (nach Vauzelle und nach Lenoir selbst, Abb. 15a, 16a) seien ebenfalls aufgezählt, ohne daß wir hier eine eingehendere Schilderung ihrer jeweiligen Vor- und Nachgeschichte geben wollen. Von links: der Sarkophag mit der Mumie des Marschalls Turenne[70], dann im Hintergrunde das Grab-Tabernakel des Connetable Anne de Montmorency (von dort)[71], von der Hand des Architekten Jean Bullant (heute im Louvre), dann die Figur der ruhenden, nackten Diana von Jean Goujon oder aus seiner Schule, Brunnenfigur aus dem Park von Anet – idealisierte, mythologisierte Verkörperung der Schloßherrin Diane de Poitiers, doch nicht ihr Bildnis, eine erste Gartenplastik (heute im Louvre)[72]; dann weiter vorn auf hohem Sockel die Urne mit der Asche Boileaux' (heute in Saint-Germain-des-Près beigesetzt); darauf folgend ein vierkantiges Monument, ein Kenotaph, mit Nischen, in denen die Büsten von Molière, La Fontaine, Boileau und Racine aufgestellt sind.[73] Lenoir beschreibt

918

die einzelnen Stücke in seinem Katalog, hier fügt er hinzu: »une amitié egale réunissait souvent ces hommes illustres«. Sodann der Sarkophag Molières[74] auf vierkantigen Pfeilern ruhend – sein Name ist deutlich zu lesen, darauf folgend die Säule; endlich gegen den rechten Bildrand, der von Greifen getragene Sarkophag mit den sterblichen Resten des Descartes.[75] Die wesentlich kleinere Fassung des Bildes im Musée Carnavalet[76] (Abb. 16b) gibt zum Unterschied gegenüber der Version in Bremen zusätzliche Namensinschriften auf den Monumenten von Turenne, dem Kenotaph (Boileau und Racine) und endlich Descartes. Ein weiterer Unterschied besteht darin, daß das Bremer Bild (Abb. 17b) links von denselben Kulissen-Pappeln gerahmt ist, die den Hintergrund beider Fassungen bilden, während das Pariser Bild hier Tannen zeigt. Diese Beobachtung führt zu einer grundsätzlichen Frage: Wieweit waren solche unter den Augen Lenoirs entstandenen Abbildungen – ebenso in den Stichwiedergaben[77] – überhaupt authentisch? Gewiß – in Hinsicht auf die Vegetation werden Zweifel berechtigt sein. Die zu gutem Teil erst vor kurzem gepflanzten Büsche und Bäume sind sicher in Höhe und Üppigkeit ihres Wuchses übersteigert – Lenoir wünschte ein Bild des angewachsenen und nicht des gerade angepflanzten Parks. Der Maler und Gartengestalter kannte sich da von seinen adligen Auftraggebern her aus und wußte entsprechend zu schönen und zu übertreiben. Auch standen ihm ganz selbstverständlich die im eigenen Vedutenwerk vielbenutzten Darstellungsformeln für verschiedene Arten von Koniferen oder Laubbäumen jederzeit ad libitum zur Verfügung. So hat er denn bei den verschiedenen Fassungen gelegentlich ein wenig variiert. Übrigens waren die silbrigen Pyramidenpappeln, die ihm auch sonst in Erinnerung an die Zypressen Italiens als senkrechte Bildelemente lieb gewesen sein mögen, so etwas wie eine Signatur seiner Landschaftskompositionen[78]. Sehr viel weniger frei aber bewegte er sich bei den dargestellten Monumenten, was sich z. T. im Vergleich mit den sachlich trockeneren Stichveduten, aber im Falle der Goujon-Diana noch heute vor dem Original im Louvre nachprüfen läßt. Im Grunde befleißigte sich der Maler hier derselben Sachtreue wie vor den Objekten in jener Interieurdarstellung. Und dennoch zeigt gerade der Blick auf die Stich-Wiedergaben, wie sehr es ihm gelang, aus dem schwierigen Bildvorwurf, über die bloße Vedute hinaus, eine in sich schlüssige Komposition zu gestalten. Wieder besann er sich auf das Antiken-Requisitorium aus seiner italienischen Lehrzeit und übersetzte damit gleichsam in den hohen Stil der Klassik. Säulentrommeln und -basen, Grabplatten u. a. benutzte er wie häufig als Repoussoirs und wiederum als betonende Sockel für die Kunstbeflissenen, die auch hier eifrig zeichnend am Werk sind. Die erwähnten »gepuderten« Baumkulissen und schaumigen Gebüsche heben ihrerseits als sorgfältig variierte Folie die einzelnen steinernen Denkmäler hervor. Endlich breitet sich ein heiterer, seidiger Himmel in Lichtblau und Rosa mit zartem Rokoko-Gewölk über dem Ganzen – wieder mit leichter Hand und schmiegsamem Pinsel getupft, gezaubert. Doch hat der Maler mehr getan: er hat offenbar Lenoirs Katalog genau gelesen oder, wahrscheinlicher noch, mit dem Schöpfer der Szenerie zusammen – wie wohl auch bei der Salle d'Introduction – die Moral, das Programm dieses Elysée wie der gesamten Museumsanlage genau erörtert. Man mag sich die beiden bei einem Ortstermin im Garten vorstellen, wie sie gemeinsam den günstigsten Standort wählen, die Akzente besprechen und nicht zuletzt die gärtnerischen Perspektiven bedenken. Da sind sie also unübersehbar in den Vordergrund gerückt, die Studierenden im Kostüm der Zeit, die sich hier »instruieren« und ebenso die Betrachtenden, Kontemplierenden, die einzeln oder in kleinen Gruppen »promenieren«. Dann aber – dies gilt zumal für die Bremer Fassung – sind da vorn rechts auch jene »graves figures revetues de long monteaux«, ernste, antikisierende Figuren, antikisch unbeschuht, vor dem Grabmal des Philosophen, auf das der Bärtige verweist. Sind sie Verkörperungen der Geister jener Abgeschiedenen, deren illustre Gebeine hier versammelt sind? Begegnen sie den Besuchern des Gartens und so den Betrachtern des Bildes, den »âmes sensibles« und ihrer »douce mélancolie« inmitten der »hautes herbes«, hier an diesem, »lieu de bonheur«, diesem »locus amoenus«? Der Maler aus dem 18. Jahrhundert meidet die rigorose Deutlichkeit. Dieser »Chronist Pariser Begebenheiten«, dieser Mann von Grazie, dessen »glückliche Natur« und dessen »betörte Augen« das »Licht aus Italien« mitgebracht hatten, weiß höchst widersprüchliche Dinge zu verschmelzen (Farbtafel II). Ihm gelingt es, ein Bild zu gestalten aus dem in Wahrheit abstrusen Arrangement eines besessenen Museumsmannes, eines atavistischen Reliquien-jägers (und Grabräubers?), der das vermengte – möglicherweise nicht a-tpyisch für dieses Metier: Grab und Schatzhaus. In diesem Bilde aber scheinen für einmal aufgehoben, scheinen für einmal versöhnt: »Tod und Museum, was uns so sehr an die Nieren geht«.

Daß diese hier gelungene Verwandlung von Wirklichkeit, ohne diese im Faktischen zu verfälschen – der Garten hat tatsächlich sehr ähnlich so ausgesehen –, daß diese vielleicht arglose, vielleicht augenzwinkernd vollzogene Verwandlung von Wirklichkeit in die Wahrheit des Kunstwerks nicht als vordergründige, anpasserische Harmonisierung miß-zuverstehen ist, möge ein Seitenblick deutlich machen. *Johann Heinrich Wilhelm Tischbein* (1751–1829), der Goethe-Tischbein, malte ein Aquarell verwandten Gegenstands – ein wenig im Stil der Albumblätter der Epoche (Abb. 20a). Da sind die Grabmale von *Gottlieb Wilhelm Rabener,* dem Frühaufklärer, von *Christian Fürchtegott Gellert,* dem Fabeldichter und von *Adam Friedrich Oeser,* dem Anreger Winckelmanns und Zeichenlehrer Goethes, in der Vorstellung des Künstlers, nicht in Wirklichkeit, zu freundlichem Beieinander verei-nigt. Offenbar waren diese drei würdigen Geister nach Meinung Tischbeins unterein-ander auf vergleichbare Weise in Freundschaft verbunden wie jene Poeten bei Lenoir. Um diese Grabmale nun ranken Rosen und spielen Häschen – beileibe keine »animaux viles«, von denen Lenoir Schlimmes berichtete. Dies ist so lieb wie ernst gemeinter Unernst.[79]

## Caspar David Friedrich

Bei keinem Meister der Epoche um 1800 nimmt das Thema des Grabes, des Kirchhofes, der Grabeshöhle oder des Hünengrabes einen solchen zentralen Raum ein wie bei *Caspar David Friedrich* (Farbtafel III). Wo Hubert Robert aus dem allgemeinen Erlebnis des geschichtlichen Wandels und auch aus persönlicher Leidenserfahrung die Vergänglich-keit von Menschenwerk in etlichen seiner Bilder protokollierte oder aber auf leise Weise auch beschwor, geschah dies mit gleichsam vorromantischer Skepsis, mit wohldosierter Sentimentalität und in jener Stimmung von »douce mélancolie«, die das Kennzeichen eines zeittypischen, späten Lebensgefühls sind. Friedrich ging es in seiner Kunst immer um »die letzten Dinge«. Verglichen mit der altersmilden, darüberstehenden Heiterkeit, mit der der Franzose sein Metier betrieb, oder gar auch mit der zopfigen Betulichkeit, in

der sich Tischbein bei einer reinen Gelegenheitsarbeit gefiel, übte Friedrich sein Künstler-
amt stets mit heiligem Ernst: »Ich muß [...] wiederholen, was ich schon oft und vielfältig
gesagt, nämlich daß die Kunst nicht bloße Geschicklichkeit ist und sein soll, wie selbst viele
Maler zu glauben scheinen, sondern so eigentlich und so recht eigentlich, die Sprache
unserer Empfindung, unserer Gemütsstimmung, ja selbst unsere Andacht, unser Gebet
sein sollte«.[80] So ist beinahe sein gesamtes Schaffen Ausdruck inständigen religiösen
Suchens und Fragens. Dies gilt im Grunde auch für die wenigen Darstellungen aktuell-
politischer Thematik, die andererseits als Ausnahmen innerhalb seines Werkes besonderes Gewicht beanspruchen dürfen.

Die Frage läßt sich freilich nicht abweisen, ob es überhaupt sinnvoll, ja, zulässig sei,
Robert mit Friedrich zu vergleichen? Vollzieht sich doch ihr Sinnen und Trachten auf
gänzlich verschiedenen Ebenen. Vergleichen heißt indessen nicht gleichsetzen. Was auf
den ersten Blick durch Welten getrennt zu sein scheint, erweist sich bei näherer Betrachtung als dennoch vergleichbar. Zwar ließe sich keine Lebensgeschichte des Deutschen in
jener Weise formulieren, wie sie Louis Hautecoeur im Gedenkjahr 1933 Hubert Robert
wahrhaft auf den Leib geschrieben hat (s. o. S. 903 f.). Doch gibt es bedenkenswerte Daten
und Fakten, die den Blick vom einen zum anderen rechtfertigen. Caspar David Friedrich
wurde 1774 geboren (Abb. 3). Napoleon – geb. 1769, Beethoven – geb. 1770 oder Heinrich
von Kleist – geb. 1777, gehören zu derselben Alterslage: in ihren jeweiligen Lebensbereichen verkörpern sie einen verwandten Rigorismus, der der Generation Roberts und
Haydns durchaus fremd sein mußte. – 1774 schrieb Gluck seine »Iphigenie in Aulis« und
Goethe seinen »Werther«. Als Friedrich 1794 die Kopenhagener Akademie bezog, wurde
Robert gerade aus dem Gefängnis der Revolution entlassen. Um die Jahrhundertwende,
als ein Fünfundzwanzigjähriger, schuf der Deutsche seine ersten Ölbilder, während er bis
dahin, in Wahrheit noch lange Jahre weiterhin, seinen *Bildgedanken* vornehmlich in
durchgeführten *Bildzeichnungen,* zumal Tuschblättern in Sepia und auf Papier, die endgül-
tige Gestalt gab. Die Weimarischen Kunstfreunde, Goethe und Meyer verliehen ihm 1805
den halben Preis für zwei derartige Sepiabilder. Sein erstes bedeutendes Ölbild, der
»Tetschener Altar«, entstand im Todesjahr Roberts 1808, das zugleich das Geburtsjahr
Daumiers ist. Friedrich blieb *Zeichner* sein Leben lang, der sich bewußt bemühte, alle
Spuren einer malerischen Handschrift zugunsten der zeichnerischen Struktur im fertigen
Gemälde zu tilgen. Eine leichte, tupfende Niederschrift mit der vollen Farbmaterie, so wie
sie Robert und mit ihm die Rokokomaler seiner Generation pflegten, mußte ihm ein Graus
sein, allenfalls Ergebnis jener »bloßen Geschicklichkeit«. Dementsprechend war sein
Verhältnis zur unmittelbar sinnlichen Wirkung der Farbe und der Farben, die sich bei ihm
nur sehr zögernd aus der braunen, gelegentlich rostbraunen Untermalung[81] seiner
Gemälde lösen und zu spezifischer Aussage entwickeln. Kaum je gelangen sie zum Blühen.
Andererseits nahmen gewisse Farbwerte, nicht allein die Gelb- und Rotskala des Abend-
rots, in seinem späteren Werk ausgesprochenen Symbolcharakter an (s. u. S. 924). Fried-
rich war Landschaftsmaler (und -zeichner!), der seinen Naturgegenständen mit äußerster
Sorgfalt und Treue nachzugehen wußte. Die Vedute, die Ansicht einer bestimmten
Örtlichkeit, mit ihrer bei Pannini oder Canaletto formelhaften Sachschilderung, die noch
für Robert ein unerschöpfliches Thema gewesen war, so sehr sich dieser auch von Fall zu
Fall über das nur Abschildernde erhob, war für Friedrich keine ernsthafte künstlerische

921

Aufgabe.[82] Je mehr er seinen ureigenen Stil und seine ureigene Bildwelt entwickelte, um so mehr diente ihm die Natur in ihren Einzelheiten und in ihrem landschaftlichen Zusammenhang als Gefäß für die persönliche »Empfindung« oder »Gemütsstimmung«. Niemals aber hätte er es gewagt, der Wirklichkeit Gewalt anzutun, sie zu korrigieren oder gar zu schönen. Für seine Vorgänger war dies aus nur dekorativen oder auch ernsthaften kompositorischen Gründen eine jederzeit denkbare Möglichkeit gewesen. – »Eine schöne Perspektive«, so schrieb Hautecoeur, habe Hubert Robert »bis an einen fernen Horizont – jusqu'au loin horizon« geführt. Er hat diesen irdischen Horizont nicht überschreiten wollen, indes sich für Friedrich erst dahinter die Wahrheit des Jenseits auftat.

Um das Dahinter ging es Friedrich ganz offensichtlich auch bei seinen wenigen Bildern politischer Thematik. Sie sind, mit einigen Ausnahmen, Gedächtnisbilder, Grabesbilder.[83] Das Hamburger *Grab des Arminius* (Grabmale alter Helden, Gräber gefallener Freiheitskrieger)[84] (Abb. 19b) ist dabei seinem äußeren Gegenstande nach nicht fern von Roberts »Garten der Monumente«. Daß Jacob van Ruisdaels Dresdener »Judenfriedhof« dabei eine anregende Rolle, wie für die Kunst Friedrichs überhaupt, gespielt hat, ist schon früh beobachtet worden. Pannini und Piranesi scheiden indessen als inspirierende Vorbilder für Friedrich wahrscheinlich aus. Eher ließe sich die Kunst *Claudes* in entsprechender Mittlerrolle denken[85]. In einem grasbestandenen Felsengrund sind zwischen Büschen, jungen und abgestorbenen Bäumen Grabmonumente verstreut, die ähnlich so nach Gestalt und Hintersinn im Garten der Kleinen Augustiner an der Seine stehen könnten. Doch sie stehen in einem Marmorbruch am Hartenberg bei Rübeland im Harz. Freilich nicht in Wirklichkeit – die Imagination, die Vorstellungskraft des Künstlers, was nicht ganz dasselbe ist wie die spielende Phantasie Hubert Roberts etwa im Falle der ruinierten Grande Galerie des Louvre, hat sie hierhin versetzt. Denn darüber kann vor dem Bilde kein Zweifel sein: die Lokalität, Felswand mit Spalt und Höhle, Stein und Bewuchs, Kraut und Halm – das alles ist nach Weise des Meisters in Demut unmittelbar vor der Natur in mehreren Zeichnungen oder Aquarellen bis in jede Einzelheit genau, getreu und mit Liebe studiert – nicht jedoch mit rascher leichter Hand.[86] Solche Studien suchte man vergebens unter den Rötel- oder Kreideblättern Roberts oder Fragonards aus Italien. Daß Friedrich dann für den Aufbau seines Bildes (oder seiner Bilder) seine Naturstudien planvoll, mit ordnender Hand einsetzte – auch die aus seinem zeichnerischen Vorrat aus der Vergangenheit –, versteht sich von selbst. Doch ist ein solches Verfahren weit entfernt von dem formalhaften Gebrauch jener landschaftlichen oder architektonischen Versatzstücke des Rokoko, der »gepuderten« Pappelkulissen oder der Säulentrommeln Roberts. – Aus den Marmorbruch-Studien bei Rübeland hat Friedrich drei sehr verschiedene Bildvarianten entwickelt, wie dies bei ihm nicht selten geschieht. Dabei griff er oft erst nach Jahren auf frühere Naturaufnahmen oder -details zurück. Neben dem Bild der Hamburger Kunsthalle steht die »Felsenschlucht« (Harzlandschaft, Waldgebirgsschlucht, Felsenhöhle)[87] (Abb. 20b) heute in der Pommernstiftung in Kiel, von Friedrich 1821 als fertig erwähnt, offenbar also wesentlich später entstanden als jenes, das 1812 zuerst ausgestellt wurde. Anstelle der gleich zu erörternden politischen Anspielungen sind in diesem im Format annähernd zum Quadrat geänderten Bilde zwei Wanderer zu finden, die wahrscheinlich das Leben des Menschen sehr allgemein als eine Wanderschaft durchs finstere Tal apostrophieren.[88] Die letzte bekannte Fassung des Motivs (Abb. 19a) kommt ohne jegliche Zutat der Imagination aus. Sie vertraut die auch hier gemeinte symbolische Aussage von Felshöhle und -spalt oder Graswuchs den gleichsam elementaren landschaftlichen Tatsachen an, die für den Künstler nun keiner weiteren Erläuterung oder Verdeutlichung mehr durch Figuren oder Menschenwerk bedürfen. Diese »Harzhöhle«[89] ist eines von den großformatigen, in den späten dreißiger Jahren entstandenen Sepiablättern, in denen Friedrich zu immer kargerer Gestalt und lapidarer Größe findet.

Verglichen mit diesen beiden Varianten des Themas ist das *Hamburger Bild* von 1812 (Abb. 19b) auf komplizierte Weise mit Symbolik befrachtet – so sehr, daß es bis heute nicht gelungen ist, sämtliche darin enthaltenen oder verborgenen Bezüge aufzuschlüsseln. Diese aber weisen offenbar alle auf die damals aktuellste Entwicklung des Freiheitskampfes gegen Napoleon. Das Bild war von seinem Urheber als ein veritables, politisches Manifest intendiert und wurde von den zeitgenössischen Betrachtern sogleich als solches verstanden – unabhängig davon, ob alle darin beschlossenen Anspielungen jedermann plausibel waren. Damit fügt sich ein solches Werk zu jenen Gedanken und Entwürfen Friedrichs, die u. a., wie Hans Werner Grohn nachgewiesen hat, *konkrete* vaterländische Denkmäler meinten.[90] Diese stehen ihrerseits in jener langen Reihe von zu gutem Teil nur geplanten, zu geringerem Teil ausgeführten Monumenten, in denen Architekten, Bildhauer und Maler den patriotischen Gefühlen, wie sie durch die Revolution und durch die napoleonischen Folgen geweckt waren, Ausdruck gaben. Es seien nur die Namen von Gilly, Schinkel, Weinbrenner und Klenze, dazu die von Schadow, Rauch und Blechen genannt. Friedrich hat überdies auch drei vaterländische Gedichte hinterlassen, die sich ganz im Rahmen des damals Üblichen etwa bei Theodor Körner bewegten. So sehr es ihn auch sonst drängte, sein Wollen und Erleben *auch* in Worte zu fassen – Dichter war er nur in der Sprache der sichtbaren Form.[91] – Seine bildlichen Formulierungen unterscheiden sich indessen grundsätzlich von jenen zahlreichen Werken und Entwürfen zur Erinnerung an die »große Zeit«, die im weiteren Verlauf des Jahrhunderts, eher vordergründig argumentierend, dem Andenken und dem Ruhme der Monarchen, Freiheitshelden oder ihrer historischen Vorläufer dienen sollten. Wahllos wurde dabei nicht nur auf stilistische Vorbilder aus vergangenen Kunstepochen zurückgegriffen, sondern zugleich eine längst zur bloßen optischen Phrase heruntergekommene, zumeist barocke Allegorik wieder aufgenommen. Friedrich läßt sich hier, wie in anderen Bereichen nicht als Eideshelfer für fragwürdige Entwicklungen in Anspruch nehmen. Seine zur Ausführung in plastischer Form gezeichneten Denkmals*entwürfe* wie seine gemalten oder als Bildzeichnungen realisierten Denkmals*bilder* halten sich immer in den selbstgesetzten Grenzen einer *inneren* Monumentalität, die Pathos und Sentimentalität meidet. Der das neunzehnte und noch das beginnende zwanzigste Jahrhundert nicht nur in Deutschland charakterisierende, exzessive Denkmalskult kann sich gewiß nicht auf den Maler berufen. – Wenn Andreas Aubert, der norwegische Wiederentdecker Friedrichs, in seinen postum, 1915 veröffentlichten Fragmenten zu einer umfassenden Monographie des Meisters[92], betont, daß in Friedrich »derselbe weißglühende Haß gegen den Unterdrücker brannte« wie in dem Dichter der »Hermannsschlacht«, so braucht das nicht zu heißen, daß der Maler unmittelbare Anregung durch Kleist empfangen und in seine Bildwelt umgesetzt habe. Aubert weist überdies darauf hin, daß die wenigen, zweifelsfrei politisch gemeinten Bilder Friedrichs »zu einer Zeit gemacht« seien, »als es noch das Sicherste war, gedämpft zu reden im verborgenen Doppelsinn des Rätsels«. Dies Letztere, der »verborgene Doppelsinn des Rätsels« ist ohne Zweifel auch ein Kennzeichen der patriotischen Bilder des Meisters, in Wahrheit aber fast aller seiner Bilderfindungen, die uns heute eine nicht selten banalisierende Semantik zu rasch und zu eindeutig »erklären« möchte. Nicht etwa aus »Leisetreterei« gegenüber der »Besatzungsmacht«, nicht aus »Tarnung« vor den Gesinnungsspähern, hat Friedrich in seiner *gesamten* Kunst »in Rätseln« gesprochen, sondern weil seine Kunst große Kunst ist, die also »ihrer Natur nach vieldeutig, orakelnd aussagt« (Max J. Friedländer). Dabei war der Grundgedanke des Hamburger Gräberbildes, bei aller Verschlüsselung, einfach zu erkennen, zu lesen. Als das Gemälde 1812 in der Berliner Akademie zum ersten Mal ausgestellt wurde, hatte es sogleich Erfolg, weil jedermann das Gemeinte ohne Weiteres begriff. Der Wiesengrund vor der Felswand mit den verstreuten Grabmalen und Sarkophagen darin, auf diesen etliche mehr oder minder deutlich lesbare Inschriften: »Friede deiner Gruft – Retter in Noth«, »Edler Jüngling Vaterlandsretter«, »Des edel Gefallenen für Freiheit und Recht. F.A.K.« – dazu und vor allem anderen im vordersten Vordergrund das eingestürzte Mal mit der Inschrift in Goldbuchstaben »Arminius« und ebenda die Schlange in den Farben der Trikolore – das alles war deutlich, wenn auch nicht eindeutig. Endlich aber: in der Felsenhöhle ein weiterer mächtiger Sarkophag, davor als Schlüssel zu allen Inschriften, Anspielungen dinglicher und landschaftlicher Art, die dunklen Gestalten der beiden französischen Chasseurs, die in respektvollem Abstand kontemplierend verharren vor diesem düster drohenden Ungeheuer, dessen Deckel sich zu schmalem Spalt geöffnet hat. Der eine der beiden Betrachter blickt übrigens angstvoll (?) zurück und aus dem Bilde heraus. Wer hat sich hier erhoben oder wer wird sich erheben? Die Frage bleibt in der Schwebe. Doch offenbar beginnen die Eroberer, die Fremden in dieser Waldeinsamkeit, zu begreifen, was sich hier ankündigt. Napoleon hatte sich gerade auf den Rußland-Feldzug eingelassen und bereitete damit sein Ende vor. Nochmals: was gemeint war, war für jedermann einfach zu erkennen, zu lesen. 1809 war der König aus Königsberg nach Berlin zurückgekehrt. 1810 hatte Friedrich ebenda in der Akademie-Ausstellung mit dem »Mönch am Meer« ersten großen Erfolg: der König kaufte das Bild zusammen mit seinem Gegenstand der »Abtei im Eichwald« auf Anraten des jungen Kronprinzen[93]. Heinrich von Kleist veröffentlichte dazu in seinen »Abendblättern« den von ihm selbst redigierten Text von Achim von Arnim und Clemens Brentano, in dem es heißt: »Das Bild liegt mit seinen zwei oder drei geheimnisvollen Gegenständen wie die Apokalypse da, als ob es Youngs Nachtgedanken hätte, und da es in seiner Einförmigkeit und Uferlosigkeit nichts als den Rahmen zum Vordergrund hat, so ist es, wenn man es betrachtet, als wenn einem die Augenlider weggeschnitten wären«. Solches hätte Kleist, der 1811 in den Tod ging, vor dem Bilde des »Arminusgrabes« nicht sagen wollen – doch etwas von der Unausweichlichkeit des Ernstes wohnt auch in diesem Werk. Über die christliche Symbolik, die Todes- und Auferstehungssymbolik, die trotz ihrer literarischen Quellen recht eigentlich Friedrichs ureigene Erfindung ist, hat vor allem Helmut Börsch-Supan in seinen bewunderungswürdigen Friedrich-Veröffentlichungen alles Wesentliche gesagt, vielleicht sogar mehr als alles[94]. So ist es nicht sinnvoll, Wohlbekanntes und oft Zitiertes hier zu wiederholen. Mag man auch inzwischen ein wenig zögern, der Bedeutungshuberei gewisser Zweige unserer Wissenschaft in jedem Falle zu folgen – gewiß ist, daß der überwiegende Teil der Bilder Friedrichs religiöse, christliche

Inhalte ausspricht, andeutet oder auch absichtsvoll in sich verbirgt. Die wenigen Bilder *patriotischer Thematik* mit ihrem Bezug auf die Freiheitskriege, die einem Napoleon galten, der von der Mehrheit der Europäer längst als der Antichrist selbst begriffen wurde, sie bedienen sich derselben von Friedrich selbst geprägten, christlichen Symbolsprache, die, kaum gewandelt, durch ihren Kontext ins Weltlich-Patriotische umgedeutet wurde. Dabei genügten dem Künstler und so offenbar auch seinen Betrachtern wenige Hinweise: die bereits berufene Schlüsselfigur des französischen Chasseurs mit dem unübersehbaren Goldhelm, dazu die landschaftlichen Elemente wie belaubte oder entlaubte Gewächse (uralter mittelalterlicher Herleitung), strebende, sich beugende oder gebrochene Baumstämme, die Verheißungen des Himmelslichts oder dessen betonte Abwesenheit und einiges mehr. Der unausweichliche Ernst, mit dem auch hier die Natur angeschaut und dargestellt, gezeigt wird, um in ihr und mit ihr geistige Bedeutung zu versinnlichen, unterscheidet sich nicht von der schwermütigen Strenge seiner christlich gemeinten *Ruinen- und Winterlandschaften*, dem »Kreuz im Gebirg«[95] oder den *Friedhofs- und Grabesbildern*. Mögen diese in sehr allgemeinem Sinne das Memento mori verkörpern oder nur gelegentlich aus unmittelbarem, persönlichem Miterleben als Gedächtnisbilder entstanden sein wie »Kügelgens Grab«[96] – immer steht dahinter die Verheißung auf ein Jenseits, das zumeist durch Abendlicht oder Gestirn beschworen wird[97]. Demgegenüber sind das Hamburger »Arminiusgrab« und sein noch zu betrachtendes Gegenstück in Bremen Bilder ohne Himmel.

»Der »Chasseur im Walde« erhebt die Schlüsselfigur für einmal zum Hauptmotiv, wo sie sonst erst der näheren Betrachtung sich erschließt. Einer undurchdringlichen Wand von Waldnatur sieht er sich gegenüber, einem wahren Gitterwerk von nach oben weisenden Kräften[98]. Der Rabe auf dem Baumstumpf vorn, als Verkünder des Untergangs, befindet sich zwar an hervorgehobenem Platze, wirkt angesichts dieser lapidaren Bildsymbolik indessen eher marginal-illustrativ, obwohl die zeitgenössische Kritik 1814 in der Vossischen Zeitung diesem Bildelement größere Bedeutung zumaß: »Einem französischen Chasseur, der einsam durch den beschneiten Tannenwald geht, singt ein auf einem alten Stamm sitzender Rabe sein Sterbelied«. Die schmale Himmelszone mit dem dunkelbrodelnden Gewölk ist ebenfalls nur Nebenstimme im Sinnzusammenhang des Gesamten. Gegenüber der Vielstimmigkeit des Hamburger Bildes mit seinem Reichtum an Motiven und an Formen spricht dies eine spröde, lakonische Sprache.

Die künstlerische Entwicklung Friedrichs führte ihn überhaupt zu immer einfacherer Aussage: so rafft der Bremer *Felsengrund mit Grabmal* (Felsental, Grab des Arminius)[99] (Farbtafel III), ganz in diesem Sinne, auch seine vielgliedrige Komposition in wenige klare Sinnzeichen zusammen. Kleist sprach vor dem »Mönch am Meer« von »zwei oder drei geheimnisvollen Gegenständen«. *Ein* Chasseur, wie auf dem Wald-Bild (Abb. 21a), und nicht zwei Gestalten, wie auf dem Gräber-Bilde, steht hier, sehr im Schatten und kaum gegen das Dunkel der Höhle abgesetzt, kontemplierend vor dem nun eindeutig halbgeöffneten Grabe. Es scheint bezeichnend für den Sinn des Bildes und seine gedämpfte Tonart, daß die winzige Inschrift heute nicht mehr zu lesen ist; sie lautete: »Deine Treue und Unüberwindlichkeit als Krieger sei uns ewig ein Vorbild«. Über die damals aktuelle Bedeutung von Bild und Schrift ist kein Zweifel, ob nun der Künstler ursprünglich wiederum Arminius oder den 1813 gefallenen Scharnhorst damit habe berufen wollen.

Felswand, Felshöhle und wie ein Blitz niederfahrende oder emporschießende Felsspalte, Rasensenke, Buschwerk, Farnkraut und strebende Tannen, dazu wieder der betonte Verzicht auf den Himmel – aus diesen wenigen gegenständlichen, formalen und inhaltlichen Bausteinen sammelt das Bild die Energie seiner Sprache. Diese Sprache ist streng und wahr, meidet alle Umschweife. Von Leben, Tod und möglicher Auferstehung wird gesprochen, doch ohne »sanfte Melancholie« für »empfindsame Seelen«. Dies, wie nicht anders das Hamburger Bild, schildert keinen »lieu de bonheur«, keinen »locus amoenus«. Hier schreibt niemand mit leichter, rascher Hand und schmiegsamem Pinsel in delikater Farbigkeit. Hier sind nicht »Puder« oder »Farbschaum« wie bei Hubert Robert – so ähnlich die Requisiten und auch die grundsätzliche Bildidee des Andenkens, des Gemahnens in den beiden oder den drei Bildern sein mögen. Die Unterschiede sind gewiß auch Ausdruck der verschiedenen Nationalcharaktere wie ebenso der verschiedenen Generationen. Der Franzose Robert, geistiger Nachfahre Claudes und Schüler Panninis bleibt auch in seinen diesseits der Jahrhundertgrenze geschaffenen Werken, allen Revolutionserfahrungen zum Trotz, durchaus Angehöriger einer späten Welt, deren Untergang er im Alter zur Kenntnis nehmen mußte, ohne ihn deshalb billigen zu können. Der Deutsche Friedrich, geistiger Nachfahre Ruisdaels und, recht besehen, Schüler keines seiner Zeitgenossen oder unmittelbaren Vorgänger – den Schweizer Caspar Wolf, der in seinen Alpenveduten manches seiner Landschaftskunst vorweggenommen zu haben scheint, hat er nicht gekannt[100] – er ist Angehöriger, Bürger(?) einer neuen Welt. Robert war ein so liebenswürdiger wie hochbegabter Künstler – Friedrich war ein Schwieriger und ein Großer.

Daß sich Friedrich mit dem Motiv des geöffneten Grabes auch bei solcher patriotischen Thematik auf die christliche Auferstehungs-Ikonographie berief, ist bereits angedeutet. Doch braucht kaum betont zu werden, daß dies ohne jeden Ton blasphemischer Zweideutigkeit geschah – Friedrich war ein naiver Künstler. Ein drastischer Hinweis mag deutlich machen, was das besagt: der »auferstehende Napoleon« des französischen »Romantikers« *Paul Delaroche* (1797–1856) (Abb. 9a) bedarf als groteskes Erzeugnis eines restaurativen Napoleon-Kults in den vierziger und fünfziger Jahren kaum weiterer Erläuterung. Und noch *François Rudes* (1784–1855) bedeutenderes Monument eines »Réveil de Napoléon« überwand nicht die Peinlichkeit unangemessener Allitteration[101].

## Das eigene Grab

Ein letzter Vergleich zwischen einem Werk Hubert Roberts und einem verschollenen Werk Friedrichs sei zum Schlusse angefügt. Dieser Vergleich läßt sich freilich nicht im »Hin- und Herblicken von einer Kunstweise zur anderen« (Lenoir) vor den Originalen anstellen, sondern, im Gegensatz zu unserem bisher geübten Verfahren, nur in der Vorstellung; denn von *Friedrichs* großer Sepia-Zeichnung sind nur literarische Spiegelungen, so im Briefwechsel Goethes mit Heinrich Meyer und in Rezensionen der Zeit, überkommen[102]. Der Friedrich-Katalog von Börsch-Supan und Jähnig gibt folgende Daten: »1812 noch im Besitz Friedrichs« – denn damals war die Erwähnung durch Goethe –,entstanden »1803/04, da im März auf der Dresdener Ausstellung. – Friedhof mit

926

einer gotischen Kirchenruine aus Friedrichs Heimatort, vermutlich der Klosterkirche von Eldena. In der Mitte ein offenes Grab, neben dem ein Grabkreuz mit der Inschrift ›Hier ruht in Gott C. D. Friedrich‹ liegt. Um das Grab stehen und sitzen Trauernde, darunter ein Priester, der auf einen in der Luft flatternden Schmetterling deutet. Fünf andere Schmetterlinge« – die Verkörperung der abgeschiedenen Seelen der Mutter und der vier Geschwister, die Friedrich im Tode voraufgegangen waren – »schweben vor einem Lichtstrahl weiter oben, der aus dem bewölkten Himmel hervorbricht. Über der Ruine steht ein Regenbogen [...] Hinzu kommt eine offensichtliche Anlehnung an Ruisdaels ›Judenfriedhof‹ in der Dresdener Galerie, wo sich neben den Motiven der Kirchenruine, der Gräber und des Regenbogens auch das des Grabsteins mit dem Namen des Malers findet, hier doppeldeutig als Signatur des Bildes und als Grabschrift zu lesen...«[103].

Das Vergleichsstück bei *Hubert Robert* ist fast genau zehn Jahre zuvor entstanden: Nach der Aufschrift auf dem Bilde geht es auf den Gefängnisaufenthalt des Künstlers in Sainte-Pélagie im Jahre 1794 zurück[104]. Der Bildtitel lautet allgemein und ohne persönliche Anspielung »Landschaft mit Grabmonument«. Auch das Bild selbst läßt auf den ersten Blick nichts Derartiges vermuten: in heiter besonnter, weitläufiger Wiesenlandschaft mit fernem Bergeshorizont – möglicherweise ist ein »englischer Garten« gemeint, wofür gewisse Pappelreihen und Baumgruppen sprächen – erhebt sich in der rechten Bildhälfte des Vordergrundes ein steinernes Grabmonument »antiker Form sich nähernd«. Auf breitgelagertem Sockel ruht, von stelenartigen Architekturelementen getragen, der Sarkophag. An den Sockel lehnt eine fragmentierte Reliefplatte, daneben liegt eine Säulentrommel, hinter der am rechten Bildrande eine kontemplierende Gestalt hockt, das Kinn im Gestus der Melancholie in die Hand gestützt. Davor befinden sich als schattiges Repoussoir ein runder Stein und ein weiteres Reliefbruchstück – die üblichen Versatzstücke des archäologisch versierten Ruinenmalers. Von links treten zwei Bäuerinnen (Schäferinnen?) mit zwei Kindern hinzu. Sie weisen auf das Relief – nicht auf das Grabmal –: eines der Kinder drängt sich aus Angst vor einem von der Seite kommenden, munteren Hund an den Rock der Mutter – wiederum ein übliches, die Szene anekdotisch belebendes Kompositionselement. Erst dann entdeckt der Betrachter die Inschrift auf dem Sockel: »D. M. H. Robert – Pictor«. So hatte sich denn der Gefangene der Revolution, der Maler und Gärtner, eine arkadische Ruhestätte im Stil und im Rahmen seiner italienischen und französischen Garten*bilder* und der im nämlichen Sinne nach seinen Entwürfen *realiter* angelegten *Gärten* erträumt, da er täglich mit gewaltsamem Tode rechnen durfte. Demgegenüber erwuchs das Begräbnisbild Friedrichs aus wahrer Todessehnsucht eines seelisch Gefährdeten. Davon kann bei Robert gewiß nicht gesprochen werden – dieser »Mann von Grazie« lebte gern – ein Epikuräer. So ist auch nichts von Seelenpein und drohender Gewalt, von Todesfurcht und gar Selbstmitleid in sein Bild eingedrungen. Die Verkörperung der Melancholie ist in doppeltem Sinne marginal. Als *ein* poetischer Ton wohnt sie allenfalls in dieser Pastorale, als elegische Stimmung eines *aufgeklärten* Gemüts, das sich hier wie auch sonst niemals aufdrängt. Seelenausdruck wird von Robert immer mit Diskretion behandelt. Die malerische Verklärung des Ancien Régime und seiner »douceur de vivre«, um es mit Talleyrand zu sagen, wird stets nur leise vollzogen. – Robert hat übrigens ein zweites, vielgliedrigeres Bild mit einem entsprechenden, nur in den Dimensionen enorm überhöhten Grabmonument gemalt, das die arkadische Thematik expressis verbis im Titel führt: »Et ego pastor in Arcadia«[105]. Es ist eine Komposition, die mit wesentlich größerem Aufwand an addierten Bühnenrequisiten, hochragenden Pappelgruppen und ebensolchen Felsformationen arbeitet – so etwas wie ein hypertrophierter Claude Lorrain, darin der Schäfer mit seiner Herde im mittleren Vordergrund möglicherweise im Sinne des Titels den Maler selbst repräsentiert: »Et ego *pastor* in Arcadia«?

Zu Recht verweist *Hubert Burda* in seiner Untersuchung über »Die Ruine in den Bildern Hubert Roberts«[106] im Zusammenhang mit beiden Bildern auf *Erwin Panofskys* berühmten Aufsatz »Et in Arcadia ego – Poussin and the elegiac tradition«[107]. Panofsky sieht bekanntlich in der kompositorischen und ikonographischen Umgestaltung von Nicolas Poussins erster Fassung des Bildthemas, in Chatsworth – 1630 entstanden, zur zweiten Fassung, im Louvre – um 1638, doch gewiß nicht später entstanden[108], einen grundsätzlichen Wandel in der Interpretation des Sinnspruchs: von der ursprünglichen, der lateinischen Grammatik korrekt entsprechenden Übersetzung als Todesmahnung – »das Memento mori *auch* in *Arkadien*«, so auch bei Guercino –, zur nur mehr allgemeinelegischen und also »falsch« übersetzenden Anrufung Arkadiens als der Stätte eines verlorenen »goldenen Zeitalters«. Dieser Wandel habe sich auch für die künftige literarische Tradition nicht in der Poesie oder der Philosophie sondern in eben diesem Werk der bildenden Kunst vollzogen. Kurt Badt erkennt indessen auch in Poussins zweiter Bildfassung dasselbe Bewußtsein von der steten Gegenwart des Todes, das hier sogar »besonders feierlich zum Ausdruck« gebracht sei[109].

Die weitere Bedeutungsgeschichte des Sinnspruchs folgt ganz eindeutig jener zweiten Interpretation ins Elegisch-Melancholische bis hin zum Sentimentalen – wie in der Dichtung so in der Malerei. Und etwa auch die Bestückung des englischen Landschaftsgartens mit sentimentalen »fabriques«, antiken Architekturresten, Statuen und Sarkophagen oder Kenotaphien folgt dieser Gedankenspur[110], die von Claude über Panini und Piranesi, wie oben gezeigt wurde, unmittelbar ins »Elysée« an der Rue des Petits-Augustins in Paris führt. Dort standen freilich mit wenigen Ausnahmen keine »fabriques«, keine bloßen Attrappen auf dem Rasen, sondern zu gutem Teil echte, wenn auch verfälschte Sarkophage mit echten Reliquien (s. o. S. 917 Anm. 67). An der Gestalt und dem Bedeutungsgehalt dieses neuen arkadisch-elyseischen Gartens hatten sie beide gleichermaßen Anteil und Schuld, der Museumsdirektor und der Maler. Und beide waren sie Heiden.

Wo aber bleibt *Caspar David Friedrich* mit seinen Grabestälern und Friedhöfen, seinem eigenen Begräbnis in diesem geistesgeschichtlichen Tableau? Sein Werk und seine menschlichen und künstlerischen Überzeugungen schließen ihn aus einer »elegiac tradition« im Sinne Panofskys aus: er war ein Christ, ein Protestant dazu, der sich offensichtlich in der Erbauungsliteratur des Pietismus auskannte.

Was er in seinen Bildern, genau betrachtet in seinen patriotischen Darstellungen nicht anders, mit strengstem Anspruch an sich selbst verwirklichte, verlangte er als moralisierender, ja als missionierender Kunstrichter mit derselben Strenge von anderen: »Ich meinerseits fordere von einem Kunstwerk Erhebung des Geistes und – wenn auch nicht allein und ausschließlich – religiösen Aufschwung«[111]. Und an anderer Stelle, worauf oben (S. 918) bereits Bezug genommen wurde: »Ich muß bei diesem Bilde von XX wiederholen, was ich schon so oft und vielfältig gesagt, nämlich daß die Kunst nicht eine bloße Geschicklichkeit ist und sein soll, wie selbst viele Maler zu glauben scheinen, sondern so eigentlich und recht eigentlich die Sprache unserer Empfindung, unserer Gemütsstimmung, ja selbst unsere Andacht, unser Gebet sein sollte«[112]. Oder: »So betet der fromme Mensch und redet kein Wort, und der Höchste vernimmt ihn; und so *malet* der fühlende Künstler, und der fühlende Mensch versteht und erkennt es, aber auch der Stumpfere ahnet es wenigstens«[113]. Endlich sah Friedrich sich und seine Kunst in unüberwindlichem Gegensatz zu den Italienfahrern und ihren Idealen, die wie Joseph Anton Koch und die ihm Folgenden nur die südliche, die klassische Landschaft als schön und würdig gelten ließen: »Denen Herren Kunstrichtern« – er war selber ein solcher – »genügen unsere teutsche Sonne, Mond und Sterne, unsere Felsen, Bäume und Kräuter, unsere Ebenen, Seen und Flüsse nicht mehr. Italienisch muß alles sein, um Anspruch auf Größe und Schönheit machen zu können«[114]. Er stellte in seiner Kunst nicht nur die »teutsche« Landschaft der des Südens entgegen, sondern vor allem die natürliche einer vom Menschen umgestalteten, künstlichen. So empfahl er den Landschaftsmalern »bei so ausgezeichneten Gegenständen in der Natur sich dieselbe rein in ihrer ursprünglichen oder Urgestalt zurückzudenken«[115]. Das bare Gegenteil davon müßte für ihn, wenn er Dergleichen gekannt hätte, die domestizierte Parknatur bei Robert und Lenoir gewesen sein.

Ob es Grab sei oder Schatzhaus – das Museum als der Ort, an dem Kunstwerke um ihrer selbst willen und auf Dauer veröffentlicht werden? Von dieser Frage sind wir ausgegangen und sind auf den verschlungenen Wegen unserer Betrachtung immer wieder neu auf die enge Verstrickung von »Tod und Museum, was uns so sehr an die Nieren geht«, gestoßen, auf die seit je bekannte existenzielle Verbindung von Vergänglichkeit und Kunst[116]. Beruht doch diese Verbindung auf der paradoxen Tatsache, daß der Mensch allein im Kunstwerk, welcher Art auch immer, dem Flüchtigen Dauer zu geben vermag. Wie im Gehäuse der Kunst, dem möglicherweise nur provisorischen Museum, so haben wir in dort verwahrten einzelnen Kunstwerken das Memento mori in je verschiedener, exemplarischer Gestalt, offen oder verborgen, klar oder verschlüsselt erkennen müssen. Was Caspar David Friedrich auf seine so simple wie fromme Weise mit diesen Worten umschrieb: »...und so malet der fühlende Künstler, und der fühlende Mensch versteht und erkennt es, aber auch der Stumpfere ahnet es wenigstens« –, diesen Gedanken, diese Erfahrung von der redenden und der schweigenden Kraft der Bilder – und der Gräber – hat der Dichter, der weder simpel noch fromm gewesen ist, so ausgesprochen, auch für »Stumpfere«:

>»Il dépend de celui qui passe...
>Que je parle ou me taise...«

## Anmerkungen

[1] in der Ode »Integer vitae scelerisque purus...«; Caesarea Iol im heutigen Algerien gelegen.

[2] vgl. Hanns Floerke, Studien zur niederländischen Kunstgesch., München und Leipzig 1905, S. 163 ff. sowie S. 181, weiterhin John M. Montias, Artists and Artisans in Delft, New Jersey 1982, S. 220 ff.

[3] aus den Gesetzen des Kunstvereins in Bremen 1828 – im Archiv der Kunsthalle Bremen.

[4] vgl. Eckermann-Soret, Wiesbaden 1955, S. 675 und 686.

[5] deutsche Ausgabe Zürich 1950.

[6] in einem Brief an den Verf. vom 24. Februar 1967.

[7] Wichtige Hinweise und Details verdankt der Verf. hier und im Folgenden der Publikation von Yveline Cantarel-Besson, La naissance du Musée du Louvre. La politique muséologique sous la Révolution, d'après les archives des musées nationaux, Paris 1981, 2 Bände und im besonderen dem Dossier »Le Louvre d'Hubert Robert«, Catalogue rédigé par Marie-Catherine Sahut, »Logement et atelier« par Nicole Garnier, Paris 1979. – Tatsächlich hat die »Veröffentlichung« des königlichen Kunstbesitzes in Frankreich eine Vorgeschichte, die bis in die Zeit der Régence zurückreicht, wo das Palais du Luxembourg mit seiner Medici-Galerie bereits für Künstler und Liebhaber zeitweilig zugänglich gehalten wurde. Seit der Mitte des 18. Jahrhunderts bemühten sich verschiedene Ratgeber des Königs, seit 1776 vor allem der Comte d'Angiviller in seiner Eigenschaft als Directeur des Bâtiments du Roi um die Installation der Sammlungen Ludwigs XVI. in der Grande Galerie des Louvre. So hat man gesagt, daß »das Musée du Louvre als die schönste Einrichtung der Herrschaft Ludwigs XVI. anzusehen« sei. Vgl. Louis Réau, Les Monuments détruits de l'art Français, Paris 1959, 2 Bde., I, S. 386 und Dossier, »Le Louvre d'Hubert Robert«, a.a.O., S. 3 ff. Realisiert wurden die weit gediehenen Pläne freilich erst unter dem Revolutions-Regime.

[8] Doch ist daran zu erinnern, daß schon die Revolutionsheere bald nach der Eroberung der Niederlande und Italiens damit begannen, bedeutende Kunstwerke als Kriegsbeute nach Paris zu schaffen. So verkündete der Abbé Grégoire: »L'école flamande se lève en masse pour venir orner nos musées«, oder am 27. Juli 1798 wurden a. a. der Apoll von Belvedere, der Laokoon, die Rosse von San Marco, die Transfiguration Raffaels, der Hieronymus Correggios im Triumphzug auf geschmückten Wagen durch Paris geführt. Vgl. Réau, a.a.O., I, S. 386; vgl. weiterhin Dossier, »Le Louvre d'Hubert Robert«, a.a.O., S. 10.

[9] Das heutige Musée des Monuments Français im Palais de Chaillot ist im Bereich der Skulptur eine reine Abgußsammlung, im Bereich der Malerei eine solche von Kopien. Es wurde im Jahre 1880 nach den Ideen Viollet-le-Ducs (und im Grunde Lenoirs) als Vorbildersammlung ins Leben gerufen.

[10] jüngst ausgestellt in der Ausstellung Diderot et l'art de Boucher à David, Paris 1984/85, Kat. Nr. 26 und 27, Paris Privatbes.

[11] vgl. Georg Friedrich Koch, Die Kunstausstellung, Berlin 1967, S. 78 ff. Diesem vorzüglichen Buch hat der Verfasser auch für das Folgende eine Anzahl wertvoller Daten und Hinweise zu danken.

[12] vgl. ebenda, S. 79 und Abb. 41, sowie vor allem S. Speth-Holterhoff, Les peintres flamands des Cabinets d'Amateurs au XVIIᵉ siècle, Bruxelles 1957, S. 50 ff. und S. 61 ff. Zwar hatte Hieronymus Francken einzelne Vorläufer, doch hat er zusammen mit seinem Bruder Frans d. J. den Typus am klarsten herausgebildet.

[13] vgl. Jean Adhémar, La Gravure originale au XVIIIᵉ siècle, Paris 1963, S. 103 f., Abb. S. 104; Bénézite, Dictionnaire VII, Paris 1964: »... la plus délicieuse sans doute des eaux-fortes françaises au XVIIIᵉ siècle«.

[14] vgl. C. Gabillot, Hubert Robert et son temps, Paris 1895, S. 191 ff.; Pierre de Nolhac, Hubert Robert, Paris 1910, S. 77 ff.; ds., Un artiste en prison sous la Terreur, Journal des Débats, 12 octobre 1910; Ausstellungskatalog Hubert Robert, Paris 1933, Kat. Nr. 159 ff. und 184 ff.; Paul-Sentenac, Hubert Robert, Paris 1939, T. 59; vor allem Bernard de Montgolfier, Hubert Robert, Peintre de Paris au Musée Carnavalet, in Bulletin de Mus. Carn., 17ᵉ année – 1964, S. 2 ff. und Abb. 14/17; außerdem Emmanuel Berl, Le 9 Thermidor, Paris 1965, S. 121 ff.

[15] Ausstellungskatalog Piranèse et les Français, Rome, Dijon, Paris 1976, Nr. 127, 128, 150, 155, 161, 163; vgl. dazu auch Kat. Nr. 176, 178, 180 etc. Als wichtiger Vermittler von Ideen und Formen ist außerdem u. a. der Architekt, Maler und Graphiker Jean-Laurent Legeay (um 1710–1786) zu

bedenken, der mit seinen zahlreichen, auf den Spuren Piranesis und in Zusammenarbeit mit ihm geschaffenen Stichveduten einen weiten Interessentenkreis erreichte; vgl. ebenda, Kat. Nr. 89 ff. und außerdem Norbert Miller, Archäologie des Traums, Versuch über Giovanni Battista Piranesi, München–Wien 1978, S. 153–185.

[16] Ausstellungskatalog Piranèse, a.a.O., Kat. Nr. 1 und 2; vgl. ebenda, S. 304 f.

[17] a.a.O., vgl. Anm. 14; außerdem Dossier »Le Louvre d'Hubert Robert«, a.a.O., S. 6–10.

[18] Bull. Carnavalet, a.a.O., Abb. 9 und Bayerische Staatsgem. Slg., Inv. Nr. 67/384.

[19] im Louvre; als Beispiele weiterer Kompilierungen von Monumenten seien nur die Darstellungen »Les Monuments de Rome« (Salon 1777, Nolhac, a.a.O., S. 99) und »Les Monuments de Paris« (Gabillot, S. 53) erwähnt. In denselben Zusammenhang gehören die verschiedenen »vues fantaisistes« oder »vues pittoresques« nach anderen Motiven.

[20] vgl. Paul-Sentenac, a.a.O., T. 24, 50, 51 etc. und Hubert Burda, Die Ruine in den Bildern Hubert Roberts, München 1967, Abb. 58, 107, 118.

[21] zitiert nach Réau, a.a.O., I, S. 376.

[22] Bull. Carnavalet, a.a.O., Abb. 22.

[23] vgl. Dossier, »Le Louvre d' Hubert Robert«, a.a.O., S. 21 ff., Kat. Nr. 81 und 85 als Gegenstücke zu Kat. Nr. 58 bzw. 83. Es ist in diesem Zusammenhang auch an das Futuristische Manifest von 1909 zu erinnern, darin, wie auch späterhin, von »fortschrittlichen« Künstlern die Forderung nach einer Zerstörung der Museen erhoben wurde. Dem hätte sich Robert gewiß nicht anschließen wollen (s. S. 905 f.).

[24] so Winckelmann, Goethe und andere – Dossier, Kat. Nr. 81, hier Abb. 11 b; vgl. auch die Zeichnung »Antike Galerie« in der Hamburger Kunsthalle (Inv. Nr. 1972/104), auf die mich E. Schaar aufmerksam gemacht hat.

[25] vgl. Dossier, »Le Louvre d' Hubert Robert«, a.a.O., S. 15 ff., vor allem S. 17–19, Kat. Nr. 54 ff., vor allem Kat. Nr. 58; außerdem André Corboz, Peinture militante et architecture révolutionnaire – à propos du thème du tunnel chez Hubert Robert, Basel 1978, zumal S. 47.

[26] Vgl. G. F. Koch, a.a.O., Abb. 87/90; das Dossier, a.a.O., S. 17 verweist außerdem auf ein Pariser Beispiel (um 1770) im Hôtel Crozat du Chatel.

[27] Inv. Nr. 854 (1962/5), Öl auf Leinwand, 38,5: 46,7 cm; vgl. Montgolfier, Bull. Carnavalet, a.a.O., S. 29 ff. und vor allem Louvre, Inv. Nr. RF 1952–32.

[28] zur Entstehung des Begriffs vgl. Réau, a.a.O., I, S. 14 f.

[29] vgl. Yveline Cantarel-Besson, a.a.O., sowie Dossier, a.a.O., S. 7–10.

[30] vgl. auch Louis Courajod, Alexandre Lenoir, son journal et le musée des monuments français, 3 Bände, Paris 1878/1887, I, S. CLXXIII oder II, S. 34. Das Werk von Courajod ist bis heute als Dokumentation und Interpreation der Persönlichkeit Lenoirs und seines Museums die grundlegende und in ihren wesentlichen Teilen nicht überholte Darstellung – trotz gewisser uninteressant gewordener persönlicher Polemiken, die darin ihren Ausdruck finden. Der Verf. dankt der Publikation eine Fülle von Fakten und Anregungen.

[31] vgl. Y. Cantarel-Besson, a.a.O., I, S. XXIX, 83 ff.

[32] A. Lenoir, Description historique et chronologique des monumens des sculptures réunis au Musée des Monumens français, sixième édition, An X de la République, d. h. 1802, S. 12; Courajod, a.a.O., S. 34 f. (= Kat. 1815)

[33] Description etc. (= Kat. 1802), Kat. Nr. 401, S. 317. In diesem Zusammenhang ist an Jacob Burckhardt zu erinnern, der bei Gelegenheit des Domes von Triest im »Cicerone« anmerkt, daß hier »die Asche desjenigen Mannes« schlummere, »welchem die Kunstgeschichte vor allen andern den Schlüssel zur vergleichenden Betrachtung, ja ihr Dasein zu verdanken hat« – Winckelmann.

[34] vgl. Courajod, a.a.O., III, S. 9 ff.

[35] vgl. Courajod, a.a.O., I, S. LXXXII f.

[36] ebenda, I, S. CLVff.

[37] ebenda, I, S. LXXIXff. sowie Réau, a.a.O., S. 48/49 und ds., Un Basrelief de Girardon retrouvé in Rev. ancienne et moderne et Bull. de la Société hist. de l'Art fr. 1922. Dieses Relief kirchlicher Herkunft hatte Lenoir in eine »Mélancolie« umgearbeitet, um Joséphine zu Gefallen zu sein.

[38] Réau, a.a.O., S. 48.

[39] ebenda.

[40] Courajod, a.a.O., II, S. 205ff. gibt eine ausführliche Bibliographie der Kataloge und Veröffentlichungen Lenoirs bzw. über sein Museum.

[41] ebenda, S. 214ff.

[42] ebenda, S. 232; die enge Verbindung zu David wird auch durch die Tatsache bestätigt, daß David sein Bildnis Lenoirs, das er Jahre zuvor in Paris begonnen hatte, 1817 in der Emigration in Brüssel beendet und datiert hat; vgl. Antoine Schnapper, J.-L. David und seine Zeit, Würzburg 1981, S. 280.

[43] Courajod, a.a.O., II, S.10.

[44] Im Katalog des Jahres 1802, Description etc., a.a.O., S. 338ff. gibt Lenoir einen ausführlichen Bericht über die »Ausgrabung« der Gräber von Saint-Denis unter dem Titel »Notes historiques sur les exhumations faites en 1793, dans labbaye de Saint-Denis«. Vgl. außerdem Réau, a.a.O., I, S. 224ff. über Lenoirs »Rapports sur les transferts auf Dépôt des Petits-Augustin«. Über seine späteren Funktionen als »administrateur de l'église royale de Saint-Denis vgl. Réau, a.a.O., II, S. 69f.

[45] vgl. Yvan Christ, Gaz. des Beaux-Arts, Tome LXVI 107ᵉ année, 1965, S. 167ff. Die dort in Photographie wiedergegebene »Chapelle des Louanges« mit den Gipsabgüssen, die also noch erhalten ist, wie auch die Sakristei der Klosterkirche, ist von »der ersten Kuppel in dieser Form in Paris« bekrönt. Christ verweist außerdem auf Charles Saunier, Les Arts Nr. 69, Sept. 1907 und auf Georges Huard, La salle du XIIIᵉ siècle du Mus. des Mon. fr. à l'Ecole des Beaux-Arts in La Revue de l'Art. Tome XLVII, Nr. 263, Febr. 1925; zu Menzel: Katalog der Ausstellung A. M., Gemälde, Zeichnungen, Berlin-Ost, Nationalgalerie 1980, Tafel 9, S. 173 und S. 312 (Tschudi 215), Inv. Nr. 1761.

[46] Kat. 1802, Description etc., a.a.O., S. 8.

[47] vgl. Kat. 1810, Musée Impérial des Monumens Français etc., S. IXff. dazu die endgültige Fassung im Kat. 1815, Courajod, a.a.O., S. 34ff. mit dem Bericht über »travaux du Musée terminés, travaux à terminer pour la confection du Musée« und die »Moyen d'augmenter et enrichir le Musée«.

[48] Kat. 1802, Description etc., a.a.O., S. 8, 37; Joseph-Marie Vien (1716–1809) gilt auch in der modernen Kunstgeschichte als eine der Schlüsselfiguren für die Entstehung des Klassizismus in Frankreich. Mit seinem Gemälde »Wer kauft Liebesgötter« (La marchande d'amours) errang er im Salon von 1763 einen außerordentlichen Erfolg – die Komposition ging beinahe wörtlich auf einen Stich nach einem Wandbild in Herculaneum zurück.

[49] Kat. 1802, a.a.O., S. 36f.

[50] Diane de Poitiers (1499–1566) hatte als Geliebte König Heinrichs II. (1519–1559), des Sohnes Franz I., beherrschenden Einfluß auf die französische Politik.

[51] vgl. M. Gallet, Une vue de l'ancien Musée des monuments français in Nouvelles acquisitions, Bull. du Mus. Carnavalet, 22ᵉ année, juin 1969, S. 18: »comme le montre un dessin de Gaignières«.

[52] Kat. 1802, Kat. Nr. 466 (S. 229f.).

[53] Réau, a.a.O., I, S. 228f. berichtet, daß sich die Reste des Grabmals heute (1959!) in einem für das Publikum unzugänglichen Korridor in Versailles befinden.

[54] vgl. Anm. 52 und Kat. 1802, Kat. No. 158 und 159 (S. 231).

[55] M. Gallet, a.a.O., S. 17ff. Sowohl die Gemäldefassung Vauzelles wie auch die verschiedenen

Stichwiedergaben des ursprünglichen Kirchenraumes zeigen die Rose in der Rück- bzw. Eingangswand verkleidet, dazu das Tonnengewölbe – aus welchen Gründen auch immer – durch Substruktionen abgestützt, die aus ornamentierten Vierkantbalken bestehen, die auf ebensolchen Querbalken aufstehen, die ihrerseits auf dem umlaufenden Gesims oberhalb der Fenster aufliegen. Diese den Raumeindruck wesentlich verändernden Zutaten müssen also nach den Robert-Ansichten angebracht sein. (Vgl. Abb. 12a, 13a).

[56] Eugène Emmanuel Viollet-le-Duc (1814–1879) hatte als Architekt, Restaurator und Architekturtheoretiker entscheidenden Anteil an der Wiederentdeckung und Neubewertung der mittelalterlichen Baukunst und Bildkunst in Frankreich, wobei ihm der zwei Generationen ältere Alexandre Lenoir mit seinen praktischen und ebenso seinen kunsttheoretischen Bestrebungen (vgl. Courajod, a.a.O., II, S. 221) bis zu gewissem Grade als Vorbild diente.

[57] Réau, a.a.O., II, S. 50.

[58] ebenda.

[59] ebenda.

[60] ebenda; vgl. dazu etwa auch Courajod, a.a.O., I, S. 394/5.

[61] nach Wilhelm v. Scholz.

[62] Kunsthalle Bremen, Inv. Nr. 769 (1958/18), Öl auf Leinwand, 63,8:80,5 cm; bez. u. r.: Robert; das Exemplar im Pariser Musée Carnavalet: Öl auf Leinwand, 37:45,8 cm, bez. u. r.: Hubert Robert 1802 (oder 1803); zur Darstellung und zu den weiteren bisher bekannten Exemplaren vgl. B. de Montgolfier, Bull. a.a.O., S. 29ff., Anm. 49/51.

[63] Ursprünglich hatte Lenoir vorgeschwebt, dem »Hercule de foire« Davids, der aus den verstümmelten Königsstatuen von Notre-Dame errichtet worden war, »symbolisant le peuple triomphant«, eine Pyramide als Pendant gegenüberzustellen, die aus den Sarkophagen der »Ex-Tyrannen« aus Saint-Denis geschichtet werden sollte – zu Ehren Marats. Es kam nicht zu diesem makabren Monument und Lenoir entwickelt schrittweise seine »Elysée«-Vorstellungen im unmittelbaren räumlichen Zusammenhang mit seinem Museum – vgl. Réau, a.a.O., I, S. 227; Zum Museumsgarten Kat. 1802, S. 17.

[64] Courajod II, S. 36.

[65] Kat. 1802, S. 17; vgl. Louis Réau, Le jardin Elysée du Mus. des Monc. Franç., Beaux-Arts 1924, sowie de Brissac, Mystères autour de la caisse noire d'Alexandre Lenoir, Connaissance des Arts. Febr. 1965, S. 54ff., dem der Verfasser, trotz der belletristischen Formulierung des Essays, eine Reihe von wichtigen Anregungen zu danken hat. – Bemerkenswert ist, daß Courajod, der kaum eine Gelegenheit ausläßt, das Werk Lenoirs zu preisen und seine Methoden zu verteidigen, dem Garten der Monumente eine schlechte Zensur verleiht. Nur der »charlatanerie« des Gartens sei es zu verdanken, daß das Museum jedenfalls das Kaiserreich überdauert habe. (Courajod I, CLXVII) – zum späteren Garten der Ecole des Beaux-Arts vgl. Courajod II, S. 131ff.

[66] zitiert nach Louis Hautecoeur in »Les origines du Romantisme in Le Romantisme et l Art (Vorwort von Edouard Herriot), Paris 1928, S. 23ff., vor allem S. 30f., dort das Zitat aus Michelets Histoire de la Révolution; vgl. außerdem de Brissac, a.a.O., S. 56.

[67] Es würde den Rahmen dieser Betrachtung sprengen, im einzelnen auf die Geschichte der Gartenkunst mit ihren möglichen Vorstufen zu einem »Garten der Monumente« einzugehen. Nur wenige Hinweise seien erlaubt: Seit William Kent um 1730 den »Englischen Garten« in seiner zukunftsträchtigen Form recht eigentlich »erfunden« hatte, ist seine Verbreitung in Wellen über ganz Europa und bald auch Nordamerika zu verfolgen. Die Ideen J. J. Rousseaus – der exemplarische Park von Ermenonville mit dem Rousseau-Grab, zu dessen Ausgestaltung kein anderer als Hubert Robert Anregungen gegeben haben soll – förderten seine Beliebtheit. Doch sind in dieser Hinsicht schon vor Rousseau Bestrebungen zu verzeichnen, die der Mathematik des zentralistisch ausgerichteten Barockgartens die »Natur selbst« entgegensetzten. Paradoxerweise

bemühte man sich dabei, diese neue Natur dadurch um so natürlicher erscheinen zu lassen, daß man als Blickpunkt und Kontrast künstliche Zutaten erfand, die sogenannten »fabriques«: Tempel, Bäder, Teehäuser, Skulpturen, Denkmäler, Grabmäler, Kenotaphien etc., die man überdies gern von vornherein in künstlich ruinierten Zustand versetzte, um sie dadurch noch »natürlicher« zu machen. Der Unterschied zu Lenoirs und Roberts »Garten der Monumente« liegt auf der Hand: während dort arkadische Natur durch Kunst und künstliche Zutat beschworen wurde, waren hier *echte* Denk- und Grabmäler versammelt, wiewohl im einzelnen verfälscht, die einer musealen Idee unter historischer Systematik dienen sollten. – Von einschlägiger Literatur sei nur genannt: Morel, Théorie des Jardins, 1776; C. C. L. Hirschfeld, Geschichte und Theorie der Gartenkunst, Leipzig 1779–85, vor allem Band 3 (1780); M. L. Gothein, Gesch. der Gartenk., Jena 1926; F. Hallbaum, Der Landschaftsgarten, München 1927; Marguerite Charageat, L'art des Jardins, 1962; F. Schnack, Traum vom Paradies, München 1966; K. Clark, The English Landscape Garden, 1948; de Ganay, Jardins des France, 1949. Im Zusammenhang mit unserer engeren Fragestellung vgl. Burda, a.a.O., S. 72ff. sowie Siegmar Holsten, »Friedrichs Bildthemen und die Tradition«, Kapitel »Denkmäler«, im Kat. Caspar David Friedrich, Hamburg 1974.

[68] vgl. Abb. 15a, 15b und s. u. S. 927f.

[69] vgl. Abb. 17a, 17b.

[70] vgl. Kat. 1802, S. 339ff.

[71] Kat. 1802, S. 202ff.

[72] ebenda, S. 236; zur Restaurierung vgl. Réau, I, S. 394.

[73] ebenda, S. 331.

[74] ebenda, S. 239.

[75] ebenda, S. 328.

[76] Bulletin du Mus. Carn., a.a.O., 1964, Abb. 24, S. 31ff., S. 35, Anm. 50.

[77] vgl. Abb. 15a, 16a.

[78] vgl. etwa Burda, a.a.O., Abb. 60, 65, 72, 73, 76, 78, 83, 87, 91, 95 etc.

[79] Abb. 16a, 16b.

[80] Sigrid Hinz, Caspar David Friedrich in Briefen und Bekenntnissen, Berlin 1968, S. 127.

[81] z. B. Helmut Börsch-Supan/Karl Wilhelm Jähnig, Caspar David Friedrich – Gemälde, Druckgraphik und bildmäßige Zeichnungen, München 1973, Kat. Nr. 207.

[82] s. o. S. 903.

[83] Börsch-Supan, a.a.O., Kat. Nr. 409/410; das »Eismeer« (B. S. Nr. 311) wird unterschiedlich religiös oder politisch interpretiert.

[84] Börsch-Supan, Kat. Nr. 205.

[85] Friedrich hat sich anfänglich, wie viele seiner deutschen Zeitgenossen, intensiv mit der holländischen Landschaftskunst des 17. Jahrhunderts beschäftigt; dies wird vor allem in seinen Radierungen deutlich (Börsch-Supan, Kat. Nr. 24ff.), die u. a. das Vorbild Jacobs van Ruisdaels erkennen lassen – so vor allem B.-S. Nr. 109. Die unmittelbare Anregung durch das Dresdener Bild des »Judenfriedhofs«, das sich spätestens seit 1754 in der Dresdener Galerie befand – laut Katalog von 1754, II, Nr. 490 als »Judenbegräbnis« – ist schon durch W. Wegener 1859 konstatiert worden (B.-S., S. 148: »Betrachten wir Ruysdael's Judenkirchhof, so erkennen wir in diesem Bilde recht eigentlich den Ausgangspunkt Friedrichs. Die Natur dient dem Maler nur als Vermittlerin seines Gedankens...«).

[86] Emil Waldmann, Friedrich-Almanach, Berlin 1941, Tafel 16, heute in der Albertina in Wien; Waldmann, a.a.O., S. 30: »... ändert er nichts von der Naturstudie: Jeder Felsbrocken ist da und jede Schichtung, jedes Farrenkraut und jede Moospartie auf den Steinen«; Werner Sumowski, Caspar David Friedrich – Studien, Wiesbaden 1970, Kat. Nr. 250, Kiel Pommern-Stiftung.

[87] B.-S., Nr. 277.

[88] wie dies für mehrere Landschaftsbilder mit Wanderern gilt.

[89] B.-S., Nr. 471.

[90] »Drei Denkmalsentwürfe von Caspar David Friedrich« in Niederdeutsche Beiträge zur Kunstgeschichte, Band 16, Berlin 1977, S. 121 ff.

[91] vgl. Hinz, a.a.O., S. 77 ff.

[92] Andreas Aubert, Caspar David Friedrich; Gott, Freiheit und Vaterland, herausgegeb. von G. J. Kern, Berlin 1915, S. 5.

[93] B.-S., Nr. 168 und 169.

[94] a.a.O.

[95] B.-S., Nr. 167.

[96] B.-S., Nr. 290.

[97] Etliche Beispiele, so B.-S., Nr. 254, 316, 335, 357 etc.

[98] B.-S., Nr. 207.

[99] B.-S., Nr. 206; hier Abb. 21 b. Die landschaftliche Situation entspricht weitgehend der des Hamburger Bildes.

[100] vgl. Willi Raeber, Caspar Wolf, Sein Leben und sein Werk, Aarau u.a.O. 1979, Kat. Nr. 166, 196, 211, 218, 273, 277, 341, 381, 382 etc. – dies alles Werke, die entstanden sind, als Friedrich noch ein Kind war. Andererseits zeigt Wolf in seinen mehr verdutenhaften Landschaftsansichten (Raeber, Nr. 172, 239, 252, 302, 340, 342, 363) gewisse formelhafte Elemente eines internationalen Rokokostils, so etwa in der Behandlung des Baumschlags, die entsprechenden Werken Hubert Roberts nahe scheinen.

[101] vgl. Joseph Calmette, François Rude, Paris 1920, S. 210 ff., Abb. gegenüber von S. 122.

[102] »ein Begräbnis«, B.-S., Nr. 112.

[103] s. o. S. 922.

[104] Burda, a.a.O., S. 70 f., Abb. 73.

[105] Burda, a.a.O., Abb. 72.

[106] a.a.O., S. 70.

[107] in Meaning in the visual arts, Garden City, N. Y. 1955, S. 295 ff.

[108] Anthony Blunt, Nicolas Poussin, London 1966/67, Kat. Nr. 119 und 120.

[109] Kurt Badt, Die Kunst des Nicolas Poussin, Köln 1969, S. 600.

[110] In diesem Zusammenhang ist besonders auf John Constables spätes Gemälde »Cenotaph to the memory of Sir Josua Reynolds, erected in the grounds of Coleorton Hall, Leistershire, by the late Sir George Beaumont, Bart.« in der National Gallery in London zu verweisen – vgl. Kat. Ausstellung Constable – Paintings, Watercolours and Drawings, London 1976, Kat. Nr. 330. Dort auch nähere Angaben über die Errichtung des Gedenkgrabes mit den Ergänzungen in Constables Bild in Gestalt der Büsten Raffaels und Michelangelos, wodurch das Bild dem »Garten der Monumente« Lenoirs und Roberts vergleichbar wird.

[111] Hinz, a.a.O., S. 128.

[112] ebenda, S. 127.

[113] ebenda, S. 127.

[114] ebenda, S. 89.

[115] ebenda, S. 121 f.

[116] Hans Sedlmayr hat in seinem »Verlust der Mitte« (Salzburg 1948, S. 35) im Zusammenhang mit einer grundsätzlichen Kritik am Museum und am Musealen schlechthin Ernst Jünger ausführlich zitiert (Das abenteuerliche Herz. Zweite Fassung, Hamburg 1936). Darin ist die enge Verknüpfung zwischen »dem musealen Trieb« und der »Todesseite« der Wissenschaften hervorgehoben. Doch müßte mehr noch – und das ist der Sinn der vorliegenden Betrachtung – die Urverbindung von jeglicher künstlerischer Produktion mit dem Faktum des Todes überhaupt bedacht werden.

# Abbildungsverzeichnis

Farbtafel I: Hubert Robert, Eingangssaal des Museums der französischen Monumente, Ölgemälde, 1801; Kunsthalle Bremen.

Farbtafel II: Hubert Robert, Der Garten des Museums der französischen Monumente (Elysée), Ölgemälde, 1802/03; Kunsthalle Bremen.

Farbtafel III: Caspar David Friedrich, Felsengrund mit Arminiusgrab, Ölgemälde, 1813/14; Kunsthalle Bremen (sämtlich Museumsphotos – Lars Lohrisch – Bremen).

Textabbildung S. 910: Titelblatt des Katalogs des Museums der Monumente von 1797.

Textabbildung S. 912: Umrißstich von Biet, Eingangssaal des Museums der Monumente (Repr. nach Courajod).

Abbildung 1: Gabriel de Saint-Aubin, Der Salon von 1753, Radierung.

Abbildung 2: Elisabeth Vigée-Lebrun, Bildnis des Malers Hubert Robert Ölgemälde, 1788; Paris, Musée du Louvre (Repr. nach de Nolhac).

Abbildung 3: Caspar David Friedrich, Selbstbildnis, Kreidezeichnung, gegen 1820; Berlin-Ost, Kupferstichkabinett.

Abbildung 4: R. Delafontaine, Bildnis Alexandre Lenoir vor dem Grabmal Franz I. in seinem Museum der Monumente, Ölgemälde, 1815/16; Versailles (Repr. nach Connaissance des Arts).

Abbildung 5: Jacques-Louis David, Bildnis Alexandre Lenoir, Ölgemälde, 1817; Paris, Musée du Louvre (Repr. nach Schnapper).

Abbildung 6: Anonymer französischer Zeichner, Bildnis Vivant Denon, Rötel- und Federzeichnung, um 1780; Privatbesitz.

Abbildung 7: Vivant Denon, Selbstbildnis: Denon im Freundeskreis, Bildnis zeichnend, Lithographie, 1816; Sammlung Felix H. Man.

Abbildung 8a: Hubert Robert, Römisches Architektur-Capriccio mit dem Reiterstandbild Marc Aurels; Ölgemälde, Paris, Musée du Louvre (Repr. nach de Nolhac).

Abbildung 8b: Hubert Robert, Abriß der Häuser auf dem Pont-au-Change, Ölgemälde, 1788; München, Bayerische Staatsgemälde-Sammlungen (Museumsphoto).

Abbildung 9a: Paul Delaroche, Die Auferstehung Napoleons, Ölgemälde; derzeitiger Standort nicht feststellbar.

Abbildung 9b: Hubert Robert, Die Bergung der Königsgräber von Saint-Denis, Ölgemälde; Paris, Musée Carnavalet (Repr. Bull. des Mus. Carn.).

Abbildung 10a: Hubert Robert, Die Grande Galerie des Louvre (Skizze); Paris, Musée du Louvre (Repr. nach Paul-Sentenac).

Abbildung 10b: Hubert Robert, Die Grande Galerie des Louvre, Ölgemälde; Paris, Musée du Louvre (Repr. nach Kat. 1933).

Abbildung 11a: Hubert Robert, Die Grande Galerie des Louvre, Ölgemälde; Paris, Musée du Louvre (Repr. nach de Nolhac).

Abbildung 11b: Hubert Robert, Die Grande Galerie des Louvre in Ruinen, Ölgemälde; Paris, Musée du Louvre (Museumsphoto).

Abbildung 12a: Stich von Lubin Vauzelle, Eingangssaal des Museums der Monumente (Repr. nach Connaissance des Arts).

Abbildung 12b: Hubert Robert, Eingangssaal des Museums der Monumente, Gemälde; Paris, Musée du Louvre (Museumsphoto, Photo Vizzavona).

Abbildung 13a: Lubin Vauzelle, Eingangssaal des Museums der Monumente, Ölgemälde; Paris, Musée Carnavalet (Repr. nach Bull. du Mus. Carnavalet).

Abbildung 13b: Hubert Robert, Eingangssaal des Museums der Monumente, Ölgemälde, 1801; Kunsthalle Bremen (Museumsphoto).

Abbildung 14a: Stich nach Lenoir, Saal des 13. Jahrhunderts im Museum der Monumente (Repr. nach Hautecoeur, 1928).

Abbildung 14b: Photo: Ecole des Beaux-Arts, Gipssaal (Repr. nach Gazette des Beaux-Arts).

Abbildung 15a: Stich nach Lenoir, Der Garten der Monumente (Repr. nach Connaissance des Arts).

Abbildung 15b: Giovanni Battista Piranesi, Via Appia und Via Ardealina, Titelblatt zum zweiten Band der Antichità Romane, Radierung, 1756.

Abbildung 16a: Stich nach Lenoir, Der Garten der Monumente (Repr. nach Connaissance des Arts).

Abbildung 16b: Hubert Robert, Der Garten der Monumente, Ölgemälde; Paris, Musée Carnavalet (Repr. nach Bull. Mus. Carn.).

Abbildung 17a: J. Arnout, Der Eingang zur Ecole des Beaux-Arts, kolorierte Lithographie, um 1850.

Abbildung 17b: Hubert Robert, Der Garten der Monumente, Ölgemälde, 1802/03; Kunsthalle Bremen (Museumsphoto).

Abbildung 18: Richard Earlom nach Claude Lorrain, Römische Landschaft aus »Liber veritatis, a collection of Prints after the original Designs by Claude Le Lorrain in the collection of His Grace the Duke of Devonshire, executed by Richard Earlom in the manner and taste of the originals, London 1819«, Radierung 1817.

Abbildung 19a: Caspar David Friedrich, Felsengrund (Harzhöhle), Sepiazeichnung, Kopenhagen, Handbibliothek I. M. der Königin von Dänemark (Photo Petersen, Kopenhagen).

Abbildung 19b: Caspar David Friedrich, Arminiusgrab, Ölgemälde; 1812, Hamburger Kunsthalle (Museumsphoto).

Abbildung 20a: J. H. W. Tischbein, Grabmale, Aquarell; Oldenburg, Landes-Museum für Kunst- und Kulturgeschichte im Schloß (Museumsphoto).

Abbildung 20b: Caspar David Friedrich, Felsengrund mit Wanderern, Ölgemälde; Kiel, Schloß – Stiftung Pommern (Museumsphoto).

Abbildung 21a: Caspar David Friedrich, Detail aus Abbildung 21b.

Abbildung 21b: Caspar David Friedrich, Felsengrund mit Arminiusgrab, Ölgemälde 1813/14; Kunsthalle Bremen (Museumsphoto).


## Dank

Hierdurch danke ich allen Kollegen, die mich durch Rat und Hinweis, sowie bei der Beschaffung von Photos unterstützt haben, vor allem Herrn Prof. Dr. Christian Beutler, Hamburg, Herrn Dr. Gerhard Gerkens, Bremen, M. Pierre Rosenberg, Paris, Herrn Dr. Eckhardt Schaar, Hamburg, der Universitätsbibliothek Bonn, der Kunsthalle Bremen sowie den verschiedenen Museums-, Photo- und Bildarchiven und deren Photographen, die jeweils am Ort genannt sind.                                                                       G. B.

# Carl Dahlhaus

# Warum ist die Neue Musik so schwer verständlich?

## Plädoyer für ein historisches Verständnis

Das Verhältnis zur Neuen Musik des 20. Jahrhunderts, das unter Musikliebhabern von Zeit zu Zeit Diskussionen auslöst, die ins Unwegsame führen, ist dadurch in Extreme gespalten, daß man sich entweder als Eingeweihter oder als Ausgeschlossener fühlt. Der Ton, in dem diejenigen, denen das Phänomen fremd ist, von sich bekennen, daß sie die Neue Musik »nicht verstehen«, wechselt zwischen Aggression und Ratlosigkeit, läßt aber selten ein einfaches, nicht durch Affekte bestimmtes oder gefärbtes Desinteresse erkennen. Die Neue Musik gehört zu den Phänomenen, angesichts derer es offenbar schwer fällt, sich neutral zu verhalten.

Von »Musikliebhabern« zu sprechen, wenn man das Publikum meint, dem der Zugang zur Neuen Musik ebenso verschlossen ist, wie es sich andererseits mit dem Verzicht auf einen Zugang nicht abfinden mag, ist zwar unpräzise, aber unmißverständlich, denn die Fans von Rock und Pop werden schwerlich das altmodische Wort »Musikliebhaber« für sich in Anspruch nehmen, das demnach den Anhängern der klassisch-romantischen Tradition reserviert bleibt. Das Auditorium, mit dem Arnold Schönberg zunächst, zu Anfang des Jahrhunderts noch rechnete, war denn auch das der Symphonie- und Kammermusik-Konzerte: Schönberg schrieb für dieselben Hörer wie Brahms. Die hämischen Vergleiche, denen das Publikum der Neuen Musik wegen seiner Geringfügigkeit ausgesetzt ist, zwingen jedoch – so schief sie sind – zu einigen Kommentaren, deren Ziel es ist, eine Fortsetzung der Diskussion überflüssig zu machen.

Man zählt Zeitungen gewöhnlich nicht zur »Literatur« (obwohl der Wortsinn es zuließe); und niemand verfällt auf den Gedanken, die Auflagenhöhen von Dichtung mit denen der Publizistik zu vergleichen. Die »Einschaltquote« von Neuer Musik neben die von Rock und Pop zu stellen, um die musikalische Moderne ihrer sozialen Irrelevanz zu überführen, ist jedoch im Rundfunk durchaus üblich, und zwar aus dem trivialen – und darum unbewußt bleibenden – Grunde, daß beide Phänomene undifferenziert als »Musik« bezeichnet werden (als würde der gemeinsame Name eine engere Zusammengehörigkeit verbürgen, als sie zwischen den »Textsorten« Dichtung und Publizistik besteht). Diskussionen über E- und U-Musik oder, wie Theodor W. Adorno es ausdrückte, über »Avantgarde und Kitsch« – zwischen denen es einen dritten Weg nicht gebe – sind zu einem großen Teil das Resultat einer »Verhexung durch die Sprache«.

Ist demnach der Vergleich zwischen Neuer Musik und Rock und Pop substanzlos, so ist andererseits auch die Konfrontation mit der klassisch-romantischen Musik, obwohl sie unvermeidlich erscheint, nicht unproblematisch. Die ständig wiederkehrende Behauptung nämlich, daß das Publikum für das jeweils musikalisch Neue seit dem 19. Jahrhundert immer geringer geworden sei, ist wahrscheinlich unhaltbar (wenngleich es an genügend präzisen Daten einstweilen mangelt). Die Anhängerschaft neuer oder zeitgenössischer Musik ist – in Relation zur Bevölkerung im Ganzen – nicht etwa geschrumpft, sondern umgekehrt die der klassischen Überlieferung ins geradezu Unermeßliche gewachsen. Das Publikum von Robert Schumann war zu Lebzeiten des Komponisten zweifellos nicht größer als das von Arnold Schönberg. Der Enthusiasmus für klassische Musik, der im 19. Jahrhundert erst allmählich zu entstehen begann, ist dagegen inzwischen zu einem Massenphänomen geworden (dem übrigens nichts Analoges in der Literatur entspricht: Man übertreibt wohl nicht, wenn man als Proportion zwischen Goethe-Lesern und Mozart-Hörern ein Verhältnis von 1:10000 annimmt).

Trotz ihrer prekären sozialen Lage ist die Neue Musik, wie es scheint, zu einer festen Institution geworden. Materiell wird sie – jedenfalls in der Bundesrepublik – im Wesentlichen vom Rundfunk getragen, der auch »Musikfeste« oder »Musiktage« mit finanziert und sich die Diskrepanz zwischen Aufwand und Resultat – gemeint sind die »Einschaltquoten« – als »Mäzenatentum« zugute rechnet. Ideell wiederum zweifelt fast niemand am Daseinsrecht des Phänomens, auch wenn er ihm »privat« verständnislos und befremdet gegenübersteht. (Die Neue Musik aus den Nachtprogrammen zu streichen, in denen sie ein peripheres Dasein fristet, erscheint sogar ihren Verächtern überflüssig.) Der bestehende Zustand würde sich also nicht einmal ändern, wenn die Leiter der Musikabteilungen, in der Regel Anhänger der Neuen Musik, durch einen überraschenden Zufall sämtlich durch Gegner ersetzt würden.

Die Festigkeit als Institution – nahezu unabhängig von den Divergenzen der Begründung und den Schwankungen der Rezeption – zeigt sich an der Tatsache, daß die Neue Musik, bei extremer Verschiedenheit der sozialen Fundierung und der ideellen Rechtfertigung, fast so international ist wie ihr Gegenteil, die Popmusik. In den USA wird sie nicht vom Rundfunk, sondern von den Universitäten getragen, so daß ein gewöhnlicher musikalisch interessierter Intellektueller mit ihr während seiner Studienzeit und später niemals wieder in Berührung kommt. Daß die Neue Musik in Japan floriert, versteht sich fast von selbst. In der Sowjetunion ist sie ein inzwischen geduldetes harmloses Übel einiger zurückgezogen lebender Zirkel, in Polen dagegen ein staatlich subventioniertes Symbol kulturellen Kosmopolitentums. Und in der DDR gelang es den Anhängern der Neuen Musik, im Komponistenverband, der ein Existenzminimum verbürgt, ein Stück Boden zu gewinnen, und zwar mit der Argumentation, daß man sich erstens nicht durch provinzielle Rückständigkeit blamieren dürfe und daß zweitens die Neue Musik weniger ein ideologisches als ein technisches Phänomen sei: eine Reihe von Experimenten mit musikalischem Material. (Natürlich meinen die Komponisten das, was sie schreiben, als »Werk« und nicht als das »Experiment«, als das sie es rechtfertigen.)

Der Terminus Neue Musik – mit dem großen N – ist allerdings zwiespältig und läßt Raum für schiefe oder ideologisch gefärbte Interpretationen sowohl der Gegner als auch der Anhänger. Da man Musik, deren Entstehungszeit zum Teil bis in die Jahre um 1910 zurückreicht, schwerlich als neu im umgangssprachlichen Sinne des Wortes bezeichnen kann, ist es üblich geworden, den Ausdruck Neue Musik als Epochennamen aufzufassen –

genauer: als Namen für eine bestimmte Selektion aus der Musik des 20. Jahrhunderts –: eine Interpretation, die dadurch einleuchtender wurde, als sie ursprünglich war, daß die »Postmoderne« der 1970er Jahre den Gedanken nahelegt, es handle sich bei der Neuen Musik um ein nunmehr abgeschlossenes Kapitel der Musikgeschichte. Die störende Doppeldeutigkeit, daß derselbe Terminus immer zugleich die Entwicklung mehrerer Jahrzehnte und einen Aktualitätsanspruch bezeichnete, wäre demnach behoben.

Neue Musik verständlich zu machen – ein bisher in geringem Maße geglücktes Unterfangen – ist dann aber ein Ziel, dessen Sinn sich in den letzten anderthalb Jahrzehnten von Grund auf geändert hat: Waren frühere Interpreten bemüht, im allgemeinen Bewußtsein die Vorstellung durchzusetzen, daß man Neue Musik verstehen müsse, weil sie eine durch nichts anderes ersetzbare Ausdrucksform der Gegenwart sei, so ist inzwischen das Phänomen zu einem Stück Geschichte, das Verständnis also zu einem historischen geworden. Zu zeigen wäre nunmehr, daß die Neue Musik wesentlichen Anteil an der Ideengeschichte hatte: einer Geschichte, die verstanden werden muß, weil sie die unsere Identität verbürgende Erinnerung an die Herkunft des gegenwärtigen Bewußtseins ist. Daß sie auch bei denen, die es nicht wissen oder nicht wissen wollen, das musikalische Fühlen und Denken mit geprägt hat, ist ein genügender Grund, sich die Neue Musik als geschichtliche Erscheinung, also durch historische Interpretation zumindest abstrakt – falls die konkrete Erfahrung mißlingen sollte – anzueignen.

Daß man die Neue Musik in der Praxis meidet – und niemand hat das Recht, anderen ihre ästhetischen Neigungen zum Vorwurf zu machen –, ist also kein Grund, die Tatsache zu leugnen, daß sie zu den Traditionsbeständen gehört, in denen die Substanz unserer Existenz als geschichtlicher Existenz besteht. (Man nimmt Teile der Neuen Musik als Denkmuster in sich auf, ohne die Werke, in denen sie realisiert sind, zu kennen oder kennen zu wollen.) Und nicht von den Anhängern des Historismus, die den Konzertsaal und die Oper – keineswegs gänzlich zu Unrecht – als musikalische Museen betrachten, ist die Neue Musik bedroht, sondern von den Adepten prinzipieller Geschichtslosigkeit, die die Neue Musik, ein in hohem Maße von Geschichte erfülltes Phänomen, in ihrer aktuellen Existenz ebenso reduzieren und verflachen wie in ihrem ideellen Überdauern im historischen Gedächtnis, das von Zeit zu Zeit aus der Latenz herausgeholt und interpretierend vergegenwärtigt werden muß.

## Ist die Neue Musik elitär?

Die Neue Musik ist bei den Ungebildeten unter ihren Verächtern dem Vorwurf ausgesetzt, elitär zu sein, ohne daß jedoch deutlich erkennbar wäre, was mit dem Schlagwort außer der Tatsache, daß sie eine Angelegenheit kleiner Zirkel ist und bleiben wird, überhaupt gemeint ist. Denn die – im Elitebegriff enthaltene – Vorstellung, daß die Anhänger der Neuen Musik – diejenigen, die »dazu gehören« – ein herandrängendes Publikum aus niedrigeren sozialen Schichten fernhalten, ist ebenso widersinnig wie die Behauptung, daß sie illegitime Macht in der Musikkultur ausüben.

Nicht zu leugnen ist allerdings, daß dem geradezu »demagogischen« – also gerade »antielitären« – Eifer, mit dem man für die Neue Musik ein größeres Publikum zu gewinnen sucht, bei manchen Komponisten die zur Esoterik führende Überzeugung gegenübersteht, Neue Musik solle einzig ihrem internen Entwicklungsgesetz gehorchen, ohne sich im Geringsten um die Zustimmung oder Ablehnung des Publikums zu kümmern. Arnold Schönbergs »Verein für musikalische Privataufführungen« schloß die Öffentlichkeit – gemeint war die Presse – aus. Ein privates Auditorium mochte teilhaben oder nicht; ein Anspruch auf öffentliches Interesse wurde nicht erhoben.

Andererseits ist in dem Vorwurf, daß eine Clique von Anhängern der Neuen Musik über eine Macht verfüge, zu der sie nicht legitimiert sei, eine halbe Wahrheit enthalten, und er läßt sich nur dadurch aus dem Wege räumen, daß man ihn ernst nimmt, statt ihn gestikulierend als feindselige Ideologie abzuwehren. Er besagt, nüchtern betrachtet, nichts anderes, als daß Angehörige der Clique in entscheidenden Rundfunkpositionen Neuer Musik einen Anteil am Programm verschaffen, der nicht durch öffentliche Zustimmung – in der Form von Einschaltquoten – zu rechtfertigen ist.

Man kann das Problem – und die Anhänger der Neuen Musik sollten nicht leugnen, daß es eines ist – allerdings nicht lösen, solange man von einem geschichtlich undifferenzierten Publikumsbegriff ausgeht.

Die unablässig wiederkehrende Behauptung, die neue Musik früherer Epochen sei, im Unterschied zu der des 20. Jahrhunderts, vom Publikum zwar zögernd, aber immerhin in einem angemessenen Abstand zur Entstehungszeit der Werke rezipiert worden, ist fragwürdig. Wie erwähnt, war der Zirkel der Schumann-Anhänger zu Lebzeiten des Komponisten nicht größer als ein Jahrhundert später die Clique, die sich zu Schönberg bekannte. Die Anzahl der Enthusiasten für neue Musik ist beim Übergang vom 19. zum 20. Jahrhundert nicht geschrumpft, sondern umgekehrt ist das Publikum klassisch-romantischer Musik immens gewachsen. Erstaunlich ist nicht die geringe Menge von Schönberg-, sondern die nahezu unabsehbare von Mozart-Hörern. Die Rezeption des Neuen erscheint – wenn das Wort erlaubt ist – normal, frappierend dagegen die des Alten.

Daß eine wissenschaftliche Disziplin unter dem Druck interner Entwicklungstendenzen gezwungen ist, sich aus dem öffentlichen Verständnis und Interesse zurückzuziehen, gilt bei den Naturwissenschaften – die um 1900 noch populär und dem gebildeten Publikum zu wesentlichen Teilen zugänglich waren – als regulär. Ob aber die Musik einen analogen Anspruch erheben darf, ist umstritten (sofern man nicht sogar unreflektiert voraussetzt, daß sie es nicht darf). Arnold Schönberg war – ohne die geringste Konzession an die Öffentlichkeit und ohne sich durch feindselige Publikumsreaktionen beirren zu lassen – davon überzeugt, daß Musik, um nicht substanzlos zu werden, einem inneren Entwicklungsgesetz folgen müsse, dessen Urheber nicht der Komponist, sondern die Sache selbst sei. (Der Komponist wählt nicht, sondern wird gewählt.) Dagegen ist es für die Kritiker der Neuen Musik selbstverständlich, daß die Esoterik der Musik und die der Physik schlechterdings unvergleichbar seien: Der gesellschaftliche Nutzen der Physik hänge nicht davon ab, in welchem Maße sie von der Öffentlichkeit verstanden werde; sie habe weitreichende Konsequenzen, aber niemand, der davon betroffen sei oder Gebrauch mache, müsse die Voraussetzungen kennen. Musik dagegen, die nicht in genügendem Maße gehört und hörend verstanden werde, verfehle ihre raison d'être. Das Problem, was als genügendes Maß gelten soll, würde allerdings wesentlich gemildert, wenn Neue Musik – wie die esoterische Lyrik, die kaum Polemik auf sich zieht – eine Kunst zum Lesen wäre. (Daß sie, jedenfalls partiell, dazu werden kann, ist keineswegs ausgeschlossen.) Für einen einzigen Leser zu schreiben, ist nicht sinnwidrig. Und auch Kammermusik, bei der es ausreicht, vor einem Publikum von Galeriebesuchern gespielt zu werden (das längst für avancierte Neue Musik zumindest ebenso wesentlich ist wie das traditionelle Musikpublikum, das sich immer noch als das »eigentliche« fühlt), ist in ihrem Daseinsrecht nicht essentiell gefährdet. Der Streit, ob die Kunst einer Minorität öffentlich subventioniert werden soll, weil sie sonst – wegen des Apparats, den sie braucht – nicht überleben kann, entzündet sich denn auch mit der Heftigkeit, mit der ästhetische Probleme immer dann ausgetragen werden, wenn sie mit Finanzproblemen verquickt sind, erst an der Orchestermusik und der Oper. Und die Kontroverse ist in letzter Instanz unentscheidbar, da eine Verständigung zwischen den Verfechtern des öffentlichen Nutzens (zu dem das Vergnügen eines genügend großen Publikums gehört) und den Anhängern einer »Kultur um ihrer selbst willen« nicht absehbar ist. Die Überzeugung, daß Religion, Wissenschaft und Kunst der Zweck gesellschaftlichen Lebens und nicht etwa dessen bloßes Mittel seien, war um 1900 ebenso selbstverständlich, wie es das Gegenteil heute zu sein scheint (obwohl man die Wirksamkeit von Resten der Tradition nicht unterschätzen sollte). Wer eine Universitätsdisziplin, die subventioniert wird, ohne daß ein öffentlicher Nutzen erkennbar ist, abschaffen möchte, wird allerdings noch ein wenig von dem schlechten Gewissen geplagt, der Barbarei das Wort zu reden. Und auch die Neue Musik zehrt zu einem nicht geringen Teil von dem Glauben, daß man sie – ähnlich wie manche gesellschaftlich nutzlosen Wissenschaften, denen es mißlang, sich rechtzeitig mit dem Anspruch, Grundlagenforschung zu sein, in Sicherheit zu bringen – wenigstens dulden müsse, weil sie zu den Bestandteilen oder Ausstattungsstücken einer Kultur gehöre, die den Namen verdient.

Die Hoffnung, daß die Neue Musik irgendwann populär werde, ist demnach ebenso gering wie die Gefahr, daß sie aus den Programmen des Rundfunks verschwindet. Sie bleibt auf kleine Zirkel beschränkt: geduldet mit einer Toleranz, die im Wesentlichen in Gleichgültigkeit wurzelt, und ist weder aus einem öffentlichen Interesse noch als Grundlagenforschung im Ernst zu rechtfertigen. (Das Argument, Neue Musik sei Grundlagenforschung am musikalischen Material – im Hinblick auf spätere, »eigentliche« Werke, deren Entstehung jedoch ungewiß und eher unwahrscheinlich ist –, wurde, wie es scheint, nur in der DDR, nicht in der Bundesrepublik benutzt.) Man kann die Neue Musik, deren Existenz von dem Glauben an die Kontinuität der Kunst abhängt, nicht restlos verdrängen, solange man den Vorwurf der Barbarei scheut. Keineswegs aber ist sie elitär, denn sie schließt aus den Zirkeln ihrer Anhänger niemanden aus und verfügt auch nicht über illegitime Macht: Die Macht im Rundfunk ist teils eine Fiktion, denn eine Existenz in Nachtprogrammen ist ein Schattendasein, teils ist sie gerechtfertigt, weil das Operieren mit Einschaltquoten fragwürdig ist und weil auch in einer Kultur, die primär vom Begriff des öffentlichen Nutzens ausgeht, die Überzeugung, daß manches »um seiner selbst willen« getan werden müsse und statt der Rücksicht auf das Publikum einem inneren Entwicklungsgesetz folge (das man der Neuen Musik schwerlich absprechen kann), noch nicht restlos verschwunden ist.

## Was heißt: »Musik verstehen«?

Daß Musik dazu da sei, verstanden zu werden, ist keineswegs selbstverständlich. Und es ist kein Zufall, daß das Wort »verstehen« in der Regel negativ verwendet wird: als Abwehr eines Anspruchs, den manche Arten von Musik erheben, ohne daß feststünde, wodurch sie dazu berechtigt sind. Wer von Neuer Musik oder von »Opusmusik« schlechthin behauptet, er verstehe sie nicht – und die Formel ist die am häufigsten gebrauchte, wenn Fremdheit und Distanz ausgedrückt werden sollen –, übt scheinbar Urteilsenthaltung, will aber in Wahrheit sagen, daß Musik, die auf die Rezeptionsform des Verstehens angewiesen ist, ein defizienter Modus von Kunst sei. Neue Musik gerät ungefähr in die Position spekulativer Philosophie, die gegenüber dem common sense machtlos bleibt.

Soll über Nutzen und Nachteil der bei Neuer Musik fest eingewurzelten Gewohnheit, einer Theorie der musikalischen Rezeption den Begriff des Verstehens zugrundezulegen, mit Argumenten statt mit bloßen Schlagworten gestritten werden, so muß allerdings zunächst eine Bedeutung des Ausdrucks »verstehen« erwähnt werden, die nicht in den Zusammenhang gehört und darum immer dann, wenn sie unbewußt einfließt, die Auseinandersetzung stört und verwirrt.

Sagt man von einem Pianisten oder einem Geiger, er habe ein Stück »verstanden«, so meint man im allgemeinen, daß er den Ton des Komponisten trifft, sinnvoll artikuliert (die Abgrenzung der Motive deutlich macht) und ein adäquates Tempo wählt. Das Verstehen bezieht sich also auf Sachverhalte, die nicht oder jedenfalls nicht unmittelbar in den Noten stehen – entgegen der Erwartung, daß es die Funktion eines Textes sei, das Wesentliche zu fixieren.

Artikulation, Tempowahl und Ton waren nun aber in der Neuen Musik, jedenfalls bis in die 1950er Jahre, im gleichen Sinne Kriterien der Interpretation wie bei Werken der Klassik und Romantik. Der harte, trockene Ton, den Strawinsky anschlug, war das Gegenteil des »romantischen«, gegen den er polemisierte; aber zweifellos handelt es sich um einen spezifischen Ton, der nicht weniger individuell ist als der von Schumann oder Wagner. Und die von Schönberg, Berg und Webern geforderte und praktizierte Artikulation unterscheidet sich von der klassisch-romantischen durch nichts.

Sind demnach Artikulation und Ton als Kriterien des Verstehens oder Nicht-Verstehens keine Merkmale, durch die sich Neue Musik als Musik anderer Art erweist, so genügt es andererseits nicht, das spezifische Verstehen, das Neue Musik – im Gegensatz zur klassisch-romantischen Tradition – für sich in Anspruch nimmt, durch das Modewort strukturell zu bezeichnen, als wäre dadurch eine Differenz gegenüber Beethoven oder Brahms ausgedrückt. Und umgekehrt wäre es verfehlt, als Verfechter der Avantgarde die Gegenposition zur Neuen Musik, die sich in dem Mißtrauen gegen die Kategorie des Verstehens manifestiert, umstandslos mit einem dumpfen Irrationalismus gleichzusetzen, der tönende Formen lediglich als Stimulantien benutzt, um sich in Wachträume zu verlieren oder in eigene, von der Musik losgelöste Gefühle zurückzusinken. Der Neuen Musik ist nicht gedient mit Zeloten, die sämtliche Gegner unterschiedslos als süchtig nach einer Emotionalität verdächtigen, deren Genuß man sich durch das Postulat rationaler Anstrengung nicht stören lassen möchte.

Von den ästhetisch legitimierbaren Möglichkeiten des Verstehens von Musik: dem an der tönenden Form und ihren objektiven Ausdruckscharakteren – und nicht an eigenen zufälligen Seelenregungen – orientierten »Gefühlsverständnis« (wie Wagner es nannte) und der bewußten und konzentrierten Wahrnehmung harmonisch-tonaler und thematisch-motivischer Strukturen und Prozesse, ist gerade das Gefühlsverständnis bei Neuer Musik am wenigsten gefährdet. Den Ausdrucksbereich von Schönbergs Monodram »Erwartung« oder der »Begleitungsmusik zu einer Lichtspielszene« oder den Charakter von György Ligetis Orchesterstück »Atmosphères« zu verkennen, dürfte nahezu unmöglich sein (ohne daß ein Rückhalt an musikalischer Bildung nötig wäre).

Andererseits ist es kein Zufall, daß erst seit ungefähr 1800 auch von Musik, nicht anders als von Malerei und Literatur, gesagt wurde, daß man sie verstehe oder nicht verstehe. Bis zum späten 18. Jahrhundert bildete den Gegenstand ästhetischer Erörterungen primär die Vokal-, nicht die Instrumentalmusik. Bei Vokalmusik aber braucht man, damit sie ihre Funktion erfüllt, nicht die Musik abstrakt und für sich, sondern lediglich ihr angemessenes oder schiefes Verhältnis zum Text – zu dessen Prosodie, Syntax und Ausdruckscharakter – zu erfassen. Die Instrumentalmusik dagegen, deren Tradition zwar weit in die Vergangenheit zurückreichte, die aber erst im 18. Jahrhundert ästhetische Selbständigkeit erzielte, war auf ein Verständnis angewiesen, das sich die musikalische Logik eines Werkes bewußt machte. (Der Terminus »musikalische Logik« wurde 1788 von Johann Nicolaus Forkel geprägt.) Die Logik aber bestand einerseits im zwingenden Fortgang der Akkorde – der tonalen Harmonik –, andererseits in der Stringenz der thematisch-motivischen Entwicklung. (Die Vokalmusik, deren »roter Faden« der Text war, brauchte streng genommen weder das eine noch das andere.)

Tonale Harmonik und thematische Entwicklung sind nun aber in der klassisch-romantischen Musik zwei Seiten desselben Prozesses: Daß aus einem Motiv eine Variante und aus der Variante wiederum eine andere hervorgeht, berechtigt als bloße Tatsache noch nicht dazu, von musikalischer Konsequenz zu sprechen. Daß es sich aber – und erst dadurch wird der Begriff der musikalischen Logik plausibel – um eine bestimmte, mit keiner anderen austauschbaren Variante – also um Stringenz – handelt, ist im harmonisch-tonalen Prozeß begründet: Er bildet das Fundament, das die – sonst richtungslose – Aneinanderreihung motivischer Varianten trägt.

In der Neuen Musik ist die Tonalität von Arnold Schönberg um 1908 preisgegeben, die entwickelnde Variation von Motiven dagegen – noch über Brahms hinaus – ins Extrem getrieben worden (ein Sachverhalt, der ständig erwähnt, aber selten als das Paradox, das es ist, analysiert wird). Das Problem, die Variantenbildung zu begründen (die Wahl einer bestimmten Variante evident zu machen) ließ Schönberg zunächst offen, um es dann durch die Zwölftontechnik seit 1923 als gelöst anzusehen: Ebenso wie die tonale Harmonik zeichnet die Dodekaphonie (in einem bestimmten Umkreis von Möglichkeiten) vor, welche Töne jeweils den gleichbleibenden melodischen Umriß des Motivs (das gemeinsame Merkmal der Varianten) realisieren sollen. (Insofern ist die Zwölftonreihe wirklich der «Tonalitätsersatz«, als der sie von manchen Apologeten bezeichnet wurde – nach den meisten Kriterien, die man berücksichtigen muß, ist sie es allerdings nicht.)

In der Zeit zwischen 1908, dem Jahre des Übergangs von der Tonalität zur Atonalität, und 1923, der Entdeckung der »Komposition mit zwölf nur aufeinander bezogenen Tönen«, war Schönberg davon überzeugt, größere musikalische Formen einzig durch die

Orientierung an Texten, die einem Werk Geschlossenheit und Kontinuität gaben, verwirklichen zu können. Der erste »Tonalitätsersatz« war also, nach dem Zerfall der Tradition, deren zentrale Kategorie der Begriff der »musikalischen Logik« war, ein Rekurs auf eine ältere Überlieferung: die Begründung des musikalischen Prozesses als Textdarstellung (und nicht als Entwicklung aus sich selbst heraus).

Worin das Problem der Verständlichkeit Neuer Musik besteht, muß also, wenn man nicht bei Trivialitäten stehen bleiben möchte, in einem Umkreis von Sachverhalten und Kategorien erörtert werden, der sich durch drei Stichworte abstecken läßt: das Verhältnis zwischen Vokal- und Instrumentalmusik (das, unabhängig von der Menge des im einen oder anderen Bereich Produzierten, geschichtlich und in seinen ästhetischen Prämissen veränderlich ist), ferner die Vermittlung der entwickelnden Variation mit tonaler Harmonik einerseits und Dodekaphonie andererseits und schließlich – in engem Zusammenhang mit der Stringenz der Motiventwicklung – die Differenz zwischen manifest wirksamer Tonalität und latent bleibender Dodekaphonie.

## Musikalische Logik

Die tonale Harmonik, deren Zerfall als primäre Ursache der Schwerverständlichkeit Neuer Musik gilt, ist gleichzeitig mit der selbständigen Instrumentalmusik – im 17. und 18. Jahrhundert – entstanden, und die eine Entwicklung war mit der anderen eng verbunden, ohne daß es jedoch notwendig wäre, zwischen den Faktoren, die in dem Prozeß zusammenwirkten – institutionsgeschichtlichen, ästhetischen und kompositionstechnischen – ein Fundierungsverhältnis oder eine Hierarchie zu konstruieren: Es genügt, den Konnex von innen heraus begreiflich zu machen und den Streit über die Richtung der Abhängigkeiten den Geschichtstheoretikern zu überlassen.

Von einer ästhetisch-kompositionstechnischen Selbständigkeit der Instrumentalmusik kann streng genommen immer dann die Rede sein, wenn sie in der Struktur der Werke begründet ist – gleichgültig, welche rezeptions- und institutionsgeschichtliche Entwicklungsstufe erreicht wurde. (Daß ein Werk den ästhetischen Anspruch, um seiner selbst willen gehört zu werden, kompositionstechnisch restlos einlöst, besagt nicht, daß sich das Publikum, gewöhnt an zerstreutes Hören, den Sachverhalt, daß es mit musikalischer Logik konfrontiert ist, bereits bewußt macht.)

Begründet wurde die Emanzipation der Instrumentalmusik durch die Kategorie des Themas – und die ergänzende der thematisch-motivischen Arbeit –, eine Kategorie, von der man ohne Übertreibung behaupten kann, daß sie in der Musik des 18. Jahrhunderts eine unauffällige – unter der Oberfläche spektakulärer »querelles« in der Operngeschichte verborgene – Revolution bewirkte. Instrumentalmusik, die eine Gleichberechtigung mit der Vokalmusik erstrebt, präsentiert sich als Abhandlung eines Themas, wobei mit dem Ausdruck Thema der Affekt, der einem Satz zugrundeliegt, zusammen mit der tönenden Formulierung, die er erhält, gemeint ist. (Die Vorstellung, daß der Themabegriff einen Affekt impliziert, ist inzwischen nahezu verloren gegangen.)

Die ästhetische Autonomie – die Loslösung von den außermusikalischen Funktionen, die früher durch Instrumentalmusik erfüllt wurden und deren ästhetisch-soziale raison

946

d'être bildeten – zeigt sich in dem zunächst nicht selten als Anmaßung empfundenen Postulat, daß Musik nicht einem Zweck diene, sondern selbst ein Zweck sei. Der Autonomieanspruch aber muß, um nicht ins Leere zu gehen, ästhetisch-kompositionstechnisch gerechtfertigt werden; und die Rechtfertigung kann sowohl in der Schaustellung von Virtuosität (einer durchaus unverächtlichen Kunst, wie denn der Vergleich mit dem Zirkus so wenig gescheut zu werden braucht wie der entgegengesetzte mit dem Museum) als auch in einem musikalischen »Gedankengang« bestehen, der ein Werk, um mit Friedrich Schlegel zu sprechen, zur »tönenden Meditation« werden läßt. (In Paris, der »Hauptstadt des neunzehnten Jahrhunderts«, dominierte die eine Möglichkeit in den Salons und den Virtuosenkonzerten, die andere in den Konzerten des Conservatoire, deren Rückgrat – und die Herausforderung zur Entstehung der Konzerte – Beethovens Symphonien bildeten.)

»Musikalische Logik« wurde, wie erwähnt, einerseits durch den zwingenden Fortgang der Akkorde, andererseits durch eine stringente Entwicklung von Themen und Motiven konstituiert. Und angesichts der Tatsache, daß die nach 1900 zwischen den Prinzipien des Akkordzusammenhangs und denen der Motiventwicklung aufbrechende Divergenz den Übergang zur Neuen Musik markierte und zu den wesentlichen Ursachen gehört, aus denen sie immer noch schwer verständlich ist, erscheint es nicht überflüssig, den Anfang einer über zwei Jahrhunderte sich erstreckenden Entwicklung, deren Ende die Moderne des 20. Jahrhunderts darstellt – ein Ende, das ohne Reflexion über den Anfang nicht begreiflich zu machen ist –, wenigstens in groben Zügen zu skizzieren.

Daß dem Gang der Akkorde seit dem 17. oder 18. Jahrhundert – in den verschiedenen musikalischen Gattungen in ungleicher Ausprägung – die Zusammenhang stiftende tonale Harmonik zugrundeliegt, ist eine Trivialität, die auszusprechen man sich fast scheut, die sich jedoch in gleichem Maße, wie sie zunächst selbstverständlich erscheint, bei genauerer Analyse als rätselhaft erweist. Die Tonalität ist – jedenfalls für Hörer, die mit ihr aufgewachsen sind – unmittelbar und ohne »Anstrengung des Begriffs« verständlich: Man empfindet ihre Logik, ohne sich reflektierend über das, was man wahrnimmt, Rechenschaft geben zu müssen. Um tonale Harmonik als stringenten Zusammenhang der Akkorde zu rezipieren, braucht man über Harmonielehre nicht das Geringste zu wissen. Und daß immer wieder – wenn auch vergeblich – versucht wurde, die Harmonielehre aus der physikalischen »Natur des Tones« (der Partialtonreihe) abzuleiten, beruht nicht allein auf der Attraktivität der Physik als Modellwissenschaft der Neuzeit, sondern auch auf einem philosopischen Staunen über die Evidenz tonaler Harmonik: eine Evidenz, die man sich nicht anders erklären konnte als durch die Annahme, die Tonalität sei nicht geschichtlichen Wesens und von Menschen gemacht, sondern von Natur gegeben. (Daß sie geschichtlichen Ursprungs ist, steht unter Historikern – abgesehen von einigen Sektierern – inzwischen fest; die Rekonstruktion geschichtlicher Voraussetzungen sollte aber nicht darüber hinwegtäuschen, daß die historische Begründung die Evidenz des Phänomens nicht restlos erklärt.)

Außerdem ist die Harmonielehre an dem wesentlichen Problem, das sie lösen müßte, bisher gescheitert: an dem Entwurf einer umfassenden Theorie, die sowohl den Gang der Harmonik von Akkord zu Akkord als auch die Beziehung der einzelnen Akkorde zu einem tonalen Zentrum erklärt, und zwar aus ein und derselben Prämisse. (Das Scheitern der

Lösungsversuche war so offenkundig, daß man schließlich das Problem aus den Augen verlor.) Die Kontroverse, die seit einem Jahrhundert zwischen Fundamentschritt- und Funktionstheoretikern geführt wird, ist ein verzerrtes Abbild der eigentlichen Auseinandersetzung. Die streitenden Parteien reden davon, ob der Gang der Akkorde (Fundamentschritt-Theorie) oder aber die Zentrierung um eine Tonika (Funktionstheorie) »den« Gegenstand der Harmonielehre bilde, statt einzusehen, daß es darauf ankäme, in der Theorie die Wechselwirkung zwischen Fortgang und Zentrierung zu erklären, die in der Praxis unbestreitbar besteht.

Ist demnach die tonale Harmonik ebenso evident in ihrer Wirkung wie umstritten und rätselhaft in ihren Prämissen – eine Selbstverständlichkeit auf unsicherem Boden –, so gehört die Themen- und Motiventwicklung zu den Sachverhalten, deren Begründung an der Oberfläche nicht schwer fällt, die jedoch rasch die Grenzen der Wahrnehmbarkeit überschreiten, also in den Streit, ob auch Abstraktes, das nur durch das Lesen der Noten adäquat erfaßt werden kann, musikalisch »real« sei, hineingezogen werden. (Die Kunst der Analyse besteht weniger darin, eine Unzahl von Motivbeziehungen zu entdecken, als begründet und plausibel zu entscheiden, wo die Entdeckungsreise abgebrochen werden muß, um nicht ins »schlecht Unendliche« zu geraten.)

Der Zusammenhang zwischen dem Themabegriff und der tonalen Harmonik einerseits und der Verselbständigung der Instrumentalmusik andererseits, der Zusammenhang also, aus dem der Gedanke des Verstehens von Musik hervorging, läßt sich an der Entwicklung der Fuge aus dem Ricercar des 16. und 17. Jahrhunderts demonstrieren. Unter einem Ricercar versteht man – bei Abstraktion von früheren Wortbedeutungen – eine instrumentale Nachahmung oder Variante der Motette. Die Motette aber ist in einem Ausmaß spezifisch vokal, durch das die ästhetische Daseinsberechtigung des Ricercars gefährdet erscheint. Ein Melodieteil (»soggetto«), der ein Textfragment in Töne faßt (unter Berücksichtigung der Prosodie und manchmal auch der Wortbedeutungen und des Affektcharakters), wird durch sämtliche Stimmen geführt (in der Regel in gleichen Zeitabständen), und der »soggetto« bildet demnach, zusammen mit den Kontrapunkten zu den imitierenden Stimmen, die Substanz eines Abschnitts. Das nächste Textfragment wird dann analog behandelt, ohne daß zwischen den Abschnitten, die aneinandergereiht werden, ein zwingender musikalischer Konnex bestehen müßte: Es ist zwar möglich, Motivbeziehungen zu knüpfen, die über eine Zäsur hinweggehen, aber notwendig ist es nicht, denn die Einheit des Textes verbürgt einen genügenden Zusammenhang. Der Text gehört – nach der antiken, bis zum frühen 18. Jahrhundert gültigen Auffassung – zur »Musik« selbst: den prägenden Merkmalen musikalischer Form. Das »Melos«, heißt es bei Platon, besteht aus »Harmonia« (regulierten Tonbeziehungen, auch in der Einstimmigkeit), »Rhythmus« und »Logos« (Sprache). Die Sprache ist also – gleichberechtigt oder dominierend – ein Teil der Musik.

Das Ricercar stellte, als textlose Instrumentalmusik, demnach einen defizienten Modus der Motette dar, die es nachahmte. Und da der »soggetto« von Abschnitt zu Abschnitt wechselte, handelt es sich streng genommen um eine bloße Bündelung, nicht um eine Form, zu deren Bestimmungsmerkmalen die Gliederung in Anfang, Mitte und Ende gehört (eine Gliederung, die bei der Motette im Text enthalten war, allerdings auch durch kirchentonartliche Indizien angedeutet werden konnte). Doch soll nicht geleugnet werden, daß man die Realisierung von »Zeiten der Form« wenigstens versuchte, und gerade darin zeigt sich ein Impuls, der über das Ricercar hinausdrängte.

Die Lösung des Problems, in das sich das Ricercar verfangen hatte, bestand in der Herausbildung der Fuge, die den verschiedenen Abschnitten (»Durchführungen«) ein und dasselbe Thema zugrundelegt. Eine Form aber, in der nicht nur die Einheit des Themas inneren Zusammenhalt verbürgt, sondern auch Anfang, Mitte und Ende deutlich ausgeprägt erscheinen, konnte mit den Mitteln der Fugentechnik – Umkehrung des Themas, Engführung der Stimmen, Augmentation und Diminution – nur selten realisiert werden. Die Festigung der Fuge als Form – die durch »Logik« der Entwicklung ebenso wie durch »Geschlossenheit« des Umrisses den Anspruch auf ästhetische Autonomie rechtfertigte – setzte die Orientierung an einem harmonisch-tonalen Gerüst voraus, das in der Regel die Grundtonart, die Dominanttonart, die eine oder andere Paralleltonart sowie die Wiederkehr der Grundtonart umfaßt.

Ist demnach der geschichtliche Zusammenhang zwischen selbständiger Instrumentalmusik, ästhetischer Autonomie, tonaler Harmonik und einer um den Themabegriff zentrierten Formentwicklung – also zwischen einem institutionsgeschichtlichen Sachverhalt, einem ästhetischen Anspruch und einem tragenden Prinzip des Tonsatzes (das außerdem die Individualität musikalischer Gebilde verbürgte) – im 18. Jahrhundert als ein noch einfacher und ursprünglicher Konnex greifbar, so treten – nach Differenzierungen im 19. Jahrhundert – in der Neuen Musik grundlegend veränderte Relationen zwischen den genannten Momenten zutage, zu deren Folgen es gehört, daß die Moderne des 20. Jahrhunderts in einem ungewöhnlichen – über die Schwierigkeiten mit Dichtung und Malerei noch hinausgehendem – Ausmaß als schwer verständlich erscheint.

## Ein Zirkel

Der Übergang zur Atonalität um 1908, den Schönberg als vom Weltgeist diktiert empfand und den er nicht mit einer Geste der Herausforderung, sondern mit »Furcht und Zittern« vollzog – weil er, im Unterschied zu manchen Nachfolgern, noch wußte, was er tat –, ist von ihm selbst als »Emanzipation der Dissonanz« bezeichnet worden. Die Scheu vor dem Terminus »atonal«, der sich gegen Schönbergs Widerstand dann doch durchsetzte, ist allerdings weniger in der Sache als in Sprachgewohnheiten begründet. Im Wortgebrauch der Wiener Musikwissenschaft, der von Guido Adler bestimmt worden war, umfaßte der Ausdruck »tonal« nicht nur, wie anderswo, die Dur-Moll-Harmonik, sondern darüber hinaus sämtliche Wesensmerkmale der Tonhöhen. Schönberg mußte also aus dem Wort »atonal«, zumal es in feindseliger Absicht geprägt worden war, den Vorwurf heraushören, daß Atonalität gegen das Wesen des Tons verstoße. Und daß man außerhalb Wiens bei dem Terminus an einen Sachverhalt dachte, den schlechterdings niemand leugnen konnte: die Aufhebung der Dur- und Molltonarten genügte nicht, um Schönberg von der Zulässigkeit des Wortes zu überzeugen.

Daß von der Atonalität der Schock ausging und in geringerem Maße immer noch ausgeht, der den Zugang zu Schönbergs Werken seit 1908 versperrt, ist eine Behauptung, die man nicht als Irrtum abtun kann, die aber differenziert werden muß, um in einem demonstrierbaren Sinne wahr zu sein. Die Version jedenfalls, daß bereits durch eine bloße Häufung von Dissonanzen – von »Mißklängen« – Musik unbegreiflich werde, ist ebenso falsch, wie sie populär ist. Nicht das akustische Phänomen als solches, das immerhin als Ausdruckscharakter wahrgenommen werden kann – so daß der Atonalität der Weg in die Film- und Hörspielmusik immer offen stand –, sondern die musikalische Funktion, die ein Tonkomplex erfüllt, entscheidet über Verständlichkeit und Unverständlichkeit.

Daß die Emanzipation der Dissonanz, die Schönberg proklamierte, die jahrhundertealte Norm durchbrach, eine Dissonanz müsse in eine Konsonanz aufgelöst werden, ist nichts als die technische Außenseite des Sachverhalts. Schönberg argumentierte, daß eine Dissonanz auch für sich, als isolierter Zusammenklang ohne Anlehnung an eine Konsonanz, durchaus »faßlich« sei (was zweifellos zutrifft). Die Interpretation ist jedoch unzulänglich. Denn die Betonung der Faßlichkeit täuscht darüber hinweg, daß das eigentliche Problem in der Isolierung der dissonierenden Zusammenklänge besteht und daß es ohne Einfügung der Dissonanzakkorde in Zusammenhänge – ohne Aufhebung der Isolierung also – unklar bleibt, was mit dem Anspruch auf Faßlichkeit überhaupt gemeint ist. Der Auflösungszwang, der zugleich ein Fortschreitungszwang war, und zwar in einer bestimmten Richtung, stellte zwischen dissonierenden und konsonierenden Akkorden einen Konnex her, der die einen als Konsequenz der anderen erscheinen ließ: Er stiftete Zusammenhang und stringenten Fortgang. Emanzipierte Dissonanzen aber stehen für sich: Die Fortsetzung ist restlos offen und durch nichts determiniert, so daß Schönberg nichts anderes übrig blieb, als das »Formgefühl« des Komponisten zur einzigen Instanz zu erklären. (Die Ästhetik des Unbewußten war allerdings bei Schönberg keine Ausflucht, sondern eine Erfahrung und wurde außerdem als vorläufiger Zustand begriffen, der spätere Theorie nicht ausschloß.)

Die Problematik, die in der Atonalität enthalten ist, bleibt halb verdeckt, wenn man sie nicht im Zusammenhang mit dem Prinzip analysiert, dessen Korrelat in der »musikalischen Logik« die tonale Harmonik bildete: dem Prinzip der motivischen Entwicklung (auch »thematisch-motivische Arbeit« genannt). Die entwickelnde Variation von Motiven, die Schönberg von Brahms übernahm, ist allerdings, wie es zunächst scheint, von dem Übergang zur Atonalität nicht betroffen. Die Kunst, zu einem Motiv – das entweder für sich oder als Teil eines Themas exponiert wurde – Varianten zu bilden, die als Konsequenzen wirken, oder zwischen Motiven, die ursprünglich unabhängig voneinander waren, später Vermittlungen herzustellen, braucht, um wirksam zu sein, nicht notwendig den Rückhalt an tonaler Harmonik, den sie im 18. und 19. Jahrhundert fand. In der kompositorischen Praxis zeigt sich jedoch, daß sich eine Musik, in der nicht mehr der Gang der Harmonik darüber entscheidet, welche Varianten aus der ungezählten Menge der möglichen gerade am Platz ist, der Gefahr der Willkür und Richtungslosigkeit aussetzt. Der Mangel an einer Gegeninstanz, die lenkend in den Prozeß der Motiventwicklung und Variantenbildung eingreift, kann lähmend wirken. (Schönbergs musikalischer Antipode, Igor Strawinsky, betonte immer wieder die Notwendigkeit von Widerständen, die ein Komponist, wenn er sie nicht vorfindet, selbst schaffen muß, um nicht einer »schlechten Unendlichkeit« offener Möglichkeiten gegenüberzustehen.)

Die skizzierten Probleme: die Unsicherheit, warum ein Motiv durch eine bestimmte Variante und nicht eine andere fortgesetzt werden soll, und das Dilemma, daß die emanzipierte Dissonanz eine isolierte, ziellose ist, die von sich aus keinen plausiblen Fortgang stiftet, glaubte Schönberg durch die Zwölftontechnik zu lösen, zu deren wesentlichen Merkmalen es gehört, daß eine Reihe sowohl in der Vertikale (als Akkord) als auch in der Horizontale (als Melodie) applizierbar ist. Darüber nämlich, welche Gestalt eine Motivvariante annimmt – welche Töne den melodisch-rhythmischen Umriß, der das gemeinsame Merkmal der Varianten ist, an einer bestimmten Stelle realisieren –, entscheidet nunmehr die Zwölftonreihe. Und ein isolierter Dissonanzakkord erhält, wenn man ihn als Motiv in der Vertikale auffaßt, durch die Zwölftonreihe gleichfalls einen Platz im strukturellen Zusammenhang eines Satzes oder Werkes.

Nach Schönbergs eigener Interpretation ist eine Zwölftonreihe allerdings keine manifeste, an die wahrnehmbare Oberfläche dringende, sondern eine latente Struktur: Sie zu hören ist schwierig und, wie Schönberg in einem gegen Zwölftonanalysen gerichteten Brief betonte, überflüssig oder sogar schädlich, denn ausschlaggebend sei nicht, wie eine Sache »gemacht sei«, sondern was sie »sei«. Ein musikalisches Werk werde nicht dadurch verständlich, daß man die Technik durchschaue, die ihm zugrundeliegt.

Wesentlich war für Schönberg auch in der Dodekaphonie der Ausdruckscharakter, den ein Werk ausprägt. Musikalischer Ausdruck aber bleibt, wenn er nicht mit der Struktur vermittelt ist, halt- und sogar substanzlos: bloße Intention, die sich nicht realisiert. Und Schönberg meinte denn auch, wenn er das Reihenzählen als irrelevant abtat, nur die latente, nicht die manifeste, sinnfällige, in Motiven und deren Entwicklung bestehende Struktur, die er durchaus als notwendiges Korrelat des Ausdruckscharakters begriff.

Die Struktur als wahrnehmbares Phänomen aber ist, wie sich bei der Begründung von Motivvarianten und der Herausführung von Dissonanzakkorden aus der Isolierung zeigte, von einer nicht wahrnehmbaren Substruktur abhängig, wenn sie als Konnex und Stringenz verstanden werden soll. (Und das Problem ist von Schönberg, der jahrzehntelang an einer – niemals publizierten – »Lehre vom musikalischen Zusammenhang« arbeitete, zweifellos mit der Schärfe gesehen worden, die für ihn als Kritiker seiner eigenen wie der Werke anderer Komponisten charakteristisch war.) So wenig die Unhörbarkeit von Zwölftonreihen als solche zu bedauern ist, so prekär sind die Konsequenzen, die daraus für die Verständlichkeit emanzipierter Dissonanzen und sich verzweigender Entwicklungsreihen von Motivvarianten erwachsen. Daß man sich als Hörer auf isolierte Dissonanzakkorde und in ihrer Begründung undurchschaubare Motiventwicklungen zurückgeworfen fühlt und die dahinter stehende Logik, die bloße Substruktur bleibt, nicht zu fassen vermag, hinterläßt den irritierenden Eindruck, es handle sich um eine Musik, die Verständlichkeit – im Sinne der Beethoven- und Brahms-Tradition – zwar suggeriert, aber nicht gewährt. Schönbergs Musik ist durch und durch an der Kategorie des Verstehens, die um 1800 von der Musikästhetik aus der Poetik übernommen wurde, orientiert; das Dilemma aber, daß das Verstehen der manifesten Struktur von Momenten abhängt, die latent bleiben, verhindert das Erfassen der Musik als eines stringenten und kontinuierlichen Zusammenhangs, auf das es Schönberg ankam.

Schönberg-Apologeten, die auch dort, wo sie Sympathie empfinden, Probleme nicht verleugnen, suchen manchmal bei dem Argument Zuflucht, daß eine Zwölftonstruktur wirksam sein könne, ohne ins wahrnehmende Phänomen und ins rezipierende Bewußtsein zu gelangen. Und es ist zweifellos nicht widersinnig, die Dodekaphonie mit der Logik zu vergleichen, die einem vernünftigen Dialog zugrundeliegt, ohne daß die miteinander Redenden zu wissen brauchen, welche Syllogismen sie benutzen. Die Analogie ist allerdings insofern schief, als die Vernünftigkeit im einen Falle – dem des Dialogs – praktiziert, dagegen im anderen – dem der dodekaphonen Struktur – lediglich geahnt wird. Als praktizierte (die der Kodifizierung geschichtlich vorausging) ist sie geradezu selbstverständlich, als bloß geahnte aber kommt sie dem nahe, was Wagner »Gefühlverständnis« nannte: einem Verständnis, das man als Korrelat zu dem »Formgefühl« auffassen kann, das Schönberg als letzte Instanz des Komponierens in Anspruch nahm und das mehr ein Versprechen künftiger Erkenntnis als die Erkenntnis selbst ist.

Macht man sich die Widersprüche bewußt, in die sich Schönberg durch die Dodekaphonie verwickelte, so erscheint es begreiflich, daß er in manchen späten Werken, und zwar gerade den herausragenden, zu einer Lösung zurückkehrte, die in der frühen Atonalität – zwischen 1908 und 1923 – schon einmal erprobt worden war: der Orientierung an einem Text (sei es zusätzlich zur Dodekaphonie oder ohne sie). Schönberg war, wie erwähnt, nach 1908 überzeugt, daß wegen des Zerfalls der Tonalität größere musikalische Formen nur noch durch einen festen Rückhalt an Texten, als Vokalmusik also, konstituierbar seien. Und daß er seit ungefähr 1930, im Unterschied zu der fast ausschließlichen Produktion von Instrumentalmusik in den ersten Jahren der Zwölftontechnik, dazu neigte, entweder wieder Vokalmusik zu schreiben oder aber das Zwölftongesetz zu lockern, wenn nicht sogar preiszugeben, besagt unzweideutig, daß die Problematik der Jahre zwischen 1908 und 1923 – modifiziert und halb verdeckt, aber dennoch erkennbar – wiederkehrte.

Schönbergs »Verhältnis zum Text«, über das er 1912 in dem Jahrbuch »Der blaue Reiter« einen Aufsatz publizierte, war allerdings durch eine Philosophie belastet, die es schwierig machte, einen Text als tragendes Fundament einer geschlossenen, in sich zusammenhängenden und kontinuierlichen musikalischen Form zu betrachten: durch die Philosophie Arthur Schopenhauers. Schönberg war – wie fast sämtliche deutschen Komponisten des Fin de siècle, Mahler ebenso wie Strauss und Pfitzner – nach dem Vorbild Wagners ein Anhänger der Schopenhauerschen Metaphysik, die den Rang der Musik ins Unermeßliche zu erhöhen schien. Und man braucht sich nicht in philosophie- und musikgeschichtliche Details zu vertiefen, um behaupten zu dürfen, daß Schopenhauer der Vokalmusik – jedenfalls dem gewöhnlichen Verständnis der Vokalmusik – den Boden entzog. Da er in der Musik ein Abbild des »Wesens der Welt« – des »Willens« – zu erkennen glaubte, während die anderen Künste lediglich von der äußeren Erscheinung zu deren (platonischer) Idee vordringen, wurden Dichtung und szenische Darstellung in Relation zur Musik nicht nur herabgesetzt, sondern in ihrer Funktion umgestülpt: In schroffem Gegensatz zu dem, was für den common sense selbstverständlich ist, illustriert nach Schopenhauer ein Text oder ein szenischer Vorgang die Musik und nicht die Musik den Text oder den szenischen Vorgang: Das Kommentierende ist zum Kommentierten und das Kommentierte zum Kommentierenden geworden.

Eine Musik aber, die als Wesensform gelten soll – während die mit ihr verbundenen Texte auf den Status einer austauschbaren Erläuterung reduziert erscheinen –, muß in sich begründet sein. An einem Text, der auch ein anderer sein könnte, findet Musik nicht den Rückhalt, den Schönberg in den Jahren der frühen Atonalität suchte. Daß der Text als »Tonalitätsersatz« dienen kann – nicht substantiell, sondern funktional: als Konstituens großer Formen –, erweist sich unter den Voraussetzungen der Schopenhauerschen Metaphysik, zu der sich Schönberg gerade in der Anfangszeit der Atonalität am nachdrücklichsten bekannte, als fragwürdig.

Allerdings ist ein Hörer, wenn er die Werke eines Komponisten verstehen möchte, keineswegs gezwungen, sich auch dessen Ästhetik – die explizite, nachträglich in Worte gefaßte, nicht die implizite, im Werk enthaltene – zu eigen zu machen. Die Ästhetik ist eine Selbstinterpretation und bildet als solche keinen Leitfaden der wissenschaftlichen Exegese, sondern gehört zu deren Material. Man muß sie berücksichtigen, braucht sich aber, wenn man einen Interpretationsansatz wählt, nicht nach ihr zu richten.

## Sinnzusammenhang

Die Prämisse, daß Musik dazu da sei, verstanden zu werden, ist geschichtlichen Ursprungs, kann also wieder preisgegeben werden, ohne daß ein Grundzug der Musik, durch den sie sich als solche konstituiert, davon betroffen wäre. Musik muß, um zu sein, was sie ist, nicht zu allen Zeiten auf Verständnis zielen.

In den musikalischen Vorgängen – von »Werken« zu sprechen wäre inadäquat –, mit denen John Cage um 1960 das Publikum verstörte und entrüstete, ist denn auch das Verstehen als eine der Grundkategorien, von denen die europäische Musik jahrhundertelang getragen wurde, außer Geltung gesetzt. Zu verstehen gibt es bei Cage nichts, und daß es sich so verhält, ist die Absicht, die der Konzeption seiner tönenden – manchmal auch nicht tönenden – Hervorbringungen zugrundeliegt.

Verständnis ist immer – gleichgültig, was es außerdem noch ist – Einsicht in einen Zusammenhang zwischen Tönen, der von einem Anfang zu einem Ende führt. Cage dagegen versucht die Fäden, von denen die Töne miteinander verknüpft werden, gewissermaßen zu zerschneiden, und die Maßnahmen, mit denen er in die gewohnten und eingeschliffenen Tonbeziehungen störend eingreift, sind nicht selten ingeniös und müssen es sein, denn die Herstellung von Chaos ist keineswegs einfacher als die von Ordnung. Töne – und Geräusche – sollen dadurch, daß man die artifiziellen, in Kunstwerken entwickelten Strukturen, die ihnen Zusammenhalt und stringenten Fortgang geben, von Grund auf zerstört, am Ende in ihrer ursprünglichen Natur und ihrem eigentlichen Wesen erfahrbar werden. Der Destruktion, die Cage an der musikalischen Überlieferung betreibt, liegt also – wie so vielen Zerstörungswerken – eine mystische Inspiration zugrunde: Cage möchte das Unmögliche, nämlich die tönende prima materia einen Augenblick lang hörbar machen. Er ist unermüdlich in der Lust des Zerstörens, weil er das, was er hinter den Formen ahnt – den Formen, in denen Geschichte sich niedergeschlagen hat –, nicht fassen und erst recht nicht festhalten kann.

Die Neue Musik, die seit 1958 – dem Jahr, in dem Cage wie eine Naturkatastrophe über die in Darmstadt versammelte Komponisten-Avantgarde hereinbrach – geschrieben wurde, ist immer dann essentiell von Cage geprägt, wenn zwischen den tönenden Ereignissen kein Konnex erkennbar ist, dessen Anspruch, verstanden zu werden, den Sinn der Musik ausmacht. Die scheinbar substanzlose Phrase, daß Musik nichts bedeute, sondern einfach da sei, übte jahrelang, da sie ontologisch und keineswegs bloß empirisch gemeint war, eine Anziehungskraft aus, der kaum ein Komponist zu widerstehen vermochte.

Dagegen hielten die Komponisten der »Gegenpartei«, wie Pierre Boulez und György Ligeti, grundsätzlich und manchmal sogar in polemischer Pointierung an der Vorstellung fest, daß es ein Zusammenhang sei – vom Komponisten aufgrund geschichtlicher Voraussetzungen konstituiert –, der Musik überhaupt erst als solche begründe. Der Frage, warum Neue Musik so schwer verständlich ist, geht also in den Auseinandersetzungen der sechziger und siebziger Jahre die fundamentalere voraus, ob Neue Musik denn eigentlich noch ihr Ziel darin finde, verstanden zu werden.

Die Anhänger der Tendenz, an dem Anspruch auf Verständnis festzuhalten, operieren nun allerdings nicht selten mit einem Begriff, der nichts weniger als eindeutig ist: dem Begriff des Sinnzusammenhangs. Er ist, obwohl man sich an ihn gewöhnt hat, insofern verfänglich, als es offen bleibt, ob Zusammenhang selbst schon als Sinn gelten soll oder ob ein Sinn, der – weniger von Natur gegeben als durch Geschichte hervorgebracht – in den Tönen liegt, durch den Zusammenhang lediglich organisiert und aus bloßer Latenz in Sinnfälligkeit überführt wird. Das Modell der Sprache, in der Sinn in einer Dialektik entsteht, die zwischen dem, was die einzelnen Wörter von sich aus mitbringen, und der Präzisierung durch den Satzzusammenhang vermittelt, ist auf Musik, wie es scheint, nur in begrenztem Maße übertragbar. Man kann sagen, daß ein zunächst isolierter Ton, der dann als Quartauftakt in einen Zusammenhang eingefügt wird, dadurch – durch die Funktion – eine tonale und eine metrische Qualität erhält (und zwar die eine in Wechselwirkung mit der anderen), ohne die er streng genommen bloß »vor-musikalisch« ist. Ob aber das, was sich dabei herausbildet, in Analogie zur Sprache Sinn oder Bedeutung genannt werden darf, ist zweifelhaft.

## Zerfall der Texte

Die Versuche, wie Schönberg in der Zeit der frühen Atonalität am Text den Rückhalt zu finden, den die instrumentale Musik aus sich selbst nicht mehr hervorzubringen vermag, also stringenten Fortgang und lückenlose Kontinuität von der Sprache zu entleihen, ließen sich, wenn sie geglückt wären, als Rückgriffe auf die formgeschichtliche Situation vor der Emanzipation der Instrumentalmusik im 17. und 18. Jahrhundert verstehen. Das Verhältnis zum Text war jedoch im 20. Jahrhundert immer zwiespältig. Schönberg behauptete 1912, zu manchen Liedkompositionen durch ein einziges Wort des Textes angeregt worden zu sein; mehr brauche sein »Formgefühl« nicht – die letzte Instanz, auf die er sich immer wieder berief –, um eine in sich geschlossene und sinnvolle Struktur hervorzubringen. Andererseits war er jedoch, wie erwähnt, davon überzeugt, unter den Voraussetzungen der Atonalität in größeren Formen die Stütze von Texten – und das heißt: von sprachlichen Zusammenhängen – nicht entbehren zu können. Offenbar sollte der Text die Funktion erfüllen, die Hervorbringung einer musikalischen Form zu vermitteln, die am Ende auch ohne ihn zu bestehen vermag. Er wäre also genetisch ebenso notwendig, wie er sich ästhetisch schließlich als überflüssig erweist.

Das »Verschwinden« der Sprache in der Musik besteht, so verschieden die geschichtlichen Erscheinungsformen sind, fast immer in der Aufhebung der Semantik bei Bewahrung der Phoneme sowie der Gefühlscharaktere. Wenn also in den fünfziger und sechziger Jahren unter seriellen Prämissen die Destruktion von Sprache – Destruktion verstanden als Prozeß, den das Werk durchläuft, nicht als Zustand, den es vorfindet – zur Konzeption ganzer Werke wurde, so ist im Grunde eine Tendenz, die latent in der Vokalmusik immer schon enthalten war, manifest geworden: Vokalmusik ist, zunächst wider Willen und schließlich als Intention des Komponisten, ein Zerstörungsvorgang der Musik an der Sprache. Gerade die entscheidenden, nach den ästhetisch-kompositionstechnischen Kriterien der Avantgarde geglückten Werke wie Stockhausens »Gesang der Jünglinge« oder Berios »Omaggio a Joyce« waren auskomponierte Destruktionsvorgänge: als solche im Grunde unwiederholbar, weil sie von ihren Urhebern wie von den Zirkeln, an die sie sich richteten, zugleich als ein Stück Geschichts- und als Werkprozeß begriffen wurden. Die Semantik, die einen Zusammenhang über längere Strecken herstellen würde, wird aus den Wörtern gleichsam herausgezogen, und die Phoneme, die übrig bleiben, lassen sich zwar als Affektäußerungen verstehen, wie es György Ligeti in »Aventures« und »Nouvelles Aventures« mit besonderer Drastik demonstrierte, reichen aber in ihrer formbegründenden Energie über wenige Augenblicke nicht hinaus.

Andererseits ist Neue Musik, wenn die Sprache unangetastet bleibt, in Gefahr, zur bloßen Illustration von Vorgängen, die der Text schildert, mißbraucht zu werden, weniger vom Komponisten, der sich selten die Ästhetik der Filmmusik außerhalb des Films zu eigen macht, als vom Publikum, das die Verstehens-Chance ergreift, die in der Degradierung der Musik zur bloßen Begleitung – in der Suspendierung ihrer formalen Ansprüche – nun einmal liegt. Zwölftonmusik, die in einem Schau- oder Hörspiel als tönende Chiffre von Angst zitiert wird – und der Anfang der schlechten Tradition wurde von Schönberg selbst gemacht –, erscheint sogar konservativen Hörern als durchaus verständlich und ist fast schon ein Stereotyp, wird allerdings kaum als Musik, sondern gewissermaßen über die Musik hinweg als Indiz des ausgedrückten Affekts wahrgenommen. Daß der Schein von Verständlichkeit eine bloße Täuschung ist, erweist sich denn auch rasch, wenn man das Publikum einen Augenblick lang mit der Musik für sich konfrontiert, es also dem Zwang zu struktureller, bilderloser Wahrnehmung aussetzt.

Die Versuche, avantgardistisches Komponieren hinter einer Maske zu verstecken, die scheinhaftes Verstehen suggeriert – sei es durch die Simplizität eines einzelnen Parameters, in der Regel des Rhythmus, oder durch die Orientierung an einem Programm oder einem szenischen Vorgang –, werden schließlich von der desillusionierenden Erfahrung ereilt, daß taktische Winkelzüge nichts als Effekte von kurzer Dauer hervorbringen.

## Motiventwicklung

Ein Komponist, der am Prinzip der entwickelnden Variation von Motiven festhält – in irgendeiner, und sei es noch so entlegenen, individuellen Version –, sieht sich mit dem Paradox konfrontiert, daß der einzige Weg, auf dem er bloßes Epigonentum vermeiden kann, in fortschreitender Differenzierung der Verfahrensweise besteht, einer Differenzierung, die jedoch keineswegs, wie es die biologische Metaphorik zunächst nahelegt, mit

CARL DAHLHAUS

immer engerer Integration verbunden ist. Die Erwartung, daß die Varianten und die Varianten der Varianten, die aus dem Ausgangsmaterial eines Stücks entwickelt wurden, sich bei wachsendem Gestaltenreichtum auch in größerer Dichte der Zusammenhänge präsentieren würden, wird vielmehr in der Regel enttäuscht – oder genauer: Die Integration, die sich im Inneren des Werkes vollzieht, läßt sich an der tönenden Oberfläche nicht mehr sinnfällig machen. Und manche Komponisten fühlen sich darum gezwungen, der »eigentlichen«, durch Variantenbildung aus dem Material entwickelten Form eine zweite, »uneigentliche« überzustülpen, die nach außen eine Faßlichkeit verbürgen soll, die bloße Suggestion ist und sich als solche fast immer bereits durch falsche Simplizität verrät: eine Simplizität, die angesichts des Materials schlechterdings nicht glaubwürdig ist. (Es gibt kaum ein elektronisches Stück, das nicht im Pianissimo beginnt, zu einem Fortissimo führt und am Ende zum Pianissimo zurückkehrt, weil ein Schluß, der nicht als Abbruch wirkt, anders kaum komponierbar ist.)

Das Prinzip, eine komplizierte, kaum überschaubare Tonhöhenstruktur durch einen einfachen rhythmischen Prozeß auszugleichen (das Umgekehrte wäre schwieriger praktizierbar), wird, wie erwähnt, von Zeit zu Zeit aufgegriffen, fordert dann aber den von Schönberg stammenden Einwand heraus, daß es ästhetisch unredlich sei – und ästhetische Kategorien sind bei Schönberg immer zugleich moralische –, durch Simplizität in der einen Richtung über Komplizierungen in einer anderen hinwegzutäuschen, also Neues zwar zu wagen, aber dann, als sei es mit schlechtem Gewissen geschehen, von ihm abzulenken: Die Verständlichkeit des einen Parameters dient nicht dazu, auch die anderen nach und nach an ihr partizipieren zu lassen, sondern bewirkt im Gegenteil, daß man, ausschließlich orientiert am Rhythmus, die Tonhöhenstruktur auf ein bloßes Schattendasein beschränkt. Nicht, daß es prekär wäre, die Parameter oder Tonsatzeigenschaften abwechselnd dominieren zu lassen – die Methode gehört zu den ältesten Traditionen der Mehrstimmigkeit. Und auch das Verfahren, daß die kompositorische Priorität mit der ästhetischen nicht zusammenfällt – daß also die Momente, wo sich strukturell Wesentliches ereignet, nicht immer diejenigen sind, die im tönenden Phänomen am deutlichsten hervortreten –, ist durchaus legitim. Die Absicht aber, durch eine Fassade, die lediglich taktischen Maßnahmen und nicht Strukturprinzipien zu verdanken ist, eine Faßlichkeit zu suggerieren, die bloßer Schein ist, ist Betrug aus Ratlosigkeit und läßt Schönbergs Neigung, ästhetische Kategorien mit ethischen zu verquicken, verständlich werden.

# Helmut Thielicke

# Die Degeneration unserer Freiheit

## Zur Diagnose und Therapie einer Zeitkrankheit

*Symptome der Zeitkrankheit*

Wenn wir uns keinen Illusionen hingeben, müssen wir zugeben, daß Freiheit längst aufgehört hat, für den durchschnittlichen Zeitgenossen die Rolle eines Leitbildes, eines »Ideals«, zu spielen (außer bei Festreden, die das Pathos nicht mit der Elle messen). Unzählige würden heute statt des Liedes »Freiheit, die ich meine« lieber und vor allem ehrlicher singen: »Es ist eine Lust, Funktionär, es ist eine Lust, bloßer ›Ausführer‹ zu sein«. Sie würden allenfalls mit Sartre sagen, daß wir zur Freiheit »verurteilt« seien, und daß es unser Los sei, ihre *Last* zu tragen.

Jedenfalls sind wir mit Eifer dabei, die Last der Freiheit von unseren Schultern zu wälzen. Unsere Behörden wissen etwas von dem permanenten Begehren der Beamten, »Richtlinien« zu empfangen – sogar für den Unterricht in neuester Geschichte –, damit man gedeckt sei und vom Wagnis eigener Entscheidung keinen Gebrauch machen müsse. Die Gerichte, die mit der Bereinigung unserer jüngsten Vergangenheit befaßt sind und rechtlich definierbare oder undefinierbare Mörder aus der Holocaust-Zeit vor ihren Schranken haben, erhalten als stereotype Antwort, man habe auf Befehl gehandelt, sei also nicht frei gewesen und insoweit auch nicht verantwortlich.

Gewiß – man *hatte* ein Ethos: Es war der Gehorsam gegenüber der Freiheit des Stärkeren, des Befehlenden. Doch war es nicht die Inanspruchnahme *eigener* Freiheit, die den Gehorsam *selbst* zur Frage und zum Gegenstand einer Entscheidung gemacht hätte. Die Degeneration dieses Ethos bestand darin, daß es von einer personalen Entscheidungsverantwortung zu einer instrumentalen Ausführungsverantwortung abgesunken war. Wo die Last der Freiheit abgewälzt wird – und genau das ist hier geschehen! –, ist Treue nur noch Richtlinien-Treue, ist das einzig verbleibende Gesetz nur das Gesetz des geringsten Widerstandes, und ist der Funktionär – oder besser, damit ich keinen Berufsstand verletze: der »Funktionierer«, der »Spurer« – das willenlose Molekül im Kollektiv, weil das Kader nur aus Kadavern ehemaliger einzelner besteht. Was wir in Zeiten von dichterer Substanz als »Persönlichkeit« bezeichnen, ist längst zu einem Individuum a. D. geworden.

Darum ist es kein Wunder, daß das so reduzierte Freiheitsbewußtsein gegenüber mancherlei Attentaten und Unterwanderungen von außen her sehr labil ist. Früher sah man in der Omnipotenz des *Staates* die wesentliche Bedrohung der individuellen Freiheit.

Aber diese Bedrohung war zugleich eine Art schöpferischer Provokation, die zur *Behauptung* der Freiheitsrechte trieb. Das lag vor allem, meine ich, daran, daß die Omnipotenz des Staates ein klarumrissenes Gegenüber bedeutete, auf das man zu reagieren vermochte.

Heute aber wird die durch Nichtgebrauch lahm gewordene Freiheit zusätzlich durch unterschwellige Beeinflussungsmethoden ausgeschaltet. Es handelt sich oft um Methoden, die mit Hilfe psychoanalytischer Tests entwickelt werden. Das personale Entscheidungszentrum wird durch diesen Trick, dessen sich vor allem gewisse Werbemethoden bedienen, gleichsam umgangen und unwissentlich ferngesteuert. Man manipuliert das Unbewußte.

Der Konsument wird so außerstande gesetzt, selbst ein banales Waschpulver in Freiheit wählen zu können. Denn seine Anpreisung (»Das strahlendste Weiß meines Lebens«) vollzieht sich auf dem Bildschirm in einer so mystischen Ekstase, daß die Konsumentin plötzlich ein neues Leitbild ihres Lebens, daß sie die platonische Idee von »Weiß«, daß sie das »Weiße an sich« entdeckt zu haben meint. Gegenüber dieser mythischen Lebenserfüllung ist das Thema »Waschpulver« längst in wesenlosem Scheine zerronnen. Der Appell, sich dem »Hauch der großen Welt« durch eine Tabakmarke auszusetzen oder durch ein Automodell den Neid der Nachbarn zu erregen, haben so etwas wie eine Konsumideologie erzeugt, die analog zu allen andern Ideologien den konkreten Gebrauch der Freiheit blockiert. Was aber gegenüber Waschpulver und Zigaretten und damit gegenüber der Banalität des Alltäglichen ohnmächtig zu machen vermag, wird als Macht der Auflösung auch gegenüber den Entscheidungsfragen von *Rang* erfolgreich sein.

Ich sehe heute vor allem zwei radikale, in den Tiefen der Menschennatur lauernde Bedrohungen der Freiheit. Ich will sie unter den Stichworten besprechen: 1. Die antiautoritäre Verirrung der Freiheit, 2. die kasuistische Unterwanderung der Freiheit.

## Die antiautoritäre Verirrung der Freiheit

*Permissivität*

Zunächst also die antiautoritäre Verirrung, die auch als Permissivität, als Prinzip des laissez-faire bezeichnet wird. Hier wird der Ruf: »Wehe, wenn sie losgelassen« umgewandelt in die Seligpreisung: »Wohl denen, die losgelassen sind, denn sie haben zur Freiheit gefunden«.

Vor einiger Zeit fragten die kleinen Zöglinge eines Hamburger antiautoritären Kinderladens die Leiterin: »Tante, müssen wir heute wieder das spielen, was wir wollen?« Diese Frage spricht Bände. Die Kinder empfanden die Freigabe an die Beliebigkeit ihres Tuns nicht etwa als Lustgewinn (wie sie doch gemeint war!), sondern als Frustration, was übrigens im Schwäbischen sehr schön eingedeutscht ist durch das Wort »Luschtverluscht«. Denn diese Art der totalen Freigabe überantwortet die Kinder ja an die Qual der Wahl. Sie *dürfen* nicht nur »spielen«, sondern sie *müssen* zugleich ihre Phantasie mobilisieren, um Spielmöglichkeiten allererst zu finden, sodann müssen sie (sie *müssen* also wieder!) unter diesen Möglichkeiten wählen und die gewählten Möglichkeiten endlich noch programmieren und praktizieren. Wieviel leichter für sie wäre angeleitetes, empfohlenes oder sogar befohlenes Spiel, bei dem ihnen der belastende Ernst des Wählens und Programmierens abgenommen wäre! So aber fühlen sie sich durch diese Art vorzeitiger, unzeitiger Freiheit überfordert.

Diese Beobachtung läßt mich die *erste* Befürchtung aussprechen, die ich angesichts dieser überfordernden und zu früh gewährten Freiheit hege: Ich fürchte nämlich, daß in diese Herzen gerade die Sehnsucht nach *autoritärer Gängelung* eingesät wird, jene Sehnsucht, die am liebsten *ganz* von der Last der Freiheit befreit sein möchte. Sie könnte beim Erwachsen-Werden dann auch zu *politischen* Konsequenzen treiben: Sie wird nach dem starken Mann rufen lassen, und sie wird anfällig sein für die lauteste Kommandostimme. Aus dem so präparierten Holz schnitzt man die willige Gefolgschaft von Diktatoren. Der Wille zur Freiheit droht so nicht nur zu erlahmen, sondern ins Gegenteil umgedreht zu werden: in die Lust, beherrscht zu werden und nur noch »spuren« zu brauchen.

Einsichtige Psychologen – die es ja *auch* gibt! – sehen hier noch weitere Konsequenzen: Jenes permissive Gewähren-Lassen der Kinder wird nämlich von diesen nicht etwa als Geschenk der Freizügigkeit empfunden, sondern eher als Vernachlässigung: Die Bezugsperson (ein gräßlicher terminus technicus!), hier die »Tante« des Kinderladens, *bekümmert* sich nicht um uns! Dieses Gefühl, als quantité négligeable behandelt zu werden, pflegt später in neurotische Aggressivität umzuschlagen. Wir wissen aus der Statistik, daß viele Rocker und Terroristen ihre Kinderjahre in Heimen zugebracht haben, wo sie liebender Zuwendung entbehrten und in der Anonymität der Nichtbeachtung dahinvegetierten. Aus dieser Saat erwuchs später der Drang, sich an einer Gesellschaft zu rächen, die einen ignorierte und eben nicht akzeptierte. In unserer Hamburger »Projektgruppe Glaubensinformation«, wo wir beim Dienst in Gefängnissen vielen Schicksalen von Strafgefangenen nachgegangen sind, wurden wir immer wieder mit Hintergründen dieser Art konfrontiert.

Wir stoßen, wenn wir diesen Gedanken nachgehen, auf immer weitere Zusammenhänge: Der Appell an das freiheitlich – *vermeintlich* freiheitlich! – ausgelebte Lustprinzip und an die sexuelle Selbstentfaltung überantwortet den Menschen nur an eine *neue* Form der Unfreiheit: Sie macht ihn z. B. anfällig für den Konsumzwang und provoziert also gerade das, was man mit seinen Freiheitsproklamationen verhindern wollte. Hier kommt es zu einer Strategie, die nur ichschwache, sich treibenlassende Individuen erzeugt und sie auch in *dieser* Hinsicht wehrlos – d. h. »unfrei« – macht gegenüber politischen Indoktrinationen.

Wenn man alles dürfen darf (siehe die permissiv behandelten Wohlstandsjugendlichen: Mofa mit 15, Auto mit 18), wenn kaum noch etwas mühevoll erarbeitet oder gar erkämpft werden muß, wenn es nicht einmal mehr des heißen Wunsches bedarf, breitet sich bei vielen Langeweile und Lethargie aus. Der junge Mensch, der in dieses Freiheitsvakuum verstoßen wird, entwickelt das Bedürfnis, einmal auszuprobieren, wie weit er überhaupt gehen darf, um herauszufinden, ob es nicht irgend etwas gibt, das man *nicht* dürfen darf und trotzdem tun kann. Einfache Regelverstöße genügen dann bald nicht mehr, um jene Langeweile zu vertreiben, die nur so lange nicht aufkommen kann, wie man um seine Existenz kämpfen und seine Freiheit teuer erkaufen muß. Dann schießt er vielleicht und greift nach stärkeren Reizmitteln. Ich spiele damit auf den background mancher Terroristen an, die aus großbürgerlichen Familien stammen.

## Emanzipation

Auch das, was man heute mit dem Modeetikett »*Emanzipation*« behängt, ist – sicher nicht ausschließlich, aber doch weithin – dem Regelkreis der so pervertierten Freiheit zugeordnet:

Emanzipation ist ursprünglich ein Rechtsbegriff. Er meinte die Entlassung des mündig gewordenen Sohnes in die Freiheit der Selbstbestimmung und damit die Entlassung aus der Vormundschaft des Vaters. In der Neuzeit wird Emanzipation vornehmlich auf Minderheiten und Unterprivilegierte bezogen, die ihre Abhängigkeit von den Monopolinhabern der Gesellschaft überwunden und sich zur Eigenständigkeit entwickelt haben oder entwickeln wollen. Man spricht deshalb von einer Emanzipation der Schwarzen, der Juden, der Kolonialvölker oder auch – für uns am aktuellsten – der Frauen.

Im Zuge einer ständig wachsenden Herrschaft der Psychologen – speziell der Beglückungspsychologen, die uns mit ihrem ganzen Train ins Haus stehen, als da sind: Selbstfindungsexerzitien, gruppentherapeutische Identitätssuche, und deren Forum zunehmend auch der Bildschirm wird – seit dieser neuen Beglückungspsychologie also versteht man unter Emanzipation fast ausschließlich *individuelle* Selbstverwirklichung. Merkwürdig ist dabei eine Erfahrung, die ich nicht nur in meiner Seelsorgetätigkeit, sondern sogar im engsten Freundeskreis mache und die auszusprechen höchst unpopulär ist. (Doch ist es mir unmöglich, hier zu kneifen.) Mir begegnen viele Ehepaare, die bisher – wie soll ich mich ausdrücken? – in einer Art unreflektierter Liebe zusammenlebten und außer in ihrer unmittelbaren Kommunikation an der Liebe zu ihren Kindern und deren Erziehung Genüge und Erfüllung fanden – *bis* sie in Kurse und Zirkel der Beglückungspsychologie gerieten. Ich will nicht bestreiten, was mir immer wieder versichert wird, daß unter sachkundiger und nicht unter der vielfach scharlatanhaften Leitung solcher Gruppen tatsächlich so etwas wie ein Befreiungseffekt und eine Identitätsfindung sich ergeben können; nur sind *mir* diese Resultate bisher kaum untergekommen. Statt dessen begegne ich im Gefolge dessen immer wieder Zerbrüchen bisher fest erscheinender Ehen und schrecklichen Familienzerstörungen. Einer brachte es einmal auf die Formel: »Bisher meinten wir, einigermaßen glücklich zu sein und, von kleinen Krisen abgesehen, eine zufriedene Ehe zu führen. Jetzt aber – nach dem bewußten psychologischen Training – merken wir, daß das alles eine Täuschung gewesen ist, daß unsere Ehe durch eine bisher nicht bewußte Herrschaftsstruktur bestimmt war, die mich, den Mann (meistens aber: mich, die Frau) nicht zur Entfaltung des eigenen Selbst kommen ließ. Ich ziehe deshalb aus.« Die Freiheit einer vermeintlichen Selbstverwirklichung führt so zur Aushöhlung bisheriger Kommunikation und zur Sprengung der Familienbande. Diese Freiheit setzt sich immer wieder auch in einer mich erschreckenden Kälte über das Schicksal der Kinder hinweg. Die ersten Phasen dieser Art Selbstverwirklichung pflegen sich oft in makabren Szenen abzuspielen, in denen man auch akustisch seine Emotionen frei ausschwingen und Amok laufen läßt. Was nützt es, daß man die Menschen so zu Identitäts-Bruchbandträgern macht?

Vor allem: Was ist da passiert?

*Selbstwerdung (Identität)*

Nun ist es von jeher ja ein Gebot der Humanität gewesen, der Aufforderung: »Werde, was du bist!« nachzukommen. Und wer mit Goethe umgeht, wird sich durch seine orphischen Urworte in der Aufgabe bestätigt fühlen, seine Identität zu finden. Es ist, so meine ich, ein erfreuliches Zeichen dafür, daß gerade die junge Generation die Frage nach dem *Sinn* des Lebens nicht vergessen hat, wenn sie ihre Identitätsnöte erkennt und unter ihnen leidet, wenn sie sich also von lauter Fremdgesetzen bedrängt sieht, die sie nicht zu sich selbst kommen lassen: von den Fremdgesetzen des Konsumzwangs z. B. oder vom Streß, von Karriere-Nötigung und vielem andern, was mit der Struktur unserer Gesellschaft und unserem entfremdenden Lebensstil zu tun hat.

Ich denke dabei an die Geschichte vom Verlorenen Sohn im Neuen Testament: Er war ja nicht jener verkommene, im Religionsunterricht gern als warnendes Beispiel zitierte »Bengel«, der nur als Playboy sein Erbe verpraßt hätte. Ich glaube eher, daß es seine Identitätsnot war, die ihn vom Vaterhaus in die Fremde trieb. Zu Hause stand er unter Fremdgesetzen, die ihn nicht zu sich selbst kommen ließen: Er fühlte sich von der alles beherrschenden, ihn »heteronomisierenden« Autorität des Vaters gegängelt und so zum ausführenden Organ eines fremden Willens degradiert. *Deshalb* strebte er auf die freie Wildbahn der Fremde, um endlich einmal der sein zu können, der er wirklich war, um endlich einmal *seinen* Willen zu verwirklichen und so sein eigenes Selbst zu finden. Daß es dann schiefging, und daß er unter lauter neue Diktaturen geriet – unter die Fuchtel seines Ehrgeizes, seines Prestigebedürfnisses, seiner Triebe –, das steht auf einem andern Blatt.

Ich fürchte, daß viele Selbstfindungsexerzitien heute zu ähnlich neuen Hörigkeiten führen. Was ich aber in dieser alten Geschichte und auch in unserer heutigen Situation als das eigentliche *Entscheidende* empfinde, ist dies: Junge Menschen vertreten mit ihrer Identitätsnot ganz unreflexiv die These, daß es Freiheit nur geben könne, wenn ich selbstverantwortliches Subjekt und nicht bloß das Objekt jener anonymen Steuerungsmächte bin, die mich entführen, wohin ich selber nicht will. Das aber heißt dann doch: *Wahre Freiheit ist nur zu haben, wenn ich zunächst einmal zu mir selbst, wenn ich meine Identität gefunden habe.*

Wer aber bin ich selbst? Ist dieses mein Selbst nur meine Entelechie, die sich als geprägte Form lebend entwickeln soll? Und wie finde ich dann dieses entelechische Selbst? Etwa so, daß ich in Form einer Nabelbeschau in mich selbst hineinsehe? Das würde doch nur jenen üblen Narzißmus erzeugen, wie ihn die permanente Selbstbeobachtung gewisser psychologischer Praktiken mit sich bringt, die heute up to date sind. Schon Goethe hat sich über diese fruchtlosen Versuche mokiert. Ich brauche statt vieler Sentenzen nur eine Stelle aus dem »Tasso« zu zitieren, wo Antonio sagt:

> Es ist wohl angenehm, sich mit sich selbst
> Beschäft'gen, wenn es nur so nützlich wäre.
> Inwendig lernt kein Mensch sein Innerstes
> Erkennen ...
> Der Mensch erkennt sich nur im Menschen, nur
> Das Leben lehret jedem, was er sei.«

Und dieses Leben, das uns so über uns selbst belehrt, ist für Goethe »Tätigkeit«. »Wie kann man sich selbst kennenlernen?«, fragt er in den Sprüchen in Prosa. »Durch Betrachten niemals (also nicht durch ›Introspektion‹), wohl aber durch Handeln. Versuche deine Pflicht zu tun, und du weißt gleich, was an dir ist.« Ich gewinne mein Selbst und damit die Freiheit also nur so, daß ich mit meinem Nächsten kommuniziere, daß ich mich meinen Aufgaben stelle und in beidem nach *außen* trete, also von mir »wegtrete«. Ich gewinne mein Selbst und die Freiheit deshalb nicht durch die Unverbindlichkeit einer Selbstbetrachtung, sondern durch das Eingehen von *Bindungen*. Im Gleichnis Jesu zeigt sich das darin, daß der Verlorene Sohn das von ihm gesuchte Selbst schließlich dadurch findet, daß er aus der Bindungslosigkeit der Fremde, also aus seiner »Entfremdung«, zurückkehrt und eine neue, eine »mündige« Bindung an seinen Vater findet. Ich komme noch darauf zu sprechen, was damit gemeint ist.

Damit haben wir uns zunächst die *eine* der beiden Bedrohungen unserer Freiheit verdeutlicht. Es ist der Versuch, die Freiheit durch Bindungslosigkeit zu gewinnen, sie als permissive Willkür und also »antiautoritär« zu verstehen.

## Autorität

Damit ergibt sich zugleich ein fundamentales Mißverständnis dessen, was »*Autorität*« bedeutet. Autorität spielt hier nur die Rolle einer vergewaltigenden und fremdbestimmenden Größe, einer Diktatur sozusagen, die uns der Freiheit beraubt. In Wirklichkeit hat Autorität aber eine ganz andere, eine geradezu freiheits*stiftende* Bedeutung. Autorität kann es ja nur geben, wenn sie *in Freiheit zuerkannt* wird, wenn sie also von denen, die Autorität über sich ausüben lassen, *legitimiert* wird. Ihre Überlegenheit muß deshalb bewährt werden. Und erst wenn sie sich so bewährt hat, kann sie so etwas wie einen Vorschußkredit in Anspruch nehmen. Damit ist gemeint: Da sie sich bisher bewährt hat, können wir ihrer Überlegenheit »bis auf weiteres« vertrauen. Wir behalten uns aber die Freiheit vor, ihr zu kündigen, wenn sie unserer eigenen begründeten Einsicht widerspricht.

Autorität unterscheidet sich also von Tyrannei dadurch, daß Autorität als Korrelat den freien Partner, die Tyrannei aber als Korrelat den Sklaven hat. Schon aus dem, was wir über die grundsätzliche Kritisierbarkeit und Revidierbarkeit der Autorität sagten, geht hervor, daß es ihr gegenüber immer nur um eine *relative* Abhängigkeit gehen kann. Der relativ Abhängige ist es nicht nur sich selbst, sondern er ist es auch der Autorität schuldig, daß er sich in seiner Freiheit erhält. In diesem Sinne ist Sokrates das Urbild der Autorität, weil er seine Schüler zum Selbst-Sein erzieht und sie »abnabelt«.

Diese Erhaltung der Freiheit beim Abhängigen hat natürlich zur Voraussetzung eine *Selbstbeschränkung* der Autorität. Wenn wir nun bedenken, daß der Mächtige sich in ein Gefälle der Machtexpansion und Machtvermehrung hineingezogen sieht – das haben wir gerade von Jacob Burckhardt gelernt –, und daß andererseits die Autorität eine bestimmte *Weise* dieses Mächtigseins ist, so scheinen wir vor ein ernstes Problem gestellt zu werden: vor die Frage nämlich, wie jene Selbstbeschränkung der Autorität, die der Eigengesetzlichkeit der Macht doch *entgegen*steht, überhaupt *möglich* werden könne, wie also inmitten von Zwangsläufigkeiten die ethische Chance, Autorität zu sein, überhaupt zu ergreifen sei.

Die Antwort darauf wird sicher nicht lauten können, daß diese Selbstbeschränkung durch die subjektive Tugend der *Bescheidenheit* möglich werde. Der objektive Charakter der Zwangsläufigkeit, wie sie jenen Expansionen innewohnt (Burckhardt hat ja trotz seiner mythisierenden Vernebelung da etwas Richtiges gesehen!), ist nur durch eine andere Form von Objektivität zu bändigen: nur dadurch nämlich, daß Autorität selber in übergreifende Seinszusammenhänge eingebettet ist und also nicht auf sich selbst, nicht auf bloße Entsagungs-Bereitschaft gestellt ist. In der Tat besteht in diesem Eingebettetsein, in diesem Sich-umgriffen-Wissen das *Wesen der Autorität.*

Was dieses die Autorität Übersteigende ist, erfahren wir, wenn wir die Frage genauer so stellen: Wie ist es möglich, daß der Wunsch der Autorität, die Freiheit der ihr Nachgeordneten zu erhalten, Erfüllung findet?

Die in diesem Wunsche erstrebte Partnerschaft ist nur unter *einer* Bedingung möglich: daß die Autorität und ihr Partner gemeinsam auf ein übergeordnetes tertium bezogen sind. Anders: Die Autorität kann nur dann die Freiheit des Nachgeordneten erhalten, wenn sie sich von einer Richtschnur normieren und legitimieren läßt, zu der sich auch der Nachgeordnete unmittelbar verhält. Wir müssen diese die Autorität begründende Relation nun noch genauer durchdenken und bedienen uns dabei der Hilfe eines besonderen Modells von Autorität:

Paulus spielt wiederholt auf die Begrenzung seiner apostolischen Autorität an und sieht sich zu ihr veranlaßt durch die Forderung, daß die Gemeindeglieder mündig (»autonom«) genug sein müßten, um durch ein unmittelbares Verhältnis zu dem hier in Frage stehenden tertium, nämlich zum Evangelium *selbst,* seiner eigenen apostolischen Autorität gegenüber selbständig zu werden. Dieses Verständnis der Autorität vertritt er gerade dort, wo er das Postulat der Mündigkeit nicht erfüllt sieht:

So hat Paulus es ganz offensichtlich als eine Diskreditierung seiner apostolischen Autorität empfunden, wenn die von ihm belehrten Korinther sich als so suggestibel erweisen, daß sie jedem neuen Lehrer und jeder neuen Botschaft blindlings, d. h. kritiklos, anheimfallen, wenn sie also »hörig« werden. Denn das beweist nur, daß sie eben *nicht* »mündig« sind. Dann aber kann es keine Freude sein, wenn die Korinther sich vorübergehend auch einmal an ihn und seine Botschaft klammern: »Denn so, der da zu euch kommt, einen andern Jesus predige, den wir nicht gepredigt haben, oder ihr einen andern Geist empfinget, den ihr nicht empfangen habt, oder ein anderes Evangelium, das ihr nicht angenommen habt, so vertrüget ihr's billig« (2. Kor 11,4). Ihr würdet also kritiklos und unmündig *jedem* »auf den Leim gehen«. Deshalb macht es mir keine Freude, wenn ihr nun *mir* »auf den Leim geht!«

*Autorität und Autonomie*

In dieser Anklage ist deutlich der Ton einer Verstimmung darüber hörbar, daß die Korinther nicht nur unmündig sind, sondern daß sie damit auch die apostolische Autorität des Paulus kompromittieren: Diese wird hier zum bloßen Träger von Einflüssen, die nur im Augenblick ihrer Ausstrahlung wirksam werden, dann aber sofort wieder *anderen* Einflüssen weichen. *Autorität setzt Mündigkeit bzw. Autonomie voraus,* sonst hört sie auf oder beginnt gar nicht erst, wirkliche Autorität zu sein

Darum bezeugt Paulus seine Autorität paradoxerweise gerade dort am stärksten, wo er diese Mündigkeit, wo er die *Freiheit* seiner Hörer beansprucht und sich der Möglichkeit einer Infragestellung ausliefert. Je mehr er auf die ihn autorisierende Instanz verweist (und damit die Möglichkeit seiner eigenen Infragestellung schafft), um so stärker ist auch der Anspruch seiner Autorität. Denn er ist gewiß, daß er vor jener Instanz besteht und daß er das Evangelium auf seiner Seite hat: So fordert er etwa die Galater auf, sich nicht durch seine Autorität fixieren zu lassen, falls er oder eine noch größere Respektsperson als er, nämlich »ein Engel vom Himmel«, ihnen ein anderes Evangelium predigen sollte. Indem er im Hinblick auf diese Möglichkeit sich selbst oder jenen Engel verflucht, fordert er die Galater auf, nicht auf autoritäre Personen zu vertrauen, sondern sich an die autorisierende Größe selbst, nämlich an das Evangelium, zu halten. Darin und nur darin besteht seine Autorität, daß er dieser Infragestellung durch die Mündigen gewachsen ist.

Zum Wesen der Autorität gehört es folglich, daß sie sich im Unterschied zur Tyrannei als norma normata versteht. Genauer würden wir freilich sagen müssen, daß sie sich zugleich als norma normanda zu verstehen habe, da ihr Autorisiert-Sein niemals in einem Perfektum abgeschlossen ist, da sie nie einen character indelebilis gewinnt und da sie bei allem Vertrauen auf ihre erfahrene Bewährung (normata) ständig auf *neue* Bestätigung durch die Mündigen angewiesen bleibt, so daß Autorität über eine permanent neue Konstituierung nie hinausgelangt (normanda). Eben damit aber räumt sie den Nachge-ordneten die Freiheit ein, sich aus eigener Unmittelbarkeit gegenüber der norma normans kritisch oder bejahend zur Autorität zu stellen.

Autorität und Freiheit sind also keine kontradiktorischen Gegensätze, sondern sie weisen gerade aufeinander hin. Autorität muß ja *in Freiheit anerkannt und zugesprochen* werden. In der Auseinandersetzung mit ihr und an der Art, wie ich ihr kraft eigener Verantwortung möglicherweise auch entwachse, wie ich mich von ihr emanzipiere, *bewährt* sich dann diese Freiheit. Gerade in dieser Auseinandersetzung mit der Autorität erfahre ich, wer ich bin. Die Freiheit der Selbstfindung bedarf geradezu dieses Widerstandes, an dem sie reifen kann. Auch die *Tradition* gehört zu diesen Größen, die ich in Freiheit erwerben muß, um sie zu besitzen, oder die ich in der gleichen Freiheit verwerfen muß, um von meinem Selbst Besitz zu ergreifen.

In diesem Sinne bin ich verwegen genug zu behaupten, daß unsere heutige Jugend sich nach glaubwürdiger Autorität sehnt, nach einer Form von Autorität, der sie nicht blindlings folgen und »auf den Leim gehen« möchte, sondern die sie mit einem Vertrauen beschenken will, das einer freien Einsicht in ihre Überlegenheit entstammt, und das in der gleichen Freiheit zu kündigen sie *ebenfalls* bereit bleibt. Sie will keine *autoritären Strukturen,* sie sucht aber eine *persönlich bestimmte glaubwürdige Autorität.*

Daß es heute immer wieder zu Mißverständnissen dessen kommt, was Autorität ist, liegt sicher nicht zuletzt daran, daß es so wenige Autoritäten in unserer Zeit gibt. Ich glaube, daß das antiautoritäre Mißtrauen unserer Jugend weniger daher rührt, daß sie sich von einer diktatorisch mißverstandenen Autorität überwältigt fühlt. Dieses Mißtrauen gründet wohl eher in der Bereitschaft der Erwachsenenwelt, ihren Autoritätsanspruch nicht wahrzunehmen oder gar zu verschleudern, sich z. B. pseudojugendlich anzubiedern, dem Freiheitsbedürfnis junger Leute unwürdig nachzurennen und um ihre Gunst zu buhlen. Ein Schillerkragen aber, dem ein welker Hals entragt, wirkt nur lächerlich.

## Modellfall »Demokratie«

Niemand hat diesen Ausverkauf der Autorität zu Schleuderpreisen so satirisch an den Pranger gestellt wie Platon im 8. Buch seiner Politeia, wo er die Perversion im Verhältnis von Autorität und Freiheit geißelt:

Eine Demokratie, sagt er da, die ein Übermaß von Freiheit gewährt, müsse in Tyrannei umschlagen. Hier gebe sich die Autorität insofern selbst preis, als sie dem »unersättlichen Hunger nach dem Gute der Freiheit« nachgibt und durch die *allen* gewährte Freiheit nichts anderes als Anarchie erzeugt. Das beginne im Privathaus und teile sich von hier aus der Schule mit: Der Vater bekenne sich nicht mehr zu seiner Rolle als Überlegener und entschuldige sich sozusagen für seine Existenz. Er »lebt sich in die Rolle eines Knaben hinein« und beginnt sich schließlich »vor seinen Söhnen zu fürchten«. Kein Wunder, daß daraufhin der Sohn sich »in die Rolle des Vaters versetzt und weder Scham noch Furcht vor seinen Eltern hat, um nur ja recht frei zu sein«. Indem das Alter aufhöre, sich zu sich selbst zu bekennen, und um die Gunst der Jugend buhle, um ja nicht zum alten Eisen geworfen zu werden, sondern sich als fortschrittlich, mobil und zukunftserschlossen zu zeigen, habe es sich der Glaubwürdigkeit seiner Autorität schon begeben: »Der Lehrer hat ... Angst vor den Schülern und umschmeichelt sie; die Schüler haben keine Achtung vor den Lehrern ...«, und überhaupt stellen sich die Jüngeren den Älteren gleich und suchen ihnen den Rang abzulaufen in Worten und Taten, während die Alten sich (plump-ver-)traulich mit den Jünglingen einlassen und, ganz im Geiste der Jugend, unerschöpflich sind in Witzeleien und Spaßhaftigkeiten, um nur ja nicht griesgrämig und herrisch zu erscheinen«. Schließlich schwinde so auch »jede Achtung vor den Gesetzen, gleichviel ob geschrieben oder ungeschrieben, um ja keinen Gebieter, in welchem Sinne es auch sei, über sich zu haben«. Das anarchische Element, das in dieser Losgelassenheit aller, in dieser vermeintlichen »Freiheit« steckt, schreie dann, so Platon, nach *Revisionen* dieses unhaltbaren Zustandes und werde auf diese Weise zum *»schönen und herrlichen Anfang, aus dem die Tyrannis hervorwächst«.* Denn »das Übermaß im Vorwärtstreiben der Dinge pflegt einen Umschlag ins Gegenteil ... zur Folge zu haben«. So führe »das Übermaß von Freiheit ... zu nichts anderem für den einzelnen wie für den Staat als zum Umschlag in ein Übermaß von Knechtschaft«. *Darum gründe die Tyrannis in »keiner andern Verfassung als der Demokratie«, wenn diese die Freiheit als Selbstzweck kultiviert und sie als Emanzipation von jeder Autorität versteht.*

Die Demokratie ist also für Platon eine sehr gefährliche Staatsform, weil sie die Freiheit als ihr höchstes Gut proklamieren kann und sie dann notwendig als eine selbst nicht mehr geleitete, eine nicht mehr normierte und insofern *bindungslose* Freiheit mißverstehen kann. Sie läßt so ihre Bürger dem Gesetz des geringsten Widerstandes verfallen und führt damit zum Aufstand inferiorer Kräfte, zum Beispiel zu der feigen und opportunistischen Nachgiebigkeit gegenüber der Jugend, die sie würdelos umwirbt, statt sie zu führen – oder umgekehrt: Sie treibt in einen hemmungslosen Willen zur Macht.

Diese Beobachtung war es wohl, die Eduard Heimann, den großen Philosophen der Volkswirtschaftslehre, zu einer sehr bezeichnenden Feststellung geführt hat. Er sieht die Gefahr bindungslos gewordener Freiheit noch aus einer andern Richtung kommen: »Ein System, in dem die Freiheit als oberster Wert erscheint«, so meint er, »wird leicht in eine Herrschaft der Freiheit für die *starken* Individuen, Klassen und Rassen auf Kosten der *schwachen* Individuen, Rassen und Klassen ausarten«.

Das hat übrigens Karl Marx auch schon gewußt, wenn er lehrte, daß die Freiheit in der Hand derer, die durch den Besitz von Produktionsmitteln am langen Hebelarm sitzen, zu einer zerstörerischen Macht der Unterjochung werde. Heute braucht man statt »Produktionsmittel« nur »Publikationsmittel« zu sagen, um dasselbe Phänomen zu erkennen: Wer über das immense Maß von Freiheit verfügt, Publikationsmittel in der Hand zu haben, der ist in der Lage (und zwar im Maße seiner praktizierten Verantwortungslosigkeit, unter der seriöse Journalisten sicher am meisten leiden!), die Menschen in zwei Gruppen einzuteilen: in solche, die die Freiheit zur Äußerung ihrer Meinung haben, und solche, die den so sich Äußernden hilflos ausgeliefert sind und jede Diffamierung, jede Entstellung der Wahrheit ertragen müssen.

*Freiheit kein oberster Wert*

Freiheit kann so in der Tat niemals oberster Wert sein, sondern sie kann nur im *Namen* eines obersten Wertes ausgeübt werden. Sie darf nur *Instrument* sein wollen, wenn sie nicht in jenen Despotismus umschlagen soll, von dem Platon und auf seine Weise auch Karl Marx sprachen. Der Übermensch, der den Himmel evakuiert und sich selbst auf den Thron des verstoßenen Gottes setzt, vollzieht dieses Attentat ja aufgrund einer prometheischen Freiheit, die sich selbst als Letztwert proklamiert. Denn der Übermensch hat nichts mehr »über« sich, in dessen *Namen* er Freiheit ausüben könnte. Er ist sich selber Endzweck, und die Freiheit ist ihm nur und ausschließlich *Mittel* zu diesem Zweck, das heißt: sie ist ihrerseits selbstzwecklich verstanden.

Die eine der beiden Freiheitsbedrohungen ist also die zum Selbstzweck veruntreute Freiheit: die Freiheit als Willkür und Permissivität. Wir haben einige Seiten des Musterkataloges an uns vorüberziehen lassen, in dem die Formen dieser Selbstzerstörung aufgezeichnet sind.

Die entgegengesetzte Form einer Freiheitsgefährdung besteht nun in *kasuistischen* Formen der Moralität oder auch der Religion. Hier kann ich mich mit einigen Akzenten begnügen.

## Die kasuistische Unterwanderung der Freiheit

*Die peinliche Fehlanzeige*

Die Freiheit zu verstehen, sie *neu* zu verstehen, kann somit für uns Heutige nur bedeuten, daß wir sie nicht im Sartreschen Sinn als Inhalt einer Verurteilung, sondern als Geschenk und als neue Möglichkeit des Existierens verstehen lernen. Denn die Angst vor der

Freiheit, unter der wir leiden, rührt aus dem Verlust an Existenz. Wer nicht mehr auf ewigen Fundamenten, nicht mehr im Unbedingten, gründet und also – statt zu existieren – nur noch »vegetiert«, erlebt jede Aufforderung zur Freiheit so, daß sie ihn zu einer Fehlanzeige nötigt: zu einer Fehlanzeige, die seinen wahren Zustand auf peinliche Weise entlarvt. Denn die Aufforderung, frei zu sein, bedeutet doch zunächst und vor allem die Aufforderung, »ich selbst« zu sein, also »Subjekt« zu werden. Wenn ich aber nicht mehr »ich selbst« bin, sondern nur ein anonymes Element des mich durchwirkenden Man oder das ausführende Organ und also das Objekt eines fremden Willens – selbst wenn es der Wille Gottes wäre! – oder wenn ich nur ein von Süchten und Ängsten Getriebener bin, dann zwingt mich der Appell an meine Freiheit zu dem fatalen Bekenntnis, daß nichts mehr da ist, was frei sein *könnte*, und daß ich also in der Verfehlung meiner selbst vegetiere.

Darum muß der Satz Sartres, daß wir »zur Freiheit verurteilt« seien, wegen seiner Ehrlichkeit respektiert werden. Was für den Existierenden ein Geschenk und eine Erfüllung ist, wird für den nicht mehr Existierenden zur Qual und zur Beschämung. Nur für den Existierenden ist Freiheit das leuchtende Zeichen dafür, daß mir die Möglichkeit eröffnet wird, »ich selbst« sein zu dürfen. Für den nicht mehr Existierenden dagegen wird der Anspruch, frei zu sein – wir sahen das bereits – zu einer kompromittierenden Enthüllung seiner Nichtigkeit: Es ist keine personale Substanz mehr da, die überhaupt frei sein könnte.

### Die »neue Kreative«

Zu einer »frohen Botschaft« kann der Appell an die Freiheit aber dann werden, wenn unsere Existenz neu begründet und damit in besonderer Weise zur Freiheit *befähigt* wird. Es ist ein Gesetz des göttlichen Umgangs mit uns, wie es im Evangelium laut wird, daß uns zuallererst etwas *gegeben* und dann erst etwas *aufgegeben* wird, daß zuerst die indikativische Setzung der neuen Kreatur erfolgt, ehe uns der imperativische Appell erreicht.

Konkret heißt das folgendes: *Ehe* uns befohlen wird: »Ihr sollt lieben«, passiert etwas ganz anderes: da erschließt sich uns nach dem schönen Wort der reformatorischen Bekenntnisschriften zunächst einmal Gott selbst als ein objectum amabile (als ein »liebenswerter Gegenstand«). Indem er uns sein Herz enthüllt und eben dadurch ein »liebenswerter Gegenstand« wird, entzündet sich unsere Liebe ganz von selbst. Und damit entsteht dann die neue Existenz, die nun – aber erst *nun!* – auf ihre Freiheit hin ansprechbar wird und sie als Geschenk empfängt. Für den nicht so zur Liebe Befreiten droht Freiheit dagegen eine Überforderung zu sein und damit ein Anlaß zur Flucht zu werden. Der »Befreite« aber empfängt sie als ein Geschenk, das ihm sein Selbstsein ermöglicht und ihn auf seine Bestimmung hin öffnet. Schon aus diesem Grunde kann eine sich so verstehende Ethik nicht kasuistisch werden, d. h., sie kann den Menschen nicht auf Schritt und Tritt moralisch gängeln und mit Vorschriften en détail versehen wollen. Sie schließt ihm vielmehr den Raum der Freiheit auf.

## *Die kleine und die große Freiheit*

Was heißt aber nun positiv, zur Freiheit berufen zu sein (also sie nicht mehr à la Sartre als Verurteilung zu erleben)?

Hier müssen wir unterscheiden zwischen einer kleinen und einer großen Freiheit (was nichts mit den beiden bekannten Straßen an der Hamburger Reeperbahn zu tun hat). Die »kleine« Freiheit besteht darin, daß ich nur innerhalb einer gegebenen Alternative Wahlfreiheit habe; z. B. innerhalb der Alternative, gut sein zu wollen *oder* der Lust zum Bösen bedenkenlos nachzugeben, sagen wir einmal: auf der Seite Franz von Assisis oder auf der von König Lear stehen zu wollen. Die »große« Freiheit dagegen würde bedeuten, daß ich die Alternative *selbst* schon zu bestimmen und zu wählen hätte. Ich wäre dann meinerseits schon dafür verantwortlich, *welche* Werte und Normen ich auf dem Spiel stehen sehe, also zu bestimmen, um *was* es mir geht.

Das bedeutet dann: Ich habe nicht nur zu wählen, ob ich gehorsam *oder* ungehorsam sein will; die von mir geforderte Entscheidung ist sehr viel fundamentaler. Ich muß nämlich wählend und mich entscheidend darüber befinden, *was* überhaupt hier und jetzt Gehorsam für mich bedeutet, *worin* ich also den Willen Gottes in einer bestimmten Situation erblicke.

Jeder von uns weiß, daß das die eigentliche Strapaze und Entscheidungsnot im ethischen Bereich ist. Es ist nämlich verhältnismäßig einfach, sich grundsätzlich für die Bereitschaft zu entscheiden, den kategorischen Imperativ anzuerkennen oder – religiös gesprochen – Gott gehorsam zu sein, und nach seinem Willen zu leben. Schwierig werden die Dinge erst, wenn ich in einer konkreten Situation bin und zum Beispiel vor der Frage stehe, ob ich einem Todkranken die Wahrheit sagen soll oder wie ich den Konflikt zwischen den Anforderungen meiner Familie und den Erfordernissen meines Berufs bewältigen soll. Hier geht es dann um die Frage, *was* denn nun Gott von mir will bzw. *welche* Entscheidung ich überhaupt fällen soll.

## *Inanspruchnahme des Geistes, nicht nur des Willens*

Um das herauszubekommen, sind nicht nur Willensakte erforderlich (diese habe ich ja gutenteils schon hinter mir, seitdem ich mich generaliter entschloß, den Willen Gottes zu tun), sondern hier strahlt die Aufforderung zum Gehorsam in den Bereich des *Geistes*, der *ratio*, ein. Denn nun bekommt meine Freiheit die Aufgabe, bereits die *Situation*, in der ich stehe, zu analysieren und zu interpretieren. Schon hier wird meine Verantwortung beansprucht, keineswegs erst bei meinem Handeln. Ich muß etwa fragen: Welche Werte stehen hier zur Debatte und vielleicht im Konflikt miteinander? Es könnte z. B. um das Maß an Freiheit gehen, die ich meinen Kindern gewähre – ich denke etwa an die Berufswahl –, *zugleich* aber um den Wert einer vernünftigen Berufsausbildung und eines gesunden, freien Lebens. Beides läßt sich oft schwer miteinander vereinen, und vielleicht bedarf es hier gelegentlich eines väterlichen, die Freiheit des Kindes einschränkenden Machtworts, weil ich in überlegener Lebenserfahrung die Konsequenzen einer fragwürdigen Berufswahl besser übersehe als mein halbwüchsiger Sohn. So geht es schon in diesem geistigen Vorstadium des Handelns um gewichtige Akte von Situationsanalysen und Entscheidungen und damit um einen Anspruch an meine Freiheit. In diesem Sinne wird der Gehorsam des *Geistes* von mir gefordert.

Es geht also gar nicht nur um die fertige Alternative Gehorsam–Ungehorsam, innerhalb derer ich wählen müßte. Vielmehr muß ich die konkrete und situationsbedingte Gestalt der Alternative durch Anstrengung des Denkens und verantwortliche Besinnung *selber finden. Auch mein Geist ist ethisch engagiert.*

Und eben dieser Strapaze weichen wir gerne aus. Viele Menschen, die mich um Rat fragen, wollen ganz genau wissen, was sie tun sollen, und sind enttäuscht, wenn ich mich damit begnügen muß, ihnen nur beim Auffinden der entscheidenden Alternativen zu helfen. Deshalb üben Gesetzesreligionen einen solchen Zauber aus, selbst wenn sie von unerbittlicher Strenge sind. »Es ist in der Tat viel bequemer«, sagt Adolf von Harnack, »unter irgendeiner Autorität, sei es auch der härtesten, zu leben als in der Freiheit des Guten«, d. h. in der uns auferlegten selbstverantwortlichen *Entdeckung* dieses Guten und eigener Verantwortung für dieses Gute.

So kann sich der Akt des Ungehorsams von den reinen Willensvorgängen auf die Ebene des Geistes verlagern. Auch mein *Denken – schon* mein Denken – steht unter der Versuchung, ungehorsam zu sein; es kann z. B. zum Anwalt des Opportunismus werden. Sind wir etwa je einem Menschen begegnet, der für seine Steuermanipulationen oder für sein fragwürdiges Sexualleben oder für seinen skrupellosen Karrieretrieb *keine* vernünftigen und einleuchtenden Argumente parat hätte? Die Vernunft kann in der Tat, wie Luther gesagt hat, eine Hure werden, die sich kaufen läßt, deren *Argumente* sich kaufen lassen. Was man wünscht, das glaubt man gern, das *denkt* man auch gern. Unsere Argumente sind käuflich, und unsere Vernunft ist bestechlich. Das ist einer der Gründe dafür, warum auch unsere Vernunft der Erlösung bedarf.

### Eine Ethik, die Verantwortung abnimmt

Im Rahmen einer *kasuistisch* bestimmten Ethik, die mich durch moralische Einzelvorschriften auf Schritt und Tritt gängelt, ist das natürlich ganz anders. Sie nimmt mir die geistigen Entscheidungen ab. Hier brauche ich mir nicht mehr den Kopf zu zerbrechen, welche Alternativen jeweils zur Diskussion stehen. Ganz im Gegenteil: Kasuistische Moralsysteme stellen mir vorfabrizierte Entscheidungen zur Verfügung. Mir wird bis ins Detail gesagt, was in dieser und jener Situation von mir gefordert ist.

Wenn es einmal um diese vorfabrizierten Entscheidungen geht, die dem Menschen seine eigenen Entscheidungen abnehmen sollen, tritt eine eigengesetzliche Entwicklung ins Spiel: die kasuistischen Anweisungen müssen nämlich ständig verfeinert werden. Auch die kleinsten Spielräume des Handelns, die noch eigene Wahl- und Entscheidungsmöglichkeiten fordern würden, müssen beseitigt, kurz: das ethische Normennetz muß immer engmaschiger werden. Wir sehen diese Entwicklung klassisch im Talmud vorgeprägt, wo eine immer stärkere Detaillierung der Normen vorliegt, bis schließlich jeder Schritt geregelt ist.

So sei mir gestattet, zur Illustration ein amüsantes modernes Beispiel anzuführen, das vor einiger Zeit durch die Presse ging und das sehr instruktiv diese Tendenz zeigt, das kasuistische Normennnetz immer engmaschiger zu machen: In italienischen Großstädten, so lautet jene Pressenotiz, ist es seit jeher untersagt, sich auf offener Straße zu küssen. Abschiedsküsse sind nur an Bahnhöfen, Haltestellen und Taxiparkplätzen erlaubt, so lautet eine ältere Bestimmung. Inzwischen wurde eine Strafgebühr für solche Abschiedsküsse eingeführt, die offensichtlich keine sind. So stellte man fest – und damit wird das Normennetz schon enger zusammengezogen! –, als Verabschiedung könne nur der Antritt einer Reise gelten, die zu mindestens zwölfstündiger Trennung führt. Ich bin überzeugt, daß damit die Tendenz zur kasuistischen Detaillierung noch keineswegs an ihr Ziel gekommen ist.

Der nächste Schritt wird vermutlich darin bestehen, daß die Trennung nicht nur nach Stunden, sondern auch nach Kilometern festgelegt werden muß. Doch es muß wohl *noch* weitergehen: Schließlich wird auch der *Anlaß* der Trennung eine Rolle spielen müssen, um die Berechtigung zum Abschiedskuß zu prüfen: Es darf kein normaler Anlaß, sondern muß ein emotional besonders bewegender, ein trauriger oder ein fröhlicher Anlaß sein. Polizeipsychologen werden dann zusätzlich bemüht werden müssen, um festzustellen, ob die Intensität des fröhlichen oder schmerzlichen Küssens in einem angemessenen Verhältnis zum wirklichen Anlaß steht. Vielleicht werden sogar die Anlässe selbst (Todesfälle, Krankheit, Lotteriegewinne usw.) in den kasuistischen Bestimmungen noch detailliert aufzuzählen sein. Doch hier höre ich mit noch genaueren Spezifizierungen auf. Ich male mit alledem natürlich eine Karikatur. Aber auch eine Karikatur enthält ja seriöse Hinweise!

## Reduzierte ethische Forderungen

Der ethische Gehorsam bewährt sich bei einer so wuchernden Kasuistik also nicht mehr darin, daß auch der *Geist* und daß die Vernunft *mit* zum Gehorsam verpflichtet werden, daß sie *mit* zur Verantwortung gezogen werden und in der Entschlossenheit zum Guten das Gesollte dann allererst »entdecken«. Vielmehr bleibt der ethische Gehorsam auf die bloße *Tat* beschränkt, durch die ich ein bereits gegebenes Soll zu erfüllen bereit bin.

Hier liegt dann sozusagen eine »Halbierung« des Menschen vor, die übrigens Luther durch den Begriff des dimidium cordis (der »Hälfte des Herzens«) ansprach. Denn die Geist-Hälfte des Menschen ist ja nun aus der Entscheidungsfunktion *ausgeschlossen*. Der Mensch hat sein mündiges, geisthaftes Ich, das selbstverantwortlicher Entscheidungsträger sein sollte, an die autoritäre Instanz delegiert, von der er seine Weisungen empfängt (vom Talmud vielleicht oder von einem moralischen Lehrbuch oder von einer ideologischen Institution). Deren kasuistische Regeln gelten für ihn als nicht zu hinterfragende Vor-Entscheidungen. Nur der Tat-Teil des Menschen bewegt sich noch in Entscheidungsspielräumen. Die große Spannweite des Möglichen, die jene Entscheidungsspielräume für den Geist zur Verfügung stellen und innerhalb deren er wählen muß, ist damit auf die Enge eines bloßen Ja oder Nein gegenüber der kasuistischen Regel reduziert.

*Exemplifizierung am Neuen Testament*

Das Subjekt-sein des Menschen im eigentlichen Sinne ist aber zweifellos nur dann gegeben, wenn auch sein *Geist* gewürdigt wird, die ethische Entscheidung zu tragen, wenn er also ebenfalls zum Gehorsam, zum Subjekt-sein, d. h. zur Mündigkeit aufgerufen ist.

Ein Hinweis darauf, daß diese Forderung tatsächlich auf der Linie des *neutestamentlichen* Denkens liegt, scheint mir darin zu bestehen, daß die ethischen Anweisungen Jesu und der Apostel an allen entscheidenden Punkten »dialektisch« gefaßt sind: Sie sagen nicht einfach und direkt, »was« im einzelnen zu tun ist, sondern sie formulieren alternative Möglichkeiten, innerhalb deren ich wählen muß. Mir wird also keine fertig präparierte Handlungsanweisung zuteil, die ich nur in die Tat umzusetzen brauche. Ich muß vielmehr innerhalb der aufgezeigten Möglichkeiten verantwortlich wählen.

Ich nenne dafür nur ein einziges Beispiel, und zwar die Anweisung Jesu: »Gebet dem Kaiser, was des Kaisers, und Gott, was Gottes ist«. Um den Zusammenhang zu verdeutlichen, in dem dieses Wort steht, führe ich die betreffende Perikope hier an (Lukas-Evangelium 20,20–26):

Der hohe Klerus – Pharisäer und Schriftgelehrte – ließen Jesus beschatten und setzten Spitzel auf ihn an. Die gaben sich den Anschein, als hegten sie redliche Absichten. In Wirklichkeit waren sie darauf aus, ihn auf seine eigenen Äußerungen festzunageln. Ihr Ziel war, ihn so den Behörden und dem Gewahrsam des Statthalters ausliefern zu können.

So legten sie ihm eine (strittige) Frage vor:

»Meister«, so begannen sie, »wir sind dessen gewiß, daß du in Wort und Lehre unanfechtbar bist und daß du keine menschlichen Rücksichten nimmst. In Sachen Gottes gehst du den geraden Weg der Wahrheit. Und nun unsere Frage: ›Ist es recht, dem Kaiser in Rom Steuern zu zahlen oder nicht?‹«

Jesus aber durchschaute ihre Hintergedanken und erwiderte: »Zeigt doch einmal ein Denar-Stück her! Wessen Bild, wessen Name ist denn da aufgeprägt?«

»Nun, Bild und Name des Kaisers«, gaben sie zur Antwort.

Darauf Jesus: »Gut – dann gebt eben dem Kaiser, was dem Kaiser, und gebt Gott, was Gott zukommt!«

Bei diesem Wort konnten sie ihn unmöglich behaften, zumal nicht in Gegenwart der zuhörenden Leute. Sie waren vielmehr platt und hielten den Mund.

Die Offenheit der Entscheidung im Rahmen eines eben noch *nicht* Vorentschiedenen tritt hier schon aus folgendem Grunde besonders deutlich in Erscheinung: Die listige Frage der Pharisäer, auf die jener Satz Jesu antwortete, war ja in ihrer ganzen Taktik so angelegt, daß Jesus sich kasuistisch *festlegen* sollte. Sie lautete doch: Soll man dem (heidnischen) Kaiser Steuern zahlen oder nicht? Hätte Jesus nun dem Kaiser das Recht der Besteuerung abgesprochen – in jenem eindeutigen kasuistischen Sinne: »Du sollst dem Kaiser keine Steuern zahlen!« –, dann hätte man ihn der Obrigkeitsfeindschaft geziehen. Und umgekehrt: Hätte er das Recht eines heidnischen Kaisers zur Besteuerung bejaht, so würde man ihn der Untreue gegen den Gott Israels angeklagt haben.

Hier wird somit das Thema der Kasuistik von den Pharisäern sehr betont gestellt, wenn auch so, daß ein *Eingehen* auf das kasuistische Schema für Jesus mit Lebensgefahr verbunden gewesen wäre. Will man nun die Antwort Jesu nicht ihrerseits wieder bloß taktisch verstehen (und sie dann allerdings entwürdigen!), so wird man in ihr nicht nur ein geschicktes Manöver erblicken können, den eigenen Hals einer ausgelegten Schlinge zu entziehen, sondern dann wird man hier ein grundsätzliches Ja zur *Offenheit* der Entscheidung, wenn man so will: zum Engagement des *Geistes* zu erblicken haben. Wenn er nämlich antwortet: »Gebet dem Kaiser, was dem Kaiser, und Gott, was Gott zukommt«, dann heißt das nichts anderes als: »Ihr müßt selbst und in eigener Verantwortung darüber befinden, was ihr im konkreten Falle *Gott* schuldig seid und was dem Kaiser«.

Wir haben gerade während des »Dritten Reiches« erfahren, wie schwer es sein kann, daß die Entscheidung zwischen dem, was Gott, und dem, was dem Kaiser bzw. dem Staate gehört, so in der Schwebe bleibt und in eigener Verantwortung gefällt werden muß. Wie oft haben wir uns damals nach Kasuistik, wie oft haben wir uns danach gesehnt, daß uns jemand die Entscheidung zwischen den beiden Größen Gott und Kaiser (bzw. »Führer«) abnähme! Ich möchte das anekdotisch an einem eigenen Erlebnis verdeutlichen:

## Das Problem des Kompromisses

Hitler verlangte von allen Professoren, daß sie die Vorlesungen mit dem sogenannten »Deutschen Gruß« eröffneten. Durfte man dem Staate das zubilligen, gerade wenn man in Opposition zu ihm stand? Verweigerte ich diesen Gruß, würde ich sofort abgesetzt (was später übrigens aus anderen Gründen geschah). Dann verließe ich meine Studenten, also die jungen Theologen der Bekennenden Kirche, die es schon schwer genug hatten. Dann würde mein Nachfolger irgendein »Deutscher Christ« werden, also ein Vertreter der Nazi-Ideologie. Was von beidem war dem Reiche Gottes *mehr* zuwider?

Hier entstand die Frage nach dem *Kompromiß*, ohne den niemand in einer ideologischen Diktatur leben kann, und der in eigener Verantwortung, durch ein eigenes Abwägen des Wertkonfliktes entschieden werden muß.

Dieser Kompromiß äußerte sich damals vor allem in der *Form*, die man dem Deutschen Gruß gab. Hier stand nämlich eine große Variationsbreite zur Verfügung: Man konnte ihn stramm, mit blitzenden Augen und mit einem zackigen Heilruf erweisen. Dann galt er als Bekenntnis. Man konnte ihn aber auch mit einem widerwillig gewinkelten und nur halbhoch erhobenen Arm vollziehen und die verbale Begleitung ganz weglassen. Ich sehe noch die klägliche diesbezügliche Gebärde von Karl Jaspers, mit dem ich zusammen in Heidelberg wirkte, während das Horst-Wessel-Lied gesungen wurde, und wir beide einen Hustenanfall mimten. Damals drückte man seine Bekenntnisse eben in sublimen Nuancen aus, und die Leute waren sensibel genug, diese Feinheiten deuten zu können. Dennoch hatte man dem Staate so einen Tribut gezollt, durch den man es ihm ein wenig erschwerte, einen zu belangen.

Das Bedrückende beim Leben in einer ideologischen Diktatur ist diese dauernde Schwebelage, ist der desolate Zustand, daß es keine glatten, keine klaren Lösungen gibt. Dieser Zustand nötigt einen, jeden Tag über das Recht des Kaisers und das Recht Gottes neu nachzudenken, zwischen ihnen abzuwägen und dann ein entsprechendes Handeln zu wagen. Wie glücklich wäre man da für eine erleichternde und entlastende Kasuistik gewesen! So aber wurde die fast nicht zu tragende Entscheidungsverantwortung zur permanenten Qual.

Ich selbst löste für mich dieses Problem so – das Wort »Lösung« ist freilich schon zu hoch gegriffen! –, daß ich mir vornahm: Ich lasse mich zwar nicht wegen einer relativen Bagatelle abschießen. Diese Bagatellen mitzumachen, war mein Kompromiß. Aber ich werde dies und das ganz bestimmt *nicht* tun, ich werde z. B. nicht in die Partei eintreten. Dies sollte für mich die Grenze auf dieser Gleitebene sein. Und hier war ich dann zum Opfer meines Berufes bereit, weil er sonst unglaubwürdig geworden wäre. Ein unglaubwürdig gewordener Beruf ist aber schlimmer als der Verlust des Berufes.

Das also ist so eine Art Paradigma für die *Last* der Freiheit und für die Ausdehnung der ethischen Frage bis in intime geistige Bereiche hinein, wenn man sich wider die kasuistische Gängelung entschließt.

## Christlich verstandene Freiheit

Nach christlichem, speziell reformatorischem Verständnis ist es nun weder so, daß wir klare und detaillierte Normen für unser Handeln in die Hand gedrückt bekommen, noch auch so, daß wir *ohne* alle Weisung blieben, und daß alle Verantwortung bloß auf unserer subjektiven Gesinnung hängenbliebe. Beides wäre ein Mißverständnis. Ich bemühe mich um ein verdeutlichendes Bild:

Die Bibel drückt mir kein Meßtischblatt in die Hand, auf dem der Weg, den ich einzuschlagen habe, genau gekennzeichnet wäre. Es ist also in der Tat nicht so, daß mir bei jeder Wegkreuzung vorgeschrieben wird, *wie* ich mich zu entscheiden habe, *wie* ich mich etwa in Fragen der Konzeptionsverhütung, der Schwangerschaftsunterbrechung, der Todesstrafe oder beim Konflikt zwischen Wahrheit und Liebe zu verhalten habe. Wäre es so, würde ich ja nur einen fremden, befehlenden Willen vollziehen, nicht aber meinen eigenen mündigen Willen mobilisieren. Ich wäre dann einer Heteronomie unterworfen. Und doch stehe ich auch dann, wenn mir diese vorfabrizierten Entscheidungen entzogen werden, keineswegs allein und ohne Weisung da. Aber worin könnten diese Weisungen denn dann noch bestehen?

Nun: ich bekomme gleichsam einen *Marschkompaß* in die Hand gedrückt statt eines Meßtischblattes und werde losgeschickt. Die Kompaßnadel zeigt auf das Gebot der Gottes- und Nächstenliebe. In diese Richtung muß ich gehen. Und bei jeder Wegkreuzung muß ich fragen, ob ich die angezeigte Richtung auch einhalte. Aber ich muß selber den Weg finden. Mir werden sich z. B. Ströme und Berge in den Weg stellen. Ich kann ja mit Hilfe des Kompasses nicht einfach stur geradeaus gehen über Gletscher und Meere hinweg. Ich muß viele aktuelle Hindernisse und geschichtliche Zwangsläufigkeiten umgehen und überwinden. Ich muß »Kompromisse« mit dem Gelände machen und habe manchmal innezuhalten und zu überlegen. Aber ich darf bei allen Umwegen die Kompaßrichtung nicht verlieren.

Das ist in der Tat der Spielraum des Wagnisses, der mir verordnet ist. *Ich muß selber und in eigener Freiheit die Wege finden zu Zielen, die als solche feststehen.* Ich kann diese Wege freilich nicht finden ohne den, der mir auch die Ziele setzt. Es sind *seine* Ziele. Und er ist nicht nur der Herr der *Ziele,* sondern auch der Herr der *Wege.* Darum suche ich die Wege so, daß ich den Herrn der Ziele und Wege um die rechte Führung bitte. Aus dieser Bitte heraus aber *wage* ich dann. Der Kompaß ist der Wegweiser des mündigen, in seiner Freiheit angerufenen Menschen.

## Freiheit, Identität und Menschenrecht

Die Freiheit, so darf ich nun sagen, ist ein entscheidendes Grund- und Menschenrecht. Nicht, wie wir gesehen haben, die Freiheit als Willkür und Permissivität, sondern die Freiheit, seine letzten Bindungen selbst zu wählen und seine Wertetafeln nicht ideologisch oktroyiert zu bekommen, sondern sich in *Freiheit* ihnen zuwenden zu dürfen. Es geht nicht um die Freiheit, tun zu dürfen, was ich will (*die* führt gerade in ein freiheitszerstörendes laissez-faire), sondern werden zu dürfen, was ich sein soll.

Nur insofern also ist die Freiheit das Fundament aller Menschenrechte, als ich allein dann, wenn sie mir gewährt wird, »zu mir selbst kommen« und meine Identität finden kann. Ohne diese Identität kann es nur zum Ameisenstaat – zu Kollektiven, statt zu Gemeinschaften – oder auch zur ideologischen Tyrannis kommen. Beide haben ihr Gemeinsames darin, daß der einzelne nicht mehr in Freiheit das Ganze *will*, sondern daß er zum funktionierenden *Partikel* dieses Ganzen wird. Dann aber wird die Wüste wachsen; und wir werden nicht nur *in* der Wüste, sondern die Wüste wird auch in *uns* sein.

Um so ehrerbietiger blicken wir auf die – ich brauche stellvertretend nur den Namen Solschenizyn zu nennen –, die trotz aller Attacken auf Freiheit und Menschenrecht ihre Identität bewahrt haben und sich einsam inmitten der ideologischen Pressionen behaupteten. Gerade daß sie ihr Selbst inmittten von lauter Apparatschiks bewahrten, führte dazu, daß sie als Fremdkörper empfunden werden mußten. Um derart als personaler Sperrmüll inmitten gestanzter Kollektive bewertet zu werden, genügt es schon, wenn jemand seine »Menschlichkeit« in schlichter Liebeslyrik verrät. Ich denke an einen Dichter wie Jewtuschenko, der die Liebe von Liesel und Hans besingt und nicht bloß ein Loblied über Traktor-Liesel und Traktor-Hans anstimmt, die sich als Funktionsträger in der Produktionsschlacht ergänzen und die Erfolgsnormen heben. Wo persönliche Identität auf *diesem* Kampfplatz bewahrt und behauptet wird, da ragt eine solche Gestalt einsam aus dem Ameisenhaufen heraus. Wir wissen, was dann mit ihr zu geschehen pflegt.

Der Appell an die Freiheit als zu wahrendes Menschenrecht ist so stets mit dem Imperativ verbunden: »Werde, was du bist, sei du selbst!« Aber wer bin ich denn? Mit dieser Frage möchte ich schließen.

Es ist erstaunlich, wie diese Frage nach dem, was ich bin, was also meine Identität sei, seit geraumer Zeit die Denker und Dichter beschäftigt. Sie gehört zu den Lieblingsthemen von Max Frisch und steht etwa im Mittelpunkt seines Romans »Mein Name sei Gantenbein«. Karl Marx sagt, der Mensch sei das, was die gesellschaftlichen und wirtschaftlichen Verhältnisse aus ihm machen. Sartre dagegen meint, der Mensch werde durch seine Umgebung »fixiert«, sie erwarte von ihm, daß er so und so sei und sich konformistisch ihr angliche. Sie macht ihn so zu ihrer Kopie und ihrer Funktion. Karl May endlich (es ist ein wenig pikant, auch ihn in dieser erlauchten Namenreihe auftauchen zu lassen) Karl May sagt in seinem Grabspruch:

Sei uns gegrüßt! Wir deine Erdentaten
Erwarten dich am Himmelstor.
Du bist die Ernte deiner eig'nen Saaten
Und steigst mit uns nun zu dir selbst empor.

Karl May will also sagen: Der Mensch ist das Produkt seines eigenen Handelns, er ist das, was er aus sich gemacht hat; er ist die Ernte seiner eigenen Saat; er produziert sich selbst. *Wer also bin ich eigentlich?* Das ist die Frage, die uns umtreibt – auch die Menschen im freien Westen, die zwar die Freiheit hätten, werden zu dürfen, was sie sein sollen, vielfach aber dieses Wer und Was ihres Selbst verloren haben. Gerade das macht ja die viel diskutierte Identitätsnot unserer Jugend aus.

In den letzten Tagen des Krieges wurde Pfarrer Dietrich Bonhoeffer von der Gestapo erhängt. Aus seiner Gefängniszeit haben wir ein paar Verse, die sich genau mit dieser Frage beschäftigen, wer ich sei:

Wer bin ich? Sie sagen mir oft,
ich träte aus meiner Zelle
gelassen und heiter und fest
wie ein Gutsherr aus seinem Schloß ...
Bin ich das wirklich, was andere von mir sagen?
Oder bin ich nur das, was ich selbst von mir weiß:
Unruhig, sehnsüchtig, krank, wie ein Vogel im Käfig ...
Bin ich beides zugleich? Vor Menschen ein Heuchler
und vor mir selbst ein verächtlich wehleidiger Schwächling? ...
Wer bin ich? ...
Wer ich auch bin, Du kennst mich, Dein bin ich, o Gott!

Was bedeutet es nun, daß Gott mich allein kennt und daß ich sein bin?

Das heißt erstens, daß wir Menschen weder uns selbst noch unsern Nächsten kennen, daß wir uns selbst nie ganz verstehen, daß wir nicht über unsere eigene Identität verfügen.

Aber noch ein Zweites ist damit gesagt: Der Gedanke, daß Gott um uns weiß, könnte an sich ja schrecklich sein. Es ist doch ein schockierender Gedanke, von jemandem durchschaut zu werden bis in die letzte Falte unseres Wesens. Wenn es aber stimmen sollte, was Jesus von seinem Vater sagt, dann ist es nicht schockierend, sondern dann ist es schön und sogar tröstlich, so durchschaut zu werden. Denn wir wissen, daß er uns in Liebe versteht und unter Schmerzen sucht.

Goethe hat einmal gesagt, man verstünde nur das, was man liebt. Hier werden wir unendlich geliebt und darum auch unendlich verstanden. Wenn ein *Mensch* uns ganz durchschauen würde, wäre das in der Tat beklemmend. Wir könnten uns kaum mehr vor ihm blicken lassen. Doch wie heißt es in den zitierten Versen: »Wer ich auch bin, Du kennst mich, Dein bin ich, o Gott!«

Es gibt jemanden, der um uns weiß und nicht irre an uns wird. Wir sind identisch mit dem Bilde, das Gott von uns hat und das er in seinem Herzen bewahrt. Dies und nichts anderes besagt der alte Satz von der »Gottebenbildlichkeit«, der das christliche Wissen um das Humanum ausdrückt: Wir sind identisch mit dem Bilde, das Gott von uns hat. Wir mögen an den Schweinetrögen der Fremde – auch der Identitäts-Entfremdung – verkommen und bis zur Unkenntlichkeit entstellt sein. Wir *bleiben* der Sohn, der dem Vater teuer ist und dem er die Treue hält. Wir bleiben die »teuer Erkauften«; wir bleiben die, in die er seine Liebe investiert hat. Das ist unsere Identität. Hier ruhen Gottes- und Menschenrecht ineinander.

## Günther Patzig

# Ethik und Wissenschaft

Es ist nicht erst eine Entdeckung unserer Tage, daß die Wissenschaften und ihre Anwendungen das menschliche Leben verändern. Seit dem Beginn der vor allem mit dem Namen Galileis verknüpften wissenschaftlichen Revolution der Neuzeit war – anders als in der Antike – neben dem Wunsch nach tieferer Erkenntnis der Wirklichkeit ein Hauptmotiv der wissenschaftlichen Arbeit die Hoffnung, die Mühsal der menschlichen Existenz könne durch Erkenntnis und Beherrschung der Natur erleichtert und die prekäre Lage des Menschen durch Abwehr mancher Gefahren verbessert werden. Eine Änderung ist inzwischen nur in folgenden, freilich entscheidenden Punkten eingetreten: Bis etwa zur Mitte unseres Jahrhunderts lagen die möglichen nachteiligen oder sogar katastrophalen Wirkungen der Wissenschaft und ihrer technischen Verwendung angesichts ihrer großartigen Leistungen und Erfolge gleichsam unter der Wahrnehmungsschwelle der Beteiligten und Betroffenen. Erst in den letzten Jahrzehnten haben die gewaltigen Fortschritte des Verbunds von Wissenschaft und Technik und ihre umfassenden Einwirkungen und Nebenwirkungen jedermann deutlich gemacht, daß diese Entwicklung auch zu irreversiblen Schäden für unsere Umwelt, ja zur Auslöschung menschlichen Lebens auf der Erde führen kann. Zugleich machen die schnell wachsenden Kosten für die materiellen und personellen Voraussetzungen anspruchsvoller Forschung und Technik die Frage nach einem vertretbaren Verhältnis zwischen Aufwand und Erfolg dringend.

Diese schwierigen und zur Zeit lebhaft diskutierten Probleme können nun gewiß nicht durch einen Rückzug der heute lebenden Menschen aus Wissenschaft und Technik gelöst werden. Die historisch auf die griechischen Denker des 6. Jahrhunderts v. Chr. zurückgehende »Entdeckung des Geistes«, d. h. des Prinzips rationaler Argumentation, wäre selbst dann nicht rückgängig zu machen, wenn wir das wünschten. Einmal als systematische Möglichkeit menschlichen Denkens und Handelns entdeckt, werden Wissenschaft und Technik das Leben der Menschheit auch in Zukunft prägen, wenn es denn überhaupt eine Zukunft der Menschheit geben soll.

Die Antwort kann daher nur eine verbesserte und verfeinerte, zugleich vertiefte wissenschaftliche Reflexion und eine auf komplexe Zusammenhänge und unbeabsichtigte Nebenfolgen mehr als bisher achtende Technik sein. Damit erwächst denjenigen, die in den Institutionen der Wissenschaft arbeiten, und denen, die über die Anwendung der dort erreichten Resultate entscheiden, eine kollektive Verantwortung dafür, daß die Potentiale der Wissenschaft der Menschheit dienen und sie nicht gefährden. Hierüber sollte inzwischen ein breiter Konsens bestehen. Aber damit ist es natürlich nicht getan. In vielen Fällen ist unklar, ob die sich abzeichnenden Risiken den erhofften Nutzen aufzehren können. Ferner ist nicht hinreichend deutlich, wie weit diese kollektive Verantwortung der Institution Wissenschaft auch den einzelnen Wissenschaftler trifft und an welchen Maßstäben er sich orientieren kann, wenn er eine solche Verantwortung ernst nimmt. So scheint die Aufgabe dringend, eine »Ethik der Wissenschaft« zu entwickeln.

## Auf dem Weg zu einer »Ethik der Wissenschaft«

Die Aufgabe ist schwierig und komplex; und weder der für Fragen der philosophischen Ethik zuständige Spezialist noch die Fachleute in den einzelnen Wissenschaftsdisziplinen werden, jeweils auf sich allein gestellt, hierin viel ausrichten können. Die Ethik besitzt wertvolle Einsichten und Resultate, die in der praktischen Philosophie seit Sokrates, Platon und Aristoteles, bei Kant, den englischen Utilitaristen und in der auf hohem technischem Niveau und in sachgerechter Differenziertheit geführten ethischen Diskussion der Gegenwart erreicht worden sind. Aber um die Tatsachen, deren normative Bedeutung ermittelt werden soll, deutlich zu erfassen, ist der Ethiker auf die Unterrichtung durch den wissenschaftlichen Experten angewiesen. Und auch dieser, der die Tatsachenlage im günstigen Falle ganz überblickt, müßte sich hinsichtlich ihrer Gewichtung unter moralischen Aspekten auf eine klärende Diskussion mit dem philosophischen Ethiker einlassen. Ein fortgesetzter Dialog (der in geeigneter Weise institutionalisiert werden könnte, ja sollte) zwischen Experten der Fachwissenschaften und Vertretern der praktischen Philosophie wäre tatsächlich das geeignetste Verfahren, um zu rational begründbaren und vielleicht auch konsensfähigen Auffassungen zu gelangen[1].

Freilich ist es, wie die Erfahrung zeigt, schon vorweg ratsam, auf zwei unter Wissenschaftlern verbreitete Einstellungen kurz kritisch einzugehen, die einander zwar sachlich entgegengesetzt sind, aber doch darin übereinstimmen, daß sich aus ihnen bequem Strategien zur Vermeidung intellektueller Anstrengungen entwickeln lassen. Ich will damit nicht sagen, daß diese Bequemlichkeit allein oder hauptsächlich die weite Verbreitung dieser Ansichten erklärt; aber daß sie dabei mitwirkt, scheint mir nicht zweifelhaft. Die eine Auffassung geht dahin, man müsse ethische Fragen den dafür kompetenten Autoritäten überlassen. z. B. den Vertretern der Kirche oder bedeutenden Philosophen wie etwa (bis vor kurzem vor allem) Albert Schweitzer oder (heute eher) Hans Jonas[2], aus deren prinzipiellen Einsichten man eindeutige Entscheidungshilfe auch für den konkreten Fall gewinnen könne. Die andere Vermeidungsstrategie beruft sich auf die individuelle und höchstpersönliche Entscheidung des Wissenschaftlers, die »Stimme des Gewissens«, das untrügliche Wertgefühl, die in jedem Falle dem, der sich auf sie verläßt, den richtigen Weg aus kritischen Situationen weisen werden.

Beide Ansichten enthalten jeweils einen richtigen Kern, daß man nämlich die Argumente kompetenter und erfahrener Autoren kennen und beachten sollte, und, auf der anderen Seite, daß auch kompetenteste Fachleute niemandem eine Entscheidung abnehmen können, die nur jeder einzelne in seiner Situation treffen kann. Die Auffassung, die ich hier näher entwickeln möchte, kombiniert beide Elemente: Wir brauchen eine die wissenschaftliche und technische Entwicklung begleitende Diskussion unter allen an dieser Entwicklung Beteiligten. Die Aufgabe des Philosophen als Teilnehmer an dieser

Diskussion kann nicht die Verkündung von Heilswahrheiten sein oder die Vermittlung von Einsichten in Grundstrukturen der Wirklichkeit, aus denen (unter Vernachlässigung der Sein-Sollens-Schranke) unmittelbar Verhaltensregeln für bestimmte Situationen gewonnen werden könnten.

Die moralischen Grundsätze, die der Philosoph beibringt, stellen vielmehr nur, freilich wesentliche, Gesichtspunkte dar, die in solchen Diskussionen beachtet werden sollten. Er ist ferner dazu besonders vorgebildet, zwischen rationalen, d.h. auf Erfahrung und Vernunft und sonst nichts gegründeten Argumenten und solchen Argumenten zu unterscheiden, die, explizit oder implizit, auf andere Grundlagen zurückgreifen, z.B. auf Glaubensüberzeugungen, metaphysische Theorien oder emotionale Einstellungen. Eine entsprechende Auffassung scheint auch G. Stent, Molekularbiologe in Berkeley, zu vertreten, wenn er in seinem Beitrag zu einem von der Max-Planck-Gesellschaft 1984 veranstalteten Symposion sagte: »Ich glaube nicht, daß es für diese Probleme« (es geht um die moralische Implikationen der DNA-Neukombination) »einfache Lösungen gibt. Jedoch bin ich davon überzeugt, daß die Kompromisse, die hier gemacht werden müssen, eine bessere Aussicht auf Erfolg haben, wenn in der ethischen und theologischen Problematik geschulte Fachleute bei den Diskussionen mitwirken: nicht weil Ethiker und Theologen bessere Antworten parat hätten, sondern lediglich deshalb, weil sie den Kontrahenten die philosophischen Grundlagen der oft sehr verworrenen Argumente klarmachen könnten und ihnen die Mühe ersparen würden, das Rad aufs neue zu erfinden.«[3]

Im folgenden sollen einige Gedanken entwickelt werden, die für einen solchen Dialog besonders wichtig sein dürften. Dazu muß ich allerdings ein wenig ausholen: Zunächst soll verdeutlicht werden, was man unter einer »rationalen« Begründung moralischer Normen zu verstehen hat. Dann stelle ich einige besonders einflußreiche, voneinander aber erheblich abweichende Begründungsmodelle vor und würdige sie kritisch. Danach bespreche ich einige für die wissenschaftliche Praxis wichtige moralische Aspekte. An Beispielen aus der gegenwärtigen Diskussion soll dann die Anwendung dieser normativen Gesichtspunkte auf konkrete Probleme erörtert werden; dabei werde ich die Frage einer rationalen Begründung von Normen für den Tierschutz, insbesondere im Zusammenhang mit den wissenschaftlichen Tierversuchen, ausführlicher behandeln. Denn dieser spezielle Fall eignet sich als Beispiel nicht nur deshalb, weil er in mehreren Ländern im Mittelpunkt lebhafter, zum Teil mit Leidenschaft geführter Debatten gestanden hat und – in der Bundesrepublik im Vorfeld neuer gesetzlicher Regelungen – noch steht, sondern vor allem darum, weil hier die Unterscheidung zwischen rationalen und nicht-rationalen Begründungsstrategien besonders dringlich zu sein scheint. Denn man wird sagen müssen, daß die Diskussion auf beiden Seiten, bei den engagierten Tierschützern und bei den in die Defensive gedrängten Wissenschaftlern, jedenfalls teilweise mit Argumenten geführt wird, die dem jeweiligen Opponenten unterstellen, er sei von irrationalen und teilweise sogar verwerflichen Motiven, unbewußten Antrieben und Interessen gesteuert und verschleiere die eigentlichen Beweggründe mit bloß vorgeschobenen Scheingründen. Tierschützer haben den mit Tieren experimentierenden Wissenschaftlern eine pathologische Neugier, hemmungsloses Karrierestreben, Profitgier, ja verdrängten oder sogar offenen Sadismus vorgeworfen. Die Wissenschaftler haben, durch solche Unterstellungen

gereizt, mit ähnlich groben Behauptungen geantwortet: Die Tierschützer seien welt-
fremde Utopisten, von irrationalem Wissenschaftshaß und einer pathologischen Tierliebe
geleitet, die eigentlich Menschenhaß sei, wobei gelegentlich sogar an Hitlers Zuneigung zu
seinen Schäferhunden erinnert wurde. Demgegenüber ist aber doch offenkundig, daß
Experimente mit Tieren allerdings gewisse moralische Probleme aufwerfen, die gründlich
diskutiert werden müssen. Und ebenso klar dürfte sein, daß eine Diskussion der hier
anstehenden Fragen nur wenig Aussicht auf Erkenntnisgewinn bietet, wenn die Teilnehmer einander nicht zugestehen wollen, daß auch der Vertreter abweichender oder gar
entgegengesetzter Ansichten von den Argumenten, die er vorträgt, ebenso ehrlich überzeugt sein kann wie man selbst von den eigenen. G. Stent weist in seinem schon zitierten
Diskussionsbeitrag mit Recht darauf hin, daß der häufig angewandte rhetorische Kunstgriff, über die Argumente des Gegners hinweg auf die psychogenetischen Wurzeln und
vielleicht unbewußten Motive seiner unbequemen Auffassungen zurückzugreifen, die
Replik geradezu herausfordert, die in der entsprechenden psychogenetischen Analyse der
jeweils eigenen Ansichten bestehen muß. So wird jede Diskussion schnell zum Scheitern
gebracht. Deutlichere Kriterien hinsichtlich rational nachprüfbarer und solcher Argumente, die das nicht sind, könnten zur Vermeidung dieses unerwünschten Effekts
hilfreich sein.

## Die Idee einer rationalen Normenbegründung

Nach einer heute wohl weithin konsensfähigen Auffassung ist die Ethik die philosophische
Untersuchung der moralischen Normensysteme, also jener Systeme von Verhaltensregeln, die in einer Gesellschaft zu einer bestimmten Zeit weithin akzeptiert (freilich nicht
immer befolgt) werden.

Dabei bleiben bloße Konventionen (z.B. des »guten Tons«) und die mit Sanktionen
bewehrten staatlichen Rechtsnormen außer Betracht. Die moralischen Normensysteme
können natürlich auch Gegenstand anderer Wissenschaften sein, wie der Ethnologie, der
Geschichtswissenschaft und der Soziologie. Die *philosophischen* Untersuchungen, die für
die Ethik charakteristisch sind, haben es mit der Frage nach der Begründbarkeit moralischer Normen zu tun, ferner mit dem Problem der Reduzierbarkeit konkreter moralischer
Normen auf ein moralisches Prinzip oder einige wenige solcher Prinzipien, und schließlich
mit der Frage nach den möglichen Motiven, die den als gültig erkannten moralischen
Normen – insoweit es dergleichen gibt – Wirkung im Leben der Menschen verschaffen
könnten.

Die Frage nach der Begründung moralischer Normen ist dabei zentral. Lange standen
sich hier objektivierende und relativierende Auffassungen gegenüber. In Deutschland
war besonders einflußreich der sogenannte »Wertintuitionismus« bei Max Scheler und
Nicolai Hartmann: Es gibt ein System von hierarchisch gegliederten objektiven, von
unserem Dafürhalten unabhängigen Werten, die uns im »Wertgefühl« zugänglich werden, ähnlich, wie uns die Kenntnis der Dinge der raumzeitlichen Welt durch Wahrnehmung vermittelt wird.

Diese Werte, unabhängig von unserem Wertgefühl, bestehen als ideale Forderungen zeitlos, sie sind nicht für ihre Geltung, wohl aber für ihre Verwirklichung in der realen Welt auf den Menschen angewiesen. Dieser objektivistischen These trat ein vor allem soziologisch und historisch begründeter Wertrelativismus gegenüber, der sich mit Recht auf die Vielfalt der konkreten Normensysteme in verschiedenen Zivilisationen und auf die erkenntnistheoretischen Schwierigkeiten des Wertintuitionismus berief. (Denn während man über den kausalen Ablauf, der aus Umweltreizen Wahrnehmungen macht, doch jedenfalls einigermaßen gegründete Vorstellungen entwickeln kann, fehlt für eine entsprechende Darlegung über das Verhältnis der Werte zum Wertfühlen jede Basis.)

Max Webers fundamentale Zweiteilung zwischen (wissenschaftlicher) Rationalität als »Zweckrationalität« und Wertentscheidungen schien lange das letzte Wort in dieser Grundfrage. Die gegenwärtige Diskussion in der Philosophie ist in der Kritik am naiven Wertintuitionismus der skeptischen Argumentation weitgehend gefolgt. Sie hat aber nicht die Gleichsetzung von Rationalität und Wissenschaftlichkeit, wie sie in Webers Nachfolge ausgebildet worden war, mitvollzogen: Rationalität greift weiter als wissenschaftliche Methoden, die freilich den Paradefall von Rationalität darstellen. Von »Werten« kann man nach heute vorherrschender Auffassung, der ich zustimme, sinnvoll nur auf der Basis von Interessen, Wünschen und Bedürfnissen von Menschen, oder, mit einer bedeutsamen Erweiterung, Lebewesen sprechen. (Diese beiden Punkte werden sich in unserer Behandlung der Tierschutzproblematik als besonders wichtig erweisen.) Daher müssen auch moralische Werte in den Bedürfnissen, Wünschen und Interessen von Individuen oder Gruppen von Individuen fundiert sein. Moralische Normen haben im Rahmen dieses Konzepts die für das Zusammenleben von Individuen wesentliche Funktion, den einzelnen oder einzelne Gruppen innerhalb einer Gesellschaft daran zu hindern, ihre eigenen Interessen ohne Rücksicht auf vielleicht dringendere und berechtigte Interessen anderer durchzusetzen, oder sie, komplementär dazu, zu veranlassen, auch die (dringenden und berechtigten) Interessen anderer in die jeweils eigenen Zielprojektionen mit aufzunehmen.

Der Relativismusproblematik kann man dann damit begegnen, daß man zu zeigen versucht, wie sehr die verschiedenen moralischen Normensysteme, in verschiedenen Epochen und auch – synchron – in verschiedenen Gesellschaften, sich weithin einander annähern, wenn sie als die Konkretisierungen einiger überall wirksamer moralischer Prinzipien unter freilich erheblich variierenden Rahmenbedingungen begriffen werden. Und dort, wo in verschiedenen Gesellschaften miteinander nicht verträgliche moralische Prinzipien wirksam zu sein scheinen, läßt sich doch jedenfalls nicht ausschließen, daß sich einige dieser Prinzipien in rationaler Diskussion als besser begründbar erweisen könnten als ihre Konkurrenten.

Als eines der Rationalitätskriterien, die in einer solchen Diskussion eine wichtige Rolle spielen müssen, kann man, in Anlehnung an Kants Lehre vom »kategorischen Imperativ«, das »Universalisierbarkeitsprinzip« nennen. Dies hat wenigstens zwei Anwendungsebenen; auf der ersten erscheint es als Prinzip der »Fairneß«, auf der zweiten als das Prinzip der »Solidarität«. Das Prinzip der »Fairneß« besagt: Nur solche Verhaltensregeln sind zulässig, die der nach dieser Regel Handelnde auch in Hinsicht auf jeden anderen akzeptieren würde, wenn dieser sich in einer unter moralischen Aspekten vergleichbaren Situation befindet. Wer für sich einen Ausnahmestatus in Anspruch nehmen will, muß

Gründe angeben können, die nicht nur ihm, sondern im Prinzip jedermann einleuchten, warum für ihn gelten soll, was er nicht für jedermann (in vergleichbarer Lage) gelten lassen will. Die Forderung nach einem Rechtsstaat dürfte eng mit dem moralischen Prinzip der »Fairneß« zusammenhängen.

Das Prinzip der »Solidarität«, aus dem Forderungen erwachsen, die über jene Forderungen hinausgehen, welche das Prinzip der »Fairneß« begründen kann, besagt, der einzelne müsse bei der Wahl von Verhaltensregeln davon absehen, in welcher konkreten Situation er selbst innerhalb der Gesellschaft lebt. So muß der Leistungsfähige, Intelligente und Gesunde nach diesem Prinzip bereit sein, an den Aufwendungen der Allgemeinheit für die Behinderten und Kranken mitzuwirken und im konkreten Einzelfall dem Hilfsbedürftigen nach Maßgabe seiner Möglichkeiten beizustehen. Es liegt nahe, in den beiden Prinzipien der »Fairneß« und der »Solidarität« die Voraussetzungen für einen *sozialen* Rechtsstaat zu sehen.

Es sollte damit schon deutlich sein, daß eine so bestimmte »Vernünftigkeit« des Handelns über Zweckrationalität eindeutig hinausgreift. Demgegenüber wird immer wieder die These vertreten, eine rationale Begründung moralischer Normen sei nur möglich, wenn man zeigen könne, daß die Beachtung der Normen im langfristigen wohlverstandenen Eigeninteresse des nach dieser Norm Handelnden liegt. Daher gehe ich auf diesen zentralen Punkt etwas näher ein: Zwar ist es im allgemeinen auch durchaus im Interesse des einzelnen, in einer Gesellschaft zu leben, in der moralische Normen in Kraft sind (das hat schon Hobbes, und vor ihm in der Antike Epikur gezeigt: Ein Leben im sogenannten »Naturzustand« wäre in der Tat, wie Hobbes es unübertrefflich formuliert hat, »nasty, brutish and short«). Soviel ist den Vertretern der Eigennutz-These ohne weiteres einzuräumen. Aber die Opfer, die Fairneß und Solidarität dem einzelnen auferlegen, können im konkreten Fall die Vorteile der Zugehörigkeit zu einer nach moralischen Normen verfaßten Gesellschaft übersteigen. Wer tatsächlich ausschließlich sein langfristiges Eigeninteresse im Auge hat, müßte alles dafür tun, daß moralische Grundsätze in der Gesellschaft, in der er lebt, allgemein beachtet werden, zugleich aber darauf achten, daß er selbst sich den Lasten, die damit auch auf ihn entfallen, in geschickter und möglichst unauffälliger Weise entzieht. Es liegt nahe, hiergegen einzuwenden, der so Handelnde müsse sich doch sagen: Wenn alle Mitglieder der Gesellschaft sich so, nach Art von »Trittbrettfahrern«, verhielten, bräche die moralische Ordnung, im Gegensatz zu seinen Wünschen, schnell zusammen. Aber dieser Einwand trifft den am eigenen Interesse orientierten »Freund« der moralischen Ordnung nicht: Er kann ja im Regelfalle einigermaßen sicher sein, daß die meisten Menschen eben nicht so »intelligent« egoistisch handeln, wie er selbst, zumal wenn er dafür sorgt, daß seine Strategie den übrigen Mitgliedern der Gesellschaft möglichst verborgen bleibt. Daß eine moralische Ordnung nicht funktionieren kann, wenn alle so handeln, ist also kein Argument, das den Vertreter einer so interessegeleiteten »Moral« beeindrucken müßte; und als ein Appell an das »Fairneß«-Prinzip setzt es ja schon jene genuin moralische Motivation voraus, die von den Anhängern dieser Interessen-Theorie der moralischen Motivation gerade bestritten wird.

Eine »normale« moralische Einstellung wird man einigermaßen sachgerecht wie folgt beschreiben können: Man zieht eine Gesellschaftsordnung vor, in der z. B. behinderte

Kinder von ihren Eltern und in der Familie, soweit möglich, versorgt werden; in der ein querschnittsgelähmter Ehepartner mit einiger Sicherheit darauf zählen kann, daß ihn sein gesunder Ehepartner nicht im Stich läßt; in der Ärzte bei einer Epidemie auch eine gewisse Ansteckungsgefahr in Kauf nehmen, um ihren Patienten zu helfen; in der Richter sich auch durch öffentliche Anfeindungen, politischen Druck oder gar persönliche Drohungen nicht von Recht und Gesetz abbringen lassen.

Einmal vorausgesetzt, was mir plausibel scheint, daß es im allgemeinen erfreulicher ist, in einer von solchen Grundsätzen bestimmten Gesellschaft zu leben als in einer, in der diese Regeln offenkundig nicht gelten: Normalerweise wird jedermann wünschen, nicht in eine Lage zu kommen, in der von ihm entsprechende moralische Kraftproben verlangt werden; wenn aber eine solche Situation eintritt, wird er bereit sein, sich entsprechend den Erwartungen dieser Gesellschaft konsequent zu verhalten. Selbst wenn er die Kraft nicht aufbringen sollte, in einer solchen Situation normgerecht zu handeln, wird er doch nicht bestreiten, daß die Norm, die ihm ein solches Verhalten vorschreibt, begründet ist und von ihm akzeptiert wurde. Die Erfahrung zeigt auch, daß in moralisch funktionierenden Gesellschaften viele Individuen, wenn sie in eine entsprechende Situation geraten, durchaus bereit sind, die unbequemen Rollen der sich aufopfernden Mutter, des verläßlichen Ehepartners, des Risiken übernehmenden Arztes oder des beherzten Richters zu übernehmen. Die Empfindung der Hochachtung gegenüber jemandem, der seine moralischen Verpflichtungen auch in schwierigen Lagen erfüllt, ist ohne Zweifel sehr verschieden von der Bewunderung für jemanden, der in besonders weitsichtiger, geschickter und energischer Weise seine langfristigen Interessen wahrnimmt. Und wenn Anlaß zu bestehen scheint, jemanden wegen seines Mangels an moralischer Belastungsfähigkeit zu tadeln oder in Extremfällen sogar zu verachten, so ist diese Reaktion wiederum ganz verschieden von dem Bedauern gegenüber dem, der bei seiner langfristigen Interessenrealisierung mit allen seinen Plänen am Ende doch scheitert.

Aus diesen Überlegungen ergibt sich, daß darin kein Widerspruch liegt, wenn man in der Ethik sowohl teleologische (an langfristiger Interessenrealisierung orientierte) als auch deontologische (an der Einhaltung moralischer Gebote um ihrer selbst willen orientierte) Elemente für unentbehrlich hält: Die Begründung eines Regelsystems kann sinnvoll nur dadurch gegeben werden, daß gezeigt wird, in welcher Weise solche Regeln eine Art der sozialen Kooperation sicherstellen können, die für alle Mitglieder dieser Gesellschaft im allgemeinen förderlich ist. Jedoch kommt man hinsichtlich der Verpflichtung des einzelnen Mitglieds der Gesellschaft, ein solches Regelsystem in seinem eigenen Verhalten zu respektieren, und zwar auch dann, wenn im Einzelfall die Kosten der Regelkonformität die erhofften Vorteile überwiegen, ohne eine genuin moralische (deontologisch orientierte) Motivation nicht aus.

Die Ansicht, Menschen seien aus prinzipiellen Gründen gar nicht in der Lage, in irgendeiner Situation etwas zu tun, von dem sie nicht wenigstens meinen, es diene unmittelbar oder mittelbar ihren eigenen Interessen, ist offenbar weit verbreitet und bei denen, die sie vertreten, tief eingewurzelt. Man kann wohl sagen, daß es sich hier um eine der in den Sozialwissenschaften herrschenden Doktrinen handelt. Es ist hier nicht der Ort, der freilich interessanten Frage nachzugehen, welche historischen Bedingungen und welche Autoren die Ausbildung des dieser Ansicht zugrunde liegenden Menschenbildes begünstigt haben. Hier geht es um die sachliche Tragfähigkeit des Ansatzes; und es läßt sich leicht zeigen, daß es um diese nicht zum besten bestellt ist. Denn auch die Vertreter dieser Auffassung haben meist, ehrlicherweise, zugegeben, daß es nicht nur heroische Einzelfälle, sondern ganz alltägliche Verhaltensweisen gibt, die jedenfalls auf den ersten Blick klare Beispiele von Handlungsweisen zu sein scheinen, die auf genuin moralische Motive – unter Vernachlässigung von eigenen Interessen – hinweisen. Es gibt freilich auch verschiedene Argumentationsstrategien, die aus diesen zunächst der Grundthese widerstreitenden Erfahrungen Anwendungsfälle des Prinzips der Interessenrealisierung zu gewinnen erlauben. Von diesen Hilfstheorien seien nur zwei, in der gegenwärtigen Diskussion besonders prominente, Varianten kurz besprochen: Die erste läuft darauf hinaus, als das eigentliche Ziel solcher Handlungen die innere Befriedigung zu bezeichnen, die der Handelnde bei entsprechender Normenerfüllung zu empfinden hofft, bzw. die Vermeidung der unangenehmen Selbstvorwürfe, denen er sich bei moralischem Versagen ausgesetzt sähe. Gegen diesen Versuch, die moralische Motivation auf einem Umweg doch auf das Prinzip der Interessenrealisierung zurückzuführen, hat schon Kant in der »Kritik der praktischen Vernunft« den schlagenden Einwand erhoben, daß jenes hier als Ersatz der moralischen Motivation in Anspruch genommene Bedürfnis nach »Zufriedenheit oder Seelenruhe« die Anerkennung der Verpflichtung zu moralisch regelgeleitetem Verhalten als solche schon voraussetzt. Denn niemand kann Zufriedenheit über seine Handlungsweise oder Zerknirschung über eine andere Verhaltensweise empfinden, der nicht vorher schon davon überzeugt wäre, daß moralische Normen um ihrer selbst willen Respekt verdienen. Hoffnung auf Zufriedenheit und Furcht vor Selbstvorwürfen können also die moralische Motivation weder ersetzen noch erklären.[4]

Einen interessanteren Versuch, in der Erklärung der Phänomene der moralischen Lebenswirklichkeit ohne eine genuin moralische Motivation auszukommen, hat J. L. Mackie in seinem Buch »Ethics: Inventing Right and Wrong«[5] unternommen.

Mackie zeigt zunächst, daß die moralische Normierung eines Verhaltens in einem *Kernbereich* auf die Praxis langfristiger optimaler Interessenwahrung der jeweils Handelnden zurückgeführt werden kann. Dabei läßt Mackie neben dem individuellen Egoismus auch den von ihm sogenannten »self-referential altruism« (»ich-bezogenen Altruismus«) zu, der es dem einzelnen ermöglicht, die Bedürfnisse und Interessen von Personen, die ihm nahestehen. z.B. seiner Familienangehörigen und Freunde, wie seine eigenen zu behandeln.[6] Daß sich Regelsysteme durchgesetzt haben, die eine Berücksichtigung der Interessen aller Mitglieder einer Gesellschaft verlangen, auch derer, die wir gar nicht kennen, wird von Mackie durch mittelbare Wirkung des Eigeninteresses erklärt, und zwar entsprechend dem oben schon skizzierten Konzept: Das Vorliegen eines Regelsystems gegenseitiger allgemeiner Rücksichtnahme ist für alle Mitglieder einer Gesellschaft von höchstem Wert; daher akzeptiert man Einschränkungen der Realisierung eigener Interessen, soweit sie zur Aufrechterhaltung der sozialen Ordnung notwendig sind oder zu sein scheinen. Jedoch räumt Mackie ein, daß die uns bekannten Normensysteme über diese rationale (im Sinne von »zweckrationale«) Interessensicherung (auf Gegenseitigkeit) doch weit hinausgehen. Die Fürsorge für unheilbar Kranke und geistig Behinderte z.B. ist moralisch stark sanktioniert, obwohl sie den übrigen Mitgliedern der Gesellschaft diese Hilfe nicht durch ihr eigenes Verhalten vergelten können und Rücksichtslosigkeit ihnen

gegenüber den anderen nicht gefährlich werden kann. Auch die weithin gefühlte moralische Verpflichtung, den Tieren gegenüber nicht grausam zu sein, kann auf der Basis des
Ansatzes von Mackie nicht ohne weiteres erklärt werden. Mackie gibt zu, daß es Situationen gebe, in denen sich der einzelne verpflichtet fühlen kann, sogar unter Einsatz seines
Lebens und seiner Gesundheit moralische Verpflichtungen zu erfüllen, die sich auf das
Wohl anderer Menschen oder auf das Wohl der ganzen Gemeinschaft richten. Selbstliebe
und ichbezogener Altruismus können hier, wie auch Mackie durchaus klar ist, als Motive
nicht hinreichen.

Seine Antwort auf die Frage, ob solche Tatsachen nicht die Annahme einer genuin
moralischen Motivation erzwingen, ist negativ. Den Ausweg aus dieser Aporie eröffnet
seine *Dispositionstheorie:* Wie Aristoteles faßt Mackie moralisch besonders geschätzte Eigenschaften von Menschen wie Hilfsbereitschaft, Gerechtigkeit, Rücksichtnahme und Großzügigkeit als bestimmte Verhaltenstendenzen auf, die durch Gewohnheit in der täglichen
Praxis erworben und gefestigt werden. Solche Dispositionen, Tugenden, Charaktereigen-
schaften, im interessegeleiteten Kernbereich sozialer Kooperation erworben, entfalten
dann im Lauf der Zeit ihr Eigenleben, sie gewinnen eigenes Gewicht und eine eigene
Dynamik: Sie können auch in solchen Situationen moralisch normierte Handlungen
generieren, die in keinem erkennbaren Zusammenhang mit ihrem Ursprungsgebiet
stehen, nämlich der langfristigen Interessensicherung des jeweils Handelnden durch
soziale Kooperation.

Solche Verhaltenstendenzen und Dispositionen können – so Mackie – die Motivations-
lücke schließen, die zwischen interessegeleitetem Handeln und uneingeschränkt uneigen-
nützigem Handeln noch klafft. Derlei zur zweiten Natur gewordene Verhaltenstendenzen
kann man nicht nach Belieben an- und abschalten wie einen Elektromotor; und so werden
sie Menschen gelegentlich zu Handlungsweisen bestimmen, die mit ihrer langfristigen
Interessenrealisierung nichts zu tun haben, ja dieser sogar entgegenwirken. Mackie ist nur
konsequent, wenn er diese Wirkung von Dispositionen als irrational und als einen
offenkundigen, wenn auch kaum vermeidbaren, Nachteil der sonst so nützlichen Institution moralischer »Erziehung« betrachtet.

Hier haben wir eine metaphysikfreie Begründung moralischer Normen vor uns und
eine gänzlich unproblematische Erklärung moralisch normierter Verhaltensweisen: Sie
dienen der langfristigen Interessensicherung des Handelnden (und der ihm persönlich
nahestehenden Individuen). Uneingeschränkt uneigennützige Handlungsweisen werden
nicht durch eine besondere, genuin moralische Motivation erklärt, sondern als unvermeidliche Nebenwirkungen der Interessenrealisierung; und die Dispositionstheorie ist
der Weg, auf dem die Einebnung auch dieser Fälle in das generelle Erklärungsschema
gelingt.

Diese Theorie ist ohne Zweifel interessant und für jeden, der aus Gründen der
Konsensfähigkeit in der Ethik auf jede Metaphysik verzichten möchte, attraktiv. Jedoch
hat sie leider den schweren Nachteil gänzlich mangelnder Überzeugungskraft. Die Theorie Mackies sieht schon bei erster Kenntnisnahme wie eine ad-hoc-Hypothese aus. Sie ist
auch empirisch in ihren wichtigsten Bestandteilen nicht gut gesichert: Es scheint doch
durchaus möglich, die genannten Dispositionen je nach den Umständen »an- und abzu-
schalten«, wie Mackie das nennt. Der wesentliche Einwand liegt aber darin, daß Mackie als

eine bedauerliche, aber kaum vermeidbare Nebenwirkung moralischer Sozialisation ansieht, was bei unbefangener Betrachtung gerade das Kerngebiet moralischer Normierung ausmacht, daß nämlich moralische Normen in geeigneten Situationen uns dazu veranlassen können, die eigenen langfristigen Interessen schlicht zu vergessen und das zu tun, was in der gegebenen Situation richtig, d. h. vernünftig ist.

Wenn ich betone, daß moralisch normiertes Verhalten etwas anderes sei als langfristige Wahrung wohlverstandenen Eigeninteresses, so habe ich andererseits hoffentlich hinreichend deutlich gemacht, daß damit die umsichtige Verfolgung eigener Interessen keineswegs für moralisch bedenklich erklärt wird. Jedermann ist, auch moralisch, berechtigt, seine Interessen zu verfolgen – freilich unter gewissen einschränkenden Bedingungen, die u. a. durch die moralischen Codes, unter denen solche Interessenrealisierung stattfindet, definiert werden. Niemand ist moralisch verpflichtet, seine eigenen Interessen gegenüber bloß gleichrangigen und gleichberechtigten, oder sogar weniger dringenden Interessen anderer zu vernachlässigen. Die Bergpredigt oder Albert Schweitzers »Ehrfurcht vor dem Leben« gehen über die Normierung nach Vernunftprinzipien allerdings weit hinaus. Eben deshalb spricht man dann von moralischen »Idealen«, und zwar im deutlichen Unterschied zu moralischen Normen. Normen sind rational begründbare Forderungen; Ideale sind legitim, können Bewunderung erwecken, die sich auf die überträgt, die nach ihnen handeln. Aber sie eignen sich, eben als Ideale, nicht dazu, allgemein verbindlich gemacht zu werden.

## Die Anwendung von Normen auf die wissenschaftliche Praxis

Wir haben uns mit den bisherigen Ausführungen eine Basis erarbeitet, auf der nun die in sich komplexe Problematik des Verhältnisses von Wissenschaft zur Ethik in größerer Klarheit diskutiert werden kann. Ich beginne mit der Frage nach der sogenannten »Wertfreiheit« der Wissenschaft. In einem bestimmten und zugleich eingeschränkten Sinn ist die Wissenschaft allerdings wertfrei, d. h. wertneutral, in einem anderen Sinne offenbar nicht. Da von »Werten« nur in Rücksicht auf Bedürfnisse, Interessen und Wünsche von Lebewesen sinnvoll gesprochen werden kann, ergibt sich ohne weiteres, daß die wissenschaftliche Erkenntnis auch in diesem Sinne einen hohen Wert (freilich auch eine Gefahr) darstellt. Denn sie antwortet einem zwar vielleicht nicht bei jedem einzelnen entwickelten, aber doch für viele Menschen wichtigen und für die zivilisierte Menschheit charakteristischen Interesse an Einsicht in die Struktur der Wirklichkeit, in der wir leben und von der wir ein Teil sind, sowie dem Bedürfnis nach Klarheit und systematischer Ordnung der Welterfassung. Außerdem entspricht die Wissenschaft in ihren Resultaten in vielfältiger Weise den ebenso vitalen Bedürfnissen der Menschen nach Sicherung ihrer Existenz, Erleichterung ihres Lebens und Bereicherung ihrer Handlungs- und Erlebnismöglichkeiten.

Eine weitere Beziehung der Wissenschaft auf Werte und Normen liegt darin, daß auch deren historische Genese und rationale Begründbarkeit zu Gegenständen wissenschaftlicher Untersuchung gemacht werden können. Schließlich gibt es auch wissenschaftsimmanente Werte, die für die Gemeinschaft der Wissenschaftler verbindlich sind, wie Originalität, Wahrheit und Relevanz. Auch diese Werte sind Korrelate leicht zu identifizierender Interessen: Theorien sollten neue Erkenntnisse enthalten, die über den bisherigen Stand unserer Einsicht hinausführen; sie sollten nicht eine bloß imaginierte Welt, sondern die Wirklichkeit, die allen gemeinsam ist, erschließen, und sie sollten tiefliegende und bedeutsame Einsichten vermitteln.

Wertfrei ist die Wissenschaft nur in dem Sinn, daß außerwissenschaftliche Interessen niemals darüber entscheiden dürfen, was als wahr anerkannt oder als falsch abgelehnt wird. Die Forderung nach Wertfreiheit ist aber selbst wertbezogen: Wenn sie verletzt wird, was in der Geschichte oft der Fall war und auch heute jederzeit wieder sein kann, dann muß die Wissenschaft, und damit ihre im ganzen segensreiche Funktion für die Menschheit, absterben.

Freiheit und Wertneutralität der Wissenschaft: Damit kann jedenfalls nicht gemeint sein, daß der einzelne Forscher tun und lassen könne, oder gar solle, was ihm beliebt. Zwar muß der Forschende die Fragestellung, der er nachgehen will, und die Methoden, die er dabei anwendet, selbst bestimmen. Aber wenn er von der Allgemeinheit erwartet, daß sie seine Arbeit finanziert, und sei es dadurch, daß sie ihm die Sorge für seine und seiner Familie Lebensunterhalt abnimmt, erwächst ihm die Verpflichtung, Ergebnisse vorzulegen oder sich doch um solche Ergebnisse zu bemühen, die auch für die Gesellschaft im ganzen bedeutsam und förderlich sind. Das bedeutet freilich nicht eine Einschränkung auf wirtschaftlich nutzbare Resultate. Grundlagenforschung ist nicht nur durch ihre heute oft, und natürlich mit Recht, betonten mittelbaren segensreichen Auswirkungen auf mögliche Anwendungen zu legitimieren, sondern auch im Hinblick auf die vertiefte Einsicht in die Wirklichkeit, die sie vermittelt. Auch die Erkenntnis historischer Zusammenhänge, die interpretierende Erschließung von Werken der Musik, der bildenden Kunst und anderer Objektivationen menschlicher Kreativität können in vollem Sinne bedeutsam sein. Sicherlich wäre es unangemessen, sämtliche Mitglieder der Gesellschaft zu Entscheidungen über das, was wissenschaftlich relevant sein könnte, zu ermächtigen. Es genügt, wenn der Wissenschaftler sich darüber im klaren ist, daß er der Gesellschaft gegenüber Verantwortung trägt hinsichtlich der effektiven Verwendung der Mittel, die ihm die Allgemeinheit zur Verfügung stellt.

Freiheit der Wissenschaft heißt natürlich auch nicht, daß der Wissenschaftler in seiner Forschungstätigkeit von den moralischen Normen freigestellt wäre, die für ihn als Mitglied des Gemeinwesens auch in allen anderen Lebensbereichen gelten. Ebensowenig, wie er sich das Geld für seine Forschung durch Bankraub oder Betrug beschaffen darf, kann er sich z. B. über das Recht auf Schutz der Privatsphäre hinwegsetzen, um Daten für seine Untersuchungen zu erhalten (z. B. durch Einbau von Abhörgeräten in Privatwohnungen zu Zwecken familiensoziologischer Forschung). Für Versuche mit Menschen, z. B. bei der klinischen Erprobung von Heilmitteln, hat der Forscher das Recht der Versuchspersonen auf Selbstbestimmung (durch Aufklärung und Einwilligung) zu wahren und seine Pflicht zur sorgfältigen Abwägung von Nutzen und Risiken (und zwar durchaus im Fall des einzelnen Patienten, nicht etwa bloß des einzelnen im Verhältnis zur Allgemeinheit) zu beachten.

Hier ergeben sich schwierige Abwägungsprobleme, die ich, wie angekündigt, an der Problematik des Tierversuchs ein Stück weit deutlicher zu machen versuchen will. Es dürfte ein weitgehender Konsens darüber bestehen, daß die Gemeinschaft der Wissenschaftler und jeder einzelne Forscher moralisch verpflichtet sind, mit den Tieren, die zu Versuchen herangezogen werden, schonend umzugehen und die Leiden, denen diese Tierindividuen ausgesetzt werden, möglichst einzuschränken.

Während darüber, daß hier moralische Verpflichtungen bestehen, wohl kein Streit besteht, ist die Frage, wie man diese Normen begründen könnte, einstweilen offen. Ich möchte nun kurz auf die vier Begründungstypen eingehen, die in der Diskussion im Vordergrund stehen. Sie lassen sich in zwei Klassen mit je zwei Unterklassen einteilen: die religiös oder metaphysisch fundierten Begründungsansätze (I) und die jedenfalls der Intention nach allein auf Vernunft und Erfahrung zurückgreifenden (»rationalen«) Begründungstypen (II). Die wichtigsten Repräsentanten von (I) sind (I a) die auf christliche, zum Teil schon alttestamentliche Lehren gegründeten und (I b) jene Theorien, die mit Grundgedanken wie der »metaphysischen Einheit des Lebens«, »Harmonie mit der Natur« oder »Ehrfurcht vor dem Leben« operieren. Unter (II) fallen besonders die (II a) anthropozentrischen und (II b) die nichtanthropozentrischen Ansätze ins Gewicht.

Kernbegriff der religiös motivierten Begründungsstrategie für die Verpflichtung zum Tierschutz (I a) ist die Vorstellung einer durch Gottes Gebot und Schöpfungsordnung begründeten *Statthalterschaft* des Menschen über die Natur (1. Mos. 1,26). Dieser Tradition, die sich freilich nur auf erstaunlich wenige Bibelstellen berufen kann, gebührt aller Respekt und Dank deshalb, weil sie eine beträchtliche Anzahl von Menschen in ihrem Handeln beeinflußt, die (vielleicht) rationalen Argumenten nicht in gleicher Weise zugänglich wären. Als Begründung für allgemeinverbindliche Normen leiden diese Ansätze aber an der unüberwindlichen Schwäche, daß sie sich auf Prämissen stützen, die nur dem Gläubigen zugänglich sind und daher nicht gegenüber jedermann mit Aussicht auf Erfolg vertreten werden können.

Die gleichen Vorbehalte müssen sich natürlich auch gegen die unter (I b) angeführten Begründungsansätze richten, die den Menschen an die »metaphysische Einheit aller Lebewesen« (so Schopenhauer) erinnern oder ihn zur »Ehrfurcht vor dem Leben« auffordern. Im ersten Falle würde Mitleid mit der Kreatur in ganz unplausibler Weise in Selbstmitleid umgedeutet; im zweiten Fall wird dem Leben Selbstwertcharakter zugebilligt. Albert Schweitzer war der hervorragende Vertreter dieser zweiten Auffassung, die durch seine bewundernswerte ärztliche Hilfeleistung in Lambarene zusätzliche moralische Autorität erhielt. Wer Leben vernichtet oder schädigt, aus was immer für Gründen, handelt nach Albert Schweitzer »moralisch böse« und verstrickt sich in moralische Schuld. Jedoch ist die Annahme eines absoluten Werts des Lebens eine metaphysische Voraussetzung, die sich nicht weiter begründen läßt. Es ist ferner ganz unplausibel, das Leben von Algen und Bakterien in gleicher Weise (wenn auch nicht im gleichen Grade) wie das von hochentwickelten Wirbeltieren durch Rücksicht auf den absoluten Wert des Lebens oder einen für jedes Leben postulierten »Lebenswillen« schützen zu wollen. Es bleibt ganz undeutlich, was man sich unter dem Lebenswillen eines Bakteriums oder eines Hefepilzes vorstellen soll, während man doch immerhin ahnt, was der Lebenswille etwa einer Ratte oder eines Hundes sein könnte.

Wir wenden uns nun der verbleibenden Klasse der rationalen Begründungsansätze zu. Der wichtigste Vertreter einer anthropozentrischen rationalen Begründungsstrategie

(II a) ist Kant, in überraschender Übereinstimmung übrigens mit Thomas von Aquin. In § 17 der »Metaphysik der Sitten« von 1797 lehrt Kant, gewaltsame und grausame Behandlung von Tieren sei strikt verboten, »weil dadurch das Mitgefühl an ihrem Leiden im Menschen abgestumpft und dadurch eine der Moralität im Verhältnis zu anderen Menschen sehr diensame natürliche Anlage geschwächt und nach und nach ausgetilgt wird«[7].

Die Mitleidspflicht gegenüber den Tieren ist nach Kant also, recht verstanden, eine Pflicht des Menschen gegen sich selbst; die Tiere sind nur der Anlaß, unserer moralischen Selbsterziehung eingedenk zu sein. Pflichten können nur Vernunftwesen haben, und sie können sie auch nur gegenüber Vernunftwesen haben. Es ist aber schwer nachzuvollziehen, warum damit, daß nur ein Vernunftwesen Pflichten hat, auch schon ausgemacht sein soll, daß diese Pflichten sich auch nur auf andere Vernunftwesen (oder den Handelnden selbst) sollen beziehen können. Es sieht vielmehr so aus, als ob Kant eine Vorentscheidung, daß wir nämlich nur gegenüber Menschen Pflichten haben können, nachträglich durch eher schwache Argumente habe absichern wollen. Ähnlich wie bei Kant, vielleicht in Anknüpfung an ihn, heißt es in den, sonst gut durchdachten, Thesen der Max-Planck-Gesellschaft zum Tierschutzrecht von 1984 unter II: »Andererseits halten wir eine Gleichstellung von Mensch und Tier hinsichtlich des Rechts auf Leben für eine Utopie, die das menschliche Primat unserer Moralvorstellungen und damit der menschlichen Existenz insgesamt in Frage stellt.«

Weil die Menschen Moralvorstellungen haben, die Tiere aber nicht, sollen menschliche Interessen und Bedürfnisse denen der Tiere uneingeschränkt vorgezogen werden dürfen. Aber ist es nicht geradezu paradox, wenn ausgerechnet von der Tatsache, daß nur der Mensch moralische Verpflichtungeen empfinden kann, hergeleitet wird, daß er den Tieren gegenüber diese moralischen Verpflichtungen außer Kraft setzen darf?

Übrig bleibt demnach allein der Begründungstyp (II b), jener der nicht-anthropozentrisch argumentierenden rationalen Begründungen. Auf seiner Basis läßt sich aber eine befriedigende Begründung plausibler Tierschutz-Normen geben. Es besteht einerseits das »Vernunftprinzip«, das, wie oben ausgeführt, auch in anderen Bereichen einleuchtende Begründungen für moralische Normen liefern kann, und außerdem eine überzeugende empirische Basis in den Beobachtungen über die Leidensfähigkeit der Tiere, oder jedenfalls der Arten von Lebewesen, die ein zentrales Nervensystem von hinreichender Komplexität entwickelt haben. Das Vernunftprinzip verpflichtet jeden, wie gezeigt wurde, Interessen, die er bei sich selbst als schutzwürdig ansieht, ebendeshalb auch bei anderen Individuen, die gleiche Interessen haben, als schutzbedürftig und schutzwürdig anzuerkennen, es sei denn, er könnte einleuchtende Gründe nennen, die diese Schutzwürdigkeit aufheben oder einschränken. Die naheliegende Einschränkung auf Verpflichtungen unter Menschen ist nicht wesentlich: Diese Verhaltensnorm muß gegenüber allen Wesen gelten, die in einer der unsrigen hinreichend ähnlichen Lage sind. Solange sich also die Tiere so verhalten, daß man annehmen muß, auch sie könnten Schmerz und Lust, Behagen und Not, Lebensfreude, Angst und Langeweile empfinden, ist nicht rational zu begründen, warum man in Hinsicht auf den Anspruch auf Schmerzvermeidung einen *radikalen* Unterschied zwischen Menschen und nicht-menschlichen Lebewesen sollte machen dürfen. So hat es schon Jeremy Bentham in seiner »Introduction to the Principles of Morals and Legislation« von 1789 schlagend formuliert: »The question ist not, Can they reason? nor, Can they talk? but, Can they suffer?«[8] Wir ziehen also zur Begründung des Verbots, Tiere unnötig Leiden und Schmerzen auszusetzen, nicht einen absoluten Wert des Lebens heran, der Insekten und Säugetieren in gleicher Weise zukäme, sondern nur die Plausibilität der Forderung, daß Schmerzen, wenn möglich, nicht zugefügt werden sollten und, wenn unvermeidlich, möglichst zu lindern sind. Das Tierschutzgebot kann sich nur auf die Leiden von Tieren beziehen und steht daher in strenger Korrelation zu dem Leidenspotential, das wir jeweils voraussetzen müssen. Versuche an Heuschrecken und Drosophila sind insofern als grundverschieden von Versuchen an Hunden, Katzen und Primaten zu beurteilen, als gute Gründe bestehen, anzunehmen, daß die Schmerzempfindlichkeit und Angstbereitschaft bei Insekten um Größenordnungen niedriger liegen als bei hochentwickelten Säugern.

Tierquälerei zu boshaftem Vergnügen des Peinigers und eventueller Zuschauer ist deshalb uneingeschränkt verboten; anders freilich sieht es mit wissenschaftlichen Versuchen aus, die dem Ziel dienen, Leiden und Krankheit bei Menschen (in vielen Fällen auch bei Tieren) verhindern und bekämpfen zu können. Was gibt den Menschen das Recht, mit Tieren Experimente auszuführen, die er mit Menschen schlechterdings nicht, oder nur mit ihrer ausdrücklichen Einwilligung, vornehmen dürfte? Alber Schweitzer antwortete auf diese zentrale Frage mit der These, das Leben von Menschen habe einen höheren Wert als das der Tiere. Aber diese Antwort wirft die prinzipielle Frage auf, ob dann nicht auch das Leben eines bestimmten Menschen A einen entschieden höheren Wert haben könnte, als das eines anderen Menschen B. Auch wenn es keine absoluten Werte gibt und Werte darin aufgehen, Realisierungsbedingungen von Bedürfnissen, Wünschen oder Interessen von Lebewesen zu sein, spricht doch vieles dafür, daß z. B. das Leben eines produktiven Wissenschaftlers (einer Wissenschaftlerin), eines begabten Künstlers (einer Künstlerin) oder einer Mutter mehrerer Kinder einen erheblich höheren Wert für die Menschheit haben dürfte als das eines nicht mehr reformierbaren Kriminellen oder eines Drogenabhängigen, von dem keinerlei positive Beiträge zum Leben der Gemeinschaft mehr zu erwarten sind. Trotzdem wird wohl niemand meinen, Individuen vom Typ B dürften für Experimente freigegeben werden, die dazu dienen, das Leben eines oder mehrerer Menschen vom Typ A zu verlängern. Und diese moralische Intuition läßt sich durchaus rational begründen: Das Lebensrecht aller Menschen ist geschützt, nicht weil dies Leben einen Wert, oder sogar einen besonders hohen Wert hätte, sondern weil das Interesse eines jeden Menschen, in seiner Integrität und Gesundheit und erst recht in seiner Existenz, gesichert zu sein und nicht zum verfügbaren Mittel der Lebenssicherung anderer gemacht zu werden, schutzwürdig ist, und zwar ohne jegliche Rücksicht auf die Vorteile, die sich die Allgemeinheit von der Existenz bzw. Nichtexistenz gerade dieses Individuums versprechen kann.

Der schlichte Hinweis auf den höheren Wert menschlichen Lebens gegenüber nichtmenschlichem Leben führt also als Begründungsansatz nicht zum Ziel. Man wird sich vielmehr an die wesentlichen Unterschiede der Existenzweise des Menschen im Vergleich mit nicht-menschlichen Lebewesen halten müssen: Die Leidensfähigkeit des Menschen scheint angesichts der Spannweite von Erinnerung und Zukunftserwartung gegenüber der Leidensfähigkeit der Tiere eine andere Qualität zu gewinnen. Nur der Mensch hat ein

Bewußtsein der ständigen Bedrohung durch den Tod, nur er hat Lebenspläne, empfindet Verantwortung für andere Menschen oder seine Aufgaben. Nur beim Menschen wird sein Leid durch die Sorge und den Kummer seiner Angehörigen und Freunde vervielfacht (freilich auch in gewissem Sinne erleichtert); man denke an das, was die Eltern eines unheilbar erkrankten Kindes durchmachen müssen. (Die Verhaltensforscher haben inzwischen Belege dafür, daß solche intensiven und individuellen emotionalen Bindungen auch bei sozial lebenden Säugetieren vorkommen; das wäre ein Argument, im Hinblick auf solche Tiere besonders zurückhaltend zu verfahren.)

Im ganzen betrachtet läßt sich also die Praxis von Experimenten, die der Entwicklung neuer Therapien dienen, auch bei höheren Tieren mit rationalen Gründen rechtfertigen. Jedoch gibt es hier keine Pauschalermächtigungen: Der bloße Artunterschied zwischen Mensch und Tier, oder der sogenannte »höhere Wert« menschlichen Lebens, reichen als Basis nicht aus. Vielmehr muß in jedem Fall abgewogen werden, ob die therapeutischen Versuche und die unvermeidlichen Opfer an Schmerz, Leid und Streß der Versuchstiere erforderlich und geeignet sind, um das gesteckte Ziel zu erreichen, und ob die erhofften Erfolge diese Opfer tatsächlich aufwiegen und damit rechtfertigen können. Tierversuche, die mit Schmerzen der Versuchstiere verbunden sind, sind nur dann erlaubt, wenn ein einsichtiger Zusammenhang zwischen den erhofften Ergebnissen des Versuchs und einer auf andere Weise nicht erreichbaren Verringerung erheblichen menschlichen Leids besteht.

Die Frage, wie weit Tierversuche, die mit Leiden verbunden sind, moralisch erlaubt sind, wenn sie allein der Grundlagenforschung dienen und mögliche therapeutische Fortschritte weder intendiert sind noch erwartet werden, lasse ich hier bewußt offen. Auch reine Einsicht, Verbesserung und Erweiterung seines Welt- und Selbstverständnisses entspricht, wie schon gesagt wurde, einem ursprünglichen Interesse des Menschen. Jedoch sehe ich kein Abwägungskriterium, mit dessen Hilfe eine einleuchtende Gewichtung zwischen dem Erkenntnisgewinn und den Leiden der Versuchstiere vorgenommen werden könnte.

Vielleicht wird die weitere Diskussion zu einer befriedigenden Lösung auch dieser schwierigen Frage führen; vielleicht zeigt sich hier aber auch eine prinzipielle Grenze, die rationalen Begründungsverfahren für moralische Normen gesetzt sind.

Entsprechende Probleme und in vielen Fällen noch kompliziertere Abwägungsaufgaben treten dort auf, wo in der Medizin oder in den Humanwissenschaften, wie der Psychologie, Experimente mit Versuchspersonen unentbehrliche Erkenntnisquellen sind. Respekt vor der Selbstbestimmung als Fundament der Menschenwürde erfordert im Prinzip die Einwilligung nach Aufklärung der prospektiven Teilnehmer an solchen Versuchen. Aber in vielen Fällen, wie bei Doppelblindversuchen in der Arzneimittelforschung, oder bei einigen Patientengruppen der Psychotherapie, stößt die Aufklärung an unübersteigbare Grenzen. Bei manchen psychologischen Experimenten kann die volle Information der Versuchspersonen die Erreichung des Versuchsziels geradezu ausschließen, wie z. B. bei Experimenten zur Untersuchung der Einwirkung des Gruppendrucks auf die Urteilsbildung. Auch hier ist mit belastenden Wirkungen auf die Selbstwertgefühle und ähnlichen Folgewirkungen psychologischer Experimente auf die beteiligten Versuchspersonen zu rechnen. Weitere Schwierigkeiten wirft die Sicherung des Datenschutzes auf, der freilich weithin schon rechtlich (leider aber für viele vital wichtige Forschungszwecke allzu restriktiv) geregelt ist.

Jedenfalls sollte auch bedacht werden, daß Patienten, die, besonders in Universitäts- und anderen Forschungskliniken, den Vorteil einer Therapie nach dem neuesten Kenntnisstand in Anspruch nehmen, eben dadurch eine gewisse kompensatorische Verpflichtung eingehen, an klinischen Versuchen teilzunehmen, deren Ergebnisse zukünftigen Patienten in gleicher Weise zugute kommen, wie sie selbst von den Resultaten früherer Versuche profitieren. Entsprechend ist wohl auch Psychologiestudenten zuzumuten, den weiteren Fortschritt der Wissenschaft, der sie ihre spätere Berufskompetenz verdanken, auch ihrerseits durch die Bereitschaft, an Versuchen mitzuwirken, zu ermöglichen.

Die Abwägungsprobleme sind in diesen Gebieten so kompliziert, daß man nicht anders verfahren kann, als die Einzelentscheidung dem moralischen Verantwortungsbewußtsein des einzelnen Forschers zu überlassen. Um dennoch nicht gänzlich auf die, wie schon erwähnt, problematische Instanz des individuellen Gewissens angewiesen zu sein, sollten Reflexionen über moralische Prinzipien ein wesentlicher Teil des normalen Ausbildungsganges aller in diesen Gebieten arbeitenden Wissenschaftler sein oder werden, und jeder Forscher sollte seine moralische Urteilskraft durch Diskussion mit sachkundigen Kollegen immer wieder justieren und sensibilisieren.

Diese Fragen haben mit den Methoden und Mitteln der Forschung zu tun. Vielleicht noch wichtiger ist aber die Verantwortung des Wissenschaftlers für die *Ziele* der Forschung, an denen er beteiligt ist. Der Fall wird freilich nicht häufig sein; aber es könnte dem Forscher klar werden, daß die Ergebnisse seiner Forschung offensichtlich für Zwecke eingesetzt werden sollen, die er moralisch mißbilligen müßte. Es scheint mir z. B. ein moralisches Problem, ob ein Wissenschaftler seine fachliche Kompetenz als Psychologe für die Entwicklung bloßer Manipulationsmethoden in der Werbung zur Verfügung stellen darf; auch bestimmte Gebiete in der Rüstungsforschung (die Entwicklung von Nervengasen oder Forschungen zur bakteriellen Kriegsführung) werfen nach meiner Meinung solche moralischen Probleme auf.

## Moralische Fragen der Anwendung von Forschungsergebnissen

Weit komplizierter noch liegen die Dinge, wenn man die gesellschaftlich-technologischen Folgen und Wirkungen der wissenschaftlichen Forschung in Betracht zieht. Gerade im Hinblick auf diese oft unkalkulierbaren Langzeitwirkungen hat die Öffentlichkeit in zunehmendem Maße den Wissenschaftlern auch eine moralische Verantwortung für die Anwendungsfolgen der Ergebnisse von Grundlagenforschung zugeschrieben. Der paradigmatische Fall war der Bau der Atombombe; die Contergan-Katastrophe, die verheerenden Wirkungen der Langzeitanwendung von DDT, die Züchtung resistenter Bakterienstämme durch ungezielten Einsatz von Antibiotika gehören in diesen Zusammenhang; neuerdings stehen die Belastungen der Ökosphäre im Vordergrund der Diskussion.

Gegen solche pauschalen Schuldzuweisungen und die Forderung nach Einstellung jeder Forschung, wenn erhebliche Risiken bei der Anwendung ihrer Ergebnisse erkennbar werden, gibt es einleuchtende Argumente. Arbeitsteilung und zunehmende Spezialisierung in den Wissenschaften schließen aus, daß ein Wissenschaftler alle Möglichkeiten der technischen Verwertung seiner Ergebnisse schon bei seinen Untersuchungen voraussieht. In den meisten Fällen sind die möglichen negativen Effekte von Ergebnissen der Grundlagenforschung ebensowenig wie ihr möglicher Mißbrauch vorhersehbar. Schon Aristoteles wußte, daß jede menschliche Einsicht, die zum Wohl der Menschheit benutzt werden kann, ebendeshalb auch möglichen Mißbrauch einschließt. Jedes wirksame Medikament hat bestimmte, oft unerwünschte Nebenfolgen, die gegen seine Vorzüge abzuwägen oft nur aufgrund umfangreicher Erfahrungen in der Praxis möglich ist. Die »Heterogonie der Zwecke« herrscht in den Wissenschaften wie in allen anderen Lebensbereichen und ist für die menschliche Situation ohnehin unausweichlich. Jedenfalls kann die erwünschte Einschränkung ungünstiger Wirkungen wissenschaftlicher Erkenntnis nicht dadurch erreicht werden, daß Forschungen, die wichtige Zusammenhänge entschlüsseln können, aber auch Risiken eröffnen, abgebrochen oder eingeschränkt werden. Dies könnte ja auch Erkenntnisse verhindern, die sich möglicherweise als lebensrettend erwiesen hätten. Bei der Entscheidung, ob ein Forschungsprojekt abgebrochen oder verboten werden sollte, müßte schon eben jene schwierige Risikoabwägung gelungen sein, die man vernünftigerweise erst bei der Entscheidung über mögliche Anwendungen lokalisieren sollte. Es sollte daher der Grundsatz bestehen bleiben, daß nicht schon bei der Forschung, sondern erst bei den denkbaren Anwendungen die moralischen Restriktionen eingreifen müssen, die nötig sind, um gefährliche oder schädliche Auswirkungen nach Möglichkeit zu verhindern. Wenn dagegen, wie üblich, eingewandt wird, die soziale Kontrolle unerwünschter Auswirkungen oder gezielten Mißbrauchs sei nicht möglich und daher müsse schon bei der Forschung angesetzt werden, so wäre darauf hinzuweisen, daß nichts dafür spricht, daß die Kontrolle der Forschung besser funktionieren könnte. Freilich gibt es Gebiete, in denen die Trennung von Forschung und Anwendung kaum mehr möglich ist. Hier, aber nur hier, wird die Forschung sich den berechtigten Bedenken gegen die mit ihr untrennbar verknüpfte Anwendung öffnen müssen.

Ich möchte dies an einigen vieldiskutierten Beispielen deutlich machen: In den Vereinigten Staaten ist vor einigen Jahren leidenschaftlich, z. T. vor Gericht, darüber gestritten worden, ob Untersuchungen zum durchschnittlichen Intelligenzquotienten verschiedener Bevölkerungsgruppen, insbesondere schwarzer und weißer Bevölkerungsteile, erlaubt sein sollen. Die ersten Befunde wiesen auf einen im Schnitt niedrigeren Intelligenzquotienten schwarzer Bevölkerungsteile gegenüber den weißen Bevölkerungsteilen hin. Man fürchtete, die Untersuchungsergebnisse könnten als Argumente zur beruflichen und schulischen Diskriminierung von Minderheiten benutzt werden. Es scheint aber unbestreitbar zu sein, daß solche Untersuchungen (wenn sie mit einwandfreien Methoden durchgeführt werden) wichtige Tatsachen ermitteln können. Weitere Forschung müßte dann klären, ob der nachgewiesene Unterschied im durchschnittlichen Intelligenzquotienten, wenn er objektiv besteht, auf soziale Faktoren zurückgeht, auf die man dann durch entsprechende institutionelle und gesetzliche Regelungen einwirken könnte. Ohne eine solche Tatsachenbasis wäre eine sachgerechte Minderheitenpolitik z. B. im Erziehungs- und Bildungswesen unmöglich oder wenigstens erschwert.

Ein anderes Beispiel sind medizinische Versuche, die es möglich gemacht haben oder machen werden, z. B. das Geschlecht von Embryos nach dem Wunsch der Eltern festzulegen, Befruchtungen in vitro vorzunehmen (Retortenbabys) oder sogar Blastozysten, also frisch befruchtete Eizellen, in »Leihmütter« zu verpflanzen, die sich zu diesem Zweck, im Regelfall für Geld, zur Verfügung stellen. Befruchtung in vitro wäre mit homologer Insemination eindeutig zulässig, wenn ein Ehepaar auf andere Weise keine eigenen Kinder haben kann. Heterologe Insemination wäre moralisch bedenklich, wenn dem so erzeugten Kind die Kenntnis seines biologischen Vaters und damit seiner biologischen Identität aus rechtlichen Gründen (Abwehr von Unterhaltsansprüchen) auf Dauer versagt bleiben müßte. Verpflanzung von Blastozysten in »Leihmütter« wäre nach meinem Urteil moralisch eindeutig unzulässig, wenn hier ein Mensch, vielleicht aufgrund wirtschaftlicher Notlage, zum bloßen Mittel für die Zwecke anderer gemacht würde. Auch entstehen hier unüberschaubare Risiken und moralische Probleme: Was geschieht, wenn das neugeborene Kind genetisch bedingte schwere Schäden aufweist und die genetische Mutter es nicht annehmen will? Oder wenn die genetische Mutter während der Schwangerschaft der »Leihmutter« stirbt? Aber auch hier kommt es, wie überall, auf den Einzelfall und seine Rahmenbedingungen an. Die moralische Beurteilung würde wohl anders ausfallen müssen, wenn es darum geht, daß etwa unter Schwestern die eine der anderen zu einer sonst nicht möglichen Mutterschaft verhilft, indem sie deren Kind für sie austrägt.

Besonders akut sind die Probleme einer möglichen Kontrolle der Anwendungen in der Gen-Technologie. Bekanntlich bestanden in den Vereinigten Staaten in den siebziger Jahren zum Teil sogar erfolgreiche Bestrebungen, angesichts der noch nicht überschaubaren Risiken auf diesem Gebiet ein Forschungsmoratorium durchzusetzen. Auch hier ist aber inzwischen die Einsicht durchgedrungen, daß die Forschung nicht behindert werden darf – wenn Richtlinien zur Ausschließung von Gefahren beachtet werden. Andererseits besteht Konsens, daß die technischen und industriellen Anwendungen einer strengen Prüfung nach Nutzen-Risiko-Relationen und moralischen Gesichtspunkten unterliegen müssen. So darf die Technik, die zur Veränderung menschlicher Genome entwickelt wird, zunächst nur auf solche Fälle angewandt werden, in denen gefährliche Erbkrankheiten auf dem Ausfall eines bestimmten Gens beruhen (mehr als zweitausend solcher Krankheiten sind zur Zeit bekannt). »Eugenische« Manipulation im Sinne der Züchtung eines »besseren« Menschentyps oder die Zukunftsvision einer durch »Klonen« herstellbaren gen-identischen Population (z. B. zur Ausführung untergeordneter Tätigkeiten) sind offensichtlich moralisch unzulässig, schon weil man die Zustimmung der so »gezüchteten« Individuen zu den Zielen des Verfahrens im ersten Fall nicht voraussetzen, im zweiten Fall sogar ausschließen kann. Zur Zeit kann wohl nur die Einschleusung genetischen Materials in die somatischen Zellen eines Individuums moralisch akzeptiert werden; dieses Verfahren entspricht in allen relevanten Aspekten einer Organtransplantation. Ganz anders müßte der Einbau neuen genetischen Materials in Keimbahn-Zellen beurteilt werden. Denn hier vererben sich die Wirkungen des Eingriffs auf spätere Generationen, mit allen einstweilen nicht kalkulierbaren Risiken. Ein solcher Eingriff in die spätere Selbstbestimmung noch Ungeborener kann aber kaum rational gerechtfertigt werden.

Man erkennt, daß mit dem sich ausweitenden Umfang neuer Forschungsmöglichkeiten und entsprechender Technologien der »Regelungsbedarf« nicht nur in der biomedizinischen Forschung stark zunehmen wird. Es ist aber nicht einzusehen, warum man nicht hoffen dürfte, daß sich vernünftige Richtlinien entwickeln, die durch moralisch motivierte

Selbstverpflichtung der beteiligten Wissenschaftler und Techniker oder rechtliche Regelungen Geltung erlangen könnten. Hierbei hielte ich moralische Sanktionen durch
standesethischen Konsens, wenn wirksam, für weitaus besser als eine rechtliche oder sogar
strafrechtliche Normierung. Dies schon deshalb, weil ein rechtliches Verbot die Vorstellung begünstigt, alles, was das Gesetz nicht ausdrücklich verbietet, sei erlaubt. Rechtliche
Regelungen müssen ferner aus Sachgründen schematische und allzu grobe Festlegungen
treffen; die moralische Diskussion kann sich den Besonderheiten des Einzelfalles besser
anpassen.

Wegen solcher freilich komplizierter Folgelasten die Forschung lahmzulegen, wäre eine
schädliche Überreaktion, und dies insbesondere, weil schwer abzuschätzen ist, welche
wissenschaftlichen Entwicklungen zu welchen Herausforderungen führen können, so daß
jeder forschungshemmende Eingriff, um wirksam zu sein, außerordentlich grob und
geradezu »flächendeckend« sein müßte.

## Wissenschaft und Öffentlichkeit

Weitere wichtige Probleme hängen mit der viel diskutierten Frage zusammen, ob der
Wissenschaftler eine besondere moralisch-politische Verantwortung gegenüber dem
Gemeinwesen hat, insofern er über Informationen und Kompetenzen verfügt, die für die
praktischen Fragen, zu deren Lösung die Gesellschaft aufgerufen ist, von Bedeutung sind.

Es scheint klar, daß die Wissenschaftler als Personen und die Wissenschaft als gesellschaftliche Institution hier sogar eine »Bringschuld« haben. Im Rahmen seiner Fähigkeiten ist der Wissenschaftler durchaus verpflichtet, der Öffentlichkeit in möglichst verständlicher, freilich nicht in verzerrter Form die Ergebnisse seiner Untersuchungen und seines
Nachdenkens bekanntzumachen, wenn er Gründe hat anzunehmen, daß die Kenntnis
dieser Ergebnisse für das Leben der Gesellschaft von Bedeutung ist oder sein könnte. Es ist
trivial, daß nicht alle Wissenschaftler hierzu die erforderlichen didaktischen Talente
mitbringen; daher ist subsidiär die Institution Wissenschaft aufgerufen, für entsprechende Vermittlung zu sorgen. Im Bereich der Politikberatung geschieht dies in der
Bundesrepublik ziemlich umfassend; freilich wird die Effektivität dieser Beratung nicht
von allen Sachkennern sehr hoch eingeschätzt. Angesichts der Tatsache, daß in schwierigen Fragen, wie z. B. bei den Risiken der Kernenergie, verschiedene Fachleute durchaus
verschiedene Ansichten vertreten, sollte der Öffentlichkeit auch deutlich gemacht werden, wie weit der Konsens unter den Wissenschaftlern geht und welche der kontroversen
Auffassungen von der überwiegenden Mehrheit der Fachleute geteilt wird. Damit wird
natürlich nicht durch Majoritätsbeschluß über die wissenschaftliche Wahrheit entschieden, aber immerhin über die Rationalität einer Entscheidung, die sich auf solche Informationen stützen muß. Mit der verhältnismäßig leicht zu erfüllenden Informationspflicht ist
es aber für den Wissenschaftler noch nicht getan. Als Bürger seines Landes ist der
Wissenschaftler darüber hinaus auch dazu verpflichtet, sich dafür einzusetzen, daß in den
gesellschaftlichen Entscheidungsprozessen seine Informationen, soweit sie dafür von
Belang sind, auch hinreichend beachtet werden. Wie schwierig das ist, lehrt ein Blick auf

das Beispiel des Umwelt- und Artenschutzes. In der Bundesrepublik haben kompetente Biologen, gemeinsam mit anderen Fachleuten, überzeugende Argumente dafür vorgelegt, daß die Erhaltung einer möglichst artenreichen natürlichen Umwelt für das Überleben der Menschheit von ausschlaggebender Bedeutung sein kann. Sie haben errechnet, daß wenn auch nur die Hälfte des heute lebenden Artenbestandes in unserem Land über das Jahr 2000 hinaus gerettet werden soll, mindestens zehn Prozent der Fläche der Bundesrepublik für Naturreservate (und das heißt nicht für Freizeit-Safari-Parks) aus der Nutzung durch Landwirtschaft und Siedlung herausgenommen werden müßten. Angesichts der massiven Interessen, die einer solchen Reservatbildung entgegenstehen, ist schwer abzusehen, wie eine solche überzeugend begründete Maßnahme politisch realisiert werden könnte. Ähnliches gilt für das Waldsterben, die Ressourcenschonung, die Erhaltung der tropischen Regenwälder usw. In solchen Lebensfragen ist die Verpflichtung des Wissenschaftlers noch nicht damit erschöpft, daß er seine Einsichten der Öffentlichkeit in geeigneter Weise bekanntgemacht hat. Er ist, in seiner Rolle als Staatsbürger von besonderer Kompetenz, darüber hinaus auch verpflichtet, darauf hinzuwirken, daß diese Einsichten im Bewußtsein der Öffentlichkeit und in den politischen Entscheidungsprozessen das ihnen zustehende Gewicht erhalten. Einwirkung auf die Bildungsinstitutionen und die Medien sind dazu nur zwei der sich hier anbietenden Wege.

Es scheint daher unrealistisch, an der konventionell scharfen Trennung von »vita activa« und »vita contemplativa« festzuhalten und dem Wissenschaftler die Rolle des Informanten, dem Politiker die Rolle des Handelnden zuzuweisen. Der Wissenschaftler kann sich nicht auf die Rolle des bloßen Informationslieferanten festlegen lassen und es dann ruhigen Gewissens den politischen Kräften und Institutionen überlassen, was sie mit dieser Information anfangen. Auf der anderen Seite muß man freilich in Rechnung stellen, daß nur wenige Menschen in gleicher Weise die für wissenschaftliche Reflexion und zielgerichtetes Handeln in politischen Dimensionen notwendigen persönlichen Voraussetzungen mitbringen. An dieser schlichten Tatsache mußte schon Platons Konzept der »Philosophenkönige« scheitern. Die für den Wissenschaftler wesentliche Fähigkeit, seine eigenen Auffassungen stets von neuem in Frage zu stellen, die Argumente pro und contra genauestens abzuwägen, wird im allgemeinen die Ausbildung der Fähigkeit nicht begünstigen, in Konfliktsituationen unter Unsicherheit rasch und effizient zu entscheiden. Insofern ist die Arbeitsteilung zwischen Wissenschaft und Politik sinnvoll und unvermeidlich. Aber sie entbindet den Wissenschaftler nicht von der Verpflichtung, sich gegebenenfalls zur Durchsetzung seiner Einsichten auch in die politische Arena zu begeben (meist sehr zum Mißvergnügen der Politiker), wie sie auch den Politiker nicht aus der Verpflichtung entläßt, sich bei der Vorbereitung seiner Entscheidungen auf die besten erreichbaren wissenschaftlichen Informationen zu stützen. Auch wer den periodischen Äußerungen des gesellschaftlichen »Panikbedarfs« – wie mein Kollege Odo Marquard das treffend genannt hat – kritisch gegenübersteht, wird doch nicht verkennen, daß in den nächsten 50 Jahren Entscheidungen über die Weiterentwicklung von Wissenschaft und Technik getroffen werden müssen, die sogar die Überlebenschancen der gesamten Menschheit berühren, jedenfalls aber für das Leben des einzelnen weitreichende Folgen haben. Deshalb sollten sich die Wissenschaftler, unter Vernachlässigung der Fachgrenzen, verständigen über Sinn und Funktion der Forschung in unserer Zeit und gemeinsam nach

Wegen suchen, wie sie ihre begründeten Auffassungen wirksamer zur Geltung bringen können. Für die Wissenschaft als Institution, aber auch für die Gesellschaften, in denen die Wissenschaftler leben und arbeiten, wird viel davon abhängen, ob das gelingt.[9]

## Anmerkungen

[1] Die Erfahrungen, die ich in den vergangenen Jahren auf mehreren solcher interdisziplinärer Konferenzen zu Fragen z. B. der Ökologie, des Tierschutzes, der Intensivmedizin, der Gentechnologie und der Psychiatrie habe machen können, ermutigen mich – nach anfänglicher Skepsis – zu dieser zuversichtlichen Prognose.

[2] Häufig genannt werden die Bücher: Albert Schweitzer, Kultur und Ethik, 1923, [2]1958, und Hans Jonas, Das Prinzip Verantwortung – Versuch einer Ethik für die technologische Zivilisation, Frankfurt 1979.

[3] Verantwortung und Ethik in der Wissenschaft, Berichte und Mitteilungen der Max-Planck-Gesellschaft 3/84, München 1985; der Vortrag von G. Stent S. 88–102.

[4] I. Kant, Kritik der praktischen Vernunft, § 8, Anm. II, Originalausgabe S. 67–68, Akademieausgabe Bd. V, S. 38–39.

[5] J. L. Mackie, Ethics: Inventing Right and Wrong, Hammondsworth 1977; deutsch unter dem, eher irreführenden, Titel »Ethik: Auf der Suche nach dem Richtigen und Falschen«, Stuttgart 1981. Die hier einschlägigen Ausführungen finden sich besonders S. 237–256 (deutsche Ausgabe).

[6] Für diesen sehr eingeschränkten Altruismus haben die Verhaltensforscher erstaunliche Parallelen im Verhalten der höheren Tiere beigebracht, und die Soziobiologen haben gezeigt, wie ein in entsprechender Weise begrenzter Altruismus, entgegen Darwins Ansicht, als biologisch sinnvoll und die Ausbildung dieses Verhaltenstyps als selektionstheoretisch zweckmäßig erwiesen werden kann. Hierzu vgl. den Beitrag von Chr. Vogel zu diesem Band und meinen Aufsatz »Verhaltensforschung und Ethik«, Neue Deutsche Hefte 31, 1984, S. 675–686.

[7] I. Kant, Grundlegung zur Metaphysik der Sitten, Akademieausgabe Bd. VI, S. 443. (Diese Schrift ist nicht zu verwechseln mit der philosophisch bedeutenderen »Grundlegung zur Metaphysik der Sitten« von 1785.)

[8] J. Bentham, An Introduction to the Principles of Morals and Legislation, chapt. XVII, § 1, section IV (in der Ausgabe von L. J. Lafleur, New York 1948, S. 310–311).

[9] Zur näheren Begründung mancher der hier vorgetragenen Thesen verweise ich auf folgende Veröffentlichungen: G. Patzig, Ethik ohne Metaphysik, Göttingen (1971) 1983; ders., Der Unterschied zwischen subjektiven und objektiven Interessen und seine Bedeutung für die Ethik, Göttingen 1978; ders., Ökologische Ethik – innerhalb der Grenzen bloßer Vernunft, Göttingen 1983; E. Ströker (Hrsg.), Ethik der Wissenschaften, Paderborn–München–Wien–Zürich 1984; H. Lenk (Hrsg.), Humane Experimente, Paderborn–München–Wien–Zürich 1985.

Hermann Lübbe

# Die Wissenschaften und die Zukunft unserer Kultur

Fast zwei Drittel der Beiträge zur Daimler-Benz-Festschrift sind den Naturwissenschaften sowie den auf naturwissenschaftlicher Grundlage arbeitenden technischen und medizinischen Disziplinen gewidmet. Das ist, in wohlbestimmter Hinsicht, unserer zivilisatorischen Lage angemessen. Die Naturwissenschaften und die von ihnen abhängigen Wissenschaften haben mehr als jeder andere kulturelle Faktor zur Veränderung unserer Zivilisation und zu ihrer Dynamisierung beigetragen. Nicht, daß unsere Zivilisationsgenossenschaft nicht auch von der Wirkung anderer kultureller Faktoren sich in elementarer Weise betroffen fände. Es genügt, an die schlimmen Hochideologien dieses Jahrhunderts zu erinnern, um zu erkennen, wie Wirtschaft und Politik, Recht und Freiheit, ja im Extremfall Krieg und Frieden von weltanschaulichen Orientierungen abhängig werden können, die schlechterdings nicht den Status von Wissenschaften haben, und zwar gerade auch dann nicht, wenn die Berufung auf vermeintliche oder tatsächliche Argumente, die den Wissenschaften entnommen sind, in der Selbstlegitimierung jener Hochideologien eine Rolle spielt. »The sciences are small power«, fand Thomas Hobbes[1], und dieser Satz fällt einem ein, wenn man, in unserem Jahrhundert, die Hochideologien einerseits und die Wissenschaften andererseits machtpolitisch gegeneinander gewichtet. – Auf der anderen Seite hat sich unsere Zivilisation jenseits aller ideologischen, auch reiligiösen und sonstigen kulturellen Grenzen und Differenzen unaufhaltsam, wie es scheint, zu einer universellen Zivilisation mit globalen Ausbreitungserfolgen entwickelt, und zwar in erster Linie kraft ihrer Prägung durch eine Naturwissenschaftskultur, in deren Zusammenhang wir gelernt haben, Theorien von universeller Geltung zu entwickeln und zu handhaben und in technologischer Transformation für Zwecke der Lebensfristung und Lebenssteigerung zu nutzen. Wir sind es inzwischen gewöhnt, von dieser so überaus erfolgreichen Zivilisation als von einer wissenschaftlichen Zivilisation zu sprechen. Im deutschsprachigen Bereich hat wie kein anderer Helmut Schelsky diese Kennzeichnung populär gemacht – mit seiner bekannten 1961er Akademie-Abhandlung »Der Mensch in der wissenschaftlichen Zivilisation«[2]. Daß wir in einer wissenschaftlichen Zivilisation leben, heißt banalerweise nicht, die nicht-wissenschaftlichen Elemente unserer Kultur verlören an Gewicht und lebensprägender Wirkung. Es heißt lediglich – spitz formuliert –, daß in der Menge der Annahmen über die Wirklichkeit, wie wir sie stets unseren Entscheidungen und Handlungen zugrunde legen müssen, der Anteil derjenigen Wirklichkeitsannahmen rasch wächst, die Ergebnisse wissenschaftlicher Forschung sind und die uns somit gar nicht zur Verfügung stünden, wenn in unserer Zivilisation nicht in immer noch anwachsender Zahl Personen und Institutionen tätig wären, deren Beruf und Zweck die systematische Erweiterung und

Verbesserung verfügbaren und nutzbaren Wissens ist. Handeln setzt ja, noch einmal, stets Kenntnis der Realität voraus, in die wir durch unser Handeln, in Orientierung an gegebenen Zwecken, verändernd oder auch konservierend eingreifen, und überdies setzt Handeln theoretische Voraussicht der Wirkungen dieses Handelns voraus. Ersichtlich bleibt der Umkreis unserer Handlungsmöglichkeiten in seinen Grenzen stets von den Grenzen unserer entsprechenden Kenntnis und Voraussicht bestimmt, und komplementär dazu erweitern sich unsere Handlungsmöglichkeiten sprunghaft mit der Erweiterung unseres Wissens von der Welt, in der wir leben, sowie mit der Verläßlichkeit theoriegeleiteter Erwartungen hinsichtlich der Wirkungen unseres Handelns. »Tantum possumus quantum scimus« – so hat das, genau komplementär zum zitierten Dictum des Thomas Hobbes, gleichfalls im 17. Jahrhundert Francis Bacon formuliert[3], und man muß nicht Wissenschaftstheoretiker sein, um darin das Spezifikum der heute so genannten wissenschaftlichen Zivilisation zu erkennen: Die wissensfortschrittsbedingte Erweiterung unserer Handlungsmöglichkeiten und in Nutzung dieser Möglichkeiten die fortschreitende Ausweitung des Anteils derjenigen zivilisatorischen Lebensvoraussetzungen, die wissenschaftlich-technisch bedingt sind und die uns somit von Wissenschaft und Technik in wachsendem Maß abhängig sein lassen. Jeder Gymnasiast, der zum ersten Mal im Kontext soliden Schulunterrichts wirklich zur Kenntnis nimmt, daß die ihm selbstverständliche Hungerkatastrophenfreiheit seiner Existenz zu sehr erheblichen Anteilen agrarchemie- und transporttechnologiebedingt ist, macht die intellektuelle Erfahrung dieser Abhängigkeit, und spätestens dann, wenn er einmal als Patient durch eine anästhesiologisch abgesicherte Operation in einer Lebenslage sich gerettet findet, in der ihm noch zwei Jahrzehnte zuvor der Tod gewiß gewesen wäre, bejaht er diese Abhängigkeit.

Gewiß: Zur Erweiterung unserer Handlungsmöglichkeiten tragen heute nicht nur die Naturwissenschaften und die von ihnen unmittelbar abhängigen Disziplinen bei. Auch die Wirtschafts- und Sozialwissenschaften stellen uns heute Theorien zur Verfügung, die Prognosen über ökonomische und gesellschaftliche Prozesse verstatten und damit den Entwurf von Handlungskonzepten zur Steuerung dieser Prozesse. Indessen ist die faktorielle Bedeutung der Wirtschafts- und Sozialwissenschaften für die Beschleunigung der zivilisatorischen Evolution eine durchaus andere als die der Naturwissenschaften und der naturwissenschaftsabhängigen Disziplinen. Die Nötigkeit, medizintechnisch eröffnete neue diagnostische oder therapeutische Möglichkeiten praktisch zu nutzen, oder auch die Evidenz der Rationalisierungsvorteile elektronischer Datenverarbeitung in wichtigen Dienstleistungsbereichen von den Versicherungen bis zu den Banken bestimmen das Entscheiden und Handeln der Verantwortlichen ungleich zwingender als ökonomische oder soziologische Theoreme das in wirtschafts- oder gesellschaftspolitischen Handlungszusammenhängen zu tun vermögen. Entsprechend hat Rainer Lepsius in einem Bericht über die Entwicklung der Soziologie nach dem Zweiten Weltkrieg seine deutschen Kollegen daran erinnert[4], daß der Anteil, in welchem die Soziologie zum »Entscheidungswissen« im Kontext von Politik und Verwaltung beigetragen habe, ungleich geringer sei als der entsprechende Anteil der Naturwissenschaften und der von ihnen abhängigen technischen und medizinischen Disziplinen. Diese Feststellung schränkt, selbstverständlich, die Nötigkeit der Sozialwissenschaften nicht im mindesten ein. Auch die historischen Kulturwissenschaften, zum Beispiel, pflegen wir ja nicht wegen eines Gehalts an Theorien, die unmittelbar in Technologien oder sonstige Handlungsregeln transformierbar wären, zu empfehlen, und es wäre banausisch, ja wissenschaftskulturrevolutionär, wollten wir die Sozialwissenschaften nur gelten lassen, soweit sich ihre Theorien direkt in Sozial- oder Organisationstechnologien von evidenter Zweckrationalität umsetzen ließen. – Es gehört nicht hierher darzustellen, woran es liegt, daß die Naturwissenschaften zur Expansion unserer Handlungsmöglichkeiten soviel nachhaltiger als die Sozialwissenschaften beigetragen haben. Es mag genügen, sich zu vergegenwärtigen, daß die Randbedingungen, unter denen unsere Erwartungen hinsichtlich der Wirkungen unseres theoriegeleiteten Handelns verläßlich sein würden, sich im Gegenstandsbereich der Naturwissenschaften und des ihnen folgenden technischen oder medizinischen Handelns zumeist ungleich sicherer identifizieren und festhalten lassen als das im Gegenstandsbereich angewandter Sozialwissenschaften der Fall ist. So oder so: Die Naturwissenschaften sind es, die in den mannigfachen Formen ihrer Nutzung mehr als jeder andere kulturelle Faktor zur Veränderung und Dynamisierung unserer zivilisatorischen Lebenswelt beigetragen haben. In der Verteilung der Beiträge der vorliegenden Festschrift auf die Naturwissenschaften einerseits und auf die übrigen Wissenschaften andererseits spiegelt sich das.

Die Naturwissenschaften und die auf ihnen basierenden Disziplinen gehören also zum Ensemble unserer zivilisatorischen Lebensvoraussetzungen, und unsere Abhängigkeit von ihnen nimmt weiterhin zu. Aber was es heißt, in einer so bestimmten wissenschaftlichen Zivilisation zu leben – das ist ersichtlich nicht ein naturwissenschaftliches Thema. Auch die Bedingungen, von denen die kulturelle Existenz der Naturwissenschaften abhängt, gehören nicht ihrem Gegenstandsbereich an. Man mag finden, die Thematisierung dessen, was Dasein und Wirkung der Naturwissenschaften kulturell anerkannt sein läßt, erübrige sich. Aber das gilt nur solange, wie diese Anerkennung den Charakter einer kulturellen Selbstverständlichkeit hat und somit die naturwissenschaftliche Forschungspraxis und deren Nutzung nicht Legitimitätszweifeln ausgesetzt sind. Davon kann inzwischen keine Rede mehr sein. Die Anzeichen mehren sich, die als Anzeichen einer sich intensivierenden emotionalen Selbstdistanzierung unserer wissenschaftlich-technischen Zivilisation sich deuten lassen. Sogar von Wissenschafts- und Technikfeindschaft war inzwischen die Rede, und die Demoskopen haben, national und international, die einschlägigen antizivilisatorischen Affekte längst vermessen. Deutsche, die aus erläuterungsunbedürftigen historischen Gründen in ausgeprägter Weise zu Selbstzweifeln neigen, sind immer wieder einmal geneigt, Zivilisationspessimismus für eine speziell deutsche Versuchung zu halten. In Wahrheit sind die Erfahrungen einer zunehmenden emotionalen Belastung durch zivilisatorische Modernisierungsprozesse industriegesellschaftsspezifisch. Jedenfalls sind die beobachteten Unterschiede im Wandel der Einstellung zu Wissenschaft und Technik zwischen den vergleichbaren westeuropäischen Ländern eher gering[5]. Überdies ist die sogenannte Wissenschaftsfeindschaft nicht zuerst in Europa, vielmehr in den USA registriert worden, und die frühesten wissenschaftlichen Analysen dieser neuesten Befindlichkeit im Westen stammen von dort[6]. Eben das ist Grund genug, auf die mannigfachen Tendenzen eines emotionalen Rückzugs aus der wissenschaftlichen Zivilisation gelassen zu reagieren. Früher als im Bayerischen Wald sind Aussteiger in Kalifornien beobachtet worden[7]. Aber zu den Musterländern jüngster hochtechnologischer Entwicklungen gehört Kalifornien bekanntlich gleichfalls.

Nichtsdestoweniger hat sich unsere wissenschaftskulturelle Lage bedeutsam verändert. Man erkennt das an den Rechtfertigungszwängen, denen die Repräsentanten nationaler und internationaler Wissenschafts- und Technologiepolitik heute sich ausgesetzt finden. Es ist nötig geworden, öffentlich zu sagen, wozu uns die Wissenschaften und die Technik gut zu sein haben, und in genau diesem Sinne hat ihre kulturelle Geltung und Anerkennung an Selbstverständlichkeit verloren. Die politische Einforderung von Relevanznachweisen zur Legitimierung wissenschaftlichen Tuns war, international, einer der Kristallisationspunkte studentischer Bewegtheit in der zweiten Hälfte der sechziger Jahre[8]. Die Studentenbewegung hat sich inzwischen bis auf kleine, erinnerungsselige Reste verloren; aber der Relevanzkontrolldruck, dem Wissenschaft und Technik sich öffentlich ausgesetzt finden, hat sich seither eher noch erhöht. Daß diesem Druck nicht standgehalten werden könne – davon kann, im wesentlichen, nicht die Rede sein. Aber der Argumentationsbedarf ist unverkennbar gewachsen.

Es wäre selbstverständlich naiv anzunehmen, daß die kulturelle Existenz von Wissenschaft und Technik in letzter Instanz an ein paar Argumenten hinge. Die Zukunft der Wissenschaften und der Technik beruht darauf, daß wir bis in unsere physische und soziale Existenz hinein von ihnen abhänig geworden sind. Aber eben das will heute gesagt und aufgezeigt sein. Gewiß: Die Einsicht, daß wir bis in unsere physische und soziale Existenz hinein von den Leistungen der Wissenschaft und Technik abhängig geworden sind, hat den Charakter einer vollendeten Trivialität, und Wissenschaftler sind, im Unterschied zu Politikern, dazu erzogen, sich triviale Argumente nicht zu gestatten. Jedoch hat in der Lebenspraxis das, was auf der kognitiven Ebene für trivial gelten muß, nicht selten fundamentale Bedeutung, und alsdann ist es nicht trivial, das ausdrücklich gegen jene geltend zu machen, die an den Rändern unserer Kultur deren Gemeinüberzeugungen nicht mehr teilen.

Zu diesem Zweck sollte man sich nicht scheuen, auf die elementaren Gründe zu rekurrieren, denen die wissenschaftlich-technische Zivilisation ihre immer noch überwältigende Akzeptanz und damit ihre historisch singuläre Durchsetzungskraft verdankt. Schließlich ist der Ausbreitungserfolg dieser Zivilisation kein Mirakel, und er bliebe auch unverständlich, wollte man ihn aus partikulären Sonderinteressen privilegierter Gruppen erklären, die die wissenschafts- und technikabhängigen Modernisierungsprozesse gegen die Mehrheitsinteressen unserer Zivilisationsgenossenschaft profitorientiert durchzusetzen vermocht hätten. Die umgekehrte Vermutung ist ungleich plausibler: Die Irresistibilität der Ausbreitung unserer wissenschaftlich-technischen Zivilisation verdankt sich der Evidenz der Lebensvorzüge, die mit ihr verbunden sind. Es wäre freilich eine arge Verkennung der historischen Wurzeln unserer Wissenschaft, ihre Nutzbarkeit und damit ihre Eignung als Medium der Wohlfahrtssteigerung für das ursprüngliche Motiv, sich der Wissenschaft zu verschreiben, oder auch nur für den ursprünglichen Zweck ihrer öffentlichen Förderung zu halten. Nichtsdestoweniger haben spätestens seit der Aufklärung Nutzungskalküle die Wissenschaftspolitik in Europa mitbestimmt, und auch für die preußische Universitätsreform Wilhelm von Humboldts gilt das. Auch Humboldt hat, selbstverständlich, unterstellt, daß die außerordentlichen Anstrengungen des Staates zur Förderung der Wissenschaft und der Bildung durch Teilnahme am Leben der Wissenschaft den Nutzen des Staates mehren werde. Er hat lediglich überdies, und zwar zu Recht, gefunden, daß die von der Bestimmung durch unmittelbar wirkende Nutzungszwecke bis in die Motivlage der Forscher hinein freigesetzte Wissenschaft im Endeffekt auch die nützlichere Wissenschaft sein werde[9]. Daß sie es dann über mannigfache technische, wirtschaftliche und soziale Vermittlungen tatsächlich wurde – das ist eine Erfahrung, die schließlich sogar in den Kämpfen der Arbeiterbewegung nicht bestritten, vielmehr vorausgesetzt gewesen ist, und es ist selbstverständlich kein Zufall, daß die Anzeichen der sogenannten Wissenschafts- und Technikfeindschaft heute in der traditionellen Industriearbeiterschaft noch am wenigsten, am häufigsten aber unter intellektualisierten Dienstleistern zu finden sind. – Um es in der Wiederholung zu sagen: Der Ausbreitungserfolg der wissenschaftlich-technischen Zivilisation verdankt sich einer lebenserfahrungsbegründeten Zustimmung zu ihr. Ihr Fortschritt erwies sich als unaufhaltsam, indem ihre Entwicklung tatsächlich als Fortschritt, das heißt als eine aus praktischen Gründen zustimmungsfähige, ja zustimmungspflichtige Entwicklung wahrgenommen werden konnte. Was immer wir heute für Gründe haben mögen, an dieser Fortschrittsnatur der zivilisatorischen Evolution zu zweifeln –: Wir würden unsere zivilisatorische Gegenwart historisch unverständlich machen, wenn wir sie nicht mehr auf dem Hintergrund gelungener Absenkung früherer Säuglingssterblichkeitsraten, ausgeweiteter Selbstverwirklichungschancen durch produktivitätssteigerungsbewirkte berufsarbeitsfreie Lebenszeiträume, wissenschaftlich-technisch bedingter Befreiung von der Angst drohenden Hungers etc. zu sehen vermöchten. Kurz: Nicht ihre eingebildete, vielmehr ihre reale Fortschrittsnatur hat die wissenschaftlich-technische Zivilisation irresistibel gemacht.

Emphase im Gebrauch des Wortes »Fortschritt« kommt heute öffentlich kaum noch vor. Publizisten wie Politiker setzen das Wort »Fortschritt« auch dann, wenn sie es, statt über es zu reden, operativ verwenden, heute regelmäßig in Anführungszeichen. Das heißt: Sie fassen es gleichsam mit der Zange an und demonstrieren so ihre Distanz einem Begriff gegenüber, der in Geschichtsphilosophien und Ideologien, in Parteien und Gewerkschaften, in der Wirtschaft wie in der Kunst vom Beginn des Industriezeitalters an als Orientierungsgröße doch elementare Bedeutung gehabt hat[10]. Es gibt ja gute Gründe, die gegenwärtig stattfindenden Entwicklungen unserer Zivilisation nicht mehr uneingeschränkt als Fortschritte gelten zu lassen, und von diesen Gründen wird die Rede sein müssen. Vorerst soll lediglich festgehalten sein, daß diese Gründe, die uns zu Zweifeln in die Fortschrittsnatur gegenwärtiger zivilisatorischer Evolutionen berechtigen, damit nicht eo ipso auch die Fortschrittsnatur bisheriger zivilisatorischer Entwicklungen dementieren. Es ist nicht dasselbe, am wissenschaftlich-technischen Fortschritt zu zweifeln und frühere Fortschrittsgewißheit als illusionär zu behaupten. Wer kaum noch befürchten muß, im Alter von sechzig Jahren an einer Lungenentzündung zu sterben, hat keinerlei Grund, die Fortschritte der Medizin, denen er das verdankt, als illusionär zu denunzieren, wenn er nun in einem im Durchschnitt um fünfzehn Jahre höheren Alter einer chronischen und derzeit nicht heilbaren sogenannten Zivilisationskrankheit wegen recht elend dahinsiecht. Es ist, wie wir sehen werden, für die historische Selbstverständigung über unsere Lage von großer Wichtigkeit festzuhalten, daß Grenzen, an die man schmerzhaft anstößt, nicht eo ipso die Mühen, die einen an sie gelangen ließen, als vergeblich erweisen. Hält man das fest, so wäre es nicht weniger destruktiv, die Erfahrungen, die eine wachsende Zahl von Bürgern in emotionale Distanz zur wissenschaftlich-technischen Zivilisation sich begeben läßt, nun ihrerseits als illusionär und grundlos zu behaupten. Schädlichkeitsnebenfolgen des Zivilisationsprozesses sind längst bis in unsere Primärerfahrungen hinein durchgeschlagen, und es erübrigt sich, das zu exemplifizieren – von der penetranten Verschmutzung gewisser Meeresstrände, die einem den Badeurlaub vergällen, bis hin zur Frustration der Mitglieder von Anglervereinen in der Umgebung skandinavischer Seen, die früher einmal als Anglerparadies galten. Gewiß: Ursachen und Wirkungen von Beständen dieser Art, wie sie heute in unabzählbarer Menge zu unserer Alltagserfahrung gehören, entziehen sich zumeist dem Laienurteil, so daß man insoweit auf die Berichterstattung in den Medien verwiesen ist. Es wäre unbillig zu erwarten, daß solche mediale Berichterstattung über unsere zivilisatorische Lage exklusiv aus wissenschaftlich erhärteten Sätzen bestünde. Aber in wachsender Zahl melden sich doch auch die Wissenschaftler selber, darunter Spezialisten ersten innerfachlichen Geltungsranges, zu Wort, und zwar sorgenerfüllt. Selbst notorische Optimisten unter den Wissenschaftlern schreiben heute Bücher mit Titeln wie »Wir werden überleben«[11], und das wirkt auch nicht gerade ermunternd. Dergleichen wirkt sich auf die Befindlichkeiten unserer Zivilisationsgenossenschaft zwangsläufig aus. Nichts ist mehr wie noch vor einem Vierteljahrhundert. Das gilt auch dann, wenn wir auf manche zivilisatorische Lebensumstände heute nicht deswegen so empfindlich reagieren, weil diese Lebensumstände objektiv sich verschlechtert hätten, sondern umgekehrt deswegen, weil, wohlfahrtsabhängig, unsere Ansprüche und damit auch unsere Empfindlichkeiten gestiegen sind.

Wie auch immer: Es vollziehen sich gegenwärtig kulturell tiefgreifende Einstellungsänderungen im Verhältnis zur wissenschaftlich-technischen Zivilisation, und es gibt Gründe anzunehmen, daß diese Einstellungsänderungen irreversibel sind. Um so wichtiger ist es, diesen Vorgang in seiner Rationalität theoretisch und normativ adäquat zu erfassen. Soweit es richtig ist, daß die Dynamik und der Ausbreitungserfolg unserer Zivilisation ohne die Evidenz der Lebensvorzüge, die wir dieser Zivilisation zu verdanken haben, gar nicht erklärbar wäre, liegt es nahe, die Schädlichkeitsnebenfolgen des Zivilisationsprozesses, die heute bis in unsere Alltagserfahrung hinein immer aufdringlicher werden, »Kosten« zu nennen. Der Kostenbegriff hat den Vorzug, daß er, diesseits seiner wirtschaftswissenschaftlichen Disziplinierung, in alltagsökonomischer Verwendung jedermann vertraut ist. Er hat überdies den Vorzug, daß in seiner zivilisationstheoretischen Verwendung die schon in unserer privaten Lebensführung eingeübte ökonomische Rationalität des angemessenen Umgangs mit knappen Mitteln auf den Umgang mit naturalen und kulturellen Lebensvoraussetzungen, die wir bislang nicht als knapp erfahren haben, sich übertragen läßt. Und schließlich hat der Begriff der Kosten in Anwendung auf das, was uns heute weit über die ökologischen Schädlichkeitsnebenfolgen des Zivilisationsprozesses hinaus belastet, den wichtigen weiteren Vorzug, daß er jene Lebensvorzüge nicht desavouiert, für die nun allerdings der Preis rascher als die Lebensvorzüge selber zu wachsen scheint. Die Anwendung des Kostenbegriffs auf die Schädlichkeitsnebenfolgen des Zivilisationsprozesses ist eben deswegen alles andere als banal. Dieser Begriff erlaubt es, zweierlei gleichnachdrücklich festzuhalten: den kulturellen Lebenssinn unserer wissenschaftlich-technischen Zivilisation ineins mit der Erfahrung des rasch wachsenden Preises, den wir für die Inanspruchnahme der Lebensvorzüge dieser Zivilisation zu zahlen haben. In Verwendung eines weiteren ökonomischen Begriffs ließe sich sagen: Die

Einstellung zur wissenschaftlich-technischen Zivilisation ändert sich gegenwärtig unter dem Druck von Erfahrungen eines abnehmenden Grenznutzens der Fortschritte dieser Zivilisation. In Übereinstimmung mit den kulturellen Traditionen, aus denen unsere Zivilisation lebt, wird damit die Fortschrittsnatur der zivilisatorischen Evolution nicht geleugnet. Es wird aber zugleich konzeptuell festgehalten, daß Trends zivilisatorischer Entwicklungen, die sich rechnerisch beliebig weit extrapolieren lassen, in der naturalen und kulturellen Realität sich schließlich stets an unüberschreitbaren Systemgrenzen brechen müssen.

Die Philosophie, von der man sich bei der Darstellung des aktuellen Wandels unserer kulturellen Einstellung zur wissenschaftlich-technischen Zivilisation theoretisch und konzeptuell leiten läßt, ist niemals folgenlos. Man erkennt das, wenn man im Kontrast zur vorgeschlagenen Interpretation aktueller Erfahrung der Schädlichkeitsnebenfolgen des Zivilisationsprozesses nach ökonomischer Analogie der Erfahrung eines abnehmenden Grenznutzens sich einige andere, aktuelle Interpretamente unserer zivilisatorischen Lage vor Augen führt. Eines dieser Interpretamente hat in der bekannten Formel »Man darf nicht alles tun, was man kann« Schlagwortreife gewonnen. Das erscheint plausibel. In der Verwendung der zitierten Formel bekundet man moralische Nachdenklichkeit, Verantwortungsbereitschaft und Problembewußtsein. Gegen solche Stimulation guten Willens ist selbstverständlich nichts einzuwenden. Sie ist ganz im Gegenteil beifallswürdig, und entsprechend ist heute die zitierte Formel nicht zuletzt aus dem Munde der Politiker bis in unsere Parlamente hinein immer wieder einmal zu hören. Hört man genauer hin und nimmt man die fragliche Formel wörtlich, so wird sie einem rasch rätselhaft. Es genügt, sich, sagen wir, in die Lage eines mittelständischen Unternehmers zu versetzen, und man erkennt, daß Handlungsweisen von der Art, wie sie mit der zitierten Formel als nicht zulässig abgewehrt werden, ein ganz und gar unwahrscheinlicher Fall sind. Wie könnte einer denn auf seine Kosten kommen, wenn er sich einfallen ließe, etwas bloß deswegen zu produzieren, weil er dazu technisch in der Lage ist? Banalerweise kann man nur produzieren, wofür man auf Märkten Abnehmer findet, und diese pflegen doch zu wissen, wofür ihnen gut zu sein hat, was sie sich seinen gehörigen Preis kosten lassen. Selbstverständlich schließt diese gewöhnliche Art der Betrachtung nicht aus, daß wir uns dann und wann allerlei technischen Firlefanz aufschwatzen lassen mögen. Indessen: Sich die wissenschafts- und technikabhängige industrielle Produktion insgesamt oder auch nur in wesentlichen Aspekten als Resultat der Betätigung einer von praktischen, das heißt ökonomischen, politischen oder moralischen Zwecksetzungen unberührten Macher-Mentalität vorzustellen – das ist ersichtlich eine absurde Art, sich den Zivilisationsprozeß einschließlich seiner prekären Aspekte verständlich machen zu wollen. Selbst für die großen, mit technischen Mitteln vollstreckten Verbrechen dieses Jahrhunderts gilt das. Auch hinter diesen steckt ja nicht Betätigungslust aus purer Macher-Mentalität, vielmehr der in politische Aggressivität umgesetzte Fanatismus aus ideologischer Heilsgläubigkeit[12], und es wäre eine arge Verharmlosung dieses Phänomens, wollte man unterstellen, hier hätten gewisse Leute Schlimmes bloß deswegen getan, weil man es mit unseren technisch reich instrumentierten Mitteln heute eben tun kann.

Aber was ist dann der Sinn der Maßgabe, man dürfe nicht alles machen, was man machen kann? Ihre Popularität lebt von unserer Neigung zur moralischen Dämonisierung der wissenschaftlich-technischen Zivilisation. Wer das für unangemessen hält, will damit, selbstverständlich, die unermeßlichen Schrecknisse nicht in Abrede stellen, die unser Jahrhundert gesehen hat und im Verhältnis zu denen unser Urteil in erster und letzter Instanz ein moralisches Urteil sein muß. Aber von diesen Schrecknissen, die ihre spezielle Erklärung verlangen, muß man die Kosten, die uns der zivilisatorische Fortschritt in rasch zunehmendem Maße abverlangt, unterscheiden. Kostenfragen sind im Regelfall gerade nicht moralische Fragen. Es sind Nutzenkalküle, die uns nach pragmatischen Zielvorgaben des moralischen common sense aus der Erfahrung, daß gewisse Kosten ebenso unvermeidbar wie unerträglich sind, gebotene Konsequenzen der Selbstbeschränkung ziehen lassen, und abermals ist unsere wissenschaftliche und technische, auch organisationstechnische Kompetenz, nicht unser Gewissen, herausgefordert, wenn es die Frage zu beantworten gilt, was zu tun ist, um die als vermeidbar erkannten Kosten des Zivilisationsprozesses zu minimieren. Die Moralisierung von Sachfragen wirkt stets kontraproduktiv. Wir kennen das aus der Praxis totalitärer Regime, die, zum Beispiel in kriminalisierender Absicht nach Schuldigen suchen, ja Sabotage vermuten, wo nicht Gesinnung und Linientreue, sondern einzig bessere technische und organisatorische Kompetenz das Malheur hätte verhindern können.

Es ist eine Frage von erheblichem Interesse, woher die zunehmende Neigung zur Moralisierung unserer Zivilisationsprobleme stammt und wie sie sich erklären läßt. Ich werde späterhin noch versuchen, zur Beantwortung dieser Frage einen kleinen Beitrag zu leisten. Zuvor möchte ich aber, exemplarisch, an eine zweite populäre Formel erinnern, in deren Verwendung wir uns heute gern auf die Lebensprobleme der wissenschaftlich-technischen Zivilisation beziehen. Auch von dieser Formel geht eine dämonisierende Wirkung aus. Ich meine die Formel vom »Frieden mit der Natur«. Auch in diesem Falle ist, selbstverständlich, gegen den naturschützerischen Impuls, dem sie entstammt, nicht das Mindeste einzuwenden. Auch der noch stärkere gute Sinn, auf den sie sich bei vernünftiger Interpretation bringen läßt, ist schlechterdings unwidersprechlich, nämlich die Erinnerung an die naturalen Erhaltungsbedingungen unserer Zivilisation und damit an die Fälligkeit, die Zivilisation mit diesen ihren naturalen Erhaltungsbedingungen in Übereinstimmung zu halten. Dämonisierend wirkt die fragliche Formel nichtsdestoweniger durch die mit ihr sich verbindende Insinuation, erst unsere Zivilisation habe der Natur den Krieg erklärt, während in früheren kulturgeschichtlichen Epochen jener Naturfriede geherrscht habe, den nun auch unsere Zivilisation, bei Strafe ihres Untergangs, wiedergewinnen müsse. In Wahrheit verführt uns diese Insinuation zu einer Moralisierung unseres zivilisationshistorischen Bewußtseins, und das ist, wie sich zeigen läßt, keineswegs harmlos. Kulturbedingte destruktive Eingriffe in die naturalen Voraussetzungen der Kultur sind alles andere als modernitätsspezifisch. Desertifikationsprozesse durch Übergang zum Ackerbau in erosionsgefährdeten klimatischen und geologischen Zonen, Verwüstung durch Überweidung, Verschotterung von Talböden infolge von Rodungen in Gebirgswäldern – das alles hat sich mit tiefeingreifenden, bis heute nachwirkenden Folgen bei uns oder in unseren Nachbarschaften in vorindustriellen Epochen unserer Kulturgeschichte zugetragen. In den Arbeiten der Historiker, deren Thema die kulturabhängige Naturgeschichte ist, kann man das nachlesen. Von unseren Forsthistorikern hören wir, daß der Schwarzwald, den wir, sofern wir unseren Beruf außerhalb der Forstwirtschaft haben, ästhetisch in der Verklärung romantischer Dichter und Maler anzuschauen gewohnt sind und um dessen Fortbestand wir uns jetzt Sorgen machen, kurz vor Beginn des Industriezeitalters, herrschender Holzknappheit wegen, ein durch Übernutzung weithin verkommenes Areal war. Die Montanindustrie hat, so paradox uns das heute in den Ohren klingen mag, den Schwarzwald gerettet, nämlich durch Substitution der Holzenergie durch die industriell geförderte Kohle. Die forstwirtschaftliche Leistungsfähigkeit einer modernen rationalen Verwaltung – im exemplarischen Falle die des badischen Musterländles – kommen hinzu. – Die Ermunterung, sich mit solchen historischen Fakten bekanntzumachen, hat keineswegs den Sinn, von den Problemen unserer Gegenwartszivilisation abzulenken oder sie zu verharmlosen. Die Kritik am falschen Verhältnis zur Vorgeschichte unserer Gegenwartszivilisation, in das uns Forderungen von der Art »Frieden mit der Natur« zu bringen drohen, hat lediglich den Sinn der Aufforderung, die Probleme unserer Gegenwartszivilisation an der gehörigen Stelle aufzusuchen. Es ist schlichter historischer Nonsens, daß die moralische Qualität des Naturverhältnisses früherer kulturgeschichtlicher Epochen eine höhere, bessere gewesen sei. Nicht ein Verfall gebotener Moral im kulturellen Naturverhältnis hat uns unsere zivilisatorischen Gegenwartsprobleme beschert, vielmehr die dramatisch sich vergrößernde Eingriffstiefe unseres technisch instrumentierten Handelns. Was wir heute anzurichten imstande sind, hat, selbstverständlich, ganz andere Dimensionen als die akut ungleich bescheideneren naturverändernden Handlungsmöglichkeiten früherer Generationen. Aber es ist nicht wahr, daß die unleugbaren Gefährdungen der naturalen Lebensgrundlagen unserer Zivilisation ihren letztinstanzlichen Grund in einem Verfall kultureller Naturgesinnung hätten. Insoweit verhalten sich die Dinge historisch genau umgekehrt: Die Proklamation des Eigenrechts der Natur, der Wille, sie soweit immer möglich in ihren vorkulturellen Zuständlichkeiten zu erhalten, die Naturschutzbewegung damit und die Einrichtung von Nationalparks, Schutzgebieten und der Erlaß der entsprechenden gesetzlichen und sonstigen Normen – das alles ist industriegesellschaftsspezifisch. Es steht nichts entgegen, das, was so in einer spezifisch modernen Tradition kulturellen Naturverhältnisses getan worden ist, unzulänglich zu nennen oder sogar überhaupt ungeeignet, die inzwischen erkannten Fälligkeiten zur Erhaltung der naturalen Voraussetzungen unserer Zivilisation auch nur annähernd zu erfüllen. Die These ist lediglich die, daß weniger defiziente Naturgesinnung als defiziente wissenschaftlich-technische, organisatorische und soziale Steuerungskapazitäten unsere Lage gefährlich machen. Weniger an guter Naturfriedensgesinnung fehlt es bei der fälligen Emendation unseres zivilisatorischen Naturverhältnisses, als vielmehr an wissenschaftlichem Wissen, technischem Können und an kostenerzwungenem Pragmatismus.

Die Kritik an der Formel, die Frieden mit der Natur und damit die Beendigung des Krieges gegen sie verlangt, enthielt im Kern eine historische Argumentation. Das erlaubt an dieser Stelle den Übergang zu einigen Betrachtungen über die Funktion, die im kulturellen Zusammenhang der wissenschaftlich-technischen Zivilisation die historischen Wissenschaften zu erfüllen haben. Was ist es denn, was sich in unserer Einstellung zur Gegenwartszivilisation ändert, wenn wir erfahren, daß die prekären Züge in der Entwicklung unseres zivilisatorischen Naturverhältnisses keineswegs eine mit unserer Zivilisation gleichursprüngliche moralische Dekadenz beweisen? Für Individuen wie für Institutionen, ja für ganze Kulturen gilt: Wir haben ein Maß für unser Selbstgefühl, damit für unsere Handlungskraft und unsere Zukunftsfähigkeit an dem Ausmaß der jeweils eigenen Vergangenheit, zu der wir uns zustimmend verhalten können. Das ist ein Satz, den man autobiographisch verifizieren kann, und den Deutschen in ihrer nationalen Existenz ist seine Wahrheit ohnehin geläufig. Entsprechend kann man ermessen, was es für die Zukunftsfähigkeit unserer Zivilisation bedeuten müßte, wenn wir uns einreden ließen, sie sei nach Ursprung und Entwicklung Resultat eines moralischen Versagens, einer illegitimen Naturusurpation sowie einer Verblendung durch die Illusion des Fortschritts. Es ist unübersehbar, daß die so argumentierende Selbstdelegitimierung unserer Zivilisation inzwischen ihre Wirkung tut. Sie wirkt kulturrevolutionär. Für die Intensität der kulturrevolutionären Gesinnung gibt es ein Maß, nämlich die Anzahl der Geschichtsepochen und die Zahl der Jahre, über die hin man angeblich zurückblicken muß, um den Punkt zu erkennen, an welchem die Verhängnisgeschichte unserer modernen Zivilisation ihren Anfang nahm. Die Gemäßigten begnügen sich noch damit, den Anfang vom absehbaren Ende unserer Zivilisation im Beginn des Industriezeitalters zu erblicken. Die entschiedeneren Antimodernisten wollen, auf den Spuren Max Webers, den Ursprung der perhorreszierten rationalen Arbeits- und Lebenskultur in der Reformation erkennen, und die kulturrevolutionären Ultras haben schon vor Jahren den sogenannten Kulturbefehl des Alten Testaments als die ursprüngliche Maßgabe identifiziert, der wir die progressive Entfremdung unserer Kultur von der Natur zuzuschreiben haben.

Es empfiehlt sich nicht, dergleichen allzu ernst zu nehmen, und unsere Theologen haben sich in der Apologetik der fraglichen Bibel-Stelle (1. Mose 1,28) denn auch gar nicht schwer getan. Unsere Zivilisation ist überdies reich und differenziert genug, die nicht einmal kleine Zahl der Angehörigen kulturrevolutionär enthusiasmierter Randgruppen in sich auszuhalten, die sich dieser Zivilisation verweigern. Das gilt unbeschadet dessen, daß diese Verweigerungshaltung, sofern sie zu einer allgemeinen würde, in einem katastrophischen Zusammenbruch unserer Zivilisation enden müßte. Nichts hindert uns sogar, allerlei lebensführungspraktische, auch kulinarische und vereinfachende haushaltstechnische Innovationen, die subkulturell zu beobachten sind, hochkulturell zu nutzen und zu integrieren. Aber um solche Betrachtungen zynismusfrei zu halten, muß man sie auf die Einsicht stellen, daß wir die uns bedrängenden Probleme der wissenschaftlichtechnischen Zivilisation nur innerhalb ihrer und nicht gegen sie lösen können. Es gibt inzwischen, auf den Spuren Rousseaus, Betrachter, die finden, daß, wenn unsere Spezies den Versuchungen der neolithischen Revolution nicht erlegen wäre, ihr mit einiger Wahrscheinlichkeit eine längere irdische Dauer verstattet gewesen sein würde als sie sie jetzt noch vor sich hat. Man verspürt die leicht irritierende Wirkung, die von dieser Argumentation ausgeht. Aber selbst wenn diese Argumentation gute Gründe für sich hätte, bliebe sie wegen der Irreversibilität unserer kulturellen Evolution gänzlich folgenlos. Auch in normativer Hinsicht gilt: Kulturelles Leben, Leben überhaupt, ist unter dem Imperativ, jegliches Handeln und Unterlassen ausschließlich am Zweck der Verlängerung des Überlebens ausrichten zu sollen, gar nicht möglich.

Noch einmal: Die Zukunftsfähigkeit unserer Zivilisation ist von ihrem Verhältnis zur eigenen Vergangenheit nicht unabhängig. Zukunftsfähig ist, wer in der Lage ist zu sagen, wie sich die Geschichte, die er hinter sich hat, über Kontinuitäten oder auch über Brüche sinnvoll fortsetzen ließe. Herkunftsbewußtsein ist eine elementare conditio sine qua non unserer Zukunftsfähigkeit. Es läßt sich zeigen, daß unsere Anstrengungen zur Vergegenwärtigung unserer Vergangenheiten an Nötigkeit mit der Dynamik zivilisatorischer Modernisierungsprozesses nicht etwa verlieren, vielmehr ganz im Gegenteil ständig gewinnen. Entsprechend kann auch gar keine Rede davon sein, daß unsere historischen Kulturwissenschaften immer tiefer in den Schatten der Naturwissenschaften und der von ihnen abhängigen Disziplinen gerieten. Noch nie war eine Gegenwart vergangenheitsbezogener als unsere eigene. Die Intensität unserer Bemühungen, Vergangenes gegenwärtig zu halten, hat historische beispiellose Grade erreicht. Die historischen Kulturwissenschaften können sich der Gunst dieser Stunde erfreuen. Was ist der Grund, der komplementär zum Ausbreitungserfolg der wissenschaftlich-technischen Zivilisation den Historismus dieser Zivilisation und damit auch die historischen Kulturwissenschaften so begünstigt hat[13]? Wieso nimmt die Menge der wissenschaftlich-technischen Innovationen und, beispielsweise, die Mengen der Museen gleichzeitig zu? Handelt es sich um Erscheinungen einer Flucht aus der Gegenwart, die auf dem Hintergrund unübersehbarer Anzeichen zeitgenössischen Zivilisationspessimismus ja ihre Plausibilität hätte? Alsdann wäre zu erwarten, daß sich unsere Anstrengungen zur Vergangenheitsvergegenwärtigung in erster Linie auf vormoderne Epochen bezöge. Aber eben davon kann keine Rede sein. Die Sache verhält sich grundsätzlich anders: Die technische Zivilisation ist in den Musealisierungstrend ihrerseits voll einbezogen. Auch die Technikmuseen stehen in Blüte – als das bei uns berühmteste unter ihnen das Deutsche Museum in München zumal. Aber sogar in ländlichen Regionen werden einschlägige Aktivitäten verzeichnet. Landjugendvereine haben sich, zum Beispiel, um den schönen Zweck organisiert, eine musealisierte Landmaschinensammlung zustande zu bringen, und in ihrer Freizeit sieht man junge Leute fleißig Bulldogs aus den dreißiger Jahren für Ausstellungszwecke polieren und reparieren.

Signifikant ist in diesem Zusammenhang auch unsere Firmenpraxis. Die Zahl der großen und kleinen Unternehmen nimmt ständig zu, die neben der Schau ihrer aktuellen Produktion auf den Messen auch eine Schau der Relikte aus Produktionsserien, die längst ausgelaufen sind, veranstalten – nämlich im firmeneigenen Museum. Besonders beliebt sind Uhrenmuseen, die sich in den Regionen des Schwarzwalds oder des schweizerischen Jura häufig finden. Das spezielle Interesse an Uhren leuchtet ein: Geräte der Zeitmessung sind hervorragend geeignet, die Unumkehrbarkeit des Zeitablaufs zu symbolisieren, die uns auch im Museum durch den Anblick irreversibel veralteten Kulturguts anrührt. Die Heimatfilmindustrie hatte die enorme Schubkraft der Schmalspurdampflock für die Mobilisierung von Erinnerungen schon in den dreißiger Jahren entdeckt, und inzwischen postiert die Bundesbahn vor jedem größeren Bahnhof an ihren vollelektrifizierten Hochgeschwindigkeitsstrecken eine ausrangierte Kessellokomotive als Nostalgierequisit. Schlachthöfe, Wassertürme, ausrangierte Fördertürme, veraltete Schiffshebewerke – dergleichen ist heute denkmalsfähig. Beim Besuch von Stätten des Kraftfahrzeugbaus finden Besucher die Oldtimer-Ausstellung – zum Beispiel im attraktiven Daimler-Benz-Museum in Untertürkheim – zumeist interessanter als die vom Band laufenden neuesten Modelle, und junge Männer, die eine Mitfahrt in einem Wagen, der ein halbes Jahrhundert alt ist, anzubieten haben, sind bei den potentiellen Mitfahrerinnen gefragter als die Besitzer von Kreationen futuristischer Karosserieschneider.

Auch die Größenordnung der Gegenstände, die man musealisiert gegenwärtig halten möchte, expandiert unaufhaltsam. Die ersten Museumsdörfer wurden in Europa bekanntlich bereits bald nach der Jahrhundertwende gegründet. Diese Museumsdörfer sind aus Baurelikten bäuerlicher Kultur gebildet, die man an ihrem Ursprungsort sorgfältig abgetragen und im Museumsdorf rekonstruiert hat. Über diesen Stand der Dinge ist der Musealisierungsprozeß inzwischen hinweggeschritten. Neuerdings werden Siedlungen an Ort und Stelle samt ihrer Bewohner musealisiert. Das ist kaum übertrieben gesagt. Man unterwirft bauliche Reliktensembles, alte Festungsdörfer zum Beispiel, auch Fehnsiedlungen oder Sielhafenplätze, rigoros modernisierungsbehindernden Vorschriften der Denkmalpflege. Die Bewohner lassen sich das in den gelungenen, glücklichen Fällen schließlich gern gefallen. Ihre wirtschaftliche Basis stellt sich auf Einkünfte aus dem aufblühenden Nostalgietourismus um, und sie verbessert sich dabei nicht selten[14]. Moden sind vergänglich, und so mag man sich fragen, ob die Vergangenheitsbezogenheit unserer Gegenwart nicht demnächst wieder, eben wie eine Mode, verschwunden sein wird. Die Nostalgiewellen mögen in der Tat bald wieder verebben. Aber schon die erwähnten Musealisierungsvorgänge sind Vorgänge kulturhistorisch großräumiger Art, die sich nach aller Voraussicht auch in die Zukunft hinein fortsetzen werden. Dieser Eindruck der Mächtigkeit in den Bewegungen unserer Vergangenheitszuwendung verstärkt sich, wenn man über die angedeutete Musealisierung hinaus andere, weitere hochkulturelle Betätigungsformen unseres Vergangenheitsinteresses ins Auge faßt. An dieser Stelle sind unsere historischen Ausstellungen zu erwähnen. Sensationell, weil unerwartet, war der Erfolg der Staufer-Ausstellung in Stuttgart, wie man sich erinnert. Die Münchner zogen mit ihrer Erinnerung an die Wittelsbacher nach. In Schönbrunn wurde Maria Theresias gedacht, und gleichzeitig Josefs II. in Melk. Das sind natürlich herausragende Namen und Plätze. Aber auch in geringeren historischen Horizonten wird heute Erinnerung öffentlich kultiviert. Die Gebietskörperschaftsreform hat ja zahllose kleine Landratsamtsgebäude und sonstige Amtssitze funktionslos gemacht. Was tun mit ihnen? Zu den besonders beliebten Antworten auf diese Frage gehört die Umfunktionierung der fraglichen Relikte zum Lokalmuseum.

Vom »Verlust der Geschichte«, über die vor Jahrzehnten einige unserer Historiker klagten, kann keine Rede mehr sein. Unsere Historikerzunft tritt bei ihren nationalen und internationalen Kongressen selbstbewußt auf, und die Repräsentanten des Staates bekunden Respekt durch ihre Anwesenheit bei diesen Kongressen. Popularhistoriographie ist bestsellerfähig geworden, und die Zahl der professionellen Historiker wächst, die über hochspezialisierte Aufsätze und Monographien, die exklusiv an die Adresse der Fachkollegen gerichtet sind, auch wieder Werke des großen erzählerischen Gestus, die sich an gebildete Laien wenden, zu schreiben wissen. Zweifel an der Relevanz der Geschichtswissenschaft, die Ende der sechziger Jahre von akademischen Pseudokulturrevolutionären hier und da vorgebracht wurden[15], sind folgenlos verflogen. Es kann keine Rede davon sein, daß in unserer zeitgenössischen Wissenschaftskultur die historischen Kulturwissenschaften Schwierigkeiten hätten, sich nach Geltung, Ansehen, auch nach materieller Zuwendung gegenüber den Naturwissenschaften, den Technikwissenschaften oder der Medizin zu behaupten.

Es bleibt noch hinzuzufügen, daß in die Kultur des historischen Bewußtseins längst auch die Natur einbezogen ist. Gleichzeitig mit den kulturhistorischen großen öffentlichen Kunst-Museen entstehen im 19. Jahrhundert die naturhistorischen Museen. Relikte der Naturgeschichte, die man in der vorhistoristischen Zeit lediglich unter Kuriositätsaspekten zu betrachten wußte, werden seit damals, komplementär zum aufblühenden Kulturhistorismus, naturhistorisch identifiziert und konserviert. Erst in diesem Zusammenhang eines sich auf die Natur miterstreckenden historischen Bewußtseins können sich dann auch die erwähnten Naturschutzbewegungen entfalten. Naturdenkmäler werden in rasch wachsender Zahl unter Schutz und Reste vorkultivierter Natur unter die Aufsicht von Bio-Kustoden gestellt. Man soll sich nicht täuschen lassen: Unsere gegenwärtigen Naturschutzanstrengungen sind überwiegend Vorgänge der Naturmusealisierung. Nachdem wir über Jahrzehnte hin restliche unregulierte Bachläufe begradigt, kanalisiert und eingedeicht haben, nachdem die Flurbereinigungsprozesse, im wesentlichen, abgeschlossen sind, nachdem restliche Hochmoorflächen zur Rarität geworden sind, konservieren wir nun residuale sogenannte Feuchtbiotope, postglaziale Flugsandhügel oder Heide-Restflächen, für die uns, um sie niedrig zu halten, zumeist die Schafherden fehlen, wie Museumsgut. Die Kultur ist der Raum der Geschichte; aber unser Naturverhältnis hat sich seinerseits historisiert, und in diesem historisierten Naturverhältnis haben wir dann auch naturgeschichtswissenschaftlich die Historizität der Natur entdeckt.

Mit dieser Skizze des expansiven Historismus unserer Gegenwartskultur ließe sich lange fortfahren. Wie erklärt sich dieser Bestand? Was sind, sozusagen, die Bedingungen der Nötigkeit für die kulturellen Leistungen des historischen Bewußtseins? Eine knappe, anschauliche Erklärung der Nötigkeit unserer Vergangenheitszugewandtheit läßt sich einem Theorem des Zürcher Städtebauers Benedikt Huber entnehmen. Huber sagt, daß, wenn die Bausubstanz unserer Städte und Dörfer, unserer Wohnquartiere sich in einer Größenordnung von mehr als zwei bis drei Prozent pro Jahr durch Ersatzbauten oder Erweiterungsbauten ändert, unsere achitektonische Lebenswelt die für unser Lebensgefühl so elementar wichtige Anmutungsqualität der Vertrautheit verliert[16]. Jenseits einer sicherlich nicht präzis definierbaren, aber doch größenordnungsmäßig charakterisierbaren Grenze in der Änderung unserer Lebenswelt wird diese schließlich zu vor unseren eigenen Augen zu einer fremden. Ersichtlich ist es dieser Verfremdungseffekt, der von der modernen städtebaulichen Dynamik ausgeht, auf den sich die Anstrengungen unserer Denkmalsschützer beziehen. Sie sichern konservatorisch jene Marken, an denen die Wiedererkennbarkeit, die Identität – um es modisch zu sagen – unserer Städte und Dörfer hängt.

In genereller Formulierung bedeutet das: Unsere Vergangenheitszugewandtheit, unsere blühende historische Kultur erfüllt Funktionen der Kompensation der belastenden Erfahrungen eines änderungstempobedingten kulturellen Vertrautheitsschwundes. Historisch geprägte Vergangenheitszugewandtheit ist insofern, als Element unserer Gegenwartskultur, selber gerade nicht ein Relikt vormoderner Epochen unserer Geschichte. Der Historismus unserer dynamischen Zivilisation ist modernitätsspezifisch[17].

Hat man diese Zusammenhänge begriffen, so sieht man, daß Herkunftswelt und Zukunftswelt nicht in einem Verdrängungsverhältnis zueinander stehen, vielmehr in einem Verhältnis der Komplementarität. Je zukunftsbereiter wir sind, um so mehr Vergangenheit produzieren wir, und um so nötiger wird der Impuls, sie musealisiert oder umfunktioniert maximal gegenwärtig zu halten. Modernisierungsprozesse machen Konservierungsprozesse nötig. Daher ist auch, bis in unseren politischen Lebenszusammenhang hinein, die alte Opposition von Progressiven und Konservativen im Grunde hinfällig geworden. Je zukunftsbereiter wir sind, um so herkunftskonservativer werden wir, und das ist kein Widerspruch. Ganz im Gegenteil: Herkunftstreue läßt uns in bezug auf die Folgelasten von Modernisierungsprozessen besser standhalten. Im Falle des Denkmalschutzes haben wir inzwischen diesen elementaren Zusammenhang allgemein erkannt. Nichts aber spricht dafür, daß dieser Zusammenhang nicht ebenso auch für die ungleich wichtigeren Elemente unseres Lebens gelte – von der privaten und öffentlichen Moral über die Rechtskultur bis hin zur Religion.

Die Intensität gegenwärtiger Vergangenheitszuwendung und mit ihr die Blüte unserer historischen Wissenschaften hat kompensatorischen Charakter. Sie zeigen an, daß wir Schwierigkeiten haben, die Dynamik der wissenschaftlich-technischen Zivilisation zu verarbeiten, und sie zeigen zugleich an, daß es auf die Herausforderung dieser Schwierigkeiten kulturell überaus produktive Antworten gibt. Ihrer Struktur nach handelt es sich, noch einmal, um Schwierigkeiten, die sich aus der Veränderung unseres Verhältnisses zur Zeit in Abhängigkeit von der in letzter Instanz durch Wissenschaft und Technik bewirkten tachytelischen Natur unserer Zivilisation ergeben. Unter Bedingungen des Fortschritts schrumpft die chronologische Ausdehnung der Gegenwart, das heißt: Die Zahl der Jahre wird immer geringer, über die zurückzublicken bedeutet, in eine bereits partiell fremd gewordene Welt zu blicken. Eben darauf, so hatten wir gesehen, antworten die historischen Wissenschaften mit ihren Bemühungen, unsere und anderer Vergangenheiten, die uns in Abhängigkeit von der sich beschleunigenden Evolution unserer Zivilisation immer rascher zu fremden Vergangenheiten werden, uns und anderen zuschreibungsfähig und damit aneignungsfähig zu halten. Wichtig ist nun, daß die änderungstempobedingte chronologische Verkürzung der Gegenwart, also der Zeitspanne, über die hin wir unsere kulturelle Lebenswelt als im wesentlichen gleichbleibend zu identifizieren vermögen, in der wissenschaftlichen Zivilisation auch unser Zukunftsverhältnis bestimmt. Daraus ergeben sich einige charakteristische Schwierigkeiten, auf die ich mit ein paar Hinweisen aufmerksam machen möchte. Auch diese Schwierigkeiten gehören zu den Belastungserfahrungen, die gegenwärtig unsere Befindlichkeit im Verhältnis zur wissenschaftlich-technischen Zivilisation ändern. Über die ökologischen Probleme, die uns belasten, weiß, als Wissen aus zweiter oder dritter Hand, inzwischen jedes aufgeweckte Fernsehkind zu berichten. Demgegenüber wirken die kulturellen Konsequenzen zivilisationsspezifisch veränderter Zeit-Erfahrung ungleich subtiler, aber nicht weniger eindringlich. Das sei an der fortschrittsabhängigen Schrumpfung chronologischer Distanz gegenüber unbekannter Zukunft demonstriert. Natürlich läßt sich sagen, daß Menschen stets unter Bedingungen der Zukunftsungewißheit zu leben hatten, und diese Ungewißheit ist Gegenstand wohlvertrauter Klagen bis in die religiöse Literatur hinein. Indessen bezieht sich diese altvertraute Ungewißheit auf Ereignisse, deren zeitlicher Eintritt ungewiß ist, die im übrigen aber zum Regelablauf des menschlichen Lebens gehören – Krankheit und Tod, gute Ernte oder schlechte Ernte, Feuersbrünste, glückhafte Fahrt oder ihr Gegenteil. Auf Ereignisse dieser Art pflegen wir uns heute, diesseits der religiösen Lebensorientierung, mit den Mitteln der Wahrscheinlichkeitskalkulation und auf ihrer Grundlage versicherungspraktisch zu beziehen. Es handelt sich um ein Verhältnis zum Einbruch kontingenter Ereignisse in Lebensumstände, die als solche dauern. Ein gänzlich anderes, und zwar spezifisch modernes Zukunftsverhältnis ergibt sich, wenn diese Lebensumstände in ihren Strukturen gerade nicht dauern, vielmehr mit der Dynamik unserer Zivilisation sich fortschreitend ändern. Man mag auf die sogenannte Zukunftswissenschaft verweisen und sagen, daß wir durch sie prognostische Möglichkeiten gewonnen haben, die keiner früheren Epoche zur Verfügung standen. Das Argument trifft zu. Aber seine Bedeutung wird gern mißverstanden. Zunächst muß man Nicht-Wissenschaftler darauf aufmerksam machen, daß es eine Zukunftswissenschaft, die als Spezialdisziplin nach Methode und Gegenstand neben anderen Spezialdisziplinen stünde, gar nicht gibt. Die so genannte Futurologie ist in Wahrheit nichts anderes als die Nutzung der Prognosepotentiale empirisch gehaltvoller Theorien, die uns die vorhandenen Wissenschaften zur Verfügung stellen, für Handlungszwecke. Auf die Nutzung dieser Prognosepotentiale sind wir nun in der Tat wie nie zuvor angewiesen – aber nicht deswegen, weil wir uns zukunftseuphorisch bewegt fänden, mit den Mitteln der Wissenschaft endlich jene Zukunftshorizonte auszuleuchten, in die hinein der Blick den Menschen in vorwissenschaftlichen Epochen verwehrt gewesen wäre. Die Sache verhält sich genau umgekehrt: Unsere Anstrengungen zur Verbesserung wissenschaftlicher Prognostik komplexer kultureller Verläufe haben den Charakter von Bemühungen, für gegebene Handlungszwecke über eine gewisse Strecke hin Schneisen ins objektiv dichter werdende Dickicht der Zukunft zu schlagen. Wie selbstverständlich rechnen wir für unsere eigene Zukunft, für die Zukunft unserer Kinder und Kindeskinder mit analogen Lebenverhältnissen, wenn diese über lange Zeiträume hin hochstabil und in dieser Stabilität selbstverständlich sind. Mit der Menge der unsere Lebensverhältnisse strukturell verändernden zivilisatorischen Innovationen pro Zeiteinheit nimmt eben diese Stabilität ab, und Versuche zur Voraussicht der Verhältnisse, mit denen wir für die Zukunft zu rechnen haben, werden gleichzeitig nötiger und schwieriger. Daß die Verkürzung der Gegenwart und damit die wachsende chronologische Nähe derjenigen Zukunft, für die wir mit anderen, derzeit noch nicht kalkulierbaren Lebensverhältnissen rechnen müssen, in letzter Instanz wissenschaftsfortschrittsbedingt ist – darüber belehrt uns ein Theorem Karl Popper's. Das Theorem besagt, daß, was immer wir über die Zukunft, und sei es mit Hilfe der sogenannten Futurologie, auch wissen mögen – wir können nicht wissen, was wir künftig wissen werden, denn sonst wüßten wir es ja bereits jetzt[18]. Und je größer die faktorielle Bedeutung eben dieses Wissens – über seine technologische Transformation und wirtschaftliche Nutzung – für die Veränderung der Strukturen unserer zivilisatorischen Lebensumstände ist, um so unkalkulierbarer werden, aus dem genannten prinzipiellen Grund, diese künftigen Lebensumstände. In metaphorischer Verkürzung und Dramatisierung heißt das: Die schwarze Wand jener Zukunft, die uns schlechterdings unbekannt ist, rückt genau komplementär zur Dynamik der zivilisatorischen Evolution immer näher an die Gegenwart heran, und das ist der letztinstanzliche Grund, der in dieser wohlbestimmten Hinsicht Zukunftsungewißheit gerade für unsere wissenschaftlich-technische Zivilisation charakteristisch sein läßt. Eben aus diesem Grund ist auch die Ausbreitung von Zukunftsängsten im Kontext moderner Zivilisation durchaus plausibel. Um so nachdrücklicher muß man festhalten, daß die ihrer Dynamik komplementäre Zukunftsungewißheit unserer Zivilisation schlechterdings nichts mit Katastrophengewißheit oder mit zunehmender Untergangswahrscheinlichkeit zu tun hat. Die Schwärze der besagten schwarzen Wand, die uns den Blick in die Zukunft verwehrt, soll nicht den Bevorstand schlimmer Zeiten insinuieren. Diese mögen uns bevorstehen oder auch nicht – eben das ist seinerseits unbekannt. Die mit der Dynamik der Wissenschaftsentwicklung genau komplementär zunehmende Zukunftsungewißheit meint, noch einmal, nichts anderes als den erläuterten Bestand chronologischer Gegenwartsschrumpfung, das heißt der Verkürzung des Zeitraums, über den hin wir mit unseren Nachkommen uns in der Einheit einer Zeitgenossenschaft wissen dürfen. Das ist, immerhin, keine Kleinigkeit. An das kulturelle Faktum einer Schrumpfung der Zeit, als deren Genosse man sich in der Einheit mit früheren und späteren Generationen erfahren kann, muß unsere Zivilisationsgenossenschaft sich jedenfalls erst gewöhnen[19].

Über die skizzierten Befindlichkeitsfolgen hinaus ergeben sich aus der Dynamik unserer Zivilisation auch Rückwirkungen auf die Rationalitätschancen unseres Handelns. Rationales Handeln setzte stets Kalkulierbarkeit der Umstände voraus, auf die wir uns handelnd beziehen. Eben diese Kalkulierbarkeit nimmt in Abhängigkeit von der zunehmenden Geschwindigkeit, mit der sich unsere Lebensverhältnisse objektiv ändern, ab. Sie nimmt überdies mit der zunehmenden Geschwindigkeit in der Zunahme oder Änderung des Wissens von unseren sich ändernden Lebensumständen ab, und jeder, der in wirtschaftlichen, administrativen und politischen Zusammenhängen je Entscheidungen von einiger sozialer und temporaler Reichweite vorzubereiten und zu treffen hatte, weiß von Fällen zu berichten, in denen unvorhergesehene, ja unvorhersehbare Veränderungen die Grundlagen der getroffenen Entscheidung in kürzerer Frist hinfällig machten, als man sie für die Dauer der unrückrufbaren Folgen der getroffenen Entscheidung ansetzen mußte.

Man kann diese Betrachtungen verallgemeinern: Genau komplementär zur Dynamik unserer wissenschaftlichen Zivilisation erhöht sich die Veraltensgeschwindigkeit handlungsleitender und lebensorientierender Erfahrungen und Traditionen. Traditionen – das sind kulturelle Selbstverständlichkeiten von temporal großräumiger Dauer, und ihr Geltungsschwund hat ersichtlich Belastungscharakter. Es ist leicht zu erkennen, daß, wenn die Menge geltender Traditionen, in der die zwei Generationen von Vätern und Müttern einerseits und Söhnen und Töchtern andererseits miteinander verklammert sind, alterungstempobedingt abnimmt, der stets schwierige Prozeß des Erwachsenwerdens zusätzlich prekäre Züge annehmen wird. Man vergegenwärtige sich demgegenüber die relativen Vorzüge einer Lebenslage junger Menschen, in der, hoher Konstanz sozial und technisch bedingter Berufsbilder wegen, Fragen der Berufswahl und der Berufsberatung unproblematisch waren. Aber nicht nur in Berufs- und Ausbildungsfragen muß man in einer dynamischen Zivilisation den Weg in die Zukunft ohne Traditionsleitseile finden. Inventionsdruck, der aus unaufhaltsamen Traditionsgeltungsschwund resultiert, hat sich bis in die alltägliche Lebensführung hinein ausgebreitet – vom angemessenen Umgang mit den ebenso informations- wie unterhaltungsdienlichen Medien bis zur Kultur von Kleingruppenbeziehungen, nachdem deren institutionelle Stabilität heute weniger als jemals zuvor durch ökonomische und versorgungspraktische objektive Zwänge gestützt ist.

Es wäre ganz sinnwidrig, auf die Herausforderung von Belastungen durch erhöhte Alterungsgeschwindigkeit von Traditionen mit Empfehlungen der Traditionsrestauration zu antworten. Traditionen altern in Abhängigkeit von der zivilisatorischen Evolution.

Diese Evolution verlangt deshalb objektiv neue Traditionen; aber diesem Verlangen zu entsprechen – das wird in demselben Maße schwieriger, in welchem die Änderungsgeschwindigkeit unserer zivilisatorischen Lebensumstände ihrerseits objektiv zunimmt. Immerhin folgt aus der Einsicht in diesen Komplementaritätszusammenhang von Zivilisationsdynamik und zunehmendem Neuorientierungsbedarf, daß unter den Bedingungen dieser Dynamik mit Traditionen, die halten, schonend umgegangen werden muß. In der oben erläuterten Praxis des Denkmalschutzes hat dieser Grundsatz längst allgemeine Anerkennung gefunden, und es sei wiederholt, daß für die übrigen, ungleich wichtigeren Aspekte unseres Lebens der fragliche Grundsatz erst recht Gültigkeit hat.

In der Schilderung von Belastungsfolgen, die sich aus der Dynamik unserer Zivilisation ergeben, ließe sich lange fortfahren – von den Zwängen zur Erhöhung unserer Selektionskompetenz im Umgang mit der exponentiell zunehmenden Menge kulturell verfügbarer Informationen bis hin zu den nicht in jedem Lebensabschnitt uneingeschränkt erfreulichen Erfordernissen, erhöhte Veraltensgeschwindigkeit des Schul- und Berufswissens durch life-long-learning kompensieren zu müssen. Die These ist nicht, daß solche Kompensationsleistungen uns nicht gelängen; ein Großteil der Reichtümer unserer Gegenwartskultur ließe sich als ein Reichtum aus gelingender Kompensation der Belastungsfolgen zivilisatorischer Dynamik plausibel machen. Die These ist, bescheidener, die, daß es Grenzen unserer individuellen, auch institutionellen Kapazitäten zur kulturellen Verarbeitung zivilisatorischer Innovation zu geben scheint. Es dürfte sich lohnen, auf solche Grenzen aufmerksam zu werden. Jeder Betriebswirt weiß schließlich, daß das maximale Entwicklungstempo eines Unternehmens mit dem optimalen nicht identisch ist. Es ist nicht zu erkennen, wieso das für zivilisatorische Entwicklungen nicht auch gelten sollte.

Analoge Probleme wie aus der Dynamik unserer Zivilisation resultieren auch aus ihrer Komplexität. Komplexitätsabhängige Belastungen tragen sogar im besonderen Maße zur Veränderung in der Einstellung der Menschen zur wissenschaftlichen Zivilisation bei. Man erkennt das, wenn man sich klar macht, daß mit der Komplexität unserer Zivilisation der relative Anteil derjenigen Lebensvoraussetzungen zunimmt, die sich nach Produktion und Erhaltung unserer Primärerfahrung entziehen. Selbstverständlich wäre es Nonsens zu beklagen oder es gar für einen Bildungsmangel zu halten, daß der Nutzer eines Automobils im kulturellen Regelfall nicht in der Lage ist, auch nur einigermaßen technisch zutreffend zu beschreiben, was sich unter der Motorhaube seines Gefährts abspielt oder, analog, hinter der Deckplatte seines vielbenutzten Taschenrechners. Der Mechanismus, der Kompetenzen dieser Art fürs Funktionieren unserer Zivilisation gänzlich irrelevant macht, ist der Mechanismus des Vertrauens, wie ihn Niklas Luhmann beschrieben hat[20]. Vertrauen – das ist in diesem Zusammenhang gar keine emphatisch gebrauchte Kategorie. Gemeint ist das schlichte Vertrauen in die Solidität der Leistungen der Spezialisten auf jenen Gebieten, auf denen wir selber gerade nicht Spezialisten sind. Man kann sich unsere Vertrauensabhängigkeit, die sich aus der Differenziertheit der modernen Zivilisation ergibt, recht eindrucksvoll machen, indem man über die Dauer eines einzigen Tages hin einmal die außerordentliche Menge der Vertrauensakte auflistet, die wir setzen müssen, um für diesen Tag lebensfähig zu sein – vom Vertrauen in die Wirksamkeit und Nebenfolgenkontrolliertheit der pharmazeutischen Präparate, die uns der Hausarzt verschrieben hat, bis hin zur Gelassenheit, mit der wir in die Zuverlässigkeit der Bremsen unseres Autos bei der abendlichen Heimfahrt zur Familie vertrauen. Es ist durchaus wichtig, sich zu vergegenwärtigen, daß Vertrauen in der skizzierten Funktion und Charakteristik ein modernitätsspezifisches Erfordernis ist. In vorindustriellen Epochen, in denen der weitaus größere Teil der Bevölkerung an agrarische Tätigkeiten gebunden war, existierte eben dieser weitaus größere Bevölkerungsteil zwar überaus armselig, aber lebenserfahrungsmäßig fast autark. Das heißt: Er unterhielt eine lebenserfahrungsstabilisierte, urteilskräftige Beziehung zu den realen Bedingungen seiner physischen und sozialen Existenz. Eben diese Autarkie haben wir längst verloren. Es besteht, grundsätzlich, keinerlei Anlaß, diesen Verlust zu beklagen. Er ist ja die Bedingung des Reichtums unserer zivilisatorischen Lebenslage, und im übrigen kompensieren wir diesen Verlust durch das erwähnte Vertrauen, über dessen Nötigkeit als unentbehrlicher Sozialkitt in komplexen Gesellschaften man sich allerdings klar sein muß. Alsdann vermag man aber auch abzuschätzen, was es für die Zukunftsfähigkeit unserer Zivilisation bedeuten müßte, wenn der Vertrauenskitt, der komplexe Gesellschaften zusammenhält, hier und da und schließlich mehr und mehr rissig und bröckelig würde. Eben das aber ist unvermeidlich, wenn die Fälle sich mehren, wo in Zusammenhängen von Entscheidungen bedeutender Größenordnung und langfristiger Bindewirkung die ihrer Sachkenntnis wegen benötigten und hinzugezogenen wissenschaftlichen Fachleute, in die wir doch müßten vertrauen können, sich ihrerseits uneinig zeigen. Eben das hat man, nicht zuletzt bei öffentlichen Anhörungen, zum Beispiel in Vorbereitung anstehender kernenergietechnologischer Entscheidungen, erleben müssen. Analoge Fälle ließen sich nennen – von Stellungnahmen zu den waffentechnischen Voraussetzungen der Abschreckungsdoktrin über schwerwiegende Divergenzen im Urteil über Nutzen und Nachteil agrarchemischen Pflanzenschutzes bis hin zum Dauerstreit ökonomischer Institute in ihren Wirtschaftsberichten über die Ursachen hoher Dauerarbeitslosigkeit und die entsprechend fälligen wirtschaftspolitischen Maßnahmen. Es reicht nicht aus, solchen Gelehrtenstreit, der sich vor den Augen der Öffentlichkeit abspielt, aus einem gewissen Verfall akademischer Standesmoral erklären zu wollen, der heute manchen Wissenschaftler dazu verführt, die Publizität, die ihm als Medienkassandra zufällt, mehr als die Beachtung der methodischen Regeln zu schätzen, die die Vertretbarkeit wissenschaftlicher Aussagen sichern sollen. Unzweifelhaft gibt es Erscheinungen dieser Art. Aber daß sie sich ausbreiten können – das ist seinerseits durch die objektiv zunehmende Komplexität zivilisatorischer Lebenslagen bedingt, in denen der Entscheidungsdruck größer als der Grad der Klarheit und Eindeutigkeit der Lageanalysen ist, mit denen die Wissenschaften aufwarten können. Dem wissenschaftlichen Berufskodex würde es entsprechen, in solchen Fällen zu sagen, daß man weniger zu sagen hat als gesagt werden können müßte, um die Voraussetzungen anstehender Großentscheidungen wirklich durchsichtig zu machen. Auch in solchen Fällen, in denen, seiner Berufsmoral folgend, der Wissenschaftler sich in seinem Urteil zurückhält, muß die Reaktion des Medienkonsumenten und damit des Wahl- und Stimmbürgers Vertrauensentzug und Distanznahme sein. Man darf diesen Vertrauensentzug nicht mit einem persönlich gewendeten Mißtrauen in die Moral der Wissenschaftler verwechseln. Es handelt sich, schlicht, aber wirksam, um eine Reaktion auf die Erfahrung, daß die Fälle sich mehren, in denen die Komplexität unserer Lebenslagen größer ist als das Komplexitätsauflösungspotential verfügbarer Wissenschaft. Die Akzeptanz wissenschaftlicher und technischer Entwicklungen wird unter dem Druck solcher Erfahrungen zwangsläufig geringer. Diese Reaktion ist nicht irrational. Sie ist vielmehr genau das, was man zu erwarten hat. Es gehört zur Alltagslebenspraxis, daß wir, wo wir uns zwischen Zustimmung und Nichtzustimmung zu entscheiden haben, die Nichtzustimmung wählen, wenn uns ein Übergewicht von Gründen, die für die Zustimmung auf der einen oder die Nichtzustimmung auf der anderen Seite sprächen, nicht erkennbar ist. Ich nenne das Nein, zu dem wir uns in solchen Lagen zu entschließen pflegen, das Moratoriums-Nein. Dieses Nein ist nicht das Nein des begründeten Widerspruchs, vielmehr das Nein der Urteilsenthaltung in Fällen nicht behebbarer Urteilsunsicherheit. In Ländern, die, anders als die Bundesrepublik Deutschland, nicht nur Wahlen, sondern in großem Umfang auch Abstimmungen zu Sachvorlagen kennen, läßt sich in der Tat beobachten, daß die Neigung des Bürgers, solche Vorlagen mit »Nein« zu quittieren, in langfristiger Beobachtung zunimmt. Das Resümee solcher Beobachtungen lautet: Jenseits ungewisser Grenzen nimmt die Belastung durch Erfahrungen nicht beherrschbarer zivilisatorischer Komplexität rascher zu als unsere Genugtuung über unsere durch zivilisatorische Differenzierungsprozesse erreichbar gewordene Wohlfahrt. Wir müssen also mit Grenzen unserer Kapazitäten zur kulturellen Innovationsverarbeitung rechnen, und mit Grenzen unserer Fähigkeiten, Komplexität zu bewältigen, ebenso.

Schwindende Chancen, zivilisatorische Lebensbedingungen von anwachsender Komplexität und Dynamik in unsere Lebenserfahrung zu integrieren, machen übrigens die erwähnte Zunahme moralisierenden Verhaltens angesichts unserer unleugbar sich verschärfenden Zivilisationsprobleme plausibel. Mit dem scharfen Schwert der guten moralischen Gesinnung durchhauen wir den sich verheddernden Knoten der Realität. Desorientiertheit löst sich in empörungsbereite Gewißheit auf, wo wir die objektive Kompliziertheit, ja Gefahrenträchtigkeit unserer Lebenslagen auf defiziente Moral in den Handlungen oder auch Unterlassungen anderer und gegebenenfalls auch unsererselbst zurückführen können. Als exemplarisch für diesen Vorgang zitiere ich eine bekannte professorale Mediengröße. Es gibt ja jene bekannte Magazinfragebogenfrage, die Prominenten vorgelegt wird und lautet: Was möchten Sie sein? »Allmächtig« – so zu antworten war unser Medienprofessor ungeniert genug, und als Grund für seinen Wunsch, allmächtig zu sein, gab er an, allmächtig die Menschheit endlich zur Vernunft bringen zu können. – Die verblüffende Fragenbogenantwort unseres Moralisten war keineswegs ironisch gemeint, vielmehr todernst, und man muß unserem Professor die Fachkenntnis zubilligen, die ihn instandsetzt, über die Zukunft der Natur als Lebensgrundlage unserer Kultur mit seriösen Gründen besorgt zu sein. Aber was ist es denn nun, was unser Professor, allmächtig, tun würde, um die Menschheit zu retten? Die Intensität der Besorgnis, transformiert in moralistisches Menschheitsrettungspathos, ist hier ersichtlich nichts anderes als das Komplement evidenter Unmöglichkeit, auf Herausforderungen der vom Professor anvisierten Größenordnung eine pragmatisch sinnvolle Antwort zu geben. Moralismus als Komplementärgröße von Ohnmachtserfahrungen beim Anstoßen an die Grenzen unserer Handlungsmacht – darum handelt es sich.

Nur in kulturellen Randlagen sind solche Erscheinungen zu beobachten – wie auch die eingangs erwähnten antizivilisatorischen Affekte sogenannter Wissenschafts- und Technikfeindschaft. Die Gemeinreaktion auf unsere veränderte zivilisatorische Lage ist eine andere, nämlich die einer Pragmatisierung unseres kulturellen Verhältnisses zu den Wissenschaften. Die Neigung, im Verhältnis zu den Wissenschaften und ihren mannigfachen Anwendungen distanziert Nutzen und Nachteil gegeneinander aufzurechnen, breitet sich aus. Die Wissenschaft hat kulturgeschichtlich, sozusagen, den Höhepunkt ihrer Pathosfähigkeit überschritten. Es ließe sich, auf dem Hintergrund unserer Wissenschaftskulturgeschichte, bis in feine Details hinein zeigen, was das bedeutet. Es hat, zum Beispiel, seine Evidenz, daß es heute keinem Universitätsarchitekten noch einfallen würde, über dem Universitätsportal in goldenen Lettern aus dem Johannes-Evangelium »Die Wahrheit wird Euch frei machen« zu zitieren – unbeschadet dessen, daß das fragliche Zitat zumal im Blick auf Gängelungen der Wissenschaften in den totalitären Systemen dieses Jahrhunderts säkular durchaus anwendungsfähig geblieben ist. Undenkbar auch, daß heute noch das Diktum, welches der weltberühmte Physiologe Du Bois-Reymond 1872 riskierte, nämlich das berühmt-berüchtigte »Ignoramus – Ignorabimus«[21], heute noch in Gelehrtenkreisen einen Sturm der Entrüstung auszulösen vermöchte. Dieses Diktum ließ ja seinerzeit den gleichfalls weltberühmten Zoologen und Paläontologen Ernst Häckel sträflichen Wissenschafts-Defätismus vermuten sowie Geneigtheit, vor kirchlicher Orthodoxie, die der freien Betätigung wissenschaftlicher Neugier Schranken setzen möchte, zu Kreuze zu kriechen[22]. Was es auch immer war, was Du Bois-Reymond damals annehmen ließ, daß wir es niemals wissen könnten – Rührung ergreift uns, wenn wir heute bei einem Besuch auf dem Göttinger Stadtfriedhof lesen, was der Mathematiker David Hilbert, in Stein gemeißelt, seiner Nachwelt als grabsteinfähige Wahrheit übermitteln zu müssen für nötig hielt, nämlich dieses »Wir müssen wissen, wir werden wissen«. Rührend ist das deswegen, weil wir uns inzwischen in einer wissenschaftskulturgeschichtlichen Situation befinden, in der wir nicht einmal mehr in der Lage sind, die Frage zu formulieren, auf die mit Mitteln der Wissenschaft die Antwort zu finden im Sinne Hilberts zwingend genannt werden müßte. Gewiß: Unter Relevanzaspekten gibt es unabzählbar viele Fragen, auf die wir seitens der Wissenschaften lieber heute als morgen die Antwort zur Verfügung gestellt bekommen würden, und es erübrigt sich, solchen Wissensbedarf, zu dessen Befriedigung wir allerdings wie nie zuvor auf die Wissenschaften angewiesen sind, zu exemplifizieren. Aber Hilbert dachte, als er Du Bois-Reymond repetierte und ihm dabei zugleich widersprach, nicht an Nutzbarkeiten und praktische Relevanzen. Er dachte an die freie Betätigung der theoretischen Neugier und an die Erfüllung des Sinns unseres Daseins durch den Gewinn umfassender Kenntnis der Welt, in der wir leben, den wir aus jener Betätigung uns erhoffen. Eben aus solcher Hoffnung läßt sich unsere gegenwärtige Wissenschaftskultur nicht mehr verständlich machen. Nur scheinbar paradoxerweise beruht das aber nicht darauf, daß wir inzwischen unsere Erwartungen hinsichtlich der Leistungsfähigkeit der Wissenschaften zurückgenommen hätten. Nicht Resignation in bezug auf das, was die Wissenschaften in theoretischer Einsicht zu vermitteln vermögen, hat die kulturelle Stellung der der Wissenschaften verändert, sondern ganz im Gegenteil die Geschichte ihrer seit Du Bois-Reymonds oder Hilberts Tagen ungeahnten Erfolge. Der Zusammenhang ist dieser: Die Erfolgsgeschichte der modernen Wissenschaft hat einen kulturellen Bedeutsamkeitsverlust wissenschaftlicher Weltbilder bewirkt. Gewiß: Was uns in den weltbildrelevanten Beiträgen dieser Festschrift von der Kosmologie über die Geologie bis zur Evolutionstheorie mitgeteilt wird, wirkt auf Laien in der Art, die wir

»faszinierend« nennen. Wir lassen uns in der Tat gern, sofern wir Zeit dafür haben, über die dramatisch verlaufenden Vorstöße der Wissenschaften in die Dimensionen des sehr Großen, des sehr Kleinen und des sehr Komplizierten informieren, und zwar ganz unabhängig von Aspekten potentieller praktischer Relevanz, die solche Vorstöße haben mögen. Aber ineins damit werden unsere Chancen geringer zu sagen, welchen kulturellen Unterschied es denn eigentlich ausmachen soll, ob der Fall ist, was wir über Alter und Ursprung des Kosmos gestern lasen, oder ob vielmehr gilt, was darüber heute zu lesen ist. Es ist wahr: Partiell beruht dieser kulturelle Bedeutsamkeitsverlust wissenschaftlicher Weltbilder auf ihrer zunehmenden Lebensweltferne[23], und damit auf unserer, durch keine Anhebung unserer Allgemeinbildung ausgleichbaren wachsenden Unfähigkeit, das von den Wissenschaften entworfene Bild der Welt, in der wir leben, zu deuten und zu lesen. Aber auch unabhängig von den Wirkungen dieser wachsenden Diskrepanz zwischen lebensweltlicher und wissenschaftlicher Erfahrung unterliegen wissenschaftliche Weltbilder einem kulturellen Bedeutsamkeitsverlust, und einzig im Kontext totalitärer Hochideologien ist das derzeit noch ein wenig anders. Soweit ich zu sehen vermag, gibt es für diesen wissenschaftskulturgeschichtlichen Vorgang zwei hauptsächliche Gründe. Der eine Grund liegt in dem, was Odo Marquard den Verlust der Häresiefähigkeit, den die Wissenschaften erlitten haben, genannt hat. Es ist nicht schwer zu erkennen, was damit gemeint ist. Die kopernikanische Revolution hatte tatsächlich eine glaubenstangierende kulturrevolutionäre Bedeutung, die bis in justizielle Konsequenzen hinein provozierende Wirkungen tat – ersichtlich wegen der Inkompatibilität des zugemuteten neuen Weltbilds mit Vorstellungen, die man aus religiösen Gründen für unaufgebbar hielt. Eben diese Inkompatibilität war es, die auch noch das zeitgenössische Publikum Darwins zu seinen Entrüstungsstürmen bewegte. Aber diese Stürme wehten, im wesentlichen, nur noch im Blätterwald, und Darwin selbst fand sein Grab in Westminster Abbey. Es kann im Ernst keine Rede davon sein, daß wir in der Gegenwart noch Zeugen der Renaissance einschlägiger weltanschaulicher Kämpfe wären. Was sich in den Aktivitäten unserer zeitgenössischen Kreationisten, die ihren Glauben mit dem Darwinismus für inkompatibel halten, abspielt, sind nichts als örtliche weltanschauliche Protuberanzen im weitgespannten Rahmen der modernen Gesellschaft, die, im ganzen, einer homogenen weltanschaulichen Orientierung weder bedürftig noch fähig ist. Eben deswegen hat, von Einzelfällen abgesehen, die Wissenschaft ihre Häresiefähigkeit verloren – nicht deswegen also, weil die Religion in unseren kulturellen Orientierungen keine Rolle mehr spielte, vielmehr deswegen, weil nicht mehr ausgesagt werden kann, welchen Unterschied es eigentlich in den religiösen Dimensionen unseres Lebens ausmachen soll, ob das Alter der Welt biblische knappe sechstausend Jahre, sechs Milliarden Jahre oder gar $10^{18}$ Sekunden beträgt. Karl Popper hat gelegentlich dargetan, daß, auf der kognitiven Ebene betrachtet, die theorierevolutionierende Bedeutung der Ergebnisse heutiger wissenschaftlicher Forschung keineswegs geringer ist als die kulturrevolutionär wirksam gewordenen Weltbildrevolutionen Galileis oder Darwins[24], und nichtsdestoweniger lassen wir uns heute, von Sonderkulturgruppen einmal abgesehen, solche Revolutionen uneingeschränkt und existentiell ungerührt, so interessant wir sie im übrigen intellektuell finden mögen, gefallen. – Nächst dem Verlust ihrer Häresiefähigkeit und damit ihrer Fähigkeit zur kulturellen Provokation beruht der kulturelle Bedeutsamkeitsverlust wissenschaftlicher Weltbilder auf dem schlichten

Umstand, daß die Geschwindigkeit, mit der in Abhängigkeit vom wissenschaftlichen Fortschritt unsere wissenschaftlichen Weltbilder sich ändern, ihre Verfestigung zu Orientierungen, in deren Horizont Kulturen und in ihrem Kontext unser Dasein Identität finden und konsolidieren könnten, ebenso unmöglich wie schließlich unnötig macht. Auch der faszinierte Leser des Wissenschaftsfeuilletons muß sich, und zwar gerade dann, wenn ihm als Autoren dieser Feuilletons Wissenschaftler ersten innerfachlichen Geltungsranges begegnen, schließlich sagen, daß, was immer es im übrigen bedeuten mag, in einem unabsehbar expandierenden anstatt in einem schließlich in sich selbst zurücksinkenden Kosmos zu leben, ein Unterschied, der sich aus diesem Unterschied für dieses Leben selbst ergäbe, nicht mehr angebbar ist. Eben deswegen vermögen wir uns heute jede Weltbildrevolution wirkungslos gefallen lassen. Unser Interesse für das, was insoweit der Fall ist, mag auf der kognitiven Ebene, lebendig geblieben sein. Aber es läßt sich nicht mehr sagen, welchen Unterschied es auf sonstigen Ebenen unseres Lebensvollzugs macht, ob dieses der Fall ist oder vielmehr etwas ganz anderes.

Exakt das ist die Verfassung einer Wissenschaftskultur, in der von den beiden Legitimationsinstanzen wissenschaftlicher Forschung, der Relevanz einerseits und der Curiositas, das heißt der frei sich betätigenden theoretischen Neugier andererseits, der Relevanzgesichtspunkt schlechterdings dominant wird. Eben daraus ergibt sich die erwähnte Pragmatisierung unseres kulturellen Verhältnisses zu den Wissenschaften. Es gibt für diesen Vorgang ein feines, aber deutlich sprechendes Indiz. Ich meine das Faktum, daß längst auch unsere Grundlagenforscher, übrigens zu recht, bei der Einforderung ihrer Mittel aus privater oder öffentlicher Kasse sich stets auf die potentielle Relevanz ihrer Grundlagenforschung zu berufen pflegen. Das heißt: Das Pathos im Geltendmachen des humanen Rechts, wissen zu wollen, bloß um wissen zu wollen, ist weitgehend verstummt. Wenn wir die wissenschaftskulturgeschichtliche Epoche der Aufklärung durch dieses Pathos charakterisieren wollen[25], so kann man auch sagen, daß die Aufklärung hinter uns liegt – nicht freilich deswegen, weil wir uns eines Besseren, als es die wissenschaftliche Aufklärung insoweit gewesen wäre, besonnen hätten, vielmehr umgekehrt deswegen, weil der Erfolg dieser Aufklärung vollständig geworden ist[26]. – Eingangs war von den Kosten die Rede, den der zivilisatorische Fortschritt uns in wachsendem Maße abverlangt, und es war der Sinn dieses Kostenbegriffs, den Zivilisationsprozeß einerseits als Fortschritt bestimmbar zu halten und andererseits die zunehmend prekären Aspekte dieses Fortschritts als seinen abnehmenden Grenznutzen erfahrbar zu machen. Auch der Forschungsprozeß, so scheint es, ist in Teilbereichen inzwischen unter den Druck von kostenabhängigen Erfahrungen eines abnehmenden Grenznutzens geraten. In Kombination mit dem erläuterten kulturellen Bedeutsamkeitsverlust wissenschaftlicher Weltbilder wird das einen rasch zunehmenden Relevanzkontrolldruck erzeugen, und wir müssen gewärtigen, daß unserer Kulturgenossenschaft die weltbildverändernden Resultate künftiger Forschungen nicht in demselben Maße teuer bleiben werden wie ihre Gewinnung uns zu stehen kommt.

Die wissenschaftskulturelle Dominanz der Forschungslegitimation durch Berufung auf Relevanz gegenüber der Berufung auf Curiositas erscheint auf dem Hintergrund der vorgetragenen Analysen unumkehrbar. Nichtsdestoweniger bleibt die Apologie der Curiositas wissenschaftskulturell nötig. Ich möchte dafür, zum Schluß, drei Gründe geltend machen. Erstens. Nur diejenigen Wissenschaften, die, diesseits ungewisser

Kostengrenzen, im Recht theoretischer Neugier nicht bestritten sind, bleiben auf Dauer auch relevante Wissenschaften. Das ist das, was wir die »Relevanz der Curiositas« nennen können. Auch die erläuterten Grenznutzenerfahrungen in bezug auf die wissenschaftlich-technische Evolution ändern an dieser Relevanz der Curiositas grundsätzlich nichts. Denn zur Lösung der Probleme, die sich als Schädlichkeitsnebenfolgen der zivilisatorischen Evolution ergeben, genügt, wie eingangs dargestellt, moralische Intensität in der Verurteilung dieser Schädlichkeitsnebenfolgen keineswegs. Auch zu ihrer Bewältigung sind wir erneut auf technologisches Know-how angewiesen, und nur eine freie Wissenschaft, der die Relevanz der theoretischen Neugier kulturell nicht bestritten ist, kann die für die Entwicklung benötigter Technologien unabdingbaren theoretischen Voraussetzungen sichern. Zweitens. In unserem politischen Lebenszusammenhang bleiben wir auf die wissenschaftslegitimierende Kraft der Curiositas deswegen angewiesen, weil wir vor der Wiederaufrichtung von Instanzen politischer Wahrheitsverwaltung, die ja in einigen Weltgegenden bis heute noch nicht einmal vollständig in Verfall geraten sind, niemals sicher sein können. Theoretische Neugier wirkt als Medium der Zersetzung ideologiepolitischer Frageverbote. Unbeschädigte kulturelle Geltung des Rechts der Curiositas erschwert die totalitäre Identifikation von Machthabern mit Rechthabern. Sie ist das Prinzip der Ermächtigung zur Kritik mit den Mitteln der Wissenschaft. Drittens. In letzter Instanz bleibt die theoretische Neugier ein Medium der Sicherung humaner Würde. Was das heißt, erläutere ich gern am Beispiel einer kleinen Geschichte aus dem deutschen Universitätsleben. Nach der Machtergreifung der Nationalsozialistischen Deutschen Arbeiterpartei 1933 wurde auch dem Professor Edmund Husserl, weil er ein Jude war, durch ein kultusministerielles Schreiben der Zutritt zur eigenen Universität verboten. Gewiß: Politische Verhältnisse, in denen dergleichen möglich ist, können durch wissenschaftliche Betätigung theoretischer Neugier nicht beendet werden. Aber Mittel, insoweit etwas zu ändern, standen dem greisen Geheimrat Husserl auch gar nicht zur Verfügung. Aber ungebrochen war seine Fähigkeit, ein theoretisches Interesse in das zu setzen, was im übrigen ohne jedes Interesse ist, und so ergriff er das amtliche Schreiben, drehte es um und bedeckte es auf seiner Rückseite mit stenographischen Kürzeln, in denen er praktisch und politisch gänzlich irrelevante phänomenologische Abschattungsanalysen festhielt. Man fühlt sich an den archimedischen Satz »Noli turbare circulos meos« erinnert, und zumindest im Husserlschen Falle repräsentiert dieser Satz unabdingbare Ansprüche unserer Humanität.

## Anmerkungen

[1] Hobbes, Thomas: Leviathan. Chap. 10. London 1953. p. 44.

[2] Schelsky, Helmut: Der Mensch in der wissenschaftlichen Zivilisation. Opladen 1961.

[3] Vgl. Francis Bacon: Novum Organon. Oxford [2]1889. p. 192: »Scientia et potentia in idem coincidunt«.

[4] Lepsius, M. Rainer: Die Entwicklung der Soziologie nach dem Zweiten Weltkrieg 1945–1967. In: Deutsche Soziologie seit 1945. Entwicklungen und Praxisbezug. Herausgegeben von Günther Lüscher. Opladen 1979. pp. 25–70.

[5] Vgl. dazu: Die Einstellung der europäischen Öffentlichkeit angesichts der Entwicklung in Wissenschaft und Technik. Meinungsumfrage in den Ländern der Europäischen Gemeinschaft. Kommission der Europäischen Gemeinschaften. Bruxelles Februar 1979 (XII/201/79–DE, orig. FR).

[6] Vgl. dazu die Analyse des Phänomens bei Edward Shils: Anti-science: Observations on the Recent ›Crisis‹ of Science. In: Civilization and Science – in Conflict or Collaboration? Ciba-Foundation Symposium I (New Series). Amsterdam, London, New York 1973. pp. 33–59. Ferner: Steven Toulmin: The Historical Background to the Anti-Science Movement. In: a.a.O. pp. 23–32.

[7] Als einen früh schon ins Deutsche übersetzten Bericht über alternatives Leben in den USA vgl. exemplarisch Steven Diamond: Was die Bäume sagen. Leben in einer Landkommune. Frankfurt a. M. 1972.

[8] Vgl. dazu als ein signifikantes Dokument unter zahllosen seinesgleichen: Wolfgang Lefèvre: Reichtum und Knappheit. Studienreform als Zerstörung gesellschaftlichen Reichtums. In: Rebellion der Studenten oder Die neue Opposition. Eine Analyse von Uwe Bergmann, Rudi Dutschke, Wolfgang Lefèvre, Bernd Rabehl, Reinbek bei Hamburg 1968. pp. 94–150.

[9] Vgl. dazu meinen Aufsatz: Deutscher Idealismus als Philosophie Preußischer Kulturpolitik. In: Kunsterfahrung und Kulturpolitik im Berlin Hegels. Herausgegeben von Otto Pöggeler und Annemarie Gethmann-Siefert. Bonn 1983. p. 3–27, bes. p. 13 ff.

[10] Vgl. dazu den großen begriffsgeschichtlichen Artikel von Joachim Ritter: Fortschritt. In: Historisches Wörterbuch der Philosophie. Herausgegeben von Joachim Ritter. Band 2. Basel/Stuttgart 1972. Sp. 1032–1059.

[11] Fritsch, Bruno: Wir werden überleben. München 1981.

[12] Vgl. dazu die Terror-Analyse in meinem Aufsatz »Die Politik, die Wahrheit und die Moral«, In: Geschichte und Gegenwart. Vierteljahreshefte. 3. Jahrgang, Heft 4 (Graz 1984). pp. 288–304.

[13] Vgl. hierzu den Sammelband Hellmut Flashar, Nikolaus Lobkowicz, Otto Pöggeler (Herausgeber): Geisteswissenschaft als Aufgabe. Kulturpolitische Perspektiven und Aspekte. Berlin, New York 1978.

[14] Eine Typologie zeitgenössischer Musealisierungs-Tendenzen habe ich in meiner Londoner Vorlesung »Der Fortschritt und das Museum. Über den Grund unseres Vergnügens an historischen Gegenständen« vorgestellt. The 1981 Bithell Memorial Lecture. University of London.

[15] Zur Kritik dieser Tendenzen vgl. Thomas Nipperdey, Konflikt – einzige Wahrheit der Gesellschaft? Zur Kritik der Hessischen Rahmenrichtlinien. Osnabrück 1974.

[16] Huber, Benedikt: Irrationale Faktoren in der Stadtplanung. In: Neue Zürcher Zeitung. Nr. 368 (11. August 1974). p. 29.

[17] Zur Kulturtheorie der historischen Wissenschaften vgl. mein Buch »Geschichtsbegriff und Geschichtsinteresse. Analytik und Pragmatik der Historie«. Basel/Stuttgart 1977.

[18] Das Argument findet sich bei Karl Popper: Das Elend des Historizismus. Tübingen [2]1969.

[19] Zur Analyse der Temporalitätsverhältnisse in dynamischen Zivilisationen vgl. mein Buch »Zeit-Verhältnisse. Zur Kulturphilosophie des Fortschritts«, Graz, Wien, Köln 1983.

[20] Luhmann, Niklas: Vertrauen. Ein Mechanismus der Reduktion sozialer Komplexität. Stuttgart 1968.

[21] Du Bois-Reymond, Emil: Über die Grenzen des Naturerkennens. In der 2. allgemeinen Sitzung der 45. Versammlung Deutscher Naturforscher und Ärzte zu Leipzig am 14. August 1872 gehaltener Vortrag: In: Emil Du Bois-Reymond: Reden. 1. Band (1912). pp. 441–464, p. 464.

[22] Den naturwissenschaftskulturgeschichtlich höchst signifikanten Streit um Du Bois-Reymond habe ich in meinem Aufsatz »Wissenschaft und Weltanschauung. Ideenpolitische Fronten im Streit um Emil Du Bois-Reymond« dargestellt. In: Philosophisches Jahrbuch. Im Auftrag der Görres-Gesellschaft herausgegeben von Hermann Krings, Ludger Oeing-Hanhoff, Heinrich Rombach, Arno Baruzzi, Alois Halder. 87. Jahrgang, 2. Halbband (Freiburg/München 1980). pp. 225–241.

[23] Das ist das große Thema der Altersphilosophie Edmund Husserls. Vgl. dazu Edmund Husserl: Die Krisis der europäischen Wissenschaften und die transzendentale Phänomenologie. Eine Einleitung in die phänomenologische Philosophie. Herausgegeben von W. Biemel. Haag 1954 (Husserliana Band VI)

[24] Popper, K. R.: The Rationality of Scientific Revolutions: In: R. Harré (ed.): Problems of Scientific Revolution: Progress and Obstacles to Progress in the Sciences. Oxford 1975. pp. 22–101, bes. pp. 88 ff.

[25] In Übereinstimmung mit Hans Blumenberg: Die Legitimität der Neuzeit. Frankfurt am Main 1966. pp. 201–432: »Der Prozeß der theoretischen Neugier«.

[26] Vgl. dazu meinen Aufsatz »Wissenschaft nach der Aufklärung«, in: Hermann Lübbe: Philosophie nach der Aufklärung. Von der Notwendigkeit pragmatischer Vernunft. Düsseldorf, Wien 1980. pp. 45–58.

GERHARD WILHELM BECKER, Prof. Dr., Präsident der Bundesanstalt für Materialprüfung, Berlin; geb. 13. 8. 1927 in Hannover; Facharbeiterbrief 1946; Studium der
Physik in Braunschweig; 1954 Promotion an der TH Braunschweig zum Dr. rer. nat.; ab
1952 Wissenschaftler der Phys.-Techn. Bundesanstalt (PTB) Braunschweig; 1957 Leiter
des Laboratoriums für Tonfrequenzmessungen und elastische Konstanten der PTB;
1963/64 Forschungstätigkeit im Jet Propulsion Laboratory des California Institute of
Technology, Pasadena/USA; 1966 Abordnung zur Bundesanstalt für Materialprüfung
(BAM) Berlin, 1967 Leiter der Abteilung Organische Stoffe und 1969 Vizepräsident der
BAM, seit 1972 Präsident. Seit 1970 Honorar-Professor der TU Berlin. 1978–82 Präsident
des Vereins Deutscher Ingenieure. Seit Februar 1985 Vorsitzender der Berliner Wissenschaftlichen Gesellschaft.

KARL DIETRICH BRACHER, Prof. Dr. phil., Dr. hum. lett. h. c., Dr. jur. h. c., Seminar
für Politische Wissenschaft der Universität Bonn; geb. 1922 in Stuttgart; Studium der
Geschichte, Philosophie, Literatur, Klassischen Philologie. 1948 Promotion Universität
Tübingen (Alte Geschichte); 1955 Habilitation Freie Universität Berlin (Neuere
Geschichte und Politik); seit 1959 Professor für Politische Wissenschaft und Zeitgeschichte
an der Universität Bonn. Rufe an die Harvard University (European History), nach
Hamburg, Florenz u. a. Ab 1963 zeitweise Fellow in Stanford, Princeton, Washington;
Gastprofessor in Schweden, Oxford, Tel Aviv, Japan u. a.
   Mitglied der American Academy of Arts and Sciences, der British Academy, der
American Philosophical Society, der Österreichischen Akademie der Wissenschaften, der
Deutschen Akademie für Sprache und Dichtung. Derzeit Vorsitzender des Wissenschaftli-
chen Beirats des Instituts für Zeitgeschichte München, 1962–68 der Kommission für
Geschichte des Parlamentarismus und der Politischen Parteien, Herausgeber der Viertel-
jahrshefte für Zeitgeschichte (mit H. P. Schwarz).
   *Wichtigste Bücher:* Die Auflösung der Weimarer Republik (1955), 6. Aufl. 1978; Die
nationalsozialistische Machtergreifung (1960), 3. Aufl. 1974; Deutschland zwischen
Demokratie und Diktatur (1964); Die deutsche Diktatur (1969), 6. Aufl. 1979, auch
englische, italienische, spanische, japanische Ausgaben; Das deutsche Dilemma (1971),
englisch 1974; Zeitgeschichtliche Kontroversen (1976), 5. Aufl. 1984; Schlüsselwörter in
der Geschichte (1978); Europa in der Krise (1979) auch italienische Ausgabe (Propyläen-
geschichte Europas, 1976); Geschichte und Gewalt (1981); Zeit der Ideologien (1982 und
1984), auch englische und italienische Ausgaben.

GÜNTER BUSCH, Prof. Dr. phil.; geb. 2. 3. 1917 in Bremen; Studium der Kunsterzie-
hung in Bremen und Berlin; Studium der Kunstgeschichte und Archäologie in Berlin und
Prag bei Werner R. Deutsch, Wilhelm Pinder. Ludwig Heinrich Heydenreich, Gerhart
Rodenwaldt und Karl Maria Swoboda; 1944 Promotion.
   1943 Assistent der Graphischen Sammlung in Prag; 1945 Kustos der Kunsthalle
Bremen; 1950 bis 1984 Direktor der Kunsthalle Bremen; Mitglied des erw. Präsidiums der
Deutschen Akademie für Sprache und Dichtung; 1967 Senatsplakette für Kunst und

Wissenschaft in Bremen; 1968 Chevalier de l'Ordre des Arts et des Lettres; 1974 Siegmund Freud-Preis für wissenschaftliche Prosa; 1975 Bundesverdienstkreuz 1. Kl.; 1975 Officier de l'Ordre des Arts et des Lettres; 1977 Mitglied der Deutschen Akademie für Sprache und Dichtung; 1982 Honorarprofessor an der Hochschule Bremen.

Museumsarbeit, Ausstellungsarbeit (Delacroix, Barbizon, Boudin, Redon, Denis, Bernard, Paula Modersohn-Becker, Beckmann, Die Stadt u. a.).

*Kunstgeschichtliche Veröffentlichungen* vor allem zur Geschichte der Handzeichnung und zur Geschichte der deutschen und französischen Malerei und Plastik des 19. und 20. Jahrhunderts; im besonderen Veröffentlichungen über Delacroix, Maillol, Liebermann, Paula Modersohn-Becker, Beckmann, Gerhard Marcks, Gustav Seitz.

HUBERT CURIEN, né le 30 octobre 1924 dans les Vosges, a d'abord suivi une carrière de chercheur. Ancien élève de l'Ecole Normale Supérieure il a préparé sa thèse de doctorat en cristallographie à l'Université de Paris. Il est professeur dans cette Université depuis 1953.

Dès 1969, il s'est engagé dans la politique scientifique, nationale et internationale. Il a été ainsi Directeur général du Centre National de la Recherche Scientifique française, puis Délégué général à la recherche scientifique et technique, puis Président du Centre National d'Etudes Spatiales. Il a été l'un des fondateurs, puis le Président de la Fondation Européenne de la Science. Il a également présidé le conseil de l'Agence Spatiale Européenne. Depuis juillet 1984, il est Ministre de la Recherche et de la Technologie dans le gouvernement français.

CARL DAHLHAUS, Prof. Dr. phil., seit 1967 Ordinarius für Musikgeschichte an der Technischen Universität Berlin; geb. 10. 6. 1928 in Hannover; Studium der Musikwissenschaft, Philosophie und Literaturgeschichte an den Universitäten Göttingen und Freiburg i. Br.; 1953 Promotion zum Dr. phil. in Göttingen mit einer Dissertation über die Messen Josquins des Prez. 1950–1958 Dramaturg am Deutschen Theater Göttingen (Intendant Heinz Hilpert); dann Musikredakteur der »Stuttgarter Zeitung«; Habilitation in Kiel mit »Untersuchungen über die Entstehung der harmonischen Tonalität«, 1966; seit 1983 Mitglied des Ordens pour le mérite.

MANFRED EIGEN, Prof. Dr. rer. nat., Max-Planck-Institut für Biophysikalische Chemie, Göttingen; geb. 9. 5. 1927 in Bochum; 1945–1950 Studium der Physik und Chemie in Göttingen (Dr.-Arbeit bei A. Eucken); 1951 Dr. rer. nat. (physikalische Chemie); 1951 bis 1953 Wiss. Mitarbeiter am Institut für physikalische Chemie der Universität Göttingen; 1953 Assistent am Max-Planck-Institut für physikalische Chemie, Göttingen (bei Bonhoeffer). 1956 Bodenstein-Preis der Deutschen Bunsengesellschaft; 1958 Wissenschaftliches Mitglied der Max-Planck-Gesellschaft; 1962 Leiter der selbständigen Abteilung für Chemische Kinetik am Max-Planck-Institut für physikalische Chemie; Otto-Hahn-Preis für Chemie und Physik. 1964 Direktor am Max-Planck-Institut für physikalische Chemie; Foreign Honorary Member of the American Academy of Arts and Sciences, Boston; Mitglied der Leopoldina Deutsche Akademie der Naturforscher, Halle. 1965 Andrew D.

White Professor at Large, Cornell University, Ithaca, N.Y.; Honorarprofessor Techn. Hochschule Braunschweig; Mitglied der Akademie der Wissenschaften in Göttingen; Kirkwood Medal (American Chemical Society). 1966 Honorary Member of the American Association of Biological Chemists; Foreign Associate of the National Academy of Sciences, Washington D.C., USA; Dr. of Science h.c. Washington University St. Louis, Mo., USA; Dr. of Science h.c. Harvard University; Dr. of Science h.c. University of Chicago; Harrison Howe Award (American Chemical Society). 1967 Nobelpreis für Chemie; Linus Pauling Medal (American Chemical Society). 1968 Carus Medaille der Akademie der Naturforscher Leopoldina, Halle; Carus-Preis der Stadt Schweinfurt; Paracelsus Medaille der Schweizerischen Chemischen Gesellschaft; Dr. of Science h.c., University of Nottingham. 1969 Foreign Honorary Member of the Weizmann Institute of Science; Keilin Medal of the Biochemical Society, Great Britain. 1970 Ehrenmitglied der Österreichischen Akademie der Wissenschaften. 1971 Foreign Member of the Royal Danish Academy of Sciences; Intra-Science Award (Intra-Science Research Foundation, Santa Monica); Honorarprofessor der Universität Göttingen, Medizinische Fakultät. 1972 Palmes Academiques; Fellow of the Royal Society of Arts, London; korr. Mitglied der Mathematisch-naturwissenschaftlichen Klasse der Bayerischen Akademie der Wissenschaften, München. 1973 Orden pour le mérite; Foreign Member of the Royal Society, London; Dr. phil. h.c. Hebrew University, Jerusalem. 1974 Honorary Fellow, Indian Chemical Society. 1976 Foreign Member of the USSR Academy of Sciences; Österreichisches Ehrenzeichen für Kunst und Wissenschaft; Dr. of Science h.c. of the University of Hull/England. 1977 Faraday Medal of the Chemical Society, London; Associé der Academie Royale des Sciences, des Lettres et des Beaux-Arts de Belgique; korrespondierendes Mitglied der Senckenbergischen Naturforschenden Gesellschaft, Frankfurt. 1978 Auswärtiges Mitglied der Akademie der Wissenschaften im Institut de France; Ehrendoktor der Universität Bristol. 1979 Ehrenmitglied der Deutschen Bunsengesellschaft. 1980 Preis des Landes Niedersachsen. 1981 Mitglied der Päpstlichen Akademie der Wissenschaften, Rom; Honorary Fellow of the Royal Society of Chemistry, London. 1982 Landesmedaille der Landesregierung in Hannover; Ehrendoktor der Universität Debrecen/Ungarn; Ehrendoktor der Universität Cambridge/England. 1983 Honorary Fellow of the Royal Society of Edinburgh/Scotland; Dr. rer. nat. h.c. der Technischen Universität München. 1985 Ehrendoktor der Universität Bielefeld.

*Forschungsgebiete:* Mechanisms of biochemical reactions: (enzyme kinetics, code reading, biopolymerization, sequential kinetics); Molecular Selforganization: Origin and evolution of life (theory and experiments).


LUDWIG E. FEINENDEGEN, Prof. Dr. med., seit 1967 Leiter des Instituts für Medizin der Kernforschungsanlage Jülich und der Nuklearmedizinischen Klinik der Universität Düsseldorf; geb. am 1. 1. 1927; Studium der Medizin an der Universität Köln. Er begann nach seiner Ausbildung zum Arzt für Innere Medizin an verschiedenen Krankenhäusern in Deutschland und in USA 1958 mit wissenschaftlichen Arbeiten im Medical Department des Brookhaven National Laboratory in USA. Von 1963 bis 1964 arbeitete er als wissenschaftlicher Referent bei EURATOM in Brüssel und bis 1967 am Laboratoire Pasteur des

Institut du Radium in Paris. – Seine wissenschaftlichen Arbeiten beschäftigen sich mit der Frage nach biochemischen und zellbiologischen Reaktionen und Prozessen unter den Bedingungen der gegebenen Milieus des lebenden Organismus. Der Einsatz von Indikatoren mit radioaktiven Isotopen im interdisziplinären Bereich von Medizin, Physik und Chemie führte zur ärztlich-diagnostischen Nutzung von Messungen des Stoffwechsels und der Zellproliferation im Körper des Patienten. Darüber hinaus lieferte er wesentliche Beiträge zum Verständnis der Effekte von ionisierenden Strahlen im Säugetierorganismus. – Er arbeitet in zahlreichen nationalen und internationalen Kommissionen, Ausschüssen und Beiräten, ist Mitglied der Rheinisch-Westfälischen Akademie der Wissenschaften, der Internationalen Kommission für Strahleneinheiten und Messung (ICRU) und des Kuratoriums für die Tagungen der Nobelpreisträger in Lindau.

WOLFRAM FISCHER, Prof. Drs., Zentralinstitut für Sozialwissenschaftliche Forschung, Freie Universität Berlin; geb. 9. 5. 1928 in Weigelsdorf/Tannenberg, Schlesien; 1947 bis 1951 Studium der Geschichte, Germanistik und Philosophie in Heidelberg und Tübingen; 1951 Dr. phil. Universität Tübingen; 1951–1954 Studium der Wirtschafts- und Sozialwissenschaften als Stipendiat der Studienstiftung des deutschen Volkes in Tübingen, Göttingen, London und Berlin; 1954 Dr. rer. pol. Freie Universität Berlin; 1954–1958 Wissenschaftl. Assistent an der TH Karlsruhe; 1958–1961 Wissenschaftl. Referent Sozialforschungsstelle an der Universität Münster in Dortmund; 1960 Habilitation für Wirtschafts- und Sozialgeschichte an der Universität Heidelberg; 1960–1964 Privatdozent und Wissenschaftl. Rat an der Universität Münster; seit 1964 o. Professor der Wirtschafts- und Sozialgeschichte an der Freien Universität Berlin. Mehrfache Gastaufenthalte und Gastprofessuren in den USA, Großbritannien, Kanada und Israel, darunter an den Universitäten Harvard, Berkeley, Center for Advanced Study Stanford, Institute for Advanced Study Princeton, All Souls College Oxford, University of Calgary, Kanada, Georgetown University Washington und Hebräische Universität Jerusalem. 1968–1970 Dekan der Wirtschafts- und Sozialwissenschaftlichen Fakultät der FU Berlin; seit 1966 Vorstandsmitglied der Historischen Kommission zu Berlin; seit 1973 Mitbegründer und Vorsitzender bzw. Stellv. Vorsitzender der Berliner Wissenschaftlichen Gesellschaft; seit 1984 Mitglied des Gründungsausschusses für eine Berliner Akademie der Wissenschaften.

HERBERT GIERSCH, Prof. Dr. Drs. h. c., Präsident des Instituts für Weltwirtschaft, Universität Kiel; geb. 11. 5. 1921 in Reichenbach/Eulengebirge; Studium der Wirtschaftswissenschaft mit kriegsbedingten Unterbrechungen an den Universitäten Breslau und Kiel; Promotion zum Dr. rer. pol. im Februar 1948 an der Universität Münster; Habilitation 1950, Privatdozent an der Universität Münster; 1950/51, 1952 (Administrator) und 1953/54 (Counselor) OEEC, Paris; 1955–1969 o. Professor für Nationalökonomie, insbesondere Wirtschaftspolitik, an der Universität des Saarlandes; seit Juli 1969 o. Professor an der Universität Kiel und Präsident des Instituts für Weltwirtschaft.

Mitglied des Sachverständigenrates zur Begutachtung der gesamtwirtschaftlichen Entwicklung, 1964–1970; seit 1960 Mitglied des Wissenschaftlichen Beirats beim Bundesministerium für Wirtschaft; Mitglied des Deutschen Forums für Entwicklungspolitik, 1970 bis 1973; Vorsitzender der Arbeitsgemeinschaft deutscher wirtschaftswissenschaftlicher Forschungsinstitute e. V., Bonn 1970–1982; Mitglied des Wissenschaftlichen Beirats beim Bundesministerium für wirtschaftliche Zusammenarbeit, 1963–1971; Mitglied und seit 1983 Ehrenpräsident des Council und des Executive Committee der International Economic Association; Mitglied des Comité Directeur der Association d'Instituts Européens de Conjoncture Economique, 1973–1974, Präsident 1974–1975; seit 1971 Honorary Fellow der London School of Economics; seit 1976 Honorary Member der American Economic Association; 6. Juli 1977 Verleihung des Großen Bundesverdienstkreuzes; 17. 11. 1977 Verleihung der Ehrendoktorwürde durch die Universität Erlangen-Nürnberg; Dean Acheson Visiting Professor an der Yale University/USA, 1977–1978; seit 1983 Corresponding Fellow der British Academy, London; 30. 11. 1984 Verleihung der Ehrendoktorwürde durch die Universität Basel.

HERMANN HAKEN, Prof. Dr. Dr. h. c., seit 1960 Professor für theoretische Physik an der Universität Stuttgart und seit 1967 zugleich Honorarprofessor an der Universität Hohenheim; geb. 12. 7. 1927 in Leipzig; Studium von 1946–1950 Mathematik und Physik an den Universitäten Halle und Erlangen; Promotion 1951 in Mathematik an der Universität Erlangen; 1956 Habilitation; Gastwissenschaftler und Gastprofessor an verschiedenen Institutionen in den USA, Großbritannien, Frankreich, Japan und der Sowjetunion.

Max Born Preis und Medaille des British Institute of Physics und der Deutschen Physikalischen Gesellschaft; Albert A. Michelson Medaille des Franklin Institute, USA; Ehrendoktor der Universität Essen und Mitglied des Ordens pour le mérite sowie der Deutschen Akademie der Naturforscher Leopoldina und korrespondierendes Mitglied der Bayerischen Akademie der Wissenschaften; 1985 Physical Society Travelling Lecturership Award.

Wissenschaftliche Arbeiten über Gruppentheorie, Festkörperphysik, Laserphysik und nichtlineare Optik, statistische Physik, Plasmaphysik, Bifurkationstheorie und Theorie zur Morphogenese; Begründung des interdisziplinären Forschungsgebietes Synergetik.

Autor mehrerer Monographien und Lehrbücher, u. a. über Lasertheorie, Synergetik, Quantenfeldtheorie des Festkörpers; seine Bücher wurden in zahlreiche Sprachen übersetzt.

SIDNEY L. JONES, Under Secretary for Economic Affairs at the United States Department of Commerce. Until September 1983 he was a Resident Scholar at the American Enterprise Institute for Public Policy Research, a Professional Lecturer at Georgetown University and Visiting Professor at Dartmouth College. He was formerly Assistant Secretary of the Treasury for Economic Policy.

He graduated from Utah State University and received MBA and Ph. D degrees from Stanford University. He became an Assistant Professor of Finance at Northwestern University in 1960 and an Associate Professor in 1964. In 1965 he joined the faculty of the University of Michigan and was named a Professor of Finance in 1968.

In 1969 he became a Senior Staff Economist and Special Assistant to the Chairman of the President's Council of Economic Advisers. He was appointed U. S. Minister-Counselor for Economic Affairs to NATO in 1972 and Assistant Secretary of Commerce for Economic Affairs in 1973. In 1974 he was named Deputy Assistant to the President and Deputy to the Counselor for Economic Policy to the President. From 1975 to 1977 he served as Assistant Secretary of the Treasury for Economic Policy. After leaving government service in 1977, he became a Fellow at the Woodrow Wilson International Center for Scholars, a research subsidiary of the Smithsonian Institution. Dr. Jones was also Assistant to the Board of Governors of the Federal Reserve System in 1978.

The Under Secretary for Economic Affairs is the chief economic adviser to the Secretary and directs the department's major programs of data collection, analysis, and policy appraisal in the fields of economics and demographics. The Under Secretary exercises policy direction and supervision over the analysis of economic conditions and policy; stimulation of productivity, growth, technology and innovation; and over the Bureau of Economic Analysis and the Bureau of the Census.

EPHRAIM KATCHALSKI-KATZIR, fourth President of Israel, was born in Kiev/ Ukraine, May 16, 1916. He was educated at the Rehavia High School in Jerusalem, was intensely involved in the Labour youth movement, and served in the Jewish Self-Defense Forces (Hagana), becoming an infantry commander and helping to establish Hagana's Scientific Branch. At the Hebrew University in Jerusalem Ephraim Katzir studied Chemistry, Botany, Zoology and Bacteriology. He received his doctorate in 1941, and began his career as Assistant in the University's Department of Theoretical and Macromolecular Chemistry. From 1946 to 1948 he was a Research Fellow at the Brooklyn Polytechnic Institute and at Columbia University, and from 1949 to 1973 headed the Department of Biophysics at the Weizmann Institute of Science in Rehovot. He served as Visiting Professor of Biophysics at the Hebrew University from 1953 to 1961, Guest Scientist at Harvard University from 1957 to 1959, Senior Foreign Scientist at the University of California Los Angeles in 1964, and as Visiting Professor at the Rockefeller Institute, New York.

Professor Katzir was one of the founding faculty of the Weizmann Institute of Science and in a quarter of a century of teaching and research there, he contributed to the understanding of the structure and function of proteins through the preparation of synthetic polypeptides. He did pioneering research on immobilized enzymes which laid the foundations for their use in industry and medicine. He was at the same time profoundly concerned with the social and educational aspects of science. He headed a governmental commission for the formulation of a national scientific policy for the State of Israel; trained a generation of younger scientists; translated important material into Hebrew; helped to establish a popular scientific journal.

Professor Katzir was Chief Scientist of the Israel Defense Ministry from 1966 to 1968. He is a member of the Israel Academy of Sciences and Humanities and of numerous other learned bodies in Israel and abroad, including the Royal Society, London, the National Academy of Sciences of the United States, and the World Academy of Arts and Sciences.

In addition, Professor Katzir won the Weizmann, Rothschild and Israel Prizes in Natural Sciences, the Linderstrøm Lang Gold Medal, the Hans Krebs Medal, the Tchernikhovski Prize for scientific translations, the Alpha Omega Achievement Medal, and is the first recipient of the Japan Prize awarded by The Science and Technology Foundation of Japan.

Professor Katzir was elected President of the State of Israel on April 11, 1973, and sworn into office on May 24. During his term he paid special attention to the problems of society and education and was consistently concerned with learning more about all sectors of the population.

Professor Katzir has been awarded honorary doctorates by the Hebrew University and by the Hebrew Union College in Jerusalem; the Technion in Haifa, the Weizmann Institute of Science; Harvard University, Brandeis University, Northwestern University, the University of Michigan, Thomas Jefferson University and the University of Miami in the U.S.A.; the McGill University in Canada; Eidgenössische Technische Hochschule (ETH) in Switzerland, and the University of Oxford, England. An Honorary Professorship has been conferred upon him by the Polytechnic Institute of New York.

After completion of his term of office in 1978, Professor Katzir returned to his scientific research at The Weizmann Institute of Science and at the Tel Aviv University, where he heads the Center for Biotechnology.


HAROLD W. LEWIS, is a professor of physics at the University of California, in Santa Barbara, California, in the U.S.A. He has been Chairman of a number of committees devoted to the analysis of nuclear safety, was a member of the President's Nuclear Safety Oversight Committee, and is currently Vice-Chairman of the U.S. Advisory Committee on Reactor Safeguards.


SEYMOUR MARTIN LIPSET, Caroline S. G. Munro Professor of Political Science and Sociology and Senior Fellow of the Hoover Institution, Stanford University, where he has been since 1975. Prior to that he served for ten years as the George D. Markham Professor of Government and Sociology at Harvard University. Previous appointments included the University of California at Berkeley and Columbia University. He has held visiting appointments at the Free University of Berlin, the Salzburg Seminar in American Studies and the Kyoto Seminar in American Studies.

Lipset has served as President of the American Political Science Association, the Sociological Research Association, the International Society for Public Opinion Research and the World Association for Public Opinion Research. He has been elected to a number of honorific associations including the National Academy of Sciences, the American Academy of Arts and Sciences, the National Academy of Education, the Finnish Academy of Sciences and the Spanish Institute of Politics.

He has published 18 books, some of which have been translated into some 20 languages. He is currently working on a comparative study of the social requisites of democracy in Third World countries and a volume on Canada and the United States.

HERMANN LÜBBE, Prof. Dr., Philosophisches Seminar der Universität Zürich/Schweiz; geb. 31. 12. 1926 in Aurich/Ostfriesland; Studium der Philosophie und mehrerer sozialwissenschaftlicher Disziplinen in Göttingen, Münster, Freiburg i. Br.; 1951 Promotion in Freiburg i. Br.; 1951–1956 Assistententätigkeit an den Universitäten Frankfurt, Erlangen und Köln; 1956 Habilitation an der Universität Erlangen; 1956–1963 Tätigkeit als Dozent und Professor an den Universitäten Erlangen, Hamburg, Köln und Münster; 1963–1969 Ordentlicher Professor für Philosophie an der Ruhr-Universität Bochum; 1966–1969 Staatssekretär im Kultusministerium von Nordrhein-Westfalen; 1969–1970 Staatssekretär beim Ministerpräsidenten von Nordrhein-Westfalen; 1969–1973 Ordentlicher Professor für Sozialphilosophie an der Universität Bielefeld; seit 1971 Ordentlicher Professor für Philosophie und Politische Theorie an der Universität Zürich; 1975–1978 Präsident der Allgemeinen Gesellschaft für Philosophie in Deutschland; Mitglied der Rheinisch-Westfälischen Akademie der Wissenschaften zu Düsseldorf; Mitglied des Deutschen P. E. N.; Mitglied der Akademie der Wissenschaften und der Literatur zu Mainz.

*Wichtigste Buchpublikationen:* Politische Philosophie in Deutschland. Basel/Stuttgart 1963 (München ²1974). Säkularisierung. Geschichte eines ideenpolitischen Begriffs. Freiburg i. Br. 1965 (²1975). Theorie und Entscheidung. Studien zum Primat der praktischen Vernunft. Freiburg i. Br. 1971. Hochschulreform und Gegenaufklärung. Freiburg i. Br. 1972. Bewußtsein in Geschichten. Studien zur Phänomenologie der Subjektivität. Mach, Husserl, Schapp, Wittgenstein. Freiburg i. Br. 1972. Fortschritt als Orientierungsproblem. Aufklärung in der Gegenwart. Freiburg i. Br. 1975. Atheismus in der Diskussion. Kontroversen um Ludwig Feuerbach, herausgegeben von Hermann Lübbe und Hans-Martin Sass. München 1975. Unsere stille Kulturrevolution. München 1976. Wissenschaftspolitik. Planung, Politisierung, Relevanz. Zürich 1977. Geschichtsbegriff und Geschichtsinteresse. Analytik und Pragmatik der Historie. Basel/Stuttgart 1977. Endstation Terror. Rückblick auf lange Märsche. Stuttgart 1978. Praxis der Philosophie, Praktische Philosophie, Geschichtstheorie. Stuttgart 1978. Wozu Philosophie? Stellungnahmen eines Arbeitskreises, hrsg. von Hermann Lübbe, Berlin, New York 1978. Philosophie nach der Aufklärung. Von der Notwendigkeit pragmatischen Denkens. Düsseldorf 1980. Spengler heute. Sechs Essays mit einem Vorwort von Hermann Lübbe, herausgegeben von Peter Christian Ludz. München 1980. Zwischen Trend und Tradition. Überfordert uns die Gegenwart? Zürich 1981. Die Einheit von Naturgeschichte und Kulturgeschichte. Bemerkungen zum Geschichtsbegriff. Akademie der Wissenschaften und der Literatur zu Mainz. Abhandlungen der Geistes- und Sozialwissenschaftlichen Klasse. Jahrgang 1981. Nr. 10. Wiesbaden 1981. Zeit-Verhältnisse. Zur Kulturphilosophie des Fortschritts. Graz, Wien, Köln 1983. Staat und Zivilreligion. Ein Aspekt politischer Legitimität. Wolfenbüttel 1983. Lessing-Akademie. Lessing-Heft 3.


REIMAR LÜST, Prof. Dr. rer. nat.; Generaldirektor der European Space Agency, Paris; geb. 1923 in Wuppertal-Barmen; 1941–1943 Kriegsmarine; 1943–1946 nach Versenkung des U-Boots als Lt. (Ing.) in amerikanischer Gefangenschaft; 1946–1949 Studium der Physik an der Universität Frankfurt/M.; 1951 Promotion (theoretische Physik) an der Universität Göttingen; 1951 Wissenschaftlicher Mitarbeiter am Max-Planck-Institut für

Physik, Göttingen; 1955–1956 Fulbright-Stipendiat am Enrico-Fermi-Institute der University of Chicago und an der Princeton-University; 1959 Gastprofessor an der Universität New York; 1960 Habilitation »Theoretische Physik« an der Universität München; 1960 Wissenschaftliches Mitglied des Max-Planck-Institutes für Physik und Astrophysik, München; 1961 Gastprofessor am Massachusetts Institute of Technology Cambridge; 1962 und 1966 Gastprofessor am California Institute of Technology Pasadena; 1962–1964 Wissenschaftlicher Direktor der European Space Research Organisation (ESRO); 1963 bis 1972 Direktor des Instituts für extraterrestrische Physik am Max-Planck-Institut für Physik und Astrophysik, Garching/München; 1964 außerordentlicher Professor an der Universität München; 1965 Honorarprofessor an der Technischen Hochschule München; 1968–1970 Vizepräsident der ESRO; 1969–1972 Vorsitzender des Wissenschaftsrates; 1972–1984 Präsident der Max-Planck-Gesellschaft zur Förderung der Wissenschaften e. V.

HEINZ MAIER-LEIBNITZ, Prof. Dr. phil. Dr. h. c. mult.; geb. am 28. 3. 1911 in Esslingen am Neckar; Physikstudium an der TH Stuttgart und an der Universität Göttingen; 1935 Promotion in Göttingen; ab 1935 am Kaiser-Wilhelm-Institut für medizinische Forschung (heute Max-Planck-Institut) in Heidelberg; 1942 Dozent an der Heidelberger Universität, 1948 Abteilungsleiter des Max-Planck-Instituts; 1949 außerplanmäßiger Professor; 1952 Ruf an die Technische Hochschule (heute TU) München, zugleich Leiter des Laboratoriums für Technische Physik; 1957 erster deutscher Forschungsreaktor in Garching; von 1967–1972 erster Direktor des Max-von-Laue-Paul-Langevin-Instituts in Grenoble; 1972 Präsident der Internationalen Union für Reine und Angewandte Physik; von 1973–1979 Präsident der Deutschen Forschungsgemeinschaft; 1979–1984 Kanzler des Ordens pour le mérite.

HUBERT MARKL, Prof. Dr., Präsident der Deutschen Forschungsgemeinschaft, Bonn; geb. 1938 in Regensburg; Studium der Biologie, Chemie, Geographie an der Universität München, 1962 Promotion in Zoologie; 1965/66 Forschungsaufenthalte in den USA (Harvard und Rockefeller University); 1967 Habilitation für Zoologie an der Universität Frankfurt a. M.; 1968–1974 o. Professor an der Technischen Hochschule Darmstadt; seit 1974 o. Professor für Biologie an der Universität Konstanz. Mitgliedschaften (u. a.): Heidelberger Akademie der Wissenschaften; Deutsche Akademie der Naturforscher Leopoldina; Korr. Mitglied der Bayer. Akademie der Wissenschaften; Ehrenmitglied der American Academy of Arts and Sciences, Boston. 1977–1983 Vizepräsident der Deutschen Forschungsgemeinschaft. Forschungsschwerpunkte: Verhaltensforschung und Sinnesphysiologie, Evolution sozialen Verhaltens bei Tieren.

GEORG MENGES, Prof. Dr.-Ing., Institut für Kunststoffverarbeitung in Industrie und Handwerk an der Rhein.-Westf. Technischen Hochschule Aachen; geb. 19. 12. 1923 in Gernsbach/Baden; Studium an der TH Stuttgart von 1949–1953 als Maschinenbauingenieur; Promotion 1955; 1955–1965 Industrietätigkeit bis 1959 in Eisenhüttenindustrie, dann Kunststoffindustrie.

Mai 1965 Berufung auf den Lehrstuhl für Kunststoffverarbeitung der RWTH Aachen, gleichzeitig Bestellung zum Leiter des Instituts für Kunststoffverarbeitung in Industrie und Handwerk an der RWTH Aachen und Geschäftsführer der Vereinigung zur Förderung des Instituts für Kunststoffverarbeitung in Industrie und Handwerk an der RWTH Aachen.

RUDOLF LUDWIG MÖSSBAUER, Prof. Dr., Physik-Department der Fakultät für Physik der Technischen Universität München; geb. 31. 1. 1929 in München; 1949–1955 Studium der Physik an der TH München; 1955–1958 Doktorand am Max-Planck-Institut für medizinische Forschung in Heidelberg; 1958 Promotion an der TH München; 1960–1964 Senior Research Fellow und Professor of Physics am California Institute of Technology in Pasadena/USA; 1964–1972 und ab 1977 Professor für Experimentphysik an der TU München; 1972–1977 Direktor des Institutes Laue-Langevin in Grenoble/Frankreich; 1961 Nobelpreis für Physik (für die Entdeckung des »Mößbauer-Effektes«); Mitglied zahlreicher Gesellschaften und Akademien, u. a. National Academy of Sciences (USA), Päpstliche Akademie der Wissenschaften (Vatikan) und Sowjetische Akademie der Wissenschaften (Moskau).

*Arbeitsgebiete:* Festkörperphysik (Resonanzspektroskopie von Gammastrahlen) und Elementarteilchenphysik (Neutrinophysik).

GÜNTHER PATZIG, Prof. Dr. phil., geb. 1926, Studium der Philosophie und Klassischen Philologie in Göttingen und Hamburg 1946–1951; Dr. phil. 1951, Habilitation für Philosophie in Göttingen 1958; Professor für Philosophie Hamburg 1960–1963, Göttingen seit 1963. Mitglied der Akademie der Wissenschaften zu Göttingen seit 1971; Mitglied des Senats der Deutschen Forschungsgemeinschaft 1979–1985, Mitglied des Wissenschaftskollegs zu Berlin 1984 bis 1985. Niedersachsenpreis für Wissenschaft 1983.

Bisher über 200 Veröffentlichungen, darunter: Die aristotelische Syllogistik (1959), [3]1969 (auch englisch und rumänisch); Sprache und Logik (1970), [2]1981 (auch italienisch); Ethik ohne Metaphysik (1971), [2]1983 (auch spanisch); Tatsachen, Normen, Sätze (1980). Editionen von Schriften G. Freges (1962), [5]1980 und (1966), [2]1976; R. Carnaps (1966), [3]1976; J. Königs, 1978.

*Arbeitsgebiete:* Antike Philosophie, Logik, Sprachphilosophie und Ethik.

DETLEV W. PLOOG, Prof. Dr. med., seit 1964 Direktor der 1966 fertiggestellten Forschungsklinik des Max-Planck-Instituts für Psychiatrie; geb. am 29. 11. 1920 in Hamburg; Studium der Medizin an den Universitäten Halle, Hamburg und Marburg von 1939–1945; Promotion 1945.

Während der Ausbildung in der Nervenheilkunde wissenschaftliche Tätigkeit im Bereich der Neurologie, Neuropsychologie und Neurophysiologie mit dem Ziel der

Zuordnung psychischer und physischer Prozesse; 1955 Habilitation für das Fach Neurologie und Psychiatrie in Marburg/L.; 1958–1960 Visiting Scientist am National Institute of Mental Health, Bethesda, Md., USA; dort Hirnforschung an Affen auf dem Gebiet angeborenen Verhaltens (Neuroethologie); Aufbau und Leitung des ersten deutschen Laboratoriums zur Erforschung der neurobiologischen Grundlagen des Verhaltens von subhumanen Primaten an der Deutschen Forschungsanstalt für Psychiatrie (Max-Planck-Institut) in München (1962) wurde einem Ruf auf den Lehrstuhl für Psychiatrie in Göttingen vorgezogen; seit 1962 Wissenschaftliches Mitglied der Deutschen Forschungsanstalt für Psychiatrie.

Ziel der multidisziplinär angelegten Forschungsarbeit ist die Aufklärung der konditionalen und kausalen Zusammenhänge zwischen Hirnprozessen, Verhalten und Erleben psychisch kranker Menschen. 1970 und 1981 Forschungsaufenthalte am Massachusetts Institute of Technology. Auswärtiges Ehrenmitglied der American Academy of Arts and Sciences (1971); Mitglied der Deutschen Akademie der Naturforscher Leopoldina (1972); Mitglied der Bayerischen Akademie der Wissenschaften (1980).

WOLFGANG PRIESTER, Prof. Dr. rer. nat., Direktor des Instituts für Astrophysik und Extraterrestrische Forschung der Universität Bonn; geb. 22. 4. 1924 in Detmold; 1946 bis 1953 Studium der Astronomie, Physik und Mathematik in Göttingen; 1953 Promotion; 1953–1955 Forschungsassistent am Institut für Theoretische Physik der Universität Kiel; 1955–1958 Assistent an der Universitäts-Sternwarte Bonn; 1958 Habilitation und venia legendi für Astronomie in Bonn; 1959 Observator an der Universitätssternwarte Bonn; 1962 apl. Professor an der Universität Bonn; 1963 Wissenschaftlicher Rat an der Universität Bonn; seit 1964 o. Professor und Direktor des Instituts für Astrophysik und extraterrestrische Forschung der Universität Bonn.

1961–1964 Forschungsaufenthalte am NASA Goddard Institute for Space Studies, New York, N. Y. als Senior Research Associate der US National Academy of Sciences; seit 1965 Forschungsaufenthalte am NASA Goddard Space Flight Center, Greenbelt, MD und am Institute for Space Studies, New York; 1962–1966 Vorsitzender der Working Group IV des COSPAR; 1967 Ernennung zum Consultant am NASA Goddard Space Flight Center – Institute for Space Studies; 1968–1969 und 1973–1975 Geschäftsführender Direktor der Astronomischen Institute der Universität Bonn; 1970–1971 Dekan der Mathematisch-Naturwissenschaftlichen Fakultät der Universität Bonn; 1974 bis 1976 Vorsitzender des Rates Westdeutscher Sternwarten; 1975–1978 Vorsitzender der Astronomischen Gesellschaft; seit 1973 o. Mitglied der Rheinisch-Westfälischen Akademie der Wissenschaften; seit 1974 Mitglied der Max-Planck-Gesellschaft (aw. Wissenschaftliches Mitglied am Max-Planck-Institut für Radioastronomie); seit 1971 Gründungsmitglied und Vorstandsmitglied der »Freunde der Universität Tel-Aviv. Deutsche Gesellschaft zur Förderung der Wissenschaftlichen Zusammenarbeit e. V.«; seit 1953 Mitglied der Astronomischen Gesellschaft; seit 1958 Mitglied der International Astronomical Union; seit 1958 Mitglied der Union Radio Scientifique International; seit 1960 Sekretär des COSPAR Landesausschusses; seit 1983 Vorsitzender des COSPAR Landesausschusses für Weltraumforschung; seit 1961 Mitglied der American Geophysical Union; seit 1964 Mitglied der American Astronomical Society; seit 1965 Mitglied der American Association for the Advancement of Science; seit 1967 Mitglied der Deutschen Physikalischen Gesellschaft; seit 1967 Mitglied der Deutschen Gesellschaft für Luft- und Raumfahrt (DGLR), Gründungsmitglied (seitens der Deutschen Gesellschaft für Raketentechnik und Raumfahrt), Vorstandsmitglied 1968–1969; seit 1964 Beratertätigkeit beim Bundesministerium für Bildung und Wissenschaft als Mitglied verschiedener Fachgruppen bzw. Arbeitskreise in der Deutschen Kommission für Weltraumforschung etc.; seit 1979 Mitglied der New York Academy of Sciences.

*Hauptarbeitsgebiete:* Astrophysik, Radioastronomie, Weltraumforschung, Physik der Hochatmosphäre.

HANS-JOACHIM QUEISSER, Prof. Dr. rer. nat., seit 1970 Direktor am Stuttgarter Max-Planck-Institut für Festkörperforschung; geb. 1931 in Berlin; Physikstudium in Berlin, USA und Göttingen; 1958 Promotion auf dem Gebiet der experimentellen Festkörperphysik.

Als Mitarbeiter von William Shockley in Kalifornien erlebte er dort die Gründerzeit des »Silicon Valley«; 1964–1966 forschte er an Halbleitern im Bell Telephone Laboratory in den USA; 1966–1970 lehrte er Physik an der Frankfurter Universität. Er war Präsident der Deutschen Physikalischen Gesellschaft, Vorsitzender des Wissenschaftlichen Rats der Max-Planck-Gesellschaft und ist Kurator der Stiftung Volkswagenwerk; Fachgebiet ist die Grundlagenforschung an den Materialien der modernen Mikroelektronik.

Das Thema »Siliziumzeit« ist ausführlich in seinem Buch »Kristallene Krisen«(Piper, München 1985) dargelegt.

BERND RÜTHERS, Prof. Dr. iur., geb. 1930 in Dortmund; Promotion 1958 in Münster über das Thema »Streik und Verfassung«; nach der Assessorprüfung 1959 wissenschaftlicher Assistent an der Sozialakademie, Dortmund; von 1961–1963 Direktionsassistent (Zentrales Personalwesen) Daimler-Benz AG; 1967 Habilitation für Bürgerliches, Handels-, Arbeitsrecht und Rechtstheorie (»Die unbegrenzte Auslegung – Zum Wandel des Privatrechts im Nationalsozialismus«, Tübingen 1968, 2. Aufl., Frankfurt 1973); 1967 bis 1971 o. Professor der Rechte an der Freien Universität Berlin; Direktor des Instituts für Rechtssoziologie und Rechtstatsachenforschung; seit 1971 o. Professor der Rechte in Konstanz; seit 1976 Richter am Oberlandesgericht.

Zahlreiche Buchveröffentlichungen im Zivil- und Arbeitsrecht sowie zur Rechtstheorie.

PAUL A. SAMUELSON, Institute Professor, Massachusetts Institute of Technology; born in Gary, Indiana, 15. 5. 1915; M. A. Harvard University, 1936; Ph. D., Harvard University, 1941.

Social Science Research Council Predoctoral Fellow (1935–1937); Society of Fellows, Harvard University (1937–1940); Guggenheim Fellow (1948–1949); Ford Faculty Research Fellow (1948–1949); Hoyt Visiting Fellow Calhoun College, Yale (1962); Carnegie Foundation Reflective Year (1965–1966); Honorary Degrees in United States, Europe and South America. Assistant Professor of Economics, MIT 1940/1944, Institute Professor, MIT 1966; Consultant to the RAND Corporation (1948–1975); Academic Advisory Board, RAND Graduate Institute for Policy Studies, Bureau of the Budget, 1952; Member, Advisory Board of National Commission on Money & Credit (1958–1960); Research Advisory Panel to President Eisenhower's Commission on National Goals (1959 bis 1960); Research Advisory Board Committee for Economic Development, 1960; National Task Force on Economic Education (1960–1961); Consultant to Council of Economic Advisors (1960–1968), 1964 Johnson Task Force on Sustained Prosperity; since 1965 Consultant to Federal Reserve Board; Economic Advisor to Senator, Candidate and President-Elect John F. Kennedy; Senior Advisor, Brookings Panel on Economic Activity; Special Commission on Social Sciences, National Science Foundation; Consultant to Loomis, Sayles & Co., Boston, and Burden Investors Services, NYC; Newsweek contributing editor and columnist (1966–1981); U.S. Congressional Budget Office-Consultant; Congressional Hearings; Federal Reserve Board – Academic Consultant; National Advisory Committee of the Institute for Research on Poverty, Member. Associate Editor of many journals; membership of various Academies and Associations. David A. Wells Prize, Harvard University, 1941; John Bates Clark Medal, American Economic Association, 1947; Medal of Honor, University of Evansville, Illinois, 1970; Alfred Nobel Memorial Prize in Economic Science for 1970; Albert Einstein Commemorative Award, 1971; Distinguished Service Award in Investment Education by National Association of Investment Clubs' Investment Education Institute, 1974; Alumni Medal, University of Chicago, 1983.

*Books:* »Foundations of Economic Analysis«, Harvard University Press, 1947, enlarged edition, Harvard University Press, 1983; »Economics«, McGraw-Hill, 1948, 1952, 1955, 1958, 1961, 1964, 1967, 1970, 1973, 1976, 1980, with William D. Nordhaus 12th edition, 1985 (more than 3 million copies sold in English and published in over 20 foreign languages). »Linear Programming and Economic Analysis«, McGraw-Hill, 1958 (with R. Dorfman and R. M. Solow: French and Japanese translations); »Readings in Economic« (ed.) McGraw-Hill, 1955, 1958, 1961, 1964, 1967, 1970, 1973; »The Collected Scientific Papers of Paul A. Samuelson«, 4 volumes, The MIT Press, Vols. 1 and 2, ed. J. E. Stiglitz, 1966, Vol. 3, ed. R. C. Merton, 1972, Vol. 4, ed. H. Nagatani and K. Crowley, 1978.

EUGEN SEIBOLD, Prof. Dr. rer. nat., Präsident der European Science Foundation; geb. 11. 5. 1918 in Stuttgart; 1937 Hochschule für Lehrerbildung in Esslingen; 1938 Studium der Naturwissenschaften an der Universität Tübingen; 1939 Dienst in der Wehrmacht; 1945 Studium der Geologie an den Universitäten Bonn und Tübingen; 1948 Promotion an der Universität Tübingen; 1949 Wissenschaftlicher Assistent am Institut für Geologie und Paläontologie der Universität Tübingen; 1951 Habilitation an der Universität Tübingen; 1951 Dozent an der Technischen Hochschule Karlsruhe; 1954 Außerordentlicher Professor für Allgemeine und Angewandte Geologie an der Universität Tübingen; seit 1958 ordentlicher Professor und Direktor des Geologisch-Paläontologischen Instituts der Universität Kiel (Rufe nach Erlangen, Bonn, Frankfurt und Tübingen).

1980–1984 Präsident der International Union of Geological Sciences; 1980–1983 Vizepräsident der European Science Foundation; 1980–1985 Präsident der Deutschen Forschungsgemeinschaft und Vizepräsident der Alexander von Humboldt-Stiftung; Mitglied und z. T. Vorsitzender verschiedener nationaler und internationaler Gremien der Geologie und der Meeresforschung; Mitglied der Deutschen Akademie der Naturforscher Leopoldina in Halle (DDR), der Akademie der Wissenschaften und der Literatur in Mainz, korrespondierendes Mitglied der Bayerischen Akademie der Wissenschaften in München, der Heidelberger Akademie der Wissenschaften in Heidelberg; Ehrenmitglied Geologischer Gesellschaften in Frankreich, England, Amerika, Afrika; Chevalier de l'Ordre des Palmes Académiques; Großes Bundesverdienstkreuz; Médaille Albert I. Monaco, Institut Océanographique, Paris; Gustav-Steinmann-Medaille, Geologische Vereinigung; Dr. h. c. University of Norwich; Ehrenprofessur der Tongji-Universität, Shanghai; 1947–1958 Untersuchungen zur Sedimentologie, zur Geochemie, zur Hydrogeologie, zur Tektonik, zur Mikropaläontologie, vorwiegend in Süddeutschland; 1958–1980 Untersuchungen zur Sedimentologie und Meeresgeologie in Ost- und Nordsee, im Indischen Ozean und Persisch-Arabischen Golf, im Ostatlantik vor NW-Afrika und im Indischen Ozean vor NW-Australien; 1965 Fahrtleiter auf »Meteor« im Persisch-Arabischen Golf; 1967–1975 Fahrtleiter auf »Meteor«, »Valdivia« und »Glomar Challenger« im Ostatlantik vor Portugal und W-Afrika; 1979 an Bord der »Sonne« im Indischen Ozean vor NW-Australien.

*Buchveröffentlichungen:* »Lehrbuch der Allgemeinen Geologie« (Kapitel »Meer«), 1. Aufl. 1964, 2. Aufl. 1974; »Meeresboden«, 1. Aufl. 1974; »The Sea Floor« (mit W. H. Berger), 1. Aufl. 1982; »Sahara and Surrounding Seas« (mit M. Sarnthein, P. Rognon) 1980; »Geology of the Northwest African Continental Margin« (mit U. von Rad, K. Hinz, M. Sarnthein) 1982; »Stratigraphy Quo Vadis« (mit J. D. Meulenkamp) 1984.


EDWARD SHILS, editor of *Minerva: A Review of Science, Learning and Policy.* He is professor at the University of Chicago where he has taught social sciences since 1938. His books include *The Intellectual between Tradition and Modernity: The Indian Situation; The Torment of Secrecy; Tradition* and *The Intellectuals and the Powers.*


DOLF STERNBERGER, Prof. Dr. phil. Dr. h. c. Dr. phil. h. c., O. Prof. em. Universität Heidelberg; geb. 28. 7. 1907 in Wiesbaden; Studium der Philosophie, Literatur- und Kunstgeschichte in Kiel, Heidelberg, Freiburg/Br., und Frankfurt/M.; Promotion 1932. 1934–1943 (Verbot) Redakteur der »Frankfurter Zeitung«; dann Industrietätigkeit; 1945–1949 Herausgeber der Monatsschrift »Die Wandlung« (mit Karl Jaspers, Alfred Weber, Werner Krauss, an dessen Stelle später Marie-Luise Kaschnitz); 1950–1958 Mitherausgeber der Zeitschrift »Die Gegenwart«; 1947 Lehrauftrag; 1960 Ordinariat für Politische Wissenschaft in Heidelberg; 1972 Emeritierung.

Ehrenpräsident der Deutschen Akademie für Sprache und Dichtung; Vizepräsident des Institut International de Philosophie Politique; Mitglied der Wissenschaftlichen Gesellschaft an der Johann-Wolfgang-von-Goethe-Universität zu Frankfurt/M.; 1975–1985 Mitglied des Wissenschaftlichen Beirats des Instituts für Zeitgeschichte (München).

1974 Großes Verdienstkreuz des Verdienstordens der Bundesrepublik Deutschland; 1977 Literaturpreis der Bayerischen Akademie der Schönen Künste; 1980 Ehrendoktortitel der Sorbonne; 1980 Johannes-Reuchlin-Preis der Stadt Pforzheim; 1985 Ernst-Bloch-Preis der Stadt Ludwigshafen.

*Buchveröffentlichungen:* (Auswahl) »Der verstandene Tod. Eine Untersuchung zu Martin Heideggers Existenzialontologie« Hirzel, Leipzig 1934; »Panorama oder Ansichten vom 19. Jahrhundert«, Hamburg 1938 u. ö.; »Aus dem Wörterbuch des Unmenschen« (mit Gerhard Storz und W. E. Süskind), Claassen, Hamburg 1957, dtv 1962; »Grund und Abgrund der Macht, Kritik der Rechtmäßigkeit heutiger Regierungen.« Insel, Frankfurt/M. 1962; »Ich wünschte ein Bürger zu sein. Neun Versuche über den Staat.« edition suhrkamp, Frankfurt/M. 1967, 1970; »Heinrich Heine und die Abschaffung der Sünde.« Claassen-Verlag Hamburg/Düsseldorf 1972, als Suhrkamp-Taschenbuch 1976; »Machiavellis ›Principe‹ und der Begriff des Politischen.« Steiner, Wiesbaden 1974, 1975; »Gerechtigkeit für das neunzehnte Jahrhundert, Zehn historische Studien«, Frankfurt/M. 1975, Suhrkamp-Taschenbuch; »Die Stadt und das Reich in der Verfassungslehre des Marsilius von Padua«, Steiner Wiesbaden 1981; »Schriften I: Über den Tod«, Insel Frankfurt 1977; »Schriften II: Drei Wurzeln der Politik«, Insel Frankfurt 1978, Suhrkamp-Taschenbuch 1984; »Schriften III: Herrschaft und Vereinbarung«, Insel Verlag Frankfurt 1980; »Schriften IV: Staatsfreundschaft«, Insel Frankfurt 1980; »Schriften V: Panorama oder Ansichten vom 19. Jahrhundert«, Insel Frankfurt 1981; »Schriften VI: Vexierbilder des Menschen«, Insel Frankfurt 1981; »Die Stadt als Urbild«, Suhrkamp Taschenbuch 1985; »Über die verschiedenen Begriffe des Friedens«, Steiner Wiesbaden 1984.


HELMUT THIELICKE, Prof. Dr. theol. et phil. D. D. Dr. theol. h. c. jur. h. c. litt. h. c.; geb. am 4. 12. 1908 in Barmen; Studium in Greifswald, Marburg, Erlangen und Bonn; 1934 Assistent an der Theol. Fakultät Erlangen; 1936 Privatdozent dort und Berufung auf ein kommissarisches Ordinariat in Heidelberg, von diesem durch die Partei gewaltsam 1940 entfernt; 1940 Pfarrer in Ravensburg (Württ.), später bis 1945 Reise-, Rede-, Schreibverbot, das in den letzten beiden Jahren für Reden am Ort gelockert wurde; 1942 Leiter des Theol. Amtes der Württ. Kirche; stark besuchte und durch Vervielfältigungen verbreitete Abendvorträge in der Stiftskirche Stuttgart, nach der Zerstörung in Bad Cannstadt; 1945 Ordinarius in Tübingen; 1951/52 Rektor dieser Universität und Präsident der Westdeutschen Rektorenkonferenz; seit 1954 Ordinarius in Hamburg; 1960/61 Rektor der Universität; Promotion in Theologie und Philosophie (Erlangen); Ehrenpromotionen: in Theologie (Heidelberg u. Glasgow, Schottland), in der Jurisprudenz (Waterloo, Kanada), in der Literatur (Hickory, North Carolina, USA).

*Buchveröffentlichungen* (Auswahl): »Theologische Ethik«, 4 Bände (J. C. B. Mohr-Tübingen), 2.–5. Aufl.; »Der Evangelische Glaube«, 3 Bände, ebendort; »Das Gebet, das die Welt umspannt« (über das Vaterunser), 13. Aufl., Quell-Verlag, Stuttgart. »Das Bilderbuch Gottes« (die Gleichnisse Jesu) 150. Tausend, ebendort; »Wie die Welt begann« (der Mensch in der Urgeschichte der Bibel), 5. Aufl., ebendort; »Das Leben kann noch einmal beginnen«, 5. Aufl., ebendort; »Woran ich glaube« Das Bekenntnis der Christen, 5. Aufl., ebendort; »Und wenn Gott wäre . . .« Reden über die Frage nach Gott, 2. Aufl., ebendort;

»Das Lachen der Heiligen und Narren«, Über Witz und Humor, Herder-Taschenbuch, 4. Aufl.; »Die geheime Frage nach Gott« Hintergründe unserer geistigen Situation, Herder-Taschenbuch, 3. Aufl.; »Wer darf sterben« Ethische Probleme der modernen Medizin (Organtransplantation, Euthanasie u. a.) Herder-Taschenbuch, 5. Aufl.; »Mensch sein – Mensch werden« Entwurf einer christlichen Anthropologie, Piper, München, 3. Aufl.; »Das Abenteuer des Glaubens«, 1980; »Leben mit dem Tod«, 1980; »Zu Gast auf einem schönen Stern«, Erinnerungen, 4. Aufl. 1985. Buchübersetzungen in USA, England Commonwealth, Brasilien (portug.), Japan, Dänemark, Norwegen, Schweden, Finnland, Holland, Italien, Spanien, Südafrika (africaans).

LEWIS THOMAS, Dr., President Emeritus of Memorial Sloan-Kettering Cancer Center and University Professor at the State University of New York at Stony Brook, was born in Flushing, N. Y., obtained his undergraduate training at Princeton University and his M. D. degree from Harvard. He has served on the faculties of five schools of medicine; he has been chairman of the department of medicine and pathology at one of these schools, chairman of pathology at another, and dean of both (N. Y. U. – Bellevue Medical Center and Yale University School of Medicine). He is a past-member of the Harvard Board of Overseers; and serves on the Boards of Trustees of the Rockefeller University, Guggenheim Foundation, and the Monell Institute.

He has published over 200 scientific papers on virology, immunology, experimental pathology and infectious disease. He has received 20 honorary degrees in science, law and letters, and music. He is a member of the National Academy of Sciences (Governing Board and Council 1978–82); a Fellow of the American Academy of Arts & Science and the American Philosophical Association. He is the 1983 recipient of Kober Medal of the Association of American Physicians.

He is a member of the Advisory Council of the National Institute of Aging, and the Advisory Committee of the Congressional Office of Technology Assessment. He served on the President's Scientific Advisory Committee 1968–72.

Dr. Thomas received the National Book Award in Arts and Letters for »The Lives of a Cell«, the American Book Award (1981) for »The Medussa and the Snail«, the Woodrow Wilson Award from Princeton University. The memoirs of his career, published in February, 1983, is entitled »The Youngest Science: Notes of a Medicine Watcher«. His latest book of essays is entitled »Late Night Thoughts on Listening to Mahler's Ninth Symphony«, Viking Press, October 1983.

ALEXANDER LORD TODD, winner of the 1957 Nobel Prize for Chemistry, is Past President of the Royal Society and Emeritus Professor of Organic Chemistry in the University of Cambridge. He is also first Chancellor of the University of Strathclyde (in Glasgow), which received its charter in 1963; a former director of the National Research Development Corporation (1969–75) and of Fisons Ltd. (1963–78). He was raised to the peerage in 1962 for services to science and government.

Alexander Robertus Todd was born in Glasgow in 1907 and educated at Allan Glen School and Glasgow University, where he won a Carnegie Scholarship. From Glasgow he went to study for two years at the University of Frankfurt a. Main, (where he became interested in biologically important compounds), and subsequently from 1931–34, at the University of Oxford, where he was the 1851 Exhibition Senior Student. After leaving Oxford Lord Todd spent two years at the University of Edinburgh as Assistant in Medical Chemistry and Beit Memorial Research Fellow, after which he went to London as a member of the staff of the Lister Institute of Preventive Medicine. In 1937 he became Reader in Biochemistry in the University of London. The following year he was appointed the Sir Samuel Hall Professor of Chemistry and Director of the Chemical Laboratories in the University of Manchester, where he remained until taking up his professorship at Cambridge from 1944–71. He was Master of Christ's College, Cambridge, 1963–78.

Lord Todd has made distinguished original contributions, particularly in the field of compounds of physiological importance, to the chemistry of natural products since 1931, when he began the work with Sir Robert Robinson on investigation into the synthesis of anthocyanins or water-soluble plant and flower pigments. Beginning with the synthesis of vitamin $B_1$ in 1936, his later work included the structure and synthesis of Vitamin E, and he and his associates, with Dr. D. M. Hodgkin, established the structure of vitamin $B_{12}$ in 1955. Although he has published work on a variety of natural products his most important achievements, including those for which he was awarded the Nobel Prize, have been in the areas of nucleotide and coenzyme chemistry, where, by the development of new methods, he not only synthesised all the major nucleotides and the related nucleotide coenzymes, but established in detail the chemical structure of the nucleic acids. During the course of this work, which provided the essential basis for the further development of knowledge in the fields of genetics and of protein synthesis in living cells, he also devised methods by which the synthesis of the nucleic acids themselves might be approached; the further development of these approaches, mainly through the work of his former pupils, has led *inter alia* to the first synthesis of a gene.

Lord Todd was Chairman ot the Government Advisory Council on Scientific Policy from 1952–64, and of the Royal Commission on Medical Education from 1965–68; President of the Chemical Society from 1960–62, of the International Union of Pure and Applied Chemistry from 1963–65, and of the British Association for the Advancement of Science from 1969–70. He was Chairman of the Managing Trustees of the Nuffield Foundation from 1973–79. He was President of the Royal Society from 1975–80 and was President of the Society of Chemical Industry for its Centenary year 1981–82, and is Chairman of the Trustees of the Croucher Foundation of Hong Kong.

Apart from the Nobel Prize and the Order of Merit Lord Todd has received many honours for his work. He is a member of the order »Pour le Merite« of the German Federal Republic and received the Order of the Rising Sun from the Emperor of Japan. He has been awarded the Royal, Davy and Copley Medals of the Royal Society, the Lomonosov Medal of the Soviet Academy of Science, the Copernicus Medal of the Polish Academy, the Paul Karrer Medal of the University of Zurich, the Cannizzaro Medal of the Italian and the Stas Medal of the Belgian Chemical Society. A Centennial Fellow of the American Chemical Society he is an honorary member of the British, French, German, Swiss,

Spanish, Japanese and Australian chemical societies. He ist also an honorary member of a large number of overseas academies of arts and sciences (including in America the National Academy of Sciences, American Philosophical Society, American Academy of Arts and Sciences and the New York Academy of Science). He is an honorary Fellow of Oriel College (Oxford), Churchill College (Cambridge) and Darwin College (Cambridge) and holds honorary degrees from some thirty universities all over the world (in the United States from Harvard, Yale, Michigan and California). He is well-known as a lecturer and has published over 400 papers in chemical and biochemical journals.

Lord Todd has lectured frequently in the United States and was Visiting Professor at the California Institute of Technology 1938, University of Chicago 1948, Arthur D. Little Professor Massachusetts Institute of Technology 1954 and Hitchcock Professor University of California 1957 and Rockefeller University 1964.

CHRISTIAN VOGEL, Prof. Dr. rer. nat., Institut für Anthropologie der Universität Göttingen; geb. am 16. 9. 1933 in Berlin; Studium der Zoologie, Botanik und Geologie an den Universitäten Kiel und Basel; Promotion 1960 in Kiel als Schüler von A. Remane; anschließend wissenschaftlicher Assistent am Zoologischen, dann am Anthropologischen Institut der Universität Kiel, dort 1964 Habilitation für das Fach Anthropologie; 1971 Ruf auf den Lehrstuhl für Anthropologie der Universität Hamburg (abgelehnt), 1972 Berufung auf den neu gegründeten Lehrstuhl für Anthropologie an der Universität Göttingen; Direktor des Institutes für Anthropologie der Georg-August-Universität; 1978 Gastprofessur am Primate Research Institute der Kyoto-University (Japan); 1982 »Research Fellow« an der Cornell University, Ithaca N. Y. (USA). Mitglied der Deutschen Akademie der Naturforscher »Leopoldina« und der Akademie der Wissenschaften zu Göttingen. Seit 1967 ausgedehnte anthropologische und primatologische Feldstudien in Indien.

*Forschungsgebiete:* Evolution des Menschen und der Primaten, funktionelle Morphologie, Verhalten, Ökologie und Soziobiologie der Primaten.

ALVIN M. WEINBERG, a Distinguished Fellow and former director of the Institute for Energy Analysis, Oak Ridge Associated Universities. From 1955 to 1973, he was director of Oak Ridge National Laboratory, where he had worked since 1945. The originator of the pressurized water reactor, Weinberg has played an active role in the development of nuclear energy. In recent years he has examinded the contribution of nuclear power to the energy mix and other public policy issues involving energy and technology. Mr. Weinberg is a member of the U. S. National Academy of Sciences and of the National Academy of Engineering.

HEINZ ZEMANEK, Prof. Dr.; geb. 1. 1. 1920; machte seine Ausbildung von der Volksschule bis zur Technischen Universität in Wien durch. Erworbene Grade und Titel: Dipl. Ing. Dezember 1944; Dr. techn. Juni 1951; Dozent Juli 1959; a. o. Professor Oktober 1964; Dr. techn. h. c. November 1982; o. Professor November 1984.

Nach seinem Militärdienst war er von 1947 bis 1961 Hochschulassistent an der Technischen Hochschule in Wien. Zwischen 1954 und 1961 leitete er eine Gruppe von Studenten und dann Absolventen, die einen der frühesten europäischen volltransistorisierten Computer entwickelte, das »Mailüfterl«. Es war eine Unternehmung ohne offizielle Basis an der Hochschule, aber mit guter Unterstützung durch die Industrie und die Banken. Parallel zielte eine Vocoder-Entwicklung auf eine digitalisierte Sprach-Übertragung und Computer-Ausgabe von Sprache. Mehrere Projekte wurden für die Post-Automatisierung ausgeführt.

Im Jahre 1961 übersiedelte die »Mailüfterl«-Gruppe von der Hochschule zur IBM und bildete das IBM Laboratorium Wien. Das Vocoder-Projekt übersiedelte mit und das Sprach-Ausgabe-System IBM 7772 war das erste IBM Produkt auf der Basis der Wiener Arbeiten. Das Hauptergebnis der Arbeiten zwischen 1961 und 1976 war eine Formale Definition der Programmiersprache PL/I mit der dazu geschaffenen ›Vienna Definition Language‹ und verbunden mit einer logischen Klärung vieler Einzelheiten von PL/I. Dieser Arbeit ging die erste IFIP Working Conference über ›Formal Language Description Languages‹ in Baden bei Wien, 1964, voraus, die zum Modell für mittlerweile mehr als hundert derartiger IFIP Working Conferences wurde. Zemanek war sechs Jahre lang Vorsitzender der Working Group »Programming Languages«, drei Jahre lang Vizepräsident und von 1971 bis 1974 Präsident der IFIP. Seit 1977 Ehrenmitglied der IFIP.

Sein Hauptthema von 1976 bis 1985 war eine Entwurfstheorie, die er Abstrakte Architektur nennt. Es gibt zwei publizierte Vorträge darüber, aber noch fehlt das Gesamtwerk in Buchform. Mehr als 360 Veröffentlichungen, darunter sieben Bücher, und viele Vorträge und Medienbeiträge haben seine Arbeiten bekanntgemacht.

*Auszeichnungen, Ehrenmitgliedschaften:*
1960 Preis der NTG; 1969 Goldene Stefan Ehrenmedaille; 1970 IEEE Fellow; 1970 Fellow BCS; 1971 ord. Mitglied Akad. d. Künste; 1972 Honorary Life Member of the Computer Society of South Africa; 1972 Honorary Member of the Operations Research Society of Argentina; 1972 Wilhelm EXNER Medaille; 1974 Großes Ehrenzeichen für Verdienste um die Republik Österreich; 1975 Honorary Member of the Information Processing Society of Japan; 1975 Ehrenmitglied der Österreichischen Studiengesellschaft für Kybernetik; 1976 IBM Fellow; 1977 Ehrenmitglied der IFIP, Silvercore; 1978 Prechtl Medaille; 1979 Korr. Mitglied der Österreichischen Akademie der Wissenschaften; 1980 Programming Series; 1980 Ehrenzeichen der Bulgarischen Akademie der Wissenschaften; 1982 Ehrendoktorat der Johannes Kepler Universität Linz; 1984 ADV-Preis 1984 für Verdienste um die Informationsverarbeitung in Österreich; 1984 Wirkliches Mitglied der Österreichischen Akademie der Wissenschaften; 1984 Mitglied der Wiener Katholischen Akademie; 1984 Leonardo-da-Vinci-Medaille der Société européenne pour la formation des ingénieurs; 1985 Korr. Mitglied der k. Spanischen Akademie der Wissenschaften.